# 𝔉ranciscan 𝔗nstitute 𝔓ublications

TEXT SERIES NO. 5

*Edited by* Eligius M. Buytaert, O.F.M.

# HENRY OF GHENT
## SUMMAE QUAESTIONUM ORDINARIARUM

(Reprint of the 1520 Edition)

## II

*Published by*

THE FRANCISCAN INSTITUTE
ST. BONAVENTURE, N.Y.

*and*

E. NAUWELAERTS
LOUVAIN, BELGIUM

F. SCHÖNINGH
PADERBORN, GERMANY

1953

# FRANCISCAN INSTITUTE PUBLICATIONS
## PHILOSOPHY SERIES

1. *The Tractatus de Successivis Attributed to William Ockham.* Edited by Philotheus Boehner, O. F. M., Ph. D.

2. *The Tractatus de Praedestinatione et de Praescientia Dei et de Futuris Contingentibus of William Ockham.* Edited by Philotheus Boehner, O. F. M., Ph. D.

3. *The Transcendentals and Their Function in the Metaphysics of Duns Scotus.* By Allan B. Wolter, O. F. M., Ph. D.

4. *Intuitive Cognition. A Key to the Significance of the Later Scholastics.* By Sebastian Day, O. F. M., Ph. D.

5. *The de Primo Principio of John Duns Scotus. A Revised Test and a Translation.* By Evan Roche, O. F. M., Ph. D.

6. *Psychology of Love According to St. Bonaventure.* By Robert P. Prentice, O. F. M., Ph. D.

7. *Evidence and Its Function According to John Duns Scotus.* By Peter C. Vier, O. F. M., Ph. D.

8. *The Psychology of Habit According to William Ockham.* By Oswald Fuchs, O. F. M., Ph. D.

9. *The Concept of Univocity Regarding the Predication of God and Creature According to William Ockham.* By Matthew C. Menges, O. F. M., Ph. D.

10. *Theory of Demonstration according to William Ockham.* By Damascene Webering, O. F. M., Ph. D.

11. *The Category of the Aesthetic in the Philosophy of Saint Bonaventure.* By Sister Emma Jane Marie Spargo, Ph. D.

## HISTORY SERIES

1. *Three Saints' Lives.* By Sister M. Amelia Klenke, O. P., Ph. D.

2. *Seven More Poems by Nicholas Bozon.* By Sister M. Amelia Klenke, O. P., Ph. D.

## MISSIOLOGY SERIES

1. *Imperial Government and Catholic Missions in China During the Years 1784—1785.* By Bernward H. Willeke, O. F. M., Ph. D.

2. *The Negotiations Between Ch'i-Ying and Lagrenè 1884—1846.* By Angelus Grosse-Aschhoff, O. F. M., Ph. D.

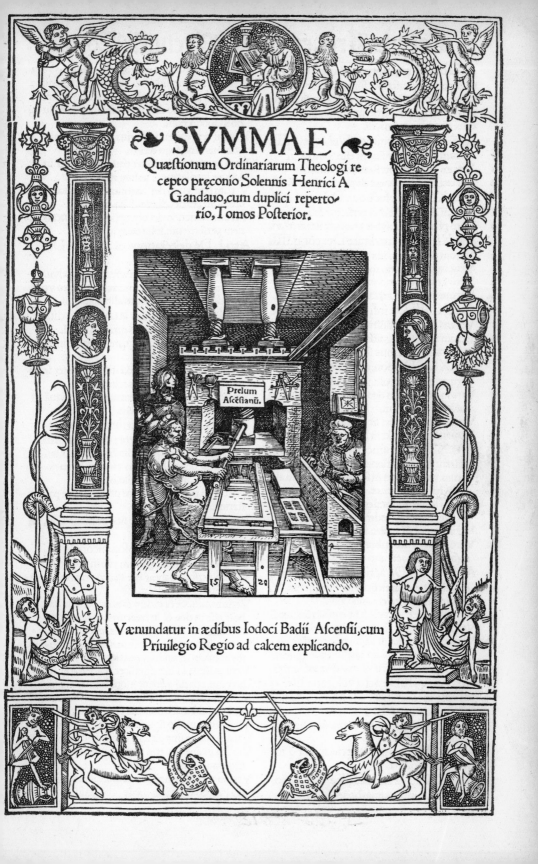

# SVMMAE

Quæstionum Ordinariarum Theologi re
cepto præconio Solennis Henrici A
Gandauo, cum duplici reperto-
rio, Tomos Posterior.

Prelum
Ascēsianū.

15 20

Vænundatur in ædibus Iodoci Badii Ascensii, cum
Priuilegio Regio ad calcem explicando.

# Tabula Arti.et queſt.Secundi Tomi.

※ iii

Sequitur Tabula annotandorū in hac secunda parte Sūmæ Henrici A Gandauo serie literaria.

FINIS.

### Art. XLI. De bonitate Dei.

Iſo de proprietatibus communibus diuinę eſſentiæ ptinen Art. XLI. tibus ad intellectum, ſequitur de ptinentibus ad voluntatem. Et quia ſecundũ quatuor pdeterminata ptinentia ad intellectum:quæ ſunt intelligibile, intellectus,intelligendi habit⁹,& intelligendi actus: quatuor ſunt ſimiliter ptinentia ad voluntatē illis reſpondentia.ſ.volitũ,vt ipm volibile ſiue appetibile,tãꝗ obiectũ volũtatis:ipa volũtas,tãꝗ potētia volēdi:& volendi habitus,& volendi actus:ideo ad modum quatuor iꝗ ſitorum circa diuinũ intellectũ reſtant quatuor inquirenda circa diuinam voluntatem.Quorum

Primum eſt de ipſo volibili ſiue amabili in deo.

Secundum de ipſa voluntate dei.

Tertium de habitu vel quaſi habitu in ipſa voluntate eius.

Quartum de ipſo actu volendi eius.

Et quia volibile ſiue amabile inquantũ volibile aut amabile habet rationē boni,ideo circa primũ iſtorum reſtant duo inquirenda. Quorum

Primum eſt de ratione volibilis ſiue amabilis in deo ſimpliciter.

Secundum vero eſt de ratione boni ſiue bonitatis in ipſo.

Circa primum iſtorum quærenda ſunt tria correſpondentia illis tribus quæ ſupra inquiſita ſunt circa dei intelligibilitatem.Quorum

Primum eſt:vtrum deus ſit volibilis ſiue amabilis.

Secundum:vtrum deus ſeipſo eſt amabilis.

Tertiũ:vtrũ ratio amabilitatis in deo ſit ratio amabilitatis circa oĩa alia ab iſo.Sed quia de⁹ habet rōnē volibilis ſiue amabilis inquantum habet rōnē finis & boni:quēadmodum habet rōnem intelligibilis inquantũ habet rōnē formę & veri:Ideo de iſtis tribus queſtionibus tractandis ſupſedédũ eſt:quia earum determinatio patet iuxta determinatiōe illarũ triũ eis reſpondentiũ de dei intelligibilitate.Et ſequuntur queſtiōes de bonitate dei.Vtrum aũt dicatur bonus eſſentialiter tm̃, an etiam perſonaliter:patet ex determinatis in conſimili q̃ſtiōe de dei veritate.Et quia bonitas habet ratiōe finis:qꝫ cum res vltimate attingit habet rationem pfecti:& pfectum habet rōnē totius ex eo ꝗ omnia continet quæ ad eius perfectionem requiruntur:& ex hcc ꝗ hęc continet abſꝗ limitatione & termino,dicitur infinitum:ideo circa hęc quęrenda ſunt quatuor.

Primum de dei bonitate.     Secundum de eius perfectione.

Tertium de eius totalitate.     Quartum de eius infinitate.

Circa primum iſtorum de Dei bonitate inquirenda ſunt tria.

Primum:vtrum deus dicendus eſt eſſe bonus.

Secundum:vtrum deus dicendus eſt eſſe ſumme bonus.

Tertium:vtrum in deo ſit ponere aliquod malum.

Irca primũ arguit ꝗ deus nõ ſit dicendus eſſe bonus,qm̃ bonum addit ſup ens reſpectũ ad finē,qa p Boethiũ,cui⁹ finis bon⁹ eſt,ipm̃ quoꝗ bonũ eſt,Deo aũt nõ cõuenit reſpectus aliquis ad finem:qa nõ eſt ad finē aliquē ordinat⁹:qa ipe eſt vltimus finis omniũ,ergo &c.Secundo ſic,deo cum ſit purũ eſſe:nihil eſt oppoſitum niſi purũ nõ ens.Sed bono eſt aliquid oppoſitũ pter purũ non ens,ſ.malum, qd̃ ſupponit aliquod ens,ergo &c.In contrarium eſt illud Pſal.Cõfitemini domino quoniam bonus.

    A
    Queſt.I.
    Arg.1.

    2

    In oppoſ.

Quia ante determinationem cuiuſlibet queſtionis de re quacũꝗ ſignificata p nomé,oportet ſcire qd ſignificat p nomē:& qs ſit intellect⁹ ei⁹:idcirco hic ſciēdũ eſt i pricipio:ꝗ cu in reb⁹ creatis a qb⁹ manuducimur ad diuina,videm⁹ duplex bonũ:qdã q̃d cõſiſtit i natura & eſſentia rei:qdã vero qd cõſiſtit in accñte:& aliquo eſſentię rei ſupaddito.Bonũ primo mõ, appellat Boeth.in fine de hebd.gñale bonũ:qa cõſequit oē ens ſecundũ ꝗ ens eſt.Scdm̃ bonũ appellat ſpeciale bonũ:& tale bonũ vt dicit eſt iuſtũ eſſe:accipiēdo iuſtũ a gñali iuſtitia:q̃ ſcdm̃ Phm̃.v.Eth.cõphēdit oēs virtutes:& bonũ iuſtitię oē bonũ virtutis & ſupadueniēs eſſentię rei,p qd ordiaſ ad opari:quia virtus eſt q̃ habentē pficit:& opus eius bonũ reddit. Vñ diſtinguendo primũ bonũ contra ſecundũ,dicit Boeth. ꝗ bonũ eſſe ad eſſentiã , iuſtũ vero eſſe ad actũ reſpicit.Et dicit Aug.viii.de trini.cap.4.Cũ audio(verbi gratia)ꝗ dicit animus bonus:ſicut duo verba ſunt, ita ex eis verbis

    B
    Reſol.q.

duo quędam itelligo:aliud quo animus eſt:aliud quo bonus.Et quidę vt animus eſſet,nõ egit ipſe
aliquid:non enim iam erat qui ageret vt eſſet:vt aũt ſit bonus animus, video agendum eſſe volũ
tate:non quia idipſum quo animus eſt:non eſt aliquid boni:ſed nõdum dicitur animus bonus:ꝗa
reſtat ei actio voluntatis qua f.t preſtãtior.Hęc autem duo genera bonorum ꝗuis in creaturis diſ
ferant,in deo tamen idipſum ſunt:& in vna ratione boni transferuntur a nobis in deũ.Et cum bo
num diuiditur primo equaliter in decem prædicamenta,ſicut ens,vt vult Philoſophus in princi
pio Eth.neceſſarium eſt ꝗ ipſum differat ab eſſe ſiue a natura & eſſentia rei in qua fundaꝶ ſecũdũ
rationem tm̃:quia neꝗ aliud re addit eſſentiæ,ſicut album addit ſup corpus:nec aliud intentione
ſicut ſenſibile addit ſuper vegetabile:ꝗa tũc bonũ cõtraheret ens:ſed ſolum ſuper eſſe & eſſentiam
rei cuius eſt , addit aliquid ſecundum rationem: hoc eſt aliam rõne ꝗ ſit ratio eē vel entis,ꝗ eſt de
terminatus modus ipſius entis,ne bonũ ſit omnino ſynonymũ cum eſſe vel ente.Determinat⁹aũt
modus ꝗ eſt rõnis tm̃, poſitiuus & abſolutus eſſe nõ poteſt:quia nihil eſt tale quid, niſi ponat rem
aut intentionem aliquam aliam ſuper id cuius eſt.Oportet igitur ꝗ ſit negatiuus aut poſitiu⁹ re
ſpectiuus,ſecundum ꝗ de hoc ſatis habitum eſt ſupra.Negatiuum autem modum nihil poteſt ad
dere ſuper ens,niſi negando a ſeipſo diuerſitatem:quia ens quodcũꝗ ex natura ſua ad ſeipſum idē
titatem ponit ex eo ꝗ eſt.Et ille modus ſignificatur nomine vnius:& format primum conceptum
additum rationi entis.Oportet igitur ꝗ bonum ſuper ens & vnum addat reſpectum rationis tm̃.

Id autē ꝗd eſt rationis tm̃,oportet fundari i eo ꝗd eſt rei,ne ſit ratio vana. In re autē qualibet tam
creata ꝗ increata eſt conſiderare & ſpeciem & ipſum ſubſiſtēs i forma & ſpecie. Species aũt duo ha
bet agere:& ſecũdũ hoc duo habet reſpicere. Scdm cõſideratione itellectus noſtri eſt ſpecies primo
rei manifeſtatiua & declaratiua,ſ.quia eſt id ꝗd eſt.Scdo eſt rei i ſuo eſſe pfectiua & cõpletiua. Vñ
cum res nata eſt denominari a ſua forma & ſpecie ſecũdũ ea ꝗ forma agit circa eã:poteſt ergo cõſi
derari res vt per formam ſuam & ſpeciem ipſa res nata eſt manifeſtari eſſe id ꝗd eſt. Sic conſidera
tur in ipſa reſpectus rationis quem habet per ſuam ſpeciem ad itellectũ cognoſcētē:& denoiat hoc
nomine verum:vt patet ex ſupra determinatis.Poteſt etiam alio modo cõſiderari res,vt per ſuam
formam,& ſpeciem habet perfici & compleri ſecũdum ſe in ſuo eſſe. Sic conſideratur in ipſa reſpe
ctus rationis ad ipſam formam & ſpeciem ſuam:& denominatur hoc nomine bonum.Vnde ꝗa ve
rum nominat reſpectum quem habet res p ſpeciem ad intellectum,in quo pficitur actus manife
ſtandi:Bonum vero nominat reſpectum ad ipſam ſpeciem,quę rem perficit:Ideo dicit Philoſoph⁹
vi.meta.ꝗ verũ & falſum ſunt in cõſideratione,bonũ vero & malũ ſunt in rebus. Et nunꝗ definit
verũ niſi p actũ manifeſtãdi:neꝗ bonũ niſi p actũ pficiēdi.Et ꝗa verũ noſat reſpectũ quē habet res p
ſpeciem ad cognitionem in manifeſtãdo:ꝗd facit ſpecies ratione qua eſt ſpecies ſimpliciter:bonum
vero nominat reſpectum quē habet res ad ipſam ſpeciē in pficiēdo : quod non facit ſpecies niſi ꝗa i
ſe pfecte continet ea quę nata ſunt perficere eſſe & eſſentiã rei:nõ quia eſt ſpecies ſimpliciter : & ſic
ratio ſpeciei iꝗuatum pficit,ſe habet p additione ad rõne ſpeciei ſimpliciter:Ideo poſt rõnem entis
& vni⁹eſt tertio rõ veri:& ꝗrto rõ boni.Sic ergo bonũ ſignificat ſuo noie pricipaliter ens pfectione
ſuã attigēs:ſicut verũ ſignificat ens ſeipm̃ itellectui manifeſtãs.Perfectionē aũt ſuã res ſiue ens põt
attigere dupliciter.Vno mõ ꝗa pfecte pfectionē ſuã habet in ſe & ex ſe oĩno. Alio mõ ꝗa illã recipit
ab alio & extra ſe:& hoc vel impfecte,ꝗm illã impfecte attingit ꝓpter aliquã diſtantiã a ſuo fine:vel
pfecte , quoniam illã pfecte attingit ex pfecta cõiũctione cũ fine. Primo modo cadit rõ boni in ſolo
deo.Secũdo modo cadit in creaturis.Propter ꝗd dicit Boethi⁹ de hebd. Primũ bonum in eo ꝗ eſt

bonũ eſt.Scdm vero bonũ eſt,ꝗm ex eo fluxit cuius eē bonũ eſt. Propter ꝗd primũ bonũ eſt bonũ p
eſſentiã.Scdm vero p pticipatiõe ſolũ.Et ꝗa oē pticipatũ ē ab illo ꝗd eſt p eſſentiã:& oē hñs aut re
cipiens bonũ ſuũ ab alio tēdit in illud vt ſuũ bonũ in illo bono pficiatur: ideo deus bonus dicif vt
finis:alia vero oĩa ſicut ea ꝗ ſunt ad finem.Et ſicut alia dicunt bona ꝗ tēdũt in primum bonum ſi
cut in finem vt ipſum attingant:ſic de⁹ dicitur bonũ quia finis ē omnis boni:& in ſe & ex ſe habet
pfectionē & cõplemētũ omnis boni: vt non ſit bonũ hoc aut illũ ſicut ſunt cætera bona:ſed ſim
pliciter bonum:& bonũ omnis boni,dicēte Aug.viii.de tri.ca.iiii.Bona eſt terra. & cętera plurima
ꝗ enumerat tam in rebus corporalibus ꝗ ſpiritualib⁹.vbi ſubdit.Quid plura?bonũ hoc,bonũ illud
& vide ipm̃ bonũ ſi potes:ita deũ videbis non alio bono bonũ,ſed ois boni bonũ.Nõ bonus anim⁹
aut bonus angelus,aut bonum cælũ:ſed bonũ bonũ.Sic em̃ fortaſſe facilius aduertif ꝗd velim dice
re,& infra.Cum itaꝗ audis bonũ hoc & bonũ illud,ꝗ poſſunt alias dici & nõ bona,ſi poteris ſine il
liſque participatione bona ſunt pſpicere ipm̃ bonũ cui⁹ pticipatione bona ſunt.Simul em̃ & ipm̃
intelligis cũ audis hoc aut illud bonũ. Si ergo potueris illis detractã p ſeipm̃ pſpicere bonũ,pſpexe

**Reſponſio** ris deum.Scdm hunc ergo modũ pręexpoſitum ponendum eſt ꝗ deus dicendus eſt eſſe bonus.

Ad prímum in oppoſitum: ꝙ bonum dícit reſpectum ad finem: qꝺ non con
uenit deo:Dícedū ꝙ hoc non habet verítatē nıſi de bono ín creaturís.In deo aūt dícit reſpectū for
mę díuíne eſſentię vt forma eſt ad ipſam vt reꝱ ꝗ deus eſt:habens ín ſe omnē ratíonē pꝼectíonís,quę **F**
deítatí cōgruít:& vterꝙ reſpectus ſígnífícaꝷ noıe boní ı díuerſıs,vt dıctū eſt.Ad ſecūdū:ꝙ bono **Ad prí.**
opponıꝷ malū,qꝺ nō cōuenıt deo:Dícendū ꝙ hoc ſolū habet verítatē de bono creaturę. Bono eıñ **princí.**
deí nullū malū opponíꝷ nıſi qꝺ eſt purus defectus,vt ín tertía queſtíone vídebítur. **G** **Ad ſcdm.**

Irca ſecundū arguıꝷ:ꝙ deus non poteſt dící ſumme bonus,qm ſummum dícit **H**
gradū determínatū emínentíę ín eo cuí addítur,ſed deo nō conuenıt eſſe bonū **Queſt.ii.**
ſecundū alíquem gradū boní determínatū:quía eſt bonus ſcdm rōne oıs gra **Arg.ı.**
dus bonıtatís:quía(vt dıctū eſt ıa)ıpſe eſt omnís boní bonū.ergo &c.Secundo **2**
ſic.bonū qꝺ habet recípe addıtíonē vt fíat melíus,non eſt ſummū bonū ſímplící
ter.bonū aūt díuínū eſt hmōí:ꝗa addıto eı bono creaturę melíus eſt vtrūꝙ ſı
mul ꝗ p ſe alterum tm.ergo &c.Tertío ſic.bonum íllud glorıoſıus & laudabí **3**
líus habetur qꝺ habet voluntatís líbertate ꝗ nature neceſſítate.dícete Híerony.ín Hemíl.ſup Mıſ
ſus eſt angelus.Angelíca glorıam querere maíus eſt ꝗ habere:dum hoc homo vírıbus habere nítı
tur qꝺ habet angelus ex natura.& loquıꝷ de caſtítate vírgínalí.Et Phíloſophus dícıt.ıi.Eth.ꝙ eıs ꝗ
ınſunt nobıs a natura, neꝗ laudamur neꝗ vítuperamur,ſícut eıs quę nobıs ınſunt voluntate.
Deo aūt ıneſt bonū nature neceſſítate,non volūtatís líbertate:quía non eſt bonus quía líbere vult
bonum,ſed econuerſo quía eſt bonus,ídeo líbere vult bonū.Deus ergo non habet bonū quēadmo
dum glorıoſıus & laudabílíus haberí poteſt.ſed tale non eſt ſummū bonum.ergo &c.In cōtraríū **In oppoſı.**
eſt íllud Auguſt.prímo de trını.ca.ıi.Suſcípíemus quātum poſſum⁹ reddere ratíonē ꝙ trınítas ſít
ynus ſolus & verus deus,& ınfra.Et eſſe íllud ſummū bonū qꝺ purgatíſſımıs mentıbus cernıtur.

Dicendum ad hoc,ꝙ ſummum ſecundum alíquā ſpecíem aut formam dícıt alı **I**
quid vel alíquís duplícíter:aut compatıue:aut ſımplícíter & abſolute.Et ccmparatıue duplícíter: **Reſpenſío**
aut cōparatıone ꝑprıa,aut ımprcprıa.Prímo mō de⁹ nō pōt dící ſumme bonus:ꝗa bonıtas rō eſt
vníuoce & ſecundum eādē ratıoñ ín deo & ín creaturís,ſícut neꝗ ſapıētıa aut alıꝗ alıcrum,vt
ınfra vídebıꝷ loquēdo de díuínís pdícatíonıb⁹:& habıtū ē ſupra.Cōpatıo aūt ꝑprıe dícta nō eſt nı
ſı ín vere vníuocís,vt vult Phıus.vıi.phyſı.Scdo aūt mō cōparatıonıs de⁹ dícıt ſumme bonus:ꝗa
excedıt oēm creaturā ı analogıca bonıtate:quēadmcdū quodāmodo ſubſtātıa dícıt ſumme ens re
ſpectu accídētıū.In analogo eın ſıt alıquo mō cōparatıo,lıcet nō ın equıuoco.Nullo eın modo recı
pıtur cōparatıo qua dícıt ꝙ vox eſt albıor colore:ꝗa pure æquoce dícıt albū ın voce & albū ın colo
re.ſcdm Phm ın Top.Sed ex talı cōparatıone nō ıntellıgıt ımmēſıtas ſuę bonıtatıs ꝓpter quā dící
tur ſumme bonus:ꝗa etſı eēt bonı ın determınato gradu fınıtū,adhuc eēt ſumme bonus ın cōpa
tıone.Vñ ınquırēdū eſt quō dıcedus ſít ſumme bon⁹ ſımplícıter & abſolute.Loquēdo ıgıꝷ de ſum
mo ſımplícıter & abſolute,dícım⁹ ꝙ de⁹ ꝓprııſſıme dícıꝷ ſumme bon⁹ duplícıter,& quātıtatıue,& **k**
qualıtatıue.Quātıtatıue,tū ex parte ıpſı⁹ bonıtatıs,tū ex pte hñtıs eā.Ex pte ıpſı⁹ bonıtatıs:ꝗa ı ſe
habet oē bonū & oēm rōnē & gradū pꝼectıōıs ı bono,vt vıdebıꝷ ınfra.Ex pte hñtıs bonıtatē:ꝗa ıſını
tas quaſı capacıtatıs ſuę omnı bono repleta eſt.& ſíc quātıtatıue dícıꝷ ſumme bonus:quēadmodū
vas dıceret ſumme plenū líquore alíquo,qꝺ tantum eſſet repletū ꝙ nō reſtaret neꝗ ex pte capıe
tıs qꝺ poſſet plus capere:neꝗ ex parte recepte qꝺ recıpı poſſet.Dícıt etıam deus ſumme bon⁹ qualı
tatıue:& hoc duplícıter:tum ex parte ıpſıus bonıtatıs habıte:tū ex parte modı habēdı.Ex pte bonı
tatıs habıte:ꝗa alterı⁹ rōnıs & ın ınfınıtum emınētıorıs eſt bonıtas ılla quæ eſt ın deo:ꝗ ſıt ılla quę
eſt ın creaturıs.Símılıter qlıtatıue deus dıcēdus eſt eſſe ſumme bonus ex pte modı habēdı:& hoc
tā ex pte modı habēdı bonıtatē naturalē quæ cōſıſtıt ın eſſentıa reı createę qua pꝼıcıt ın eſſe:ꝗ bonı
tatē ꝗſı ſuperaddıtam qua perfıcıtur quaſı ın bene eſſe.Prıma eın bonıtas etſı cōſıſtat ı natura & eſ **L**
ſentıa reı tam createę ꝗ ıncreate:quía omne qꝺ eſt,ınquantū eſt p ſuam eſſentıā ſıue eſſentıalıter,bo
nū eſt,vt pbat Boethı⁹ lıb.de hebd.nıhılomınus tñ vt determınat ı eodem,quía creaturę eſſe ſuū
& bonıtatē hñt abalıo:ídeo creaturę ptıcıpatıone bonę ſunt.De⁹ aūt ꝗa ex ſeıpſo habet eſſe bonus:
quēadmcdū ex ſeıpſo habet eē,ſcdm mcdū ſupra determınatū:ıdeo ſolus eſſentıalıter boı⁹ ē:& ıō
ſumme.Scda vero bonıtas etſı ın creaturıs re dıfferat a prıma,ın deo ſola rōne dıffert:& ıō ın deo
eſſentıalıs eſt,& ex neceſſıtate nature:nō ex alıqua ſua actıone aut dono alterı⁹ acqſıta aut quaſı ac
qſıta.In creaturıs aūt habet eſſe acqſıta ex dono & gꝼa alterı⁹,& merıto ꝓprıę actıonıs. Nunc aūt
ın ınfınıtū magıs eſt & nobılıus habere bonıtatē ſuā naturalıter & abſꝙ vlla cpatıone,ꝗ cpatıone
quātūcūꝗ modıca,ꝙ eın egett cpatıone alıꝗ ad bonū ſuę pꝼectıōıs acquırēdū: hoc venıt ex defectu

rei & imperfectione,dicente Philofopho in.ii.cx.& mun.Res bona eſt completa exiſtens abſq̃ opatione qua acquirit bonitatem:& res propinqua illi recipit eam opatione vna parua: & res lõgin-
qua eſt res qux recipit eam operationibus multis.Et dat exemplum de ſanitate in hominibus, q̃ q̃
dam ſunt ſani abſq̃ omni operatiõe exercitii diçte aut minutionis:quidã vero acquirunt ſibi ſani
tatç modico exercitio:quidam nõ niſi multis hoq̃.Vnde hõ ppter imperfectionç naturç in gñe i
telligentiũ , pfectam bonitatç qua ſupnaturaliter pficif,& appropinquat ſummo bono, non habet
niſi p multam operationç.Angelus vero qa ſuperioris & perfectioris naturç eſt,habet eã vnica ope
ratione:quia in primo actu ſuç cõuerſiõis ad deũ.Deus aũt quia ç ſupremç & pfectiſſimç naturç
integrã hñs bonitatç, ideo habet eam abſq̃ omni opatione qua ſibi eam acquirat.Et ideo vere eſt
ſumme bonus naturç ſuæ neceſſitate ppter eius oimodam pfectionç,vt pfectio naturç ſuç ſit ratio q̃ eſt bon9 pfecta bonitate,nõ aliq̃ opatione volũtat i ipſo,ecõtrario ei q̃ cõtingit i creaturis.

**M**
**Ad pri.**
**princip.**

¶Ad primum in oppoſitum:q̃ ſummum dicit gradum determinatũ:Dicendũ q̃
gradus põt dici determinatus ex parte modi comparatiõis,vel ex parte rei comparatç.Primo modo ſummũ dicit ſemper gradum determinatum.ſ.ſuperlatiuũ.Secũdo mõ dicit gradum determi-
**N**
**Ad ſcõm.**
natum in ſolis creaturis,in quibus cõparabilia non habent eſſe niſi finitum:in deo aũt nequaq̃:quia
eius bonitas infinita eſt,vt infra patebit.¶Ad ſecũdũ q̃ bonum creaturç additũ bono creatoris facit bonũ melius:Dicẽdũ q̃ non eſt verum:quia q̃ duo bona coniucta faciant melius vtroq̃ ſepa-
to:hoc non cõtingit niſi in pure vniuocis bonis,q̃ ſunt nata facere vnum vel vniri in aliquo vno
bono:quẽadmodũ melius eſt denarius argenteus cum denario cupreo q̃ alter p ſe:quia bonũ pcii
vtriuſq̃ natum eſt vniri in precio denarii aurei:non aũt in equiuocis vel analogis:que ſic ſe habẽt
q̃ ratio vnius pfecte includif in rõne alterius:qualia ſunt bona creatoris & creaturç,ex quibus nõ
eſt natum fieri vnũ:quia non habẽt rõnem vnã boni,neq̃ nata ſunt vniri in vna ratione boni:quẽ
admodũ neq̃ album in voce,& album in colore:& ideo non eſt albius vtrũq̃ ſimul q̃ ſeorſum.Bo
nũ etiã creaturç pfecte includif in bono creatoris:& ideo nõ reſultat aliq̃d meli9 ex ambobus q̃ eſt
ſolũ bonum creatoris.Sicut ecõuerſo bonum ſubſtantiæ & accidentis, licet ſint analoga, ſimul
cõſtituunt aliq̃d melius q̃ ſit aliud per ſe:& hoc ideo:quia ratio bonitatis accidentis nõ includif
**O**
**Ad tertiũ**
omnino in rõne bonitatis ſubſtantiç. ¶Ad diſſolutionç tertiç rationis ſciendum,q̃ eſt duplex bo
nũ in creaturis,vt dictũ eſt ſupra. Vnũ q̃d cõſiſtit in natura & eſſentia rei:& ptinet ad rei pfectionem in ſuo eſſe primo ſubſtãtiali. Aliud q̃d eſt ſupadditum naturç & eſſentiç:& ptinet ad perfectio
nem i ſuo ſecundo accidentali,ſiue in ſuo bene eſſe.Propter q̃d,bonũ primũ eſt eſſe rei ſimpliciter
& bonum ſecundũ quid.Bonũ vero ſecũdũ,eſt bonum rei ſimpliciter & eſſe ſcdm quid. Bonũ pri
mo modo ineſt cuilibet rei tam creatç q̃ increatç neceſſitate naturç:ſed creatori ex ſe & p eſſentia
& creaturç participatione,& ab alio:& ideo pfectius conuenit deo q̃ creaturç,vt dictũ eſt.Bonũ ſe
cundo modo,in deo incidit in idipſum cum bono primo modo,quo ad modum habendi:& differt
ab illo ſola ratione noſtri intellectus:& habetur in deo ſola neceſſitate naturç:& eſt in ipſo quaſi
habitus naturalis voluntatis diuinç,inclinans ipſum ad volendum omne bonum, vt determinabi
tur infra:vt actus diuinæ voluntatis nõ ſit aliquo modo etiam ſecundum rationem noſtri intellectus,ratio qua deus ſit bonus:ſed ecõuerſo q̃ eſt bonus: eſt ratio ſuæ voluntatis. Quia id cuius
voluntas eſt ratio,eſt quaſi acquiſitum bonum per voluntatis operationem.Nunc autem perfecti
us eſt bonum habere abſq̃ operatione qua acquirat illd ſibi.hoc enim eſt de imperfectione : q̃ ſibi
deſit aliquid de ſua perfectione in bene eſſe , vt dictum eſt ſecundum Philoſophum . Et ſic glorioſius & laudabilius habet deus q̃ ſit bonus ex neceſſitate naturç ſuæ etiam de bono q̃d pertinet
quaſi ad bene eſſe naturç , q̃ habeat creatura illud quacunq̃ voluntatis operatione.Et de tali bo
**P**
no q̃d pertinet in creaturis ad bene eſſe:& in deo quaſi ad bene eſſe, procedit obiectio.¶Ad quã di
cendum q̃ aliquid poteſt haberi libertate voluntatis vel propriç vel alienç.Si alienç:ſic omnino p
fectius & nobilius glorioſius & laudabilius habet id q̃d habet neceſſitate naturç propriç,quemad
modũ habet bonũ vtriuſq̃ modi a deo:q̃ id q̃d habetur libertate volũtatis alienç: quẽadmodum
habetur bonum vtriuſq̃ modi a creaturis,quia a libera volũtate dei,vt infra videbitur.Si propriç
& hoc quẽadmodum in hominibus & angelis habetur gloria merito voluntatis propriç cum gra
tia ſecundum fidem catholicam:vel quẽadmodum ſecundum Philoſophum,ſola operatione propria illa quæ ſunt poſt bonũ primũ perfectũ acqrunt ſibi bonum ſuum perfectum:tunc diſtinguen
dum:quia aut bonum vtrunq̃ (ſcilicet q̃d in vno habetur neceſſitate naturæ,in alio vero volũtatis libertate) pertinet ad bene eſſe vel quaſi:vel vnum in vno ad eſſe:aliud vero in alio ad bene eſſe.
Si primo modo:ſic adhuc glorioſi9 habetur cum habet neceſſitate naturç:& eſt deus glorioſus iu

ſtus pius & hmōi,neceſſitate naturę:ḡ creatura,quacūḡ operatione volūtatis.Et ſi ſola voluntate
propria ſibi bonū pfectum acquireret,ſic etiā creatura angelica bonum pertinēs ad ſuum bene eē,
ꝗd habet a deo ex neceſſitate ſuæ naturæ,vt eſt habitus cognitiuus cognitiōe naturali,perfectius
habet illud & glorioſius ḡ habet hō ex acquiſitione.Vnde & ſi angelus habitum glorię haberetne
ceſſitate naturæ ſuæ:ſicut habet habitus ſciētiæ naturalis:quē quidē habitum gloriæ modo habet
ex gratia & ex merito voluntatis ꝓprię:multo glorioſius eum haberet ḡ habet modo: quia tūc eſ
ſet impeccabilis natura:quę multo dignior eſſet ḡ ſit modo cum poſſit peccare:ſed nonesſet eiuſdē
naturę cū illa natura angelica ḡ modo eſt.Et forte natura creaturæ nō eſt capax talis perfectionis
ſecundū fide catholicam,vt declarādum eſt loquēdo de bonitate creaturę.Si vero bonū in vno ꝗd
eſt ei neceſſitate naturę,ꝓtineat ad eſſe:ꝗd vero eſt in alio opatiōe ꝓprię volūtatis,ꝓtineat ad bene
eſſe: & hoc modo glorioſius habetur in hominibus bonum virtutis & glorię ḡ in angelis bonū natu
rę:& hoc nō ꝓpter modum habēdi, ſed ꝓpter rem habitā:quia bonū ꝗd pficit in bene eē, habet ra
tionem boni ſimpliciter:ꝗd vero pficit in eſſe,habet rōne boni ſecūdū quid.De tali aūt bono ꝗd ha
bet neceſſitate naturę in angelo cōparato ad bonū habitum libertate voluntatis in homine,loquū
tur Hierony.& Pſus.Bonum enim caſtitatis virginalis in angelo pertinet ad bonū naturę:neꝗ eſt
virtus in ipſo:nec habet ratiōe virtutis:quia angelica natura vel volūtas nullo modo ordinatur
ad vitium contrariū illi in ſe ſuſcipiēdū, cuiuſmōi eſt luxuria:ꝗa dependet a corpore cui naturali
ter vnitur anima:& eſt pure equiuoca caſtitas illa in angelo & ī homine. Similiter bona naturalia
in homine omnīno habētur ab alio:bonum aūt virtutis aliquo modo ab opatiōe ꝓpria.Propter ꝗd
laus eſt hominí a bono virtutis: nequaḡ autem a bono naturę.Si vero bonum ꝗd natum eſt acꝗ
ri a duobus operatiōe voluntatis:vni daret a deo cū operatiōevolūtatis:alteri aūt ſine opatione
glorioſius haberetur ab eo qui haberet illud cum operatiōe voluntatis ſuę, ḡ qui ſine.

Irca tertiū arguitur:ꝗ in deo ſit ponere aliquod malū,Primo ſic,nullus facit al
teri malum niſi inſit ei malum:ꝗa non eſt malū niſi a malo.Deus facit alteri ma
lum,quia dicit Amos.iii.Non eſt malū in ciuitate ꝗd nō faciat dñs,ergo &c.
℄Secūdo ſic,non pcipit mala niſi in quo eſt malū.ꝗa a bono non procedūt prece
pta niſi bona,deus pcipit mala,ꝗa df Eze.xx.Dedit eis pcepta nō bona,ergo &c.
℄Cōtra eſt.Deuter.xxxii.De⁹ fidelis & abſꝗ vlla iniquitate,ergo nō eſt in eo ali
quod malum culpę.Itē nec malū pœnę:quia immortalis & impaſſibilis eſt.

R
Queſt.iii.
Arg.i.

2

S

In oppoſi.
T
Reſponſio

V
Ad pri.
princi.

X

Q

℄Dicendum ad hoc:ꝗ cum non ſit malum niſi culpę aut pœnę:& vtrunꝗ eſt ex
defectu boni,cuius priuatio eſt ipſum malum,& hoc in alio bono permanente in ipſa:quia non ha
bet eſſe malum niſi in bono,vt debet declarari loquendo de malo in creaturis:quia malum ꝗd eſt
priuatio omnis boni,non eſt in rerū natura:ſed illud eſt purū nō eē:de⁹ aūt ꝗa eſt ſummū bonū,&
ſumme bonus,vt iā oſtenſum eſt,non habet in ſe alicuius boni priuationem aut defectum:ſed ma
gis omnis boni perfectionem:Idcirco dicendū ꝗ in deo nullum omnīno eſt malum:nec ſolum non
habet:ſed nec etiā habere poteſt:quia vt oſtēſum eſt,ipſe eſt de neceſſitate bonus & ſumme bonus,
vt nihil ſuæ bonitatis & pfectionis ſuę poſſit amittere:& hoc quia non eſt in potētia ad hoc.Nullū
autē eſſe ſcdm pfectiōe ſuam vltimam in quo non eſt aliꝗd in potentia:ſequit malum.Non enim
ſequitur malum niſi hoc in cuius natura eſt aliquid in potētia,vt dicit Auicē.ix.metaphyſicę ſuæ
cap.iii.Et ideo (vt dicit ibidē)quia res non eſt in potētia niſi propter materiam, malum ſequitur
materiam.Et quia materiam non poſuit niſi in iſtis inferioribus: ideo dicit ibidē ꝗ cauſę mali non
inueniuntur niſi in iis quę ſunt ſub circulo lunę.In quo non conſentit ei fides:quia deus in ange
lis ſuis reperit prauitatē,vt dicitur Iob.iiii.

℄Ad primum in oppoſitum dicendum: ꝗ exponēdo illud dictum Amos prophe
tę de malo culpæ,illud dicitur facere permiſſiue non effectiue:quia fieri non poſſet niſi ipſe per
mitteret,ſed ꝗd permittit,iuſte permittit:ꝗd autē iuſte fit,bene fit.Et ideo non eſt malus illa a quo
iſto modo fit malum culpæ:ſed ſolum ille a quo fit effectiue:quēadmodum habet cauſam efficiē
tem , ſcilicet in ſuo effectu deficientem , ſecundum ꝗ hæc omnia alias debent declarari ſuo loco.
℄Exponendo vero illud de malo pœna:Dicendum ꝗ in malo pœnæ eſt aliquid poſitiuum: ſci
licet applicatio inſtrumentorum pœnalium , & ordinatio culpæ per pœnam ſecundum viam iu
ſtitiæ : & aliquid priuatiuum, ſcilicet priuatio delectationis & pacis . Quo ad primum,pœ
na eſt a deo:ſed ī hoc nullā habet rationē mali:ſed boni tm:& hoc intendit in pœnis quas infligit
tanꝗ bonum,Quod vero eſt priuationis,non eſt ab ipſo: quia non intendit eam,licet incidat in eo

qd̄ agit & intendit.Nec iputari debet ei q̄ incidat:quia qd̄ agit & intendit,nō nisi iuste agit & in
tendit secundū omnes boni circūstantias.Nunc aūt peccans licet non intendat ad malum aut de
fectum,malum tamen incidit in opus qd̄ agit & intendit non vbi,quando, & quomodo,aut secū
dum alias circūstantias boni secūdū quas debet agere:propter qd̄ malum incidēs sibi imputatur.
Quomodo aūt defectus qui contingit in malo pœnę,deo non debeat imputari,expositum est in q̄
dam quęstione de quolibet.⫶Per idē patet responsio ad secundum.qm̄ pcepta domini inquantum

erant ex domini ferentis vel pcipientis intentione,bona erant:& illi populo congruentia exigente
iustitia,sed malitia eorum factum est vt eis essent non bona propter transgressionē: scdm q̄ latius
expositum est supra.Nunc autem non est malus nisi qui pręcipit mala:vel ex genere operis:vel ex
mala & peruersa ūtentione pręcipientis.

Equit̄ Ar.XLII.de dei pfectiōe.Circa quā duo sūt inqrēda.
Primum:vtrum deus possit dici perfectus.
Secundum:vtrum pfectione cuiuslibet creaturę sit perfect̄?

Irca primum arguit̄ q̄ deus non possit dici perfec⁹.
Primo sic.ome perfectum est factum: quia ppositio il
la p,in pposito non diminuit sed potius auget.Deus
non est factus: qa p ipsum facta sunt omnia , vt vult
August.sup Ioan.ergo &c.⫶Secundo sic.id cui⁹ na
tura stat in eo q̄ supra se recipit omnes conditiones
nobilitatis, maxime impfectū est: quia de rōne pfecti
est q̄ non recipit additionē in dignitate & nobilitate:& de ratione im
perfecti:q̄ recipit additionem,vt iā dicet̄.Deus est hmōi:quia non est nisi esse purū vt habitum est
supra.Esse aūt simpliciter & purū,sup se recipit omnes determinationes dignitatis & nobilitatis,

vt sunt sapientia,bonitas,pulchritudo &c.huiusmodi.ergo &c.⫶Tertio sic.quę pfecta sunt p se ni
hil inuenit extra illa,vt dicit Philosophus.v.meta.ca.de pfecto.& dicit primo cę.& mun.q̄ corpus
vniuersi ex hoc est pfectū qa nō habet aliud corpus extra,qd̄ tangit ipm. extra deum autem sunt

omnes creaturę,ergo &c.⫶In oppositum est:qm̄ impfectum habet esse ab aliquo pfecto qd̄ habet e
se prius,secundū em̄ q̄ dicit Philosophus.xii.meta.semina qa imperfecta sunt:sunt ex aliis pceden
tibus perfectis.Primum enim non est semē:sed aliquid perfectum.verbi gratia : q̄ hominē oportet
esse ante sperma.Deus autem habet esse non ab alio sed a se,vt habitum est supra, a quo ome alid̄
habet esse,vt videndū est infra.ergo &c.Vnde dicitur Matth.v.Estote pfecti sicut pater vester cę
lestis perfectus est,qui est ipse deus. Et in symbolo dicitur de Christo qa est perfectus deus.

⫶Quia vt habitum est ex prædeterminatis,ex eis quæ apparent nobis in creatu⸗
ris declarantur nobis consideranda circa deum creatorem: vt cognoscamus perfectionem diuinā
& qualiter excedit perfectionem omnis creaturæ:oportet hic primo videre modos pfectionis re⸗
pertos in creaturis:& videre quis congruat deo & quis non.Et quia cognitio nostra ab imperfecto
ad perfectum naturaliter procedit: & de imperfecto nata est a nobis haberi cognitio imperfecta:
& de perfecto perfecta:In hoc enim secantur scientiæ quēadmodum & res:vt dicitur tertio de ani
ma:Idcirco incipiendum est a modis imperfectionis repertę in creaturis,vt ex opposito pateant no
bis modi perfectionis. Est igitur sciendum q̄ ratio imperfecti est q̄ ex se sit diminutum in aliquo:
& ideo natum super se recipere additionem alicuius extra se:& econtrario ratio perfecti est q̄ in
se non sit diminutum in aliquo:& ideo nec natum recipere additionem alicuius extra se inquan⸗
tū huiusmodi. Hinc dicit August.lib.de natura & gratia,Ibi est summa perfectio vbi nihil addi⸗
tur.& primo solilo.Summa plenitudo est vbi nihil deest.Circa modos igitur imperfecti,& per con
sequens perfecti,aduertendum:q̄ imperfectum quia potest recipere additionem,aut est susceptibi⸗
le additionis ītra se in simplicitate naturæ suæ & essentiæ:aut extra simpicitatē naturæ & essentię
suæ.Primo modo est imperfectum omne qd̄ intētionem capere potest inquātum huiusmodi:& ex
opposito perfectum est illud qd̄ in naturæ suæ intentione vltimatum terminū habet. Hoc modo
secundum Philosophum.v.metaphysicæ,dicitur perfectum aliquid secundum virtutem & modū
bonitatis suæ,quando nihil aliud potest habere excessum super ipsum secundum genⁿ naturę
& hoc dupliciter:Proprie,& transumptiue.Proprie quando est pfectio secūdū id qd̄ est bonū sim⸗
pliciter,vt dicit aliquis medic⁹ vel musicus pfectus qn̄ scdm speciem proprię virtutis & bonitatis
scilicet medicinæ vel musicę,in nullo deficit aut diminuitur. Et secūdum Commenta.hoc est per

ſectum ſecundum qualitatem, quando nihil inuenitur dignius eo in ſuo genere. Medicus enim
dicitur perfectus a quo nihil diminuitur ex eis quæ pertinent ad actionem medicinæ:& quo nul=
lus medicus eſt perfectior. Tranſumptiue vero dicitur perfectum quando eſt perfectio ſecundum
id qd̄ eſt malum ſimpliciter, inquantum tamē in malo cadit ratio bonitatis ex ordine ad ſuum fi=
nem: licet ſecundum quid, quia non eſt ad finem bonum ſed malum: qui non eſt finis niſi ſecun=
dum quid. Non enim omne vltimum finis: ſed optimū, vt dicit.ii.phyſi. Et per hūc modum ſecū

C

dum Philoſophum.v.meta.dicimus mendacem perfectum & latronem perfectum: quia vocamus
eos nomine bonitatis: & dicimus ꝙ eſt bonus latro & bonus mēdax. Vnde quia pfectio eſt ipſius
finis: quia finis eſt vltimum in re: finem & perfectionem transferendo a bonis ad praua: quia ambo
vltima ſunt: dicimus ꝙ aliquis corrumpitur perfecta corruptione & deſtruitur pfecta diſtructiōe:
quando nihil deeſt aut diminuitur corruptioni & malo: ſed eſt in vltimo corruptiōis & valde ma
lum. Si autem ſit imperfectum: quia ſuſceptibile eſt additiōis extra ſimplicitatem ſuæ eſſentiē: aut

D

ergo tanꝗ totum partis intra ſe: aut tanꝗ pars partis ſupra ſe. Primo modo imperfectum eſt omne
totum qd̄ deficit aut diminuitur in aliqua parte quæ ad itegritatem ſuam requiritur. Et ex oppo
ſito perfectum eſt illud ſecundum Philoſophum.v.meta.cutus impoſſibile eſt accipere aliam parté
extra omino:& hoc dupliciter: vel in ſe & abſolute, vel in reſpectu ad aliquid aliud. Primo modo ſe
cundum Comme.ibide, hō dicit eē perfectum qn̄ nullum membrū illius eſt extra ipſum.i.ꝗ nō eſt
in aliquo membro diminutus. Secundo modo dicit pfectum tempus periodale cuiuſlibet rei natu
ralis extra. quia ſecūdū Philoſophum nō eſt accipere tempus aliqd̄ quod ſit illius temporis pars,
vt eñ dicit Comme.ibide, Tēpus vitæ pfectū in vnoquoꝗ ente eſt id extra qd̄ non inuenit́ tēpus
quod ſit pars illius temporis. Et per hunc modum dicitur numerus perfectus ille qui conſtat ex o=
mnibus partib⁹ ſuis aliquotis reſpectu omniū alioꝝ numerorū. nihil eñ habet extra ſe qd̄ ſit pars
eius vel pars ſuæ partis: ſicut habet numerus abundās & diminutus. Si vero ſit impfectū ſuſcepti
bile additionis extra ſimplicitatem ſuæ eſſentiæ tanꝗ pars partis alterius ſupra ſe ad conſtituendū

E

totum: hoc modo impfectum ſemp eſt illud qd̄ alterum recipit ſupra ſe ꝗ eſt pars, & pfectum eſt
ipſum totum ex vtroꝗ conſtitutū inquantum hm̄ōi. Totum eñ ſcdm Philoſophū.v.metaphy.di
cit́ a quo non diminuit́ aliqua pars quibus dicit́ totū. Qd̄ aūt diminuit́, ſemp dicitur pars illius ex
quo diminuit́. Sed iſta additio ptis ſup partem poteſt fieri vel translatione in aliud ſpecie, vel appo
ſitione eiuſdem ſpecie. Primo modo dupliciter: aut additione alicuius quantitatiui: aut qualitatiui
Primo modo linea eſt dimēſio impfecta reſpectu ſuperficiei:& ſupficies reſpectu corporis: & ſolum
corpus ē dimēſio pfecta. Vt eñ dicit Philoſophus, Magnitudo quæ habet vnā dimēſionē tm̄, linea
eſt:& quæ habet duas, ſuperficies eſt: ꝗ habet tres, corpus eſt. & poſt iſtam non eſt magnitudo alia.
qm̄ vt dicit Cōme.non eſt mēſura ꝗrta. Propter qd̄ (vt dicit ibidē Philoſoph⁹) nō eſt poſſibilis p=
mutatio corporis ad aliud genus : ſicut eſt permutatio lineæ ad ſuperficiem, ſuperficiei ad corpus.
Nam ſi eſt via ad permutationem, tunc corpus non eſt magnitudo perfecta. ergo eſt diminuta. Nā
nō eſt pmutatio niſi in diminuto. Perfectum enim (vt dicit ibi Commenta.) eſt qd̄ nō recipit addi
tionem: nec fertur in aliud genus. Secundo modo materia & omne qd̄ eſt in potentia p ſuſceptio=
nem alicuius formæ ad aliud, inquantum huiuſmodi imperfectum eſt:& totum compoſitum eſt p
fectum. Secundum enim ꝙ dicit Philoſophus.v.metaphyſicę, forma complementum eſt:& cōple=
tum eſt qd̄ habet complementum. Si autem ſit aliquid imperfectum ꝗ receptibile eſt alterius ſu=

F

pra ſe in eadem ſpecie, aut ergo hoc ſit procedente augmento per totum : aut extenſione eius in
aliquo latere eius. Primo modo puer eſt imperfectus ſecundum quantitatem: factus autē vir eſt ſe
cundum quantitatem perfectus. Secundo modo linea recta inquantum ex vtroꝗ termino poteſt
additionem recipere, imperfecta ē. Linea vero circularis quia non habet terminū cui poteſt fieri addi
tio, perfecta eſt, ſecundum ꝙ dicit Philoſophus.ii.cæ.& mun. Cōpletū eſt illud poſt qd̄ non eſt poſ
ſibile aliquam rem inueniri extra ipſam. Poſſibile eſt autem vt addatur in linea æquali additione
ſempiterna:& non eſt poſſibile vt addatur in circulari linea aliquid omnino: eſt igitur linea rotun
da ſtans perfecta. Si autem aliquid fuerit imperfectum: quia ſuſceptibile alicuius ſupra ſe extra ſim
plicitatem naturæ & eſſentiæ ſuæ: aut ergo eſt iſta imperfectio propter differentem gradum natu
rarum: aut propter diuerſitatem in natura ipſarum. Primo modo creatura proxima in dignitate
naturæ primo principio qd̄ de⁹ eſt, ſemper perfecta eſt reſpectu remotioris : & remotior imperfe=
cta reſpectu ſuperioris: quia ſuperior aliquid addit dignitatis in eſſe ſuo ſuper dignitatem in eſſe
iferioris. Scdo mō triplicit́: vl̄ mꝉtitudine eiuſdē ſpecie diuerſitate idiuiduoꝗ: vel eiuſdē gñe diuer
ſitate ſpecierū: vl̄ diuerſoꝝ gñe. Prio mō ipfectū ē qdꝉibet idiuiduū qd̄ habet aliꝺ ſibi ſile i ſpecie ſibi

Aa iiii

additum in eadem specie: & perfectum qd continet totam suam speciem sub vnico indiuiduo: si ali
quod esset tale. Et per hunc modum in primo cæ. & mun. Philosophus posuit mundum esse perfectum: qa secundum ipsum nō posset esse alius numero. Vnde dicit ibi Commē. Hæc est causa mul
torum indiuiduorum vnius speciei. s. qp propter diminutionē non fuit natura contenta in esse vni⁹
Secūdo modo omne corpus mundi contētum in toto est imperfectum & diminutum: quia habet
aliud extra se qd tangit ipsum, licet sit perfectum secundum tres dimensiones, vt dictum est. Et so
lum corpus vniuersi est perfectum: quia nullum potest esse extra qd tangit ipsum. Vnde dicit Phi
losophus, i. cę. & mun. Reliquorū corporū vnūqdq secudū suam dispositionem est in termino com
plementi: quia habet tres dimensiones. Veruntamen est ei terminus quē tangit aliquod corporum
quod est post ipsum: & cōmēsurat ipsum, fit ergo ppter illud vnūqdq eorum multa, vbi dicit Cōmen. Et secundum hūc modū sunt diminuta quę possunt recipere additionem: & non sunt multa
nisi quia sunt contingentes: & qd inuenitur in eis plus q̄ vnum, est diminutum : quia si esset per
fectum sufficeret esse vnum: & sic est in mūdo. Et hoc est qd cōtinuo dicit Philosophus. Totū aūt
cuius corpora ista sunt partes, est completum non diminutum necessario, Commen, i. totus mūd⁹
necessario est pfectus oībus modis perfectionis. Est em perfectum: secundum qp omnes partes eius p
fectę sunt: & qm nihil continet ipsum: & non est plus vno indiuiduo. Et per hunc modum quilibet
numerus minor respectu maioris propter additionem est imperfect⁹. Propter qd dicit Philosoph⁹
v. metaphysicæ. Qd diminuit ex quantitate secundum qp est quantitas, semp dicitur pars illius ex
quo diminuitur: sicut dicit qp duo sunt pars triū. Tertio modo qdlibet genus pdicamenti quo ad
omnia quæ continet, imperfectum est in natura & essentia sua: quia extra se habet perfectionem in
alio pdicamento, quā non habet ex natura & essentia sua. Et pfectiōe opposita huic imperfectioni
nulla creatura oīno pōt esse pfecta: imo q̄libet est ipsecta: qa in sua essentia nō habet qoqd pfectiōis
est in q̄libet alia: sed eā oportet inuestigare i solo creatore deo: qa i ipo solo iuenit, vt habet declara
rī in quæstione sequenti. ¶ Qz ergo quęritur vtrū deus dicendus est esse perfectus, Dicendū qp sic
secūdū ōes modos pfectionis prædictos, amouendo ab eis illud quod impfectionis eis admixtum
est in creaturis: quia in eis pure & absolute pfectum nihil potest inueniri, Est ergo intelligēdum qp
secundum determinationem Philosophi in. v. metaphysicę, ōes pdicti modi pfectionis ad tres redu
cuntur. Dicit em ibi: qp quę dicunt pfecta per se, secūdū hos modos dicunt. quędam quia non di
minuitur ab eis aliquid de bonitate , neq̄ eis est magis: & hoc quo ad primum modū: & etiā ni
hil inuenit extra illa: & hoc quo ad omnes alios pter vltimū: & quodammō vl'i: ita qp in eis est no
bilitas in vnoquoq̄ genere: & nihil est extra illa: & hoc quo ad vltimū modū, quē (vt in sequenti
quęst. patebit) deo attribuim⁹. Vnde exponendo istā vltimā clausulā dicit Cōmen. qp definitio eo
rum q̄ vl'r dicunt pfecta, est talis: qp pfecta sunt illa quorum nihil iuenit p qd dicunt imperfecta in
eis: aut extrinsecū, & ista est dispositio primi principii. s. dei. Et loquit de sic pfectis i plurali, mō po
nentiū plures deos essentialiter, licet secundū veritatem tm vnicus sit talis, vt habitum est ex su
pra determinatis. Et sic ista definitio pfecte conuenit soli deo: quia in ipo solo nihil inuenit per q̄
dicat imperfectum: nec in ipso nec extra ipsum. Vnde & dicit Auicē. iiii. meta. qp pfectum bonita
te est aliqd: quia quicquid debet habere de bonitate habet, & nihil remanet extra. Et p attributio-
nem ad istum modū perfectionis, dicitur perfectio in omnibus aliis q̄ creaturę coueniut. secūdū qp
cōsequēter subdit Philosophus dicēs. Alii aūt modi sunt secūdū hūc modū aut in faciendo aliquid
tale. s. quale facit primū pfectū: aut in habēdo, s. aliqd tale quale ipse habet: aut in congruendo tali:
aut qa dicunt in aliqua pportione qua attribuut ad illa quę dicunt pfecta primo modo. Vbi dicit
Cōmentator, i. alii de quibus dicit hoc nomen pfectum, dicunt pfecta aut qa agut illa q̄ sunt pfecta
aut qa aliqd est in eis istorū pfectorum: aut qa assimilant eis: aut qa eis attribuuntur aliquo modo
attributionis. Deus ergo simpliciter perfectus debet dici: & primo pfectum ex se: in quo nihil inue
nitur iperfecti: neq̄ i ipo: neq̄ extrisecus. Neq̄ in ipso, ppter ōes modos pfectionis pter vltimum, q̄
coueniūt creaturis. Neq̄ extrinsecus, ppter vltimum modum quem nulla creatura attingit: quia
in qualibet inuenitur aliqd imperfecti: quia nō habet in sua essentia id perfectionis qd habet extrī
secus alia creatura: sicut habet deus, vt infra videbitur. Est igitur deus perfectus secūdum primū
prędictorum modorum perfectionis: quia nihil diminuitur in eo de bonitate, neq̄ est aliquid eo in
bonitate magis: & hoc propter eius infinitatem, vt infra videbitur. Sed aliter q̄ in creaturis dicun
tur aliqua pfecta prio mō. In illis em qd pfectū est: cōpositū est ex impfecto & pfectiōe: cui couenit
ille mod⁹ pfectiōis. qm, vt dicit Pĥius, virt⁹ est q̄da pfectio. qdlibet em dicit pfectū qn secūdū specię
pprię virtutis i nulla deficit pte. Et hęc est bonitas cuiuslibet rei substantialis qua pficit in suo eē:
& habet opationē pfectā: debitā suę speciei. Si q̄uā ponam⁹ talē creaturā pfectā eo qp nihil diminuit

in ea de bonitate. Neqʒ etiam eſt aliqd eo ĩ bonitate magis quãtũ ad naturã ſuę ſpeciei.talis eĩ pfe
ctio nata eſt eē ĩ ɋlibet ſpecie creaturę.Eſt tñ aliqd eo ĩ bonitate magis ſimpliciter extra ſuã ſpecie:ĩ
quãtũ quęlibet creatura inferior habet ſupra ſe creaturam ſecũdũ gradum naturę ɋ eſt in bonita‐
te magis,vt patet in.viii.modo pfectionis ꝓdicto:vel ad minus inquãtum ſupra quamlibet creatu
ram eſt ipſe deus.Deficit etiã:quia multas perfectiones accidẽtales nata eſt talis natura in ſe recipe
re:nõ deꝰ.Vñ dicit Auicē.viii.met.Neceſſe eē eſt pfectũ eē,nã nihil deeſt ſibi de ſuo eē & de pfectio
nibꝰ ſui eſſe:nec aliqd gñis ſui eē egredit ab eſſe eiꝰ ad aliud a ſe,ſicut egredit ab alio a ſe. verbi gra
tia ab homine,multa enim de pfectionibus ſui eſſe deſunt vnicuiꝗ hoĩ.& etiã ſua humanitas in‐
uenit in alio a ſe qd ptinet etiam ad quartum modũ pfectionis in deo. Similiter aliter ɋ in creatu‐
ris Deus eſt perfectus ſecundo modo perfectionis: quia nihil ſui eſt extra ipſum:neqʒ eſt in aliquo
diminutus : quia eſt ſimplex & purum eſſe. In quo deficiunt a perfectione compoſita ex partibus
quantitatiuis:ɋuis nihil ſui habent extra:neqʒ ſit in eis aliquid diminutũ.Similiter eſt perfectus ſi
ne omni imperfectiõe Tertio modo:quia propter ſimplicitatem & intranſmutabilitatem ſuũ eſſe
nõ poteſt ferri in aliud:nec habet ipſum p cõpoſitionem aut trãſlationem( ſicut habet corpus)qd
magnę pfectionis eſt in eo.Similiter eſt perfectus quarto modo ſine omĩ iperfectione: quia nõ eſt ĩ
no in potentia:ſed eſt actus purus,vt habitum eſt ſupra.Vnũqdʒ enim pfectũ eſt: inquãtũ eſt ens
in actu:& imperfectum inquantum eſt in potentia cum priuatione actus. Igitur compoſitũ qd ſit
ex potentia & actu:licet ratione actus habet ꝗ ſit perfectum:ratione tamẽ potẽtię aliquid imper‐
fectionis habet adiunctum. Vnde peccabant quidam ex antiquis Philoſophis: qui primum prin‐
cipiũ qd deus eſt , dixerũt eſſe primũ pricipiũ materiale,vt dicitur.xii.meta.& expoſitũ eſt ſupra.
Et propter hoc dixerũt ꝗ eſſe optimum & pfectiſſimum non potuit attribui principio:ſed ei qd p
cedit ex principio.hoc eĩ neceſſariũ eſt de prio pricipio materiali:ꝗa eſt ipfectiſſimũ neceſſario,cũ
ſit maxie ĩ potẽtia,& minime ens:ſed pximũ nõ enti,ɋſi mediũ iter ens actu quoquo mõ:& nõ ens
vt tactũ eſt aliquantulũ ſupra:& magis declarandũ eſt loquẽdo de materia.Nõ autem eſt verũ de
primo principio efficiẽte quale eſt deus,quale nõ viderũt illi:ſed ſolum pricipium materiale,quale
non poteſt eſſe deus,vt habitum eſt ſupra . Sicut enim prima materia p hoc ꝗ eſt ſubiectũ vltimũ
maxime eſt in potentia & imperfectiſſimum:ſic primum agens quia eſt primum mouẽs , maxime
debet eſſe in actu:& iõ pfectiſſimum:ita ꝗ ipoſſibile ſit aliquid eſſe perfectius eo. Cũ eĩ nihil agit
niſi ſecundum ꝗ eſt in actu:& ita actio ſequit modũ actus in agente: impoſſibile eſt ꝑductum per
actionem eſſe in nobiliori actu ɋ ſit agens:etſi ſit in ęquali:ſicut eſt filius cum patre:ſi reducamus
omnes alias actiones quaſcuꝗ ad actiones pſonales in diuinis:& illas ad actionem primã qua pa‐
ter producit verbum:ſicut neceſſe eſt reduci,vt infra videbit.Quomodo autem non poteſt ĩ ęqua
li actu:ſed neceſſario in iferiori & imperfectiori producere aliquid in creaturis extra ſuã ſubſtãtia,
patebit loquendo de creaturis. Quomodo etiam imperfectum ens & in potẽtia, nõ poteſt eſſe pri‐
mum ſimpliciter:ſed neceſſe eſt vt pfectũ præcedat impfectum,& impfectum ſit a pfecto,habitum
eſt ſupra.Similiter deus eſt pfectus ſine omni iperfectione ad ſimilitudinem quinti modi:ꝗa in vir
tute eſſentię & naturæ augmentum non recipit,neqʒ ex imperfecto ad pfectum p tranſmutatio‐
nem & alicuius appoſitionem deuenit.Similiter eſt pfectus iuxta.vi.modum propter circulum in
finitatis ſuæ:non eſt tamen in ſe ex partibus finitis compoſitum:ſicut compoſitus eſt circulus.Si‐
militer iuxta ſeptimum modũ ſolus deus veriſſime dicitur pfectus ſine oĩ imperfectione:quia ipſe
ſine gradu dignitatis naturæ in ſuo eſſe omnem gradum creaturæ tranſcendit:in qua impfectio‐
nis eſt & defectus:quia ĩ dignitate ſui eſſe limitationem habet & gradum.Et ex hoc patebit in ſe
quẽti queſtione quomodo deus eſt perfectus pfectionibus omnibus omnium creaturarum. Simili‐
ter iuxta modum octauũ ſolus deus vere pfectus eſt ſine omni imperfectione annexa:quia vt ha‐
bitum eſt ex ꝓdeterminatis,ipſe vnicus ē ſecũdum numerũ:ita ꝗ non poſſit eſſe deus alius nume‐
ro differens ab ipſo . Creatura autem aliqua etſi ſit vnica in vna ſpecie , vt propter perfectionem
eius in vnico indiuiduo ſit contẽta:& hoc quia ĩ natura illius indiuidui ſit perpetua & incorrupti
bilis:ppter qd plura ſũt indiuidua ſibi ſuccedentia ꝓpter continua gñatione & corruptibilibus:vt
qd in vno ꝑpetuari non poſſit,perpetuetur in pluribus,vt dicit Philoſophus.ii.de anima:nulla ta‐
men ſpecies creaturæ eſt quæ inquantum eſt de ſe,apta ſit non plurificari per plura indiuidua.ſi
cut patebit infra loquẽdo de vniuerſali . Et illud eſt impfectionis in quolibet indiuiduo:quia totã
capacitatẽ ſpeciei in ſe nõ terminat.ſcdm ꝗ de hoc mõ pfectiõis & ꝓcedẽte & ſequete fil dicit Aui
cē.viii.meta.Neceſſe eē eſt pfectũ eē.Nã nihil deeſt ſibi de ſuo eē & de pfectiõibꝰ ſui eē:nec aliqd ge
neris ſui eē egredit ab eē eiꝰ ad aliud a ſe : ſicut egredit ab alio a ſe.verbi gratia ad hoĩe.Multa eĩ
de pfectionibus ſui eē deſunt vnicuiꝗ homini:& etiã ſua humanitas inueniť in alio a ſe,ſed neceſ‐

se esse est plusq̃ perfectū,quia ipm̃ esse qd̃ est ei,nõ est ei.tm̃:imo etiã oē esse est exuberãs ab esse ei⁹ & est eius,& fluit ab illo.De eodē li.iiii.c.xxii.Similiter iuxta.ix.modū solus de⁹ vere perfect⁹ est sine omni imperfectione annexa,quia extra ipm̃ nihil est qd̃ nõ habet ver⁹ esse in ipõ q̃ in se extra ipm̃ ita q̃ oĩo nihil potest esse extra ipm̃ qd̃ nõ sit in ipso:quia oĩa per ipm̃ facta sunt,& sine ipõ factũ est nihil.Io.i.sicut etiã habet declararí loquēdo de exitu creaturarũ in eē.Si aũt esset tale aliqd̃ extra ipm̃ qd̃ nõ esset ab ipso,neq̃ verius in ipo q̃ in semetipo,hoc magnę ipfectionis esset in ipo,sicut ſm̃ Pl̃m imperfectionis est in quolibet corpe in vniuerso q̃ sit cū ipo aliud corpus tãgēs ipm̃ qd̃ nõ est ab ipso,neq̃ p essentiã in ipso.Sed q̃ multa sunt extra ipm̃ q̃ sunt in ipso,& ver⁹ q̃ in se sunt in ipo:hoc ex magna pfectione ꝓcedit in ipo:& esset magnę imperfectiõis si nõ possent esse ab ipo extra ipm̃,licet p suū esse ab ipo nullã perfectionē apponũt ipsi,vt exponendū est loquendo de creaturis. Nūc aũt etsi nõ sit aliud corpus extra corpus vniuersi huius cõtinens ipm̃,& quo ad hoc corpus vniuersi est pfectius quolibet corpe cõtēto ab ipso,vt posuit Pl̃s & bene,q̃a tñ posset esse aliud corpus extra ipm̃ continēs ipm̃,vt cœlū maioris ambitus extra vltimū cœlū qd̃ modo est vltimū continēs ipm̃,qd̃ essentialiter esset extra ipm̃,& nõ ab ipso,sed solū a diuina potētia infinita hoc agēte, qd̃ Pl̃s nõ sentiebat,immo cõtrariū sentiebat,& male:Idcirco quo ad hoc corpus vniuersi cū sua pfectione quã dedit ei Pl̃s,magna imperfectio est ei annexa:quã non vidit.Iuxta.x. vero modū solus deus ita pfectus est q̃ in illa pfectione nulla creatura ei in aliquo pticipat. Nulla ei creatura alteri⁹ naturę pfectionē ꝓpriã habet in se,sicut de⁹ habet pfectiones ꝓprias oĩm creaturarũ,vt in sequēti q̃stione patebit.Vnde dicit Dio.xiii.c.de di.no.Theologia de oĩm causa omñ & simul oĩa ꝓdicat,& vt pfectū & solū pfectum.ergo est nõ solū vt per seipm̃ perfectū,& totū p totū perfectissimū,sed vt plusq̃ perfectissimū,secundū oĩm excellentiã & oēm q̃si multitudinē terminãs,oĩm summitati sup expansum,& a nullo locatū aut cõprehēsum,sed extensum in oĩa simul & sup omnia.Et ideo dicit Auicē.viii.Meta.Necesse esse est plusq̃ perfectū:q̃a ipm̃ eē qd̃ est ei,nõ est ei tm̃:imo etiã oē esse est exuberans ab eius esse,& est eius,& fluit ab illo.Q̃ etiã alias pfectiones habeat secūdū alios modos ꝓcedētes,hoc est participatiõe pfectionis huius secūdū aliquē gradū attributionis,vt dictũ est ſm̃ Pl̃m.Oēs em̃ alii modi pfectionis qui creaturis conueniunt ab isto descendũt, & in istũ reducunt tanq̃ in illo q̃ habet in se rationes oĩm modorũ pfectionis sine omni ratione imperfectionis annexa.

**N**
**Ad primū**
**principale**
¶ Ad primū in oppositū q̃ deus nõ est perfectus,quia nõ est factus : dicendū q̃ si aspiciamus ad originē nois,quantū ad rationē impositionis,deus perfectus dici non potest, quia vt ꝓcedit argumentū,quantū ad nominis impositionē perfectū dicit aliquid quia ad plenū factum:vt q̃ positio illa per,in compositione significatū factionis augeat,nec mutet,nec minuat.Et sic quantū ad proprietatē nois,qd̃ factum non est,perfectū dici non potest. Cum em̃ aliquid ducit̃ de potentia in actum & de nõ esse in esse,tunc fit,& quodãmodo factū est, quia secundū Pl̃m.vi.phy. in quolibet fieri sunt infinita facta esse.Cũ vero p tale fieri ad plenum & vltimate factum est in actu, ad qd̃ erat prius in potentia:tunc recte secundū nominis ꝓprietatē dicit̃ perfectū,quasi plene & totaliter factū potētia totaliter ad actū deducta quantū est possibile nihil remanēdo de nõ esse. Si vero inspiciamus ad naturã rei cui hoc nomen perfectū imponit̃,cuiusmodi est actus completus vt actus est absolute,nõ vt alicui potētiæ admixtus,qui verissime habet esse in deo,vt probatū est supra: & vt dicit Diony.xiii.c.de di.no.perfectū dicit velut nõ auctū:sed semper perfectum:& vt indiminutum vt oĩa in seipso superans secundū eandem superplēnã & non minoratam largitatē per quã perfecta sunt omnia perficit,& propria replet perfectione:Hoc ergo modo deus ꝓpriissime dicit̃ esse pfectus:& creatura secūdario & ex cõsequenti p quãdã attributionē:nomine perfecti dicto analogice de actualitate esse creatoris & creaturę,vt perfectū in cõmunitate analogica acceptū non solum no minet existens in actu cõpleto qd̃ fiendo peruenit ad ipm̃, sed etiam illud qd̃ ex se sine fieri ꝓcedēte habet actum completū,quia ex se est necesse esse.Et hoc cõtingit sæpius in creaturis,q̃ idem qd̃ ꝓius est significatū sub noīe quantū ad nominis famositatē & proprietatē ipositionis, posterius est sub ipso quantū ad veritatem rei.Et econtrario in eis quę cõmuniter cõueniunt creatori & creaturę cõtingit semp,quia noīa non sunt a nobis primo imposita nisi repertis in creaturis tãq̃ nobis notis magis.Nõ em̃ imponit nomē nisi qui nouit rem.secūdū Cõmen.sup.vii.Meta.Consequēter aũt cognito ex creaturis quia perfectio habet esse in creatore q̃ cognouimus in creaturis,noīa imposita creaturis transferrim⁹ ad significandū ea q̃ aduertimus esse in creatore,qd̃ nõ põt esse sine aliqua noīs iꝓprietate,quantū est ex ratione ipositionis.Propter qd̃ dicit Gre.q̃ balbutiēdo vt possum⁹ excelsa dei resonam⁹.Vnde idē loquēs de hoc noīe pfectū circa deū.xxix.Mora.in principio ait.Hoc ipo qd̃ pfectū dicim⁹ multū ab illius veritatis expressione deuiamus,quia qd̃ factū nõ est nõ potest dici pfectū:& tñ infirmitatis nostrę verbis dñs cõdescēdēs ait. Estote pfecti sicut & pater vester cœ

leſtis pfectus eſt.⟨Ad ſecudū,ꝙ deus quia eſt purū eſſe,& recipit ſupra ſe rationes omĩs pſectiõis  **O**
debet eſſe ſumme imꝑfectum:Dicédū ꝙ tam in creatore q̃ in creatura eſſe pōt conſiderari reſpe=  Ad ſcdm.
ctu eſſentię rei:vel reſpectu attributoꝝ eſſentię:& vtroꝗ mõ eſſe ppriiſſime deo cõuenit inter oĩa
ei attributa & de eo p̃dicata.Maxime eĩ exprimit rationé actus ex ſuo noĩe:omnia aũt alia vt eſ=
ſentia,vita,ſapiétia,& cętera hmõi,magis exprimũt diuinũ eſſe in rõne habitus. Vnde cum eſſe,
eſſentia,vita,ſapiétia,& hmõi idipm re in deo nominãt ſub differéti rõne eſſe prio ei attribuédo,
vt dícat eſſentia ab eſſe:nõ aũt eſſe ab eſſentia:cuius ratio primo cõuenit deo poſt rõne eẽ:& dehic
vlterius rõnes alioꝝ p ordiné ſecundū rõne noſtram intelligédi,vt infra videbĩt: non vt determi=
nantia & cõtrahétia eſſe dei:ſic eĩ eſſe eſſet ratio ſumme ipſecta i deo:& de⁹ ſumme impſectus,in
quantũ non eſt niſi eſſe:ſed vt explicantia ppriis rõnibus quę eſſe continet in ſe in actu pſecto ſub
ratione eſſendi cõmuni.Noiat eĩ eſſentia diuinã naturã inquatũ eſſe eſt ei act⁹ qui eſt eẽ abſolute
Vita vero noiat eandem inquatum eſſe eſt actus eius q̃ eſt viuere.Sapiétia inquantũ eſſe eſt actus
eius qui eſt ſapere:& ſic de aliis. Et ſic oĩs actus in deo ſub eſſe actu includĩt:& eſt id qd̃ compa
rat ad omnia diuina attributa vt eſſe eorum & forma:& ſic cõparat ad alia non vt recipiens ad
recepta,& materiale ad formale,ſicut pcedit ratio:ſed magis vt formale receptum ad recipiétia:ꝗ
actualitaté ſuã in eo & ab eo hñt ex receptiõe:& id qd̃ ſunt:vt oĩa q̃ ſignificant in deo vt habitus:
ſicut eſſentia,vita,ſapiétia,& hmõi,ſcdm rõne intelligédi itelligãt denoiari ab eſſe puro:eſſentia i
quatũ eſſe ſimplr:vita iquatũ eẽ eſt viuere:ſapiétia iquatũ eẽ é ſape:& ſic de aliis.q̃ſi oĩa pcederént
i deo ab eẽ:ſicut ſi lux pcederet a lucere:& hoc qa ppriiſſimũ eſt deo actualitas.Ecõuerſo aũt cõti
git i creaturis ꝙ act⁹ itelligédi pcedit ab habitu vt ab eẽntia eẽ & a ſapiétia ſape:ſicut a luce luce
re:& hoc qa creaturę nõ é ex ſe eſſe i actu:& ideo ſecūdū rõne noſtrã itelligédi prio habet a deo ꝙ
ſit eſſentia:& eſſe qa eſt eſſentia:ſicut ſape quia habet ſapiétiá.Et ppter hoc in creaturis rõ eẽ qd̃ p
cedit ab eſſentia ſua,non includit in ſeiratione cuiuſlibet alterius actus:ſicut neꝗ eſſentia cuiuſli
bet alteri⁹ habit⁹ includit.Immo ſicut eſſentia differt re i creatura a ſapiétia:ſic eẽ pcedés ab eſſen
tia differt ab eẽ qd̃ pcedit a ſapiétia,vt ipſa in ſe eſt qd̃a eẽntia:& multo fortǐ ab ei⁹ actu ſcdo q̃ eſt
ſape.Et ſicut ſapiétia ſe habet p additioné ad eſſentiá:ſic eſſe huius ad illud eſſe.Et hoc eſſe ſubſtã
tiale in creaturis cõparat ad ſolá eſſentiã vt formale & actuale receptum in ea,non cauſando eam:
ſed magis cauſatũ ab ea:econtrario eius qd̃ dictũ eſt de eſſentia & eẽ in deo:ad alia aũt attributa ac
cidétalia eſſentię, vt icõpletũ recipiés ea & determinatũ p eſſe eoꝝ.Inquatũ eĩ qd̃libet illoꝝ eſt
natura qd̃a & eſſentia in ſe,act⁹ cuiuſlibet illoꝝ eſt eſſe qd̃a:ſed accidétale eſſentię ſubſtantiali &
ei⁹ eſſe,qd̃ qd̃e eſſe accidétale vt act⁹ & forma eſt reſpectu eẽntię illoꝝ attributoꝝ.Vt ſic gñalíter
verum ſit ſumédo eẽ vt cõe analogum ad eẽ ſubſtãtiale & accidétale , ꝙ eſſe eſt oĩm pſectiſſimum
& ad oĩa alia cõparat vt actus:qa nihil habet actualitaté niſi p eſſe aliqd̃:vt eẽ cõmune analogũ ſit
actualitas oĩm reru & ipſaru formaru etiã tam ſubſtantialiũ q̃ accñtaliũ:quia omnia cõparat ad illas nõ
vt recipiés ad receptũ:ſed magis econuerſo.Et in neutro iſtoꝝ eſſe includũt actus ſecundi attri=
butoꝝ vt ſape & hmõi:immo iſti actus re differũt ab illis:& ſunt formales reſpectu illoꝝ.Quia tñ
ipſum ſape eſt qd̃a eſſe & qd̃a viuere:ſumédo adhuc cõmuniſſime eẽ:vt cum eſſe eſſentię ſub=
ſtãtię, & accñtis cõphédat qd̃ eſt agere in actu ſcdo: verũ eſt gñaliter ꝙ eſſe ſup oĩa formale eſt:ali
ter tñ in deo q̃ in creatura,vt dictũ eſt.qa ibi vnũ & idé eẽ eſſentię eſt continés oĩa eẽ ſine determi
nationis receptione:a quo quaſi ſunt eẽ ipſa & attributa vt dictũ eſt. hic vero ſunt diuerſa eẽ:quo
rum alia determinãt alia & pcedunt ab ipſis eſſentiis vt dictum eſt.⟨Ad tertiũ ꝙ multa ſunt extra  **P**
deũ:ergo non eſt pſect⁹:Dicédũ ꝙ extra aliqd̃ eſt aliud dupliciter. Vno mõ ita ꝙ nullo mõ habet  Ad tertiũ
illud alid̃ eẽ in eẽntia ei⁹.Qd̃ ſic habet alid̃ extra ſe:neceſſario habet eẽ ipſect⁹,vt dictũ é ſupra: qa
nõ habet in ſe pſectioné illi⁹ alteri⁹:& ita aggregatum cũ ipo totũ eſt pſect⁹ qd̃dã.Alio aũt mõ ha
bet aliqd̃ eſſe extra aliud:ita ꝙ veri⁹ habet eſſe in illo & eſſentia ei⁹ q̃ in ſeipſo. Qd̃ ſic habet aliud
extra ſe:neceſſario eſt pſectiſſimũ in ſe:quia habet in ſe oĩm pſectiones:& de ſua pſectione eſt ꝙ ta
le aliud pducit extra ſe:nec eſt pſectius hoc cum illo qd̃ eſt extra ſe quaſi cõgregatũ,q̃ ipm ſolũ p
ſe:quia quicquid perfectiõis habet illud extriſecũ,hoc pſe habet in ſe:licet ſint plura perfecta:ſecũ
dum ꝙ amplius habet declarari loquendo de deo in comparatione ad creaturas.

⟨Irca ſecundũ arguit ꝙ de⁹ nõ ſit pſect⁹ pſectioné cuiuſlibet creaturę. Prio ſic.pſe=  **Q**
ctiones creaturaru limitatę ſunt in certo gradu eſſendi,& ita finito,nihil aũt fi=  Queſt.ii.
nitum & limitatũ habet eẽ in deo.ergo &c.⟨Secundo ſic.non ſunt pſectiões di=  Arg.i.
uerſę p eſſentiã niſi ſcdm diuerſitaté graduũ in eſſendo,vbi eĩ idé gradus eẽn=  2
di p ęqualé diſtantiã ſe habens ad eſſe idé,ibi eadé eſt pſectio. Vnde dicunt qd̃a
ꝙ quia diuerſa p eſſentiã nõ poſſunt eſſe eiuſdé perfectionis,diuerſa p eſſentiã

non poffunt per equalé diftantia fe habere ad deū.de quo videndū eft loquēdo de creaturis. Vbi er
go non poffunt effe diuerfi gradus in effendo, neqʒ diuerfę pfectiones diuerforū per effentiā.in deo

In cppofi.
nullus poteft effe gradus in effendo, quia in ipo nulla in effentia eft realis diuerfitas. ergo &c. ¶In
oppofitū eft Phs.v.Meta.vbi dicit qʒ vniuerfaliter perfecta oīm generū perfectiones in fe habēt.vbi
dicit Cōmen.qʒ ifta eft difpofitio primi principii, fcilicet dei.

R
Refolu.q.
¶Hic oportet primū videre q̃ & quales funt rerū perfectiōes. Ad cuius intellectū
fciendū,qʒ q̃libet res creata tanto eft pfectior in natura & effentia fua,quāto plus appropinquat in
natura effendi deo, q̃ eft ipm effe,vt fepi⁹ dictū eft.Nūc aūt ita eft in effentiis rerū,qʒ a prima crea
tura q̃ deo fumme appropinquat,vfqʒ ad vltimam q̃ fumme ab eo in gradu naturę & effentię di
ftat,oēs ordinatę funt in gradu pfectiōis fecūdū fub & fupra: vt declarādū eft loqndo de creaturis
ita qʒ femp fupior deo ppinquior in natura & ratione,pfectior eft ifteriori, in pfectiori gradu effe re
cipiēdo a deo fcdm effērię fuę capacitate. Vnde dicit Dio.c.iiii.de di.no.Effentiale optimū in oia q̃
habet extēdit bonitatē.Etem ficut q̃ fecūdū nos eft fol, illuminat oia q̃ participāt lumen ei⁹ fecūdū
ppriā potētię rationē:fic & optimū oībus exiftētibus pportionabiliter fupmittit toti⁹ bonitatis ra
dios:p quos & fubfiftūt inuifibiles & itellectuales oēs & effentię & virtutes & opationes q̃ fecundū
eas funt,& vita habēt nō deficiēte & materia & gñatione purgatę,furfum pofitę,& incorporales
& immateriales,& iftra.Sed & poft illos facros & fctōs itellect⁹,aīę,& q̃cūqʒ funt aiarū bona,ppter
bonitatē optimā funt.& infra.Sed & de his fi oportet dicere irrationalibus aīabus q̃cūqʒ aera fecāt
& q̃cūqʒ in terra gradiunt,q̃cūqʒ in terra extendunt,& in aquis vitā fortientia,& hęc oīa per opti
mū motiuā,& germina oīa nutritiuā habēt vitā:& q̃cūqʒ fic nō vitalis effentia,qʒ optimū eft effen
tiale habitū fortita,& iftra.Sic eī diuina bonitas a fummis & maximis effentiis vfqʒ ad nouiffimā p
uenit,& adhuc fup oē eft,neqʒ iis q̃ furfum funt āticipātib⁹ ei⁹ excellētiā,neqʒ iis q̃ deorfum funt
ambitum tranfgrediētibus.Et de di.no.c.eodē. iiii. Per oīa veniens perfectiffima bonitas, non folas
iplet circū fe optimas effentias:extendit aūt vfqʒ ad nouiffimas:his qdē vniuerfaliter adueniens:his
aūt min⁹,his vero nouiffime,vt vnūqdqʒ eorū participare exiftentiū.Et quędā quidē oīno bonū par
ticipant:quędā vero magis & min⁹,quędā vero obfcuriorē habet participatione,& eis fecundū no
uiffimā confonantiā adeft bonū.& fubdit.Quomodo aūt effet poffibile vniformiter oīa participa
re bonū?nūqd oīa exiftētia fimiliter ad vniuerfalē ei⁹ pticipatione funt opportuna?Diuinā bonita
tē in creaturis receptā appellāt effentialē cuiufcūqʒ rei pfectione in fuo ē & natura. qʒ pfectio finis
eft,vt df.v.Meta.Et in.iiii.eiufdē.Qd eft bonū p fe & p fuā naturā,eft finis & cōplemēti.Vnde di
v.Meta.Vnaqqʒ rerū pfectarū & oēs fubftātię dicunt pfectę,qñ nō diminuit in modo ftudiofitatis
fiue bonitatis fuę ps aliqua. Vn & in alia trāflatiōe bonitas ifta appellat virt⁹,vbi df. Virt⁹ eft q̃dā
pfectio &c.vt fupra.Perfectiorē ergo in q̃cunqʒ re hic appellam⁹ vltimatā bonitatē rei & virtutē in
cōpleto eē,qd cōpetit ei i fua effētia iuxta gradū & ordinē fuū. ¶Et qʒ oēs hmōi rerū pfectiōes funt

S
in deo,primo declarat rationib⁹,fcdo auctoritatib⁹,tertio exēplis.Rationib⁹ declarat trib⁹,fcdm qʒ
de⁹ in triplici gñe caufę fe habet ad creaturas.fecūdū qʒ dicit Dio.iiii.c.de di.no.Optimū eft ex quo
oīa fubfiftūt & funt tāqʒ ex caufa,& in quo oīa cōftituta funt & cōprehēfa, & in qd oīa cōuertūt fi
cut in ppriā fingularē fummitate.In gñe ergo caufę efficientis eft prima ratio talis,cū effectus ois
fit ab agente pducente in actū,id qd eft actu in effectu,nō eft nifi ab eo qd eft actu in agente.Quia
agens oē nō agit nifi fecūdū qʒ eft actu,& agēs inquantū agēs nō poteft effe impfectioris difpofitio
nis q̃ actu.Perfectio aūt vniufcuiufqʒ cōfiftit in eo qd eft actu in ipo, & fecundū qʒ eft in actu,ergo
pfectio effect⁹ eft a pfectione agentis.Qd aūt pcedit ab alio agēte,inquātū hmōi fimile eft ei a quo
pcedit.Habet eī caufata caufaliū receptiuas imagines,vt dicit Dio.c.ii.de di.no.Ergo pfectio effe
ctus femp eft fili⁹ pfectioni agētis.Hoc aūt ē qd dicim⁹ pfectionē effectus effe in agēte.Non eī pōt
ei ineffe fecundū idē numero,fed fecundū fife in aliq̃ cōformitate naturę.Cū ergo ois creatura eft effe
ctus dei agētis,oēm pfectionē creaturę neceffe eft ponere in deo.Et hoc ē qd dicit Dio.c.iiii.cę.Hie.
Supeffentialis diuinitas eorū q̃ funt effentias eē fubftituens adduxit. Eft eī hoc oīm effe & fup oīa
bonitatis ppriū, ad cōione fuā ea q̃ funt vocare, vt vnicuiqʒ eorū q̃ funt ex ppria definit analogia
non eī fortaffis effent nifi eorū q̃ funt effentię & principii affumptione.Exiftētia igit oīno ei⁹ effe
pticipāt.effe eī oīm eft fupeffe diuinitatis. Et vt dicit.c.i.de di no.fimpliciter dicendū viuētiū vita
& eorū q̃ funt effentia,ois vitę & effentię principiū & caufa p fuā vt fint q̃ funt actiuā & continen
tē bonitatē,oīa vero fimpliciter phabuit.Et vt dicit.vii.c.cę.Hie,a fupcoeleftib⁹ effentiis vfqʒ ad no
uiffima terrę extēdens bonitatē fuā.Vnde cōcludit de di.no.c.v. Nō igit incōueniēs cōtēplari oīa
in omniū caufali,& fibi inuicem oppofita vniformiter & vnite.de quib⁹ multis annumeratis dicit
Etem neqʒ eft hoc,hoc aūt nō eft:neqʒ ibi eft,ibi aūt nō eft: fed oīa eft vt caufalis oīm. Et quia ratio

ſta nõ poteſt cõcludere niſi ꝙ ſaltē ſunt in diuina ſapiẽtia p rationes exēplares:Vnde ſubdit Dio
ny.ſimilitudinẽ de ſole omnia generante:ex qua cõcludit multo magis in omniũ cauſali pextitiſſe
omniũ exiſtẽtiũ paradigmata,concedẽdũ:deinde eſſentias adducit:Paradigmata(inꝗt)dic mus eſ
ſe in deo exiſtẽtiũ ſubſtãtificas & vniformiter ꝑtextas rõnes:Ideo ad idem eſt ſecũda rõ in gñe cau
ſe formalis ꝓbans ꝙ ſunt in eius eſſe & eſſentia,talis,Perfectio rei eſſentialis i natura ſua & eſſentia
cõſiſtit in ſuo eſſe ꝑio ꝙ formaliter habet a ſua eſſentia:ꝗa eſſe eſt actus in re creata formalis ſup
eſſentiã eius,vt dictũ eſt in ꝓcedẽti ꝗſtioe:& circuit ſingula & minima in ꝗõcũ ꝙ re:ita ꝙ nihil ſit i
aliqua re eſſentialiter in actu & in ꝑfectione ſua niſi ſecũdũ actũ eſſendi,Ita ꝙ ꝑfectio in re tanto eſt
maior quáto habet res eſſe ſupioris gradus magis appropiꝙás primo eé. Eſſe aũt illud cuiuſlibet
creaturę eſt participatũ ab eſſe dei,ꝙ eſt ipſum eſſe p eſſentiam,vt habitum ē ſupra. Nũc aũt ſic ſe
hũt adinuicẽ conditio participati,& ei ꝙ eſt p eſſentia tale,ꝙ non põt eſſe aliꝙ vt actus in ꝑtici
pato niſi ꝗa eſt in eo ꝙ eſt p eſſentia:ꝗa ꝑticipatũ capit hoc ab illo:ſicut cęra figura a ſigillo.Quic
quid ergo actus habet eſſe in quolibet eſſe ꝑticipato ꝙ ꝑtinet ad ipm eſſe ꝑticipatũ:habet eſſe i eo
ꝙ eſt eſſe p eſſentia ꝑtinẽs ad ipſum eſſe.Sicut ſi eſſet aliꝗs color ſeparatus qui eſſet color p eẽtiã
nihil poſſet eſſe ꝑfectiõis i colore quolibet exiſtẽte i materia,ꝙ nõ haberet i ſe color ille: nec in ali
quo poſſet ei abeſſe aliꝙ virt9 coloris,ſicut põt abeſſe colori exiſtẽti i materia ex indiſpoſitiõe ſubie
cti.ita ꝙ qꝙd color ꝑticipat9 opaꝛ in materia,ſi p iꝑoſſibile ille color ſepaꝛ fieret act9 illi9 materię,
mõ altiori opaꝛet idẽ ꝙ ſinguli i ſingulis materiis. Quare cũ de9 ſecũdũ ꝓdeterminata ſit ipm eé
ſubſiſtens per eſſentiã,& a quo oé eſſe creaturę participaꝛ,in quocũ ꝙ gradu ꝑfectiõis participe
tur,quicquid eſt ꝑfectiõis in quocũ ꝙ eſſe participato & p cõſequẽs in quacũ ꝙ creatura,neceſſe ē
id ponere eſſentialiter in ipſo dei eſſe vnico & ſimplici:& ita in deo ſunt oĩm rerum ꝑfectiões.Et
hoc rõne eius quo eſt aliquid in actu p eſſentiã:non ſolum rõne idearum diuerſarum ꝗ ſunt para
digmata creaturarũ.Sic eĩ oĩes ꝑfectiones creaturarũ bñ ſunt in angelis:ꝗa ſunt i aliquo vt i co
gnoſcente:nõ autẽ ſubſtantialiter p illas ꝑfectio:ſicut eſt ipſe deus,vt ſic eſſe dei habeat ꝑfectiones
omnis eſſe in ſe,qualiter haberet ſi eſſe dei eſſet eſſe cuiuſlibet creaturę in ipſa creaturę eſſentia: &
nõ aliꝙ participatũ ab ipſo:ſicut quidã poſuerũt,vt ſupra improbatũ eſt. Cum eĩ in ꝑfectionib9
accidentalibus ꝙ res aliqua ꝓpter nouam rõnẽ eſſendi in ipſa alicuius accidentis ꝑtinentis ad inte
gritate,vt eſt virtus vel ſapientia,perfectius eſſe ſibi acquirit,neceſſe eſt ꝙ illud ꝙ eſt ipſa rõ eédi
di tota,in ſe & ex ſe habeat omnem ꝑfectione in eſſendo:ex quo igiꝛ eſſe dei in ſe eſt tota ratio eſſen
di,quicũ ꝙ ſit modus ꝑfectiõis in quocũ ꝙ modo eſſendi ſpeciali,neceſſe eſt vt habeat illum in ſe:
ita ꝙ ſi formaliter daret eſſe rebus,daret eis diuerſos modos eſſendi ſcdm diuerſitate eſſentiarum
ſicut dant eis modo diuerſa eé participata.Nec refert in aliquo,eſſe oĩes modos ꝑfectiõis ſimul i
deo,& ſparſim in creaturis:niſi ꝙ quilibet modus ꝑfectiõis ſub excellẽtiori modo habet eſſe i eſſe
dei ꝗ habeat in aliquo eſſe creaturę.Propter ꝙ hoc eſſe dei eſt mẽſura cuiuſlibet creaturę:ita ꝙ ꝗ
libet creatura habet eſſe ꝑfectum ſecũdum magis & minus,inquantum magis vel minus ad eſſe
dei appropinquat.ſicut ſi albedo aliqua eſſet ſeparata,in fine intenſionis eſſet ita,ꝙ materialia tan
to ꝑfectius albedine dicerentur participare,quanto magis ad ratiõe illius appropinquarẽt:& tan
to imperfectius quanto minus.Et hoc eſt ꝙ dicit Diony.iii.c.de di.no. Omniũ cauſa & repletiua
deitas partes vniuerſi conſonas ſaluas,neꝗ pars neꝗ totum eſt:& totũ & pars,vt omne & totũ &
partem coambiens.Perfecta quidẽ eſt in imꝑfectis vt ꝑfectio principalis:imperfecta vero in perfectis
tanꝗ ſuperꝑfecta & anteperfecta,forma formificans in inferioribus tanꝗ forma principalis,iſꝛmis
in ipſis formis tanꝗ ſuperformis,eſſentia totius eſſe,& menſura eé eorum quę ſunt. & cap.v.Deus
non eſt ens:ſed ſimpliciter & incircũſinite totũ in ſeipſo eſſe coambiẽs & ꝑambiens:neꝗ eſt,ſed ipe
eſt eſſe exiſtẽtib9.& iſra.Et ipm eſt p ſe eé,maxie p ſe vita i eſſendo,p ſe ſapiẽtia i eſſendo,& oĩa alia
ꝗcũ ꝗ participãtia eſſe participãt:magis aũt & hoc p ſe omnia quibus exiſtentia participant:& ni
hil eſt ens cuius non ſit eſſentia,& ſecũdũ ſeipſum per ſe omne.⸿In genere cauſę finalis idem oſtē
ditur p hanc viam.Cum enim bonitas finis in eis quæ ordinantur ad finem proportionetur virtu
ti efficientis & agentis:quia ſicut omne agens agit & mouet aliud per ſuam virtutem:ita quicꝙd
finis inclinat & reducit,in ſeipſum inclinat per ſuam bonitatem : in agentibus autem ſic ſe habet
ꝙ agens ſeparatum,agens per ſuam eſſentiam,cuiuſmodi eſt deus,habet virtutem cuiuſlibet agen
tis inferioris,agentis p participationem virtutis:quia habent virtutem ab illo:ita ꝙ quæcũ ꝙ per
media facit:poſſet facere immediate ſi vellet:ergo ſimiliter in fine vltimo inclinante ad ſe omnia p
eſſentiam ſuæ bonitatis,oportet ꝙ habeat in ſe bonitatem cuiuſlibet ꝙ mouetur in ipſum ſua bo
nitate quã participat ab illo vt in illo perficiat.Vnde cũ deus ſicut ē agens primum ſua virtute ꝗ
eſt ſuũ eſſe & ſua eſſentia:ita eſt finis vltim9 ſua bonitate,in ꝗ cõſiſtit ratio ꝑfectionis ſui eſſe:& ſi

cut oīa agentia vírtute agendí participãt ab ipso:ita oīa vt ordínata ín fírē,habent bonitatē ab ipő
qa sicut ín vírtute sua cõtinet essentialiter vírtutes oīm alioru̅: ita & ín bonitate sua cõtinet essen
tialiter bonitates oīm aliorū:ín bonitate aũt rei essentiali q̃ conuertit cum ente, consistit eius perfe
ctio essentialis:Continet ergo ín pfectione sua essentialiter pfectiones oīm alioru̅:& ideo oīa alia ei⁹
bonitate desiderãt quantu̅ possunt,& ín eã tendunt,vt bonitas eoru̅ icõpleta,ei⁹ bonitate pfecta cõ
pleaf.secundu̅ q̃ dicit Dio.i.c.de di.no. Oīa ipsam desiderãt:intellectualia qd̃e & rationalia sciēter:
subiecta vero hís sensibiliter:& alia secundu̅ vitale motu̅:& alia secundu̅ essentiale & cõditionale ne
cessitatē,&.c.iiii.Oīa ad semetípam bonitas cõuertut,& ínfra.Et illud concupiscunt oīa: intellectua
lia qd̃e & rationalia sciēter:sensualia vero sensibiliter: sēsus aũt experta ísito motu vitalis appetit⁹
ínaïa aũt & tãtu̅modo existētia ad sola essentiale participatione opportunitate.Et Auíc.dicit.iiii.
Meta.Esse p se est bonitas pura:& bonitate hanc desiderat oīno quicqd est.Id autem qd̃ desiderat
oís res,est esse:& perfectio esse inquantu̅ est esse.Id ergo qd̃ vere desideratur est esse,& ideo esse est
bonitas pura & pfectio pura,& oís bonitas est id qd̃ desiderat oís res iuxta modulu̅ suu̅:qm p eũ pf
ficit ei⁹ esse.igif esse est bonitas:& pfectio essendi est bonitas essēdi.Qd̃ attēdēs dñs cũ Moyses pete
ret ab eo vt õsideret ei semetípm,dixit Exo.xxxiiii.Ego ostēdã tibi õe bonũ.Hinc dicit Aug.de sen.
Prospi.De⁹ tibi totũ est qd̃ recte desideras,& oīm bonoru̅ varietas in ipso vno fonte pfundif:seípm
sub diuersis muneru̅ suoru̅ motibus impertit.Et super Io.ser.iii. & de verbis dñi.ser.iiii. Quæ híc
varie q̃ris,ipse tibi vnus oīa erit.In creaturis aliqd deest qd̃ laudam⁹:ín creatore deesse nihil põt:qd̃
qd̃ inuenis in creatura a creatore artif ce pcessit:qd̃ aũt deest,non attribuendũ est maiestati in qua
nullus defectus est.Qd̃ reph̃endis noli tribuere deo:qd̃ laudas tribue. Quid dementius,q̃ vt in ali
quo laudē creaturã qd̃ non sit in creatore?Laudet ergo creatorē oīa opera eius:totum ibi est qd̃ híc
ex partibus singulis inueníf:& totum ergo ibi simul,& nõ hoc solũ qd̃ in creaturis inuenio,sed tan
q̃ in creatore.& in fine de ci.dei.Ego ero quęcu̅q; ab hominibus honeste desiderãf,& vita,& salus
& virt⁹,& gloria,& copia,& honor,& pax,& omnia bona.Sic & recte itelligi est qd̃ ait Aposto. Vt
sit deus omnia in oibus. ¶Exemplis etiã hoc declaraf.Primo de calore, qui si esset separat⁹ haberet
oēs rationes essendi & gradus ín eodem simplíci quos haberent omnes calores existētes in materia,
quia esset per essentia id qd̃ alii sunt per participatione.Sed hoc simile nõ est in toto,quia calor se
parat⁹ eiusde nature & speciei oīno esset cũ calore cõiuncto.Esse aũt & essentia dei in qua sunt oēs
reru̅ perfectiones,oīno est alter⁹ nature supeminentis: ita q̃ licet propter omniũ perfectiones quas
habet,quodãmodo sit oīa quę sunt:propter tñ nature ei⁹ ēminentia nihil est eoru̅ quę sunt,secundu̅
q̃ infra dicef. ¶Secdo est exēplũ de motu primo mobilis,q̃ habet oēs pfectiones in duratiõe essendi
quas habet oēs alii mot⁹ sub ipso.Perfectio em cuiuslibet alteri⁹ mot⁹ primo est duratio secundu̅ ali
quã ratione tēporis finitã:qd̃ dicit esse tempus periodale ei⁹ perfectũ,vt dictũ est supra.vt q̃ mot⁹
durationis vitæ huius duret per decenniũ,alterius per trienniũ,& sic de aliis secundu̅ plus & mi
nus.Quę durationes quotquot sint,etsi essent infinitæ,oēs inueniunf in duratione primi motus.
Est em perfectus in duratione infinita,secundu̅ Philosophos,continens perfectiones oēs durationis
alioru̅ in se,& ideo dicif esse mēsura alioru̅ motuũ.Sed hoc nõ est sile:quia motus iste si habet pfe
ctiõe durationis oís motus in sua duratione,hoc nõ est nisi per motũ & successiõe,nõ autem in
vno simplici fixo & stante,sicut habet deus. ¶Ideo est tertium exemplũ oīno cõpetens in pcio num
moru̅ in infinitũ accipiendoru̅ secundu̅ ordinē numeroru̅:ita q̃ primus sua vnitate inchoãs nume
ru̅,ex dignitate substãtiæ suę sit precii infiniti:quilibet autē sequentium sit pcii finiti: ita q̃ secun
dum diuersam dignitatē materiæ,proximus post primũ qui cum primo cõstituit dualitatē,sit ma
ioris precii cęteris sequentibus:& sic vlteri⁹ per ordinē quantum in numero minus distat a primo,
sit maioris precii,& quãto magis,minoris.Sic em creaturę(vt dictũ est)quasi ordine numeroru̅ p
cedunt a primo habētes semp esse finitũ, cum ipse sit quasi vnitas in capite habens esse infinitum.
Patet aũt in nu̅mis illis q̃ quilibet illoru̅ habet perfectionem in precio suo pportionabiliter secundu̅
dignitatem materię suę:sicut quęlibet creatura habet pfectionē in suo esse pportionabiliter nature
& essentię suę.Vnde sicut planũ est q̃ primus nummus precii infiniti habet in se perfectiones quo
ad rationē precii omniũ alioru̅ nu̅moru̅,quia in se continet precium cuiuslibet alterius nummi
sic planum esse debet intelligenti q̃ deus quia est esse infiniti, continet in suo esse perfectiones esse
omniũ creaturaru̅,etsi essent infinitę,secundu̅ speciem & naturã differētes.& in diuerso gradu di
uersimode esse participantes. ¶Est tñ híc aduertendũ: q̃ in esse creaturæ cuiuslibet tria est conside
rare,scilicet esse ipsum absolute,& eius consummatiõe in sua perfectione,& secundu̅ gradus limi
tatione.Prima duo sunt dignitatis & pfectionis in qualibet creatura,& sunt effectus dei in ipsa, &
habent in infinito pelago diuini esse,licet secu̅dum modũ eminentiorē.Tertiũ vero indignitatis est

& iperfectionis:& cõtigit ex natura eſſentię ipſi⁹creaturę:ꝗ rõne ſuę finitatis nõ é poſſibilis ſuſcipe
niſi eſſe finitũ & limitatũ in gradu determinato reſpectu eſſe alterius creaturæ,& ſub eſſe dei infinito,& ſecudũ hãc rõne nõ inuenit in eē diuino.Propter qd pſectiões eſſe oim creaturarũ cũ in eēn
tia dei & eē cõſiderant,ſine limitatiõe,gradu,& diſtinctiõe cõſiderã̃t vt vnite,ſicut dicit Diony.Et
ſic pſectiões illę ꝗ in creaturis ſũt limitatę & finitę ſcdm modũ creaturarũ,i deo ſunt illimitatę & i
finitæ ſcdm modũ eſſe dei.Scdm tñ modũ huius limitationis bene cadunt pſectiones eſſe creaturę in ſciétia dei rõne idearũ:ꝗ licet in ſe nõ ſunt limitatę aut finite,ſunt tñ rõ limitati & finiti & li
mitandi & finitandi:non ſic eſſe dei vel eſſentia:quia hoc qd dicit idea,nõ dicit niſi ex reſpectu ad
creaturam:non ſic aũt eſſentia vel eſſe.Vñ ab eſſentia dei & eſſe ei⁹ nunꝗ pduceren̄t varia & di
uerſa limitata,aut oino aliꝗd in creatura,niſi in deo eſſet idealis ratio. Et multũ peccabant Philoſo
phi ponétes deũ pducere creaturas ex neceſſitate ſuę eſſentię,nõ ꝓ liberam voluntatem ex rationis
determinatione. Propter illam etiam diuerſitatem qua creaturę eſſe vt limitatum non cadit i dei
eſſentia:ſed in eius ſapientia:cõtigit cõmuniter dictum:ꝗ multa ſunt in eius ſapientia ꝗ nõ ſunt
in eius eſſentia.De quibus auté hoc cõtigit:& de quibus nõ:& qualiter:viſum eſt ſupra loquendo
de attributis.ⅭEx his dictis duo patent obiecta inſpicienti.

Ad arg.
principa.
Articulus
XLIII.

Equit̄ Art.XLIII.de totalitate dei.vbi ꝗtuor ſũt inquiréda.
Primum:vtrum deus dicendus eſt eſſe totus.
Secundum:vtrum in deo ſit ratio totius vniuerſalis.
Tertium:vtrum ſit in ipſo ratio totius numeralis.
Quartum:vtrum in ipſo ſit ratio totius virtualis.

ⅭDe toto aũt integrali ꝓprie dicto,patet ꝗ nõ ſit in
deo ex ſupra determinatis in ꝗſtionibus de ſimplici
tate dei.

Irca primum arguit ꝗ deus non debet dici tot⁹:ſi
ue ꝗ totalitas non debet poni in deo:Primo ſic,non
dicit totũ niſi habés partes,dicente Auicen.v.meta.

A
Queſt.I.
Arg.ɪ.

Totũ numerat̄ partibus ſuis:& vnaqueꝗ partiũ eſt de eſſentia ei⁹,& lib.iiii.Totum oportet vt ſit
multitudinis vel in potétia vel in effectu,& ibidé.Totum dicit i reſpectu ſui ad parté,ſed in deo nõ
ſũt ꝑtes nec actu nec potétia ꝓpter ſuã ſimplicitaté,ergo &c.ⅭScdo ſic.totũ nõ é totũ vnicuiꝗ qd
eſt in eo p ſe,de toto eñ h̃rite ꝑtes diuerſas,vnde transfertur nomen ad diuina,dicit Auicé.v.me-
ta.ꝗ non eſt totũ vtriꝗ parti p ſe,ſed deus eſt totũ vnicuiꝗ qd eſt in eo p ſe:ꝗa ſapiétia eſt totus
deus:bonitas eſt totus de⁹:ſimiliter pater eſt totus de⁹:ſic filius & ſpiritus ſanctus,ergo &c.ⅭCon
trarium implicat ſponſa cum loquens de ſponſo dicit ꝗ eſt totus deſiderabilis.

ɪ

In oppoſi.

ⅭDicendum:ꝗ ſecũdũ Auicé.iiii.meta.nomen pſectionis & nomé toti⁹ & nomé
vniuerſi pene cognata ſunt in ſignificatione:ſed eſt differétia inter nomen pſectiõis & toti⁹:ꝗa(vt
dicit) nõ eſt pſectionis cõditio vt cõtineat ſub ſe multitudiné.Totum vero oportet vt ſit mltitudi
nis,Et quõ hoc,ſtatim ſubiungit dicés.Res vero eſt pſecta inquãtũ nihil remanet extra eã,& eſt to
tũ in ea.Ipſa igit̄ reſpectu multitudinis exñtis cõphéſe in ea eſt totũ:& ſcdm hoc ꝗ nil rem̃aſit ex
tra eã,eſt pſecta.Et intédit ꝗ res ſcdm ꝗ attigit vltimũ & cõſummatiuũ ſuę nature ne ſit aliꝗd il
lius extra ipam,dicit pſecta.Vñ ꝗa pſectio eſt cõditio finis,nomé pſectiõis imponit rei a fine ſuo &
cõpléméto:nõ cõcernendo in ſuo ſignificato ea ꝗ in re cõtinen̄t ſub fine & cõpléméto.Res vero dr
tota,ꝗa cõtinet in ſe omnia ꝗ ad naturã ei⁹ ꝑtinent,ſiue ſit cõpletiuũ,ſiue aliꝗd ſub completiuo.
Vñ quia totalitas eſt conditio vniuerſi qd ꝑtinet ad rei naturam,nomé totius imponit ab vniuer
ſo ꝗd eſt de natura rei:cõcernendo in ſuo ſignificato indifferenter & cõplémétũ & vniuerſa cõtéta
vel ꝗſi cõtéta ſub ipo,& i hoc cõueniũt totũ & vniuerſum,i.ce.ſcdm Pḿm.v.met.&.i.ce.& mũ.Et i
ter alias differétias quas Pḧs ponit inter oē & totũ in.v.meta.& Auicen.inter vniuerſum & totũ i
iiii.meta.illa eſt planior quã ponit Auic.in.4.meta.ꝗ Totũ indifferenter dicit in continuis & diſ
cretis: Vniuerſum vero in diſcretis tñ:& ꝗ totũ dicitur reſpectu partis ſimpliciter:vt totũ dicatur inquantum continet partes ſimpliciter:vniuerſum vero inquantũ continet vnitates: ꝗuis o-
mnis pars vnitas ſit: & omnis vnitas poſſit eſſe pars.Et ſic ſola rõne differunt inter ſe totũ & oē
ſiue vniuerſum:& etiã ambo ſola rõne differũt a pſecto:licet magis inter ſe. Secundũ hũc igit̄ mo
dum vſi ſunt Phi nomine toti⁹ in rebus creatis.Si igit̄ ſcdm iſtã ſignificatiõe loquamur de toto
quia in deo non eſt ratio partis,non poteſt transferri ad diuina:& non poteſt deus dici totus.Si ve
ro laxemus & extendamus rationem partis ad rationem cuiuſlibet quaſi contenti ſub ratione per
fectionis & cõpléméti in re cũ ipſo cõplemento vel rõne ei⁹:ſic põt transferri ad diuina.Deus eñ

B
Reſponſio

C

trinitas habet ī se mltitudinē attributoꝝ: & ꝑsonaꝝ & ꝑsonaliū ꝓprietatū sub vna rōne eē ꝑfectissi
mi,vt habitū est supra.Et ideo sicut de⁹trinitas dicīt ꝑfect⁹,ꝗa cōplemētū sui esse habet in se:ꝗd dī
cit nō terminū cōsumēte,sed cōsummāte,ꝗa infinitatē includit,vt infra patebit:sic dicīt tot⁹quia
multitudinē oīm ꝗ ad suā ꝑfectionē pertinent in se cōtinet,vt nihil eorū sit extra ipm. Et quia nō
solū de⁹trinitas cōplemētū habet sui esse,sed cōtinet ꝗcūꝗ ad eā ꝑtinent in se,tanꝗ quasi multa ꝗ
dā,vt infra videbīt loquēdo de toto numerali in deo: ideo nō solū deus trinitas dicīt ꝑfect⁹ & tot⁹
sed etiā oīa ꝗ sunt in ipso:vt ꝑsone,notiones,& attributa.Dicīt eīm ꝑfectus pater, ꝑfectus fili⁹,ꝑerfe
ctus spūs sctūs.Dicīt etiā totus pater,tot⁹ fili⁹,tot⁹ spūs sctūs,secūdū illud in Symbolo,Totę tres ꝑ
sone coęternę sibi sunt & coęquales.Dicīt etiā ꝑfecta sapiētia,ꝑfecta bonitas,ꝑfecta gnatio,ꝑfecta spi
ratio:tota sapiētia,tota bonitas,tota gnatio,tota spiratio &c.quia oēs rōnes ꝑfectionū rādentes eis
in creaturis cōtinēt:sicut cōtinet diuina essentia respectu oīm essentiarū creature,vt iā habitū est.
Vnde ꝗa totū nō secūdū primā ipositionē nois potest trāsferri ad diuina,sed solūmodo secūdū ali
quā nois relaxationē,ideo dicīt Dio.iii.c.de di.no.Deitas neꝗ pars neꝗ totū ē,& totū & ps,vt oēm
& partē & totū in semetipa coambiēs & supeminens & excellens.Et quia(vt dictū est)totū indiffe
renter impositū est cōtinuis & discretis,vniuersum discretis tm,& in continuo partes inter se vni
tatem habent in vna forma continui,in discreto autem nequaꝗ,& in deo quęcūꝗ intelligatur mul
titudo quorūcūꝗ,illa in vnitate simplicis essentię vniuntur:ideo nomen totius quod cōgruit con
tinuo,potius transfertur ad diuina ꝗ nomē vniuersi,vt vsitatius dicatur deus totus,ꝗ vniuersus.
immo totus dicītur,vniuersus nequaꝗ.

D
Ad primū
principale

℟Ad primū in oppositū patet ꝑ iā dicta.licet eīm totus non dicīt nisi respectu par
tis in creaturis secūdū primā nois impositionē:secundū tn nois translationē dicīt respectu quorūli
bet multorū ꝗ in diuina essentia continent,vt dictū est.℟Ad secūdū dicendū ꝙ nō est simile de to
to in creaturis & in deo:quia in creaturis partes nō vniunt in vno simplici,sed re absoluta inter se

E
Ad scdm.

differūt..ppter ꝗd nō est ibi totū nisi oīm partiū simul integratiū rei quātitatē. In deo aūt ois mul
titudo cōtenta in ipso,vnīt in simplici essentia in qua est idiꝗm re:& sic essentia quodlibet illorū to
ta subintrat cū tota sua multitudine,quia vnū illorū subitrat alterū:ppter ꝗd in deo totum est to
tum cuilibet illorū.vt licet in creaturis nō sit totus hō pes aut man⁹,corpus aut aīa,sed simul oīa
hęc:est tamen totus deus sapiētia,totus deus bonitas,& sic de singulis absolutis. Totalitas eīm &
ꝑfectio deī vt deus est simpliciter,respicit solū absoluta & cōmunia tribus ꝑsonis,quia ꝑfectio
in deo de absolutis est.Sunt enīm tres ꝑsona:vnus ꝑfectus,non tres ꝑfecti: similiter & vnus
totus.non tres toti:licet sint tres ꝑfectę & tres totę ꝑsonę:vt sub nomine totius & ꝑfecti in
cludatur proprietas relatiua cōstitutiua ꝑsonę.Sed vtrum huiusmodi totum sit quicquid est in
deo, vt vtrum vere dicatur totus pater est paternitas,an totus deus est paternitas, de hoc debet
esse sermo inferius.

F
ꝗest.ii.
g.i.

Irca secundū arguīt ꝙ ratio totius vniuersalis siue totū vniuersale cadat in deo
primo sic.Auicen.v.Meta.definiens vniuersale,dicīt ꝙ vniuersale est hoc ꝗd in in
tellectu non est impossibile prędicari de multis.quicquid ergo non est impossibile
ꝑdicari in itellectu de multis,est vniuersale. In deo aūt nō est impossibile ꝑdicari
de multis. Pater eīm & fili⁹ & spūs sctūs,multi sunt & plures in ꝑsonis, & de ipsis
cōmuniter ꝑdicaīt vere in intellectu hoc nomen de⁹vt patet.ergo &c. ℟Secundo

2

sic.ꝑdicamētū relatiōis vere cadit in diuinis,& manet secūdū ratiōnē ꝑdicamē
ti,vt habitū est supra.sed nō est ratio ꝑdicamēti qn habet rationem generis,& ita vniuersalis. ergo
&c.Et hoc patet esse in deo,quia bene dicīt,paternitas est relatio,filiatio ē relatio,spiratio est relatio.
& constat ꝙ prędicat de eis non ęquiuoce,sed vniuoce,secundū idem nomen & eandem ratiōne,
ergo est vere cōmune eis vt genus vel vt species,ergo &c.℟Tertio sic.forma quāto est simplicior,

3

tanto magis est communicabilis,quia simplicitas est ratio communicabilis eiusdem ad plures vel
plura.essentia deitatis simplicissima est,vt habitū est supra.ergo &c.℟In cōtrarium est.qm nō est vni

In opposi.

uersale nisi vbi cōmunitas formę secūdū rationē nata est diuersificari in plurib⁹ secundū rem abso
lutam.secundū hoc eīm dicīt Płs ꝙ vniuersale est vnum in multis & de multis, in deo autē nulla
cadit cōmunitas realis absoluta,vt patet ex pręterminatis,ergo &c.

E
Resolu.ꝗ.

℟Fūdamētū determinationis in hac ꝗstione accipi debet ex alibi a nobis supra de
terminatis,& in ꝗstionib⁹ ꝗbusdā de quolibet,in ꝗb⁹ determinatū est de natura ꝗditatis & essentię
& suppositi,& de eis ꝗ ꝑtinent ad cōparatiōne vni⁹ ad alterū. Est igīt hic sciendū ꝙ rō vłis cōsistit nō
tā in modo ꝑdicādi idē de plurib⁹,ꝗ in natura & ꝓprietate rei ꝑdicatę,ꝗ debet esse natura & essētia

aliqua,Duo em includit in fe vniuerfale,& rem ipfam quæ eft effentia & natura aliqua,& rationé
prędicabilis de pluribus. Propter qđ dícit Auicé.v.Metaph. ꝗ vniuerfale ex hoc ꝗ eft vniuerfale
eft ꝗddã:& ex hoc ꝗ eft cui accidit vniuerfalitas,eft ꝗddã aliud. Vñ cũ(vt dícit)fuetit in natura
fui cõfideratũ hõ vel equus,erit hęc intétio quę eft hũanitas vel eꝗnitas,alia ꝑter intentioné vni-
uerfalitatis. Definitio em eꝗnitatis eft pręter intentioné vniuerfalitatis:nec vniuerfalitas cõtineť
in definitióe eꝗnitatis:fed eft cui accidit vniuerfalitas,& nõ folũ vniuerfalitas fed & fingularitas.
Vñ ipa equinitas ex fe nõ eft nifi eꝗnitas tm,nec multa,nec vnũ, & fic de multis aliis ꝓprietatib.
fuis.Sed ex hoc ꝗ in eius definitióe cõueniunt multa , eft cõis & vniuerfalis:& ex hoc ꝗ accipitur cũ proprietatibus,eft fingularis. Et ficut eft de effentia fignificata nomíne abfoluto qđ eft humanitas vel aialitas, fimiliter eft de eo cui⁹ eft vt cõcreti fignificati noíe hõis vel animalis. Vt cm
dicit Auicen.eft quiddam qđ eft aial vel homo confideratũ in feipfo fcđm hoc ꝗ eft ipfum: fine
cõditióe cõis aut ꝓprii,aut vni⁹ aut multi.Aial em ex hoc ꝗ eft aial,& hõ ex hoc ꝗ hõ eft,fcilícet
quantũ ad definitióe fuã & intelleɔu folũ abfꝗ cõfideratióe oím alioꝝ quę cõmunicant,illud nõ
eft nifi aial tm vel hõ.Cõfideratio ígit ex hoc ꝗ eft aial ꝓcedit & aial qđ eft indiuidui,& vniuer-
fale:ficut fimplex ꝓcedit cõpofitũ,& ficut pars totũ. Aial ígit fcđm rõné tríplicis eſſe cõfidetaf.f.
eſſe quiditatiui,& eſſe naturalis,& eſſe rõnis. Et fecundũ primũ cé ꝓcedit eé naturale & eé rõnis,fi
cut fimplex cõpofitũ. de quo dícit Auicé.li.v.c.viii. Hoc eft cui⁹ eé ꝓprie dícit diuinũ eé,qm cau
fa fui eſſe ex hoc ꝗ eft aial,eft diuina intétione.Intelligo qa habet rõne formalé & exéplaté ín deo,
vt alibi expofui fepi⁹.Eſſe vero ei⁹ naturale eft eſſe fuí in particularib⁹, & cũ accidentibus naturalib⁹. Eſſe vero rõnis eft eſſe eius in intelleɔu quo abftrahit a particularibus in quib⁹ habet eſſe
naturę.Et fic inquãtum fic eft forma abftraɔa a particularib⁹ in intelleɔu, vna & eadé definitióe
cõuenit multis particularibus:& per hoc eft vniuerfalis:& forma illa fic abftraɔa eft vna fecundũ
rõnem exíftés in multis particularib⁹ multiplicata & de multis,quía ꝑ ꝓdicatióe eifdé a quib⁹
eft abftraɔa,eft applicata.Propter qđ dícit phs ꝗ vniuerfale eft vnũ in multis & de multis. & Cõ
menta.fuper principiũ de anima.Intelleɔus eft qui operať vniuerfalitaté in rebus. ¶His vifis patet ꝗ & qualis natura põt in fe recipere rõne vniuerfalis,f.illa folũmodo ꝗ ex feipfa ínquãtũ eft de
rõne quiditatis eft natura & eéntia tm,nõ cõcernendo rõne vniuerfalis & ꝑticularis: fed nata in
fe recípere rõne vtriufꝗ,& fingularis,& vniuerfalis.Singularis,per eſſe determinatũ qđ habet in
fuppofito naturali.Vniuerfalis,ꝑ hoc ꝗ nata eft cadere in cõfideratióe intelleɔus,vt pluribꝰ in qꝗb⁹
fingulariter eft multiplícata nata eft ꝑ ꝓdicatione applicari:in ꝗb⁹ nõ eft vnũ número & re,fed
tm rõne & cõítate vniuerfalitatis:ꝗ folũ eft in re vt cadit in cõfideratióe aíę.vnde dícit Auíc. Nõ
eft poffibile vt vna natura habeat eſſe in his fenfibilib⁹,ita vt aɔu fit vniuerfalis,ideft ipfa vna fit
cõmunis omnibus.Vniuerfalitas em non accidit alicui naturę:nifi cum ceciderit in formatióe in
telligibili.Forma igitur & natura que de fe vt eft natura & ꝗditas quęda,concernit rõne fingularitatis,quia ex fe eft fingularitas quędam, & ideo nõ nata eft in confideratione intelleɔus cadere
vt multiplícata in pluribus fuppofitis,nullo modo recípit in fe rõnem vniuerfalis, quía non põt
eſſe in plurib⁹ quãtũ eft ex rõne naturę fuę multiplícata re & vníca fola intétione, ín quo cõfiftit
ratio vniuerfalis. Forma deitatis eft hmõi:vt patet ex fupra determinatis:qa eft vnica & fingularis vnitate rei in diuerfis fuppofitis,Idcirco fimpliciter dicendũ ꝗ in ipfa nullo modo cadit ratio
vniuerfalis.Quare cũ in diuinis non fit alia res & natura nifi ipfa forma deitatis,& vniuerfalitas
non fundatur nifi in natura & effentia rei : idcirco etiam nullo modo poteft eſſe ꝗ fcđm aliquid
qđ eft in deo cadat in ipfo ratio vniuerfalis.

¶Ad primũ in oppofitũ ꝗ in deo eft aliquid fcđm intelleɔũ prędicabile de plurí
bus: Dicendum ꝗ aliquid cõtingit ꝓdicari de pluribus vnitate rei & rõnis,vel vnitate rationís
tm, & diuerfitate rei.Prędicabile de pluribus ifto fecũdo mõ eft vere vniuerfale: & hoc contingit
in formis creatis tm,fcđm tres modos quos tangit Auicé.in principio.v.Meta.aut quia aɔu pre-
dicať de multis ficut hõ,aut quia eft poffibile prędicari de pluribus,etfi nullũ habeat in effeɔu,
ficut domus heptagona,aut fi vnicum habet in effeɔu tãtu:ficut fol.Et hoc modo nihil eft prędi
cabile de pluribus in deo:quia in ipfo nulla cadit realis diuerfitas: & forma dei nõ patitur in pluribus multiplicatióe.¶Ad fcđm ꝗ prędicamentũ relationis manet in deo:& non eft prędicamẽ
tũ nifi habeat rõne vniuerfalis: Dicendũ fecundũ fupra determinata in queftione de ꝓdicamétis:
ꝗ in prędicamento duplex eft rõ:vna qua vnũ prędicamétũ diftinguit ab alío:alia qua quodlibet
diftinguitur inter fe fecundũ generaliffimũ,fpecialiffimũ,& fubalternum.Scđm primam rationé
verũ eft ꝗ prędicamentũ relationís manet in diuinis:fed nõ fcđm fcđam. Et fecunda ratio fiue cõ
paratio fumitur fcđm rõnem vniuerfalis:quæ non manet in relatione tranflata ad diuina:quía re

htio infra suū p̄dicamētum nō diſtinguit niſi p̄ definitionē eius qd̄ eſt res & natura in ipſo,ſicut
neq̄ aliq̄ aliox̄.Nūc autē relatio nō habet realitatē niſi a ſuo fundamēto.Vn̄ relatio iſtra ſuū genus nō diſtinguit niſi p̄ illa ſupra q̄ fundat,& ſic rō vniuerſalis nō eſt vere in ipſa niſi q̄a fundat
in re vniuerſali.Vn̄ nō dicit ſimilitudo eſſe ſpecies ad hāc & illā,niſi quia albedo ſupra quā fundat,eſt ſp̄es ad hāc & illā,& ſic de ceteris relatioib̄,vt nūq̄ in p̄dicamēto relatiōis dicat eē vera rō
vniuerſalis niſi q̄a fundat in illo qd̄ verā rōne vniuerſalis habet.Quare cū ois relatio i deo fundat
ſup diuinā eſſentiā,q̄ nullo mō pōt habere rōne vniuerſalis,nullo igit mō relatio in deo rōne vniuerſalis habet.Oꝗ ergo relatio p̄dicet vniuoce de p̄rnitate filiatiōe & ſpiratiōe:nō tñ é vere vniuerſale illox̄:q̄a nō eſt vnitas rōnis pr̄edicamētalis,ſiue vnitate rōnis in re aliqua multiplicata in
illis:qd̄ requirit ad rōne vniuerſalis.Ad tertiū q̄ forma deitatis q̄a eſt ſimpliciſſima ſumme eſt
cōicabilis:Dicēdum q̄ verū eſt in eadē ſingularitate:qd̄ eſt cōtra rōnem vniuerſalis vt dictū eſt:
qd̄ in re debet habere vnitatem rōnis cum multiplicatione reali.

L
Ad tertium

M
Queſt.III.
Arg.I.

2
3
In oppoſitū.

Irca tertiū arguit q̄ in deo ſit nūer⁹ & rō toti⁹ nūeralis.Primo ſic.In deo ſunt
tres p̄ſone diſtincte.aut ergo gñe,aut ſpecie,aut nūero ſunt differētes.Iſti autē
ſunt tres modi diuerſox̄ in creaturis.ſm p̄hm.i.Top.Sed nō gñe vel ſpe:ergo
nūero:q̄a maior differentia includit minorē.ſed q̄ differūt nūero:vnū inter ſe
cōſtituūt.ergo &c.Scd̄o ſic.Damaſc.dicit.Nūero nō natura differūt hypoſtaſes,ergo idē qd̄ prius.Tertio ſic.ois multitudo numerus eſt.dicēte Auice.iii.
Meta.Multitudo ipſe nūer⁹ eſt.trinitas p̄ſonarū multitudo q̄dā é.ergo &c.In cōtrariū eſt.q̄a vt
dicit Boe.de tri.hoc é vere vnū,ī quo null⁹ é nūer⁹.deꝰ é veriſſime vnū,vt p̄batū é ſupra,ergo &c.

N
Reſolutio.

Hic ſunt aduertēda quedā ſuperius determinata de natura numeri in quadam
queſt.de ſimplicitate dei,videlicet q̄ ois nūer⁹ p̄prie dict⁹ ab vnitate aliqua ſumit originē:in qua
virtute tot⁹ cōtinet:queadmodū ī cōtinuo cōtinent iſinita diuiſibilia:in quo vnitas cōtinui q̄a accidit rei in qua eſt:accidit ei diuiſio & nūerus ex diuiſiōe pcedens,& nō ſolū ex diuiſione eox̄ que
actu fuerūt aliq̄ in eodē cōtinuo:ſed eox̄ q̄ ſuā formā & ſpeciem habet in cōtinuo.Q m̄ oia talia
quātū eſt ex natura & rōne cōtinui nata ſunt eē vnū cōtinuū:& maxie illa que nata ſunt p̄ficere
eādē materiā.Sed ſcd̄m diuerſas ptes materie diuerſis formis idiuidualib̄ diſtinguit,queadmo-
dū nūerant gñabilia & corruptibilia ſub eadē ſpe.Et iō oia q̄ ſic nūerāt ſunt multa nūero,ſed ſpecie vnū.Et in ſolis talibus eſt vera & pfecta ratio numeri,cui⁹ natura eſt q̄ vnitates eī ſpecie cō-
ueniūt:ſcd̄m quam nata ſunt eſſe vnū in continuo,& diuiſe ſunt ſcd̄m formas numerales ſcd̄m
diuerſas pattes materie.Vn̄ & illa que diuerſa ſunt ſpecie,eo q̄ nō ſunt nata eſſe vnum in conti-
nuo:quātū eſt ex natura ſpecierū nō cōſtituūt verum numerū.Talia eīm(vt dicit Auicen.)mul-
ta ſunt ſine numero.Multa quidē,q̄a plura abinuicem diuiſa.Sine nūero,quia ſub nulla vnitate
nata redigi.ſcd̄m q̄ oia iſta patet ex ibidē determinatis.Ex qb̄ colligim⁹ duas cōditiōes que verum numerū cōſtituūt.quarū vna eſt,q̄ illa q̄ nūerant ſunt plura diuiſa,ſcd̄a q̄ nata ſunt in vnitate cōtinui vnius eſſe cōteta.Primo debet eſſe abinuice diuiſa,quia vnita in cōtinuo nō numerantur niſi in potētia qua poſſibilia ſunt ad diuiſiōe.& ideo ſunt vnū:& nō habent numerū.Se-
cūdo debet eē ſub eadē ſpecie cōteta.q̄a illa q̄ ſunt diuerſarū ſpecierū,vel nō ſunt nata habere formā in materia,etſi ſunt eiuſdē ſpeciei.q̄a nūq̄ nata ſunt eē vnū in aliquo cōtinuo a quo diuidant
etſi ſint multa,nō tamē ſunt nūerata.Quib̄ inſpectis dicimus q̄ in deo ratio nūeri ſimplr̄ dicti
nullo mōcadit.Primo.q̄a etſi ſit in deo cōſiderare plura ſcd̄m attributox̄ differentiā,vel p̄ſonarū
diſtinctiōe,nō tñ ſunt diuiſa abinuice:ſed in eſſe vnita,& vnū ſimplex.& ſcd̄m hāc cōditione in
deo repugnat nūero veriſſima vnitas eētiū q̄ nullā patit partitionē aut diuiſionē.Propter qd̄ dicit Boet.q̄ illud eſt vere vnū in quo nullus eſt nūerus.Vnde q̄a ois alia forma q̄ eſt in creaturis
nō eſt vere vna,ſed p̄tibilis per plura ſcd̄m numerū & ſuppoſita:ideo in ipſa aliqua rō numeri ca-
dit.ſaliqd̄ illius numeri formalis.vt habitū eſt in pdeterminata queſt.Scd̄o in deo nō cadit numerus ſimpliciter:q̄a etſi in deo ſint quoquo mō(vt dictū eſt) plura vel attributa vel ſuppoſita,vel
ſuppoſitox̄ p̄prietates,q̄ in ſuppoſitis cōprehēdunt,rō tñ vt ſub eadē ſpecie & forma reſpect⁹ cō-
teta.Nō em in deo ſunt plures pr̄es,vel plures filii,vel plures ſp̄ūs ſancti,vel plures ſapientie aut
plures bonitates,quaſi ſub rōne eiuſdē ſpeciei atome cōterꝗ:ſed q̄dlibet illox̄ eſt quaſi vna ſpecies
reſpectus.Nō dico ſimpliciter ſpecies:q̄a ibi nō eſt rō vniuerſalis,vt dictū eſt.Vn̄ etſi in deo ſub
illis pluribus eſſet eſſentie partitio,adhuc a vera rōne numeri deficerent.Ita q̄ nihil in deo eſt de
rōne nūeri:niſi in p̄ſonis & attributis pluralitas.Quia tñ propter vnitatē eſſentie nō eſt illa pluralitas ſimpliciter & abſolute ſcd̄m rōnem,nō pōt adhuc poni in deo nūerus ſimpliciter.Vn̄ q̄a
nō eſt ibi pluralitas ſimplr̄ & abſolute,ſed cū determinatione,pluralitas.ſ.attributox̄ & p̄ſonarū,

O
Reſponſio.

P

ideo in deo nullo mõ ponit nũerus ſimplʳ & abſolute,ſed ſub determinatiõe:dicendo ɋ in deo eſt
nũer⁹ attributoꝗ & pſonarũ,Et ẽ iſte alius a nũero formali,& nũero accidẽtali mathematico,cõue
niẽs tñ cũ vtroꝗ:ſed plus cũ nũero formali,& maxie pluriũ differẽtiũ ſpecie aut etiã gñe.Conue
nit ẽm cũ nũero mathematico,ɋa ille a radice formę vnitatis oriſ:& numer⁹ pſonarũ & diuinorũ
attributoꝗ ortũ hӡ a radice formę deitatis,ɋ ſingularitas & vnitas ɋdã eſt. Sed differt i hoc,ɋ in
nũero mathematico vnitas diuidit vt fiat nũerus,in nũero aũt pſonarũ & attributoꝗ vna & ea
dẽ in ſingulis cõiter habet.& ita p ipſam nõ numerat,ſed p reſpect⁹ formales in ipſa,vt ſupra ha
bitũ eſt de attributis,& infra dicet de pſonis.Illi aũt reſpect⁹ formales quaſi ſpecie differũt,vt dictũ
eſt.Et in hoc differt nũerus iſte a nũero formali: ɋ in illo numerata nunɋ radicant in vna forma
ſingulari ſicut in iſto:& in illo nũerant p formas abſolutas:in iſto vero ſolũ p ſomales reſpect⁹.Et
ſicut in pcedẽte queſtione vnitas ſingularis diuinę ſubſtãtię in trib⁹ pſonis eſt rõ quare in deo nõ
põt eſſe vniuerſale,ſic eſt rõ quare in eo nõ põt eſſe nũerus ſimpliciter. Vñ Aug.lib.i.cõtra Ma
ximinũ Arrianũ ɋ pſonas ſeparauit,dicit.c.viii.ſine cauſa putas nos nũero coartari cũ deitatis po
tentia etiã rõnem numeri excedit.Et ɋ iſtam potentiã appellat qua ſingularis eſſentia põt ſimul
eſſe in tribus,manifeſtat p illud ɋd cõtinue ſubdit dicens.Si ẽm aię multę hoĩm accepto ſpũ ſcõ,
quodãmõ cõflatę igne charitatis vnã aĩam fecerũt:quãto magis nos vnũ dicim⁹ ſemp ſibi inuicẽ
& inſeparabiliter & ineffabili charitate cohęrentes patrem & filiũ & ſpm ſanctum?

¶Ad primũ ɋ pater & filius & ſpũs ſanctus, quia ſunt tres ad minus differunt
numero:Dicẽdũ reuera ɋ vnũ nũero eſt hoc vnũ ɋd cũ alio vno eſt cõſtituens nũerũ. Quare cũ
**Q**
Ad pri.prin.
vnitas pſonę cũ pſona nõ cõſtituit numerũ,vt dictũ eſt, non põt dici vnũ nũero.Sed eſt aliud ge
nus vnitatis ɋ ſit in creaturis,ſicut & in deo eſt alia rõ definitionis ſuppoſiti ɋ ſit indiuiduatio
nis i creaturis,vt dictũ ẽ ſupra,vt ſcdm hoc i trinitate ſit ponere vnũ & vnũ & vnũ:ſed nõ nũerũ
ſcdm ɋ dicit in li.de fide.c.xv.Cũ tertio repetit vnũ,nõ nũer⁹ coaceruat ſed vnũ eſſe aliud aſſeriſ
gignẽs,genit⁹,& pcedẽs,tres ɋdẽ pſonę:ſed ſubſtãtia vna.¶Ad ſcdm de Damaſc.dicẽdũ ɋ nõ lo
quit ibi de nũero ſimplʳ & abſolute,ſed cũ determinatiõe.ſ.pſonarũ, vt patet inſpiciẽti.¶Ad ter
**R**
Ad ſecũdũ.
**S**
Ad tertium
tiũ ɋ multitudo eſt nũer⁹:Dicẽdũ ɋ cũ nomẽ nõ imponit niſi qui notuit rẽ,ſcdm Cõmẽ.ix.Meta.
ſcdm ɋ res nobis ſunt magis notę & prius,ſcdm hoc a nobis pri⁹ ſunt reb⁹ nomia impoſita.Nũc
autẽ ita eſt ſm phm.x.Meta.ɋ multitudo eſt nobis notior ɋ vnitas,ſicut compoſitum ɋ ſimplex,
vt habet in principio Phy.Et ideo multo ſiue multitudini nomẽ pri⁹ eſt impoſitũ,& deinde vnita
ti.Propter ɋd multũ imponit a mõ affirmatiõis.Multũ ẽm ſm phm eſt vna plura.i.ens diuiſũp p
vnitates plures.Vnũ vero ſignificat mõ negationis & priuatiõis illius diuiſiõis ɋ ſignificat noĩe
multi.Vnũ ẽm ẽ ens indiuiſũ ſcdm ɋ hęc manifeſta ſunt ex ſupra determinatis. Eſt tñ aduer
tẽdũ ɋ licet diuiſio ſcdm modũ nois poſitiue ſignificat,ſcdm rem tñ nõ niſi priuationẽ dicit.Di
uiſio ẽm nõ eſt niſi aliɋoꝗ: abinuicẽ amotio.Ecõtrario aũt indiuiſio licet ſcdm modũ nois ſigni
**T**
ficet negationem ſiue negatiue:illa tñ negatio nõ eſt niſi negatiõis,& ita ſcdm rem vera poſitio.ɋ
tãto maior eſt quãto res ſimplicior & maioris vnitatis. Multitudo ergo & multũ & ɋñaliter oẽs
termini nũerales ſuo noĩe ſemp important vnitatũ abinuicẽ ſeparatione & diuiſione, ɋ ſcdm rẽ eſt
negatio vnionis,Quia igit in deo nulla eſt vnitatũ abinuicẽ ſeparatio aut diuiſio,neꝗ locũ habet
aliqua illius vnionis negatio quę eſt in veriſſima vnitate eſſentię deitatis, in qua tres pſonę vere
ſunt vni: ideo in deo nõ cadit nomẽ multitudinis aut multi ſimplʳ & abſolute:ſicut neꝗ nomen
nũeri.Et trinitas pſonarũ nõ eſt ſimplʳ multitudo:ɋa licet ſit triũ,nõ tñ eſt earũ diuiſio:ſed indi
uiſa vnitas. Neꝗ tres pſonę ſunt multę ſimiliter eadẽ rõne:ſed ſunt multę pſonę:ſiue in perſonali
tate:ſicut multitudo & nũerus earũ nõ ſimpliciter eſt nũer⁹,ſed pſonarũ tñ,vt dictũ eſt.Qӡ ſi di
cat ɋ in pſonis eſt diſtinctio licet nõ diuiſio,& ſcdm hoc ſunt ibi vere & ſimpliciter tres vnitates,
ergo & vera multitudo ſiue nũerus: Dicẽdũ ſcdm predicta ɋ nõ ſequitur.qm nõ ſunt hmõi vni
tates quaſi ſpēi eiuſdẽ,quales debet eē vnitates ɋ cõſtituũt nũerũ ſimplʳ: ſed ſũt ad modũ quo in
creaturis ſunt diuerſę vnitates ſuppoſitorũ ſcdm ſpēm diuerſoꝗ,in ɋb⁹ nõ eſt nũerus ſimplʳ,ſed
cũ determinatõe nũerus formarũ,vt patet ex ſupra determinatis.Et iuxta hũc modũ in deo triũ
pſonarũ nõ eſt aliɋis nũerus ſimplʳ,ſed cũ determinatiõe tñ.ſ.ſuppoſitoꝗ relatiuorũ.

**V**
Queſt.IIII.
Arg.i.
**C**Irca.4.arguit ɋ i deo ſit ponẽdũ totũ virtuale ſiue põteſtatiuũ. Prio ſic.totũ il
lud ɋ itrat ſcdm totã naturã ſuã ɋdlibet illoꝗ reſpectu quoꝗ dicit totũ,e to
tũ potẽtiale. Hęc ẽm i natura toti⁹virtualis.Qd pӡ p Boe.li.diuiſionũ,aſſignã
te differẽtiã iter totũ virtuale & totũ in quãtitate:in hoc.ſ.ɋ totũ virtuale vt
ſubſtãtia aię iungit potẽtiis,ɋd nõ fit in toto ſcdm quãtitate:& ſimiliter pdica
tur de qualibet pte:ɋd nõ cõtingit in toto ſcdm quãtitate.De⁹ ſcdm totã ſuã
naturã intrat quodlibet attributuꝗ ei⁹,& ɋcunꝗ cõſiderant in eo ad ɋ dicit totũ:vt habitũ eſt,&

iamampli⁹ exponeɫ.ergo &c.Scɗo sic.mɞs in hoie ē totū virtuale ad itellectū & volūitatē,ɋ sunt
partes imaginis,quiɓ respōdēt cōia attributa in deo:ɋ sunt intellectus & volūtas.cū ergo totalitas sit pfectiōis & dignitatis,ɋa fm phm.iii.Phy.totū & pfectū aut idē penit⁹ sunt,aut pxia scɗm
naturã.& oēm rōne dignitatis & pfectiōis in deo debem⁹ ponere vt pt ɜ ex supra determinatis.In
deo ergo ponēda est rō totius ad volūtatē & intellectū scɗm correspōdentiā illiⁿ qɗ est ĩ hoie.Qua

In oppositū.
re cū illud in hoie nō est nisi totū virtuale.ergo &c.ɪn cōtrariū est.qm fm Boet.lib.diuisionū totū virtuale deducit ad totū vɫe,& ad totū integrale.Quare cū nec totū vɫe nec totū integrale hɜ
esse in deo,vt supra determinatū est:ergo similiter neɋ totum virtuale.

X
Resolutio.q.
**Dicendū ad hoc:ɋ secudū iã determinata rō totius cadit in deo differēter a rō-**
ne pfecti. ex hoc.ſ.ɋ rō totius est in deo sicut & in aliis respectu multitudinis cōprehēsē in eo.Rō
vero pfecti est in eo ɋ attingit suū cōplementū in esse.vt sic totū & pfectū sint idē re,& sola differãt rōne:quia pfectū dícit habēdo respectū ad cōplemētū,totū vero habēdo respectū ad oīa contēta in re,in quibus includit cōplemētū.Et ídeo phs definiendo totū & pfectū,dicit ɋ pfectū nō est
nisi illud qɗ habet cōplementū:totū vero cui nihil abest.Et(vt dicit)sicut definim⁹ hoc mō totū
qɗ est aliqɗ singulare,vt totū hoiem aut arcam: sic & qɗ est pprie vt totū,est cuiⁿ nihil est extra.
Vbi est aduertendū ad speciã notitiã totalitatis dei: ɋ phs signãter dicit,ɋɗ est pprie vt totū:qɋa
est aliqɗ totū qɗ nō est pprie totū,& est aliqɗ totū qɗ est pprie totū. Vt eīi ibi dicit Cōmē.sicut
cuiⁿ nihil est extra,est definitio totiⁿ in pticularib⁹,ɋ nō sunt tota ĩ rei veritate,cū sit aliqɗ extra,
licet nō sit ps eorū:queadmodū extra hoiem cū est totus,licet nō sit extra ipm aliqɗ de intraneis
.ſ.ptinēs ad substãtiã eius,est tñ extra ipm aliqɗ extraneū,qɗ nō est de substãtia eiⁿ:vt ligna lapides & hmōi:ita est definitio totiⁿ in rei veritate,& est illud cuius nihil est extra oīno,neɋ de substãtia sua,neɋ alia. Neɋ de substãtia sua.ſ.idiuiduali,& singulari:scɗm ɋ dícít hō totⁿ & pfectⁿ,
ɋa nihil ē extra ipm qɗ ad singularitatē suę substantię ptinet. Neɋ de alia:& hoc dupʔr.neɋ.ſ.de
alia suę spēi,neɋ etiã de alia alteriⁿspēi.Propter primū sunt diminute tota & pfecta singularia illa
ɋ sūt plura idiuidua sub eadē spē,dicēte Cōmē.sup primū ce.& mũ. Qɗ iuenit plus ɋ vnũ:est dí-
minutū.ɋa si ēt pfectū,sufficeret esse vnū. Et hęc est cã esse multoɋ indiuiduoɋ vniⁿ spēi.ſ.ɋ p-
pter diminutionē nō fuit natura cōtēta in eē vniⁿ.Propter scɗm sunt diminute tota & pfecta illa
indiuidua:ɋ scɗm Phōs quosɗã cōtinent in se totã naturã spēi: ita ɋ nō sit nata eē in alio indiui-
duo:vt sunt indiuiduū solis & lunę & cuiuslibet substãtię separatę. ɋa etsi extra illa nō sit aut nō
possibile sit eē(fm Phōs)aliqɗ suę spēi(qɗ nō putam⁹ eē verū:vt alibi sepiⁿ dixim⁹)ēti extra illa
aliqɗ naturę extraneū extra naturã suę spēi.Et scɗm hoc dicit phs in pri.ce.& mũ.Oīa idiuidua
corpalia cōtēta in vniuerso diminuta sunt:sed corpⁿ vniuersi est totū & pfectū non diminutum.
ybi dícit Cōmē.Qɗ est totū,& pfectū:scɗm ɋ partes eiⁿ sunt pfectę.ſ.ɋa nihil est extra ipm qɗ est
de substãtia sua & suarū partiū,& hoc quo ad primū modū eius cui nihil est extra,& scɗm ɋ
nō est plus vno idiuiduo.Credidit eīi ɋ ipossibile eēt fieri aliū mūdū suę spēi:& hoc quo ad scɗm
modū:& qm nihil cōtinet ipm.ſ.ɋ nō ē oīno aliud corpⁿ extra ipm etiã alteriⁿ spēi aut gñis: neɋ
possibile est esse scɗm ɋ ipse supposuit,& hoc quo ad tertiū modū. Et licet iuxta iam dictū modū
corpⁿ vniuersi eēt totū & pfectū in gñe corpoɋ,nō tñ esset totū & pfectū simpʔr tanɋ id extra qɗ
nihil est oīno.ɋa extra naturã corpoɋ sunt substãtię spūales:etiã extra vniuersum,vt est cōtentū
ois creaturę,& ipe creator,& sic oīno totū & pfectū nō pt dici vniuersitas creaturaɋ.Quare cū oē
impfectū & diminutū hɜ reduci ad pfectū:cptet ascēdere ad creatorē ĩ ipo ponēdo cōpletã rōne totius & pfecti.Et ɋa nihil est cōpletiⁿ & pfectiⁿ vniuersitas creaturę cū ipo,ɋ ipe p se,ɋa nihil meliⁿ,
vt iã supra ostēsum est:Idcirco in rerū vniuersitate nō est ponēdū aliqɗ simpʔr totū & pfectū nisi
ipe deⁿ creator,& hoc ɋa ipe solⁿ pfectⁿ est & totⁿ:scɗm tres modos pdíctos eius cuius nihil est extra,& hoc ɋa nihil est extra ipm qɗ est de substãtia & eēntia deitatis & singularitatis suę:siue at-
tributoɋ eiⁿ aut aliquoɋ ɋ ptinēt ad ipm.ɋa nihil simpʔr & oīno qɗ ē diuię eēntię & naturę,ē aut
etiã eē pōt extra ipm.quia deitas singularitas ɋɗã est. Propter qɗ ĩ natura deitatis nō possunt eē
plures dii.Neɋ deⁿ rōne vʔis habere pōt:scɗm ɋ hęc oīa iã supra exposita sunt.Et ɋa nihil oīno
extra ipm est,neɋ pōt eē,neɋ naturę suę neɋ alteriⁿ:quecūɋ.n.extra ipm sunt scɗm pprias naturas limitatas,itra ipm sunt scɗm rōnes pfectionū suarū mō eminetiori ɋ sint in ppriis naturis:
scɗm ɋ supra expositū est,& iferi⁹ exponēdū loquēdo de eē creaturaɋ ĩ deo : In hoc igit cōsistit
diuia totalitas ɋ vɫt oīm ē cōtētiua itra se,siue sint ĩ creaturis ɋ cōtinet quo ad eēntias creatura
rū ĩ rōniɓ pfectionalib⁹,siue quo ad illa ɋ sūt aliqɗ dignitatis simpʔr in creaturis in rōnib⁹ attri-
butalib⁹,siue nō sint in cteaturis:& hoc quo ad aliqua ɋ pertinēt ad personas,aut ad talia attributa ɋ forte sunt tantę excellentię & dignitatis ɋ nihil habent sibi correspondens in creaturis.
Scɗm igit rōne taliū cōtētoɋ in deo,iudicari debet modⁿ diuinę totalitatis.Et si trãscurram⁹ oēs
modos totalitatis ɋ sunt totius integralis,& totius vniuersalis,& totiⁿ virtualis,nullus illoɋ pã

prie pōt poni in deo. Nō prim⁹,qa nō sunt ptes integrātes quātitatē,aut cētiā suā,vt habitū e su
pra:neqᵃ silr ptes subiectiue vniuersalis,qa i ipso nō cadit rō vniuersalis,vt iā expositū e: neqᵃ etiā
rō toti⁹ virtualis:qa in toto virtuali coincidūt rōnes toti⁹ integri. Nō dico itegrantis quātitatē:
sed integrātis rei essentiā,quarū neutra cadit in deo,iuxta ꝗ pcessit vltima rō. Id aūt declaratur
hoc mō.Cū em aia sit totū virtuale ad vegetabile sensibile & rōnale:& aia e forma corpis aiati in
quātū aiatū e:& corp⁹ aiatū tāꝗ gen⁹ diuidit p aiatū cognitiuū & nō cognitiuū: & aiatū nō co
gnitiuū sit vegetabile:cognitiuū aūt subdiuidit i cognitiuū rōcinatiuū,qd est cognitiuū rōnale,
& in cognitiuum nō rōcinatiuū,qd est cognitiuū sensibile tm:aiatū simp lr in ordine differētiarū
est vle ad cognitiuū & nō cognitiuū,siue vegetabile:& silr cognitiuū simplr est vle ad cognitiuū
rōcinatiuū,qd est rōnale,& cognitiuū nō rōcinatiuū,qd e cognitiuū sensibile tm.Et sic vegetabi
le,sensibile,& rōnale,ꝗ sunt ptes virtuales aie,a qua habet corp⁹ ee aiatū simpliciter: cōtinētur vt
parte ş subiectiue sub aiato,& rōnale & sensibile sub aiato cognitiuo,& sic reducit totum virtuale
ad totū vniuersale. Quia vero differētie tā supiores & vniuersales, ꝗ inferiores & particulares si
mul ū gñe cōcurrūt ad integrādū essentiā speciei:p hoc totū virtuale reducit ad totū integrale
vt idipm cadat in rōne toti⁹ vniuersalis,& toti⁹ integri,& toti⁹ virtualis,& eꜱdē sint partes hinc
& inde. ꞒAd cui⁹ intellectū sciēdū:ꝗ vegetabile sensibile & rōnale alio mō sunt noia differētiarū
corpis aiati:alio vero mō sunt ptes aie virtuales.Qm cū aia sit forma corpis aiati scdm ꝗ aiatū e,
vt determinat plis in principio.ii.de aia:& p hoc se hȝ ad corp⁹ in rōne principii formalis & dātis
ee. scdm ꝗ dicit in eodē. Causa ipsius ee oibus substātia est.s.ꝗ est forma,viuere aūt viuctibus e
esse,ꜱa aūt & principiū horᶻ aia est.Similiter se habet ad corp⁹ in rōne principii agētis & motiui &
dātis oꝑari:scdm ꝗ determinat ibidem de motu locali,sensitiuo,& augmētatiuo.Scdm igit ꝗ aia
cōsideraꞇ vt forma corpis aiati,& vt simplr dicit tāꝗ intētio cōis,ab ipsa sumit rō differētie cōis:
ꝗ est diuisiua corpis simplr,& cōstituriua corpis aiati.Et scdm ꝗ scdm diuersos gradus & itētio
nes nata est aiare,sub ipsa p ordinē differētie corpis aiati sunt vegetabile,sensibile,rōnale.Scdm ve
ro ꝗ cōsideraꞇ vt principiū operatiuū in corpe aiato, nō vt simplr,& vt intētio cōis,sed vt res de
terminata,ipsa hȝ rōne toti⁹ virtualis.Et scdm ꝗ, est principiū diuersarū oꝑationū, partes virtuales
sunt vegetabile,sensibile,& rōnale:ꝗ re nō sunt aliud ꝗ ipsa substātia aie rōnalis,& nō addūt sup
ipsam nisi rōne respect⁹ ad actus,scdm ꝗ alias determinauim⁹ in quādā ꝗstiōe de quolibet. Vn ꝗa
talis respect⁹ nō ponit substātia aliquā aut accidēs aut itētiōe aliā sup eētiā rei,neqᵃ sup se:ideo
sm Boet.diuisio toti⁹ virtualis media est inter diuisiōes per se, in ꝗbus diuidētia aliꝗd differēs re
vel intētiōe addūt supiuicē:& iter diuisiōes p accidēs,in ꝗb⁹ diuidētia aliꝗd differēs scdm rē ad
dūt supiuicē.Est etiā media inter diuisiōe toti⁹ vniuersalis in ptes subiectiuas,& toti⁹ itegri in
partes integrales. Et sm Boet.differt ab vtraꝗ,& cōuenit cū vtraꝗ.Differt em a diuisione toti⁹
vlis,ꝗa vniuersale diuisum hȝ ee in diuidētib⁹ p cōpositiōe, saltē scdm diuersas itētiōes ꝗb⁹ spēs
cōponit ex gñe & differētia,& indiuiduū ex rōne cētie & suppositi:vt determinatū e supra. To
tū vero virtuale diuisum hȝ ee absꝗ oi cōpositiōe in sir:gulis diuidentib⁹. Respect⁹ em addit suo
fundamēto absꝗ omni cōpositiōe.Cōuenit aūt cū eadē:ꝗa totū virtuale pdicat de ptibus,sicut to
tū vle de suppositis.Differt etiā a diuisione toti⁹ integri.ꝗa vt dicit Boe. potētiis substātia aie iū
git:in eo.s.ꝗ tota substātia aie quālibet potētiā substrat, nō sic aūt totū itegrale.Cōuenit aūt cū
eadē, ꝗa in vtraꝗ ps vna sine aliis duab⁹ pōt esse seorsum in alio,vel due sine tertia.vt vegetabile
in plātis sine sensitiuo,& vegetabile & sensitiuo in brutis sine rōnali,ꝗuēadmodū fundamētū pōt
ee sine pariete & tecto,& fundamētū cū piete sine tecto,licet nō cōtingat illud p vniuocatiōe oi
modā in toto virtuali sicut in toto integrali. ꞒAd ꝗstiōe igitur descēdēdo dicim⁹ ꝗ nullius
toti⁹ rō determiati a Boe.pprie cōuenit deo,neqᵃ vniuersalis,neqᵃ itegralis,neqᵃ virtualis:sed nul

lo mō rō toti⁹ vlis aut integralis,vt dictū est:aliquo tñ mō rō toti⁹ virtualis:& hoc scdm id quo
differt a rōne toti⁹ vlis & itegralis . In hoc em ꝗ totū virtuale subintrat poʃmodā reale identi
tatē illā ꝗ cōtinet, qd nō cōtingit i toto itegrali:& absꝗ oi cōpositiōe:qd nō cōtingit in toto vlis,
vt p hoc pdiceꞇ de illis p identitatē,aliter ꝗ pdicat vle de suppositis:totalitas diuina hȝ rōne toti⁹
virtualis.Pluralitas em illa ꝗ cōtinet in diuina totalitate,nō est nisi respectuū sup simplicē diuinā
eētitā,ꝗ de oib⁹ illis p idētitatē pdicat. Sed i hoc differt totalitas diuina a toto virtuali:ꝗ ps vna
vel due seorsū nate sut existere i aliena substātia vniuocatiōe eiusdē gñis,vt dictū e.nō sic aūt illa,
que cōtinent in totalitate diuina:quia etsi aliqua illoᶻ seorsum existūt in aliena substātia,vt sapi
entia,bonitas,& quędā hmōi,& rōnes pfectionū in creaturis,hoc non sit per aliquā vniuocatiōe
vnius generis:sed p purā analogiā. Et hoc quo ad cōuenientiā quā habet totū virtuale cū toto in
tegrali.Differt etiā totalitas diuina a toto virtuali,inquantū ipm totū virtuale habet conuenien
tiā cū toto vniuersali: ꝗa totum virtuale cū suis partibus vt forma est & principiū agendi, potest

PL. iii.

trāsformari in totū vniuersale & partes ei⁹:inquantū est principiū dandi esse,vt dictū est:& per hoc pdicat de partib⁹ sicut totū vniuersale.Nō sic aūt aliquo mō pōt trāsformari totalitas diuina in rōne totius vniuersalis,neqʒ cōtenta in ipsa in partes subiectiuas: & per cōsequēs neqʒ pōt fieri aliqua prędicatio totius de contentis,ad modū quo vniuersale prędicat de suis contentis.

& 
**Ad pri. pri.**

℣Per dicta patent obiecta.Ad primū igitur, q̃ totū virtuale iungitur sicut & totum in deo illis q̃ sunt in ipso: Dicendū q̃ est vt sic,inquātum sup essentiā totius cōtenta nō addunt nisi rōnem respectus.Est aūt vt nō,inquātū cōtenta in toto virtuali nata sunt separari vniuoce in aliena substātia,& totū ipm trāsformari i totū vniuersale,qd nō cōtingit i totalitate diuina,vt dictū est. ℣Ad scdm q̃ mens est totū virtuale ad volūtatē & intellectū, q̃ similiter sunt in deo.Dicēdū q̃ verū ē,sed nō habet plenā rōnē virtualis,quēadmodū habet aia ad vegetabile sensibile & rōnale,Quia volitiuū & intellectiuū nō sunt nata seorsum existere in aliena substātia,sicut illa:nec totū qd est mēs,natū est transformari in totū vniuersale,sicut ibi aia. Et sic quēadmodū mens habet ratiōe totius virtualis ad intellectū & voluntatē, & similiter deus:preter hoc q̃ voluntas & intellect⁹ in creaturis sunt ad actiones accidētales re differentes inter se & a substātia rei,in deo aūt non nisi ad essentiales sola ratione differentes inter se & a substantia rei.℣Ad argumentum in oppositum patet quid dicendū secundū prędicta.

9 
**Ad secūdū.**

ꝓ 
**Ad argu. in opposi. Art. XLIIII.**

℣Arti.XLIIII.De infinitate Dei.

Via in exuberāti perfectiōe & totalitate dei cōsistit rō ꝯfini tatis substātiȩ ei⁹,ideo post q̃stiōes de dei pfectiōe & totalitate recto ordine sequunt questiōes de eius isinitate:nō dico adhuc in potētia,de q̃ erat sermo superius,sed in substātia & eēntia. Et sunt questiōes due. Prima:vtrū de⁹ sit infinit⁹. Secūda : vtrū isinitas significat circa deū aliqd positiuē an priuatiuē,siue negatiuē.

A 
**Quest.I. Arg.i.**

Irca primū arguit q̃ deus nō sit infinit⁹. Primo sic. Phs dicit.i.Phy.Infiniti rō quantitati cōgruit,& nō substātiȩ.de⁹ substātia est,& nō quātitas,vt patet ex prȩdeterminatis:ergo &c.℣Scdo sic.Ibidē dicit phs Infinitū inquantū infinitū,incognitū, deus inquātū

2

3 de⁹,maxime cognitus est quātū est de se,qa est summa veritas.ergo &c.℣Tertio sic.Idē,iii.Phy.in finitū inquantū infinitū,in potētia est sicut materia.vbi dicit Cōmē.Entitas eīm materiȩ & infiniti est in potētia:forma aūt & finis sunt in actu.Deus aūt summe formalis ē & in actu,& sūme remotus a natura potētiȩ & materiȩ.ergo &c.℣Quarto sic,sicut se h̃ isinitū in quātitate ad quātitatē, sic infinitū scdm substātiā ad substātiā,sed vnū isinitū scdm quātitate nō cōpatitur aliud quātū sm phm,ergo isinitū scdm substātiā secū nō cōpatit alia substātia,De⁹ aūt secū cōpatit substātias plurimas creaturarū.ergo &c.℣Quito sic.Ibidē.Nō cui⁹ nihil extra:sed cui⁹ semp aliqd est extra, hoc infinitū est,vt aūt dicit ibidē,totū & pfectū est cuius nihil est extra, cuiusmōi est de⁹.vt habitū ē supra.ergo &c.℣Sexto sic,phs ibidē.Perfectū nō ē nisi illud qd h̃ cōplemētū,& cōplemētū est finis,deus est pfect⁹.vt habitū est supra,ergo habet cōplemētū & finē:vt aūt dicit Cōmē. ibidē.qʒ ditas isiniti est priuatiōe finis,ergo &c.℣In cōtrariū est.qm dicit phs ibidē.Qd est oīa continēs & in seipso habēs,est infinitū.de⁹ est hmōi,vt habitū est supra.ergo &c.

4

5

6

**In opposītū.**

B 
**Responsio.**

℣Dicēdū ad hoc : q̃ etsi multi philosophātiū errabāt i natura & substātia primi principii,in hoc tn fere oēs cōcordabāt,q̃ primū pricipiū oīm,eēt isinitū in substātia sua.Et hoc diuersimode ponebāt diuersi scdm q̃ diuersa sentiebāt de natura primi principii,Dicentes eīm primū principiū materia eē(scdm qd supra determinatū est)attribuebāt primo principio infinitatē materialē,& esse chaos qddā in infinitū extēsum. Dicētes vero primū principiū substātiā aliquā corpoream,dicebāt primū principiū esse aliqd corpus infinitū,vel extensione,vt Parmenides & Melissus,q̃ ponebāt oīa esse vnū infinitū,& illud eē principiū:vel cōtinētia isinitoꝝ in vno,vt Democrit⁹,q̃ posuit in eodē infinitatē atomoꝝ:& Anax.q̃ posuit in eodē infinitatē partiū consimiliū.vt habet.i.phy.Et sic cōcordabāt in isinitate substantiȩ primi principii. ℣Nos ergo id qd falsum ponebāt circa naturā primi principii qd de⁹ est,respuētes,& veritatē cui⁹ modicā resplendētiam videbāt acceptātes,dicim⁹ q̃ de⁹ tanq̃ primū oīm principiū a quo est oē finitū in substātia:necessario ponēdus ē eē in substātia isinit⁹. Et hoc nō infinitate materiali, propter hoc q̃ isinitas materiȩ h̃ rōne impfecti & ptis:qa materia est ps cōpositi ex ipsa & forma:scdm q̃ determinat phs & Cōmē.iii.Phy. Tali inquā infinitate nō est de⁹ ponēd⁹ eē isinit⁹ scdm substātiā:qa sua substātia nō h̃ rōne materiȩ neqʒ ipfecti aut ptis,sed magis formȩ & act⁹& totiⁱ⁹ pfecti:vt hītū ē supra,neqʒ silr po

C

nendus eſt eſſe infinit⁹ inſinitate corporali extéſiua,vel infinitorũ contétiua: q̃ ſimplex eſt & in
corporeus,vt habitũ eſt ſupra. Sed iuxta cõditioné naturę ei⁹ qua eſt forma,& act⁹,attribuéda cſt
ei rõ iſinitatis ſibi pportionalis,nõ aũt talis q̃lis attribuéda eſt formæ vniuerſali & naturali i crea
turis.Forma eñ naturalis creaturę,eo q̃ de ſe vniuerſalis,eſt apta multiplicari p ſuppoſita q̃tũ
eſt de ſe quodãmõ infinita ppter aptitudines ad iſinita ſuppoſita . Deitas ergo cũ nõ ſit talis for
ma,q̃ in ipſa non cadit neq; ratio vniuerſalis,neq; rõ particularis,vt viſum eſt ſupra in parte,&
ampli⁹ videbiť infra:tali ergo iſinitate de⁹ dici nõ pŏt infinit⁹ ſcdm ſubſtãtiã. Et hoc ideo maxi
me,q̃ licet ipſa forma talis de ſe h₃ rõné ãplitudinis & iſinitatis,nõ tñ h₃ ipſam quãtũ eſt de ſe niſi
in potétia, nõ aũt actu,niſi inquãtũ ei⁹ amplitudo determinať in ſuppoſito,& ita cõtrahiť ad par
tem ſiue per materiã ſiue p alia viã indiuiduationis,de qua alias dicédum eſt. Deitatis aũt forma
nullã in ſe potentiã habet oino ad differens a ſe re vel intétione: ſicut neceſſario differũt vniuer
ſale & particulare,vt nec é vllius determinatiõis receptibilis,q̃ alia eſt a ſe re vel intétione,vt ſimiľ
habitũ eſt ſupra.nec ſimiliter rõné partis p aliquã cõtractioné recipit in ſuppoſito,vt habitũ eſt ſu
pra,& ampli⁹ videbiť infra. Maxime aũt per materiã determinari nõ h₃,quia imaterialis oino eſt,
& nullo mõ actus materię,vt habitũ eſt ſupra:ſed ſtat de ſe & in ſe pfecta. Eſt ergo deus ponédus
infinitus infinitate quę eſt nata cõuenire formę ſimplici libere abſq; omni rõne determinabilis eõ-
tractionis & limitationis:quia ex ea rõne qua talis eſt cõuenit ei ſua infinitas. Talis eñ eſt ratiõe
perfectionis exuberãtis in ſuo eſſe,q̃d eſt maxime formale & abſolutũ in nullo receptũ : ſed ſcdm
ſe & primo ſubſiſtés,vt habitũ eſt ſupra. Infinitas ergo congruens perfectioni eſſe ſimplicis rõne
ſuę perfectiõis deo debet attribui,quę reuera nihil aliud eſt q̃ imméſitas quędã & magnitudo ſpi
ritualis abſq; termino:quę oia i ſe cõtinet,& oém pfectioné,& oém rõné eſſendi,& p hoc q̃ q̃d eſt
& q̃d poteſt eſſe:inquãtum ipſe eſt ipſa ratio eſſendi,vt viſum eſt ſupra.Hoc eñ eſt de rõne digni
tatis & pfectiõis ſiue totalitatis in ipſo:quã oés in infinito q̃d ponebãt,eſſe ſomniabãt, etiã ponen
tes aliq̃d actu infinitũ eſſe in corporalib⁹.Scdm eñ q̃ dicit Pſius,loqués de eis in.iiii.Phy.hinc oés
accipiũt dignitaté de infinito,& videtur nobilitare infinitũ, quia eſt õmnia cõtinés, & omne in ſe
ipſo habés.Cuius eñ nihil eſt extra,hoc eſt perfectũ & totum.Sed reuera hoc eſt magnæ dignita
tis in infinito ſpũali:& eſſet magnę dignitatis in infinito corporali,ſi eſſet tale:q̃d ſcilicet oia in ſe
cõtineret,& nihil haberet extra ſe,& ſic eſſet perfectũ & totũ.Sed tale eſſe nõ poteſt in corporalibus,vt bene pbat contra eos pħs in.iiii.Phy.& in primo cęli & mundi.q̃m in infinito, quod poſſibile eſt poni in corporalibus & rebus creatis,nõ cadit dignitas illa:ſed magis cõtrariũ.Scdm enim
q̃ dicit pħs ibidé,accidit tam contrarium eſſe infinitũ q̃ ſicut dicit,nõ enim cuius nihil eſt extra,
ſed cuius ſemper aliquid extra eſt,hoc infinitũ eſt.& hoc ideo : quia iuxta determinationé Phi,in
ſinitũ q̃d cõtingit eſſe in corporalib⁹ & in creaturis,nõ eſt in actu eſſendo infinitũ:ſicut illi ponebant in creaturis corporalibus,& nos ponimus in creatore: quia oís creatura certis limitibus na
turę & eſſe ſiue eſſentię ſuę cõtenta eſt.Singula eñ & vniuerſa in põdere & méſura pducta ſunt.
Sed infinitũ q̃d cõtingit in creaturis eſſe,eſt infinitũ in potétia tãtũ:& hoc nõ tali potentia q̃ ali
quãdo poſſit eſſe actu ſcdm totũ,ſicut poſſibile eſt eſſe ſtatuã: Cõpleta eñ trãſmutatione æris ab
artifice,aliq̃ eſt perfecta ſtatua in actu:q̃d appellatur eſſe in actu puro : Sed in tali potentia q̃ ſic
deduciť ad actũ,q̃ ſemp manet i ipſo potétia ſcdm parté aliquã actui admixta,& act⁹ potétię:q̃é
admodũ habet ſempeé dies & ago.ſ.p aliud & aliud fieri.Vbi dicit Cõmé. Rerũ q̃dã ſunt in actu
puro vt hõ demõſtrat⁹,& q̃dã ſcdm q̃ potétia admiſcet cũ actu:& ſi potétia nõ fuerit,nõ erit act⁹
vt dies,& oé q̃d eſt cũ motu.Infinitũ aũt eſt q̃ſi accidés hui⁹ entis cui⁹ potétia eſt cõiũcta cũ actu,
& nõ ei⁹ cui⁹ eé eſt i actu puro.Sed ſic ponim⁹ iſinitaté in deo,tãq̃.ſ.diſpoſitioné ei⁹ q̃d eſt in actu
puro.Vñ cõtraria eſt diſpoſitio iſinitatis q̃ pŏt eé in creaturis,& illi q̃ eſt i creatore. Illa eñ eſt in
ſemp accipiédo aliq̃d extra:ita q̃ accepti ſemp ſit finitũ:ſed p alterũ & alterũ,nõ ſicut in circulo,
qui ɛm pħm ſimilitudine quãdã h₃ infiniti: nõ tñ pprie eſt iſinitũ.In circulo eñ idé ſumit multo
tiés:in iſinito aũt ſemp ſumit aliq̃d extra:q̃d nunq̃ fuit pri⁹ acceptũ:& hoc in cõtinuis ſcdm diui
ſiones,& in diſcretis ſcdm appoſitiões.Infinitas aũt in creature:q̃ in ſimplici eſſe & puro cõſiſtit,
ipſa eſt in eodé ſemp accepto in quo ſimul rõnes infinitæ numerorũ & forte ſpecierũ entiũ ſunt
acceptę ſimul. Vñ cõtrario mõ definiri debet iſinitũ in creaturis & i deo.De iſinito eñ in creaturis dicit pħs,q̃ eſt illud cui⁹ q̃titaté accipiétib⁹ ſemp eſt aliq̃ accipe extra.Nos aũt de infinito in
deo dicim⁹ eſſe,q̃ eſt illud cuius q̃titatem accipiétibus nihil eſt accipere extra . Propter q̃d inſi
nitũ in deo habet rõné totius & perfecti:infinitum vero in creaturis habet rationem imperfecti
& partis.Sic eñ (vt dicit pħs)nos definim⁹ totũ hoc ſingulare : vt hoiem aut arcã:q̃ eſt illud cui
nihil abeſt.Et ſimiľ ſic illud q̃d eſt pprie totũ & pfectũ,cuiuſmodi.ſ.eſt deus, definim⁹:q̃ eſt illud

cuius nihil est extra . Ecõtrario autem infinitum in creaturis semper est vt pars & imperfectum.
scdm em Phm,cuius absentia est extra,non oē est cũ abfit.Idest illud qd est extra qd est aliqd non
dicitur totũ,cũ illud abest ei qd est extra ipsum.Et hoc(vt addit alia trãflatio)siue illud extra qd
est aliquid separatũ,sit extraneũ siue non extraneum,vt fm Cõme.cõtíngit in definitíone toti⁹ in
particularib⁹:que nõ sunt tota in rei veritate cũ eis est aliqd extra,licet nõ sit pars eoɡ.Ecõtrario
aũt est in definitíõe toti⁹ in rei veritate,qɔ est illud cui⁹ nihil est extra oĩo: neq̃ de substãtia sua,
neq̃ de alia,scdm qɔ expositũ est supra de pfectiõe dei.Et hęc diuersitas cõtíngit í creatore & crea
turis,quia a diuersis princípiis oritur infinitas in creaturis & in creatore . In creatura em iuxta
determinatíõe phi,non oritur infinitas nisi a principio materiali. Et ideo accidit qɔ scdm appo
sitiõe nõ est intelligere infinitũ in magnitudinibus, scdm diuisionem vero cõtíngit. In numeris
aũt est ecõuerso vt dicit Cõme.qa in creaturis finitas accidit ex forma:infinitas aũt ex materia cõ
tingit:vt magnitudo non possit trãsire oẽm magnitudinẽ in infinitũ:qm tunc possibile esset for
mã inuenire infinitã,qd est impossibile:quia ipsa est causa terminationis & cõtinentię:& conuenit
vt díminutio sit in infinitũ.Causa em diminutiõis est materia, que est iterminata & nõ terminãs
Diminutio em est ad nihil in re:cui⁹ causa est materia.Ecõtrario aũt cõtíngit in numero,qm ad
ditio in quãtitate discreta est ex forma,& in quãtitate continua est ex materia:& diuisio in eis est
ecõtrario,qm diuisio in numeris est ex forma: & in magnitudine ex materia.In creatore aũt ecõ
trario accidit ei quod contíngit in creatura.Cum em in creatura ex sua forma est finitas ei,quia
non subsistit nisi cõtracta & limitata in supposito:in creatore econtra infinitas eius a forma consi
stit:quia oĩo illimitata est & incõtracta scdm suppositũ: sed ex se est quędã singularitas vt habi
tum est supra. Et ideo in actu puro & perfecto tota ratio infinitatis eius consistit.Vt sicut perfe
ctio in ipso est cõditio que sequitur eius actualitatem absq̃ omni potentię admixtíone : quæ qui
dem perfectio consistit in finis consummatíõe:Perfectũ em(vt dicit phs)nõ est nisi illud qd habet
cõplemẽtũ.Et sicut totalitas in ipso est cõditio que ei⁹ perfectíone cõtinet:que quidẽ totalitas cõ
sistit in vniuersi esse cõprehensione:Totũ em est cuius nihil est extra oĩo vt dictũ est supra: Sic
infinitas est conditio que immediate sequitur in ipso eius totalitatem & simul perfectionem,que
quidẽ cõsistit in nunq̃ deueniendo per discursum aliquẽ ad terminũ cõplementi eius, & pfectio
nũ quas cõtinet in se actu simul,vt magis vídebitur in quęstione sequẽti.Et hęc est infinitas quã
oẽs loquẽtes de infinitate primi principii somniabant,licet ab ea plures deuiabant propter erro
rem circa eius essentiã,& naturã, vt dictum est.Vnde talis infinitas nihil est aliud:q̃ cuiusdã spi
ritualis magnitudinis immensitas in infinitũ spũaliter protensa,vt amplius dicetur in sequenti
**G** quęstione.De qua ppheta dicit in ps.Ego cognoui qɔ magnus est dominus. Infinitas ígitur quantũ
ad spirítualẽ magnitudínẽ manifeste probatur inesse deo ex hoc qɔ est esse purum absolutum.Ex
eo em qɔ tale est,nullius esse determinati rõnem dicit:sed est ipse rõ essendi omniũ perfectiones in
se cõtinẽs,vt habitum est supra:qd esse nõ posset si finẽ cõplemẽti haberet:qualem finẽ dat forma
in creaturis:cum hoc qɔ in natura species dat esse completum.Et hoc ideo,quia non dat illud nisi
secundũ rõnem determinatam,Propter qd etíam nõ dat nisi esse finitũ:non solũ a fine cõsumma
te rem in esse,sed a fine cõsummãte & cõsummationẽ límitante,Vnde de tali magnitudine dei in
finita intelligít illud ps. Magnus dñs & laudabilis nimis, & magnitudinis ei⁹ nõ est finis.Finis.f.
terminum magnitudinis significãs: que cõprehendẽs stet,vt nihil qd laudet vlterius comprehen
dendũ restet. Vnde dicit glo.Hoc vno verbo dedit cogitare:qɔ non potest capi plene,quia incom
prehẽsibilis est cogitatíõe,Et ideo nunq̃ cesset a laude. Quia em non est finis magnitudinis eius,
non potes eius laudẽ finire,Ex qua glo,manifeste nobis insinuatur ratio ifinitatis eius.Cum enim
**H** qualibet quantitate finita data mens nostra maiorem potest excogitare: magnitudine autem di
uina nullam maiorem excogitare potest : conuincitur ergo concedere diuinam magnitudínem
esse infinitam.Et est notandum qɔ q̃uis infinitas ista & creaturę finitas ambo sunt a forma, hoc ta
men est contrario modo.Omnis enim forma creaturę finitat ipsam, non solum in esse speciei cõ
summando,sed etiã in esse signãdo:& cõtra esse alterius speciei limitãdo:ppter qd generis & spe
ciei rõnem determinat, Forma aũt diuina ita cõsummat,qɔ non signat, nec cõtra esse alicuius al
terius limitat:quia nec ad speciẽ aut genus determinat:sed in esse indeterminato stat,qd per gra
dus infinitos essendi protenditur: scdm qɔ perfectiones omniũ forte per infinitos gradus produ
cendorũ in se cõtinet,vt dictũ est. Ex quo etiam patet qɔ infinitas perfectionis eius quãtum ad
seipsam cõsistit in simul accepto:quãti aũt ad intellectũ creati in sem aliud & aliud scdm rõne
intelligendi accipiendo:vt sicut,infinitas corporis simul existens est magnitudo corporalis:infini
tos gradus magnitudinum finitarum in infinitum accipiendarum continens: sic infinitas essen

tiæ dei eſt ſpiritualis magnitudo perfectiōis in eſſe abſoluto infinitos gradus magnitudinum per
ſectionis in eſſe in infinitum accipiendarum continens . vt ſicut corpus infinitum continet in ſe
corporaliter quantitatem mobilis corporis pedalis, bipedalis:& ſic in infinitum: ſic eſſentia dei in
finita continet in ſe ſpūaliter quātitatem eſſendi ſpeciei inanimati, vegetabilis, ſenſibilis, rationa
lis, intellectualis:& ſic in iſinitū, ponendo infinitos gradus creaturarū poſſibiles inter eē dei & eſſe
angeli quātūcunqᵉ ſupremi accipiendi.

¶Ad primum in oppoſitū:qᵽ ratio infiniti quātitati congruit & non ſubſtantiæ:
Dicendum qᵽ iſtud intelligitur de infinito per extēſionē vel partium multitudinē:quale poſuerūt
phī quidā in primo pricipio, qd ponebāt eſſe corporale:cōtra quos inducit illud dictū phīs.Nō au
tem intelligitur de infinito qd habet rationē perfecti: illud eīm ſolum habet eſſe in ſubſtantia oīm
nō ſeparata a quātitate & materia.ſecundū qᵽ probat phīs, qᵽ primus motor quia eſt virtutis infi
nitæ ſimplex debet eſſe & immaterialis, abſtractus a magnitudine & materia.¶Ad ſecundū patet
p idem:quia infinitum incognitū in eo qd eſt infinitum non eſt niſi infinitum imperfectū per ma
teriā. formæ eīm eſt finitare.Et ideo cum principiū cognoſcēdi non eſt niſi forma:& materia (ſecū
dū phīm)de ſe incognita eſt:& non cognoſcitur niſi per analogiam ad formā:oportet qᵽ illud infi
nitū qd eſt per materiā inquantū hmōi, ſit incognitum:cū tñ infinitū qd deus eſt, qa ſua quidditas
eſt per formam, vt dictum eſt:ſit quātū eſt ex ſe maxime incognitum. ¶Per idem patet ad tertiū
Entitas enim infiniti qd eſt in potētia, eſt illius qd eſt per materiā.Entitas aūt infiniti qd eſt p for
mam:cuiuſmodi eſt entitas infinitatis dei:ſumme eſt in actu, vt dictū eſt.¶Ad quartū:qᵽ infini
tum ſecundū quantitatem non compatitur ſecū aliud extra ſe:ergo nec infinitum per ſubſtantiā
compatitur aliam ſubſtantiam:Dicendum qᵽ infinitum qᵽ nō cōpatitur aliud extra ſe, hoc eſt ra
tione ſuæ perfectionis:vt dictum eſt ſupra:& hoc quia perfectum debet eſſe omne & totum. Secun
dum.n.qᵽ dicit Phīs.iii.Phy.totum & perfectum aut idem penitus eſt:aut proximū ſecundū natu
rā eſt. Et eſt diſiunctiua artis vera pro vtraqᵉ parte.ſunt eīm penitus idem re & ſubſtātia:quia qc
quid eſt totum eo qd eſt totum eſt perfectum & ecōuerſo.Et quo ad hoc ſunt noīa ſynonyma:vt
dicit Cōmēt.ſed ſecundū rationē ſunt proxima: qa perfectum eſt attingendo finē conſummātē &
complentē in eſſe.Vt eīm dicit phīs ibidē,Perfectū nō eſt niſi illud qd habet cōpiemētū:& com
plementum eſt finis.Totum autē:quia non diminuitur ab eo aliqua pars eorum quibus dicitur
totum:iuxta primū modum totius.v.Meta.Et ſic ſecundū Cōmēt.ſunt nomina ſeſe cōſequentia.
Ex eo eīm qᵽ aliquid eſt conſummatū in ſuo eſſe: cōtinet quicquid pertinet ad pfectionem illi⁹ eē:
vt ſi ſit ſingulare totum:vt homo vel arca:continet quicquid pertinet ad perfectionem illius eſſe:
ita qᵽ nihil eius ſit extra ipſum.Si vero ſit vniuerſaliter totum:cuiuſmodi eſt deus in ente ſimpli
citer:cuiuſmodi etiā infinitū corpus eſſet in ente quāto:ſi eſſet in rerū natura:tale inquā totū vni
uerſaliter continet qcqd pertinet ad pfectionē eſſe vlͬ: vel eſſe ſimpliciter:& hoc quo ad id qd eſt
totū vlͬ in eſſe ſimplͬ:vel eſſe quāti:& hoc quo ad id qd eſt totū vlͬ in eſſe quāti.Vñ vt dictū eſt
ſupra:vniuerſaliter totum nihil poteſt habere extra ſe ſeparatum ſiue extraneum ſiue non extra
neū.Perfectū igitur vlͬ in quātitate, cuiuſmodi eēt quātum extēſione infinitū, nihil quāti cōpatiͬ
extra ſe ſeparatum neqᵉ extraneū neqᵉ nō extraneū, vt ſi terra eſſet infinita, non cōpateretur ſecū
aliquid extra, neqᵉ extraneū, vt igne & aquā:neqᵉ nō extraneū, vt aliqd terræ qd nō eſt infra ipſam
vt pars eius.Ex illa.n.parte qua haberet aliquid extra:eſſet finitum:& haberet tangens ſe:& non
occuparet totū.Similiter perfectū vniuerſaliter in eſſe ſimpliciter, cuiuſmodi eſt deus, nihil ens cō
patitur extra ſe ſeparatum:neqᵉ extraneum:neqᵉ nō extraneum.Nō extraneum:vt alium in natu
ra deitatis:quia deitas non poteſt eſſe niſi in ſe quædā ſingularitas.Extraneū:vt creaturam quæ al
terius naturæ & eſſentiæ eſſet a deo, quæ non eſſet infra ipſum.Non dico vt pars eſſe dei:ſicut dice
bant ponētes eſſe dei quo deus eſt, eſſe cuiuſlibet entis eſſe:vt habitum eſt ſupra.ſicut extra terrā
infinitā non eſt terra:quia non eſt terra omnino quæ non ſit infra ipſam vt pars eius:& cui⁹ quan
titas ſit pars quātitatis terræ infinitæ.Hoc.n.eſt magnæ imperfectionis:quia habet rationē diuerſi
tatis & compoſitionis.Sed dico ſicut ratio eſſendi.Deus.n.ex quo eſt ipſum eſſe ſubſiſtēs in ſuo eē
habet oēm rationē eſſendi:nō vt vniuerſaliter:ſicut habet genus in ſe differētias:neqᵉ diſtincte ſe
cundū rem:ſicut infinitū quantū : quod ſi eēt totū & omne, haberet in ſe partes ſuas diuerſas in
ſubſtantia ſecundū diuerſitatem ſituum:ſed eaſdem non diuerſas ſecundū figuras:hæc.n.eſt dif
ferētia inter totum & omne, vt ſupra expoſitum eſt:ſed habet deus in ſuo eē oēm rationē eſſendi
(vt dicit Diony.)incōfuſibiliter:& hoc cōtra cōfuſionem quæ eſt in vniuerſali:& vnite:& hoc cō
tra diſtinctionē partium quæ eſt in quāto infinito: quod ſimul eſt totum & omne. Et eſt iſte mo

I
Ad pri.prin.

k
Ad ſecudū.

L
Ad tertium
M
Ad quartū.

dus essendi plura in eodem mirabilis multum & ineffabilis nobis:quia tamen ita sit,ipsa veritate rationabiliter coacti cogimur cofiteri. Et est consimilis modus essendi plura in eodem in creatura:vt si forma generis eet aliqua vna natura in se singularis:& similiter qlibet differetiaru sub ipsa: excedente tñ in gradu dignitatis & nature forma generis super formas differentiaru.Ita cp forma gñis cotineret in se sub excellëtiori gradu rône vtriusq differentie in actu:sicut mô non continet in potëtia:quas qde rônes contineret in se singule differetie sub gradu iferiori.Vel est similitudo va lidior in anima intellectiua:si in eodem simplici per essentiam haberet rationale sensibile & vegetabile gradu excellëtiori q esset in aliis diuisim:hic vegetabile solum:illic sensibile solu: & alibi ra tionale solum.¶Ad formã ergo argumenti cp infinitu quãtu nô compatit aliud quãtu secu:ergo nec infinita substãtia,aliud in substãtia secu compatit:Dicendu cp non est simile:quia quantu infinitum in vno simplici:non habet inconfusibiliter & vnite ratione omnis quãti:sed diuisibiliter & distincte. Et ideo cu ad infinitum perfectum pertineat cp cotineat totum qd illius nature est secundum quã est infinitum:vt habitum est:vel oportet cp quantu non sit infinitu perfectu:vel cp co tineat in se omne quãtu diuisibiliter & distincte:& ita vt partem suã. Si enim aliquod esset extra: esset separatum tangens & apponibile per continuitatë: & sic nô esset nisi infinitu in potentia & per appositionë:vt nunq esset infinitu in actu quousq esset ei appositu quãtum vltra qd nô esset possibilis appositio quãti:& extra qd nô posset esse aliud quãtu.Infinitum vero substãtia,cuiusmo di est deus in vno simplici esse,secundu cp est infinitu qd est sua substantia,incofusibiliter & vnite habet oëm rationem essendi.Et ideo cu ad rationem infiniti perfecti nô plus pertineat q cp totu qd est illius nature secundu quã est infinitum,in se contineat:non obstãte cp aliquid diuisum secundum substantiã a deo simul habet esse cum deo:Deus est infinit9 perfecte.Per substantiam enim illã nô est apponibile esse dei aliqua ratio essendi:qa nihil habet ratione essendi aliquã quae non sit in illo in gradu multo eminëtiori:vt sepe dictum est:ita cp cum perfectio dei in esse sit ex ratione bonita tis naturalis in ipso vltimate & côsummate:vt habitu est: & ex ratione talis perfectionis sit in ipo ratio infinitatis:vt planius habebitur in questione sequenti:sicut non est maius bonu deus cu vni uersitate creaturaru q solus deus per se:vt patebit loquendo de creaturis:sic non est maior psectio aut infinitas secuãu esse bonitate & psectione in deo cum vniuersitate creaturarum quas sunt,fu erunt,poterunt esse:q sit in ipso solo per se . Q2 ergo extra dei essentiam sunt essentie creatura rum,hoc nullo modo repugnat diuine psectionis infinitati:imo attestat ei magis.Ex bonitatis em diuinæ & psectionis exuberantia in sua infinitate:non ex aliqua sua indigëtia & imperfectiôe pdu cit alia a se:quibus suum esse cômunicat:non per essentiam:sed per participatione quandam: non secundum idem esse:queadmodum illa quibus data est virtus generatiua: quæ propter imperfe ctum esse speciei in indiuiduis producut alia a se:quibus cômunicant eandem essentiam specie se cundum aliud esse.Similiter si ex quãto infinito ppter psectionis suę exuberãtiam procederet alia quãta in diuersa substãtia,q solu haberët quãtitatis illius quãdã participatione q dicerent quãta: ita cp omnes rationes participandi quantitatem essent in illa quãtitate infinita p essentiã:& essent plura quãta participãtia quãtitate:nô repugnaret infinitati psectionis quanti infiniti per essentiã, imo sicut eë dei & essentia simul sunt vbiq cu esse & eëntia creaturæ (imo sine illa nec ista eënt) sic quãtitas illa p essentia simul eët cu istis habentibus quantitatë p participatione,immo nec ista essent quãta sine quãtitate illius.Q d nô potëtes antiq9 qdã discernere:quô videlicet psectioni di uinæ bonitatis & infinitati:& esse ei nô obstat cp alia sunt simul cu illa:& extra eã p essentiã:vide re nô potuerut qn bonitas & esse creaturę,si eët re aliud a bonitate & eë dei,aligd apponeret su pra bonitatë & esse dei:vt maius melius & psecti9 bonu eët de9 cu creaturis q p se. Et ideo cu nô potuerut istud concedere,quidã dixerut cp esse & substantia cuiuslibet creaturæ in eo cp est:est ali qua portio substantie dei & diuini esse.Alii vero dixerunt cp esse dei esset esse formale omnis rei:se cundu cp de hoc habitu est supra sufficienter.Alii vero pdicta bene discernentes: non dicebant cp creatura est aliquid diuinæ essentiæ:vel informata esse illo quod deus est:sed cp creaturæ habent essentiã & esse participata ex psectione & infinitate diuina exuberante in alia:secundu illa quę pse etius habet in se:quasi diuinum esse sit esse cuiusdam generis p essentiã, continens in sua psectio ne in actu.esse oim differentiaru qs p participatione accipiut diuerse species.Si em formę reru ma terialiu eënt p essentiã separatę:vt imponit dictu fuisse a Platonicis:quãto forma abstracta eët cô munior:tãto esset psectior & actualior. Et ideo dixerut qdã ex istis illud qd recitat Apl's in actib9 loquës phis Atheniësib9:& dicit.Quidã vestroru poetaru dixerut (Arat9,S.& Homer9) Ipsius ge nus sumus,qsi,S.gñalë naturã esse eius participãtes. Dixerut etiã ex eade sentëtia qdam alii ex iis cp oia plena sunt deo:iuxta quorum sentëtiã Paulus formauit & suã cu dixit.Deus qui fecit mun

dū & oīa quę in eo sunt,hic cęli & terrę cū sit dominus, non in manufactis tēplis habitat,nec ma
nibus humanis colitur indigens aliquo cum ipse det omnibus vitā & inspiratione & oīa,fecitꝗ
ex vno omne genus hoīm:inhabitare sup vniuersam faciem terrę,definiēs statuta tempora & ter
minos habitationes eorum: quęrere deū:si forte attrectet eū aut inueniant:ꝗis non longe sit ab
vnoquoꝗ nostrum. In ipso.n.viuimus mouemur & sumus.Vbi dicit Glos.Quia id operaꝰ in no
bis ꝗ viuimus,mouemur,& sumus. & hoc est opus quo cōtinet oīa:quia eius sapiētia pertin
git a fine vsꝗ ad finem fortiter: & disponit oīa suauiter: per hanc dispositionem in illo viuim⁹
mouemur & sumus,ꝗ si hoc opus suū rebus subtraxerit: nec mouebimur nec viuem⁹ nec erim⁹
Et vt dicit alia Glos.neꝗ tanꝗ eius substātia in illo sumus: sicut dicit vitā habere in semetipso:
sed cum aliud sumus ꝗ ipse:non aliud in ipso sumus:nisi quia id operaꝰ ꝗ viuim⁹, mouemur,&
sumus,Cęlū & terra,& oīa quę in eis sunt, vniuersa.s.spiritualis & corporalis creatura, non in se
ipsa manet:sed in illo:quia qd non est in ipso de quo dicit,Ex ipso,& in ipso,& per ipsum oīa,ni
hil est. Etiā si aliqd esse res habeat in seipsa,perfectius habet in illo:quia qd factū est ab ipso,in ip
so vita erat:& sine ipso nec vita nec viuēs erat.Et hoc nō solū p suā idea in diuina sapiētia:secūdū
ꝗ dicit Aug.ser.i.sup Ioā.Terra facta est:sed ipsa quę facta est non est vita:ꝗ aūt in ipsa sapiētia
sempiternaliter ratio ꝗdā,ꝗ terra facta est:hęc vita,sed p eē in diuina cētia:vt expositū est su
pra.¶Ad quintū,ꝗ non cuius nihil est extra:sed cuius semp aliquid est extra: hoc est infinitū:
cuiusmodi nō est deus:Dicēdū ꝗ illud dictū est de infinito impfecto: quod possibile est esse in re
rum natura:quale nō est deus:sed est infinitū pfectū:cuius ratio est:ꝗ nihil est extra eum: vt pa
tet ex pdeterminatis.¶Ad sextū ꝗ deus habet cōplemētū & finē:& infinitū dicitur priuatione fi
nis:Dicēdū ꝗ est finis cōsummās,qd est pfectio cuiuslibet rei:vt dicit in.iiii.modo finis,in.v.Meta
phy.& finis cōsumēs: qd est vltimū vniuscuiusꝗ a quo nihil extra inueniꝰ:vt dicitur in primo &
secūdo modo finis,vbi dicit Cōmēt.Vt supficies sunt vltima corporis,& lineę superficiei,& pū
cta linearū:& orbis stellarū corporū quę sunt intus:qm extra ipsum nihil est:& similiter cutis ani
malis. Finis prio modo dictus est finis cōplemētū:& cōgruit maxime deo:quia ipse est finis & cō
plemētū oīm:vt dictū est supra.De fine secundo modo,intelligiꝰ illud qd infinitū dicit priuatiōe
finis:& hoc de infinito impfecto.Talē.n.finē dat forma in quātitate cū hoc ꝗ dat pfectiōe:& pri
uatio eius est ex materia:vt dicit Cōmēt.sup.iii.Phy.& habitū est supra. De infinito aūt pfecto si
ue spūali:siue corporali:vtrū dicaꝰ infinitū priuatione finis:patebit in ꝗstione sequenti.

O
Ad quintū.

P
Ad sextum.

Irca secundū arguiꝰ:ꝗ infinitas nō significat circa deū aliqd positiue:sed priua
tiue siue negatiue tm.Primo sic.Deus dicitur infinitus ex opposito eius quo
creatura diciꝰ finita:ꝗa penes finitū & infinitū describitur distantia inter crea
torem & creaturā.sed creatura ꝗ dicitur finita:hoc est ex positione finis limi
tantis naturam eius & essentiam:quia esse cuiuslibet creaturę sub certis limi
tibus continetur: vt declarari habet loquendo de creaturis.ergo ꝗ creator de⁹
dicaꝰ infinitus:hoc erit ex remotione finis limitantis naturā & essentiā.Ex hoc aūt solū dicitur
infinitus priuatiue.ergo &c.¶Secūdo sic.Ratio infiniti sequiꝰ ratiōe pfecti & cōpleti.Cū eīm ali
quid est completū & pfectū & totū simpliciter:tunc demum potest dici infinitū.secundū ꝗ dicit
Cōmēt.versus finē.viii.Meta.Si aliqua linea recta est cōpleta,inquātū nō pōt fieri additio,necesse
est vt sit infinita.sed cōpletio,pfectio,& totalitas cōprehēdit quicquid positiue significat in re:ꝗa
quicqd est citra vltimū positiuū in re:incōpletum est & imperfectū:& rationem partis habet.sed
vltra vltimū positiuū in re nihil est significādū nisi priuatiue.ergo &c.¶In oppositum est:qm eo
deus maxime est infinitū:quo excedit rōnē ois finiti:quia non excedes alterum equaꝰ est:& ideo si
vnum eoꝝ est finitū,& alterum.sed deus ratione ois finiti excedit in positiuo,& nō in priuatiuo:
ꝗa id in quo excedit,aliquid dignitatis importat.priuatio aūt per se nihil dignitatis importat:sed
magis defectus:qui in deo nullo modo poni potest.ergo &c.

Q
Quęst.ii.
Arg.i.

2

In oppositū.

¶Hic oportet primo distinguere modos infiniti.Dicitur enim infinitum multis
modis.Vno eīm modo dicitur infinitū:quod non est natū finiri:quia nō habet processum oīni
no neꝗ qui natus est finiri:neꝗ qui nō natus est finiri: ad modū quo vox dicit inuisibilis.Et hoc
iuxta primū modū infiniti in magnitudine:quē ponit phus in.iii.Physi.quo videlicet vt dicit Cō
mēt.ibidē,dr ꝗ pūctus est infinitus:ꝗa nō habet lōgitudinē finitā aut ifinitā.Et est iste modus in
finiti priuationis eius qd non est nata res subiecta neꝗ secūdū speciē neꝗ secundū genus habere,
quēadmodū arbor dicitur non habere visum.vnde tale infinitū proprie dicit negatiue.Et tali mo
do infinitatis dicunt aliqui ꝗ deus dicitur infinitus:quia nec habet nec natus est habere aliquam
finitatem.Secundo modo dicitur infinitum cuius processus non habet finem:natum tamen fini

R
Resolutio.ꝗ

ri:vt est quantitas omnis dimensiua. Etsi enim imaginetur infinita:nata tamen est finiri inquantū
dimensio est:& nata est stare omnis linea inter punctos inquantum linea est:& superficies inter li
neas,& corpus inter superficies. Et talem modū infinitatis nemo potest tribuere deo:quia nō caret
omnino aliquo qd natus est habere. hoc em esset imperfectionis in ipso:vt patet ex supra determi‑
natis. Tertio modo dicit infinitū:cuius pcessus semp ptendit:& non habet fine in quo deficit:nec
natum est finiri,& iuxta hūc modū(vt credimus)deus dici debet infinitus. Et est infinitum secū‑
dum istū modum,vere positiuū alicuius in re:& si secundū ratione & impositiōne no minis nega‑
tiōe importat:illa est eius qd realiter negatio vel priuatio est:& sic etiā illa negatio quā importat
veram positionem vel affirmatiōe affert & includit:vt iam patebit. Primo ergo modo infinitum
pprie dicitur negatiue:quia nihil ponit circa subiectū positiue. Secūdo modo dicitur pprie infi‑
nitū priuatiue:quia ponit aptitudinē ad contrarium circa subiectum. Tertio modo infinitum: et
si secundū impositiōne & modū nominis priuatiue aut negatiue dicit,secūdū rē tamē ratio positiue di
citur:qa illa negatio nobis dat intelligere verissimā affirmatiōe. Non em est negatio vel priuatio
alicuius positiui vel affirmationis,sed priuatiui & negationis magis:ad modū quo in genere sub‑
stantię incorporeū dicit priuatio vel incorruptibile. ⸿Sunt aūt aliq qui in scriptis posuerunt deū
esse infinitū negatiue solū:& hoc dupliciter ponūt. Quidam.n.ponit q deus dicitur infinitus ne‑
gatiue a negatione alicuius finitatis ipsum & mensurantis extra:quia impossibile est ipsum finiri
loco,tempore,aut intellectu aliquo creato. Ipse.n.solus seipsum pfecte intelligit:& sic ipse solus se
ipsum finies est:& suo intellectu mēsurās:quia ipse tātū seipsum intelligit quātus est. Alius vero
ponit q deus dicit infinitus negatiue:a negatione finientis ipsum & terminantis intra:eo q nul‑
lus pfectionis suę est terminus & finis,& hoc loquēdo de fine & termino consumente quātitatem
bonitatis & perfectionis eius,ad modū quo punctus finit & terminat quantitatē lineę. ⸿Reuera be
ne verum est q illis modis deus est infinitus . nullo em termino consumēte neq intra neq extra
clauditur suę pfectionis quātitas & magnitudo. Sed q ad hoc significādū imponit nomē cum di‑
citur deus esse infinitus:vt cogamur dicere q infinitas in deo non dicit nisi negatiue:hoc non vi
detur. Primo ex natura negationis quam importat hoc nomē infinitū. Secūdo ex natura rei signi‑
ficatę per nomē. Tertio ex modo impositionis ipsius nominis. Ex natura negatiōis hoc bene appa‑
ret:qa negatio cū nihil ponat rōne qua negatio est,nihil dignita tis apponit ei de quo aligd negat,
nisi forte p accidens ratione subiecti cui de necessitate alterum contrariorū inest:vt si homo est,&
non est cecus,est videns:qd non ponit illa negatio ex natura sui:cm si sic:vbicunq poneret:idem
poneret:& sequeret,lapis non est cecus,ergo est videns. Vnde magis hoc congruit ei ratione qua
habet vim priuationis q negationis. Priuatio enim vt priuatio,semper requirit subiectum in quo
sit quasi forma quędam & dispositio subiecti:negatio aūt nequaq. Vnde differētia est inter nega
tionem & priuationem:vt vult phs quarto Meta.q negatio est absolutio simpliciter alicuius. Pri
uatio vero habet natura subiectā. Vbi dicit Cōmēt. Negatio est absolutio negati simplr. Priuatio
aūt est absolutio in9 a natura determinata. Et cū illa natura fuerit disposita per priuationem:erit
in forma affirmationis. Propter qd dicit phs.ii.Phy. Priuatio species quodāmodo est. Si ergo solū
negatiue pdicaret infinitum: & nihil positiue significaret circa deū:tunc nihil dignitatis & perfe
ctionis diceret infinitū circa ipm:nisi p accidens rōne subiecti. Quātum.n.est de se,pura negatio in
differenter conuenit enti & non enti:sicut patet de negatione termini infiniti. Sed hoc nihil ad ra
tione dignitatis in significato eius qd est infinitū:sicut neq innascibilitas in patre ex hoc est notio
dignitatis in patre q imponit a negatione qua nō habet esse ab alio p natiuitate:sed rōne primita
tis affirmatę sub negatione:neq incorporale est differentia cōstitutiua speciei ratione negationis
sed affirmationis alicuius incogniti subintellecti. ⸿Idē etiā patet secūdo.s.ex natura rei, quę dici
tur infinita ex conditione eius secūdū quā dicit infinita. Ad cuius intellectum oportet cōsiderae
gradus secūdū rōne intelligēdi,qb9 res eadē in esse suo pficit. Cū.n.pfectio ois est in re a fine , & fi
nis & bonū idē,secundum phm.iii.Meta.res igit qcūq in natura essentię suę ex hoc dicit bona:q
attingit aliquo mō finē in cōplemēto naturę & cēntię suę. Sed nō dicit ex hoc pfecta nisi attingat
cōplete finem illū:vt nullius cōpletionis prtinētis ad illam naturam ei possit fieri vlterior additio.
Hęc em est definitio cōpleti:vt dicit Cōmēt.sup finē.viii.Physi.& patet ex predeterminatis. Sed
adhuc ex hac rōne nō dicit totū:sed ex hoc.s.q cōtinet in se oia illa ex qbus cōplet tanq compo
situ ex rōnibus completionis quasi ex partibus:quia.s.continet in se oēs rationes perfectionis quasi
partes ex qbus cōplet & cōstituit in esse,& nulla earū est extra. hęc em est definitio totius:vt dicit
phs.iii.Phy.& habitū est supra. Et licet valde propinqua sint secūdū hoc in significato suo pfectū
& totū:vt idē significent re: significant tn differenti ratione vt dictum est:& pręcedit secūdum

ratione intelligendi.ratio perfecti ratione toti⁹:qa ex eo q̃ res habet cõpletione̅ & eſt cõſummata
in natura ſua:vt nihil ei addendum ſit:ex hoc habet totalitate̅ qua cõtinet oia q̃ ſue̅ nature̅ ſunt:
vt nihil eoru̅ ſit extra.Et ꝓpter iſtã ꝓpinquitate̅ dicit plus.iiii.Phyſi.q̃ totum & perfectu̅:aut ide̅ ſi
gnificãt penitus:aut pximu̅ ſecundu̅ natura̅.Vbi dicit Co̅ment.Aut ſunt noia ſynonyma:aut cõ
ſequetia.& veru̅ eſt q̃ ſunt ſynonyma ex pte rei ſignificate̅:cõſeque̅tia aute̅ ſunt quãtu̅ ad ratione̅
ſignificandi:vt dictu̅ eſt ſupra.Ex hoc aute̅ q̃ res eſt pfectu̅ qd,& totu̅,nõ ex hoc adhuc habet q̃ꝛ
qd dignitatis natu̅ eſt eſſe in re.Si em̅ res ſic pfecta eſt vt nature̅ ſue̅ habeat cõpletione̅:& ſic tota
eſt vt quecunq̃ nature̅ ſue̅ ſunt,in ſe cõtineat:ſi cu̅ hoc in vtroq̃ ſic ſit protenſa:vt quicu̅q̃ intel
lectus finitus aliquid eius qd eſt cõpletionis & totalitatis ſue̅ cõcipiat: & in concipie̅do ſemp vl
terius pcedere poſſit:vt ſemper cõcipiendo magis ac magis cõcipiat:& ſic in cõcipie̅do ſemp ma
gis ac magis pficiat:ita vt nunq̃ quo vltio ſtãdu̅ ſit inueniat:& ſic nũq̃ a pcedendo deficiat: q̃ cu̅
hoc oia illa ſecundu̅ que̅ pcedendo pficit res illa in ſe actu cõtineat:hoc magne̅ dignitatis & pfe
ctionis eſt:nõ ſolum negatiue ſed poſitiue ſignificando.Ad hoc ergo ſignificandu̅ debet eſſe aliqd
nome̅ impoſitu̅,qd rationem ſuperioris gradus dignitatis ſignificat in re q̃ ſignificet hoc nome̅ p
fectum:aut hoc nome̅ totu̅.Et ſi illud nome̅ non ſit hoc nome̅ infinitu̅:qa nõ ſignificat aliquid po
ſitiue circa deu̅:debet ee̅ aliud. Quare cum aliud nõ inuenimus:& tñ illu̅ gradu̅ dignitatis circa
re̅ diuinã cõcipimus & exprimimus in cõmuni vſu:& nõ niſi hoc noie̅ infinitu̅:oportet ergo cõ
cedere q̃ infinitu̅ aligd poſitiue circa deu̅ ſignificet:vt ſic iſta quatuor nomina,bonu̅,pfectu̅,totu̅,
infinitum,ſe habeãt p ordine̅ in ſignificãdo gradus conceptionu̅ noſtraru̅ circa ſimplex diuinu̅ ee̅.
Vt bonum ſignificet abſolute in ipſo eſſe aliquid in quo finitur ſine eſſe diuine̅ nature̅ cõpletenu̅
xta illud Pſal.Bon⁹ es tu.Gloſ.Proprie eſt bon⁹ & ex ſe.Perfectu̅ vero ſignificat bonitate̅ eſſe in ip
ſo:in q̃ diuinu̅ ee̅ cõſummate & cõplete finit.iuxta illud Pſal.Ois cõſummationis vidi fine̅. Gloſ.
Intrauerat iſte inſanctuariu̅ dei:viderat altiſſima que̅ nõ poſſunt explicari:ſed breui ſcie̅tia conclu
ſit dicens: Ois conſummationis vidi fi.Gloſ.Conſummatio eſt oim virtutum perfectio.i. pfectio
in virtute:que̅ nihil aliud eſt q̃ vltima pote̅tia in bonitate. Virtus em̅ eſt vltimum de pote̅tia.iii.
Cel.& Mu̅.Vnde talis cõpletio in bonitate:dicit virtus.De qua dicit etiã plus.vii.Metaph.q̃ ttunc
vnu̅quodq̃ pfectu̅ eſt cum attingit ꝓprie̅ virtuti.De qua etiã dicit q̃ virtus eſt diſpoſitio perfecti
ad optimu̅.Totu̅ vero ſignificat ipſam cõſummatione̅, inquãtum in ſe omnis boni & perfectionis
actu ſimul eſt cõte̅tiua. iuxta illud qd dicit Dominus Moyſi.Exo.xxxiii.Oſtendã tibi omne bonu̅.
Infinitu̅ vero ſignificat ipſam cõſummatione̅ oino pfectione̅ oem continete̅:vt ſemp in vlterius &
pfundius pcedente̅ quocuq̃ finito in eo per intellectu̅ cõcepto.Vt ad hoc adducam⁹ q̃ dicit de
ſapie̅tia.Sapie̅.vii.Infinit⁹ theſaur⁹ eſt hoib⁹.Gloſ.Q̃ ãto q̃ꝗ ꝓfundi⁹ diſcit:tanto ꝓfunditate̅ co
gnoſcit.Cu̅ igit ad tale qd poſitiuu̅ ſignificandu̅ vtimur pricipalr i deo hoc noie̅ iſinitu̅,pone̅du̅ eſt
ſimplr q̃ iſinitu̅ pricipalr ſignificat aligd poſitiuu̅ i deo.Illud.n.debet dici nois ſignificatu̅ ad qd ſi
gnificandu̅ eo vtimur cõiter:qa lcque̅du̅ eſt vt plures:ſecudu̅ q̃ dicit Plus.Bn̅ tñ veru̅ eſt q̃ in hoc
noie̅ infiniti poſitiuo huic annexa eſt negatio quam ſignificat ex rõne i poſitionis nois: & hoc nõ
primo & principaliter ſicut illi dicut:ſed ſecu̅dario & ex conſeque̅te:vt circa diuinã bonitate̅ ſiue
in ee̅ntia:ſiue in pote̅tia:ſiue in quocu̅q̃ alio attribute(Infinitas em̅ oia cõſequit que̅ ſunt in deo
vt ſupra dictu̅ eſt)dicam⁹ infinitu̅ ſignificare rõne̅ ſemp vlteri⁹ pcede̅di quocu̅q̃ termino ſignato:
qd eſt poſitiuu̅ qd,cui annexa eſt negatio termini & finis cõſume̅tis,a q̃ ſit nois i poſitio, ad modu̅
quo linea ſemp i vlteri⁹ pte̅ſa,iſinita dicit qa ſic pte̅ſa eſt:cui pte̅ſioni neceſſario ãnexa eſt priuatio
termini,vt pu̅cti ſignati:i quo deficit pte̅ſio lince̅.Imponat.n.ſic nome̅ iſinitu̅ i linea imaginata ſem
p pte̅ſa.Nihil.n.pot ee̅ ſemp pte̅ſu̅ niſi careat termio i quo ſtat pte̅ſio:& ſic illi affirmatio̅i neceſſa
rio cõſeque̅s & ãnexa eſt iſta negatio:a q̃ tãq̃ ab eo qd nobis noti⁹ eſt,p habitu̅.ſ.finiti ſibi cõtrariu̅,
q̃ ſit illa pte̅ſio,fit nois i poſitio. Et cõſilr i ꝓpoſito nome̅ iſiniti circa deu̅ i poſit a negatio̅e termini
ſiue finis,tãq̃ ab eo qd nobis noti⁹ eſt p finito ſibi cõtrariu̅ i creaturis qb⁹ noia prio ſunt i poſita:&
dein̅ ad deu̅ traſlata. Vn̅ et ſi iteri⁹ velim⁹ cõſiderare ſignificata horu̅ noim iſinitu̅,ſinitu̅, patebit
nobis tertio q̃ hoc nome̅ iſinitu̅ circa deu̅ vel q̃dcu̅q̃ ſemp pte̅ſu̅ nõ i poſit ad ſignificandu̅ negatio
ne̅ termini cõſume̅tis:vt ppt hoc iſinitu̅ in deo nõ dicat niſi negatiue.Et hoc pt; ex ipſius nois i po
ſitio̅e.Claru̅.n.eſt nobis q̃ hoc nome̅ finitu̅ i quãtu̅ ſignificat fine̅ cõſume̅te̅ realr priuatione̅ i portat
vlterioris pte̅ſionis:infinitu̅ aut ſimplr in creaturis ſi ponat ee̅ in actu,i portat hui⁹ priuationis pri
uatione̅:in deo aut negatione̅.Priuatio aut vel negatio priuationis realis affirmatio eſt. In eo igit
in quo iſinitu̅ videt ſignificare negatione̅ aut priuatione̅,realiter ſignificat affirmatione̅.Et ſic ab
ſolute dice̅du̅ q̃ iſinitu̅ i deo affirmatione̅ & poſitiuu̅ qd ſignificat nõ negatiui:etſi nome̅ a nega
tio̅e i poſit.Dico a negatio̅e:nõ a priuatio̅e:qa iſinitu̅ priuatiue dictu̅ nullo mõ cadit i deo:ſicut ca
dit i quãtitate dime̅ſionali.Nã hm̅oi quãtitas nata e̅ habere fine̅.Q̃ ãtitas aut ſptialis ideo fine̅ na

ta habere nõ eſt.Vñ quãtitas dimēſionalis infinita dicit ſubtractione eius qd̄ nata eſt habere.Quã
titas vero ſpiritualis in deo dicit infinita ſubtractione eius qd̄ nõ eſt ipſa nata habere : ſed quod
nata eſt habere creatura a qua nomē mutuauit:cuius eſt ratio finitatis: quæ nota nobis eſt & cognita:& per ipſam infinitum inquantũ dicit eius negationem vel priuatione.Patet igitur ex noſis
impoſitione tam in deo q̃ in creatura,cp̃ hoc nomen infinitum nõ ſignificat principaliter negatio
nē vel priuatione:ſed poti9 alicui9 poſitione:qm̄ iſinitũ ſecũdũ phm̄,iquãtũ iſinitũ incognitũ eſt.
Nõ eſt autẽ incognitũ ſecũdũ cp̃ importat negatione vel priuatione finis cõſumetis : vt dictum
eſt:oportet igit cp̃ infinitum inquãtũ infinitũ ſignificet poſitione contrariã illi fini conſumeti: ſe
cũdũ quã eſt incognitum, & hoc intellectui creato vt dictum eſt.Quod autẽ ſignificat infinitum
inquantũ infinitũ eſt:hoc eſt ſignificatũ principale.Infinitũ ergo nõ tm̄ in deo: ſed & in creatura
principaliter ſignificat poſitione ſiue aliqd affirmatiue. Vnde cp̃ mũdus quẽ phs poſuit eſſe totũ
& ſumme perfectũ,nõ potuit dici ab eo infinitus:hoc non erat tã quia terminũ habebat.ſ. ſuperfi
ciẽ extremę ſphęrę:q̃ quia nõ habebat aliquã vlteriorẽ ptēſione. Vñ patet cp̃ talis finitas mũdi rea
lē importat negatione:licet iponat a modo affirmationis.Propter qd̄ nõ eſt mirũ,ſi econtrario infi
nitũ tã in deo q̃ in creaturis realiter iportet affirmatione , licet imponatur a modo negatiõis vel
priuationis.quia negatio per quã via remotiõis a deo cd̄ eſt in creaturis,cognoſcimus aliquid in
deo,nobis notior eſt q̃ affirmatio abſoluta ei9 qd̄ ſecũdũ veritatẽ eſt i deo.Et hoc eſt qd̄ dicit Dio
ny.tãgēs vtrũq̃ in ſignificato hui9 nois infiniti.ca.ii.cęl.Hier.loquēs de diuina eſſentia. Aliqñ diffi
milibus manifeſtationibus ab ipſis eloquiis ſupermũdane laudat,eam inuiſibilē & infinitã & incõ
prehenſibilem vocantibus:ex quibus nõ quid eſt:ſed quid nõ eſt ſignificatur.hoc em̄ (vt ęſtimo)
patentius eſt in ipſa.Ecce quo ad ſignificatũ negatiui:& ſequitur quo ad affirmatiuũ.Ignoram9
aũt ſupereſſentialem ipſius,& inuiſibilem,& ineffabilem infinalitatem.Ex illa ineffabilis infinali
tas re affirmatio eſt,licet modo negationis propter defectum noſtri intellectus in ipſam comprehendendo ſignificata,aperte declarat Diony.in ſilitudinibus ca.vii.de di.no.vbi dicit ſic.Cõſuetu
do eſt theologis contrario mentis affectu a deo quę ſunt priuationes depellere: ſicut & inuiſibilē
aiunt eloquia clarã lucem & multum laudabilem,& multiuocum,ineffabilem,& innominabilē:&
omnibus pſentē:& ex oibus inuentũ incõprehenſibile & nõ inueſtigabile. Ecce quia dicimus deũ
tãq̃ claram lucem inuiſibilē:vt cõtrario affectu negationis vel priuationis quã nomine exprimimus,realem priuationem vel negatione depellamus:& apicẽ viſibilitatis exprimamus:a cuius viſi
one apex mentis nſę neceſſe habet deficere.Propter qd̄ cum noia imponimus rebus ſicut ipſas cõ
prehendimus,ſub modo priuationis nomen imponim9 propter noſtrã defectibilitatē circa ipſam:
per quã tamẽ intendim9 inſinuare nobis incõprehenſibilem poſitionem.Et ſic deũ qui eſt finis ois
cõſummationis,dicimus infinitũ:inſinuando in ipſo fine cõſummãtē vltra capacitatem ois creaturæ ſemp vlterius ptēſum.Et qd̄ dictũ eſt de inuiſibili & infinito: hoc intelligat de quolibet nomine priuatiuo in deo.Et cp̃ illa ad literam ſit intentio Diony.patet:quia per hoc exponit illud
Apli.Qd̄ ſtultum eſt dei,ſapiētius eſt hominib9,dicēs.Eodẽ modo & diuinus Apl̄s laudaſſe dici
tur ſtultitiam ineffabilem:& ante omnem rationem referens veritatem,hanc igitur irrationalem
& mente carentem.

¶Ad primũ igit in oppoſitũ cp̃ creatura dicit finita poſitiue:ergo ecõtra deus di
cit infinitus negatiue:Dicēdũ ſecũdũ iã dicta,cp̃ verũ eſt : ſed illa affirmatio finis quã dicit finitũ
in creatura,eſt per carētiam perfectiſſimæ poſitionis.ſ.ptenſionis in infinitum , eius cuius non tã
cõſummatione q̃ cõſumptione dicit finis in creaturis:& ad illius protenſione circa naturã diuinã
ſignificandã,vtimur hoc nomine infinitũ:licet iponat a negatione finis conſumētis,quem poſi
tiue dicit finitũ in creatura.Et ſic quo ad modũ ſignificandi & nois ipoſitione finitũ magis ſigni
ficat aliqd poſitiue q̃ infinitũ:quãtũ tñ ad rē intentã ſignificari ẽ ecõuerſo:vt dictũ eſt.¶Ad ſecũ
dũ cp̃ vltra rõne cõpleti,pfecti,& totius ſignificat aliqd hoc nomē infinitũ,qd̄ nõ põt eē aliqd poſi
tiuu:Dicendũ ſecũdũ pdicta cp̃ infinitũ nõ ſignificat aliqd vltra ratione toti9 & perfecti qd̄ omino ſit extra ratione pfecti & toti9:ſed qd̄ in ipſa cõcludit ſicut determinatũ in indeterminato.Sic
em̄ pfectũ addit ſup rõne boni ſimpl'r accepti rõne cõpletiõis & cõſummatiõis in bonitate:quã bo
nũ abſolute dictũ nõ explicat ſuo noſe:includit tñ ipſam ſicut cõfuſum determinati.Ratio.n.cõ
pletiõis eſt ratio bonitatis cuiuſdam. Vnde cũ nihil põt eē actu infinitũ quin ſit perfectiſſimũ:&
ſumme totum:licet infinitum in potētia:ratione impfecti & partis habet vt eſt ſupra:tũc
demũ dicit aliqd vere infinitũ cũ pfectioni ſuæ & totalitati ei9 nõ põt fieri additio.Quod nõ ſolũ
eſt ppter negationem,vel priuationem finis conſumētis: ſed magis ppter ptēſione q̃ oēm hmõi
fine excludit,& eſt vera ratio poſitiua:nõ vltra rationē poſitiuã in nomine imperfecti vel totius

D

E

F
Ad pti.prin.

G
Ad ſecũdũ.

ita ꝙ ſit extra ipſum:ſed quæ eſt incluſa in ipſa ꝟt in confuſo: & explicata determinate nomine in
finiti, ꝟt dictum eſt.Et ſic ratio infiniti eſt ꝟltima ratio determinata poſitiua,quæ in re quacunꝗ
poteſt haberi:Et exprimit ſumme rationem dignitatis diuinæ. ꝰEt ꝙ arguit, ꝙ id quod eſt citra
ꝟltimum poſitiuu in re, habet rationẽ imperfecti & incõpleti:& ſic cõpletum, pfectum, & totū ſi
gnificat id qd eſt ꝟltimo poſitiuũ in re:Dicendũ ꝙ poſitiuũ in re ſignificatum ꝟltra rationẽ toti⁹
& pfecti,poteſt intelligi dupliciter:vel ꝙ illud poſitiuũ ſit omnino extra rationẽ totius & pfecti:vel
incluſum ꝟt in cõfuſo.Primo mõ verũ eſt aſſumptũ:& hoc mõ nullũ eſt attributum diuinũ qd ſi
gnificat in deo aliqd poſitiue ſup diuinã cẽntia:& qd eſt citra tale poſitiuũ in re ſignificatũ nõ po
teſt eſſe niſi imperfectũ & incõpletũ.Secũdo modo bene ſignificant attributa diuina aliquid poſiti
ue ſup diuinã eẽntiã,& ꝟnũ attributũ ſup aliud.& ſic nõ eſt verũ ꝙ id qd citra tale poſitiuũ in re
ſignificatur:nõ ſit niſi imperfectũ:immo æt eſt eque perfectũ ſecundũ rẽ:licet nõ ſecundũ rationẽ in
telligẽdi:ſecundũ ꝙ eſſe in deo cõtinet oẽm diuinã pfectionẽ.ſed ſecũdũ rõne intelligẽdi ſub perfe
ctiori rõne ſignificat ꝟiuere in deo ꝗ eſſe.Et ſic ꝟltra rationẽ totius & pfecti ſignificat rationẽ po
ſitiuã hoc nomẽ infinitũ:qa explicat rationẽ pfecti & totius,qd hoc nomẽ totũ vel perfectũ nõ ex
plicat:ita ꝙ pfectum & totũ ſimpliciter & in ſummo nõ intelliguntur in deo:niſi quia includant
rationẽ infiniti:ꝟt ſic nullũ finitum inquantũ finitũ ꝑ limitationẽ ptenſionis ſpiritualis bonitatis
& pfectionis habet rationẽ pfecti ſimpliciter & abſolute:ſed ſolũ infinitũ.& ſi finitum habeat ratio
nẽ totius & pfecti:hoc eſt in genere aliquo nõ abſolute. Quomõ aũt talis ratio poſitiua in diuinis
attributis ſuper rationem eſſentiæ non ſumitur ex aliquo abſoluto:ſed ſolũ reſpectiuo: ꝟidebitur
infra cum erit ſermo de diuerſitate attributorum.

Equitur Art.XLV.de dei ꝟolũtate.circa quã quærunt. iiii.
Primum:ꝟtrum in deo ſit voluntas. Secũdũ: ꝟtru ꝟolũtas in deo ſit
potẽtia actiua,an paſſiua,ſuppoſito ꝙ habeat ĩ deo rõne potẽtiæ ſm mo
dũ ſupra determinatũ de ponẽdo in deo potẽtiã. Tertium:ꝟtrũ ꝟo
lũtas dei ſit libera. Quartũ:ꝟtrũ in ꝟolũtate dei ſit libertas arbitrii.
Irca primũ arguit ꝙ in deo nõ ſĩt voluntas.Primo
ſic. Voluntas ſecundũ Anſelmũ de libe.arbi.eſt in
ſtrumentũ ſeipſum mouẽs. in deo aũt nihil eſt ſeip
ſum mouens: qa ſeipſum mouens eſt ſimul mouẽs
& motum::& reducitur ad aliud prius mouẽs non
motu.ſecundũ phm.viii.Phyſi. qd non poteſt contin
gere alicui quod eſt in deo:quia eſt primũ mouẽs immobile dãs cuncta moueri , ſecundũ Boethiũ
ergo &c.ꝰSecundo ſic.voluntas non eſt in aliquo niſi ex ordinatione eius in finem per voluntatẽ.
voluntas ẽm finis eſt ſecundũ phm.iiii.Ethico.Deus aũt nullũ ordinẽ habet in finem:quia non eſt
ipſi finis:ſed ipſe eſt oĩm finis,ergo &c.ꝰIn contrariũ eſt illud Epheſi.v.Nolite eſſe imprudentes:
ſed intelligentes quę ſit voluntas dei.& Roma.xii.Vt probetis quæ ſit voluntas dei.

ꝰQueſtionẽ de volũtate in quo habet eſſe: oportet determinare ꝑ rationẽ boni:
ſicut ꝗſtionem de intellectu in quo habet eſſe,oportet determinare per rationem veri:ſed econtra
rio determinatis ſupra circa illam de intellectu diuino.ꝰEſt igit ſciendũ ꝙ ex parte intellectus,&
ꝟniuerſaliter ex pte virtutis cognitiuæ ita eſt ꝙ nihil habet cognoſci niſi ſecũdũ ꝙ habet eẽ apud
cognoſcentẽ ꝟt perfectio eius:& ſecũdũ ꝙ ſecundũ actũ eſt declaratiuũ & manifeſtatiuũ ſuiipſius
apud ipſum,& habens apud ipſum pfectam rationem veri. Actus enim cognoſcendi in patiendo
perficit,& quaſi ꝑ motũ rei cognitę ĩ cognoſcẽti.Cognitũ aũt apud cognoſcentẽ non habet eẽ ni
ſi ſub rationẽ eſſe immaterialis.Vñ ꝟbi non habet eſſe rationẽ immaterialis ſed materialis, ibi nõ
habet rationẽ cogniti:& ibi habet rationẽ cogniti quãtum eſt de ſe,ꝟbi habet rationẽ eſſe imma
terialis,ſecundũ Cõmẽta.ſuper principiũ ſecũdi Metaph. Eadem aũt ſemper eſt ratio cognoſcen
tis & cogniti ſicut in ſenſibus & ſenſibilib⁹ eadem eſt ratio organi & obiecti. Eadem ergo ratione
nihil habet aliqd cognoſcere niſi ſub ratiõe eſſe immaterialis. Ex quo contingit ꝙ illa quę omni
no habent eſſe materiale,nihil omnino cognoſcunt,neꝗ cognoſcuntur niſi per aliquam ſui abſtra
ctionem a materia & eſſe materiali. Quæ vero habent aliquod eſſe immateriale , ſecundum gra
dus immaterialitatis plus ſunt cognoſcentia & cognoſcibilia. Vnde ſenſibilia quæ habent formas
alligatas omnino materiæ ſecundum ſubſtantiam & eſſe , infimum gradum habent cognoſcen
tium:& poſt hęc, illa quæ habent formas alligatas materię ſecundum eſſe:& non ſecundum eſſen
tiam:ꝟt ſunt rationabilia ſicut homines:& ſuper hęc,illa quæ habent formas omnino abſtractas

a materia & secundum esse & scdm essentia,limitatas tamen vt sunt intellectualia,sicut angeli:&
super omnia forma illa est cognitiua,que oino est libera a materia & conditionibus materie,vt est
illa que omnino est illimitata,vt est deitatis essentia: propter quod est mediu & ratio seipsum cognoscendi & omnia alia: qd nulli forme create conuenit:vt supra dictum est in parte,& amplius
dicitur inferius.Et sicut secundu iam dictum modu est ex parte intellectus,& virtutis cognitiue,
sic est ecotrario ex parte voluntatis & virtutis appetitiua:q nihil habet appeti nisi secudu q habet esse in se vt perfectio appetentis:& vt secundu actu quietatiuus illius,& habes in se secundu se
perfecta ratione boni.Actus em appetitiu⁹ rationalis in agedo pficit, & quasi p modu appetentis in
id qd appetit.Appetitu aut secudu seipsum no habet esse nisi sub rone esse naturalis.Vn vbi res
naturalis habet rone esse abstracti ab esse naturali:vt in consideratione mathematica:ibi non ha
bet omnino ratione appetiti:quia neq boni. secundu pfm.iiii.Metaphy. & vbi habet suum esse na
turale,ibi habet ratione boni & appetiti quatum est de se.Quare cu eadem debet ee ratio appete-
tis & appetiti:sicut cognoscentis & cogniti:eadem ergo ratione nihil habet appetere nisi ratione
sui esse in se naturalis: & quacunq habent in se aliquod esse naturale, habent rationem appetitus & appetentis.Ex quo contingit, q cum oia quecunq sunt habent aliquod esse naturale in se
q omnia entia habent appetere:sed diuersimode secundum gradus esse & nature sue. Vnde que
non habent perfectione in natura sua & esse: nisi quia sunt similitudo & participatio eius qd est
perfectum p essentiam & in suo esse: sicut bonum ipsorum propriu qd cosistit in ipsa perfectione
eorum non est bonum perfectu secundu determinata: sic non habet illud appetere, vt pfecte quietata in eo:sed appetunt ipsum vt in ipsum per appetitu tendentia sicut in fine & bonum simpliciter,a quo habent q sunt bona per participationem.Et sic appetentia sunt omnia creata que habent suum ppriu bonum per participatione,licet diuersimode,vt in sequenti qstione.iii.dicet.
Illud vero ens qd habet pfectione simpliciter in natura sua & essentia:sicut bonum ipsius qd cosistit in eius perfectione, est bonum pfectum secundu supra determinata: sic appetit illud vt perfecte in suo bono quietatum.Et hoc modo soli deo couenit appetere.Appetitus aut cum est absq
cognitione,tunc dicitur pure naturalis sicut materia appetit forma. Cum vero cu cognitiua est
sensitiua, tunc vocatur appetitus animalis. Quando vero est cum cognitione intellectuali,tunc
dicitur volutas.Cum ergo deus est nature intellectualis,in deo ponendu est ee voluntate:non ga
ex hoc q deus habet intellectum,argui posset q habeat voluntatem,vt habere intellectum sit ra
tio habedi voluntatem:sed quia sine intellectu non est voluntas.

N
Ad pri.pri.

❡Ad primum in oppositum:q voluntas est instrumentum seipsum moues:Dice
dum q si motus sumatur proprie p variatione quacunq,sic definitio illa solum conuenit volunta
ti creature.Si aut sumatur improprie pro quacunq actione, sic conuenit voluntati increate:quia
est primu principiu actionis sue:& seipsum libere ponit in actu:vt in tertia questione sequenti vi
debitur.❡Ad secundum q no est voluntas nisi ordinati in finem &c.Dicendum q non est volun
tas nisi finis.Sed hoc contingit dupliciter:vel vt distantis ab ipso:& ideo tendentis in ipsum mo
do prędicto:& qd sic est finis,proprie dicitur ordinatu in fine: & solum conuenit voluntati crea
tę:vel vt quietati in fine:& qd sic est finis,non proprie dicitur ordinari in finem: sed dicitur finis
absolute:& hoc modo finis est voluntas increata.

O
Ad secundu

P
Quest.ii.
Arg.i.

2

Irca secundu arguit:q volutas dei sit virtus passiua:Primo sic.qm ois vis non
moues nisi prius mota,est vis passiua:qa moueri pati est.volutas dei est hmoi:
qa non mouet ad actione nisi mota per obiectu. appetitiuum em mouet:& p
pter hoc intelligentia mouet , quia principiu ipsius est appetitiuum,ergo &c.
❡Secundo sic.secundu Priscianum in fine minoris, omnia verba ad anima per
tinentia significant passione.velle verbum est ad anima pertinens: ergo passio
ne significat. sed velle est actus voluntatis:passio aut non est actus nisi virtutis passiue. ergo &c.

In oppositu.

❡In cotrarium est:quoniam ois vis passiua in suo actu necessitatem habet ab alio mouente ipsam.
q si moueat illud, necesse est ipsam in suo actu moueri ab illo. voluntas autem dei quia est omni
no libera,a nullo in suo actu necessitatur, vt patebit in sequeti qstione.ergo &c.

Q
Responsio.

❡Dicendum ad hoc:q sic est in omnibus potetiis & virtutibus quæ habet actus
determinatos ad obiecta:q secundu rationem formalem obiectorum determinatur & distinguun
tur ipsę potetię & actus earum.Verbi gratia:quia secundum formam & speciem differunt color
& sonus:& scdm formam & speciem differunt visus & auditus:similiter videre & audire. Que
cunq aut potentię determinant secundum ratione formalem obiecti , actus earum secundum esse

coõpletū & formale habēt terminari ad obiectū, ſcdm ꝗ habet eſſe perfectū & coõpletū i̇ eſſe ſuo
formali.vt cū color habet eſſe formale & coõpletū potius in obiecto ꝗ in medio vel in organo,
actus vide̅di pfectus habet terminari ad colorē put habet eſſe in obiecto. Nūc aūt ita eſt iuxta
illd dictū phi̇ i.vi.Meta. Verū & falſum nō ſunt i̇ reb⁹ ſicut bonū & malū:ſed ſunt i̇ cogitatio
ne. ꝗ licet verū & falſum quodámodo habent eſſe in cogitatione,& quodámodo in rebus : ꝗa
ambo & res & cogitatio dicitur vera: & veritas habet eſſe i̇ rebus,& habet eſſe in cogitatione
tñ perfectius eſſe habet i̇ cogitatione ꝗ in rebus: non ꝗ cogitatio perfectius dicenda eſt eſſe ve
ra ꝗ res:& veritas cogitationis denominans cogitatione̅,perfectiorē habeat rationē veritatis ꝗ
veritas rei denominans rē ipſam eſſe verā: ſed ꝗ res ipſa pfectiorē habeat in ſe rationem veri
tatis ſcdm ee̅ qd habet i̇ cogitatione,ꝗ ſcdm eſſe qd habet in ſe extra: ſcdm ꝗ expoſitū eſt,&
declaratū ſupra i̇ q̅ſtionibus de veritate dei.Bonū vero & malū ecōtrario licet ábo habent eſſe
quodámodo in re,& quodámodo in volūtate:ꝗa ambo.ſ.res & volūtas dicun̅t eſſe bona,tñ pfe
ctius eſſe habēt ambo in re volita ꝗ in volūtate.Cui⁹ ratio eſt:quia (vt ſupra dictū eſt in q̅ſtio
nibus de bonitate dei) veritas cōſequitur rē ratione ſuꝗ formꝗ vt eſt manifeſtatiua eius apud
cognoſcentē.Bonitas vero conſequit̅ rem ratione ſuꝗ formꝗ vt ipſa eſt pfectiua ipſi⁹ rei i̇ ſeipſa
Quare cū ꝑpterea veritas pfectius ratione veritatis habet in cogitatione ꝗ in rebus, ſcdm ꝗ
ſupra deteriatū eſt in q̅ſtionib⁹ de veritate dei:cōſimili rōne bonitas ecōtrario pfectius habet
rōne bonitatis in re ꝗ in voluntate. Propter qd phs nō dicit abſolute ꝗ veritas & falſitas ſunt
in cogitatione,& nō in rebus:bonū vero & malū in rebus nō in voluntate: quia cū ambo ſint
in ambobus,tñ verū & falſum nō habet eſſe in rebus ſicut bonū & malū:quia hꝗc ſcdm perfe
ctius eſſe ſumunt ee̅ i̇ reb⁹,& nō i̇ volūtate:illa vero ecōtrario in cogitatione & nō in reb⁹.Cū
ergo volūtas & intellectus,& vniuerſaliter actus eoꝛ ꝗ ſunt velle & intelligere,determinant̅
& diſtinguunt ſcdm formā & ſpeciē:licet ſcdm rōne ſolu̅ in deo,& habēt obiecta formalia bo
nū,& verū:act⁹ ergo illi ꝗ ſunt velle & i̇telligere,i̇ ſuo eſſe & pfecto & formali habēt terminari
ad illa,ſcdm ꝗ habēt eſſe pfectū ſimpl̅r i̇ ſuo eſſe formali.Quare cū(vt iā declaratū e̅) verū ha
bet ſuū eſſe pfectū formale i̇ cogitatione,nō i̇ ipſa re vt e̅ extra cogitatione̅.Bonū vero ecōuer
ſo habet ſuū eſſe pfectū foꝛale in re,& nō in ipſa volūtate:ſicut ergo act⁹ i̇telligēdū terminat̅ ad
verū vt habet eſſe i̇ ipſa cogitatione,ſiue i̇ i̇tellectu,ſic actus volēdi terminat̅ ad bonū vt habet
ee̅ i̇ ipſa re volita.vt i̇telligere ſit actus i̇tellectus ex habitudine quā habet ad rē ſcdm ꝗ eſt in
eo principaliter:velle aūt ſit actus volūtatis ex habitudine quā habet ad rē ſcdm ꝗ ipſa res eſt
in ſe exiſtēs.Quare cū bonū qd eſt in re, vt in re exiſtēs, nullo modo habet mouere voluntatē
ſicut verū qd eſt i̇ re non habet mouere i̇tellectū fm ꝗ habet eſſe i̇ re:ſed ſolū fm ꝗ habet eſſe i̇
intellectu:actus ergo volūtatis qui eſt velle:etſi terminat̅ ad bonū vt eſt in re exiſtens : nullo
tñ modo ad hmōi actū eliciendum habet volūtas moueri a bono niſi metaphorice,aut pati ab
ipſo. Quare cū nō poſſit aliꝗd dici virtus paſſiua niſi quia ab aliquo patiatur qd agat i̇ ipſam
eliciendo actū ſuū:queadmodū i̇tellectus d̅r virtus paſſiua,ꝗa nō agit elicie̅do actū intelligēdi,
niſi moueat̅ a re obiecta ꝗ ſit in ipſa vt forma eius ſcdm eſſe ſpirituale,vt habitū eſt ſupra de
intellectu dei:non eſt aūte aliud qd natū eſt agere in virtute a̅cunꝗ niſi pꝝriu̅ obiectū, ſicut
nō agit in viſum niſi color vel lux:Dicedum igitur ꝗ voluntas & in deo & in aliis ſimpl̅r de
bet dici virtus actiua & nō paſſiua,ecōtrario intellectui:ꝗ(vt habitū eſt)debet dici ſimpl̅r vir
tus paſſiua & nō actiua.Vnde licet ambo actus cōſiſtant in habitudine ꝗ eſt inter potentiam
& eius obiectū:hoc tñ ſit cōtrario modo. Intelligere em̅ eſt quaſi mot⁹ circularis aut reflexus
incipiens a re intellecta in intellectū:& ab intellectu iterato terminat̅ i̇ rē intellectā.Velle vero
ecōtrario eſt quaſi motus circularis aut reflexus incipiēs a voluntate in obiectū: & ab obiecto
iterato terminatur in voluntatē.Verbi gr̅a in actu intelligendi, res i̇telligibilis ſcdm eſſe ſpi
rituale facit ſe in intellectu:& ſit intelligibile quaſi forma intellectus expſſa:etſi non impreſſa:
& ſic intellectus patit̅ ab intelligibili:& intellectus p eſſe formale intelligibilis in ipſo,immo to
tum cōpoſitū ex intellectu & intelligibili potius,elicit ex ſe actū intelligēdi.dicēte Auguſtino
in fine.ix.de tri.Liquido tenēdū eſt ꝗ oı̅s res quácūꝗ recognoſcimus,cōgenerat i̇ nobis ſuā no
titiā.Ab vtroꝗ em̅ notitia parit̅,a cognoſcēte & cognito. Et hoc queadmodū ex viſibili & vide
te gignit̅ viſio, vt dicit li.xi.Ca.ii.Act⁹ i̇telligēdi ex i̇tellige̅te & i̇telligibili(vt dictū eſt)elicit⁹
terminat̅ in ipm̅ intelligibile,vt in cognitū p ipm̅.Et p hoc intellectus reſpectu act⁹ intelligēdi
actiuus eſt nō paſſiuus.Quia tñ(vt dictū eſt) nō agit niſi primo patiat̅:ideo ſimpliciter dicit̅
eſſe paſſiuus.actiuus vero ſcdm qd.In actu aūte volendi abſꝗ eo ꝗ aliꝗd agat primo i̇ volun
tate niſi metaphorice,ipſa voluntas ſeipſa ex ſeipſa elicit actū volendi,quo ſe quodámodo facit

R

S

Cc

in volitum,& vnit se volito.Etsi enim actus volédi necessario psupponit actũ intelligédi:quia
nõ mouet se volũtas,vel (vt magis pprie loquar) volés p volũtatē,nisi in bonũ cognitũ:bonũ
tñ cognitũ nullã impssioné aut motũ facit in volũtate:sed volũtas in obiectũ ostésum seipsam
mouet seipsa,ac si visus nõ pficeret intus recipiédo sed extra mittédo,psentato visibili ad rectã
oppositioné.Túc em vis visiua seipsam seipsa moueret i obiectũ vídedũ absq̃ eo ꝙ esset príus
mota ab ipso.Vñ bonũ ꝙ est obiectũ volũtatis,nullũ esse habet in volũtate,sicut verũ habet
esse in intellectu:vt nõ sit q̃stio de bono,an pfectius habet esse in re an i volũtate:queadmodũ
est de vero,vt supra dísputatũ est.Cũ aũte voluntas p actũ volédi se vnierit volito,statim im
pressioné delectationis aut alicuius alterius passionis cõcipit in se a volito.Et in hoc solũ passi
uus est:scdm ꝙ amplius videbitur infra loquendo de amore.

**T**
**Ad primũ**
**princip.**
**V**
**Ad secũdũ.**

¶Ad prímũ in oppositum:ꝙ prímũ mouens in appetitu est appetibile:Dicédum
scdm iam dicta,ꝙ intellectus scdm pḥm,& appetitus mouent,nõ quia aliquã impssioné faciã
in vi appetitiua aut volũtate:sed quia sine cognitione boni appetibilis appetitus non mouet se
in appetibile,vt dictũ est.¶Ad secundũ:ꝙ oía verba ptinentia ad anímã,passioné signíficat:Di
cendũ ꝙ hoc nõ dicit quia aía nullũ habet actũ quin sit passio i ipsa:sed qa nullum habet actũ
quin oriat ex passione:ꝙd cõtíngit in oíbus actibus intellectus:vel quin ipm cõcomitetur ali
qua passio.ꝙd contíngit in omnibus actibus voluntatis.

**A**
**Quest.III.**
**Arg.1.**

**2**

Irca Tertium arguit:ꝙ voluntas dei non sit libera.Prímo sic.Voluntas libe
ra se habet ad opposita:nõ sic aũt volũtas dei:quia tale nõ est nisi mutabile
ꝙd deo nõ cõuenit,ergo &c.¶Secũdo sic,gloriosius habetur id ꝙd habetur
naturę necessitate q̃ cõtrario modo,vt supra declaratũ est.Habere aũt vo
luntatē necessariã naturę necessitate,alius modus est habédi q̃ sit habere eã
liberã.Quicqd aũte habet deus,hoc habet modo meliori & magis glorioso
quia semp ꝙd melius & dignius est,deo attribuendũ est,vt habitũ est supra,ergo &c.¶In cõ
**In opposi.** trariũ est:qm voluntas & natura sunt duo principia agédi ex opposito distincta:ad q̃ oía agen
tia reducunt.scdm pḥm.ii.Phy.&.vii.Metaph.Esse necessariũ,& esse liberũ,sunt duo modi es
sendi cõtrarii.Cũ ergo omne principiũ agédi ꝙd est natura,sit necessariũ,omne principiũ agé
di ꝙd est voluntas,erit liberum.ergo &c.

**B**
**Resol.q.**

¶Dícendũ ad hoc,ꝙ singula quęcũq̃ sunt in rerũ natura , sicut habét determi
natos gradus pfectionũ in natura & essentia sua,sic habent determinatas opationes sibi debi
tas,p quas i fines sibi debitos & proprios ordinant,& p pprios fines ad finem cõmune omniũ.
Aliter em oía cõtíngeret casu vel de necessitate ex cõnexione causarũ pcedentiũ: ꝙd reprobat
pḥs.ii.Phy.Cũ hoc em ꝙ res singulę ppriis actionib[9] tendũt in pprios fines p pprias formas,
habét vnũ prímũ motoré cõmune omniũ,q̃ immobilis manés dat cuncta moueri,a quo formas
suas prícipatas habét,& in cui[9] motu ad vnũ finé cõmune omniũ mouent:q̃ est finis intentus
ab illo omniũ motore.Qd em inclinat vel dirigit i aliqd p principiũ sibi inditũ ab alío,& nõ p
principiũ ppriũ sibi inditũ,dirigit ad aliqd determinatũ:nõ tñ in ipm dirigit nisi vt est inte
tũ ab illo q̃ illud principiũ indidit,queadmodũ sagitta virtute sibi indita etiã víolenter a sagit
tario nõ dirigit nisi in signũ itentũ a sagittario,si artificialiter dirígat.Multo fortius ergo nec
in aliqd dirigit virtus impssa naturaliter nisi in id ꝙd est intentũ ab impríméte:qa p naturalé
impressionem virtutis magis sibi determinat rem q̃ per violentiã. Hęc aũte q̃ sic propriis in
clinationibus tendũt in pprios fines,& mediatibus illis ad finé omniũ cõmune:licet cum hoc
moueant a primo motore omniũ,motus eoꝗ differt a motu illoꝗ quę mouent ab aliquo extra
absq̃ inclinatione ppría,vt sunt illa q̃ mouent víolenter:queadmodum graue mouet sursum
vel circulariter.Quę sic em mouent ad aliqué finé,solum violenter impellunt a dirigéte absq̃
eo ꝙ a quocũq̃ motore extra cõsequant formã aliquã naturalé,per quã illo motu mouean̄t:&
in illũ finé iclinent. Quę aũt tale formã cõsequitur:& p eã motibus suis ad suos fines pprios
tendũt:& p hoc ad finé oím cõmune, nõ dicunt moueri violenter. Tali aũt modo mouetur
oía q̃cũq̃ sunt i rerũ natura:sed diuersimode scdm diuersas formas diuersarũ pfectionũ quas
in natura & essentia sua receperunt a primo motore,ita ꝙ illa q̃ cõsequunt formã pfectioré in
gradu,dignori modo mouent in suos fines.s.magis ex se & minus cum inclinatione alterius
**C** Et ecõtrario illa,q̃ cõsequunt formas inferioris gradus.Vnde illa q̃ sunt in inferiori gradu p
fectionis,& magis distant a pfectione primi motoris,vt sunt illa q̃ nõ habét aliqd genus cogni
tionis,etsi in eis sit principiũ inclinãs illa in suũ motũ, & dirigens in ppriũ finem: non tñ est

proprie moueſ.Propter qđ vult phs.viii.Phyſ.de grauib⁹ & leuib⁹: ꝙ nõ moueñt ex ſe niſi p
accidẽs,quãdo.ſ.ſunt extra loca ꝑpria,iꝗbus naturaliter ꝗeſcũt.Et ideo ꝙ talia moueñt mo
tibus ſibi ꝓpriis,principiũ motus eoꝝ pure naturaliter mouet:& vocañt appetitus pure natu=
ralis.Illa vero ꝗ aliquod gen⁹ cognitiõis habẽt,ex ſe moueñtꝉp ſe:& ſcđm phm ſunt diuiſibilia
in duo:quoꝝ vnũ eſt p ſe moueñs:aliud vero ꝑ ſe motũ: vt in eis ſit ponere nõ ſolũ principiũ
inclinãs:ſed aliquid ꝑ ſe moueñs.Sed in iſtis adhuc eſt differẽtia ſcđm grad⁹ ꝑfectionis formarũ
ꝗm in ꝗbuſdã determinañt motus ab appetibili apꝑhẽſo: a quo non poteſt motiuũ ſe diuertere
poſtꝗ appetibile fuerit apꝑhẽſum.& ſic moueñt bruta aïalia in ꝓſeꝗuẽdo delectabile,& fugiẽ
do triſte:vt licet motiuũ in eis ex ſe ſit indeterminatũ ad hoc vt moueat & nõ moueat: i quo
differt a motiuo i nõ ſenſibilibus:poſtꝗ tñ fuerit determinatũ ab obiecto, nõ eſt i poteſtate ei⁹
vt nõ moueañt,& ſequañt delectabile:aut vt nõ fugiat quãtũ eſt in ſe triſtabile.Et tale principiũ
etſi nõ pure naturaliter mouet:mouet tñ pure ſeruiliter: & appellañt appetitus aïalis ſeu ſenſi
tiuus:cui motũ & finẽ determinat obiectum ſenſu apꝑhẽſum,ſicut in nõ cognitiuis determi=
nat ipſos principiũ naturaliter iditũ.Nec poſſunt iſta ſibi finẽ aut motũ determinare, quia finẽ
& motũ ſibiipſi determinãs, nõ põt eſſe niſi cognoſcẽs finẽ & circuſtãtias eius:& ſiꝉt eoꝝ quæ
ſunt ad finẽ,& habitudinẽ illoꝝ ad finẽ:qđ rationis ſiue intellectus eſt,& tñ illi⁹, & cuiuſlibet
rationalis & intellectualis naturẽ.Et ꝓpter hoc ſolũ talia liberã habẽt ordinationẽ i motus &
in fines:alia aũt nõ,ſed ſolũ pure naturalẽ,vt non cognitiua,vel ſeruilẽ vt bruta. Cuius cauſa
& ratio eſt:quia nõ cognitiua nõ habẽt eſſe niſi oïno materiale & determinatũ p materiã: pro
pter qđ forma in ipſis terminata p materiã,& oïno cõcreta ipſi,nullam habet vim cognitiuã,
quia (vt dictũ eſt ſupra) nihil eſt cognoſcẽs vel cognitum, niſi ſcđm aliquã rõnẽ eſſe imateria
lis.Et ꝓpter eãdẽ rõnẽ talis forma nõ inclinañt niſi in vnũ determinate.Cognitiua vero,ſenſiti
ua tñ,ideo ſunt aliquo mõ cognitiua:quia etſi formas habẽt in materia,tñ cõtrarietates mate
riales habẽt in ſe reductas ad rõnẽ mediã & ꝓportionẽ: per quã quodãmõ ſunt elongata a cõ
ditione pure materialiũ:iꝗbus non eſt talis ꝓportio vt poſſint recipere formas ſenſibiles ma
teriales ꝓter materiã ipſoꝝ ſenſibiliũ,vt dicit phs.ii.de aïa . Et ꝓpter hoc dicit i fine.iii.de aïa
ꝙ ïpoſſibile eſt ꝙ corpus aïalis ſit ſimplex elemẽtũ:ꝗa tactus eſt primus ſenſuũ,ſine quo nõ eſt
aïal:& ipſe eſt medietas calidi & frigidi & oïm alioꝝ. Dicit etiã ꝗ ꝓpter idẽ oſſa,capilli,plãtẽ,
& hmõi non ſentiunt:ꝗa terrẽ ſunt. Et licet ſenſitiua ſicut quodãmõ cognitiua ſunt: & reci=
piũt formas rerũ ſine earũ materia:tã cognitiua tamen ꝑs in ipſis ꝗ appetitiua:ꝗa concreta eſt
materiẽ ſcđm eſſe & eſſentiã:nec recipit cognitiua formas rerũ abſꝗ materiẽ cõditionibus na
turalibus,ex hoc ꝙ recipiũt eas in organo corporaliter:ꝓpter qđ tã cognitiua ꝗ appetitiua in
actu ſuo determinañt ſm illã formã corpalẽ,vt appetitus in brutis neceſſe habet ſeꝗ cognitionẽ
vt ſicut ex ꝑte cognitiuẽ nullũ habet iudiciũ niſi ſcđm cõditionẽ apꝑhẽſi: ſic & ex ꝑte appeti=
tus nullũ habet deſideriũ niſi ſcđm illius cõditionẽ.ꝓpter qđ oïa eiuſdẽ ſpeciei eũdẽ habet mo
dũ agẽdi:& quãtũ ad regimẽ cognitiuẽ:& quãtũ ad regimen appetitiuẽ. Vñ ſicut ad regimẽ
cognitiuẽ oïs hyrundo eodẽ mõ facit nidũ,& apes fauos mellis,ſic oẽs habẽt eoſdẽ mot⁹ ſcđm
appetitũ:vt ꜗlibet ouis in fugiẽdo lupũ:& ꜗlibet lupus in ꝓſeꝗuẽdo ouẽ.Cui⁹ ratio nõ eſt niſi
materialitas ex ꝑte obiecti cõcepti ꝑticulariter & vniformiter i imaginatiua oïm ꝗ ſunt eiuſdẽ
ſpeciei.Cognitiua vero rationalia & intellectualia,ꝗa ſunt formẽ abſtractẽ oïno p eſſentiã ſuã a
materia: ideo recipiunt formas oïno abſtractas a materia,& a cõditionibus materiẽ:& ſic pure
ſub ratione vꜩis:ꝓpter qđ neꝗ cognitiua, neꝗ appetitiua in ipſis determinañt in ſuo opere ad
rõnẽ alicui⁹ ꝑticularis. Vñ arca exiſtẽs in mẽte artificis eſt abſoluta & vꜩis:& abſtracta a mate
ria & oïbus cõditionibus particularibus,nõ ſe habẽs quãtũ eſt ex natura eſſentiẽ ſuẽ plus ad
eſſe ꝗ ad nõ eſſe:neꝗ ad figurã triãgularẽ,vel rotũdã,vel aliquã aliã:remanet artifici iudiciũ
rationis de faciẽdo vel nõ faciẽdo:& de ſic vel aliter faciẽdo: & ſiꝉt libertas appetitus de eligẽ
do facere,vel nõ facere,vel ſic facere,vel alio modo. Et quo ad hoc appetit⁹ rationalis ſemp ſe
quitur apprehenſionem rationis:& dependet libertas appetitus ex modo cognitionis,& appe
titus oïno ſequiꞇ cognitionẽ.Sed hoc verũ eſt de appetitu indeterminato ꝗ eſt boni ſimplꞃ, &
cognitione indeterminata ꝗ eſt boni i vꜩi ſcđm ꝙ bonũ. Sed vlterius ꝙ appetitus determineꞇ
& ſit huius boni determinati:de hoc aliqui adhuc dicũt ꝙ ſequiꞇ determinationẽ rationis:ita
ꝙ ꝗn ſunt circa idẽ,ſiue de eodẽ iudiciũ rationis & appetitus, nũꝗ poſſunt cõtrariari,neꝗ in
vꜩi,neꝗ in ꝑticulari:vt iudiciũ de vꜩi nũꝗ põt cõtrariari appetitui de vꜩi, neꝗ iudiciũ de hoc
ꝑticulari appetitui de eodẽ.Sed ꝙ cõtrariañt,hoc eſt ꝗa nõ ſunt de eodẽ:ꝗa.ſ.iudiciũ rõnis ẽ de
aliquo vꜩi,cuius cõtrariũ appetiꞇ in ꝑticulari:& circa qđ iudiciũ ratiõis ſibiipſi cõtrariañt iudi

D

**E** cando nõ fug'ẽcũ i vñ qd fugiẽdũ iudicat in pticulari,vel ecõuerso.CSed veri9 tenẽdũ eſt(qd
tñ nõ ē hic pſcrutãdũ)ꝗ libertas determinãdi appetitũ ad hoc pticulare,vel ad illũ,nullo mõ
eſt ex pte rõnis:ga habet iudiciũ liberũ:vt neceſſe nõ ſit appetitũ ſequi rõnẽ pticularẽ:imo ipſe
appẽtit9 imaterialis & abſtract9 ſeipſo habet ſe deteriare ſua electiõe.& hoc liberi9 ꝗ rõ ſe:habe
at deteriare ſuo iudicio.In rõnalib9ergo & itellectualib9 nõ deteriaꝶ mot9 ipi pricipio motiuo
ab appetibili apꝑhẽſo & diiudicato ꝑ rõnẽ:ſed oĩno habet i ſua ptãte motũ,vt nõ ſit ipi neceſſa
riũ iclinare ſm deteriatiõe appetibilis apꝑhẽſi ſm ꝗ apꝑhẽſũ eſt.Sed ꝗ moueat, & ſm actũ in
clinet i finẽ,hoc facit nõ ga abextra aliqd ipm violẽter ipellat,vel abitra naturaliter iclinet, vel
ſeruiliter ducat:ſed ga libere & eligibilr,aut ꝗſi eligibiliter & tãꝗ dñs ſuẽ actiõis ex ſeipſo hoc
velit.Et tale pricipiũ moues appellaꝶ volũtas:qd i ſe & i ſuo ſignificato icludit appetitũ & liber
tatẽ:vt volũtas nihil aliũd ꝗ appetit9 liber,vt appetit9 ſit ꝗſi gen9:libertas vero ꝗſi dria i ſigni
ficatiõe & eſſentia volũtatis.Sed i talib9 ꝗ libere & eligibiliter vel ꝗſi, & vt dñi ſuoꝶ actuũ mo
uẽt & iclinãt actus ſuos i fines,ē dria appetituũ ſm differẽtiã naturarũ.Eſt.n.i aliquo eoꝶ ap
petit9 q libere & eligibilr vel ꝗſi & iuariabiliter iclinat motũ i finẽ vltimũ,ita ꝗ nullo mõ ꝑt de
cliare a directiõe i illũ.Eſt & ali9 i aligb9 eoꝶ q libere & eligibilr,vel ꝗſi,ſed variabilr icliat mo
tũ i finẽ vltimũ,ita ꝗ aliquo mõ ꝑt decliare a directiõe i ipm.Et iſte adhuc ē i duplici gñe:qm
qdã ē appetit9 i aligb9 eoꝶ q libere ꝑt icliare motũ:ſ3 ſic variabilr vt pri9ꝗ icepit motũ eligibilr
iclinare i ipm,ꝑt decliare ab eo:ſed poſtꝗ coepit iclinare eligibilr i ipm vel deuiare ab ipo neꝗ
ꝑot de ceto variare motũ.Ali9 vero ē q libere & variabilr an icliatiõe & poſt ꝑt icliare i finẽ
vltimũ vel deuiare ab eo.Iſto tertio mõ ē.libertas appetit9 i ſol9 hoib9.Volũtas.n.i hoib9ga libe
re & eligibilr appetit:excedit i gradu quodã appetitũ brutoꝶ:& habet aliquẽ gradũ libertatis
infimũ tñ,ſicut grad9 naturẽ hoĩm iſim9 ē iter rõnalia ſiue itellectualia3.Cũ.n.volũtas & liber
tas fũdant i eẽtia rei,natura iſerior libertatẽ volũtatis naturalr deb3 hre i gradu iſeriori.Vñ
ꝓpt iſeriorẽ gradũ naturẽ debilior & iſirmior ē libertas volũtatis i hoib9 iter oĩa itellectualia:
ſ3 & iõ magis variabilr: vt hõ ſtati cũ deuenerit ad vſũ liberi arbitrii,ſuo prio actu ꝑt icliare i
motũ directũ i finẽ vltimũ,vel i motũ deuiatẽ ab eo,vt'libere & eligibilit icliet i vnũ vel i alte
rũ.Poſtꝗ ẽt hõ libere & eligibilit icliauerit i vnũ motũ vel i alterũ:quãtũ ē ex natura ſua,ꝑt
variare motũ quouſcꝗ ſuerit cõfirmat9 i bono vel i malo.Vñ penes hoc Damaſ. aſſignãs dñas
iter appetitũ hois & brutoꝶ dicit li.ii.c.xx.In irrõnalib9 fit appetit9 alicui9:& cõſtim ipet9 ad
opatiõe:& agũt.In oĩb9 rõnalib9 entib9 ducit magis appetit9 ꝗ ducit,Et i ca.xxix.Irrõnalia ñ
ſũt libera arbitrio.Agunt.n.a natura magis ꝗ agãt.Et iõ nõ cõtradicũt naturali appetitui:ſed
ſil'appetũt & ipetũ faciũt ad actũ.Hõ aũt rõnalis ens magis agit naturã ꝗ agaꝶ:iõ appetẽs ſi qd
velit,habet refrenare appetitũ vel ſequi eũ. Et ſic volũtas libera df:ga ſuipſius gratia mouet:
nõ ga ab alio ipellaꝶ,vel iclineꝶ,vel determineꝶ:& hoc in genere cauſẽ mouentis. quẽadmodũ
ſcdm pfim:liber hõ dicir ga eſt ſuipſius gratia,& nõ ad alterius ſeruitiũ ordinaꝶ:& hoc i gñe
cauſẽ finalis. Secũdo vero dictoꝶ triũ modoꝶ eſt libertas appetit9 i ſolis angelis. Volũtas em
angeloꝶ eligibiliter & libere appetẽdo excedit i gradu appetitũ hoĩm, & habet aliquẽ gradũ li
bertatis ſup gradũ libertatis appetitus hoĩm:ſicut gradus naturẽ angeloꝶ eſt ſup gradũ natu
rẽ hoĩm.Vñ ꝓpter ſupiorẽ gradũ naturẽ angeloꝶ,fortior & firmior eſt electio,& libertas i an
gelis ꝗ in hoib9,& ideo minus variabilis.vt licet angelus an oẽm actũ quẽ eligibiliter & libera
liter elicit:ꝑot ſuo actu primo iclinare vel i motũ directũ in finẽ vltimũ, vel i motũ deuiatẽ ab
eo:tñ poſtꝗ angelus libere & eligibilr iclinauit vel i vnũ motũ,vel in alterũ,quãtũ eſt ex natu
ra ſua nõ ꝑt variare motũ qn quãtũ eſt ex ipſa natura angelica ex ordinatione diuinẽ iuſtitiẽ
vel ꝓprio delicto exigẽte obſtinet i malo,ſi iclinet motũ a fine vltio,vel ꝑ gratia cõfirmet in bo
nũ,ſi adiut9 gratia iclinet motũ i vltimũ finẽ.Et ga fortior & firmior eſt iſta libertas & electio
in angelis in hoc ꝗ forti9 adhẽret ei qd primo agit, vt de cetero nõ poſſit variare: ꝗ ſit in ho
minib9,in qb9 debili9 adhẽret ei qd prio agit,vt poſt actũ primũ poſſit variare, ſicut dictũ eſt:
Ideo ẽt quo ad hoc i angelis fortior & firmior eſt libertas appetit9 ꝗ i hoib9. Eſt em libertatis
iſirmitas ꝗ nõ adhẽret ei cui libere ſemel ſtatuit adhẽrẽdũ. Qd aũt i virib9 & pricipiis actiuis
forti9 eſt & firmi9,hoc eſt meli9.Et ſcdm Aug. in eis ꝗ ſunt mole magna, id qd eſt melius eſt
maius.Ideo ſimplr & abſolute maior eſt libertas volũtatis i angelis, ꝗ i hoib9.vt ꝗ volũtas in
hoib9 poſt primã electiõe & actũ elicitũ poſſit variare:& ſic ſit ad vtrũlibet: & valeat ad oppo
ſita:hoc cõtingit ei nõ ex volũtatis libertate: ſed ex quodã naturali defectu ab illa perfectiori
libertate ꝗ eſt i ãgelis.Tertio aũt dictoꝶ triũ modoꝶ eſt libertas appetit9 ſiue volũtatis i ſolo
deo.Volũtas.n.diuina i libere & eligibilr appetẽdo ſiue volẽdo,excedit ſup oẽ3 gradũ appetitũ
& volũtatẽ ãgeloꝶ:& hẽt libertatẽ ſup gradũ libertatis appetit9 ſeu volũtatis ãgeloꝶ:ſicut di

**F**

uina natura vltra oēm gradū excedit gradū naturę angeloꝝ.vt ꝓpterea i iſinitū fortior & fir
mior ſit libertas volūtatis i deo q̄ i ãgeliſ: & io oĩo iuariabil'.vt nullo mō poſſit icliare i mo
tū aliū q̄ directū i ſeipm̄ vt eſt oim̄ finis vltim9.Et hoc cōuenit ei ex firmitate & fortitudine li
bertatis:ꝓpt q̄d & libertas volūtatis ſuę ſūma ē:a q̄ deficit libertas angeloꝝ iquātū aliquo mō
variari pōt i actiōe ſua & electiōe,vt pꜩ ex iã dictis. Vñ q̄a a variabilitate q̄ volūtas angeli vel
hois declinare pōt motū a fine vltimo,ꝑcedit potētia peccādi:ideo Anſel.optime dicit i prici.
lib.de libe.arb.Nec libertas,nec ꝑs libertatis eſt peccādi poteſtas.CAd q̄ſtionē ergo dicēdū ſim
plr̄ & abſolute q̄ diuina volūtas libera eſt ſimplr̄ & abſolute in actu ſuo volēdi,nō diſtinguē
do q̄ libertatē habet i volēdo alia a ſe:q̄a nulla neceſſitate vult aliq̄d illoꝝ:nō aūt i volēdo ſe:
q̄a habet neceſſitate volēdi ſeipm̄:ſcdm̄ q̄ hęc iſra debet declarari.imo q̄a nō vult alia a ſe niſi
volēdo ſeipm̄,ſicut neq̄ ſcit alia a ſe niſi ſciēdo ſeipm̄:vt declarari debet iſerius.Et ſicut nō ali
ter ſcit ſe & alia,ſic nō aliter vult ſe & alia:ſed eque libere:q̄a p volūtatis cōplacētiā: nō p na
turę ſpetū:nec p obiecti aliquā deteriatiōe.& hoc quāto diuina cognitio & ei9 appetit9 ꝓpter
obiecti ſimplicitate & abſtractiōe a matia,q̄d eſt ſingularis deitas q̄ a deo cognoſcit & appetit
ſub rōne ſinglaris,excedit cognitiōe & appetitū creaturę ꝓpt obiecti matialitate,q̄d ē vl̄e abſtra
ctū a ſingularib9.Ex hoc.n.eſt q̄ſi matiale:& ſimil̄r virtutes cognitiuę & appetitiuę p ſe & prio
vl̄ ſub rōne vl̄is ſūt q̄ſi matiales reſpectu virtutis diuinę cognitiuę & appetitiuę:q̄ p ſe & prio
nō cognoſcit nec appetit niſi ſinglare abſtractū oĩo ſub rōne ſinglaris,cuiuſmōi ē ipa deitas.
CAd illud ergo q̄d arguitur primo in oppoſitū:q̄ libera volūtas ſe habet ad oppo
ſita:& ita mutabilis eſt.&c.Dicēdū q̄ ſunt q̄dā oppoſita i genere moris:& q̄dā in gñe naturę.
In gñe moris ſcdm̄ phm,Bonū & malū nō ſunt i gñe:ſed ſunt gña alioꝝ:q̄a.ſ.ſub ipſis oĩa op
poſita in gñe moris cōtinēt:& ſunt ſolūmō virtutis & peccati opa . In gñe naturę ſunt dece
gña pdicamētoꝝ:ſub qbus oĩa oppoſita & diuerſa & cōtraria i rerū natura exiſtētia cōtinēt
Loqñdo de oppoſitis primo mō,patet p iã dicta q̄ de rōne libertatis nō eſt ſe habere ad oppoſi
ta:q̄a poſſe peccare(vt dictū eſt)nec eſt libertas:neq̄ ꝑs libertatis: & volūtas q̄ ſic ſe habet ad
oppoſita,mutabilis ē,cuiuſmōi nō ē volūtas dei:ſed ãgeli aut hois tñ,vt patet ex pdictis.Loqñ
do vero de oppoſitis ſecūdo mō,volūtas valet ad oppoſita duplr̄:vel ſub rōne icōplexi,vl̄ ſub
rōne cōplexi.Primo mō de libertate volūtatis ē ſe hr̄e ad oppoſita:q̄a de rōne libertatis ē poſſe
velle oē volibile.Quicq̄d aūt ē res & natura aliq̄ pdicamēti, i eo q̄ bonū q̄dā eſt volibile ē.Et
hoc mō de9 imutabiliter volēdo ſe,vult oēm creaturā:q̄a oĩa i natura & eſſentia ſua placet vo
lūtati diuinę:q̄a vidit deus cūcta q̄ fecerat,& erāt valde bona . Gene.i.Secūdo mō ſubdiſtinguē
dū:q̄a q̄dā ſunt cōplexiōes ſup quas nō cadit niſi volūtas vitioſa,vt ſup hoc q̄d eſt hoiem pec
care.Alię ſunt cōplexiones ſup q̄s cadit volūtas abſq̄ oĩ vitio: vt ſup hoc q̄d eſt Sorte curre
re vel nō currere.Cōplexiones primo mō velle nō ꝑtinet ad libertatē,q̄a ſūt i vitio. Sed cōple
xiones ſcdo mō,q̄a de ſe ſūt idifferētia & ordiābilia & nō ordiābilia ad bonū vltimū,ſm diuer
ſos ſtat9 rerū,hoc mō ſe hr̄e ad oppoſita ꝑtinet ad libertatē arbitrii: & hoc mō de9 pt velle hoc
vel illō vel ãbo,vel neutrū:& hoc ſine oĩ mutabilitate i ſuo actu volēdi:ſed ſolū circa volita,q̄
ſūt exteriora cōnotata circa actū volēdi dei,ſm q̄ hoc iuferius debet declarari.Et cū hoc q̄ ſic
volūtas valet ad oppoſita,de hoc nihil ad volūtatis libertatē:ſed ad libertatē arbitrii i volūtate
Hęc eī inter ſe differūt multū,vt i patebit queſtione ſequēti.CAd ſecūdum q̄ illud glorio
ſius habet q̄d habet neceſſitate naturę q̄ q̄d alio mō:Dicēdū q̄ ly de neceſſitate naturę,pōt de
terminare actū habēdi & dicere modū eius:vel rē habitā & dicere modū illius rei . Primo mō
verū eſt:intelligēdo,ſ.alietatem ex pte modi habēdi,illo q̄d habet exiſtēte eiuſdē rōnis vtrobi
q̄ ſcdm̄ modū ſupra determinatū.Secūdo mō nō eſt verū. Vñ ſentiēdū ē q̄ deus qcq̄d habet:
habet neceſſitate naturę ſuę ex pte modi habēdi:& hoc ē ſūme glorioſum.Et ſic de neceſſitate
ſuę naturę habet volūtatē oĩo liberā:q̄d eſt multo glorioſius q̄ ſi eā haberet alio mō: & etiā
multo glorioſius q̄ ſi de neceſſitate naturę ſuę haberet volūtatē neceſſariā neceſſitate naturę:
q̄d iplicaret cōtra dictoria.cū volūtas vt volūtas,libertatē iportat:vt patet ex pdictis.

Irca Quartū arguitur:q̄ volūtas dei nō ſit liberi arbitrii. Primo ſic.actus li
beri arbitrii eſt eligere,q̄d nō cōuenit deo:tū quia electio nō eſt ſine conſilio
q̄d nō eſt niſi dubitātis q̄lis nō eſt deus: tū quia electio ſcdm̄ Damaſ.eſt duo
bus ppoſitis alteri alterū libere pferre,q̄d nō cōuenit volūtati diuinę,q̄ ſemp
vult melius,ergo &c.CSecūdo ſic.liberū arbitriū q̄d vult poteſt nō velle. nō
ſic aūt deus,quia eſſet mutabilis,ergo &c.CIn cōtrariū eſt illud Anſelmi in
principio de libero arbitrio.Libertatem arbitrii nō puto eſſe potētia peccādi
& nō peccādi:quippe ſi hęc hmōi eſſet definitio, nec deus, nec angeli qui peccare nequeunt

G
Reſponſio.

H
Ad primū
princip.

I
Ad ſecūdū.

K
Quę.IIII.
Arg.i.

2
In oppoſit.

liberum arbitriũ haberet, qd̄ nefas est dicere. Item.i.Corin.xii.sup illud: Hęc oĩa operat vnus atq̃ idem spiritus, diuidẽs singulis prout vult: dicit Glos. Ambrosii. de trinitate primo. Pro libero voluntatis arbitrio, non pro necessitatis imperio. ergo &c.

**L**
**Resol. q.**

℞ Ad vidẽdũ vtrũ i volũtate dei sit libertas arbitrii: cũ (vt cõcessum est) qa i ipſa est libertas: oportet hic primũ videre quõ se habeat rõ arbitrii ad rõne libertatis: viso ergo in precedẽti q̃stiõe qd dicat eē libertas i volũtate: hic priõ videndũ ē qd dicat eē arbitriũ. Est ergo sciẽdũ q̃ arbitrari ē duob⁹ vl' plurib⁹ ppositis p i differẽtia respectu alicui⁹, alterũ alteri pferre respectu illi⁹, vtputa si duo litiget iter se sup aliq̃ re hñda, sumit arbiter: cui cõmittit a ptib⁹ q̃ definiat & determinet qd q̃q̃ illoꝝ debeat hfe i re illa: vt q̃ vn⁹ habeat duas ptes: alter vero tertiã: vel vn⁹ vnã medietate & alter aliã: vel scdm aliqũ alioꝝ modoꝝ possibiliũ definiẽdi inter eos: vt sic vnũ modũ definiẽdi q̃rela pferat aliis, & ptas ei sic definiẽdi cõmissa vocat arbitriũ. Sed tal' definitio ab arbitro habet fieri duob⁹ modis: quoꝝ vn⁹ pot esse sine altero & cõmitti sine altero. Et ſm hoc duplex est arbitriũ, & duo sunt modi arbitrãdi: quoꝝ vn⁹ cõsistit in diiudiãdo qd q̃q̃ illoꝝ ſm iustitiã debeat hfe: alter vero i peligẽdo qd vni illoꝝ & qd alteri velit tribuere. Primũ arbitriũ ptinet ad rõne: & est ratio arbiter: qd p opus rõnis terminat: qñ inuestigatiõe & discursu facto p cõsiliũ recto iudicio sentẽtiat cõclusione practica qd ſm regulã iustitię q̃q̃ illoꝝ debeat in re dicta habere. Quo facto adhuc in arbitrio volũtatis suę est qd vni, & qd alteri assignare velit: qa si oĩno pure volũtati suę cõmissum est arbitriũ, nõ astringit in suo arbitrio sequi arbitriũ rõnis: imo pot cõtrario mõ arbitrari si sit iiustus. Et sicut est de

**M**

arbitrio & arbitro electo in priũ discordia ad definiendũ inter ipsas: sic est de arbitrio & arbitro in qualibet natura rationali & intellectuali ex natura sibi indito: q̃ scilicet in omni actione sua arbitrali duplicẽ habet in se arbitriũ, rõne.ſ.& volũtate. Rationis eĩ est discernere p iudiciũ qd cui pferẽdũ est: qd̄ est arbitrari apud ipsam. Et finito arbitrio ratiõis adhuc restat volũtati suũ arbitriũ quo pot sequi arbitriũ rõnis, vel ipsi cõtrariari libera electione: vt sic arbitriũ simpl'r dictũ cõe est ad arbitriũ rõnis & ad arbitriũ voluntatis. q̃ in hoc differunt: q̃ arbitriũ hoc est potestas arbitrãdi ptinẽs ad volũtate, oĩno liberũ est: quia nec est determinatũ ad vnũ per aliquod pricipiũ naturalis i clinationis: queadmodũ grauia determinata sunt ad descẽsum neq̃ p rõne obiecti, queadmodũ deteriat appetit⁹ brutoꝝ: neq̃ ẽt p iudiciũ rõnis, queadmodũ volũtas in sua actione in nullo depẽdet a rõne, nisi q̃ ei pponat obiectũ absq̃ hoc q̃ q̃q̃ patiat ab obiecto aut alteret i seipo, vt sic moueat ab obiecto aliquã i pssione recipiẽdo i se ab ipo pri⁹ q̃ moueat & agat actionẽ ppriã circa obiectũ: queadmodũ mouet appetit⁹ brutoꝝ, cũ determinat p appetibile pri⁹ q̃ moueat & actionẽ ppriã agat circa obiectũ. Nõ eĩ obiectũ mouet volũtate nisi metaphorice: sicut amatũ & desideratũ mouet amante & desideratẽ: qd̄ est bonitate sua allicere: & p hoc metaphorice sibi attrahere amãte. Immo obiecto volũtati pposito, p simpli cẽ app̃hensione pot ferri in bonũ app̃hẽsum añ oẽ iudiciũ & arbitriũ rõnis prout vult: & fil'r cõpleto iudicio rõnis. Arbitriũ vero ptinẽs ad rõne, seruile est: & nullo mõ liberũ: qm quo ad actũ simplicis i telligẽtię oĩno est passiua: & determinat p specie i telligibilis: vt ipsa psente i ipsa ſm actũ, nõ pot p ipsam nõ i telligere, queadmodũ oculus psente visibili in luce & recta opposi tione non impedita non pot nõ videre. Quo ad actũ vero iudicãdi de app̃hẽso simplici intelli gẽtia, seruilis est dupl'r. Vno mõ p volũtate: quia hoc nõ facit nisi ad impiũ volũtatis, quę pot ipsã ad ingredũ cõpellere, & ab ingredo put vult retrahere. Alio vero mõ p mediũ: iuento eĩ medio pprio, & p se, nõ pot ratio nõ assentire, vel nõ dissentire quin oportet eã iudicare & sen tẽtiare vel arbitrari scdm exigẽtia medii. De libero igit arbitrio quãtũ ptinet ad volũtate, dici mus q̃ nihil est aliud q̃ libera potestas volũtatis ad elicidũ: hoc est ad aliqd alteri pferẽdũ: vt

**N**

noĩe arbitrii nihil significet nisi potestas volũtatis ordinata ad actũ eligẽdi: vt supra rõne potẽ tię q̃ significat noĩe voluntatis, vt ordinata ad actũ volẽdi simpl'r, addat arbitriũ determinatio nẽ actus. Vt sic cũ volũtas includit in suo significato duo tm̃, vnũ tãq̃ genus, alterũ tãq̃ diffe retiã.ſ.appetitũ simpl'r, & libertate. Volũtas eĩ nihil aliud q̃ appetitus liber, vt dictũ est i p̃ cedẽti q̃stione. Liberũ vero arbitriũ includit hęc duo i suo significato: & cũ hoc ordine ad actũ eliciẽdi determinat. Et sic tria i cludit in suo significato, vt liberũ arbitriũ sit liber appetit⁹ ad eli ciẽdũ: nõ tñ pprie tria, sed tm̃ includit i suo significato volũtas: vt sic liberũ arbitriũ ni hil aliud sit q̃ volũtas, vt dicit Dama.li.iii.c.xiiii.preter hoc q̃ appetit⁹ vt cadit i significato vo lũtatis, dicit respectu ad actũ volẽdi simpl'r. Vt vero cadit i significato liberi arbitrii, dicit respe ctũ ad actũ volẽdi deteriatũ q est eligere. Et est liberũ arbitriũ nomẽ potẽtię q̃ est ipſa volũtas: sed solũmõ addit deteriatione respect⁹ ad actũ determinatũ, q est eligere. Quare cũ eligere ſm pĥm.iiii.Eth.ſit actio voluntatis circa ea ꝗ ſunt ad finē:& voluntas idifferēter eſt circa finē,& circa ea ꝗ ſunt ad finē,vt.ſ.ratio volūtatis diſtinguat ꝓprie a rōne liberi arbitrii, diſtinguēdo voluntatē ſimpl'r dictā in illā ꝗ reſpicit actum circa finē,ꝗ dicit voluntas abſolute, & in illā ꝗ eſt circa ea ꝗ ſunt ad finē,ꝗ eſt liberum arbitriū:qd pĥs appellat electionē,quādo dicit.iiii.Eth. ꝙ volūtas eſt finis:electio vero eoꝛ ꝗ ſunt ad finē:Libertas igit ſimpl'r i noie voluntatis ſimpl'r dictē intellecta,eſt libertas ſimpl'r & abſoluta reſpectu cuiuſcūꝗ actus volūtatis.Libertas vero expreſſa i libero arbitrio,eſt libertas reſpectu act⁹ eligēdi ſolū.Vt ſic,differūt libertas volūtatis & liberum arbitriū volūtatis:ꝙ libertas voluntatis eſt libertas ſimpl'r dicta: et eſt pars volun tatis nomine eius ſignificata, ſicut differentia eſt ps i ſignificato ſpeciei:liberi vero arbitrium includit totā voluntatē quo ad rationē appetitus ꝗ eſt ſicut genus,& libertatis ꝗ eſt ſicut diſ- ferētia in voluntate:& cū hoc addit determinatū reſpectu ad actū eligēdi:p quē cōtrahit liber tas ſimpl'r ſignificata nomine voluntatis: quēadmodū differētia indeterminata i genere ſubal terno,cōtrahit p differētiā determinatā in ſpecie ſpecialiſſima:vt ſic liberū arbitrium ſit quaſi vna ſpecies volūtatis ſimpl'r dictē,ꝗ eſt ad actum volēdi ea ꝗ ſunt ad finē diſtinctū contra aliā que eſt ad actū volēdi finē ꝗ cōtinet nome voluntatis abſolute.Vñ has duas quaſi ſpecies volū tatis expſſit pĥs cū dixit ꝙ volūtas eſt finis:electio vero eoꝛ ꝗ ſunt ad finē.Quare cum ſcdm pĥm cuius eſt potentia eius eſt actus & ecōuerſo : cuiuſcunꝗ ergo voluntas habet eſſe circa ea ꝗ ſunt ad finē,ipſa eſt liberi arbitrii . Quare cum non tm voluntas creaturē vt hominis & angeli,habet eſſe circa ea ꝗ ſunt ad finē:ſed etiā voluntas dei,ſcdm ꝙ infra determinandū eſt loquēdo de voluntate dei in reſpectu ad creaturas & ad volita extra ſe:CSimpl'r igit dicēdum eſt ꝙ voluntas dei eſt liberi arbitrii:& hoc nō reſpectu ſuiipſius:ſed reſpectu alioꝛ a ſe. Nō re ſpectu ſui,qñ libere & ſponte velit ſeipm deus nō neceſſario neceſſitate quaſi ꝓueniēte,neꝗ na tura ſua determinātē,neꝗ etiā intellectu determinātē:ſed ſola neceſſitate immutabilitatis cō comitante,vt dictū eſt i pcedenti ꝗſtione, & amplius infra dicet.Sed quia in deo neꝗ in eis ꝗ deū videt aperte p ſpeclē,nō cadit electio vera de volēdo deum vel alia ab ipſo:& hoc ideo quia in deo videt omne bonū & ois boni bonū , a quo oē aliud bonum deficit:immo ipſo viſo nihil poteſt ei pferri:ſed ipſe ſimplici libertate,& amoris naturalis allectione quaſi ſolus amat imuta bilis neceſſitatis comitatione. Reſpectu autem creaturē & alioꝛ a deo, eſt in voluntate dei li- bertas arbitrii:nō ſolū quia libere & ſpōte velit alia a ſe,& nō neceſſario, neceſſitate quaſi ꝓue uiente aut ſubſeꝗuēte ſiue comitātē:neꝗ etiā iudicio rōnis determinātē: ſed quia velit ea vo- luntate determinātē ſeipſam,& libere alterū alteri pfererēt:eo ꝙ vnūquodꝗ eoꝛ accidētaliter or- dinatur in finē,ꝗ eſt ipe.Verutñ libertas iſta arbitrii aliter eſt i deo,aliter in creaturis:qñ libe rū arbitriū fundat i natura & eſſentia rei:qua diuerſa exiſtēte tāꝗ eo qd eſt quaſi prius ſcdm ratiōne,neceſſe eſt variari ea ꝗ in ipſa fundant. Et cōſiſtit iſta diuerſitas in actione eliſgēdi quā reſpicit(vt dictū eſt)liberum arbitrium . Et hoc quo ad duo:quoꝛ primū eſt ꝙ electio in deo eſt abſꝗ omni diſcurſu cōſilii pcedētis:ſed ſimplici intelligentia,vt infra dicetur. Electio vero creaturē nō eſt feſtina,neꝗ ſimplici itelligētia tm pcedēte:ſed cū aliquo diſcurſu poſt ſimplicē intelligētiā & actū volēdi ꝗ in ipſa fundat,ſcdm ꝙ exponi debet loquēdo de electione hominū & angeloꝛ. Secūdū vero eſt ꝙ i electione dei p liberū arbitriū tmmō eſt diuerſitas & variabili tas ex pte ipſoꝛ in ꝗ terminat actus eligēdi,que ſunt eius cōnotata:non ex pte ipſius actus:qa eſt ipſa diuina eſſentia.In electione vero creaturē p liberū arbitriū eſt diuerſitas & variabilitas ex pte ipſoꝛ in ꝗ terminat actus eligēdi:& ex pte ipſius actus exiſtētis in eligēte: ſed i homine ante electionē & poſt: in angelo vero ante tm,vt dictū eſt i pcedenti ꝗſtione.

CAd primū in oppoſitum:ꝙ in deo non eſt libertas arbitrii, eo ꝙ in ipſo nō eſt electio quia neꝗ cōſiliū:Dicēdū ꝙ verū eſt de electione ꝗ pcedit ex cōſilio:qa illa nō eſt feſtina ſed deliberatiua,qd eſt iperfectionis.Eſt tñ i ipſo electio feſtina ex ſimplici intelligētia. CAd ſe cūdū,ꝙ deus nō poteſt nō velle qd vult:quia eſſet mutabilis:Dicēdū ꝙ verū eſſet ſi illa nega tio negaret actū volendi rōne principalis ſignificati ſicut & rōne cōnotati quēadmodū negat in creaturis.Nūc autē i deo nō negat negatio actū eligēdi niſi rōne cōnotati tm.Quēadmodū em cū dr Sortes nō eſt aial irratiōale,vera eſt ꝓpoſitio: qa totū qd eſt aial irrationale negatur de Sorte,nō ratione totius,neꝗ ratione aialis,ſed rōne irrationalis tm : ſic cū dicit deus vult a. fore,& poteſt nō velle a. fore:totum negat de deo: nō ratione actus ꝗ eſt velle: ſed ratione ipſius a.cōnotati.quia nō ex pte actus:ſed ex pte cōnotati ſolimodo variabilitas eſt ſine omni variatione dei. Vñ quantū eſt ex pte ſua,eodem actu quo vult a. fore,pōt velle a non fore:ſm ꝙ infra magis habet exponi ſuo loco.

O
Reſponſio.

P

Q
Ad primū princip.
R
Ad ſecūdū.

## ⟨Arti.XLVI.

**Ar.XLVI.**

Equitur Arti.XLVI.de amore, qui rationem habitus vi=
detur habere in dei voluntate.Et quia hoc non est omnino certū:
ideo circa hoc quęruntur quatuor.

Primum: vtrum voluntas dei in se habet rationem alicuius ha=
bitus.

Secundum: vtrū habitus morales etiā omnes sint in dei volūtate.

Tertium: vtrum amor sit in deo.

Quartum: vtrū amor in deo habeat habitus aut alicuius alterius
rationem.

**A**
**Quęst.I.**
**Arg.1.**

Irca Primū arguitur:ꝗ in volūtate dei nō sit ratio habitus alicuius.Primo
sic.Habitus est id quo potētia inclinatur in actum. nō sunt eī habitus in
potētia nisi ad actus eliciendū.voluntas aūt dei a nullo inclinaꝶ in actū.hoc
eī est cōtrariū summe libertati volūtatis, quę debet esse prímū mouens se

**2**

ipsam & inclinans in actū,vt iā habitū est supra.ergo &c.⟨Secūdo sic.Habi
tus in volūtate nō est nisi virtutis habitus.sed scd̄m phm virtus est ꝗ ha
bentē perficit,& opus eius bonū reddit.opus autē voluntatis diuinę ꝙ est velle seípm, nō est
bonū ex aliquo nisi ex fine omniū circa quem est, & a quo nō potest volūtas deuiare. ergo &c.

**In opposi.**

⟨In contrariū est:quoniā illud ꝙ est dignitatis simplʳ,& melius esse ꝗ nō esse, deo tribuēdū
est,vt patet ex supra determinatis.Virtus est aliqd dignitatis simplʳ,& melius est esse aliquid
virtuosum ꝗ non esse.ergo &c.

**B**
**Responsio.**

⟨Dicendū scd̄m ea quę dicta sunt supi⁹ circa habitus intellectuales in deo, ꝗ ꝓ
easdē rationes qbus in deo simplʳ debent poni rōnes habituū,eisdem debet poni ratio habitus
in volūtate.Et ꝓter ibi dicta, specialis ratio est ex pte volūtatis diuinę,ꝗ in ea debēt poni ra=
tiones habituū.Qm cū ſm Boethiū de Hebdo.vt supra dictū est,Bonū duplex est ĩ reb⁹ crea=
tis,quoddā ꝙ cōsistit ĩ esse & essentia rei:quoddā ꝙ cōsistit in ei⁹ bene esse: ita ꝗ illud a quo
res creata diciꝶ bona in esse,dat rei esse simplʳ,& esse bonū scd̄m qd:illud aūt a quo diciꝶ bona
in bene esse,dat ei esse ſm qd,& esse bonū simplʳ.Illud aūt in rōne boni magis habet rōnē boni
pfecti.quo res habet eē bona simplʳ,ꝗ quo habet esse bona scd̄m qd.Cū ergo ſm supra deter
minata illud ꝙ est maioris pfectionis ĩ creaturis poti⁹ debem⁹ dicere ĩesse deo:dicere ĩesse deo
poti⁹ debem⁹ illa ſm ꝗ creatura nata est dici bona simplʳ, ꝗ secūdū ꝗ nata est dici bona scd̄m
qd.Quare cū pfectiones bonitatū̄ꝗ sunt in essentia creaturarū ponunt hīe rōnes pfectionū in
diuina essentia,scd̄m supra determinata:multo fortius ergo & pfectiones bonitatū ꝗ cōsistūt
in bene esse creature,debemus ponere ĩ dei volūtate. Illę aūt sunt ex pte volūtatis in habitib⁹
& virtutib⁹:ergo rōnes habituū & virtutū debēt poni ĩ deo tāꝗ rōnes pfectionū ĩ bene esse in
voluntate dei,scd̄m ꝗ iā amplius declarabitur in proxima quęstione sequente.

**C**
**Ad primū**
**princip.**
**D**
**Ad secūdū.**

⟨Ad primū in oppositum:ꝗ voluntas seipsa inclinatur in actum:dicendū ꝗ verū
est nō per aliud re ꝗ sit ipsa. Aliqd tā in ipsa pōt habere ratiōe habitus & rōnē iclinatis:qd
tā nō habet rōnē alicuius necessitate volūtati iponentis . illud eī esset contra eius libertatē.
⟨Ad secūdū:ꝗ volūtas dei a nullo bona est nisi a fine:dicēdū ꝗ volūtas ꝓter ratiōe bonitatis
quā habet iquātū natura & essentia ꝗdā est,habet bonitatē & a fine & ab habitu. Sed nō sunt
diuerſę rationes bonitatis, qa nō est ratio bonitatis nisi qa inclinat actū in finē & volūtatē per
actū qn distans est volūtas a fine,& tenēs ipm in suo fine postꝗ fini fuerit coniūcta. Per id eī
res quiescit in fine,ꝓ ꝙ mouet in ipm. Et sic rōnes habituū volūtatis nō sunt vt inclinantes
in finē:sed vt tenētes finē:& sic vt nō distātes ab actu: hoc eī est de ratione impfectionis ĩ ha
bitibus creaturarū:sed vt cōiūctī actibus: & vt sola ratione differentes ab ipsis.

**E**
**Quęst.II.**
**Arg.1.**

Irca Secundum arguitur:ꝗ morales virtutes non sint ponendę in deo. Pri
mo sic.nihil ꝙ ridiculum est ponere,ponendū est esse in deo:quia tale absur
ditatem importat,& nihil est in deo nisi per summā veritatē. Ponere autem
virtutes morales in deo,hoc est ridiculum scd̄m phm.x.Ethicoꝶ. ergo &c.

⟨Secundo sic. virtutes morales nō sunt nisi circa passiones sensibiles delecta
tionis & tristitię,& circa actiones temporales exteriores contingentes.Passio
nes autē tales non sunt in deo:nec tales actiones per ipsum scd̄m se habent

**3**

tractari,vt patet de se.ergo &c.⟨Tertio sic.morales virtutes non dirigunt hominē nisi scd̄m

vitam politicã.Vnde ſubtractus a vita politica ad contemplatiuã, morales ſiue politicas vír
tutes habere non dícítur.Vir enim eremita nec bonus eſt,nec malus bonitate politica ſcdm cõ
mẽtat.ſup.ix.metaphyſicę.quare cum deus ſumme eſt contemplatiuus,ergo &c.Quarto ſic. **4**
ſecũdum phm.vi.Ethicorũ,non eſt moralis vírtus ſine prudẽtia.& ſecundũ ipſum ibídẽ,pru
dentia eſt cõſiliatiua de eis quę ſunt ad finem.in deo autem nõ eſt conſilium.quare in deo non
eſt prudentia:& per cõſequens nec aliqua aliarum vírtutũ moralium.Contrarium patet.qm In oppoſi.
deus dicitur iuſtus pius & huiuſmodi:quę ad vírtutes morales pertínent.

¶Dicendum ad hoc cũ eis quę dicta ſunt de habítibus in deo in pcedẽti queſtíõe **F**
& in queſtionibus de habítibus intellectus díuiní:φ ſecundum ſuperius determinata quęcunq Reſponſio.
in creaturis ſecundum ſui nominis rationem important quod eſt perfectionís ſimpliciter ſine
omni ratione imperfectionis,in deo ponenda ſunt:& ab ipſo remouẽda quęcunqꝯ ratione imper
fectionis important inquantum huiuſmodi:ita etiam,φ ſiqua important qd eſt pfectionis ſim
pliciter ſecundum aliquid,& ſecundum aliquid aliud imperfectionis,ſecundum illud qd habet ra
tionem perfectionis ſimpliciter,in deo ponenda ſunt:non autem ſecundum id qd habet rationẽ
imperfectionis,niſi per ſimilitudinem & quandam metaphoram.Vnde cum in vírtutibus per
fectio & imperfectio conſiderantur ex parꝗe finis ſiue obiecti:& ex parte actionis quam eliciunt
quãdo ratione amborũ vel alteríus tantum perfectionẽ,vel imperfectionẽ important:ſecũdum
modum quo perfectionẽ important deo debent attribuí:& nõ ſecundum φ important imperfe
ctionem.Eſt igitur ſciendũ φ generaliter oẽs morales vírtutes ſecundum φ cadunt in vſum **G**
hominũ,ad hois actiuã vítã regẽdã pertínẽt:& inquãtũ hmõi circa vſum particularíũ bonorũ
quę ad neceſſitatem naturę humanę pertínẽt propter eius imperfectionẽ:& in hoc ratíone im
perfectionis ex obiecto & actu ſuo important:ſecundum hoc igitur nulla vírtus moralis omnino
in deo ponẽda eſt.Vnde cum ſecundum Plotinũ(vt ſcribit Macrobius loquens de.iiii.vírtutib9
cardinalibus,inter quas ſunt tres morales,& prudentia quæ eſt earum auriga)quatuor ſunt
quaternarũ genera vírtutũ:& ex his prime politicę vocantur:ſecundę purgatoríę:tertíę anímí
iam purgati:quartę exemplares:& ſunt Politicæ quibus boni vírí reipublicæ conſulunt,vrbes
tuentur,parentes venerãtur,liberos amant,proximos dilígunt,ciuíum ſalutẽ gubernant:& cę
tera quę enumerat:Purgatoríę vero ſunt inquãtum ab his ad díuina anímum retrahunt:Pur
gati vero anímí inquantum anímũ omnino inníxum díuinís ab his expedítum tenent:& cũ in
quolibet íſtorum triũ generum vel poſitíue,vel abnegatíue huiuſmodi particularia vt obiecta
habent:Idcirco dicendum φ morales vírtutes ſcdm φ ſunt politicę,vel purgatoríę,vel purga
ti anímí,in deo cadere nõ poſſunt:vt deus ſecundum íſta tria genera,neqꝯ fortis,neqꝯ tẽperans,
neqꝯ iuſt9,neqꝯ prudẽs poterit dici niſi metaphorice.Et hoc,quia licet dictę vírtutes & actiões
circa quas ſunt:vel aliquę earum ſecundũ rationem ſui generis,non qua dícítur politicę,pur
gatoríę,vel purgati anímí:ſed qua dícítur prudentia,iuſtitia,fortitudo & huiuſmodi,ex re
bus humanís nõ dependent:& ſecundum hoc in deo cadere poſſũt vt iam dicetur:ſcdm tamẽ φ
ad res humanas cõtrahũtur & determínãtur:& per hoc ex illís ſpecialem rationem generís ſu
mũt:vt dícãtur politicę,purgatoríę,vel purgati anímí:quẽadmodum curuũ per hoc φ habet
eſſe in naſo,habet rationẽ,ſimí:nullo modo habẽt eſſe in deo,neqꝯ debẽt ei attribuí:ſed ſecundũ
φ accipiunt vt nõ determinatę ad particulares ratíões aut paſſiones humanas,ſed generaliter
ad quęcunqꝯ applicanda:hoc modo ſolũmodo vere habent eſſe in deo:& dicuntur vniuerſales
& exẽplares reſpectu illarũ quę cadunt in vſum humanũ:& quaſi fluunt íſtę ab illís,ſicut ab ar
chítectonica abſtracta fluit vſualis ad materíam determinatã applicata.Vnde dicit Macrobi9.
Quartę ſunt quę in ipſa mẽte díuina cõſiſtunt:a quarũ exemplo reliquę omnes per ordínẽ de
fluunt:ſecundũ φ magis & mínus determínãtur paſſionibus.Vnde ſecundum hoc Macrobius
aſſignans dictarũ quatuor generum differẽtias,dicit ſic.Paſſiones vocãtur φ homines metuũt
cupiunt dolentqꝯ gaudẽtqꝯ.Has prime mollíunt:ſecundę auferunt:tertíę obliuiſcũtur:in quar
tis nefas eſt nomínarí.Eſt ergo iuſtitia in deo,quę diſtribuit vnicuiqꝯ qd ſuum eſt pro qualita
te gradus naturę & meritorũ in toto mũdo.Iuſtitia vero in homine quę diſtribuit circa hono **H**
res & pecunias,& huiuſmodi res particulares quę in vſum ſuum cadunt,vnicuiqꝯ quod ſuum
eſt,& ſic de aliís tribus ſuo modo.Et ſic ſecundum rationem ſui generis omnes morales vírtu
tes in deo inueniuntur inquãtũ exemplares:& a particularíb9 paſſioníb9 & rebus cadẽtibus in
vſum hominũ abſtrahũtur:nõ inquãtũ ſunt politicę,neqꝯ purgatoríę,neqꝯ purgati anímí,neqꝯ
inquãtum exercitíũ earũ eſt in paſſionibus & rebus particularíb9 ad vſum hoïm pertinentíb9.
Et ſicut eſt de ipſis ſcdm ratíonẽ ſui generis,ſic eſt de ipſis ſecũdum rationes ſuarum ſpecierũ

quę in deo cadunt inquantũ sunt exẽplares & abstracte̱,nõ autẽ inquantũ sunt exẽplatę & par
ticularibus actionib9 determinatę. Vnde species illę virtutũ moralium quę nominant virtutẽ
**I** sub esse quo determinata est actionib9 particularib9circa passiões aut res particulares hominũ
inquantũ huiusmodi,nullo modo poni debent in deo:nec sunt secundũ veritatẽ in ipso. Est igi
tur sciendũ:ɋ in virtutibus tribus moralibus quoddã genus est magis proprie in deo:& quod
dam minus ꝓprie. Et similiter de speciebus vnius virtutis: vna magis ꝓprie est in ipso ɋ alia.
Ad cuius intellectum sciendũ,ɋ in qualibet virtute tria cõsiderãtur:secundũ quę dicitur esse
in aliquo:scilicet substãtia habitus,actus eius,& obiectum.Et est in iustitia substãtia habitus in
quocunɋ sit,siue sit exẽplaris,siue purgati animi,siue purgatoria,siue politica,ęquitas quędã
in voluntate:qua volũtas per equalitatẽ ꝓportionis geometricę aut arithmeticę se habet ad il
la circa ɋ & in quib9 habet exerceri.In fortitudine vero substãtia habitus,est vigor qdã siue ro
bur quo volũtas firmitatẽ habet in suis actibus.In tẽperantia vero est substantia habitus puri
tas quędã qua volũtati complacet nõ nisi i puris & mũdis actibus: & circa pura & mũda vaga
ri.Actus vero & obiecta:aut secundum substantiã,aut secũdum modũ differunt: vt sunt in di
**k** uersis:& vt sunt exẽplares,purgati animi,purgatorii,& politici. ⌈Si igit̃ loq̃mur de dictis vir
tutibus quo ad substantiã habitus:dicim9 ɋ ꝓprie habent esse in deo & in diuina voluntate &
perfectissime:quia voluntas eius summa equitas est secundũ iustitiã:quia Iustus domin9 & iu
stitias dilexit:equitatem vidit vultus eius.Est etiã summus vigor,siue robur secundum fortitu
dinem:secũdum illud Iob.ix.Sapiens corde & fortis robore.Est etiã summa puritas,scdm illud
Iob.iiii.Nunqd homo dei cõparatiõe iustificabit̃?aut factore suo purior erit vir? Et sic pfectissi
me & summe sunt in summo inquãtum sunt exẽplares:deinde in primo gradu subtus:inquã
tum sunt purgati animi: & in secũdo & medio gradu inquãtũ sunt purgatorię:& in tertio &
infimo gradu inquantũ sunt politicę.Et est hic aduertendũ,ɋ virtutes in deo dicũtur exem
plares:nõ quia sunt ideę virtutũ aliarum:vt nõ dicãtur esse virtutes in deo nisi quia habet in
deo exẽplares ideas:quẽadmodum & aliæ res:quẽadmodũ videt̃ sentire Macrobius ꝓbans vir
tutes exẽplares esse in deo per hoc ɋ virtutes illæ quæ sunt in creaturis ideas exẽplares habent
in deo sicut & alię res,cũ dicit.Quartę i ipsa mẽte diuina cõsistũt. Nã si rerũ aliarũ,multo ma
**L** gis virtutum ideas esse in mẽte diuina credẽdũ est illic. Sed virtutes i deo dicũtur exẽplares:quẽ
admodũ superiora & perfectiora in rerũ natura sunt exẽplaria eorũ quæ sunt inferiora & min9
perfecta:qa illa quę sunt superiora,virtute cõtinent quicqd est in inferioribus,& amplius,& ex
tendit se actio superior ad actiones inferiorũ:& ad amplius. Qd patet in homine:q habet a for
ma sua esse,viuere,sentire,& intelligere:& in primo cõmunicat cũ inaiatis:i secũdo cum arbori
bus:in tertio cum brutis:& in quarto qd est sibi propriũ,oia excedit corporalia:vt sic homo sit
ratio & mensura omniũ corporaliũ & exẽplar ad quod sunt alia exẽplata: quẽadmodũ vniuer
saliter in rerum natura magis nobilia & superiora in gradu naturæ sunt exẽplaria inferiorum
& min9 nobiliũ. Vt sic virtutes ponamus in deo nõ tanɋ ideas in diuina sapiẽtia:quẽadmodũ
in ea sunt omnes creaturę:qd tamen videtur sentire Macrobius vt dictũ est: nec tanɋ rationes
perfectionales in eius essentia: qd videntur sentire aliqui dicẽtes,ɋ sicut diuina pfectio cõtinet
oĩm pfectiões,sic & diuina bonitas oĩm bonitates:& ideo cũ virtutes qdã bonitates sunt, opor
tet diuinã bonitatẽ oẽs virtutes in se continere:sed tanɋ rationes attributales in eius volũtate
Ista eĩm multũ differũt: vt alias visum est i quadã quęstiõe de quolibet,& adhuc videbit̃ infra.
Si igitur cõsiderẽtur habitus morales secũdum substantiã habituũ,dicim9 secũdum iam dicta
ɋ sunt proprie in deo:& perfectissime:& vniformiter:& secũdum rationes generum,& simili
ter scdm rationes oĩm specierũ,quę suo nomine nõ determinãt actus aut obiecta deo non con
gruentia,scdm ɋ iam videbitur.Si vero loquamur de virtutibus moralibus quo ad ipsarum
actus & obiecta:sic dicimus,ɋ nõ vniformiter sunt in deo & in aliis: immo secundum rationẽ
generis vna i deo est magis ꝓprie ɋ alia: & sub eodẽ genere virtutis vna species magis ꝓprie ɋ
**M** alia.⌈Ad cuius intellectũ sciendũ,ɋ iustitia secũdũ actum suũ,qui est vnicuiɋ dare qd suum
est,propriissime i deo est:& differt generalitate ab hũana iustitia:qa hũana iustitia cõtracta est
ad res hũanas:& ex illis speciẽ accipit:quẽadmodũ curuitas i naso i quo est,accipit speciẽ simi
tatis.Diuina vero iustitia icõtracta est & absoluta & sua actiõe ad oĩa se extẽdit. Nã sicut hũa
na iustitia regit regna ciuitates & domos secundũ ea quę cadunt in vsum hoĩm:sic diuina iu
stitia regit vniuersum mũdum secũdum omnia quęcũɋ habẽtur in creaturis. Vnde Augusti
nus exponens illud psalmi.vii. Cõfitebor dño secũdũ iustitiã eius,dicit.Qui videt merita aĩarũ
sic ordinari a deo:vt dum sua cuiɋ tribuit̃,pulchritudo vniuersitatis nulla ex parte violet:

in omnibus laudat deũ:ſi diſtinguat inter iuſtorum p̃mia & ſupplicia peccatorum: queadmo
dũ his duobus vniuerſa creatura quã deus a ſe conditam regit,mirifica & paucis cognita pul
chritudine decoratur.Nihil enim(vt dicit.iiij.de trinita.cap.v.)ſit q̃ nõ de interiori inuiſibili
atꝗ intelligibili aula ſummi imperatoris,aut iubetur,aut permittitur ſecundũ ineffabile iuſti
tiam p̃miorũ atꝗ pœnarum,gratiarũ & retributionũ, in iſta totius creaturę ampliſſima qua
dam,immẽſaꝗ republica.Nota ꝙ dicit gratiarũ propter iuſtitiam diſtributiuã : retributionũ
propter iuſtitiam cõmutatiuã.Eſt igitur ſciendũ ꝙ cũ ſcdm Pl̃m.v.Ethic.due ſunt ſpecies iu   **N**
ſtitie:quoniã quedã eſt cõmutatiua:quedã vero diſtributiua:& diſtributiua duplex,quedam q̃
diſtribuit liberaliter non ſecundũ merita, & abſꝗ omni modo retributionis & cõmutationis:
quedã vero diſtribuit ſecundum merita, & hoc vel pure ſecundũ merita,vel partim libera
liter,partim ſecundum merita: Iuſtitia diſtributiua,quę diſtribuit liberaliter, & nullo modo
ſecundũ merita,illa nõ eſt iuſtitia ſimpliciter:ſed vocatur liberalitas.& talis iuſtitia ſcdm actũ
ſuum propriiſſime eſt in deo, & diſtribuit oĩbus ſcdm dignitatem & cõueniẽtiã.Vnde dicit
Diony.viij.capite de diuinis noĩbus.Vt iuſtus laudat̃ deus,ſicut oĩbus ſcdm dignitatẽ diſtri
buens.iuxta illud Matthęi.xxiiij.Dedit vnicuiꝗ ſm propriã virtutẽ.Et ſecundũ hoc iuſtitia li
beralitatis ꝓpriiſſime eſt in deo,& eſt ſolũ vere liberalis. Quia vere liberalis eſt q̃ dat alii ſic:vt
nõ fiat ei retributio vllo modo,ſicut dicit Auicen.vi.metaphy. Diſtributiua vero iuſtitia que
eſt pure ſcdm merita,diſtribuit malis gradus pœnarum ſcdm gradus peccatorum.Illa vero q̃
eſt partim ſecũdũ merita,partim liberalis,diſtribuit iuſtis p̃mia ſcdm merita, quę partim ſunt
a deo:quia non niſi per gratiam ſuã liberaliter datam , & partim per vſum liberi arbitrii ope
rantis cũ gratia.Et habet iſta iuſtitia diſtributiua aliquid cõmune cũ cõmunicatiua ſiue cõmu
tatiua:quia hic datur hoc pro hoc, pœna pro peccato, p̃mium pro merito.Et ideo de iſto ge
nere iuſtitię ponendę in deo dicimus,ꝙ inquãtum habet de liberalitate,habet eſſe in deo ſim
pliciter:ſicut & illa quę eſt pure liberalis. Inquãtum vero vtraꝗ iſtarũ aliquid cõmune habet
cũ cõicatiua:ſic habet eſſe in deo,ſicut & illa q̃ eſt cõicatiua:de qua dicimus,ꝙ cũ ipſa nõ habet
eſſe ꝓprie niſi in illo q aliqd dat,& pro illo aliqd aliud recipit: De⁹ aũt a creatura nihil recipit:
de ipſa inquã dicim⁹ ꝙ nõ habet eẽ ꝓprie ĩ deo:qa nõ eſt in ipſa cõicatio dati & recepti ꝓprie,
Quia tñ deus reputat ſibi in iniuria peccata noſtra , & acceptat quaſi beneficia ſibi facta bona   **O**
noſtra,ꝑ quãdã ſimilitudinẽ & metaphorã poteſt dici ꝙ in ipſo eſt iuſtitia cõmutatiua, cũ red
dit vnicuiꝗ ſecundũ merita vel demerita.Et ſecundũ hunc modum actus iuſtitię deo conue
niũt vt adminiſtrat & gubernat omnem creaturã.Propter qd ſecundũ hunc modũ definit eã
Macrobi⁹ ſic. Exemplaris iuſtitia eſt,ꝙ perenni lege a ſempiterna operis ſui cõtinuatione non
flectitur. Cum iuſtitiã politica definiat ſolũmodo ꝑenes operationẽ vnius hominis ad homine
& rerum ipſorũ,dicens,Politica iuſtitia eſt ſeruare vnicuiꝗ qd ſuum eſt. In deo ergo dicimus   **P**
vere eſſe iuſtitiã diſtributiuã , & quodãmodo cõmutatiuã:nec repugnat deo ratio ſubſtãtię
habitus:nec ratio obiecti:niſi inquãtum determinatur in iuſtitia politica ad bonum humanũ
neꝗ ſimiliter actus niſi inquãtum etiam actus determinat̃ ad bonũ humanũ,,& inquãtũ actus
iuſtitię cõmutatiuę non cõuenit deo niſi per quãdam ſimilitudinẽ:vt dictũ eſt.Alię autẽ duę
virtutes morales etſi quãtũ ad ſubſtãtiã habitus in deo ſunt(vt dictũ eſt)ꝓprie:qa tamen ob
iecta earũ ſunt paſſiones,circa quas ſunt actus in eo cuius ſunt:& paſſiones in deo nullo modo
habẽt eſſe:idcirco quo ad act⁹ & obiecta hmõi virtutes nullo modo ſunt ĩ deo:quia diuinę per
fectioni repugnant.Vnde licet puritas ſimpliciter ponẽda ſit in deo,quę reſpondet tẽperãtię,
& vigor qui reſpondet fortitudini,& hęc ſcdm rationẽ ſui nominis nõ determinant̃ ad paſſio
nes:temperantia tamẽ ſecundũ ſe & ſpecies ſuas quę ſunt caſtitas & ſobrietas,quia ſecundũ ra
tione ſui noĩs determinatur ad paſſiones:& ſimiliter fortitudo:ideo nullo modo proprie dicũ
tur eſſe in deo:quia ſuę perfectiones aliquid imperfectionis ſcdm ſuũ nome ſemp includũt an
nexum.Sed ſcdm ſimilitudinẽ dici poſſunt in deo,quando eſt accipere in deo ſimilitudinẽ earũ   **Q**
ſecundũ rationẽ alicuius effectus eius circa creaturas.Et quia caſtitati & ſuis ſpeciebus nõ eſt
in deo inuenire ſimile:non enim eſt actio eius aliqua in qua ſe habet ad modum ſobrii in cibo
& potu, vel ad modum caſti in actibus venereis:ideo ſcdm ſuũ nomen nec etiam transſumpti
ue,& per ſimilitudinẽ dicitur de deo.Q₂ ſi poſſet ſimilitudo inueniri, poſſent ſcdm nome ſuũ
transferri ad deũ:queadmodum transferũtur in ipſum fortitudo, magnanimitas,mãſuetudo,
patientia,& ſimiliter miſericordia,quę eſt pars iuſtitię, remouẽdo ab eis quicquid in eis imper
fectionis ſignificatũ ē circa creaturas:vt paſſiones triſtitię a diuina miſericordia,& doloris a di
uina patientia,& cętera huiuſmodi.Quãtũ ergo ad rationẽ generis,& quo ad ſubſtantiã habi

tuum, rationes virtutũ moraliũ,& pfectiones earũ,ĩ deo debet poni vt attributa:sed ꝓprie ſm
 rationě obiecti & actus iuſtitia:trãſumptiue vero ſolũmodo fortitudo:nec proprie autem, nec
tranſumptiue temperantia.Per dicta patent ín parte obiecta.

¶Ad primũ q̉ ridiculum eſt ponere in deo virtutes morales: Dicendũ q̉ verũ eſt
proprie,& ſcdm rationes actuũ & obiectorũ ſcdm modũ particularě quo ſunt in creaturis.ſm
modũ aũt vniuerſaliorě aut trãſumptiue,aut ſm rationě ſubſtãtię habituũ,hoc nõ ē ridiculũ:
immo deo honorificũ:vt patet ex dictis.¶Per idem patet ad ſecundũ,dicendo q̉ licet virtutes
morales in deo nõ ſunt ſub ratione pticulari,q̉ ſcilicet paſſiones pticulares & actiones reſpiciũ
tur:vt quib9 determinant ad ſpeciem:inquãtũ tñ habět rationě vniuerſalitatis,& exemplarita
tis,& abſtractionis a particularib9 actionib9 & paſſionib9,bene poſſunt eſſe ĩ deo ſm ſubſtãtias
habituũ,& q̉dã earũ ſm actus vſes:vt dictũ eſt.¶Siłr ad tertiũ,q̉ abſtract9 a vita politica mora
les virtutes habere nõ pot:Dicedũ q̉ verũ eſt ſub illa ratiõe q̉ politici ſũt. pot tñ ſub alia ratio
ne,ſecũdũ q̉ alioſmõ habent a cõteplatiuis,ſecũdũ q̉ ſũt purgatorię & purgati aĩ,q̉ habeãt a
politicis.Et adhuc aliomõ & ſup eminêtiori habent a deo ſecũdũ q̉ ſũt exêplares:q̉ habeãt ab
hoĩb9 actiuis ſecũdũ q̉ ſũt politicę: aut hoĩb9 cõteplatiuis ſecũdũ q̉ ſũt purgatorie & purgati
aĩ.Q̉d patet p deſcriptiões.iiii.virtutũ ſecũdũ.iiii.dictos modos a Macrobio . Deſcribit eĩ eas
ſcdm q̉ ſũt politicę,vt iſiſtêtes paſſiõib9 & pticularib9 actiõib9 hoĩm,dicẽs. Politici prudêtia
eſt ad ratiõis normã q̉ cogitat & q̉ agit vniuerſa dirigere.Politici fortitudo ē aĩmũ ſup pículi
metũ erigere,& nihil.niſi turpia formidare.Politici têperãtia eſt ĩ nullo lege moderatiõis exce
dere.Politici iuſtitia ē ſeruare vnicuiꝗ q̉d ſuũ eſt.Vt vero ſunt purgatorię,deſcribit eas tanꝗ
retractiuas ab iſtis inferiorib9 particularibus bonis corporalib9,& directiuas ad bonũ vniuerſa
le & ſpirituale,dicẽs.Prudêtia eſt mundũ iſtũ & oĩa que in mũdo ſunt,diuinorũ cõteplatione
deſpicere.Fortitudo ē nõ terreri aĩam a corpore quodã ductu phię recedête.Têperãtia ē oĩa re
linquere inquatũ natura patitur,q̉ corporis vſus requirit.Iuſtitia eſt ad viã vnã propoſiti cõ
ſentire.Vt vero ſunt purgati aĩmi,deſcribit eas tanꝗ vacãtes & abſolutas ab oĩbus inferiori
bus,& ſolũ incẽtas diuinis,dicẽs.Purgati aĩmi prudêtia eſt diuina nõ quaſi in electiõe ꝓferre:
ſed tanꝗ nil ſit aliud intueri. Fortitudo eſt paſſiões ignorare nõ vincere. Têperãtia eſt terrenas
cupiditates nõ reprimere:ſed penitus obliuiſci.Iuſtitia aũt eſt cũ diuina mête ſociari perpetuo
fœdere.Vt aũt ſunt exêplares, deſcribit eas vt pciſe bono diuino itêtę ſunt:& vt ab ipſo bona
ſup alios defluunt dicens.Prudêtia exemplaris eſt ipſa mens diuina,hoc eſt mêtis diuinę regu
la,qua diſponit vniuerſa.Fortitudo eſt q̉d ſemp idem eſt,nec aliꝗado mutat. Têperantia q̉ in
ſe ꝑpetua intêtione cõuerſa eſt. Iuſtitia eſt q̉d perenni lege a ſempiterna operis ſui cõtinuatiõe
nõ flectit.Sunt ergo oẽs virtutes in cõtemplatiuis:ſed alia & alia ratione q̉ in actiuis,& modo
eminêtiori q̉ in politicis, & tanto eminêtiori & ſimpliciori modo,quáto ĩ ſuperiorib9 & magis
ſpiritualib9 cõtemplatiuis,& mõ eminêtiſſimo in deo.Et ita licet vir eremita nõ ſit bonus neꝗ
malus bonitate vel malitia politica,multo tñ melior eſt bonitate alia ſiue bonitate alterius ra
tionis:vt dictũ eſt. ¶Ad quartũ q̉ moralis virtus nõ eſt ſine prudêtia, quæ nõ eſt in deo:quia
non eſt in ipſo conſilium : Dicendum ſecundum prędicta, q̉ licet virtutes prędictę non attri
buuntur deo ſecundum q̉ imperfectio aliquarum actionum earum vel obiectorũ diuinę per
fectioni repugnat:ſecũdũ tñ q̉ alię actiones & obiecta illi nõ repugnãt,bene attribuunt ei. Vñ
licet prudêtia quátum ad actũ cõſiliandi deo nõ cõpetit,cũ conſiliũ ſit quaſi quædã queſtio &
diſcurſus ieuſtigãs dubiũ,ſm Pℏm.iii.&.vi.Ethic. tñ ſm alios act9 pfectos bene pot ipſi ineſſe.
Nõ ſolũ eĩ act9 prudêtię eſt diſcurrere,& cõſulêdo quaſi a ꝓmiſſis in cõcluſiões ire:ſed ipſius
eſt de cõcluſo ſentêtiare:dicêdo q̉ hoc eſt meli9,vel magis eligendũ,vel potius fugiendũ.Et li
cet ille diſcurſus ſit opus impfectionis,nec cõuenit deo, quia intellectus ei9 nõ eſt diſcurſiuus:
vt habitũ eſt ſupra:ſentêtiare tñ opus eſt pfectũ,& bñ cõuenit deo,& eſt opus volũtatis q̉d di
cit electio,qm cõtingit pcedere cõſilio.Vtrũ aũt ĩ deo poterit dici electio vel nõ,inferi9 videbi
tur.Et ita qa deo cõuenit ſimplici intelligêtia ſentêtiare de cõſiliãdis p intelligêtia:quo ad hoc
bene pot prudêtia & actus prudêtię eſſe ĩ deo.& quia ſic ſentêtiat acſi ex cõſilio ſentêtia elice
ret:ideo & opatio iſta cõſiliũ dei(licet p ſiłitudině & trãſumptione) dici pot.iuxta illud Eſa.
xxv.ſcdm ãtiq.trãſlatione. Cõſiliũ tuũ ãtiꝗ fiat. Vel pot dici q̉ illud dictũ,Moralis virt9 nõ
eſt ſine prudêtia, ĩtelligit de acꝗſita virtute morali,qa nõ acꝗrit ſine prudêtia:ſed hoc mõ nõ
habet eã ĩ deo:ſed ĩ nobis tãtũ. Vñ qa illud q̉d cõſilio fit,plurib9 modis pot fieri:q̉ aũt ſit ele
ctiõe recta ſine cõſilio,vnũ modũ ſibi detminat:iõ cõtingit q̉ virtutes exêplatę q̉ ſũt plures ſub
vna ſpecie ĩ diuerſis,in deo ſit vnica.ſecundũ q̉ dicit Auguſt.ſup illud Pſal. Iuſtus dñs & iuſti

tias dilexit. In multis iuſtis quaſi multę iuſtitię vident eſſe, cũ ſit vna dei cui oẽs pticipant: tanq̃ ſi vna facies intueat plura ſpecula, qđ in illa ſingulare eſt, illis pluribus pluraliter reddit. & hoc quo ad virtutes morales. Quo ad virtutes aũt ſpeculatiuas, exponés illud Pſalmi. Dimi nutę ſunt veritates a filiis hoĩm, dicit. Veritas vna eſt q̃ illuſtrant aĩe ſanctę. Sed qm multę ſũt aĩe, i ipſis veritates multę dici poſſunt, ſicut ab vna imagine multę i ſpeculis imagſes apparét.

A
Queſt. III.
Arg̃a.
1
2
3

Irca tertiũ arguit, ꝙ amor nõ ſit i deo, Primo ſic. Amor & odiũ ſũt cõtraria: q̃ nata ſunt eē circa idé, ſcđm Phm̃. In deo aũt nõ eſt odiũ, quare neq̃ amor. Scđo ſic. Amor determinat volũtaté ad volédũ & ad amãdũ: qa (vt dicit Augu. ſup Pſal.) Amor vacare nõ pōt. Volũtas dei oĩno libera eſt, & a nullo determinata, vt habitũ é ſupra. ergo &c̃. Tertio ſic. Nihil qđ recipit magis aut minus, habet eſſe i deo, qa eſt mutabile quid. Amor aũt ratiõe qua amor, recipit magis & minus: qa ſemp eſt maior amor ad maius boni. ergo &c̃.

In oppoſi.

In cõtrariũ eſt illud Diony. de di.no. Infinitũ ſeipſo & carés principio diuin⁹ amor oſtédit. ſed talis amor nõ eſt niſi in deo, quia quicquid eſt extra ipm̃, finitũ eſt & habés principiũ. ergo &c̃.

B
Reſponſio
quorũdam

Dicendum ꝙ aliquorum erat opinio, ꝙ amor nõ eſt de diuinis nominibus, neq̃ pōt poni in deo, & hoc vna ratiõe, qa ſub noĩe amoris nihil vnq̃ deo attribuit i ſacris eloquiis. Cõtra quos dicit Diony. iiii. de di.no. Audebit & hoc dicere vera ratio, quia ipſe oĩm cauſalis p bonitatis excellétiã oĩa amat, oĩa facit & cõtinet. Et eſt diuin⁹ amor optimus optimi p optimũ. Ipſe em̃ bñfactor exiſtétiũ amor in optimo per excellétiã ante ſubſiſtés. Et reſpõdet eorũ ratiõi, ꝙ licet ſub pprio vocabulo ſacra eloqa deo amore nõ attribuũt, tñ ei amoré attribuũt ſub aliis vocabulis, quib⁹ ſentétialiter deo attribuit amor. Stultũ em̃ eſt vocib⁹ intédere, & nõ ſentétię, dicés eē irrationale arbitriũ & ſtultũ, nõ virtuti intétionis attédere ſicut dictionib⁹: & hoc nõ eſſe diuina intelligere volentiũ, ſed ſonos leues pcipientiũ &c̃. Vbi ſubiũgit. Verutñ vt nõ hoc dicere putemur tanq̃ diuina eloquia ſubmouétes, audiát hãc amoris noiationé criminátes &c̃. Vbi inducit plures ſñias ſacrę ſcripturę, qbus ſignificat & implicat ꝙ amor ſit i deo. Alia vero ratiõe idé ponebat ſumpta ab amore i nobis. Credebat em̃ ꝙ amor nõ eſt i nobis niſi ex paſſiõe ſiue affectiõe & cõmotione quadã, q̃ in deo cadere nõ pñt oĩno: quare neq̃ amor ſecundũ ipſos. Sed ratio iſta nõ cogit. qm̃ nomé amoris cõmune é ad verũ amoré, & aliũ de quo illi loquunt. Propter qđ ad differétiã illius theologi iſtã appellãt verũ amoré. dicéte Dionyſio, Mihi vidét theologi cõe quidé dixiſſe dilectiõis & amoris nomé: propterea aũt diuinis magis referre vere amoré ſemp cõſequété taliũ virorũ adamationé, cũ nõ ſit ver⁹ amor ſed vmbra, aut magis caſⁱ veri amoris. Audendũ aũt (vt ibidé, dicit) hoc p veritate dicere: quia oĩm cauſalis bono & optimo oĩm amore. &c̃. Vbi declarat ex diuinis opationib⁹ circa creaturas, deo ineſſe amoré, ſuppo nés ꝙ illa ſine amore fieri nõ habet. Quõ aũt illud intelligédũ ſit, in proxima q̃ſtione ſequéti vi debit. Quãtũ aũt ad pſenté ptinet q̃ſtione, ſufficit ſcire qa amore large accepto oés actiões qui bus creaturę inter ſe in ordine vniuerſi ſociant, nõ pcedũt ab eis ſine amore. dicéte Dionyſio. Amore ſiue diuinũ, ſiue angelicũ, ſiue intellectualé, ſiue aĩalé, ſiue naturalé dicamus, vnitiuam quadã & cõtinuatiuã intelligim⁹ virtuté, ſuperiora quidé monété in puidétiã inferiorũ, æqui formia iterũ i ſociale viciſſitudiné: & nouiſſima ſubiecta ad meliora & ſuppoſitorú cõuerſione. Vt ſic ſecũdũ .v. modos appetit⁹ ſupra diſtinctos in q̃ſtione de libertate volũtatis dei, qui ſunt pricipia oĩm opationũ cõtigétiũ i creatore & i creaturis, rñdeat. v. modi amoris: iter quos ſup mus & ſupeminés é amor diuin⁹, ſicut é diuin⁹ appetit⁹. Et ſicut diuin⁹ appetit⁹ é ad bonũ ſim plr̃, ſic & diuin⁹ amor mõ corrñdéte: vt i hoc differat i deo amor a gaudio, delectatiõe, & hmõi q̃ ſũt i deo: vt gaudiũ & delectatio i deo ſicut & i nobis, tãtũmodo ſint de bono pſenti: deſide riũ aũt de bono expectato. Sed amor é boni ſimplr̃ & in cõi, quę ſupponit ois appetés. Vñ & af fectiones oés & paſſiones in quocũq̃ ſint, amoré pſupponũt. Gaudiũ em̃ & delectatio, deſideriũ & ſpes, & cętera hmõi, nõ ſunt niſi boni p ſe amati, quia habet vel optat haberi. Ira vero, timor, triſtitia, & hmõi, nõ ſunt niſi boni nõ habiti vel amittédi. Vñ nemo timet bonũ amittere, niſi quia amat ipm̃ habere: neq̃ triſtat de malo, niſi qa p ipm̃ priuatur bono amato vel deſiderato.

C

Ad primũ in oppoſitũ, ꝙ odiũ nõ eſt natũ deo ineſſe: quare neq̃ amor: dicendũ ꝙ ſecundum expoſitionem phi in poſtpdicamentis, illa maxima, Cõtraria nata ſunt fieri circa idem, intelligit, niſi alterũ determinate inſit. Nunc autem determinate ex natura ſuę bonitatis amor ineſt deo, dicéte Dionyſio. Oĩbus eſt bonũ & optimũ & concupiſcibile, & amabile, & dele ctabile, & per ipm̃ & propter ipm̃, & minora meliora conuerſibiliter amãt, & ſociatiue ęquiſor mia, & meliora minora prouide, & hęc ſemetipſa ſingula quęq̃ connexione, & eſſe bonum &

D
Ad primũ
prĩn.

**E**
**Ad fecüdü**

optimum defiderantiā facit & vult oīa quęcūcȝ facit & vult.⟨Ad fecundum cȝ amor determi
nat voluntatē ad amandü & volendü,dicendü eſt cȝ differt dicere volūtatē determinare ad vo
lendü,& inclinare.Qd eīn determinat appetitü,ducit ipm in actü appetēdi determinate id ad
qd ipſum determinat:quēadmodü dictü eſt ſupra de appetitu brutali.Et ſic volūtas nuncȝ ali
quo ad volendü determinat.Licet eīn determinate vult ſeipm ita cȝ non poſſit ſe nō velle,non
tamen determinatur ſua voluntas in volēdo ſeipſum ad ſeipſum volēdum : quia voluntas ſua
non ducitur neceſſitate pręueniente vt velit ſe:ſed libere ſeipſum ducit in volēdo,licet neceſſi
tate immutabilitatis cōcomitante:vt dictü ē ſupra.Quod autē volūtatē inclinat ad volendü,
nō ducit ipſum in actü:ſed tantü quaſi allicit vt ſeipm ducat: quēadmodü habitus virtutü in
volūtate inclinat ipſam ad actus proprios eliciendü,& per conſimilem modü quaſi trahüt paſ
ſiones. Et p hüc modum amor vacare nō poteſt:ſed ſemp allicit voluntate ad actü volendi bo
nü,quod eſt amoris obiectum,& hoc vel ſimpliciter indeterminate, quādo amor ſumit vt ſim
pliciter ideterminate reſpectu cuiuſcücȝ boni:determinate vero quādo eſt reſpectu alicui⁹ bo
ni determinati,ſecundü cȝ de hoc amplius videbitur in queſtione ſequēti. ⟨Ad tertiü,cȝ amor
recipit magis & min⁹,& nihil tale eſt in deo:Dicēdü cȝ differētia eſt inter actus ptinētes ad dei
voluntatē,& ad dei intellectü:quoniā illi qui pertinēt ad intellectü, ad creaturas nō termināt
ſicut effectus intellectus,ſed ſolü ſicut terminus.Actus vero volendi dei, quādo eſt in reſpectu
ad creaturas,nō ſolum reſpicit eas vt actionis terminum:ſed vt eius effectum. Quęcücȝ enim
vult in creaturis,cȝ ptinēt ad ipſarü exiſtentiā in eſſe & in bn̄ ee,effectus diuinę volūtatis ſunt:
vt declarari habet loquendo de emanatione creaturarü a deo. Nüc autē ita eſt,cȝ actus aliquis
poteſt deum denominare vel ratione ſubſtātię actus,vel ratione effectus qui ex ipſo ſolet cōſe
qui in creaturis licet nō ratione ſubſtātię actus. Verbi gratia,cum deus dicir diligere creatu
ras,ſubſtātia huius actionis eſt in deo:quia eſt ipa diuina eſſentia. Cum vero dicir cȝ de⁹ iraſci
tur creaturis,ſubſtātia huius actus ſecundü cȝ nominat paſſionem, non eſt aliquid in deo, ſed
ab hoc actu nominar quia effectü ad modü iraſcentis operatur circa creaturas.Et primo modo
actus de deo dicir proprie.Secüdo aūt modo nō niſi tranſumptiue & metaphorice.Et ſicut eſt
de ſubſtātia actus,ſic eſt de magis & minus circa ipm actum.Nā magis & minus poſſunt intel
ligi dici de deo circa aliquē actum dupliciter.Vno modo ex intēſione in ſubſtātia actiōis. Alio
modo ex intēſione in ſubſtātia effectus.Primo modo nulla actio omnino dicir de deo ſecüdum
magis & minus:quia actio ſua eſt ſua ſubſtātia,in qua nō cadüt magis & min⁹. Scdo mō actio
volūtatis terminata ad creaturā vt ad effectü eius,dicir ſecundü magis & minus. Dicir eīn de⁹
magis diligere maius bonü:quia maius bonü eſt qd operatur in vno cȝ in alic:ad modü illi⁹
magis de bono facit vni cȝ alteri:quia magis intēſiue ſcdm ſubſtantiā amoris amat vnü cȝ alte
rü.Et ſic nō pprie ſed metaphorice ſecundü magis & minus pdicatur de deo actus ptinentes ad
volūtatē eius.Quare cü amor ſit ratio in volūtate actus volendi & cauſandi effectus bonitatis
in creaturis,dicēte beato Dionyſio.ca.iiii.de di.no. Ipſe benefactor exiſtentiü amor in optimo,p
excellentiā autē ſubſiſtēs nō ſinit ipſum infœcundü in ſeipſo manere. Mouit autē ipm in agē
dü,iuxta oīm genitiuā excellētiā. Secundü hunc igir modü amor in deo pōt dici & vere dicir
ſecundü magis & minus,nō ratione ſubſtātię ſuę,ſed intēſionis bonitatis in effectu ſuo:vt ve
re dicatur deus habere maiorem amorem ad maius bonum,& minorem ad minus bonum.

**F**
**Ad tertiū.**

**G**

**H**
**Queſt.IIII.**
**Argu.1.**

⟨Irca quartü arguir,cȝ amor in deo ſit actus ipſe amādi,quia ſicut ſe habet in
deo notitia ad actü cognoſcēdi ex pte intellectus,ſic ſe habet amor ad actum
amādi ex parte volūtatis.ſed ex pte intellect⁹ notitia eſt ipſe actus noſcēdi in
ei⁹ intelligētia,nō autē habitus in memoria,necȝ aliquid aliud in eo.ergo ex
pte volūtatis amor ipſe erit actus amādi,in volūtate:nō aūt vt habit⁹ vel vt
paſſio. ⟨Q₂ aūt amor ſit in volūtate vt paſſio ſiue affectio,arguir.qa eius cō
trariü.ſ.odiü, paſſio ē & affectio i illo cui⁹ eſt, & cōtraria ſunt eiuſdē generis.nō ergo eſt actio
aut habitus. ⟨Q₂ autē ſit habit⁹ arguir.qm illud qd mouet agentē ad agēdü,habit⁹ eſt in ipſo
nō actus vel paſſio,quia eſt vt principium illorum. amor in deo eſt huiuſmodi, vt patet ex di
cto Dionyſii in fine queſtionis pcedentis.ergo eſt habitus,non actio aut paſſio.

**2**

**3**

**I**
**Reſolu.q.**

⟨Hic oportet intelligere in principio:cȝ cü in genere triplex ſit appetitus, ſcilicet
pure naturalis abſcȝ omni cognitione: animalis per cognitionem ſenſitiuam: & rationalis per
cognitionē intellectiuā:Quorum primü non eſt niſi per principium inclinatiuü ad motum:nō
autem motiuü niſi per accidēs: Secüdum eſt per principiü motiuü:ſed per appetibilis deter
minatiōe:Tertium vero eſt motiuü libere & ex ſe,ſicut patet ex ſupra determinatis:Sic aüt eſt

in eſſentialiter ordinatis ſecūdum gradus adinuicem, ꝙ quicquid eſt pfectionis in inferiori & impfectiori,eſt & in pfectiori:licet ſub ratiõe eminētiori: quēadmodū vegetabile eſt in ſenſibili, & vtrūꝙ i ratiõali:ſicut trigonū in tettagono & tetragonū in pētagono:vt determinat Pĥs ſe cūdo de aĩa.Prīcipiū igit inclinatiuū ad motū ſm appetitū pure naturalē nõ motiuū,eſt i prīci pio motiuo ſm appetitū aĩalē:& prīcipiū motiuū ſm appetitū aĩalē:amoto illo ꝙ ē impfectiõ nis i ipo.ſ.determinatiuū ad motū p appetibile pdictā,virtute eſt i motiuo ſm appetitū rationa lē.Hoc eˉm principiū.ſ.voluntas,ſecūdū ꝙ eſt natura habet principiū inclinatiuū ad motū in ſe non motiuū:ſecundū autē ꝙ eſt appetitus ſimpliciter, nõ mouet niſi quaſi indeterminate & q̄ſi in habitu:ſicut nõ mouet appetitus aĩalis priuſꝗ determinet per obiectū.Secūdū autē ꝙ ille ap petitus eſt rationalis,ſeipſum ex ſeipſo determinat ad actū,ſolūmodo ꝓpoſito ſibi bono p cogni tione in intellectu.Vt in appetitu qui eſt voluˉtas,ſit tria cõſiderare ſecundū rationē differētia ſcilicet prīcipiū inclinatiuū,& principiū motiuū ſimpliciter, & ratione qua dicit ex ſe motiuū ex qua habet libertatē:vt dictū eſt ſupra:cui in nullo derogat per principiū naturale inclina tiuū: licet principiū motiuū ſit quaſi cõcomitans principiū naturale inclinatiuū.Q̄ in prīcipiū inclinatiuū:eo ꝙ non eſt motiuū:licet determinet obiectū in ꝙ eſt mouēdū: & hoc ſimpliciter & in genere:vt bonū ſub ratiõe boni ſimpliciter: & in illo ad bonū ꝙ eſt ratio onˉnis boni:ſecū dum ꝙ verificat & exponit illud philoſophi, Omˉia bonum appetūt:nõ tamē determinat appe titum ad aliquē motū determinatum in determinatū bonum:quēadmodum determinat appe titus aĩalis ſecundum predeterminatū modū. Huiuſmodi autē principiū inclinatiuū ſub ratio ne qua eſt inclinatiuū & non motiuū,amor eſt in omˉi genere appetitus:& diuerſificat ſecundū diuerſificatione appetitus:vt ſecundū ꝙ ſunt quinꝗ modi appetit⁹,ſcilicet naturalis,aĩalis, hu man⁹,angelicus,& diuinus: ſic quinꝗ ſunt modi amoris:vt patet ex auctoritate Dionyſii poſi ta in precedenti queſtione.Et(vt dicit in eodem)amor eſt virtus quædam vnitiua & cõtinua tiua.& non ſolum vnitiua & continuatiua,ſed etiam conuerſiua,ſecundum ꝙ dicit in prece dentibus.Eſt autem ecſtaticus diuinus amor, non ſinens ſeipſos eſſe amantes ſed amandorum: vt ſcilicet amans non maneat ipſe amans: ſed fiat quodammodo ipſe amatus. ſecundum ꝙ de clarat per illud quod dixit Paulus, Viuo ego iaˉ non ego,viuit autē in me Chriſtus:dicens.Vt vere amator & mēte excedēs, ſic inquit, deo nõ ipſam ſui viuēs: ſed amati vitam vt nimis di lectiſſimā.Et ſecūdum hoc amor tripliciter habet cõſiderari,pcipue ille qui eſt cum appetitu ra tionali,de quo principaliter loquimur. Vno modo inquantum habet vim inclinatiuā volun tatis amatiuē in actum amandi:& mediante actu in obiectum. Alio modo inquantum in ipſo actu vnit amātem cuˉ amato. Tertio modo inquātum per vnionē cõuertit amātem in amatum quodāmodo.⸪Deſcēdēdo igitur ad queſtionē dicimus ꝙ amor cõſideratus primo modo habet rationem habitus tanꝗ inclinatiui potentiē ad actum & in obiectum.Vnde dicit Dionyſius ꝙ amor mouit ipſum deum ad agēdum,vt habetur in fine precedētis queſtionis.Secundo modo quodāmodo habet rationem actus: & eſt amor idem quod ipſa amatio:quæ eſt actio amandi,ſi cut lectio eſt actio legendi.Tertio autem modo habet quodāmodo rationem paſſionis. Cõuer tendo enim amātem in amatū tanꝗ in ſumme dilectū,ſummā concipit delectationē ex præſen tia ſumme delectabilis ſibi:& per hoc fit ipſius amoris intenſio:& amādi actus.Magis eˉm ama mus ꝙ quaſi eſſentialiter & eēntiali amore nobis aliquo genere magis vnitur,aut naturali ꝓ pagatione,aut familiari cõuerſatione,aut aliquo alio modo.Sed quaſi accidētaliter & quaſi acci dētali intēſione amoris aliqñ magis amam⁹ ad tēpus quos amam⁹ ex aliꝗ paſſione q̄ illos quos amamus ex naturali ꝓpagatione:vel alio modo:licet facilius trāſit:ſicut & trāſit ipſa paſſio.Et intenditur ſic amor ex paſſione:quēadmodū ſi quis eſſet naturaliter rubeus,ex paſſione ſuper uenientis verecudiē amplius fit rubeus.Et ſic amor dicitur paſſio propter intenſionē quā reci pit in ſe ex paſſione:ſed magis proprie paſſibilis qualitas ſiue affectio . Et licet ſecundum hęc amor vno modo poſſit dici habitus,alio modo actio,tertio autem modo paſſio: ex ſe tamē & ex ſua natura nõ habet ꝙ ſit paſſio,niſi quia in ipo fit intēſio ex paſſione:neꝗ ꝙ ſit actio,niſi quia per actionem vnit amātem amato: ſed ex ſe & natura ſua habet ſolūmodo ꝙ ſit habitus.Vnde quia in deo nõ cadit paſſio niſi metaphorice dicta,vt infra videbit:ideo amor dei i ſua eſſentia intenſionē nõ eſt natus recipere:neꝗ in deo habet vllo mõ rationē paſſionis aut affectionis niſi extendendo nomē affectionis,ſicut ipſum extendit Auguſtin⁹,ad nomen habitus . Iu deo au tē quia eſt vera amationis actio, quodā modo in deo actio poteſt dici , ſicut & in creaturis ſuo modo: & ſecūdū hoc ab aliquib⁹ amor dicit primus actus voluˉtatis:ꝓprie auˉt neꝗ in deo:neꝗ in creaturis habet aliā rationē q̄ rationē habit⁹:& hoc ſcdˉm modū quo ratio habitus pōt poni

K
Reſponſio

L in deo,secūdū prędeterminata.¶Sed est aduertēdum,ꝙ amor vt habet rationē habitus,distinguitur in tres modos amoris,secūdum ꝙ respicit diuersos actus amationis quoꝝ est principiū inclinatiuū:& similiter in alios tres:secūdum ꝙ respicit essentiā ipsius habit⁹.Primo modo distinguit in amorē concupiscentię siue beniuolētię:& in amorem beneficentię:& in amorem cōplacentię.Amor primo modo est ille quo volum⁹ bonū alicui.Scđm quē ea q̄ alicui volum⁹ nō dicimus proprie amare sed cōcupiscere: & illum amare cui bonum desideramus: queadmodū vult & amat aliquis vinū:& hoc im proprie & per accidēs:quia amat ipm sibi in vsum:& p se amat seipsum. Iste modus amoris non cadit in deo nisi respectu creaturarū quibus vult bonū ꝓpter ipsas subiectiue,nō ꝓpter se,licet p ordinē ab bonum qđ est ipe.Amor beneficētię est ille quo nō solum bonū alicui desideram⁹ sed facere disponimus. Et est iste modus similiter in deo respectu creaturarū:& nō differt multū a primo.Amore cōplacētię volumus bonum alicuius vt est eius,quia in ipso nobis complacet.Et est iste modus veríssim⁹ amoris: quia est boni scđm ꝙ est bonū siue secundum ꝙ est honestū,non secundum ꝙ est vtile aut delectabile.& est in deo perfectissim⁹ & respectu sui & respectu creaturarum.Vult enim deus bonū vniuscuiusꝙ secūdum ꝙ eius,siue sui,siue alterius:licet bonum alterius vult in ordine ad bonum qđ est eius.Secundum vero ꝙ amor respicit aut nominat essentiam ipsius habitus,distinguitur in amorem naturalem,liberalem,& gratuitum.Et est amor naturalis in omnibus entibus iuxta gradū appetitus in eis,vt dictū est:& est etiā in agētibus per volūtatem,principiū & origo omnis volūtarię actionis,nō cessans inclinare voluntatē in actum volendi bonū:sed indeterminate.dicente Augustino ī expositiōe tituli psalmi.31.Beati quorū.Ipsa dilectio vacare nō potest.Quid em̄ de vnoquoꝙ homine etiā male operatur nisi amor? Vnde iste amor in nobis origo est & fundamētum amoris liberalis,qui cōsistit in virtutib⁹ acquisitis:& ex cōtrario amoris illiberalis & facinorosi qui consistit in vitiis. Vnde secūdum ꝙ est principiū inclinans ad bonū simpliciter,dicitur Charitas large sumēdo charitatē.Secūdum vero ꝙ est principiū inclinans ad bonum apparens & vt nunc,dicit̄ libido vel cupiditas.Et est idem in radice naturę.vnde dicit Augustinus ibidē.Purga ergo amorē tuū:aquā fluētē in cloacā,cōuerte ad hortū.Quales ímpet⁹ habebat ad mundū,tales habeat ad artificem mūdi.Nō vobis dicit̄ nihil ametis:absit:pigri mortui detestati miseri eritis.Amate.Sed quid ametis,videte.Amor dei,amor ꝓximi,charitas dicitur.Amor mundi,amor huius seculi,cupiditas dicit̄:cupiditas refrenetur:charitas excitet̄.Et sic ab amore naturali oriuntur ista duo,quasi duę radices virtutū & operū virtutis:& radices vitioꝝ &

M operum vitiorū.Vnde & per distinctionē amoris in amorem qui est in finem:& in eum qui est ad finem,distinguūtur pręcepta legis diuinę in pręcepta primę tabulę quę pertinent ad amorē dei:& in pręcepta secundę tabulę quę pertinēt ad amorē proximi.Iste amor naturalis in voluntate dei est vt voluntas est natura:& secūdum rationē & ordinem conceptuū nostri intellect⁹ est quasi pręuius actui volēdi elicito a diuina volūtate,inclinans ipm in bonū qđ est ipse:in qđ ipsa semetipsam libere & quasi eligibiliter mouet volendo & amando seipsum. Et quia est solum principiū inclinans non mouēs,nihil derogat libertati diuinę voluntatis: immo magis est in firmitatē libertatis.Quę voluntas quasi inclinat per amorē: & ꝓpria quasi electione tenet se immutabili necessitate cōcomitāte ī bono amato. In homine autē & in angelo tēpore pręcedit eius inclinatio in bonum ante oēm actum volendi electiuū elicitū ex volūtate angelica aut humana.Vtrum autē actus volendi nō electiuus in angelo pręcessit primū actum volēdi electiuū quo malus angelus erat obstinat⁹:& bonus per gratiā cōfirmat⁹:de hoc nihil ad pręsens.Et q̄a

N iste amor inclinat in modū naturę ad vnū vltimū:ideo cōparat Augustinus eū ponderi in grauibus & leuibus cū dicit.xiii.libro cōfessionū capite.ix.Te fruimur requies nostra,locus noster amor illuc attollit nos:corpus pondere suo nititur ad locū suum:ignis sursum, deorsum lapis sua loca petunt:minus ordinata inquieta sunt:ordināt̄ur & quiescunt.Pondus meū amor me⁹ eo feror quocūꝙ feror.Amor autem liberalis in intellectualibus est:& cōsistit in habitibus virtutum includētibus in se amorē naturalem,sub modo perfectiori inclinans in bonum simpliciter q̄ secūdum ꝙ erat pure naturalis.Et est in homine amor naturalis radix & origo amoris liberalis & oīm habituum virtuosorū:vt sint habit⁹ virtutū nihil aliud q̄ determinatiōes amoris naturalis:quibus determinate inclinat ad bonum secundum ꝙ est finis diuersarum virtutum: & per fines proprios ad finē omniū bonorum cōmunem.in quo consistit beatitudo & finis virtutum.dicente Augustino de moribus ecclesię capite.xv.Nō arbitror cum de moribus & vita sit quæstio,amplius esse quærēdum qđ sit hominis summū bonū quo referēda sunt oīa nisi quod habere est beatissimū:id autē solus deus:cui hęrere non valemus nisi dilectione,amo

re,charitate. Q₂ ſi virtus ad beatam vitã nos ducit,nihil oĩno eſſe affirmauerim,niſi ſummũ amo
rẽ dei.Nã illud q̃ quadripertita dicĩt vírt⁹,ab ipſius amoris vario affectu,quãtũ ĩntelligo,dſ.vt Tẽ
perãtia ſit amor integrũ ſe pbés ei qd amaꝛ:fortitudo amor facile tolerãs oĩa ꝓpter id qd amaꝛ:iu
ſtitia amor ſoli amato ſeruiens:prudẽtia amor ea quib⁹ adiuuaꝛ,ab eis quibus impeditur ſagaciteꝛ
eligés.Sed hũc amorẽ nõ cuiuſlibet rei ſed dei eſſe dicimus.Et infra.xxiii.Vt nihil aliud ſit bñ vi
uere q̃ toto corde,tota aĩa,tota mẽte diligere deũ,a quo exiſtit,vt incorrupt⁹ in eo amor atꝗ inte
ger cuſtodiaꝛ,qd eſt temperãtię:vt nullis frãgat icõmodis,qd ē fortitudinis:nulli alii ſeruiat,qd ē
iuſtitię:vigilet in diſcernẽdis reb⁹,qd eſt prudẽtię.Et ſecũdũ hoc ſi virtutẽ ad amorẽ cõparem⁹,ni
hil aliud eſt q̃ ordo amoris,vel amor ordinaꝛ⁹.Quãtũ eñ ad materiale in virtute & ſubſtãtiã ha
bit⁹,virt⁹ nõ eſt niſi amor ordinat⁹:quãtũ vero ad formale & cõpletiuũ virt⁹ nõ eſt niſi ordo amo
ris.Talis autẽ amor i deo eſt:queadmodũ & habit⁹ virtutũ,ſcdm modũ ſuperi⁹ determinatũ.Et qa
iſte amor ſcdm diuerſas virtutes inclinat ad diuerſos fines ꝓprios diuerſarũ virtutũ circa huma
na bona:in modũ ei⁹ qd mouet poeſſiue ad loca diuerſa:cuius motus principiũ,inſtrumẽtũ pes eſt
ideo Auguſtin⁹ hunc amorẽ cõparat pedi.Exponés eñ illud Pſalmi.ix.In laqueo ſuo quẽ abſcõde
rũt cõpẽſus eſt pes eoꝛ.dicit ſic. Pes aĩe recte intelligit amor: qui cum prauŭs eſt,vocaꝛ cupi
ditas aut libido:cũ aŭt rect⁹,dilectio vel charitas. Amore eñ mouemur tanq̃ ad locũ quo tẽdim⁹
Amor aŭt charitatis eſt virtus gratum faciens,diuinitus infuſa:q̃ eſt forma cęterarũ virtutũ dirĩ
gés ĩpas i vnũ fínẽ vltimũ ſupnaturalẽ mõ ſupnaturali: cũ ex ſe nõ dírĩgãt in illũ niſi mõ naturali
& hũano.Et talis amor eſt i deo:imo eſt ĩpe deus,dicẽte Ioã,in tertia Cano.ſua.Deus charitas eſt.
& in nobis cõparat alis:quia eo ad cęleſtia volamus.

Q₂ ergo arguiꝛ primo q̃ amor eſt actio in volũtate:qa notitia eſt actio in intel **O**
lectu: Dicẽdũ q̃ reuera ꝑ actione qñꝗ ſumiꝛ ſicut & notitia:vt cũ ptes imagis i nobis diſtinguunꝛ **Ad pri.**
penes illa tria,més,notitia,& amor. proprie tñ amor nõ eſt actio ſed amatio. Ad ſecundum q̃ eſt **principa.**
paſſio:quia eius contrarium vt odium,eſt paſſio:dicendum q̃ odium ſecundum q̃ eſt nomen vi **P**
tii, paſſio nõ eſt,ſicut neꝗ amor,niſi ex annexa triſtitia:queadmodũ & amor qñꝗ diciꝛ paſſio ex **Ad ſcdm.**
annexo gaudio vel delectatione. Argumẽtũ probãs q̃ ſit habit⁹,ſimplⁱ cõcedendum eſt. **Q**

Equiꝛ Artí.XLVII.de actione voluntatis que eſt velle ſiue **Ad tertĩ**
amare.Circa quam quęruntur quatuor. **Articulus**
Primo de ipſa actione volũtatis q̃ eſt velle vel amare ſecundum ſe. **XLVII.**
Secũdo de ipſa in comparatione ad actionẽ intellect⁹,que eſt intelligere.
Et quia i altera illarũ vel in ambab⁹ cõſiſtit dei beatitudo:ideo tertio q̃
retur de dei beatitudine. Et qa beatitudini annexa eſt delectatio:ideo
quarto quęretur de dei delectatione.
Circa primum iſtorum quęruntur quinꝗ.
Primum:vtrum deus ſit volens.
Secundum:vtrum quilibet actus eius volendi ſit eiuſdem rationis.
Tertium:vtrum deus velit ſeipſum.
Quartum:vtrum actus volendi ſeipſum principaliter terminet ad eſſentiam an ad perſonas.
Quintum:vtrum deus velit ſeipſum de neceſſitate.

Irca primũ arguĩt:q̃ de⁹ ñ ſit volés.Prio ſic.ab eo qd ſe habet ꝑ ĩdifferẽtiã iquã **A**
tũ hmõi,nulla pcedit actio iquãtũ hmõi,ſcdm Cõmẽ.ſup.2. Phy.volũtas diuia **Quæſt.I.**
quãtũ ē de ſe,ꝑ ĩdifferẽtiã ſe habet ad oĩa volita:nec ab aliq̃ h₃ determĩari,vt ha **Arg.1.**
bitũ eſt ſupra.ergo &c. Scdo ſic. ois volés ad ſuã pfectionẽ idiget volito.aliter **2**
eñ fruſtra illũ vellet.i deo nulla ē actio fruſtra:nec aliquo idiget.ergo &c. Cõ **In oppoſi.**
tra.in ęternis nõ diſtat ſiue differũt actus & potentia,ſcdm Pĩm.Cum ergo in
deo ſit volũtas q̃ eſt volẽdi potẽtia,vt hĩtũ ē ſupra:ĩpa ergo ē i actu.ſ₃ act⁹volũtat ē velle.ergo &c.

Dicẽdũ ad hoc:q̃ cũ appetit⁹ ſit in re ex eo q̃ ē aliqd in rerũ natura exiſtés,vt **B**
habitũ ē ſupra:quãto ergo aliqd habet eē pfecti⁹ in rerũ natura,tãto pfectior ē in eo appetit⁹.cũ er **Reſponſio**
go diuia natura pfectiſſima ſit,vt hĩtũ ē ſupra:i deo ergo ē pfectiſſim⁹ appetit⁹.Perfectio aŭt vni⁹
cuiuſꝗ nõ eſt niſi ſcdm q̃ ĩ in actu.Cũ ergo pfectiſſim⁹ appetit⁹ ē volũtas:qa liberrim⁹,vt hĩtũ ē
ſupra:i deo ergo ē volũtas exñs i actu volẽdi.Tale aŭt ens ē volés,deũ ergo ponẽdũ ē eſſe volétẽ.&
hoc ex rõne pfectiõis ſuę i eẽ nature nõ i eẽ cognitiuo,qa ē pſecte cognoſcés.Licet ei volũtas nõ ē ſe
cundum actum niſi exiſtente intellectu ſecundum actum:non tamen cognoſcere eſt ratio eius qd
eſt velle.Nõ eñ ex eo q̃ cognoſcit bonũ,habet q̃ vult bonũ:licet hoc nõ eſt ſine illo,qa vt habitum
eſt ſupra,bonũ cognitũ nõ determinat volũtatẽ:ſed ex eo vult bonũ q̃ pfectionẽ habet i eẽ a formꝛ
**Dij**

inquãtũ habet rõnẽ boni: et dat rõnẽ boni ei⁹ cui⁹ eſt: quẽadmodũ ex eo ĩtelligit verũ ɋ habet p̄
fectiõẽ in eẽ a forma iquãtũ habet rõnẽ veri,& dat ratiõe veri ei cuius eſt:licet hoc fiat cõtrario
reſpectu:ɋa act⁹ intelligẽdi pſicit ex habitũdine veri ad ĩtellectũ quẽ perficit: actus vero volẽdi ex
habitũdine voluntatis ad bonũ in quo pſicit,vt patet ex ſupra determinatis.

C
Ad pri.
princip.

**¶Ad primum in oppoſitum:ɋ volũtas eſt potentia indeterminata: dicendum ɋ**
potentia dicitur indeterminata reſpectu act⁹ & obiecti dupliciter. Vno modo quo ad ſubſtantiam
actus & obiecti.Alio modo quo ad exitũ ſuũ in actũ erga obiectũ.Primo modo nõ eſt voluntas in
determinata neɋ dei neɋ creature,ſicut neɋ appetitus naturalis aut aĩalis:ɋa nõ eſt voluntas ni
ſi boni per actũ volẽdi.nõ eſt em̄ actus voluntatis,niſi velle.Nihil em̄ agit aliquã actiõe aſpiciẽdo
ad malũ:ſecũdũ ɋ dicit Dionyſi⁹.iiii.Capite de di.no.Immo volũtas diuia e adhuc magis determi
nata ɋ ɋcũɋ alia,ɋa determinate vult ſeipm̄ ſub rõne boni,nõ tm̄ ſub rõne boni ſimpl'r ſeu vl'is,ſȝ
ſub rõne boni ſingularis:cũ nulla voluntas creatureɋ ad rõne alicuius boni ſub rõne ſingularis de
terminef.Et hoc cõtigit voluntati diuine propter vigore ſuæ libertatis:& ecõtra creaturis ꝑpter
libertatis debilitatẽ,vt patet ex p̄determinatis.Secũdo mõ volũtas ɋlibet inquãtũ volũtas ĩdetermi
nata eſt ecõtrario determinationi appetit⁹ aĩalis:ɋa appetit⁹ aĩalis p obiectũ pticulare ſic determi
nat vt neceſſitate ꝑueniẽte neceſſe habet p ĩpetũ ferri & duci p obiectũ determinate in motũ:appe
titus vero rõnalis nequaɋ:imo libere ſeipm̄ facit in actũ,vt patet ex p̄determinatis.Ab eo qđ ſe ha
bet p idiffẽrẽtia prio mõ:nulla ꝓcedit actio:quẽadmodũ lapis ſe habet p idiffẽrẽtia ad moueri ſur
ſũ verſus qualibet ꝑte circũferẽtiẽ:& quẽadmodũ aliɋ dixerũt ɋ terra eſt ĩmobilis ꝑpter eɋle diſtã
tiã ad oẽs ꝑtes circũferẽtiẽ,Loquẽdo de idiffẽrẽtia ſcdo mõ,diſtinguẽdũ:ɋ eſt ɋddã ſe h̄ns p indif
ferẽtia & quãtũ eſt de ſe indeterminatũ priuatiue.ſ.ɋa ex ſe eſt ĩdeterminatũ:ſed natũ determina
ri ab alio vt exeat ĩ actũ.Aliud vero eſt idifferẽs & quãtũ eſt de ſe ĩdeterminatũ negatiue:ɋa nullo
mõ natũ determinari ab alio vt exeat in actũ volẽdi.Prio mõ appetit⁹ aĩalis ĩ brutis e ĩdifferẽs &
ĩdeterminat⁹ priuſɋ ſenſus aut vis imaginatiua ſibi ꝑponat obiectũ : quo ꝓpoſito,determinat vt
neceſſe habeat impetũ facere ĩ actũ,vt ſupra expoſitũ eſt.Secũdo modo volũtas in quibuſcũɋ eſt ĩ
difierẽs et ĩdeterminata,& priuſɋ intellect⁹ aut ratio ſibi ꝓpoſuit obiectũ,& etiã poſtɋ eide ĩpm̄
propoſuit: ɋa libere ex ſeipſa ꝓpoſito obiecto ſeipſam ponit in actũ tanɋ primũ moues & nõ motũ
ab obiecto,niſi metaphorice,ſicut finis mouet.Ab eo qđ ĩdeterminatũ eſt prio mõ.ſ.priuatiue nul
la ꝓcedit actio niſi determinef ab alio:& hoc modo ponũt voluntatẽ determinari ɋ dicunt ɋ liber◂
tas ei⁹ dependet a rõne:& ɋ neceſſe habet ſequi iudiciũ rõnis pticularis. Ab eo vero qđ eſt indiffe
rens & indeterminatũ ſecundo modo.ſ.negatiue: bene procedit actio:ɋa ſeipſum habet determi
nare libertate ꝓpria:ɋ in nullo dependet a rõne:& ſic libertas in voluntate dei nullo modo impedit
volẽdi actũ:ſed ponit ſummã nobilitatẽ circa modum ꝓcedendi in actũ:ɋ tanto maior eſt,quanto
voluntas eſt liberior.¶Ad ſecũdũ,ɋ ois volens ad ſuã pfectiõẽ indiget volito,Dicendũ ɋ cũ ſecũ

D
Ad ſcdm.

dũ dicta in ꝓcedẽti ɋueſtiõe,principiũ actus volẽdi amor ſit,ſecundũ modos amoris ibi diſti
ctos diſtinguendi ſunt hic & modi actus volẽdi:quia volens aut vult amore concupiſcentiæ, aut
cõplacẽtiæ.Primo modo cũ volens vult ſibiipſi aliɋd:indiget volito: ſicut volũt hoies citra ſtatum
beatitudinis.Sic autẽ nõ vult ſibi aliquid deus:quia nullũ bonũ ſibi acquiritur:nec etiã beati:quia
impletum eſt eorũ deſiderium,vt exponi debet loquendo de eoꝛ beatitudine.Sed hoc modo deus
vult bona aliis a ſe,non ꝓpter indigentiã ſuam, quia bonis aliorũ nihil ſibi accreſcit: ſed ꝓpter idi
gentiam aliorũ.Secũdo vero modo volẽs non vult ꝓpter indigentiã etiam  in illis ĩ ɋbus ſic voli
tũ ſupplet indigẽtiã volentis,vt patet in beatis,cum volũt amore cõplacẽtie beatitudine ſuam.&
hoc modo vult deus quicɋd vult in ſeipſo:qđ vult nõ ꝓpter aliquã indigentiã: ɋa bonũ in ipſo non
ſupplet aliquã indigentiã aut impfectiõe:ɋa nihil eſt in eo pfectibile:ſed quicɋd in eo eſt ipſa ſua
pfectio & volũtas,re eſt ipm̄ volitũ,licet differãt rõne.& ideo qđ vult de⁹in ſeipo,vult ꝓpter ſũmã
pfectiõe eius quæ cõſiſtit in illo:qđ etiã iam amplius declarabitur in quæſtione ſequenti.

E
Queſt.ii.
Arg.i.

**¶Irca ſecundum arguitur:ɋ quilibet actus volẽdi dei nõ ſit eiuſdẽ rationis.Prio**
ſic.potẽtiẽ diſtinguunf ꝑ act⁹,ſcdm P̄lm̄:& act⁹ ꝑ obiecta.diuinẽ auf voluntatis
ſunt diuerſa obiecta.vult em̄ ſeipm̄:vult & alia a ſe.ergo &c.¶Scdo ſic.de⁹ vo
lendo vult ſeipſum: vult & creaturas. & hoc pluribus modis.ſ.voluntate bene
placiti ſiue cõplacẽtie,volũtate b̄nficẽtie,volũtate cõcupiſcẽtie & ãcedere & cõ
ſeɋnte,&volũtate ſigni,ɋ plures cõtinet modos:iſup & volẽdo ſpirat ſpm̄ ſctm̄
ĩ ɋb⁹ diuerſe rõnes volẽdi cõſiſtũt.ergo &c.¶In cõtrariũ e.ɋm̄ actio virtut⁹[vna
e & eade,ɋn e vna & eade rõ obiecti,vt ptȝ de actu vĩdẽdi diuerſas ſpecies coloꝛ.ɋ nõ e niſi eiuſde
rõnis:ɋa eade e rõ viſibiſ'i ĩ illis.eade auf e rõ obi ĩ oĩ actu volẽdi dei.ſ.bonũ ſub rõne boni.ergo &c.

F
Reſponſio

**¶Dicendũ ad hoc:ɋ ratio act⁹ poteſt intelligi eadẽ vel diuerſa dupliciter,vel quo**

ad fpeciem actus,vel quo ad modū agendi.Primo modo eadē eft ratio cuiufcūcɡ actus,cuius ē vna & eadē formalis ratio obiecti:& alia eft ratio actus vbi eft alia ratio formalis agendi. Verbi gratia: Eadē eft ratio actus in omī actu videndi corporaliter,ɋa vna eft & eadē formalis rō,vifibilis,f.lux alia vero eft ratio actus videndi & audiendi:quia alia & alia eft ratio formalis fenfibilis ī luce & fo no.Loquēdo aūt de tali rōne act⁹,a.⁹ volendi dei ɡcūɋ, & fimiliter cuiufcūɋ volētis eft eiufdem rōnis:ɋa eadē eft rō voliti,f.bonū fub rōne boni p ɋuā differt act⁹ volēdi ab actu itelligēdi ɋ eft ve ri fub rōne veri,& hoc fcām duplicē habitudinē ɋuā habet res ad naturā intellectualē, vt ifra dice tur.Secūdo mō diuerfa eft ratio act⁹ volēdi in deo fcām ɋ diuerfimode eft circa bonū volitū, fub eadē tñ rōne volendi fecundū formā & fpeciem.Bonū eīm fimpliciter inquantū bonū,fiue fuerit p effentiam,fiue p participationem,eft obiectū volūtatis: licet bonū p participationē nō nifi fub rōne boni imparticipati:queadmodū lux eft obiectū vifus fiue p effentia fuā,fiue participata in fpe cie coloris:fed non in fpecie coloris nifi fub rōne lucis. Hoc ergo modo diuerfa eft ratio act⁹ volēdi dei in volendo bonū finis ɋd ipfe eft,f.volūtate cōplacētiɛ fiue complaciti: & in volēdo bonū ɋd eft ad finē:cuiufmodi ē obiectū creaturæ,ɋd eft ɋdā participatio boni in creaturis,& hoc aut volūta te complacētiɛ fiue beneplaciti qua vult id ɋd in creatura bonum eft,aut voluntate concupifcētiæ ɋ optat creaturɛ bonū,aut bñficētiɛ ɋ facit i creatura bonū,deducēdo bonū optatū i effectū.Et fe cūdū hoc actus ɋ eft eligere in deo,actus volendi quidam eft fimiliter:& actus qui eft intēdere,& fi qui alii huiufmodi funt:queadmodū debet determinari loquēdo de volūtate dei in comparatiōe & refpectu ad creaturas.

¶Ad primum in oppofitū:ɋ voluntatis diuinɛ diuerfa funt obiecta: dicendum ɋ **G** verū eft materialia non aūt formalia,queadmodū diuerfa obiecta vifus funt lignū & lapis:ɋ tñ vi **Ad pri.** dent fub vna rōne formali obiecti:cuiufmodi eft rō lucis aut coloris. Et fecundū hūc modū ɋcūɋ **princi.** vult deus quātūcūɋ diuerfa funt,vt obiecta materialia volūtatis,oia tamen funt obiecta eius fub ratione vna formali,f.boni,vt dictū eft.Et ideo eft eadē ratio formalis in omī actu volēdi dei: & eft eiufdē rōnis:ɋa formale rōnē act⁹ nō variat nifi formalis ratio obiecti variata,vt iā ampli⁹ videbit.

¶Ad fecūdū patet p iā dicta,nifi quo ad volūtatē i actu fpirādi,& in volūtate figni.Ex pte aūt act⁹ **H** fpirādi fciēdū ɋ queadmodū fcām pdicta nō eft idē dicere aliɋd eē actu itelligēdi & actu itellect⁹, **Ad fcām.** qm dicere,ē act⁹ itellect⁹,nō tñ eft act⁹ itelligēdi:ɋa act⁹ itelligēdi nō eft nifi eētialis:dicere aūt p fonale,vt habitū eft fupra. Sic nō ē idē dicere aliɋd eē actu volēdi & eē actu volūtatis:ɋm fpirare eft act⁹ voluntatis:non tñ eft actus volēdi:ɋa actus volendi nō eft nifi effentialis:ficut neɋ actus itel ligēdi,vt dictū eft fupra.Spirare aūt nō eft nifi pfonale,vt ifra dicet.Et ita licet nō fint eiufdē rōnis oēs actus voluntatis:omnes tamen actus volendi funt eiufdē rationis,fecūdū ɋ iam determinatum eft. Et ficut eft de actibus volēdi:ita eft de actibus intelligēdi:ɋa equaliter locum habet ɋstio ista de actibus,f.intellectus,ficut & de actibus voluntatis:& vno eodē modo foluenda eft.Ex parte aūt volūtatis figni fciēdū eft:ɋ volūtas figni nō ponit ppriū actū volendi:fed effectū aliquem in crea turis vel a deo vel ab ipfis creaturis:qui eft quafi fignū ɋ deus illū velit:queadmodū effectus vin dictɛ ɋuā exercet circa creaturas,eft fignū quafi in ipfo fit ira erga creaturas.Et fic queadmodum fecundū metaphoram dicit irafci ppter effectū irɛ qui fit in creaturis:fic dicit aliɋd velle volunta te figni:quia ɋd fit in creaturis,quafi fignū eft ɋ illɋd velit deus.Et fcām hoc phibitio,pceptū, cōfi liū,pmiffio,opatio,dicunt effe in deo volūtates figni:licet i deo nullū actū volēdi ponāt pter illum ɋ eft boni vt bonū eft. fcām ɋ habet declarari loquēdo de volūtate dei circa creaturas.

Irca tertiū arguit:ɋ de⁹ nō fit volens feipm,Primo fic.volūtas eft appetitus qui **I** dā,de rōne aūt appetit⁹ eft ɋ fit refpectu non habiti,poffibilis tñ haberi.deo ergo **Queſt.III.** cū a feipo nō poteft effe nō habit⁹,nō cōuenit appetere feipfum.quare neɋ velle. **Arg.ɪ.** ¶Scōdo fic,volūtas nihil vult nifi finē voluntatis,aut illud ɋd eft ad finē:ɋa pluri **2** b⁹ modis nō habet aliɋd rōne boni,& nō ē volūtas nifi boni,de⁹ aūt nō vult fe fi cut finē,ɋa nihil ē finis fibiipfi:neɋ ficut ɋd eft ad finē,quia vltra ipm nullus eft finis,ergo &c. ¶In cōtrariū ē,ɋm volūtas bona vult ɋd fimpliciter & fcām oēm **In oppofi.** refpectū eft bonū. aliter eīm nō effet bona:quia ex hoc voluntas eft bona , ɋ velit bonū . vnde & fi aliɋd bonū nō vult,hoc eft quia fcām aliquē refpectū & ordinē habet rōne non boni,vt infra pate bit loquendo de voluntate dei refpectu creaturarum. dei volūtas femper eft bona.ergo &c.

¶Dicēdū ad hoc ɋ id ɋd eft principiū inclinās aliɋd ad actū mouēdi fe in aliɋ cū **K** diftat ab eo,cum eft ei cōiunctū eft principium tenēs illud in actu figēdi & quietandi fe in illo **Refponſio** ficut patet in grauibus & leuibus. p id eīm in locis propriis quiefcunt,p ɋd inclināt p motum ad illa. Quare cū(vt patet ex pdeterminatis) amor eft principiū inclinans voluntatem p actū volēdi

Dd ii

in bonum,cum ab aliquo non habet:amor ergo cōsimiliter est principiū tenēdi rē in actu figēdi &
quietandi se in bono cū ipm habet.Cū ergo bonū qd de⁹ est,semp habitum est ab ipsa dei volūtate:
quia psens p actum intelligendi seipm:amor ergo ad bonū qd deus est,sicut voluntatē nō habētē
illud iclinat mouēdo ipam i illd,licet libere & nulla necessitate pueniēte,vt declarari debet loqndo
de volūtate creata:sic amor ad bonū qd de⁹ est,volūtatē hñte illd ita tenet in illd vt volūtas talis
velit illud figēdo & getādo se in illo.Quare cū voluntas dei summe talis sit:deus igit nō solū vult
seipsum:sed summe vult:inquatū volitū intimū est voluntati, & est cōiūctissimū p summā idētita-
tem:queadmodū summe seipsum intelligit,inquantū intellectum similiter est intimū & cōiunctissi-

. L .

mū p summā identitatem,de quo habitum est supra.Ex hoc eni cōtigit qp deus summo amore seipsum diligit,quāto volūtas diuina amādo suo bono se summe vnit.Amor aūt virtus vnitiua est:
quare & summe vniēs amor summ⁹ est.Ex quo etiā sequif qp semp & vniformiter vult seipm:& qp
pfecte vult seipsum,distincte.s.& simul volēdo quecūq sunt essentialiter volibilia in ipso,vt sunt re
rum quiditates & eēntie,& hoc vnico simplici actu se & alia a se volēdo, secūdū qp ptractatio istoꝝ
triū patet ex ptractatione consimiliū circa actū intelligendi dei in tribus qstionibus supra positis
de intelligere dei:vt nō sit opus hic sup hoc pprias questiones mouere:queadmodū etiā nō est op⁹
hic qrere:vtrum velle in deo sit tantū essentiale,an etiā sit in ipso velle notionale,hoc eni patet ex
consimili questione ibi determinata circa intelligere dei,secūdū qp debet ptractari loquēdo de pro
ductione spiritus sancti opere voluntatis.

. M .
Ad pri.
princip.

⊂Qd igitur arguitur primo:qp deus nō vult seipsum,qa appetitus est respectu nō
habiti:Dicendū secūdū qp iam dictum est, qp p eandē vim res se figit in termino & quiescit in ipso
cum habet ab ipsa, p quā transfert se in terminū cū est extra ipm & expectat haberi.Et talis vis est
volūtatis i intellectualibus & spiritualiter quiescētibus in termino,& spiritualiter motis in ipsum:cu
ius actus non est nisi velle siue quiescēdo in termino siue se transferēdo ad terminū:licet alius act⁹
volendi sit iste ab illo,& tamen vtrūqp indifferēter significat actū volēdi: qd tñ non cōtigit in gñe
voluntatis qd est appetit⁹.Licet eni actus eius est & respectu iā habiti & respectu habendi,ratio ta
men vocabuli secūdū cōmune vsum magis respicit habēdū vt pcedit obiectio:qd nōcōtigit in vo
cabulo voluntatis.Et ideo non sequif qp licet actus appetendi non est nisi respectu nō habiti ,qp si
militer neqp actus volēdi:quia licet secundū ratione rei indifferenter respiciāt habitū & habēdum
ambo:tñ secūdū ratione vsus nois,appetit⁹ respicit habendū tātū:volūtas vero cōmuniter vtrūqp.

. N .
Ad scdm.

⊂Ad secundū dicēdū:qp deus vult se sicut finē,licet eni in re idē sint in deo voluntas & volitum
secūdū rōne tñ differūt:& secūdū hoc qp vt bonū & volitū,est sicut finis & pfectio diuinę volūta-
tis:queadmodū ipe inquatū verū,est pfectio sui itellect⁹.Qd ergo assumit,qp nihil est finis suiipsi
dicendū qp verū est secdm rē eandē & scdm eandē rōne.Secūdū rē tñ eandē & diuersam rōne bene
pōt idē esse finis suiipsius.qm idē inquatū volūtas habet ratione pfectibilis,indistantis tamen re &
duratione a sua perfectione:bonum vero habet ratione pfectionis illius. Et sic voluntas dei inqua
tū seipsum vult vt finē, est aliqd ordinabile ad finē: sed aliter q̃ alia. Qm ad finē ordinat aliqd du
pliciter.vno modo vt illud cuius pfectio habet esse finis,alio modo sicut illud cuius adminiculo il
lud cuius pfectio est finis,habet attingere finem.Primo modo voluntas ipsa ordinatur in finem.Se
cundo modo illa quę sunt eius instrumenta attingendi finem.

. O .
Quest.iiii.
Arg.1.

2

In opposi.

Irca quartū arguit qp actus volēdi dei in volēdo seipm principaliter terminat in
psonā.quia cū dicit, de⁹ vult seipm,cōstructio est reciproca.In cōstructiōe aūt
reciproca idē agit in seipm.cū ergo velle nō est principaliter nisi psonarū:qm nō
sunt actus diuini nisi psonarū,vt habitū est supra.ergo nec ipm volitū est aliqd
aliud q̃ psona.⊂Scdo sic.volūtas vt habitū ē,est boni p se.ergo magis & pricipa
li⁹ est ei⁹qd mag̃ habet rōne boni,hoc aūt ē psona:qa psona habet rōne pfecti &
in se subsistētis,essentia aūt nō habet nisi rōne alicui⁹ existētis & subsistētis i pso
na,vt infra videbif.& bonitas rei i rōne suę pfectiōis cōsistit,vt habitū ē supra,ergo &c.⊂In cōtra
riū ē,qm bonitas i deo nō ē nisi eēntialis nō psonalis,sicut neqp veritas,vt dictū ē supra: & determi
nauim⁹ in q̃da q̃stione de quolibet:ita qp nec veritas cōuenit psonę nec bonitas nisi rōne eēntię exi
stentis in psona.principali⁹ ergo bonitas habet esse in eēntia q̃ in psona.Cū ergo volūtas nō est nisi
boni: cū deus vult se,actus volēdi veri⁹ & principali⁹ terminatur ad essentiam, q̃ ad personam.

. P .
Responsio

⊂Consimilis questio potuit supra fuisse mota circa actum quo deus intelligit se
ipsum:& eodem modo habet terminari vt ista . Vnde dicendum ad vtranqp quæstionem secundum eandem viam simul : qp cum ( vt dictum est) intellectus non est nisi veri, & voluntas
non est nisi boni , Sciendum qp verum & bonum dupliciter habent esse alicuius . Vno modo

vt cuius eſt,ſicut ſubiecti qd̃ per ſe habet denominari a veritate verum & a bonitate bonum.Alio
mõ vt qd̃ eſt ratio ſecundũ quã habet eſſe bonum & verum ĩ alio vt in ſubiecto,& a quo habet de
nominari ab illis.Verbi gratia,in creaturis compoſitis ex materia & forma ratio ſecũdum quã verum & bonum habent eſſe in compoſito,forma eſt,ſecũdum modum ſupra determinatũ.Sunt tamen vt ſubiecti pricipaliter denominati ab eis,compoſiti ex materia & forma:quẽadmodũ eſſe licet
ſit a forma,tñ eſt principaliter ipſius compoſiti , & ſimiliter omnes operationes quarum ratio eſt
forma.vnde & pfectio rei licet ſit a forma,tamen ratio perfectionis eſt principaliter compoſiti:& for
ma vt habet eſſe ſicut aliquid in compoſito,non habet niſi rationem imperfecti. Et cum iſto dupli
ci modo dicantur verum & bonum eſſe alicuius,actum tamen intelligendi & volendi non terminãt principaliter niſi ſecundum ꝗ habent eſſe alicuius vt ſubiecti perfecti denoiati p ipſa: non vt
quod eſt ratio qua habent eſſe in alio & denominare ipſum . Vnde cum aliquis dicitur intelligere verum in compoſito aut velle bonum,hoc non dicit quia intelligat vel velit ,formam compoſiti
principaliter:ſed potius ipſum compoſitum.Vnde hunc modum ſequendo in deo , cũ eſſentia ha
bet eſſe in deo vt aliquid in ſuppoſito & ſumpto vt p ſe pfectum ſubſiſtens , videret alicui ꝗ verũ
& bonũ ſubiectiue principaliter eſſent ſuppoſiti,& denominarẽt ipſum noneſſentiam:ſed ꝗ ei⁹ eſſent ſolummodo vt eiusqd̃ eſt ratio qua habent eſſe in ſuppoſito & denominare ipſum:& ꝗ idcir
co cum deus dicitur intelligere aut velle ſeipſum, actus intelligendi & volendi pricipaliter termi-
nentur ad ſuppoſitum non autem ad eſſentiam,niſi ſecundum ꝗ habet eſſe in ſuppoſito.Sed non
eſt ita.Cõtrario eñ modo quo ad hoc cõtingit in deo & in creaturis:quia eñ eſſe verum bonum
& huiuſmodi ſunt de eſſentialibus & omnino abſolutis,non conueniunt niſi ſingulariter tribus p
ſonis,& non per ſe & primo niſi eſſentie:non ſolum vt ei qd̃ eſt ratio eſſe veri & boni in ſuppoſito:
ſed eius qd̃ quaſi ſubiectiue habet eſſe & eſſe verum & eſſe bonum & denominari ab eis,& nõ ſup
poſitum niſi p hoc ꝗ eſſentia habet eſſe in ipſo.& hoc ideo,quia in creaturis ſuppoſitum ſubſiſtit
vt aliquid abſolutũ,cuius aliquid eſt ipſum formale,& aliquid ipſum materiale.ita ꝗ ab ytroꝗ ha
bet eſſe & eſſe bonum & eſſe verum & eſſe perfectum:licet principaliter ratione formę. Aliquid eñ
realitatis dat materia ſiue materiale præter id quod dat forma ſiue formale: ita ꝗ id quod eſt vni⁹
eorum, non eſt alterius:ſed qd̃ eſt amborum,eſt totius compoſiti.Propter qd̃ principaliter pfectio
in entitate veritate & bonitate eſt compoſiti,& nullius componentium.In deo vero ſuppoſitũ ſub
ſiſtit vt aliquid reſpectiuũ,in quo reſpect⁹quaſi formalis eſt reſpectu eſſentiæ:nihil tamen realitatis
habet niſi a ſuo fundamento qd̃ eſt ipſa diuina eſſentia:& ideo neꝗ aliquid veritatis aut bonitatis:
ſed principaliter eſſe & eſſe verum & eſſe bonum ſunt eſſentiæ non ſuppoſiti,niſi quia eſſentia eſt
in ipſo:ſcdm ꝗ hęc oĩa patent ex ſupra determinatis.Quare cum ad id pricipaliter hñt terminari
actus intelligendi & volendi qd̃ principaliter habet rationem veri & boni : dico ꝗ cum deus intelligit & vult ſeipſum,actus intelligendi & volendi principaliter terminatur ad eſſentiã & non ad p
ſonã niſi p eſſentiã,inquantũ eſſentia eſſe habet in pſona,& econtrario ei qd̃ contingit in creaturis.

¶Ad primũ in oppoſitum:ꝗ vbi eſt reciprocã conſtructio,actio terminatur in ip
ſum ages,cuius non é principaliter niſi ſuppoſitum:Dicendum ꝗ verum eſt vel ratione ſui vel ra
tione alicuius qd̃ eſt in ipſo.Vt cum dicitur, Sortes ſanat ſeipſum, ſi ſe ſanet ſecundum oculum
tantũ,vera eſt:nõ tamen terminatur ad totum niſi ꝑ accidens:ad pte autem per ſe. Vnde in ppo
ſito terminatur actus in agente nõ ratione ſuppoſiti & ſecundũ eam rationem qua eſt ages,ſed ra
tione eius qd̃ habet eſſe in ſuppoſito,cuius eſt alia ratio ꝗ ſit ratio ſuppoſiti. ¶Ad ſecundum ꝗ p-
ſona in deo magis habet rationem boni ꝗ eſſentia:quia magis habet rationem perfecti:dicedum ꝗ
eſt quædam ratio pfecti in eſſendo:quedam vero in ſuppofiendo.In creaturis ratio perfecti vtroꝗ
modo magis eſt ſuppoſiti ꝗ alicuius exiſtentis in ſuppoſito:propter qd̃ ſimiliter & ratio boni & ra
tio veri,vt dictum eſt. In deo vero licet in ſubſiſtẽdo pfectior eſt ratio ſuppoſiti ꝗ eſſentia:ꝗa ipſa ex
ſe non ſubſiſtit:ſed ipſa eſt aliquid in ſubſiſtente:ratio tamen eſſendi perfectior eſt in eſſentia ꝗ in
ſuppoſito:co ꝗ eſſentia habet eſſe ex ſe,ſuppoſitum autem nõ niſi quia in ſe habet eſſentiam. Cum
ergo aſſumitur ꝗ bonum ſequit rei perfectionem:dicẽdum ꝗ verum eſt pfectionem in eſſendo nõ
in ſubſiſtendo.Vñ cũ illud qd̃ eſt pfectius in ſubſiſtendo eſt perfectius in ratione boni,vt cõtigit in
ſubſiſtentibus abſolute: ratio boni non eſt principalius iu ipſo propter pfectionẽ in ſubſiſtendo ſed
propter pfectionem in eſſendo.Licet ergo in pſonis diuinis perfectior ſit ratio ſubſiſtendi ꝗ in eſſen
tia:quia tamen in eis non eſt perfectior ratio eſſendi,nõ terminat principalius actũ volendi pſona ꝗ
eſſentia:ſed poti⁹ ecõuerſo.Vñ cũ ois actio diuina manẽs intra reducit ad actionẽ volẽdi vel intelli
gẽdi,ois actio diuia eẽntialis manẽs intra pricipalit̃ terminat ad eẽntia & nõ ad pſonã,niſi ꝗa ĩ ipſa
habet eẽntia:& ecõtrario actio notionalis ad pſonã & nõ ad eẽntiã,niſi ꝗa p ipſam cõicata é ĩ pſona.

Quęst.v.
Arg.i.

2

**I**rca Quintum arguitur qȝ deus non vult seipsum de necessitate,Primo sic:qȝ qd cōuenit deo, digniori & nobiliori mō ei cōuenit quo pōt cuiqȝ rei cōuenire, velle aūt non de necessitate,est nobilius volūtati qȝ velle de necessitate: quia cū vult nō de necessitate, habet in sua potestate velle qd nō haberet.ergo &c.ꝃSecūdo sic,si deus seipsum de necessitate velit, cum necessitatem illā nullus ali9 seu nihil aliud a se sibi possit imponere : ex seipso ergo illam habet. Quare cū nō sit principiū agens p se nisi aut natura aut voluntas,secūdū Pḿm.vii.meta phyś.& Augustinū.v.de ciui.dei, aut ergo illā necessitatē habet ratione voluntatis, aut rōne na turę. Non ratione voluntatis:quia hoc derogaret libertati eius,dicente August,secundū senten tiam Stoicorū.v.de ciui.dei.Capite.xi.Stoici laborauerūt ita causas distinguere,vt quasdā subtra herēt necessitati,quasdam subderēt:atqȝ in iis quas esse sub necessitate voluerūt:posuerūt etiā no stras voluntates,ne videlicet nō eēnt libere si subderēt necessitati,& si de voluntate nostra,mul to forti9 ergo de volūtate dei:qa illa magis libera est qȝ nostra , vt iam dictū est supra,si ergo deus seipm velit de necessitate,hoc ē rōne suę naturę,idē ergo re est deū velle seipm absolute ex necessi tate, qd est velle ex necessitate naturę simpliciter. cōsequēs falsum est:qa sunt diuersę rōnes & pri cipia volēdi:qȝ simul i eodē secūdū actū eundē nō cōcurrūt,ergo &c.ꝃIn cōtrariū est,qm si de9 vellet se de necessitate,cū qd nō ē necesse eē,possibile ē nō eē,secūdū Pḿm i li.Peri her.possibile er go eēt deū nō velle seipsum. nō volēdo aūt seipsum auerteret a seipso vt a summo bono:a quo nō auertit̄ voluntas nisi peccare posset:ergo voluntas dei peccare posset,cōsequēs falsum est.ergo &c.

In oppoſi.

V
Reſol.q.

ꝃQuin ponendum sit qȝ deus de necessitate sic velit seipsum qȝ non est possibile ipsum non velle seipsum:queadmodū possibile est ipsum non velle alia a seipso:de hoc non est ma gna dubitatio:qm scdm Philosophū & in physic, & in Ethicis, finis in operandis se habet ad vo luntatē sicut principiū i speculandis ad itellectū:& ea qȝ sunt ad finē,sicut conclusiones.Sed in spe culatiuis intellectus de necessitate assentit principiis,licet nō cōclusionibus:ergo & fini de necessi tate acqȝscit volūtas,licet nō eis qȝ sunt ad finē. Cū igit̄ de9 est finis volūtatis cuiusqȝ:qa est ois bo ni finis:voluntas quęlibet necessario vult bonū qd est deus, dum tn̄ sit ei cognitū,sibi̇ipsi aūt in cognitum esse nō potest,vt patet ex supra determinatis.Necesse est ergo ponere qȝ deus seipm ve lit de necessitate:ita qȝ seipm nō velle nō pōt,& hoc eo maxie qa volūtas nō pōt velle nisi bonū:ita qȝ in volēdo non potest auerti a bono aspiciēdo ad non bonum,vt supra dictū est secundū Diony sium.In ipso aūt deo est perfecta ratio omnis boni,a qua deficit omne bonū qd est extra ipm.ꝃSed tota dubitatio in quęstione est,cum voluntas dei sit omı̄no libera etiam in volēdo seipsum,quomō cum voluntatis libertate stat necessitas volendi:maxime cū ista necessitas nō sit ex suppositione si cut si dicat̄ velle seipm de necessitate qm̄ vult:queadmodū cadit necessitas circa illa qȝ scdm se sim pliciter & absolute sunt cōtingētia:sed est necessitas simplíciter & absoluta.Et ꝑterea cū i dicta p positione,De9 vult seipsum de necessitate, illa determinatio pōt determinare actum volēdi vel vt terminat̄ in obiectum volitum,vel vt egreditur ab ipso volente:dubium adhuc non est quin deus habeat necessitatē volēdi seipm ꝓut actus terminatur in obiectū.Licet em̄ nulla necessitate vellet seipsum secundum qȝ determinat actū vt egredit̄ a volente: de necessitate tamen videtur velle se ipsum secundum qȝ determinat actū vt transit in obiectum:q̄uis hoc modo non velit de neces sitate alia,eo qȝ nō sunt ꝑ se & proprie obiecta volendi.Verbi gratia in simili ex pte actus vidēdi,si eı̄ esset qs in lumine dum tamē voluntarie aꝑiret oculos,de necessitate videret lumen:nō aūt alia q̄ possent sibi ꝓsentari in lumine.Actus etiā vidēdi ab ıꝑo nullo mō necessario:sed mera volun tate egrederet.Tota ergo difficultas est, an de9 de necessitate velit seipm ex illa cōparatione q̄ actus volēdi egredit̄ ab ipsa volūtate. Cum em̄ ab ipsa egredit̄ libere (dū tn̄ libera sit dei volūtas etiā in volēdo se,vt cōcessum est9 supra,)vídet̄ aliqȝ9 iꝑossibile si simul ponat̄ qȝ egrediat̄ ab ipsa necessario: & quasi oppositio in adiecto,s.qȝ egrediat̄ ab ipsa libere & nō libere:qa qd est necessariū, nō est libe re,& econtrario,secundum qȝ dictum est opponēdo ab Augustino secundum sententiam Stoicorȝ.

Y
Reſponſio

ꝃEt est dicēdū qȝ deus seipsum vult de necessitate determinatiōe etiam determināte actū volendi vt egredit̄ a voluntate siue a volente. Distinguēdo tn̄ necessitatē secūdum qȝ distinguit Pḿus i.v. metaphysicę,& Augustin9.v.de ciui.dei,qȝ est quędam necessitas violentię siue coactionis ab alio, & est quędam necessitas immutabilitatis,quę est ex seipsa absqȝ causa alia.Primo modo secūdū Au gustinum necessitas est q̄ non est in nostra potestate vt possimus impedire quod sit secundum ip sam:sed etiam si nolimus efficit quod potest,sicut est necessitas mortis. Sed sub tali necessitate non cadit actus volendi voluntatis nostrę in volendo recte vel perperam : quare multo fortius neqȝ in volendo absolute,talis enim necessitas non facit reuerti voluntatē a sua dispositione in id quod est

côtrariũ motui q̃ fit p̃ voluntaté,vt dicitur.v.meta.Vnde reſpectu act⁹ interioris volũtas cogi nõ
pôt,etſi reſpectu actus exterioris ipediat. Vñ reſpectu act⁹ exterioris talis neceſſitas derogat liber
tati:quia impedit voluntaté,vt dicitur.v.metaphyſi.Vñ(vt dr̃ ibidé)talis neceſſitas contriſtat vo
luntaté.Vbi dicit Cõmenta.Volũtas eſt delectabilis:neceſſitas autem cõtriſtabilis.Sed talis neceſſi
tas omnino circa dei voluntatem eſſe non poteſt:quia in deo nulla cadit violentia,vt dictũ é ſu
pra.Vnde ſolum cadit in ipſo neceſſitas incommutabilis:& eſt propria ei,vt dicit Cõmentator ſu
per.v.metaphyſice.Et de hac neceſſitate ſubdiſtinguendum eſt in propoſito:q̃ poteſt conſiderari
vt eſt præuia vel quaſi præuia ad voluntatem:vt volũtas ipſa intelligatur cadere ſub ipſa neceſſi
tate in eo q̃ ab ipſa egreditur actus volendi . Vel poteſt conſiderari vt eſt concomitans ipſam vo
luntaté:vt ipſa neceſſitas intelligat̃ cadere ſub ipſa volũtate in eliciédo actũ.Neceſſitas p̃rio mõ p̃
culdubio auferret libertaté in eliciédo actũ:ita q̃ volũtas in eliciédo actũ volédi nõ eſſet aliud q̃ na
tura:& ſic nõ eét plus libertatis i volũtate vt eſt volũtas,q̃ i natura vt natura:ſed p̃ciſa neceſſitas
imutabilitatis:ita q̃ q̃uis volũtas vt volũtas libera eſſet quátũ eſt de ſe,tñ p̃pter neceſſitaté cui aſ
ſociaretur,determinaretur ad actum.quemadmodũ appetitus bruti ex ſe indifferés determinatur
per appetibile,vt patet ex ſupra determinatis. Vnde de hoc modo neceſſitatis,vt includit volunta
tem,dico q̃ deus non vult ſe de neceſſitate:ſed libere tantũ. aliter enim in volendo nõ ageret,ſed
potius patereẗ vel agereẗ.Neceſſitas aũt imutabilitatis ſecundo mõ cõſiderata dico q̃ non aufert
libertatem:ſed magis firmat eam in actu ſuo: eo q̃ voluntas talem actum volédi delectabiliter &
q̃ſi eligibiliter elicit: licet p̃pter obiecti bonitaté imutabiliter actui ſuo inhęret,Hoc mõ etiã beati
in patria in volendo deum libere erunt voluntatis,& liberioris q̃ modo ſint:licet neceſſitas immu
tabilitatis concomitetur immutabiliter tenens eam in actu ſuo. Nec erit illa libertas quæ eſt liberi
arbitrii:quia illa non eſt niſi reſpectu eorum quæ ſunt ad finem,non reſpectu finis,vt viſum eſt ſu
pra: & amplius eſt videndum loquendo de voluntate creaturæ.Vnde erit abſoluta libertas: quaſi
dicimus deum velle ſeipſum.Nõ enim vult ſeipm̃ libertate arbitrii:ſed tñ alia a ſe,vt dictum eſt
ſupra,& infra dicédũ eſt, loquendo de voluntate dei in reſpectu ad creaturas. ⓒ Quidam autem
non diſtinguentes circa voluntatem inter libertatem ſimpliciter dictam,quæ eſt in omni actu vo
luntatis,& libertatem arbitrii quæ eſt ſolummodo in actu voluntatis circa ea quæ ſunt ad finé,di
cunt q̃ voluntas dei in volendo ſeipſum non eſt libera: neq̃ ſimiliter volũtas creaturæ in volendo
finem eſt libera: ſed ſolum in volendo alia a ſe ex parte dei , & in volendo ea quæ ſunt ad finem ex
parte creature:quaſi non eſſet rõ libertatis ſimpliciter in volũtate,alia a ratione libertatis arbitrii.
Sed non eſt ita,vt patet ex ſupra determinatis.Dicimus ergo q̃ ſimul ſtant,q̃ ſcilicet deus libere &
neceſſario vult ſeipſum:& hoc nonſolum ſtando & perſeuerando in actu volendi:ſed etiam in ipſm̃
actum ſimpliciter eliciendo:nec libertas impédit neceſſitatem:nec ecõuerſo.Et hoc quodam modo
(q̃eadmodũ infra debet determinari)dicimus q̃ pater & filius ſpirant ſpiritũ ſanctum libera vo
luntate cõcomitante neceſſitate , non ab aliquo alio agente q̃ ſit ipſa volũtas,qd̃ ipſam incommu
tabiliter teneat in ſuo obiecto:ſed ſeipſo ſibi huiuſmodi neceſſitatem immutabilitatis libere impo
néte,p̃ idé principiũ agens facit ſe in obiectũ,& tenet ſe quieſcendo in ipſo:q̃eadmodũ eodé princi
pio graue moueẗ ad cétrum & quieſcit in ipſo.Et eſt ibi illd̃ principiũ volũtas libera ex p̃te volun
tatis,ſicut hic forma grauitatis ex p̃te grauis. Sicut em̃ voluntas ſiue dei ſiue cuiuſq̃ beati in bo
num cognitum quod deus eſt,delectabiliter & quaſi eligibiliter mouet:ita tñ q̃ non poteſt nõ mo
ueri in ipſum nulla neceſſitate naturę p̃ueniente vel cõcomitante voluntatem in ſuo actu , quaſi
neceſſario inclinãs volũtaté in actu:ſed ſibiipſi iponit neceſſitaté immutabilitatis in affectando mo
tũ:& hoc p̃pter firmitaté ſuę libertatẻ.Hęc eſt em̃ natura talis neceſſitatis:q̃.ſ.ſit i re abſq̃ cã alia,
ſed ex ſua p̃pria rõne,vt determinat Phus.v.meta. & clari⁹ exponit Cõmet. ibidem. Sic ergo dei
volũtas ſiue cuiuſq̃ beati in bono guſtato qd̃ de⁹ eſt, delectabiliter & quaſi eligibiliter ſe tenet:ita
tamen q̃ non poteſt ſe non tenere in ipſum nulla neceſſitate præueniente aut concomitante vo
luntaté in iſto actu,quaſi neceſſario figens ipm̃ in actu & in obiecto: ſed ſibi ipſi fixioné hmõi ſeu
ſtabilitionem affectãdo neceſſitatem hmõi ſibi imponit eadé de cã qua prius. Et in hoc differt quo
dammodo neceſſitas cõcomitans libertatem dei in actu volendi ſeipſum, & in actu ſpirandi ſpiritũ
ſanctũ:quia.ſ.in illo non ſolũ ipſa libertas volũtatis ſibiipſi neceſſitaté imponit ſicut hic ſecundũ iã
dictũ modum:immo etiã in illo voluntaté cõcomitaẗ naturę neceſſitas:q̃ natura ipſa p̃ducto cõ
municatur per actum,vt infra debet exponi. Hic autem in actu iſto nulla neceſſitas naturæ cõco
mitatur:q̃ in ipſo nõ fit alicuius naturę cõmunicatio: ſed ſolũ volũtatis adheſio cũ volito & vnio.
Et q̃ talis neceſſitas bene ſtet ſimul cũ volũtatis libertate i p̃poſito,clare patet cõmutãdo p̃poſitio
né iſtam quæ eſt de re,De⁹ neceſſario vult ſeipſum:in illã de dicto,Deum velle ſeipſum eſt neceſſa

rium,vt' sic,necessarium est deum velle seipsum. In hac em clare potest exprimi libertas cum necessitate nullo inconuenienti apparete:dicendo ꝙ necessarium est deum libere velle seipsum: vel, deū libere velle seipsum est necessariū:ita ꝙ i ipsa libertate cōsistit ratio necessitatis ꝙ necessario vult se ipsum,iuxta modum iam expositū,qm ꝙ non potest nō velle libere seipsum,hoc totum ex firmitate suæ libertatis venit:& solum ex illa:quemadmodum ꝙ ignis nō potest combustibile approximatum non cōburere,hoc ꝓuenit ex sola dispositione suę naturę. Vnde dicit August.v.de ciuita.dei, Si illa definiat necessitas secūdū quā dicimus necesse est vt ita fiat vel ita fiat:nescio cur eā timeamus ne libertatem auferat volūtatis.Et hoc siue illa necessitas ponat ab alio in casu quo loquitur Augustinus,siue illa necessitas ponatur in eodē,vt i ꝓposito nostro.Vnde cum dicim⁹ deū necessario velle seipsum,non intelligimus in hoc talem necessitatem qualem intelligimus cum dicimus deum necessario intelligere seipsum:aut necessario viuere. Cū enim dicimus ipsum necessario viuere,necessitas illa oritur ex ratione suę naturę absolute:quia ipsa non est nisi viuere quoddam & vita,vt habitū est supra. Cū vero dicimus ipsum necessario intelligere seipsum,necessitas illa oritur ex determinatione intellectus per intelligibile,quo necesse est semper quasi informari,vt habitum est supra . Cum vero dicimus eum necessario velle seipsum,illa necessitas nec oritur ex natura diuina,ea ratione qua natura est,neꝗ ex aliqua determinatione in volūtate ex obiecto volito sed solum & mere ex cōditione libertatis in voluntate sua,secundum ꝙ omnia hæc patent ex iam & supra determinatis.Argumenta aūt vtriusꝗ partis ꝓtractāda sunt: ꝗa ambo in aliquo deficiūt.

Ad pri.
princip.

℧ Qꝶ ergo arguitur primo:ꝙ velle non de necessitate est dignior modus volendi,ergo deo conuenit.Dicēdū ꝙ verum est loquendo de necessitate ꝓueniente voluntatem & tollente libertatem,quicunꝗ sit ille. Loquendo tamē de necessitate concomitante libertatē, & ꝙ illam cōpatitur:immo quasi causat ab ea:non est verū:imo hmōi necessitas est propter vigorē libertatis,& cōtrariū eius ꝓpter libertatis infirmitatē,vt patet ex ꝓdictis. ℧Ad secundū:ꝙ si deus vellet seipm

Ad scdm.

de necessitate,necessitatē illam nō haberet ratione voluntatis,ꝗa derogaret libertati illius:Dicēdū ꝙverum est loquendo de necessitate cui subest voluntas:quæ non est nisi necessitas coactionis,de ꝗ ibi loquitur Augustinus ad literam : aut necessitas præueniens voluntatem qualitercūꝗ sit illa. Loquēdo vero de necessitate concomitante voluntatem,siue ex ratione ipsius voluntatis,ꝙ contingit in ꝓposito:siue ratione naturę,vt cōtingit i spiratione spiritus sancti,sicut dictū est:non habet illud veritatē:& mltū differt hac necessitate deū velle seipm absolute ex necessitate & velle seipm ex necessitate naturę simpliciter.Quia illd ꝙ sit ex necessitate naturę simpliciter,oī no excludit volūtariū:nō aūt velle seipm ex necessitate ꝙ est ex ipsi⁹ libertatis ꝑfectiōe,aut ꝙ est rōne suę naturę cōcomitātis volūtatē.℧Ad primū in oppositū:ꝙ si de⁹ nō vellet seipm de necessita-

Ad oppo.

te,posset ergo seipsum nō velle:Dicēdū ꝙ verū est ꝙ nō pōt nō velle seipm:sed hoc nō nisi ꝓpter necessitatem concomitantem voluntatem secūdū dictum modum:quę(vt dictum est)non impedit voluntatis libertatem.de rōne enim libertatis simpliciter , non est posse velle & non velle(vt ꝗ dam putant)sed solūmodo affectāter & quasi eligibiliter velle.Posse em nō velle ꝙ vult,nō est nisi ex libertatis infirmitate:quemadmodum & posse peccare est ex voluntatis defectibilitate.

Ξquit Art.XLVIII.de actu voluntatis ꝗ est velle,in cōparatione ad actum intellectus qui est itelligere.Et circa hoc quęrunt duo. Primum:vtrum ꝓter istos duos actus diuinos essentiales manentes intra,sit aliquis alius.

Articulus
XLVIII.

Secūdū:vtrū velle in deo sit actio principalior ꝗ intelligere.

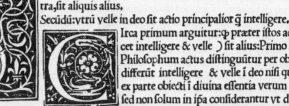

A
Qi ęst.I.
Arg.i.

℧Irca primum arguitur:ꝙ præter istos actus ( scilicet intelligere & velle ) sit alius:Primo sic.secundū Philosophum actus distinguitur per obiecta.vt nō differūt intelligere & velle i deo nisi quia differūt ex parte obiecti i diuina essentia verum & bonum. sed non solum in ipsa considerantur vt differētia verum & bonum:sed etiam alia multa:ꝗ sunt ens,vnum,pulchrū,& plurima huiusmodi.ergo si diuersi actus sunt in deo quia differunt in ipso bonum & verum ad quę terminātur:similiter erūt in ipso alii actus differētes ab istis,qui terminātur ad eos,vnum, pulchrū, & cętera hmōi. ℧Secundo sic.forma quanto est abstractior & perfectior,tanto est plurium actionum principium . Vnde primæ formæ materiales vt elementorum,non habent actum nisi proprium elementorum: vt forma aquę non nisi quę cōpetat aquę.Forma vero mixti habet actionē aliquam quæ competit ratione ele

menti quæ virtute dñat in ipſo: & aliam ex natura propria:vt ꝙ magnes attrahit ferrum : & ſu
per hęc,forma vegetabilis cum actionibus quas habet ex natura elemēti & mixti ſimpliciter,habet
proprias operationes:ꝗ ſunt nutrire,augmētare,& generare: & præter iſtas forma ſenſitiua habet
actus qui ſunt ſentire,& tanto plures in animalibus perfectis,quanto in eis perfectior eſt anima ſen
ſitiua:& præter iſtas habet forma intellectiua proprias operatiões intellectuales.Cum ergo forma
deitatis ſit abſtractiſſima & pfectiſſima, ipſa plurimas operationes habet,& ſic non ſolum erit cō=
tenta duabus.☉n contrarium eſt:ꝙ nihil eſt actus alicuius niſi quia aut eſt ab eo in aliquid , aut In oppoſi.
quia eſt ab aliquo i ipſum. Primo mō eſt actus alicuius vt actiui:Secundo modo vt paſſiui,plures
enim modi nō ſunt ponibiles.Sed omnis actus eſſentialis manens intra in deo,vt ab ipſo,eſt velle:
& actus voluntatis vt in ipſo,eſt intelligere & actus intellectus vt patet,ergo &c.

**B**
Reſponſio

❡Dicendum: ꝙ in deo non ſunt nec poſſunt eſſe plures actus eſſentiales manen
tes intra,ꝗ velle & intelligere:& propter idem nec plures potētię ꝗ voluntas & intellectus.Ad cu
ius euidentiam ſciendum : ꝙ cū ſecundū Philoſophum & veritatem,diſtinctio potētiarum eſt pe=
nes actus, & actuum penes obiecta:& ita tam potentiarum ꝗ actuū diſtinctio & differentia é pe=
nes diſtinctionem & differentiam obiectorum:non tamen quælibet differentia obiectorum eſt ra=
tio diſtinctionis ſeu differentię actuum aut potentiarum:ſed ſolum illa quę eſt obiectorum ſecun
dum rationem illam qua obiecta ſunt:hoc eſt ſecundum rationem illam qua per ſe reſpiciunt ali= **C**
quid vt id cui ſunt obiecta.Nō enim dicitur obiectum ab eo quod eſt id ꝗ eſt:ſed a reſpectu quę
habet ad aliud in eo ꝗ eſt.Vnde quęcuꝗ rationes ſunt in aliquo ſecundum quas ipſum non reſpi
cit per ſe aliud:& ſi reſpiciat,hoc eſt ſolum per accidens:quia ei accidit ratio qua reſpicit aliud aut
econuerſo: ſecundum illas non eſt accipienda diſtinctio ſiue differentia potentiarum aut actuum
Verbi gratia:in nutrimento ꝗ eſt obiectū vegetatiuę,ĩn oĩbus ſuis actionib⁹eſt ratio qua eſt quid
& ratio qua eſt quantum,& ratio qua eſt dulce aut album & huiuſmodi. Quia quid & quantum
ſunt propriæ rationes ſecundum quas nutrimentum vt obiectum reſpicit animam vegetatiuam
in nutrito : non autem dulce aut album niſi per accidens:quia accidit ei quod eſt quid & quan
tum.Ideo penes quid & quantum differentia in nutrimento & diſtincta diſtinguuntur & diffe=
runt actiones nutriendi & augendi:ſimiliter vis nutritiua & augmētatiua,& nō penes dulce aut
albũ.Similiter reſpectu animę ſenſitiuę ſenſibile ſcdm ratiōe ſenſibilis eſt per ſe obiectum ei:nō au
tem ratione qua eſt quid aut quantum aut aliquid huiuſmodi.Et ideo penes diuerſas rationes ſen
ſibilium diuerſimode reſpicientia animam ſenſitiuam,diuerſę ſunt actiones ſentiendi : & diuerſæ
vires ſiue potentiæ ſenſitiuę,vt determinat Philoſophus ſecundo de anima:ꝙ non ſunt ſenſus prę
ter.v.quia non ſunt plura particularia & propria ſenſibilia. Vnde ſi diuerſa ſpecie in eſſe rei & na
turæ conueniunt in vna communi ratione ſentiendi ſpecifica,vt contingit in omnibus ſpeciebus
colorum quæ mouent ſenſum ſecundum ratiōe claritatis & lucis,habent vnicum ſenſum ſpecie
ſibi reſpondentem,vt viſum.Similiter diuerſi gradus in eodem ſenſibili numero,vt magis album
& minus album:quia accidentaliter & nō ſecūdū formalem rationem ſentiendi differunt: vni re
ſpondent ſenſui.Similiter quæcunꝗ alia ſunt quę accidūt ſentiendi rationib⁹ ſentiendi vel quibuſcunꝗ ipſa
accidunt:quæ tamē ex ſe proprias rationes ſentiendi nō important:& per hoc non habent reſpe=
ctum aliquem per ſe ad aliud ſub ratione ſenſibilis:ſecundum illa non diſtinguuntur aliqui actus
aut potentiæ ſentiendi.Et ſicut eſt de rationibus ſentiendi reſpicientibus apprehenſiuam,ſic eſt de
illis quæ reſpiciunt affectiuam:ꝙ penes illas diuerſas rationes,diſtinguuntur diuerſę ſpecies in af **D**
fectiua ſicut per alias in apprehenſiua. Ita ꝙ ſicut penes rationes diuerſas ſentiendi in percipien=
do & in afficiendo diſtinguuntur diuerſa genera potentiarum in anima ſenſitiua, ſcilicet gen⁹ po
tentiæ apprehenſiuę a genere potentiæ affectiuę:ſic penes diuerſas rationes ſentiendi apprehenſi=
ue,diſtinguuntur diuerſæ potentię apprehenſiuę ſub eodem genere: & ſimiliter penes diuerſas ra
tiones ſentiendi affectiue diſtinguuntur diuerſæ potentiæ affectiuę ſub eodem genere.Sicut autē
eſt aliquid obiectum animæ vegetatiuę aut ſenſitiuę:quia habet habitudinem ad ipſam ſecundum
rationem obiecti:& ſecundum eius diſtinctionem penes huiuſmodi rationes,diſtinguuntur inter
ſe obiecta,& ꝑ obiecta act⁹ & potētię:Siſiter ergo ex pte naturæ ĩtellectualis cū ſit aliꝗd ei ꝑ ſe obie
ctū,aliter enim nullus act⁹ neꝗ ratio alicuius potētię ei aſcriberet:neceſſe eſt ꝙ obiectū ei inquan
tum é obiectum,per ſe habeat aliquam habitudinem ad illam:& penes diſtinctiōe illius rationis
obiectæ ſecundum gēnus aut ſpeciem erit diſtinctio actuum naturę intellectualis & potentiarum
in ipſa.Res autem aliqua inuenitur obiecta naturæ intellectuali in duplici habitudine tantum,vt **E**
habitum eſt ſupra.Vno modo ſecundum habitudinem qua nata eſt eſſe in ea,& ſe facere in ipſam

sub ratione esse spiritualis. Alio modo secundū habitudinem qua nata est in se subsistere, & allicien do eam sibi attrahere & in se quietare. Secundū hoc ergo dupliciter habet res esse obiectum per se naturæ intellectualis: & tantū dupliciter, ꝗ non est alia habitudo rei ad ipsam. Et propter idem so lum est duplex actus naturæ intellectualis erga res, & non nisi duplex modus potentiæ, duplici ha bitudini dei & rationi obiecti, & duplici actui respondens. Secundum primam autem habitudi nem comparatur res ad naturam intellectualem vt apprehensibile quoddam: scdm secundam vt affectatiuum quoddam. Et secūdum hoc duplex est modus potentiarum naturæ intellectualis tā tum, scilicet modus potentię apprehensiue, quę vocatur intellectus aut ratio: & modus potentię as sectatiue, quæ vocat voluntas. Et ita oportet ponere ꝗ in deo differant vt diuersæ potentiæ volū tas & intellectus, & ꝗ non sit in ipso potētia tertia quę nec sit ratio siue intellectus, aut voluntas. Et similiter oportet sentire de actibus eorum qui sunt velle & intelligere, ꝗ inter se differāt, & ꝗ non sit ponere aliquem alium actū in deo differentem ab istis. Et secundū hoc concedenda est ratio ad i tam partem adducta.

F
Ad primū
principale

❡Ad primum in oppositum ꝗ in diuina essentia non solum differunt ratione bo num & verum, sed plurima alia: dicendum ꝗ verum est, sed non omnia differunt inter se secundū proprias rationes obiecti: immo omnia alia a bono & vero, etsi differunt inter se ratione, hoc non est ratione obiecti, qua scilicet diuersimode respiciunt naturam intellectualem in deo secundum modum prędictū, sed ratione subiecti, qua scilicet natura intellectualis in deo quasi mota a ratione obiecti, sub ratione obiecti cōsiderat ipsam rem secundum illas diuersas rationes: quæ potius sunt rationes distinctæ in re ex consideratione animæ circa eam, ꝗ rationes secundum quas debet distin gui aliquid in ipsa eius natura. Sic eni differunt in deo rationes entis & vnius, & siqua sunt huius modi. Nūc autē (vt dictum est) non quęlibet diuersitas rationū est secundū quā sumit diuersitas actuū aut potentiarū, sed illa quę est per se obiecti secundū ꝗ est obiecti, & illæ non sunt nisi duæ, scilicet veri & boni, vt dictum est: penes quas distinguuntur intelligere & velle. Et ideo secundum rationes alias quotquot sint non distinguuntur aliqui actus, vt dictum est. ❡Ad secundum: ꝗ for ma deitatis perfectissima est, ergo plurium actionum principium: Dicēdum ꝗ verum est, quod ta men cum hoc ꝗ est principium actionū plurium, tāto est principium eorum modo simpliciori & paucioribus intermediis, & minori determinatione. Vnde non cognitiua non agunt neꝗ mouen tur in aliꝗd per appetitum nisi in id ad quod natura determinant: & habēt paucas actiones & mo tus, quia non ordinātur ad magnum gradū perfectionis, & sunt remotissima a primo principio pa fecto in qd motu suo omnia tendunt. Alia autem superiora quia ad maiorem perfectionem ordinā tur, plures habent motus: & pluribus motibus ordinantur ad bonum perfectius sibi adipiscendū, sed minori determinatione. vt patet in cognitiuis sensitiuis tantū, in quibus forma determinatur per materiā quo ad suam essentia & suum esse & suā operationē. Et adhuc sunt plures in cogniti uo rationali a forma indeterminata per materiā secundum essentiam, & sic secundū esse & quodā modo secundū operationē: & adhuc plures formæ omnino abstractæ a materia, limitatæ tamen in natura & essentia, sed plurimę formę oīno illimitatę: quæ operatur omnia in omnibus seipsa solum modo, intelligēdo & volēdo oia, intelligēdo & volēdo seipsam, vt in parte supra tactū est, & amplius inferius debet determinari. vt sic quātūcūꝗ multę sint eius operationes, omnes tamen debent re duci ad actum intelligendi & volendi, quia intelligendo & volendo seipsam omnia operatur, secun dum ꝗ ex infra determinandis patebit.

G
Ad scdm.

H
Quest. ii.
Arg. i.

Irca secundum arguitur ꝗ velle sit principalior actio in deo ꝗ intelligere. primo sic. illa actio est principalior in superiori natura, quā habet omnino differentē ab actionibus naturæ infimę, ꝗ sit illa quā habet conuenientem quoquo modo cum actione naturæ infimę. quia illa prior non conuenit ei nisi secundū rationem qua pręcellit & differt a natura infima. Illa vero secunda secundū rationem qua con uenit cum ipsa. & superius atꝗ principalius in ea est illud quo differt ꝗ quo con uenit. vt rationale in homine quo differt a bruto, ꝗ sensibile quo conuenit cum eodem. velle autē cum sit quiddam appetere, sicut voluntas est quidam appetitus, est actio in qua quoquo modo conuenit deus cum infimis & inanimatis etiam, quia in ipsis est appetitus, & eis cō uenit appetere. Et intelligere est actio qua differt ab eis, quia nullū genus cognitionis habēt, vt pa tet ex supra determinatis. ergo &c. ❡Secundo sic. actio quanto est circa obiectū simplicius & spiri tualius & magis abstractū, tāto est simplicior & spiritualior & magis abstracta. quia secundū Pȟm,

actio determinatur per obiectum.quanto autem eſt ſimplicior,ſpiritualior,& magis abſtracta, tan
to eſt potior & principalior.ſimplicius eīn & magis abſtractum,potius eſt ſemper & principalius
Propter qd̄ vult Philoſophus primo metaphyſicę,ꝙ demonſtrationes arithmeticę potiores ſunt ꝗ
geometricę:quia de ſimplicioribus vt de numeris,ꝗ ſimpliciores ſunt magnitudie,de qua eſt geo=
metria.Actio autem quæ eſt intelligere dei,ſimplicior eſt & magis abſtracta,ꝗ ſit actio quæ eſt vel
le,ꝗa itelligere eſt rei put habet eſſe in itellectu:velle vero,put habet eſſe in ſe.& ſimplici⁹& magis
abſtractū eſſe habet res in intellectu ꝗ extra in ſeipſa.ergo &c.ꝅPræterea,obiectū intellectus eſt ve=
rum:voluntatis autem bonum.verum autem ſimplicius eſt & magis abſtractum bono . ꝅTertio 3
ſic.ille actus nobilior eſt & principalior,per quem potentia nobilius in eſſe perficitur.iſte autem eſt
intelligere , quia per ipſum perficitur intellectus, habendo in ſe rem intellectam vt nobile qd̄, non
ſic velle:quia per ipſum perficitur voluⁿtas vt comparata ad rem nobilem exiſtentem extra ſe, nūc
autem perfectius & nobilius ſimpliciter & abſolute eſt habere in ſe nobile quid,ꝗ comparari ad no
bile extra ſe,ergo &c. ꝅQuarto ſic.illud eſt nobilius qd̄ viliori ſe minus inficitur. vt patet de lu= 4
ce & aere, cum transeunt per loca fœda . ſed intellectus minus inficitur intelligendo viliora ſe
vt corporalia, ꝗ voluntas in diligendo inferiora ſe.ergo &c. ꝅQuinto ſic.nobilior eſt potentia quę 5
eſt ad nobiliorem actum ſeu productionem.ſed intellectus & voluntas in deo ſunt principia pro=
ductionum perſonalium.quaſi nobilior autem eſt ratio ꝑductiōis quæ eſt generatio, ꝗ productio
nis quæ eſt ſpiratio:eo ꝗ productum ab illa quaſi nobili⁹ eſt ꝗ productum ab iſta: eo ꝗ ꝑductum
ab illa vt filius, habet auctoritatem aut quaſi auctoritatē ſup productum ab iſta vt ſuper ſpiritum
ſanctum,ergo &c.ꝅIn contrarium eſt.quoniam actio illa potior eſt & principalior quę eſt liberior. In oppoſi.
talis eſt actio voluntatis,vt patet ex ſupra determinatis,ergo &c.

ꝅDicendum ad hoc:ꝗ de actionibus dei quę ſunt velle & intelligere,poſſumus lo      I
qui dupliciter.Vno modo ſecundum id ꝗ ſunt aliquid in re:aut ſecundum ſuas proprias ratio- Reſponſio
nes quas noiant circa rē ipſam. Primo modo ſunt idipſum,& nullo mō differunt:quia non ſunt
niſi ipſa diuina eſſentia,vt patet ex ſupra determinatis.& ſic neutra eſt potior aut principalior al=
tera : nec habet ſecundum hoc locum quæſtio in eis.Si ergo principalitas dicēda ſit eſſe in eis, hoc
eſt conſiderando ipſas ſecūdū ſuas ꝓprias rationes ꝗbus inter ſe differūt ſicut alia attributa,ſecun
dum ꝗ habitum eſt ſupra. Sic enim in ipſis eſt principalitas ſecundum rationem in deo , eo modo
quo ratione differunt:quemadmodum eſt principalitas in eis ſecundum rem in creaturis, eo mo
do quo ſecundum rem differunt.Vt enim dicit Philoſophus in principio politicę,quæcūꝗ ex plu
ribus fiunt aliquod commune,in oib⁹ eſt principans & ſubiectum : quēadmodum in harmonia cō
mixtionis elementorum,ſemper eſt vnum elementum prędominans ſiue principans:& in harmo=
nia vocum eſt vox vna conſonantia aliarum tenens:& in homine anima principans eſt deſpotico
principatu, corpus vero ſubiectum : & intellectus principatur appetitui ſenſitiuo regali principa
tu.In deo autem ex actu voluntatis & intellectus fit aliquid cōmune, vt beatitudo,quæ ex vtroꝗ
perficitur:oportet igitur ꝗ alterum eorum ſit in deo principās, alterum vero ſubiectum.ꝅVnde
ſuppoſitis illis quibus in quadam quęſtione de ꝗuolibet determinauimus in creaturis volūtatem       k
eſſe principaliorem & altiorem potentiam ꝗ ſit intellectus,& per cōſequens actum voluntatis eſſe
principaliorē & altiorē ꝗ ſit act⁹intellectus:eiſdē poſſumus hic oſtendere velle in deo eſſe actionem
principaliorem & altiorem ſecundum rationem,ꝗ ſit intelligere.Sed non oportet ibi dicta repete
re:quia non reſtat niſi ipſa hic applicare. Verūtamen hic ſciendum eſt in ſumma:ꝗ ꝗ̄cūꝗ ex ali=
quibus fit vnum cōe,ad cognoſcendum qd̄ illorū ſit prīcipalius,oportet (vt dicit Philoſophus ibi
dē) ambo conſiderare in aliquo optime diſpoſito in eis, & ſecūdum naturā:& non in eo vt ſimpli
citer conſiderato,aut vt deficit ab illa diſpoſitione.Verbi gratia (ſecundum ꝗ ponit exemplū) ſi
velim⁹ videre ꝗ & quō aīa principatur corpori,oportet hoc cōſiderare in homine optime diſpoſi
to ſecundum corpus & ſecundum animam.Qd̄ enim in tali homine principatur,vere dicendum
eſt principari & ſecundum naturam:& nō in homine ſimpliciter aut peſtilente & male diſpoſito ſe
cundum illa.In homine enim peſtilēte propter praue ſe habere & ꝑter naturā multotiēs inuenit
corpus principari animę,& appetitus ſenſitiuus rationi:in homine vero bene diſpoſito contingit
ecōtrario.In homine autem ſimpliciter,licet ſecundum naturam dominatur id qd̄ dominatur in
optime diſpoſito:non tamen hoc poteſt ſicut in illo diſcerni. Propter quod ſimpliciter & abſolute
in homine & ſecundum naturam,principalius dicitur eſſe anima ꝗ corpus:quia ſcilicet principa=
tur in homine bene diſpoſito ſecundum hoc,licet non principetur in homine nō bene diſpoſito ſe

cundum hoc,& hoc quodammodo queadmodum cum cibus dicitur fanus per refpectum ad fa-
nitatem quæ eft in corpore animalis,quia fcilicet eft conferuatiuum illius,ille cibus dicitur fanus
fimpliciter qui eft fanus fimpliciter fano,& corpori bene fe habenti, non autem ille qui eft fanus
corpori infirmo & male fe habenti.⊂Ad videndum igitur quis fit principalior,an actus voluntatis an actus intellectus,& per confequens vtrũ voluntas an intellectus: oportet ambo refpicere in
eo qđ fecundũ ipfa eft optime difpofitũ fecundũ naturam:& non in eo qđ deficit ab illa difpofitio-
ne optima.Quare cum optima difpofitio voluntatis & actus volendi eft in volendo fumme bonũ
& optima difpofitio intellectus & eius actus eft in intelligendo fumme verum. Bonum enim eft
per fe perfectio voluntatis & actus eius:verum autem intellectus & actus ipfius.In eis autem quæ
funt per fe,fequitur,fi fimpliciter ad fimpliciter,& magis ad magis,& maxime ad maxime.Sum-
me bonum autem & fumme verum eft folummodo ipfe deus fiue ipfa diuina effentia.Principali-
tate ergo inter voluntatem & intellectum & actuum eorum debemus infpicere in quocũꝗ volente & intelligente fecundũ ꝗ vult & intelligit deum.In intelligendo autem & volendo deum principalior eft voluntas:quoniam in actione voluntatis perficitur voluntas in ipfa re , vt ipfa habet
effe in fe:eo ꝗ voluntas actione fua inclinatur in ipfam,& in ea recipitur:non autem eam in fe re-
cipit.In actione vero intellectus econtrario perficitur intellectus ipfa re vt habet effe in ipfo intelle-
ctu.Recipiendo eñ in fe ipfam rem intellectã,quodãmodo perficit ipfa.Magis aũt pficit volũtas in
deo actu fuo trãferẽdo fe in ipm,ꝗ recipiẽdo ipfum in fe:eo ꝗ trãferẽdo fe in deũ fub ratione boni per actum volũtatis,conuertitur quodammodo in ipfum,fecundũ ꝗ habet effe in feipfo.Amor
eñ qui eft ratio volendi,eft virtus conuerfiua & vnitiua transformans amantem in amatum, vt
dictum eft fupra.Recipiendo autem in fe deum fub ratione veri per actum intellectus,affimilatur
quodãmodo intellectus intellecto fecundũ ꝗ habet intellectum effe in ipfo intelligẽte. Notitia eñ
quæ eft ratio intelligendi,non eft nifi virtus affimilatiua. Maius autem & nobilius eft conuerti in
deum & fieri vnum quodammodo cum ipfo,fecundum ꝗ habet effe in feipfo : ꝗ affimilari quodãmodo ipfi fecundum ꝗ eft in intelligẽte. Idcirco dicendum eft ꝗ fimpliciter in volente quocũꝗ &
intelligente deum nobilior & principalior eft voluntas & actus volendi ꝗ intellectus & actus intelligendi. Et fic propter idem dicendum eft ꝗ fimpliciter & abfolute principalior eft volũtas feu
actus volendi ꝗ intellectus feu actus intelligendi. Vnde licet cum quis vult aut intelligit aliud a
deo,maxime qđ inferius eft intelligẽte & volente,altior,principalior,& pfectior eft intellectus ꝗ voluntas,quia dignior eft in intellectu cognitio rerum corporalium ꝗ amor earum:quia nobilius eft
eis affimilari fecundum effe fpirituale quo habent effe in ipfo,ꝗ transformari in ipfa fecundum effe
qđ habent in fe:eo ꝗ nobilius effe habent inferiora,fecundũ ꝗ habent effe in fuperiori natura,ꝗ fe
cundum ꝗ habent effe in fe.dicente Auguftino.ix. de Trini.capi.iiii. Maior eft notitia corporis ꝗ
ipfum corpus quod notitia eius notum eft.Illa enim vita quædam eft in ratione cognofcentis: corpus autem non eft vita. Ecõtrario autem fuperiora habent effe nobilius in fe ꝗ in natura inferiori
dicẽte Auguftino ibidẽ capite.xi.Cũ Deũ nouim⁹,quis meliores efficiamur ꝗ ante ꝗ nofcerem⁹,il-
la notitia tñ inferior eft,quia in inferiore natura eft.Hoc tamen nõ obftat quin fimpliciter altior fit
voluntas,& hoc maxime refpectu dei:quia nihil vult neꝗ intelligit primo & per fe obiectiue nifi fe
ipm:& ꝗ vult & intelligit alia a fe,hoc nõ eft nifi volẽdo & intelligẽdo fe,vt fupra dictũ eft in parte,& amplius inferius declarabitur.Nec obftat etiã in creaturis intellectualibus, & hoc duplici de
caufa:quarum prima iã tacta eft:fcilicet quia volens & intelligens in volendo & intelligendo inferiora non eft optime difpofitus fecundum voluntatem & intellectum,fed deficit a nobiliori difpo-
fitione quæ poteft effe in eis,cuiufmodi eft illa quã habent in cognofcẽdo deum. Et ideo effe nobilius refpectu illorũ,eft effe nobilius fecundum quid. Effe autem nobilius refpectu dei in intelligendo & volendo ipm,eft effe nobili⁹ fimpliciter.& hoc quodãmodo queadmodũ dicim⁹ ꝗ homo fimpliciter eft nobilior leone fecundũ ꝗ eft rationale. fecundum quid autem eft ignobilior fi comparentur inter fe fecundũ fortitudinem corporalem:eo ꝗ res ab optimo quod eft in ea:fimpliciter
diciꝉ nobilior alia:fecundũ quid aũt fecundũ illud qđ eft deterius in ea diciꝉ min⁹ nobilis illa.Aut
fecundum aliud exemplum,quemadmodum contingit ꝗ in hoie perniciofo aut male difpofito appetitus principetur rationi. Alia vero caufa eft,quia bonum & verum in aliis a deo funt obiecta
voluntatis & intellectus fecundaria,& quafi fecundum quid: bonum autem & verum quod deus
eft,funt obiecta eius prima & fimpliciter. Nobilitas aũt veritatis nõ eft iudicãda fimpliciter nifi re
fpectu eius quod eft obiectum fuũ fimpliciter.fecundum ꝗ hæc ratio magis pertractabatur in quæ
ftione prædicta de quolibet.& redit ifta caufa in idem cum præcedenti, vt patet infpicienti pertra-

ctationem ei⁹ ibi habitam. Sic ergo principalis cauſa ſiue ratio quare bonitas debet dici ſimpliciter principalior potentia q̃ intellectus,& actus illius principalior q̃ actus intellectus,eſt illa quę iam dicta eſt. Siquæ autem aliæ cauſæ aſſignantur huiuſmodi vel ex parte potentiæ,vel ex parte habit⁹ vel actus vel obiecti,ſecundum ꝗ quaſdam illarum tetigimus in quæſtione nominata,illę ſunt ſecundarię & ſequentes ex iſta.

¶Ad primum in oppoſitum:ꝗ intellectualis natura in actu volendi conuenit quodammodo cum inferiori natura,non ſic autem in actu intelligendi:Dicendum ꝗ hoc non eſt ratio quare illud in quo conuenit cum inferiore natura,dicatur minus principale, niſi ſecundū eundem gradum naturæ conueniat ſuꝑiori & inferiori:quemadmodum ſenſibile conuenit quodam modo homini & bruto.Nunc autem appetitus voluntatis cum importat rationē libertatis, multo ſuperioris gradus naturæ eſt q̃ ſit appetitus bruti,vt ſupra dictum eſt.¶Ad ſecūdum, ꝗ actio intellectus ſimplicior eſt & magis abſtracta,quia eſt de ſimpliciori & magis abſtracto: Dicendum ꝗ abſtractio non eſt vnius & eiuſdem a ſeipſo,ſed differentis a differenti:vt oporteat differre abſtractum ab eo a quo abſtrahitur. Et ſecundum hoc ſunt diuerſi modi abſtractionis,& diuerſa diuerſi mode ſunt abſtracta.Eſt enim quædam abſtractio realis vnius ab alio a quo omnino differt & re & ſubiecto:qualiter formę ſeparatę vt intelligētię dicuntur eſſe abſtractę,quia ſunt formę re differentes a materia,a qua realiter ſunt abſtractę,quia non habent materiam partem ſui, nec cadunt in compoſitionem alicuius tertii cum materia.Eſt autē alia abſtractio rationis ſiue rationalis, & hoc per rationem & intellectum,quæ eſt vnius ab alio cum quo eſt idem ad minus ſubiecto. Et eſt triplex,ſecundum ꝗ ſunt quædam idem ſubiecto, & differunt re, quædam vero tantum intentione, quędam vero tantum ratione. Primo modo eſt abſtractio formæ materialis a materia in qua eſt.Secundo modo eſt abſtractio vniuerſalis a particulari.Tertio modo eſt abſtractio veri a ratione boni. Primo iſtorum trium modorum adhuc eſt duplex abſtractio,ſecundum ꝗ forma abſtrahitur habet eſſe in materia a qua abſtrahitur.Quædam enim forma habet eſſe in materia,vt cui dat eſſe:vt forma ſubſtantialis,quæ cum materia eſt idem in ſubiecto qd cum ipſa conſtituit:quę abſtrahitur ab ipſa per intellectum abſtractione metaphyſica. Alia autem forma habet eſſe in materia,vt a qua recipit eſſe:vt forma accidentalis,quæ eſt idem ſubiecto cū eo cui accidit; a quo abſtrahitur per intellectum abſtractione mathematica.Quæ duplex eſt ſecundum ꝗ ſunt duo genera formarū mathematicarum.Quędam quę per ſe & immediate inhęrent ſubiecto,vt quantitates continuæ.Quędā vero quæ mediante alia:vt ſunt quantitates diſcretę:ſicut numeri mediante continua quæ eſt magnitudo,ſit enim immediate abſtractio diſcreti a continuo.Numerus enim mathematicus potentia eſt in continuo:& non procedit in actum niſi diuiſione continui. vt ſecundū hoc continua quātitas ſit prior diſcreta,ſecundum ꝗ ſupra determinauimus loquēdo de natura numeri in quæſtionibus de ſimplicitate dei. Et hoc modo diſcretū abſtrahitur a continuo abſtractiome arithmetica. ¶Sunt igitur ſex modi abſtractionis,quorum prim⁹ eſt abſtractio realis formę ex ſe ſeparatæ a materia.Secundus rationalis eſt per rationem & intellectum formæ ſubſtantialis a materia ſimpliciter. Tertius eſt magnitudinis a materia ſenſibili. Quartus numeri a magnitudine. Quintus vniuerſalis a particulari.Sextus rationis veri a ratione boni.Et ſecundū iſtos modos verū eſt ꝗ actio q̃ eſt circa abſtractū,ſemp ſimplicior eſt & ſpiritualior & magis abſtracta. & ſic maior ratiōis vera eſt ſimpliciter.Sed cū aſſumit in minori,ꝗ actio talis eſt potior & principalior atꝗ nobilior: hic diſtinguēdum eſt.qm huiuſmodi actiones quarum vna eſt circa abſtractum, ſiue circa magis abſtractū; alia vero vel circa non abſtractum,vel circa minus abſtractum:aut ambæ ſunt eiuſdem generis ſiue rationis:aut alterius & alterius. Si primo modo, ſic minor vera eſt. ſiue enim ſit actus intelligendi ſiue volendi,potior eſt ille qui eſt circa abſtractum,q̃ qui eſt circa non abſtractum, & qui eſt circa magis abſtractum q̃ qui eſt circa minus abſtractum,vt patet inducendo per ſingulos modos abſtractionis.Si ſecundo modo,ſic adhuc minor eſt vera,loquēdo de potioritate ſecundum quid: q̃ eſt in actu intellectus & voluntatis circa alia a primo intellecto & volito.Falſa autem eſt loquendo de potioritate ſimpliciter:quæ eſt in actu intellectus & voluntatis circa primū intellectum & primum volitum,ſecundum ꝗ iam expoſitum eſt. Et hoc contingit quia verum & bonū ſic ſe habēt inter ſe,ꝗ verum vno modo eſt ratio nobilior q̃ ſit ratio boni,alio autem modo econuerſo nobilior eſt ratio boni q̃ veri.& illa ratio qua verum eſt nobilius bono, eſt ſecundum quid, reſpectu illius qua bonum eſt nobilius vero.Eſt igitur ſciendum, ꝗ duplex eſt nobilitas,ſcilicet prioritatis,& perfectionis.Nobilius prioritate non perfectione,nobilius eſt ſecundum quid,reſpectu eius qd eſt nobi

O
Ad primū
principale

P
Ad ſcd̄m.

Q

R

lius perfectione. Quod patet in esse & viuere. Esse enim est nobilius prioritate rationis & intelle
ctus,q̄ viuere,dicente Dionysio,v.capite de diuinis nominibus.Ante alias dei participationes esse
præpositum est:& est per se esse summum,eo q̄ est per se viuū esse.& ifra.Sicut existens deus lauda
tur vt ex digniore donorum eius.Et tamen constat q̄ viuere perfectionem quandam nominat cir
ca esse,vt supra expositum est in quęstionibus de vita,& hoc quemadmodum in corporibus & for
mis corporalibus generabilium & corruptibilium semper q̄d pri⁹ est simplicitate,est minus nobile,
,vt elementum q̄ mixtū:& mixtum q̄ vegetabile:& vegetabile q̄ sensibile:& sensibile q̄ rationale:&
hoc quia in talibus vltimum vel quasi vltimum semper addit aliquid nobilitatis super præcedens vel quasi præcedens:licet econtrario sit in ordine illorum. Id q̄d prius est simplicitate,simul
est prius nobilitate:eo q̄ in talibus posteri⁹ semp deficit a priori:& q̄d est in posteriori,sub ratione
nobiliori est in priori. De quib⁹ loquit Philosophus cum dicit secundo metaphysicæ,q̄ prius i vno
quoq̄ genere nobilius est eo q̄d est post.quęadmodum nobilius est ens primum vt de⁹,q̄ alia:& ca
lidum in igne q̄ in quolibet alio.Quęadmodum autē esse & viuere habent istas diuersas rationes
nobilitatis inter se comparata:sic verum & bonum vt comparantur ad intellectum & volūtatem.
Verū enim nobilius est bono:quęadmodū intellectus volūtate:inquantū nō est nata voluntas moueri in bonum nisi moto intellectu in verum.Perfectior tamen est ratio boni q̄ veri:quia rationem
boni habet res ex eo q̄ est in se perfectam rationem habens perfectiōis:veri autem ex eo q̄ nata est
dare perfectionem alteri vt intellectui. secundum q̄ hęc patēt ex supra determinatis.Nunc aūt perfectio rei quā habet ex eo q̄ est in se,simpl'r est p̄fectio & essentialis respectu p̄fectionis quā habet ali
quid ex eo q̄ natum est perficere aliud. Secundum enim q̄ dicit Auicen,ix.metaphysicæ,non potest aliqua causarum perfici per causatum essentialiter nisi accidētaliter. Per q̄d p̄bat q̄ cęlum nō
acquirit suam perfectionem per suum motum.Vnde quia simpl'r perfectior & nobilior est ratio boni q̄ veri simpliciter & per se:actus terminatus & perfectus a bono est simpliciter perfectior & nobilior q̄ actus terminatus i vero:& hoc in prio bono & prio vero : respectu cui⁹actus itelligendi &
volendi simpliciter habent comparari secundum perfectius & imperfectius,nobilius & ignobilius,
vt dictum est. Q̄z̄ ergo simplicior sit ratio rei vt est abstracta ab intellectu & habet rationem veri:& sic terminat actū intellectus,q̄ sit ratio rei in se vt habet rationē boni & terminat actū volun-
tatis:simpliciter tñ nobilior & perfectior est actio voluntatis in bono & in re secūdū se , q̄ sit actio
intellectus in vero & in re vt est apud itellectum.¶Ad tertium q̄ potētia nobili⁹ perficitur haben

S
Ad tertiū

do perfectionem nobilem in se,q̄ ad ipsam extra se existentem:Dicēdum q̄ cōpari ad perfectionem
nobilem extra se existētem potest aliquid dupliciter. Vno modo vt omīno manēs extra illā,illa o-
mnino manente extra ipsum:quemadmodum lapis motu suo comparatus ad parietem,a quo re-
percutitur si fortius inpīgit in eum.Alio modo vt subintrans illam. Q̄d mō primo comparatur
ad aliquid nobile,comparatur ad ipsum vt ad terminū solummodo:non autem vt in quo recipiatur:& ita non vt ad illud a quo perfectionē nobilitatis habeat,quā habet illud quod habet in se per

T

fectionem nobilem,Q̄d vero secundo modo comparat ad aliquid nobile , non comparatur ad ipm̄
vt ad terminum tñ , scilicet manentem omnino extra se : sed vt in quo recipitur.& ita comparatur vt ad illud a quo perfectionē maiorem nobilitatis habeat,q̄ id q̄d habet illā perfectionem nobilem receptam in se,absq̄ eo q̄ ipsum etiam recipiatur in illo.Vnde de illo q̄d comparatur ad nobile vt ad terminū primo modo,bene procedit obiectio:nō autem de eo quod comparatur ad nobi
le vt ad terminū secundo modo.Perfectius enim est voluntatem isto modo comparari in particulari vt ad terminū ad nobile increatū,q̄ intellectum nobilitatē illius habere in se:eo scilicet q̄ intellectus habet illam in se inferiori modo q̄ habeat esse in ipso. Vniuersaliter enim,superiora imperfectius & minus nobiliter recipiuntur in intellectu,q̄ habeant esse secundum se extra:iseriora autem
econtrario:quia q̄d in aliquo recipitur,in illo recipit p modū recipiētis:non autem per modum rei
receptę,vt dicitur in libro de causis. Et secundum hoc volūtas perfectior est intellectu: sicut velle aut amare deum est actio perfectior q̄ cognoscere ipsum.Et econuerso perfectius intellectum ha
bere nobilitatem intelligibilis creati,q̄ voluntatem comparari ad illam vt ad terminū:eo,ſ.q̄ intel
lectus illam habet in se superiori modo q̄ ipsa habeat esse in se,vt secundum hoc intellectus perfectior sit volūtate:sicut itelligere lapidem est actio p̄fectior & nobilior q̄ velle lapidem. Et sic cum
tripliciter possint comparari intellectus & voluntas: Vno modo respectu intelligibilis & volibilis
simpliciter & in vniuersali:Alio modo respectu volibilis & intelligibilis creati seu inferioris q̄ sit in
tellectus:Tertio modo respectu superioris & maxime intelligibilis & volibilis increati:Dicunt illi

qui volunt intellectum nobilitare ſuper voluntatem, ꝙ ſimpliciter & abſolute nobilior eſt intellectus voluntate, & actio intellectus actione voluntatis, & ſimiliter reſpectu alicuius obiecti determinati,licet etiã reſpectu alicuius obiecti voluntas poteſt eſſe nobilior intellectu,& actio voluntatis
actione intellectus. Nullum enim eſt inconueniens (vt dicunt) ꝙ nobilius ſimpliciter ſit minus
nobile reſpectu alicuius obiecti.& in hoc conſiſtit vis & radix poſitionis eorum. Sed non eſt ita vt
dicunt & ſupponunt.Non em̄ ſolummodo voluntas comparatur ad nobile ſuum, vt ad terminũ
in quo ſit ipſa & eius actio ,qui extra ipſam omnino maneat,& ipſa extra illum:ꝙ tamen ipſi ſup-
ponunt:aut nihil eſt quod dicunt,ſicut patet. Immo voluntas comparatur ad obiectum & nobile ſuum,ꝙ eſt bonum,vt receptum in ipſo:vt nobilitas voliti perfectius habeatur a voluntate ꝗ no
bilitas intellecti ab ipſo intellectu.Eo ꝙ intellectum non habet eſſe in intellectu niſi ſecundum ratio
nem luminis diffundentis ſe in intellectu,& ſic per modum diſponentis intellectum:quemadmodũ
lumen in aere eſt ſolummodo ſicut quedam diſpoſitio aeris.Volitum autem habet eſſe in volunta
te ſecundum rationem flammę conuertentis in ſe voluntatem,& ſic non per modum diſponentis
aut diſpoſitionis,ſed per identitatem & per modum in ſe volũtatem conuertentis, quemadmodũ
flamma exiſtens in aere in ſe conuertit aerem vt per identitatem vnum ſit in altero. & ſic voluntas habet eſſe in volito ſicut ei immerſum per amorem:cum intellectus ſit quaſi omnino extra in-
tellectum.dicente Hugone ſuper.vii.cap.cœ.Hie. Dilectio intrat vbi cognitio foris ſtat.Et per hoc
volitum voluntatem quodammodo conuertit in ſeipſum, ſicut amantem in amatum : & per hoc
multo perfectius habet in ſe voluntas nobilitatē voliti, ꝗ intellectus nobilitatē intellecti. Et ita ſi ſe
cundum modum quē ponunt,debeat conſiderari comparatio intellectus & voluntatis ſecundum
maiorem nobilitatem & minorē, etiam ſecundũ illum modum volũtas ſimpliciter eſt nobilior intellectu,licet reſpectu alicui⁹ intellecti & voliti vt creati ſeu eius ꝙ eſt inferius intellectu,nobilior
ſit intellectus ꝗ volũtas:& actio intellectus ꝗ ſit actio volũtatis.Et ſic oĩno ex poſitione illorũ contingit eis contrariũ ei⁹ ꝙ intēdut.Dicimus ergo ꝙ hęc eſt p ſe & eſſentialis differentia intellectus
& voluntatis,in qua conſiſtit differens ipſorũ nobilitas.ſ.ꝗ pfectio & dignitas intellect⁹ in hoc con
ſiſtit,ꝙ res intellecta exiſtit in intellectu vt formalis diſpoſitio in ipſo,& per hoc ſecundum actum
intelligit.Perfectio vero & dignitas voluntatis in hoc conſiſtit,ꝙ ipſa voluntas exiſtit in re volita,
vt conuerſa in ipſam:ꝙ eſt eius terminari in volitum,vt conſiſtit in ſeipſo.Perfectius autem ſe ha
bet aliquid ad nobile vt quodammodo conuerſum in ipſum,& ſic exiſtens quaſi vt natura eius:ꝗ
habere ipſum in ſe ſolummodo vt diſpoſitionem ipſius. Et ſic voluntas & intellectus etiam com-
parati ad volitum & intellectum ſimpliciter & abſolute & in vniuerſali,inuenitur ꝙ voluntas eſt
perfectior ꝗ ſit intellectus,licet intellectus ſit perfectior voluntate cum comparatur ad intellectum
& volitum creatum,aut inferius intellectu.Et nullum eſt inconueniens:ꝙ ignobili⁹ ſimpliciter,ſit
magis nobile reſpectu alicuius obiecti.ſ.reſpectu obiecti nõ principalis, ſed ſecudarii & min⁹ nobilis.
vt ſic in male diſpoſito p intellectu & voluntatē.ſ.in intelligēdo,& amãdo,& volendo bonũ creatũ
reſpectu illius qui vult & intelligit id quod eſt bonum increatum, & per hoc eſt in optima diſpoſitione ſecundum intellectum & voluntatem,ſolummodo contingit ꝙ intellectus principatur voluntati,quemadmodum in homine male diſpoſito ſecundum appetitum & rationē,appetit⁹ principatur rationi,vt ſupra dictũ eſt.Inconueniens vero eſſet ꝙ ignobilius ſimpliciter eſſet magis nobile reſpectu obiecti primi & principalis & magis nobilis,licet illi dicant hoc non eſſe incoueniens
& male.quia cui conuenit nobilius primum in vnoquoꝗ genere, ei ſimpliciter nobilius cõuenit ge
nus illud:vt ꝙ ceteris eſt nobilior ſubſtantia,ceteris eſt nobilius ens.Vnde quemadmodum ignis
quia eſt primum calidorum & cauſa omnium aliorum calidorũ, & caliditatis in eis, ideo eſt maxime calidum:& ideo etiam eſt ſimpliciter calidum: & ſimiliter contingit circa vnumquodꝗ principiorum in quolibet genere, vt dicit Philoſophus. ii. Metaphyſicæ : Sic cui conuenit nobilius id
ꝙ eſt primum obiectum dignius & nobilius in intellectis & volitis, & cauſa & ratio intelligendi
& volendi omnia alia,illud eſt magis nobile & nobilius ſimpliciter.Quapropter voluntas,quia eſt
nobilior volendo deum in quocunꝗ volente ſit,ꝗ ſit intellectus in intelligendo deum: quod & illi
concedunt:ſimpliciter ergo & abſolute volũtas nobilior eſt potentia in volendo ꝗ intellectus in in
telligendo:& ſimpliciter & abſolute nobilior eſt actus volendi ꝗ intelligendi.Et ſic patet ꝙ redit in
idem inueſtigare principalitatem inter intellectum & rationem, aſpiciendo ſcilicet ad primum &
principale intellectum & volitum,ſiue ad intellectum & voluntatem in optima diſpoſitione intel
ligendi & volendi,quæ eſt in volendo & intelligendo deum,ſecundum modum quē ſupra ſumus
ſecuti,& aſpiciendo ad actum intelligendi & volendi ſimpliciter verum & bonum non determinã
do hoc vel illud:penes quē illi ſtatuerunt principalitatem inter intellectum & voluntatem debere

inuestigari:& bene: licet in minore propositione & in modo prosequendi deficiant.Et ideo conclu‑
debant intellectum principaliorem esse,vt iam dictum est in solutione argumenti.Concludedo au
tem ex ea voluntatem esse principaliorem,debemus ex contraria minore prosequi intentum,secun
dum ꝗ ia declaratu est.Et patet ex hoc(vt puto)veritas quæsiti.  ¶Ad quartu:ꝗ intellectus min⁹
**Y**
**Ad ꝗrtū.**  fœdatur in intelligendo viliora se,ꝗ voluntas:Dicendum ꝗ aliquid fœdari viliori se,potest cotin
gere dupliciter:aut pure passiue:aut pure actiue . De primo modo ꝓpositio illa habet veritate:qa
illa fœdatio ex parte fœdati est propter ei⁹ passibilitatem & materialitatem.Propter hoc enim aer
magis fœdatur transeundo per loca fœda , ꝗ lumen.Secundo autem modo non habet veritate:qa
illa fœdatio ex parte fœdati contingit propter virtutis actiuæ vigorem : qua se magis fœdat & ma
gis impingit se in rem fœdam: quemadmodum primus angelus magis fœdauit se i peccato suo ꝗ
primus homo, propter maiorem vigore liberi arbitrii ꝗ hois.propter hoc enim ita impegit
in bonu teporale,vt insepabiliter ei adhęserit,& statim obstinat⁹ est:homo vero nō. Et isto scdo mo
do contingit ꝗ voluntas magis fœdatur diligendo inferiora se,ꝗ fœdatur intellectus intelligendo
illa. & hoc ideo, quia voluntas ad fœdari ab ipsis actiue se habet ad illa : intellectus vero passiue,
vt patet ex prędeterminatis:& ita plus fœdari  contingit voluntati circa viliora se,ex eius nobilita
**Z**  te maiori potius ꝗ ecouerso:& econtrario de intellectu . ¶Ad quintum ꝗ intellectus est ad actum
**Ad ꝗntu.**  nobiliorem ꝗ voluntas:quia ille est ad actum generandi:ista vero ad actum spirandi:& actus gene
randi est habes auctoritate vel quasi,in suo producto,respectu illius qd est productum actu spiran
di:Dicendum ꝗ in rei veritate non est dignitas maior in vno actu ꝗ in alio:nec in vna persona ma
ior ꝗ i alia.& si vna persona habet quasi dignitatem super aliam,hoc est ratione auctoritatis quam
habet rōne ordinis naturæ siue originis i vna psona respectu alterius.Et ideo cu secudu ꝓdicta du
plex est dignitas,prioritatis,& perfectionis:dignitas vel quasi dignitas ista,nō est nisi ratione quasi
prioritatis:quæ nullo modo est in diuinis,vt infra dicet.Et quo ad hoc concessum est ꝗ intelle‑
ctus dignior vel quasi dignior potentia est ꝗ voluntas:sed hoc est secundum quid,cum ecouerso
voluntas sit quasi dignior perfectione secundu præexpositu modum,quę est dignitas simpliciter.
Propter qd & voluntas etiam in deo dignior est vel quasi dignior ratio simpliciter,ꝗ intellectus:li
cet quasi prioritate in ordine rationis intellectus sit dignior, & ita secundu quid,secundu ꝗ omia
hæc patent ex prædeterminatis.

## Articulus.XLIX.

**Articulus XLIX.**

Equitur Arti.XLIX.de Dei beatitudine. Circa quam quæ
runtur octo.
Primum:vtrum beatitudo sit in deo.
Secundum:vtrum tres personæ vnica beatitudine sint beatæ.
Tertium:vtrum tres personæ sint vnus beatus an plures beati.
Quartum:vtrum beatitudo dei constet in vno,an in pluribus.
Quintum:vtru dei beatitudo sit eius essentia an aliqua eius actio.
Sextum:vtrum eque principaliter constet in actione intellectus & vo‑
luntatis.
Septimum:vtrum in se contineat rationes omnium beatitudinum.
Octauum:vtrum psupponit productionem personarum.

**A**
**Quest.I.**
**Arg.I.**  Irca primu arguiꝷ ꝗ deus nō possit dici beatus,siue ꝗ beatitudo non sit in deo.
Primo sic.Beatitudo secundum Philosophum primo Ethicorum,est pręmiu vir
tutum.Pręmio autem respondet meritum.Deo aute non conuenit aliquid me‑
reri:quia hoc est indigentis,ergo &c.¶Secudo sic.secundu Boethium.iiii.de cō
**2**  solatione philosophię.Beatitudo est status omnium bonorum aggregatiōe per‑
fectus,in deo autem non potest esse aliqua aggregatio:quia ipsa non est sine cō
positione:quæ non est in deo secudum prędeterminata.ergo &c.¶Tertio sic.bea
**3**  titudo finis est eius qui est beatus.deo autem non est aliquis finis:immo ipe est omnium finis.ergo
**In opposi.**  &c.¶In contrarium est illud quod dicit de deo Apostolus prima; Timoth.vltimo. Beatus & so
lus potens,ergo &c.

**B**
**Responsio**  ¶Dicendum ꝗ ex hoc dicitur beatus quicucꝗ beatus est,ꝗ psecte attingit & as
sequitur bonum in quod sicut in vltimum tendit appetitu ex ratione naturæ suæ sibi debito.

Vnde dicit Aug.x.&.xiii.de Tri.Beatus eſt qui omnia habet quę vult,& nihil vult male.Nūc aūt
licet bonum in qd̄ ſicut in vltimū tendūt omnia,ſiue naturali,ſiue animali,ſiue voluntario appeti
tu,ſit ſummū bonū qd̄ deus eſt (vt habitū eſt in parte ſupra:& inferius debet declarari ſuo loco)
aliqua tamen etſi ipſum attingant ſecundū ꝙ gradus naturę ſuę requirit,beata tamē eſſe ex hoc
non dicuntur:eo ꝙ perfecte illud bonū non attingūt neꝗ nata ſunt attingere:hoc eſt, ſecundum
id qd̄ illud bonum eſt in ſua natura & eſſentia,ſed ſolum imperfecte:& hoc eſt,in aliquo gradu ꝑ
fectionis ſibi debitę:qua aliquam effigiem particularem diuinę bonitatis in ſe aſſequūt:ad quam
ſuo appetitu naturali tendunt determinate:& in ipſo adepto quieſcunt,nihil vlterius appetendo
Et talia ſunt omnia ꝑter illa quę ſunt intellectum habentia. Intellectum aūt habentia ipſum non
attingunt ſecundū ꝙ gradus naturę ſuę requirit,ipſum perfecte aſſequendo in aliqua effigie & ſi
militudine eius particulari:ſiue fuerit in ſeipſis ſiue in aliis:ſed ſolūmodo ipſum perfecte aſſequē
do ſecundum illud quo habet eſſe bonum in natura & eſſentia ſua: & hoc quia natura intellectua
lis in hoc excedit creaturam non intellectualē in appetitu, ꝙ omnis alia creatura appetitu ſuo ten
dit in aliquod particulare bonum:& ad hoc determinatur vel ex natura,vt habentia appetitum
abſꝗ cognitione:vel ex obiecti determinatione,vt habentia appetitum aialem tātū. Natura aūtē
intellectualis ad nullū bonū particulare determinatur vllo modo: ſed eſt ſimpliciter boni vniuer
ſalis & in vniuerſali:quia omnis boni ſecundum ꝙ bonum eſt,aut aliquā ratione boni habet.Pro
pter quod perfecte talis naturę appetitus quietari non poteſt niſi perfecte aſſecuto omni bono.
Quare cum illud aſſequi non poteſt in aliquo particulari bono:nec etiam in omnibus particulari
bus bonis ſimul acceptis:quia extra illa eſt aliqua ratio boni quod non eſt particulare bonum:ſed
eſt ratio omnis boni: quo habito habetur omne bonum,cuiuſmodi eſt ſolus deus: illud ergo bo
num qd̄ appetit ſicut vltimum natura intellectualis,bonum vniuerſale eſt qd̄ eſt de⁹ in ſeipſo, &
ideo aſſequēdo ipſum hoc modo,natura intellectualis dicit beata ex hoc ſolo ꝙ ipſum tali modo
aſſequitur.Quare cum ipſe deus bonum qd̄ ipſe eſt perfectiſſime aſſequit̄:quia per ſummā idēti
tatē:cū alia ipſum non aſſequitur niſi ꝑ quādā vnione:vt in ſequentibus ꝗ̄ſtionib⁹ iā amplius pa
tebit:idcirco dicendum eſt ꝙ deus eſt beatus:& non ſimpliciter beatus:ſed ſumme beatus.

¶Ad primum in oppoſitū,ꝙ beatitudo eſt prꝛmiū virtutis: Dicēdum ꝙ illud di
ctum phi ſolum intelligitur de beatitudine acquiſita qua quis eſt beatus beatitudinis participatio
ne,quā quis aſſequitur merito virtutum & operum eius, vel ex puris naturalbus,ſecundū phi
loſophos:vel cum gratia,ſecūdū veritate fidei. Nō aūt intelligitur de beatitudine naturaliter ha
bita qua beatus eſt ſolus deus qui eſt beatus per eſſentiā:vt amplius iam infra patebit. ¶Ad ſecū
dum:ꝙ in deo non eſt bonorum aggregatio:Dicendū ꝙ aggregatio pluriū bonorū poteſt intelli
gi in vno vel per cōpoſitione:queadmodum vnitates diuerſę aggregant in numero: vel ꝑ redu
ctione:queadmodū oēs numeri & vnitates eorū aggregant in vnitate prima,quę eſt principiū nu
meri.Aggregatio bonorū primo modo,ponit compoſitione: & nō eſt in deo. Aggregatio vero bo
norū ſecūdo modo,eſt in deo ꝑ ſummā ſimplicitate: queadmodū eſt in centro aggregatio omniū
linearū procedentiū a circūferentia.De hac aggregatione dicit Diony.v.de diui.no.In tota oīm na
tura oēs ꝑ ſingulas naturę rōnes cōuolutę ſunt per vnā incōfuſam vnitate.Et inter plures ratio
nes rerum quas exemplificando inducit,ſubdit,Oīs compactio, omnis diſcretio &c.Vnde quemad
modum eſt in deo compactio ſic & aggregatio, quod plane exprimit alia trāſlatio quę dicit ſic
In tota totorum natura omnes naturę vniuſcuiuſꝗ rationes cōgregatę ſunt ſecūdum vnam &
inconfuſam vnitionem. ¶Ad tertium,ꝙ deo non eſt finis:Dicendum ꝙ verum eſt ſecūdū rem
differēs a ſe:queadmodū ipſe eſt finis aliorum,Finis aūt intra ſe qui ſecundū rationem ſolūmodo
differt a ſeipſo,non inconuenienter attribuitur deo:vt infra patebit.

C
Ad pri.prin.

D
Ad ſecundū

E
Ad tertium

F
Quęſt.ii.
Arg.i.

Irca ſecundū arguitur ꝙ tres pſonę diuinę nō ſunt vna beatitudine beatę.Pri
mo ſic:queadmodū nō intellectualia,ꝗ non ſunt nata eſſe beata, ſe habet ad at
tingēdū ſecundū aliquā aſſimilatione ipſum beatificas:ſic intellectualia ſe habēt
ad attingendum ipſum in ſeipſo vt eſt beatificans,ſed illa ſecundū diuerſas ra
tiones pfectionū in natura & eſſentia ſua diuerſam ei⁹ aſſimilatione aſſequūt,
ergo ſimiliter & iſta diuerſam beatitudinē in illo aſſequuntur. ſed diuerſę ꝑ
ſonę in pſonalitate ſua diuerſas habet rationes perfectionum: quia diuerſas pſonales proprietates
pſonarū cōſtitutiuas,ergo &c.¶Secundo ſic.Beatitudo eſt finis beati non conſumens ſed cōſum
mās,Dicēte Auguſt.xix.de ciui.de.Finē hoim dicimus nō ꝙ cōſumatur vt nō ſit:ſed ꝙ perficiat̄
vt plenū ſit.ſed cōſummās & perficies pſonā ſecundū ꝙ pſona eſt,nō eſt niſi propriū ei:quia eſſen
tia deitatis quę cōmunis eſt vt perſona cōſtituat̄:quaſi recipit in ſe ratione pſonalis proprietatis:

vt infra debet exponi.sed qd est propriū psonę,diuersum siue differens est in diuersis personis.er
go &c.Cln contrarium est.qm deus non beatificat nisi per suos actus intelligendi & volendi:qui
bus assequitur ipsum beatificās:vt iam videbitur. Actus intelligendi & volendi idem est in trib⁹
personis:quia essentiales sunt:vt habitum est supra.per actum aūt eundē non assequit nisi idē ob
iectum.idem est ergo beatificans siue quo sunt beatę tres personę. sed in hoc consistit vnitas bea
titudinis.ergo &c.

**G**
**Responsio.**

CNotitia vnitatis in hac quęstioe dependet a cognitioe eius qd quid est in bea
titudine:quid.s.sit re.qd determinabit in sequētibus qstionibus.Et quātum pertinet ad presens,vt
in summa sit dicere:beatitudo nihil est aliud re q ipsum obiectum volitum:vt summū bonum:vel
ipse actus volendi aut intelligendi ipsum sub ratione summi boni:aut ipsa assecutio illius boni per
actū intelligendi aut volendi.Et quocunqз modo contingat aut se habeat res, cum actus intelligē
di aut volendi vnus sit & idem tribus personis , & actus vnus & idē non habet nisi vnum & eti
dem terminū quē per actum assequitur ille cui⁹ est actus:vt ipsa assecutio nō sit nisi vna:sicut nō
est nisi vnū obiectum, scilicet actus & terminus: necesse ergo habemus ponere q in deo beatitu
do sit vna & eadem:& q vno & eodem ipsę tres psonę diuinę beatę sunt.

**H**
**Ad pri.prl.**

CAd primum in oppositum:q non beata secundum diuersas perfecctiones natu
rales assequunt diuersas assimilationes ad bonum beatificans:ergo & ipsa beata diuersas beatitu
dines:Dicendum q licet ratio aliquo modo posset concludere ex parte creaturarum beatarum eo
q earum beatitudo consistit in quadam assimilatione ad ipsum beatificans,vt infra videbitur: il
la aūt assimilatio est diuersa & diuersorū graduū secūdū gradus meritorum:& sic in diuersis bea
tis sunt quodāmodo diuersę beatitudines:quia diuersim:ede assequunt idem bonum beatificās:vt
infra patebit:tamē nullo modo pōt concludere ex parte diuinarum personarum:eo q earum bea
titudo consistit in assequendo per actum intelligendi & volendi bonum beatificans,non in quadā
vnione & assimilatione:sed in plena & perfectiss:ma idētitate: vt dictū est iā,& iam infra amp.i⁹ di
cetur.Quia cum illud beatificās in quo est ista idētitas personarum in eo q sunt beatę,non est ni
si vnū & idem,neqз similiter ipsa idētitas in beatitudine:quare neqз ipsa eorū beatitudo.& sic non
est simile cū inductū est pro simili. C Ad secundum q beatitudo est finis consummās & perficiens
Dicendum q duplex est consummatio:quędam qua perficitur res in esse:& quędam qua perficit
& consummatur in bene esse.Consummatio primo modo non est ipsa beatitudo:sed illud quo res
habet esse id quod est in se. & talis consummatio in diuina persona est ipsa personalis proprietas
eius,& differens in diuersis personis,de qua processit obiectio.Consummatio vero secundo modo
est ipsa beatitudo, siue sit rei a qua differt per essentiam : vt contingit in beatitudine creaturarū
siue rei cum qua est idem per essentiam:vt contingit in beatitudine dei.& non est hęc beatitudo
alicuí personę ppria, sed cōmunis tribus: sicut & bonum essentiale in quo,consistit diuina beati
tudo:vt infra amplius patebit.

**I**
**Ad secūdū.**

**K**
**Quęst.III.**
**Argu.i.**

Irca tertium arguitur q tres personę non sint vnus beatus:sed tres beati:Pri
mo sic.beatitudo rei cōsistit in suo actu pfecto respectu obiecti optimi,secūdū
pm.x.Ethico.q ergo beatus denominetur beatus:hoc est a sua actione,sed de
nominatio diuinarū psonarū ab actione secundū q est actio egrediēs,fit in plu
rali.secundū q dicimus q pater & fili⁹ & spūs sanc⁹ sunt tres creātes,nō aūt
vnus creans.ergo &c. CSecūdo sic.bene dicit q pater & filius & spūs sanctus
sunt beati:& sunt tres:quare sunt tres beati. Vel sic.si sunt beati:aut ergo vnus beati: aut plures

**2**

beati.sed illa propter incongruitatem non recipit q sunt vnus beati.ergo debet dici q sunt plures
beati.& non nisi tres.ergo &c.Cln contrarium est.q pater & filius & spiritus sanctus non minus
sunt vnū in beatitudine q in ęternitate & potestate. sed propter idētitatem in illis pater & filius
& spūs sanctus dicuntur non tres ęterni vel potentes:sed vnus ęternus & vnus potens: vt habe
tur in symbolo Athanasii. ergo &c.

**In opposítū.**

**L**
**Resolutio.q.**

CDicendū ad hoc:secundum inferius determinādā in qstionibus de modo loquē
di de deo & de diuinis pdicationib⁹,q circa pdicationē eorū q cōueniūt cōmuniter tribus psonis,
regula est q denominationes quę fiunt ab eis p adiectiua noīa vel participia:qn illa pure adiectiue
tenētur:tunc semp pluraliter de trib⁹ psonis dicunt:& hoc qa tres psonę sunt ipsum substantiuū
eius:& adiectiua vt adiectiua substantiuo debet cōformari in nūero sicut in gñe & in casu. & ideo
bene dicitur q pater & filius & spiritus sanctus sunt ęterni:hoc est personę ęternę: & similiter q
sunt beati:hoc est personę beatę.Quando vero tenentur substantiue,tunc non dicunt de plurib⁹

perſonis niſi ſingulariter & nõ pluraliter.Et hoc ideo,ga ſecundũ eandé ratione plurib⁹ cõueniũt
Vnde nõ bene dicimus ꝗ pater & filius & ſpũs ſanc⁹ ſunt tres æterni: ſed ſolũmodo ꝗ ſunt vn⁹
ęternus.Tunc aũt tenent ſubſtantiue,ꝗ̃ eis adiũgiť aliqd adiectiuũ adiectiue reťetum,cuiuſmodi
eſt vnus duo vel tres vel plures:& nõ excipiunt ab illa regula: niſi duo caſus in quibus pluraliter
denoiãť plures pſone ab eo qd eis cõuenit cõiter:quorũ vn⁹ eſt: ꝗ̃ denoiatio ſignificať verbaliter
quéadmodũ ſignificať in participio.Vñ bñ dř ꝗ pater & fili⁹ & ſpũs ſanc⁹ ſunt tres creátes:ſicut
dićit ꝗ ſunt tres ꝗ creát.Et forte nõ ita bñ dićit ꝗ ſunt vnus creás:ſicut nõ bñ dićit ꝗ pater & fi
lius & ſpũs ſanc⁹ ſunt ꝗ creat.Et hoc ideo,ga ſecũdũ ſupra determinata oĩs actio diuina vt agéti
attribuiť ſuppoſito ſecundũ rõné ſuppoſiti:& ab actu denoiñat ſecundũ ꝗ ei attribuiť & ab ipſa
egrediť ſiue ꝓcedit.Quare cũ egrediať ab eis vt ſunt plures agétes,pluralř ab actu ſignificato ſub
rõne actus denoiñant,etiã ſi ſit vna rõ agendi in pluribus:vt eſt diuina eſſentia ſub ratione alicui⁹
attributi,vt habitũ eſt ſupra. Alius vero caſus eſt,ꝗ̃ ratio ſecundũ quã procedit actio a plurib⁹:
non habet penitus & omnino ratione vni⁹ & eiuſdé:immo quodãmodo pluriũ:qualis eſt ratio cõ
munis voluntatis patris & filii in ſpirando ſpm ſc̃m,non eñ eſt ratio ſpirandi ambobus vt eſt vo
tas ſimplićiter & abſolute:ſed vt eſt voluntas cõcors, & ſic vt quodãmõ reſpićit plures:ſicut quorũ eſt:ſic quodãmodo habet ratione pluris. Propter qd ſecundũ quoſdã nõ bene dićit ꝗ pater &
filius ſunt vnus ſpirator ſed duo ſpiratores, de quo erit ſermo amplior inferius.⁋Deſcendendo
igiť ad ꝓpoſitã ꝗ̃ſtioné:Dico ꝗ beatitudo quia ſignificat ꝑ modũ habitus non actus:& ſecundum
vnam & eãdé ratione cõuenit tribus pſonis:ga rõne actus intelligendi & voléndi omnino vnius &
eiuſdé vniformis in trib⁹,quo aſſequuť obiectũ beatificãs:vt iã infra dićeť:Qui etiã etſi ponunt ſe
cũdũ quoſdã eſſe de rõne beatitudinis,adhuc cõuenit tribus ſecundũ eãdé ratione oĩo,ſ. ratione
diuinę eſſentię vt habet ratione potétię volitiue vel cognitiue:ldcirco ſimplićiter & abſolute dicé
dum ꝗ pater & fili⁹ debét dici vn⁹ beatus & non tres beati.

⁋Ad primum in oppoſitũ:ꝗ beatitudo cõſiſtit in actu:Dicédũ ꝗ, & lícet beatitu
do principaliter cõſtaret in actu,& ab actu ipſo dićeret qs beat⁹:ga tñ denoiatio iſta ſignificať noĩa
liter:& ꝑ modũ habit⁹:& eãdé eſt penit⁹ ratio in tribus eliciendo illũ actum: ideo nõ debet ab illo
actu dici pluraliter tres beati:ſed vn⁹ beat⁹.⁋Ad ſecundũ ꝗ pater & fili⁹ & ſpũs ſanc⁹ ſunt beati
&c.Dicédũ ꝗ bñ dićit ꝗ ſunt beati:ga ly beati pure adiectiue tenet : & ꝑ eandem rõne bene dićit
ꝗ ſũt tres & hoc ꝑdićado vtrũꝗ diuiſim.Sed tñ nõ ſeꝗ cõiunctim ꝗ ſint tres beati:ga nõ ſecũdũ
eandé ratione habet ꝗ ſunt beati:& ꝗ ſunt tres:ga ſunt bti rõne vni⁹ & eiuſdé qd eſt eis cõmune
vt dićtũ eſt:ſunt vero tres rõne differétiũ ꝓprietatũ.Er ideo ĩ ꝓpoſito nõ ſeꝗ ex diuiſis cõiunctũ
ſicut nõ ſequiť:iſte eſt albus,& eſt monach⁹:igiť eſt albus monachus: ga eſt albus ratione corpora
lis diſpoſitionis:eſt vero monachus ratione regularis pfeſſionis.Eſt etiã in ſe falſa iſta cõiuncta,pa
ter & filius & ſpũs ſanctus ſunt tres beati:ga ly beati tenet ſubſtantiue:& ideo ſignificať ipſa beati
tudo plurificari in ſua eſſentia ſecundũ perſonarũ pluralitatem in earum perſonalitate, qd falſum
eſt:vt patet ex ſupra determinatis.

Irca quartũ arguiť ꝗ beatitudo dei qua ipſe dićiť beat⁹,nõ cõſiſtat in vno:ſed
in pluribus differentibus rõne etſi non re. Primo ſic. deus non eſt beatus niſi
intelligédo & volédo ſeipſum:quia beatitudo dei conſiſtit in ſui fruitiõe: quæ
nõ eſt niſi in actu intelligédi & volédi.Act⁹ intelligédi ſeipſum aut volendi nõ
pfićiť niſi ex intelligéte & volénte & ĩtellecto & volito, ꝗ inter ſe rõne differũt:
& etiã ab actu intelligendi & volédi : vt patet ſecũdũ ſupra determinata,ergo
&c.⁋Secũdo ſic. ſi bťitudo dei cõſiſteret in aliquo vno,illud nõ põt eſſe niſi ſummũ bonũ qd ipſe
eſt:ga beatitudo habet rõné finis:& ſummũ bonũ eſt id qd habet rõné finis reſpectu oĩm aliorũ a
ſe ſiue re differũt ab ipſo,ſiue rõne,vnde etiã eſt finis reſpectu actus volédi:vt iam dićtum eſt ſu
pra.Sed in illo bono ſolo ſecundũ id qd eſt nõ cõſiſtit dei beatitudo:ga oĩno illud eſt in ipſo, & ha
bet illud in ſe ex natura ſua.& nõ cõſeꝗ ex actu ĩtelligédi vel volédi:imo eſt moués ſicut obiectũ
ad eliciédũ actũ intelligédi & volédi:beatus ergo eſſet deus non ꝑ ſuũ actũ intelligédi: qd falſum
eſt: ga túc in eo ꝗ eſt beatus eſſet ſimilis dormienti:& ita nõ in nobiliori diſpoſitiõe ſecũdũ pĩm
.i.Ethico.& .xii.Metaph.qd repugnat beatitudini,ergo &c.⁋In cõtrariũ eſt ꝗ in illo ſolo conſiſtit
beatitudo qd habet rõné finis & vltimi:ga illud ſolũ habet ratione optimi.Si ergo eſſent plura alí
qua in qb⁹ cõſiſteret beatitudo,& haberét rõné finis:cũ omnis multitudo redućiť ad vnitaté aliã
ab eis:vel ꝗ eſt alicuius in eis:redućerent ergo illa ad vnã quę haberet rõné finis reſpectu oĩm illo
rum,tale aũt dicimus eſſe id in quo conſiſtit beatitudo,ergo &c.

M

N
Reſponſio.

O
Ad pri.prin.

P
Ad ſecundũ

Q
Quæſt.iiii.
Arg.i.

In oppoſitũ

**R**
Responsio.

¶Dicendũ ad hoc:q̄ cuiusq̄ beatitudo in hoc cõsistit,q̄.s.cõsequit̃ finē omniũ vl timũ,non quocũq̄ mõ.s.in aliqua ei⁹ silitudine,sicut cõsequit̃ ipsum inalata:neq̄ in ratiõe mouē tis & influētis aliqd in ipso:sed in hoc q̄ cõsequitur ipsum in eius natura & essentia,non quocũq̄ mõ:sed in rõne beatificantis:hoc est in ratione pficiētis seipso vt cui ipsum illabit̃: & ecõuerso cui ille imergit̃.Illabi aũt beatificãs natura(cuiusmodi nõ est nisi solus de⁹:vt iã infra videbit̃)põt cre ature̜ p sua essentiã dupliciter. Vno mõ vt naturã cõseruas in esse.Alio modo vt pficiēs ipsam in bene esse.Primo mõ illabit̃ omni creature̜ intimãdo se essentie̜ illi⁹,inquãtũ deus intimior est cui libet creature̜ q̄ ipsa sibi:sicut debet declarari loque̜do de modo essendi dei in creaturis.Sic autem non beatificat:quia sic ois creatura esset beata:immo oportet q̄ beatificans beatificato sic illabat̃ p suũ actũ:vt vice versa beatificatũ possit se imergere & trãsferre p suũ actũ in ipm beatificans:vt p hoc mutuo fiant intima sibi & idipsum inquantũ patitur rerũ natura,in quo quietet̃ appetitus beati:quia nihil restat ei ad quod tendat vlteri⁹.& hoc modo illabendo pficit quo ad bene ee.Act⁹ aũt quo natura beatificabilis se possit immergere,non est nisi actus voluntatis aut intellectus:eo q̄ secundũ pre̜dicta natura beatificabilis non est nisi natura intellectualis:cuius nõ sunt nisi duo actus.Vnus voluntatis:& alter intellectus.Ex quibus actus intellectus non pficit per se intẽdẽdo ad aliud:sed in recipiendo in se aliud.Sed actus voluntatis per se perficitur tẽdẽdo in aliud vt in fine.Ad hoc ergo q̄finis beatificet,necessario requirit̃ actus voluntatis quo se beatificatũ trãsfert in fine sese quasi imergendo illi & intimando,& idipsum faciendo scdm q̄ possibile est:vt iã infra videbit̃.Voluntas aũt in actũ suũ pcedere non põt nisi obiecto sibi pre̜sentato p cognitiõe in in tellectu:qa volũtas nõ mouet̃ nisi ad bonũ cognitũ.Ad hoc ergo vt beatificãs beatificet ad actum voluntatis perficiendũ,pre̜exigit actus intellectus quo beatificãs sese pse̜ntat voluntati:qui cũ nõ perficiatur nisi in recipiẽdo in se obiectũ quo mouet:vt actus intelligendi ipsum & cognoscẽdi ex eo eliciat̃: vt habitum est supra:recipere autem nõ põt ipsum naturaliter: vt naturaliter ei pse̜n tet̃ seipso:que̜admodũ sensibile extra pse̜ntat sensui: aut intelligibile nostro intellectui in phanta smate:aut intellectui angelico per species:aut per habit⁹ naturaliter cõte̜tos in ipso:oportet ergo vt ipsum recipiat supnaturaliter sese voluntarie visui intellectus aperte per suã speciem pse̜ntan do:secũdũ q̄ dicit Aug.de videndo deũ. Si vult videt,si nõ vult nõ videt.vt sic inquãtũ beatificãs illabat̃ principaliter intellectui nature̜ intellectualis notitiã suam in ipsum causando. Et secundũ hoc dicẽdũ est ad q̃stiõe:q̄ beatitudo dei sicut & cuiusq̄ alterius nõ cõsistit in vnico.s.in pse̜ntia ipsius beatificãtis: sed reqrit̃ cũ hoc duplex actus circa beatificãs ex parte beatificati.s. intellectus & volũtatis:qq̄ in deo he̜c tm differant ratione:in creaturis vero secundum rem. ¶Et scdm hoc cõcedenda sunt duo argumenta ad primam partem adducta.

**S**

**T**
Ad arg. pri.
Ad argũ op.

¶Ad argumẽtũ in oppositum:q̄ id in quo cõsistit beatitudo, habet ratiõe finis vltimi:& illud nõ est nisi vnicũ:Dicẽdũ q̄ beatitudo dei cõsistit in aliquo dupliciter. Vno modo vt in eo qd̃ p se & principaliter beatificat.Alio mõ vt in eo quo vniũt̃ beatificãs & beatificatũ.Pri mo mõ beatificãs finis est vltim⁹ & tãtũ vnic⁹:& sic inquãtũ cõsistit in tali,cõsistit in vnico.Secũ do mõ beatificãt aliq̃ que̜ sunt vt finis sub fine:& sunt duo act⁹ btificati.s.intellect⁹ & volũtatis.Et inquãtũ beatitudo cõsistit cõmuniter in isto & in illo,btitudo necessario cõsistit i̇ plurib⁹,secũdũ ̜ratiõe in deo,secũdũ re̜ in creaturis:secũdũ q̄ he̜c melius patebunt in q̃stionibus seque̜tibus.

**A**
Que̜st.V.
Argu.i.

**2**

Irca.v.arguit̃ q̄ beatitudo dei sit aliqua actio eius,& non eius essentia.Prio Si esse̜ntia dei ee̜t sua btitudo,cũ essentia habeat absq̄ opatiõe, tũc de⁹ ee̜t be atus absq̄ omi sua opatiõe.Cõseque̜s falsũ est secũdũ iã determinata.ergo &c. ¶Secũdo sic.beatitudo rei cõsistit in optima ei⁹ dispositiõe. in essentia aũt dei secũdũ q̄ est essentia nõ cõsistit eius optia dispositio:sed in opatiõe.qa disposi tio qua res existit absolute,silis est dormiẽti:& qua existit in opatiõe,est silis vi gilie̜.& melior est dispositio rei q̄ est silis vigilie̜,q̄ dormitioni scdm pĥm.i.Ethi.ergo &c.Vñ ibide̜ dicit q̄ felicitas est opatio qdã. ¶Tertio sic.illud ppt qd̃ est natura intellectualis,finis est ei⁹ & bea titudo,hoc est opatio ei⁹:qm de⁹ nõ est sine opatiõe:vt dicit pĥs.x.Ethic.Et vt dicit.ii.Ce̜.& Mũ.

In oppositũ
primo.

ois res cui⁹ est opatio, est ppter suã opatiõe,ergo &c. ¶In cõtrariũ arguit̃ primo sic. Ois actio p cedit ab eo cui⁹ est.qd̃ aũt ab alio pcedit,poti⁹ pfectiõe suã ab illo recipit q̄ ipsum perficiat,finis
**2** aũt rei siue beatitudo ei⁹ ipsam pficit,ergo &c. ¶Secũdo sic.Sola diuina ee̜ntia fruẽdũ est.Frui aũt est rei alicui inherere ppter se.nulli aũt ppt se ihe̜re̜dũ e,nisi diuine̜ ee̜ntie̜:nõ aut alicui opatiõi:qa opatio e id quo ihe̜re̜t.Solis aũt illis fruẽdũ est,q̄ nos beatos faciũt.ℑm Aug.i.de doct.chri.Beatos
**3** autem non facit nisi beatitudo:sicut neq̄ albos nisi albedo. ergo &c. ¶Pre̜terea id quod non est

nifi propter aliud,nō eft finis vltimus.actio fiue dei fiue creature nō eft nifi propter aliud:vt dicit Cōment.fup.ii.Cę.& Mũ.& videbit rñdēdo,ergo &c. ¶Preterea in fecūdo Cę.& Mũ.dicit Phs **1**
Res integra bonitate non indiget operatione qua fit bona:qm ipfa eft ꝓpter quā fit oīs opatio &
actio & cōplemētū opatiōis.dc⁹ e res itegra bonitate, fecūdū ꝗ ibi exponit Cōmēt.ergo &c. ¶Pre **3**
terea.Beatitudo eft finis vltimus. fed vltimū fimpliciter nō eft opatio aliqua, fed magis termin⁹
eius in quē tēdit:& ille in dei beatitudine nō eft nifi ipa diuina eēntia,ergo &c. ¶Preterea,finis vl **4**
tim⁹ eft qd primū eft in intētione.hoc nō pōt effe opatio:qa nihil opat nifi intēdēdo finē.ergo &c.

**B**
**Refponfio**

¶Quæftio ifta ꝗrit de beatitudine quid fit re,tanꝗ id quo deus dicat effe beat⁹.
Dicendū ad hoc,ꝗ cū in deo quicꝗd eft idipfum eft vt ipfa diuina effentia, re nihil aliud eft bea
titudo dei ꝗ ipfa diuina effentia:qd nō ꝗrit ꝗftio.Immo cū de⁹ dicat beat⁹,& alia fit ratio beatitu
dinis qua eft beat⁹:& eius ꝗ ipfa beatitudine eft beat⁹:Queftio eft quid fit beatitudo dei re,largif
fime fumēdo rē pro illa ratione qua dicit beatus.Et eft dicendū:ꝗ cū beatitudo in creaturis a qui
bus nomē ad diuina tranflatū eft:& a qua modo noftro ratio beatitudinis deo attribuit:confiftit
in fine fuo vltimo quo habet ꝑfectionē & cōplemētū fui effe:vt debet exponi loquendo de beatitu
dine creaturę:ratio beatitudinis in deo eft illud ꝗd quafi ꝑfectionē & cōplemētū diuini eē impor
tat:qd etiā habet ratiōe finis & vltimi refpectu oīm eorum quę in deo cōfiderant:ad quē etiā oīa
alia tendūt vt in vltimū finē.vt eo ꝑficiant quodāmodo quō & ipfe deus,quem & naturaliter ap
petūt,licet diuerfimode:fecundū ꝗ & diuerfimode ipfum affequunt:vt in fequētibus patebit.Ne
tamē in equiuoco ꝓcedamus de fine,fciendū eft ꝗ finis ꝗfꝗ fumit cōmuniter pro vltimo & ter
mino rei quocūꝗ:quēadmodū pūctus dicit finis lineę,& cutis finis aīalis: vt dicit phs.v.Metaph.
Quñꝗ vero fumit ꝓprie ꝓ vltio & termino qd eft bonū & optimū rei,fecundū ꝗ dicit phs.ii.Phyfi.
Finis eft non omne vltimū:fed optimū.& vtroꝗ modo finis omnium in deo eft. Primo enim mō
finis oīm quę funt et confiderant tam in deo ꝗ in creaturis,effe dei eft fiue diuina effentia: vt fim
pliciter & abfolute confiderat:& ꝓcife quia eft quafi oīm cōtentiuū,dicēte Diony.v.de di.no.De⁹
nō quodā modo eft exiftēs:fed fimpliciter & incircūfcripte totū in fe effe coaccepit & preaccepit.
ꝓpter quod eft quafi principium a quo oīa quafi ordine quodā rationis educunt : & in ꝗd vt in **C**
finē & terminū reducunt.Propter ꝗd Diony.fubdit dicens. Ante alias dei ipfius ꝑticipationes effe
prepofitū eft.Propter ꝗd ꝑrīma & digniffima diuinarū rationum in deo dicit. fecundū Dionyfiū
dicentē ibidē.Cōuenietēr cūctis aliis principalius ficut ens deus laudatur ex digniore donorū ei⁹.
Vbi fequit in antiꝗ trāflatione.Et maxime participationū ꝓria. Secūdo mō eft finis oīm quę funt
& confiderant tam in deo ꝗ in creaturis,effe dei fiue effentia eius nō fecūdū ꝑcifam ratiōe eē vel **D**
effentię:fed fub rōne boni qd fup ratiōe abfolutā ipfius effe addit ratiōe refpect⁹ ad appetitum
Effe eīm fiue effentia dei fecūdū hoc eft bonū illud ꝗd oīa appetunt,vt eo ꝑficiant fecūdū gradū &
modū naturę fuę.fecundū ꝗ dicit Dio.iiii.de di.no. Oīa ad feīpm bonitas cōuertit: &c.vt habet in
ꝗftiōe fequēti. Et de fine ifto fecūdo modo hic loqmur.hoc eīm modo beatitudo habet rōne finis:
qa cōfiftit in adeptione iā dicti boni: qd dicit refpectu ad appetitū inquātū natū eft mouere appe
titū ad cōfecutionē fui:& hoc per actū ꝓpriū fuę naturę cōueniētē.Ob hoc eīm quęlibet res eft ꝓꝓ **E**
pter fuā operationē,ꝗ per eam finē fuū nata eft attingere:vt dicetur in fequentibus. Sed de tali bo
no ꝗd fic habet ratiōe finis,cōtingit loqui dupliciter.Vno modo vt in fe cōfiderat tanꝗ attingi
bile & ꝑfectiuum oīm.Alio modo fecundū ꝗ natū eft attingi a diuerfis diuerfimode fecundū diuer
fitatē graduū & naturę fuæ.Primo modo eft finis ꝑ indifferentiā quātū eft de ratione fua fe habēs
ad oīa:nec habet ratiōe beatitudinis aut beatificati nifi oīa nata effent dici beata in ipfum attin
gēdo qualicūꝗ modo.Secūdo mō diuerfimode eft finis diuerforū:fecundū ꝗ diuerfimode ipfum af
fequūt:& funt duo modi in gñe:qm quędā eorū affequūt ipfum actione fua pure naturali:quędā
vero actione intellectuali.Primo mō confequunt ipm oīa nō intellectualia: & hoc nō attingendo
imediate effentiā illius boni in fe & immediate, fed folum in quadā effigie & fimilitudine ipfius , ꝗ
eft proprius finis illarū intra:fed diuerfus fecundū diuerfitatē naturarū:ꝑ quē ordinant vlteri⁹ fecū
dū rōne cuiufdā refpect⁹ i effentiā illi⁹ boni vltimi.Et illū finē ꝓpriū ꝗdā entiū nō acꝗrit aliqua
fua actione,nifi modica & imꝑfecta:qua & cōferuat ipfum:vt infima creatura:ficut terra.Quędā
vero acꝗrūt ipfum fua opatione ꝑfectiori,& cōferuāt fibi,vt alia elemēta & corpora cęleftia,quātū **F**
ꝑtinet ad eorum ꝑfectionē corporalē vt corpora funt.Sed hoc diuerfimode.Quędā.n.hoc bonū cō
fequuntur pluribus motibus fiue actionibus:quędam paucioribus:& quædam perfecti⁹,quædam
imꝑfectius,fecundū ꝗ debet exponi loquendo de creaturis,& de hoc erit fermo in ꝑte iā ifteri⁹. Scōdo
mō cōfequunt illū finē intellectualia actiōe itellectuali cognitiua & volitiua: & in iftis habet ꝓrīo

rone beatitudinis & beatificatis:sed diuersimode, secudu op diuersimode sua opatioe intellectuali
illud consequuntur.Quædam enim consequunt illud immediate in essentia illius.Quædam vero
non immediate in essentia eius:sed in aliqua effigie & similitudine eius.Isto secundo modo ipsum
consequunt hoies p statu vitæ psentis etiam ex puris naturalibus. Ex qua cosecutioe phi ponebat
in hoie beatitudine duplicê secundu duplice consecutioe illius:Vnā politicā circa actioné boni
moralis:Aliam speculatiua:& illā esse supremā circa speculatione veri secundū sciêtias speculati-
uas.Et in isto mō in superiori effigie & similitudine cosequunt hoies illud bonū:sed in infimo gra
du beatitudinis.Primo modo consequunt beatitudine deus & beati in gloria siue angeli siue ho-
mines:qm bonū illud qd est ipsa diuina essentia,immediate in essentia eius cosequunt: propter qd
in superiori gradu participant beatitudinem,& sunt quasi dii:vt infra dicetur.Vnde nomine dei
oes sic bonos cōprehendês phs,distinguit beatitudine hotū a beatitudine hoim in statu psenti sub
differêtia ad illa quæ non sunt nata beatificari,cum dicit.x.Ethico.Diis quidem omnis vita beata:
hoibus autem inquatū similitudo quædam talis opationis existit: aliorum autem nullum felix: qa
nequaq cōmunicat speculatione.De istis aut quæ istud bonū immediate consequuntur sua opera
tione intellectuali,subdistinguendū:qm quoddam eorum consequitur ipsum per essentiam ei9
essentialiter:quædā vero p essentiā eius:sed participatione. Primo modo solus deus trinitas ipsum
cōsequit:quia consequit sua operatione suā essentiā & essentialiter:quia in reali identitate & vnio
ne naturali.Secūdo mō alii beati:quia licet consequunt immediate ipsam diuinā essentiā sua opera
tione:hoc tamen fit in diuersitate essentiæ & vnione per gratiam tm, de qua nihil ad præsens: ni
si quatenus pertinet ad illa quæ dicēda sunt circa dei beatitudine in cosequendo suā essentiā sub ra
tione boni & essentialiter. De cui9 cosecutioe sciendu est, qp deus suā essentiā sub ratione boni du
pliciter cōsequit.Vno modo naturaliter & absolute:inquātum ipse p essentiam est ipsa bonitas sua.
Alio modo per suā operatione intellectuale ex cōsecutione eius.Primo modo non dicit beat9:sicut
neq aliqua creatura ex eo qp habet p naturam:& inquātū eā sic cōseqt,non se habet ad ipsum deū
sicut finis extra in quê têdit sua operatione:sed solū sicut forma naturaliter habita absq omni actio
ne & operatione.Et ideo quis habet ratione pfectionis formæ,nō tamê finis : & propterea nō est in
illa cōpleta ratio pfectionis,qualis est in fine.pfectio em quæ est ex fine,maioris pfectionis rationem
habet q illa quæ est ex forma:vt iam patebit.Qz aūt deus beatus dicit, hoc cōtingit ex consecutio
ne ei9 secundo mō:qm in illa solūmodo cōsequitur eam secundū ratione finis:qd nō pōt continge
re aliter q p suā operatione:sicut neq in quacūq re alia. Finis em non cōsequitur nisi inquātū est
effectus causarū:effectus aut causarū ee nō potest nisi ordine quodā sit quasi pri9 causa causarum
neutrum aut sit sine ppria rei opatione intellectuali cognitionis & volūtatis:secundū qp explicabi
tur in qstione sequenti. Vn quia res secundū qp existit in sua operatione secunda,est velut in actu
respectu ei9 vt absolute cōsiderat sm suā essentiā: qa vt sic, est qsi aliqd i habitu & in potêtia:no
bilior est aut dispositio rei secūdū qp est i actu:q secundū qp est in potêtia aut in hitu:& nobilior est
ratio pfectionis qua perficit secundū qp est in actu:q qua pficit secundū qp est in potêtia aut in ha
bitu:ideo pfectio q pficitur sua essentia sub ratione boni cōsequêdo ipsam p suam operatione secū
dū quā est vt existens in actu,nobilior est q illa qua consequitur eā p suā naturā : vt respectu actu9
est quasi in potêtia & in habitu.Et secundū hoc beatitudo dei in hoc cōsistit.qp finis suus qui est
essentia sua,inquatū est vt causa causarum se habens,quasi moueat diuinū intellectū in actū intel
ligendi sub ratione veri:& sic ipsum informet vt bonū cogniti:& similiter actū intelligêdi eius.In
tellectum em inquātū intellectū,est forma intellect9,& ipse est quodāmodo intelligibile etiā in illis
q intelligūt aliud a se,secūdū phm.iiii.de Aīa.Bonū aūt cognitū in intellectu allicit voluntaté:quæ
allecta sua actione quasi mouet se in finê,ipsum sibi adipiscêdo sub ratione boni & finis vt est cau
sa causarū:& p hoc vi amoris quasi trassformat in finê, & summe eidê conformat: in quo consistit
britudinis cōplemêtū:vt patebit in qstione sequêti.& ideo tanto magis quāto p maiorê idêtitaté
vnit sibi secūdū actū intellectus & volūtatis q cuicunq alteri,maiore em idêtitate vnionis sequit
maior cognitio,maior dilectio:& p cōsequês maior delectatio,iuxta illud qd dicit Auicêna loquês
de britudine dei in.ix.Metaph.Cui9 pfectio é nobilior & abūdātior & sibi vicinior, & cui9 actio est
pfectior & nobilior & apprêhêsio in se fortior,illius delectatio quam habet est excellêtior & glorio
sior sine dubio.Propter qd etiā dicit phs in.xii. Metaphysi.Voluptas est actio illius quia intelligit
p se id qd est nobilius p se qm intelligit se. Desideratū autem est valde nobile & voluptuosum . Ex
quo cōcludit.Est igit deus in fine nobilitatis.Cōsistit ergo summe beatitudo dei in perfecta cōfor
mitate,& quasi assimilatione p opatione intellectuale:intellect9.s.& volūtatis ad seipm: siue ad sui
e?:siue essentiā,sub ratione boni & finis omnium vltimi.Nunc autem ita est (secundum qp dicit

Auice.vi.Metaph.)cum res in aſſimilãdo alicui rei habet finem ſuĩ,& res ipſa finis eſt,& aſſimila
tio ipſa finis eſt.hoc eſt dictu: Res illa per quã & in qua fit aſſimilatio,finis eſt.etiam ſi ſecundum
ſe conſideretur abſq̗ hoc q̗ ſit terminus actus p quẽ pficit illa aſſimilatio. Et habet rõnẽ finis diffe
rẽtis ab eo cuius eſt finis:vel ſecundũ rẽ reſpectu creaturarũ:vel ſecũdũ rõnẽ reſpectu dei,Et ſiſt fi
nis eſt actio ipſa qua perficit aſſimilatio:vt in ſe comprehendit rẽ illã vt terminum actionis:& eſt
vtruq̗ quodãmodo vt termin⁹ & finis intra.Primo modo ſecundũ pdicta habet rationẽ finis vni
uerſalis oĩm,& nõ pprie beatificatis:ſed ſolũ ſecũdo modo. Et cum in hoc toto,licet ſit idem re, in
deo ſit conſiderare duo differentia ſecundũ ratione.C.rõnẽ ipſius actus intellectualis:& rõnẽ ipſius
obiecti:ſuper hoc ppoſita eſt q̃ſtio pſens:cũ vtroq̗ ipſorum ſimul perficit ratio beatitudinis:ita q̗
neutrum poſſit eã perficere ſine altero:in quo ipſorum debet dici cõſiſtere dei beatitudo:vt poſ
ſit dici q̗ ipſum ſit principaliter dei beatitudo.Nec poteſt dici inrerimendo q̃ſtione, q̗ in neutro
poſſit dici cõſiſtere principaliter,ſimpliciter & abſolute:eo q̗ non ſecũdũ rationẽ eãdẽ cõſiſtat
in eiſi:a in vno eorũ cõſiſtit ſecundũ rõnẽ act⁹:in alio vero ſecũdũ ratione obiecti,q̃m quandocun
q̗ aliqua ſe habent in ratione finis reſpectu alicuius,cũ impoſſibile eſt duos fines eſſe equaliter ali
cuius,ſiue ſecundũ eãdẽ rationẽ,ſiue ſecundũ diuerſas,vt patet inducẽdo in ſingulis:oportet igi
tur q̗ vnus illorũ ſit ſub altero.In finib⁹ aũt ſic ſe habẽtibus:licet ſunt diuerſarũ rationũ,neceſſa
rio vnus eſt principalior:qa diuerſitas eorũ in ratione finis cum ſe habeat per ordinẽ,non põt eſſe
pure equoca in ratiõe finis:ſed ad min⁹ oportet q̗ ſit analoga,& inter analogice ſe habẽtia in ali
quo vno bene ſit comparatio ſecundũ illud.Nunc aũt ita ſe habet in finibus ordinatis:quorũ vn⁹
eſt ſub alio:vt ſemper vltimus ſub quo eſt alius, principalis eſt reſpectu illius,& formalis & perſe
cti⁹.Quare cum prædicta duo in ppoſito ſic ſe habeant adinuicem, q̗ ipſum obiectum eſt vlti
mus finis & formalis reſpectu actus ſiue operationis: quia non eſt operatio niſi propter illius con
ſecutionẽ:& in ſe habet rationem fluxus: & nõ quietis niſi inquantũ ipſum attingit: licet non ſit
factiuum illius: queadmodũ eſt ppter aliud actio quæ dicit factio, ſecundũ phm in.i.& .x. Ethica.
Idcirco dicimus q̗ principalius beatitudo dei conſiſtat in ipſo obiecto,q̃ in ipſa eius operatione in
tellectuali:& q̗ ipſa diuina eſſentia ſub rõne boni conſecuta a deo p operatione ſuã,ſimpliciter & ab
ſolute debet dici dei beatitudo:& non ipſa operatio niſi quatenus attingitur per ipſam obiectum,
& ipſa illo informat.Aliter ẽm operatio nullo mõ poſſet habere rõnẽ pfectionis reſpectu operantis.
Si ẽm operatio preciſe conſideretur infra limites ſuos,operatio habet eſſe perfecta quia procedit a
perfecto:& nõ ecõuerſo.Et ita cũ ſecundũ Auice,vt videbit in q̃ſtione ſequenti,eſt quidam finis p
eſſentiã:eſt & alius finis neceſſarius:finis per eſſentiã dicẽdus eſt ſolũ obiecti,nõ operatio, niſi
ſicut neceſſarius ad illum adipiſcẽdũ.Et ſicut hoc dicimus de beatitudine dei, multo fortius & di
cimus de beatitudine oĩm beatorum:quorũ operatio non eſt quid increatũ,ſicut eſt operatio dei:
vt nullo modo poſſet eſſe eque nobile neq̗ ſecundũ rẽ neq̗ ſecũdũ ratione ipſi obiecto quod deus
eſt:ſicut in deo equaliter nobile eſt re actio & obiectum:licet differant in hoc ratione.Magnũ aũt
eſt incõueniẽs dicere q̗ illud in quo principaliter cõſiſtit noſtra beatitudo,vt quo ſumus beati,ſit
q̗d creatũ aut creatura.dicẽte Hugone ſup.vii.Cẽ.Hier.Sim⁹ in ipo & ipſe in nobis:vt nõ ſit aliud
extra ipſum in quo beatificemur:ſicut aliud nõ põt eſſe præter ipſum a quo creemur.¶Ad intelli
gẽdũ aũt quomodo potius eſſe ſiue eſſentia dei ſub ratione boni debet dici dei beatitudo & finis
oĩm,q̃ alterius rõnis in deo etiã ſub rõne boni:vt ſapientia vel potentia aut hmõi:Sciendum q̗ li
cet omnia quæ in deo conſiderantur,habent rationem boni:ſicut potentia: & q̃cunq̗ alia habent
rationem veri & entis: ſicut tñ ratio entis ſiue eſſe in deo quaſi prima eſt & ſimpliciſſima & am
pliſſima in cõtinẽtia:ſuper quã prio cadit itellect⁹ noſter:ſic & ratio veri & boni vt cõſiderant cir
ca eſſe dei,rationem veri & boni ſimpliciſſimi & ampliſſimi habent.Sicut ẽm eſſe continet gene
raliter omnes rationes entis:ſic eſſe,ſub ratione veri continet oẽm rationem veri:& ſub ratione bo
ni oẽm rationem boni.Propter quod vt ſic conſideratur,propriiſſime habet rationem finis omniũ
& voliti ſimpliciſſimi vt ſicut queadmodum deus intelligendo ſuum eſſe ſub ratione veri, intel
ligit in eo omnes alias rationes eſſendi in ipſo:ſic volendo ſuum eſſe ſub ratiõe boni,vult oẽs alias
rationes quæ ſunt in eo ſub ratiõe boni:& ſic quicq̗d eſt verũ in creaturis, reducitur ad vnũ verũ
ſecundum rem in deo:in quo ſunt plures rationes verorũ: quia vera ſapiẽtia,vera potentia,& hui
iuſmodi:quæ omnes reducuntur ad verum in ratione eſſendi:& quicquid eſt boni & omnium ta
lium omnes rationes creaturarum inquantum oĩa habent rationem boni in creaturis,reducitur
ad vnũ bonũ reale in deo:in quo ſunt plures ratiões boni.Bona ẽm eſt ſapiẽtia,bona eſt potẽtia &
hmõi q̃ oẽs reducũt ad bonũ in rõne eſſendi:vt ſic de⁹ dicat Alpha & ω,pticipiũ & finis,rõne ei⁹
q̗ eſt aliq̗d ſecũdum rem reſpectu omnis creature, & ratione eius q̗ eſt aliquid in ratione eſſendi

& respectu ois creaturæ,& simul respectu oim aliarũ rationũ q̃ considerant in deo.Et per hũc mo
dũ neq̃ diuina essentiæ,neq̃ ee dei,neq̃ aliq̃d in deo cõsideratũ sub rõne essentiæ aut ee,aut aliquo
rũ hmõi,habet rationẽ beatitudinis,aut finis beatificatis deũ aut creaturã:sed solũ esse diuinũ,in
quãtũ habet rõne veri simpliciter,cõtinẽtis oẽm rõne veri:& boni simpliciter,cõtinẽtis rõne ois bo
ni:non autem proprie loquendo,sapientia diuina etiam sub ratione qua est bona,neq̃ potentia sub
rõne qua est bona:quia talis ratio boni non cõtinet omnem rationem boni: quia ratio boni q̃d est
sapientia,inquantũ est sapiẽtia non cõtinet q̃si sub se(vt ita loquar)bonũ q̃d est esse, inquãtum est
esse absolute:sed econuerso:queadmodũ ratio sapientiæ non continet rationem esse vniuersaliter
sed econuerso.Et sic patet q̃ licet esse dei sit q̃si primũ & simplicissimũ,ad quod reducunt oia
inquantum sunt simpliciter & absolute:inquantum tamen sunt appetentia,non reducunt ad ip
sum sub ratione qua est esse,sed sub rõne qua est verum & bonum,& maxime sub ratione qua est
bonũ:quia in ipsa cõsistit principaliter ratio beatitudinis:vt in sequenti quæstione videbit ur.

¶Ad illud ergo:q̃ essentia dei non est dei beatitudo:quia tunc esset beatus absq̃
omni actu:patet quid dicendum est secundũ iam dicta:quia bene verum est q̃ diuina essentia nõ
est dicenda finis dei siue sua beatitudo,vt in se & absolute cõsiderat,secundũ q̃ pcedit obiectio:ga
sic deus in eo q̃ esset beatus, esset similis dormiẽti,& non esset in ratione melioris dispositionis in
qua debet esse inquantũ beatus est. Illa enim est ei inquantũ existit in suo actu intelligendi & vo
lendi:queadmodum quælibet res alia in nobiliori dispositiõe est secundũ q̃ existit in suo actu, q̃ se
cundũ q̃ existit alio modo.Propter q̃d dicit phs in.xii.Metaph.q̃ voluptas est actio illi⁹.& vigilia
& sensus & intellectus sunt voluptuosa.Vnde licet diuina essentia non sit eius beatitudo in se cõ
siderata & absolute:considerata tamen vt est terminus diuinæ operationis secũdũ intellectũ & vo
luntatem:reuera ipsa est dei beatitudo vt dictũ est.Vnde non potest argumentum concludere
q̃ aliqua diuina actio vel operatio sit principaliter secundũ rẽ dei beatitudo:sed q̃ essentia sua nõ
est eius beatitudo absq̃ omni sua operatione.¶Per quod patet responsio ad secundum.¶Ad ter

tium q̃ phs determinat q̃ sit operatio,&.i.&.x.Ethico.Dicendũ q̃ philosophus quãdo dicit q̃ fe
licitas siue beatitudo est operatio:non sumit ibi operationem intellectus aut voluntatis præcise,
excludendo obiectum intellectum & volitum:vt secundum prædictam rationem per operationẽ
intelligendi & volendi se habet ad intelligentem & volentem.Aliter enim diceremus q̃ bonum in
creatum esset extra essentiã beatitudinis creaturæ intellectualis: q̃d falsum est:quia nihil citra bo
num increatum creaturã intellectualẽ satiare põt:vt declarari debet loquẽdo de eius beatitudine
Finis enim eius non est nisi apud quẽ est quies.Sumit ergo phs in dicto suo operationẽ vt cõprehẽ
dit in se obiectũ intellectũ sub ratiõe eius q̃d quasi informat intelligẽtẽ,& obiectum volitum sub
ratione qua in ipsum transubstãtiat volens secundũ pdictã modũ.Sic aũt de opatione loquẽdo,ve
rum est q̃ est ipsa beatitudo & nihil aliud:quia cõprehẽdit in se oẽm ratiõe in qua põt consiste
re beatitudo secundũ triplicem rationem finis:inquantũ verum intellectum vt forma intelligen
tis informat intelligentem:& bonum volitum vt forma volentis transformat in se volentem: qui
habet ratiõe finis vltimi:qui est finis continens finem inquantum verũ simpliciter intellectũ & bo
nũ simpliciter volitũ habet ratiõe finis:& filr continẽs finẽ, inquantũ actus intelligẽdi & volẽdi
pcise dicunt finis siue beatitudo:vt dictũ est.Et hoc modo loquẽs de actiõe Cõmẽtator sup.ii.Cẽ.
& Mũ.dicit q̃ fines sunt actiones tãtũ.Et sic restringendo operationẽ quã phs extendit,si proprie
velimus loqui de eo q̃d vere debet dici beatitudo vt.finis vltim⁹ q̃ nõ est sub fine, nõ debemus di
cere q̃ opatio sit finis aut beatitudo:immo opatio est id cui⁹ est finis:licet aliter q̃ operãs est id cu
ius est finis.Quia id cui⁹ causa sit aliq̃d,duplr dicit ee hui⁹,vt cui⁹ & quo,sicut dicit ĩ prio Phy.
& expressius.ii.de Aĩa.Vt cui⁹,queadmodũ aĩa est finis corporis organici cui⁹est forma. Vt quo,
queadmodũ aĩa est finis opationis naturalis p quã pduci in corpe organico.Vbi ponit phs dictã
ppositiõe ad insinuandũ q̃ aĩa aliter est finis corporis organici:aliter opatiõis naturæ. De quib⁹
immediate pri⁹ pbauit q̃ respectu illorũ duorũ aĩa est causa finalis siue ppter q̃d:vt ex hoc cla
rũ sit q̃ phs intẽdit ibi distinguere duos modos ex parte ei⁹ q̃d habet causam finalẽ respectu ipsi
us causæ finalis vnius & eiusdẽ:secundũ quos vno modo dicit esse causa finalis vnius, & alio mo
do alterius. Non q̃ intẽdit distinguere duos modos ex parte ipsius causæ finalis respectu vni⁹ &
eiusdẽ:secundum quos vno modo vnum dicitur illorum esse finis, & alio modo aliud: quemad
modum aliqui solent dicitur q̃ finis dicitur dupliciter:cui⁹ & quo : idest res in qua inuenitur ra
tio boni quæ est obiectum voluntatis, & vsus siue operatio eius circa ipsum:& q̃ secundum hoc
obiectũ volitum est finis vt cuius:ipsa vero operatio intellectus circa ipsum,est finis vt quo.Im
mo sic debet dici: q̃ obiectum volitum est finis volentis & intelligentis:vt cuius est principaliter

finis.Eſt autem finis operationis volédi & intelligendi, vt quo intelligés & volés acquirit ſiue adi
piſcitur ſibi finem in obiecto volito & intellecto. Vnde Pĥus.xii.Metaph.loquens de beatitudine
dei,dicit ꝗ fit per acquiſitionem intellecti, inſinuans per hoc ꝗ in præciſa operatione intellectuali
nõ cõſiſtit niſi inquãtu per ipſam ipſum intellectũ quodãmõ acquirit intelligenti ſcdm prædeterminatum modum, vt ſic etiam ſcdm Pĥm præciſe ſumendo operationem, ponendũ eſt ꝗ principalius conſiſtat beatitudo in obiecto ꝗ in operatione. Qꝝꝗ enim ſic conſiſtat in vtroꝗ,vt etiam
aliquo modo operatio poterit dici ipſa beatitudo,& ſic ab vtroꝗ eorũ denominet beatus, & vtrũ
ꝗ eorum ſit finis beatificati,licet diuerſimode:vt vnũ eorũ eſt finis vt qd principaliter intenditur
alterum vero vt quo illud obtinetur:licet hoc non pertinet ad intentionem phi in dicto ſuo, maxime circa felicitaté hominis,quã non potuit ponere in obiecto cognito & amato,vt iam infra pa
tebit:quia tamé qñꝗ aliquid aliqualiter poteſt denominari a pluribus, ita ꝗ ab vno principaliter
& ꝓpter ſe,ab alio auté ſecũdario,& ꝓpter aliud: cũ abſolute & ſimplr ꝗuęrit quid ſit illud a quo
denominatur tale,debet reddi in reſpõſione illud a quo principaliter tale denoſatur,& melius reſpondetur ꝗ ſi reddatur alterum. Verbi gratia, Si quis bona facit proximo ſuo diligenti deum,&
ob hoc dicit bon⁹,ipſe põt denoiari bon⁹,& ꝗa facit ꝓpter pximũ,& quia facit ꝓpter deũ.Quia tñ
facit ꝓpter deũ principaliter & intuitu dei,non auté propter proximũ,niſi ꝗa in ipſo agnoſcit deũ
cum abſolute ꝗuęrit quare ipſe eſt bonus,etſi bene reſpondet,ꝗa bona facit ꝓpter proximũ,meli⁹
reſpondetur,quia bona facit propter deum. quia etſi faceret proximo nõ propter deum,non vere
poſſet dici bonus.Quare ꝗuis in propoſito aliquis poteſt denominari beatus,& ab operatiõe qua
tendit in finem,& ab ipſo fine quem adipiſcitur illa operatione,quia tñ a fine principaliter denoſatur beatus,tanꝗ ab illo quod principaliter intendit,& ab operatione tanꝗ ab illo qd intendit ꝓ-
pter finē,& ita ſecundario,inquãtum ſcilicet ipſo finis adipiſcit(quia ſi præſcribat finis a ſubſtãtia
actionis,non ꝓpter illam poſſet dici beat⁹)cum ꝗuęritur abſolute quid ſit illud a quo iſte dicitur
beatus,etſi quoquo modo bene dicit ꝗ ſit operatio eius qua tendit in finē: melius tamen dicit ꝗ
ſit ipſe finis ſiue operationis obiectum. Sicut enim in genere cauſę formalis,res magis habet denominari a forma proxima & vltima,ꝗ a prima remota:ſic econuerſo in genere cauſę finalis,ma-
gis debet denominari a fine vltimo remoto, ꝗ a fine proximo : quia ſicut forma proxima eſt perfectior in ratione formę ꝗ remota,& eſt prima in intentione:licet ſit vltima in executione:ſic finis
remotus eſt perfectior in rõne finis ꝗ ꝓpinquus:& prior in intentione,licet vltimus in executiõe.
vt ſic denominatione quę eſt in genere cauſę finalis,qualis eſt iſta qua dicitur aliquis eſſe beatus
magis debet res denominari a fine qui eſt extra,ꝗ a fine qui eſt intra,ꝗuis finis extra nõ penitus
manet extra,immo per ipſum actum ſit intra : ſecũdũ ꝗ infra amplius videbitur.Quare cũ illud
a quo quis dicitur beatus,eſt ſua beatitudo,ſicut illud a quo quis dicit albus,eſt ſua albedo:mul-
to melius ergo eſt dicere ꝗ beatitudo rei ſit eius finis vltimus qui eſt obiectum operationis:ꝗ dicere ꝗ ſit ipſa operatio.Et eſt temerariũ in hoc ſequi dictũ phi,vt iam patebit Sic ergo operatio ſiue intellectus ſiue voluntatis,non poteſt eſſe vltimus finis eius,ſecundũ ꝗ præciſe ſumit: vt ideo
nullo modo poſſet in ipſa principaliter cõſiſtere beatitudo,ꝗ eñ operat.o
vt fruitio vel vſus aliquis circa rē potius eſt finis opantis,ꝗ res ipſa:vt ꝗ pecunia nõ eſt finis prin
cipalis alicuius:ſed potius habere & poſſidere eam aut expendere aut erogare:hoc contingit in
rebus quę ſunt ad finē,nullo aũt modo in re illa quę obiectiue eſt finis,ad quē ſunt oia alia & ipſe
ad nihil aliud a ſe . ¶Ad quartum ꝗ operatio eſt finis cuiuſlibet cuius eſt operatio,quia eſt propter ſuam operationē: Dicedum eſt diſtinguendo de rebus quarũ eſt finis,quę ſunt ſubiectę fini.
Eſt enim quędam res quę,tantũ habet finem intra ſe,& nullo modo extra:& eſt res alia quę non
tantũ finem habet intra ſed etiam extra. Quæ ſic ſe habét per ordinem,quia res quę habet finem
extra ſe,ipſa & ſua actio ordinantur ſicut ad finem,ad rem quę non habet finem extra,& ad eius
actionem. Res primo modo ſolus deus eſt. Res ſecũdo modo eſt omnis creatura.Vnde ſi cõpare-
mus multas cauſas finales quę ſunt in creaturis,& illam quæ eſt in creatore,adinuicē, duplex eſt
ordo in ipſis,vel,ſ.incipiēdo ab vna extremitate,ſcilicet a fine ſũmo:vel ab infimo. Verbi gratia(ſe
cundum ꝗ dicit Cõment,in expoſitione dictę propoſitionis)ſi dicamus ꝗ motus cęli eſt propter
actionē rei eternę diuinę,cum omne ens habeat actionē:& elemétorũ cõtrarietas eſt proptermo-
tum cęli:& generatio eſt ꝓpter elemétorũ cõtrarietaté. Et ecõuerſo,ſi dicamus quare eſt gñatio.
ꝓpter contrarietaté elementorũ:& elemēta cõtraria quare ſunt! propter motũ cęli!& motus cęli
quare eſt! propter actionē diuinam,& hic quieſcit deſiderium humanũ.Et de vtroꝗ genere rerũ
verum eſt,ꝗ oĩs rei eſt aliqua operatio,& ꝗ res eſt propter ſuam operationē vt propter finem.
Sed diſtinguendũ eſt de fine:quia ſm Auicē,vi.Metaph.eſt finis per eſſentiã qui eſt finis per ſe,&

O

P

R

eſt finis neceſſarius ad illum qui eſt p ſe,& pertinet ad fines per accidens. Verbi gratia per ſimſle circa cauſam formalem in ſerra, vt per ipſam perficiatur incidere, cauſa per ſe eſt ꝙ ſit dentata. Cauſa vero neceſſaria,eſt ꝙ ſit durities in materia. Finis primo mõ nõ cõuenit alicui opationi,vt preciſe accipitur non includens in ſe terminũ ei⁹ ſecundũ modum predictum:quia impoſſibile eſt ſimplr,vt operatio preciſe cõſiderata quęcũꝗ,ſit finis alicuius vltimus. Qꝺ patet in actione volũ tatis,& intellectus:quę ponit eſſe vltimus finis. Primo ex cõparatione ad obiectũ. Secũdo ex com paratione ad ſubiectum. In comparatiõe ad obiectũ,hoc eſt ad intellectum & volitum,hoc aperte patet,quia actus intelligẽdi & volendi neceſſario terminatur primo & principalius ſicut in finem ad intellectũ & volitũ quod eſt res,ꝗ ad ſeipſa. Qꝫuis ẽm aliquis intelligit ſe intelligere aut velle ſiue velit ſe velle & intelligere,primi tamen intellecti & voliti rõnem ad quꝫ terminatur act⁹ in telligendi & volendi,nõ poteſt habere & intelligere & velle,quia nihil poteſt intelligere ꝗd intelli gat,aut velit,niſi aliquid intelligat & velit ꝗd nõ ſit ipſum intelligere & velle,quꝫadmodum im poſſibile eſt ꝙ primũ viſibile ſit ipſum videre,cũ viſus videt ſe videre. Nõ ẽm põt aliꝗs videre ſe videre niſi videat aliꝗd primo viſibile,vt lucẽ vel colorem,quod non eſt ipſe actus videndi. Idẽ pa tet in comparatione ad ſubiectũ : hoc eſt ad intellectũ & voluntatẽ,ſiue ad intelligentẽ & volen tẽ,qm actus intelligẽdi & volendi eſt effect⁹ & cauſatũ ab intelligẽte & volẽte, aut quaſi effectus & cauſatũ. Nũc autẽ cauſatũ & factũ pfectionẽ in eſſe habet a ſua cauſa p ſe nõ aũt ecõuerſo. Prop ter ꝙd ꝓbat Auicẽ.ix.Meta.ꝙ motus cęli non eſt finis motoris eius,quia eſt effectus eius:dicens. Illud quod factum eſt acquirit ſuam perfectionẽ ab eo a quo factũ eſt. Incõueniẽs eſt ergo vt ecõ uerſo pficiat ſubſtãtiam ſui agentis.perfectio ẽm hęc, inferior eſt perfectione agẽtis cauſę. Id autẽ quod inferius eſt,nõ acquirit id quod nobilius eſt & dignius: ſed fortaſſe id quod eſt inferius,pre parat nobiliori ſuũ inſtrumentũ & ſuã natura quouſꝗ ipſum nobilius habeat eſſe in aliqua rerũ. Et per hoc inſinuat ꝙ eſſe finẽ ſecundo modo,bene cõuenit alicui operationi:ſed tñ nõ omni. Ad cuius intellectũ oportet diſtinguere operatione. Eſt ẽm quędã opatio qua res acquirit ſuũ finẽ,in qua conſiſtit ſua perfectio,ſed nõ cõſeruatur per eã. Eſt aũt alia operatio qua finis acquirit & con ſeruatur. Operatio primo modo motus eſt qui quieſcit puento ad finẽ intẽtum ab agẽte,& hoc ſi ue ſit finis ad quẽ puenit motus p ſe,& eſt terminus motus:ſiue ſit finis qui non eſt p ſe terminus motus,ſed aliquid aliud,ſed non peruenitur ad illud niſi p motum,ſcdm ꝙ exemplum de primo eſt(vt dicit Auicen.vi.Metaph.)ꝙ hominem aliquando tedet eſſe in vno loco,& imaginatur for mam alterius loci:& quia deſiderat eſſe ibi,mouet tunc ad illum locũ & puenit motus ad illum Exẽplũ vero de ſecundo eſt,ꝙ hõ aliꝗ imaginat amicũ ſuũ,& deſiderat videre illũ. Vnde mouet ad locũ:in quo putat ſe inuenire illum,& mot⁹ peruenit ad locũ illũ,quod nõ eſt deſideratum:ſed aliud,ꝗd eſt inuentio amici, ꝗd eſt terminus per accidens reſpectu motus,& nõ finis,ſed eius qui mouet. Quia(vt dicit Auicẽna)ſine exiſtente propter quẽ res eſt, & quẽ intendit res,nõ deſtruit res:ſed per eũ perficit res,Motus aũt deſtruit peruetione eius. Tali quidẽ operationi quꝫ nõ pro prie dicitur operatio:nullo modo cõuenit ꝙ ſit finis rei motę. Solũ ergo de opatiõe ſecundo modo & de fine ſecundo modo intelligit dictũ phĩ,ꝙ res eſt propter ſuã operatione . & hoc non eſt pro pter ipſam operationẽ: ſed qa operãs ſuũ finẽ nõ attingit ſine ſua operatione,neꝗ ipm cõſeruare põt. Propter ꝙd vult Auicẽ.ꝙ finis vltimus intentus a cęlo & motore eius,non eſt motus eius, neꝗ aliquid cui⁹ eſſe in effectu acquirit per motũ:ſed ꝙ bonitas pura & nõ aliquid extra a moto re intentũ ſit vltimus eius finis. De quo ſciendũ,ꝙ dupliciter poteſt conſiderari. Vno modo rõne

S  cauſalitatis ſuę.Alio modo rõne ſui eſſe,qua eſt res ens & natura aliqua. Differunt enim hę duꝫ rationes in eodem.Et licet in aliis generibus cauſe(ſecundum ꝙ dicit Auicẽ.vi.Metaph.)res ali quãdo eſt cauſata in ſua cauſalitate,hoc eſt ꝙ habet a cauſa priori ꝙ poſſit eſſe cauſa poſterioris: aliquando vero eſt cauſata in ſuo eſſe,hoc eſt ꝙ habeat ab alio ꝙ exiſtat: In cauſa tamẽ finali hoc eſt generale,ꝙ in ipſa cauſalitate ſua eſt cauſa omniũ aliarum cauſarum, ſcilicet efficientis , mate rialis,& formalis,& ipſa penitus nullam habet cauſam reſpectu ſuę cauſalitatis.Eſſe aũt cauſę fina lis duplex eſt.Vnũ in intellectu:aliud in ipa rei exiſtentia. Primo mõ adhuc nulla alia eſt prior ea ſed ipſa eſt cauſa cauſatũ,ſcdm ꝙ dicit Auicẽ.vi.Metaph.In anima finis prior eſt agẽte: & poſtea

T  imaginat apud ſe actiõe & diſpoſitionem recipientis & cauſalitatem formę.Secundo modo ſub diſtinguit Auicen.in.ix.Metaph.ꝙ finis aut ex ſe habet eſſe in effectu aut non : ſed acquirit ei per operationem. Secundus modus nullo modo conuenit fini vltimo eadem ratiõe qua ipſa actio non poteſt eſſe finis vltimus,vt oſtenſum eſt iam: licet conueniat alicui fini inferiori, ſecundũ ꝗ dicit Auicẽ.vi.Metaph.Cũ aliquis fabricat ſibi domum vt inhabitet eã,ipſa inquiſitio inhabitatio nis inducit eum ad fabricandum:& eſt ei prima cauſa fabricandi inquantum ipſe eſt fabricator:&

est causatum,inquatum ipse est habitator. Primus autem modus est proprius sini vltimo. Vnde
dicit Auicen.vi.Metaph.ɋ ista causa non est causa inquantum inuenta,sed inquantum est aliqd
Vnde secundum modum quo habet esse in intellectu est causa causarum aliarum in earum cau
salitate : secundum modum vero quo iam habet esse in effectu , est causatum simpliciter in sua
entitate. Si enim non habuerit esse in effectu,sed suum esse fuerit preter suum esse in effectu:tūc
nulla aliarum causarum erit sibi causa, nec etiam agens qui facit ei habere esse . Igitur causa sina
lis non est causa causata cæteraru causarum,secundum ɋ est causa finalis : sed secundum ɋ iam
est aliquid in effectu. Cum enim non habet esse in effectu,nō est causata vllo modo. Ex quo con
cludit.Qd igitur per essentiam est causa finalis,est causa ceterarum causarum. Sed ex modo quo
eius intentio iam habet esse in effectu,accidit ei vt sit causata,non scilicet in se,sed in eis quorum
est finis, quo ad eius adeptionem . Est enim alius modus quo finis sit in eis quæ sunt ad finem &
subiecta sini,ab eo quo fit in se:sicut alius est modus in causa formali,quo scilicet anima sit in cor
pore,& quo sit in se.ɋuis isti duo modi sunt vnum subiecto,vt dicit Commen.in expositione pro
positionis quā exponimus.Vnde & in isto casu subdistinguit Auicen.in.ix.Metaph.de actione.ɋ
aut est talis ɋ huiusmodi bonitas possit acquiri per eam,& peruenri ad eam:aut nullo modo:sed
sit huiusmodi bonitas omnino remota ab eo cuius est actio. Hoc secundo modo ipsa est finis crea
turarum non intellectualium : quæ cum mouentur ad illam acquirendam per motum suū:&
non possunt ipsam acquirere:vt perueniant ad essentiam eius:necessario mouentur ad acquiren
dum in se aliquid quo aliquo modo habetur in se illa perfectio . Aliter enim cessaret motus eo
rum omnino. Cum igitur (vt dicit )bonitas inquisita per motum sit existens per se,cuius natura
est vt non apprehendatur: omnem bonitatem cuius hęc est natura, non inquirit quod mouetur
nisi assimiletur ei secundum ɋ possibile est Primo modo est finis intellectualium in statu gloriæ:
licet diuersimode hoc conuenit per suam actionem deo & angelis atɋ hominibus,vt iam videbi
tur,& secundum hoc in genere duo sunt modi perfectionis, quibus res perficiuntur bono increa
to,quod est finis per essentiam. Quędam enim perficiuntur ipso per ipsam essentiā boni increati,
vt intellectuales naturę deus & angeli & homines in statu glorię.Quędam vero in participatio
ne alicuius similitudinis eius,& hoc dupliciter . Vel per operationem naturalem absɋ intellectu
& voluntate illam sibi acquirendo:quod conuenit omnibus non intellectualibus. Vel per opera
tionem rationis acquirendo illam cum intellectu & voluntate , quod conuenit hominibus citra
statum gloriæ.Sed & differenter sua actione acquiritur dicta perfectio deo,& angelis,& homini
bus in statu gloriæ, & etiam hominibus, & aliis creaturis in statu presentis vitę.Illis enim in glo
ria sua perfectio,statim acquiritur tota in initio habendi eam, licet hoc non dicatur proprie quo
ad deū vt iā patebit.Istis aūt quia nō poterit acquiri sua perfectio in initio,perficitur in eis ꝑ mo
tum vt perueniat secūdum ɋ perfectius est esse substantię eius in suis dispositionibus consimile
illi, & deinde maneat, in huiusmodi assimilatione in perseuerantia:& hoc vel in eodem numero
scdm ɋ est ei possibile:vel saltē in eodem secūdum speciem . Et sicut conuenit in generabilibus &
corruptibilibus istam perfectionem cōseruare in specie per successionem indiuiduorum:simili mo
do dicit Auicen. de cælo, ɋ quia perfecta assimilatio sua non potest haberi ab ipso existendo in
vnico vbi:ideo habet eam successione perpetua ab vno vbi in aliud, & ita per motum,vt motus
non sit ipsa perfectio corporis cęlestis nisi quia ꝑ ipsum habet perfectam assimilatiōe ad primū
quam possibile est ipsum habere per naturā.Et cōsimiliter est de actione voluntatis & intellectus
in hominibus secundum statum vitæ præsentis : quia per ipsam habetur perfecta assimilatio ad
quam potest homo attingere in præsenti:quæ non est nisi in aliquo gradu assimilationis non at
tingendo diuinitatis essentiam. Et consistit ista perfectio( iuxta determinata a Philosopho in.i.&
x.Ethicorum) in actione hominis secundum virtutem perfectā: a qua propter habitus confirma
tionem nullo modo possit deflecti secundum exigentiam suę naturæ.Vnde & scdm duplex genᵍ
virtutis,scilicet moralis & intellectualis,posuit huiusmodi perfectionem duplicem. Vnam secun
dum felicitatem politicam , Aliam vero secundum felicitatem ciuilem : & hanc perfectam & su
premam,& illam imperfectam. & hoc( secundum Auicen.ix. Metaph.)inquantum per cognitio
nem intellectualem in ipso quiescit dispositio totius : vt quanto dispositio huiusmodi in eo est
perfectior,tanto est beatior,iuxta illud qd dicit Philosophus in.x. Ethicorum. Inquantum prote
dit speculatio,& felicitas:& in quibᵍ magis existit speculatio:& felices esse.Et hoc maxime quo ad
speculationem primi principii sub ratione finis omnium:sed non in nuda eius essentia in vita ista
& vt ex scientiis speculatiuis ex puris naturalibus pōt cognosci:quia quicqd ex scientiis speculati

uis ex puris naturalibus poteſt ſciri de deo,non cognoſcitur ab homine niſi in ſenſibilibus. Vltra em ncn poſſunt ſe extendere ſcientiæ ſpeculatiuæ principia,quia ab eis ſunt accepta ſenſu & experientia,ſecundum Philoſophum in principio Metaphyſicæ,& in fine poſteriorum. Obiectiue ergo ſenſibilia non poteſt excedere naturalis cognitio hominis de deo,quare neq̃ ſua beatitudo. Senſibilia autem cognita vel amata non poſſunt plus intellectum & voluntatem in homine perficere,q̃ actus intelligēdi & volendi,& maxime q̃ actus intelligēdi,immo min⁹. Nobilior eſt em actus intelligendi ea,& volendi, q̃ ſint ipſa in ſua natura:eo cp ſunt in nobiliore natura: quemadmodū & ipſa cum per actum intelligendi habent eſſe in intellectu , nobilius habent ibi eſſe q̃ in natura ſua,ſecundum cp dicit Auguſtinus nono de Trinitate dei Capite.iiii. Beatitudo autem ſemper debet poni in eo quod eſt nobilius.Philoſophus igitur hominis beatitudinem in præſenti in reb⁹

**V** intellectis aut volitis ponere nō debuit,ſed in actu intelligendi tantū, etiam diſcernendo ab actu ipſa intellecta vt intellecta ſunt,potius q̃ in actu volendi, quia nobilius eſt ſenſibilia intelligere q̃ velle,vt habitum eſt ſupra.Nec etiam in hoc aliter ſentiendum eſt,ſi ſpeculetur deum modo ſupremo quo poſſit ex puris naturalibus,vt modo generaliſſimo ſupra determinato, de quo loquitur Auguſtinus.viii.de trinitate ſub ratione veri Capit.ſecūdo,& ca.tertio ſub rōne boni.In qua quidem ſpeculatione de re non trāſitoria contingit nobis tranſitoria cognitio. vt dicit libro deci motertio Capite.xiiii.In qua etiam Philoſophus dicit ſumme conſiſtere humanam beatitudinem xii.Metaphyſicæ, ſic inquiens.Aeſtimatur cp intellectum eſt diuinum magis q̃ hoc. Ideſt(ſecundum Comment).Dille intellectus diuinus quia eſt ſemper actu, manifeſtum eſt ipſum nobiliorem eſſe intellectu qui eſt in nobis. & hoc quia intellectus noſter eſt in continuo actu dicto modo intelligendi deum,vt iam dictū eſt. Vnde ſubdit Si deus eſt ſemper ſicut nos in aliqua hora( & eſt, vt dicit Cōmē.qñ diuidetur a potentia)hoc eſt mirum:et ſi magis ſic eſt ſemper q̃ nos in vna hora.In eo ſcilicet cp ipſe nudam ſuam eſſentiam contemplatur: nos autem non niſi in effigie creaturæ.Hoc(inquit).ſt magismirum quid ſit.Certe verū eſt:nec poteſt ſciri citra ſtatum gloriæ niſi in generali attributo.de quo cōtinuo ſubdit.Et eſt vita: quia actio intellectus vita &c.Et ſicut poſuit hoc Philoſophus de homine & bene,ſic poſuit de corpore cæleſti ratiōe ſuæ animæ,ponēdo ipſum eſſe corpus animatum. Sic igitur patet quomodo perfectio ſecundum finem vltimum conſiſtit in operatione ſiue actione illorum quæ non attingit eſſentiam primi,niſi in aliqua eius effigie,& in hoſe ſecundū ſtatum vitæ præſentis.Non quia illa ſit vltimus finis,ſed quia per ipſam habetur & conſeruatur illa aſſimilatio,quæ non ex ſe,ſed ex ordine ad finem extra,quem non attingit in ſubſtātia,dicitur vltimus finis.In deo aūt & in beatis cōtingit illa perfectio per hoc cp nudā diuinam eſſentiam attingunt ſua actione intellectuali & voluntaria:ſed deus per eſſentiam & eſſentialem identitatē intelligētis & intellecti,volentis & voliti:& ideo ipſe ſolus eſſentialiter & per eſſentiam ſuam eſt beatus: quilibet autem alius beatus per eandem eſſentiā,ſed p eius participationem non per identitatem : & ideo participatiue ſolum,etſi per eſſentiam non ſuam,ſed diuinam.Per dicta plane patet quomodo intelligēdum eſt illud dictum Philoſophi.Omne habēs actio

**X** nem ſiue operationem eſt propter illam vt propter finem ſuum.quoniam non habet hoc intelligi de actione qua res non habens perfectionem mouetur ad ipſam acquirendam : ſi non per eam ſimul conſeruet acquiſitā:quemadmodum deambulatio eſt actio qua ſanitas acquiritur: & ceſſat ipſa acquiſita.Talis enim actio deo non conuenit:vt dicit Philoſophus alibi in ſecūdo cæli & mūdi:vnde ratio vltima aſſumpta erat & patet per hoc reſponſio ad illā.Sed habet intelligi de actione qua acquirit ſuam perfectionem ſiue non ſtatim, ſed per motum & ſucceſſionem acquirendo eam prius non habitam,& ſimiliter conſeruando:quemadmodum habēt eam & acquirūt indiuidua generabiliū & corruptibilium,& ſimiliter conſeruant:vel licet non acquirendo prius non habitam conſeruando tamen eam habitam , quemadmodum habent eam corpora cæleſtia ſecum dum Philoſophos:ſiue ſtatim acquirendo eam ſua actione per alium:& per actionis eiuſdem immutabilitatem eam conſeruando:quemadmodum habent eam beati deo ſe nō naturaliter ſed voluntarie intellectui eorum præſentando:vel non acquirendo: ſed naturaliter eam ſua actione habendo & conſeruando:quemadmodū habet eam ſolus deus. Nec eſt intelligendum cp res eſt propter huiuſmodi actionem vt propter ſuum finem eſſentialem:ſed vt propter finem neceſſarium ad illum finem alium,vel qui eſt ipſa diuina eſſentia immediate,vel qui eſt aliqua effigies vel ſimilitudo vel imitatio eius,non attingendo illam eſſentiam ſecundum modum ſupra dictum:vt in ſequenti q̃ſtione amplius dicetur.ſine quo quidem fine neceſſario finis ille eſſentialis vel alius ſub eo,eſſe non habet nec cōſeruari. Vnde opatio illa eſt finis ſub fine ordinatus ad finem princi

palem in quo cõfiſtit ipſa perfectio eſſe rei.Sed intelligendũ cp aliter actio in deo eſt ad huiuſmodi
finem,qui eſt perfectio ſua in eſſe:aliter vero actio in creaturis.Quia(vt dicit Comment.in expoſi
tione dictæ propoſitionis)actio entiũ quę nõ ſunt ſemper entia (Verbi gratia hominis actio)pri
ma intentione eſt propter aliud,ſecunda propter ſe. In rebus autem diuinis econuerſo actio earũ
eſt prima intentione propter ſuũ eſſe,& ſecunda propter aliud. Et hoc(vt dicit)exponendũ & de
clarãdũ eſt in ſcientia vniuerſali,ſ.in Metaphyſica:& debet ſic exponi,vt puto:cp actio dei eſſentia
lis intelligere & velle eſt deo prima intentione propter ſuum eſſe:quia cum ſit primũ ens: & ideo
in eo cp eſt res & natura quædam,non ordinatur ad aliud, neq; eſt propter aliud ad quod ordina
tur ſicut in terminum & finem: in gradu naturæ perfectionis non habet in ordine ad aliud.Et
ideo actio ſua prima intentione non poteſt eſſe niſi propter æternitatem ſui eſſe.Et quia bonitatis
ſuę eſt,vt fluat ab ipſo eſſe aliorum entium ſua actione volũtaria & intellectuali:& acquiratur eis
perfectio ſua,ſecundum cp poſſibile eſt eis : Quod enim habet actionem ex ſe, in ſe habet actionẽ
in alio:& non eſt hoc niſi ſpirituale & incorporeum vt ſolus deus:Actio vero non ſolum genera
lis & corruptibilis: ſed etiam cuiuſlibet creaturę prima intentione eſt propter aliud a ſe,quia ſua
per ipſam eſt res & natura alia a ſe, ad quam ordinatur ſicut in terminum vltimum ſecundum
gradum naturæ:tale autem neceſſario eſt primũ in intentione,& omne aliud ſub ipſo exiſtens ſe
cundum intentionem,vt velit hoc propter illud:quia cum perfectio creaturę non attingentis di
uinam eſſentiam ſit aliqua effigies, & non habet rationem effigiei qua eſt res abſolute,ſed ſub ra
tione qua eſt illius effigies,cp habet rationem finis, hoc eſt ei ex ordinatione ad vlteriorem finem:
Oportet ergo cp ille primo intendatur, & perfectio rei in ſuo eſſe ſecunda intentione.Et ſecundũ
hoc cælum mouetur prima intentione propter ſuum amatũ & deſideratũ,ſecunda vero intẽtio
ne propter eſſe ſui perfectionem, vt aſſimilationem ad ipſum ſibi poſſibilem per naturã acquirat.
& iſtę ſunt duę eius intentiones per ſe.Tertio autem,ſed per accidens,intendit generationem in
feriorum,ſecundum cp determinat Auicen. in nono Metaphyſicę.Similiter etiam eſt in perfectio
ne creaturę intellectualis in gloria,cp habet duplicem intentionem prædictam.Cum enim ſua per
fectio ſit ſimiliter in quadam perfecta aſſimilatione ad diuini eſſe perfectionem,in eo videlicet cp
eſſentiam illam attingit per intellectũ & voluntatem quadam participatione tm̃,& vnione gratię
non naturę:nec habeat iſta aſſimilatio in eo cp eſt quædam participatio,rationem perfectionis,niſi
quia eſt effigies quædam imparticipati quod ei reſpondet, non ſecundum aliquam rationem abſo
luti,quia participatum inquantum participatum ens,reſpectum quendam ponit ad imparticipa
tum a quo dependet in eſſe,quod reſpectu illius neceſſario habet rationem finis,& non illud quod
ordinatur ad hoc:oportet igitur cp talis natura quantumcunq; beata prima intentione agit actio
nem intelligendi & volendi propter aliud ,ſcilicet propter perfectionẽ in beatitudine dei, ſecun
dum actionem illius intelligendi & volendi,& ſecunda intentione propter perfectionem ſibi pro
priam in eſſe,& in propria beatitudine. Et propter hoc omnis creatura plus appetit perfectionem
quę eſt in eſſe dei,q̃ quę eſt in ſeipſa:& omnis creatura intellectualis plus appetit & diligit appeti
tu naturaliter ordinato beatitudinem & bonum dei, q̃ beatitudinem & bonum proprium. Et eſt
beatitudo dei qua ſibiipſi perfecte conformatur per actum intelligendi, & in ſeipſum quodam
modo perfecte transformatur per actum volendi(vt magis videbitur in quæſtione ſequenti)finis
vltimus omnis alterius perfectionis quæ eſt in creaturis, & complementum omnis actionis &
operationis, propter quam eſt omnis actio & operatio,ſiue in deo, ſiue in creaturis : vt finis iſte,
qui eſt diuina perfectio, qua deus ipſe eſt deus ſua totalitate & per eſſe ſuum in intellectu, ſit cau
ſa omnium cauſarum: & in alio genere cauſę,& in eodem tam in deo q̃ in creaturis ſit etiã quo
dammodo cauſa ſuiipſius : vt ipſa ſit cauſatum quodammodo ſuiipſius, & aliarum cauſarum:
non quo ad eſſe ſuum in intellectu:quo ad illud enim ſicut quo ad rationem ſuę cauſalitatis,ſem
per eſt prior,& cauſa cauſarum : nec quo ad eſſe ſuum in natura & eſſentia , ſiue exiſtentia ſua:
hoc enim habet ex ſe,inquantum eſt ipſa diuina eſſentia:quę niſi ſic haberet eſſe in effectu ex ſe &
primo,nec poſſet in ſe habere rationem cauſalitatis primę: ſed ſi haberet oporteret illã habere ab
aliquo alio, a quo haberet eſſe in effectu: ſecundum cp hęc omnia patent ex iam expoſitis:Sed eſt
ſolum quaſi cauſatum ſui, & aliorum quo ad eſſe ſuum in eis quæ ſunt ſubiecta ei & perfecta ab
ipſo ſicut a fine,ſecundum modum prædictum,vt idipſum qd̃ eſt finis per eſſe ſuum qd̃ habet in
ſe & ex ſe,licet p multa media vel ſecundum rem vel tantũ ſecundũ rationem differentia,eſt cau
ſa ſiue principiũ eſſe ſui in eo cuius eſt finis & perfectio. & ſic ſecundũ aliud & aliud eſſe ſecundũ

rationem eſt cauſa & cauſatum ſuipſius. Vnde & quia cauſatum ſemper habet reduci ad cauſam finis huiuſmodi ſecundum eſſe qd habet in ſibi ſubiectis,habet reduci ad ſeipſum , ſecundum eſſe qd habet in ſe. Vt ſecundu hoc ad principale queſtione:dicedu ſit ꝙ ſimplr & abſolute btitudo dei,non tm dei,ſed & omnium beatorum,ſit ipſa diuina eſſentia ſub ratione boni ſimpliciter:ſecundum ꝙ eſt aliquid ſecundum ſe,& ex ſe exiſtens in effectu,habens ex ſe rationem cauſalitatis ſuę,finalis ſcilicet,quę eſt prima,& ſuprema omnium & nobiliſſima: ita ꝙ ſi deus habet ſe in ratione triplicis cauſæ,finalis,efficientis,& formalis,ratio cauſę finalis in eo nobiliſſima eſt. Propter quod dicit Auic.ſeptimo Metap.Si de vnaquaꝗ cauſarum eſſet ſcientia per ſe, nobilior inter eas eſſet ſcietia de finali,& ipſa eſſet ſapietia.& hæc etia nobilior eſt reliquis partibus huius ſcientiæ. Et poſtꝗ diuina eſſentia ſcdm ſe, ſub ratioe qua eſt bonum ſimpliciter,abſolute & ſimpliciter ſit ipſa beatitudo oim beatoru,beatitudo dei habet eſſe mo ſupremo per hoc ꝙ habet eſſe in eo modo ſupremo vt perfectio eius. Vnde etiam dicit Philoſophus in ſecundo cæli & mundi: ꝙ bonũ completum eſt vnum. & vt dicit ibi Comment. omnia alia entia non intendunt niſi vt aſſimilentur perfecte nobili, quod eſt deus, ſecundum ꝙ in natura eorum eſt acquirere de aſſimilatione . Vnde & ſub perfectione eius eſt perfectio intellectualium creaturarum in gloria , & ſub illa etiam dæmonũ in effigie & ſimilitudine quadam ſecundum ſcientias ſpeculatiuas rerum creataru,& ipſius dei,quatũ in creaturis intellectu potentia naturali poſſit cognoſci,& ſub illa corporũ cęleſtium ratione qua animata ſunt,ſecundum opinionem Philoſophorum,& ſub illa hominum ſecundum ſtatum naturę in preſenti vita,& ſub illa corporum cęleſtiũ ratione qua corpora ſunt & ſub illa ſenſibiliũ , & ſub illa vegetabiliũ,& ſub illa mixtorum inanimatorum,& ſub illa elementorum,& ſub illa primę materię:ſecundum ꝙ de omnibus iſtis perfectionibus debet haberi diſputatio ſpecialis in propriis locis . Et poſuerũt Stoici in gradu quolibet perfectionis in ſingulis prædictis rationem beatitudinis,ſecundum ꝙ dicit Comment.verſus finem.x.Ethicorum.Secundum Stoicos ſecundum naturam viuere beate viuere eſt, vt ſit felicitas extremũ naturalis appetitus,qua ſortita natura finem habet, & nihil amplius deſiderat præter retinere bonum ipſi & non perdere.Hoc autem exiſtit & irrationalibus:participant ergo & irrationalia felicitatem,& eadem ratione omnia alia ſub ipſis, vt patet ex dictis . Sed Philoſophus perfectionem dictam in nõ intellectualibus,beatitudine eſſe negat dicens. Diis oibus vita bona,hominibus aute inquantum ſimilitudo quędam talis operationis exiſtit:alioru autem animaliu nullum felix:quia nequa ꝗ comunicat ſpeculationem.Sed diſputatio ſuper hoc eſt de nomine tantu. ꜿAd primum in contrarium:quod procedit ab alio,ab eo perfectione recipit,& non eſt ſua perfectio:Dicendum eſt ſecundu predicta,ꝙ non eſt perfectio eius vt finis per eſſentiam, ſed vt finis neceſſariꝰ. Non em in alicuius deſiderio,ſiue fuerit creatũ,ſiue increatum,principaliter intenditur eius actio, neꝗ aliqd acquiſitum per actione ſeu operatione, qd ſcilicet ſimpliciter per ipſam habet eſſe in effectu aut in ipſo operante,ſed ipſum bonum ſimpliciter,qd eſt ratioꝰis boni,cuiuſmoi eſt ipſa diuina eſſentia ſub ratione boni ſimpliciter,& vniuerſalis boni conſiderata.quęadmodũ poſuit & optime Plato:ꝙ vt eſt boni huius vel illius, vt ipſius dei vel creaturę, ordinatur ad ſeipſum vt eſt ſecundum ſe bonum,ſicut dictum eſt.Qz em eſt bonũ huius vel illius, hoc conſiſtit in quadam coformitate & aſſimilatione ſecundũ actum vel operationem ad illud ſecundũ ſe conſideratum qd principaliter intenditur.Et ꝓpter illud intentio cuiuſꝗ inquatũ illud eſt ſuũ bonũ,eſt aſſimilari illi vt ipm ſit in illo & ille in ipſo, ſecundum ꝙ poſſibile eſt,& perfectius eſſe habet vel per eſſentia & eſſentialiter,vel p eſſentia & participatiue,vel per ſimilitudine & participatiue tantu, vt patet ex pdictis. Et quia iſta aſſimilatio nõ fit niſi per rei actione:tertio in intentioe cadit actio vt neceſſario ad illa tanꝗ motus quidam atꝗ traſitus & ſeruitiũ ſiue inſtrumentum in illud qd principaliter intedie. Ad qd cũ peruenit per intellectuale operatione & voluntaria,tũc intellectualis natura omnino occupatur circa hoc & ſiſtit per intentione.Sed tamen ex illo prius ſecundũ ordinem quenda puenit hoc quod inferius eſt in ordine rationis,tanꝗ neceſſariũ ad perueniedũ in illud,& hoc eſt aſſimilare illi ſecundum poſſibilitatem,vt dicit Auicen,ix.Metaph. Illud autem neceſſarium etſi pcedat ab eo cuius eſt,ſiue ſit operatio, ſiue aſſimilatio,& ex hoc non poteſt habere rationem perfectionis,vt procedit obiectio:inquantu tñ aſſimilatio reſpicit id cui aſſimilat, & eſt quaſi ipſum in illo cui aſſimilat:bene poteſt aſſimilatio ipſa, & ſimiliter actio per quam habetur,habere rationem perfectionis eius a quo quodammodo procedũt, etiam etſi illa aſſimilatio omnino accidentalis ſit quemadmodum in illis quæ diuinam eſſentiam immediate non attingunt , ex hoc habet rationem magis nobilis ꝗ ſit ipſa ſubſtantia cuius eſt vt poſſit dici eius perfectio . ꜿAd ſecundum ꝙ

A
Ad primũ
in oppoſitũ.

B
Ad ſecũdũ.

ſola diuina eſſentia fruendum eſt,& tale eſt ipſa beatitudo: Dicedum ꝙ verum eſt tanꝗ id ꝗd pri
mo intenditur,& in quo vltimo ſiſtit propter ſe tanꝗ in fine vniuerſali omniū. Sub iſto tamē or∗
dine beatitudo rei vt eſt huius vel illius, conſiſtit in modo habendi illam per quandã conformi
tatem & aſſimilationem in modo habēdi illam in ſe diuerſimode in deo & in ſingulis ſpeciebus
creaturarū,& etiã in actionibus ſuis quibus acquirunt vel habent hmõi aſſimilationē, vt dictum
eſt:& iam amplius dicetur.⸿Ad illud ꝙ finis præcedit omnē operationem,& ita id quod eſt ipſa
beatitudo:Dicendū ꝙ verum eſt maxime de vltimo fine per eſſentiã,qui nõ tam præcedit ordine
quodã ſecundū ſuum eſſe in effectu,ꝗ & in intellectu omnia alia quibus deuenitur ad ipſum ꝗd eſt
vnicum deſideratum,& omnia alia ſunt quaſi fluxus ad ipſum, vt dicit Auic. Nihilominus tamē
alia ſub illo fine ſimul bene poſſunt habere rõnē finis.vt patet ſecundū determinata. ⸿Ad illud ꝙ
nõ eſt actio niſi ꝓpter aliud intēta.&c. Dicendū ꝙ verū eſt de omni gñe actiõis ſcdm prædetermi
nata,& ideo nullo modo habet rõnem vltimi,nec rõnem perfectam beatitudinis.Poteſt tamē ha∗
bere rationem finis ſub fine,& ſic beatitudinis. vt dictum eſt . ⸿Ad aliud ꝙ res integra bonitate
vt deus non indiget operatione qua ſit bona:Dicendū ꝙ duplex eſt operatio,ſecundū prædicta.ꝗ∗
dam qua beatitudo habita cõſeruatur . talis operatio deo cõuenit,& in tali conſiſtit ſua beatitu∗
do,vt patet ex prædeterminatis.Alia vero eſt ꝏpatio qua beatitudo acquiritur ſiue cõſeruetur cum
hoc ſiue non,& ſiue aliquado prius fuerit non habita ſiue non . Sine tali operatione deus habet
ſuum bonū & ſuã beatitudinē,quia eam habet naturaliter per realē identitatē qua ipſe eſt ſua
beatitudo,licet ſub rõne beatitudinis ſiue beatificantis & beatificati non habet eã, niſi per ſuam
operatiõe qua ſibi ipſi vnitur vt differens a ſeipſo ſecundū rõne beatificantis & beatificati. Vnde
ꝗd dixim⁹ ſupra ſm phm, ꝙ deus ſua intellectuali operatiõe acquirat ſuã beatitudinē:ipſe ibi large
loquiſ de acquiſitione,accipiēdo acquiſitionē pro actiõis neceſſitate ſine qua deus ſuã beatitudinē
habere nõ poteſt ſub rõne beatificantis,vt dictū eſt.Quędã aũt alia habent eam per ſua operatio
nem qua ſibi eam acquirūt meritorie cum gratia,vel perfecte attingendo diuinã eſſentiã, vt beati
in gloria,vel imperfecte attingendo ſolam eius ſimilitudinē,vt homines in præſenti vita per gra∗
tiam fidei,vel ex puris naturalibus ſecundū philoſophos.& hoc non attingēdo diuinã eſſentiam
niſi in aliqua eius ſimilitudine.Et hoc bene exprimit philoſophus litera ſua qua dicit.Nobile per∗
fecte completum eſt illud quod eſt nobile ſine actione, & ſine operatione qua acquirit nobilitatē:
& illud ꝗd eſt propinquū nobili,eſt illud ꝗd acquirit ipſum vna actione parua. Vbi dicit Cõmen.
Illud ꝗd acquirit nobilitatem perfectam ſine actione,eſt illud cuius actio eſt ſua ſubſtantia,ſcilicet
intellectus abſtractus,& omnia alia quę dicuntur eſſe huiuſmodi nõ dicūtur niſi per ſimilitudi∗
nē. Aduerte ꝙ dicit acquirit ſine actione,loquēdo de acquiſitione cõiter dicta ꝗ nõ eſt ſine actio∗
ne qua habeſ,& de actione qua ꝓprie acquiritur.Vnde & ſecundū diuerſos modos habēdi hmõi
bonum ſecundū poſſibilitate ſuę naturę,diſtinguit quatuor ordines rerum,quorum quilibet ha∗
bet latitudinē pręter vltimū:quorū primus(vt dicit) eſt ordo entium,quę comprehendunt nobi
litatem perfectam abſꝗ operatione,& diuerſificantur ſecūdum magis & minus.Hęc autem ſunt
entia abſtracta,vt ſunt intelligentię:quę ſecundū Phm,dii ſunt,omnes habentes vnum primum
& ſupremum in iſto ordine:quem ponit eſſe perfectiſſimum:& omnes ponit eſſe beatos per eſſen
tiam & eſſentialiter,& nullo modo participatiue neꝗ per acquiſitionem, ſed tñ per eorū ꝓpriam
intellectualem opationem,ſecundū ꝙ dicit in.x.Ethicorum.Perfecta felicitas quoniã ſpeculatiua quę
dam eſt operatio,& hinc vtiꝗ apparebit. Deos enim magis ſuſpicati ſumus beatos & felices eſſe
&c.Secundus ordo eſt eorum quæ appropinquãt perfecte nobilitati per operatione.& hoc duo∗
bus modis.Aut per modicam operationem,& hoc non inuenitur niſi in corporibus cęleſtibus,&
non eſt niſi primus orbis qui mouetur motu diurno . Quia enim eſt nobilius eorum quę ſunt
illius generis:neceſſe eſt vt acquirat nobilitatem quę eſt in illo genere vnica actione:ſecundū ꝙ il
lud quod eſt paucarum actionum eſt meli⁹ ꝗ illud ꝗd plurium.Aut per multam operationem,&
inuenitur in corporibus cęleſtibus aliis, & in nouiſſimo eorum quæ ſunt hic, ſcilicet in homine.
Tertius eſt ordo eorum quæ non poſſunt apprehendere nobilitatem propinquam nobilitati per∗
fecte neꝗ multa operatione neꝗ modica,ſed tamen comprehendunt nobilitatem minorem pro∗
pinquam perfectæ nobilitati : & ſunt alia a corporibus cæleſtibus & hominibus præter terram.
Quartus ordo eſt terra: quæ non poteſt comprehēdere nobilitatem per operationem,ſed ſere per
quiete tantū.⸿Ad duo vltima argumenta ꝙ ꝏpatio nõ eſt vltimus finis,ergo nec beatitudo:Di∗
cendum ꝙ verum eſt perfectam rationem beatitudinis habendo.Aliquam tamen ratiõe eius ha∗
bet etiam cum præciſe accipitur,vt patet ex iam prædeterminatis.

C
**Ad tertium**

D
**Ad quartū.**

E
**Ad duo vlti
ma.**

Irca sextum arguitur, ꝗ beatitudo dei principaliꝰ cōsistat in actiōe intellectus ꝙ voluntatis. Primo sic, Ioā.xvii.dicitur, Hæc est vita ęterna, vt cognoscāt te deum verū, vita ęterna est ipsa beatitudo, & cognitio in intellectu consistit, ergo &c. ⊂Secūdo sic, Pħus ostendit.x.Ethico. ꝗ felicitas consistit in actione speculationis, quę non pertinet nisi ad intellectū, ergo &c. ⊂Tertio sic, vbi est sufficiētia & beatitudo, sed hęc consistit in notitia intellectus, iuxta illud Ioan.xiiii, Domine ostende nobis patrem & sufficit nobis, ergo &c. ⊂Quarto sic, Per illā virtutē per quā res mouetur in finem anteꝗ habeatur, solummodo quiescit in ipso cum habetur: sicut patet de motu grauis deorsum, & de quiete eius ibidem. sed per voluntatē & actum eius mouetur in finem, non habitum, ergo in ipso solūmodo quiescit cum habet. & hoc per actū intellectus, in quiete autē tali non consistit beatitudo, sed ipsa solūmodo est sequela eius, ergo &c. ⊂Quinto sic, actus ille est perfectior, quo habito, alio nō indigemꝰ, ꝗ ecōuerso, habito actu vidēdi nō indigemus actu amādi, ꝗa cessat desideriū, nō aūt ecōuerso, immo existēte actu amādi ꝑ desideriū tēdimus in actū vidēdi, & illo indigemꝰ, ergo &c. ⊂Sexto sic, in illo actu ꝑfectiꝰ consistit beatitudo quo perfectius assequimur obiectū beatificās, sed ꝑfectiꝰ assēꝗmur obiectū btificās per actū intellecꝰ ꝗ per actū volūtatis, ꝗa perfectius assequitur aliquis rem suo actu qui assequitur illam vt existētē in seipso, ꝗ vt existētē in alio, intellectus actu suo assequitur obiectum vt existens in se: voluntas vt existens in alio, ergo &c. ⊂Septimo sic, in illo actu magis consistit beatitudo, secundū quē magis vnitur obiectū beatificans beatificato, sed hoc est intellectus respectu volūtatis, quia vnitur intellectui actione ipsius dei illabentis intellectui, non vnitur autem voluntati nisi per actum ipsius voluntatis, fortius aūt vnit se deꝰ creaturę suo actu ꝗ creatura deo sic vniat suo actu, ergo &c. ⊂In cōtrariū est. ꝗm beatitudo in eo ꝗ habet rationem finis, est beatitudo: quia finis est nobilissima ratio esse, vt iam visum est supra. Btitudo aūt in eo ꝗ habet rōnē boni, habet rōnē finis. ergo btitudo in eo ꝗ habet rōnē boni, est beatitudo, sed ratio boni non est per se obiectū nisi volūtatis. perfectio aūt ex obiecto ꝓueniēs circa actū, principaliter cōsistit circa virtutem & actum virtutis, cuiꝰ est per se obiectū. ergo perfectio ex beatitudine habita principaliter consistit in voluntate & in actu voluntatis.

⊂Hic oportet supponere ex determinatis in quęstione pręcedente, ꝗ non intelligimus in ista q̄stiōe beatitudinē cōsistere in actu itellecꝰ aut volūtatis: quasi actꝰ ipe sit finis eēntialiter desideratus vt summū bonū & vltimū bonū quo ꝑficiat natura itellectualis per se, vt suo fine vltimo a se adipiscēdo. Q̄ ē em tale est, rōnē primi obiecti habet, & respectu volūtatis, & respectu intellectus: ꝗa ordine quodā primo mouet intellectū ad sui apprehēsionē: & ipm apprehēsum ꝑ intellectū vt bonū cognitū mouet volūtatē ad sui desideriū & appetitū: ita ꝗ nisi hoc sit primū intellectum & volitū, operatio intellectus aut voluntatis non potest esse intellectū quid & volitū reflectendo scilicet intellectum super actum suum aut voluntatis, vel voluntatem super alterum eorum. Eo ergo ipso ꝗ beatitudo est finis vltimꝰ & primū obiectum volūtatis & intellectus: & ꝑ hoc principiū oīm actionum & operationum quæ in beatitudine sunt tanꝗ quædam ordinata in finē: igit neꝗ actus intellectus, neꝗ actꝰ voluntatis pōt esse essentialis beatitudo quę debet esse finis vltimus beati, nec pertinet ad ipsam vt obiectū intellectum aut volitum in quo cōsistit. Nec tamen sequitur ex hoc ꝗ non pertinet ad ipsam vt actus eius, per quē attingit finē illum vt obiectū beatificans. Vanum est ergo ꝗ aliqui nitūtur excludere actum volūtatis a beatitudine, quia nō pōt esse primū volitum. Eadem em ratione excluditur actus intellectus, quia nec pōt esse primum intellectum aut volitū. Est ergo sciendū ꝗ actu intellectus & voluntatis, quia non possunt esse fines vltimi (nec in hoc aliquis hęsitare debet: visis determinatis in pręcedenti quęstiōe) si ergo in ipsis consistat aliqua ratio beatitudinis: oportet ꝗ illa sit tanꝗ finis sub fine: actio autē vel operatio non est sicut finis sub fine: nisi quia est sicut finis interior, contingens exteriori, vel secūdum rem, vel secundū rationem, primū propter beatitudinē creaturarū, secundū propter beatitudinem dei, vt habitum est supra. Quare cum talis finis interior non pertinet ad beatitudinē, nisi ꝗa ꝑtingat exteriorē, & ei cōiungit intelligētē & volentē: ille igitur actus simpliciter dicetur plus pertinere ad beatitudinem qui magis fini exteriori cōiungit: & maxime sub illa ratione qua beatificans est, ita etiam ꝗ si alter eorum tantum coniūgat fini illi sub rōne qua beatificans est, istet alius sub alia ratione illi contingat: illi qui ille coniungit sub rōne qua beatificans est, solus dicetur pertinere ad beatitudinē, & esse beatitudo quędā vt finis sub fine: alius vero non. Propter hoc em operationes rerū naturaliū dicuntur esse fines earū, quia scilicet per ipsas pertingunt secūdū assimilationem quandā, quæ est earum finis interior, ad diuinam bonitatem, quę est earum finis exterior, sicut omniū aliorū. Et propter eādem rationem in illa virtute principaliter existit bea

titudo,vel folũ in illa cuius actus principaliter aut folum cum fine vltimo coniungit ipfum at
tingendo.Et dicũt aliqui ꝗ fini exteriori vltimo fub ratione qua beatificãs eſt, plus coniungit
actus intellectus ꝗ actus voluntatis,& plus pertingit ad illum vt ipfum affequatur intellect⁹
fiue natura intellectualis per intellectum,ꝗ pertingat ad ipfum actus volũtatis : ita ꝗ fi ipfum
affequatur voluntas fiue ipfe volens per voluntatem & actum eius, hoc folum contingit per
actionem intellectus,& nullo modo per actionẽ voluntatis,quafi volũtas & eius actio nõ difpo
nant ad ꝓtingendum & affequẽdũ beatitudinẽ,nifi meritorie eã ꝑueniẽdo in nobis:& ꝗ ad bea
titudinis actum in nobis non ꝑtinet nifi cõcomitatiue.Q̃d ponunt in nobis per hunc modũ,
dicendo videlicet ꝗ actus voluntatis non eſt neꝗ intelligit nifi vt antecedẽs affecutionẽ finis,
& ad coniunctionem cum ipfo:velut motus quidam in fine quo voluntas ex fe fine vltimũ affe
qui non poteſt,licet in finem affecutum quiefcat,alio modo iam volũtate fe habente in finem,ꝗ
prius,vel econuerfo:fiue ipfo,alio modo fe habente ad voluntatem ꝗ prius:qͩ non poteſt face
re ipfa voluntas fibi ꝑ aliquẽ fuũ actu:fed potius intellectus qui fuo actu finem per fe affequi
tur & attingit:& facit finem fic fe habere ad voluntatẽ : vt volũtas quę prius ei⁹ flagrabat de
fiderio,iam in ipfo quiefcat.Solus autem talis eſt finis interior in genere actuũ,qui cõiungitur
exteriori,& ita vt in quo folo aut maxime confiſtit beatitudo,ficut in fine interiori: immo qui
eſt ipfa beatitudo:quẽadmodum finis interior debet dici beatitudo vt actus fub fine exteriori
ꝗ eſt eẽntia ꝓincipalis obiecti:queadmodũ fi finis alicui⁹ exterior fit ꝑecunia quã actione fuę vo
luntatis defiderat habere & poſſidere:nec poteſt eam actione fuę voluntatis fibi acquirere: fed
tm̃ alterius dono poſſet eam accipere & poſſidere , Finis interior eſt non aliquis actus volun
tatis:fed tantũmodo actus accipiendi & poſſidendi ipfam ꝑecuniã,quo affequitur finẽ exterio
rem,& quo ipfum attingit poſſidens,per qͩ ipfa ꝑecunia iam fic fe habet ad eius voluntatem
vt ipfa in illa poſſit quiefcere iuxta illud quod dixit ille in Luca. Anima mea habes multa bo
na repofita in annos plurimos: quiefce : epulare &c̃. Q₂ autem ita fit ficut dictum eſt, ex par
te voluntatis & actus eius,& fimiliter ex parte intellectus & actus eius, hoc declarant fic. Di
cunt enim ꝗ actus voluntatis non eſt alius ꝗ quo quis ordinatur in fine vltimũ quem preſup
ponit,non vt iam adeptum:fed vt adipifcendum, & in quẽ fertur per defideriũ & appetitũ vt
in rem abfentem:& ita nõ poteſt ex fe affequi vt in eum quiefcat ficut in iam ꝑfentem, eo ꝗ ex
defiderio finis fiue ex actu defiderãdi finẽ inquãtũ huiufmodi,nunꝗ haberetur finis affecutio:
fed tantũ motus quidã in finem adhuc adipifcẽdũ.Et manifeſtũ eſt ex fe, ꝗ quies & delectatio
non poteſt eſſe in fine,nifi vt iam ꝑfens eſt,& ceſſat motus vt eſt ad finem.Cum ergo finis non
poſſit eſſe ꝑfens nifi ꝑ eius affecutionem,& hoc per aliquem actum eius cui eſt ꝑfens,oportet
ꝗ ille fit actus alius ab actu volũtatis,ꝗ non eſt nifi actus intellectus , fcilicet vifio dei,qua deũ
defideratũ per voluntatem iam ipfe defiderans confequitur,attingit,& adipifcitur eũ,& coniũ
gitur ei non per fuum actum,& vt exiſtentem in ipfa eius voluntate:fed vt exiſtentẽ in intel
lectu:fcilicet per apertam vifionem quę eſt per fe actio fiue operatio ipfius intellectus,eo ꝗ om̃e
cognitũ inquãtũ cognitum,ꝑfens eſt & coniunctum cognofcenti atꝗ exiſtens in ipfo,& hoc
per actum intellectus,nõ vt per fe agentis naturaliter ꝗ deus non vifus videatur ab intellectu
ficut agit naturaliter & per fe:vt obiectũ intellectuale exiſtẽs in phãtaſmate nõ intellectũ,intel
ligatur actu:fed vt naturaliter ꝑcipientis dei ꝑfentiã cum fe voluerit manifeſtare.Quia fecũ
dum Auguſtinũ de videndo deum,fi vult videtur:fi non vult , non videtur. & hoc quemad
modum in exemplo fupra dicto de ꝑecunia defiderata, cum alter voluerit eam dare, defiderãs
alio actu fuo eam accipit & poſſidet ꝗ fuit actus quo eam prius concupiuit.Si em̃ per actũ hu
iufmodi voluntatis eã habere & poſſidere potuiſſet,ſtatim ab initio volũtatis eã cõfecutus fuiſ
fet.& fic quia vltimus finis extra,folo actu intellectus vt ꝑfens confequitur,qui coniũgit illi vt
finis intra:igitur finis hominis intra & beatitudo, ĩ folo actu intellectus cõfiſtit,& ipfe eſt ipfa
beatitudo intra, & nullo modo actus volũtatis: & in eo nullo modo confiſtit nifi ficut in eo
cuius ipfa beatitudo ꝗ eſt finis extra,eſt obiectum primo appetitũ vt abfens,& in quo fecundo
mediante actu intellectus quietatur:vt in eo qͩ per actum intellectus fibi factum eſt ꝑfens,quę
quietatio in fine in ipfo quietato eſt delectatio ex ꝑfentia finis:in qua quodãmodo cõpletur bea
titudo:vt per hoc quodãmodo poſſit dici beatitudo. iuxta illud qͩ dicit Auguſtinus.x.con
feſſionum.Beatitudo eſt gaudium de veritate.Gaudiũ fcilicet in affectu de veritate vifa in in
tellectu.Vnde & fecundum hoc volunt exponere illud Auguſtini decimo de trinitate capite
decimo.Fruimur cognitis in quibus voluntas ꝓpter fe delectata conquiefcat: vt volũtas quie
fcat in cognito vt cognitum eſt & exiſtens in cognofcente.Et fic per actionem intellectus vo

litum vt exiſtens in intellectu ſe habet ad voluntatem vt in ipſo quieſcat ceſſante appetitu nõ
per actionem ſuam,neqʒ vt exiſtens in ipſa. Et ſicut hoc contingit per diuerſitatem realem in̄
ter finem interiorem & exteriorem,& inter actus voluntatis & intellectus inter ſe , & ab ipſo
intelligente & volente in beatificatione creaturę intellectualis in gloria:Sic contingit per diuer
ſitatem illorum ſecundum rationem tantũ in beatificatione dei. Qʒ̃q̃ enim deitas ſub ratione
boni ſimpliciter ſit finis omnium,qđ omnia appetunt per eſſentiã extra omnes creaturas,& ſpe
cialiter ſit finis qui eſt beatitudo omnium intellectualium in gloria beatorum,ſiue ſit creator,
ſiue creatura,eorum tamen non eſt finis vt beatificans:niſi per hoc q̃ ipſam per intellectum &
voluntatem aſſequátur,& attingant,& ei vniantur,Per hoc etiã id qđ generaliter eſt finis oĩm
& ſpecialiter finis qui eſt beatitudo intellectualium in gloria,finis eſt diuerſorum diuerſimode
ſecundum q̃ diuerſimode ſecundũ diuerſum modum vnitatis & vnitionis ipſum attingit, ali̇
ter deus,aliter creatura,ſecundũ q̃ patet ex ſupra determinatis,& iam patebit.In qua vnione
reſpectu creaturarum beatarum eſt finis extra differens ſecundum rem ab eo cuius eſt:reſpė
ctu vero dei beati eſt finis extra ſecundum rationem tm̄,differens ſola ratione ab ipſo,Et ſecun
dum hoc beatitudo dei quę eſt vt finis vltimus beatificus:licet ſit principaliter ipſa dei eſſen
tia qua beatificatur & quodãmodo perficitur: beatitudo tamen beatificans eum vt actus & fi̇
nis intra cõiungens illi fini,eſt actus intellectus ipſius,ſicut & contingit in nobis.pręter hoc q̃
in nobis omnia iſta differunt re:in deo autem ſola ratione:vt dictum eſt.Et ſecundum hoc iſti
ad quęſtionem dicerent:q̃ beatitudo principalius,aut ſolum tanq̃ in actu & in fine ſub fine cõ
ſiſtit in actu intellectus dei non voluntatis,ſicut & in nobis.Hęc(vt puto)eſt poſitio eorũ,fir
mitas,& modus.℄Vt autem videamus huiuſmodi dictorum firmitaté,quaſi a capite inchoan
L
Epilogus.
do ſingula percurramus,Qđ ergo dicũt q̃ fini exteriori vltimo beatificati plus coniũgit actus
intellectus q̃ voluntatis,& plus pertingit ad ipm̄, vel potius ſoius act⁹ intellectus ad illũ dicto
modo pertingit,& non actus voluntatis:licet ex illo inquãtum pertingit intellectus,aliquid cõ
ſequaꝷ in voluntate,vt delectatio & quies,in qua perficitur beatitudo ſecundum p̃dictum mo
dũ:Non eſt verũ:immo contrarium eſt verũ,Volũtas enim ſuo actu plus pertingit in finé vlti
mũ,& ipſi cõiungit,maxime ſub ratione qua beatificãs,eſt,q̃ intellectus ſua opatione:vel poti⁹
ſola volũtas attingit ad illũ ſub ratione qua beatificans,Ad cuius intellectũ ſciendũ eſt,q̃ quia
finis vno modo eſt cauſa cauſarum: alio vero modo effectus cauſarum,ſecundum q̃ determi̇
nat Auicenna.vi.metaphy.& habitum eſt in quęſtione pręcedenti: Idcirco duplex eſt ordo mo
tionis inter finem & illa quę ſecundum alia genera cauſarum ordinatur in finem : & ex illo du
plici ordine vnus completur quaſi circulus,incipiens a fine vltimo vt eſt cauſa cauſarũ,& ter̄
minatus in eundem vt eſt cauſatũ earum. Qđ clare patet circa opus artificiale humanũ , quia
ſecũdum primũ ordinem finis vltimus qui eſt extra,primo ſub ratione veri mouet efficientem
ſiue agenté:vt ipm̄ apprehédat ſub ratione boni cogniti per intellectũ:& ſub ratione boni mȯ
uet voluntatem alliciendo ipſam ad ſe deſiderãdu, & terminatur ordo primę motionis,& ſta
tim incipit ordo ſecundę motionis . Voluntas enim allecta bonitate finis ipſum concupiſcit
adipiſci,& mouet intellectum ad concipiendum formam motionum,& omnium aliorum quę
ſunt neceſſaria ad ipſum pertingendum:quibus conceptis mouet in operationis executionem
omnia neceſſaria vt finis conceptus adipiſcatur cum effectu,& quouſqʒ adipiſcatur non ceſſat
& ipſo adepto terminatur ordo ſecundę motionis. Verbi gratiaSia: quis carpentarius exiſtens
M
debeat domum facere ad inhabitãdum vt defendatur a caumatibus & pluuiis,primo concipit
formã inhabitationis in intellectu,& eius bonitate allicitur ad eius amorem & appetitum vȯ
luntas: quę mota & concupiſcens mouet intellectum ad concipiendũ formã domus & diſpȯ
ſitionem lapidum & lignorum,& omnium inſtrumentorum,& motionũ neceſſariarum vt for
ma domus concepta inducatur in materia:quod eſt finis inquantum eſt ędificator:ſed eſt finis
ſub fine,inquantũ debet eſſe inhabitator . Forma autem domus perfecte inducta in materia,iã
attingit finem extra,& eſt domus inhabitatio. Qʒ ſi contingeret q̃ forma domus non eſſet in
materia:ſed in intellectu tãtũ:aut qđ maius eſt,in ſe ſeparata potes ſe facere i intellectũ aliqué
ſi vellet,& nequaq̃ ſi non vellet,nec q̃reretur ei⁹ corporalis & materialis inhabitatio: ſed ſpiri
tualis tãtum:vt volũtas,vel potius habens voluntatem eam ſpiritual̇ter vellet inhabitare:tũc
non quęreretur materia,neqʒ forma inſtrumétorum & motionum quibus forma domus indu̇
ceretur in materia:ſed forma domus ſeipſam ſecundum ſeipſam non ſub aliqua ſpecie aliena fa
ceret ſe in intellectum,qui eã nõ haberet in ſe naturaliter:ſed poſſet promereri vt in ipſam per
eſſentiam ſuam veniret:& moueret,& alliceret ſua bonitate & fructu inhabitatiõis voluntaté

ad ſe concupiſcendum:quę allecta moueret volentem ad concipiendum formam neceſſariorū ad ipſam promerendam:quibus conceptis moueret voluntas illa in actum quouſcp per eſſentiā ſuam in intellectu in ſe faceret: quo facto ſtatim voluntas vel habens voluntatem per volunta= tem ſe transferret in eam,& eam inhabitaret . Q2 ſi intellectus naturaliter illam in ſe haberet: ad nihil amplius moueret:ſed per actum voluntatis ſe in eam transferret,& eam inhabitaret.

¶Quo viſo deſcendendo ad propoſitum dicimus,cp in ordine primo finis non eſt principiū mo tionis ſub ratione qua eſt finis & bonū:ſed ſub ratione qua eſt forma,& quoddā verū . ſub tali enim ratione mouet primo intellectum,eliciendo ex ipſo vt iam formato per ipſam,actū cogno ſcendi ſe & intelligendi,ſicut quoddam bonum.Intellectu vero ſic moto ipſum bonum iam co gnitum ſub ratione finis metaphorice mouet voluntatem ad ſe appetendum tanĝ bonum : & ad proſequendum ea quę ſunt neceſſaria ad hoc vt ipſum adipiſcatur,& prius non ceſſat: dum tamen per eſſentiam nō ſit naturaliter in intellectu:queadmodū diuina eſſentia non eſt in in tellectu creato ſub ratione cogniti:licet ſub ratione conſeruantis.Si autem per eſſentiam & na turaliter ſit in intellectu ſub ratione cogniti:queadmodū diuina eſſentia eſt in intellectu diui= no,ſtatim voluntas transfert ſe in ipſum.Similiter & voluntas creata cum per eſſentiam ſe prę ſentauerit viſui intellectus,& hoc abſcp omni actu appetitus,aut cōcupiſcetię intermedio, im= mo eadē vi qua in ipſam non habitā mouebatur per appetitū,ipſa iam habita in intellectu vt forma quodāmodo intellectus,ceſſante iā omī motu appetitus,fertur in ipſum per actū amādi ſub ratione finis terminantis & complentis & ſatiantis omē deſiderium appetitus,iuxta illud Pſalmi.Satiabor cum apparuerit gloria tua.Cum apparuerit gloria viſionis in intellectu,ſatia bor,completo omni deſiderio in affectu . Et eſt hic opus conſiderare triplicem differentiam in adipiſcēdo tale quid per intellectum & voluntatem,& in coniunctione ſua cum illis. Ex quib9 patebit in quo illorum,& in cuius actu principaliter conſiſtat beatitudo.Quarum prima eſt:cp finis ille ſeipſum facit in intellectum creatū,& naturaliter eſt in intellectu diuino increato,nec ſit in ipſo:immo naturaliter eſt in ipſo exiſtens:& p hoc cp finis ſub ratione veri exiſtit in intel= lectu:ipſe intellectus quaſi vnum exiſtens ex intellectu & intelligibili , elicit actum intelligen= di ex intellectu per intelligibile,tanĝ per formale principium exiſtens in eo: vt ordine quodam ratiōis quaſi primo exiſtit illud in intellectu ſicut forma,& quaſi ſecundo elicitur ex intellectu actus intelligendi.Et eſt ipſe actus intelligendi quaſi forma quaedam in intellectu ſuper vtrūcp illorum inquantum actū eliciunt:licet ipſum obiectū actus intelligēdi vt eſt terminus eius, eſt quaſi forma ipſius actus.Ecōuerſo aūt contingit in actione voluntatis. Voluntas enim pri mo allecta ſua actione ſeipſam transfert in ipſum obiectū ſibi preſens primo in intellectu: & per actum ſuū facit cp illud idem ſit ſibi pſens ſecūdo,verius ĝ ſit ſibi aut intellectui pſens in intel= lectu:& verius exiſtens in ipſa voluntate ĝ in ipſo intellectu , maxime ſub ratione finis beatifi= cantis: vt iam patebit. ¶Falſum eſt ergo dictum illorum quo ad illum articulū quo dicunt cp

actus intellectus cōiungit fini vltimo,immo finis ſub ratione formę ſe coniungit intellectui ad eliciendum actum intelligēdi. Verū autem eſt cp ipſa volūtas ſe ſuo actu volendi vnit eidē ſub ratione finis,& pertingit ad ipſum:qd nō facit intellectus per ſuum actum,neɋ omnino adipiſ= citur ipſum propter eandem rationem.Ex quo ſequitur ſecunda differentia:cp licet illud vlti= mū vniatur quodammodo intellectui:& pertingat itellectus ad ipſum: atɋ ipſum adipiſcatur licet non actione ſua:ſed ipſo ſeipſo illabendo intellectui creato vel naturaliter in diuino intel= lectu exiſtendo:perfectius tamen illud adipiſcitur voluntas ſua operatione,& vnitur eidem il= lo cooperant e,ĝ intellectui vniat ſeipſum . quia intellectui non vnitur ſeipſo niſi vt forma quę dam intellectus non inhęrens:ſed expreſſa in ipſo, & aſſimilans quodammodo ſibi intellectum ſecundum cp intellectus ſcdm actum eſt intellecta ſcdm actum,ſcdm determinationem philo= ſophi.iiii.de anima.Voluntas aūt vnit ſe illi,non vt formę aſſimilanti:ſed vt fini & bono: quaſi ſeſe vi amoris per actum ſuum in illud quaſi tranſubſtātiādo ſiue transformando & conuertē= do.Amor enim ſiue actus amoris qui eſt actus voluntatis , vim quādam conuerſiuam habet amātis in amatum.iuxta illud qd dicit Dionyſius.iiii.capite de diuinis nominibus. Omnia ad ſeipſum bonitas conuertit:& optimū eſt in qd omnia conuertuntur ſicut in propriam ſingu= lorum ſummitatem,& illud concupiſcunt omnia, intellectualia quidem & rationalia ſcienter, ſenſibilia vero ſenſibiliter,ſenſus autem experta inſito motu vitalis appetitus,tantūmodo aūt exiſtētia ad ſolam eſſentialem participationem.& infra.Eſt autem eſtaticus diuinus amor,nō ſinens ſeipſa eſſe amantes:ſed amandorum.hoc eſt,non ſinit cp maneant ipſi qui erant:ſed facit vt ſint ipſi qui ab eis amant.Qd declarat continuo per illud qd dixit Paulus de ſeipſo,ſubdēs.

Proinde & Paulus magnus excellentia diuini amoris factus , & mente excedente sua , virtutē assumens diuino ore, Viuo ego ait, iā non ego: viuit aūt in me Christus. Vt vere amator & mē te excedens sic inquit: deo non ipsam sui viuens sed ipsam amatoris vitā, vt himis dilectissimā. & infra. Dilectū quidē & amatū vocant bonū & optimū, amorem vero & dilectionē, vt mouentē & vt reducentē virtutē in eū qui est in seipsum solū ipm per seipsum bonū & optimū, & amato rium motū simplū per seipsum actiuū preexistentē in optimo & ex optimo in existentib⁹ emanā

**Q** tē, & iterū in optimū conuertentē se. Quid est ergo? nūquid amato pfectius vnit amor in actu volūtatis amātē, q̄ in intellectu vniat cognitū cognoscēti: vtiq̃: quāto magis est idē esse quodā modo, q̄ simile. Propter qd̄ nō dicit de cognitiōe qp sit vis vnitiua: sicut hoc dicit Dionysi⁹ de amore subdens. Amorem siue diuinum, siue angelicum, siue intellectualem, siue aīalem, siue na turalem dicamus, vnitiuā quandam & continuatiuā intelligamus virtutem. Vnde propter il lam idētitatem cum fine vltimo qui deus est, tanq̄ in quo cōsistit perfectio beatitudinis , dixit Boethius qp omnis beatus deus est, & hoc per essentiam deitatis, licet participatiue: vt habitū est in pcedēti questione. Q d̄ bene exprimit Dionysius cum dicit. i. Cap. Ecclesiast. Hierar. Dei ficatio est ad deum sicut est possibile, & assimilatio & vnitio. Vniuersę autē hic cōmunis Hie rarchię finis & ad deum, & ad diuina intenta dilectio diuinitus, & potenter sanctificata. Vnde & quia maior est illa per volūtatem vnitio & intimoir, q̄ sit illa per intellectum assimilatio: ideo Hugo super. vii. cap. Coel. Hierarchię dicit. Dilectio superueniēs scientię maior est intelligētia. plus enim diligitur q̄ intelligitur. Dilectio intrat vbi sciētia foris stat. & infra. Nec dissimulare valens, donec ad amatum peruenīat, eo adhuc amplius sitiens intrat in ipsum, & est cum ipso, & tā prope: vt si fieri possit, hoc idem ipsum sit qd̄ ipse. & infra. Vt pre amore illius qd̄ solū di ligit, ille etiā qui amat, quodāmodo a semetipso despiciatur. Fit ergo miro quodā modo: vt dū per dilectionis ignem in ipsum sustollitur qui est supra se, per vim amoris expelli incipiat & exi re etiam a se. Vnde quia perfectio rei consistit in quadam vnione cum suo perfectibili : idcirco quāto maior sit vnio voluntatis bono vt fini per amorem , q̄ fiat intellectus vero vt formę per cognitionem: tanto maior est perfectio rei a fine sub ratione finis, q̄ sub ratiōe formę. Ex quo se quitur tertia differētia: qp magis perficiatur res actione volūtatis qua habet bonum vltimū fi bi obiectum sub ratione boni & finis: q̄ actione intellectus qua habet ipsum obiectum sub ratio ne veri & formę. Et est finis iste quem attingit intellectus, omnino sub fine quem attingit volū tas: sicut finis q̄ est forma domus, sub illo q̄ est inhabitatio domus. Dom⁹ nostra spūalis quā ha bemus inhabitare, bonum nostrū est, de qua dixit Christus. In domo patris mei māsiones mul tę sunt. secundū diuersa scilicet genera premiorum in vna cohabitatiōe per premium vnū sub stātiale, iuxta illud. Q̃; bonū, & q̄ iucundū habitare fratres in vnū. qd̄ scilicet est idipsum: quia deitas, in qua nulla est diuersitas. Amando enim ( vt dicit August. sermo. ii. sup Ioannē ) habita

**R** mus corde. ℂ Patet igitur ex dictis qp multo perfectius adipiscitur finē volūtas actu suo q̄ intel lectus : & etiam qp licet ipsum intellectum aliquo modo adipiscatur, hoc non est sub ratione fi nis & beatificantis, sicut ipm adipiscīt voluntas: sed solū sub ratiōe formę, & ad cōplemētū bea titudinis disponentis propter quā est : queadmodum forma domus propter eius inhabitatio nē. Quare cū ( vt dicūt ) ille actus solūmodo est finis interior qui vnit & coniūgit fini exteriori & ita in quo cōsistit beatitudo ipsa, queadmodū potest constare in actu secundū determinata in pcedēti questione: idcirco simpliciter est dicēdū, si ita sit, qp in solo actu voluntatis cōsistit beatitudo, & nullo modo in actu intellectus. Et bene verum est qp nullo modo consistit in actu intellectus, vt quo finis adipiscīt: aut qui coniūgit fini: maxime sub ratione beatificātis. In ipso tñ consistit inquantū finem attingit sub ratione formę, ipsum quodāmodo informantis. & hoc inquatum actus intelligēdi siue visionis elicitus per illā formā illapsam intellectui ex ipō intel lectu, terminat ad eande: per qd̄ ipsa sit pfecte quasi forma intellectus vt est actu intelligēs: & p hoc habet finis qui est quasi forma domus, q̄ ordinat ad finē qui est inhabitatio: quē adipiscitur actus voluntatis: vt dictū est: & in illo cōsistit beatitudinis cōplemētū. ℂ Q d̄ ergo pdicti vlteri⁹

**S** dicūt, qp actus voluntatis non intelligitur nisi in veluti antecedēs assecutione finis, veluri motus qui dā ad ipm & c̄. istud dictū est quasi nō sit ali⁹ act⁹ volūtatis q̄ appetere absens & desiderare. Q d̄ falsissimū est, tūc em volūtas dei & beatorū nullū actū oīno haberet, & fruitio actio nō diceret voluntatis: sed passio: eo qp obiectū ibi semp est psens. Est etiā aperte cōtra illud qd̄ iā dictū est scdm beatum Dionysiū, vbi dicit Amore esse vt mouetē & reducentem virtutem in eū qui est in seipm, & amatorium motum actiuum preexistentē in optimo & ex optimo in existentib⁹ emanantem, & iterum in optimū couertentē se. Per hoc enim qp bonum absens desideratū pre

ſens ſactum eſt in intellectu ſecundum actum,non tam ex eo ϙ eſt motiuū intellectus in actū,
ſed potius ex hoc ϙ eſt terminus intellectualis operationis, ex ipſo tanϙ ex bono cognito ema
nat actus amatorius in volūtatem: quo iam ceſſante deſiderio,cōuertit ſe in ipſum altero actu
volūtatis perfectiori & nobiliori,quo ſe fini imprimit,& immergit,atϙ inhęret,& ipſo fruitur,
in quo perfectio beatitudinis conſiſtit . Et ad iſtam conſecutionem finis ordinatur illa quæ fit
per actum intellectus.Et huic dicto melius cōuenit exemplum de auaro & pecunia. Perfectius
enim habetur finis per actum voluntatis,& poſſidetur,ϙ̄ intellectus.immo nec poſſidetur,nec
habetur per intellectum,aut actum eius ſub ratione boni & finis ſiue beatificantis:ſed ſolū ſub
ratione veri:vt dictum eſt.Vnde Auguſt.de morib.eccleſi.Bonorū ſumma de⁹ nobis eſt.Deus
eſt nobis ſummū bonum:neϙ infra remanendum nobis eſt, neϙ vltra quęrendum . Alterū eſ̄
periculo fit,alterum nullum.& infra. Secutio dei,beatitudinis appetitus eſt: aſſecutio autē ipſa
beatitas.& infra. Id autem eſt ſolus deus: cui hęrere certe non valemus, niſi amore, dilectione
charitate.& infra.Si ſapientia & veritas non totis animi viribus concupiſcatur, inueniri nullo
modo poteſt.At ſi ϙ̄raſ̄ vt dignum eſt,ſubtrahere ſeſe atϙ abſcondere a ſuis dilectoribus non
poteſt.Amore petitur,amore quęritur,amore pulſatur,amore reuelatur,amore deniϙ in eo qꝺ
reuelatum fuerit permanetur.& hoc tanϙ proprietate:cui reſpondet ſuperior actio.Propter qꝺ
dicit ſuper illud Pſalmi.xvii.Aſcendit ſuper Cherubim: exaltatus eſt ſuper plenitudinem ſcien
tię:vt nemo ad eum peruenīret niſi per charitatem.Vnde cum ſecundum Dionyſium.vi.Cap.
Cœleſtis Hierarchię,oēs cœleſtes intellectus a deiformibus proprietatibus habet denoſationes
altiores circa deum immediate collocare: tāϙ ab altiori proprietate Seraphim,hoc eſt ardentes
ſiue calefacientes nomīatur.Q₂ ſi forte pręter actum voluntatis imperfectum & pręcedētem       **T**
notitiam imperfectam,qui eſt deſiderare,ponant alium actum voluntatis qui eſt imperfe
ctum quidem,cum nondum habetur perfecte,vt pręſens per intellectum : perfectum vero cum
per intellectum perfecte habet:in ipſo tamen eſſe beatitudinem principaliter, negant, dicentes
ϙ amare non poteſt eſſe vltimus finis:quia amatur bonum non ſolum quādo habetur:ſed etiā
quando non habetur.Ex amore enim eſt ϙ non habitum deſiderio quęratur:& ſi amor iam ha     **V**
biti ſit perfectior,hoc cauſatur ex hoc ϙ bonum amatum iam pręſens habetur. Hoc autem qꝺ
pręſens habetur,eſt per intellectum.Aliud ergo eſt habere bonum qꝺ eſt finis,ϙ̄ amare . Sed ad
hoc eſt dicendum ϙ amare licet non ſit vltimus finis ſimpliciter:eſt tamen vltimus in genere
actuū.Non autem illud amare imperfectum,quo non habitum deſideratur:ſed perfectum,quo
iam habito,perfecte quis fruitur:ex eo quidē ϙ pręſens habetur,primo per intellectū vt forma:
ſed ſecūdo multo perfectius per voluntatem: vt finis beatificās:vt dictum eſt,& dicetur. Et qꝺ
vlterius aſſumunt,ϙ voluntas finem ſuum ſuo actu non aſſequitur : quia tunc ex eo ϙ finem
appeteret,iam ei pręſens eſſet: Nō eſt verum:Sicut cupido non ex hoc adeſt pecunia ϙ eam con
cupiſcit.Et bene verum eſt ϙ iſto actu ſuo imperfecto qui eſt quaſi motus exiſtens in potentia,
non poteſt eū aſſequi cum ſit abſens:vt p ipſum fiat pręſens:quēadmodum nec deſiderans do
mum inhabitare,ex hoc deſiderio habet domum præſentem ad inhabitandum. Immo oportet
ϙ per intellectum ſibi prius formet domum in intellectu ſecundum exigentiam finis & eius de
terminationem,qui eſt inhabitatio:qua formata ſi non eſſet domus in materia,ſtatim volunta
te ferretur in eam ad inhabitandum: vt dictum eſt ſupra:& iſto actu ſolūmodo adipiſceretur fi
nem intra,qui eſt forma domus in mente,coniungendo cum fine extra qui eſt inhabitatio:& eſ
ſet vanus ille finis adeptus per intellectum,niſi alius finis adipiſceretur per voluntatem. Et ita
ſicut habita forma domus apta ad inhabitandū,in fine vltimo qui eſt forma domus nunϙ ϙeſce
ret ædificator qui eam ſibi fabricauit ad inhabitandum , niſi eam adipiſceretur ſicut finem in
habitādo in ea:aut vanū eſſet & fruſtra & inutile eam feciſſe:ſic habito vltimo fine in intellectu
ſub ratione formę aptę ad fruendū,in fine iſto qui eſt forma & finis ī intellectu,nunϙ quieſceret
qui eam concupiuit:niſi eam adipiſceretur ſibi vt finem fruendo ea.Et ita modicum eſſet,mul
tum videre diuinam eſſentiam,immo quaſi vanum, ſi voluntas modo perfectiori & modo vl
teriori non aſſequeretur eam, & ſub ratione finis vlterioris ad quem ordinatur charitas tanϙ        **X**
donum ſupremum.Quod aperte teſtatur Auguſtin⁹ de verbis Domini ſermo.xi.Vbi loquens
de excellētia charitatis dicit.Qꝺ cōmune eſt patri & filio,per hoc nos voluerunt habere cōmu
nionem & inter nos & ſecum,hoc eſt per ſpiritum ſanctum & donum dei.In hoc enim reconci
liamur diuinitati,eaϙ delectamur.Nam quid nobis ꝓdeſſet quicquid boni noſſemus: niſi etiā
diligeremus! Sicut autē veritate diſcimus,ita charitate diligimus:vt & plenius cognoſcamus
& beati cognito perfruamur . Reuera charitate diligimus in vita iſta : & meremur vt per

Ff iii

speciem plenius cognoscamus, & tunc demum cognito perfruamur, & perfecte per hoc simus
beati.Falsum est ergo cp quietatio est in fine vt est presens intellectui,sicut dicunt. Immo posi
to per impossibile cp sit ita, & non sequatur per actum voluntatis fruitio:qua tanq actione per
secta voluntatis fieret alia & perfectior finis adeptio: nullo modo esset voluntas quietata,& ita
nec beata.queadmodum libidinosi amatores formarum muliebrium non sunt contenti visio
ne,nec quiescunt nisi cum ea fruantur tactu & corporum coniunctione.Vnde qui tollunt illu
actum secundum voluntatis,& perfectionem que per ipsum ex coniunctione cum fine vltimo
adipiscitur,psecto negant nos posse esse beatos:aut tollunt qd psectius est,& in beatitudine ma

Y ius,licet hoc non intendant. Et est hic aduertendu:cp voluntas suo actu secundo sibi finem
suum assequitur , & sibi facit eum presentem : inquantum actu amatorio quasi transforma
tur amans in amatu:qui est perfectior modus q quo est presens vt forma in intellectu.Qz si nõ
esset talis presentia & vnio per actum voluntatis:tunc in visione intellectus esset perfecta beati
tudo:quia nõ restaret actus aliquis voluntatis quo perfectius ipsum assequeretur.Tunc em de
sideriu precedes nõ esset nisi vt videretur per sui presentiam in intellectu: qua habita cessaret
omnis appetitus eius & perfecte quietaretur:quia non esset aliter natum ipsum consequi q per
psentiam eius in intellectu: & sic nihil de essentia beatitudinis esset in voluntate:sed solummo
do concomitans delectatio ex illa presentia , tanq passio quedam superueniens visioni.in quo
perficitur sentetia illorum.Sed non est ita:quia(vt patet ex predictis)non cessat appetitus nisi
volutas suo actu psectius fine adipiscat q adeptus sit ipm intellectus. Vn & appetitus pcedens
principali⁹ erat finis vt eet obiectu i qd trasformaret volutas:q vt esset obiectu quo informaret i
tellectꝰ:& etia pricipali⁹ erat ipsi⁹ act⁹ voluntatis vt psecte bonu amaret,q intellectꝰ vt psecte ve
rum cognosceret. Semper enim potetia pricipalius se appetit perfici in suo proprio actu, q alia
in actu suo.Vnde cum eade est ratio finis & appetibilis,& per cosequens beatificantis : vt finis
ergo principaliter beatificans tanq obiectum.est bonum sub ratione boni:vt finis sub fine,est ve
rum sub ratione veri obiectiue,& principaliter beatificans:& finis vt actus,est actus volutatis:
& finis sub fine,actus intellectus.& sic omnino principalius est beatitudo in voluntate q in in
tellectu. Vnde quia secudum Augustinum.xi.de ciuitate dei,ea re frui dicimur que nos nõ ad

Z aliud referenda delectat: obiectum aute intellectus & eius actus referenda sunt ad actum volu
tatis:& similiter actus voluntatis ad eius obiectu:vt per ipm assequitur:propriissime ergo sola
obiecto voluntatis inquantum huiusmodi fruendu est:& in ipso solo vt tale,perfecta ratio bea
titudinis consistit.Vnde secundum hoc debet exponi supra posita definitio frui. Fruimur em
visis,&c.non ratione qua visa,& vt in visione consistunt: sed vt preuio actu visionis fertur suo
actu voluntas in ipsa,& quiescit in cognito,non vt cognitum est & existens in intellectu:& vt
non cesset appetitus in eo vt sic existens: sed vt quiescat in prius cognito,& vt iam amato,exi
stens in voluntate: vel potius volutas in ipso sua actione transformatur.Vnde illa adeptio per
intellectum,non est finis qui est beatitudo:nisi sub fine:qui est adeptio eius per voluntatem, &
ita sicut finis necessarius & ministerialis ad finem principalem.Et est prima coniunctio cum fi
ne per intellectum imperfecta,& perfecta per voluntate:cui superuenit perfecta delectatio in ea
dem voluntate ex actu fruitionis & degustationis diuine dulcedinis per actum volutatis, mul
to maior q posset in ea supuenire ex actu & visione intellectus:vt nulla perfectione consequat
voluntas per redundantiam ab intellectu,& eius actu:sed magis econuerso. Per hoc enim cp se
cundum pdicta amor penetrat vbi scientia preueniens amorem foris stat: illa penetratio quia
non potest latere intellectum,facit viam vt vlterius penetret per cognitionem sequendo amo
re,q penetrare potuit ipsum preueniendo.Et per hunc modum ex eo cp voluntas suo actu fine
attingit,reddudatia qda claritatis fit in intellectu : qua lympidius coteplat veritate increatam
pedissequa existens voluntatis,q ipsam conteplabatur existens eius preuia: ita cp si intellectus
videns penetrare voluntatem per amorem,foris remaneret stans, anxiaretur , & summo desi
derio naturali intus admitti peteret: quia aliter in intellectu actus visionis gloriose compleri
nõ posset.Vnde sic licet foris stetit:vt amore preueniens:& plus diligitur deus amore sequente
q intelligatur notitia preueniente, secundum cp dictum est supra secundum Hugo. inquan
tum tamen sequitur amorem intrat cum ipso,& parificatur ipsi:vt tantu intelligatur,quantu
diligit.& in ista equalitate beatitudo pficit,& in obiecto beatificate,& i volutate i eo pmanete.
iuxta illud qd dictu est supra sm Augu.Amore reuelat,amore deniq in eo qd reuelatu fuerit
pmanetur:bono cognito per intellectu inflamate amore ad penetradu,& amore penetrate bono
amato illuminate itellectu ad cognoscedu : p qd semp qsi iterato inflamat amor ad penetradu

& ſemper quaſi illuminatur intellectus ad cognoſcẽdũ: vt notitia inflammans puocando appe
titum ſemper toilat faſtidium:& amor penetrans inhęrẽdo ei qd appetitur,ſemper inueniat ſa
tietatis complementũ Et ſicut prędicta intelligimus in beatitudine creaturę penes differẽtiam
realem eorum quę ad beatitudinem illius concurrunt: ſic intelligenda ſunt circa beatitudinẽ
dei penes differentiam illorum ſecundum rationem tm̃.

¶Ad primum in oppoſitum, de Ioannis.xvii.Hęc eſt vita ęterna: vt cognoſcãt te
verum deum: Verum eſt eo modo quo intelligere eſt viuere quoddã & ſimiliter velle. Et ideo
ſimiliter hęc eſt vita ęterna:vt diligant te verum deum.Vnde non arguit hoc aliquam princi=
palitatem : ſed q̃ in vtroq̃ actu conſiſtit beatitudo. ¶Ad aliud de Ioannis.xiiii. Domine oſtẽ=
de nobis patrem,& ſufficit nobis: Dicendum q̃ ſufficiebat pro illo deſiderio quod tunc habe=
bant non vſquequaq̃ relatum,non attendentes perfecte in viſione beata inſeparabilem eſſe noti
tiam perſonarum.Propter qd Dominus quaſi reducẽs eos ad regulã,ſubiunxit.Philippe,qui vi
det me,vídet & patrem meum.Deſiderium autẽ perfectum vere beatorum non completur in
ſola viſione,nec vnius perſonę,ſed totius trinitatis,& ſi per impoſſibile dilectio ſecludatur : vt
dictum eſt.Q̃ ſi forte illud dictum,Philippe. recta & perfecta regula fidei erat ſolidatum:vt veri
tatem ſolidam habeat dictum eius: tũc dictum illud ſicut & illa dicta quę videtur ponere bea=
titudinem in ſola viſione:vt eſt illud, Viſio eſt tota merces: debet exponi pro actu vidẽdi vt in
ſeipſo contineat etiam quicquid neceſſario ipſum comitatur . Quia enim non poteſt videri ni=
ſi ſumme diligatur,ideo & in tali viſione intelligitur etiam dilectio:ſicut & in viſione patris in
telligitur viſio totius trinitatis: quia inſeparabilis eſt. Vel poteſt dici q̃ talia dicta poſſunt in=
telligi comparando dei viſionem ad viſionem creaturarum.¶Ad ſecundũ de Philoſopho,q̃ fe
licitatem ponit in actu ſpeculationis:Dicendum ad hoc q̃ Philoſophus ibi ſub ſpeculatione cõ
prehendit actionem totius partis intellectiuę.Si cognitiuę & volitiuę, ſecundum q̃ ambę ſunt
circa diuina & ſeparata,cognitiua in illa intelligẽdo, volitiua in illa amando.Sed diſtinguit ibi
ſpeculationẽ contra factionẽ quę fit per habitum artis,& contra actionem quę eſt ſecundum vir
tutes morales:argumẽtando ſic,ſecundũ q̃ Commentator dicit ibidem. In quo deo felicem eſ=
ſe,& beatitudo eſt,in hoc & nobis vt poſſibile.Deo autem felicẽ eſſe & beatitudo eius eſt in ſpe=
culatione. ergo & nobis . Deo autem eſſe felicitatem in ſpeculatione,oſtendit dicens, q̃ omnis
operatio vel actiua eſt,vel factiua,vel ſpeculatiua.Si igitur diuinum operãs neq̃ facit factibilia,
neq̃ agit opera moralia,relinquit q̃ non eſt ei operatio niſi ſpeculatio. Et eſt manifeſtũ q̃ inſuf=
ficiens eſſet eius diuiſio niſi ſub ſpeculatione comprehenderet operationem voluntatis, quę eſt
velle & amare bonum prꝫſens diuinum: in cuius ſpeculatione ponit hominis vltimam felicita=
tem, tanq̃ in nobiliſſimo ſpeculato . Illud enim velle non eſt facere per habitum artis ipſa facti
bilia:vt domũ vel ſcamnũ:neq̃ agere per virtutes morales opera iuſtitię,tẽperantię,aut fortitu
dinis:& tamen deus non caret illa operatione ſuę voluntatis in amando ſeipſum cum ſe ſpecu
latur.quod non eſt ponere ignoraſſe Philoſophum:& ſi ipe ignoraſſet nec poſuiſſet,theologi ta
men hoc non debent ignorare:ſed ſupponere.Et q̃ hoc non ignorauit, ſed q̃ comprehendit vo
litiuam cum cognitiua ſub ſpeculatione , & q̃ non diſtinguat volitiuam a cognitiua in attri=
buendo alicui potentię felicitatem ſpeculatiuam , patet ex hoc qd dicit in principio illius par=
tis.Si autem eſt felicitas ſecundum virtutem operatio,rationabile ſecundum optimam:hęc aũt
vtiq̃ optimi,ſiue vtiq̃ intelligit hoc ſiue illud.qd quidem vtiq̃ hoc ſecundum naturam vide=
principari & dominari.vbi dicit antiqua translatio. Siue hoc ſit intellectus,ſiue alia potẽtia cõ
gnata ipſi: de qua putatur q̃ dominatur naturaliter vniuerſis volitiuę potentiis.Et conſtat q̃
illa non eſt niſi voluntas:quę eſt ſuprema potentia:vt habitum eſt ſupra. Et licet non diuidat
operationem voluntatis ab operatione cognitiuę in ſpeculando,potius tamen videtur felicita=
tem attribuere cognitiuę q̃ volitiuę:quia poſuit forte volũtatem de neceſſitate ſequi determi=
nationem rationis,& per hoc actionem voluntatis debere referri ad rationem:ex cuius habitu
ſtabiliũtur operationes & rationis primo , & voluntatis ex conſequenti . Vnde in volunta=
te nullum habitum poſuit regulantem ipſam in volendo ſecũdum opinionem plurium. Licet
ergo in actione voluntatis eſſet perfectio beatitudinis , propter tamen habitum regulantem
exiſtentem in cognitiua,potius ei beatitudinẽ attribuit. Ex quo plane patet q̃ vanum ſit theo=
logis ſequi philoſophum in ponẽdo felicitatẽ in pura ſpeculatiõe intellect⁹ tã in deo q̃ in beatis
eo q̃ philoſophus ſic poſuit eã in hoïe: qui aliter ponere nec debuit,nec potuit, ſecũdũ p̃dicta.
Sed forte dicet aliquis:q̃ pħus etiam deorũ beatitudinẽ non minus ponit in pura ſpeculatione

C

intellectus nõ volũtatis aut obiecti intellect⁹,q̃ hominũ. Q d patet ex hoc q̃ p beatitudinẽ dei quã ponit in intellectu,probat beatitudinẽ hoĩm solũ esse in speculatiõe intellect⁹,vt dictũ est. Et põt dici q̃ hoc nõ arguit quin deorũ beatitudinẽ bñ posuisse potuit principaliter i volũta-te etiã si volũtas sequeret rationẽ:qa et si poneret beatitudinẽ dei principaliter in volũtate,ali-quo tamen modo necesse habuit ponere eam in intellectu,& in actu eius:sicut & nos ponimus eã,Et tunc similitudinẽ suam adducit nõ pro tota beatitudine:sed solũmodo pro portione illa qua cõsistit in intellectu,quod sufficit ei ad suũ propositũ.An vero deorum beatitudinem po-suit in sola actione intellectus,an principaliter in volũtate & in obiecto eius, de hoc nihil habe-mus ab ipso nec in.x.Ethicorum.nec in.xii.metaphy.vbi loquitur de hoc,& nõ alibi quãtum vi-dere potui.CAd quartũ q̃ res solũmodo quiescit in finem adeptũ per virtutem illam qua mo-

**D**
**Ad quartũ**
uetur in finẽ distantem &c̃.Dicendum q̃ in re qualibet alia a deo differunt eius actio qua mo uetur in finẽ distantẽ,& eius operatio circa finem iam sibi cõiunctũ.quẽadmodum in homi-ne differũt desiderium siue appetitus quo tendit in finẽ,& amor quo fruitur sine: & procedũt ambo ab eadẽ virtute:& ab vtroq̃ istorum differt quies,qua res sine adepto quiescit in ipo.q̃m vtrũq̃ illorum est ab ipsa virtute rei,quies autem nõ est a virtute : sed a defectu virtutis natẽ causare motũ sibi contrarium.Verbi gratia,graue cũ est extra cẽtrũ, virtute suẽ grauitatis ha bet actione qua mouet ad centrũ & acquirit ipsum sibi:cũq̃ fuerit ei acquisitũ,tunc per eandẽ virtutẽ habet operationẽ qua se tenet in centro, in quo habet perfectionẽ sui esse. Quã quidem operationẽ ex cessatione motus ad centrum concomitatur quies vt illius motus priuatio: quæ nõ est a virtute:sed a defectu illius virtutis,& hoc duplicis.Primo illius qua prius mouebatur ad centrũ nõ in sua essentia:sed a sua impfectione qua erat in potentia,& causatiua motus quã amittit acquirẽdo perfectionem & actum contrarium illi potentiẽ,ex hoc q̃ attingit cẽtrũ. Se-cundo causatur illa quies a defectu virtutis exterioris, quẽ violẽter posset ip̃am mouere extra cẽtrum. Vnde aspiciẽdo ad defectum virtutis isto duplici modo,dicit Auerrois in fine de sub-stantia orbis.Oĩs motus est a virtute, & omne qd caret causis motus,necesse ẽ habere quietẽ q̃ est eius priuatio:& priuatio nõ est a potẽtia:& terra debet habere quietẽ infinitam,quẽ est pri uatio motus:quia caret agente motum in ea cum quies sit priuatio & non habitus,sicut ẽsti-mauerunt quidã,qui dixerunt q̃ quies est in ea,per virtutem:immo inest necessario per priua-tionẽ virtutis. Falsum est ergo q̃ res solũmodo quiescit in finẽ per virtutem qua mouetur ad ipsum:immo nec quiescit in ipso per virtutem:sed potius per defectum eius, vt dictum est: & per illam virtutem habet operationẽ qua se tenet in fine,& perfectionem suam in isto:quẽadmo dum terra tenet se in centro,& per hoc habet suam perfectionẽ.Propter hoc dicit Philosophus ii.cẽ.& mun.q̃ terra non mouetur omnino.Vbi dicit Cõmẽtator, q̃ terra non potest cõprehe dere nobilitatem per operationem:sed forte per quietem tantũ:quia erat valde vile.Dicit aut for te quia vilis est sua operatio qua se tenet in centro, & modica:vt modicum distet a priuatio-ne & quiete . Est tamen operatio aliqua , in qua consistit sua perfectio , differens ab operatione

**E**
sua quẽ est actio qua mouetur ad centrũ:vt ip̃m apprehendat cũ est extra ipsum.Confimiliter descendẽdo ad propositũ,dico q̃ voluntate mouetur in finẽ nõ habitũ actione imperfecta,q̃ est actio nõ opatio,& nõ quiescit p ipsam in fine cũ habet: sed tenet potius se in fine,& imergit se illi sua operatione in qua cõsistit sua perfectio cessante motu in finẽ.Ex cuius cessatione opera-tionẽ illã circa finem cõcomitat quies quẽ est priuatio illius motus:& nõ est a virtute:sed po-tius a defectu virtutis secundũ dictum modum.Vnde licet in ista quiete volũtatis non consi-stat beatitudo:bene tamen consistit in operatione illa cui est quies ista annexa,per quã volunta

**F**
**Ad quintũ**
tẽ potius psens fit finis q̃ p actum intellectus:vt dictum est,& iam amplius dicetur.CAd quin tum.q̃ habito actu videndi per intellectum,non indigemus actu amandi per voluntatem : sed econuerso:quia habito actu videndi cessat desiderium,non habito autem actu videndi & habi to actu amandi,habetur desiderium videndi.sicut cum quis amans amicum non videns eum desiderat ipsum videre:cum autem ipsum videt,nihil vlterius desiderat: Dicendum q̃ duplex est actio voluntatis . Vna quẽ est proprie motus in finem : vt est actio appetendi aut deside-

**G**
randi . Alia quæ proprie est operatio circa finem : vt est actio amandi, quẽ ante visionem est imperfecta:sed perfecta post visionem.Q̃z igitur dicitur:habito actu videndi per intellectum, non indigemus actu amandi per voluntatem:sed econuerso: Dicendum q̃ si actus amandi su-mat pro actu desiderãdi,verũ est,quia iã volũtas adepta est finẽ nõ tam p actũ intellectus q̃ per actu ipsi⁹ volũtatis:vt iã dicet.& sic bñ cõcludit q̃ actus videdi ẽ pfectior q̃ act⁹ appetẽdi siue desiderãdi,secundũ q̃ pcedit minoris pbatio.Et hic tñ potest distingui maior:q̃.s.ille actus est

perfectior quo habito non indigemus : ꝗ ſit econuerſo ille quo habito indigemus alio. Quia habito vno actu, indigemus alio dupliciter. Vno modo propter illum aliū principaliter. Alio modo propter aliquem vlteriorem ad quem ille alius diſponit. Ille quo indigemus alio primo modo, verum eſt ꝙ eſt imperfectior:& ille alius perfectior: & ſic non contingit in propoſito, vt iam dicetur. Secūdo autē modo poſſet dici, ꝙ non oportet ꝙ ſit verum. Et ſic habito actu deſiderandi, indigemus actu videndi: non propter ipſum principaliter: ſed potius propter actum amandi: qui illum concomitatur, quemadmodū deſiderans videre amicum: hoc non deſiderat principaliter propter videre: ſed propter actū amoris feruentē qui concomitatur, in quo ſumme delectatur: qui ſi non eſſet delectabilis, viſio modicum delectaret aut potius contriſtaret ſiꝗceſſaret amicitia, & per conſequens amationis actio. Si vero ſumatur actus amandi proprie, dicendum. ꝙ habito actu videndi non indigeamus tali actu amandi: hoc poteſt eſſe ex duplici cauſa. Aut quia iam ſimul habemus illum: & nihil dicitur indigere illo qd perfecte obtinet. Sic eſt vera pars iſta: ſed pars cōtraria eſt falſa, ſ. ꝙ habito actu amandi indigemus actu videndi immo neceſſario ſimul habentur. Et ſcdm hoc non valet probatio: quia procedit in æquiuoco de actu deſiderii. Aut quia ſuper actum intelligēdi nullo modo requiritur actus amandi ad p ſectionem intellectualis naturæ. Sic pars iſta ſimpliciter eſt falſa ſcdm prædeterminata, & pars contraria eſt diſtinguēda, ſcilicet ꝙ habito actu amandi indigemus actu videndi: Dicendo ꝙ hoc poteſt intelligi dupliciter. Vno modo, quia actus videndi pertinet ad vlteriorem perfectio nem ꝗ ſit ille actus amandi: & ſic eſt falſa ſcdm determinata. Aut quia actus videndi eſt de per ſectione naturæ, quæ eſt perfecta p actum amandi, licet ī iſeriore gradu: quemadmodum de per ſectione beati eſt ꝙ habeat cognitionem naturalem omniū rerum naturalium, in qua poſuit philoſophus hominis felicitatem: ad quam tamē nō poteſt peruenire niſi in ſtatu beatitudinis glorioſę: licet viſio glorioſa eſt ſuperior perfectio, infra tñ actū amoris glorioſum. & ſic eſt vera Amans enim finem adeptum neceſſario indiget viſione tāꝗ perfectione inferiori miniſteriali ſicut dominus indiget ſeruo. Sed in neutro modo valet probatio: quia procedit in æquiuoco. Vnde ſi per impoſſibile ponant actus amandi & videndi ſinguli, videns indigeret actu amādi & appeteret ipm tāꝗ vlteriorē perfectionem. Amans autē indigeret actu videndi: & ipm appe teret tāꝗ perfectionem ſibi neceſſariam & miniſterialē: & quæ eſt de perfectione naturæ eius: li cet ſcdm aliam potentiā. Sic etiam ſi per impoſſibile beatus poneretur corporaliter eſſe priua tus vno oculo, appeteret ipſam reſtitui ſibi: & ſic ſimpliciter pſectius eſſet & beatius deū ama re & non videre, ꝗ videre & nō amare. ꝗAd ſextum: ꝙ per actum intellectus aſſequitur intel lectus obiectum beatificans vt exiſtens in ſemetipſo: & ita perfectius ꝗ voluntas quę aſſequit ipſum vt exiſtēs in alio, ſcilicet in intellectu: Dicendū ꝙ verum eſt ꝙ voluntas non aſſequitur obiectum niſi iam exiſtat in alio vt in intellectu: ſed non eſt verum ꝙ nō aſſequatur ipſum niſi vt exiſtens in alio. Immo obiectum beatificans qd exiſtit in intellectu ſub ratione veri & formę expreſſa non impſſa, etiā exiſtit in ſeipſo vt natura oīno ſeparata. Q d quidem non eſt natū alli ciendo mouere voluntatē, vt finis ad ſui conſecutionē, niſi prius vel natura, vel ratione exiſtat in intellectu: exiſtens tñ in intellectu mouet volūtatē, non vt exiſtēs in intellectu: quia ſic mo ueret ipſam non ſub ratione finis: ſed ſolum ſub ratione formę: quia aliter non habet eſſe in in tellectu: ſed ſolum mouet volūtatem vt aliquid exiſtēs in ſeipſa. Vnde & illa quę ſcdm rem ha bent eſſe extra intellectū, & non in intellectu niſi per hoc ꝙ ab ipſo apphendūtur ſicut ſpecies & forma quędam, licet non mouent volūtatem niſi quia prius mouerunt intellectū, & ſunt in ipſo: voluntatē tñ non mouet alliciendo ipſam ad ſe aſſequēdū vt eſt in intellectu, ſed vt habet vel vt nata eſt habere eſſe in ſe vel in materia extra intellectū. Cūꝙ volūtas ſic mota fuerit ab obiecto vt eſt exiſtens in ſeipſo: tūc volūtas allecta motu ſuo proprio trāffert ſe in huiuſmodi obiectum non vt exiſtens in intellectu, ſed vt aliquid exiſtens in ſeipſo: & hoc tali modo vt ꝗſi derelinquens qd eſt ipſe, conuertatur in id qd non eſt ipſe : & fiat quantum poſſibile eſt ſcdm naturam quodāmodo idipſum qd eſt obiectū, vt prædictum eſt . Ex quo perfectius aſſequitur voluntas obiectū vt ipm eſt exiſtens in ſeipſo: ꝗ ipſum aſſequatur intellectus vt ipſum eſt exi ſtens in ipſo: quia magis conſtituitur vnū in huiuſmodi aſſecutionibus ex volūtate & obiecto volito, ꝗ ex ītellectu & obiecto cognito. ꝗAd vltimū: qd directe videtur eſſe cōtra hoc vltimo dictum: ꝙ ſcilicet obiectum beatificans magis vnitur intellectui ꝗ voluntati: quia intellectui vnitur actione infinita ipſius dei illabentis voluntary: nō autem voluntati niſi per actū finitū ipſius volūtatis: fortius aūt vnit ſe obiectum ſuo actu infinito illi cui ſe vnit, ꝗ ꝙ vniat ſe illi ſuo actu finito: Dicendū ꝙ obiectum beatificans habet eſſe actu ſuo in voluntate vno modo: &

voluntas actu suo in ipso alio modo : cū ipsum habeat actu suo vno modo esse in intellectu,&
non intellectus vllo modo in ipso habet esse actu suo, sed actus eius solūmodo terminatur ad
ipsum.Et illo modo quo obiectum habet esse in voluntate tm̄,actu suo vnitur voluntati perfectius q̄ intellectui . Illo vero modo quo voluntas habet esse actu suo in ipso obiecto: multo
magis vnitur ei q̄ ipsi vniatur intellectus actu illius.& sic simpliciter & absolute plus vnitur
obiecto beatificanti res per voluntatem & actum eius,q̄ per intellectum & actū eius quēcūq̄.

**M**

⸿Ad cuius intellectum sciendum est:q̄ obiectum beatificans actione sua illabendi vnit se intel
lectui vt forma:& habet esse in ipso scdm illum modum essendi in quo species habet esse in ma
teria, præter hoc q̄ non habet esse in ipso vt forma impressa,sed expr̄ssa:& sic cōstituit vnū ex
eis sicut ex itellectu & intelligibili:licet nō omnino sicut ex forma & materia, vt alibi exposui
mus.Nūc autem quia intellectus & voluntas non distant loco neq̄ subiecto:sed solū in modo
quodā & ordine in diuersimode se habēdo ad obiectum,vt alibi exposuim⁹ in questione de po
tentiis animę:Ideo cum obiectum actu suo illabendi vnit se intellectui vt forma moues ipm̄,
eliciendo ex ipso actū intelligendi:simul duratione etsi ordine quodam naturę aut rationis,eo
dē actu vnit se volūtati vt finis mouens ipsam alliciendo ad illud,vt actu suo in ipsum ferat.
Et intantum vnit se obiectum actu suo illabendi voluntati vt finis : & habet esse in ipso sicut
motiuū in mobili: quātū se vnit actu eodē intellectui vt forma:et habet esse in ipso sicut intelligibile i intellectu,aut forma in subiecto. Et nihil operatur ad vnionē aliquā obiecti cum intel
lectu actus intelligendi, sed ipse solūmodo terminatur in obiectū dicto modo vnitū: sed actus
volūtatis qua volūtas allecta fertur in obiectū,operat̄ vnionē volūtatis cū obiecto acumine suę
penetrationis virtute amoris,multo maiorē q̄ erat vnio p̄cedēs obiectum, vel cū intellectu,vel
cū volūtate, scdm p̄determinatū modū.Et nō solū actus voluntatis terminat̄ in obiectū:immo
per ipm̄ voluntas fit in obiecto modo illo quo aliqd habet esse in alio vt in optimo & fine. quo
mō essendi in,p̄fectior causat̄ vnio & vnitas eius qd est in,cū illo cui inest:q̄ aliquo alio modo
essendi in.⸿Et q̄ assumitur in argumēto:q̄ actus infinitatis plus vnit q̄ finitatis:Dicēdū q̄ li
cet diuina actio ex cōparatione ad agentē,& vt ab ipso egreditur,habet infinitatē: ex compara
tione tamē ad id in qd recipitur:& vt in id recipitur:qa non recipit̄ in illo nisi scdm modū re
ceptibilitatis illius, necessariohabet finitatē,& non vnit nisi s̄m modū quo subiectū est recepti
bile vnionis.Nō obstāte ergo diuersitate actionū p̄dicta,quib⁹ obiectū se vnit intellectui, & vo
luntas vnit se obiecto:quia tamen intellectus non est receptibilis tantę profundationis intelligibilis in ipso: neq̄ suo actu tātū natus est speculando penetrare ipsum: quātę profundationis
voluntatis in obiecto receptibile est ipsum obiectum, & quantum volūtas suo actu nata est
amando penetrare ipsum obiectū,vt patet ex supra dictis,Idcirco voluntas suo actu amatorio
plus vnit se obiecto:& plus ipm̄ penetrat:q̄ faciat itellectus. Nec obsistit in hoc infinitas actus
illabendi ex parte eius a quo est:cum sit finitas vtrobiq̄ ex pte eius in qd actus recipitur.Et
hoc quēadmodū licet lux solis quantū est ex se,& vt egredit̄ a sole, magis nata est p̄fundari in
visum: & se vniendo illi ipsum mouere ad actū videndi,q̄ lux candelę: quantū tn̄ est ex parte
recipientis lux candelę magis nata est profundari in visum cati,& se vniendo illi ipm̄ mouere
ad actum videndi:q̄ lux solis nata est profundari in visum vespertilionis,& se vniendo illi ipm̄
mouere ad actū videndi.Et p̄terea actus amādi quo volūtas fertur in obiectū,nō penitus caret
infinitate ex parte eius a quo egreditur. Dicim⁹ em̄ q̄ actū amandi gloriosum nō elicit volūtas ex se in virtute sua naturali sola,sed in virtute diuina.Et hoc dupliciter. Vno modo,qa p
habitū charitatis creatę quo volūtas iformatur.Alio modo p ipm̄ spiritū sanctū,q̄ vt charitas
increata existens est in volūtate sicut motor in mobili ad eliciendū actū amatoriū beatificātem
quē sine eius impulsu imediato natura volūtatis cū suo habitu charitatis creatę, etiā p motū
cōem spiritus sancti,quomō neq̄ mediante habitu ad eliciendos actus aliarū virtutū.s.spei &
fidei in via,nō sufficit elicere p̄pter illius actus excellentiā,& summā efficaciā, in tātū vniendo obiectū & ipm̄ penetrādo,sicut supra expositū est. Vt sic dicamus scdm q̄ dicit Magister
in sententiis,q̄ alios actus atq̄ motus virtutū operatur spiritus sanctus mediātibus virtutib⁹
quarū actus sunt,vtputa actū fidei qui est credere,fide media : & actū spei id est sperare, me
dia spe: ita q̄ non oportet dicere q̄ cum hoc aliquo modo speciali p̄ter cōmunē modum agēdi
scilicet si moueat immediate ad istos actus eliciendos. Actū vero diligēdi seu amādi.i.diligere
operatur,non per se tm̄ sine alicuius virtutis medio ( licet hoc dicat Magister sententiarum,
in quo non tenetur) sed mediante habitu virtutis quæ est charitas creata: & cum hoc p̄ter
cōmunē modum quo mediate & immediate dicitur operari omnia opera creaturarum, ope-

**N**

**O**

ratur immediate illum actū eliciendo ex voluntate modo quodam ſpeciali.Ex nullo enim habitu creato ſcdm cōmune curſum actionū creaturarū,poſſet elici actus imediate cōiūgēs primo principio.Sicut em obiectū beatificans ſub ratione veri & formę immediate illabitur intel
lectui vt mouens ſicut forma,& efficiēs actū intelligendi,& ſeſe facit videri:& elicit immedia
te ex intellectu actū intelligendi glorioſum,qui terminatur in ipm vt in intellectu:licet ſit ha
bitus ſapiētię creatę in intellectu,ſiue mediāte illo etiã eliciat illū actū,ſiue non: ſic obiectū bea
tificans ſub ratione boni & finis immediate illabitur volūtati vt moues ſicut finis alliciēdo: &
ſic efficiens motū amandi,& ſeſe facit amari:& elicit immediate(vt dictū eſt)actū amandi glo
rioſum:qui terminatur in ipm vt in amatū,licet ſit habitus charitatis creatę in voluntate,me
diante quo etiam elicit illum.

Irca Septimū arguitur:ꝗ diuina beatitudo nō cōtineat in ſe omnes rationes
omniū beatitudinū aliarū . Primo ſic.beatitudo philoſophoꝝ eſt ficta beatitudo. dicēte Auguſtino ꝗ eã ſibi fabricauerunt. in dei aūt beatitudine nihil
eſt fictū.ergo &c. ꝃSecūdo ſic.quidã philoſophoꝝ cōſtituerūt beatitudinē in
reb⁹ corporalibus,vt Epicurei:qdã in honoribus:& ſic de cęteris.in qbus nō
conſiſtit diuina beatitudo.ergo &c. ꝃIn contrarium eſt, ꝗ non eſt beatitudo
aliqua quātūcūꝗ vana:quin ſit in bono aliquo conſtituta.Vnde vnuſquiſꝗ phoꝝ in eo quod
hominis melius eſſe dicebat,beatitudinē ipſius poſuit:& ꝓpter illã oĩa alia fore agēda,tāꝗ ad
bonū vltimū.Sed beatitudo dei eſt ſummū bonū:qd oēm rationē boni i ſe debet cōtinere,ſicut
ſumme perfectum rationem omnis perfectionis.ergo &c.

ꝃDicendum ad hoc, ꝗ cum reſpectu alicuius appetitus eſt aliquod bonū vltimū
adipiſcēdū,qd primo natū eſt ipm mouere,& qd primo & p ſe naturaliter appetit quācūcūꝗ
indeterminato appetitu qcqd appetit ſicut finē,aut eſt illud bonū i ſeipſo vt determinate appe
tit ipm,aut in aliqua eius effigie & reſplēdētia.Si primo modo,hoc neceſſario eſt ſcdm rei veri
tate ipſe finis.Si ſecūdo modo,hoc eſt illud qd appetitus ſibi finē ſtatuit:vel naturaliter vt nō
intellectualia,vel p voluntatis electionē vt intellectualia a vero fine aberrantia . Et hoc nō niſi
per rationem finis:hoc eſt ꝓpter aliquã finis effigie aut reſplendētia quã in illo conſpicit:pro-
pter qd p fine illud appetit:licet erret,nō in appetēdo tale quid:ſed in appetēdo tm vbi & ſub
tali rōne ſub qua vt fine appetere nō debuit.Nūc aūt ita eſt ſcdm ꝗ ſupra tactū eſt, ꝗ cū oĩa
bonū appetūt,illud nō eſt niſi bonū vnicuiꝗ qd eſt omniū bonoꝝ vltimū,& primo naturaliter
omniū mouet appetitū,licet ꝗdã nō attingunt ipſum,neꝗ nata ſunt attingere niſi in aliqua
eius effigie in qua cōtenta ſunt:& per quã in bonū vltimū fixa ſunt, & ad ipm referitur quã
tū poſſibile eſt eis ſcdm ſuã naturã.Quędã vero nata ſunt ipm attingere:& ipm attingēdo in
ipſo beatificari:vt intellectualia,vt habitū eſt ſupra.Quicqd ergo appetit omne appetēs vt finē
ſuū,aut eſt illud bonū in ſeipſo determinate:qualiter debet ipm appetere intellectualia q nata
ſunt ipm attingere:aut eſt illud bonū in aliqua eius effigie in qua naturaliter appetūt ipm na
turalia oĩa nō intellectualia:& intellectualia quadã effigie: & reſplendētia quadã in bono inferiori creato pro vero bono increato appetētia:& hoc vel p errorem electionis principaliter,vel
principaliter p errorē ratiōis. Primo mō fine & beatitudinē ſuã poſuerūt Epicurei i delitiis &
bonis corporalib⁹,& alii i honoribus,alii vero in diuitiis aut i aliis bonis tēporalibus p malitiã
electionis: ꝗliter ois peccās mortaliter in bono tranſitorio fine ſibi ſtatuit.Secūdo modo fine &
beatitudinē hois poſuit Pĥs i opatione itellectus ſpeculatiui i actu exiſtētis ſcdm oĩa ſpecula
bilia ſpeculāda ex creaturis mediate ſenſu ſcdm ſciētias ſpeculatiuas:& maxime in ſpeculatione primi principii:ſcdm ꝗ poſſibile erat ex ſenſibus ipm ſpeculari. In cui⁹ ſpeculatione etſi ho
mo ad ſummū vl intellectus eius ſcdm talia eſſet oĩno adeptus & pfecte in actu,pfectio habita
in iſta ſpeculatione nō eſt niſi quid creatū & effigies illius ſpeculationis ꝗ adipiſcit in vidēdo
nude p eſſentiã ipm bonū increatū.Vnde eſto ꝗ fine iſtū & quęcūꝗ aliū in quo hoies ſtatuūt
ſuã beatitudinē,homo aliqs eſſet adeptus,nōdū ſatiatus eſſet ſuus appetitus: ſed ad vlteriorē
delectationē anhelaret & ad vlteriorē ſpeculationē : ꝗ nō cōſiſtūt niſi in nūda deitatis viſione
& fruitione p ſuã eſſentiã.De qua dicit Boethi⁹.Mentibus hominū naturaliter iſerta eſt ſum
mi veriꝗ boni cupiditas &c.Quicquid ergo tales appetūt in beatitudine non vera,ſed ab ipſis
per errorē(vt dictū eſt)conſtituta & fabricata,etſi nō appetūt ipm determinate vt verū & vl
timū finē: appetunt tm ipm vt aliquã effigie & reſplendētia illius: in qua per errorē cōtētos
eſſe ſe putāt:licet in veritate nō ſunt. Vt effigie aūt & reſplendētia illi⁹ illud nō appeterēt,niſi

P
Quę.VII.
Arg.1.
2

In oppoſit.

Q
Reſponſio.

R

in illo esset quicquid est appetibilis in eo q̇d appetunt:licet modo supeminẽtiori:a quo mouet primo,& p se appetitus:licet cõfuse & in generali.Q̇ m scdm determinationẽ Augustini.viii. de trini.iiii.ca. vsq̇ ad.vii. quicq̇d in alio nobis placet,nõ in seipso nobis placet:sed in illa arte diuina:vbi nisi illud diligeremus, nullo modo id diligeremus q̇d ex illa diligimus.Ipsa vero (vt dicit) est forma & veritas,nõ quo aliunde diligatur.Pudeat ergo cũ talia nõ amãtur nisi quia bona sunt eis inheredo,nõ amare ipm bonũ vnde bona sunt. Quicq̇d ergo est boni & ap-petibilis i quacũq̇ alia beatitudine ab ea q̇ deus in se est beatus, i beatitudine dei totũ est.Illud

**S** aũt est ratio beatitudinis illius propter quã q̇ritur.Idcirco dicendũ est simpliciter & absolute q̇ oĩs ratio cuiuslibet alterius beatitudinis propter quã q̇ris,& propter quam dicenda est ha-bere rationẽ beatitudinis,in beatitudine dei qua ipse est beatus,psectissime continet:& placet atq̇ delectat in illa quicquid placet atq̇ delectat in aliis sub modo multo eminẽtiori:qui veri tatem boni & delectabilis nõ eximit,sed potius auget. Et (vt dictum est) eode est homo bea-tus, & deus.Cõsimiliter oĩs ratio alterius beatitudinis in vera hois beatitudine continetur:& simul in summa etiã quicq̇d extra eã tanq̇ bonũ & delectabile cõtinetur:& ipsim a diuersis & variis q̇ris in psenti exterius: q̇d in solo vno q̇rendũ est interius.Quã attingũt qui q̇rũt ea in illoz pseuzranter,& ab ea repellunt q q̇rũt ea extra ipm. scdm q̇ Augustin9 exẽplificãs in vno illoz dicit.viii.de trini.ca.vii.Qui q̇runt deũ p istas potestates que mũdo presunt vel ptibus mũdi,auferuntur ab eo longeq̇ iactantur,nõ interuallis locorũ,sed diuersitate affectuũ.Exte-rius eni conantur ire:& interiora sua deserunt, quibus interior est deus : in quo simul omne bonũ habet,dicente dño ad Moysen.Ego ostendã tibi omne bonũ.Hinc etiã dicit Augustinus de sentẽtia Prosperi.Deus tibi totũ est q̇d recte desideras,& cetera.vt supra i q̇stiõe secũda de psectione dei.Et hoc est q̇d dicit Boethi9 i pricipio.iiii.de cõsolatione . Oĩm mortaliũ cura quã varioz studioz labor exercet,& cetera. p totũ capitulũ multũ notandũ. & cap.sequẽti. Vos o terrena aĩalia,tenui licet imagine vestrũ tñ pricipiũ somniatis:verũq̇ illũ beatitudinis finẽ, licet minime perspicaci, qualicũq̇ tñ cognitione pcipitis: eoq̇ vos ad verũ bonũ naturalis du cit intentio:sed ab eodẽ multiplex error abducit.Et infra in quodam alio capitulo.Quod sim-plex est indiuisumq̇ natura,id error humanus separat:& a vero atq̇ psecto ad falsum imper-fectumq̇ traducit.

**T** ¶Ad primũ oppositũ:q̇ aliqua beatitudo ẽ ficta:Dicẽdũ q̇ est ficta quo ad hoc
**Ad primũ** q̇ bonũ q̇d in ea q̇ris, in re creata aut tẽporali q̇ritur: in qua & finis statuit: & non est in deo
**princip.** scdm modũ quo est in creatura:& quo in ea q̇ritur & finis statuitur.Quo tñ ad id q̇d in ea est bonũ & delectabile:scdm modũ supeminentiorẽ totũ est in deo sub ratione veri & psecti.Pro
pter q̇d pbat Boethius post capitulũ iã signatũ p plura capitula,q̇ vanitas erat ponere in pre-
**Ad secũdũ.** dictis beatitudinem extra deum:quia extra ipsum sparsa sunt & diminuta. ¶Et per hoc etiã patet ad secundum.

**V** Irca Octauũ arguit: q̇ psecta ratio beatitudinis dei nõ supponit pductionẽ
**Que.VIII.** psonarũ.Primo sic.beatitudo dei est i deo de essentialibus:quia est cõis trib9
**Arg.,1.** vt pt3 ex pdictis.sed essentialia nõ psupponũt psonarũ pductionẽ:qa sunt q̇si
fundamẽta pductionũ,vt habitũ est supra,& amplius videbit infra.ergo &c.
¶Secũdo sic.beatitudo est summũ bonũ. sed diuina essentia vt est summũ bo
nũ,non psupponit pductionẽ psonarũ : quia nihil bonitatis addit essentie in
**2** persona,qa nõ est bonũ in diuinis nisi essentiale.ergo &c.¶In cõtrariũ est:qm
**In opposi.** nõ est ratio beatitudinis in deo nisi qa deus opatione sua intellectuali voluntatis & intellectu
cõsequit bonũ q̇d ipse est,vt patet ex supra determinatis.ergo nõ est psecta ratio beatitudinis
in deo nisi cõsequat ipm psecta opatione intellectuali. sed psecta opatio intellectualis supponit
personarũ pductionẽ,vt ostẽsum est i prima q̇stione disputatiõis sexte de Quolibet. ergo &c.

**X** ¶Dicendũ ad hoc, scdm q̇ vltima obiectio pcedit:& scdm q̇ determinatum est
**Responsio.** supra:q̇ Deitas neq̇ sub ratione qua deitas est,neq̇ etiã sub ratione qua in se bonitas q̇dã est
ratione beatitudinis habet.tũc eni deus beatus esset,& psectã ratione nobilitatis haberet abs
q̇ eo q̇ consideraret esse in actu in opatione intellectuali:etiã consideratus vt dormiẽs. Q̇d est
cõtra phm.xii.Metaph.vbi dicit.Si nihil intelligit,quid est illud nobile q̇d inest ei? Et sic deus
esset beatus non existẽs in quasi digniori & nobiliori sua dispositione, q̇d est contra rationem
beatitudinis scdm pdeterminata.Sed q̇ deitas sub ratione summi boni continentis in se omne
ratione boni,habet in se ratione beatitudinis, hoc contingit per hoc:q̇ ille cuius est, eam con-

ſequitur per actionem ſuam intellectualē vt bonū ſuū ſcdm iam determinatū modū: ita ꝙ ad
rationem beatitudinis dei requiritur p ſe & eſſentialiter actio dei intellectualis : vt qua id ſibi
acquirit qd eſt in ſe ſummū bonū,vt ſit ei ſummū bonū,& hoc ſub ratione veri,vt eſt bonū in=
tellectus,& ſub ratione boni,vt eſt bonū voluntatis,ſcdm modū ſupra determinatū.Quare cū
ita eſt, ꝙ quádocúꝗ aliquid p ſe requirit ad rationē alicuius,& perfecta ratio illius requiritur
ad perfectā rationē eius.vt ſi aliquid requirit in homine vt in eo ſit ratio albi,ad pfectā rationē
albi in eo requiritur perfecta ratio illius.Sicut ergo ad rationem beatitudinis diuinæ requirit
eius operatio intellectualis, coſimiliter ad pfectā rationē beatitudinis in eo reqrit pfecta ratio
opationis itellectualis. Intellectualis aūt opatio ex pte itellectus nō pficit i deo ſine verbo pdu
cto:neꝗ ex pte volūtatis ſine amore pducto,vt patet ex dictis i qſtiōe pfata de quolibet.Idcir=
co abſolute dicedū, ꝙ ad perfectā rōnē beatitudinis i deo,reqrit pſonarū pductiō: ſicut & ad
perfectā rationē intellectualis opationis.Et ſic ordine quodā rationis beatitudo dei quaſi pſup
ponit pſonarū pductionē, vt licet diuina eſſentia ſub ratione ſummi boni ſit in patre ex ſe,&
ipſam cōſequat actu ſimplicis intelligētie, quaſi nō pſupponēdo perſonarū pductionē: ex hoc
nō habet perfectā rationē beatitudinis,ſed ſolūmodo ex hoc ꝙ eā cōſequitur actu intellectuali
perfecto ex verbi et ſpiritus ſancti pductione, vt itellectu nō ſolū ſimplicis eſſentie: ſed pfecto
ex verbi conceptione,concipiat qlibet perſonarū in ſimplici intelligētia & in verbo ſummū bo
nū ſub ratione veri,& voluntate non ſolū ſimplicis amoris:ſed pfecto ex amore pducto,ferat q
libet perſonarū & volūtate ſimplicis amoris, & amoris pducti,i ipm ſub ratione ſummi boni:
vt coſimiliter perfectio nature create ſcdm beatitudinē nō ſit ſolūmodo cōcedēda p intellectū
quo intelligit eſſentiā ſub ratione ſummi boni ſcdm ſe:ſed etiā vt intelligitur i ratione verbi,
neꝗ ſerendo ſe per voluntatē in ipſam eſſentiā ſub ratione ſummi boni ſcdm ſe : ſed etiam vt
diligitur in ratione amoris producti.Eſt enim in verbo perfecta ratio veri cogniti,& in amore
producto pfecta ratio boni amati:vt nō ſine verbo pficit opatio intellectualis in aliq triū pſona
rū.ꝗa eodē verbo pficit itellect9 triū pſonarū,licet ab vnica tm pcedat.Et ſir eſt de amore pce
dēte reſpectu opationis volūtatis,vt habitū eſt ſupra. Cōſir nō ſine verbo pficit opatio intelle
ctualis alicui9 creature,neꝗ opatio voluntatis ſine amore pcedēte:ſicut debet declarari loquē
do de beatitudine creature:vt omnes intellectus tā creati q increati non pficiant niſi in verbo
diuino pducto:ſimiliter neꝗ opatio volūtatis niſi in amore diuino producto: vt oīno i vno &
eodē dei beatitudo & ſanctoꝝ compleatur:licet diuerſimode illud conſequat: vt propter hoc
etiā alia ſit beatitudo dei,alia intellectualis nature create,& diuerſarū intellectualiū naturarū
creatarū ſimiliter diuerſe:ſcdm ꝙ diuerſimode p itellectū & volūtatē eā cōſequūt.Verūtamē
ſicut cōtingit diſtinguere de opatione intellectuali:ꝙ poteſt cōſiderari dupliciter: Vno modo
vt pure eſſentialis eſt,& conſiderat abſꝗ ratione verbi aut amoris pcedētis: Alio mō vt cōti=
net in ſe ratiōe verbi & amoris pcedētis: ſic cōtingit diſtinguere de dei beatitudine ꝙ eſt lo
qui de ea duplr.Vno mō vt cōſiſtit i diuina eſſentia,fm ꝙ cōſequit eā opatione itellectuali vt
pure eſſentialis eſt .Alio mō fm ꝙ cōtinet i ſe rōne verbi & amoris pcedētis. Primo mō beati
tudo dei nō pſupponit ſcdm rōnē noſtrā itelligēdi niſi pſonā cuius eſt, ſicut neꝗ actus quo aſ
ſequit,& ſic beatitudo vt eſt patris,nō ſupponit pductionē pſonarū,ſicut neꝗ eius intelligere
eſſentiale:& ſic cōuenit ordine quodā rōnis trib9 pſonis:vt patri ex ſe,filio a patre,& ſpiritui
ſancto ab vtroꝗ:ſcdm ꝙ ſupra determinatū eſt de intelligere eſſentiali.Secūdo aūt mō qſi ſup
ponit pductionē pſonarū: & abſꝗ omni ordine rōnis cōuenit tribus:queadmodū cōuenit eis
actus creādi abſꝗ ordine rōnis.Licet em ꝙ creet & quo creet filius habet a patre , & ſpiritus
ſanctus ab vtroꝗ: tn reſpectus ad creaturas nō fundat ſup eā niſi vt iā eſt trium . Primo aūt
mō beatitudo dei quaſi impfectā rōnē beatitudinis habet: ſicut & actio qua cōſequit qſi imp
fectā habet ratiōne opationis intellectualis.Secūdo autē modo habet pfectā rōnē beatitudinis
ſicut & actio qua cōſequit,habet quaſi pfectā ratiōne actionis intellectualis.

¶Ad primū in oppoſitum: ꝙ beatitudo in deo eſt de eſſentialibus:Dicendum ꝙ
verū eſt:& hoc ꝗa cōuenit tribus pſonis rōne eſſentie,q eſt cōis trib9:& nō dicit ſup cōmune
rōnē eſſentie cōis niſi ratione cōis cuiuſda reſpectus.Sed eſſentia pōt eſſe tribus cōis ſub rōne
cōmunis reſpectus,duplr.Aut ꝙ ille reſpectus fundatus in eſſentia, cōmunicatur ab vna per
ſona aliis:ſicut & ipſa eſſentia. Aut non habet eſſe in eſſentia niſi vt iam aliis eſt cōmunicata
Primo modo fundatur illa attributa q ſunt ſapiētia,bonitas,& hmōi:que ordine quodā rōnis
cōueniūt tribus:quia patri ex ſe,& filio a patre,& ſpiritui ſancto ab vtroꝗ.Non ſic autē fun=

Y

Z

&
Ad primū
princip.

datur in cõmuni essentia ratio beatitudinis perfecte,sed illius tm̃ que est quasi impsecta.Secũ
do aũt modo,ſ.inquantũ tres persone simul psecte eã cõsequitur: nõ nisi psecto actu intelligẽ
di in verbo, & psecto actu amãdi in amore pcedẽte( vt dictũ est )fundatur super eam ratio be
atitudinis psecte,vt dictũ est.ℂAd secundũ q̃ diuina essentia habet rationẽ summi boni absq̃ eo
q̃ supponat pductionẽ psonarũ:Dicẽdũ scdm̃ pdicta : q̃ summũ bonũ potest considerari in se,
vel vt est cõsecutũ a persona, sua opatione itellectuali. Primo modo nõ habet rationẽ beatitu
dinis,sed secũdo modo tm̃. & hoc duplr scdm̃ iã distinctũ modũ.Et vno modo nõ supponit p
sonarũ pductionẽ.Alio vero modo quasi supponit ipsam,vt dictum est.

**9**
Ad secũdũ.

## Artíc.L.

Artíc.L.

Equitur Artíc.L.de delectatione dei,Et qa ipsa est affectio
ideo circa hoc querenda sunt duo.
Primũ de affectione in generali:vtrũ in deo sit ponenda affectio.
Secundũ de affectione delectationis in speciali: vtrum sit in deo vt
aliquid annexum eius beatitudini.

**A**
Quest.I.
Arg.ı.

Irca Primũ arguitur,q̃ in deo sit ponere affectio
nẽ.Primo sic.in quo est ponere princípiũ, & prín
cipiatum.Amor autẽ est princípiũ & origo oĩm
affectionũ:quia omnis affectio aut est circa bonũ
vel iã habitũ,vt gaudiũ, delectatio,& hm̃oi,aut
circa adipiscendũ, vt spes,aut circa malũ iã habi
tũ,vt dolor vel tristitia,aut circa expectatũ,vt timor. & circa ambo nõ e affectio nisi ex amore,
qa nõ possidet bonũ,neq̃ expectat nisi ex amore:qa ppriũe obiecti: nec detestat aliqs malũ ha
bitũ,nec refugit expectatũ nisi ex amore boni cõtrarii habiti vel expectati vl' depditi.amor aũt

**2**

habet esse in deo,vt habitũ est supra.ergo &c.ℂSecũdo sic.qd voluntatẽ expedit in sua actione
ponendũ est esse in deo:quia ipse habet volũtatẽ summe expeditã.affectio est huiusmodi:quia
in idẽ tendit cum volũtate recta. Vult.n.punire iratus qd vult punire rectus iudex.ergo &c.
ℂIn contrarium est:quoniã affectiones oẽs,passiones sunt absolute:qualem non est ponere in
deo scdm̃ superius determinata.ergo &c.

**In opposi.**

**B**
Responsio.

ℂDicendũ ad hoc,q̃ omnis affectio in creaturis siue naturalis siue animalis siue
rationalis de genere qualitatis est in tertia specie qualitatis : quia passio dicitur vel passibilis
qualitas.Et hoc qa est causatiua passionis de pdicamẽto passionis,vel causata ab illa vel media
te vel imediate: & hoc vel large accepto noĩe passionis ad illã q̃ est salus & receptio, q̃ est i na
tura rei,& p affectionẽ:vel stricte ad illã q̃ est abiectio scdm̃ cõtrarias dispositiões. Et scdm̃ ra
tionẽ noĩs dicit affectio quasi affixio.Et est aduertẽdũ,q̃ affectio duplr pot significari: & hoc
vel p modũ habitus,vel p modũ fieri:& in vtroq̃ modo duplr,vel vt firma & de difficili mobi
lis:vel vt cito transiens,& de facili mobilis.Affectio significata p modũ habitus est vt disposi
tio irrationabilitatis,& verecũdie,& hm̃oi,que disponũt ad affectiones significatas p modũ fie
ri:vt sunt irasci,verecũdari,& hm̃oi. q̃ cũ sint inate aut cõfirmate quasi inate ne de facili amo
ueãtur,cũ sunt significate p modũ habitus,neq̃ de facili cessant cũ significantur p modũ fieri:
tũc dicunt passibiles qualitates.Cũ vero insunt a causa trãseũte cito,& de facili amouent cum
significant p modũ habit9,nec de facili,neq̃ cito cessant,cũ significant p modũ fieri:tũc dicunt
passiones,nõ passiones de pdicamẽto passionis:qa illa passio fundat cũ actione i eodẽ motu aut
mutatione siue aliquo se habẽte p modũ alicuius cuius esse cõsistit in trãfitu & fieri q̃ determi
nat ad aliqd,vt ad substãtiã,q̃litatẽ, quãtitatẽ,aut vbi,ita q̃ actio & passio in essentia illius cõ
munis nõ dicũt nisi diuersos respectus scdm̃ supius determinata:ita etiã q̃ nũq̃ est passio pti
nẽs ad pdicamẽtũ passionis sine actione,& ecõuerso,siue large,siue stricte sumant.Affectiones
aũt nõ sunt mot9,aut mutationes,aut aliqd existẽs i fluxu aut trãsitu,neq̃ dicũt respect9 fun
datos in tali aliquo:sed dicũt aliqd absolutũ cuius esse cõsistit i facto esse vt p se causatũ p mo
tum aut mutationẽ,vt sunt affectiones significate p modũ habitus: aut consequẽs ad aliquid
sic causatum,vt sunt affectiones significate per modum fieri.Irasci em̃ vel verecudari totũ est
simul,& consistit in quodã facto esse manenti ad perseuerantiã alicuius ad qd sequit, siue me
diate siue imediate:qd est p se terminus alicuius trãsmutationis.Huiusmodi em̃ affectiones
nõ fiũt nisi ad modũ illarũ dispositiõũ q̃ sũt termini trãsmutationũ,vel q̃ sũt i terio trãsmu
tationũ:vt ad modũ illuminationis medii,vel ad modũ relationũ: & hoc per aliquid in qd sit

**C**

**D**

per ſe trãſmutatio.Ad acceſſionẽ eni ſiue inflãmationẽ caloris circa cor,ſequitur affectio iraſcẽ
di ſiue ira ſcdm actũ aut ſcdm habitũ:quæ eſt diſpoſitio vt de facili quis iraſcatur ſcdm actũ.
& ſic de omnibus aliis affectionibus.ſcdm nullã eni affectionũ fit per ſe alteratio:ſicut neq̃ cir
ca habitus animę aut corporis.Si igitur loquamur de affectionib9 ſcdm idẽtitatẽ rei qua ſunt
in creaturis:Dicendũ ɋ nullo modo habent eſſe in deo: ſicut neq̃ illa quę p proprietatẽ trãſſe
rimus a creaturis ad deum,vt ſunt bonitas,ſapientia,& huiuſmodi:quę nõ ſcdm eãdẽ naturã
rei attribuũtur deo q̃ ſunt i creaturis:ſed ſcdm naturã ſupeminẽtiorẽ. Propter qd iuxta deter
minationẽ beati Dionyſii, Deus nõ eſt dicẽdus ſimpliciter bonus aut ſapiens:ſed ſupbonus &
ſupſapiens, & cętera huiuſmodi.Vñ ſi ſcdm eandẽ naturã rei aliquid qd eſt in creaturis tranſ
feratur ad diuina,hoc nõ poteſt fieri p proprietatẽ ſed p ſiſitudinẽ quãdã.An autẽ aliqua affe
ctionũ deo p proprietatẽ ſit attribuẽda:& q̃ ſic,& quę non:cõſiderandũ eſt ſcdm regulã ſupra
expoſitã. Quęcũq̃ eñ affectiões de ratione ſui nois defectũ aliquẽ aut ratione impfectionis im
portãt,p proprietatẽ deo attribui nõ poſſunt:ſed ſolũ p quãdã ſimilitudinẽ. Quę vero ratiõe
nois & impoſitionis eius ad ſignificandũ,nulla rationem defectus aut impfectionis important:
nihil impedit quin p proprietatẽ ponantur eſſe in deo : quia ſimpliciter & abſolute illa melius
eſt eſſe ipm q̃ nõ ipm.Quia igĩ nomen affectionis,quatũ eſt de ratione nois, dicit quandã affi
xionẽ & adhęrentiã quaſi p quãdã cõpoſitiõe cũ eo cuius eſt,qd nullo modo cõuenit deo: id
circo quantũ eſt de ratione nominis,nulla affectio oĩno poteſt deo attribui. Et ſcdm hoc dicit

**E**

ɋ affectio ratione generis deo attribui nõ poteſt.Si aũt loquamur de affectione ratione rei cui
nomen imponitur,ſic ratione ſpeciei,hoc eſt ſcdm ɋ nomine ſpeciei ſignificatur,affectio q̃dam
poteſt deo attribui p proprietatẽ:& q̃dã non.Illę eñ q̃ ratione rei ſignificatę in creaturis rõne
impfectionis aut defectus iportãt,deo attribui nõ poſſunt niſi p ſiſitudinẽ,vt ſunt ira,triſtitia,
quia importãt cruciatũ,& habẽt malũ pſens pro obiecto.Cruciatus aũt & malũ nullo mõ p p
prietatẽ i deo poſſunt eſſe.Similiter ſpes aut deſideriũ:quia dicũt boni nõ pſentis expectationẽ
Deus aũt nulli9 boni habet defectũ,quia nullũ expectat. Similiter timor, quia eſt reſpectu mali
expectati:qd deo ineſſe non poteſt.Similiter pœnitẽtia,quia eſt reſpectu mali pteriti qd deo in
eſſe nõ poteſt.Neq̃ inuidia:quia oĩbus fauet,& nullius bonũ põt ei derogare.Siĩr eſt de ira,&
cęteris hmõi:quę maxime habent eſſe in pte ſenſitiua.Vnde talia ſi dicunt eſſe in deo:hoc ſolũ
eſt metaphorice p ſiſitudinẽ effectus.Quia eñ interdũ volũtas ex ordine ſapiẽtię in eũdẽ effe
ctũ tendit,in quẽ & paſſio ſiue affectio:queadmodũ iudex punit volũtate tranquilla p iuſtitiã
ſicut cõmotus p irã: idcirco quia deus agit volũtate trãquilla q̃ nos agimus ex paſſione,ideo
actio ſua ſiue volũtas i talia agẽdo nominat noie paſſionis.Et hoc modo paſſiones ſiue affectio
nes pdictę ſolũmodo attribuũtur deo, vt dicaĩ iratus quia ex ordine iuſtitię volũtarie punit.
Et ſimiliter miſericors,quia miſeriis hominũ ſubuenit ad modũ miſerentis p beniuolentiã, &
ſic de aliis.Et p eundẽ modũ attribuũtur ei mẽbra & organa corporis,vt oculus,pes,& man9,
quia agit cõſimiliter illis q̃ per illa organa ſolet exerceri. Affectiões aũt illę q̃ ratione ſui nois nõ
importãt defectũ aut impfectionẽ:neq̃ ſimiliter rõne rei cui nomẽ iponit: bene poſſunt p p
prietatẽ deo attribui ſiue i nobis ptineãt ad ptem ſenſitiuã, ſiue ad itellectiuam qualis eſt dele
ctatio,gaudiũ,& huiuſmodi,de quibus erit ſermo in queſtione ſequenti.

**F**

**Ad primũ princip.**

¶Qd ergo arguitur primo,ɋ omnes affectiones ſunt in deo:quia fundamentum
omnium in ipſo eſt vt amor, Dicendum ɋ nomen amoris æquiuocum eſt . Vno enim modo
nominat ſimplicem actum voluntatis:Et eſt idem iſte amor qd amatio.Alio vero modo nomi
nat habitum qui eſt principium elicitiuũ actus volendi,& radix atq̃ origo & fundamentũ vir
tutum,de quo locuti ſumus in quadam quæſtione ſuperius.Tertio modo nominat affectionẽ
ſiue paſſionem in ſenſitiua parte,aut per modum habitus,aut per modum fieri ſignificatã.Iſto
tertio modo eſt origo omniũ affectionũ in ſenſitiua parte.Secundo modo eſt origo paſſionum
quæ ſunt in intellectiua parte:quarum quædam dicuntur paſſiones tm,& non affectiones, vt
ſunt omnes actiones volũtatis & intellectus,ſiue ratione pfectionis ſimpliciter importẽt, vt in
intelligere & velle ſimpliciter dicta,ſiue ratione impfectionis importẽt,vt ſperare, deſiderare:
quoq̃ eſſe cõſiſtit nõ in fieri,ſed in quodã facto eſſe,nõ ſicut cõſiſtit eſſe actionis aut factionis.

**G**

Vnde circa hmõi nõ cõuenit i nobis alteratio p ſe:quia ſunt vt perfectiones rei.Dicere autem
alteratum eſſe recipientem finẽ & perfectionẽ,ridiculũ eſt,vt dicit phs.vii.Phyſicoᵣ.vbi dicit
Commentator ɋ cognitio nõ fit in cognoſcente: ita ɋ ps cognoſcens ſit tranſmutata : ſed fit
quando aliquid aliud tranſmutatur:ſicut eſt diſpoſitio in oĩbus relatiuis. Et dicuntur paſſio-

nes: quia sequútur per se & ímediate passionem de genere passionis quocúcẜ modo fiat:nõ aũt affectiones:quia non se habent ad id cuius sunt,per modum impressionis in illis: sed potius p modum expressionis ex illis.propter qđ etiam significant per modũ actionis:licet nõ significãt aliquid qđ est de prædicamento actionis,aut reducibile ad illud.Quẹdam vero sunt passiones, & etiam affectiones,vt sunt gaudium,& delectatio,& huiusmodi, sćdm ẜ sunt in intellectiua parte:quorum esse simpliciter non consistit in fieri sed in quodam facto esse,vnde circa huius modi non contingit alteratio per se in nobis sicut neẜ circa pdicta. Dicunt tamẽ passiones:qa sequítur aliquam passionem in nobis:sed aliter ẜ prædicta: quia illa sequítur ímediate passio nem illã quæ est de genere passionis,qua sit alteratio aliqua: etsi non illa quẹ est p qualitates sensibiles,nisi a remotis,vt est alteratio per intelligibile receptum in intelligente : ad quã íme diate sequít operatio intelligendi in intellectu: & mediante illa , licet non agente illa, operatio volendi in voluntate.Ista vero sequítur non immediate passionem illam de prædicamento pas sionis:sed illam quæ cõsistit in facto esse,& sequitur illam.Delectatio enim intellectualis imme diate sequitur actum intelligendi & volendi. Quæ etiam dicitur affectio: quia se habet ad id cuius est,per modum impressionis ab operatione intelligẽdi & volendi circa suũ obiectum:sed principaliter ab ipso obiecto,vt patebit in ẜstione sequenti.Patet ergo quomodo amor est prin cipium quasi sćdm genus causẹ efficientis omniũ passionũ & affectionũ etiam illarum quẹ im portãt rõnẽ defectus & impfectionis:ẜ bene dr í deo,licet nõ illẹ affectiones vel passiones,eo ẜ rõne sui nois aut rei ẜm ẜ nomẽ íponit ad ipsam significãdã,nullã rõne defect⁹ aut ipfectiõis importat:sicut faciũt illa principiata.hoc eñ est pcise quare aliqd dicit esse p pprietatẽ in deo vel nõ:nõ aũt natura rei absolutẹ. Qẜ si esset hmõi causa í principio,sil⁊ & esset í principiato vt pcedit obiecto. ¶Ad secũdũ:ẜ affectiões expediũt actione:Dicendũ ẜ verũ est:vñ ppter istã

**H**
**Ad secũdũ.**

proprietatẽ affectio ẜlibet potius deo esset attribuenda per proprietatẽ ẜ nõ attribuenda. Sed cum aliqua proprietas defectus aut impfectionis est annexa,illa plus impedit ẜ multẹ aliẹ pos sent conferre.Quia í deo non solũ debet esse perfectio oís: sed etiã debet esse in ipso absẜ omni

**Ad tertiũ.**

defectu & impfectione annexa.¶Ad tertium:ẜ omnes affectiones sunt absolutẹ passiones,quẹ nõ possunt esse in deo:Dicendũ ẜ verum est sćdm ẜ habent rationem passionũ quẹ sunt de p dicamento passionis: aut quæ sunt a passione quæ est de pdicamẽto passionis,causate,siue me diate siue imediate.Quia illa quæ est de prædicamẽto passionis,sćdm id í quo fundatur nullo modo potest esse in deo:licet sit in ipso sćdm rationẽ puri respectus quẽ importat,vt habitum est supra. Sćdm vero ẜ habent rationẽ passionũ quasi causatarum immediate & solũmodo a passione quẹ est de prẹdicamẽto passionis sćdm rationẽ tm:quemadmodum in deo actio intelli gendi & volendi quasi sequítur rationem informationis diuini intellectus a forma suæ essen tiẹ:vel causarũ ab ista mediate, sed immediate ab illa quæ est velle & intelligere: quẹ habet rationẽ actionis & passionis tm sćdm rationẽ sui respectus tm:non autẽ eius super qđ fundat ín creaturis,vt sunt gaudium,& delectatio: de istis non est verũ,quin bene possint esse in deo: quia nullam rationem impfectionis penitus dicunt.

**I**
**Quest.II.**
**Arg.1.**

Irca Secundũ arguitur:ẜ delectatio non sit in deo. Primo sic. qđ est in crea turis non attribuitur deo nisi sit omnibus & semper melius esse ipsum ẜ non ipsum,sćdm regulam Anselmi.Sed in delectatione nõ est omnibus & semper melius eẽ ipsum ẜ nõ ipsum:qa in aliquo actu melius est oíbus non delectari ẜ delectari,vt in actu fornicationis,adulterii, & huiusmodi : quia quanto in tali actu aliẜ plus delectatur,tanto magis peccat,& maiora tormenta meret: iuxta illud.Quantũ glorificauit se & in delitiis fuit,tãtũ date ei de tormẽto & luctu.ergo &c.

**2**

¶Secũdo sic.qđ est cõmuniter in pluribus,est in eis sćdm causam cõmune. quare cum delecta tio sit in brutis, si esset etiã in deo, esset in eis cõmuniter:ergo & p causam cõmune, cõsequẽs falsum est:quia delectatio in brutis est ex sensu in appetitu sensitiuo.talis autẽ causa nõ habet esse in deo:quia neẜ sensus neẜ appetitus habent esse in deo.ergo &c.¶In contrariũ est illud

**In opposit.**

Psalmi.Delectationes in dextera tua vsẜ in finem.Et Prouerbioẜ.ix.dicitur de sapientia incre ata: Delectabar per singulos dies ludens coram eo. Et phs dicit.vii.Ethicoẜ.Deus semp gau det vna & simplici delectatione. ¶Qẜ autẽ delectatio nõ sit annexa diuinẹ beatitudini: arguit

**3**

Primo sic.qa delectatio est sui gratia, & sćdm se non propter aliud eligibilis,dicente pho in.x. Ethicoẜ.Maxime eligibile qđ non propter alterum neẜ alterius gratia eligimus. Tale aũt cõ fessum est esse delectatione,talis aũt est ipsa beatitudo vel aliqd ei⁹,nõ aũt annexũ ei. ergo &c.

¶Secundo ſic.perfectio operationis & finis non minus eſſentialiter pertinet ad beatitudinē q̃ ipſa operatio,ſed operatio pertinet ad beatitudinem vt aliquid eius non ei annexum, delectatio autē eſt perfectio operationis,dicēte Philoſopho in eodem.Perficit autem operationem delectatio vt ſu perueniens quidam finis,ſequitur enim operationem.ergo &c. ¶In contrariū eſt.quoniam ſi eſſet aliquid felicitas,delectatio in omni operatione per ſe quęreretur, quia eſt finis omnis operationis. conſequens eſt falſum. dicente Philoſopho in.x.Ethicorum. Circa multa ſtudium faceremus, etſi neq̃ vnam inferant delectationem: puta videre,recordari,ſcire, virtutes habere. Si autem ex neceſſitate ſequitur his delectationes, nihil differt. eligeremus enim hęc etſi non fieret ab his delectatio.Quare cum nō habet beatitudo eſſe ſine delectatione,propter qd̃ beatum nōmināt a gaudere,vt dicit in.vii.Ethicorum:& cum non ſit aliquid eius:non poteſt inſeparabiliter ſe habere ad ipſam,niſi vt annexum ei. ergo &c.

4

In oppoſitũ.

¶Hic oportet primo videre quid ſit delectatio re,& ex hoc iuxta regulā Anſelmi videre quō deo ſumme attribui debet.Eſt aūt delectatio(vt dicit Philo.in.i.Rhetoricę)mot⁹ qdā animæ & conſtitutio ſimul tota ſenſibilis in exiſtentem naturam . ¶Ad cuius intellectum ſciendum eſt:q̃ quęlibet res exiſtens in rerum natura,ad aliquam diſpoſitionem ſecundum naturam ſuam habet ordinari vt ad ſibi conuenientem,per quam habet ſuam naturalem perfectionem in eſſe ſibi congruentem, aut per quam habet illam ſibi acquirere: ad quam quantum eſt de ſe ſolũ eſt in potentia,& ſine illa in eſſe naturæ ſuæ eſt imperfectio:cũq̃ illam ſibi habuerit preſentem & vnitam, concipit ſuauitatem quādam mulcebram quaſi diſtillantem ex ea in qua quaſi in fine & ſibi ſufficienti quieſcit ſuus appetitus.Id autem quod in ſe ſic concipit, & in qd̃ quieſcit,qd̃ in ſe continet dictam ſuauitatem ſeu qd̃ potius eſt ipſa ſuauitas,ſecundum genus prædicamenti qua litas eſt in tertia ſpecie qualitatis:& eſt paſſibilis qualitas,cū permanens eſt & de difficili mobilis habens cauſam pmanētem.Eſt aūt paſſio ſiue affectio cum cito tranſit & de facili mobilis eſt.Nec qd̃ hic dicim⁹,delectationem eſſe qualitatē,cōtrariatur illi quod dicit Philoſophus decimo Ethicorū,q̃ neq̃ delectatio,neq̃ virtutis operationes ſunt qualitates. Intelligit enim hoc de qualitate quæ eſt habitus aut virtus in prima ſpecie qualitatis,vt patet inſpicienti : & eſt id in quo conſiſtit delectatio,immo re eſt ipſa delectatio qua delectans delectatur: ſicut albedo re eſt ipſa dealbatio qua quis dealbatus eſt,licet non ſit mot⁹ ille qui eſt dealbatio qua generatur albedo:& etiā ſicut dilectum & cognitum eſt ipſa beatitudo & beatificatio qua quis beat⁹ effectus eſt.Nihil eñ aliud re additur ſubiecto quo in illo eſt dealbatio formaliter q̃ albedo. Et differūt ſecūdū aliquos dealbatio ſecūdū q̃ nominat diſpoſitionem ſubiecti non motum ad ipſum,& ipſa albedo, ſola ratione,quia quod eſt albedo vt conſideratur ſecundum eſſentiam ſuam, idem eſt dealbatio ſecundum q̃ cōſiderat vt eſt diſpoſitio ſubiecti. Vel dicit dealbatio,vt eſt in acquiſitione: albedo, vero vt iam eſt acquiſita. Sic & de aliis:vt nō reſtet dicere q̃ album eſt albũ albedine & dealbatione:ne q̃ q̃ delectans delectatur delectatione aut qualitate illa alias innominata, neq̃ q̃ beatus dicat eſſe beatus aut beatificatione aut dicto obiecto:quorum vtrunq̃ poteſt dici beatitudo.Diſpoſitio aūt huiuſmodi quę ſic dicit delectatio,ſi ſit in re nō cognitiua,tunc eſt delectatio pure naturalis,qua res huiuſmodi delectatur appetitu naturali in illa qualitate in ipſam diſtillante ex coniuncto ſibi conuenieti:& hoc dupliciter: ſiue vt in qua habet ſuam naturalē perfectionem, dicēte Auicen. in fine.viii.Metaph.Delectatio cuiuſq̃ virtutis plena eſt perfectionis ſuę acquiſitio. & ideo ſenſus delectabilia ſunt ſenſata cōuenietia:vt irę vindicta,& ſpei cōſecutio : & vniuſcuiuſq̃ rei,id qd̃ eſt pprium ei,quemadmodum delectatur arbor cum ſecundum actum fœcunda eſt floribus & fructibus. Vnde etiam tunc metaphorice dicitur ridere, quod eſt ſignum delectationis & lętitiæ in proprie ridente.Siue vt ex qua acquirit ſuam perfectionē,quemadmodū delectatur arbor plantata in loco vberi quę luxũ & affluentiā habet nutrimenti ſibi preſentis,quod impie dicitur de lectatio:nec ſapientes nomen delectationis ſolent rei non cognitiuę tribuere . Si vero delectatio ſit in re ſenſitiua,tũc eſt delectatio animalis:quemadmodũ delectatur animal in ſua naturali pinguedine & ſanitatis diſpoſitione in illa exiſtente . Et hoc ex ſenſu quo illam ſuauitatem exinde ſtillantē in appetitu ſenſibili percipit.Et eſt tanto maior iſta delectatio ſenſibilis animalis,q̃ ſi eſſet abſq̃ ſenſu pure naturalis: quanto ſpiritualius vnitur conueniēs conuenienti in ſenſu quo ſpiritualiter in ſe illam concipit & percipit:q̃ ſi ſine ſenſu ſolum materialiter ei cōiungeretur. de qua dicit Auicen.nono Metaphyſicę.Omnis virtus animalis habet delectationem & bonum quę ſunt ſibi propria:& delectatio voluptatis, & bonitas eius eſt : vt perueniat ad eam qualitas ſenſibilis conueniēs, Conueniens autem vnicuiq̃ per eſſentiam, eſt adeptio perfectionis in effectu:vt ſen

K  
Reſolutio.q̃.

L

M tiat illam fieri,& delectetur secundum eius qualitatem.Si vero delectatio illa fuerit in re rationa
li aut intellectuali,tunc dicitur delectatio intellectualis: quemadmodum delectatur homo ex co
gnitione veri in re vnita ei per intellectum,& in fruitione boni vniti ei per voluntatem,quę perci
pit per intellectum,& circa quę delectatur per voluntatis appetitũ.Et est tanto maior ista delecta
tio spiritualis etiam circa eandem rem, q̃ sit illa delectatio animalis,quanto perfectius vnitur res
conueniens cõuenienti per intellectũ & intellectualē appetitũ,q̃ per sensum & sensitiuũ appetitũ.
Vnde Auicen,in.ix.Metaphysice,comparans delectationem animalē siue corporalem delectatio
ni intellectuali,dicit sic. Lex nostra quã dedit Mahomet, ostendit dispositionem felicitatis & mi
serię quę sunt secundum corpus,& est alia quæ apprehenditur intellectu, sapientibus vero theo
logicis multo magis cupiditas fuit habere hanc felicitatem q̃ felicitatem corporum:quę q̃uis da
tur eis , tamen non attendunt eam,nec appreciati sunt eam comparatione huius felicitatis quæ
est coniuncta primę veritati:& prudens homo non oportet ꝙ omnis eius delectatio sit sicut dele
ctatio asini:& ꝙ prima principia quæ sunt proxima dominõ seculorũ,careant omni delectatione
& gaudio . Rationem vero quare delectatio intellectualis excedit corporalem animalem subdit
N dicẽs,Quõ poterit comparari perfectionibus amabilibus aliarũ virium,in quibus perficitur dele
ctatio apprehendentium? vel quæ erit dispositio eius cuius applicatio est contingentia superficie
rum,comparatione eius ꝙ infunditur in substantiam sui receptibilis: ita ꝙ sit vnum id sine dis
cretione?Quoniã intelligentia & intellect⁹ & intellectum sunt vnum vel pene vnum.Anima ra
tionalis plura numero comprehendit: & plus scrutatur apprehensum & plus expoliat illud ab eis
quæ sunt in eo accidentaliter, & ipsa penetrat interiora apprehensi : & exteriora. Quomodo er
go apprehensio hęc poterit comparari illi apprehensioni? vel quomodo hęc delectatio poterit com
parari delectationi sensibili vel bestiali: Idem in fine libri.viii.Delectatio non est nisi apprehēsio cõ
uenientis secundum ꝙ conueniens est.Vnde sensibilis delectatio est sensibilitas conueniens: & in
telligibilis delectatio est vt intelligat conueniens.Oportet autē ꝙ apprehensio qua intellectus ap
prehendit intellectũ,fortior est q̃ apprehensio qua sentiens apprehendit sensatũ: quia intellectus
intelligit quicquid potest expoliari ab alio,& vnitur cum eo,& sit ipsum,& apprehendit illud in
quantum est ipsum:non autem id ꝙ apparet de eo: non sic autem sensus cum sensato.Igitur de
lectatio quę est nobis de eo ꝙ intelligim⁹ conueniens,maior est q̃ ea qua sentimus conueniēs: ita
ꝙ non est comparatio inter illas. Cõtingit autē ꝙ virtus apprehēdens nõ delectatur in quo opor
tet delectari, propter aliqua accidentia:sicut infirmus non delectatur in dulci,sed respuit illud,se
cundum ꝙ dicit lib.ix. Quia nos in hoc nostro seculo & nostro corpore demersi sumus in mul
ta turpia:ideo non sentimus illam delectationem cum apud nos fuerit aliquid de causis eius. De
delectatione prætacta naturali nihil ad præsens,neꝗ de delectatione sensibili animali:quam vide
O tur philosophus prędicta descriptione definire per hoc ꝙ dicit ꝙ est motus sensibilis. Sed vt ex
tendamus ad illam quę intellectualis est,exponamus illud ꝙ dicit sensibilis, sic.i.perceptibilis,vt
sit cõmunis ad omnē delectationem cognitiuam. Et patet ex iam dictis:quõ illa descriptio perfe
cte explicat essentiã & naturã delectationis. Per illã ēm particulam qua dicit ꝙ est motus,tangit
eius genus:vt motum largissime accipiamus pro qualitate impressa delectanti ex presentia dele
ctabilis:quę dicitur motus nõ quia sua essentia in motu aut mutatione consistit : hoc enim non
est verum,sed potius consistit in pmanentia & perfecto esse,ꝙ est totũ simul, vt iam dicetur:sed
dicitur motus quia sit per quandã impressionem quę est mutatio,aut verius quasi subita mutatio
quędam:vt iam dicetur,In essentia autē sua ipsa non est nisi passio siue affectio siue passibilis qua
litas vt dictum est.Vnde exponēdo quid intellexit per motum,dixit Philosophus addens,Et cõ
stitutio,vt legamus & pro idest,Et nominatur qualitas ista delectatio:queãdmodum si albedo di
ceretur albatio:si nõ esset nomē hoc impositum,ꝙ est albedo,Et dicitur delectatio secundũ ratio
nem nominis quasi delactatio,vt per metaphorã sensibilis rei a qua nomē imponitur,intelligam⁹
occultum quid ꝙ nomine delectationis debem⁹ intelligere. Incidit ēm delectatio a præsentia de
lectabilis in delectatē,quasi gutta quędã spiritualis dulcedinis, ad modum quo in os paruuli sug
gentis vbera,& immergentis se in ipsa & cõiungentis,lactis dulcedo destillat:quam sentiendo de
lectatur ex vberum presentia. vt sic dicatur delectatio quasi in virtute cõiunctam cũ suo conue
nienti secũdũ modũ pdeterminatũ,quędã descendens de ipso siue de obiecto delectabili lactatio:
per quã intelligim⁹ illã qualitatē quã vocamus delectationē,quasi dulcedinē quandã,quasi motu
quodã lactatiõis impressam.Quę quia(vt dictũ est)nõ est ipse motus lactationis,sed res siue qua
litas prędicta cõstituta in esse p ipsum,exponit se dicēs Motus & (pro idest)cõstitutio:hoc est res
quędam constituta in esse per illum motum,Cętera autēquę ponit in illa descriptione sunt quasi

differentiæ quibus diſcernitur delectatio ab aliis, & quibus explicatur modus quo habet cauſari
in delectante. Vnde per hoc ꝙ dicit animę, tangit eius ſubiectum ſiue cauſam materialem in qua
fit, ad differentiam delectationis naturalis quę eſt in inanimatis. Et quia iſta qualitas nõ habet in
eſſe animæ ſecundum id quod eſt in natura & eſſentia abſolute: ſed ſolummodo inquantum eſt
perfecta ſuo conuenienti in natura ſibi coniuncto: ideo exponendo qd dixit animę, ſubdit. In natu
ram exiſtentem, ſcilicet in ſuo actu perfecto per ſibi conueniens in natura coniunctum: qd proprie
eſt eſſe exiſtentem. Sola enim proprie res illa dicitur exiſtens natura, quæ in ſuo eſſe perfecto conſiſtit. Vnde dicit Philoſophus primo Rhetoricæ. Neceſſe eſt delectabile eſſe in id quod eſt ſecun- **P**
dum naturam, vt hæc ſit definitio quam intendit Philoſophus. Delectatio eſt conſtitutio ſenſibilis (ideſt perceptibilis) in exiſtentę naturam ſimul tota. Et eſt ly conſtitutio, loco generis: & dicitur conſtitutio, quia delectatio conſiſtit in quodam facto eſſe: & hoc quia non cõſiſtit in ſolo fieri,
& quia non eſt ipſum fieri: vt ipſa generatio qua fit aliquid, ſiue mutatio qua fit cõueniés cõiunctum conuenienti: ſicut poſuit Plato ɓm Phm.x.Ethicorum. Immo eſt quiddã pductũ manens ad
permanentia ſuæ cauſæ, & habet eſſe in termino motus quo acquiritur conueniens conuenienti.
Fiunt em ſimul in termino illius motus, & ipſa operatio itellectualis qua cõſequit intellect⁹ illud
cõueniens, & ipa opatio quæ eſt intelligere & velle, quo conſequit voluntas bonũ ſibi cõueniens, &
ipſa delectatio: quemadmodum ſubitę mutationes, & illa quę per illas generantur, fiunt in termino motuum: licet operatio precedat natura huiuſmodi delectationem in creaturis, quę eſt cauſa illius. Vnde ſicut operatio intelligendi & volendi eſt q̃dã conſtitutio tota ſimul pmanés, potius aſſimilata quieti q̃ fluxui: ſic & delectatio. Nec differũt niſi in hoc, ꝙ delectatio eſt quiddã ipreſſum
delectáti. Intelligere aũt & velle eſt quid expſſum in itelligéte & voléte. Propter qd delectari ſignificat modo paſſionis, intelligere autem & velle modo actionis. Propter qd delectatio dicitur proprie paſſio, licet accepto nomine paſſionis vt dictũ eſt ſupra: non operatio. Intelligere vero & vel
le dicuntur operatio proprie non paſſio: licet ſecundum Philoſophum in ſecũdo de anima, intelligere & velle paſſiones quædam ſunt: delectatio vero eſt operatio quædam, vt dicit Philoſophus
in decimo Ethicorum. Cætera vero in dicta definitione tenent locum differentiæ, vt dictum eſt.
Per hoc enim ꝙ dicit in exiſtentem naturam, tangit ſubiectum ſiue cauſam materialem, vt dictum eſt, quæ communis & generalis poteſt eſſe ad naturam creatam in ſua delectatione, & ad in
creatam in ſua, ſecundum ꝙ ambę per ſuas operationes conſiſtunt in ſuo eſſe, ex quo ſequitur delectatio, ſecundum ſupra determinatum modum. Qz vero dicitur ſenſibilis, hoc eſt perceptibilis
eſt ad differentiam delectationis quæ eſt in animatis vegetabilibus. Simul tota, ad differentiã eorum quę per motum acquirunt perfectionem ſuam, partem, ſ.acquirendo poſt partem. Delectatio
enim prouenit tota ſimul, ſiue fuerit ſenſibilis, ſiue intellectualis. De ſenſibili nihil ad præſens, ſed
ſolum de illa quæ intellectualis eſt, quæ proprio nomine gaudium appellatur, quia gaudium eſt
ꝑprie illa ſola delectatio quę eſt partis intellectiuę: ſuper quam addunt ſuo nomine quaſdam me
taphoricas ꝑprietates lętitia, voluptas, exultatio, & cætera quęcũꝗ ad ipſam pertinentia. Dicit em
lętitia quaſi latitia: eo ꝙ delectás delectatiõe ſe dilatat, quaſi ſinũ extendendo vt boni illud a quo **Q**
delectatio procedit & eius influentiam perfecte capiat: per quod delectatione inflammatur deſide
rium non mouens in non habitum, ſed excludens omne faſtidium. Dicitur autem voluptas, quia
nõ habens ad qd acquirendũ moueatur, in ſe quaſi voluitur. Eſt enim delectatio finis quidam paſſionum in quã omnes aliæ ordinantur, ſicut omnes ab amore criuntur ſicut a principio, dicente
Auguſtino ſuper illud Pſalmi. Scrutans corda & renes deus. Finis curę delectatio eſt, quia eo quiſ
ꝗ curis & cogitationibus nititur vt ad ſuam delectationem perueniat. Dicitur autem exultatio
quaſi extra ſe ſaltatio: eo ꝙ dilatatus deſiderio quaſi ſeipſum nil reputat, ſed ſuo delectabili o-
mnino ſe ingerit: & quaſi exuédo quod eſt, in illud tranſit: per qd impletur omne deſideriũ, iuxta
illud Eſaiæ.lx.loquétis de delectatione in viſiõe glorioſa. Tunc videbis & afflues: & admirabit &
dilatabitur cor tuum. Ex quo eſt aduertendum: ꝙ cum in cauſando delectationem duo concur- **R**
runt, motus ſcilicet ſiue operatio circa obiectum, & ipſum obiectum præſens & vnitum per huiuſ
modi operationem, ſicut in cauſando beatitudinem: ꝙ ſicut ipſum obiectum ſecundum prędeterminata in beatificãdo eſt per ſe beatificans, & ita vt finis perficiés principaliter: ſic & in delectãdo
eſt per ſe & principaliter delectans tanꝗ id de quo principaliter eſt delectatio: & a quo lactatio delectationis principaliter deſcendit. Operatio autem non eſt alterius corũ cauſa niſi quatenus terminatur in obiecto: quod dupliciter poteſt contingere. Vno modo ſcdm ꝙ ipa opatio eſt mediũ aſ-
ſequédi illud obiectũ, ſcdm ꝑdeterminata. Alio mõ vt ipſa ſit obiectũ btificás de quo cõcipit delectatio. Prio mõ manifeſtũ é ꝙ nõ é cã delectatiõis niſi miniſterialiter, ſicut neꝗ btificatiõis, nõ vt

principaliter beatificans,de quo principaliter concipitur delectatio : sed vt ipsum per qd habetur id de quo concipitur delectatio principaliter , & quod est principaliter beatificans . Secundo autem modo est causa quoquo modo beatificans secundum prædeterminata, & vt id de quo concipitur & a quo influitur delectatio,vt quando aliquis delectatur de ipso actu contemplandi aut amandi deum. Sed in hoc non est causa delectandi principaliter,sicut nec beatificandi.Non enim operatio est obiectum contemplandi aut amandi,vt quis contempletur se contemplari vel amare aut vt amet se contemplari & amare,nisi quia contemplatur & amat aliquid præter actum quod est per se & primo contemplatum & amatum : secundum qp habitum est supra. Quare similiter non delectatur in contemplando vel amando,nisi propter hoc qp delectatur principaliter in contemplato & amato,qd tanto magis causatiuú est delectatiõis,quáto magis est delectabile.Delecta bile enim est factiuum delectatiõis,vt dicitur Primo Rhetoricę. Quare cum eodem principaliter beatificatur & delectatur,patet veritas supra determinata,qp beatitudo principaliter consistat in obiecto,& non in actu . Vlterius quia voluntatis est proprie delectari , & magis ex actu proprio & obiecto eius,q̄ ex actu & obiecto alieno,sicut & quælibet alia virtus: patet etiam qp beatitudo consistat principalius in actu voluntatis q̄ intellectus. ꝗViso igitur ex prędictis quid sit delectatio re & definitione, patet qp de ratione rei nominis nihil nisi rationem boni & perfecti importat,qd omnia appetunt:& licet non vt finem principalem, vt cõcomitans tamen & annexum illi, propter qd & finis dicitur,secundum Augustinum. Vnde & Philosophus dicit primo Rhetoricę, qp necesse est delectationem bonam esse . Si enim mala est, hoc non est ex genere suo, sed accidit ei ex subiecto in qd & circa quod est. Similiter si aliquam habeat ratiõe defectus aut imperfectionis sibi annexam,hoc contingit ei secundum esse qd habet in creaturis.Quare cum talia deo attribuuntur per proprietatem secundum regulam supra expositam,deo ergo attribuenda est delectatio,absq̄ omni tamen ratione defectus & imperfectionis quæ potest ipsi contingere in creaturis, & hoc quemadmodum attribuuntur ei alia attributa, secundum superius determinata. Et sic delectatio simpliciter est dicéda eé in deo: & hęc pfectissima:tum quia cõtemplatio qua cõprehédit se,est fortior:& amor quo diligit se,est seruétior:tũ quia perfectio sua qua delectatur,est sibi vnitior.dicente de eo Auicéna in fine.viii.Metaphysice.Cum intelligentia intelligentis & intellecti vnum sint certissime:ideo suiipsius est maxim⁹ amator & amatum: & magis delectans & delectatum est excellentior apprehensor cum excellentiore apprehensione excellentioris apprehési, ideo est excellentior delectator cum excellentiore delectatione in excellentiori delectato.& hoc est in quo nihil cõparatur ei. Hinc etiam dicit Philosophus septimo Ethicorũ.Cuius natura simplex est, semper eadem actio delectabilissima erit.propter qd deus semper vna & simplici gaudet delectatione.

**Ad pri.prin.** ꝗAd primum qp delectari nõ semper melius est esse ipsum q̄ non ipsum: vt circa actũ fortitudinis:Dicédũ qp de delectatiõe est loqui dupl̄r.Vno mõ simpl̄r & ĩ genere,nõ determinãdo hãc vel illã, vel huic vel illi.Alio mõ determinãdo hãc vel illã,huic vel illi,determinãdo eã secundũ aliqué horũ modorũ.Primo modo dicendum qp delectatio est bonum simpliciter & absolute,quia ipsa simpliciter est bonũ cuicũq̄ bene disposito sectũdũ suam naturam. Et qd tali bonũ est,simpliciter bonum est,sicut simpliciter est sanum,qd est sanum sano . Vnde qp omnia delectationem appetunt, hoc signum est non solum qp sit bonum, sed qp sit aliqualiter optimum, vt dicit Philosophus septimo Ethicorum.Et reuera est aliqualiter optimũ: quia( vt ibidem determinat) cõsequit ad id qd simpliciter est optimũ vnicuiq̄: qd quidé optimũ principaliter oĩa appetũt. De quo dicit qp omnia habét quoddam diuinum,quod,f. est sua vltima perfectio qua attingũt sua naturali operatione bonum diuinum vel secundum eius essentiam vel secundum participationem alicuius similitudinis,vt habitum est supra.Ex cuius adeptione naturaliter singula bona delecta tione delectantur,sed non eodem modo:sicut non sunt nature eędem:nec illud bonum diuinum in cuius adeptione delectantur,eodem modo consequuntur . Sicut tñ bono proprio ordinantur in bonum vltimum,& illud appetunt,licet stant in proprio bono quieta per naturam,quia illud vltimum nõ possunt aliter attingere: Sic propria delectatione sua ordinantur in illam perfectam delectationem quæ est per essentiam in bono vltimo,& illam appetunt, sed stant in propria delectatione quieta,quia vlteriorem attingere non possunt.Vnde dicit ibidem Cõmenta.Cmnia naturaliter habent aliquod diuinum in ipsis seminatum , & diuinam quandam refulgentiam,& cognoscunt delectationem optimum esse . Non potentes autem diuina delectatione delectari,

corporali delectationi immanent:& ea gaudent:diuinam delectationem appellant illam quę pce=
dit ex operatione intellectuali:qua gaudet homo secundum ꝙ diuinum aliquid in ipso exiſtit:vt
dicitur decimo Ethicorum.Quod diuinum nõ solum eſt ſubſtantia intellectus vt dicunt aliqui,
sed etiam attingit de deo operatiõe intellectuali.& hoc ſecundũ Philoſophos in aliqua ſimilitudi=
ne ad illud quod deus de seipso attingit sua operatione intellectuali : sed secundum fideles in ipsa
nuda eſſentia : quam attingit in gloria sua intellectuali operatione,& delectando eadem delecta=
tione illa participatiue qua deus ipse delectatur eſſentialiter.Secundo autē modo,ſcilicet vt dele=
ctatio eſt hęc vel illa, hui⁹ vel illius,quia nõ eadem delectatione ſecundũ ſpeciem neꝗ eodem pro
prio bono delectantur omnia,ſicut neꝗ eadem eſt natura, ſiue naturę diſpoſitio in omnibus ea=
dem: ſic adhuc de ea eſt loqui dupliciter.quia delectatio hęc vel illa aut cõſiderat'circa illum cui
competit ſecundum ſuam naturam:aut circa illum cui non competit ſecundum ſuam naturam.
Secundũ primũ modũ delectatio hęc vel illa competit alicui ſecundũ ſuam naturã,quia ſequitur
illud qđ pertinet ad perfectionem naturę:aut quia ſequitur illud qđ pertinet ad neceſſitatē & in=
digentiam naturę.Primo modo delectatio hęc vel illa ſimpliciter eſt bona reſpectu illius cuius na
turę competit:licet non reſpectu illius cuius naturę non competit. ꝓpter qđ ſecundũ hoc adhuc
eſt bona ſimpliciter,ſed praua ſecundũ quid. quēadmodum ſecundũ Dionyſium,eſſe iracundum
laudabile eſt in cane:qđ non eſt laudabile in hoĩe. Secundo modo ſubdiſtinguēdum.ꝗa aut ſequiꝷ
id quod pertinet ad neceſſitatē pro quãto pertinet ad eã:aut ſequitur in exceſſu.Primo modo de=
lectatio eſt bona ſimpliciter: ſed pro tanto ſecundũ accidens ꝑ quãto non pertinet ad naturę per=
fectiõe,ſed ad indigentiã.Vñ ſunt delectatiões naturales circa neceſſaria in viuere & bene viue=
re:vt ſunt delectatiões naturales in cibo & potu neceſſario, & coïtu licito,& huiuſmodi.quia ꝑer
delectationes hmõi annexas melius proficiunt naturę in ſua operatione & in acquiſitione finis ad
quē ſunt ꝗ ſine eis.Vnde de talibus dicit Phs in.vii.Ethicorum:ꝙ ſunt medicinę indigentibus &
per accidens ſtudioſę. Si aũt talis delectatio ſequiꝷ exceſſum, ſcilicet circa talia aſſumpta, vltra ꝗ
ſit neceſſariũ naturę,ſic illi malę ſunt,ſimpliciter tamen in ſe bonę,quia per ſe ſequuntur ſubſtan=
tiã actionis:& bonę eſſent illi qui vſꝗ ad illũ exceſſum indigeret illis quibus ſunt annexę. Vnde
dicit philoſophus.vii.Ethicorum.Corporaliũ autē bonorũ; ſuperabundãtia,prauũ:& perſequēdo
ſuperabundantiam eſſe prauas ſed nõ neceſſarias.Si vero delectatio hęc vel illa ſit circa illũ cui nõ
competit ſecundũ naturã ſuã:aut ergo nulli alii nata eſt competere ſecundũ ſuã naturã:aut nata
eſt alicui cõpetere ſecundũ naturã ſuã.Si primo modo,illa nõ ſunt vere delectabilia,ſed videntur
tantũ propter prauã diſpoſitionē delectãtis,ſecundũ ꝙ mulieres imprægnatę delectãꝷ in come=
dendo carbones:vbi ſcđm rē nulla eſt delectatio,ſed tantũ videtur eſſe:ſicut ſi febricitãti dulce vi
deatur amarũ:nõ ſubeſt tamē aliqua amaritudo ſed videtur tantũ. De talibus delectationib⁹ di=
cit phus.x.Ethicorũ.Ad preferētes prorofiſſima delectatiõe dicit vtiꝗ aliquis quoniã non ſunt
delectabilia.Nõ eñ ſi male diſpoſitis delectabilia ſũt, ęſtimãdũ eſt ipſa eſſe delectabilia ſimpliciter
tamen his:quēadmodum neꝗ laborantibus ſana vel dulcia vel amara.ſupple ſimpliciter ſunt talia.
Si vero nata ſunt alicui competere ſecundũ ſuã naturã & eſſe ei delectabilia,ſimpliciter ſunt dele
ctabilia,& ſimpl�r eſt delectatio bona:reſpectu aũt alicuius mala,& ita ſecũdum quid. vt delectari
iraſci bonũ eſt cani:licet ſit ſimpliciter malũ.Simpliciter ergo & abſolute delectatio bona eſt ,& ſi
militer delectatio hęc vel illa: & ſi ſit mala, hoc eſt huic, quia ipſi non eſt neceſſaria ,ſed abun=
dans:vt eſt illa quæ contingit in fornicatiõe,ꝗ etſi forte eſſet ei neceſſaria ſecundũ corpus,non ta
men talis eſt ei neceſſaria ſcđm regulã rectę rõnis,& ſic ſimpliciter & abſolute ſemp melius eſt de
lectari ꝗ non:licet nõ huic,& ita ſecundum quid nõ eſt melius.Et de eo qđ ſim liciter eſt melius cõ
ipm ꝗ nõ ipm,tenet regula Anſelmi,etiã licet ſcđm qd nõ eſſet melius huic. Et eſt vn⁹ articulus
pertinens ad illã regulã: quē ſuperi⁹ in eius expoſitione nõ tetigimus niſi implicite.Et ita licet de
lectatio alicui ſit mala,nihil obeſt ꝗn deo poſſit attribui. Vel pot reſpõderi diſtinguēdo,ꝙ ꝗđã
ſunt corporales diſpoſitiones,de quib⁹ dicit phs.vii.Ethicorũ.ꝙ aſſumpſerunt noĩs hęreditatem,
vt ſecundum Commē.ſolę & principaliter delectationes appellarentur,ꝗ poſſunt eſſe prauę:quas
nõ ſemper melius eſt eſſe ipſum ꝗ non ipſum, quia in ipſis poteſt eſſe exceſſus, vt non ſint bonæ
ſicut dictũ eſt.Alię vero ſunt delectationes ſpũales,quas hoĩes multi eſſe non putant,quia nõ ex
periuntur eas: ꝗ nõ ſunt niſi bonę:nec recipiunt exceſſum ſecundũ phm.x. Ethicorũ:licet nõ ſint
ſummũ bonũ,aut nõ habeãt rõnem ſummi boni:ꝗa delectatio nõ pot eſſe ipſa beatitudo,ſed paſ=
ſio in beatificato annexa beatitudini,fluēs a beatificãte inquãtũ beatificãs eſt,ſcđm ꝑdeterminata
& ꝙ ſecundum iſtas delectatiões delectari ſemper melius eſt eſſe ipſum,ꝗ non ipſum. Et ideo ab
iſtis nomen delectationis attribuiꝷ deo,licet non ab aliis. Sed primo mõ dicit melius, quia ſimplꝝ

& per se & scdm oem delectatione q delectatio nõ est apparés tantu,meli⁹ est esse ipm q non ipm & q secundum corporales delectationes melius est nõ esse ipsum aliquãdo,hoc solum est secundu quid,vt dictum est.Ab omni autem eo qd simpliciter melius est esse ipsum q non ipsum,siue fue rit dispositio corporalis siue spiritualis,indifferenter potest nomé transferri ad diuina. ⁋Ad secu

**Z**
**Ad secundũ**

dum q non est aliquid cõmune deo & brutis,vt causa cõmunis in delectando:Dicendum q im mo secundum modum quo eis conuenit delectatio,scilicet analogice.Analogice enim dicitur de delectationibus corporalibus & spiritualibus, & est causa analoga appetitus sensibilis & intelle ctualis,quia analogice sunt appetitus.Dicit etiã analogice delectatio,de illa que est dei,& que est creature.Sicut analogice dicitur appetitus de illo qui est dei,& de illo qui est creature,licet maior sit differentia analogie inter appetitum corporalem siue sensibilem creature,& itellectualem dei, q inter appetitum dei intellectualem,& intellectualm creature.⁋Ad illud quod arguebatur pri

**&**
**Ad tertium**

mo,q delectatio sit aliquid beatitudinis,quia est sui gratia,& secundum se eligibilis : Dicendum q aliquid est sui gratia,& secundum se eligibile,qd ita est eligibile,q eligibile esset etsi nihil aliud exinde nobis deberet puenire.Sed sic cõtingit aliqd esse eligibile dupliciter.Vno mõ q sic est eligi bile,ita q nullo modo est eligibile propter aliud,sed omnia alia ppter ipsum. Alio modo ita q cũ hoc est etiam deo elegibile propter aliud.De eo qd est eligibile sui gratia,& secundũ se primo mo do,verum est q ipsum est beatitudo vel aliquid eius.& sic nihil est sui gratia, & secundu se eligi bile,nisi bonum increatum:& non virtus,neq operatio perfectissima secundu virtutem ,neq ipa delectatio,nec vniuersaliter aliqd creatu. Nõ aut est veru de eo qd est eligibile sui gratia,& secun dum se secundo modo: sic enim virtutes sunt propter se eligibiles, & propter aliud, & simili ter actus earum & delectatio ipsa,etsi singula essent: iuxta q processit obiectio in contrarium.Quo modo autem sit delectatio propter aliud iam dicetur. ⁋Quod autem arguitur secundo,q dele

**'**
**Ad quartũ.**

ctatio est perfectio & finis operationis:Dicendũ prio de perfectione:secúdo de fine.Quantu est de pfectiõe:Dicedũ q aliqd est pfectio alteri⁹ dupliciter. Vno modo vt formalis dispositio eius vt il lud propter qd est.Alio modo vt dispositio in subiecto per quã perfecte habet elici operatio.De eo qd est perfectio operis beatificatis Primo mõ,verũ est q est principaliter beatitudo,ga est obiectũ formale operationis,& terminus eius,sed hec nõ est delectatio que est perfectio operationis,ga nec est obiectum eius formale & principale,sed solũmodo illud a quo spiritualiter quasi distillat secũ dum predictum modũ dispositio illa que dicitur delectatio.Nec est illud ppter qd ipa operatio:li cet per operationem habet causari inquantum delectatũ attingit per suam operatione id a quo distillat delectatio. De eo autem qd est perfectio operationis beatificatis secũdo modo,nõ est verũ q sit beatitudo vel aliqd beatitudinis,quale é delectatio.Sed intelligendũ q dispositio in subiecto

**R**

secũdũ quam habet perfici operatio,habet aliquid esse dupliciter.Vno modo oĩno prqueniens opera tione quo substãtia opationis elicit. Alio mõ vt sequés operatione quo substãtia actionis intendit & firmat.Primo mõ se h₃ sensibile ad sensum in eliciẽdo actũ sentiẽdi: & intelligibile ad intellectũ aut habit⁹ in ipso ad eliciẽdũ actũ itelligẽdi.& sic nõ pficit delectatio opatione.Propter qd cũ dixit Pĥus q perficit operatione delectatio,continuo subiungit . Non aut secundum eundẽ modum & delectatio perficit & sensibile. Vbi dicit Cõmen. Non secundum eundem modũ perficit operatio nem delectatio,& sensum sensibile.Sensibile quidẽ perficit sensum vt ducens ipsum a potentia in actum.Delectatio autẽ non sic se habet ad operatione. Non est enim extra ipsam & prius hac. Est & alia differentia,quia sensibile perficit sensum vt forma,non vt efficiẽs causa.Delectatio aũt per ficit operationem nõ vt forma eius,sed vt dispositio subiecti eliciẽtis. Et ideo cum dixit philoso phus,q non secundum eundem modum delectatio perficit & sensibile,continuo subiunxit.Q. ead modum neq sanitas & medicus.Sanitas enim perficit formaliter,medicus vero effectiue.Et sic di cẽdu est q delectatio nõ perficit operationem vt forma eius,neq vt dispositio in subiecto elicitiua eius quo ad suam substantiam,sed secũdum Cõmentatorem perficere dicitur delectatio operatio nem vt coaugmẽtans & confirmans. Propter quod dicit philosophus ibidem. Coauget operatio nem propria delectatio. Vbi dicit Commenta. Et causa in hoc est,quoniam qui faciunt cum de lectatione,actio eorum est vehementi⁹ exquisita.Et postmodum subdit pĥs.Propria delectatio cõ firmat operationes: & diuturniores & meliores facit . Et sic per operationem causatur delectatio inquantum per ipsam comprehenditur delectans a quo distillat in delectatum: qua informatum ardentiori amore fertur in obiectum:& per hoc intẽdit operatione:& firmat ipm firmius tenendo se p actũ in obiectũ:& p hoc etiã coauget & firmat britudinẽ in beato:qqm totum simul fiat in eodẽ instanti,& qqm omnia hæc in deo habent considerari:vt sola ratione differentia.Vnde quia sic cõ iuncta sunt delectatio & operatio:dicit Philosophus q delectatio est operatio eius qui secundum

naturam habitus.Et in.x.dicit,ꝗ delectationes propinquę ſunt opatiōnibus & indiſcretę,ſic ꝟt ha
beat dubitationem,ſi idem eſt operatio delectationi.Determinat tamen ꝙ differunt:& eſt planiſſi
ma differentia:in hoc ſcilicet ꝙ delectatio eſt quaſi quid impreſſum ei quod delectatur . Operatio
vero eſt quaſi ꝗd expreſſum ab ipſo. Et ideo delectatio pprie ſignificat p modū paſſionis:min⁹ pro
prie vero dicitur operatio,& operatio minus proprie dicitur paſſio. Ambo tamē ſunt de tertia ſpe
cie qualitatis:quia paſſibiles qualitates, paſſiones ſequentes quę fiunt ab intelligibili in intellectū
ꝟn producendo actum intelligendi,& a bono,licet metaphorice, in voluntate ad eliciēdum actum
volendi:ad quos ſequitur delectatio,ꝟt finis non principalis neꝗ principaliter intentus:ſed ꝟt qui
dam finis ſuperueniens,quaſi naturaliter fini principali annexus. quia inquantum diſtillat in de
lectantem, ſit ſequens actionem, licet quaſi a poſteriori non in anterius habet rationem finis cu
iuſdam,inquantum tamē cum diſtillata fuerit,eſt principiū & diſpoſitio qua efficacius elicitur
actus in obiectum . Et ſic ꝗꝗ Philoſophus dimittat in dubio, an delectatio ſit propter operatio
nem an econuerſo:viſis tamen prędictis non amplius manet dubiū,quin delectatio ſit ppter ope
rationem intendendam & firmādam,non autem econuerſo operatio propter delectationem, licet
ſit per ipſam.Vnde delectatio nō eſt niſi propter aliud intēta,ſcilicet propter fortiorē finis adeptio
nem,& ꝟt operans firmius & perfectius petſiſtat in operatione.

¶Artic.LI.De differentia attributorum diuinorum inter ſe.

Ertractatis dubitabilibus quę pertinent ad diuinas pro
prietates communes ſiue attributa eius,ꝟt conſiderantur in ſe & abſo
lute:Sequitur de illis quæ pertinent ad ipſa , ſecundum ꝙ comparan
tur inter ſe & ad ipſam diuinam eſſentiam. Et ſunt duo.
Primum de differentia attributorum inter ſe,& ab ipſa eſſentia.
Secundum vero eſt de ordine ipſorum inter ſe, & ad illa quæ in ipſa
eſſentia conſiderantur.
¶Circa primum iſtorum quęruntur tria.
Primum : Vtrum attributa in deo aliquam habeant inter ſe differen
tiam.

Secundum:ꝟtrum quædam illorum differant inter ſe plus,quędam vero minus.
Tertium:ꝟtrum differentia eorum ponat aliquam compoſitionem in deo.

Irca primū arguitur ꝙ attributa in deo:nullo modo differāt inter ſe,neꝗ a ſub
ſtātia ſiue a diuina eſſentia.Primo ſic.Omnis differētia ſiue diuerſitas ponitꝓplu
ralitatem ſiue multitudinē, quę opponitur ꝟnitati, ſicut diuiſio indiuiſioni ſe
cundum Philoſophum.iiii.&.x.Metaphyſicę. Omnis ergo differentia ſiue diuer
ſitas ponit diuiſionem ꝟnius,in deo autem non eſt ꝟnū,niſi diuina eſſentia quæ
nō capit diuiſionem.ergo in deo nulla eſt oīno differētia ſiue diuerſitas.¶Secū
cundo ſic.quicquid eſt in deo,ꝟnum eſt: ꝟbi nō occurrit relationis oppoſitio ſi
cut dicit Boet.lib.de trinitate.ſed in attributis comparatis inter ſe aut ad ipſam eſſentiam, nulla
occurrit relationis oppoſitio, quia ipſa nō occurrit niſi inter illa quorum ꝟnum dicitur relatiue
ad alterum.relatiue autem non dicitur ꝟnū attributum ad alterum,neꝗ ad ipſam eſſentiā.boni
tas enim non dicitur relatiue ad potētiā, neꝗ ad aliquid aliorū,neꝗ ad ipſam eſſentiam,ergo &c.
¶Q₂ autem inter ſe differant ſecundum rem arguit ſic.ſecundum Philoſophum potentię diſtin
guuntur per actus,actus vero per obiecta.In deo vero quaſi potentię ſunt ordinate ad actus,intel
lectus & voluntas: quarum actus non ſolum intelligere & velle eſſentialia : ſed etiam dicere no
tionale & ſpirare,ꝟt habitum eſt ſupra,& amplius videbitur infra.Illorum autem termini ſunt fi
lius & ſpiritus ſanctus.Filius autem & ſpiritus ſanctus realem differentiam habēt inter ſe,quia ſe
cundum Auguſtinum.i.de doctrina Chriſtiana,pater & filius & ſpiritus ſanctus ſunt res quibus
fruendum eſt.ergo realiter differunt intellectus & voluntas. ipſa aūt ſunt attributa cōmunia tri
bus,ꝟt habitum eſt ſupra.ergo &c.¶Q₂ autem differunt nō ex comparatione & reſpectu aliquo
arguitur ſic.quęcunꝗ differunt in aliquo ex comparatione & reſpectu,aut hoc contingit ex reſpe
ctu & comparatione quam habent inter ſe,aut quā habet ad aliqua alia diuerſimode:aut quā ha
bent alia diuerſimode ad ipſa.Nō primo modo:ꝗa ꝟt dictū eſt,nō dicitur relatiue inter ſe,neꝗ ad
eſſentiam neꝗ ad aliquid exiſtens in ea.Nō ſecundo modo:quia cū reſpectu illius nō poſſunt eſſe

Gg iiii

adintra,oportet ꝙ ſint adextra:quę nō ſunt niſi creaturꝛ,ad quæ nō habet reſpectū & cōparationē deus ab ꝗterno,qualis debet eſſe iſta cōparatio:cū attributa habet eſſe in deo ab ꝗterno ꝑ aliqd
ꝗd eſt intra ſe,niſi per ideas.Ideꝗ aūt nō ſunt attributa. Neꝗ tertio modo:cū illa alia reſpectū habentia ad illa quæ ſunt in deo,non ſunt niſi creaturꝛ. Differūt ergo attributa in deo,quia creatu
rꝛ aut ea ꝗ ſunt ī creaturis,habet reſpectū & cōparatione ad illa. Aut ergo hoc ſit cōparatiōe quā
habet creaturꝛ ad illa ꝗ ſunt in deo ab ꝗterno:aut ex tpe. Nō ab ꝗterno,ꝗa ab ꝗterno nō habet eēn
tiꝗ creaturarū aliquā cōparatione ad deum,niſi quia ipſe habet cōparatione ꝑ ideas ad ipſas.Non
enim,ſunt creaturꝛ aliquid,neꝗ per eſſentiam,neꝗ pꝛ exiſtētiam,niſi ex reſpectu ad deum vt ad
cauſam.Effectus autē non habet primo aliquem reſpectum ad cauſam, niſi quia prius cauſa habuit reſpectū aliquem in cauſando ipſum.Neꝗ ex tempore:quia tunc temporale eſſet cauſa & ratio æterni: cum attributa ſint in deo ab æterno ſicut & perſonꝛ,quia ſuper eſſentiam & rationes
attributorum fundantur perſonales emanationes,vt habitum eſt ſupra,& patebit infra. Prꝗterea
tūc deus nō diceret bonus,niſi quia creatura eſſet bona, neꝗ ſapiꝗs,niſi quia creatura eſſet ſapiꝗs
ꝙ falſum eſt:quia contrarium potius eſt verum,ergo &c. ¶Qꝛ autem non differant ex conſideratione intellectus & reſpectus ad ipſum,arguitur ſic. Non enim differunt ex conſideratione intellectus creati:quia tunc non eſſent in deo niſi eſſet talis intellectus conſideratio,cōſequens eſt fal
ſum,ſecūdū iam dicta. Neꝗ etiam ex conſideratiōe intellectus increati,quia intellectus increatus
non habet rationem intellectus in deo,niſi quia in ipſo differunt ante actum conſiderandi intelle
ctus & intellectum,& actus intelligendi aliquo modo,quia nō eſt conſideratio, niſi ipſo actu intel
ligendi,vt ratione differt ab aliis.quare conſimiliter ſi attributa aliqua differant in deo,hoc nō eſt
niſi ſicut aliqua abſoluta.¶Contra primum tamē arguitur.quoniā ſi nō differrent eſſent omnino

ſynonyma in deo,ꝙ falſum eſt.Aliter enim deus nō verius diceretur eſſe intelligens ſecundū intellectum,ꝗ ſecundū voluntatē:nec potius diceretur filius procedere a patre modꝛ intellectualis
operationis ꝗ voluntariꝛ,quod falſum eſt,vt infra patebit. ¶Qꝛ nō differat re,manifeſte arguit.
quia non re abſoluta,quia tunc in deo eſſet realis diuerſitas,ꝙ falſum eſt: ſecundum ſupra deter
minata,neꝗ re relata,ꝗa ſic nō differunt niſi pſonꝛ aut ꝑprietates pſonales,qualia non ſunt attributa,eo ꝙ ſunt cōmunia tribus perſonis,ſecundū ſupra determinata.¶Similiter ꝙ nō differāt ab
ſolute,ſed ſolum ex reſpectu & comparatione,arguitur ſic. quoniā illa abſoluta aut differrent in
alio poſitiue aut negatiue.Non poſitiue:quia plura abſoluta ponibilia nō ſunt in eodem niſi per
aliquam compoſitionem:qualis non eſt in deo propter pluralitatē attributorū,vt in ſequēti queſtio
ne patebit.Nec negatiue:ꝗa negatio nihil dignitatis ponit:ꝙ neceſſario ponunt attributa in deo
quia melius eſt deo eſſe ipſa ꝗ non ipſa,ſecundū regulā Anſelmi,ergo &c.

¶Queſtionē iſtā determinauimus anno prꝗterito in quadam queſtione de quo-
libet:ex qua aliqua ſuccincte capiétes,& reliqua ex ibi declaratis ſupponētes, dicimus ꝙ aliquam
differentiā debemus ponere inter attributa ꝓpter tacta ī antepenultima rōne. Qꝛ tn nō differāt
re ſimpliciter dicta,nec re relationis:vt probat penultima rō.Qꝛ etiā nō differant aliquo poſitiuo
abſoluto.Et tūc nō reſtat niſi ꝙ differāt aliquo abſoluto negatiuo aut poſitiuo reſpectiuo. Nō ne
gatiuo,vt probat vltima ratio.& ſcdm ꝗ ſupra oſtēſum eſt in determinādo de attributis, nihil in
deo habet rōne attributi,etiā ꝗd negatiōe exprimit,vt ꝗmortale,infinitū,quin oīa ponātur in deo
ad exprimēdū & mouēdū intellectū ad concipiendū aliꝗuid poſitiue. Reſtat ergo id in quo omꝛs
concordant,ꝙ attributa non differant aliquo ꝗd ponatur in deo,niſi reſpectiuo:vt aliam rationē
reſpectus importet vnū ꝗ aliud.Et dicūt aliqui ꝙ differunt ex reſpectu ad ea quæ ſunt in creatu
ris:qui moti erant ratione poſita in prædicta queſtione de quolibet,ꝙ quꝗcunꝗ plura differentia
ratione tantū habent alia ſibi correſpondentia re differentia,pluralitas illorum differentiū ratione,& eorū differentia,accipienda eſt ex reſpectu & comparatione ad illa quæ ſunt plura & differentia re,ſicut patet de dextro & ſiniſtro quæ ratione differunt in columna. & hoc non niſi ex re
ſpectu ad dextrum & ſiniſtrum,quꝛ differunt ſecundum rem & in principio & fine in eōde pun
cto nō niſi reſpectu diuerſarum linearum.Diuina autem attributa habet ſibi reſpōdentia in crea
turis re differentia:vt ſunt bonitas,ſapientia,& huiuſmodi . ¶Hoc nonpoteſt ſtare, ꝗm quando

cunꝗ dicuntur hoc modo plura & diuerſa ratione eſſe in aliquo ex reſpectu & comparatione ad
diuerſa re in alio,oportet ꝙ illa diuerſitas ratiōis ſequatur ex illa diuerſitate reali propter diuer
ſum modum habendi id in quo ſunt diuerſa ratione:ad id in quo ſunt diuerſa re . Nunꝗ enim
columna diceretur reſpectu hominis eſſe dextra, niſi ſitum ſuum haberet ad illam partem : nec
poſtmodum ſiniſtra,niſi ſitum mutaret. Si ergo diuerſitas illa ſecundum rationem eſt in deo ex

reſpectu ad diuerſa quibus reſpondent in creatura:oportet ꝙ reſpect⁹ huiuſmodi ſequãtur in deo
ex aliquo modo ſe habendi ad creaturam, qui non eſt niſi ſecũdũ aliquod genus cauſẹ, maxime eſ
ficientis,niſi eñ illa diuerſa re in illis efficeret,reſpectum ad illa nõ haberet:vt eis denominarë:ſi
cut columna a dextra hominis nõ diceret dextra niſi iuxta eã eſſet ſituata.Et ſic ſequeretur ꝙ oĩa
hmõi attributa, deo attribuerẽt ſecundũ genus cauſẹ efficientis tantũ,ſecundũ ꝙ opinati ſunt
Auicẽ,& Rabi Moyſes:vt patet ex ſupra determinatis circa ſignificata attributorũ:& ſic non dice
retur iuſtus niſi quia facit nos iuſtos:neꝗ ſapiẽs niſi quia facit nos ſapiẽtes,Qꝺ falſum eſt:quia cõ
trariũ magis eſt verũ.Non,n,nos faceret ſapiẽtes niſi prius ſapiẽs eſſet:& ſic de aliis.Et pterea iſta
attributio non ſit p proprietatem:ſed p ſimilitudinẽ & metaphorã tãtũ,C ñis eñ attributio qua
aliquid attribuë deo propter ſilitudinem quã habet ad id qꝺ eſt in creatura : vt ꝙ deus eſt agn⁹
ga manſuetudinẽ habet quaſi agnus:vel quia effectus dei eſt in creatura:vt dicaꝺ aliqd ſcire,quia
ſcire illud nos facit:quẽadmodu frigus dicit pigrum:ga pigros nos facit:aut quia ſimilẽ effectum
agit cum eo qꝺ eſt in creatura:vt ꝙ dicit iratus:quia punit ad modũ irati:aut ꝙ habet oculũ:ga
videt res quodã mõ ſicut nos videmus oculo:oís inqua talis attributio p ſimilitudinẽ & metapho
rã ſit.Sed attributa vera,deo non ſecundũ metaphorã ſed ſecundũ ꝓprietatẽ debẽt attribui:vt pa
tet ex ſupra determinatis. Ideo dicunt iſti vlterius : ꝙ verũ eſt ꝙ reſpectus illi ſequunꝺ in deo ex
mõ quodã ſe habendi ad creaturas,nõ ex ſe:ga hoc nõ eſſet niſi ſecundũ genus cauſẹ efficientis:ſed
ex conſideratione intellectus cõparantis & quaſi applicantis diuinã eſſentiam eis quẹ diuerſa ſunt
re in creaturis:ita ꝙ illa nõ dicerent eſſe diuerſa in deo:niſi ex cõſideratione intellectus.Et licet ſe
cundum rem in ipſa eſſentia vt in radice eſſent ab ęterno:in illa tñ abſꝗ conſideratione intellect⁹
applicantis diuinã eſſentiã creaturis, non haberent aliquã rationẽ diuerſitatis:ſed iſta diuerſitas
habet diuerſimode ex conſideratione intellectus increati & creati. Ex cõſideratione intellectus in
creati ab æterno habent eſſe diuerſa ſiue differentia in deo,applicando,ſ.diuinã eſſentiam ad rerũ
eſſentiã:& vt diuerſitas illa habet eſſe in illis habitualꝛ.Ex cõſideratione vero intellectus creati,ex
tempore:applicando,ſ.diuinã eſſentiam ad rerum exiſtentiam:& vt diuerſitas illa habet eſſe in re
bus actualiter.Et per hoc reſpondet ad duo mẽbra in quarta ratione prępoſita:dicendo de intel
lectu increato ꝙ non habet eſſe differens in deo ab intellecto & actu intelligendi:niſi ex cõſidera
tione intellect⁹: ſicut neꝗ alia attributa differũt inter ſe.Qꝭuis eñ actus cõſiderãdi nõ eſt niſi ex
intellectu ſecundum rõnẽ aliã ꝗ ſit ratio intellecti:differentia tñ actualis non eſt niſi ex conſidera
tione intellect⁹,aliter eñ eſt in diuina eſſentia quaſi in radice: & ꝗſi in potẽtia tñ:vt expoſiti eſt
in dicta queſtione.Siꝛ de intellectu creato, ꝙ ex eius conſideratione non habet diſtinctio illa eẽ in
deo niſi ex tẽporc:ita ꝙ niſi eſſet diſtinctio ab intellectu, nõ eẽnt attributa in deo diſtincta niſi ex
tpc:nec eſſent in ipo niſi ſicut in radice:& ꝗſi in potẽtia ab æterno.Eſt ergo dictum illorum ꝙ at
tributa non differunt in deo ſecundum rationem,niſi ex reſpectu ad differentia ſecundũ rem eis
correſpõdentia in creaturis:& hoc ſm ꝙ ambo cadunt in cõſideratione intellectus:licet in hoc dif
ferat: ꝙ vno ſimplici intuitu intellectus diuinus omnium illorum differentias concipit : intelle
ctus vero creatus non niſi ſucceſſiue:quia pelagus infinitatis diuinẹ eſſentiæ ſimul comprehẽdere
põt.Et continet dictum iſtud duo in ſumma: quorũ primũ eſt, ꝙ differẽtia attributorum non
ſumitur niſi ex comparatione ad correſpondentia eis diuerſa re in creaturis.Secũdũ eſt, ꝙ non ſu
mitur etiam ſecundũ hoc ꝙ habẽt res eſſe in ſe abſolute:ſed ſolũmodo ſcẽm ꝙ cadũt in cõſidera
tione intellect⁹. Nec eſt litigium de iſto:quia bene verum eſt ꝙ abſꝗ conſideratione intellect⁹ di
uina eſſentia nõ habet habitudinẽ ad ea quẹ ſunt in creaturis:niſi ſecũdũ ratione cauſæ:ſecundũ
quã nõ ſumitur ratio attributorum:vt dictum eſt.Abſꝗ etiam conſideratione intellectus & ope
re eius, quicquid eſt in deo non habet rationem aliam ꝗ ſimplicis eſſentiẹ: in qua ſecundũ ꝙ hu
iuſmodi ſicut in radice & quaſi in potẽtia, habent eſſe omnia alia & eſſentialia & perſonalia:vt ſu
pra ſatis expoſitum eſt ſepius.Sed totum litigium eſt de primo,ſan ad diſtinctionem attributoꝛ
oportet conſideratione intellectus deflecti ad illa quẹ eis reſpondent in creaturis re differentia.Et
eſt circa hoc aduertendum: ꝙ diſtinctionem attributorum contingit ponere ex intellectu cõſide
ratione dupliciter: aut quo ad innoteſcẽtiã illius diſtinctionis & diuerſitatis apud intellectũ cõſi
derantem:aut quo ad iporum exiſtẽtiã abſolutam in illa. Vtroꝗ modo bene verum eſt ꝙ non ha
bet eſſe in deo ex conſideratione intellectus creati:niſi in conſideratiõe intellectus attributa diui
nẹ eſſentiæ comparẽt ad ſibi correſpondentia in creaturis:quia intellectus creat⁹ nihil oino cir
ca diuinam eſſentiam concipit:niſi ex aliquo modo ſibi correſpondenti in creaturis:nõ ſolum ra
tionem attributi:ſed etiam nec rationem diuinæ eſſentiæ:aut eſſe eius: quia deum eſſe non conii
cit:niſi quia conſpicit eſſe in creaturis:ſimiliter neꝗ perſonarum diſtinctionem cõiicit ſuppoſita

# Summe

fide,nifi ex eis quæ confiderat circa creaturas. fecundũ φ de hoc tractatũ eſt amplius in prænomi
nata queſtione. Vñ fi nullo mõ diuerfitas attributoꝝ eſſet in deo nifi ex cõfideratione intellectus
creati:bene verum eſſet qđ dicit opinio illorum:fed fic(vt dictum eſt)non diceretur vllo modo fa
piens aut bonus aut aliquid huiufmodi ab æterno nifi fecundũ genus caufę efficientis:& hoc in
habitu tantũmodo:vt expofitũ eſt in dicta quæſtione. Illud autem falfum eſt:quia formaliter de
bent poni in deo:& hoc ab æterno:vt exiſtētia ipforum in creatura etiam in habitu, non fit ratio
exiſtendi ea in deo:fed econuerfo magis:atũ qa in creatura habet rationem imperfecti: & in deo ra
tionem perfecti(ratio aũt perfecti femp abfolute pcedit rationem imperfecti,& eſt ratio illius, nõ
autem econuerfo)tum quia differētia attributorum fundamentalis eſt refpectu diſtinctionis per
fonarum:quæ nullo modo dicenda eſt eſſe in deo ex aliquo refpectu ad creaturas, fecundum φ
omnia hæc expofita funt ibidē. Qꝫuis ergo diſtinctio attributorum non eſt fumenda nifi ex cõ
fideratione intellectus:& hoc non creati:quapropter neceſſario fumenda eſt ex confideratione in
tellectus increati abſcꝗ omni refpectu & comparatione ad illas,vel fecundum rem vel fecundum
cõfiderationem.Accipitur autem illa pluralitas ex confideratione intellectus circa diuinam eſſen
tiã,vt cadit in eius cõfideratione non quafi fimplicis intelligentię:fed quafi cõfiderātis eam fub ra
tionibus quorũdã refpectuũ ad feipfam,fub qbufdã rõnibus aliorũ refpectuũ: cõfiderãdo,f.ipfam
fub ratione veri in refpectu ad feipfam fub ratione intellectus : & feipfam fub ratione voluntatis,
in refpectu ad feipfam fub ratione boni.Verum enim & bonum funt duę primę ratiões quafi ad
ditę in deo fuper rationem eſſe quę dicunt refpectus ad intellectum & voluntatem & econuerfo:
& per hoc ad illa quę fe habent in deo per modum habitus aut actus eſſentialis:per quę omnia ob
iecta vlterius refpectum & ordinem quendam habent ad emanationes perfonales, ad quas ficut
ad diuerfa re & diſtincta quodammodo habet refpectum diuerfitas attributorum.Secundum ta
men rationem magis eſt diuerfitas attributorum ratio diuerfitatis notionalium ,large loquen
do de diuerfitate,ꝗ econuerfo: inquantum attributa diuerfa pertinentia ad intellectum & volũ
tatem funt fundamenta emanationum: quarum vna procedit modo intellectualis operationis:&
alia modo voluntariæ:vt habitum eſt fupra : & habebitur amplius infra. Vt fecundum hoc licet
attributa habeant quendam refpectum ad emanationes perfonales : non tamen diuerfitas feu dif
ferentia eorum fumitur ex refpectu ad diuerfitatem emanationum : vt diuerfitas emanationum
poſſit dici ratio diuerfitatis attributorum: quemadmodum dextrum & finiſtrum in homine eſt
ratio quare dicantur eſſe dextrum & finiſtrum in columna:vt fecundum hoc debeat dici φ diffe
rentia attributorum accipiatur in deo ex confideratione intellectus,maxime diuini,fcdm iã dictũ
modũ expofitũ fufficienter in quæſtione prænominata:& hoc abſcꝗ omni refpectu & comparatio
ne ad aliqua re differentia vel diuerfa.Quomodo autem non eſt fimile de dextro & finiſtro in co
lumna,ibidem bene declaratum eſt.

¶Ad primum in oppofitum φ omnis differētia & diuerfitas ponit vnius diuifio
nem:Dicendum ad hoc φ vnum & multum funt prima contraria fub ente:& differunt ficut di
uifio & indiuifio, fecundum philofophum.x.Metaphyfi.Et fecundum φ confiderantur circa fub
ſtantias & eſſentias rerum, primo fequitur ipfa idem & diuerfum fiue conueniens & differens &
fundatur idem fuper vnitatem:hoc eſt fuper rei indiuifionem quam res habet in fe:diuerfum ve
ro & differens fuper multitudinem: hoc eſt fuper rei diuifionem vel quam habet vna res in fe,a
qua dicitur diuerfum:vel quã habet vna res ab alia,a qua dicitur differens.In hoc enim fecũdum
philofophum.x.Metaphyficę differunt diuerfum & differens:quia diuerfum dicitur res abfolute
quia in fe continet diuerfa re:fiue fint materia & forma:fiue partes quãtitatiue: vel quęcũꝗ alia.
Quę qa in deo eē nõ poſſunt:ideo in ipfo nõ recipiꞇ nomē hoc qđ eſt diuerfum vel diuerfitas.Dif
ferens aũt nõ dicit nifi relatiue ficut & cõueniens:qa nõ eſt differēs nifi ab aliquo differēs : ficut nõ
eſt cõueniens nifi alicui cõueniens.Et illa ꝗ inter fe differunt:quo ad illa qbus differunt oportet re
abfoluta eſſe abinuicē diuifa, vt funt diuerfa gña,vel diuerf fpecies,vel diuerfa indiuidua fub ea
dē fpecie.Et quia fic plura adhuc non cõuenit ponere in deo:ideo neꝗ nomē qđ eſt differens,pro
prie recipi debet in deo,fecundum φ pcedit ratio iſta:immo quia omnis pluralitas in deo confi
ſtit in ratione refpectus qui fundatur in rei eiufdem fimplicitate: ideo comparatio talium pluriũ
quia eſt abſcꝗ omni eorum diuifione,debet habere alia nomina a prædictis,quibus exprimi debet
eorum non identitas:quia in ipfis eſt inquantum in eis eſt pluralitas:fed nulla differentia proprie
dicta aut diuerfitas : quæ quidem nomina funt diſtinctio aut difcretio : vt diſtinctio fit quafi
diuerfitas plurium fecundum relationes reales: difcretio vero fit quafi diuerfitas plurium:quafi

ſecundum relationes rationis. Large tamen ſumendo diuerſitatem & differentiam:ſecundum ꝗ vtútur eis ſancti p diſtinctióe & diſcretióe:poſſunt accipi in diuinis.Qd ergo dicít ꝗ in deo totú eſt idem vbi non occurrit relationis oppoſitio: verú eſt ſecundú ré abſꝗ omni diſtinctione perſo-nali:non tamen abſꝗ differentia rationis, quæ habet eſſe ex alio genere reſpectus, ꝗ ſit ille qui diſtinguit perſonas, vt habitú eſt ſuperius. ¶Ad ſecundum,ꝗ obiecta actuum intellectus & volun-tatis differunt re in deo: ergo & ipſi actus:& ſimiliter voluntas & intellectus: Dicendum ꝗ du-plex eſt obiectum:quoddam qd eſt ratio conſtitutiua ipſius actus:vt coloru̅ viſus,& ſonoru̅ audi-tus. Aliud vero eſt obiectum quod eſt conſtitutum in eſſe per actum : vt in propoſito perſonę fi-lii & ſpiritus ſancti per actus dicendi & ſpirandi . De obiecti primo modo habet veritatem di-ctum philoſophi:& talia in deo non ſunt niſi verum & bonum vel quęcunꝗ alia ſub ratione veri & boni:quę ſola ratione differunt ſicut & actus & eorum potentiæ.Non autem habet veritatem de obiectis ſecundo modo,de quib⁹ proceſſit obiectio.¶Ad tertium ꝗ ex nulla comparatione aut reſpectu differunt:Dicendum ꝗ falſum eſt:immo differunt ex reſpectu & comparatione quem in-tellectus conſiderat in ipſis inter ſe comparatis,non quibus dicuntur relatiue adinuicem:ſed qui-bus quodámodo ſeſe reſpiciunt . multi enim ſunt modi reſpectuum : & ſecundum quoſdam ſeſe reſpicientia dicuntur relatiue adinuicem:ſecu̅dú quoſdam vero no̅,vt habitum eſt ſupra.De aliis obiectis quid ſit dicendu̅,patet ex iam dictis.

Irca ſecu̅dú arguit ꝗ in differétia attributoꝛ no̅ ſit accipe magis & min⁹,Pri-mo ſic. Vbi eſt accipe magis & min⁹,no̅ eſt ſumma ſimplicitas:ꝗa no̅ habet ee magis & minus niſi in habéte partes:vt habitú eſt in ꝗſtione quada̅ de magis & min⁹,in habéte aút partes non eſt ſimplicitas ſu̅ma,in deo aút quo ad omnia quæ in eo ſunt,eſt ſumma ſimplicitas:vt habitum eſt de ſimplicitate dei. ergo &c.¶Secu̅do ſic.in ſymbolo Athanaſii dicitur.In trinitate: nihil prius aut po-ſterius:nihil magis aut min⁹. Attributa autem omnia ſunt in trinitate: quia ſunt in eſſentia & in ſingulis perſonis,ergo ſicut in eis non eſt prius aut poſterius:vt infra videbitur:ſimiliter neꝗ ma-gis & minus.ergo &c. ¶In contrarium eſt: qm attributa illa quæ pertinent ad intellectú,plus dif-ferunt ab illis quæ pertinent ad voluntatem,ꝗ illa differant inter ſe,plus em differunt veritas & bonitas, ꝗ ſapientia & veritas.

¶Dicendum ad hoc:ꝗ differt querere vtrum attributa ipſa in ſe ſuſcipiant ma-gis & minus:an ipſa differentia qua attributa differunt inter ſe. Alterius enim generis reru̅ ſunt attributa ipſa,& alterius ipſa attributoru̅ differétia:& hoc non ſolum in diuinis:ſed etiá in rebus naturalibus aliud genus rerum ſunt ipſa quę differunt,quę ſunt ſubiecta inter ſe differétia: vt ra-tionale & irrationale ſub aſ̃ali:aliud vero ipſa eorú differentia:qm ipſę res ſubiectę differétiæ ſunt res primę intentionis: ipſa vero ratio quę dicitur differentia eorú, eſt ſecundę intétionis,quæ eſt gn̅tu̅ vl̃e prędicabile. Et iterum,res ſubiectę differentię ſunt res naturę:ipſa vero differétia eſt res rationis,quæ eſt quaſi accides rei naturæ.accidit enim eſſentiæ & naturæ rei ꝗ ſit vniuerſale aut particulare,vt ſepi̅:s habitú eſt ſupra ſecundú Auicen.Quantú ergo ad ipſa attributa in deo non intelligitur iſta queſtio habere locum:quia re nihil important niſi diuinam eſſentiam cu̅ re-ſpectu:vt habitum eſt ſupra. Eſſentia autem no̅ recipit magis & minus propter eius ſimplicitaté neꝗ reſpectus:quia ſecundum pt̃m,proprium eſt relationi non ſuſcipere magis aut minus.De eo ergo quod eſt rationis circa attributa ex conſideratione intellectus ſecundum iam prędetermina-ta,qd eſt res ſecundę intentionis:intelligenda eſt ſolu̅modo propoſita quæſtio,vtrum in ipſa diffe-rentia ſit accipere magis & minus:vt quædam attributa magis differant inter ſe̅:ꝗ quædam alia. Et eſt hic ſciendum ꝗ differentia illorum quæ differunt , fundatur eſſentialiter in diuiſione ſeu diſtinctione ſiue diſcretione eorum adinuicem. Vnde & ſecu̅dum modos diuiſionum per ſe & p accidens,ſumit Porphy.modos differétiarum:ꝗ quædam ſunt per ſe:quædam vero per accidens. In eis autem quæ recipiunt magis & minus,cauſa eius qd eſt magis & min⁹ ex parte eſſentię eo-rum accipienda eſt:vt declarauimus in dicta queſtione de magis & minus. Ex parte ergo diuiſio-nis ſiue diſtinctionis ſiue diſcretionis differentium, conſideranda eſt ratio eius quod eſt magis & minus in ipſa differentia.Diuiſio autem non eſt niſi alicuius in quo vniuntur & quodammodo ſunt vnum ipſa diuiſa.Et eſt diuiſio contraria vnioni in illo vno: ita ꝗ radix eius qd eſt magis & minus in diuiſione,conſiſtit in eo quod eſt magis & minus circa vnionem. quia quæ magis ſunt vnum,& minus differunt:& quæ minus,magis differunt.Diuiſio autẽ ſiue diſtinctio ſiue diſcre-tio aliquorum abinuicé ſub aliquo vno, dupliciter poteſt fieri. Vno modo omı̃no ex natura rei &

originaliter & completiue. Alio modo ex natura rei solūmodo originaliter : sed completiue ex cō
sideratione intellectus. Primo modo non est nisi differentia eorum quę realiter differunt inter se.
qđ pōt fieri duplr: vel re absoluta, qđ nō sit nisi in creaturis p diuisionē ppria acceptiōe differētiū
abinuicē: quoꝗ tāto maior est differētia: quāto magis abinuicē diuidunt, & min9 in aliqtio in quo
cōueniāt vniunt. queadmodū maior est differētia differētiū gńe q̄ differētiū specie: & maior diffe
rentiū specie q̄ nūero. & hoc nullo mō cadit in diuinis attributis. Vel re relatiua: qđ nō sit adhuc
in diuinis attributis: sed cadit in diuinis psonis non p diuisionē: sed p distinctiōe differentiū pso
narū absꝗ omni diuisione & distinctione vnius & cōis essentia. Siqua vero sit ratio ei9 qđ est ma
gis & minus in differentia seu distinctione eorum inter se: vt vtrum plus differant siue distinguā
tur pater & filius a spiritu sancto q̄ inter se, inferius debet declarari. Secundo aūt mō est differētia
eorū quæ in vna simplici & indiuisa & indistincta natura rei conueniunt circa aliquā operationē
intellectus, cuius est discernere indiscreta: & quodāmodo diuidere adunata, iuxta determinationē
Cōmentatoris sup. xii. Metaph. Talium autem discretio per intellectum cōpletiue potest fieri du
pliciter: vel penes conceptus absolutos, vel penes conceptus respectiuos. Primo modo fit per intel
lectum generis & differentiæ in conceptu speciei : & fit per distinctionem & diuisionem intelle
ctualem differentium intentionum: quorum tanto maior est differentia, quanto abinuicem diui
dunt, & minus conueniunt siue vniunt in aliquo vno: queadmodum cū in hose differunt inten
tione substantia, corporeum, vegetabile, sensibile, rationale, plus differunt intentione corporeum
a substantia q̄ a vegetabili & inferioribus, & vegetabile plus ab vtroꝗ illorum q̄a sensibili & ra
tionali, & sensibile plus ab illis q̄ a rationali: quia semper superius inquātum diuiditur contra su
um contrarium, sub suo superiori in se continet sibi inferiora. Secundo autem modo fit discretio
per intellectum attributorum in deitate abinuicem, & ab essentia, & ab omnibus quæ in ipsa con
siderant, siue sint pprietates notionales siue psonę. sola ēm rōne attributa inter se & ab essentia &
a pprietatibus notionalibus & a personis differunt: queadmodū etiā sola ratione differunt essen
tia, personę, & notiones inter se: de quibus proposita est quæstio. ⸿Ad quā dicendū est secundū iā
determinata: ꝗ sicut illa quæ differunt per diuisionem rerum, minus differunt quæ minus abin
uicem diuiduntur: & magis sunt vnum: & magis differūt, quę magis abinuicem diuiduntur : &
minus sunt vnū: queadmodū diuersa genere plus differunt q̄ diuersa specie: eo ꝗ cū diuidunt ab
inuicem secundum differentiam diuersa genere: manent vnum in mēbris diuidentia diuersa spe
cie: sic ista quę sola ratione differunt secundū discretionem rationum minus differunt quę primo
discernunt vt differētia, q̄ illa quę manēt discernenda in mēbris illis. Quare cum discernimus ra
tione absolutū in deo a relatiuo: sub absoluto aūt continentur essentia & omnia attributa essen
tialia: illud autem absolutum cū discernimus in absolutum sub ratione absoluti : & absolutū sub
ratione respectus: & sub absoluto ratione respectus continentur rationes oīm attributorū: & hoc
cum discernimus in illa quę pertinent ad volūtatem & intellectum, & sub ambobus plura attribu
ta continentur: minus ergo differunt attributa ab essentia, q̄ ipsa attributa aut essentia differant
a personis & notionibus: & minus differunt attributa inter se q̄ ab essentia: & minus illa quæ per
tinent ad voluntatem inter se, q̄ differant ab illis quæ pertinent ad intellectum. Et secundū hanc
regulam iudicanda est differētia secūdū magis & minus quorūcūꝗ differētium, & quocunꝗ mo
do differentium siue in deo siue in creaturis.

Ad pri. prin.

⸿Quod arguitur primo in contrarium: ꝗ non est summa simplicitas: vbi est ac
cipere magis & minus: Dicendum ꝗ verum est quando accipiuntur in re quæ est primæ inten
tionis. Sic enim in nullo eorum quæ considerantur in deo, est accipere magis aut minus propter
summā eius simplicitatem. Nō autem est verum quando accipiuntur in re quæ est secundę intē
tionis, quæ est omnino res rationis circa rem naturę vt cadit in intellectus consideratione. In qua
intentione secunda bene possunt comparari secundum magis & minus illa quæ sunt in deo: licet
nullum eorum in seipso recipiat hmōi cōparationem. Queadmodum licet nulla substātia in seipsa
neꝗ in genere, neꝗ in specie, neꝗ in indiuiduo recipiat magis aut minus: vnus ēm homo secundū
numerū nō est quandoꝗ magis quandoꝗ minus hō seipso: neꝗ vnus est magis vel minus homo
aut aial q̄ alter: bene tamen in actu substādi, qui nominat rē secundę intentionis, comparatur vna
substantia alteri secundū magis & minus: secundū ꝗ prima substātia magis dicitur substare q̄ secū
da. Et similiter in proposito quædam attributa magis dicuntur differre inter se, q̄ quædam alia:
quia pluribus rationibus differunt: quia ratione illa qua attributa pertinentia ad diuinū intelle
ctum differunt ab illis quæ pertinent ad eius voluntatem, non differunt ipsa inter se: sed illa diffe

rentia qua differunt inter ſe,etiam differunt quodammodo ab illis quæ pertinent ad intellectum
quemadmodum differunt bonum & verum:ợ verum & alia quæ pertinẽt ad intellectum,in hoc
conueniunt ợ cõmuniter reſerunt ad actum intellectus:bonum vero & alia quæ pertinent ad vo
luntatem,ad actum voluntatis cõmuniter reſeruntur. Verum autem differt ab ipſo intellectu:ợ
verum eſt motiuum intellectus:intellectus autem non eſt motiuum ſuiipſius. In quo etiã differt
a bono:quia boni ſub ratione boni non eſt motiuum intellectus,& ſic contingit in omnibus aliis ſi qs
inſpiciat.⸿Per idem patet ad ſecundum.verũ em eſt ợ in tota trinitate nihil eſt magis aut minus
quãtum eſt ex parte rei naturæ:quæ eſt primæ intentionis:nullum tamen inconueniens eſt ſi ſit in
ea magis & minus ex parte rei rationis:quæ eſt ſecundæ intentionis:vt dictum eſt.

Z
Ad ſecundũ

Irca tertium arguitur ợ differẽtia attributorum & pluralitas in deo ponit ali
quam cõpoſitionẽ.Primo ſic.illud quo res recedit a ſumma ſimplicitate, neceſ
ſario ponit in ea aliquam compoſitionẽ : quia a ſimplicitate non receditur niſi
per cõpoſitionẽ.ſed pluralitate diuinorum attributorum, recedit diuina eſſen
tia a ſumma ſimplicitate:quia ratio ſimplicitatis cõſiſtit in vnitate: & ratio cõ
poſitionis in multitudine,maior autem eſt vnitas in qua eſt multitudo neợ re
neợ ratione:ợ in qua eſt ratione,qualis eſt multitudo attributorũ:ergo & maior ſimplicitas.hoc
autem non eſſet niſi multitudine attributorum aliquo modo eſſet receſſus a diuina ſimplicitate.
ergo &c.⸿Secundo ſic.quod facit rem non eſſe penitus idipſum, ponit in ea aliquam compoſitio
nem:quia ponit in ea hoc & hoc, quæ non ſunt in eodem ſine compoſitione.pluralitas attributo
rum eſt huiuſmodi:quia attributa in eſſentia non ſunt penitus idipſum: quia tunc eſſent nomi
na eorum ſynonyma.ergo &c.⸿In contrarium eſt: quia quanto aliquid maiorem habet compoſi
tionem,tanto habet maiorem limitationem. quod ergo repugnat omnino limitationi, nullã omni
no ponit compoſitionem. pluralitas attributorum cõino repugnat limitationi . Deus em ex hoc
ợ eſt omnino illimitatus,habet attributorum pluralitatẽ ex natura ſimplicis eſſentiæ ſuæ:neợ poſ
ſet eã ſic habere:ſi aliquo modo eſſet limitatus:ſicut nec põt eã habere aliqua creatura,ergo &c.

A
Queſt.III.
Argu.i.

i

In oppoſitũ.

⸿Dicendum ad hoc,ợ illud cã in aliquo habet eſſe,quocunợ modo ſit nõ poteſt
ponere in illo rationẽ cõtrariã illi ſcdm quã habet eſſe in illo: ợa tunc ſuo eſſe deſtrueret ſeipſum
ợd omnino eſt impoſſibile. Vnde ſi nigredo habet eſſe & cauſari in aliquo ſubiecto ex caliditate ip
ſa,nõ poteſt in illo ex ſuo eſſe ponere diſpoſitionẽ cõtrariam caliditati.ſ.frigiditatem:ſic em ſuo eõ
ſuum eſſe deſtrueret . Sic autem eſt in propoſito, ợ pluralitas attributorum originaliter & ſicut
in radice habet eſſe in diuina eſſentia:licet completiue ab operatione intellec⁹:cui eſt vnita vel po
tius quæ ſunt vnum,& idipſum,diſcernere.Aliter em attributum eſſet purum figmẽtum intelle
ctus ſi radicem non haberet in re: circa quam operatione intellectus poſſet diſcerni . Illud autem
ợd ſic in diuina eſſentia eſt ſicut in radice : vt completiue operatione intellectus poſſit diſcerni in
ea,prouenit ex infinitate ſimplicitatis & illimitationis eius qua eſt puri eſſe,& nihil niſi eſſe, pro
pter hoc enim oportet ợ in ſe habeat rationem ois eſſe:& ita ois eſſe perfectionẽ per eſſentiã,quæ
eſt in quocunợ alio per participationẽ:& per hoc ſub ratione eminentiori: & ita veriori.ſecundũ
ợ hæc omnia patent ex ſupra determinatis circa diuinam perfectionem.Cum igitur omnia diui
na attributa,& generaliter quæcunợ diuerſas rationes important in diuina eſſentia, rationes perfe
ctionum important:licet aliter attributa,aliter proprietates diuini eſſe, & ratiões perſonales,& ra
tiones ideales, & quæcunợ in diuina eſſentia conſiderantur ſub aliqua pluralitate:nullo igitur mo
do poſſunt ponere in diuina eſſentia aliquid contrarium ſuæ ſimplicitati & infinitati.Cõtrarium
autem eſſet quicunợ modus compoſitionis.Idcirco ſimpliciter dicẽdum eſt ợ pluralitas attribu
torum in deo neợ ponit neợ poteſt ponere aliquam rationem compoſitionis, neợ ſimiliter pro
pter idem pluralitas perſonarum,ſiue quorũcunợ aliorum quæ in deo conſiderantur:ſecundum
ợ proceſſit vltima ratio.

B
Reſponſio

C

⸿Ad primum in oppoſitum:ợ pluralitate attributorum receditur a diuina ſim
plicitate:Dicẽdum ợ falſum eſt:immo potius fundatur in illa.Et ợ arguitur ad eius probationẽ,
ợ pluralitate attributorum receditur a diuina vnitate in qua cõſiſtit eius ſimplicitas: Dicẽdũ ợ
in deo præter vnitatem perſonalẽ eſt duplex vnitas eſſentialis,ợdã rei,quædã vero rationis. Pri
ma eſt ipſius diuinæ eſſentiæ:ſecũdũ ợ eſt res & natura aliqua,de qua habitum eſt ſupra quomo
do eſt ſingularitas quædam.Secunda vero eſt attributorum ſingulorum, & ſingulorum quæ in

D
Ad pri.prin.

deo ponunt differentiam secundum rationem tātū. In prima vnitate confiſtit diuina ſimplicitas infinita:propter quod ipſa eſt origo & fundamentum omnis alterius vnitatis, & etiam pluralitatis ſecundum ipſam,ſiue ſit perſonarum,ſiue attributorum:q̃(vt dictum eſt)non derogat primæ vnitati:ſed magis atteſtatur ipſi:nec eſt minor propter iſtam multitudinem. Vnde ad illam propoſitionē q̃ dicit:Maior eſt vnitas in qua nulla oīo eſt multitudo nec re nec rōne:q̃ ſit illa in qua eſt multitudo rōne,etſi nō re:Dicendū q̃ cū ōis multitudo ſecūdū plīm eſt vna plura,multitudo exiſtens in vnitate, aut eſt vnitatū eiuſdē rationis,aut alterius. Primo modo habet propoſitio illa veritatē.& hoc modo in quacunq̃ vnitate diuina,nulla eſt multitudo. In diuina eīm eſſentia vna non eſt multitudo vnitatum quæ ſunt ipſa eſſentia re vel ratione plures. Similiter in diuina veritate quæ eſt vnica ſecundum rationem differens ab eſſentia:nulla eſt multitudo vnitatum quæ ſunt ipſa ſapientia re vel ratione plures ſapientiæ:niſi per ipſius ſapientiæ quæ eſt eſſentialis,quæ ſi contractionem ad perſonale:ſecundum q̃ dicitur ſapientia ingenita & genita . Differt enim ſapientia eſſentialis ſecundum rationem vt eſt in patre ſub ratione ingeniti:& vt eſt in filio ſub ratione geniti.Secundo autem modo habet falſitatem:nullo enim modo eſt maior vnitas realis eſſentiæ in qua nulla eſt realis multitudo ratione:immo contrariū verū eſt: q̃ quāto maior eſt vnitas realis eſſentiæ:tanto maior eſt in ipſa multitudo rationū.iuxta illam propoſitionem.Ois virtus quanto magis eſt vnita,tanto magis eſt infinita. Vnde & in creaturis quanto realis vnitas eſſentiæ maior eſt & ſimplicior, tanto plurium rationum virtualium in ſe eſt contentiua : & quanto minor,tanto eſt pauciorum rōnum virtualium contentiua.Hinc contingit q̃ inferiora naturalia paucas habent rationes virtuales & paucas operationes & viles. Vnde & terra quæ infimum gradum perfectionis habet,habet ipſum quaſi abſq̃ operatione:vt dicit Commentator ſuper ſecū dū Cæ.& Mun.Et ſuperiora elementa magis ſpiritualia:quia maiorem habent vnitatem & ſimplicitatem:quia minus de materia:plus habent de motu & operatione: quibus acquirunt ſuā perfectionē.Et(vt dicit Commentator ibidem)etiā vniuerſaliter quanto creatura eſt ſuperior ſimplicior & maioris vnitatis:& plus appropinquata prio pricipio,tāto eſt pluriū rōnū virtualiū & opationū circa inferiora ſe: ita q̃ ſemper illa quæ agūt inferiora per diuerſa re diuiſa & diſperſa,agit ſuperius per vnicum & perfectius:vt cum planta forma ſua tm̄ vegetat:brutū ſua forma vegetat & ſentit:homo autem ſua forma vegetat,ſentit,& intelligit:& q̃d brutum cognoſcit pluribus potentiis ſenſitiuis,homo cognoſcit vna potentia intellectiua.& ſic ſemper quāto eſt ſuperior ad plura ſe extendit.Propter q̃d dicitur in cōmentario dictæ ppoſitionis.In omi propinquo vni principio eſt infinitas plus q̃ in virtute lōginqua ab eo.q̃d eſt:quia quāto magis vnitur,magnificatur & vehementior fit,& efficit operationes mirabiliores,& quanto magis partitur & diuiditur,minoratur,& debilitatur,& efficit operationes viles virtus vnita.¶Ad ſecūdum q̃ pluralitas attributorum facit eſſentia nō eſſe penit⁹ idipſum &c. Dicendū q̃ ſicut iam diſtinctū eſt de vnitate eſſentiali q̃ eſt vel rei vel rationis, ſic diſtinguendum eſt de idipſum : q̃ aliquid eſt idipſum re, vel idipſum ratione.Q̃ d facit rem penitus non eſſe idipſum re,neceſſario ponit in ea aliquam compoſitionem propter diuerſitatem ſecundum rem. De eo vero quod facit rem non eſſe penitus idipſum ſecundum rationem,diſtinguendum,aut ſecundum rationem abſolutam, aut ſecundum rationem reſpectiuam.De eo q̃d facit ipſam non eſſe idipſum primo modo,adhuc ponit in ea aliquam compoſitionem propter diuerſitatem intentionum.Ratione enim abſoluta penitus non differunt niſi diuerſa intentione: qualium compoſitionem eſt inuenire in omni creatura vt habitum eſt ſupra. Secundo autem modo diuerſitas rationum in nulla re ponit compoſitionem: quia reſpectus nihil realitatis habet præter realitatem ſui fundamenti,vnde ſuper ſuum fundamentum non dicit aliam a ſuo fundamento: ſed ſolummodo rationem quæ eſt ad aliquid eſſe : quæ eſt alia a ratione ſui fundamenti quæ eſt aliquid abſolute eſſe: ſed ſolummodo ad aliquid eſſe.Aliter enim neceſſario faceret compoſitionem cum ſuo fundamento:niſi appellemus rem ipſam reſpectum ad aliud eſſe.& tunc eſt ſolummodo diſputatio de nomine . Ipſe enim reſpectus purus qui non eſt niſi ad aliud eſſe,ſiue appelletur res ſiue non,nullam compoſitionem facit cum abſoluto quod eſt ſuum fundamentum . & hoc quia ipſa res fundamenti quaſi ſubintrat rationem reſpectus : vt quæ ſecundum ſe eſt abſolutum quid nullo ei addito omnino:& abſq̃ omni ſua mutatione, ex ſolo modo habendi aliquid ad ipſum,aſſumit rationem reſpectus : vt idipſum quod quantum eſt ex ſe nihil reſpicit , aliquid reſpicit ex ſolo modo habendi aliquid ad ipſum. Propter quod dicit Auguſtinus ſeptimo de Trinitate capite primo. Omnis eſſentia quæ relatiue dicitur, eſt etiam

E

F
Ad ſecundū

aliquid excepto relatiuo: sicut si nummus non esset aliqua substantia, nisi arra, posset relatiue dici.Queadmodum enim nummus sit precium aut arra per alicuius institutionem:vt substantia nummi assumat in se sine cuiuscunq; rei additione rône precii aut arræ,quæ est ipsum ad aliud esse:Sic deitas ipsa quasi sit,imo(vt verius dicã)est côpletiue sapientia,bonitas,& cetera hmôi per intellectus considerationem & discretionem secundū prædicta:vt ipsa deitas assumat in se ratio= ne bonitatis,sapiétie,& ceterorū absq; cuiuscūq; additione,secūdū q̃ supra determinatū est de si= gnificatis attributorū.Et sicut est de respectibus rationū in attributis,sic est de respectib⁹ realiū relationum in personis,preter hoc q̃ illarum plurificatio est per distinctionem ex natura rei & di uinarum proportionum:non autem ex consideratione intellectus per ipsius discretionem: queâd modū constat plurificato attributorum.Pluralitas eñ personarum est distinctione per diuinas p ductiones:pluralitas vero attributorum est discretione per intellectus discretionem.Nulla aūt est pluralitas in diuinis per diuisionem:propter quod nõ proprie accipiuntur in diuinis huiusmodi nomina,aliud,diuersus,differens: sed solummodo distinctum quo ad personas,& discretum quo ad attributa,& alias diuinas rationes . Vnde quia ista distinctio & discretio non est nisi per ratio= nem respectus,tantę simplicitatis est persona aut attributum,quantæ est essentia:& etiam essen= tia tantæ simplicitatis est ipsa,cum personis & attributis,quantæ est essentia præter ipsa.Et sic in proposito licet scdm ratione non sit idipsum bonū esse & sapientem esse: sicut qd amplius est,nec patrem esse:nec filium esse:hoc nullam compositionem omĩno ponit in deo: sed infinitam simplici= tatem eius attestatur,vt dictū est.

Equitur Articu.LII. de ordine attributorum,qui sequitur eorum pluralitatem.Et circa hoc sunt quatuor dubitabilia. Primum:vtrum sit ponere aliquem ordinem in diuinis. Secundum: vtrū ille ordo sit rationis tm,an naturæ tm, an vtriusq; Tertium: vtrum ordo in diuinis sit sine priori & posteriori.

Quartum:vtrum ordo in diuinis sit sine primo, secundo,& tertio.

Irca primum arguitur q̃ non sit ordo in diuinis. Primo sic.Augustinus dicit libro.xix. de ciuitate dei ca.xiii. Ordo est pariū dispariūq; rerū sua cui q̃ tribuens dispositio.sed in deo nulla est imparita-

tas sicut nec inequalitas,ergo &c. ¶Secundo sic,ordo non est nisi pluriū & absolutorum.Plurium quia vbi nõ est nisi vnum,non est ordo:quia nihil habet ordinem ad seipsum.Absolutorum:quia in relatiuis non est ordo: quia relatiua secūdū philosophū sunt simul natura,vbi autem est simul tas,non est ordo.in deo autem non est nisi vnitas essentię,& relationum siue respectuum plurali= tas:vt habitum est supra.ergo &c. ¶In contrarium est: q̃m quicquid est dignitatis simpliciter vt melius sit esse ipsum q̃ non ipsum,in deo est ponēdum,secundum regulam Anselmi supra expo= sitam. sed secūdum ordinem melius est cuiq; siue per possibile siue per impossibile q̃ sit in eo ordo,& sit ordinatum q̃ non sit in eo ordo,nec sit ordinatum quid,ergo &c.

¶Dicendum q̃ ordo de ratione & significato sui nominis aliquid importat ma= terialiter vt in quo fundatur:& hoc est multitudo siue pluralitas aliqua:quia in vno inquantum vnu,nullus pôt esse ordo. Aliqd etiã importat formalr a quo nomē iponit,q̃d denotat quasi dispo= sitionem aliquam circa illa in quibus materialiter vel quasi materialiter fundatur. Penit⁹ quidem absolutum vt vnum existēs,nõ est pluriū:neq; requirit pluralitatem eorum in quibus subsistit. oportet igitur q̃ ordo rationem respectus importet inter illa quorum est.Relatio aūt siue respe= ctus cum sit equiparantiæ & disquiparantiæ:in relatiuis quidem equiparantię non est ordo:eo q̃ secundum eundem modum quo vnū eoq̃ se habet ad alterū:sic & econuerso.Queadmodū enim duorum similium vnum eorum se habet ad alterum: sic & ecôuerso:propter q̃d in ipsis sub simi= litudine qua dicuntur similes,non est ordo. Oportet ergo q̃ ordo tantummodo rationem respe= ctus disquiparantiæ importet:& sit in ordinatis. Idcirco,s. quia aliter vnū eorum se habet ad alte= rum:aliter autem ecôuerso.Nec hoc adhuc sufficit:quia etsi aliter & aliter relatiua sese respiciūt. si respectus ille sit absq; omĩ comparatione ad determinatū aliquid principiū,nõ est ordo in relati uis:vt patet in dissimilib⁹:q̃ sub rône dissimilis nullū ordinē habent.Oportet ergo q̃ ordo forma= liter relationē disparitatiæ importet cū côpatiône ad aliquod principiū determinatū:ita q̃ illa côpa=

**K**

tio fit ratio formãs & completiua eius:immo cp non fit alia ratio formalis in ordine: fed cp & ipfa ordinata & ipfi refpectus eorum materialia funt ordini,vt ordo nihil aliud fit illorum quæ inter fe habent refpectus diuerfos , q comparatio inter fe cum refpectu & comparatione ad aliquod principium determinatum. Et hoc dupliciter:aut cp ratio illa principii confiftat in altero compa ratorum:vt vnus refpectus includatur in altero quodammodo: vel cp illa ratio principii confiftat in aliquo tertio diuerfo,aut difcreto,aut diftincto ab vtrocp illorum.Primo modo eft ordo in illis quorum vnũ habet aliquo modo rõné principii alterius.Secundo modo eft ordo in illis quæ di uerfimode fe habent ad illud principium.Cum igitur in deo fit ponere pluralitatem habentium refpectus in fe diuerfos:& rationem principii fecundum vtrunq iam dictorum modorum:in deo igitur dicimus ordinem effe ponendum:non in eo qd vnitatem tenet in deo:fed in eis quæ plura litatem ponunt in eo.In effentia enim fecundum fe vt eft effentia,nullus eft ordo:quia nulla plu ralitas.Etiam in ipfa effentia ordinem habent , quæcunq pluralitatem ponunt in deo. Similiter

**I**

neq in fapientia vt fapientia eft:neq in bonitate vt bonitas eft : neq in quocunq alio quod non nifi vnitatem habet in deo: fed folum in refpectibus & relationibus , & quæ fecundum ipfos po nunt pluralitatem in deo,eft ordo:& hoc inquantum in eis eft refpectus & comparatio ad aliquid vnum quod habet in fe rationem principii refpectu aliorum quoquo modo. Vnde quia(vt dictũ eft) ratio ordinis quã formaliter fignificat eft,refpect⁹ ad huiufmodi principium ipforum ordina torum vel alterius eorum, vt exponetur in quæftione fequenti: ratio autem principii fimpliciter & abfolute habet effe in diuinis,& refpectus ad ipfum:licet non fit in eis fimpliciter ratio multi tudinis aut pluralitatis fed cum determinatione, fcilicet pluralitas fiue multitudo perfonarum, aut rationum,fecundum cp fupra expofitum eft loquendo de numero in diuinis:Idcirco dicendũ eft cp ordo fit fimpliciter in diuinis:non cum determinatione,fcilicet perfonarum,aut rationum: quia non refpicit pluralitatem nifi materialiter: fed refpectum ad principium formaliter:ita cp pterea licet quãtum eft ex parte pluralitatis ordinatorum,non effet in diuinis dicendus ordo effe nifi cum determinatione iam dicta:tamen quantum eft ex parte refpectus ad principium,fimplici ter, dicendus eft ordo effe in diuinis:& ita abfolute abfcp omni determinatione.fecundum cp hæc omnia magis patebunt in quæftione fequenti.

**M**
**Adpri.prin.**

⸿Ad primum in oppofitum:cp ordo eft difpofitio parium impariumcp: Dicedũ cp ad intellectũ huius defcriptionis primo intelligendũ eft qualiter ordo eft in corporibus:de quo rum ordine ad literã loquitur Auguftinus.Secũdo quomodo debet ordo extẽdi ad incorporalia.

**N**

Quo ad primum fciendum eft cp ordo nõ eft in corporalibus per fe,nifi difparium: & fi parium: hoc non eft fecundum rationé qua paria funt:fed folũmodo fecundũ rationem qua imparia funt, large fumendo paritatem & imparitatẽ pro quacunq diuerfitate vel diffimilitudine ordinatorũ: ficut accipit ea Augu.Verbi gratia, fi diuerfa tempora ordinem habent inter fe,hoc nõ eft ratio ne qua paritatem habent & conuenientiam: fcilicet ratione qua funt tempora fimpliciter:fed·ra tione qua difparitatem & difcõuenientiã habent.f.quia diuerfimode refpiciunt pfens qd inftat.fe cundum hoc enim habent ordinem fecundum prius & pofterius.Eft etiã prius in futuro propin quius præfenti:& remotius eft pofterius.Ecõtrario autem eft de præteritis. Et iterum quæ inter fe habent ordinem quia vnum eft principium alterius:vt in creaturis pater & filius:hoc nõ eft ra tione q funt vnũ in forma:fed rõne qua funt diuerfi:& fic diuerfi,vt vnus fit a quo alter:& alius fit q ab alio & nõ ecõuerfo.Et q̃uis ordo nõ fit in ordinatis nifi fecũdũ cp funt iparia:non tñ funt ordinata nifi paria:quia inquantũ funt ordinata,quãtũcũcp funt imparia ad paritatem quandam funt redacta.Propter qd dicit Aug.Pax oĩm rerum eft tranquillitas ordinis. vbi continuo fequi tur affumptũ in argumẽto.Ordo eft pariũ difpariũcp &c.Difpariũ,inquãtũ funt ordinabilia q̃dã: pariũ:inquãtũ iã funt ad ordiné redacta. ⸿Quo ad fecundũ fciendũ, cp fi defcriptio dicta debeat

**O**

effe generalis de omni ordine,ifta imparitas tũc debet extendi ad quãcũcp diftinctioné fiue difcre tionem:vt imparitas fit in ordine perfonarum ex ipfa diftinctione:& paritas ex earum ordine: & fimiliter in ordine attributorum inter fe vel ad perfonalia ex ipforum difcretione : & differentia fecundum rationem eft in eis imparitas:ex ordine autem paritas.Et fecundum hunc modum ex tenfo nomine non eft inconueniens imparitatem ponere in diuinis:loquendo autem de imparita te proprie prout dicit exceffum in quantitate, omino eft inconueniens, fecundũ cp proceffit obie ctio.⸿Ad fecundũ:cp in relatiuis non eft ordo:& fecundum alia non poteft effe ordo in deo:quia

**P**
**Ad fecundũ**

non eft in ipfo aliorum pluralitas:Dicedum cp refpectus in aliquibus vel inter aliquos dupliciter poteft confiderari. Vno modo fecundum cp refpicit extrema in quibus eft vt extrema funt fimpli

citer.Alio modo vt reſpicit in altero ipſorũ,vel in aliquo tertio ratione pricipii. Primo modo in re
latiuis & reſpectibus nõ ſolũ nõ eſt ordo:ſed neqʒ etiã ratio pricipiatiõis aut cauſalitatis. Vñ ſicut
dicit Philoſophus q relatiua ſunt ſimul natura:ſic etiã dicit q neutrũ eſt cauſa alteri vt ſit.Secũ
do autem modo in ipſis nõ ſolũ eſt ordo,ſed etiam poteſt eſſe & eſt frequenter in ipſis ratio princi
piationis & cauſalitatis.Pater em̄ i diuinis e pricipiũ filii:& in creaturis e cauſa filii,& nõ ecõuerſo.

Irca ſecundũ arguitur,q ordo naturę non ſit in deo,Primo ſic.non eſt ordo ali- **Q**
cuius niſi fuerit plurificatum,quia vnius ſecundum q vnũ,nullus eſt ordo ſe- Quaſt.ii.
cundũ q dictũ eſt,natura in deo non eſt plurificata,ergo &c.Secundo ſic.in Arg.i.
deo idem eſt natura & eſſentia,ſed in deo non eſt ordo eſſentię:quare nec natu- 2
rę.Tertio ſic.ordo naturę non eſt niſi eoꝝ q̃ ſunt ordinata p ſe:quia natura eſt 3
principiũ p ſe.ſed ordo pſonarum inter ſe non poteſt eſſe per ſe,quoniam ſecundum Commenta.ſup.v.phyſico.indiuidua ſub eadem forma ordinem nõ habẽt
inter ſe p ſe:ſed ſolum per accidens,aliter em̄(vt dicit) non eſſet homo ab homine in iſinitũ ante &
poſt. perſonæ autem diuinę ſunt in eadem forma diuinitatis ſubſiſtentis,ergo &c.Qʒ non ſit in
deo ordo rationis,arguitur primo ſic.non eſt ordo in aliquibus niſi ex reſpectu ad aliq̃ pricipium. 4
ſed in eis quæ ſola ratione differunt in deo,nõ eſt ſumere ratione principii:quare neqʒ principiati.
eo q vnum eorum non eſt ab altero,ergo &c. Secundo ſic.differẽtia rõnis in deo non eſt niſi ori- 5
ginaliter ab ipſa eſſentia: & completiue ab actu intellectus,ordo autem ſequitur rationem differentiæ,vt iam dictum eſt.Ordo ergo rationis inter ea quæ in deo differunt ratione,aut habet eſſe
in ipſis ab ipſa eſſentia,aut ab ipſo intellectu.non ab eſſentia:quia in ipſa habent vnitatem. nõ ab in
tellectu:quia ipſe conceptu ſuo põt ſcdm varios ordines illa cõcipere,alias poſterius qd nũc cõcipit
prius.ergo &c.Qʒ autem ſit vterqʒ ordo in diuinis,arguitur Primo ſic.vbicũqʒ eſt pluralitas ſi- In oppo.i.
ne ordine,eſt cõfuſio. in deo nulla eſt cõfuſio:qa ipſa eſt ratio imperfectionis.in ipſo autem eſt pluralitas perſonarum,quę eſt in deo ſecundum naturam:& eſt in ipſo pluralitas attributorum,q̃ eſt
in ipſo ſecundum rationem,ergo &c.Secũdo ſic.q̃cũqʒ plura pacifice continentur in eodem,ordi- 2
nem habent inter ſe.dicẽte Aug.xix.de ciuita.dei.Pax omniũ rerum tranquillitas ordinis eſt.vtra
qʒ autem pluralitas attributorum & perſonarum pacifice & ſumma pace in deo continẽtur. ergo
&c.Qʒ ſit ordo naturę dicit Auguſtinus libro.iii.contra Maximinũ.Genitũ(inquit )a genitore 3
mitti oportebat.verum hoc non eſt inæqualitas ſubſtantię:ſed ordo naturæ.Qʒ ſit ordo rationis 4
patet.quia in deo ſunt intellectus & voluntas differentia ratione:q̃non ſunt ſine ordine:quia inco
gnita non poſſumus velle,ſecundum Auguſtinum.ergo &c.

¶Dicendum ad hoc:q cum ſecũdum determinata in præcedẽti q̃ſtione:ordo for- **R**
maliter dicit reſpectum & comparationem alicui⁹ vel aliquorum ad aliquid vt ad principium de Reſponſio
terminatũ:i quocũqʒ ergo vel in qbuſcũqʒ eſt repire pluralitatẽ aliquã,& i illa aliqd habẽs rõne pri
cipii ad qd hñt alia reſpectu & cõparatione:in illo & in illis ponẽda eſt rõ ordinis:ſcdm modũ quo
i illis e rõ pricipii & reſpect⁹ ad illd.Et ſcdm q diuerſimode e i eis iuenire rõne principii,ſecũdũ hoc
eſt in eis diuerſimode inuenire rõne ordinis. Et cũ plures ſunt rõnes principii ad quas reſpectũ ha
bent creaturæ,& ſecundum hoc plures modi ordinum inueniũtur in eis comparatis inter ſe & ad
deum:in deo autem eſt inuenire duplicem ratione principii: vnam ex natura rei in ſeipſa comple
tiue:aliã vero ex natura rei originaliter,ſed cõpletiue nõ ex ſeipſa vt habet eẽ in ſeipſa:ſed ab intelle
ctu vt cadit i cõſideratiõe itellect⁹:& hoc ſecũdũ q duplex pluralitas habet eẽ in deo.ſ.differẽtiũ i
ter ſe ſecundum rem realium relationum,vt eſt pluralitas perſonarum & notionum perſonaliũ:
& differentium ſecũdum rationem tm̄:vt attributoꝝ inter ſe & a perſonalibus: Ratio principii pri **S**
mo modo eſt in illo qui eſt in diuinis non ab alio ſed a quo alii,vt i patre reſpectu filii & ſpũs ſancti
& etiam in illo qui eſt ab alio ex hoc q̃ab ipſo,licet non ſolum ab ipſo eſt alius,vt in filio reſpectu
ſpiritus ſancti.Secundo autem modo ratio principii eſt ſecundum intellectus conſiderationem in
illo qd rationem magis ſimplicis importat,hoc eſt de quo ſimplicior cõceptus natus eſt formari,ſi
ue qd primo natum eſt ab intellectu cõcipi,vt ab illo quaſi ꝓcedat ad cõceptũ alioꝝ.Verbi gratia,
tale principiũ oim eorum q̃ in deo cõſiderãt eſt ratio eſſe,q̃ includit in q̃libet aliarũ diuinarũ rationum,& generaliter omnium quę in deo conſiderantur:vt ſunt viuere,intelligere,velle,& cętera
huiuſmodi.Hoc etiam modo oĩa eſſentialia in deo rationem fundamentalis pricipii habet reſpectu perſonalium.Hoc etiam modo ea quæ pertinẽt ad ĩtellectum,quandam ratione pricipii hñt
ad illa q̃ ptinẽt ad volũtatẽ. Hoc etiã modo q̃dã eſſentialia vt ſunt in pſona vna,quãdã rõne prici **T**
pii ſiue primitatis hñt reſpectu eorundẽ vt ſunt in aliis pſcnis: & ſiqui alii cõſimiles modi inuenia-

T niant in diuerfis.Quare cũ(vt dictũ eft)refpect⁹ alicuius ad id qd refpectu fui habet quãcũcɔ rõne
pricipii,vel aliquorɔ ad idē qd habet refpectu eorɔ rõne pricipii ē rõ formalis:fecundũ duplicē igit rõ
nē pricipii in deo.f.fecundũ rē in fe cõfideratã,& fecundũ rõne,inquãtũ res diuina cadit i cõfideratiõe
itellect⁹,fecundũ hoc dico cɔ ptermiffis aliis modis ordinis q fundãt fup refpectũ ad pricipiũ,cui⁹ ra
tio non cadit in diuinis,de quibus habitum eft fupra in qftione de vniformitate diuinarum actio
nũ,folũmodo duo modi ordinis ponēdi funt in diuinis.f.nature & rationis.Et fignificat ordo vt cõ
muniter cõfideratur ad vtrũcɔ modũ in deo,refpectum ad principiũ: & hoc cõmuniter ad re
fpectum rei & rationis:& fecundũ cɔ quafi contrahit ad ordinem nature:fignificat refpectum notio

V nalem indiftincte fiue in communi. Qz autem ordo fit in deo primo modo,qui fcilicet eft in trini
tate perfonarum iter patrem & filium & fpiritum fanctũ,hoc põt intelligi dupliciter:quia hoc hu
ius in ppofito poteft dici quia eft huius vt fubiecti:vel quia eft huius vt rationis principiatiue.Pri
mo mõ nõ intelligitur cɔ fit ordo nature in diuinis:fed perfonarum,natura eͥm nõ ordinatur: quia
vt natura eft nullam habet in fe diftinctionem.Sed fecundo modo intelligitur ordo nature effe in
diuinis:eo.f.cɔ ratio principii que eft in aliquo,eft caufa vel quafi caufa cɔ in illo fit ordo illorũ quæ
refpectu quedã habent ad illud principiũ,vt dictũ eft.Ratio autem primi pricipii quam pfona vna
habet refpectu aliarũ,eft cɔ habet rõnem naturæ in pducendo aliũ a fe mõ nature,queadmodum
pater pducit filium,qͥq eͥm eo cɔ pater & filius communiter pducunt fpiritũ fanctũ,eft ordo iter
pductum hmõi & pducentes,& non pducunt ipfum modo nature nifi cõcomitatiue,fed mõ vo
luntatis,vt infra debet declarari:totus tamen ordo in trinitate dicit ordo naturæ ppter primam
rationem pducendi q pcedit modo nature.Et per confimilem modum alter ordo i diuinis dicitur
ordo rationis,non quia ratio fit id qd ordinat,fed quia id qd in ifto ordine habet ratiõe principii
nõ habet ipfam completiue ex natura rei in fe,fed ex cõfideratione intellectus fecundum modum
prædeterminatum.

**Ad pri.**
**principa,**

⟨ Per dicta patet ad primũ in oppofitũ:cɔ in deo non eft ordo naturę,quia in ipfo
non eft natura plurificata.Dicendum cɔ verũ eft fubiectiue,quafi tñ caufatiue bene eft ibi. Nec re
quirit ifte fecundus modus naturę plurificatiõe:fed cɔ folũmõ fit cõditio pricipii fecũdũ quã ha
bet rõne principii:refpectu cuius attenditf ratio ordinis,vt dictũ eft.Si aũt effet ordo naturę primo
modo,tũc oporteret naturã plurificari,vt pcedit obiectio.⟨Ad fecundum cɔ in deo funt idem na

**Y**
**Ad fcdm,**

tura & effentia:Dicēdum cɔ verum eft re: differunt tamen ratione.Nã effentia eft ratio penit⁹ ab
foluta.Natura aũt dicit cõditiõe pricipii pductiui,fecundũ cɔ dicit Phs.v.metaphy.Natura eft ex
quo pullulat,Propter qd natura põt effe cõditio in principio,p qd habet ratiõe effendi principiũ
fecundum cɔ attendit ratio ordinis:non aũt effentia,& ppter hoc fecundũ iam dicta põt dici ordo
naturę,licet nõ poffit dici ordo effentię:quia p hoc nõ poffet intelligi alia habitudo q cɔ effentia or
dinaretf:qd falfum eft.⟨Ad tertiũ cɔ pfonę diuinę ordinantf ficut indiuidua fub eadem fpecie:Dicē

**Z**
**Ad tertiũ**

dum cɔ in duobus modis ordinis naturę pdictis cadũt p fe & p accidens.In ordine naturę fubiecti
ue p fe ordinē habent inter fe illa quę differunt in gradu entis:& fic ordinem hñt p fe oia q funt in
mundo fub ente primo,p accidēs aũt ordinē hñt inter fe indiuidua fub eadē fpecie,f,vel tēpore vel
loco vel dignitate vel aliquo hmõi:per fe aũt nequaq: quia non eft i eis ante quo ad gradũ nature,
fecũdum Phm.v.metaphy.In ordine autem naturę caufali eft ordo p fe in omni genere caufarũ &
caufatorɔ illorɔ q inter fe differunt in forma: fed fe hñt adinuice fecundũ idem genus caufę. Ver
bi gratia in genere caufę mouētis primũ mouens mouet intelligētiã:intelligētia celũ:celũ vero mo
uet elementũ:elementũ aũt mixtũ.& fi plura fint hmõi,oia pfe funt ordinata:& nõ vadit pceffus i il
lis i infinitũ: imo neceffe eft ftare ex pte ante i mouēs i mobile p fe & p accidēs:& ex pte poft in mo
tu nõ moues fecũdũ Phi determinatioe i.8.phyficorɔ.In ordine vero naturę caufali eft ordo p ac
cidēs in oi gñe caufarũ & caufatorɔ illorɔ quæ iter fe coueniũt in forma atoma:fed fe hñt iter fe fe
cũdũ idē gen⁹ caufę.Verbi gratia:Si fub forma hois Sortes gñat Platonē,Plato Arift.& fic deiceps
oim iftorɔ ordo in gñe caufę mouētis eft p accidens:quia gñare iftis nõ cõuenit rõne formę fecũdũ
cɔ forma eft:fed rõne eē impfecti qd in quolibet fuo idiuiduo(fecũdũ cɔ alibi expofuim⁹,& fecũdũ
Phm)vadit i infinitũ ex pte ante & ex pte poft. Et fup iftorɔ ordinē fundatũ eft argumētũ:& nõ va
let in ppofito:qa nõ eft fife de pfonis diuinis fubfiftētib⁹ in forma deitatis,& de idiuiduis fub eadē
fpecie.qa licet i diuis fit vna forma fingularis triũ,q nõ habet rõne vlis gñis aut fpeciei:necɔ pfonę
fubfiftētes in ea hñt rõnem pticularis:magis tñ habent rõne indiuiduorɔ diuerfarũ fpecierũ ppter
pprietates pfonales cõftitutiuas pfonarũ diuerfas magis qfi fpecie q qfi nũero,& fic magi⁹ fublifiut
i forma deitat & i forma gñis,q qfi i forma fpeciei fpecialiffimę:& fic fe hñt plus ad modũ eorɔ q i
gñe caufę mouētis habent ordinem per fe,q illorum q habent ordinem per accidens fub eadē fpe

cie.Propter qd ordo in perſonis debet dici vere p ſe:& eſt ad modum illorum quę habēt inter ſe or
dinem per ſe in gñe cauſę mouentis. ¶Ad Quartum,qɔ in diuinis non eſt ordo rationis: quia in **A**
eis q̃ ſola ratione differũt,non eſt accipere rationem principii:Dicēdũ qɔ verum eſt ſecũdũ rē,vt p **Ad q̃rrũ.**
cedit obiectio.Sic eı̄ principiũ habent inter ſe tm̄modo pſonæ quæ in diuinis habēt ordinem na
turæ.Secundum rationem tamen bene poteſt in eis aliquid habere rationem pricipii,vt iam dictũ
eſt,& in queſtionibus ſequentibus amplius dicetur.¶Ad quintum,qɔ ordo rationis non poteſt eſ **B**
ſe in deo ab ipſa eſſentia,neqɔ ab intellectu:Dicendum qɔ immo,eo enim mõ quo in diuinis eſt plu **Ad q̃ntũ.**
ralitas rationum originaliter ab ipſa eſſentia potente ſub diuerſis rationibus conſiderari & cõple
tiue ab intellectu conſiderante ipſum in actu ſub diuerſis rationibus ſecundum p̃determinatũ mo
dum:ſic ratio principii habet eſſe inter differentia ſola ratione in diuinis,originaliter ab eſſentia,&
cõpletiue a ratione conſiderãte ſecũdum actũ id qd natura rei habet in ſe quaſi in potentia abſqɔ **C**
intellectus conſideratiõe:& ex cõſequẽti cõſimiliter ē ibi ordo rõnis originalr̄ ex natura rei,ſed cõ
pletiue ex cõſideratiõe intellect⁹.¶Et qd arguebaſ̄,qɔ nõ eſt ab eēntia qa nõ habet niſi vnitatē:Dicē
dum qɔ verum eſt realē:& ſimiliter non habet actu ex ſe niſi vnitatē rationis:ſed quaſi in potẽtia
habet in ſe rationũ pluralitatem:quæ opere intellectus quaſi deducuntur ad actũ: ſecundũ qɔ intel
lectus vnita & indiſtincta natus eſt diſtinguere.ſecundũ qɔ determinat Commenta. ſuper.xii.me
taphy.vbi docet qɔ ſecundum illum modum, rationum diuerſitas eſt accipienda. ¶Qɔ etiam ar
guebaſ̄,qɔ non eſt ab intellectu : quia poteſt vario ordine illas rationes concipere: Dicēdum qɔ eſt
conceptus ſecundum conditionem et naturam concepti procedens in concipiēdo:et eſt cõceptus
procedens ſecundum conditionem voluntatis.Primo modo non poteſt conceptus concipere ratio
nes ſub alio ordine q̃ natę ſunt habere.Eſt eı̄ in ipſis aptitudo vt intellectus diſcurrat ab eo quod
habet rationem principii ad alia:vt ab eſſe ad viuere:a viuere ad intelligere:et ab illo ad velle:et nõ
econuerſo:et ab intellectu concipiente ipſa vt talia,habet eſſe completiue ordo rationis in diuinis ſi
ue fuerit intellect⁹ ille diſcurſiuus ſiue non.Secundo autem modo intellectus diſcurſiuus põt dif
ferentia ratione vario ordine concipere, concipiendo primo velle et vltimo eſſe: et a tali conceptu
nõ habet cõpletiue ratio ordinis intẽti.Ex quo patet qɔ ordo rationis nõ eſt a puro conceptu in
tellectus:quia tunc non eſſet niſi vanus et fictitius:ſed quodammodo eſt a re et quaſi naturalis,in
quantum vna rationum eſt ratio vt ab ipſa intellectus diſcurſiuus diſcurrat ad alias,et non econ
uerſo,vt dictum eſt,et amplius iam dicetur. ¶Alia omnia argumenta ſequẽtia concedẽda ſunt.

**D**
Irca tertium arguiſ̄:qɔ ordo in diuinis non ſit ſine priori et poſteriori,Primo ſic. **Queſt.iii.**
ſicut ſe habent ordinata adinuicem inter ſe in aliis modis ordinis reſpectu ſui **Arg.1.**
principii:ſic (vt videſ̄)in ordine naturę et rationis. Sed in omnibus aliis ordina
tis ſecundũ ordinē eſt accipe pri⁹ et poſteri⁹,vt patet in creaturis ordinatis p ſe
et per accidens ſecũdum qdcũqɔ genus ordinis,et etiam ı̄ ordinatis ſecundũ tem
pus et ſecundũ locũ:et ſecundum alios modos ordinis,ergo &c.¶Secundo ſic. ı̄ **2**
quibuſcunqɔ ordinatis non eſt prius & poſterius:eſt falſitas: quia ſimul contra
riatur immediate ei qd eſt prius & poſterius in ordine:ſicut æquale ei quod eſt magis & minus in
quantitate. Sed non eſt dicere qɔ ordinata in diuinis ſint ſimul:quia quæcunqɔ ſunt ſimul in ali
quo ordine,rationem eiuſdē reſpectus & comparatiõe habent ad principiũ,reſpectu cuius dicunſ̄
eſſe ordinata,vt patet in eis quæ ſunt ſimul tempore aut ſimul loco : prout patet ex definitione
eius qd eſt ſimul eſſe,v.phy.Quæcunqɔ ordinata ſunt non habent rationem eiuſdem reſpectus ad
principium:ſcdm alium enim & aliũ reſpectum ſe habet filius & ſpiritus ſanctus ad patrem,& in
telligere & viuere ad eſſe:quia ſpiritus inquantum procedit a filio,& ordinem naturæ habet ad ip
ſum,reſpicit patrem mediante filio.filius autem reſpicit patrē immediate,ſimiliter ſecundum ratio
nem viuere reſpicit ı̄mediate eſſe:qa nõ dicit niſi q̃ſi modũ eſſendi.Intelligere aũt ſcdm rõne reſpi
cit mediate viuere:quia dicit modum viuẽdi.ergo etc.¶In oppoſitum eſt illud qd dicitur in ſym **In oppoſ.**
bolo Athanaſii.In trinitate nihil prius aut poſterius. Cũ ergo in trinitate ſint & ordinata ordine
naturæ et ordine rationis:ergo etc.

¶Queſtio iſta & ſimiliter ſequens pertinet ad modum explicandi vnũquodqɔ or **E**
dinatorum ſecundum propriam rationem ordinis ſui quã habet reſpectu principii differentē a pro **Reſol.**
pria rõne ordinis quã habet qdcũqɔ aliud:quēadmodũ ı̄ creaturis patet ı̄ ordine elemẽtoꝝ:qɔ pꝓpria
rõ ordinis quã habet terra differetē a rõnib⁹ ordinis quã hñt alia elemẽta,eſt qɔ terra dicitur eē in
fima,& pꝓpria rõ ignis ē qɔ dicit eſſe ſupm⁹:et cõis ratio aquę et aeris reſpectu illoꝝ eſt qɔ dicũt eē
media:& pꝓprie rationes vtriuſqɔ quibus differunt ordine inter ſe,eſt qɔ aqua dicatur eſſe ſub aere:
& aer ſupra aquam. Vñ cũ non habemus dictiones pꝓprias ad explicandũ pꝓprias rõnes ordinatoꝝ

in diuinis:sed oportet ea transſerri a creaturis:videt́ aliquibus difficile intelligere ꝗ ordo ſit in ali
quibus:quin eo modo quo ponitur in eis ordo,ponant in eis ad explicãdum p. ꞌoprias rationes illo
rum quas habent in ordine,prius & poſterius:vt ſicut ordo transſertur a creaturis ad diuina, ſecũ
dum aliam tamen rationé rei ſignificate,& eminentiorê ꝗ ſit in creaturis:confimiliter transſerătur
ab eiſdê prius & poſterius:vt ſicut quia in aliꝗbus eſt ordo ſcẩm locũ,eſt & pri⁹ & poſterius ſecun
dũ locũ:& ꝗa ſecũdũ têpus,ſimiliter pri⁹ & poſteri⁹ ſcẩm têpus:cõſiſt́ ſicut i aliꝗb⁹,vt i diuinis pſo
nis,eſt ordo ſecũdũ naturã ſeu ſcẩm originem,ſic cõſimiliter prius & poſteri⁹ ſecũdũ originem:ſi
cut in attributis ſecundum rationê,confimiliter prius & poſterius ſcẩm rõnem.Quare cum noti
tia nominum transſerendorum a creaturis ad diuina, habetur ex regula Anſelmi ſuperius expo
ſita quoniam quæ nihil niſi dignitatis important vt ſimpliciter ſit melius eſſe ipſa ꝗ non ipſa:po
ni debent in deo,cui nihil deeſt quod eſt dignitatis ſimpliciter:quæ vero aliquid indignitatis im

**F** portant nullo modo debent attribui ei,in quo nihil indignitatis eſſe põt:Œſt igitur ſciendum ꝗ
cum in ratione contingunt ſiue concurrunt iſta tria,ſcilicet rõ reſpectus , & ratio pꝛicipii, & ratio
prioris & poſterioris ſeu eius quod eſt ante & poſt:ipſa ſuper diuerſa fundantur,propter quod dif
ferunt ratione inter ſe.Ratio enim reſpectus eſt in aliquibus ex comparatione ſimplici quã habent
inter ſe ſiue ad aliud ſiue ad alia,& poteſt eſſe vbi non eſt ratio principii neꝗ prioris aut poſterio
ris,quéadmodum eſt reſpectus vni⁹ ad alterum in duobus ſimilibus quę ex ſe nihil indignitatis i
portant,ſed potius aliquid dignitatis: propter qd́ transſertur ad diuina,et dicitur in deo eſſe rela
tiones & reſpectus.Ratio aũt principii eſt in aliquibus inquantũ habent aliꝗd primum in ſuo ge
nere,ſiue fuerit primũ cauſalitate,ꝗa ab ipſo ſunt alia:ſiue ſit primũ in naturę dignitate aut ſimpli
citate,ſiue i ſitu locali, ſiue in tꝑis ſucceſſione vel in aliquo alioꝛũ modoꝛũ tactoꝛ in ꝗſtione ſigna

**G** ta:ſiue a Pꝸo expreſſoꝛ.v.meta. in capite de ante & poſt.Ratio autem principii & principiati ſi
militer nihil idignitatis iportãt,ſed poti⁹ dignitatis:io in deo ponunt,vt iſtra patebit.Vñ(vt dictũ
eſt)ordo fundatur i reſpectu quê habet aliquid aut aliqua ad aliꝗd vt ad pꝛicipiũ,ſiue vt a quo ha
bent eſſe,ſiue quocũꝗ alio modo:aut in reſpectu quem habent aliqua inter ſe in cõpatione ad illud
principium.Ideo ordo ſimpliciter recipi debet in diuinis ſicut & ratio talis reſpectus & cõparatio
nis. Ratio aũt eius qd́ eſt ante, fundatur in habitudine quã habet res cui conuenit ratio principii
vt eſt res & eſſentia aliqua, non vt habens rationem principii,ad rem quę reſpicit eam ſub ratione
principii vt ſimiliter illa res quædam eſt . Et econuerſo ratio eius quod eſt poſt , fundatur in ha
bitudine quã habet res reſpicieś aliã in ratione principii,inquantum ambę res ſunt:aut in habitu
dine quã habent vt res ſunt,illa inter ſe,quę reſpectũ habent ad aliꝗd ſub ratione principii.Verbi
gratia in creaturis ꝗuis aliqua ſint ſimul & coęquęua duratiõe ſecundũ ꝗ ſunt aliquid in rerum
natura:& ſecundum ꝗ reſpectum habent adinuicem ſecundum rationem principii & principiati
nihilominus tamen vna illarum ſecundũ id qd́ eſt in eſſentia ſua,dependet ab alia & non econuer
ſo.Verbi gratia,licet lux & radi⁹ ſunt coęquęua & ſimul ſcẩm rõne pꝛicipii & ꝑicipiati,in eſſen
tia ſua radius dependet a luce,& non econuerſo.Similiter eſt de ſono & cantu:propter quod in ta
libus inuenitur ante & poſt:quia ſemper illud qd́ in eſſentia ſua non dependet ab alio dicitur ante
& illud qd́ dependet ab illo,dꝶ poſt.Et ꝑpter hoc i creaturis etſi eſſe haberêt coęternũ deo,ſicut po
ſuerunt philoſophi,creator tamen eſſet ante & creatura poſt natura & intellectu.Et etiam ſecũdũ
ꝗ dicit Auicen,non eſſe in ipſa eſſentia creaturę , eſt ante eius eſſe prioritate eſſentiæ,hoc eſt in
quantum eſſentia ex ſe nata eſſet non eſſe,ſi ipſum non reciperet ab alio:licet ſemper ipſum & de

**H** neceſſitate haberet ab alio.Et ſecundum hunc modum ante & poſt fundantur in habitudine re
rum quã habent adinuicem ſecundum id qd́ ſunt abſꝗ ratione cauſalitatis. Sed tunc maxime di
citur ante,qd́ ſic non dependet ab alio,vt etiã têpore ſecundum id quod eſt, poteſt alterũ præcede
re:ſicut in hominibus pater pcedit filium:& hoc mõ pꝛicipium lineę dicitur eſſe ante:quia eſſet et
ſi nõ eſſet illud qd́ eſt poſt:& filꝶ icorporea reſpectu corporeoꝛ:& cælũ reſpectu elemêtariũ:& vni
ucrſaliter in ꝗbuſcũꝗ inueniṫ ante & poſt,ex huiuſmodi habitudine habetur in eis non ex ratione
ſimplicis reſpectus:neꝗ cum hoc ex ratione comparationis ad aliꝗd vt ad pꝛincipium : & ita neꝗ
ex ratione ordinis qui in hoc fundatur,vt dictum eſt: vt ſecundum hoc de ratione ordinis nõ ſũt
ante & poſt:immo poteſt eſſe pſecta ratio ordinis,etſi non ſint illa.Nec debet eſſe alicui difficile in
ſpicienti iam dicta,intelligere ordinem abſꝗ priori & poſteriori:quia prius & poſterius non coin
cidunt in ordine niſi ratione rerum ordini ſubiectaꝛū: & ita ratione materiæ ſuę tm̃:nõ autê rõne

**I** ſuę formę.Qui ergo vult videre an in diuinis cũ rõne ordinis recipi debeant ante & poſt , aſpicere
debet ad ſubiecta ordini ſcẩm ſe,vt ſunt res & natura aliꝗ in ſe.Nũc aũt clarũ ę ꝗ res ſubiecta ordi
nĩ i diuinis(ctiã largiſſime ſumédo rẽ ad illud quod etiã eſt aliꝗd ſecundum rationem tm̃) nõ po

teſt eſſe ſubíecta ordíní niſi ipſa diuína eſſentia, aut reſpec⁹ exiſtens in ea: ꝗa plura ſecundum p̃ determinata nõ eſt inuenire in diuinis ꝗ eſſentiam,& reſpectum ſiue relationem.Eſſentia aũt nõ ẽ niſi ynica í ipſis ordinatis:& íõ rõne ipſi⁹nõ põt in ordinatis eſſe añ aut poſt:ꝗa añ & poſt ſemp alí quam diuerſitatem requirunt in eis ſuper quæ fundantur,ⁿt patet in p̃dictis.Reſpectus autem et ſi ſint plures & perſonales & rationales , inquantum tamen reſpectus ſunt , ſunt ſimul natura & intellígétia: quia reſpectus inquátum reſpectus ſiue relatio, nullam rationem prioritatis habet ad reſpectum ſiue relationem.Neꝗ ergo ratione diuinę eſſentię, neꝗ ratione reſpectuũ ſiue relatio num ín illa,poſſunt in deo fundari aut eſſe ante & poſt . Quare cum non ſit reperire in diuinis plura in quibus poſſunt fundari ante & poſt,ſimpliciter ígit̃ & abſolute concedere oportet ꝙ etſi í diuinis ſit ordo:eſt tamen ſine omni ante & poſt,priori & poſteriori,in ipſis ordinatis.

K
Reſponſio

Qd̃ ergo arguitur primo in oppoſitum:ꝙ in omnibus aliis modis ordinum & ordinatorum eſt inuenire prius & poſterius:ergo & ín iſtis qui ſunt in diuinis:Dicendũ ꝙ bene ſe ꝗuerͤtur ſi prius & poſterius conſequerentur ordinem ratione eius ꝗd̃ eſt formale, ſcilicet habitu dinis ad principiũ.Nũc ergo( ⁿt dictũ eſt)ſequitur ratione materialis in ordinatis:quͤ alia eſt in ordinibus circa creaturas:alia in ordinibus diuinis,Idcirco bene poſſunt conſequi prius & poſteri⁹ ordinem in creaturis:nullo tamͤ modo ordinem in deo,ⁿt patet ex iam determinatis. Propter ꝗd̃ Auguſtinus diuinis pſonis attribuit ordinem ratione pricipiationis quæ eſt in ipſis:cum tamͤ re moueat ab eis prius & poſterius:cum dicit lib.iiii.cõtra Maximinũ.Genitum a genitore mitti opor tebat:verum hoc non eſt inæqualitas ſubſtantiæ:ſed ordo naturͤ,non ꝙ alter eſſet altero prior:ſed ꝙ alter eſſet ex altero.Ad ſecũdum,ꝙ in diuinis ordinib⁹ nõ eſt ordinatorum ſimultas:ergo eſt í eis prius & poſterius:Dicendũ ꝙ illa regula contrarioꝝ non intelligit niſi circa ſuũ propriũ ſub iectum : ſicut & intelligitur conſimilis regula de priuatiue oppoſitis.Circa non ꝓpriũ vero ſub iectum circa ꝗd̃ non eſt natum eſſe ynum illorum & ita neꝗ aliud, nõ habet veritatem:ⁿt viſus cum non habet eſſe circa lapidem : non ſequitur, lapis non eſt videns, ergo eſt cæcus . Similiter cum ꝗqualitas non habet eſſe circa colorem ynum comparatum ad quͤdam alium colorem,non ſe quitur:color non eſt ꝗqualis colori, ergo eſt ei íꝗqualis:ⁿt maior vel minor.Sic aũt eſt in propoſito ꝙ cũ ſimul pri⁹& poſteri⁹ cõſequũt ordinata rõne materiͤ,qualis nõ habet eſſe in diuinis,ⁿt dictũ eſt:neutrum illorum habet eſſe circa ordinata in diuinis, & ideo non ſequitur in eis: ꝙ ſi non hñt eſſe ſimul, ⁿt bene probat obiectio, ꝙ ſe habeant ſecundum prius & poſterius.

L
Ad pri.
principa.

M
Ad ſcdm.

Irca quartum arguitur ꝙ in ordine diuino non eſt primum,ſecundum,tertiũ, Primo ſic,primum,ſecundum,& tertium,dicunt proprias rationes ordinato rum ſecundum rationes & ſignificationes numerorum,ſed ſignificationes nu merorum & rationes eoꝝ non ſunt ſine priori & poſteriori,quia ſicut dualitas eſt ſecunda poſt ynitatem & trinitas tertia:ſimiliter ynitas eſt prior,& dualitas poſterior ynitate,& trinitas ſiue ternarius poſterior dualitate. ybicuꝗ ergo ac cipiuntur primum,ſecundũ,& tertiũ: ſimiliter & prius & poſterius.cum ergo (ⁿt dictũ eſt)in diuinis non ſunt accipienda prius & poſterius:quare ſimiliter neꝗ primum,ſecũ dũ, aut tertiũ.Scdo ſic.Primũ,ſecũdũ,& tertiũ,inquátũ hmõi,ſunt ꝗdã cõſequenter entia,in dí uinis aũt nõ ſunt aliqua cõſequͤter entia:ꝗa cõſequͤter entia ſcdm Pꝝm.v.&.vi.phyſico,nõ ſunt niſi illa ꝗ ſunt eiuſdͤ rõnis.Dicit eñ domus domui cõſequͤter ens,cũ non ſit alia domus media,et ſi aliquid aliud ſit mediũ. Differͤtia pſonaliter ſiue notionaliter vel ſecundum rõnem in diuinis nõ ſunt eiuſdͤ rationis ſed diuerſarum,alia enim eſt ratio patris inquantum pater:& filii inquátum filius: & ſpiritus ſancti inquantum ſpiritus ſanctus : et eſſe & viuere & intelligere & cæterorum talium in quibus conſiſtit ordo in diuinis,ergo &c.Contrariũ apparet in ordinatiõe naturæ,quo niam ſecundum Auguſtinum.iiii.lib.de trinitate,Pater eſt principium totius deitatis:& ſecundũ Philoſophum quinto metaphyſicͤ,primum & principium idem,ergo pater eſt primum in deita te.Sed non eſt primum niſi habeat ſecundum ſibi reſpondens,ergo &c. Similiter apparet contra rium in ordine rationis per illud quod dicit Dionyſius cap.v.de di.no.Ante ſui alia participantia eſſe pͤmittitur,& infra.Merito ens deus ⁿt pͤſtantia aliorum ſibi donorum laudatur.& iſtra.Pri ma igitur ipſius per ſe ipſum eſſe donatiõ.ſi.ⁿbi dicit ant.traſl.Ante alias dei ipſius participatio nes eſſe præpoſitum eſt. conuenienter igitur alius principialius ſicut exiſtens deus laudatur ex di gniore donorum eius.eſſe ergo eſt prima rationum in deo . Sed non eſt primum ſine ſecundo ⁿt prius.ergo &c.

N
Queſt.iiii.
Arg.i.

2

In oppo.i

2

O
Reſponſio

Dicendũ ad hoc ſecũdum ꝙ ſupra tactum eſt : ꝙ ꝗcunꝗ ordinata ſunt differen

tiã aliquã hñt inordine. Aliter em̃ fili⁹ nullo mõ eſſet media pſona ſcdm̃ rẽ inter patrẽ & ſpm̃ ſan-
ctũ:neqz viuere eſſet media rõ ſecũdũ rõne inter eſſe & intelligere. Et ſecundũ ꝙ habent differentiã
in ordine & proprias rationes,ſic neceſſe habẽt a nobis propriis vocabulis exprimi. Non autẽ illis
quæ ſunt prius & poſterius: quoniam etſi prius & poſterius non ſignificant niſi circunſtantiam
rationum quibus differunt ordinata vt inter ſe ordinem habent,illa circuſtantia non ſumitur ex
parte differentiarum ſecundum ordinem:ſed ſecundum materias ſubiectas ordini:quę nullo mo
do poteſt eſſe in deo,vt dictum eſt. Vnde etſi circuſtantiæ iportatę vocabulis iſtis,primũ,ſecundũ,
tertium,nõ eſſent aliæ q̃ iportatæ illis vocabulis ante & poſt, ſiue prius & poſterius: nullo modo
iſtę reciperentur in diuinis,ſicut neqz illę:niſi extenſo noie:quẽadmodũ extendit ipſum Dionyſius
in ſupra dicta auctoritate. Si ergo debeant recipi in diuinis,oportet ꝙ circuſtantia quam important ſumatur ex parte differentiarũ ſecũdũ ordinẽ ipſum:nullo autem modo ſecũdũ ſubiecta ordi
ni. Quin rationes proprię ordinatorum ſint diuerſę ſecundum rationes ipſius ordinis,nullus põt
negare.Aliter em̃ filius non diceret aliquo mõ eſſe in ordine pſonarum imediatior pr̃i q̃ ſpiritus ſan
ctus:neqz i ordine rõnũ viuere imediati⁹ſcdm̃ rõne ſe haberet ad eẽ,q̃ itelligere. Et patet ꝙ iſtę rõ
nes differẽtes cũ ſumunt reſpectu alicuius principii,non ſumũt niſi ſecundum rationẽ mediati &
immediati,q̃ fundantur in quadã cõſequẽtia aliorum ex pricípio. Quare cum rationes quibus ali
qua exprimunt fore conſequenter entia,propriiſſime exprimunt nominibus iſtis quę ſunt primũ,
ſecundum,tertiũ, & huiuſmodi:vel ſi alia ſint,dentur:aut ſi indigem⁹ & dari non poſſint:& ratio
nes dignitatis ſunt ſic ſe habere vt ex iſto pcedat iſte: vel ex iſto pcedatur in illũ: & ideo noia ipſa
exprimentia debent & poſſunt poni in diuinis ordinibus,aut ergo iſta noia primũ,ſecundum,ter
tium ponere debemus in diuinis ordinibus tãq̃ omnino ppria:aut vti debem⁹ eis quia magis p-
pria nõ habem⁹,etſi aliquam iproprietatẽ importet.Vbi ſi timẽdũ eſt de occaſiõe errãdi ꝑpter im
proprietatẽ,ponatur temꝑamẽtũ ꝙ ſit ſignum reductiõis intellectus ad temperamentum recti
intellectus per quaſi,vel ſicut,vel quẽadmodum,aut aliquid huiuſmodi:& ſic in ordine naturę di
camus patrem eſſe primam perſonam:filium vero ſecundam:ſpiritum aũt ſanctum tertiã:vel ſal
tem quaſi.Sed (vt puto) nõ eſt opus apponere quaſi:ſed minus i ordine perſonarum q̃ rationum
quia perſonarum eſt maior diſtinctio,q̃ ſit rationum diſcretio:& conſiſtit illa diſtinctio in re abſqz
comparatione ad intellectum comprehendentem,non aũt rationum diſcretio,vt patet ex dictis: &
etiam ſecundum aliam habitudinem ex parte rei ſecundum ſe perſonarum ordinatarum inter ſe
q̃ in iſtis rationum inter ſe ordinatarum ſcdm̃ conſiderationem intellectus. Differentia enim ſecũ
dũ ordinẽ in perſonis ordinatis,ſumit penes hmõi circuſtantias:quę ſunt a quo alius:& non ab alio
quod conuenit ſoli patri,propter quod dicitur primus:& qui ab alio,& a quo alius:quod conuenit
ſoli filio, propter quod dicitur ſecũdus:& qui ab aliis & a quo nullus:quod conuenit ſpiritui ſan
cto, propter quod dicitur tertius. Differentia vero ſecundum ordinem in ordinatis differentibus
ratione tm̃,ſumitur penes hmõi circuſtãtias:quę ſunt a quo in aliud,& in ꝙ ab alio.Verbi gratia
in creaturis punctus dicitur pricípiũ lineę: & ex reſpectu ad ipſum ſumit ordo partium lineę:quia
a puncto procedit fluxus in primam partem lineę ſignandam: & ab illa in ſecundam: & a ſecunda
in tertiam:& ſic deinceps.Et ſimiliter in ordinatis ordine rationis in diuinis pricípiũ reſpectu alio
rum,& dicitur primum id ꝙ natum eſt de deo cõceptũ formare ſimpliciſſimũ: cuiuſmodi eſt eſſe
ꝙ ſecũdum Auicen,eſt primum cõceptum ab intellectu: & ſecundũ Dionyſium(vt dictũ eſt)pri
ma diuinarum participationum,Et ſecundum eſt id quod proximum cõceptum natum eſt forma
re:cuiuſmõi eſt viuere:& tertiũ eſt ꝙ pximũ poſt hũc:cuiuſmõi eſt itelligere.Et ſicut ẽ de iſtis,ſic
eſt de aliis:quorũ differentia & ordo licet nullo modo conſiſtat in ipſis ex parte rei ſecundum ſe ni
ſi ſicut in origine & quaſi in potentia, vt dictum eſt ſupra:conſiſtit tamen in ipſis vt cadit diuina eſſentia in conſideratione intellectus. Vt enim cadũt ſecundum ſuas rationes pprias quibus ab
inuicem differunt & diſcernuntur in conſideratione intellectus, ratio vnius ex ſui natura talis eſt
vt ab ipſa procedat conſideratio intellectus in aliam : vt abeſſe propter rationem ſuæ ſimplicitatis in viuere : licet realiter non ſit maior ſimplicitas in vno q̃ in alio : & eadem ratione a viuere
in intelligere. Et ſit iſta diſcretio in conſideratione cuiuſqz intellectus & creati & increati: & eſt ra
tio ipſarum rationum diſcretarum talis:ꝙ quantum eſt ex parte illarum , quicunqz intellectus pro
cedere poſſit ab vna in aliam : etſi diſcurſus huiuſmodi repugnet intellectui diuino omnino,qui vni
co & ſimplici ituitu oẽs rõnes ſuas cõſiderat & ſpeculat.CEt nota ꝙ differt dicere,pcedere ab hoc
in hoc,& pcedere ex hoc in hoc. Ex hoc i hoc ſolũ pcedit itellect⁹:qa ex hoc acqrit cognitionẽ illi
vt ex pmiſſis cognitionẽ cõcluſiõis,& hoc mõ ſolus intellectus human⁹ eſt diſcurſiu⁹:& in ipſo na
ti ſunt cõceptus formari de diuinis rõnibus:vt licet i ipſis cõceptis non ſit niſi ordo ronis ſecundũ

differentias primi,ſecundi,tertii,vt dictum eſt: in ipſis tamen conceptiōibus quæ ſunt actiones in
tellectus noſtri,bene eſt ordo rei ſecundum prius & poſterius,vt ex vno concipiat alium via doctri
næ: vt primo concipiat eſſe de deo:ſecundo ex illo concipiat viuere:& tertio concipiat id quod eſt
intelligere.Qualis diſcurſus aut ordo cōceptuum nullo modo poteſt eſſe in intellectu diuino,neq̢
etiam in intellectu angelico concipiendo hoc ex hoc:quia concluſionem non cognoſcit ex princi
piis:ſed ſolum in principiis.Poteſt tamē eſſe in intellectu angelico diſcurſus concipiendo hoc poſt
hoc & hoc in intellectu ſuo naturali,licet non in intellectu quem habet in nuda diuina eſſentia.Et
ſic in talibus conceptibus diuinarum rationum illa quæ quantum eſt ex ſe , nata eſt concipi pri
mo,non eſt nata concipi ſecundo:licet ſic poteſt concipi quantum eſt de poteſtate cōcipientis:quē
admodum poteſt primo concipi concluſio,& deinde principium: licet nata ſunt concipi econuerſo
ſecundum q̢ de hoc aliquid amplius diximus ſupra in Quæſtione de vniformitate actionū dei.

¶Ad primum in oppoſitum:q̢ primū:ſecundum:& tertium:non dicunt rationes    **S**
ordinatorum niſi ſecudū rationes & ſignificationes numerorum:quæ non ſunt ſine priori & poſte    Ad pri.
riori:Dicendum q̢ verum eſt de illis in quibus eſt numerus verus realiter differentiū,ſiue ſit princip.
formalis ſiue materialis,& hoc quia illa quæ numerantur formaliter , non poſſunt eſſe ſine gra
du naturæ:qui non eſt in ordine in aliquo ſine priori & poſteriori.Illa vero quæ numerantur ma
terialiter,non numerantur niſi quia nata ſunt eē in vno cotinuo:in quibus neceſſario ſe habent ſe
cūdū prius & poſterius reſpectu puncti qui eſt principium continui.Non aūt verum eſt illud de il
lis in quibus eſt numerus quidam, ſcilicet reſpectuum vel rationum in deo:q̢a eſt ſecundū omni
modam rei vnitatem, in qua non eſt accipere omnino prius & poſterius. ¶Ad ſecundum:q̢ pri    **T**
mum,ſecundum, tertium,non ſunt niſi in eis quæ ſunt conſequenter entia: Dicendum q̢ verum    Ad ſcām.
eſt.Et quod aſſumitur, illa non ſunt niſi eiuſdem rationis:Dicendum q̢ verum eſt ſecundum ra
tionem impoſitionis nominis, quam dat ei ibi Philoſophus in materia determinata,magnitudi
nis ſcilicet: ſecundum quam rationem intendit vti illo nomine . Extendendo autem nominis ſi
gnificatum,bene poſſunt eſſe diuerſarum rationum, & potiſſime in eadem natura rei.

## Articulus.LIII.De diuinis perſonis.

Oſt tractata hucuſq̢ de iis quæ in deo pertinent ad cōmu Articulus
munem ſubſtantiam:deinceps reſtat tractandum de illis quæ pertinēt LIII.
ad perſonarum diſtinctionem.Et hoc primo de eis quæ pertinent ad p̢
pria.Secundo de eis quæ pertinent ad appropriata.Et circa p̢pria,pri
mo de eis quæ conueniunt ſingulis perſonis ſecundum ſe.Secundo de
eis quæ conueniunt ipſis adinuicem comparatis.Et de illis quæ conue
niunt ſingulis ſecundum ſe,Primo in generali.Secundo vero in ſpecia
li.Et in generali,primo de ipſis perſonis. Secundo de proprietatib⁹ per
ſonarum,quæ communiter notiones dicuntur.
¶Circa diuinas autem perſonas in generali,inquirenda ſunt duo.
Primum,de eſſendi perſonas in deo.

Secundum,de modo emanandi vnam ab altera.
¶Circa primum vero quæruntur decem.Quorum
Primum eſt:vtrum ſit ponere perſonam eſſe in Deo.
Secundum:vtrum perſona habeat eſſe in deo proprie an tranſumptiue.
Tertium:vtrum vniuoce & eadem ratione habeat eſſe in deo & in creaturis,an æquiuoce & ſecun
dum rationes diuerſas.
Quartum:vtrum perſona ſit ſeu habeat eſſe in deo ſecundum ſubſtantiam, an ſecundum relatio
nem.
Quintum:vtrum perſona in deo ſignificet rem,ſubſtātię ſcilicet aut relationis:an intētionem tm̄.
Sextum:vtrum aliqua perſona penitus abſoluta ſeu ſuppoſitum abſolutum habeat eſſe in diuinis.
Septimum:vtrum perſona in deo ſignificet aliquid commune.
Octauum:vtrum plures ſint perſonæ in deo.
Nonum:vtrum in deo ſint tres perſonæ:& non plures nec pauciores.
Decimum:vtrum vna earum habeat eſſe in alia mutuo & eodem modo.

**A**
Queſt.i.
Arg.i.

**2**

Irca primū arguitur, q̧ non ſit ponendum perſonā eſſe in deo, Primo ſic. Boethius dicit lib.de du.na.& vna perſona Chriſti.q̧ perſona eſt rationalis naturæ indiuidua ſubſtantia,in deo autem non eſt natura rationalis,ſed potius intellectualis.neq̧ ſubſtantia idiuidua:quia nõ eſt indiuiduū niſi vbi eſt vniuerſale in diuiduabile:quod nõ eſt in deo,vt habitū eſt ſupra.ergo &c. ¶Secūdo ſic.Augu ſtinus.v.de trinitate. Dictum eſt tres pſonæ,nõ vt illud diceretur:ſed ne omni no taceretur. Sed ſi perſona eſſet in deo,dictum eſſet tres perſonæ, non ſolum ne omnino taceretur,ſed vt exiſtens in deo diceretur & exprimeretur ſicut eſt,ergo &c. ¶Con

In oppoſi. tra.Ricardus dicit.v.de trinitate.capitulo.ix.Eſſentia diuina ſi vel vnum aliquid inuenitur habere incõmunicabile,ex eo ſolo deprehenditur atq̧ conuincitur eſſe perſona,ſed aliquid inuenitur in diuina exiſtētia incõmunicabile:quia aut nihil eſt cõmunicabile in deo:aut ſi aliquid communicatur , proprietas communicantis inquantum cõmunicat non poteſt cõmunicari ei cui communicatur:quēadmodum pprietas generatiõis a ppprietate patris qua filio cõmunicat ſuam eſſentiam nulli poteſt cõmunicari ab ipſo:vt infra declarabitur.ergo &c.

**B**
Reſponſio

¶Dicendum ad hoc : q̧ ſicut ſecundum ſupra determinata in attributis eſſen tialibus deo attribuendum eſt quicquid ſimpliciter dignius eſt & melius eſſe ipſum q̄ non ipſum: ſimiliter & in perſonalibus ſiue perſonarum proprietatibus,Vt ſecundum q̧ dicit Ambroſius,i. libro de trinitate,quicquid religioſius ſentiri poteſt,quicquid præſtantius ad decorem , quicquid ſublimius ad poteſtatem:hoc deo intelligas conuenire : & hoc tam in eſſentialibus q̄ in perſonali bus indifferenter. Nunc autem ita eſt q̧ perſona nominat aliquid quod eſt dignitatis ſimpliciter in creaturis & in creatore.Nominat enim ex ſuo ſignificato rationem incommunicabilis, vt pa tet ex prædicta auctoritate Ricardi: quæ prouenit ex perfectione eius qui habet in ſe id quod alteri non poteſt communicari ſecundum q̧ dicitur perſona:ſecundum q̧ infra videbitur . Nominat etiam illā circa naturam rationalem ſeu intellectualem:quorum vtrunq̧ eſt dignitatis & nobi litatis.Idcirco ſimpliciter abſolute ponendum eſt pſonam eſſe in deo:& tanto verius & perfectius: quanto verius & pfectius ratio incõmunicabilis & intellectualitatis habent eſſe in deo,ſcdm q̧ pa tebit ex determinandis. ¶Ad aliqualem tamen horum declarationem ſciēdum,q̧ in iſtis octo qu̧ ſunt indiuiduum,hoc aliquid,ſingulare, res natuŗ, ſubſiſtentia , ſubſtantia,ſuppoſitum,perſona, quaſi idem repreſentatur & ſignificatur circa naturam & eſſentiam naturalis rei , largiſſime ac cepta natura.De qua dicit Boethius de duabus natur. Si de õibus rebus natura dici placet,ta lis definitio dabitur quæ res omnes quæ ſunt poſſit includere. Eſt igitur natura earum rerum quæ cū ſint,quoquo modo intellectu capi poſſunt,In hac igitur definitione accidentia & ſubſtātiæ definiuntur:ſed prima duo,ſcilicet indiuiduum,hoc aliquid, inueniuntur ſolummodo in eſſentia creaturæ & tam in ſubſtantiis q̄ in accidentibus,& non in eſſentia increata ſiue in deo. Indiuiduū enim ex oppoſito diſtinguitur contra diuiduum . Non eſt autem diuiduum niſi re vniuerſale: neq̧ ratio ſiue intentio diuidui niſi circa vniuerſale ſecūdū rē:quare neq̧ indiuiduū eſt niſi re pticulare ſiue ſingulare ſub vniuerſali indiuiduatū: neq̧ ratio ſiue intentio indiuidui,niſi circa particulare ſiue ſingulare ſecundū rem indiuiduatum ſub eo qd eſt re vniuerſale. Quare cum in deo ſecundum ſupra determinata,non eſt inuenire rationem vniuerſalis aut particularis realis:ſimiliter neq̧ rationem indiuidui:niſi extendendo nomen indiuidui ad rationem ſingularis,iuxta illd qd dicitur in pricipio Decretalium.Hæc ſancta trinitas ſecundum communem eſſentiam indiuidua. quēadmodum cum continuo ſequitur.Et ſecundum perſonales ppprietates diſcreta.ibi extenditur nomen diſcretionis ad nomen diſtinctionis. Diſcretio enim non eſt proprie in diuinis perſonis,ſed diſtinctio.Eſt aūt inuenire rõnem indiuidui in õi creatura tā ex pte naturæ ſiue eſſentiæ q̄ ex parte ſuppoſiti qd eſt res naturæ,ſed in natura:quia ipſa exiſtit in ſuppoſito,ſiue ipſa natura fuerit ſub ſtātialis,ſiue accidētalis.Nõ em dicit indiuidua natura ſiue eſſentia vt hūanitas vel albedo:niſi qa eſt indiuidui ſuppoſiti:quia ſecundū ſuperius determinata,humanitas nõ eſt hæc niſi qa eſt huius neq̧ ſimiliter albedo: vt ſecundum hoc res naturæ proprie dicatur indiuiduum eſſe : natura vero eſſentia rei ſiue ſecūdū ſe ſiue vt idiuiduata in ſuppoſito.Hoc aligd autē cum indiuiduo idē no minat ſecundum rem,differens aūt ſola ratione.Ambo enim ſignificant rationem partis acceptæ ſub aliquo diuiſo expreſſ̧ per negationem.Sed indiuiduum exprimit negationem illam in compa ratione ad ipſum diuiſum,negando circa partem idiuiſibilitatem a qua imponitur hoc nomen indiuiduū.Hoc aligd vero exprimit negationem eandem in comparatione ad ipſum diuiſum:& addit cum hoc rationem negationis in comparatione ad partem condiuiſam. Cum enim dicit Hoc intelligitur res ſiue natura eſſe qd indiuiſum ſiue indiuiduum in ſe propter demonſtrationem rei

**C**

quæ oculis conſpici poteſt. Cũ vero additur ly aliquid,exprimiť ꝗ ſit a condiuiſo aliud quid & in
natura & eſſẽtia indiuidua,& in ſuppoſito.Qđ nullo modo cõuenit in diuinis vni ſuppoſito in cõ
paratione ad aliud:inquantũ ly aliud dicit differentiã in natura & eſſentia.Etſi eͫ vnũ ſuppoſitũ
in diuinis ſit aliud ab alio in ſuppoſito,non tamen in eſſentia & natura,vt infra patebit.Quare cũ
aliud in neutro per ſe eſſentialẽ differentiã nominat:ideo cum abſolute ponitur,ſicut cum dicitur
hoc aliquid,nullo modo recipitur in diuinis:vt dicať abſolute vnũ diuinorũ ſuppoſitorũ eſſe aliud
quid ab altero:ſed ſolůmodo cũ determinatione ſuppoſiti,vt dicať vnũ eorum eſſe aliud ſuppoſitũ
ab altero. Vnde ſi pprie velimus loqui in diuinis ſicut in creaturis,debemus in hoc nomine alius
diſtinguere ratiõe generis maſculini & neutri:vt ſicut in creaturis pprie dicim⁹ idiuiduũ ſuppo
ſitũ eſſe hoc aliquid,hoc.i.in ſe indiuiduũ ſiue indiuiduatum,ſed ab alio ſuppoſito aliud quid,hoc
eſt in eſſentia cõmuni ꝗd,ſed in eſſẽtia indiuiduali aliud ꝗd ab eſſẽtia cõdiuiſi, ſic in deo ſuppoſitũ
proprie dicatur hic aliquis: hic.i.in ſuppoſito ſingulare exiſtens,ſed ab alio ſuppoſito alius quis, &
diſtinctus ab eo.Cⱸtera vero ſex inueniuntur tam in re increata ꝗ in re creata.Sed illud ꝗd eſt ſin

D

gulare,inuenitur cõiter in accidentibus & in ſubſtãtiis:alia vero quinꝗ in ſubſtãtiis tantum.Sin
gularis aũt ratio eſt ꝗ ſit vnum aliquid ſolitariũ.Sed intelligendũ ꝗ ſingulare includẽdo ſolitariũ
poteſt intelligi abſolute,vel cũ determinatiõe,Primo modo nõ recipitur in diuinis, ſcđm ꝗ probat
magiſter.xxiii.diſtinctione primi ſentẽtiarũ in capite Iam ſufficiẽteꝛ.ꝗa(vt dicit in eodẽ) ſingulari
tas vel ſolitudo perſonarum pluralitatem oſtendit excluſam.Vnde & ſecundum hunc modum ſal
ſitatem ponit in humanis, dicendo Sortes eſt ſingularis : quia excluderet conſortium aliorum in
humana natura:ſed aliter in diuinis & aliter in humanis. quia in diuinis non poteſt eſſe ſolitudo
neꝗ actu,neꝗ potentia:in humanis poteſt eſſe ſolitudo ſecundum actum.Poſſet enim humanitas
exiſtere in vnico ſuppoſito tantũ.Sed ſecũdo modo bene recipiť vtrobiꝗ tam circa eſſentiã ꝗ circa
ſuppoſitũ.Deitas eͫ ſingularitas quædam eſt,& ſingularis eſſentia. Vnde Gregorius ſuꝑ Ezechi.
parte ſecunda Homilia.v. Vna eadẽ vi naturæ ſingularis ſic ſemper diſſimilis diſſimilia diſponit.
Et pater eſt perſona quædam ſingularis.Nec excludit hęc ſingularitas cõſortiũ pluriũ perſonarum

E

Sicut nec cũ dicitur ꝗ Petrus eſt ꝑſona ſingularis,excluditur conſortiũ aliorum hominũ: ſed ſo
lũ excludit pluralitatẽ ſeu plurificatiõe eius in quo dicĩ eẽ hmõi ſingularitas,ſiue fuerit eſſentia
ſiue ſuppoſitũ.Sed aliter conuenit eſſentiæ & ſuppoſito in deo & in creaturis, ꝗa in deo conuenit
eſſentię ex ſe,nõ ex hoc ꝗ habet eſſe in pſona.Deitas ei eſt ſingularitas ꝗdã ſiue ꝗdã ſingularis eſſẽ
tia ex ſe,vt habitũ eſt ſupra:nõ ſic aũt hũanitas,ꝗa ex ſe non eſt hoc,ſed ſolũmodo quia eſt hui⁹,vt
ſimiliter ſupra habitũ eſt.Aliter ſiͬiter habet eſſe in ſuppoſito ſingularitas in deo & in creaturis,vt
declarabiť infra.Res vero naturę differt a ratiõe ſingularis:ꝗa vt dictũ eſt, ſingulare conuenit tã
eſſentię ꝗ ſuppoſito.Res vero naturę tantũ ſuppoſito cõuenit.Quare cũ ratio ſuppoſiti nõ inuenĩ

F

in accidentib⁹:ſed tãtũ in ſubſtãtiis:Eſt eͫ ipſa eſſentia natura ſiue fuerit ſubſtantię ſiue accidẽtis:
ſolũ vero ſuppoſitũ ſubſtãtię eſt res nature,ꝗa eſſentia ſiue ſubſtãtialis ſiue accidentalis ratitudinẽ
ſuę exiſtẽtię nõ habet niſi in ſuppoſito ſubſtãtię:Ideo ſubſiſtẽtia ſecundũ cõmunem vſum Græco
rũ & antiquũ vſum Latinorũ cõuenit in creaturis cõiter vniuerſali,generi.ſ. & ſpeciei & diuiduis:
ſubſtantia ſiue indiuiduis tantũ.Dicĩ eͫ ſubſiſtere ſiue ſubſiſtentia quaſi ſeipſum tenẽdo ſiſtere:
& cõuenit omni ei ꝗd eſt in pdicamento ſubſtantię inquantũ ſubſtantia eſt:dicitur vero ſubſtantia
ſiue ſubſtare quaſi ſub alio,hoc eſt ſub accidentibus & vniuerſalibus ſtare: ꝗd ſolũ conuenit indiui
duę ſubſtantię:ppter ꝗd in pdicamentis maxime & principaliter & prima ſubſtantia diciť, ꝗ nec
eſt in alio,nec dicĩ de alio,ſed alia ſunt in ipſa & dicunt de ipſa. Vnde & dicit Boethius de duab.na
turis.In ſolis indiuiduis particularibus ſubſtantię ſubſiſtũt.Intellectus eͫ vniuerſaliũ ex particula
ribus ſumpt⁹ eſt.Quocirca cũ ipſe eſſentię in vniuerſalib⁹ ſint,in particularib⁹ recipiunt ſubſtãtiã,
Subſtat aute eo ꝗ accidentibus ſubiectũ preſtat vt eſſe valeat. ſub illis eͫ eſt dum ſubſtat.Itaꝗ ge
nera & ſpecies ſubſiſtũt tantũ.Neꝗ eͫ accidentia generib⁹ ſpeciebuſve contingunt. Indiuidua ve
ro nõ ſolũmodo ſubſiſtũt,verũetia ſubſtant. Ideo aũt(vt dicit ibidẽ) gręci hypoſtaſes & idiuiduas
ſubſtãtias vocãt,ꝗͫ cęteris ſubſtãt & ꝗbuſdã ꝗſi accidentibus ſubiectæ ſunt.idcirco nos quoꝗ eas
ſubſtãtias nůcupam⁹ quaſi ſuppoſitas,quas illi hypoſtaſes.Suppoſitũ vero apđ nos penit⁹idẽ eſt ꝗd
ſubſiſtentia:& cõuenit tã vniuerſali ꝗ ſingulari in pdicamento ſubſtãtię. Supponunt eͫ aut ſigni
ficatũ aut appellatũ.Sed ſolũ refert in hoc,ꝗ in ſingulari idem eſt ſignificatũ & appellatũ:nõ aũt in
vniuerſalibus.Et eſt ſciendũ ꝗ nomine ſubſtantię vſus eſt alius apud nos modo & apud græcos,ꝗa

G

nos modo ſubſtãtia nõ vtimur ſicut grⱸci. ſecũdũ ꝗ dicit Auguſtinus.vii.de Tri.Aliter Gręci ac
cipiunt ſubſtantiã,ꝗ latini,quia non aliter in ſermone noſtro.i.latino eſſentia ꝗ ſubſtãtia ſolet intel
ligi.Perſona aute re idem ſignificat ꝗd hypoſtaſis aut ſubſtantia apud græcos, ſed ſolum differunt

apud nos & illos,quo ad vsus generalitatem & nominis ꝓprietatem. Quo ad vsus generalitatem:
quia cum nos nomine hypostasis siue substantiæ indifferenter vtamur in intellectualibus,& nõ in=
tellectualibus,& in inanimatis:illi vtuntur substantia in rationalibus solum,dicēte Boethio.Qua
re de irrationalibus animalibus Græcus hypostasim non dicat,hæc est ratio.Quoniam hoc meliori
bus applicatum est: vt aliquid quod est excellentius.Et similiter est eadem obseruatio apud Græ
cos de hoc nomine Prosopon:quoniã vt dicit Boethius,cũ Prosopa nominãt,easdē substantias pos=
sumus nos quoꝗ nominare personas.Vnde & nos persona solum vtimur i intellectualibus siue ra
tionalibus.Licet em eandē intētione significat i creaturis quã hoc nomē idiuiduũ:vt infra patebit:
tamen illam significat circa determinatam materiam,scilicet rationalē: vt dicit Boethius de duab.
naturis,cap.iiii,in principio.Quēadmodum enim idem significant curuum & simum:sed curuum
significat illud sub indifferentia ad quãlibet materiam:Simum vero significat idē vt determinatũ
ad nasum,& ꝓprium ei:Sic indiuiduum significat indeterminatum quid ad naturam rōnalem &
irrationalem:persona vero determinatũ & propriũ quid naturæ rationali.Et secundum hoc perso
na suo nomine rationē dignitatis importat:quã non importãt illa,quo ad nominis proprietatem.
Quare cum substantia,suppositum,subsistentia,& huiusmodi,cum aliqua iproprietate dicuntur
in diuinis quantum est ex ratione nominis:quia in diuinis qd subsistit,nõ subsistit alicui:neꝗ supe
riori vniuersali,neꝗ accidentibus:sicut in creaturis,vnde accepta est nominis impositio:sed potius
per se in ipsa essentia subsistit,vt infra patebit: Persona sine omni nominis im proprietate in diui=
nis recipit,dicēte Ricar.vbi supra. Q₂ psonæ ab aliis subsistētie,ab aliis & substātiæ dicũt,ad idē re
spicere videtur.Certũ enim est ꝗ respectu eorum quę eis solent inesse dicuntur substantiæ,vel sub
sistētiæ:ꝗuis min⁹ ꝓprie substātiæ vel subsistētiæ dici possũt,& subdit post pauca.Apud latinos pu
to nullũ nomen inueniri posse,quod possit melius aptari pluralitati diuinę,ꝗ nomen personę. Qd
probat ex cõmuni vsu Christianorum omniũ,& scripturæ sacrę auctoritate,subdens.Et quidem fi
deli animo nihil magis authēticũ esse debet ꝗ qd ore oim sonat:& catholica auctoritas confirmat.

¶Ad primũ in oppositũ:ꝗ rōnale & indiuiduũ secudũ Boethiũ ponunt in defini
tione personæ:quę non cõueniunt deo:Dicendum ꝗ Boethius large sumit rationale vt cõprehēdat
pure intellectuale:& sir indiuiduũ vt cõprehendat etiã incommunicabile. & illo modo extensionis
ambo deo cõueniunt.Vñ ꝗa i tali extēsiõe iproprie ambo deo cõueniũt:& sir nomē substātię,vt di
ctũ est(qd & ponit Boethi⁹ i illa definitiõe) ideo Ricar.iiii.de trini.ca.xxi.corrigit definitionē Boe
thii,& ꝗsi appropriat diuinis. Vbi em dicit Boethi⁹,ꝗ psona est substātia idiuidua rōnalis naturæ
Ricardus dicit ꝗ est incommunicabilis existētia intellectualis naturæ,Quomodo autē hmōi defini
tio intelligenda & exponenda sit,inferius videbit.¶Ad secundum,ꝗ dicuntur tres personæ nõ vt

illd diceretur:sed ne omnino taceret:Dicendũ ꝗ hoc non dicit August.propter aliquã falsitatē:sed
ꝓpter vsus nominis nouitatē circa diuina. Id em qd exprimitur noie psonæ in veritate, ab æterno
erat in deo secudũ veritatē,aut circa ipsum concipi poterat:sed vsus nõ habuit vt illud exprimere
tur hoc noie:nec expressisset nisi insidię hæreticorum ad hoc coegissent,vt dicit August.in.vii.de
trinitate.Vñ qd dicit Augustin⁹, Nõ illud diceret,sic habet intelligi,cũ quæsitũ erat ab hęreticis
qui vel quid tres:responsum est tres psonæ:non vt diceret.i.respõderet illud qd hęretici interroga
bant,cũ quærebant q tres:sed ne oino taceret.Non em hac responsione satisfit illorum iterrogatio
ni iuxta eorũ intentionē,vt infra videbitur:sed interrogantibus solũ : qui vlterius non habebãt qd
quærerent:ꝓ qd liberabant fideles ab eorum impugnatione absꝗ confusionē,quã incurrissent tacē
do. Vñ dicit Ricar.iiii.de trinita.cap.v.Qui hoc nomen persona ad diuina primo trãstulerunt,hoc
ipsum ex necessitate fecerunt:sed quod ab eis ex necessitate factum fuit ,nouit spiritus sanctus q
eoꝗ cordibus ꝓsidebat ,qua ratione & veritate illud fieri voluit:& nos iã cũ omni diligentia queri
mus,non sub qua acceptione primo ab hominibus sit impositum,nec ex qua necessitate sit postea
ad diuina transumptum, sed in qua veritate per spiritum veritatis sit translatoribus inspiratum,
& a latina ecclesia vniuersaliter frequentatum.

Irca secundum arguitur:ꝗ persona non proprie sed transumptiue dicitur i deo
Primo sic.qd prio & principaliter significat indignũ quid & vile, ad qd signifi
candũ imponit,non potest proprie dici de deo.quia( vt patet ex supra determi
natis)nihil proprie dicit de ipso nisi id qd est simpliciter nobilius & digni⁹ cir
ca vnũquodꝗ. persona est hmōi : quia secundum Boethium de duab.naturis
ca.iiii.nomen personæ videtur aliũde tractum , ex his,s.personis quæ in comœ
diis & tragœdiis eos quorum intererat homines repræsentabant.Sed talis reꝑresentatio vile quid
erat:quia per histriones & viles homines facta , vt dicit ibidem,& in scurrili loco,ergo &c.¶Idem

patet per Boethium:qui expreſſe dicit ibidem.Nos propter inopiam ſignificantium vocum tranſ‐
latam retinuimus nuncupatione:quã illi(ſcilicet græci) hypoſtaſim dicunt. perſonam vocantes.
ſed nominatio tranſlatiue dicta non eſt propria in diuinis,quia ex oppoſito diſtinguitur ſecundu
ſupra determinata,ergo &c. ¶In oppoſitum eſt illud quod ſupra dictum eſt,Ricardi: nullum no‐
men inueniri poſſe qd poſſit melius aptari pluralitati diuinæ,quod non eſſet,niſi proprie eſſet ipm
ponere in deo.

¶Dicendũ ad hoc:qᵖ cũ quædã dicunt de deo p proprietaté ſiue proprie: quædã     
vero p ſiſitudine ſiue trãſũptione,qᵢ ſint talia vel talia aſpicièdũ eſt ad nois ſignificatũ,nõ ad vocis
vſum.Quæcũqᵖ em̃ iportant aliqd in ſuo ſignificato qd eſt dignitatis ſimpliciter,dicunt de deo p‐
prie:cetera vero oĩa trãſumptiue.ſecundũ qᵖ patet ex ſupra determinatis. Nũc aũt ita eſt in ppoſito
de ſignificato perſonæ: qᵖ quéadmodum nomen iſtud qd eſt indiuiduũ ſignificat circa qdcũqᵖ cui
attribuitur ratio indiuidui,ſiue fuerit ſubſtantia ſiue accidens,conceptũ mentis quo res intelliget
eſſe ſingularis & determinata ſiue ſignata in idiuiſibili per eſſentiã ſub aliquo vuiuerſali, cui ex ſe
cõuenit ratio diuidui:qua quidé ſignificatione intelliget eſſentia illa eſſe aliquid in ſe idiſtinctũ
& incõicabile ſiue idiuiſibile p eſſentiã,& diuiſum a quolibet alio ſuæ naturæ : vt ſic in ſe ſit vnũ,qᵖ
non eſt natũ eſſe hoc & aliud,ſed ita hoc qᵖ nõ aliud:nec natum eſſe aliud: quemadmodum econ‐
tra natura generis nata eſt eſſe diuerſæ ſpecies,& eſt in potentia ad illas: ſiſiter natura ſpeciei diuer
ſa indiuidua:ſic nomen iſtud qd eſt pſona,idé ſignificat circa ſubſtãtias intellectuales creatas, ſecũ
dum qᵖ prætedit definitio perſonæ quã aſſignat Boethius.Cum vero aſſumit ad diuina,idé ſigni
cat,ſed modo ſeu ratione eminétiori:quéadmodũ ſignificat in diuinis aſſumpta a creaturis:quãti
cunqᵖ proprie dicuntur de deo,vt patet ex ſupra determinatis.In diuinis em̃ ſignificat perſona cõ
ceptũ métis quo quis intelliget incõmunicabilis eſſe p ſua proprietaté,& eſſe aliquis in ſe p illã pro‐
prietaté,non natũ eſſe ſecundũ illã hic & alius: ſed ſic eſt diſtinctus ab alio vt non ſit ille, ſecundũ
qᵖ prætendit definitio perſonæ aſſignata ab Ricar.Et eſt iſte modus exiſtendi ſumme nobilis:ſcilicet
vt vnã eſſentiã ſingularem plures habeant cõmunicatã,qui incõmunicabiles ſunt ſecundũ ſuas p
prietates:qd amplius patebit inferius,Propter qd etiã iã dictũ eſt ſupra,qᵖ perſona ſignificat aliqd
qd eſt nobilitatis ſimpliciter,& in diuinis nobilitatis ſummæ.Quare cũ tale quid,ſecundũ ſupra de
terminata,habeat eſſe proprie in diuinis:idcirco ſimpliciter dicendũ eſt qᵖ perſona pprie habet eſſe
in diuinis,& non per ſimilitudine neqᵖ tranſlatione.¶Verũtamen ppter argumèta ad primã parté
intelligendũ eſt qᵖ duplex eſt tranſlatio.Quédã ex parte rei,quando ſcilicet res nõ cõuenit diuinis
ſecundũ idé ſignificatũ,neqᵖ etiã ratione eminétiori,ſed ſecundũ quandã ſimilitudiné tantũ, qué
admodũ in deo dicunt eſſe character,ſpeculũ,& hmõi.& talia nõ habent eſſe pprie in deo.Alia ve
ro eſt trãſlatio ex parte nois tãtũ:qñ,ſ,nomé eſt primo impoſitũ creaturis:& vſitatũ tm̃ circa ipſas
ſecũdũ vnã ratione rei,& nõ eſt vſitatũ in diuinis ſecũdũ ratione eminétiore rei, neqᵖ ipoſitũ ad il
lã repſentãdũ:quéadmodũ cõtigit in ſingulis qᵢ a creaturis p pprietaté aſſumunt:in qua qdé aſſum
ptione ſiue trãſlatione quaſi noua fit nois impoſitio.& tali trãſlatione transfertur nomen perſonæ
ad diuina:& tñ per pprietaté:licet non ſecundũ commune & ppriã acceptioné, ſcdm quã nomé
pſonæ primo fuit vſitatũ in creaturis. Nã vt dicit Ricar.iiii.de Trini.cap.i.ſi quis velit nomé pſonæ
ſub cõmuni & ppria acceptióe itelligere,nullo mõ putet plures pſonas poſſe ſubſiſtere in vnitate
ſubſtantiæ.Non em̃ facile capit humana intelligentia,vt poſſit eſſe plus qᵢ vna perſona, vbi non eſt
plus qᵢ vna ſubſtantia.Hinc innumeri errores infideliũ,hinc qᵖ alii diuinæ ſubſtantiæ vnitatem ſcin
dunt:hinc eſt qᵖ Arriani & Sabelliani p contrarias ſectas ſunt diuiſi. Per qd patet ratio ad ambo ar
gumenta,maxime autem ad ſecundum.

¶Ad illud autem qd̃ arguitur in primo argumèto: qᵖ perſona in creaturis impoſi
ta eſt ad repreſentandum vile & inutile quid,vt indiuidua hominũ quos hiſtriones in ludis thea‐
tricis repreſentant:Dicendũ ad hoc: qᵖ de ipoſitione huius nominis perſona,& a quibus trãſlatum
ſit,ſunt diuerſæ ſententiæ. Nã(vt dicit magiſter Alexander in Summa ſua) ſecũdũ quoſdã,hoc no
men perſona in ſubſtantiis origine ſumpſit a perſona grammaticali,quæ nihil aliud eſt qᵢ proprie‐
tas qua quis eſt ille qui loquitur,vel ad qué quis loquitur,vel de quo quis ad aliũ loquitur.In pri‐
mo em̃ modo dicitur eſſe perſona prima:in ſecundo,ſecũda:in tertio,tertia. Et quia iſta proprietas
conuenit vnicuiqᵖ illorũ,vt eſt in ſe & per ſe vnus:idcirco vt in tali habitudine conſiſtit, dicit qui
libet illorum perſona.Et ſecundum rationem vocabuli dicit perſona quaſi per ſe vna. Alia vero eſt
ſententia Boethii de duab.natur.vnde argumentũ ſumptũ eſt:qᵖ videlicet nomen perſonæ videtur
tractum ex illis qui in Comoediis Tragœdiiſqᵖ ludorum theatricorũ repreſentabant illos loco quo

rum cantus theatricos proferebant,vt Herculem,Chremetē,& ceteros tales:qui pro magnis & ho
notabilibus habebantur. propter quod & hiſtriones repreſentantes illos tanq̃ dignos & honorabi
les viros pſonę vocabantur:quēadmodum in eccleſiaſticis dignitatibus poſiti qa magni & honora
P biles viri eſſe debent,& ad minus eos repſentāt,pſonę vocantur. Et ſecūdum ꝓprietatem vocabuli
in iſta tranſlatione ſecūdū Boethiū,pſona ſecundū rationem vocabuli dicta eſt a pſonando, hoc eſt
perfecte & expreſſa voce ſonando,& hoc idcirco: quoniam illi hiſtriones quandam laruam faciem
ſcilicet de ligno vel cupro factā,q̃ illum vice cuis̃ cātabāt repſentabat,tanq̃ notū q̃d & admirabile
ad quod omnes aſpiciebant,habebant ligatam ante facies ſuas:quę quidem larua obtegebat vultū
& oculos eorum:& de concauitate illa neceſſe erat ꝙ maior reſonaret ſonus. Vnde & gręci ſic lar
uatos,quos latini appellant pſonas,appellabant Proſopa:eo ꝙ illa larua ante oculos eorum poneba
tur.Dicitur eñ grece Proſopō a προσ q̃d eſt in,& ω̈ ψ ωπος q̃d eſt facies,quaſi habens aliq̃d in fa
cie. Et quia tales propter illam laruam qua oĩbus erant noti & cogniti,pſonę dicebāt:idcirco ĩ
oleuit vſus (ſicut dicit Boethi⁹)ꝙ homines omnes elegantes quorū certa p ſui forma & dignita
te agnitio erat,perſonę dicerentur: & poſtmodū etiam generaliter omnes naturę intellectuales in
diuiduales:& hoc ꝓpter naturę illi⁹ dignitatem ſup alias.vnde & vltimo tranſlatum eſt ad diuina
Etſi enim a vilibus hominibus & in vili officio poſitis, vt procedit obiectio:nō tamen inquantum
viles erant, ſed inquantū nobiles & honoratos viros repreſentabant: vt ſic nomen perſonę aliquid
dignitatis & nobilitatis omnino repręſentet,vt digne poſſit per proprietatem non ſolum per ſimi
litudinem transferri ad diuina.

Q
Queſt.III.
Arg.1.
2

Irca tertium arguit:ꝙ pſona habet eſſe vniuoce & ſecūdū eandem rationem in
deo & in creaturis,Primo ſic.q̃d habet eſſe in aliquibus ſecūdū idē nomen & eā
dem definitione,cōuenit eis vniuoce & eodem modo.ſic habet eſſe pſona ĩ deo
& in creaturis,vt patet ex definitione pſonę ſecūdū Ricar.ergo &c.Secundo
ſic.illud habet vniuoce & eodem modo eſſe in aliquib⁹,cuius formalis ratio &
cōpletiua habet eſſe vniuoce ĩ eiſdem. Formalis autem ratio pſonę eſt ꝙ ſit ali
cuius, hoc eſt ĩ ſe ſingularis & ĩcōmunicabilis,& a quolibet alio tali alius qs,& diſtinctus ab eo.&
hoc vniuoce habet eſſe in deo & in creaturis. quia ꝙ in ſe ſit ſingularis & incōmunicabilis nō ĩ
portat niſi negationem:ſimiliter neꝗ ꝙ ſit alius quis a diſtincto ab eo,negatio autē vniuoce & eo
In oppo.1. dē modo habet eſſe in deo & in creaturis:quēadmodū non eſſe lapidem vniuoce & eodem mō cō
uenit eis.ergo &c.In contrarium arguitur primo ſic. nihil ſignificās rem aliquam & naturā ha
bet eſſe vniuoce & eodem modo in eis quorũ non eſt aliqua natura communis:quia vniuocatio eſt
ex rei cōmunis vnitate,vt patet ex definitione vniuocorum in prędicamentis,deo autē & creatu
rę nulla habet eſſe cōmunis natura,vt patet ex ſupra determinatis: & nomen pſonæ ſignificat rem
2 & naturam ſubſiſtentē,vt infra patebit.ergo &c.Secundo ſic illis non conuenit vniuoce eſſe pſo
nam,quibus non cōueniūt vniuoce ea quę ſunt de ratione pſonę & integritate eius.De ratione au
tem pſonę & integritate eis⁹ eſt natura ſiue eſſentia & ratio ĩcōmunicabilitatis,vt patet ex eius defi
nitione ſuperius expoſita.neutrum autem horum eſt vniuoce in deo & in creaturis : quia de ra
tione & integritate perſonæ eſt eſſentia in diuinis vt eſt communicabile quid in eadem ſingulari
tate.in creaturis vero vt eſt communicabile non in eadem ſingularitate ſed ſolū in cōmunitate rō
nis. Vñ in diuinis eſt vna eſſentia ſingularis pluriū:in creaturis autē nō:ſed neceſſario plures plu
riū.Similiter etiam ĩcommunicabilitas perſonę in diuinis eſt ex ꝓprietate relatiua:in creaturis au
tem ex ſola negatione.ergo &c.

R
Reſol.q.

Ad intellectū quęſiti in hac quęſtiōe oportet videre q̃d intelligaꞇ nomine pſonę
q̃d.ſ.ſacit aliq̃d eſſe pſona,& aſpicere ad illd,an vniuoce & ſcdm eādē rōne habeat eē ĩ deo & ĩ crea
turis.Quia ſi ſic:& vniuoce & ſcdm eādē rōne pſona haberet eē ĩ illis.Si vero nō,nequaq̃.Et qa eſſe
pſona ſcdm Boethiū de duab.naturis,nō cōuenit alicui vli ſed ſolūmodo ſingulari:& ſecūdū rōne
illā qua eſt ſingulare licet nō q̃dcūq:ſed in ſe exiſtēs nō in alio:ĩ accidētib⁹ eñ nō ē pſona,neꝗ aĩa
nſa vt eſt act⁹ corporis ē pſona,neꝗ deitas ipſa q̃ eſt in ſuppoſitis,neꝗ vꝉiter aliq̃d q̃d nō habet eē
ſuĩ in ſe,& p ſe alteri nō vnitū: vñ humanitas Chriſti non eſt pſona in Chriſto: Ad rōnem igitur
ſingularis ĩ ſe & ſcdm ſe exiſtētis,q̃d intelligiꞇ noie pſonę,oportet aſpicere in hac q̃ſtione. Sup rōne
eñ talis ſingularis nihil addit ratio pſonę:licet pſona ſuo noie non noiat huiuſmodi ſingulare niſi
S circa determinatā materiā, intellectualē.ſ.vt dictū eſt. Circa rōnē igiꞇ talis ſingularis vt cōiter ac
cipit,nō determinādo ſibi materiā hanc vel aliam:ſed vt abſoluto noie non intelligiꞇ: Sciēdū ꝙ noie ſin
gularis duo intelligunꞇ:& intētio q̃dā idiſtinctionis rei in ſe & diſtinctiōis eius abaliis,& ipſa res
ea quā intelligiꞇ hmōi intētio:& ad vtrūꝗ debem⁹ aſpicere. Aſpiciēdo igitur primo ad rem ipam

ſciendũ ꝙ quodámodo aliter habet eē in creaturis,aliter in diuinis:& quodámodo ſiliter.In creatu
ris em̄ nihil habet eſſe ſingulare niſi ſit indiuiduũ ſub aliqua forma:ꝗ quátũ eſt de ſe, forma eſt &
eſſentia tantũ abſꝗ ratione vniuerſalis & ſingularis:cui accidit ratio vniuerſalis ex cõſideratione
intelleᶜtus circa ipam,inquantũ.ſ.cõſiderat eā vt abſtraᶜtā a ſingularibus:& iterũ vt applicabilem
eiſdē per ꝑdicatione.Vnde cũ talis forma ſpecifica eſt ex natura ſua diuidua eſt, hoc eſt nata diuidi
nõ dico illa diuiſione ꝗ eſt in formã generis & differẽtiꝗ,vt in partes integrátes ei⁹ eſſentiã, de qua
nihil ad ꝓſens:ſed in ptes ſubieᶜtiuas,ad quas tota integritas formæ eſt in potẽtia,vt tota ſit in hac
et tota in illa:vt humanitas in hac humanitate ꝗ eſt Petri:& in illa humanitate ꝗ eſt Pauli.in quibus illa indiuiduꝗ per hoc ꝙ faᶜta eſt hꝗc & illa: ꝗd ſecundũ Pm̄ nõ ſit niſi per ſubieᶜtã materiã
in qua primo ex ſe eſt partibilitas,vt ꝙ humanitas non eſt hꝗc, niſi quia in hac parte: nec illa, niſi
quia in illa parte materiꝗ,quꝗadmodum albedo non eſt hꝗc,niſi quia eſtin hoc ſubieᶜto.Vnde & formas immateriales oẽs poſuit ex ſe eſſe ſingulares,quꝗadmodũ nos ponimus deitatẽ eſſe ex ſe quan
dã ſingularitatẽ:ꝗd non eſt ponẽdũ : imo ꝗlibet forma creaturꝗ ſpecifica eſt & materialis & indi-
uidualis in plures partes ſubieᶜtiuas, etiã licet in ſe abſꝗ oī ſubieᶜto & materia nata ſit ſubſiſtere.
Fit autẽ illa eius indiuiduatio in parte ſubieᶜtiua, vt humanitas in hac humanitate,immo in hoc
hoīe effeᶜtiue,nõ niſi per agens dãs ei eſſe,nec per materiam etſi habeat materiam, nec per aliquod
accidens ei inhꝗrens, ſed primo per ſuã ſignificatiõe & determinatiõe quã habet ab agẽte illam.
Qꝗꝗ em̄ ſecundũ Ambroſiũ.i.de Trini.ois creatura certis limitib⁹ ſuis cõtenta eſt, humanitas tñ
ampliorẽ habet latitudinẽ ſpiritualẽ ſiue rationis eſſentiꝗ ſuꝗ ꝗ hꝗc hũanitas. Et ideo hꝗc hũanitas
reſpeᶜtu hũanitatis ſimpliciter,eſt determinata limitata & ſignificata:in qua ſignificatione cõſiſtit
primo ratio ſingularis formꝗ ſubieᶜtiuꝗ,ſicut & idiuiduatio ipſius formꝗ cõis. Ex cõſequẽti aũt ſit
ytrũꝗ eorũ p negatiõe cõſeꝗntẽ illa determinatiõe & ãnexa ei nõ p ynicã,ſed p duplicẽ:p quã.ſ.
ſeparaᵗ ab eo ꝗd eſt ſub ſe,& ab eo ꝗd eſt iuxta ſe.Humanitas em̄ diuiſa eſt in hãc humanitate & il
lam.Etiã ſi non eſſet diuiſa,eſſet tamen quantum eſt ex ſe diuiſibilis,etſi nõ ſeparatur ab eo ꝗd eſt
ſub ſe p ylla negationem.Sed hꝗc humanitas ex eo ꝙ eſt hꝗc,nec eſt diuiſa,nec diuiſibilis in aliqua
ſub ſe ſuꝗ naturꝗ:& ideo negatiue ſe habet ad ea ꝗ imaginari poſſet ſub ſe:negatiue ẽt ſe habet ad
ea quꝗ ſunt iuxta ſe,& ex oppoſito diuiſa ſub ſpecie.Singularitas em̄ ſuꝗ formꝗ nec cõicabilis eſt ali
quib⁹ ſub ſe,neꝗ alicui iuxta ſe. Ex hoc eī habet indiuiduũ creaturꝗ ꝙ eſt hoc aliꝗd.i.aliꝗd ynũ in
ſe,ꝙ nõ eſt natũ eſſe hoc,& aliꝗd ſub ſe:& ſiliter aliꝗd ꝗd a quolibet alio ſub forma ſuꝗ ſpꝗi.Habet ẽt
ex hoc ꝙ eſt ſingulare ſuppoſitũ,ſiue fuerit intelleᶜtuale, ſiue nõ ītelleᶜtuale, & etiã ꝙ eſt ꝑſona cũ
fuerit in natura ītelleᶜtuali.Ratio em̄ ſuppoſiti vel ꝑſonꝗ in creatura:ex hoc habeᵗ ꝙ ipſa ſit exiſtẽs
in ſe,& ſᶜdm ſe in natura incõicabili:ꝗd neceſſario habet in creaturis ex illa duplici negatiõe circa
formã & naturã rei determinatã.In diuinis aũt nõ ſic eſt ratio ſingularitatis p̄ parte rei, quia p̄ eis
ipa forma deitatis etiã yt ſimpliciter & abſolute cõſideratur,ſingularis eſt,nullo modo nata diuidi in aliquo ſub ſe accipiẽdo determinatiõe.Vnde nõ eſt nata in ſuppoſito indiuiduari:per ꝓprietates tñ relatiuas nata eſt cõicari manẽs in eãde ſingularitate eſſentiꝗ:p quas ꝓprietates conſtituiᵗ
ratio ſuppoſiti & ꝑſonꝗ in diuinis,& ſingularitatis earũde:nõ inquãtũ illꝗ ꝓprietates ſunt relatiuꝗ
tantũ:ſed inquantũ ſunt relatiue oppoſitꝗ.Ex quo ſequiᵗ duplex negatio.yna ratione cuiuſlibet ꝑ-
prietatis ꝑſonalis,ꝗa em̄ ipſa ex ſe incõicabilis eſt,ex hoc habeᵗ negatio remouens pluralitatē cõmunicãdi alteri ſuã ꝓprietatẽ in eãde natura,ne in diuinis ſint plures ꝑſonꝗ eiuſdẽ reſpeᶜtus vel plures
patres,vel plures filii,vel plures ſpũsſanᶜti.Altera,ratione oppoſitiõis diſtinguẽtis: p quã habeᵗ ne
gatio remouens quãlibet ꝑſonã a ſua correlatiua. Et ſic cõplet ratio diſtinᶜtionis diuinarũ ꝑſonarũ
& ſingularitas earũ p negatiõe,ſicut & creaturarũ, & quo ad hoc vniuoce & ſᶜdm eãde ratiõe
habet eſſe ꝑſona in deo & in creaturis,vt pceſſit ſecũda obieᶜtio ad primã parte.Inquantũ tñ hm̄oī
negationes cõcomitanᵗ in diuinis relatiuas ꝓprietates,ꝗ in eſſentia cõmuni ꝑſonas cõſtituũt prin
cipaliter atꝗ diſtiguũt,lꝫ nõ ſine virtute negationũ ãnexarũ:in creaturis vero cõcomitanᵗ ipſi⁹ na
turꝗ & eſſentiꝗ determiatiõe,ꝗ ipam eſſẽtiã cõtrahit ī ſuppoſitũ & ꝑſonã,lꝫ nõ ſine virtute negatio
nũ annexarũ,vt diᶜtũ eſt ſupra: Et ſᶜdm hoc licet ratione negationũ vniuoce,& ſᶜdm eãde ratio
nẽ habet eſſe & cõſtitui ꝑſona in deo & in creaturis:ratione tñ illorũ quib⁹ diᶜtꝗ negationes ſunt
annexꝗ hincinde, ꝙ illic eſt ipſa eſſentia vel natura determinata,hic vero ꝓprietatũ relatio, multũ
ꝗquiuoce & alia atꝗ alia ratione habet eſſe ꝑſona in deo & in creaturis:iꝗuãtũ altera eſt rõ & ꝗquo
ca cõſtituẽdi ꝑſonã,in creatura eſſẽtiꝗ creatꝗ determiatio,& in deo ꝓprietatũ relatio.Ex pte tñ negationũ aliꝗd refert de negatiõe reſpeᶜtu ei⁹ ꝗd eſt ſub ſe,& reſpeᶜtu ei⁹ ꝗd ẽ iuxta ſe.Quia ex pte
ei⁹ ꝗd negaᵗ oino,ẽ vniuoce negatio ſub ſe,ꝗa ſicut diuia ꝑſona ſinglꝗ ī ſe plurificari nõ põt,ſic neꝗ
creata ꝑſona.Ex pte vero ei⁹ ꝗd negaᵗ iuxta ſe,quodãmõ eſt vniuoce & quodãmõ ꝗquoca.ꝙ ei vna

T

psona negať ab altera i diuinis,hoc nõ eſt rõne naturę & eſſentię,ſed pſonalis ꝓprietatis. In creatu
ris vero & rõne eſſentię & rõne pſonalitatis vna remoueť ab altera:ꝗa in deo vna eſt eſſentia ſingu
laris cõmunis pluriꝰ pſonis:non ſic in creaturis.Sic ergo aſpiciédo ad rẽ ipſam circa quam conſide
ratur intẽtio ſingularis in deo & in creaturis,quodãmõ vniuoce & quodãmodo ęquoce habet eſſe

**V**  pſona in illis.Si vero aſpiciamus ad ipã itẽtionẽ,cũ rõ intẽtionis nõ diuerſať ꝓpter diuerſitatẽ re
rũ circa ꞯs eſt:nõ.n.eſt alia rõ ſꝓꞗ:ei ꝗ eſt itẽtio logicalis:iquãtũ cõſiderať circa ſubſtãtiã,vt circa
hominẽ aut aſinũ:& inquãtũ cõſiderať circa accidens ſiue fuerit abſolutũ vt circa albedinẽ aut ní
gredinẽ,ſiue reſpectiuũ vt circa dominiũ vľ ſeruitutẽ:Dicẽdũ ẽ ꝙ oino vniuoce & ſcdm eãdẽ rõnẽ
pſona habet eſſe in deo & in creaturis:ꝗuis in deo conſiderať circa reſpectiuum:in creaturis vero
circa abſolutũ:niſi ꝙ pſonę intẽtio cõſiderať in deo i pluriꝰ pſonis reſpectu eſſentię ſingularis:nõ
ſic autẽ in creaturis.Sed hoc rationem intẽtionis in nullo variat.

**X**
**Ad pri.**
**princip.**
¶Ad primũ argumẽtũ oſtendens ꝙ omnino vniuoce & eadẽ rõne in deo ſit & in
creaturis,quia eadẽ eſt definitio pſonę vtrobiꝗ:Dicẽdũ ꝙ non eſt verum: quia talis eſt equiuoca
tio in definitione qualis eſt & in noie.Exiſtẽtia eñ incõmunicabilis eſt in pſona creata & i increata

**Y**
**Ad pri.**
**in oppoſi.**
ſed ęquoca incõmunicabilitate.Incõicabilitas enim exiſtẽtię i perſona creata habeť ex eſſentię deter
minatione:in pſona vero increata ex ꝓprietatũ relatiõe,vt dictum eſt. ¶Ad primũ argumẽtũ i op
poſitũ oſtendens ꝙ oino equiuoce eſt pſona in illis: ꝗa nulla res aut natura cõis eſt vniuoce deo &
creaturis:Dicẽdũ ꝙ ratio iſta ꝓbat ꝙ nõ penit⁹ vniuoce cõuenit eis,ſi tñ pſona eſt nomen rei & na
turę:ſicut etiã noia attributoꝛ eſſentialiũ nõ penit⁹ vniuoce cõueniũt deo & creaturis,vt patet ex
ſupra determinatis.Nec tamen ex hoc ſequiť ꝙ penit⁹ ęquoce:ꝗa eſt media analogia,ſcdm quã tã
eſſentialia ꝗ pſonalia ꝗ cõueniũt cõiter deo & creaturis,ꝓ ꝓti⁹ deo cõueniũt quãtũ ẽ ex rõne ſigni
ficari ꝑ vocẽ:licet quãtũ ẽ ex vocis ipoſitiõe,cõueniũt eis mõ cõuerſo,ꝗa a creaturꝉ ſit ois vocũ tã
latio qꝝ vtimur circa creatorẽ,ſecudũ ꝙ meli⁹ infra declarabiť diſputãdo de mõ loquẽdi de deo.Si
vero pſona ſit nomẽ intẽtiõis,tũc argumẽtũ falſum ſupponit de ſignificato pſonę,ꝙ ſignificat rem
& naturã: immo potius quedã modũ cõcept⁹ circa rẽ,quẽ nihil repugnat vniuoce quodãmõ & ſe
cũdũ eãdẽ rõnẽ eſſe in deo & i creaturis,& quodãmõ ęquoce,vt iã dictũ eſt.Sed de illo erit ſermo i
ſequenti ꝗſtione,in qua loꝗmur de ſignificato huius nois pſona.licet eñ nulla res pure vniuoce cõ
uenit deo & creaturę, nihil tñ repugnat aliquã intẽtionẽ ſcdam pure vniuoce ipſis cõuenire:quia

**Z**
**Ad ſcdm.**
nõ ponit aliqd in deo,ſed potius in cõceptu intellect⁹,vt infra patebit.¶Ad ſecũdũ ꝙ eſſentia nõ
eſt vniuoca de rõne pſonę in deo & creaturis:quia in deo habeť rõnẽ cõicabilis:in creaturis vero i
cõicabilis:Dicẽdũ ꝙ ſecũdũ Ricar.4.de trini.cap.viii.vt infra magis exprimeť,pſonã iuxta eandẽ
intelligẽtiã accipimus in ſingulari & in plurali.Sed ſiue eſſentia ſit cõicabilis,ſiue non,ſiue plures i
pluriꝰ pſonis ſiue vna & eadẽ ſingularis,nihil intereſt.Vñ cũ duo ſint de itegritate pſonę,ſ.eẽntia
& pſonalis ꝓprietas,vt patebit inferius circa pſonas diuinas, ipſa eſſentia eſt quaſi materiale i ea
dẽ,& ꝓprietas ꝗſi formale:ita ꝙ i rõne ꝓprietatis conſiſtit rõ pſonę:ita ꝙ pſona eſt vna ſi ꝓprietas
ſit icõicabilis & vna:& plures pſonę ſi plures ſint tales,ſiue ſubſtãtia ſit cõicabilis pluriꝰ i vna ſin
gularitate,ſiue tñ i pluribus ſingularititaꝰ. Vt eñ dicit Ricar.ca.x.ſicut eẽ ſubſtãtialiter aliud &
aliud nõ tollit vbiꝗ vnitatẽ pſonę,ſic eẽ pluralꝉ vnũ & aliũ,nõ ſcindit vbiꝗ vnitatẽ ſubſtãtię.Nã in
hũana natura alia ẽ ſubſtãtia aĩa,alia corp⁹:cũ tñ ñ ſint niſi vna pſona.In diuĩa vero natura ali⁹ ali
quis eſt pſona vna,& alius aliquis pſona altera:cũ tamẽ non ſit niſi vna eadeꝗ ſubſtãtia.Et vt dicit
cap.xxv.propriũ eſt diuinę naturę pluralitatẽ habere in vnitate ſubſtãtię pſonarũ.Ecõtra vero pro
priũ eſt humanę naturę ſubſtãtiarũ pluralitatẽ habere in vnitate pſonę.Nam ꝙ humana perſona
in ſimplicitate ſubſtãtię inuenitť,nõ eſt de naturę ipſi⁹ cõditione:ſed de ipſi⁹ conditionis corruptio
ne fore dephẽdiť: & hoc nõ niſi ab eo qd eſt formale in eſſe hois,a quo principaliter trahit ſuã ꝑ

**&**
ſonalitatẽ vt in aĩa ſepata.Cũ etiã addit ꝙ incõicabilitas nõ eſt eiuſdẽ rõnis in creaturis & in deo:
Dicẽdũ ꝙ inquantũ eſt ex ꝑte poſitiui qd iportat noie ꝓprietatis i diuinis,nõ eſt aliqd correſpõ
dés in indiuiduatiõe creaturę:& quãtũ ad hoc rõ idiuiduationis vel pſonalitatis nõ eſt vniuoce i
creaturis & i deo,quãtũ tñ eſt ex ꝑte negationũ annexarum, partim eſt vniuocatio, ꝑtim equiuo
catio,vt expoſitum eſt.

**A**
**Queſt.iiii.**
**Arg.I.**
Irca quartũ arguiť:ꝙ pſona diciť & habet eẽ in deo ſecũdũ ſubſtãtiã,& nõ ſcdm
relatione,ꝓ magiſtrũ ꝗ dicit diſtinctione.xxiii.primi ſententiarũ cap.i. Vnũ eſt
nomẽ(.ſ.pſona)qd ſcdm ſubſtãtiã de ſingulis dľ pſonis.qd cõfirmat auctorita

**2**  te Aug.ex.vii.de trini. ¶Scdo ſic.i eadẽ auctoritate dicit Aug.Pater ad ſe dici
tur pſona nõ ad filiũ vľ ſpm ſanctũ:ſicut ad ſe diciť deus,ſed ſcdm regulã Aug.
v.de trini,quã ꝑtractat magiſter diſtinctiõe,xxii,Quicqd ad ſe diciť ꝓſtãtiſſima

illa & diuina ſublimitas ſubſtãtialiter diciť.qđ aũt ſubſtãtialiter diciť in diuinis, diciť ſcđm ſubſtã tiã,& nõ ſcđm relatiõe,ergo &c.℃Q₂ aũt nõ dicať ſcđm ſubſtantiã ſed ſcđm relatiõe, arguiť ex illo qđ dicit Boethius in fine de Tri.Neceſſe eſt illud vocabulũ qđ ex pſonis originem capit,ad ſub ſtantiam nõ pertinere.Sed ppter qđ vnũqđq̃ tale,& ipſum magis, ſcđm Phm in topicis,ergo &c. In oppoſi.

℃Dicendũ ad hoc nõdũ deſcēdēdo ad ſignificatũ pſonę,q̃ ſcđm duo pdicamen ta q̃ ſunt in diuinis,ſubſtãtia,ſ.& relatio,ſcđm modũ ſupra determinatũ,duo modi eſſendi & pdi cãdi diſtinguũt in diuinis:ita qp gcgd pdicať de deo,& deo attribuiť,ad vnũ illoꝝ retorqueť:aut.ſ. qp de deo diciť ſiue habeat eſſe in ipſo ſcđm ſubſtãtiã & ratione ſubſtãtię:aut ſcđm relatiõe & ra tione relatiõis.Qđ verũ eſt,ga oē nomē in diuinis,formaliter ſignificat aut ſubſtãtiã aut relatiõe, aut tracťa eſt ſua formalis ſignificãdi rõ a ſubſtãtia aut a relatione,q̃ realiter ſunt in deo,etiã ſi nõ ſignificat ſcđm rē alterũ horũ, ſed intētiõe aliquã rationis circa id qđ pricipaliter ſignificat ſubſtã tiã aut relatiõe in diuinis.Eſt igiť intelligendũ qp licet in diuinis nomē aliqđ põt aliqi ſignificare purã eſſentiã ſiue ſubſtãtiã,vt hoc nomē deitas:aliqi vero purã relatiõe,vt hoc nomē paternitas aliqi aũt vtrũqp ſimul,vt hoc nomē pater,ſicut patebit inferi⁹:Dici tñ aut eſſe in diuinis nõ diciť niſi ſcđm illud a quo formaliter noïs ſignificatio trahiť aut imponiť ad ſignificandũ:vt illud nomē quod formaliter in ſua impoſitione capit originem a ſubſtantia,dicaťur & ſit in deo ſcđm ſubſtan tiã:qđ vero a relatione, ſcđm relatiõe:etiã ſi relɪquũ ſignificeť quaſi materialiter in noïe. Vñ hoc nomē pater ga formaliter imponiť a relatione pſonali:q̃q̃ in ſuo ſignificato includit cõmune eſſen tiã,vt iſtra videbiť:in deo diciť & habet eſſe ſcđm relatiõe.Nũc aũt ita ē,q̃ gcgd ſignificeť hoc no mine pſona,tñ ſua formalis ratio ad quã imponiť ad ſignificandũ,aut eſt ipſa relatio,aut tracťa eſt a relatione.Si ei nõ eſſet in deo relatio diſtingues,nullo modo poneɪ in deo aliq̃ illarũ pſonarũ q̃ modo cõſtituiť ineffabile trinitate,vt infra patebit. Quõ aũt ſignificat relatiõe aut tracťa eſt a re latione,patet ex q̃ſtione pcedēti:vbi eſt expoſitũ quõ ratio ſingularitatis diuinarũ pſonarũ in qua cõſiſtit ratio perſonalis,tracťa eſt primo & poſitiue a relatione. Sed hoc magis apparebit in quæ ſtione ſequēti.℃Idcirco abſolute dicendũ eſt:q̃ pſona in diuinis diciť ſcđm relatiõe,& ſcđm relatio nē habet eſſe in deo,nõ aũt ſcđm ſubſtãtiã. Tñ ppter ſolutiõe argumētorũ intelligendũ eſt q̃ aliqd eſt vel diciť eſſe ſcđm relatiõe dupliciter:vel in ſeipſo:vel in cõtento ſub ipſo.Primo modo dicuñt relatiue illa q̃ determinate aut determinatã relatiõe ſignificãt,vt ſuñt pater fili⁹ ſpũs ſcťus, ga diciť pater filii pater,& fili⁹ patris fili⁹.q̃ dicuñt ſcđm relatiõe ſcđm ſuũ nomē & ſcđm formalē rationē noïs a qua iponuñt. diceńte Aug.v.de Tri.cap.v.Nõ ſcđm ſubſtãtiã hęc dicuñt,ga nõ q̃q̃ eorũ ad ſeipm, ſed adinuice atq̃ ad alterutrũ diciť.Secũdo modo relatiue dicuñt illa q̃ indeterminate aut indeterminatã relatiõe ſignificãt:vt hoc nomē pſona,hoc nomē trinitas,& hmõi.q̃ nõ dicuñt ad aliqđ ſm ſuũ nomē,ga nõ habēt correlatiuũ ſibi reſpõdēs extra ſe : quis ſm formalem ratiõe noïs relatiõe ſignifɪcãt:aut tracťa a relatione habent eam:ſed dicuntur ad aliud in ſuis contentis, quæ ſunt nomina importantia relationes indeterminatas.

B Reſolu.q.

C

D Reſponſio

℃Per hęc patet ad primũ argumētũ:q̃ ſcđm Aug.pſona ſcđm ſubſtãtiã diciť.Di cendũ q̃ verũ eſt quo ad hoc qp ſm nomēſuũ nõ diciť ad aliud:nõ qp de formali ratione a ſubſtãtia iponiť,ga ſolũ materialiter includit in ſuo ſignificato ſubſtãtiã,ſed nõ trahit ſuũ ab ea. Et hoc bñ exponit litera Aug.vii.de Tri.q̃ dicit ſic.Sic eſſe ad ſe dř pſona relatiue:ſicut dicim⁹ tres pſonas pa trē & filiũ & ſpm ſcťm:q̃eadmodũ dicuñt aliq̃ tres amici aut tres pximi,ga hęc noïa relatiuã ſigni ficatiõe habēt.Quid ergo!nũ placet dicam⁹ patrē eē pſonã filii & ſpũs ſcťi:aut filiũ eſſe pſonã přis & ſpũs ſcťi:aut ſpm ſcťm eſſe pſonã přis & filii?Sed neq̃ in hac trinitate cũ dicim⁹pſonã patris,aliđ dicim⁹q̃ ſubſtãtiã patris.Qđ verũ eſt qũ quãtũ eſt ex pprietate noïs in ſe, quia nomē ſuũ nõ dicitur ad aliud:q̃eadmodũ tres aliq̃ dicuñt inuice vicini aut pping.Ex parte tñ rei ppter formale ſignifɪ catũ ſm relatiõe dř,ppter qđ ſubdit,dices q̃ pſona přis nõ aliđ q̃ ipſe př.℃Per idē patet ad ſecũdũ.

E Ad primũ principale

F Ad ſcđm. G Queſt.v. Arg.i.

Irca quintũ arguiť q̃ pſona nõ ſignificat diuinã ſubſtãtiã neq̃ relatiõe q̃ cadũt i ſignificato přis & filii & ſpũs ſcťi. Q₂ nõ ſubſtãtiã,ſic.gcgd ſignificat nomē i ſin gulari plurificať i ſuo plurali,ſiue quaſi materialiter ſiue quaſi formaliter cadat in ſignificatiõe,vt patet cũ dř hõ & hoïes. Vñ ſi plures ſint hoïes:plura ſunt aïa lia & plura rõnalia.Si ergo pſona ſignificat eſſentiã deitatis,cũ habeat eſſe plura liter in diuinis,plures eſſet deitates in diuinis.cõſeques eſt falſum,ergo &c.℃Si militer nec ſolã ſubſtãtiã,ga tũc nõ eſſet pſona ad aliqd,ſicut neq̃ ſubſtãtia. ſignificat ergo vtrũqp aut neutrũ,nõ vtrũqp,ga nihil vniuoce ſignificat ea q̃ ſunt diuerſorũ pdicamētorũ: cuiuſmõi ſunt ſba & relatio.eſſet ergo pſona nomē equocũ,cõſeq̃ns eſt falſũ,ergo &c.℃Q₂ nõ ſignificat relatiõe arguiť ſic,nomē pprie aſſũptũ ad diuina a creaturis, idē qđ ſignificat in creaturis ſignificat in deo

2

3

licet sub rōne eminētiori,vt patet in noibus attributoȝ.secūdū supra determinata.pſona (vt iā de
terminatū eſt)pprie ſumit ad diuia a creaturis:& i creaturis nequaȝ ſignificat relatiōe.qd patet
4. diſcurrēdo p ſingulas pſonas creaturarū.ergo &c.CQȝ non ſignificet ſolā relatiōe arguit.qm tūc
idē eſſet dicere,pater eſt pſona:qd pater eſt paternitas aut filiatio aut ſpiratio:quia non ſunt alię re
latiōes pſonales in deo,cōſequēs eſt falſum,ǫa ex ſola paternitate nō eſt pr̄ pſona,vt inferi⁹patebit.
5. ergo &c.CTertio cōtra vtrūǫ,ǫ nō ſignificat rē ſed itētiōe,arguit ſic.idē ſignificat pſona in rōna
lib⁹ ſiue itellectualib⁹,qd idiuiduū in nō rōnalib⁹,ſiue nō itellectualib⁹,ſecūdū Boethiū dicētē ǫ p

In oppo.1. ſona eſt idiuiduū rōnale.ſed nōme idiuiduū ſignificat itētiōe & e nōme intētiōis,ergo &c.CIn cō
trariū arguit,ǫ pſona nō ſignificat ſolā intētiōe,Prio ſic.qm ſi pſona ſignificaret itētiōe nō rē:cū
i pſonis cōſiſtat glorioſa trinitas,tūc conſiſteret ſolummō in intētiōnib⁹ & nō in reb⁹:qd falſum eſt,
dicēte Auguſtino lib.i.de doctrina chriſtiana. Res qb⁹ fruēdū eſt ſunt pr̄ & fili⁹ & ſpūs ſanct⁹.cadē
2 tñ trinitas ſūma ǫdā res eſt.ergo &c.CScdo ſic.id qd ſignificat nōie pſonę e adorādū. ǫa trinitas
3 adorāda.nihil autē eſt adorādū niſi res diuina:& illa nō eſt niſi eēntia & relatio.ergo &c. CQȝ p
4 ſignificet ſubſtātia,arguit.quia ſignificat aliǫd ſubſiſtēs:& in diuis nihil ſubſiſtit niſi ipa ſubſtātia
ergo &c.CQȝ ſignificet relatiōe,ſimiliter arguit.quia cōtēta ſua ſignificat i relatiōe:ǫ ſunt pater
& filius & ſpūs ſanctus.Hoc aūt non eſſet niſi ſignificaret relatiōe,ergo &c.CEx quo cōcludit vl
terius ǫ ſignificet vtrūǫ ſimul,& ſubſtantiam ſcilicet & relationem.

H
Reſol.q.

CQuia queſtio iſta eſt de ſignificato huius nominis pſona,quid.ſ.ſit qd ſignificet
p nomen:quod ſciri nō poteſt niſi primo cognitis in gñali iis ǫ p noia hūt ſignificari:& qualiter cō
ſuetū eſt vti ipſo noie de quo eſt ǫſtio:idcirco hic prio oportet cōſiderare ǫ ſint ea ǫ hūt ſignificari
p noia.Secūdo ex vſu huius noisꝶſonna oportet inueſtigare qd illoȝ p ipſum ſignificetur.CCirca pri
mū igit hoȝ ſciendū,ǫ noim ǫdā ſignificat rē purā,ǫdā vero ſignificat intētiōe purā,ǫdā ve
ro ſignificat medio modo ſe hñs,aliǫd.ſ.qd quodāmō res eſt & quodāmō intētio.Rē purā ſignifi
cant noia rerū ſingulariū: ſingularia eñ ſunt res pure,& nullo mō intētiōes:ǫa ſolūmodo hūt eſſe
a natura:& nullo modo a cōſideratione rōnis:vt ſunt iſte homo,iſte lapis. Vñ cū noia eis fuerīt i
poſita ſecūdū ǫ Petrus vel Paulus eſt nomen iſti⁹ hois,illa appellāt ſimpliciter noia rerū:vniuer
ſalia aūt rerū ſingulariū:& ſunt quodāmodo res & quodāmodo intētiones. Res inquātū illā natu
rā repſentant ǫ habet eſſe in ſingularib⁹.Intentiones vero inquātū hūt rōne abſtracti in conſidera
tione intellectus,ppter qd noia eis impoſita,ſunt quodāmodo noia rerū & quodāmodo itētionum,
ſed primarū.Intentionū ei ǫdā ſunt prime,ǫdā vero ſecūde.& ſic qdlibet vl̄e reale inquātū habet
rōne abſtracti,eſt intētio ꝓdicabilis:quia extra ſingularia nō eſt niſi in cōſideratiōe intellect⁹. Cęte
ra vero ǫ p cōſideratiōe itellectus cōſiderāt ſiue operāt & circa vl̄ia & circa pticularia ſiue me
diate ſiue imediate, ſunt intentiones pure.Propter qd noia eis impoſita vocāt noia intētionū,ſed
ſecundarū:quia poſt cōceptam rōne vl̄is realiter,concipit eas intellectus & circa vl̄ia rerū & circa
ſingularia.Sed iſtę ſunt in duplici gñe:ǫa ǫdā ſunt acceptę ab intellectu vt proprietates circa res
pricipaliter,ǫdā vero vt ꝓprietates circa noia rerū.De gñe primo ſunt intētiōes logicales vt ſunt
rō vl̄is,gñis,ſ.& ſpeciei & differētię & hmōi circa vl̄ia rerū:idiuiduū pticulare & hmōi circa ſingu
la rerū.Iſta eñ noia nō ſignificāt niſi reſpect⁹ & habitudines iter ipſas res cōparatas adiuice cōſide
ratiōe itellect⁹.De ſcdo gñe ſūt itētiōes grāmaticales, vt ſūt rō nois,verbi, adiectiui,ſubſtātiui,&
hmōi,ǫ nō ſignificāt niſi modos noim:ppter qd dicunt noia noim.Cōſideratio primarū intētionū
ǫa e rerū ſcdm ſe,ptinet ad ſcietias reales,Cōſideratio vero ſecundarū intētionū ǫa vl̄ e circa res vt
ſunt expſſibiles vocib⁹,& hoc quo ad intētiōes logicales:vel eſt circa ipſas voces,& hoc quo ad itē
tiones grāmaticales,ptinet ad ſcietias ſermocinales:& tñ logica minus ſermocinalis & magis realis
eſt ǫ grāmatica, & ǫſi media iter ſcias reales & grāmaticā.CCirca ſecūdū aūt ſciedū ǫ ſcdm ǫ di
uerſis appet diuerſus vſus hui⁹nois pſona,ſcdm hoc diuerſimode iudicauerūt de ei⁹ ſignificatiōe i
diuinis.Sed oēs quos audire aut videre potui,negat ipam eſſe itētionis nōme,ſed ponūt ipam eſſe
nōme rei,& ſignificare ſubſtātia ſiue eſſentia licet nō ſolū.Sed ipſoȝ ǫdā dicūt pſona plura ſignifi
care & ęquoce:ǫdā aūt plura:ſed vniuoce:quidā vero tñ vnū.Ponentiū vero ǫ ſignificet plura &
ęquoce,nullus ponit ǫ ſignificat plura ęque prio & eodē mō,ǫueadmodū ſignificāt pprie ęquoca
ſed oēs dicūt ǫ prio & ex pria ipoſitiōe nois nō ſignificat niſi ſubſtātia aut eſſentia: & alia ex cōſe
ǫēti & accñte.Quoȝ ǫdā dicūt ǫ ſignificat alia ex adiūcto:ǫdā vero ǫ ex vſu:tertii vero ǫ ex cō
ſignificatiōe.Primi dicūt ǫ p ſe ſignificat ſubſtātia:ſȝ ex adiūcto quādā ꝓprietate pſonale:aliǫ ve
ro hypoſtaſim cōtinētē vtrūǫ,quā exponit Prępoſitin⁹in ſum.ſua dicēs,R̄ndēt ǫdā dicētes ǫ hoc
nōme pſona tripliciter accipit,ǫnǫ eñ ſignificat eſſentia ǫñ.ſ.p ſe ponit in ꝓdicato ſine aliǫuo ad
iūcto:vt pr̄ eſt pſona:fili⁹eſt pſona,ǫñǫ ſignificat hypoſtaſim.i.ſubſiſtētiā:vt ǫñ ei aliǫd addit:vt pr̄
eſt aliqua perſona,& filius eſt alia perſona,& alia eſt perſona patris,alia filii,quandoǫ proprietatem

I

k

vt pater in pſona diſtinguitur a filio, id eſt pſonali pprietate.Et eſt Magiſtri ſentetiaru diſtin
ctione.xxv.vbi dicit.c.Sciendum. Hoc nomen perſona multiplicem non vnam facit intelligen
tiam tm.Diſcernentes ergo dicendi cauſas huius nominis perſona,ſignificationem diſtingui=
mus:dicentes ꝙ proprie per ſubſtantiam dicitur,& eſſentiam ſignificat,cum dicitur: Deus eſt
perſona:pater eſt perſona,&c.Vnde concludit in capitulo Hoc etiam modo.Ex prędictis colli=
gitur ꝙ nomen perſonæ in trinitate triplicem facit intelligentiam. Eſt enim vbi facit intellige
tiam eſſentiæ,& eſt vbi facit intelligentiam hypoſtaſis : & eſt vbi facit intelligentiam proprie=
tatis.ꝗ confirmat auctoritatib9 in cap.ſequeti.￢Hæc opinio ſupponit ꝙ pſona principaliter &

ſcdm ſe ſignificat ſubſtantiam:ſed ex adiuncto hypoſtaſim vel pprietate.Cotra qd arguit Prę
poſitinus,dices.Si hoc nomen pſona principaliter ſignificat eſſentia,ꝗ ratio exigit ꝙ cu hoc ha=
bet eius principalis ſignificatio,ea ſtatim amittat ex adiunctione?Reuera nulla. Falſum etiam
ſupponit ꝙ eſſentia ſit eius principalis ſignificatio,vt iam patebit. Eadem enim ratione poſſet

dici ide de hoc noie homo,& hoc noie ſuppoſitu:ꝗa pdictis tribus modis ponunt i orationib9.
Qz aut ſit equocu exteſione vſus,ponit Prepoſitin9 dices ſic.Hoc nome pſona hodie no ſignifi
cat eſſentia:ſed quoda ſignificabat:ſed neceſſitate faciete(vt dicit Auguſtin9)tranſlatu eſt a ſi
gnificatione eſſentię ad ſignificatione diſtictionis. Qd non poteſt ſtare,cm ante illa eccleſię ne
ceſſitate non accipiebat in diuinis neꝙ ad ſignificandu ſubſtantia,neꝙ ad ſignificatione iſtam:
ſed tm in creaturis:in quibus conſtat non ſignificaſſe ſubſtatiam,quæ eſt eſſentia rei:quia tunc
non fuiſſet aliud dicere,Sortes eſt perſona:ꝗ dicere,Petrus eſt homo vel Sortes:& eſſet eadem
communitas in perſona ad Petrum & ad Paulum & Andream,que eſt in homine:quod no eſt
verum,vt iam patebit. Qz vero ſit æquiuocum ex conſignificatione,dicunt tertii: qui dicut

ꝙ ex ſe & prima impoſitione in ſingulari non ſignificat niſi eſſentia: ſed in plurali ratione nu=
meri conſignificati,ſignificat diſtinctionem perſonarum. Qd non poteſt ſtare : quoniam con=
ſignificatum pluralis numeri nihil apponit ſuper ſignificatione ſingularis niſi eius geminatio=
nem ſiue multiplicationem:quare non variat ſignificationem.Ponetium vero perſonam ſigni=
ficare plura vniuoce , omnes dicunt ꝙ illa non ſignificat æque principaliter & eodem mo=
do:aliter enim non poſſet eſſe vniuocum ſi ſignificaret plura, niſi ſignificaret illa ſub ratione
vnius qd principaliter ſignificatur per nome. Sed aliqui illorum dixerunt ꝙ ſubſtatiam prin
cipaliter ſignificat:relationem autem diſtinctiua ſecudario:vt Simon Tornaceñ.& eius ſequa=
ces. Vnde dicit in ſumma ſua. Aio perſonam ratione etymologię dici per ſe vnam. Vnde hoc
nomen perſona duo importat:& ſignificationem vnitatis eſſentiæ,& coſignificatione perſona
lis diſtinctionis,quam deſignat iunctura dictionum per ſe vnum &c.ſcdm ꝙ ipſe pſequitur,&
ſcdm ꝙ Prepoſitinus poſitione illam exponit in ſumma ſua,dices.Sunt aliqui qui dicut ꝙ hoc
nomen perſona ſignificat principaliter eſſentiam,& conſignificat diſtinctionem:quia cum dico
pater eſt perſona:tatum valet quantum pater eſt vnu & per ſe.i.diſtinctus:vt hoc vocabulum
vnu ſignificet eſſentiam:& hoc pronomen ſe maſculini generis,conſignificet diſtinctionem.In
hac poſitione concordat Magiſter Guillelmus Altiſſi. in ſumma ſua: ſed modum addit,ſcili=
cet ꝙ cum hoc ꝙ ſignificat diſtinctionem relationis, ſignificat eſſentiam quodammodo quaſi
ſpecificam,ſcilicet intellectualis nature. Perſona enim (vt dicit) eſt ſubſtantia rationalis ſiue
intellectualis naturæ.Sed ſi ita eſſet,tunc eſſentia principaliter daret perſonæ eſſe perſonale:in
illo enim conſiſtit principaliter eſſe rerum: qd principaliter nomine eius ſignificatur. Qd fal
ſum eſt:quia in conſtitutione diuinę perſonę eſſentia eſt quaſi genus & materiale . Proprietas
vero diſtinctiua quaſi differetia & formale.Formale aut ſemp principaliter ſignificat in termi
no,& dat eſſe rei, ſcdm determinationem Philoſophi in.viii.Metaphyſicę. Ricardus vero.iiii.
de trinitate.vi.& cap. ſequentibus, determinat ꝙ ſignificat proprietatem principaliter : ſed

cum eſſentia qua in ſua ſignificatione includit.Dicit em in cap.vi.Dictum eſt ab aliis ꝙ ſcdm
ſubſtantia dicitur,& ſubſtantia ſignificare:nihilominus tamen multu intereſt inter ſignifica=
tionem vnius,& ſignificationem alterius.Quia vt dicit cap.vii.nomine ſubſtantię non tam ꝗs
ꝗ quid ſignificatur. Econuerſo autem nomine perſonę non tam quid ꝗ quis deſignatur.Et vt
conſequenter determinat,quid pertinet ad qualitatem ſubſtantię:& de ipſa ꝗrit: quis vero ad
proprietatem indiuidualem ſiue incomunicabilem perſonę.Vnde etia ꝗrit de ſubſtantia in
creaturis.Primo de generali.Secundo de ſpeciali. Cu eni aliꝗd longe a nobis fuerit vt diſcerni
non poſſit,interrogam9 quid ſit.Et ſi reſpondeatur ꝙ ſit aliquid,vlterius eade interrogatione
facta,indigemus ꝙ reſpondeatur eſſe animal,aut equus,aut huiuſmodi.￢Demu autem cu ſci
mus ꝙ eſt homo interrogamus no qd,ſed quis ſit: & reſpondet Matthias vel Bartholomęus.

Itaqʒ per quid inquiritur de ꝓprietate cōmuni:per qs de ꝓprietate singulari.Noīe enim psonę nūqʒ(vt dicit)intelligitur nisi vnus aliquis ab aliis omnibus singulari ꝓprietate discretus.Et vt dicit cap.vi.cum nominamus psonā,nō nisi vnā solam substātiā & singularē intelligimus:vt nomine personę etsi significetur substantia animalis,aut hominis,aut deitatis:nomen tamē personę vt distinguiꞇ contra alia noīa,nō imponit nisi a ꝓprietate singulari incōmunicabili:nō cōuenit nisi vni in singularitate existēti:a nulla tamen determinate:queadmodū significat in nomine ꝓprio qd est Petrus vel Paulus in creaturis : aut nomine patris vel filii in diuinis:queadmodum si animal imponeretur ad significandū ꝓprietatē specificam:nullā tamen deter minate neqʒ hominis aut alterius : & nullā ꝓprietatem generalem cōmunē ad illas speciales si gnificaret.Et sic patet falsum esse dictū quorūdā de significato huius nominis psona:videlicet φ sicut pater significat substātiam cū relatione quę est paternitas:a qua nomen imponitur: & filius cū relatione quę est filiatio: sic psona significat relationē in cōmuni ad paternitatē, filia tionē & spiratione cum ipsa substātia. Qd nō est verū:quia nō significat cōmune aliquid rea lis relationis ad tres relationes:sed significat cū substantia relationē incōmunicabilem sub in differētia ad quālibet illarū & ꝭdeterminate:ita φ nō differt significatio psonę a significato pa tris,aut filii,aut spiritus sancti,nisi sicut determinatū & indeterminatum,absqʒ significatione alicuius cōmunis ad illa. Qʒ autē persona significet essentiā tm̄,est vnica opinio & vnius, quā recitat & exponit Prepositin⁹ ꝭ summa sua,dicēs. Dixit Magister Gerardus La pucelle:φ hoc nomen persona aliter significat diuinam essentiā q̄ hoc nomē essentia:quia hoc nomē essen tia significat diuinā naturā gratia sui,& supponit p ea,& nō p aliqua psonarū.Et hoc nomen persona ecōuerso significat diuinā naturā nō gratia sui sed gratia cōtētorum.i.patris & filii & spiritus sancti:& ita significat eā & nō supponit p ea sed p aliqua psonarū:vt in hoc simili videri poteſt.Cum em dicitur hęc species homo, designatur hęc species gratia sui,& suppo nit pro ea.Sed hoc nomē homo significat eādem speciem nō gratia sui,sed gratia cōtētorum.i. patris & filii & spiritus sancti:& supponit p eis.Et ita fere est de hoc nomine psona:& inde est φ hoc nomē psona significat essentiā in plurali.Vnde cū dicit, idē est patrem esse psonā & esse substātiam:hic est sensus:idem significatur his nominibus psona & essentia : licet diuersimo de. Et cum dico psonam patris,nihil aliud dico q̄ substātiam patris.i.nihil aliud significo per hoc nomē psona,q̄ p hoc nomē substātia.Et ita quicquid additur,semp significat substantiam. Sed nunc cōtra eum arguit Præpositinus & bene.Scdm hoc nō est cōcedēdū,pater nō est pso na ꝓprietate,sed tm̄ natura.qd est cōtra Hilariū dicētem.Pater ꝓprietate est persona nō natu ra.Per idem etiā improbatur opinio dicentiū φ psona primo & principaliter significat substā tiam:tūc em pater potius esset psona natura q̄ ꝓprietate. Est autē aduertēdū φ in omnibus ꝓ dictis opinionibus:exceptis illis q̄ sunt Simonis & Ricardi:substantia q̄ est essentia, ponit esse de significato psonę.Vn̄ auctoritates dicentes psonā esse substātiā,vel idē esse psonā & essentiā & huiusmodi,exponitur scdm φ exponit eas Magister Gerardus Puella.Quod bene insinuat Magister Sētentiarū distinctione.xxv.ꝭ ca.Persona.vbi dicit.Vnde manifeste colligit φ essentiā diuinā ꝓdicamus,dicētes,Pater est psona:filius est psona: spirit⁹ sctūs est persona.i.essentia. & oīno vnū & idē significat noīe psonę.i.essentia diuina: & qd significat noīe dei cū dr̄: Pater est deus:fili⁹ ē de⁹.Et cū eis arguit ex hoc aliqd incōueniēs,vt cū essentia patris est essentia filii:q̄ idē significarēt essentia & psonā,tūc psona patris esset psona filii:Rn̄det φ aliud supponit respe ctu filii:licet nō significet nisi essentiā.ꝃIn positiōe autē Simonis & Ricardi:substātia q̄ ē hypo stasis,ponit eē de significato psonę,Et qa id qd est hypostasis,cōplectit essentiā cōem cū ꝓprie tate distīctiua:ideo & Magister Simon,& mgf Ricardus, ambo illa duo ponūt esse de significa to personę:licet diuersimode,vt dictū est:& habent plus veritatis inter cæteras: qm̄ in diuinis personis cōsistit trinitas in vnitate,& vnitas ꝭ trinitate: φ de significato trinitatis sit ipsa vni tas essentię:licet ratio trinitatis formaliter habet ex ternario ꝓprietatū:quia ab ipsa nomē im ponit,vt ꝭfra videbit.Est em ꝓprietas formalis respectu essentię in significatione & cōstitutiōe psonę,vt sil̄r videbit ꝭfra.Propter qd positio Ricardi q̄ ponit φ psona pricipaliter significat ꝓ prietatē,magis rōnabilis est q̄ Simonis:q̄ ponit φ essentiam principaliter. Singulę.n. alię:licet aliqd veritatis habeāt:deficiūt tm̄ in multo:sed illa q̄ est Ricardi aut solidā habet veritatē, aut min⁹ defectus q̄ aliq̄ aliarū. Qd pater ex declaratione ei⁹ quā ponit Simon ꝭ sūma sua:vbi vi detur concordare cum Ricardo: dicendo φ substantia dupliciter dicitur:qd subsiſtit,vt sup positū & subiectū:& quo subsistit.i.substātialis ꝓprietas. Substātia em q̄ subsistit in creaturis duplex eſt,scdm φ in eis duplex est suppositū.s. vniuersale generis & speciei,vt animal & ho

mo:& ſingulare indiuiduũ ſub ſpecie:quarũ prima facit qd:ſecunda vero facit quē.Et illa q̃ fa=
cit quem,poteſt ſignificari ſub ratione ſingularitatis ſiue indiuiduationis determinate,aut in=
determinate.Primo modo ſignificaf iſtis noibus Petrus Paulus.Secũdo modo hoc noie indiui
duũ vel pſona:quæ licet ſit nomen appellatiuũ:hoc eſt aliter q̃ ſit appellatiuũ nomē generis &
ſpeciei:quia illa imponunt ab vna ꝓprietate cõmuni:nomen vero pſonæ a nulla ꝓprietate vna
imponit ſiue vniuerſali,ſiue ſingulari:ſed a ꝓprietate ſingulari ideterminate tñ ad oēs. Vnde
in diuinis hoc nomen Deus imponit ad ſignificãdũ naturã q̃ eſt cõmunis eſſentia ſub modo &
ratione ſuppoſiti.Iſta autē noia pater & filius & ſpiritus ſanctus imponunt ad ſignificãdũ ſup
poſita determinata indiuidualibus ꝓprietatibus determinatis.Perſona vero ſignificat ſuppoſi
tũ indeterminatũ.& ideo indeterminatũ,quia ſub nulla ꝓprietate indiuiduali determinata:vt
ſm hoc pſona ſignificet ſubſtãtiã q̃ eſt ſuppoſitũ ſiue hypoſtaſis indeteriata.  Nõ dico hãc intē
tionẽ q̃ ē iportata noie ſuppoſiti,aut hypoſtaſis:ſed q̃ eſt res,& hoc queadmodũ pater aut fili⁹
aut ſpiritus ſanct⁹ ſignificat ſubſtãtiã q̃ eſt hypoſtaſis determinata: q̃ q̃dẽ ſubſtãtia hypoſtaſis
includit in ſignificato pſonę ſubſtãtiã q̃ eſt eſſentia diuina:ſicut icludit & in ſignificato patris
& filii & ſpirit⁹ ſancti:& ſiŕ relationẽ,q̃ eſt icommunicabilis ꝓprietas pſonę cõſtitutiua cũ eſſen
tia.Sed illa indeterminate includit & ſub indifferẽtia in noie qd eſt pſona: determinate aũt in
noie patris,aut filii,aut ſpirit⁹ ſancti.Et patet ſcdm iſtũ modũ exponẽdi ſignificatum pſonę,q̃
pſona eſt nomē rei,& de pricipali ſignificato ſuo ſignificat rẽ nõ q̃ eſt eſſentia, nec q̃ eſt relatio
ſed q̃ ē cõſtituta ex vtraq̃,icludẽs i ſe & eſſentiã & relationẽ:& p hoc ambo cadũt i ſignificato
pſonę.Et p hunc modũ pſona eſt res q̃dã & quodãmodo res alia q̃ ſit res q̃ ē eſſentia aut rela
tio,ſcdm q̃ amplius infra patebit.Per qd etiã patet q̃ ſcdm hãc ſentẽtiã Ricardi,perſona non
eſt nomē intẽtionis, ſed rei,cui cõuenit intẽtio ſingularis incõmunicabilis ſubſiſtẽtie,& hmõi.
Et ita ſicut in creaturis dicimus,q̃ ſcdm plim.vii.&.viii.Metaph.nõme ſignificat p ſe & prin=
cipaliter cõpoſitũ:ſecũdo formã:& tertio materiã:ſic in diuinis hoc nõme pſona p ſe & princi=
paliter ſignificat cõſtitutũ ex eſſentia & ꝓprietate: & quaſi ſecũdo ꝓprietatem: & quaſi tertio
eſſentiã.Sed ꝓprietatẽ determinatã pſonę ſignificat:ideterminate tñ & ad illã q̃ ē patris, & ad
illã q̃ eſt filii,& ad illã q̃ eſt ſpiritus ſancti: queadmodũ ſingul⁹ iſtoq̃ ſuo noie ſignificat ꝓprie
tatẽ determinatã,& determinate. Vñ ſi generaliter ſumit nõme pſonę,ſignificat ſubſtãtiã in=
tellectualẽ,q̃ ē hypoſtaſis icõmunicabilis, quecũq̃ ſit illa & qualitercũq̃ fiat icõmunicabilitas
ſiue a natura determinationis eſſentie cõmunis,vt cõtingit in creaturis,ſiue a ꝓprietate incõ
municabili relatiua,ſicut cõtigit i diuinis,vt habitũ eſt ſupra. Vñ qa nõme pſonę i toto ſignifi
cat ſubſtãtiã q̃ eſt hypoſtaſis: q̃ icludit in ſe ſubſtãtiã q̃ eſt eſſentia cũ relatione: melius definit
Boethius perſonã cõmuniter acceptã in deo & in creaturis: dicẽdo q̃ eſt ſubſtãtia:q̃ Ricard⁹:
dicẽdo,q̃ eſt exiſtẽtia.Subſtãtia em ſcdm vſum Grecoq̃ ſupponere põt p hypoſtaſi:qd nõ põt
eque vſitate facere exiſtẽtia: licet melius ſpecificet Ricardus dicẽdo icõmunicabilis,q̃ Boethi⁹
dicẽdo indiuidua:indiuiduũ em(vt ſupra dictũ eſt)non recipit in diuinis:Et ſiŕ dicẽdo in=
tellectualis naturę,q̃ Boethius dicẽdo rationalis naturę.Rationale em nõ ita ꝓprie ſumif i di
uinis,vt itellectuale . Omniũ ꝓdictoq̃ opiniones ponũt pſonã eſſe nomē rei, & nõ nomē in=
tẽtionis:ſed vtrum hoc verũ ſit,ex vſu huius vocabuli pſona circa creaturas inueſtigare debe
mus: quia ab vſu quẽ habuit in creaturis,aſſumptus eſt vſus eius in deo. Nũc autē in creatu
ris itellectualibus apte videmus q̃ hoc nõme pſona circa ſubſtãtias intellectuales nõ ſignificat
aliud q̃ ſignificat hoc nomen indiuiduũ circa ſubſtãtias ſubſiſtẽtes non intellectuales,ſiue non
intellectuales creaturas.dicẽte Boethio de duab.natur. q̃ perſona eſt rationale indiuiduũ . &
ibidẽ.Perſona eſt rationalis naturę indiuidua ſubſtãtia.Dico autē q̃ ſignificat illud circa ſub=
ſtãtias intellectuales ſiue rationales,quia pſona nõ ſignificat ipſas ſubſtãtias:ſed tñ indiuidua
tionẽ quã importat determinate,vt intẽtionẽ quãdã ſingularitatis circa hmõi ſubſtãtias:quẽ
admodũ ſimu determinat curuitatẽ quã ſignificat circa naſum:nõ aũt ipm naſum ſignificat.
nõ q̃ illę ſubſtãtię ſint de ſignificato pſonę:queadmodũ naſus nõ eſt de ſignificato,ſed ſolũ de
intellectu ſimi.Q̃d expreſſe dicit Boethi⁹ querẽs de pſona quare de irrõnalibus animalib⁹ gre
cus non dicit ſicut & nos de eiſdẽ nomen ſubſtãtię ꝓdicamus. Et reſpõdet dicens,Hęc eſt ra
tio:qm hoc melioribus applicatũ eſt:vt aliqd qd eſt excellẽti⁹.Si illis applicatũ eſt:nõ ergo ca
dũt in ſuo ſignificato,ſicut neq̃ ſubſtãtię irrationales ſingulares i ſignificatione hui⁹ nois qd
eſt indiuiduũ. Quare cũ non ſit dubium quin hoc nõme indiuiduũ circa ſubſtãtias irratio
nales non eſt nomen rei ſed nomen intentionis ſecundæ,quæ nihil aliud eſt q̃ modus quo in=
tellectus rẽ concipit reſpectu ſupioris & collateralis, vt determinatã & nõ diuiſam in aliqua

S

T

sub se,atqʒ diuisam ab eo qd est iuxta se,non est dubiũ quin hoc nomen psona in creaturis ratio
nalibus nõ sit nomẽ rei sed nomẽ intẽtionis,dicẽs pdictũ modũ idiuiduationis circa illas:vt nõ
significet rẽ cui accidit idiuiduatio:sed qʒ significet itẽtionẽ idiuiduitatis: vt oĩno idẽ sit dice
re:Petrus est idiuiduũ:& Petrus est psona.Et significat idẽ qd suppositũ incõicabile. Est.n.sup
positũ nomen secundę intentionis cõe ad substantiam cõmunẽ & singularẽ: & est incõmunica
bile,cõmune ad singulare substantiæ & accidentis, vt habitum est supra : et mutuo vnũ con
trahit & specificat alterũ. Vnde qd dicitur hic suppositũ incõmunicabile,hoc dicit Boethius
in definitione persone, substantiam indiuiduã: sumendo substantiam more Gręcorum p sub
sistẽtria:indiuiduũ autẽ pro incõmunicabili,scdm qʒ corrigit eum Ricardus.Qd vero dicitur
naturę intellectualis,hoc ponit ibi sicut subiectũ in definitiõe accidẽtis:qd dicit ei⁹ passio pprie.
appropriatur enim (vt dictũ est) persona intellectuali naturę, quẽadmodum simũ naso. Et sic
breuiter potest questio ista explicari,quã opiniones pdictę multũ inuoluũt.iuxta illud qd dicit
Ricardus.iiii.de trinitate in principio.Aliqui ex modernis psonę nomen sub multiplici signifi
catione accipiũt:& pfundę veritatis itelligẽtiã quã explicare debuerãt,maiore ambiguo inuol
uũt.Quid ergo dicemus ad auctoritates sanctoꝝ q̃ clamat qʒ substantiã significat aut ppriета
tẽ distinctã,aut vtrũqʒ simul! sicut patet inspicienti distinctioné.xxv.primi libri Sententiarũ.

V ⸿Et est sciendũ ad nos cõcordãdũ cũ aliis & cũ dictis sanctoꝝ:qʒ licet omne nomẽ vbicũqʒ po
nitur in enũciatione aliqua, p se & principaliter suꝑponit & ptẽdit suũ significatũ tanq̃ signũ
signatũ ad qd psentãdũ imponit: tamen aliquãdo nomẽ illud supponit p ipso significato:ali
quãdo autẽ nõ p significato:sed p suo appellato,vel quasi:verbi gfa,in noĩe qd significat rem.
homo eĩ in quacũqʒ enũciatione ponit: supponit humanitatẽ quã significat: & aliq̃i suppo
nit p ipsa,vt cũ dicit,homo est species:aliq̃i vero p appellato, vt cũ dr, homo currit.Dicit eĩ
termin⁹ supponere p illo p quo locutionẽ natus est verificare,& p quo alteri cõparat ĩ enũcia
tione.Similiter ĩ noĩe significãte intẽtionẽ.Verbi gfa,Species in quacũqʒ enũciatione ponitur,
supponit ratione vniuersalis:q̃ est respectus qdã & intẽtio quã significat,& aliquãdo supponit
pro ipsa,vt cũ dicit,Species est intẽtio rõnis & vniuersale quiddã:aliq̃i vero supponit p appel
lato vel q̃si,vt p homine,aut asino,aut hmõi,vt cũ dicit,Species est q̃ pdicat de plurib⁹ differe
tibus numero.vbi definit species nõ vt est intẽtio abstracta,& vt supponit pro suo significato:
sic eĩ nõ pdicat de differẽtibus numero:non eĩ vere dicit, Petrus est species,Paulus est spe
cies:sed definit vt est in re cuius est,& vt supponit p ipsa sub indifferentia quadam ad quam
libet illoꝝ,cuiusmodi sunt,homo,asinus,& hmõi,quę pdicant de solis indiuiduis suis.Et mul
tũ refert loqui de eius significato vt consideratur scdm se,& vt supponit pro ipso significato:
& vt supponit pro subtracto siue appellato, aut quasi appellato: si nõ possit dici pprie eius ap
pellatũ,Si eĩ cõsiderat scdm se,& vt supponit p suo significato:tũc significat intẽtionẽ ratio
nis tm̃,a qua nomen imponit.Si vero considerat scdm qʒ supponit pro re circa quã notat intẽ
tionẽ:& q̃ratur de suo significato large loquendo de significato vt sic supponit : sic res illa ca
dit in suo significato,large loquendo de significato. ⸿Descendẽdo igit ad ppositũ dicimus q̃
hoc nomen psona est per se a prima impositione nomẽ intẽtionis: & significat solũ ratiõe sup
X
Responsio.
positi incõmunicabilis a prima impositione a qua nomẽ impositũ est solũmodo circa itellectu
alẽ naturã, non vt quã significat:sed q̃ est de intellectu eius:quẽadmodũ quodãmodo subiectũ
est de itellectu pprie passionis . Aliquãdo tamen potest supponere illud significatũ suũ:qd est
intentio rationis p ipso significato,vt cũ dicit,Persona est suppositũ siue hypostasis quędã:ali
quãdo vero p eius appellato vel quasi, vt p suo quasi subiecto circa quod cõnotat huiusmodi
intentionẽ:vt cũ dicit psona generat aut generatur:spirat aut spiratur:Pater est psona aut p
sona est pater.Et licet vt scdm se cõsiderat,vt supponit p suo pprio significato non significat
nisi intẽtionẽ rationis:tñ vt supponit p re circa quã notat illã intẽtionẽ, si scdm hanc conside
ratiõe q̃ratur de eius significato,tunc in suo significato includit rem tm̃ & ratiõe itẽtionis
Et hoc mõ loquitur sancti & doctores de noĩe psonę cũ q̃runt eius significatũ.Sed sic loqui de
significato est multũ extendere significationẽ:& non sic loquit Boethius de significato psonæ.
Vnde & in definitione personę id qd pertinet ad rationem intentionis ponitur loco generis:vt
substantia indiuidua:& id qd pertinet ad rationem rei, loco differentiæ : vt rationalis essen
tię:quemadmodũ in definitione propriæ passionis id qd est suæ naturæ ponitur loco generis
& qd pertinet ad subiectũ,loco differentiæ scdm artẽ philosophi.Oĩa igit argumẽta supindu
cta cõcludunt scdm diuersas significationes huius nominis:& scdm diuersos alios modos nõ
concludunt:sed oportet eis respondere propter diuersas difficultates quas implicant.

¶Ad primũ:q̃ perſona non ſignificat eſſentiã vel ſubſtantiam:quia tunc perſona
ſignificaret ín deo eſſentiam ſiue ſubſtantiam plurificatam: Dicẽdum q̃ verum eſt,ſi circa illam caderet ratio ſingularitatis quam nomen illud exprímit.Si autem circa illã nõ cadit ratio
ſingularitatis illíus,hoc nullo modo oportet.Verbí gr̃a, Homo ſingularíter díctus nõ eſt nat9
plurificari vt pluraliter dicat̃ homines,niſi q̃a homo ſingulariter ſuppones p appellato exprí-
mit rationem ſingularitatis eſſentię in ſuppoſito:qualís eſt ipſius ſuppoſiti. Sicut.n.iſte homo
eſt ſuppoſitum ſingulare determinatũ : ſic anímalitas & rationalitas in ipſo ſunt determina-
ta:vt nõ ſolũ ſuppoſitũ ſit indíuiduũ per determinationẽ:ſed etiam eſſentia tota ſpeciei tã ex p
te generis q̃ ex pte differentię.Et ab hac determinatione cõueniṫ homini q̃ ſit ſingulare,vt ſit
vnus aliquis ſolus,ab alío ſingularitate diſcretus,nec in ſeipſo plurificabilís. Et ſimiliter cõue
nit eſſentię eius q̃ ſit ſingulare.í.vna alíqua ſola ab omni alio & alía í ſua ſingularitate diſcreta,vt nec iṅ ſe ſit plurificabilís,nec alteri ſuppoſito cõmunicabilís,Propter q̃d cum plurificaṫ,
plur̃íf cari intelligitur omne circa q̃d in homine cadit huiuſmodi determinatio,ſiue fuerit ſup
poſitum,ſiue eſſentia.Nũc autem ſecus eſt in deo circa hoc nomẽ perſona:quoniã pſona ſingu
laríter dicta nõ eſt nata plurificari vt pluraliter dicatur perſonę,niſi quía perſona ſingulariter
ſupponens pro quaſi appellato,exprímit rationem ſingularitatis ſuppoſiti:licet nõ exprimat ta
liter rationẽ ſingularitatis í eſſentia,qualís eſt in ſuppoſito.nõ.n.ſicut íſta pſona,vtputa pater,
eſt ſuppoſitũ ſingulare determinatũ ꝓprietate relatiua: ſic & deitas . Ipſa eṁ q̃ ſit ſingularis
& ſingularitas quędã,illud habet ex ſe,& eſſentíaliter:nõ per alíquã determinationẽ:quia nullam íṅ ſe recipit:quía non habet rationẽ vníuerſalis ſcdm ſupra determinata. In deo autem
ſuppoſitum ſit incõmunicabile per determinationẽ ꝓprietatis. vt licet in deo non poſſint plures eſſe patres, vel plures filíí, vel plures ſpiritus ſancti, vt infra videbiṫ:non tñ deitas in pſo
na vllo modo eſt ícõmunicabilis facta p aliquã deteriationẽ,licet habet etiã ex ſe & natura ſua
q̃ non ſit plurificabilís. non eṁ poſſunt eſſe plures deitates. Vnde & per eſſe ſuũ in ſuppoſito
vno, nõ habet quín poſſit alteri cõmunicari. Quia ergo perſona í deo rõne ſuæ ſingularitatis
ſcdm quã plurificatur,nõ habet ex parte eſſentię ſicut in creaturis: ſed ſolum ex pte ſuppoſiti
& ꝓprietatis relatiuę determínatis ſuppoſitũ:idcirco q̃q̃ perſona ſignificet eſſentiã in deo,plu-
rificata tñ nõ plurificat eſſentiã. Propter q̃d dicit Boethí9 ca.vltimo de trinitate. Facta eſt trí
nitatis numeroſitas in eo q̃ eſt ꝓdicatio relationis : ſeruata vero vnitas in eo q̃ eſt indifferentia ſubſtátię.Ita igiṫ ſubſtátia cõtinet vnitatẽ:relatio multiplicat trinitatem.Vnde quo ad rationẽ ſingularis & pluralís in noie pſonę nihil refert ſiue ſubſtátia fuerit vna plurium, ſiue di-
uerſę.dicẽte Rícardo.iiij.de trinitate ca. viij. Iuxta intelligentíam qua accipimus perſonam in
ſingulari,accipimus eam & ín plurali: niſi q̃ hic plures, íllic vnus ſolus datur intelligi. Vt cũ
dicitur perſona,pfecto datur íntelligi alíquis vnus: qui cum ſit rationalís ſubſtantia,cũ nomí
nátur tres perſonę abſq̃ dubio intelliguntur tres alíqui:quoq̃ tñ vnuſquiſq̃ ſit ſubſtantia rationalis naturę.Sed vtrum ſint plures an omnes vna eadem ſubſtantia,níhil intereſt.In natura humana quot perſonæ tot ſubſtantiæ,& compellit quotidiana experiẽtia de diuinis ſimilia æſtimare.& ſequiṫ in ca.ix.Vbicũq̃ ſunt tres pſonę neceſſe eſt vt alius ſit iſte & alius ille
& alius tertius:vbicũq̃ vero ſunt tres ſubſtátię,oĩno neceſſe ẽ vt alíud ſit vna,aliud altera,alí
ud ſit tertia.Eſſe aliud & aliud,fecit diuerſitas ſubſtátiarũ:eẽ alíũ & aliũ,fecit diuerſitas pſo-
narũ.Propter q̃d dixim9 ſupra:q̃ í diuinis eſt hic aliqs:in creaturis vero hoc aliq̃d.¶Ad ſecũdũ dicẽdũ q̃ verũ eſt q̃ non ſignificat ſubſtantiã:aut non ſolam: ſed vtrũq̃ aut neutrũ. Et cũ
arguiṫ q̃ non ſignificat vtrunq̃:quia tunc eſſet nomen æquiuocũ: Dicendum q̃ verum eſt
niſi ſignificaret illa duo vt conſtitutíua vnius q̃d principaliter ſignificat: ſcilicet ſubſtantiã,
quæ eſt ſuppoſitum incommunicabile,ſcdm expoſitionem Rícardi. ¶Ad tertium q̃ non ſigni
ficat relationem:quia non ſignificat eam in creaturís : Dicendum q̃ ſi hoc nomen perſona intelligamus ſignificare intentionem, & ſcdm hoc transferri principaliter ad diuina:ſic magís
ſcdm ſignificationis rationem tráſferretur a creaturis in deum q̃ nomina rerum : eo q̃ verius
vniuocantur deus & creatura in intentione q̃ in re aliqua.Et ſic reſpondendo:non habet locum obiectio: quia procedit de perſona ſcdm q̃ eſt nomen rei.In ſignificando ením rem non
fit a creaturis principaliter nominís translatio : quoniam pure æquíuoce ſubſiſtit ſcdm rem
perſona in deo & in creaturis : quia in deo non ſubſiſtit niſi relatiue : in creaturis vero non
niſi abſolute , vt díctum eſt ſupra . Nomen autem ſcdm rem translatum ad diuína , debet idem ſignificare in deo & in creaturis, licet antonomatice : & modo ſupereminẽtí.
Vel ſi omníno velimus q̃ ſecundum q̃ ſignificat rem, a creatura transfertur in deum:

dicendū ꝗ hoc qd in deo ſignificat rē reſpectus:non autem in creatura:pertinet ad eminentio
rem modum ſumendi pſonā in deo ꝗ in creaturis: & ita quo ad hoc nō ſignificat in deo quod
in creaturis, etiam in ſignificādo ſubſtātiā quæ eſt hypoſtaſis:quia in creaturis eſt pſona abſo
luta:in deo reſpectiua,vt dictū eſt ſupra.Vnde nō impedit hoc pſonā ꝓpriiſſime accipi in deo.
**C** Quartū:ꝗ nō ſignificat ſolā relationem: concedendū eſt.**C** Ad quintū:ꝗ perſona eſt indiui

**B**
Ad quartū
**C**
Ad quintū

duū rationale:& indiuiduū eſt intentio:ergo &c.Dicēdū ꝗ eadē ratione poſſet cōcludi: ſed ra
tionale eſt ſubſtātia:ergo pſona ſignificat ſubſtantiā. Et eſt dicēdū ꝗ ꝗter dictos duos modos
ſignificationis pſonę:adhuc tertia eius ſignificatio pōt aſſignari ex iſto dicto Boethii, in deo,
ꝗ triplex eſt ſignificatio pſonę:quia ꝓprie loquēdo de ſignificato eius ꝓput ſignificatio eius ap
pellatur illud ad qd repſentādū ꝑ ſe eſt impoſita: ſicut eſt nomē intētionis: non ſignificat niſi
intētionē,ꝗ eſt rationis cōceptus circa rē intellectualē:quale cōmuniter circa quācꝗ creatu
rā ſignificat hoc nomē indiuiduū: & habet in diuinis ſubſtātiā ꝗ eſt hic aliꝗs oblique de ſuo
intellectu,vt dictū eſt. & ſic eſt nomē itētionis tm.Large autē loquēdo de ſignificato eius ſcdm
ꝗ dicit ſignificare ſuū appellatū:& id quod ſignificat ꝑ ipm: quēadmodū ſancti & magiſtri cō
muniter ſolet loqui de ſignificato eius:ſic ſignificat ſubſtātiā cū relatione ſcdm modū quē po
nit Ricardus:ſed quaſi imediate ſignificare illū q eſt hic aliꝗs:ſed indeterminate: de cui⁹ ſigni
ficatione eſt ſubſtātia & relatio incōmunicabilis:propter qd etiā ſunt de ſignificatione pſonæ.
& ſic eſt nomē rei tm:& eſt intētio de intellectu eius circa hmōi rē veluti ꝓpria ei. Largiſſime
autē loquēdo de ſignificato pſonę, dicit ſignificare vtrūꝗ ſimul: & hoc in recto:quēadmodū
ſi albū ſignificet accidēs & ſubiectū.& ſic ſimul eſt nomē rei & itētionis. Et ſic loquiꝗ Boethi⁹
quādo dicit,ꝗ perſona eſt rationale indiuiduū.**C**Ad ſextū:ſi pſona ſignificaret intētionē:nō rē
aut ſubſtātia:tunc trinitas pſonarū nō eſſet niſi intētionū:Dicēdū ꝗ verum eſt ſi nullo modo
aliud ſignificaret.qd nō eſt ita,vt patet ex ꝓdeterminatis . Vnde trinitas eſt triū ſcdm pſonas
in pſonarū ꝓprietatibus,vnitas in eſſentia,vt infra videbitur.Et tā eſſentię vnitas ꝗ trium p
ſonarū ꝓprietates nomine pſonę ſignificātur etiā cum ratione intētionis,vt dictū eſt.**C**Per idē
patet reſponſio ad ſeptimū. Vltima duo concedēda ſunt ſcdm iam determinata.

**D**
Ad primū
in oppoſi.

**E**
Ad ſecūdū
& cętera.

**F**
Queſt.VI.
Arg.1.

Irca **Sextū** arguitur:ꝗ in deo ſit ponere vnū ſuppoſitū abſolutū cōmune tri
bus reſpectiuis,Primo ſic.pſona in ſui ſignificatione includit ſuppoſitū cū ꝓ
prietate relatiua diſtinctiua,ſcdm cōem & magiſtralē definitionē pſonę: ꝗ dí
cit ꝗ pſona eſt hypoſtaſis ꝓprietate diſtincta. Hypoſtaſis aūt rōne ſuppoſiti im
portat.in deo ergo ē ponere rōnē ſuppoſiti ꝓter relatiuā ꝓprietatē.Sed ī deo
ꝓter relatiuā ꝓprietatē diſtiguēte nihil eſt niſi qd ē cōe & abſolutū.ergo &c.

2

**C**Secūdo ſic.Auguſtin⁹ dicit.vii.de tri. Ois eſſentia ꝗ relatiue dr:eſt et aliꝗd
excepto relatiuo.Et ſequiꝗ.Quapropter ſi pater nō eſt aliꝗd ad ſeipm,nō eſt oīno ꝗ relatiue di
catur ad aliud.Idē aūt pōt dici de filio & ſpiritu ſancto. Sunt ergo aliquid ad ſeipm,excepto
illo quo relatiue dicūtur iter ſe.Hoc autē excepto nō eſt niſi vnū cōmune tribus.quia Ꝫm Boe
thiū ſola relatio multiplicat trinitate.aliꝗd autē ad ſe exiſtēs nō eſt niſi ſuppoſitum. ergo &c.

3

**C**Tertio ſic.pater eſt aliꝗs: & eſt pater. ſed non eodē eſt aliꝗs & pater, quia paternitate eſt
pater:nō autem paternitate eſt aliꝗs : eo ꝗ tunc filius nō eſſet aliꝗs: quia non habet in ſe
paternitatē.nec eā aliꝗs includit eſſe patrē: quia tunc ſimiliter vt prius, etiā filius nō eſſet ali
quis.eſt ergo pater aliꝗs:excepto eo quo eſt pater,quo cōuenit cū filio.ſed eſſe aliꝗ eſt eſſe
ſuppoſitū.Qd aūt eſt patri cōe cū filio,nō eſt niſi vnū abſolutū:ꝗa Ꝫm Boethiū & Auguſtinū

4

pater & filius in oībus ſunt vnꝰ ꝓter ꝗ ad aliꝗd dicunꝗ. ergo &c. **C**Quarto ſic.dicit Au
guſtin⁹.vii.de trinitate.Ois res ad ſeipam ſubſiſtit,quanto magis deus? ad ſe aūt nō ſubſiſtit
niſi ſuppoſitum.ergo in deo eſt ſuppoſitum abſolutū.abſolutū non eſt niſi vnicum in deo, vt

5

prius.ergo &c.**C**Quinto ſic. eſſentia diuina vt eſt eſſentia,habet rationem perſonæ:quia ipſa
eſt in ſe indiuiſa propter ſuam ſimplicitatem,& a qualibet alia diuiſa & diſtincta:vt a qualibet
eſſentia creata.qd autem tale eſt,habet rationem perſonæ in natura itellectuali,vt patet in ho
minibus & angelis. ipſa autem eſſentia diuina vt eſt eſſentia, eſt quid abſolutum . ergo &c.

6

**C**Sexto ſic.intelligere in deo quia eſt de eſſentialibus & abſolutis,ſcdm noſtram rationem in
telligendi ꝓcedit omne relatiuū reale:& ita omnē perſonā relatiuā:& tm ꝓſupponit aliquā pſo
nā intelligētē:ꝗ nō poteſt eſſe niſi abſoluta cōmunis tribus pſonis relatiuis:ꝗa ſi eſſet relatiua
ſimiliter præſupponeret ſuā correlatiuā:quia relatiua ſcdm plm ſunt ſimul natura.ergo &c.

7

**C**Septimo ſic.actus dicendi præſupponit dicentem perſonā:quę ſi eſſet relatiua,ſimul preſup
poneret ſuū correlatiuū,ſcilicet perſonam dictā:& ita eſſet anteꝗ diceretur.conſequens eſt fal

ſum,ergo &c.Cln oppoſitu eſt:quoniã cu illud ſuppoſitu nõ eſt niſi naturę intellectualis: iſpm
eſſet perſona,ergo in deo eſſet pſonaru quaternitas:qd contra fidem eſt.

CQueſtionem iſtam diſputauimus in noſtro quinto Quolibet:ex quo aliqua breuiter recolligēdo cum ſupra determinatis : dicamus ꝗ cum ſcdm iam determinata ſupra, in
deo non ſit ratio vniuerſalis:quare nec ratio abſoluti ſuppoſiti vniuerſalis aut cõmunis,ſcdm
quem modum diximus iam ſupra ſuppoſitu eſſe in vniuerſalibus & ſingularibus:licet ſuppoſitu non habet eſſe proprie niſi in ſingularibus, vt determinatu eſt in pdicto Quolibet. Si ergo
in eo ſit ratio ſuppoſiti abſoluti:illud erit ſingulare & vnicu:quia nihil abſolutum in deo plurificatur,vt dictu eſt opponēdo. Vnicu aut abſolutu in deo nõ eſt niſi forma deitatis.Suppoſitu
ergo abſolutu i deo nõ pôt poni niſi i forma deitatis,circuſcriptis p itellectu relatiuis pprietatibus. Et nihil ęrit iſta ꝗſtio,niſi an circuſcriptis dictis pprietatibus coſtitutiuis triu pſonaru
manet in deo aliquod ſuppoſitum vnu abſolutum cõmune illis tribus. CEſt aute opinio aliquorum notata ſuper.xxvi.diſtinctiõe primi Sentētiaru:ꝗ ſi tollatur pluralitas nominu quæ
ſunt pater,& f.lius, & ſpūs ſctus,ꝗ imponūtur a relatiuis pprietatibus & diſtinctiuis,hoc nomen deus ſignificat perſonam quãdã diſtinctam proprietatibus eſſentialibus ab omnibus aliis
naturis,creaturaru.ſ.ꝗueadmodu Iudęi quidam & gentiles intelligūt vnu deu eminētē pro
prietatib⁹ eoru quę ſunt.Qd nõ poteſt ſtare:quoniã (vt determinatu eſt in pdicto Quolibet)
nihil habet ratiõe ſuppoſiti niſi habeat ratiõe entis determinati.Forma em non eſt ſuppoſitu vt nomine formę ſignificatur:ſed habēs formã trimodo. Habere aute formã nulli cõuenit
niſi per determinatu modu habendi eam.Aliter enim forma eſſet forma tm vt humanitas vel
aſinitas: non aut habita ab aliquo ſicut a ſuppoſito: veluti ab homine vel aſino.Determinatio
aute nõ pôt eſſe niſi in habēte formã,niſi per aliquid fundatu in ipſa forma vel eſſentia, qd rationis alterius eſt ꝗ ſit ipſa forma,quia ſeipſa ex ratione qua forma eſt, nullã habet determina-
tionem.Illa aute ratio nõ poteſt eſſe pure negatiua:quia illa nihil determinat.Eſt ergo poſitiua abſoluta vel reſpectiua.Nõ abſoluta:ꝗa cu illa nõ poteſt eſſe res alia addita ipſi eſſentię formę,oportet ꝗ fundetur in ipſa eſſentia formę : & ſic ipſam eſſentiã formę in ſe determinaret:
qd ſolu ſit in creaturis & in formis creatis: non aute in forma increata:quia illimitata & inde
terminabilis eſt,vt habitu eſt ſupra. Alio aut modo nõ poteſt coſtitui ratio ſuppoſiti abſoluti.
Si ergo in deo ſit ſuppoſitu,oportet ꝗ conſtituatur per ratiõe reſpectiua in ipſa eſſentia fundatã, quę nõ agit determinatiõe aliquam rei ſcdm ſe conſideratę: propter qd nõ determinat
eſſentiã: ſed ſolu rei cõparatæ ad alteru ſcdm relatiuã oppoſitiõe: quæ eſt ipſius relati,quod
eſt ipm conſtitutu quaſi ex eſſentia & relatione,& ipm determinatu atꝗ diſtinctu, vt infra dicetur. Ablatis ergo p intellectu pprietatibus & nominibus earu,nullo modo manet in deo ratio ſuppoſiti:nec poſſibile eſt poni in deo aliam ratiõe ſuppoſiti ꝗ relati . Vnde phi qui veru
habebãt intellectu deitatis,etſi non trinitatis perſonaru relataru,pciſe intelligebant eã vt quãdam ſingularitate abſolutã indeterminatã & illimitatã:ita ꝗ falſus & fictitius fuiſſet eoru intellectus,& nõ eſſentiam deitatis intellexiſſent ſed figmenti, quod illi in imaginatiõe coſtru
xiſſent ſi ſub rõne ſuppoſiti abſoluti eã intellexiſſent:ꝗueadmodu ēt falſo eã intellexiſſent,ſi eã
intellexiſſent nõ intelligēdo eam ſub pprietatibus relatiuis & in ſuppoſito relatiuo ſubſiſtenti
exiſtere:immo (vt verius dicam)intelligendo eam exiſtere abſꝗ relatiuis pprietatibus:nec in
ſuppoſito relatiuo.Vnde dicit Hil.iiii.de trinitate.cap.vii. Nũꝗd nomē dei ignorabatur ! Hoc
Moyſes de rubo audiuit:hoc Geneſis in exordio creari orbis nũciauit:hoc lex expoſuit:prophe
tę ꝑtulerūt:homines in huius mundi operibus ſenſerunt:gentes etiã mētiendo veneratę ſunt
Non ergo ignorabat dei nomē: ſed de⁹ plane ignorabat:nã deu nemo noſcit,niſi cõfiteat & pa
trem vnigeniti filii.Et li.v.cap.xvii. Prius confitendus eſt pater & filius : vt vnus deus poſſit
intelligi.Vnũ veru deũ non apphendet euãgelicę & apoſtolicę predicationis ignara impietas.
Sicut em naturę eſſentię creaturę eſt,vt nõ exiſtat niſi in ſuppoſito abſoluto & determinato p
naturę participatiõe:ſic naturę deitatis eſt vt nõ exiſtat niſi in ſuppoſito relatiõe determi-
nato.Vnde abbas Ioachim quia non potuit intelligere vnam deitatis naturam non cointelligendo proprietates perſonales,niſi intelligēdo eam ſub ratione ſuppoſiti,& perſonæ,vt in diuinis ſaluaret perſonarum trinitatē, & negaret quaternitatem: ꝗuis conceſſerit ꝗ pater & filius & ſpiritus ſanctus ſint vna eſſentia, vna ſubſtãtia,vna natura:vnitatē tñ huiuſmodi nõ
verã & propriã quaſi vnũ aliꝗd re ſingulare ſit i patre & filio & ſpiritu ſancto:ſed quaſi cõie-
ctiuã & ſiſitudinaria eſſe confeſſus eſt:ꝗueadmodu multi hoies dicunt vn⁹ popul⁹,& multi fi
deles vna eccleſia.Et cecidit in hæreſim Arrianam pſonas ſeparando. Vñ & appellauit Magi-

ftrum Petrum Lombardum hæreticum:eo ꝙ in fuis fententiis dixit:quoniam quædam fum=
ma res eft pater & filius & fpiritus fanctus.Vnde afferit ꝙ ille non tam trinitatem ꝗ quater=
nitatem aftruebat in deo,videlicet tres perfonas relatiuas,& vnam cõmunem effentiam,quafi
quartã perfonã.f.abfolutã,manifefte proteftans ꝙ nulla res eft quæ fit pater & filius & fpirit⁹
fanct⁹,nec effentia nec natura.Et hoc ideo:ga fi hoc pofuiffet,vifum fuit ei ꝙ neceffe habeat
ponere ꝙ effet fcdm fe pfona aliqua,ꝙ nõ eft verũ.Eft eni in pfonis non diftincta ab ipfis:nõ
autem perfona.Et fic credit ecclefia, ꝙ quædam res & natura eft pater, filius,fpiritus fanctus
ita tres fimul funt illa natura:& quælibet trium perfonarum per fe : vt vnitas fit in natura,&
diftinctio in perfonis. fcdm ꝙ hęc oia expreffe habetur in principio Decretaliũ.c.Damnamus
ergo & reprobam⁹ &c. Et ficut cõtingebat Ioachim perfonas feparare cum Arrio,ne poneret
perfonarum in deo quaternitatem, eo ꝙ effentię fiue naturæ vnitatem intelligere non potuit
fine ratione pfonalitatis: fic contigit cõtrario modo Sabellio, ꝙ pfonas cõfundebat ne negaret
fubftantiæ fiue naturæ vnitatẽ, quam nõ potuit itelligere nifi in vnica pfonalitate : quã po=
nebat effe in tribus,ficut nos ponimus in tribus ipfam effentia abfꝗ propria pfonalitate.In eo
enim ꝙ pofuit vnam perfonam abfolutam in ipfa effentia, neceffe habuit ponere proprietates
perfonales relatiuas fundari in illa perfona:ficut & nos in ipfa effentia:& ponere illam vnam,
ficut & nos ipfam effentiam,effe patrem & filium & fpiritum fanctu:ita ꝙ proprietates illæ p
prias perfonas non diftingueret fuper illam perfonalitatem effentię: fed ꝙ illa vna perfonalitas
in illas fe diffunderet:& illę fimul fe in iftam confunderent:vt ficut fecũdũ Arrium aliud pa=
ter,aliud filius,aliud fpiritus fanctus:fic fcdm Sabelliũ,qui pater,ille filius,ille fpiritus fanct⁹.
Reuera hęc neceffe habent ponere ponentes in deo vnã perfonã abfolutã:ga illius effet p fe age
re actiones diuinas,& effe terminũ actionũ pfonaliũ,vt effet pater ga generat:& filius ga gene
rat:& fpũs fctũs ga pcedit.vt relationes fint aduẽtitię ipfi pfonę ex actu,nullo mõ rõnes elicie
di vel terminãdi act⁹:& effet ille ꝗ generat,ille ꝗ generat:& fpirans ꝗ fpirat:& generaret & fpi
raret feipm.ꝙ catholici inducũt tãꝗ incõueniẽs & abfurdũ cõtra Sabelliũ. Nos igit Scyllam
vitãtes atꝗ charybdim, media via inter duas peftes teneamus:Dicẽdo ꝙ in diuinis eft effen=
tia vna,fingularitate effentiæ cõmunis tribus pfonis,ne perfonas diuidamus ficut Arrius: nõ
fingularitate perfonæ,ne ipfas confundamus ficut Sabellius.

**L**

**M**
Ad primũ
princip.

**C**Q̄r ergo arguitur Primo in oppofitum: ꝙ perfona eft hypoftafis proprietate
diftincta:Dicendum ꝙ non definitur ibi generaliter perfona vt confideratur in fua generali=
tate fiue cõmunitate,prout habet inueniri in omnibus rationalibus & intellectualibus: fed fpe
cialiter vt habet effe in deo:& hypoftafis ftat ibi in illa generalitate vt conuenit omni fubftan
tiæ indiuiduę fubfiftenti more latinorum,fiue fuerit intellectualis,fiue non intellectualis.Vn=
de non includit determinatam rationem diftinctionis fiue per effentiæ, fiue per naturæ deter
minationem,vt contingit in creaturis,fiue per relatiuas proprietates, vt contingit in diuinis
fcdm modum fupra determinatum. Perfona autẽ diuina includit determinatã rationẽ diftin=
ctionis.f.per relatiuam proprietatem.Et fic in ifta definitione perfonæ diuinæ cum dicit ꝙ eft
hypoftafis proprietate diftincta,ly Hypoftafis difticta, in illa definitione eft quafi genus:ly p=
prietate (fubintellige relatiua) quafi differentia:& fic hypoftafis fupponit ibi vt commune
fcdm rationem & intentionem:non aũt vt aliquid commune fcdm rem : quemadmodum eft

**N**
Ad fecũdũ.

effentia:quod tñ fupponit argumentum.aliter enim non effet intellecta vna perfona abfoluta
manens fubtractis proprietatibus. **C**Ad fecundum,ꝙ relatiue dictum eft aliquid excepto rela
tiuo:Dicẽdum ꝙ intellectus illius dicti eft,ꝙ omne ꝙ relatiue dicitur,preter rationem refpe

**O**

ctus quo relatiue  & ad aliud dicitur,eft aliquid in re abfoluta in qua fundatur ille refpectus.
**C**Sed ex parte eius ꝙ dicitur aliquid: Sciendum ꝙ poteft habere fuppofitionem fimplicem p
effentia vel perfonalem pro fuppofito.Primo autem modo fumitur in dicto Aug. Et fic pater
in diuinis eft aliquid.i.diuina effentia: quæ eft aliud quid ab effentia creata excepto relatiuo.

**P**
Ad tertiũ.

hoc eft ratione refpectus fiue relationis:quæ formaliter imponitur nomine paternitatis.Secun
do modo procedit argumentum non fcdm intẽtionem Auguftini. **C**Ad tertium:ꝙ pater alio
eft aliquis:alio eft pater:Dicendum ꝙ falfum eft.quemadmodum non eft alio perfona,alio ifta
perfona patris:licet perfona fupponat indeterminate pro eo quod fupponit determinate per=
fona filii,patris,& fpiritus fancti. & fignificat communiter intentionem illam quam figni=
cat determinate quælibet illarum,fecundum ꝙ patet ex fupra determinatis . Et quod argui=
tur, ꝙ paternitate eft pater:non eft autem paternitate aliquis : quia tunc filius non effet ali

quis:Dicendum ꝙ paternitate eſt pater determinate:ſed aliquis indeterminate.Propter quod non ſequitur ꝙ filius non eſt aliquis:quia ſua filiatione eſt aliquis indeterminate:& non ſeque retur,pater paternitate eſt aliquis:ergo filius nõ eſt aliquis: niſi aliquis diceret aliquid determi natũ. Nõ ſequeretur ergo illud ꝗ̃ vlterius cõcludit. ¶Ad quartũ ꝙ de⁹ ad ſeip̃m ſubſiſtit,Di cendũ:ꝙ cũ ſcd̃m Augu.vii.de trini. vnde argumẽtũ aſſumptũ eſt, ab eo ꝗ̃ eſt ſubſiſtere ſub ſtantiã dicimus:& ſubſtantiam ſecundum p̃dicta poſſumus accipere ſecundũ morem latinorũ pro eſſentia,vel ſcd̃m morem grecorũ pro ſubſiſtẽtia:Similiter ſubſiſtere dupliciter poteſt acci pi.Vno modo vt ab eo dicit̃ ſubſtantia que eſt eſſentia.Alio modo vt ab eo dicit̃ ſubſtãtia ꝗ̃ eſt ſubſiſtẽtia.Primo mõ idẽ eſt deo eſſe ꝗ̃ ſubſiſtere:& ad ſeip̃m de⁹ ſubſiſtit nõ relatiue.Iam eñ (vt concludit)ſubſtantia non eſt ſubſtantia:ſed relatiuum. Et hoc modo loquitur ibi Auguſti nus de ſubſiſtere. Secũdo autem modo nõ eſt idem deo eſſe ꝗ̃ ſubſiſtere: ſicut non eſt ei idem eſſe & patrem eſſe.& hoc modo relatiue ſubſiſtit,non ad ſe:ſicut & relatiue eſt perſona,nõ ad ſe ¶Ad quintũ dicendũ ꝙ eſſentia diuina vt eſſentia eſt,nõ poteſt habere rationem perſonę:quia perſona vt perſona, habet rationem incommunicabilis & eſſe determinati in ſua ſingularitate: non ſic autem eſſentia ſub ratione qua eſt eſſentia ſimpliciter, habet ꝙ ſit eſſe determinati & incommunicabile quid.Immo omnis eſſentia vt ſimpliciter eſſentia eſt,communicabile quid eſt pluribus ſuppoſitis : licet in deo ſecundum rationem eſſe indeterminati ſingularis:in creatu ris vero ſub ratione eſſe indeterminati vniuerſalis: q̃uis eſſentia deitatis , quia ex ſe ſingularis eſt, potius ex ſe videatur habere rationem perſonę ꝗ̃ eſſentia creata : quia ex ſe vniuerſalis eſt. Siue eñ eſſentia ſit ſingularis ſiue vniuerſalis,nihil refert ad nõ eſſe perſonam:dum tamen ip ſa de ſe ſit communicabilis ſiue in ſubſtantię ſingularitate ſiue in pluralitate : quia illa ſola ra tio quę cõfert incõmunicabilitatẽ in natura intellectuali, cõfert p̃ſonalitatẽ. Vnde ad formã ar gumẽti dicendũ, ꝙ indiuiſio duplex eſt,& ſimiliter diuiſio ſiue diſtictio,ſicut & duplex eſt vni tas & pluralitas,ſcilicet eẽntialis & perſonalis. Licet ergo eſſentia diuina vt eſſentia eſt,in ſe eſt indiuiſa,& a qualibet alia diuiſa:quia illa diuiſio eſt eſſentialis , & ſimiliter indiuiſio , non au tem perſonalis:quia non eſt penes rationẽ incõmunicabilis:vt dictũ eſt : idcirco non oportet ꝙ diuina eẽntia inquãtũ eſt eẽntia,habeat rationẽ p̃ſonę. ¶Ad ſextũ: ꝙ intelligere qa eſt de abſo lutis p̃cedit omne relatiuum reale & perſonale &c̃.Dicedum ꝙ ſcd̃m rationẽ noſtram intelli gẽdi illud eſt prius ꝗ̃ ſimpliciorem & abſolutiorẽ intellectũ de ſe format. & ſic vniuerſaliter abſolutũ inquãtũ abſolutũ,prius eſt relatiuo ꝗ̃ includit illud abſolutũ:queadmodũ p̃ſona in cludit eſſentiã.Si autẽ relatiuũ nõ includit ſecundũ intellectũ ſuũ intellectũ abſoluti, nõ opor tet:vt cõtingit in propoſito. Vnde diſtinguẽdum eſt de abſolutis in deo:quia quędã ſignificãt per modũ habit⁹,quędã p̃ modũ agere ſiue actus.De illis quę ſignificat per modũ habit⁹,vni uerſaliter verũ eſt ꝙ p̃cedũt oẽm relationẽ realẽ,non aũt verũ eſt hoc de illis quę ſignificat per modũ agere:vt ſunt intelligere & velle: imo illa p̃ſupponũt ſuppoſitũ relatiuũ nõ ab alio exi ſtẽs:cui p̃io b̃m ratione cõueniũt intelligere & velle,nec tñ ſimul p̃ſupponunt ſuũ correlatiuũ quo ad actũ itelligẽdi:neꝗ ſiſt quo ad actũ dicẽdi,de quo p̃ceſſit vltimũ argumentũ: licet quo ad actũ noſtrũ intelligẽdi. ¶Eſt ergo ſciẽdu ad diſſolutionẽ hui⁹ aſſumpti in vtroꝗ argumẽto: ꝙ relatiuũ poteſt cõſiderari vt relatiuũ ſimplr̃:& vt cõparat̃ ad actũ intelligẽdi paſſiue cuiuſ cũꝗ:vel vt eſt pertinẽs ad originẽ,& comparatur ad actum originandi ſiue actiue ſiue paſſiue. Primo modo verũ eſt ꝙ ſunt ſimul natura,hoc eſt naturali intelligẽtia:quia vnũ ſine altero in telligi non poteſt: immo vnum eſt ratio intelligẽdi alterum. Secundo autem modo vnum po teſt eſſe prius altero inquãtum actus originatur ab vno & terminatur in alterũ,& hoc ſecun dũ modũ quo ſcd̃m rationem noſtrã prius & poſterius cadũt circa ordinẽ originis: de quo in fra erit ſermo amplior.Sed mediante actu intelligẽdi & dicẽdi dicẽs & intelligens ſimul dat in telligere ſuum correlatiuum,vt infra magis declarabitur.

Irca ſeptimũ arguitur,ꝙ perſona non ſignificat aliquid cõmune in diuinis. Primo ſic.Non eſt cõmunitas niſi aliqua vnitas pluribus cõueniens. plures non ſunt in diuinis niſi tres perſonę.ſed perſona non eſt aliquod vnũ conue niens tribus:quoniã in perſonalitate differunt. In eo autẽ in quo aliqui diffe runt,vnitatẽ & cõuenientiã non habẽt.ergo &c̃.¶Secũdo ſic. Cõmune vni uocum eſt verũ vniuerſale ad illos quibus eſt cõmune.Perſona autẽ diuinis perſonis cõuenit vniuoce:quia ſecundũ idem nomen,& ſecundum eandẽ rationẽ aſſignatam a Boethio, & correctã a Ricardo:vt dictum eſt.ergo ſi perſona eſt cõmune tribus perſonis,eſt al quod verum vniuerſale in diuinis:cuius oppoſitum determinatum eſt ſupra. ¶In contrarium

Q
Ad quartũ

R
Ad quintũ

S
Ad ſextũ.

T

V
Ad ſepti
mum.

A
Quę. VII.
Argu.1.

2

In oppoſi.

est id qd dicit Augustinus.vii.de trinitate. Propterea dicim⁹ tres personas:quia commune est persona eis id quod est.

**B**
**Responsio.**

℃Dicendū ad hoc:q̃ triplex est cōmunitas:quędam rei purę, quędā rationis pu̅ rę,quędam vero media partim rei,partim rationis.Primo modo est cōmunitas solius essentię, & attributorum essentialium tribus personis.Et scdm hanc cōmunitatem dicitur q̃ pater est deus:filius est deus:spiritus sanctus est deus.Et hęc est remotissima a ratione vniuersalis: quia in vnitate rei singularis fundatur,non sic autem cōmunitas vniuersalis.Cōmunitas tertio mo do dicta est cōmunitas relatiōis tribus personalibus relationibus:quę sunt paternitas, filiatio, spiratio.Quę relatio est vnū prędicamentū in diuinis,nō solum ratio pdicamenti.Secundū hāc enim cōmunitatē dicim⁹ q̃ paternitas est relatio, filiatio est relatio,spiratio est relatio:& quasi in cōcreto dicimus q̃ pater est relatiuū,fili⁹ est relatiuū,spiritus sanctus est relatiuū.& hęc cō munitas magis appropinquat vniuersali q̃ precedens,quia nō consistit in vnitate relatiōis sin gularis:sed quasi i abstracta a tribus relationibus singularibus realibus pdictis . Nec tamen in ea est vera ratio vniuersalis:quia nō sunt in ipsis tres realitates in fundamēto suppositorū: sed vnica tm̄,quia in vna re singulari quę deitas est,fundantur,vt infra patebit:& vniuersale verū debet habere diuersam realitatē in suis suppositis,secūdū q̃ de hoc habitum est satis superius. propter qd dicta est ista cōmunitas,partim rei,partim rationis:licet nō sit in ea vera vniuersa̅ litas. Quomodo autē illę tres relationes dicunt reales,& quodā modo tres res,nō solū propter realitatē naturę & essentię quę est earū fundamentū,sed propter realitatem hypostasum quas constituunt,videbitur inferius.Cōmunitas autē secundo modo dicta,est cōmunitas illa quę est in noie personę.Sed hoc ponunt diuersi diuersimode. Quidā enim dicunt q̃ cōmunitas perso̅ nę est secundum negationem : sicut est communitas indiuidui ad Petrum & ad Paulum: quia scilicet non capit essentia singularis eorum partitionem in plures,sicut capit essentia humani̅ tatis si mpliciter in humanitatē huius & illius,secundū q̃ supra tactum est.Sed hoc non est ve rum, q̃ persona in diuinis non consistit in pura negatione, etiam si non significaret nisi inten̅ tionem, sicut significat indiuiduum,immo fundatur in creaturis in ipsius naturę cōmunis po sitiua determinatione,& in diuinis super relationes diuinorum suppositorū:vt prędictum est.

**C**
℃Ideo aliter respondendū est,alio modo ponendo personam significare substātiam vel essentiā alio vero modo ponendo ipsam significare intentionē.Ponendo vero personam significare sub̅ stantiam vel essentiā, quidā aspiciūt in ponēdo eius cōmunitatē ad naturā relationū quę sunt personarū constitutiuę:quidā vero ad ipsas personas siue hypostases singulares cōstitutas. Ad cōmunem vero essentiam nō potest fieri aspectus:quia tenet vnitatem & non multiplicat trini tatem, scdm Boethiū:sine qua multiplicatione non est personę cōmunitas:vt dictū est iam su̅

**D**
pra scdm Ricardū.Secundū primū modū dicunt aliqui q̃ ibi est cōmunitas in re relationū quę sunt constitutiuę personarū:super quas est ibi(vt dictū est) cōmunis ratio relationis ad pa̅ ternitatem filiatiōe & spirationem.& illam dicunt significari nomine psonę:sicut speciales re̅ lationes significant nominibus patris & filii & spiritus sancti.Et ideo personā cōmunem eē ad patrem,& filiū,& spiritū sanctū: sicut est relatio simpliciter cōmunis ad paternitatē,filiatiōe, & cōmunē spiratiōne.Sed hoc nō pōt stare,qm̄(vt dictū est scdm Ricar.supra)nomē psonę nō significat nisi singulare vnicū in se & indistinguibile in se,& distinctū a quolibet alio,& qd tale nullā rem cōmunem significat. Vnde si ita esset vt dicunt,tunc non esset cōmunitas alia pdi̅ cata cum dicitur, pater est persona, filius est psona,spiritus sanctus est persona,q̃ illa quę pre̅ dicat cū dicit pater est relatiuū,filius est relatiuū,spiritus sanctus est relatiuū. Qd falsum est: quia esse relatiuū simpliciter nullā ratione distinctionis importat,sicut iportat nomē psonę.Et reuera si persona proprie & per se significatione prima & absoluta diceretur significare substan tiā quę est hypostasis,aut relatione , tunc non posset esse cōmune ad tres hypostases relatiuas nisi significando cōmunem relationē ad illarum relationes,aut nihil omnino reale qd est cōmu ne intelligitur nomine psonę: qd proculdubio verū est. Ideo ponētes q̃ persona significat sub̅

**E**
stātiā vel essentiā,ponūt cōmunitatē eius absq̃ significatiōe cōmunis alicu⁹.Magister Gerar dus La pucelle,qui ponēs q̃ persona significat essentiā nō gratia sui,sed gratia suppositorū,ita q̃ supponat pro psonis nō pro essentia,vt expositū est supra: ratiōe huius suppositiōis dicit q̃ pluraliter accipi̅, & tn̄ substantiā significat in plurali sicut & in singulari,& ita q̃ cōmunitas eius nō est in significatione:sed in suppositione. Et arguit cōtra eū Prepositinus sic. Hoc no̅ men deus etsi aliquādo supponit pro psona,aliquādo pro essentia: tn̄ vbi supponit pro psona,

inquantũ ſupponit pro pſona,nõ ſupponit pro eſſentia. Vbi ergo ſupponit pro qualibet pſona eãdem cõitatẽ habet cũ pſona:& pōt in plurali pdicari de tribus ſicut & pſona.Q ð non eſt ve-rũ.nõ ẽ ergo illa ratio ſufficiẽs.Ricar.vero cõſequẽter dices opinioni ſuẽ ppoſitẽ, diceret ꝙ pſo na nõ dicit aliꝙd cõmune ad tres p ſignificatiõe:ſed ſolũ p iindeterminatiõe.ꝗa nõ ſignificat niſi aliquẽ vnũ qui eſt diſtinctus ab oibus,cuius ratio inquantũ hmõi cõmunis eſſe nõ pōt,ni-ſi quia nõ determinat aliquẽ taliũ ſignificatũ perſone, neꝙ in ſingulari,neꝙ in plurali quãtum eſt ex parte ſignificati:ſed in ſingulari ſignificat aliquẽ talem:in plurali vero aliquos tales.In quo cõcordat Simõ Tornaceñ.q dicit(vt recitat Prepoſitiñ⁹)ꝙ gratia cõſignificatiõis hoc no men pſona trãſit ad pluralitatẽ:vt dicatur,pater & filius & ſpũs ſanctus ſunt tres pſonẽ.i.ſunt vnũ:& p ſe.i.diſtincti:vt hoc proncmen ſe ſit pluralis numeri & maſculini generis, ſicut in ſin gulari pater eſt pſona.i. vnũ,per ſe.i.diſtinctus:vt ly ſe ſit maſculini generis.ſed noĩe perſonẽ in ſingulari ntelligitur ſingulariter,in plurali pluraliter . Et redit quo ad iſtam communitatem hẽc poſitio in idem cũ poſitione dicente ꝙ perſona nõ ſignificat niſi eſſentiam: & ſupponit pro hypoſtaſi . ita ꝙ ſi non ponatur aliquid aliud de ſignificato pſonẽ ꝗ eſſentia, aut relatio diſtin-ctiua,aut hypoſtaſis ſingularis,in illo cõmuni nihil eſt ꝙ cõmune eſt tribus niſi ſola vox perſo nẽ.Dico ſecundũ ꝙ ſumatur iſta cõmunitas:quia ex parte eſſentiẽ cõmunis(vt dictum eſt)ſu mi nõ pōt.Et ſic eſſet ſola cõmunitas equiuocationis,ꝙ nõ apparet eſſe concedendũ. Vnde vi detur eſſe recurrendũ ad poſitiõe dicente ꝙ perſona de ſignificato ſuo abſoluto nomen eſt in-tẽtionis ſecũdẽ ſecũdum pdictum modum:quis non ſupponat niſi rem quẽ eſt ſuppoſitum ſin gulare,ſub illa idifferẽtia quã ponit Ricar.vt dictũ eſt. Et eſt illa itẽtio ratio qua intellectus cõ cipit ſuppoſitũ reale ꝙ eſt hypoſtaſis,ſignificatum noĩe rei:vt eſt pater & filius in diuinis,Pe-trus & Paulus in creaturis:cõcipit inquã vt diſtinctũ p ſe a quolibet. Et conſiſtit iſta intẽtio in reſpectu quodã & modo ſe habendi hmõi rei in cõparatione & reſpectu ad eſſentiã cõmunem & ad quodlibet aliud ꝙ conſimilem habet diſtinctiõe,ſiue in vna eſſentia ſingulari : vt cõtin git in diuinis:ſiue in vna eſſentia ſpecifica:vt cõtingit in hoĩbus : ſiue in pluribus eſſentiis ſpe-cificis:vt cõtingit in hominibus & angelis. In oĩbus eĩ iſtis nõme perſonẽ quaſi eiuſdẽ intẽ-tionis eſt:niſi ꝙ ab abſoluto ſumitur in creaturis,& a reſpectiuo in diuinis. Vnde quia ratio ta lis intẽtionis conſiſtit in quadã cõparatione,ſicut & aliarũ intentionũ generis & ſpeciei,ideo cõ munitas intentionis quodãmodo eſt cõmunitas proportionis.Eſt enim Petrus indiuiduum & perſona ſicut Paulus:quia eodẽ modo ſe habet ad ſpeciem ſuam,& ad ſuum condiuiſum, ſicut Paulus:& cõſimili modo dicĩt homo eſſe ſpecies ſicut aſinus,& quantitas genus ſicut qualitas: & hoc propter ſimilem cõparationem ad ſua inferiora.Et ſic in nomine pſonẽ ex parte ſignifica ti nihil poteſt ſumi cõe ſecũdũ ꝙ diſtinguit in cõtenta,niſi ratio intẽtionis:quẽ in ſua cõmu-nitate nihil rei habet extra:ſed ſolũ cõſiſtit in cõceptu intellect⁹:nec habet ratiõe vniuerſalis realis:ſed intẽtionalis tãtũ,licet cõſideraẽt circa rẽ, & habet ratiõe accidẽtis,nõ exiſtẽtis in re: ſed ſolum in conceptu intellectus. Propter hoc nõ eſt incõueniens ſi ponam⁹ ꝙ habeat ratiõe vniuerſalis veri intẽtionalis,licet ratio vniuerſalis realis nullo modo ponat ĩ diuinis.Illud etiã quia eſt quodãmodo in re,aliquã cõpoſitionem poneret in deo: ꝙ nõ facit iſtud:quia ſolũ po nitur in cõceptione intellectus . Sed eſt aduertendũ ꝙ huiuſmodi intẽtiõe vniuerſalẽ cõtin git quãdoꝙ ad aliquid cõparari velut ad ſubiectum circa ꝙ cõſideratur,vt pſona ad patrẽ & filiũ:ad Petrũ & Paulũ:& ſpecies ad hoĩem & aſinũ:& gen⁹ ad quãtitatẽ & qualitatẽ. Et habet talis itẽtio quaſi ratione ſpeciei ſpecialiſſimẽ cõtinẽtis quaſi indiuidua:cuiuſmodi ſunt hẽc,pſo na Petri vel perſona Pauli: hẽc ſpecies hominis,illa ſpecies aſini:hoc genus quãtitatis,illud ge nus qualitatis.Quãdoꝙ vero contingit comparari ad aliam intẽtiõe ſibi ſuppoſitam,de qua pdicatur tanꝗ genus de ſpeciebus:vt facit hẽc intẽtio vniuerſale,de hac intentione quẽ eſt ſpe-cies,& illa quẽ eſt genus.Vnde in ppoſito ratio pſonẽ eſt quaſi ſpeciei ſpecialiſſimẽ intẽtio cir-ca ſubiectũ cõtinens quaſi pticulares intẽtiones circa ſubiecta pticularia,vt ſunt hẽc pſona vel illa:ſed in noĩe pſona non eſt intellectũ aliquid circa ꝙ cõſideraẽt:niſi indeterminate, iuxta ſu-perius determinata ſcdm Ricar. Et ſup iſtam cõmunitatẽ intẽrionis,alia eſt cõmunitas qua ho mo pdicatur de Petro & Paulo,alia qua pſona pdicatur de eiſdẽ:nec habet pſona aliam cõmu-nitatẽ in diuinis,& ad ipſam exprimendã primo fuit hoc nomen pſona trãſlatũ ad diuina:quia alia cõmunitas haberi nõ potuit quẽ plurificari poſſet de tribus, & eſſe ſubſtãtiuũ huius adie-ctiuĩ tres,ſecundũ ꝙ dicit Prepoſitinus.Cũ eĩ ſcriptura dicebat, Pater & fili⁹ & ſpũs ſanctus ſunt tres:querebatur quid vel qui tres. Et forte poterat dici tres res:ſed quia hoc vocabulũ ni mis cõmune eſt,oportuit inuenire aliud vocabulũ minus cõmune, ꝙ poſſet iũgi huic vocabu

F

G

H

lo tres:& trāſlatū eſt hoc nomē pſona:& rñſum eſt tres pſonę:vt ait Augu.nō vt diceret̃,ſed nc
taceret̃.i.vt nō plene rñderem⁹:ſed ne oīno tacerem⁹. Vt eī dicit.vii.de tri.Loquēdi cauſa de
ineffabili:vt fari aliquo mō poſſem⁹, & effari nullo mō poſſum⁹:dictū eſt a gręcis vna eſſentia,
tres ſb̄ę:a Latinis aūt vna eēntia vel ſb̄a,tres pſonę.Cū eī ꝗrit̃ qd tria vel tres,cōferim⁹ nos ad
inueniēdū aliꝗd ſpeciale vel generale nome , quo contēplamur hęc tria,neꝗ occurrit aīo:quia
excedit ſuperemīnētia deitatis vſitati eloquii facultatem.Pater ergo & filius & ſpiritus ſanctus
qm tres ſunt,ꝗram⁹ quid tres ſunt,quid cōmune habet.Si eī tres pſonę,cōmune eſt eis id qd
eſt pſona:alioquin nullo modo poſſunt ita dici.Sed dicim⁹ tres pſonas, qa volum⁹ vel vnū aliquod vocabulū ſeruire huic ſignificationi : qua intelligit trinitas.i.qd ſignificat aliꝗd cōmune
trib⁹:ſub qua cōiter intelligūtur illi tres.Et nō eſt dicta cōitas niſi ratiōis:quā inueſtigat Auguſtin⁹ ibidē remouēdo a natura pſonę oēm cōitatē realē: vt pt; maxie ī capite ſexto.Et eſt rñ-
ſio ꝗ rñdet̃ tres pſonę,nō ſatiſfaciēs iterrogatiōi:ſed iterrogati tm.Cū eī ꝗrebāt q tres,ītentio
eorū erat ſibi rñderi rē aliquā cōem illis vno noīe ſignificatā,qd cōiter de illis ī plurali vt ſubie
ctū illi adiectiuo tres pdicaret̃:quēadmodū cū dicit̃ tres ſunt currentes, & ꝗrit̃ q tres,& rñdet̃
hoīes:& vlteri⁹ q hoīes,& rñdet̃ Petr⁹,Seruati⁹,Ioannes. Tale aūt nomē ī diuinis ſueniri nō po
tuit:vñ qa nihil potuit eis eē cōe niſi ītētio pſonę,nec ſatiſfacit iterrogatiōi,nec ītētioni inter-
rogatis:ſed ſolum ptinacię hęreticorū:quia non habebāt vltra quid quęrerent : quēadmodū ſi
ꝗreret Petrus,Ioannes,Paulus,qui tres! & reſpondeat̃ tres pſonę.Vnde ſi cū iſta cōmunitate in
tētionis intelligat cōmunitas ī differētię ſcdm poſitionē Ricar.reſpōderi:tūc plenıſſime ſatiſſit
interrogationi & interrogati quātū poſſibile eſt. Nec tñ iſta reſponſio dicendo tres res,nec illa
dicēdo tres pſonę,ſiue pſona intelligat̃ ſupponere pro intentione, ſiue pro ſuppoſitis ſingularibus ſub indifferētia,ſatiſſecit oīno interrogatiōi ſimiliter & interrogati , quia interrogatio pe-
tebat & ıntētio interrogatis de ſubſtātiuo ſubſtātię illi⁹ adiectiui tres , ıntēdēdo ſubſtantia illa
plurificatā reſponderi,& plurificationē illā determinari circa ipſam p illud adiectiuū tres:ita ꝙ
quo ad hoc nihil aliud ꝗrebat̃ p quidꝗ p qui:ſed ſolūmodo quo ad hoc ꝙ qd ꝗrebat de ſubſtātia
plurificata abſolute & ſub ratione eſſentię,qui vero de ſubſtātia plurificata in ſuppoſitis.Vnde
quia talis ſubſtātia ſiue eēntia in diuinis nō habet reperiri , falſum ſupponebat ꝗſtio in diuinis:
& ideo interrogationi nō erat,reſpondēdum nec ſatiſfaciēdū : quia impoſſibile erat:nec ſimili
ter ıntētioni interrogatis:quia ipſa ſimiliter falſum ſupponebat in diuinis:ſed ſolū erat ſatiſfaciēdū ptinacię ei⁹ quātū poſſibile fuit. Vñ dicit Ricar.iiii.de tri.c.v. Qui nomē pſonę prio ad di
uina trāſtulerūt hoc ipm ex neceſſitate fecert̃, vt haberēt qd rñderēt ꝗretib⁹ ꝗ tria.tres illi ī tri
nitate eēnt,cū tres deos,eē rñdere nō poſſent.Eſt tñ hic aduertēdū:ꝙ ipſam iterrogationē nō
oportet ponere ſuppoſuiſſe falſū quātū erat ex ſe:ſed ſolū quātū erat ex ītētiōe iterrogatis: qm
ꝗtū erat ex ſe,neutra iterrogationē oportet ſupponere falſū,qm iterrogatio vtraꝗ quātū eſt ex
pte ei⁹ qd ē tres,nō h; neceſſe ſupponere niſi ternariū ſuppoſitoꝝ:& p qd nō eſt neceſſe ꝙ ıtelli
gat̃ ꝗri de alio ꝗ de eſſentia & qditate illorū ſimpl̃r,nec magis ſupponit eā triplicatā ꝗ ſimplı-
cē & vnicā.Vñ ſiue in reſpondēdo explicet̃ eſſentia triplicata,ſiue ſimplex,& vnica,reſponſio ſa
tiſſacit interrogationi.Vnde interrogatio p quid nō ıntēdit niſi illi tres quid ſunt in ſubſtātia
& ſufficientiſſime reſpōdet̃ dicēdo deus . Per qui autē nō eſt neceſſe ꝙ intelligat̃ ꝗri de alio ꝗ
de ꝓprietatibus ſuppoſitorū: in quibus nō magis ſubſtātia triplicatā ꝗ vnicā oportet intelligi.
Vnde nō oportet in reſpondēdo exprimere eſſentia:ſed ſatiſſit interrogationi, ſi trinitas pſona
rū rñdeat̃. Vñ interrogatio p qui nō ıntēdit niſi illi tres ꝗ ſunt in ſuppoſitis:& ſufficiētıſſime rñ
det̃ exprimēdo ſub ꝓpriis noībus,& dicēdo pater & filius & ſpiritus ſanctus , vel ſub vno noīe
cōi trib⁹ qd cōtinet ıtellectū triū,ſiue ſignificat illa principali ſignificatiōe licet ſub ıdeterminatio
ne(vt ponit Ricar.)ſiue nō:ſed ſolū ıtētione coēm,& ſupponēdo pro illis,dicēdo pſonę vel tres
res.Nec differt ſic rñdere vel ſic:niſi ꝙ noīe pſonę habet ıtellect⁹ triū ſub ꝗda indeterminatiōe
& ıdifferētia abſꝗ ſignificatiōe alicui⁹ realis cōis ad illos:ſicut habet hoc noīe res,qd plural̃r p
dicat̃ de trib⁹.ſed pſona addit rationē cōis ıntētiōis:& ideo meli⁹ rñdet̃ dicēdo tres pſonę ꝗ di
cēdo tres res,qa ꝗſtio eſt de ſuppoſitis ſingularib⁹,& ſecūdū interrogatis ıntētione vt ſunt ſub
aliquo cōi, neꝗ qd ē eēntia,neꝗ qd eſt relatio,neꝗ qd eſt ıntētio,& maxime qd de ſe ſuppoſitione ſua nō habet determinatā ad ſuppoſita ſingularia. Vñ vt ſatiſſieret oīno interrogatiōi &
ptinacię interrogatis ꝗtū poſſibile erat,maxime cū interrogat p quid,rñſum eſt noīe pſonę: qd
habet determinatā ſuppoſitionē p ſuppoſitis ſingularib⁹, & cū hoc cōem ıntētionē ſignificat,li
cet nec de illa fuit ıntētio interrogatis,nec virt⁹ interrogatiōis,& tale ē hoc nomē pſona. Propter qd dixit Augu.vi.de tri. Voluim⁹ vel vnū vocabulū ſeruare huic ſignificatiōi ꝗ ıtelligit
trinitas,ne omnino taceremus interrogati quid tres cū tres eſſe fateamur.Eſt aūt illa ſignifica-

tio intentiõis cõmunis in nomíne pſona:nõ qua ſignificat trinitas:ſed intelligitur:vt dictũ eſt.
℃Ad primũ pri.Dicedũ ꝙ verũ ē:nõ tñ p hoc excludit:quin pſona ſit cõe ꝗd ad tres.ſ. ſuppoſi
tiõe:vt dicit opinio Pucelle:vel ꝗdã idifferẽtia:vt diceret Ricar.& Simon:vel ratiõis intẽtiõe,
vt patet ex ꝑdictis.℃Ad ſecũdũ,dicedũ ꝙ verũ eſt de vniuoco vnitate rei,nõ auẽ de vniuoco
vnitate ꝑpoſitiõis,qualis eſt in noie intẽtiõis:vt dictũ eſt.queadmodũ nõ dicunt vniuoce re=
ctor qui in ciuitate, & ꝗ in naui.& de tali cõitate loquitur Aug.cũ dicit, ꝙ pſona eſt cõmune.

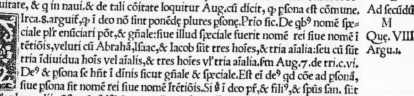

Irca.8.arguit,ꝙ i deo nõ ſint ponẽdę plures pſonę.Priõ ſic.De qb⁹ nome ſpe=
ciale plʼr enũciari põt, & gñale:ſiue illud ſꝑciale fuerit nome rei ſiue nome i
tẽtiõis,veluti cũ Abrahã, Iſaac, & Iacob ſũt tres hoies, & tria aialia:ſeu cũ ſũt
tria idiuidua hois vel aialis, & tres hoies vlʼ tria aialia.ſm Aug.7.de tri.c.vi.
De⁹ & pſona ſe hñt i diuis ſicut gñale & ſꝑciale.Eſt ei de⁹ ꝗd cõe ad pſonã,
ſiue pſona ſit nõe rei ſiue nõe itẽtiõis.Si ꝗ i deo pf,& fili⁹,& ſpũs ſan. ſũt
plures pſonę:& plures dii.cõſequẽs falſũ ē,ergo &c.℃Scdo ſic.Boethi⁹ dicit li.i.de tri.ca.iiii.In
deo nulla ē ex diuerſitate plʼitas.ſꝗ nõ ē plʼitas pſonarũ niſi ex aliꝗ earũ diuerſitate:ꝗa vbi ē oino
idẽtitas,ꝑfecta ē vnitas,& ita nulla oino pluralitas,ergo &c.℃Ide ibidẽ.Vbi nulla eſt differẽtia
nulla oino eſt pluralitas. quare nec numerus:ſed vnitas tm̄. Hęc maxime cõtingunt in deo.er=
go in deo nullus eſt omnino numerus. ſed nõ eſt ꝑfecta pluralitas ſine oñi numero. ergo &c.
℃Ite ꝗcũꝗ in aliquo ſunt vni⁹ & eiuſdẽ ratiõis, vno nõ multiplicato nec alterũ poterit multi=
plicari.pſona & eſſe i pfe & fi.& ſpi.ſan.ſunt vni⁹ & eiuſdẽ ratiõis. dicete Augu.vii.de tri.c.vi.
ꝙ hoc eſt illi eē ꝗd pſonã eſſe.quare cũ eē nõ plurificat in pfe & fi.& ſpi.ſan. nec pſona,ergo &c.
℃Ite ſimplicitas ſequit vnitatẽ:vt habitũ eſt ſupra.vbi ergo maior vnitas,& maior ſimplicitas.
ſed maior eſt vnitas vbi cũ vnitate eēntię ē vnitas pſonę,ꝗ vbi eſt pluralitas pſonę,ergo & ma=
ior ſimplicitas.ſed i deo ſũma poſita eſt ſimplicitas,ergo &c.℃In cõtrariũ arguit.ꝗa in quo eſt
ponere pſonarũ alietatẽ,& plʼitatẽ.ꝗa nõ eſt alietas niſi ex pluralitate.in deo eſt ponere pſonarũ
alietatẽ,ſcdm ꝙ dicit i ſymbolo Athanaſii.Alia eſt pſona pfis,alia filii,alia ſpũs ſancti.ergo &c.

℃Dicedũ ad hoc:ꝙ cũ ſecũdũ ꝑdetermiata i deo nõ ſit ponere pſonã penes aliquã
ratione abſolutã accipiẽdã,ſed ſolũmodo penes relatiõe ſiue ꝓprietatẽ relatiuã,& hoc nõ quã
cũꝗ,ſed ſolũm p illã ꝗ ordinat pſona ad actũ emanatiõis,vt a ꝗ emanat id ꝗd ꝓcedit, vel vt ꝗ
p emanatiõe ꝓcedit:ꝗ nõ ē niſi relatio ꝑtinẽs ad origine:quę etiã in deo nõ ē accipiẽda ad ali=
ꝗd extra vt ad creaturã: ꝗa relatio dei ad creaturã,ē ſcdm dici tm̄, & ꝗſi accidẽtalis:ratio auẽ p
ſonalitat eēntialʼ ē ei cui⁹ ē:Proprietas auẽ relatiua nuꝗ ē ſingulariʼ ſiue vnica & ſolitaria:Plu=
res ergo debet eē i deo ꝓprietates relatiuę penes ꝗs accipit ratio pſonę i ipſis: & ideo neceſſario i
deo ſunt plures pſonę ponẽdę. vt ſic i deo cũ vnitate i ſꝑa,de ꝗ tractatũ ē ſupra,necce ſit ponere
plʼitatẽ i pſonis.Qd bñ oſtẽdũt Aug. & Hila.auctoritate ſacrę ſcripturę,vt ꝑtractat Magr̃ lib.i.
Sẽtẽ.diſt.ii.c.Perſonarũ quoꝗ pluralitate.Sed vnitati i ſꝑę cõtrariat Arri⁹ diuidẽs i ſꝑas,ponẽdo
tot i ſꝑas i diuinis quot pſonas.Diſtinctiõi auẽ pſonarũ cõtrariat Sabelli⁹,ponẽſvnũ ſuppoſitũ ab
ſolutũ,& illud:eē patrẽ cũ generat,& filiũ cũ generat,& ſpm̃ ſactũ cũ ꝓcedit,ſcdm ꝙ tactũ ē ſu
pra.Et ꝓcedit dicta ratio ponẽdi plures pſonas i deo,a ratiõe formali ꝓpria pſonę cõſtitutiua.
℃Sed Ric.iiii.li.de tri.ſumit ad idem alias ratiões a ratiõib⁹ cõib⁹,ꝗſi cõſeꝗntib⁹ eē pſonę ia cõ=
ſtitutę:ꝗrũ primã accipit i ca.2.ex ratiõe ꝑfectę bonitatis ſiue amor aut charitat:quã necce ē po
nere i deo:ꝗ talis ē.In deo ē toti⁹ bonitat plenitudo atꝗ ꝑfectio:cui vera & ſũma charitas de=
eſſe nõ pt.Null⁹ auẽ p priuato ſuiipſi amore dr̃ ꝓprie hre charitate.Oportet náꝗ vt amor i al
terũ tẽdat vt charitas eē ꝗat.Oportet ergo vt i deo ſit vn⁹ & alter, & ita plures pſonę,vt chari
tas ꝑfecta i ipo eē poſſit.nõ.n.pot dici ꝙ illã habeat ad creaturã,eo ꝙ nõ ē ſũme diligibilʼ,ſcdm
ꝙ ꝑtractat ibidẽ.Secũdã vero ratiõe accipit i.iiii.c.ex ratiõe ſũme felicitatʼ & iucũditatis, quã
ſilʼ necce ē ponere i deo,ſic.In plenitudie ſũme felicitatʼ nõ pot deeſſe id quo nihil ē iucũdi⁹.nõ
pot amor eē iucũd⁹ niſi ſit mutu⁹. ꝗa(vt ca.xvi.dicit)itimę charitatʼ delitię hauriũt ex corde
alieno.In amore auẽ mutuo oportet vt ſit & ꝗ amore ipẽdat, & ꝗ amore repẽdat.vbi auẽ vn⁹ &
alter eē cõuicit,vera pluralitas dephẽdit.ꝗ &c.Tertiã accipit ex rõne ſũmę beniuolẽtię.c.iiii.ſic
Si tãtũvnica eēt pſona i deitate,nõ hret cui cõicaret ſuã abũdãtia.& hoc aut ꝗa cõicatę hre nõ
poſſit cũ velit,aut ꝗa nolit cũ poſſit.Sed pculdubio oipotẽs p ipoſſibilitate excuſari nõ pt:nec
etiã p defectũ beniuolẽtię:ꝗa hoc eēt defect⁹ i ipo,vt manifeſte ꝑtractat.ꝗ &c.Nec ē i hac verita
te ſcrupul⁹ aliꝗs dubitatiõis,niſi ꝗa(vt dicit ibidẽ.c.ix.)mirat hõ quõ poſſit eē plus ꝗ vna pſo
na,vbi nõ ē plus ꝗ vna ſubſtãtia.Sed húc ſcrupulũ redarguit a cõtrario:cũ videm⁹ ꝙ in hoie
vbi eſt plus ꝗ vna ſubſtãtia,nõ tñ eſt plus ꝗ vna pſona:cũ tñ ille ſubſtãtię ſint tã diuerſę ſicut
corp⁹ & aia,vt ꝑtractat ca.x. Vñ & dicit li.iiii.c.x.Sicut eē ſubſtãtialʼ aliud & aliud non tollit
vbiꝗ vnitate pſonę:ſic eē pſonalʼ aliũ & aliũ,nõ ſcindit vbiꝗ vnitate ſubſtãtię.nã i huana &c.

**Q** ⸿Alia aūt ratione oſtēdit pluralitas pſonarū in deo,ſcilicet ratione originis & modi emanandi vnā pſonā ab alia.Cū eīm ratio originis vel emanatiōis neceſſario ponēda eſt i deo:vt iſta videbit,ratio aūt origīs ſeu emanatiōis nō e̅ niſi vni⁹ pſonę ab alia,& ita nō niſi pluriū.dicit eīm Hila.i.de trini.c.ix.Deo ex deo nato neꝗ euſdē natiuitas pmittit ee̅,neꝗ aliud. hoc e̅,nec eundē in pſona,nec aliū in ſubſtātia.Idcirco neceſſe eſt ponere in deo plures eſſe pſonas.Et ſcdm hoc dicit Ricar.li.iiii.c.xiii.Exiſtētia trib⁹ modis poteſt variari,aut ſcdm ſola rei qualitatē,aut ſm ſolā rei originē,aut ſecudū vtriuſꝗ cōcurſiōe.Scdm ſola rei q̅litatē variaſ exiſtētia qn pluribꝰ p̅ ſonis eſt vna eadeꝗ origo p oīa,ſingula ꝓpriaꝗ ſubſtātia.Plures náꝗ ſubſtātię nō poſſunt eſſe ſine differēti qualitate.Scdm ſolā originē differūt,ſi vnus originē habet,alter originē caret,vel ſi originē habētiū origo vni⁹ differt ab origine alteri⁹.Tā ſcdm qualitatē q̅ ſm originē variaſ exiſtētia,vbi ſingulis pſonis e̅ ſingularis ſubſtātia,& ꝓpria origo diuerſa.Et tūc ſequit ca.xiiii. In humana natura pſonarū exiſtētia tā ſcdm qualitatē q̅ ſcdm originē variaſ.In angelica vero natura nulla e̅ propagatio ſed ſola ſimplex creatio : idcirco oportet qualitate differre.Et ſequiſ capite.xv.In diuinis aūt nullo modo poſſunt aliqua qualitatis differētia abinuicem differre.Relinquitur ergo vt dicantur iuxta modum originis aliquam differentiam habere. nam vbi nulla eſt differentia,nulla pluralitas eſſe poteſt.

**R**
Ad primū prin.

⸿Ad argu.primū in oppoſitū,ꝗ deus & pſona in diuinis habet ſe ſicut generale & ſpeciale,ergo &c̅.Dicendū ꝗ differūt eſſe cōe, & eſſe generale aut ſpeciale:quia oīne generale & ſpeciale eſt cōmune:ſed nō ecōuerſo.Nō eſt eīm generale aut ſpeciale niſi qd eſt cōmune ſm diuerſitate naturę ſubiectę in ſubiectis,vt eſt aīal in hoīe & aſino,& hō in Iſaac & Iacob.Eſt aute cōmune aliquid in idētitate naturę,etſi ſit in diuerſis ſuppoſitis:vt eſt deitas in pſonis diuinis: & ſilr ratio pſonę ſimpl̅r in ſingulis pſonis.Sed aliter deitas eſt cōe,aliter pſona:quia deitas ſcdm vnā & eādē ratiōe deitatis cōmunis eſt pluribꝰ,perſona aūt nō niſi ſcdm aliā & aliā ratiōe pſonalitatis.Et cōmune primo iſtorū duorū modorū nullo modo habet ratiōe vniuerſalis neꝗ generalis aut ſpecialis.Cōe vero ſcdo mō & ſilr primo principali habet ratiōe vniuerſalis & generalis aut ſpecialis,ſecundū ꝗ determinatū eſt ſupra in q̅ſtione de cōmunitate pſonę.Et verū eſt i talibꝰ,ꝗ de quibꝰ ſpeciale pōt pluraliter enūciari,& generale: ſed ſic nō eſt deus in diuinis cōmune,generale,aut ſpeciale ad pſonā:quia eiuſdē cōmunitatis eſt quo ad ſubiecta deus & perſona ſimpliciter:licet alio & alio modo:vt iam dictū eſt. Et propter illum modum cōmunitatis aliū & aliū,pluraliter pſona pdicaſ de patre & filio & ſpiritu ſancto:ſed nō de⁹,aut deitas,ſiue diuina eſſentia.Per quod pat̅ prolixa ptractatio hui⁹ materię.vii.de trini.Auguſtini,maxime.iiii.&.vi.c.

**S**
Ad ſecūdū

⸿Ad ſecūdū dicēdū,ꝗ diuerſitas ſumitur ꝓpprie vel large. Proprie enim notat alietatē i ſubſtātia ſiue eſſentia.Large autē notat ſolā alietatē & diſtinctiōe ſecundū reſpectus relationum. Primo modo nulla eſt in deo ex diuerſitate pluralitas.Eſt tamē Secūdo modo propter hoc qd dicit Aug.vii.de trini.ꝗ dicēdo tres pſonas,iſtis noībus intelligi eccleſia nō diuerſitatē voluit:ſed ſingularitatē noluit.

**T**
Ad tertiū.

⸿Per idem patet ad tertiū:quia vbi nulla eſt diuerſitas oīno,nec primo modo,nec ſecūdo,ibi nulla eſt pluralitas quociꝗ modo nec numerus.Sed vbi eſt diuerſitas aliquo modorum,ſcdm illū eſt pluralitas & numerus.Et ſic in deo eſt pluralitas & aliquis modus numeri ſcdm modū quo in ipſo eſt diuerſitas:vt amplius patet ex ſupra determinatis circa modū ponendi numerū in deo.

**V**
Ad quartū

⸿Ad quartum ꝗ in deo perſona & eſſe ſunt eiuſdē rationis,dicendū ꝗ verū eſt ſecundum modum pdicandi & dicendi:in ſeipſis:quia in ſe ipſis ambo dicunt ad ſe,& ſcdm ſubſtātiā.Secundum tn modū predicādi & dicēdi in ſuis propriis ſubiectis,ſunt alterius rationis:quia eſſe in deo omnino dicit ad ſe,perſona vero in ſubiectis diciſ ad aliud:vt ampli⁹ patet ex iā determinatis.

**X**
Ad quintū

⸿Ad vltimū dicendū eſt ſecūdū ꝗ expoſitū eſt ſupra in prima q̅ſtione de ſimplicitate dei,ꝗ duplex eſt vnitas,quędā q̅ ſcdm grecos diciſ monas,q̅ eſt vnitas repugnās multitudini diſcretorū in diuerſis, quędā vero q̅ dicit henas repugnās multitudini vnitorū in eodē. Vnitatē iſto ſcdo mō ſequiſ ſimplicitas:& vbi e̅ maior vnitas, & maior ſimplicitas.& conuenit cuilibet pſonę in ſe ſicut & eſſentię.Eſt eīm pſona ęque ſimplex cū eſſentia:vt habitū eſt ſupra,& ampli⁹ habebiſ infra.Vnitatē vero prio mō nō ſequi

**Y**
tur ſimplicitas.Sic eīm vnū nō oportet ꝗ ſit ſimplex: vt patet in mūdo. Et nō ſequit ꝗ ſit maior ſimplicitas vbi eſt maior vnitas.Iſto eīm modo maior eſt vnitas mūdi q̅ angeli,& tn non ſe queretur ꝗ non poſſent eſſe plures angeli,licet nō poſſint eſſe plures mundi. Et conuenit iſta ſecūda vnitas diuinę eſſentię,inquātū non poſſunt eſſe plures eſſentię diuinę: & ſimiliter pſonę ſcdm quālibet ratiōe pſonę,inquātū nō pn̅t ee̅ plures patres i diuinis,nec plures filii,ſicut nec plures dii:vt infra videbitur:ſed nō conuenit pſonę ſcdm rationem pſonę ſimpliciter, quia

plures pſonę ſunt in deo,licet nõ plures eſſentię:vt iam expoſitũ eſt,& infra amplius exponet.
De vnitate ergo ſecũdo modo,maior eſt vera,vt dictũ eſt,& minor falſa. Non enim eſt maior
vnitas quę dicitur henas,vbi eſt vnitas eſſentię cũ vnitate pſonę,ą vbi eſt cũ pluralitate in di=
uinis vt dictũ eſt. De prima vero vnitate econuerſo maior eſt falſa,vt dictũ eſt,& minor vera:
ſed talis vnitas ex parte pſonę ſimpliciter nõ poteſt eſſe ſumma in deo:quia excluderet pſonarũ
omnimodã pluralitatẽ,ą ſequit ſummã vnitatẽ ſecundo modo.& ſic nõ eſt in deo ſumma vni=
tas,ſicut eſt ſumma ſimplicitas:ąa ſm omẽ rationẽ eſt ibi ſũma ſimplicitas,& vnitas ſimplicita=
tis,nõ tñ ſm omẽ modũ eſt ibi ſũma vnitas diſcretiõis & ſingularitatis,ąa illa repugnat ſum
mę ſimplicitati.ſũma eñ ſimplicitas deſtatis reąrit ꝙ in ea ſit pſonarũ pluralitas & nõ vnitas.

Irca nonũ arguit,ꝙ ĩ deo nõ ſint niſi duę pſonę.Prio ſic.in diuinis nõ eſt ni=
ſi perſona quę nõ eſt ab alia,& perſona quę eſt ab alia.ſed ita eſt ꝙ pſona quę
nõ eſt ab alia, nõ poteſt eſſe niſi vnica,propter pſectiõnẽ quã requirit in illa
ratio illa ą eſt non eſſe ab alia:vt iã patebit.quare cũ in pſona nõ minorẽ per
fectionem requirit ratio eſſendi perſona ab alia,ą ratio eſſendi pſonam nõ ab
alia:conſimiliter ergo propter pſectiõnẽ quã requirit in pſona ratio illa quæ
eſt nõ eſſe ab alia,perſona illa quę eſt ab alia nõ pōt eſſe niſi vnica,in deo ergo tñ eſt vnica pſo=
na quę eſt ab alia,& tantũ vnica quę nõ eſt ab alia.ergo tantũ duę pſonę ſunt in ipſo.ꝒQ₂ ſint
plures arguitur ſic.in deo eſt ponere rem quę generat,vt pſonam patris,& rem quę generatur
vt perſonã filii,& rẽ quę ſpiratur,vt pſonã ſpirit⁹ ſancti,& rem quę nec generatur nec ſpirat
vt cõmunem eſſentia:quę nõ eſt niſi eſſentia ſingularis intellectualis naturę. & talis non eſt ni=
ſi pſona,ergo in deo ſunt ad min⁹ quatuor pſonę.ꝒQ₂ in diuinis pſonę ſint infinitę:arguit ſic.
In diuinis plures ſunt pſonę in eadẽ eſſentia propter eius infinitatẽ & illimitationem qua cõ=
municabilis eſt in ſua ſingularitate . ſed cõmunicabile propter ſuã infinitatẽ nõ minus eſt cõ=
municabile infinitis:eo ꝙ infinitas nullũ numerũ ſibi determinat.ergo &c̃.

¶In hac queſtione ſuppoſito ex ꝑdeterminatis ꝙ in deo neceſſe eſt ponere plures
eſſe perſonas:Primo explicandũ eſt quomodo in diuinis nõ poſſint eſſe tantũ duę pſonę: ſed ꝙ
oportet eſſe tres:& deinde ꝙ nõ poſſunt eſſe plures tribus:vt ſecundũ hoc ſint tres,& tantum
tres,nec plures,nec pauciores.Eſt igitur ſciendũ,ꝙ ſicut perſona in deo nõ accipitur penes ali
quid abſolutũ:ſed ſolũmodo penes relatiuã ꝓprietatẽ:& ideo ꝓpter naturã ꝓprietatis relatiuę
cõſtituentis pſonã,neceſſario debet poni pluralitas pſonarũ in deo:& nõ vnitas tãtũ:vt habitũ
eſt in ꝑcedẽte ąſtione: Sic conſimiliter in deo nõ accipit pſona penes relatiuã proprietatẽ quã=
cũꝗ,ſed penes illã ſolã ą ꝑtinet ad rationẽ originis & emanatiõis vni⁹ pſonę ab altera. Alia eñ
proprietas relatiua in diuinis realis nõ eſt,neꝗ perſonę diſtinctiua:vt infra videbitur.Propter
ꝙ penes rationũ diuinarũ emanationẽ neceſſario debet poni numerus pſonarũ diuinarũ.Ema
nationũ enim termini ſunt ipſę pſonę relationib⁹ cõſtitutę.Quia ergo in deo ſunt tantũ duo
modi emanãdi pſonã a pſona.ſ.p modũ naturę vnius,& per modũ volũtatis alius,vt infra vi=
debit:quarũ prima ꝑcedit a pſona ą penitus non eſt ab alia:vt ſimiliter videbit inferius: ſecũ=
da vero ſimul ab illa,& ab alia ą emanat p illã,& terminat in perſonã tertiã : vt ſimiliter vide=
bit inferius:Idcirco ſecũdo ĩ deo nõ poſſunt eſſe pauciores ą tres modi pſonę:vt ſunt ĩ diuinis
perſona quę a nulla eſt,& pſona quę ab vna eſt,& perſona quę ab aliis eſt.Pręterea quia illi duo
modi emanãdi ſic ſingulares ſunt:vt nullo modo poſſint plurificari , vt ſimiliter infra patebit:
& ſingulares emanationes neceſſario habẽt ſingulares terminos:idcirco tertio in deo pſonę nõ
poſſunt eſſe plures trib⁹:& ſic tantũ tres,ita ꝙ nec plures nec pauciores. Sed quia plura ex his
adhuc obſcura ſunt,primũ(vt ait Aug.i.de tri.c.ii. )ſm auctoritatẽ ſcripturarũ ſanctarũ,vtrũ
ita ſe habeat fides demõſtrãdũ eſt:deinde rationib⁹ magis lucidis quaſi a poſteriori acceptis de
claradũ ẽ.Auctoritates aũt diuinarũ ſcripturarũ veteris ac noui teſtamẽti ad demõſtrãdũ ꝙ ꝑ
ſonę ſint tres,inducit ſufficietēr Magiſter Sentẽtiarũ lib.i.diſtin.ii.& ab illo cap.Proponam⁹ er
go in mediũ,vſꝗ in finẽ illius diſtinctionis,quas propterea nõ oportet hic recitare.Ratiões ad
hoc idem demõſtrandũ acceptas a veſtigio dei in creaturis generaliter,& a ratiõe imaginis in
creatura rationali ſpecialiter,ſufficietēr inducit p totã tertiã diſtict.propter ꝙ eas hic repete=
re nõ oportet.Sed vna explicat ſpecialiter Augu.quã nõ explicat Magiſter,cũ dicit li.lxxxiii.ą.
queſt.xviii.Omne ꝙ eſt,aliud eſt quo cõſtat,aliud quo diſcernit,aliud quo congruit.Cauſam
quoꝗ eius trinã eē qua ſit,qua hoc ſit,qua ſibi amica ſit.Creaturę aũt cauſã.i.auctorẽ deũ dici
mus.Oportet igit eſſe trinitatem.Sed hęc ratio & omnes cõſimiles a veſtigio & imagine crea=
turarũ inductę ꝓbabilitatẽ & nullã neceſſitatẽ inducũt,eo ꝙ quicquid eſt in creaturis,atteſtat

**E** principalíter eis quę funt effentialia in deo & cōmunia tribus perſonis:lícet per appropríatiōe ſingula ſingulís perſonis adaptátur. ⁏Sed rationes acceptę ab illis quę ſunt in deo, & pertinent ad eíus perfectiōe,ad ídem demonſtrandum hic inducēdę ſunt . Quarū prima ſumitur ex bonitate,amore,charitate,exiſtente ín deo,quā ponit Ricar.íii.de trini.ſparſim in díuerſis capítulis,in ca.xi.inquiens.In mutuo amore nihil pclarius q̃ vt ab eo quē ſumme dilígis,& a quo ſum me diligeris,aliū eque dilígi velís.Dem⁹ ergo ſummo qd̄ pcípuū & optimū eſt.Vides ergo quo modo charitatís cōſummatio pſonarū trinitatē requirit. Vt enim dícit cap.xiii.Charítas vt eſ ſe vera poſſit,pluralítatē exigít:vt vero conſummata ſit,trinitatē pſonarū requírit. Et cap.xix.

**F** Qñ ſolus ſolum diligit,dilectio quidem eſt:condilectio nō eſt.Condilectio vero dícitur vbi duo rum affectus tertíi amorís incendío cōflatur. ⁏Secunda vero ratio ſumitur ab eodem ex parte felícitatís & iucūditatís,quā ponit ī cap.xvii.ſic dícēs,Cōpletio verę felícítatis & ſummę nullo vídet poſſe ſubſiſtere ſine geminatíone perſonę.Et cap.xviii. Et certe ſi in illa pſonarū pluralíta te tertia pſona deeſſet,in ſola geminatione pſonę nō eſſet.Et cap.xx. Nā plenitudo ſummę felí

**G** cítatís requirit plenitudinē ſummę iucūditatís:plenitudo ſummę iucūditatisrequirit plenitudinē ſummę charitatís:plenitudo ſummę charitatis exígit plenitudíne trinitatis.⁏Ratio vero qua probarí debet q̃ in diuínis nō ſint plures q̃ tres pſonę,accepta eſt a natura rei,talis.In diuí nis nō eſt pſonarū pluralítas,níſi ppter emanatiōe pſonalē & relatiuas pprietates,quib⁹ ordí nē habet ad actus emanationū pſonalíū: vt dictū eſt ſupra. Nunc autē in diuínis non poteſt eſ ſe níſi tantū vnica perſona quę nō eſt ab alía, & a qua alíę,nec poſſunt eſſe in diuínis plures ra tiones,vel modí emanationum q̃ duo,ita q̃ quālíbet illarū neceſſe eſt eſſe ſingularem & vnicā: per quas nō poſſunt pcedere niſi duę pſonę ſingulares & vnícę , ſecundū q̃ in ſequētibus omía íſta habēt declararí.Vna autē ſingularis pſona q̃ nō eſt ab alía,& a qua ſunt alíę,& duę ſingula res q̃ ſunt ab alía,nō ſunt pſonę niſi tres:in diuínis ergo non poſſunt plures eſſe perſonę q̃ tres.

**H**
**Ad primū**
**prín.**

⁏Ad primū in oppoſitū,q̃ propter pfectionem ſuā perſona quę nō eſt ab alía eſt vnica,ergo propter ęqualem perfectiōe illa perſona quę non eſt ab alía debet eſſe vnica,Dicendū q̃ non eſt íta.quoniam ſic eſt ī omnibus quę pluralítatē habēt in vniuerſa rerum natura, q̃ ordíne alíquem habēt adínuícem ſecundū ratiōe princípii & princípíati:vt ſit omnium illorū princípium vnum,a quo habēt educi,& ī quod habēt reducí,ſecundū q̃ in prima queſt. noſtri ſexti Quodlíbet expoſuimus diffuſíus,ordíendo Hierarchícū ordíne vniuerſi.Et ſic primū princípíum in ordíne quocīq̃ requirit vnítatē,non ſic autem procedes a princípío.Propter qd̄ lícet ī ordíne díuinarū pſonarū ſit neceſſe fore vnícā pſonā q̃ nō eſt ab alía, nō tñ neceſſe ē fore vnicā illā q̃ ē ab alía.imo bñ pōt eē q̃ ſint plures,& hoc ppter emanationū pluralítatē:vt díctū eſt:& íſra declarabít.Nec ſequít cōcluſum,eo q̃ nō tenet forma argumētí:qm in diuínis eſt ac cipere duplíce ratiōe perfectionis,lícet ipſa perfectio non ſit niſi vnica,quia de eſſentíalibus eſt. Vnā q̃ eſt deí inquātum deus eſt:alíam quę eſt ſingularis pſonę,inquātum talís perſona eſt: vt patrís,inquātum pater eſt:& filíi,inquātum filíus eſt:& ſpiritus ſancti inquantū ſpiritus ſanct⁹ eſt.Ratio autem pfectionis deí inquātum deus eſt,in eſſentialibus,& abſolutís conſiſtít. in qua vniuoce ęquales ſunt pater & filíus & ſpiritus ſanctus,& ęque perfecti,nō tñ tres perfecti , ſed vnus perfectus.Et propter iſtam pfectiōe perſona non habet eſſe perſona,nec vnica,nec plures, ſed deus tantū:de qua ſupra tractatum eſt.Ratio vero perfectionis pſonę ſingularis,inquātum ſingularís pſona,conſiſtít in relatíuis & pſonalibus,in qua nec vníuocātur nec cōueniūt díuer ſę pſonę diuinę:ſcilicet illa a qua eſt alía,& q̃ eſt ab alía:qa pſonalis proprietas vnius nō eſt cō munis alteri . Ratio enim perfectionis patrís ſiue ratio ſecundū quā pfectio eſt in patre inquā tū pater,eſt propría patrí:& nō conuenit filío nec ſpíritui ſancto. Cōſiſtit enim in ſua innaſcí bilitate,in qua habet fœcundítatē vt ab ipſo procedat omnis alíus,& omnealíud:vt infra pate bit.Ratio vero perfectionis filíi cōſiſtit in ſua natiuitate,in qua habet fœcundítatem commu nem cum patre:vt ab ipſo procedat vnus alíus:& omne alíud.Ratio vero perfectionis ſpíritus ſancti conſiſtit in ſua proceſſione paſſiua,in qua habet fœcundítatē cōmunem cum patre & fi lío:vt ab ipſo procedat omne alíud.Et ſic ratio perfectionis patrís vt pater, non conuenit filío: nec ſpíritui ſancto:nec econuerſo.Sicut nec filío conuenit q̃ ſit pater nec ſpūs ſanctus,nec ecō

**I** uerſo.Propter qd̄ omnis actio pſonalís quę conuenit patrí,cōuenit filío,aut ſpíritui ſancto. Sed in alíqua ratione pfectionis conuenit cū patre filíus,nō autem ſpiritus ſanctus,quę ſcilicet cō ſiſtit in eorū proceſſibilitate,in qua habet cōmune fœcundítatē vt ab ipſis procedat ſpirit⁹ ſan ctus, Propter qd̄ dicit Ricar.íii.de trini,cap.xv.Sane in diuínis illis pſonis pfectio vnius exigit adiunctionem alterius:& cõſequenter in geminis,perfectio vtriuſq̃ requirit cohẽredũ tertiẹ.Quia ergo perſona quae non eſt ab alia ſed a qua eſt alia,& perſona quae eſt ab illa non cõueniũt:& p conſequens nec vniuocantur in ſuis rationibus perfectionum perſonalibus: ideo non ſequitur φ̃ licet vna perſona propter ſuam perfectionem requirat φ̃ ſit vnica tantũ,φ̃ hoc ſimiliter requirat & alia vt φ̃ ſi perſona quae non eſt ab alia & a qua eſt alia,ſit vnica,φ̃ ſimiliter perſona q̃ eſt ab alia ſit vnica tm̃.S.illa quae prima emanatione procedit:q̃uis ſua perfectio requirit φ̃ ſit tantũ vnica in ratione ſuae perſonalitatis.Quẽadmodũ em̃ perfectio patris vt pater eſt,requirit φ̃ in diuinis nõ ſit niſi tm̃ vnus pater:ſic perfectio filii vt filius, requirit φ̃ in diuinis non ſit niſi tm̃ vnus filius.Nõ tamẽ quẽadmodum perfectio patris qua non eſt ab alio ſimpliciter,requirit φ̃ non ſit in diuinis alius qui non eſt ab alio,ſiue ille alius intelligatur fore pater,ſiue non pater:Sic perfectio filii qua eſt ab alio ſimpliciter,requirit φ̃ non ſit in diuinis alius q non eſt ab alio,ſiue ille aliꝰfuerit filiꝰ ſiue non filius ſecundum φ̃ haec omnia melius clareſcent inferius ⊂Ad ſecundum dicẽdum:φ̃ licet in deo ſit ponere rem ſubſtantiae vnicam,& rem relationis in pſonis triplicem: tamẽ illa res ſubſtãtiae vt ſubſtãtia eſt ſiue eſſentia,licet ſit natura intellectualis non habet propriam rationem perſonalitatis.Quoniam (vt ſupra expoſitũ eſt)res quae eſt eſſentia ſecundũ φ̃ eſt eſſentia ſiue ſit ſingularis ſiue nõ, non habet rationem perſonae niſi habeat rationem incommunicabilis : & ideo non connumeratur cum triplici re perſonali,nec diſtinguitur contra eas in conſtituendo perſonam,vt poſuit Ioachim. ⊂Ad tertium dicendum,φ̃ ſi nõ eſſet in diuina eſſentia alia ratio qua eſſet communicabilis,&alia qua eſt iſtis communicabilis:tunc argumentum procederet. Nunc autem non eſt ita,licet em̃ ſit communicabilis ſimpliciter propter rationem ſuẽ infinitatis & illimitationis: vt propterea in ſingularitate eſſentiae procedit communicatio in diuinis:cum tamen in illa ſtatur in creaturis(vt alibi expreſſius declarauimus ) non tamen eſt communicabilis niſi determinatis perſonis propter determinatum numerum radicum diuinarum emanationum in diuina eſſentia:cuiuſmodi ſunt intellectus & voluntas,vt determinauimus in ſexto Quodlibet in quaeſtione de numero perſonarum,& adhuc amplius declarabitur.Rationes aũt quas Ricar.adducit de trini.φ̃ non poſſunt perſonae diuinae eſſe infinitae,logicales ſunt omnes,& ſolum probabilitatem inducunt,ſicut & illẽ per quas probat perſonarum trinitatem.

K
Ad ſcdm

L
Ad tertiũ

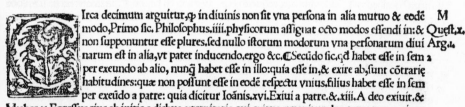

Irca decimum arguitur,φ̃ in diuinis non ſit vna perſona in alia mutuo & eodẽ modo,Primo ſic. Philoſophus.iiii.phyſicorum aſſignat octo modos eſſendi in:& non ſupponuntur eſſe plures,ſed nullo iſtorum modorum vna perſonarum diuinarum eſt in alia,vt patet inducendo.ergo &c.⊂Secũdo ſic.q̃d habet eſſe in ſem per exeundo ab alio, nunq̃ habet eſſe in illo:quia eſſe in,& exire ab,ſunt cõtrariẽ habitudines:quae non poſſunt eſſe in eodẽ reſpectu vnius,filius habet eſſe in ſem per exeũdo a patre: quia dicitur Ioãnis.xvi. Exiui a patre.&.xiii.A deo exiuit.&

M
Queſt.x.
Arg.u.

1

2

Michẽ.v.Egreſſus eius ab initio a diebus aeternitatis,qui exitus exponitur de aeterna generatione qua ſemper filius generatur,& ſemper generatus eſt,vt infra videbitur.ergo filius non eſt in patre nec econuerſo per conſimilem rationem, vt patet intuenti.ergo &c. ⊂Tertio ſic.ſi vna perſona eſt in altera: aut ergo rõne ſubſtãtiae:aut rõne relatiõis:aut rõne vtriuſq̃.nõ rõne ſubſtãtiae:q̃a rõne ſubſtantiae ſunt idẽ:& ratione qua aliqui ſunt idẽ,vnus non eſt in altero:quia eſſe in,eſt nota differentiẽ ſiue diſtinctionis inter illos quorum vnus eſt in altero.Idem enim inquantum idem non eſt in ſeipſo:quia tunc aliquid eſſet in ſeipſo primo & per ſe: q̃d eſt impoſſibile ſecundum Philoſophũ iiii.phyſicorum.Eo autem quo ſunt idem non diſtinguuntur aut differunt.Non ratione relatiõis q̃a ratione relationis opponuntur:& oppoſitum non habet eſſe in oppoſito iquantum oppoſitum eſt.ergo non ratione vtriuſq̃ ſecundum Auctorem lib.vi.principiorum.ergo &c. ⊂Quarto ſic.ſi pater eſt in filio,cum pater ſit deus & filius deus:ergo deus eſt in deo,conſequens eſt talſum.quia non eſt niſi vnus & idem deus:& ſic idem eſſet in ſeipſo: quod eſt contra Philoſophum.iiii.phyſicorum.ergo & cẽtera. ⊂Quinto ſic.ſi aliquid eſt in alio quod eſt in eo quod eſt in,eſt & in illo in quo eſt illud.ſi ergo pater eſt in filio, & filius in patre, pater eſt in ſeipſo, quod eſt impoſſibile ſecundum iam dicta.ergo &c.⊂Sexto ſic.Si filius eſt in patre,non autem eſt filius niſi vbi eſt filiatio ergo filiatio in patre eſt. ille aũt eſt filius in quo eſt filiatio. pater ergo eſt filius.Eodem modo poteſt argui φ̃ pater eſt filius ſi pater eſt in filio: & ſimiliter de generatione actiua & paſſiua,φ̃ ſcilicet generatio paſſiua ſit in patre:& ita φ̃ pater generetur:& φ̃ generatio actiua ſit in filio: & ita φ̃ filius generer.conſequens eſt falſum.ergo & antecedens. ⊂Septimo ſic.oppoſita & repugnantia ſicut ex ſe non poſſunt eſſe in eodem:ſic nec per aliq̃d vnum.calidum enim & frigidum nunq̃ per

3

4

5

6

7

aliquod vnum possunt concurrere in eodem.quare cum filiatio & paternitas sint opposita,nunq̃ ĩ

**8** eodem concurrunt per vnum.ergo &c.℘Octauo sic.proprietas illa q̃ per se conuenit personæ vt si bi propria,per personam non potest attribui essentiæ.Dicim⁹ enim ꝙ generare ꝓprium est personę & similiter generari:& non conuenit essentiæ per personam:quia essentia nec generat nec genera tur.ergo eadem ratione nec ꝓprietas quæ conuenit essentiæ vt propria ei,per ipsam vllo modo pote rit attribui personæ. esse ĩ,est talis proprietas,vt patet:ergo per hoc ꝙ essentia communis personis sit in personis:ex hoc non potest haberi ꝙ persona sit in persona.non est autem alia ratio principa

**9** lior huius,vt patet ex dictis sanctoꝝ.ergo &c.℘Nono sic.sicut ꝓprietas diuinæ essentię est ꝙ sit ĩ diuinis personis:sic & est eius proprietas ꝙ sit vna numero singularis & eadem in eisdem:ita ꝙ nõ plus nata est communicare psonis in quibus est,suam proprietatem quæ est esse in,q̃ suam ꝓprie tatem quæ est esse vna & eadem.quare cum ꝓpter vnitatem diuinæ essentiæ in diuersis psonis p

**10** sonę ille non possunt dici esse vna & eadem persona:consimiliter propter hoc ꝙ diuina essentia est ĩ illis,vna illarum non potest dici esse in alia.℘Decimo sic.si singulæ personæ mutuo essent in sin gulis:ergo & consimiliter singula eorum quæ insunt vni earum,essent in singulis personis,& etiã in singulis quæ eis insunt:& econuerso:& sic in diuinis essent omnia in omnibus:& ita maxima cõ fusio:queadmodum in corporalibus erat summa confusio ponendo omnia in omnibus secundum positionem Anaxagorę.consequens impossibile est in diuinis:quia nõ esset tunc in diuinis summa

**11** discretio & distinctio personarum & personalium proprietatum.ergo &c.℘Vndecimo sic.si perso na esset in persona quia essentia est in eisdem:non ergo alio modo persona eẽt in persona:q̃ essentia est in persona:quia qd inest alicui p alterum:nõ potest inesse illi aliter q̃ secundum modum illius vt si illud inest per se,& istud similiter:vt patet inspiciendo in singulis.quare cum essentia est in p sona vt aliquid personæ & denominans ipsam,& vt in qua subsistit:similiter ergo si persona per es sentiam esset in persona,vna persona esset aliquid personę alterius denominãs ipsam,& in qua sub

**12** sisteret,consequens est falsum vt patet.ergo &c.℘Duodecimo sic.si plures siue plura dicant eẽ mu tuo in seipsis,vnum scilicet illorum in altero:quia aliquod vnũ cõmuniter est in eisdem:ergo simili ter si plures aut plura habent esse in eodem,eadem ratione vnum eorum ex hoc dicetur esse in al tero,hoc autem est falsum.Dicimus enim ꝙ albedo & dulcedo simul sunt in vno vt in lacte:nõ tñ

**13** dicim⁹ ꝙ albedo est ĩ dulcedine,nec ecõuerso,ergo & primũ est falsum.℘Decimotertio sic.si in diui nis aliqd est in alio,si non sit idem ipsi,cõpositione facit cum ipo,vt patet de essentia & proprietate. Cum enim proprietas est in essentia,si nõ esset ipsa idem cum ea,ponerent compositionem in diui nis,quare si in diuinis vna persona ponatur esse in altera,& vna non est altera,nec eadẽ ipsi,hoc po neret compositionem in diuinis,vtrũq̃ horũ est impossibile.Impossibile est ergo ꝙ in diuinis vna

**14** persona ponat esse in alia.℘Decimoquarto sic.quicquid est in deo de⁹ est.eadẽ ergo ratione quicqd
**15** est in patre pater est.si ergo filius est ĩ patre,filius est pater,ergo &c.℘Decimoquinto sic arguitur ꝙ non eodem modo vna est in altera:& econuerso,quia dicit Hila.vii.de trinitate . Pater est in fi lio:qa ex eo est filius:fili⁹ in patre:quia nõ aliunde est filius:vnigenitus est in ingenito quia ab inge nito vnigenitus.Sed istę rationes & modi quia ex ipso alius:& qa ipse ab alio:omnino diuersi sunt:

In opposi. immo oppositi.ergo &c.℘In oppositũ est,qm qui subsistunt in vno simplici nõ sepati aut diuisi,ne cessario insunt sibi inuicem,aut sunt idem omnino:quia non est medium.oẽs personę diuinæ sunt huiusmodi.ergo &c.Et hoc est qd dicit Saluator Ioan.xiiii.Ego in patre & pater in me est.

N
Responsio ℘Hic secundum auctoritatem sacræ scripturæ proculdubio tenendum est ꝙ sin gulæ psonę diuię sunt in singulis.Et cũ tantũ in persona duo sunt,substãtia & relatio,secundũ ꝙ ĩ ferius declarabitur:non est ĩ hoc aliquid de dubio nisi secũdum qd illorum persona possit esse in persona,& quomodo secundum illud si secundum alterũ tñ:aut si secundũ vtrũq̃ quomodo hoc contingit.Et dicit aliqui ꝙ vna psona dicitur esse in altera ratione essentię:& alii ꝙ ratione relatio nis ℘Ratione essentiæ,quia tota essentia vnius personæ est in altera,secundum ꝙ dicit Damasce n⁹.iii.Senten.cap.vi.Confitemur deitatis naturam omnem perfectam esse in vnaquaq̃ suarum pꝛ sonarum,omnem in patre,omnẽ in filio,omnẽ in spiritu sancto:& vbi est substãtia seu natura perso næ,ibi & ipsa est. Per hanc ergo vnitatem naturalem,vt ait August.in principio de fide ad Pe.to tus pater in filio & spiritu sancto est:& totus filius in patre & spiritu sancto:totus spiritus sanctus in patre & filio.nullus horum extra quẽlibet ipsorum est.Hinc etiam dicit Ambrosius super episto lam ad Corinth.Per hoc intelligitur pater esse in filio & filius in patre:quia vna est eoꝝ substãtia. ℘Ratione vero relationis dicunt alii ꝙ vna persona est in altera quia vnum relatiuorum intel

O ligitur in altero. Sed dictum horum non videtur esse sufficiens:quia per hoc ꝙ substantia patris est in filio & econuerso,non habetur nisi ꝙ pater est vnum cum filio & econuerso , Si ergo ex

hoc pater diceretur eſſe in filio & econuerſo,tunc vnus diceretur in altero ſecundũ ꝙ vnum ſunt,
eo autem ꝙ aliqua vnum ſunt,non habetur ꝙ vnum in altero ſit:ſed potius contrar:um:quia i eo
ꝙ pater eſt vnum cum filio,eſt idem ꝙ ipſe:in eo autem ꝙ aliquid eſt idem,non eſt in,ga ſecundũ
Philoſophum.4.phyſicorum,alia eſt ratio eius ꝙ eſt in quo,& alia illius quod in hoc:& tunc pater cum non ſit minus idem ſibiipſi ꝗ filio,coſimiliter diceretur eſſe in ſeipſo ſicut & in filio,& hoc
per ſe & primo eſt idem ſibiipſi,non aũt p aliquid aliud a ſe:nec p aliꝗd
ſui. Hoc autem omino eſt impoſſibile circa corporalia,vt probat Philoſophus.iiii.phyſicorum,nec
minus eſt impoſſibile circa ſpiritualia,vt patet ex eiſdem rationibus:quia media eodem modo ap-
plicabilia ſunt ſpiritualibus & corporalibus vt patet iſpiciẽti.Arguit eñ Philoſophus,ꝙ ſi ampho
ra vini eſſet p ſe in ſeipſa,cum non ſit in ſe niſi quia amphora eſt in amphora:& ſimiliter vini:aut
quia vinum eſt in amphora:ergo amphora non ſolum eſſet amphora:ſed eſſet vinum & amphora
& ſimiliter vinum non ſolum eſſet vinum ſed etiam amphora & vinum. Similiter in propoſito ſi
filius,hoc eſt ſubſtantia genita,eſſet in ſeipſo per ſe,cum non ſit in ſe niſi quia ſubſtantia eſt in ſub-
ſtantia genita:& ſimiliter genitum:aut quia genitum eſt in ipſa ſubſtantia:ergo ſubſtantia non ſolum eſt ſubſtantia,ſed proprietas & ſubſtantia:& proprietas non ſolum eſt proprietas,ſed ſubſtan-
tia & proprietas.Et ita ſi ſecundum dictum modum ponendi vna perſona eſſet in alia,ſcilicet ſecundum ſolam eſſentiam,eadem ratione ſi in deo non eſſet niſi vna perſona, illa eadem ratione eſ
ſet in ſeipſa quomodo vna eſt in alia.ꝙ falſum eſt.Similiter per hoc ꝙ pater & filius inuicem ſunt
relatiua,non habetur niſi ꝙ vnus ſit ad alium:& ꝙ intellectus vnius non eſt ſine itellectu alterius
non ꝙ vnus ſit in altero vel intelligatur in altero,ſecudũ ꝙ patet de relatiuis i creaturis. Clarum
eſt igitur ꝙ hęc difficultas maior eſt ꝗ videntur explicare dictę auctoritates ſanctoꝝ.Et ideo dicẽ
dũ ꝙ in diuinis vna pſona eſt in alia nõ ratione ſolius eſſentię,nec rõne ſolius relationis: ſed poti⁹
ſimul ratione vtriuſꝗ,ſcilicet ſubſtantię & relationis:& ita non ſeparatim,ſecundũ ꝙ dictę opinio
nes vel expoſitiones ponunt:ſed coniunctum.Si enim in diuinis perſonis non eſſet vnitas ſubſtantię ſicut nec proprietatum,manifeſtũ eſt ꝙ in diuinis nõ plus diceretur pater eſſe in filio ꝗ in crea
turis . Similiter ſi non eſſent diſtinctę & differentes ſecundum proprietates relatiuas ſicut neꝗ
penes ſubſtantiam,vna non diceretur eſſe in alia:ſed poti⁹ eadem cum ipſa,vt dictum eſt.¶Ad cuius intellectum paulo tamen altius inchoando videndum eſt quomodo modus eſſendi in,in diuinis differat ab octo modis eſſendi in,in creaturis,quos ponit Philoſophus.4.phyſicorũ.Sciendum
eſt igitur ꝙ hæc præpoſitio in,ga notat circũſtantiam continentię:continentia autem neceſſario re
quirit diſtinctionem atꝗ differentiam aliquam contenti a continente : & econuerſo:quia vbi ha
bet eſſe omnimoda identitas & indiſtinctio,impoſſibile eſt aliquid eſſe in,vt dictum eſt & iam amplius dicetur:ad hoc ergo ꝙ in diuinis perſonis vna dicatur eſſe in altera,non eſt ſufficiẽs ratio idẽ
titatis in ſubſtãtia:ſed ad hoc oportet ꝙ ratio illius ſit aliqualis alietas habita per diſtinctionem in
ter illas.¶Sed diſtinctio poteſt intelligi inter continens & contentum dupliciter,aut ſecundum to
tum ꝙ eſt continentis & contenti : vt ſcilicet nihil ꝙ eſt vnius ſit alterius. aut ſecundum partem ſeu quaſi ſecundum partem:vt ſcilicet aliquid ꝙ eſt continentis non ſit eius ꝙ eſt contentũ.
Primo modo locatũ eſt in loco:videlicet liquor in vaſe:& forma in materia:& motũ in primo motiuo:& quod eſt ad finem,in ſuo fine:& in talibus vnum eſt in alio:non econuerſo:& hoc aut nullo modo,aut non ſecundum eundem modũ eſſendi in.Secundo modo contingit dupliciter,aut eñ
aliquid eſt continentis ꝙ non eſt eius ꝙ eſt contentũ:ſed nihil eſt contenti niſi ſit continẽtis:cu-
ius conuerſum eſt impoſſibile.aut aliquid eſt contenti ꝙ non eſt continentis: & econuerſo:& aliquid eſt cõmune vtriꝗ. Primo modo pars ẽ in toto & totum in partibus,& ſpecies in genere & ge
nus in ſpeciebus.& nec iſto modo nec præcedente in diuiuis vna perſona habet eſſe in alia: ſed ſolum vltimo modo.Et ſic eſſe in,ſecundum octo modos quos ponit Philoſophus in.iiii.&.viii.phyſi
corum,non competit proprie ſecũdum aliquem illorum modorum eſſendi in,quo vna perſona eſt
in alia.In illis enim octo modis quos ponit Philoſophus, ratio eſſendi in,per ſe eſt diuerſitas aliqua
inter continens & cõtentũ,vt patet diſcurrenti per ſingulos:in iſto vero ratio per ſe ei⁹ cõueniẽ
tia ſiue id in quo conueniunt continens & contentum,vt iam patebit ex dicendis.Vnde de iſto mo
do eſſendi in,dicit Hila.iiii.de trinitate in principio.Hęc ſenſus hominis non cõſequitur,nec exem
plum aliquod rebus diuinis comparatio humana præſtabit. ¶Ad cuius intellectum ſpecialiter de
ſcendendo ad ꝓpoſitum,Sciẽdum ꝙ aliquid vel aliquis poteſt dici eſſe in alio dupliciter. Vno modo per ſe & prio,vt id ꝙ eſt,ſecũdũ totũ ſit in alio p ſe & prio. Alio mõ ꝙ ſit in illo ſcdm totũ p ſe
ſed non primo:vt ſcilicet id ꝙ eſt in,totum ſit in alio primo per aliquid ſui.Primo modo in creatu

ris aliquid eſt in alio:quéadmodum locatum eſt in loco.ſed ſic nihil poteſt eſſe in ſeipſo,vt probat
Philoſophus.iiij.phyſicorum.Sed & nec iſto modo in diuinis cõtingit aliquid vel aliquem eſſe i ſe
ipſo ſicut neꝙ in creaturis. Et propter eaſdem rationes neꝙ etiam poſſibile eſt iſto modo in diui=
nis perſonam vnam eſſe in alia: licet ſit poſſibile in creaturis. Quia cum aliquid totum eſt in alio
primo & per ſe,& quicquid eſt eius ſimiliter eque primo & per ſe eſt in illo:vt ſi in loco centri pri=
mo & per ſe eſt tota terra,& ꝗlibet pars eius eque primo & per ſe eſt in centro:licet non ſeparatim.
Quare ſi pſona filii tota eét p ſe & prio in p̄re,& ꝑprietas filii filꝼ vt filiatio,prio & p ſe eét i p̄re,&
eque prio ſicut & deitas filii:quare & denoı̄aret patré ſicut & deitas:& eét pꝯ filiatióe filiꝰ ſicut dei
tate deus.Præterea ſi aliquid eſt in alio per ſe & primo,impoſſibile eſt vice verſa ꝗ illud in quo eſt

aliꝗd aliud ſit per ſe & prio in eo qd eſt in ipſo:quia idé eſſet continens & contétũ per ſe & primo
reſpectu eiuſdem:& eſſet idem reſpectu vnius totum exterius & totum interius.quod eſt impoſ=
ſibile & in corporalibus corporaliter,& in ſpiritualibus ſpiritualiter.Et ita ſi vna perſona eſſet ſecũ
dũ totũ per ſe & prio in alia,vt filiꝯ in patre,nõ poſſet ecõuerſo pꝯ p ſe & primo eſſe in filio ſecũdũ
totũ vllo mõ vel ſalté eodé mõ.qd nõ eſt tenédũ i diuinis:ꝗa mutuo & vniformiter ſingulę pſonæ
i diuinis ponédę ſunt eſſe i ſingulis,Q₂ vero ſcdo mõ aliꝗd ſit in alio,ſ.p ſe ſed nõ prio,ꝗa per aliꝗd
ſui ꝗd primo & p ſe habet eé in illo,hoc põt eſſe dupliciter:aut ꝗ illud aliꝗd ſit vniꝯ & nõ ſit alte=
rius:aut ꝙ ſit vnius,ita ꝙ ſit etiam alterius. Primo modo in creaturis habet aliquid eſſe in alio
ſecũdũ ꝙ auis dꝼ eſſe in laꝗo,ꝗa pes eiꝯ eſt in laꝗo. ſed iſto mõ in diuinis nõ cõtingit vnã pſonã eſ
ſe in alia,quia in diuinis perſonis nihil eſt vnius ꝗd nõ ſit alterius, per ꝗd ſcilicet perſona vna ha=
bet eſſe in alia,quia in diuinis perſonis illud ꝗd eſt vnius & non alterius,non eſt niſi perſonalis pro
prietas:& ꝑprietas vnius perſonæ non eſt primo,& per ſe in alio, vt per illam perſona poſſit eſſe in
pſona illa per ſe,etſi non primo,non enim filiatio eſt prio & per ſe in patre,vt per illã totus filius &
diuinitas ipſius ſint i patre per ſe,licet non primo.Quia cũ filiatione diſtinguitur filiꝯ a patre,ipſa
filiatio primo & per ſe quantum eſt ex parte ſui potius eſt extra patrem,ꝗ in patre:& per eam filiꝯ
extra patrem ꝗ in patre:licet intra & extra non recipiantur proprie in diuinis. Si vero ſit aliquid i
alio per aliꝗd ſui ꝗd ſit vnius eorũ ita ꝙ ſimul ſit etiam alterius,iſto modo eſſendi in,nihil in crea
turis habet eſſe in alio:quia duobus differentibus in creaturis, nihil in re eſt commune ſingula=
re vtriſꝙ per ꝗd vna creatura poſſit eſſe in altera vllo modo. Et hoc modo proprie in diuinis vna

pſona habet eſſe i alia & tota i tota: ſed nõ p ſe & primo tota in tota:imo p aliꝗd ſui ꝗd habet cõe
cum illa in qua eſt,ꝗd eſt in illa per ſe & primo:& per illud ipſa habet eé tota in illa p ſe,licet nõ pri
mo,& hoc ratione illius quod habet commune cum illa.Dico igitur concludendo ꝓpoſitum: ꝙ in
diuinis perſona vna habet eſſe in alia ſecundum ſubſtantiam & ſecundum relationem ſimul.Secũ
dum ſubſtantiam,vt ſecundum illud ſecũdum ꝗd principaliter perſona vna habet eſſe in alia:quia
ipſa ſubſtantia eius eſt in illa primo & per ſe,& per illã ipſa tota perſona:ꝗ nec ſecundum ſe tota di
ceretur eſſe in illa ſecundum ſubſtantiam communem:ſed potius diceretur eſſe vnum & idipſum
cum illa, ſi non eſſet in ea.Secundum relatiuam proprietatem qua differt ab illa:vt ſecundum il=
lud ſecundum quod perſona vna habet eſſe in alia non tamen primo : quia ipſa proprietas vni=
us perſonæ non eſt in alia perſona niſi quia ſubſtantia quæ eſt eius in qua fundatur ſua proprie=
tas,eſt in illa perſona . Subſtantia enim vna numero & ſingularis,non poteſt eſſe in aliquo quin
in illo ſimul ſit quicquid fundatur in illa ſubſtantia, & non ſolum ſecundum hoc vna perſona eſt
in alia:ſed ſingulę mutuo ſunt in ſingulis. Vnde Hila,iſta intimius ꝑquirens ꝗ alii ſancti,qui non
exprimunt perſonam eſſe in perſona niſi ſecundum ſubſtantiam,vt patet in primo Sententiarum
diſtinctione.xix.cap. Et inde eſt.vbi iſta materia tractatur:etiam exponit vnam perſonam eſſe in
alia ſecundum relationem, in libro.iii.de trinitate cap.primo,ſic inquiens.Cognoſcendum itaꝙ eſt
atꝙ intelligendum quid ſit illud,ego in patre,& pater in me . Si tamen comprehendere ita vt eſt
valebimus:vt ꝗd natura rerum non pati poſſe exiſtimatur,id diuinę veritatis ratio cõſequatur.&
poſt pauca ſubiũgit.Qꝛ in patre eſt,hoc i filio eſt:ꝗd i ingenito,hoc i vnigenito,alter ab altero,&
vterꝙ vnũ nõ duo vnꝯ,ſed aliꝯ i alio,ꝗa nõ aliud in vtroꝙ.Ecce vnꝯ in alio eſt ſecũdũ ſubſtátiá,&
ſequitꝰ cõtinue.Pꝯ in filio:ꝗa ex eo filiꝯ:& filiꝯ in patre:ꝗa nõ alı̄ude filiꝯ:vnigenitꝯ i ı̄genito ꝗa ab i
genito vnigenitus.Ecce quia vnus in alio eſt ſecundum relationem. & libro.vii.cap.xix.Inſunt ſibi
inuicem dum non eſt niſi ex patre natiuitas. Ecce in,ſecundum proprietatem. Dum indeum al=
terum natura vel exterior vel diſſimilis non ſubſiſtit.Ecce in,ſecundum ſubſtátiam.Et propterea
ꝙ vna pſona eſt i altera non ſolũ ſcdm ſubſtátiá,ſed ét ſecũdũ ꝑprietaté,vt ſit tota i tota:cõtigit ꝙ
etiam ſubſiſtendo vna eſt in altera , & ſubſiſtit in ea. Propter quod dicit in fine libri,nihil differ

re eſſe & ineſſe:ineſſe autem non aliud in alio,vt corpus in corpe:ſed ita eſſe & ſubſiſtere,vt in ſub
ſiſtente inſit:ita vero ineſſe vt & ipſe ſubſiſtat.vt ſecundũ hoc eodē modo pſona habet　eſſe in per
ſona mutuo & ſecũdũ ſubſtãtiã & ſecũdũ relationē,nõ aliter pr̃ in filio q̃ fili⁹ i pſe:licet cũ alia rela
tione pr̃ eſt in filio.Et hoc ideo:qa ſubſtãtia p quã pſonę ipſę & ꝓprietates ſuę cũ ipſis ſibi inuicē in
ſunt,eodem mõ eſt in ipſis quantũ pertinet ad modos eſſendi in.Q̃uis ẽm p tãto alio mõ ſit eſſen
tia i perſonis:qa in vna eſt vt communicata ab alia vel ab aliis:in alia vero vt nõ cõmunicata ab al
tera:hoc non refert ad ꝓpoſitum.Si autem diuerſimode eſſet in illis,ſecundum hoc diuerſimode
eſſet pater in filio & filius in patre.Et eſt hic aduertēdũ,ꝙ licet in patre perſona quæ ineſt & qua
ſi continetur,non ineſt aut continetur principaliter ratione totius:ſed ratione alicuius quod eſt ei⁹
ſicut dictum eſt : perſona tamen cui ineſt & quæ quaſi continet primo & principaliter ratione to=
tius quod eſt in eo,non autem ratione alicuius eorum propter quod continés,ſecundum ꝙ per ſe
& primo cõtinet,quaſi excedit contentũ ſcdm ꝙ primo & per ſe continetur:& eſt continens quaſi
extra contentum:& continet per aliquid qd differt a contento: & excedens id quo primo & per ſe
continetur.Cõtentum vero econuerſo eſt quaſi intra continens,& non continetur primo & per ſe
niſi per aliquid in quo conuenit cum continente,& exceditur ab eo quo primo & per ſe continet.
CSecundum hoc ſoluitur difficultas ſumme diſturbans intellectum intelligendo patrem eſſe in fi
lio & filium in patre mutuo . ſecundum ꝙ dicit Hilarius.iiii.de trinita.in principio. Affert plerıſꝗ
ꝗ obſcuritatem ſermo Domini cum dicit,Ego in patre,& pater in me eſt: & non immerito . natu
ra enim intelligentiæ humanæ rationem dicti huius non capit.Videtur enim nõ poſſe effici vt qd
in altero ſit eque idipſum ſit extra alterũ:& cum neceſſe ſit ea de quibus agitur nõ ſolitaria ſibi eſ
ſe,numerum tñ ſuũ in quo ſint cõſeruantia,non poſſe ſe inuicē cõtinere:vt q aliquid aliud habeat
intra ſe,atꝗ ita maneat,manenſꝗ ſemper exterior,ei viciſſim quem intra ſe habeat,maneat æque
ſemper interior.Hęc quidem ſenſus hominum non conſequitur:nec exemplum aliquod rebus di=
uinis comparatio humana præſtabit.& hoc quia talis modus eſſendi in,non poteſt inueniri in crea
turis,maxime corporalibus.Sed in diuinis quoquo modo cõſequit̃ intellectus.dicente Hila.libro
ſeptimo cap.xxiii.Pater in filio eſt,et filius in patre deus in deo: nõ per duplicem cõuenientium ge
nerum coniunctioné(vt patet in vino & amphora)neꝗ per inſituam capacioris ſubſtantiæ natu
ram(vt patet de vapore in aere)quia per corporalem neceſſitatem exteriora fieri his quibus con=
tinentur interiora nõ poſſunt:ſed per natiuitatem viuentis de viuente natura dũ res non differt
dum naturam dei non degenerat natiuitas:dum non aliud aliquid q̃ ex deo deus naſcitur.Ex iam
dictis plane patet difficultas dicta.

CAd primum ergo:ꝙ in diuinis perſona non eſt in perſona ſecũdum aliquē octo
modorum eſſendi in:Dicendum ꝙ verum eſt ſecundum ꝙ iam expoſitum eſt . Annumerat enim
Ariſtote.ſufficienter modos eſſendi in, qui in creaturis habent inueniri:a quibus omnibus iſte eſt
diuerſus:qui in creaturis inueniri non poteſt: ſed ſolum in ſubſtantia increata. Volũt tamē aliqui
ꝙ ad aliquem illorum reduci poſſit:ſed hoc diuerſimode,inquantum perſona habet eſſe in perſo=
na ſecundum ſubſtantiam & ſecundum relationem.Primo modo dicunt ꝙ quia pater eſt in filio &
econuerſo:eo ꝙ ſubſtãtia patris eſt in filio & econuerſo:ſubſtantia habet eſſe in patre & filio ſecun
dum modum quo forma communis habet eſſe in ſpeciebus. q̃uis enim in diuinis non ſit genus
aut ſpecies,quodlibet tamen diuinum ſuppoſitum quaſi vnam ſpeciem relationis continet:& dei
tas inquantum eſt communis tribus differentibus quaſi ſpecie, eſt quaſi forma generis,licet alio
& alio modo communitatis,vt tactum eſt ſuperius & adhuc amplius tangetur.Secundo vero mo
do dicunt ꝙ quia pater eſt principium originatiuum filii , & filius principiatum quid & origina=
tum ab eo:idcirco filius eſt in patre ſicut originatum in originante:& pater in filio ſicut originans
in originato.& reducitur ad illũ modum quo aliquid habet eſſe in primo mouente,aut econuerſo.
CNeutrum horum ſufficit,nec pertinet ad propoſitum.Non primum.licet enim pater eſt in filio
& econuerſo ſecundum ſubſtantiam:& ita eo ꝙ ſubſtantia eadem eſt in vtroꝗ:non tamen ſecun
dum eundem modum filius habet eſſe in patre & econuerſo,quo ſubſtantia habet eſſe in patre &
i filio:qa ſubſtantia eſt in perſona ſicut aliqd quod eſt de cõſtitutione eius:non ſic aũt perſona ing
ſona:ſed ſicut continens diſtinctum in continente diſtincto. qd nõ poteſt eſſe ſecundum modum
quo forma ē in ſuppoſito:nec põt (vt dicit Hila.)exemplũ iueniri i creaturis: nec eſt in eis aliquis
modus eſſendi in,niſi i aliquo quantũcunꝗ remota ſimilitudine,ad quē põt reduci,vt patet ex iã
dictis.Similiter ſecũdũ dictũ nihil valet ad propoſitum.hic enim nõ q̃rit de eſſe vnam perſonam ı̃
altera,niſi inquantum vna exiſtit intima alteri, non autem vt emanans ab ipſa. Vnde licet ſecun=

dum φ vna emanat ab altera , modus essendi vnam in altera reducitur ad modum quo aliquid
est in primo mouente:aut econuerso:hoc tamen nihil ad propositum : quia hic quæritur modus
quo vnus habet esse in aliquo,vt in coexistente. Vnde etsi in diuinis essent duæ personæ quarum
vna non procederet ab alia , vt filius & spiritus sanctus : si procederent a solo patre,propter sub
stantiæ identitatem vna posset dici in altera:sicut modo cum vna procedit ab altera. ⊂Ad secun

**Z**
**Ad scđm.**

dum φ vna persona se habet in semper exeundo ab alia:ergo non habet esse in ipsa vt i coexistente
qđ etiam est contra iam dictū : Dicendum φ exitus personæ a persona non est intelligendus per
locorum aut naturarum distantiam:sicut intellexerunt hæretici nitentes probare ex hoc diuersita
tem naturarum generantis & geniti:sed intelligendus est solūmodo per exeūtis & eius a quo exit
distinctionem relatiuam,in eadem tamē substantia absolute. Vt enim ait Hila.vii.de trini,ca.xvii.
non per defectionem aut ptensionem aut deriuationem ex deo deus est:sed ex virtute naturæ i na
turam eandem natiuitate subsistit.secundū melius patebit infra circa emanationes personarum
Primo modo exire ab,& esse in,sunt dispositiōes contrariæ:& non possunt simul conuenire eidem.
Secundo autem modo non sunt contrariæ:sed simul in eodem necessario:quia qđ generatur, est de

**A**
**Ad tertiū**

indiuidua substantia generantis,separatum nullo modo ab eodem.⊂Ad tertium,φ vna psona non
est in altera ratione substantiæ:quia rōne substantiæ sunt vnum & idem:& non est esse in,sine distī
ctione:Dicendum φ bene arguit φ nō ratione solius substantiæ absq relatione:sed ratione vtriusq
secundum expositum modum vna persona est in alia.Et qđ arguit φ non ratione relationis:qa ra
tione relationis opponunt:& scđm φ habēt oppositiōe, poti⁹ hñt psone nō esse in inuicē q̃ esse:Di
cendum φ verum est principaliter & primo.Si eī primo & pcipaliter nō essent in inuicē secundū
substantiam,nunq̃ essent in inuicē secundum relationem. Postq̃ tamen pcipaliter sunt i inuicē se
cundum substātiam,sola substantia sine relatione distinguente non faceret eas esse in inuicē:sed po
tius idipsum, vt patet ex præhabitis. ⊂Ad quartum,φ si pater est in filio,deus est in deo:ergo idē

**B**
**Ad q̃rtū.**

est in seipso: cum non sit nisi vnus deus:Dicendum φ deum esse in deo nos oportet cōfiteri.dicen
te Hila.vii.de trinitate cap.xvii. Vnum & absolutum & perfectum fidei sacramentum est deum ex
deo & deum in deo confiteri, non corporalibus modis,sed virtute naturæ. & cap.xviii. Vnigenit⁹
cū ipse deus sit, tamen etiam per naturæ vnitatem cum eo deus,& per id quod ipse deus est & in
eo de⁹ est,habens in se & qđ ipse est & quo ipse subsistit. Vt eī p Esaiā loquit,in te est de⁹ & nō est
alius deus præter te:& indiuiduam & inseparabilem patris & filii diuinitatē ita prophetauit. Nō
tamen oportet confiteri eundem esse in seipso licet non sit nisi vnus deus:quoniam cum hoc bene
sunt plures personæ quæ sunt in inuicē. Licet eī hoc nomen deus significat naturam siue essentia
tantum:& hoc in communi secundum modum quo essentia dicta est communis, supponit tamen
ex modo significandi pro suppositis:quēadmodum hoc nomen homo aut animal: nec quo ad hoc
est aliqua differētia ex parte essentiæ:licet ibi vnica sit in plurib⁹ siue plurificata. Vnde licet de⁹ sit
vnus & idem propter significatum vnum singulare: est tamen bene deus in deo propter suppositū
aliud & aliud:non tamen alius deus in alio,nec idem in seipso:sed alius in persona in alio,vt exposi

**C**
**Ad qntū.**

tum est.⊂Ad quintum:si pater est in filio,& filius in patre,ergo pater est in patre: Dicēdum φ ve
rum est:quia nihil potest esse in contento quin sit in continente . Sed non oportet φ eo modo quo
est in contento,sit in continente,nisi sit contentū in prio continente primo & per se:& similiter secū
dum contentum in primo contento:vt si ignis est in cęlo,& in igne aer sicut in loco:ergo & aer est
in cælo sicut in loco . Non tamen hoc omnino eodem modo : quoniam ignis est in cælo vt in loco
proprio & determinato : aer vero est in cælo vt in loco communi & excedente . Verum est er
go in proposito φ quia filius est in patre & in filio pater , pater est in seipso: non tamen sicut filius
est in ipso & sicut ipse est in filio. quoniam filius totus est in patre,& similiter pater totus est in fi
lio per se , licet non primo secundum prædicta: pater autem non est in seipso per se omnino:quia
etsi totus sit in seipso, hoc non est secundum totum vt est totus : sed secundum illa quæ sunt eius
vt aliquid eius sunt : & ita quasi per accidens . Quemadmodum enim in corporalibus ampho
ra vini qđ est quoddam totum compositum ex amphora & vino,secundum Philosophum.iiii.phy
sicorum,est in seipsa per accidens vt per suas partes:quia scilicet in amphora vini est amphora & si
militer vinum vt partes eius: sic in proposito pater inquantum est quoddam totum , scilicet sub
stantia ingenita , cuius secundum nostram rationem intelligendi quasi partes sunt substantia &
proprietas quæ est ingenita,est in seipso quasi per accidens : quia scilicet in substantia ingenita
est substantia,& similiter ingenita,vt quasi partes eius:et hoc sigillatim.Non enim vnum illoꝝ est
in patre primo, et alterum per illud consequēter: sed ambo eque pricipaliter.propter quod nequa
q̃ totus est per se in seipso:sed quasi per accidens solū,Quia vero vnum illorum,vt essentia patris

eſt in filio per ſe & primo,& per illam cõſequenter ppríetas eius,& per hoc tot⁹ pater:propter hcc
aliquo modo per ſe totus pater eſt in filio.Et ſic licet per aliquid ſui ſit in filio & in ſeipſo:aliter ta‑
men & aliter.Et cõſimiliter intellige de eſſe filii in patre & in ſeipſo.**CAd ſextum**:ſi filius eſt in pa‑ **D**
Ad ſextũ.
tre,ergo filiatio eſt in patre &c. Dicendum cp eſſe in , multum equiuoce accipitur in diuinis cum
dicitur filius eſt in patre,proprietas patris eſt in filio,eſſentia filii eſt in filio,ppríetas filii eſt i filio,
proprietas filii eſt in eſſentia filii,eſſe filii eſt in eſſentia eius:quia cp filius habet eſſe in patre,hoc eſt
ſubſiſtenter: & ſimiliter cp proprietas filii eſt in patre:aut ſubſtantia filii ſecundum cp eſt filii . Sed
aliter & aliter filius eſt ſubſiſtenter in patre:filius enim non eſt in patre vt aliquid eius , ſicut ſub‑
ſtantia & proprietas eius:ſed vt ſubſiſtens in ipſo,quia in ipſo eſt ſubſiſtendo. Vt per hoc excluda
tur latens quæſtio in hoc dicto,filius ſubſiſtit in patre : quia illa determinatio poteſt determinare
ly ſubſiſtit ratione actus eſſendi:q intelligitur in ipſo,tanq materialis in quolibet verbo adiectiuo:
vel ratione ppríi actus,qui exprimitur per participiũ ſubſiſtés.Prío mõ dictũ illũ verũ eſt ſub hoc
ſenſu,filⁱ⁹ eſt ſubſiſtés. Scõo mõ falſũ ſub hoc ſenſu,filⁱ⁹ eſt ſubſiſtés in patre,denotaretur eñ
cp filius in ſubſiſtendo inniteretur patri quaſi fundamento ſuo in ſubſiſtendo: quemadmodum di
citur ſubſiſtere in diuina eſſentia.& ſic in primo ſenſu ſubſiſtere in,dicit ſubſiſtenter ſiue ſubſtátia
liter:in ſecundo vero fundamentaliter.Et ſic cum dicitur filius eē in patre,eſſe in intelligitur ſub‑
ſiſtéter.& ſimiliter cũ ppríetas filii dr eſſe in pfe,ga nõ poſſet tot⁹ filⁱ eē in pfe niſi qcqd eſt eius ſil
eſſet i patre,vt procedit obiectio,hoc intelligitur ſubſiſtenter:ſed hoc nõ quia ipſa in patre ſubſi
ſtit:ſed quia eſt per ſe in filio ſubſiſtente in patre inquantum ſubſiſtit in eo.Et non ſolum proprie‑
tas filii:ſed etiam ſua eſſentia vt ſua eſt,& habita in ipſo ſub ratione geniti, eſt in patre ſubſiſtéter:
quia eſt in filio ſubſiſtente in patre:licet eadem eſſentia vt eſt patris in patre eſt formaliter:quia eſt
forma quaſi cõmunis qua ipſe eſt de⁹:quéadmodũ proprietas filii eſt in filio,& proprietas patris eſt
in patre:licet non per inhærentiam vt forma ppría qua filⁱ⁹ eſt filius:& qua pater eſt pater. Quę q
dem proprietas & habet eſſe in eſſentia ſecundum alium modum eſſendi in,.f.fundamentaliter:ga
in eſſentia fundatur proprietas,vt infra habet declarari:& per hoc cp proprietas qua perſona ſubſi
ſtit habet fundamétaliter eſſe in ſubſtátia vt cui innititur:ideo & tota perſona in ſeipſa dicitur eſ
ſe quaſi per accidens:ſed alio modo q prius,quaſi ſcilicet aliqd eiⁱ⁹,vt proprietas eſt in aliquo qd eſt
eius vt in ſubſtantia illius.& hoc quemadmodũ in corporalib⁹ amphora vini dicitur eſſe i ampho‑
ra vini:quia vinum qd eſt pars eius,eſt in amphora quæ eſt altera pars eius.Et ſecundum hũc mo
dum intam deus eſſentialiter acceptus dicitur eſſe i ſeipſo:quia ſapientia eius & cętera huiuſmodi
habent eſſe in ſubſtantia eius.Cũ ergo arguit vlteri⁹:ſi filiatio eſt in patre,ergo pater eſt filⁱ⁹:patet
æquocatio de eſſe in.Bene eñ ſequeret ſi eſſet in ipſo formaliter ſicut eſt in filio:& ſicut paternitas
eſt in pfe.Nũc aut nõ eſt in ipſo niſi ſubſiſtéter,vt dictũ eſt:& qd ſic eſt in alio,eſt in ipſo vt diſti‑
ctũ & diſcretũ ab ipſo nõ denomínás ipm. Et cõſiliter ē de gñari & de aliis q ſunt in filio formaliter,
& pfi iſunt ſubſiſtéter,vt dictũ ē.**CAd ſeptimũ**,cp oppoſita & repugnátia p vnũ & idé nõ poſſunt **E**
Ad ſepti‑
mum.
eſſe in eodé:Dicendũ cp verũ eſt i creaturis vbi ex eadé pxima radice nõ oriunt.Ibi eñ opponunt
reſpectu ſubiecti.Nõ autem illud verum eſt in deo:quia omnes diuinę proprietares ex eadem radi
ce proxima quę eſt eſſentia oriuntur,& in ipſa radicantur.Propter quod & inquantum relationes
ſunt,opponuntur reſpectu obiecti , vt non poſſint oppoſitæ eſſe in eodem formaliter . Non tamen
opponuntur reſpectu ſubiecti in quo radicantur,quin per ipſum poſſunt ineſſe eidem, vnum
eorum formaliter:alterum vero ſubſiſtenter,vt dictum eſt . **CAd octauum**,cp proprietas propria **F**
Ad octa‑
uum.
perſonæ non conuenit eſſentiæ:quare nec econuerſo: Dicendum cp verum eſt ſecundum eundem
modum.poteſt tamen ambobus conuenire ſecundum alium & alium modum,vt in propoſito.Li
cet enim proprietas non conueniat eſſentiæ vt cuius eſt formaliter: conuenit tñ ei vt cuius ē fun
damentaliter.Similiter eē in licet non conueniat perſonę formaliter denominando id in quo eſt:bñ
tamé conuenit ei ſubſiſtenter,vt dictum eſt.**CAd nonum**,cp diuerſę perſonæ non ſunt vna perſo‑ **G**
Ad nonũ.
na:licet vna eſſentia vna ſit & eadem cum ambabus: ergo ſimiliter licet vna eſſentia inſit amba‑
bus:non tamen ex hoc ſequitur cp vna earum ſit in alia:Dicendum ad hoc cp non eſt ſimile: quo‑
niam eē vnum cum alio nullam penitus notat rationem differentiæ:ſed puram identitatem . vbi
enim eſt maior vnitas,& maior idétitas.Propter quod non ſequitur omnino etſi vnum eſt idé am
bobus, cp ſint inter ſe idem:quia ex hoc cp ſunt vnum & idem in vno, non habetur cp ſint vnum
& idem in omnibus.Sed eſſe in aliquo,neceſſario ponit aliquam differétiam eius quod ineſt ab eo
cui ineſt , vt dictum eſt.Propter quod ſi aliquid ineſſet duobus in quo conueniunt,ſi in illo radi‑
cantur ea quibus differunt,neceſſario ex adiuncto intelligitur ſimul ineſſe quibus differunt:& ſic **H**
Ad deci‑
mum.
perſonæ totę in totis,vt dictum eſt.**CAd decimum**,cp ſi perſonę ſingulæ eſſent in ſingulis,hoc po‑

geret in diuinis summam personarum confusioné:contra illud Athanasii.Neq; confundentes &c.
Dicendum cp in diuinis singula sunt in singulis tam in essentialib9 q̃ in personalibus:ita vt p oĩa(sĩ
cut iam dictũ est)non solum vnitas in trinitate & trinitas in vnitate, sicut dicit Athanasĩ:sed etiã
trinitas in trinitate.f.ratione personarum,veneráda sit.dicente Augustino.vi.de trini,in fine, In se
infinita sunt,& singula sunt in singulis,& omnia in singulis,& singula in omnibus,& oia in oĩbus
& vnum omnia.Est igitur vnitas substãtie veneranda in trinitate psonarũ.f.in patre & filio & spiritu sancto:& hoc tanq̃ forma cõmunis in suppositis quorum est forma:& similiter trinitas in vnitate psonarũ pris & filii & spũs sancti,in vnitate essentie vt in qua subsistunt:& similiter trinitas in
trinitate:& hoc dupliciter:vel vt singuli venerẽt in singulis,& hoc sex combinationib9: vt.f.pater
venerẽt i filio & spiritu sancto:& filius in patre & spiritu sancto:& spũs sanctus in patre & filio:vel
vt omnes venerentur in singulis & singuli in omnibus, & hoc nouem combinationibus:vt pater fi
lius spiritus sanctus in patre & in filio & in spiritu sancto oẽs simul ,licet secũdũ aliũ & aliũ modũ
essendi q̃libet personarũ habet esse in seipsa & in alia,vt dictũ est.Et licet(vt dictũ est)psonæ sunt i
psonis,& etiã p hoc psonalia q̃ sunt i psonis,sunt i eisdẽ in qb9 sunt ipsæ psonæ:nõ tñ iisunt sibiinui
cẽ,vt filiatio nõ est in paternitate ppter oppositionẽ quã habet iter se.Ipsa tñ essentialia cũ hoc cp
siit in singulis psonis & earũ pprietatibus,insunt etiã sibiĩuicẽ: & hoc abscp oĩ cõfusione tam in p
sonalibus,q̃ in essentialibus:quia cum hoc cp sibi insunt mutuo,retinẽt suas distinctiones personalem & realem personalia,& hoc quẽadmodum si duo corpora ponantur simul in eodem loco, gloriosum & nõ gloriosum, vtrũcp eorũ mutuo est in altero,sed tñ abscp confusione:qa sub eádẽ distin
ctione quã haberẽt si essent extra se:rationalẽ vero essentialia. Tũc autem solummodo esset cõfusio
si ex eo cp insunt amitteretur distinctio iter id qd inest & cui inest:queadmodũ in chaos confuso se
cundũ Anaxa.nulla erat distinctio carnis ab osse & ligno aut lapide & cẽteris hmõi.Qui videt hoc
vel aperte vel per speculum in ænigmate (vt dicit Augustinus in fine.vi.de trinita.)gaudeat co-
gnoscẽs:deũ honoret:& gratias agat.Qui aũt non videt,tendat per pietatem ad videndum nõ p
cẽcitatem ad caluminiandum , quoniam vnus est deus licet trinitas: nec confuse accipiendum ex
quo oĩa,per quẽ oĩa,in quo oĩa.Ad vndecimũ:si persona per essentiã eẽt i psona,nõ esset aliter in

I
Ad vnde
cimum.

illa q̃ ipsa essentia &c.Dicẽdũ cp verũ est si p solã substãtiã vt est substãtia simplr,vna psona eẽt to
ta in alia.tũc eni psona nõ esset nisi substãtia.Aut si nõ tota esset in illa,tũc solũ eẽt i illa p substãtiã
q̃si p accidẽs & q̃si secũdũ pte:queadmodũ si duo corpa eẽnt cõiũcta sub vno capite,vñ9 illorꝝ q̃ ca
put vnũ haberẽt cõmune,esset in altero secundũ pté, & non secũdũ totũ:& ideo cp sic esset in alte
ro,ipsum totum non denominaret illum in quo esset:sed solũ pars illa per quam esset i illo. Nũc au
tem quia psona non inest in psona p solam substantiam,licet primo & per se sit i per illam:sed etiam
per proprietatem licet ex consequenti, vt dictum est , & per hoc non per substantiam vt substan
tia est simpliciter:sed specialiter vt est sub proprietate eius cui inest: quæ est alia ratio esse substan
tiam q̃ sit ratio substantiæ vt est eius cui inest : Filius enim non est in patre per substantiam , nisi
quæ est sub ratione siue pprietate geniti: quæ in patre vt est forma ipsum denominans , non est
nisi sub ratione ingeniti : non enim pater est sapiens sapientia genita:sed ingenita, vt habitum est
supra: Et licet substantia simpliciter considerata vt simpliciter considerata est primaria ratio qua
re persona ẽ in persona,quia cõmuniter est in ipsis vt forma communiter denominans ipsas:qa ta
men secundum cp talis non est proxima & perfecta ratio hmõi:sed solum secundũ cp est sub ratione proprietatis personæ quæ inest:& secundum hanc rationem non inest vt forma denominãs i p
sona cui inest altera: sed solum vt subsistens in illa, inquantum est aliquid subsistentis in illa sicut
dictum est:Idcirco,non alio modo inest persona personæ,q̃ inest ei substantia,per quã inest inquan
tum est proxima ratio essendi i esse:licet aliter insit iquantum ratio est eius prima.Et potest eẽ exẽ
plum huius manifestum si ponamus Christum sibi modo sedet ad dexteram patris includere i ma
nu sua corporaliter hostiam consecratam,hoc enim posito verum est dicere cp in manu Christi est
tota hostia quo ad sacramentum & rem sacramenti:& econuerso tota manus Christi est in hostia
quæ est sacramentum:ita cp dimensiones manus Christi per concomitantiam ad substantiam quæ
est vi transsubstãtiationis sub dimensionib9 hostie,sunt sub dimensionibus hostie:& cp ecõuerso di
mensiones hostiæ sub dimensionibus manus Christi:hoc clarum est . Ecce quia substantia manus
Christi est sub dimensionibus manus primo quodam modo: queadmodum deitas est in patre sub
forma paternitatis in patre:& p transsubstantiationem est sub dimensionibus hostie quodã mõ:quẽ
admodum per generationem deitas est in filio sub proprietate filiationis,& concomitatiue per sub
stantiã manus dimensiones man9sunt sub dimensionib9hostie quodã modo:queadmodum proprie
tas paterna per deitatem est in filio:& econuerso:licet non quemadmodum dimensiones sunt sub di

menſionibus manus,quia illę non ſunt ibi per cõcomitantiã,ſicut eſt proprietas ſiliationis in patre Propter qđ non eſt mirum ſi totus pater eſt in toto ſilio,quia ex eo filius eſt,& econuerſo quia ipſe ab illo eſt,vt dicit Hil.Cum videmus φ tota manus Chriſti eſt ſub dimenſionibus hoſtię per actũ trãſubſtãtiatiõis,& ecõuerſo tota dimeſio hoſtię cũ ſubſtãtia man⁹ & ei⁹ dimēſionib⁹ exiſtētib⁹ ſub hoſtía ſub manu Chriſti tota p actũ cõprehéſionis,vt p hoc etiã tota man⁹ Chriſti ſcđm ſubſtãtiã & dimenſiones ſub ſpeciebus hoſtię quas continet,continet etiã ſeipſam totã.vt nullũ videat incõ ueniens ſi totus pater continens totũ filium in quo continetur totus pater,in ſilio contento conti neat ſeipſum totum.⫶Poteſt autē ad mediũ rationis facilius reſponderi:Dicendo φ nõ ſemp opor tet φ ens in aliquo per aliqđ ſit in illo,modo quo illud,quoniã totũ bene eſt per accidens in aliquo vt per ſuam partē,in quo pars ipſa eſt per ſe.⫶Ad Duodecimũ:φ pluribus exiſtētibus in eodē vnũ eorum per illud non dicitur eſſe in altero,ergo nec per vnũ exiſtens in pluribus illi dicunt eſſe in inuicem:Dicendũ φ plura exiſtentia in eodem per illud non ſunt in ſeſe iam:quia illud vnũ non eſt aliquid eſſentialiter vtriuſφ.Si tñ non eſſet de eſſentia vtriuſφ,per illud vnũ illi in quo eſt,eſſent quodãmodo in ſeſe:vt dictũ eſt de corporibus iunctis in vno capite.Et ſic in propoſito,quia vnũ quod eſt in diuerſis perſonis,eſt aliquid vtriφ,per illud neceſſario ſunt in ſeſe, & etiam ſcđm totũ per concomitantiã proprietatũ,vt dictũ eſt.⫶Ad Decimũtertiũ:qđ in diuinis eſt in alio,& non eſt idē illi,facit compoſitionem:Dicendũ φ æquiuocatur eſſe in.qđ em eſt in alio fundamētaliter ſiue radicaliter & non ſubſiſtenter,ſi non eſſet idē cum illo.poneret cõpoſitionē,vt patet de proprietate & ſubſtantia,& hoc quia non diſtinguunt relatiue inter ſe. Propter qđ ſi non eſſent idē, oporteret φ hoc faceret diuerſitatē realem abſolute,nõ ratione tantũ,& talis diuerſitas neceſſario poneret cõ poſitionē realē. Qđ vero ineſt ſubſiſtenter,quia ineſt vt manens diſtinctũ,ſicut dictũ eſt ſcđm Hil. tale bene eſt in,non tñ idē propter relatiuã diſtinctionē, & hoc abſφ aliqua compoſitione: quia di uerſitas relatiuarũ proprietatũ in eadē ſubſtãtia nõ facit cõpoſitionē:quare neφ in ſubſiſtentib⁹ in illa.⫶Ad Decimũquartũ:quicquid eſt in deo deus eſt,ergo quicquid eſt in patre pater eſt: Dicēdũ φ non eſt ſimile,quia deus nomen eſt eſſentię,licet ſupponat pro perſona. Et propterea quia a diui na eſſentia nihil differt in diuinis niſi ſola ratione ſiue ſit eſſentiale ſiue perſonale: idcirco quicquid eſt in deo deus eſt, quemadmodum quicquid eſt in ente ens eſt. vt ſicut propterea ens non poteſt eſſe genus ad diuerſa entia differentia ſpecie, ſic deus non poteſt eſſe genus ad diuerſas perſonas q̃ relationibus diuerſis quaſi ſecundũ ſpeciem diſtinguunt.Paternitas em in creaturis,eſt relatio ſup poſitiõis,& ſiliatio ſuppoſitiõis:& illa fundat in potētia actiua,iſta in potētia paſſiua.Pater aũt & p ſonã ſignificat,& p pſona ſupponit. Et ppterea qa a pſona aliqs differt in diuinis pluſq̃ ſola rõne, q tñ poteſt eſſe in ipſo ſcđm predetermínatũ modum:idcirco non quicquid eſt in patre pater eſt, li cet qcquid ſit in deo de⁹ eſt.⫶Ad Decimũquintũ φ perſonę diuinę non inſunt ſibi eodē modo,qa pater eſt in filio,qa ex ipſo eſt fili⁹,& fili⁹ in patre,qa ipſe eſt a patre:q ſunt modí oĩo diuerſi: Dice dũ ſm pdicta φ hęc non eſt tota cauſa eſſendi pſonas diuinas in ſe.Propter qđ pręmiſit ibi Hil.Ali⁹ in alio,quia non aliud in vtroφ.quia em nõ aliud eſt in alio,ſed vna eademφ ſubſtantia ſingularis hęc eſt ratio inchoatiua quare vna tota perſona eſt in tota perſona alia. Propter qđ in creaturis li cet a patre eſt filius,non tñ in filio pater eſt:& licet fili⁹ ſit a patre,nõ tñ in patre filius eſt, quia alia & alia ſubſtãtia eſt in vtroφ.Vnde ſi eſſent plures dii diuerſi ſecundũ ſubſtãtiã,vbi eſſet vnus ne quaq̃ eſſet alter,ſcđm Dama.i.ſententiarũ.ca.v. & ſic non eſt vnus in altero. Cauſa autem ſiue ra tio illius cõpletiua eſt quia alius eſt ab alio:quę ſi non eſſet,non eſſet vnus in alio ſed penitus idem vt dictũ eſt:quia relatiuis pprietatib⁹ nõ diſtinguerēt:niſi ſi p impoſſibile in eadē ſingulari ſubſtã tia deitatis ponantur plures ingeniti,quorũ vnus non eſt ab altero.Tunc em vnus neceſſario eſſet in altero totus,qa ſubſiſtēter in ſubſtãtia ſimplici:& in nullo poſſet eſſe ſubſtãtia,qn in ipſo eſſet q̃li bet pprietas fundata in ipſa,vt dictũ eſt. Vnde Hil.ſuppoſito φ nõ poſſint plures ſubſiſtere in eadē ſubſtãtia ſingulari ſimplici diſtincti pprietatib⁹ niſi vn⁹ eſſet ab altero:ideo hoc totũ iſinuãdo dixit. Pater in filio,qa ex eo fili⁹.hoc eſt,qa eſt in ipſo p pprietatē,q̃ ab ipſo habet eſſe fili⁹.Et ecõuerſo fili⁹ in patre,qa eſt a pfe.hoc eſt qa in ipſo eſt p pprietatē qua eſt ex ipo.vt ſic quãtũ eſt ex pte ſubſtãtię inſunt ſibi ſm idē:quãtũ vero eſt ex parte pprietatũ inſunt ſibi nõ ſm idē,ppter qđ inſunt vt ſub ſiſtēs in ſubſiſtēte.Nec obſtat alietas relatiuarũ pprietatũ ſecundũ quas inſunt,vniformitati eſſen di̅ in,quia ambo ſunt in per idē,ſcilicet per cõmune eſſentiã prout prędictũ eſt:p quã modo eodem ſiliatio qua filius ſubſiſtit in patre,eſt in patre ſubſiſtente & continente in ſe filiũ, & ſiliationem in filio:vt ſcilicet fundat in eſſentia & cõſimiliter paternitas qua pater ſubſiſtit in filio, eſt in filio ſub ſiſtente & continente patrē in ſe & paternitatē in ipſo, per hoc φ fundatur in eadē eſſentia diuina ſecũdũ modum pdeterminatũ, Nec etiam obeſt iſti vniformitati φ pater alio modo habet deitatis

K
Ad.XII.

L
Ad.XIII.

M
Ad.XIIII

N
Ad.XV.

essentiam, quia a se non ab alio:filius autem nõ habet eam nisi ab alio vt a patre. Alia enim est ra‑
tio eius qd est habere ab,& habere in. Filius enim licet non habet vitam a semetipso sicut habet cã
pater:sed a patre:sicut tamen pater habet vitam in semetipso : sic filius habet vitam iu semetipso:
licet hoc dedit ei pater,vt dicitur Ioannis.v. Filius enim per se viuit formaliter:licet non a se prin‑
cipiatiue. Et sic qͫ secundum aliam proprietatem pater est in filio & filius in patre,& alio mo‑
do substantia communis habita est in patre & alio modo in filio,vt propterea dicat Hila.Pater in
filio,quia ab eo filius: & filius in patre , quia ipse est ex patre : vniformiter tamen & vno atꝙ eo‑
dem modo pater habet esse in filio & filius in patre : & per consequens singulæ personæ in singu‑
lis,& omnes in singulis,& singulę in omnibus,secundum iam expositum modũ. ⸿Ratio & aucto‑
ritates in oppositũ adductę concedendæ sunt:& patet ex dictis quomodo ratio veritatem conclu‑
dit auctoritatis:& quomodo veritas auctoritatis intelligenda est.

O
Ad oppo.

P
Art.LIIII.

Equitur Art.LIIII.de modo emanandi vnam personam ab
alia. Et circa hoc quæruntur.x.Quorum

Primum est:vtrum in diuinis sit ponere aliquam personam quæ non
sit ab alia emanans.

Secundum:vtrũ persona non emanans ab alia in diuinis,sit tm vnica.

Tertium:vtrum ab illa persona in diuinis quæ nõ emanat ab alia,ema
net aliqua alia.

Quartum:vtrum ab illa persona quæ in diuinis non est ab alia , ema‑
nent plures aliæ ꝗ vna.

Quintum:vtrum personæ duæ quæ emanant ab illa quæ non est ab
alia, emanent ab ea ęque primo principaliter & immediate.

Sextum:vtrum personarum emanantium ab illa quæ non est ab alia,vna earum emanet a reliqua.
Septimum:vtrum persona quæ communiter emanat ab illa quæ non est ab alia , & ab illa quæ est
ab alia,vt spiritus sanctus a patre & filio:emanet ab eis æque primo principaliter & eodem modo.
Octauum:vtrum a qualibet dictarum trium personarum emanet aliqua alia.
Nonum:vtrum actus emanationum notionales generandi & spirandi sunt quædam intelligere &
velle,siue quidam actus intelligendi & volendi.
Decimum:vtrum emanationes actuum notionalium generandi & spirandi fundentur in actib⁹ es‑
sentialibus intelligendi & volendi,quasi præsupponentes illos.

A
Quest.i.
Arg.i.

2

Irca primũ arguitur:ꝙ in diuinis non sit ponere personã aliquã ꝗ nõ sit ab alia,
prio sic. Persona ꝗ non habet esse ab alia,nec quo ad esse,nec quo ad esse psonam
seipsa sola est & subsistit. Sed quæ sola seipsa est & subsistit, absolute est & subsi‑
stit:quia solum excludit oẽ adminiculum alterius,ergo &c. ⸿Secũdo sic,qd ẽ ne
cesse esse,est tãtum vnicum. qd non est ab alio est necesse esse.ergo qd non est ab
alio est tantũ vnicum. Si ergo in diuinis est persona quæ non est ab alia,in diui‑
nis persona est tm vnica.hoc aũt falsum est.ergo & illud ex quo sequitur.f.ꝙ i di‑

In opposi.

uinis est persona ꝗ nõ est ab alia. ⸿In contrarium est,qm si in diuinis nõ est psona ꝗ nõ est ab alia
nõ eẽt psona i diuinis oĩno:qa nõ eẽt pria in ꝗ ẽ origo:sed semp vna eẽt ab alia pcedẽte in infinitũ
& si non esset primũ,nõ esset aliquid eorum quę sunt post,secundũ Philosophum in secundo met꞉.

B
Responsio

⸿Dicedũ ad hoc:ꝙ iuxta dictũ Ricar.v.de trinitate ca.iii.in principio , illud qd
dictum est supra de esse dei quo ad diuinam substantiam,scilicet ꝙ necesse est ponere in ordine re‑
rum vniuersi aliquam substantiã quæ est de⁹ esse ex seipsa & non ab alia:Similiter dici debet de es‑
se dei quo ad diuinam personam,f.ꝙ in ordine diuinarum personarum necesse sit ponere aliquam
personam diuinam quæ habeat esse a semetipsa non ab alia. Nã( vt dicit ibidem )si ista persona esset
ab illa:& illa ab alia:& sic de cęteris: huiusmodi concatenationis productio absꝗ dubio in isinitũ p
cederet. Intellige,nisi ponamus circulum in emanatione. Sed tunc sequeretur ꝙ eadẽ persona ema
naret a seipsa:quod est inconueniens.dicente Anselmo. Nec intellectus capit, nec natura permit‑
tit illum qui de alio est,esse illum de quo est. Ne igitur numerũ diuinarũ personarum in infinitũ
extendamus,oportet proculdubio vt cõcedamus ꝙ aliqua persona ex semetipsa existat & aliunde

C

originem non trahat.Sed istam deductionem precedit ratio quã Ricar.inducit lib.primo cap.vi.vf
ꝙ ad cap.xii.de diuina substantia,applicando ad personas sic. Vniuersaliter omẽ esse triplici distin
guitur ratione. Erit enim ab æterno & a semetipso: aut econtrario nec ab æterno nec a semetipso:
aut iter hæc duo ab æterno ꝙ non tamen a seipso. Nam illud quartum qd huic tertio mẽbro vide

tur ecôtrario refpôdere,nullo modo ipfa natura patitur effe,nihil eñ poteft effe a femetipfo qd nô fit ab eterno,quâdiu ei nihil fuit,omnino nihil potuit:nec fibi ergo nec alteri dedit vt effet. Sed ex illo qd nô eft ex feipfo fiue ab eterno fiue non ab eterno ratiocinâdo colligitur illud effe qd eft a fe metipfo,& eo ipfo etiâ ab eterno.Nam fi nihil a femetipfo fuiffet,nô effet oîno vnde ea exiftere pof fent que fuum effe a femetipfis non habent,fiue ab eterno fiue nô ab eterno:& tunc quidem nulla erit origo & procedetur in infinitû,vt iam dictum eft:fecundû ɋ proceffit vltimum argumétum. Et per hunc modû ad huius queftionis determinatiône poffunt adduci fere ôes rationes fuperius adducte ad probandû aliquam fubftantiâ effe que deus eft,& primâ in ordine vniuerfi,que necef farío a feipfa habet effe non ab alia,& que eft omniû aliarum origo in fe & a fe,primo continens,& quafi preambiens cuncta que ad abfolutû effe deitatis pertinêt:& fimiliter id qd pertinet ad ratio nem perfonalitatis fue,& a quo habent quicquid in fe habent,ôes res alie,fiue fint diune perfone fiue creature,vt habitû eft fupra,& iam amplius habebitur infra.Et hec eft perfona illa que ingeni ta fiue innafcibilis dicitur effe in diuinis.

D
Adprimû
principale

¶Ad illud ergo qd arguitur primo in contrariû,ɋ perfona que nô habet effe ab alia,feipfa fola eft & fubfiftit:Dicendû ɋ verû eft formaliter licet nô effectiue,vel(vt magis pprie, licet nô vfitate loquar)pductiue.Productiue eñ pfona ɋ nô eft ab,nec a fe nec ab alio habet effe p ductiue,ficut nec ipfa diuina effentia,fecundû ɋ fuperius hoc circa effe dei declaratum eft de diui na effentia:& eedem declarationes hic applicari poffunt(vt patet infpicienti)ad diuinâ perfonam.

E

¶Et cum affumitur in argueto:qd feipfo folo eft & fubfiftit,abfolute fubfiftit:Dicendû ɋ nô eft verum. quia aliquid poteft feipfo folo formaliter ita ɋ a nullo principiatiue effe & fubfiftere dupli citer.Vno modo ɋ ficut a nullo alio habet effe & fubfiftere,fic nec in ordine effetiali & naturali ad vllum habeat effe & fubfiftere,& quod tale eft,reuera non nifi abfolute habet effe & fubfiftere.Sed fic in diuinis nihil habet effe nifi diuina effentia,& que effentialiter pertinent ad ipfam.nihil etiam

F

omnino fic habet in diuinis fubfiftere,vt iam habitû eft fupra. Alio vero modo ɋ licet a nullo alio habet effe & fubfiftere:tñ non eft nec fubfiftit nifi in ordine ad aliû,& qd tale eft,nô nifi relatiue ha bet effe & fubfiftere,& hoc modo perfona que in diuinis non habet effe ab alia,licet a feipfa fola,vt dictum eft,habet effe pfonaliter & fubfiftere:hoc tñ nô côuenit ei nifi in ordine ad aliû ɋ ab ipfo ha

G
Ad fcdm.

bet effe & fubfiftere,vt iâ ampli⁹ declarabit.¶Ad fecundû:ɋ illud qd eft neceffe effe,eft tantû vni cû &c.Dicédû ɋ hec eft diftingueda,qd eft neceffe effe eft tm vnicû,ex pte ei⁹ qd eft vnicû,ga pôt teneri effentialiter velpfonaliter.Siue eñ ly qd,teneat effentialiter fiue pfonaliter, fi ly vnicû tenet effentialiter:vera eft fub hoc fenfu.f.ɋ cui,fiue fuerit effentia fiue pfona,côuenit neceffe eê,ipm eft vnicû in diuina effentia.Si vero ly vnicû teneatur perfonaliter,falfa eft fub hoc fenfu:cui conuenit neceffe effe fiue fuerit effentia fiue pfona,ipfum eft vnicû in pfona.Et qd affumit:qd nô eft ab alio, eft neceffe effe:verû eft vniuerfaliter de ɋ qd non eft ab alio effective,& folû tale.Nihil eñ factum ab alio fiue creatû qd non eft ab alio principiatiue,eft neceffe effe:vt pfo na ingenita fiue etiâ diuina effentia:fed etiam qd eft ab alio perfonaliter,vt perfona filii & fpûs fcti Cum ergo côcludit,ergo qd non eft ab alio,eft tantû vnicum:verû eft effentialiter,quia non eft nifi vnus deus.Sumédo vero vnicû perfonaliter,fic duplicê caufam habet veritatis:quia aut tm vnicû in fua pfonalitate,fic eft vera accipiendo nô ab alio principiatiue.In diuinis eñ nô eft nifi vnica p fona que non eft ab alia,vt declarabit fequens queftio. Aut tâtum vnicû in pfonalitate fimpliciter: fic eft falfa,fiue non ab alio fumat principiatiue fiue effectiue:quia ponit tantû vnicâ perfonâ in di uinis effe,vt pcedit vlterior côclufio falfa ex falfis.fcdm eñ ɋ pmiffe vere funt,nequaɋ fequit:& maxime nô ex illa ɋ in diuinis fit perfona ɋ non eft ab alia:fed poti⁹ ex illa maiore,qd eft neceffe eê eft tantû vnicû,in falfo eius fenfu fumendo ly vnicû perfonaliter:& ex illa prima côclufione,ergo quod non eft ab alio,eft tantum vnicum:fumendo ly vnicum pro vnico in perfonalitate fimpliciter vt patet infpicienti.

I
Queft.ii.
Arg.i.

Irca fecundû arguitur ɋ pfona non emanâs ab alia in diuinis non fit tantû vni ca.Primo fic.productio ois ficut requirit terminû ad quem fit,fic requirit termi num a quo,ergo & diuerfe productiones ficut requirunt diuerfos terminos ad que,vt generatio & fpiratio in diuinis duas pfonas ɋ habent effe ab alio,filiû.f. & fpiritû fanctû:confimiliter ergo requirunt duos terminos a quo.ficut eft vna perfona innafcibilis ɋ a nulla habet effe,& a qua eft actus generandi:fic fimiliter eft alia perfona ɋ a nulla habet effe,a qua eft actus fpirandi,& fic funt due perfo ne in diuinis ad minus que non funt ab alia.¶Secundo fic ɋ in diuinis non fit tantû vnica perfona que eft ab alia,fed ɋ fint plures,qd eft dignitatis & perfectionis diuine nature,ponendum eft in di

2

uinis,sed nõ minoris dignitatis est & p&#383;ectionis in diuinis q&#541; p&#383;ona nõ sit ab alia,&#541; q&#541; sit ab alia:imo
potius maioris,vt iam infra patebit.ergo cũ illud qd est dignius  & p&#383;ectius,potius debet poni i di
uinis:cũ ergo in deo necesse sit ponere plures p&#383;onas &#541; sũt ab alia,cõsili&#383;t necesse est ponere plures p

**In oppo.** sonas &#541; nõ sunt ab alia:& sic plures innascibilitates. &#182;Cõtra.si in diuinis essent plures p&#383;onæ nõ ab
alia:cũ &#541;libet p&#383;ona &#541; nõ est ab alia,est inascibilis:essent ergo in diuinis plures inascibiles & si&#383;t plu
res inascibilitates,quare cũ ille nõ e&#281;nt nisi vni ronis,& cõuenietes specie,nũero aũt solo differetes
& diuina e&#281;ntia e vna natura singularis:i vna ergo natura singulari essent plures &#541;prietates eiu&#383;
dem ronis & speciei.hoc autem e impossibile,siue fuerint absolut&#281; siue relatiu&#281;,vt patet in creatu

**2** ris.ergo &c. &#182;Item persona quæ in diuinis non est ab alia, est principium primum omnium alior&#541;.
ergo duo essent principia prima si essent duæ personæ non ab alia in diuinis.consequens falsum est
& impossibile,secundum superius determinata circa vnitatem dei.ergo &c.

**K**
**Responsio**
&#182;Dicendum ad hoc:q&#541; non ab alio esse in diuinis secundum Ricar.v.de trinitate
cap.iii.incõmunicabile est,nec potest pluribus conuenire.Qd probat Ricar.ibidem cap.4.ex ratio
ne potentiæ principiandi alia a se:quia cum tale sit potens p essentiam non per participatione, ha
bet ipsius posse plenitudinem:quare habet in se omne posse:quare & ex ipsa est omne posse & ome
aliud esse & omnis alia persona:& sic oportet q&#541; sit sola talis. Huius alia ratio est assignata ex na
tura relationis,&#541; plurificat p&#383;onas in diuinis,in.vi.Q d libeto.Vnde sicut secũdũ illud qd supra de
terminatum est de vnitate dei,debet poni q&#541; in vniuerso nõ sint plures &#541; vn<sup>9</sup> deus: cõsimiliter po
ni debet hic q&#541; non sit possibile ponere in deo plures &#541; vnam personam quæ non est ab alia.Et fere
ille e&#281;dem rationes per quas ibi declaratũ est q&#541; non sit possibile ponere plures deos,possunt hic ad
duci ad pbandum q&#541; non sit possibile ponere in diuinis plures p&#383;onas &#541; nõ sunt ab alia,vt plures in
nascibiles.quoniam si essent plures,necessario haberent plures innascibilitates:&#541; necessario sunt in
alia & alia substantia deitatis.Propter qd egregie dixit beat<sup>9</sup> Hila.in libro de synodis.Qui confite&#383;
in diuinis duos inascibiles,cõfite&#383; duos deos,vnũ em deũ pdicari,natura vni<sup>9</sup> inascibilis dei exigit.

**L**
**Ad pri.**
**princip.**
&#182;Ad primum in oppositum:q&#541; sicut productio omnis requirit terminum ad qué
sic & terminũ a quo:hoc verum est:quia sicut non potest esse sine vno illorum,sic nec sine alio.Nõ
tamen sequitur vlterius forma argumẽtandi:q&#541; sicut reqrit plures & diuersos terminos ad qué, sic
& plures atq&#541; diuersos terminos a quo.imo est fallacia figur&#281; dictiõis cõmutãdo quid in quo.Nec
etiam sequitur ex ratione materi&#281;:quia maior distinctio requiritur in principiatis &#541; in principiã
te:eo q&#541; ab vnitate nata est procedere oĩis multitudo & reduci in ipsam,vt habitum est supra de
vnitate dei.Vnde licet sint plures p&#383;onæ ad quas terminãtur emanationes diuerse,vt iam infra vi
debi&#383;:põt tñ esse vna p&#383;ona a &#541; plures, & in ipsa plures rones pricipiãdi siml,vt iã videbi&#383;. &#182;Ad se
cundum,q&#541; plures esse personas in deo quæ sunt ab alia, est de dignitate & perfectione diuinæ na
turæ,vt iam videbitur:bene verum est.& similiter bene verũ est q&#541; non est minoris p&#383;ectiõis in di
uinis,q&#541; p&#383;ona sit non ab alia. Nõ tamen sequitur q&#541; sit p&#383;ectiõis in diuinis plures personas e&#281; nõ
ab alia:sicut est p&#383;ectiõis plures esse ab alia.imo peccat forma argumenti secũdũ fallaciã figur&#281; di
ctiõis commutãdo quale in quot,ac si sic argueretur. Sicut est in diuinis perfectiõis & dignitatis
personam esse ab alia:sic & dignitatis & p&#383;ectionis p&#383;onam in diuinis non esse ab alia,ergo sicut di
gnitatis & perfectionis est plures esse ab alia:sic dignitatis atq&#541; perfectionis est plures non esse
ab alia,quod non est verum:sicut nec dignitatis aut perfectionis esset in diuinis diuinam substan
tiam posse plurificari in plures deos.Immo quod dignitatis & perfectiõis est ex parte principiãtis
non oportet q&#541; sit dignitatis atq&#541; p&#383;ectiõis ex parte principiati:propterea quia licet non sit nisi vna
dignitas atq&#541; p&#383;ectio in diuinis:tñ est alia ratio eius vt est in pricipio,alia vt est in principiato.Sem
per em aliqd in pricipio sub rone maioris vnitatis vel &#281;qualis natum est esse &#541; in principiato.

**N**
**Quest.iii.**
**Arg.1.**
Irca tertiũ arguit:q&#541; in diuinis ab illa p&#383;ona &#541; nõ est  emanãs ab alia,nõ emanat
aliq&#541; alia,prio sic,necesse esse(vt habitũ est supra in &#541;stiõib<sup>9</sup> devnitate dei)nõ cõ
uenit nisi vni soli:nec põt plurificari.quare cũ nihil sit in deo qn sit necesse e&#281;,nõ
est ergo magis rõ ei<sup>9</sup> qd e necesse e&#281; in deo ex pte essenti&#281;,&#541; ex pte p&#383;on&#281;.cũ ergo
de ratione essentiæ in deo est q&#541; ipsa diuina essentia plurificari non possit vt ema
net ab ipsa alia essentia diuina:quia est in se quoddam necesse esse,vt habitum est
supra:similiter & de ratione personæ &#541; non est ab alia in deo,est q&#541; ipsa persona &#541;
non est ab alia,plurificari non possit vt emanet ab ipsa alia persona diuina.ergo &c. &#182;Secũdo sic.vt

**3** dictum est ibidem,impossibile est idem esse necesse esse a se & ab alio,quare cũ in diuinis nõ sit per
sona quæ non sit necesse esse a se:quia tunc ex se posset esse & nõ esse:ergo nõ est in diuinis persona

quæ habet eſſe ab alia.⸿Tertio ſic.ſi a perſona quæ in diuinis nõ eſt ab alia,emanat alia perſona,cũ 3
ipſa ſit deus,& ab ipſa non emanat alia niſi per productionẽ intra manentem,quia pductione tranſ
eunte extra emanant creaturę,de qua non eſt hic ſermo : illa ergo perſona quæ emanat ab alia aut
eſt deus aut non eſt deus.ſed neutrum eſt ponere,ergo &c.Non φ non ſit deus:cum productio di
uina nihil pducit niſi in ipſa diuina ſubſtantia.In diuina aũt ſubſtãtia nihil põt pduci,niſi qui de⁹
eſt.Non φ eſt deus:quia tunc deus produceret deum,ergo aut ſe deum, aut alium a ſe deũ. Non
ſe deum,quia nulla res ſeipſam producit.dicéte Auguſtino,i.de Trinita.cap.i.Nulla res eſt quę ſe
ipſam gignit vt ſit.& per eandem rationẽ neq alia aliqua actione pducit vt ſit.Non ſimiliter aliũ
a ſe deum,quia ſic non tantũ eſt vnus deus,qđ falſum eſt ſecundũ ſupra determinata.⸿Item ſi de⁹ 4
producit deum,aut ergo producit deum qui eſt deus pater,aut qui nõ eſt deus pater. Si ſecundo
modo ergo ille qui productus eſt,deus eſt,qui non eſt deus pater:non eſt ergo vt prius tantũ vnus
deus.Si primo modo:ergo producit ſeipſum:quod eſt impoſſibile.ergo &c.⸿Item ſi perſona q̃ non 5
emanat ab alia,producit deũ,aut ergo qa eſt deus,aut quia eſt innaſcibilis & non ab alia producta.
Non quia deus:quia cũ deus(vt dictũ eſt)non pducit niſi deũ:eadẽ ratione ille pductus deũ pdu
ceret:& ille pductus ſimiliter:& eſſent pſonæ diuinæ infinitę.Nõ qa innaſcibilis,qa tũc innaſcibilẽ
pduceret:quia pductio diuina eſt perfectiſſima: cuius nõ eſt niſi ſibi ſimillimũ pducere. ⸿Itẽ verũ 6
in diuinis eſt neceſſarium,quia in deo nihil eſt cõtingens.ſi ergo hęc eſt vera,deus generat deũ,ipſa
eſt neceſſaria:quia negatiua ſibi reſpondens eſt impoſſibilis,deus nõ generat deũ.hoc aũt falſum eſt
quia ſicut illa deus generat deum,eſt vera pro perſona ſolius patris,& iſta,deus nõ generat, p per
ſona filii & ſpiritus ſancti. ⸿Item ſi deus produceret deum,cum producere & produci relationes 7
diſtinguentes in diuinis importãt circa terminos ſuos,deus ergo eſſet diſtinctus a deo: hoc autem
falſum eſt.ergo &c.⸿Itẽ ſi deus pduceret deũ, aut ergo voluntate libera,aut natura,aut neceſſita 8
te,quia plures non ſunt modi agendi.Nõ natura aut neceſſitate,quia deus cum ſit agens potentiſ
ſimum,perfecte dominatur ſuę actioni:hoc autem ſolum conuenit agenti libere & voluntarie non
naturaliter aut neceſſario.Similiter non voluntate,quia actio productionis perſonæ in diuinis nõ
poteſt non eſſe,quia in eternis nõ differunt eſſe & poſſe.talis actio eſt neceſſaria neceſſitate naturæ
quare non voluntaria,quia voluntas & natura ſunt ex oppoſito diſtincta,vt habetur.vii. Metaphy
ſicę.⸿Item ſi deus producat deum,aut ergo de nihilo aut de ſua ſubſtantia aut de aliqua ſubſtan 9
tia aliena,non de nihilo,quia tunc productio perſonæ diuinæ creatio eſſet,& eſſet ipſa perſona pro
ducta creatura non deus.non de ſua ſubſtantia,quoniam id de quo aliquid generatur eſt in potẽ
tia ad illud:& per agens exiret in actum.ſubſtantia diuina quæ eſt ſubſtantia patris, cum ſit pura
forma purus actus eſt, & ita ad nihil eſt in potentia, ergo &c. Non de ſubſtantia aliena, quia non
eſſet patri conſubſtãtialis. ⸿Tertio ad principale ſic.actus nobiliſſimus nõ eſt niſi propter ſeipſum 10
non propter aliquid,ſecundum Philoſophum.i.&.x.Ethicorũ. Actio dei manẽs intra ſe nobiliſſima
eſt,quia circa nobiliſſimũ obiectum,qđ eſt diuina eſſentia ſiue in intelligẽdo ſiue volendo ſiue quo
cunq alio modo agendo.ergo actio diuina manens intra ſe eſt propter ſe & in ſe perfecta nõ propter
aliquid actum ſiue productum,ergo &c.⸿Quarto ſic.emanatio ſignificat fieri quoddam ſiue motum ſiue exitum:quę in 11
diuinis penitus eſſe nõ poteſt.ergo &c.⸿Quinto ſic. ſi in diuinis ab illa pſona quę nõ habet eſſe ab 12
alia habet emanare alia,ergo aut emanat ab illa pcedẽdo de nõ eſſe ad eſſe,aut de eſſe ad eſſe,& hoc
de eodẽ eſſe in idẽ eſſe,aut de alio eſſe in aliud.Nõ primo modo,qa tunc pſona in diuinis emanans
ab alia incepiſſet eſſe,qa oẽ pcedens de nõ eſſe in eſſe incipit eſſe.Non ſecũdo modo, quia tunc cir
ca illam eſſet mutatio.Et non tertio modo,quia tunc haberet eſſe anteq̃ pduceretur in eſſe: qđ eſt
impoſſibile.ergo &c.⸿In contrarium eſt.quoniã ſi a perſona quę in diuinis a ſemetipſa eſt,nõ ema In oppoſi.
naret alia,cũ ipſa non poſſit eſſe niſi vnica,vt iam oſtenſum eſt:non eſſet ergo in diuinis niſi vnica
perſona,& ideo non niſi abſoluta,cuius contrarium ſupra oſtenſum eſt.

⸿Quæſtio iſta non quęrit niſi vtrum in diuinis ſit aliqua emanatio quæ eſt actio O
diuina manens intra,qua vna perſona nata eſt procedere ab alia, large ſumẽdo proceſſionem vt cõ Reſponſio
munis eſt ad generationem & ſpirationem.Et eſt dicendum φ ſic neceſſe habet ponere fides catho
lica,q̃q ſit difficile eam hoc myſteriũ capere, & hoc primo ratione accepta ex ratione perſonę. Ex
quo eñ perſona quę in diuinis non eſt ab alia,non eſt conſtituta in ſua perſonalitate niſi ex reſpectu
ad aliam a qua diſtinguitur,quarũ alietas non poteſt ſumi niſi penes rationẽ originis vnius ab alia
ſecundum prędeterminata,origo aũt vnius ab alia non eſt niſi per actum emanandi vnam ab alia
non extra tranſeuntem,quia hoc eſt proprium emanationis creaturę,oportet igitur ponere in di
uinis actum emanationis,& hoc vnius perſonæ ab alia manentẽ intra,& hoc ab illa quæ non ema

nat ab aliqua,ne sit processus in infinitum,vt habitum est supra.Si enim in diuinis sit aċ⁹emana₌
tionis,illud qđ per ipsum emanat intra,necessario est persona subsistens:quia in diuina essentia ni₌
hil potest esse productum inhęrens : & propter diuinæ emanationis perfectionem oportet esse si₌
millimum producenti.Secundum diuersitatem enim naturarum,diuersitatem oportet esse modo
rum emanandi in rebus:& quanto natura est altior,táto emanans in ipsa perfecti⁹est & magis inti
mum,vt patet procedendo ab emanatiōe in infima natura,inanimata.ſ.vt ignis ab igne,vsꝗ ad ge
nerationem quę habet esse in supremis.ⅭAd idem est ratio accepta ex ratione diuinę naturæ,q̃ est
summe actiua:& ideo suiipsius summe diffusiua.Summa autem diffusio non est nisi per emana₌
tionem communicando alteri suam naturam in diuersitate personæ. Vnde Ricar.aspiciēs ad ema
nationem in creaturis dicit primo de trinita.cap.ix.Qui huic naturæ fructum fœcūditatis dona₌
uit,in se omnino sterilis manebit: quasi dicat nequaꝗ, quia dicitur Esaiæ vltimo . Nunqđ ego qui
alios parere facio,ipse non pariam!Si ego qui generationem cæteris tribuo sterilis ero!ait dñs de⁹.

**P**

**Q**
Ad pri.
princip.

ⅭAd primũ in oppositũ:ꝗ necesse esse plurificari non pōt:quare si essentia nõ po
test plurificari in deo,quia est necesse esse:neꝗ psona similiter:Dicendum ꝗ verum est secundum
eandem rationem esse,secundũ tamen diuersam ratione esse non est inconueniens.Vnde qa esse es
sentiæ in deo non potest esse nisi vnius rationis, sicut neꝗ ipsa essentia: esse autem personæ nõ lo
quendo de esse essentiæ vel existentiæ,sed de esse subsistentiæ,potest esse plurium rationum:idcirco
licet necesse esse in deo non potest plurificari ex parte essentię,vt in ipso deo ponātur plures dii:po
test tamen necesse esse plurificari ex parte personę vt in ipso ponantur personę plures,non secundũ
vnam rationem personę vt sint plures innascibiles aut plures nati:sed secundum plures rationes p₌
sonales.ⅭAd secundum,ꝗ in diuinis non est psona quin sit necesse esse,& hoc ex se:ergo non habet

**R**
Ad scđm.

illud ab alio:Dicendum ad hoc secundum prędicta in quæstionibus de esse dei,ꝗ dictum illud,Ne
cesse esse ex se non potest habere necesse esse ab alio,solum verum est de necesse eē qđ habetur ratio
ne essentiæ,quia ab alio esse principiatiue repugnat diuinæ essentiæ.Qđ enim ratione essentiæ ha
bet esse ab alio,deus esse non potest,vt habitum est supra secundum Auicen.in quæstionib⁹de vni
tate dei. De necesse esse qđ habetur ratione personę,nõ est verum:sic eim filius & spiritus sanct⁹ha
bent necesse esse ex se formaliter,licet ab alio principiatiue, vt expositum est supra circa esse dei,&
amplius exponetur infra.ⅭAd tertium,ꝗ persona producta ab illa quæ non est ab alia,aut est de⁹,

**S**
Ad tertiũ

aut non deus:Dicedũ ꝗ est deus,& sic concedendum est ꝗ illa est vera,deus producit deum,quia
licet hoc nomen qđ est deus significat solam essentiam simpliciter:significat tamen eam per modũ
suppositi in cōmuni.ſ.vt habēs in se deitatē,& ideo supponit pro supposito.& secūdũ hoc pōt veri
ficare locutionē p alio & alio supposito in subiecto & pdicato, vt cũ dr,deus pducit deũ,qa de⁹pa
ter deum filium,vt exponit Magister Sententiarum formando quæstionē de generatione. Sed nos
generalius eam ponimus,vt communiter sub ipsa comprehendamus generationem & spirationem
& in summa tractemus hác materiá.Vnde si de⁹nõ supponeret nisi idē,sicut nõ significat nisi idē
falsa esset:sicut illa est falsa,essentia generat essentiam,quia non idem significat & supponit.Et pe₌
nes hoc fundamentum,pcedunt rationes Magistri pri.Sententiarũ distinctione.v.in primis.4..ca.
quibus probat ꝗ essentia nec generat nec generatur.Cuius causa est,quia non potest habere ratio
nem suppositi nec in significando nec in supponendo:nec etiam extendi potest ad rationem suppo₌
siti sicut extenditur lumen & sapientia:eo ꝗ de suo significato ponunt rationem diffusiuam:non
autem substantia aut eēntia.propter qđ non pōt dici essentia de essentia sicut lumē de lumine. Et
qđ assumitur: ergo aut se deum aut aliũ a se deũ:Respōdet Magister Sententiarũ pri.li. distinctio
ne.4.cap.i.dicendo ꝗ neutrum concedendum est,quia vtraꝗ est falsa , & neutra sequitur ex pri₌
mo:quia non est diuisio per immediata.Est enim media propositio inter illas,propter quam illa pri
ma est vera : scilicet quia producit alium a se qui est deus: non autem alius,sed idem de⁹cum ge₌
nerante. Vnde aliqui distinguunt hanc, producit alium deum: ꝗ ly alium possit teneri adiectiue
& tunc esset falsa:quia ly alium dicit in generali diuersitatem quæ determinat per substátiuũ ad₌
iunctum,notando alietatem in eo qđ significat p substātiuum,& sic in proposito notat alietatem i

**T**

deitate.vel substantiue,& tunc vera:quia tunc dat intelligere suppositũ pro suo substantiuo:& no
tat solum alietatē in psonalitate,& incidit in sensum quē dicimus medium.ⅭSed sensus iste violen
ter est extortus faciendo subdistinctionem post ly alium. Vñ de virtute sermonis solummodo pri
mũ sensum pri⁹prætendit:nec valet distinctio ad propositum:licet possit valere in se & in alio pro
posito vbi absꝗ subdistinctione posset vtrūꝗ sensum ptedere.Si eim arguat sic,Deus generans est
deus genitus,ergo idem est deus generans & deus genitus:ergo a simili deus generans non deus
genitus:ergo alius est deus generans & deus genitus:quia ly alius potest teneri substantiue & no

tare alietatē in pſona,ſic eſt iſta vera.ali⁹ ē de⁹ generās & ali⁹ ē de⁹ genit⁹. & repetēdū ē ali⁹ in hac
ſecūda parte copulatiue:& ſequit ex prima,quia verificatur negatiua p ſuppoſitis.Vel pōt teneri
adiectiue,vt ſuū ſubſtātiuū ſit ly de⁹.ſic notat alietatē i ſubſtātia,& ē falſa,vt patet:& ideo nō ſeqͤ
ex prima.Et cōſimili modo poſſet diſtingui illa cōcluſio:idē ē de⁹ generās & de⁹ genit⁹,& cōtrario
modo vera & falſa: & vno modo ſequitur ex præmiſſis,alio vero modo non.Vnde quia in propoſi
to non valet illa diſtinctio ex parte ly alium,ideo dicit Prepoſitinus,cᵽ dicit alietatē tam in ſubſtan
tia q̄ in perſona,quia alietas in ſubſtantia nō eſt ſine alietate in perſona:vt ſit ſenſus. ᵽduxit alium
deū,i.aliū in pſona & alia deitate deū.Vnde ſtatuit regulā,cᵽ ſicut relatio identitatis refert p idēti
tatē ſignatū & appellatū:Propter q̅d illa eſt falſa,ᵽduxit ſe deū,q̄a ſenſus eſt, ᵽduxit ſe in eadē pſo
nalitate,& i eadē deitate deū:Ex quo apud veteres inoleuit regula talis: Nō habet locum oĩmoda
vnio vbi ſimul cū vnióe eſt diſtīctio:Cōſimiliter relatio diuerſitatis refert p diuerſitatē ſignatū &
appellatū.Et notat differētiā ſm vtruͣcᵽ:ᵽpter q̅d illa eſt falſa,ᵽduxit aliū a ſe deū,vt dictū eſt.Sed
q̄libet earū falſa eſt contrario modo p altera parte copulatiuæ. Prima ᵽpter identitatē in perſona
quā refert ly ſe:ſecūda ᵽpter alietatē in ſubſtātia quā refert ly aliū.Propter q̅d cōiungēdo partes p
quibus ſingulę habent veritatē,conſtituit ex ambobus ᵽpoſitio tertia media & vera ᵽdicta,q̄a pro
duxit aliū a ſe in perſona,& hoc ex ſecunda,q̄ eſt deus,& hoc ex prima.Et ſic eſt media ᵽpoſitio ac
cipienda in diuinis ratione materię ᵽpter ſubſtantię identitatē in pluralitate pſonarū:q̅d nō eſſet
neceſſariū in alia materia:vt in creaturis vbi diuerſitas pſonę neceſſario ponit diuerſitatē ſubſtātię
Vt ſi hō ᵽducat hoiem & q̄raͭ:aut ergo ſe hoiem aut aliū a ſe hoiem:illa ſimpliciter dādā eſt,aliū
a ſe hoiem,quia ᵽducit aliū in pſona & ſubſtātia:& cōtraria ᵽpter ambo ſiͭ negāda.Quare nec ᵽ
ducit ſe ſcdm identitatē pſonę,neᵹ ſcdm identitatē ſubſtantiæ.Propter q̅d non eſt media ᵽpoſitio
accipiēda in creaturis,ſicut in diuinis, in quibus etiam nō eſſet ᵽpoſitio media accipiēda ſi diuiſio
fieret p contradictoria q̄rendo,aut ergo ᵽduxit ſe deū,aut nō ſe deū.& eſt cōcedēda iſta: nō ſe deū
ᵽpter diuerſitatem in perſona.ſiue quærendo:aut ergo alium a ſe deum,aut non alium a ſe deum
& eſt cōcedenda iſta,nō aliū a ſe deū,ᵽpter identitatē ſubſtantię. Ex quo inoleuit alia regula anti
quorū ᵽdicā̄ cōtraria,talis.Non habet locū omnimoda diuiſio,vbi nō eſt ex diuerſis cauſis vnio.II
lā aūt mediā ᵽpoſitionē accipiēda in diuinis expreſſit Auguſtinus cū dixit de patre in epiſtola ad
Maximinū,Genuit de ſe alterū ſe,i. ſecundū cᵽ exponit Magiſter primo ſentētiarū diſtinctione.iiii.
in fine,genuit alterum,ſcilicet in perſona,qui eſt hoc q̅d ipſe eſt,ſcilicet in ſubſtātia.Nam etſi alius
pater ſit q̄ filius,non tñ aliud ſed vnū:vt hoc q̅d eſt qui eſt hoc q̅d ipſe eſt,ſit expoſitiuū ei⁹ q̅d eſt
ſe:vt ly ſe intelligatur eſſe neutri generis,& reciprocatiuum ſubſtantię circa perſonam patris: dan
do illā intelligi circa ſubſtantiā.Vnde cōcedenda eſt illa,pater genuit alterū ſe:ſicut iſta,pater ge
nuit hūc qui eſt id q̅d ipſe.propter identitatē ei ſubſtātię eſt quaſi ipſe. Propter q̅d etiā vt propria
accipienda eſt illa quā profert Auguſtin⁹.xv.de Trini.Tanᵹ ſe dicēs pater verbū genuit.Et ſcdm
hunc modū propter amoris conformitatē dicit Phs.viii.Ethicorū,cᵽ amicus amico eſt alter ipſe.&
poeta dilectā ſuā finxit eſſe ſeipm,vbi dixit.Dii faciant ſine me ne moriar ego. Eſt igiͭ in dictis illis
Aug.ſermo ᵽprius & ver⁹ quātū eſt ex pte rei:ſed nō quātū eſt ex pte ſermonis.q̄ vt dicit Simō
Tornaceñ,alterū ibi intelligiͭ eſſe maſculini gñis,& ita pſonale:ſe vero neutri generis,& ita eſſētia
le.& ſic iuenitur ibi ex parte ſermonis improprietas:ſicut ibi, Semini tuo qui eſt Chriſtus,quia re
latiuū nō conformaͭ ſuo antecedenti in genere.Si aūt mutemus hoc maſculinū hūc,in hoc neu
trum quod eſt id,& dicamus pater genuit id quod ipſe eſt,ſecundum cᵽ dicit Auguſtinus in ſer
mone de Symbolo,proprie loquendo ſermo falſus eſt : quia ſequitur cᵽ genuiſſet diuinā eſſentiam
ſcdm cᵽ arguit Magiſter.i.ſentiarū diſtinctione.v.cap.iii. Vnde vt veritatē habeat exponendus
eſt & extēdendus cōmutando neutrū in maſculinū,ſecundū cᵽ magiſter exponit,dicendo pater ge
nuit id q̅d ipſe eſt.i.filiū qui eſt illud q̅d pater eſt.Nam q̅d pater eſt,& filius hoc eſt: ſed non qui pa
ter eſt,& filius hic eſt.Si aūt ſumamus relatiuū medio modo,q̅d nō refert ſimul perſonā & ſubſtā
tiā vt facit pronomē ſe ᵽpter reciprocationē:neᵹ ſolā ſubſtantiā ſicut facit ly id,q̄a neutri generis
eſt:ſed q̅d indifferenter poſſit referre vnū vel alterū:illa bene poteſt recipi.Secundū eͫ cᵽ dicit An
ſelmus in proſol. cum dicitur deus de deo,non intelligimus alium deum:ſed eundem de ſeipſo,Si
vero mutetur neutrum pronominis in rem noīs:dicendo cᵽ eſſentia eſt de eſſentia, aut ſubſtantia
de ſubſtantia,ſecundū cᵽ dicit Auguſtin⁹.vii.&.xv.de Trini.& habet cap.ᵽprie loquēdo ſermo ē
ſimpliciter falſus & nimiū extenſus & exponēdus violeter,ſcdm cᵽ exponit magiſter cap.vi.i.fili⁹
qui eſt ſubſtantia ſeu eſſentia,de patre qui eſt ſubſtantia ſeu eſſentia.Et hoc modo vel conſimili ex
ponēdē ſunt oēs ᵽpoſitiones,& dicta ſanctorū quæ inſinuāt eſſentiā generantē aut genitā. ſcdm cᵽ
auctoritas Hil.ad hoc adducta in.vi.ca.exponit in.viii.Et cū aſſumit in ſcdo medio, aut ergo ᵽdu

x̃t deũ q est deus pr̃,aut q nõ est deus pr̃,Magister Sētētiarũ hic respõdet cõfuse dist.iiii.ca.ii.facit
eĩ differētiã in mēbris diuidētib⁹,apponēdo in p̃dicato ly de⁹ cũ eo qd̃ est pr̃,vel nõ apponendo:di
cēdo deũ q est pater,vel q non est pr̃:& dicēdo,q est de⁹ pr̃,& q nõ est de⁹ pr̃.Et simpliciter negat il
lã affirmatiuã,deũ q est pr̃,nullã penit⁹ faciēdo mētionē de illa,deũ q est de⁹ pater:& cõcedit illã ne
gatiuã,deũ q non est pater,& distinguit illã,deũ q nõ est de⁹ pr̃, Prepositinus aũt in summa sua di
cit q̃ neutra est cõcedēda:& q̃ ambę sunt falsę.Magistri i scriptis suis sup hoc mltiplices ponũt di
stinctiones,Vt ergo totũ enoluamus,sciēdũ q̃ aliqui distinguunt hãc negatiuã,deũ q nõ est deus
pr̃:q̃ ly qui põt referre ly deũ relatiõe simplici p̃ forma & essentia,vel relatiõe psonali p̃ supposito,Primo mõ est falsa:Secũdo mõ vera.quēadmodũ si dicat̃ video hoiem qui nõ est dignissima crea
turarũ:si ly qui refct̃ hoiem simplici relatiõe p̃ significato,falsa:si vero psonali relatiõe,vera est,
vt patet.Et q̃q̃ q̃nq̃ i dictis authēticis aut vsitatis oportet ponere talē distictionē:vt si demõstrata
aliqua hęrba Romę,dicat̃ hęc hęrba crescit i horto meo,vel si dicat̃,mulier q̃ damnauit saluauit:cõ
q̃ p̃ psonali demonstratione aut relatione veritatē habere nõ possent:de virtute tñ sermonis ibi
cum nõ habet distinctio dicta:quia ois demõstratio & relatio de vi sermonis psonales suũt,dum di
ctio significans id quod demonstratur,aut ad quod fit relatio,stat p̃ supposito:& nunq̃ sunt eēn
tiales nisi simplex suppositio determinet̃ in dictione p̃ aliquid sibi adiũctũ:vt hic,homo est species
& ipse est vniuersale.Et hoc planũ est de demõstratione:q̃ pnomē demõstratiuũ nõ demõstrat nisi
qd̃ ei est subiectũ:neq̃ relatiuum refert nisi qd̃ ei est ppositum,& secũdũ q̃ subiectũ est & ppositũ,q̃ ex se nõ nisi meram substātiã significat,cuius significatio cassa est & vana nisi determinet̃ per
id qd̃ subest demõstrationi & qd̃ pręest relatiõi. Quia ergo in pposito ly deũ,dicēdo de⁹ produxit
deum,nõ põt ex se stare nisi p̃ supposito:nihil eĩ determinat psonalem actionem nisi suppositũ:
cum addit q non est de⁹ pater,ly qui nõ põt referre ipm nisi relatiõe sub hoc sensu,qui deus pro
ductus nõ est deus pr̃.Et huic cõcordat i summa sua Simõ Tornacē. Sed tũc Magister Sētētiarũ
dicit q̃ cum dicitur qui non est deus pater,respectu hui⁹ verbi est,ly pater potest esse appositũ pri
cipale,& hoc nomē deus specificatiuum ipsi⁹.sic est vera sub hoc sensu:pduxit deũ q non est pr̃,q̃
quidem pater deus est:& est primũ mēbrũ distinctiõis quã ponit Magister,& extorquet eũ sensum
vel ecõuerso:& sic est falsa sub hoc sensu:pduxit deũ q non est deus qui est pater.Sed in rei verita
te distinctio hęc nõ potest hic habere locũ.Cũ eĩ secũdũ Philosophũ,sermones ingrēdi sũt secundũ
materiã:& secundũ Hila,non sermoni res sed sermo rei debet esse subiect⁹: cũ ergo in pposito ser
mo nõ est nec intentio loquēdi nisi de rebus diuinis,significatis igit̃ p̃ terminos hic ad pręsens vti
nõ debemus nisi vt rebus diuinis determinat̃. Quare cũ i diuinis de⁹ est terminus q̃si cõis & gña
lis,& pater quasi specialis terminus,vt dictũ est supra & iã ampli⁹ dicet̃ infra:qñcũq̃ aũt appositio
est inter generale & speciale,semp gñali debet appositũ esse speciale nõ ecõuerso:dicēdo aial hõ,nõ
hõ aial,ne fiat nugatio in sermone secũdũ Philosophum:ideo alter sensus oino extortus est a Magi
stro vt per illũ verificaret antecedēs illd̃,de⁹ pducit deũ. Et q̃ oino obuiāti oino obuiādũ ē,idcir
circo Magister etiã extorquendo istũ sensum vt satisfaciat calumnię & obiectioni hęreticorũ distin
guit illã negatiuã,vt dictũ est:licet forte bene videbat q̃ nõ erat distinguēda. Sed adhuc in illo sen
su quo ly pater est oppositum ad ly de⁹,aliq̃ distinguũt:q̃ dicēdo pduxit deũ q nõ est de⁹ pater,in
ter ly de⁹ & ly pr̃,necessario intelligit q est,sub hoc sensu , deum qui nõ est deus q est pr̃.& tũc il
lud qui est pr̃,potest poni i plicatiue:vt illd̃ totũ de⁹ pr̃ teneat̃ dictionaliter:& sit circũlocutio vni⁹
psonę,sicut hic qd̃ dicit̃ spūs sanct⁹,sicut dixit Alexāder in sũma sua,sic est vera:& ē idē dicere deũ
q nõ est de⁹ pr̃,& dicere deũ qui nõ est pater.Vñ hoc mēbrũ implicite tetigit Magister,cũ cõcessit
istã genuit deũ.Vel põt teneri relatiue & oratiõaliter,& sic est falsa sub hoc sensu:deũ q nõ est de⁹
q deus est pater.& est secũdũ mēbrũ distinctiõis quã ponit Magister,& sensus extortus ab hęreti
cis,p̃ quem volebant falsificare antecedēs principale.Sed reuera nec ista distinctio valet:quia sicut i
illa pcedēte distinctione ille primus sensus extortus est:q̃ de virtute sermonis ly pr̃ debet esse ap
positũ ad ly de⁹,nõ ecõuerso:sic i ista distictione iste scd̃s sensus est extort⁹:q̃ ly q,etsi subitelliga
tur ppter appositiuã cõclusionē quã sermo ptēdit:nõ tñ põt intelligi nisi implicatiue.& sic amota
oi distictiõe i rei veritate nõ refert dicere pduxit deũ q nõ ē de⁹ pr̃:& dicere,pduxit deũ q nõ ē pr̃,
Vñ nisi hęretici in illa pduxit deũ q nõ est de⁹ pr̃,extorsissent vnũ sensũ falsũ ad destruēdũ illã de⁹
gñat siue pducit deũ:Magister nõ distixisset illã de⁹ gñat deũ q nõ ē de⁹ pr̃,extorquēdo aliũ sensũ
verũ ad confirmandum illam deus generat deum,plus q̃ istam deus generat deum qui non est pr̃:
sed absolute cõcessisset illã deus generat deum qui non est de⁹ pater:& absolute negasset contrariã
affirmatiuam qui est deus pater:sicut absolute cõcedit istã q nõ est pr̃,& negat illã q est pr̃. Et i rei
veritate si negatiua esset distiguēda,& affirmatiua:& hoc siue deus adiungatur illi qd̃ est pr̃,siue

V

nõ:& contrario modo affirmatiuę & negatiuę ſunt verę & falſę:vt patet inſpiciédo oēs diſtin=
ctiones pmiſſas.& hoc ideo:qa mēbra illi⁹ diuiſiõis,ſi e⁹ pduxit deũ,aut ergo deũ qui eſt deus
pr,aut q̃ nõ eſt de⁹ pr,diuiſio eſt p cõtradictorie oppoſita:qa oē q̃d eſt de⁹,aut eſt de⁹ q̃ eſt deus
pater,aut qui nõ eſt deus pater. & in contradictoriis regula generalis eſt.Si vnũ eorum dicitur
multipliciter,& reliquũ.Vnde multũ peccat Prepoſitinus cũ dicit in ſumma ſua contra Magi  **X**
ſtrũ ſententiarum,φ neutra illarum concedenda eſt ſic inquiens.Patet ſolutio argumēti q̃d in
ſentētiis iuenit,hmõi ſcilicet,pater genuit deũ,ergo deũ qui eſt pater vel deũ qui nõ eſt pater.
neutra vera eſt. Hęc eſt falſa: deus genuit deũ qui eſt pater:quia hoc relatiuũ qui in affirmati=
ua pſonã filii refert,quã hoc nomen deum ſupponebat:& filius nõ eſt pater.Et hęc eſt falſa, de⁹
genuit deũ qui nõ eſt pater,quia in negatiua relatio refert ſignatũ & appellatum.Eſt ergo ſen
ſus:genuit deũ qui nõ eſt pater.i.genuit deum filium qui nõ eſt pater,& cuius deitas nõ eſt pa
ter.Vnde etiam dicit φ hęc eſt falſa : deus generat , qui non eſt filius : quia ly qui refert deum
non tãtũ pro perſona patris:ſed etiã pro eius deitate.Hãc vero dicit eſſe verã:deus generat &
ipſe non generat,quia nec patris perſona,nec ipſa diuina eſſentia generat. Supponit aũt falſum
in ſua reſpõſione, φ relatiuũ aliud refert in negatiua q̃ in affirmatiua:quia tũc aliter negaret
negatio q̃ affirmaret affirmatio:qd falſum eſt.Vnde ſi antecedēs tam in ppoſitiõe affirmatiua
q̃ in ppoſitiõe negatiua nõ ſupponit deitatē niſi vt eſt in ſuppoſito filii: ſimiliter relatiuũ in
vtraq̃ nõ refert deitatē niſi vt eſt in perſona filii. & ſic negatio non negat ibi aliquid de deitate
abſolute,nec habet aliquo modo ſenſum illũ, deitas filii non eſt pater: ſed ſolummodo iſtũ, filius
nõ eſt pater.Et hoc Simon Tornacē.in ſumma ſua cõcedit cũ Magiſtro ſentētiarum dicens ſic.
Deus pater nõ genuit deũ qui ſit pater. Accuſatiuus eῒ deũ ibi ſupponit pſonam filii , & qui
refert eã.Redeundo ergo ad primũ dicimus ſimpliciter & abſolute φ deus produxit deum qui
nõ eſt deus pater,hoc eſt qui nõ é pater:vt declaratũ eſt.Et cũ aſſumitur vlterius, ergo de⁹ eſt
qui nõ eſt deus pater:bene verũ eſt:quia filius eſt qui non eſt de⁹ pater.Et cum ex hoc vlterius
concludit, Non ergo vnus tantũ deus eſt:hanc Magiſter negat p hoc q̃d dicit, Non tñ genuit
alterũ deum,nec qui genitus eſt alius deus eſt q̃ pater:ſed vnus deus cũ patre. Sed ad cõſeque
tiam nõ reſpondet quę apparens eſt,& tamē non tenet, quia conſequēs falſum eſt & ſuum ante
cedēs verũ: & ex vero(ſcdm regulã Phi)nihil ſequit niſi verũ.Vnde niſi feciſſet calũnia & ex=
torſio hęreticoꝗ(vt dictum eſt)vbi dixit,Si vero additur,genuit deũ qui nõ eſt deus pater:nõ
debuit dicere,Hic diſtinguimus &c̃.immo debuit dicere,hic dicimus φ idem eſt dicere genuit
deum qui non eſt pater:& genuit deũ qui nõ eſt deus pater.hoc enim nõ refert : vt dictum eſt.
Et tunc vt reſpondeat ad conſequentiam & ad formam argumenti,deberet addere , & cum ex
hoc vltimo concludit,non ergo tantũ vnus deus eſt:hic diſtinguimus:φ dupliciter poteſt in=
telligi,nõ vnus tãtum de⁹ eſt.poteſt eῒ illud nomē vn⁹ ſubſtãtiue teneri & ſupponere illi ver=
bo eſt pſonaliter retento.ſic eſt vera ſub hoc ſenſu.nõ ergo vnus tãtum eſt deus:hoc eſt,nõ vn⁹
tãtũ in pſona eſt deus,immo plures in pſonis.ſ.deus qui eſt pater,& deus q̃ nõ eſt de⁹ pater,ſed
qui eſt deus filius.Et ſic bene ſequit,deus eſt qui nõ eſt deus pater,nõ ergo vnus tãtum de⁹ eſt
Vel poteſt ly vnus teneri adiectiue & eēntialiter,& determinare in pdicato illud ſubſtãtiuum
deus retento ly eſt impſonaliter.ſic eſt falſa ſub hoc ſenſu.nõ ergo vnus tãtum eſt deus,hoc eſt
non tantum eſt vnus deus in eſſentia,ſed plures:vt alius deus in eſſentia ſit deus qui eſt deus
pater,& alius qui nõ eſt deus pater:ſed deus filius.qd intēdebat hęretici. Et ſic nõ ſequitur ex
prima ppter fallaciã accidētis:qa ly deus primo poſitũ in antecedēte cum dicit de⁹ eſt qui non
eſt deus pater,tenet pſonaliter.Aliter eῒ non eſſet vera, neq̃ ſequeret ex illa genuit deũ
qui nõ eſt deus pater.In cõcluſione vero cũ dicit: non ergo tãtum eſt vnus deus,tenet eſſentia
liter.Aliter enim hęretici non haberent ſuum intētum:nec poſſet concludi ex hoc oppoſitum
primi antecedētis:qd intēdebant hęretici:vt patet conſiderãti.Ad illud qd aſſumitur in tertio
medio:Si deus producit deũ,aut quia eſt deus,aut quia eſt innaſcibilis &c̃. Dicēdum φ ratiõe
vtriuſq̃.ſ.ratione qua deus innaſcibilis,habendo aſpectum ad actum productionis ſimpliciter a
pſona q̃ in diuinis nõ eſt ab alia,de qua ſermo eſt hic modo: licet alio & alio modo ratione qua
deus,quia deitas eſt elicitiua oῒm diuinarũ actionũ:vt habitũ eſt ſupra:& ratione qua innaſci=
bilis,quia innaſcibile ſupponit pprietatem pſonę quę nõ eſt ab alia:qua primo deitas determi=
nat ad actum emanatiõis ſimpliciter:vt inferius declarabit.Propter qd quia ratione vtriuſq̃
deus pducit deũ,idcirco non omnis in quo eſt deitas,pducit deum:quia in ipſo nõ eſt innaſci
bilitas.Nec tñ ſequit φ deus pductus ſit innaſcibilis ſicut & deus pducens,quia natura per=
fectę pductionis ſimiliter eſt,φ ex ratione qua productio eſt,non patitur eundem eſſe in pſona

produc̃etẽ & productũ,ſiue in deo ſiue in creaturis.Ratione vero qua eſt pſecta pductio in di̅
uina natura , nõ patitur pducũ eſſe oĩno aliũ & diuerſum ĩn natura a ꝑducẽte. ita ꝙ ꝗ̃to eſt
pſectior,tãto minorẽ alietatẽ patitur inter ipſos:& hoc in creaturis:& vbi eſt pſectionis infinitę
nullã omnino:vt cõtingit in ſolo deo. Vnde in creaturis eſt idẽtitas naturę inter generantẽ &
generatũ in vno cõmuni ſcẩm ſpeciem.In deo vero eſt idẽtitas in vno ſingulari ſcẩm rationem
indiuidui.Q₂ aũt nõ patiaꝼ eũdẽ eẽ, hoc eſt ratiõe ꝓꝓrietatis determinãtis principiũ elicitiuũ
ad actũ.Q₂ vero nõ patiatur eẽ aliũ vel nõ oĩno vel nullo mõ,hoc eſt ratiõe naturę,ꝗ eſt eliciti
ua actus.ſup illã autẽ nõ idẽtitate pducẽtis & pducti fundaꝼ eoꝗ diſtictio:& ſup illã idẽtitatẽ
fundaꝼ eoꝗ ſilitudo.Propter ꝗd nõ ſequiꝼ,ꝙ licet ſimile pducat ſimile ſcẩm naturã,ꝙ generet
ſimile ſecũdũ ꝓꝓrietatem,immo pductio ſimpliciter requirit cõtrariũ. & ſic innaſcibilis de⁹ ge
nerat ſimilẽ ſcẩm deitate,quia deũ:diſſimilẽ aũt & d̃ſtinctũ ſcẩm innaſcibilitate:quia innaſci
bilis producit natũ.& per hunc modũ Socrates humanitate ſua quia eſt humanitas ſimplr ge
nerat hoĩem,nõ quia Socrates,ſed quia hõ:quia vero ē hęc hũanitas,generat aliũ hoĩem a ſe,&
hoc ꝗa Socrates ē.◖Ad illud ꝗd aſſumiꝼ in quarto medio:Si illa eſt vera pro patre,deus gene
rat deũ,& alia eſt vera pro filio & ſpiritu ſancto,deus nõ generat deũ. Et ſi velimus extendere
mediũ:Si illa eſt vera pro patre & filio,deus pducit deũ:iſta ſimiliter eſt vera pro ſpiritu ſan
cto,deus nõ pducit deũ. Dicendũ ꝙ cũ veritas ꝓꝓoſitionis nõ habet eſſe niſi ex virtute termi
norũ,& in termino nõ attẽdunꝼ niſi duo.ſ.ſignificatũ & ſuppoſitũ:intellect⁹ hui⁹ ꝗſtionis depẽ
det ex ſignificato & ſuppoſitione huius termini deus.quia licet veritas ꝓꝓoſitionis principali
ter cauſeꝼ ex ſignificato termini: tñ ſecundũ ꝙ diuerſimode ſupponit ſuũ ſignificatũ , vel pro
ipſo ſignificato,vel pro ſuppoſito,ſecundũ hoc diuerſimode veritatẽ habet cauſare in ꝓꝓoſitio
ne.◖Eſt ergo ſciendũ prio ex ꝑte ſignificati: ꝙ vniuerſaliter oĩs dictio categorematica ſignificat
idẽ.ſ.ſcẩm rem & naturã: quę habet eſſe in ſuppoſito,vel vt quiditas & eſſentia eius:quẽadmo
dũ humanitas habet eſſe in Sorte:vel vt accidẽs eius:vt albedo in Sorte.Vnde hoc nomẽ deus
nõ ſignificat niſi deitate quã ſignificat hoc nomen deitas:quẽadmodũ albũ ſignificat ſolã albe
dinẽ,ſicut & hoc nomen albedo . ita ꝙ hoc nomẽ deus quãꝼ eſt ex parte rei ſignificatę non ſi
gnificat aliud ꝗ ſignificetur hoc noĩe deitas. Differũt aũt ſolũmodo in modo ſignificãdi: quia
deus ſignificat ꝑ modum ſuppoſiti ſiue ſubſiſtẽtis.dicẽte Damaſceno.De⁹ ſignificat naturã vt
ĩn habẽte,& deitas ꝑ modũ formę abſolutę. ſicut album ſignificat idẽ ꝗd albedo:ſed album ꝑer
modũ inhęrentis, albedo vero ꝑer modũ formę abſolutę.Et licet illud nomen de⁹ ſignificet ꝑer
modũ ſuppoſiti,non tñ ſignificat aliquod diuinũ ſuppoſitũ nec vnũ nec plura: quia de⁹ nõ ſi
gnificat niſi abſolute,& ꝑer modũ abſoluti & abſolutũ.Nullum autẽ eſt ſuppoſitũ in diuinis,
ꝗd nõ ſignificet reſpectum, & modũ reſpectus,vt patet ex ꝓdeterminatis. Et per hoc differt in
ſignificato & modo ſignificãdi ab hoc noĩe ꝑſona:quia ꝑſona ſignificat relatiue, & ꝑer modũ re
latiuũ,& nõ niſi relatiuũ,licet indeterminate:vt ſimiliter patet ex ſupra determinatis. Vnde &
ꝙ ambo indefinite ſupponunt pro tribus ꝑſonis,hoc eſt differẽter,quia hoc nomẽ ꝑſona illas
tres ſupponit ꝑ indifferẽtiã: & nõ aliquid cõmune,niſi intentionale ad illas: vt ſiliter patet ex
ſupra determinatis.Deus aũt etſi ſupponit pro eiſdẽ,ſupponit tñ primo & principaliter ſigni
ficatũ,& ꝑ ipſo ſuo ſignificato,ꝗd eſt vnũ aliquid cõmune tribus:vt quo ad hoc nõ differãt in
eo ſignificatũ & appellatũ:ſed cũ alteri termino adiungiꝼ in oratione, ratiõe adiũcti aliquãdo in
telligiꝼ ſupponere pro ſignificato,ſiue pro ſeipſo:aliquando pro ſuppoſito relatiuo in quo ha
bet eſſe.Pro ſeipſo:vt cũ diciꝼ Deus eſt cõicabilis.Pro ſuppoſito:vt cũ diciꝼ deus generat.Ita
ꝙ licet ſp primo & principaliter ſupponat ſuũ ſignificatũ, & pro illo quãꝼ eſt de ſe,in verifica
do tñ loquutione ratiõe adiũcti determinãtis ſibi acceptione, aliꝗñ primo & principalr ſuppo
nit pro ſuppoſito relatiuo vno vel plurib⁹,aliꝗñ ꝑ ſeipſo,ſcẩm ꝙ adiũcti aliꝗ natũ eſt cõue
nire deo principalr ratione ſuppoſiti,& ſibi ſimplr ratiõe ſuppoſiti : vt cũ diciꝼ de⁹ generat,&
vlr ĩ actib⁹ ꝑſonalib⁹:aliꝗñ ecõuerſo:vt cũ dꝼ de⁹ creat,& ſicuꝼ ĩ actib⁹ eẽntialib⁹,quẽadmodũ
ĩ creaturis ꝓdicata eẽntialia ꝑ prius cõueniũt ſupioribⁱ,& ꝑ illa iſteriorib⁹: ꝓdicata vero accidẽ
talia,ecõuerſo. Vñ quia natura illa quã de⁹ ſignificat,& ſupponit,vnica eſt & ſingularis,& nul
la propoſitio eſt in qua ꝓdicatur aliquis terminus principaliter, cui denotatur aliquid ineſſe
vel non ineſſe,ſiue in qua ipſe denotatur alicui ineſſe vel non ineſſe, niſi inſit vel non inſit ſe
cundum id quod principaliter ſignificat & ſupponit,aut principaliter ratione ſui,aut princi
paliter ratiõe ſui ſuppoſiti: nulla igiꝼ propoſitio in qua deo denotatur aliquid ineſſe vel nõ
eſſe,ſiue cõuenire,aut diſcõuenire,aut ecõuerſo in qua deus denotatur alicui ineſſe vel nõ in
eſſe,cõuenire,vel diſcõuenire,niſi illud inſit vel nõ inſit,coueniat,aut diſcõueniat deo vel ecõ

uerſo ratiõe illi⁹ vnici & ſingularis qd ſignificat & pro quo ſupponit gtu eſt de ſe primo & pri
cipaliter.Si ergo verũ eſt ϙ deus creat aut generat,hoc non eſt niſi quia deo ſimpl'r & abſolute
ratione ſingularis deitatis hoc cõueniat,licet propter determinatiõe acceptiõis quã facit cir=
ca hoc nome de⁹,hoc nõ cõueniat ei niſi vt eſt ĩ aliquo vel ĩ aliquib⁹ ſuppoſitis relatiuis.Si au=
tem verũ eſt,deus nõ creat,aut nõ generat,hoc non eſt niſi quia deo ſimpl'r & abſolute ratione
ſingularis deitatis hoc non cõueniat,licet hoc cõueniat ei ſecundum ϙ eſt in aliquo vel in ali=
quibus ſuppoſitis relatiuis.Quare cum deitati ſingulari,vt ſingularis eſt,nõ poteſt aliquid ſi=
mul cõuenire & non cõuenire,neϙ ipſa ecõuerſo ſimul conuenire vel diſcõuenire alicui:idcir=
co qnciſqϙ affirmatiua verificat in qua ponitur hoc nomen deus,negatiua ſimul verificari nõ
poteſt,nec ecõuerſo,etiã etſi cõtingat ϙ pro aliquo ſuppoſito verificet.Vnde cum hęc eſt vera
deus creat,hęc nõ poteſt eſſe vera deus nõ creat.Si hęc eſt vera,deus generat:hęc nõ poteſt eſ=
ſe vera deus nõ generat.Si hęc eſt vera deus eſt incarnatus,hęc non eſt vera deus nõ eſt incar=
natus.Nec eſt in hoc aliã differẽtia ſiue deo aliqd cõueniat naturaliter & neceſſario in aliã pſo
na,vt gñare ĩ pſona pfis,ſiue in nulla pſona ei cõueniat neceſſario & naturali'r: dũ tñ ĩ aliã pſo
na ei cõueniat ſaltẽ quociẽqϙ mõ ſit:vt eẽ incarnatũ in pſona filii.Vnde ad determinatiõe quã
pdicatũ põt facere circa ſubiectũ,nõ eſt hic aliqd attendẽdũ principaliter:licet per hoc determi
nat hanc dubitatiõe Prepoſitinus in ſumma ſua,ſentiendo aliter g̃ diximus de ſuppoſitiõe hu
ius nois deus,ſic dices.Notandũ ϙ hoc nomen deus vbicũqϙ ſupponit pro eſſentia,poteſt ſup=
ponere pro pſona vel pſonis:ſed nõ conuertit:quia ex adiũcto ſupponit tantũ pro pſona:vt cũ
dico deus generat,ibi ſupponit tãtũ pro patre:quia talia ſunt ſubiecta qualia pmiſerũt pdicata
Eodẽ modo & in negatiua,vnde hęc eſt falſa de⁹ nõ generat.Sed manifeſtum eſt ϙ contrarium
dicti ſui verũ eſt:quia alicubi ſupponit pro eẽtia,vbi nullo modo poteſt ſupponere pro pſona
vt cũ dicit De⁹ eſt cõicabilis.Nullibi autẽ ſupponit pro pſona quin ibidẽ ſupponat pro eſſentia
niſi reſtringat ad ſupponendũ pro pſona tãtũ per immediatã implicationem,dicẽdo ſic: aliquis
qui eſt deus nõ generat:vt filius vel ſp̃s ſanctus. Qg̃ em ex adiũcto p implicationẽ ſupponit
tãtũ pro pſona primo & principaliter verificãdo loquutiõe pro ipſa, ſimul tñ & ſupponit pro
eẽtia. nõ em eſt verũ patrẽ gñare:qui verũ ſit deũ gñare.ga nõ ſolũ ſupponit patrẽ:ſed ſimpl'r
ſupponit vnũ deũ ſimplicem,de quo verũ eſt dicere ϙ generat & generatur,ſpirat & ſpiratur:
licet loquutio verificetur varie pro diuerſis ſuppoſitis primo & principaliter. Vnde nõ ſequit
iſtud argumẽtum,aliquis qui eſt deus nõ generat,ergo de⁹ non generat,propter fallaciã conſe
quentis ab inferiori ad ſuperius negando vniuerſaliter : ſicut non ſequitur , aliquis homo nõ
currit,ergo nullus homo currit:quia illa deus non generat , includit illam nullus qui eſt deus
generat.Et hoc quia iſte terminus deus inquãtum ſupponit pro ſuo ſignificato qd eſt res ſin=
gularis,ſic habet ratiõe termini pprii,& facit ppoſitiõe ſingularẽ:licet inquãtũ nat⁹ eſt ſup
ponere p ſuppoſitis relatiuis,& vt ecõis eis p cõmuniõe nõ p plurificatiõe, habet quodãmo
do ratiõe termini appellatiui:& facit ppoſitiõe quodãmodo indefinitã.Et quo ad hoc bene ſe
queret,aliϙs g eſt de⁹ nõ generat,ergo de⁹ nõ generat:ſicut ſequit,aliquis hõ ſiue aliquis g̃ eſt
homo non currit,ergo homo nõ currit.Sed in ppoſito reformat pactum ϙ eadẽ res ſingularis
ſignificat hoc noie deus,qd & ſupponit pro illa vniformiter in negatiua ſicut in affirmatiua:li
cet pro alio & alio ſuppoſito. Hoc aũt noie hõ ſignificat eadẽ res vniuerſalis, & ſupponere põt
pro alia & alia re ſingulari ĩ affirmatiua & ĩ negatiua ſicut p alio & alio ſuppoſito. & ideo hoc
nomẽ homo ſupponendo pro ſignificato & pro ſuppoſito , pro alia re ſignificata poteſt ſuppo=
nere in affirmatiua g̃ negatiua,ſicut & pro alio ſuppoſito:hoc autem nomen deus etſi pro alio
ſuppoſito,non tñ pro alia re ſignificata. Quare cum propoſitio quę vera eſt pro ſuppoſito,etiã
requirat veritatem pro ſignificato:vt ſit vera ſimpliciter,ſicut dictũ eſt:idcirco ille, homo cur=
rit,homo nõ currit,poſſunt ſimul eſſe verę ſimpl'r:quia & pro ſignificato & p ſuppoſito ſimul.
Non autẽ iſte,deus generat,deus nõ generat:quia etſi pro ſuppoſito poſſint ſimul eſſe verę:nõ
tñ p ſignificato:vt dicti ẽ.Et ſic iſta ppoſitio de⁹ generat deũ,& iſta,de⁹ nõ generat deũ, ratio
ne deitatis quę plurificabilis nõ ẽ,p qua ly deus ſupponit, & p modũ ſubſiſtẽtis ſe habet, ſimul
verę eẽ nõ poſſunt,immo cõtradictorię ſunt,ſicut iſtę duę,Sortes currit,Sortes nõ currit.Nec
differt in eis negatio ppoſita,& poſtpoſita:ita ϙ ſi vera eſſet negatiua,ſicut nõ eſſet niſi quia p=
dicatũ diſcõueniret deo ſimpl'r ratione ſuę deitatis:& ſic oporteret ϙ diſcõueniret ei in quo=
cũqϙ ſuppoſito inueniret:vt eſſet ſimul falſa ratione eſſentię,& cuiuslibet pſonę:qa ſcilicet deus
nec generaret ratione deitatis ſimpliciter,nec ratione deitatis in aliquo ſuppoſito.qd em diſcõ
uenit deitati ſimpl'r ſignificatę per modum ſubſiſtẽtis,diſconuenit ei in qualibet pſona propter

vnitatem eius in pluribus psonis,ecotrario eius qd contingit in creaturis:quia essentia plurisi
cat in plurib⁹ psonis.Si aute vera sit affirmatiua,hoc est quia pdicatum couenit deo simplr,ra
tione sue deitatis,& sufficit ꝗ simul coueniat ei vt est in aliquo supposito:licet discoueniat ei

**A**
**Ad quitu.**
vt est in aliis.Ad illud qd obiicit quito, si deus pduceret deu,ergo de⁹ eet distinctus:quia p
ductio actiua & passiua importat relationes distinguetes inter terminos:Dicendu iuxta ia ex
posita,ꝗ in quolibet termino est considerare id qd supponit,& est solu suu significatu:& est con
siderare pro quo supponit,& hoc est illud pro quo reddit locutione vera. Sed pro alio pot ter
min⁹ supponere & reddere locutione vera dupliciter,vel primo & principaliter:vel secudario.
Primo modo supponit hoc nomen de⁹ suu significatu per modu suppositi. Scdo aute modo in
proposito,deus generat deu,supponit principaliter & primo hoc nomen deus in supposito pro
supposito relatiuo patris,& hoc nomen deu in pdicato pro supposito relatiuo filii.Tertio aute
modo supponit pro ipsa essentia.Cu ergo dicit ꝗ productio actiua & passiua importat relatio
nes distinctiuas inter terminos suos,veru est:sed tantu inter illos pro qbus primo & principa
liter verificatur locutio,& inquatu verificat pro illis,non aute pro illo pro quo verificat lo
cutione secundario,& inquatum pro illo verificat.Quare cum(vt dictum est) ppter determi
natione actus pducendi ly deus supponit verificando locutione pro patre, & ly deu pro filio
primo & principaliter:licet secundario pro essentia:distinctione igit notat solu pro ipsis psonis
& no pro ipa essentia.Sed cum exprimitur dicendo deus distinguitur,ly deus primo & princi
paliter supponit pro essentia: qa ly distinguitur non determinat sibi aliquam psona determi
nate,& semper in tali locutione principaliter supponit & denotat locutione verificari pro essen
tia,vt significat hoc nomine deus per modu suppositi: & etia si significaret non solu per modu
actionis gramatice loquendo,sicut significat hoc verbu discernere, sed vera actionem per mo
du actionis,sicut significat hoc verbum creat,dicendo deus creat,Propter quod non sequit vl
terius,notat distinctionem inter terminos,ergo inter deu & deu:vt ponatur distinctio intelligi
circa deu ratione deitatis:immo esset fallacia figure dictionis ex comutatioe suppositiois. Sup
ponit em ly de⁹ principaliter pro psona patris vel filii,vel vtriusꝗ simul, cu dicit deus pducit

**B**
deu:econuerso aute pro essentia principaliter,cu dicitur, Deus discernitur. Quod arguitur
vlterius,si deus producit deu,aut ergo volutate,aut natura,aut necessitate &c.Ad hui⁹ disso
lutione sciendu:ꝗ deu pducere deu necessitate,natura,aut volutate,dupliciter pot intelligi,qa
ly necessitate natura & volutate possunt teneri noialiter vel aduerbialiter. Si noialiter,sic sunt
ablatiui:& dicunt ratione originadi actum pductiois in originate.& hoc modo de⁹ no pducit
deu necessitate: quia necessitas ꝗ est ratio pducendi alia a natura,non est nisi principiu extra:ꝗ
dicit necessitas coactionis. Et de tali modo necessitatis intelligebat heretici quando querebant
vtru pater genuit filiu necessitate,vel ambo pducerent spiritu sanctu de necessitate,De qua di
cit Hila.de Syno.Si quis nolente patre dicat generari filiu,anathema sit. non em nolente patre
coactus est pater: vel necessitate naturali duct⁹ cu nollet genuit filiu. Et Augustin⁹ ad Orosiu
ꝗstione.vii.Necessitas in deo no est.Si vero pdicta tria sumatur aduerbialiter:vt sint ide qd ne
cessarie & voluntarie & naturaliter,sic dicut solumodo pductionis modu.Sic in omni modo p
ductionis de⁹ pducit deu de necessitate no alicuius indigetie,iuxta qd dicit Hila.de Syno.xi.
Nulla necessitate naturali ductus pater genuit filiu,neꝗ confimiliter ambo pduxerunt spiritu
sanctu aliqua necessitate. De tali aute necessitate querebat heretici.Sed cu scdm Ar.sel.ii.libro
de libero arbitrio,duplex sit necessitas,s.queda precedes,que est causa vt sit res,& necessitas se
quens quam res facit:vtroꝗ modo cadit necessitas que dicit modum pductionis, in diuina pro
ductione. Dicitur autem pcedens necessitas ab ipso causa vt sit res:quia est modus actus,ex eo
ꝗ est ratio & principium actus:queadmodum celum dicitur necessario moueri:quia de neces
sitate sue forme mouetur:& similiter ignis de necessitate calefacit:quia de necessitate naturali
sue caliditatis.Dicitur aute necessitas sequens quam res facit & quae nihil efficit.quia est modus
actus no ex eo ꝗ est ratio & principium ipsius actus:sed ex conditione ipsius actus. Et hæc se
cunda potest esse vbi non est prima:vt cum dico te ex necessitate loqui quando loqueris,vt em
dicit Anselmus,cum hoc dico,significo te necessarie facere posse vt dum loqueris non loquaris,non ꝗ
aliquis cogat te ad loquendum.Sed vbi est prima necessitas necessario est secunda.Et potest pri
ma harum necessitatum appellari necessitas efficietie,Secunda vero existentie.Prima necessita
te secundum Philosophos dicitur celum de necessitate moueri,quia habet causam necessariam
effectiua motus eius. Scdo mo dicit celu moueri de necessitate:qa non pot esse vt no sit motus
in celo:& loques cu loquit de necessitate loqui:qa no pot ee vt aliqs du loquitur non loquatur.

Primo modo deus producit deū de neceſſitate,& hęc neceſſitas a quibuſdā appellať neceſſitas immutabilitatis:& ab Anſelmo appellatur neceſſitas inuertibilitatis ſeruādi conſtātiam.Sed ſe cundū q̃ natura & voluntate ſumuntur aduerbialiter,hoc modo ambo cōcurrunt in omī pro ductiōe dei de deo:qa de⁹ deū naturaliter & volūtarie generat,& ſimiliter ſpirat.Quia em de⁹ nihil agit niſi vt natura intelligēs & voluntaria,cuius natura non patitur violentiā aut indi gentiā,cuius intellectus nō errat per ignorantiā,cuius voluntas nō impeditur per impotentiā: & ſunt penitus idem re in deo pertinentia ad attributa eſſentialia ſcdm rationē pcedentia vt fundamēta,& principia actuū pſonaliū: impoſſibile eſt q̃ in deo aliqd agat natura qd nō ſciat & intelligat per intellectū,& qd non velit ſiue in ipſum nō cōſentiat per voluntatē,neq̃ volū tate de ipſa ſua ſubſtātia,quin natura cōcurrat & intellectus ſciat.De hoc aūt minus dubium eſt in pductiōe ſpiritus ſancti ab vtroq̃,q̃.ſ.productio eius ſit natura & intellectu cū hoc q̃ eſt voluntate:q̃ filii a patre,ſ.q̃ productio eius cum hoc q̃ eſt natura & intellectu, ſit etiā vo luntate:quia illa eſt modo voluntatis,& iſta modo naturę & intellectus:vt infra videbiť. Natu ra autē & intellectus ratione abſolui poſſent a voluntate & agere ſine illa:quia ordine quodam rationis natura & intellectus in deo pcedunt voluntatē:vt iam viſum eſt ſupra,& amplius vi debitur infra:non ecōuerſo.dicēte Auguſtino ad Oroſiū.Preire voluntas ſapientiā non poteſt Propter qd auctores magis ſollicite affirmabāt pductionem filii cū hoc q̃ eſt natura & intel lectu etiā eſſe voluntate.In hoc em hęretici magis errabāt:vt patet per Magiſtrū.i.ſententiarū diſtin.vi.p totū.Hic dicit Hila.de Syno. Eos q̃ dicūt q̃ neq̃ cōſilio, neq̃ volūtate pater genuit filiū,anathematizat ſancta eccleſia.Et Ric.vi.de trini.c.xvii. Producēti qui eſt ipſa omīpotētia idem eſt de ſe alium pducere qd ex ordinatiſſima cauſa idipſum velle:ex principaliori autem cauſa id velle idem eſt qd generare.Nam cū vterq̃ pcedendi modus conſtet in volūtate,diffe rūt tñ p cauſę alteritate. Vñ & in cauſa principaliori cōſiſtit principalior mod⁹ pcedēdi. Vul tis ſuper his audire verbū abbreuiatum:Ingenitū velle habere ſibi conformē , idem mihi vide tur qd gignere filiū:tam genitū q̃ ingenitū velle habere cōdilectū,idem mihi videtur qd pdu cere ſpiritū ſancti.& cap.xviii. Videtur mihi eſſe deo patri filium gignere qd perſonam de per ſona ſua naturaliter & pro voto pducere.Eſt autē aduertendū q̃ licet ambo,natura ſcilicet & voluntas,ſimul concurrunt in duplici pductione dei de deo,non tñ eodem modo, ſed diuerſi mode. ſecundū q̃ differūt principia elicitiua illarū productionū,In pductione em principali q̃ eſt generatio,quę elicitur a principio qd eſt natura, deus pducit deū naturaliter primo & pri cipaliter:voluntarie vero ſecudario & cōſequēter,In pductione ſecūda quę eſt ſpiratio,ecōuer ſo vis elicitiua actus eſt voluntas vt eſt potentia libera:naturalis tñ neceſſitas impellēs eſt in actu.In generatione em vis elicitiua actus eſt intellectus vt eſt natura , naturali impetu ipellēs in actu:in ſpiratiōe vero ecōuerſo.Sed in generatiōe volūtas eſt cōiūcta naturę & cōſentiens natu rę in actū generationis.In ſpiratione vero natura eſt cōiūcta volūtati vt inclinās cum volun tate in actū ſpirationis.Et ſic generās primo & principaliter generat naturaliter,voluntarie au tē cōcomitāter:ecōuerſo autē ſpirās ſpirat.Sed tñ aliter & aliter volūtas eſt cōiūcta naturę in generatiōe:& natura volūtati in ſpiratiōe:qa volūtas in generatione eſt coniūcta naturę nō vt coagens:ſed vt complacēs in actione:natura autem in ſpiratione eſt voluntati coniūcta vt naturali quaſi impetu volūtatem liberā inclinans in ſuam actionem : vt ppterea ambę emana tiones naturales dici poſſunt.Propter qd dicit Ric.vi.de trini.cap.i.q̃ in diuinis nihil eſt iuxta donum largientis gratię:ſed totū iuxta proprietatem exigentis naturę. Et Hila.v.de trini. Ex virtute naturę in eādem naturam ſubſiſtit filius natiuitate, & ex virtute naturę in eandem na turam proceſſione ſubſiſtit ſpiritus ſanctus. ¶Q̃ ergo inducebatur in argumento,q̃ deus non pducit deū natura aut neceſſitate:quia pducit eū libere: Dicendū q̃ libere pducit,& ita volū tarie:ſed volūtate cōſentiēte nō eliciente in prima pductiōe,& p hoc volūtarie.dicēte Ricar. lib.vi.ca.iii.Hoc pculdubio erit ei plē pducere,in eoipſo ſibi oīa cōplacere. Per qd nō excludiť quin a natura eliciēte,& p hoc etiā neceſſario & naturaľr : ſecudū modū neceſſitatis q̃ dicť ē ca dere i deo.Volūtate aūt eliciēte i ſcda pductiōe,& p hoc volūtarie : pqd nō excludiť a natura cōcomitāte,& p hoc naturaľr & neceſſario:vt patet ex iā dictis,& i ſequēti q̃ſtiōe ampli⁹ decla rabiť.Q̃ aūt addiť q̃ natura ſiue neceſſitas & volūtas ex oppoſito diſtiguunt,& in eādē actiōe nō cōcurrūt,dicēdū q̃ volūtas operať autvt libera abſolute,autvt libera arbitrio.Iſto ſcdo mō nō cōcurrūt in eādē actiōe natura ſiue neceſſitas & volūtas,ſic em de⁹ nihil opať volūtate itra ſe:ſ̃ ſolū circa creaturas.Et ſecundū hoc Hila.de Syno.& Anſel.ii.cur de.hō, dicit q̃ nulla ē in deo faciēdi vel nō faciēdi neceſſitas, Itē Anſelm⁹ ibidē,In deo ſola operať volūtas. Primo aūt modo bene concurrūt in eadem actione:vt supra determinatū est disputãdo de voluntate dei:

**D** licet non eodem modo:vt iam declaratum est hic.CQ₂ vero adducebatur φ deus nõ producit deum voluntate siue voluntarie:quia productio talis non potest nõ esse:Potest responderi mo= do iam dicto distinguendo de voluntate penes diuersum modu quo voluntas cõcurrit ad actū generandi & spirãdi,econtrario tamē natura.Penes hoc eīn accipit quædã distinctio magistra= lis,φ est quædã voluntas antecedēs,quædã vero cõcomitãs:prima in spiratione,scda vero in ge neratiõe. Sed hęretici Eunomiani(vt dicit Augu.xv.de trini.ca.xx.)cum nõ potuerūt intelli= gere,nec credere voluerūt dei filiū esse natura genitū: filiū voluntatis dixerūt eū esse, volentes asserere antecedētē volūtatē, qua scilicet vt prīcipio elicitiuo gigneret filiū.Propter qđ Magi= ster.vi.distin.ca.vl.appellat eã efficientē,& non solū antecedentē ordine vt principium princi= piatū:sed tēpore:intelligēdo voluntatē illã nõ solū antecedentē originaliter:sed etiã anteceden tē de nouo aut ipsi volenti,sicut nos aliqñ volumus qđ antea nõ volebamus:aut ipsi operi siue rei operatę,sicut deus voluit aliqñ creaturã de nouo pducere quã antea pducere noluit . Qđ dixerunt:vt ostenderēt filiū dei esse creaturã.Cõtra quos dicit Augu.sup epistolã ad Ephesios super illud ca.i.Prędestinauit nos. De dño nostro Iesu Christo dictū ē:quia cū patre semp fuit, & nūq̄ eū vt esset volūtas paterna pcessit. CAd seques:si deus pducit deū,ergo de aliquo, aut nihilo &c.Dicendū φ nõ de nihilo,sed de aliquo,nec de substātia aliena,sed de substātia produ cētis.De aliquo oportet poni esse pducitū omne qđ pducit in diuinis. De nihilo autem non po test dici pductum qđ in diuinis pducit.Qm ly nihil cū dicit aliquid esse de nihilo,scdm An= sel.mon.c.viii.tripliciter accipit. Vno modo negatiue:sicut esse de nihilo dicit id qđ omnino nõ habet esse.secundū φ taces dicit loqui de nihilo. Hoc igit modo nihil existēs siue in deo siue in creaturis pōt dici esse de nihilo,neq̄ oīno id qđ habet esse, siue sit pductū,siue non. Contra dictio eīn includeret.s.φ haberet eē & nõ esset.& ideo isto mõ neq̄ in diuinis neq̄ in creaturis pōt aliquid dici esse pductū de nihilo.Secūdo mõ dicit aliquid de nihilo:qa nõ est aliqd de quo pōt dici eē.scdm φ id dr de nihilo, qđ habet causam sui eē.sic pf ī diuinis pōt dici eē de nihilo: vel ipsa eēntia diuina: qa nõ habet principiū aut causam sui esse.sed tunc illa ppositio de,inclu dit sub negatiõe:vt idē sit dictū eē de nihilo qđ nõ esse de aliquo. Et ideo isto mõ nihil pducit pōt dici pductū de nihilo in diuinis:qa oīne pductū in diuinis habet aliquid de quo ē & princi piatiue,& q̄si materialiter:vt iã videbit.Sed iste modus dicēdi aliqd eē de nihilo,nõ debet vsita ri ī diuinis:qa sm vsū cõem nõ solū ptēdit negationē eēndi qd nõ ab alio:sed negationē essendi simplr. Vñ dicit Ansel.moñ.c.vi.Licet sūma eēntia nõ sit p aliqđ efficiēs aut ex aliq̄ materia,nõ tñ per nihil atq̄ ex nihilo,quia p seipam & ex seipsa est quicquid est.Sic & pater ex seipso & p se ipsum est quicquid est,nõ ex nihilo.Et ita istis duob⁹ modis dicit ly de nihilo negatiue. Tertio modo dicit de nihilo positiue,& hoc dupliciter. Vno modo,q̄si materialiter:vt nihil ingrediat materiã rei subiectã,sicut ferrum ingreditur substātia cultelli qui est de ferro.Sic iterū nihil sit de nihilo:quia nihil nullius habet esse aliquid. Alio modo originaliter:quia nihil eius substātia ha bet esse post nõ esse.& sic sola creatura habet esse ex nihilo,nõ autē aliquid productū in diui= nis:quia nihil est ibi nisi ppetuum:vt infra dicet.De aliena autē substātia ex nihilo tñ cõcrea= ta,dicebant hęretici esse pductū quicquid ī diuinis pducit.Vnde & dicebãt nihil produci a deo,nisi qđ esset creatura,& alterius substātię q̄ diuinę,& esse pductum post pducentē:& dice bãt filiū creaturã nobilissimã a deo creatã. dicēte Hila.in principio.iiii.de triñ. Aiunt hęretici filium nõ ex patre natū: neq̄ deum ex natura:sed ex cõstitutione esse:quia sicut plures dei filii ita & hic filius sit:sicut plures dii sunt,ita & hic deus sit:indulgētiore tamē in eo & adoptiõis & nūcupationis affectu:vt & prę cęteris sit adoptatus,& adoptiuis sit maior, & excellētius cū ētis naturis creat⁹:& creaturis ipse cęteris pstet,& ex nihilo vt cętera ī ęterni illi⁹ creatoris sui imagine cõstitisse,verbo videlicet de nõ extantibus iussum esse subsistere,deo potente similitu dinem sui ex nihilo coaptare.Et dicit hoc contra Arrianos, qui filium dicebãt creaturã spiri= tualē nobilissimã ante alias creatam,& in virgine naturã humanã accepisse.Photinus vero di= xit,φ initiū accepit in virgine cū carne assumpsit: & ambo dicebãt spm sanctū creaturã nobi= lissimã post filiū:& ambos dicebãt a deo dignitate gfę deificatos:& ideo vtrūq̄ dici deū ī sacra scriptura.Sed q̄ sic dicūt(vt dicit Ambro.i.de trini.)negat filiū diuinitate vnū cum patre es= se.Deleãt ergo euangeliū:deleant vocem Christi.Ipse enim dicit.Ego & pater vnū sumus.Eos qui dicūt,erat qñ nõ erat, & anteq̄ nasceret nõ erat,& q̄ ex nihilo factū aut ex alia substantia, anathematizat catholica & aplica ecclesia. Vñ ad hmõi errorē improbãdū ex textu scripturæ poti⁹ q̄ ex vi ratiõis naturalis,inuigilat vt plurimū disputatio de trinitate Ambrosii & Hila.&

aliorū catholicorū:vt patet inſpicienti libros ipſorū.Vnde quia ita ſit ex dictis ſacre ſcripturę q̃
eox̃ diſputatiōib⁹ ſunt declarata,tenere debem⁹:& quō itelligere poſſum⁹ φ de⁹ deū de ſubſtā
tia ſua pducat,iueſtigare debem⁹.Sed(vt dicit Hila.i.de trin.)de natura dei & natiuitate,ſiue
(vt largi⁹ loquar)de pceſſione tractātes exēpla afferem⁹:qa itelligētię nr̃ę inſirmitas cogit ſpe
cies quaſdā ex inferiorib⁹ tanq̃ ſuperiorū indices q̃rere:vt rerū familiarū cōſuetudine ad monē
te,ex ſenſus noſtri cōſcientia ad inſoliti ſenſus opinionem educeremur.¶Eſt ergo ſciendū φ in  **E**
exemplo pductionis naturalis eſt inuenire ea quib⁹ vti poſſumus ad intentū noſtrū circa pdu
ctionē diuinā.Eſt enim in pductiōe cōſiderare tria quodámodo re differētia,ſ.ſubiectā materiā
q̃ eſt in potētia ad formā,& ipſam formā quā agēs deducit i actū de potētia materię,& cōpoſitū
cōſtiturū in eſſe ex vtroq̃,q̃d eſt p ſe terminus pductiōis naturalis. His trib⁹ differētib⁹ in
pductione creaturę ſcdm rem,eſt inuenire tria correſpondētia differētia ſcdm rationem tantū
in pductione diuina,videlicet ipſam diuinā eſſentiā & ppritatem pſonalem,& ipm ſuppoſitū
ſiue pſonam ambo illorū in ſe continētem.iuxta illud q̃d dicit Auguſtinus.vii.de trin.ca.ii.de
pſona filii. Quę eſt nata ſapiētia.vt per hoc q̃d dicit nata,intelligamus ppritatem:per hoc ve
ro q̃d dicit ſapiētia,intelligamus eſſentiā.Vnde & ſicut in pductione creaturarū ipm pductū
habet eſſe p actū pductionis:& qcquid eſt in ipſo etiā habet eſſe in ipſo p actū pductionis,ita φ
ſcdm determinationē Phi.vii.meta.compoſitū generatur per ſe & primo:ſecūdo vero forma in
cōpoſito:materia vero tanq̃ ingenita & incorruptibilis,in cōpoſito ſolum habet eſſe per genera
tionē:nullo tn̄ modo generatur in ipſo,niſi largiſſime loquēdo de generatione:cōſimiliter i pro
ductione diuina quiſquis eſt pductus,in deo habet eſſe ſuū per actū pductiōis, &etiā quicquid
eſt in ipſo.Propter q̃d dicit Auguſtinus φ eſſentiam filio pſtat de patre generatio:queadmodū
cōpoſitum in creaturis habet eſſe ſuū & quicquid eſt in ipſo,per actū generatiōis naturalis.Eſt
em̄ perſona quid conſtitutū in diuinis ex eſſentia cum ppritate:licet abſq̃ cōpoſitione:vt in
fra patebit.Et Hila.dicit φ filius nihil habet niſi natū.i.q̃d naſcendo accepit:vt exponit Prepoſi
tinus. Licet tn̄ pprie dicimus φ perſona pducitur p ſe & primo,tn̄ non eſt cōſuetū dici a theo
logis φ ppritas & eſſentia vllo modo pducatur p accidēs:ſed ſolūmodo φ habetur p pductio
nē in perſona pducta:licet aliter & aliter:qm proprietas non ſolū habet eſſe in pſona producta
p ipſam pductionē:ſed etiā ſimpl̃r habet eſſe p illā:qa i illa habet eē abſq̃ pductiōis:eēntia vero
per pductionē habet eē in pducto:ſed nō habet eē ſimpl̃r p pductionē:quia abſq̃ productione
paſſiua habet eſſe in pducēte.Propter q̃d forte aliquo modo poſſet pprie vel ſaltē magis pprie
q̃ de eſſentia , aut minus improprie dici φ ppritas pducatur in pſona producta: vt φ filiatio
generetur nō ſimpliciter ſcdm ſe,ſed tn̄ in filio. Nullo autem modo pprie dici poſſet φ eſſen
tia pduceretur etiā in pducto : vt φ deitas generaretur in filio:ſed ſolūmodo φ haberetur in
ipſo per generationē:& ita φ pprie dicit eſſentia cōmunicari filio per generationem.Hila.tamē
cōcedit ſubſtātiā generari in filio,cū dicit.ii.de trini.in principio. Pater quomodo erit,ſi nō q̃d
in ſe ſubſtātię atq̃ naturę eſt genuerat in filio?Sed hoc minus pprie & vere dicimus:queadmo
dū in creaturis minus vere & pprie materia generari dicit q̃ forma . Dicimus ergo φ queadmo
dū i pductiōe naturali materia eſt ſubiectū generationis,inquatum eſt in potētia ad formā
& per hoc ad compoſitū generandū de ea:ſic in pductione diuina,puta in generatione filii , &
cōſimiliter in ſpiratiōe ſpiritus ſancti,ipſa diuina eſſentia eſt quaſi ſubiectū generationis, & vt
aliquid in potētia:licet neceſſario ſemper cōiuncta actui ad generandū de ea pſonam cōſtitutā
ex eſſentia & ppritate,q̃ eſt ſapiētia genita,ſecundū φ dictū eſt: vt ſapiētia nominet ſubiectū,
q̃d in creaturis eſt materia:nata vero nominet ppritatē per generationē habitā,qua fili⁹ in eſ
ſe generati cōſtituit,& a patre diſtinguit,qui eſt innata ſapiētia:cum quo conuenit inquatum  **F**
eſt ſapiētia ſimpl̃r & abſolute.Sic dicendū eſt φ deus generat deū de ſua ſubſtātia.ſ.generantis
dicere Auguſtino in ſermone de ſymbolo.De⁹ cū verbū genuit,id q̃d ipſe eſt genuit,nec de ni
hilo nec de aliqua iā facta cōditaq̃ materia:ſed de ſeipſo,hoc eſt de ſubſtātia ſua.Et de fi.ad Pe.
Pater de nullo genitus de⁹ ſemel de ſua natura ſine initio,genuit filiū. Ad idē inducit Magiſter
ſentē.diſtin.v.cap:Dicit quoq̃.plurimas auctoritates.Dico aūt de ſubſtātia generātis cū redu
plicatione inquatum ſcilicet generās eſt.licet em̄ eadē ſit in tribus,nō tn̄ habet rationē poten
tię vt de ea generet aliquis, niſi ſecūdum φ habet eſſe in patre.vt per hoc excludatur inconue
niēs quod Magiſter ſententiarum inducit ex dicta auctoritate Auguſtini de fi.ad Pe.diſtinctio
ne.v.capitulo.Dicitur quoq̃.vbi dicit ſic.Ecce hic dicit Auguſtinus filium genitum de natura
patris. Eſt aūt eadē natura patris & filii & ſpiritus ſancti.Si ergo de natura patris eſt genitus
filius,genitus eſt de natura filii & ſpiritus ſancti,immo de natura trium perſonarū.Propter q̃d

Magiſter in ca.Oſtéditur quoqȝ,reſpondédo huic incóuenienti exponit eã dicens.Filius natus
eſt de ſubſtátia patris,vel pater genuit filiũ de ſua natura ſiue eſſentia.i.de ſe natura ſiue eſſen‑
tia genuit filiũ eiuſdé naturȩ ſiue eſſentiȩ. & hoc quaſi ly de ſolũ poſſet dicere circũſtantiã qua
ſi cauſȩ efficientis nõ materialis:qd non oportet dicere.ⅭEt qȝ arguitur in contrariũ,qȝ diuina
eſſentia purus actus eſt & forma:quare ad nihil eſt in poteȋtia,&c̄. Dicendũ qȝ aliquid eſt in po‑
teȋtia ad aliquid qd eſt abſolutũ,& differt ab ipſo re vel intétione,& vadit de potentia in actu p
motũ & tranſmutatione rei vel rationis:vel ad aliquid qd eſt reſpe⁹ tantũ,& differt ab illo ſo
la ratione,nunqȝ vadés per tranſmutatione quácũqȝ de potentia in actum:ſed ſemp naturaliter
cõiunctum eſt actui.Primo modo in creaturis materia eſt in poteȋtia ad formã tanqȝ ad differés
re ab ipſa,& tranſiens de poteȋtia ad actum per realé tranſmutatione in materia: & ſimiliter for
ma generis eſt in potentia ad formam differentiȩ tanqȝ aliquid differens intentione ab ipſa , &
tranſiens de potentia ad actum per tranſmutationem rationis.Nec eſt tali modo diuina eſſen‑
tia in potentia ad aliquid:de qua habeat veritatem medium in argumento, non autem de po‑
teȋtia ſecũdo modo:immo de natura formȩ diuinȩ inquãtum eſt actus purus,eſt qȝ ſit in poten
tia ad plures reſpectus. Vnde pductio diuina ex parte eius de quo pducitur, non ſolũ ex par
te modi producendi,differt ab omni modo productionis qui poſſ‵bilis eſt fieri in creaturis. Vt
eȋ dicit Victorinus in diſputatione ſua cõtra Arriũ,ȩterna generatio improportionibalis eſt
omȋ generatiõi. Vȋ qui pfecte vult videre modũ generationis diuinȩ,& hoc quãtũ pertiȋet ad
ppoſitũ,debet aſpicere ad modos generationũ aliarũ:& qd nobilitatis eſt iſti productioni aſcri
bere,& qd ignobilitatis eſt abnegare:& tãdem oſtendere quomodo in eadé eſt aliquid nobilita
tis qd in nulla aliarũ poſſit inueniri:vt declaraȓ in Gloſſa Hebrȩ.i.ſuper illud,Cum ſit ſplédor
gloriȩ. Differt igitur productio diuina ſumme a productione qualibet alia. quia illa vadit per
tranſmutatione ad perfectione,& in ipſa diſtat poteȋtia ab actu,in iſta vero nequaqȝ.Differt ſpe‑
cialiter a productione naturali quȩ eſt generatio:quia illa eſt de impfecto ſubſtátialiter: iſta ve
ro eſt de pfecta ſubſtátia.In quo plus conuenit cũ productione quȩ eſt alteratio,quia in illa ſub
iectum qd eſt in poteȋtia,eſt aliquid exiſtés in actu:ſed differt in hoc,qȝ ſubiectũ in alteratióe eſt
in poteȋtia ad aliqd re abſolutũ differens ab ipſo:in pductióe auȓt diuina nequaqȝ: in quo diuina
productio cõuenit plus cũ pductione ſpeciei ex genere:quia in hac pductione genus eſt ſi‑
cut ſubiectũ & materia,eſt in potentia ad aliquid abſolutũ:vt ad differentiá,quȩ ſola intentione
differt ab ipſo:hic autȇ ſubiectũ eſt in poteȋtia ad aliquid reſpectiuũ,qd differt ab ipſo ſola ratióe
Et licet iſta productio ſit magis ſimilis diuinȩ q̄ alia, ȋ multis tamé aliis differt:quia productio
ſpeciei ex genere per differentiã procedit de incõpleto ad cõpletum,aſſumendo cõplementi de‑
terminatióe:vt ſecũdũ aliud & aliud re deſcédat in aliam & aliã ſpeciem , & ſit tantũ vnũ cõe
ſecundũ ratione.In pductione autȇ diuina ſubiectũ nõ eſt aliquid incõpletũ determinatũ p aſ‑
ſumptam proprietaté:ſed vnũ & idem re ſingulare totaliter habet eſſe per productionem in di
uerſis ſub diuerſis proprietatibus relatiuis:qd eſt commune non ſecũdũ ratione,ſed ſcdm cõ
municatióe. Vnde quia illud cõmune eſt vnum & idem ſingulare, ideo iſta eſt vera,Tres per
ſonȩ ſunt vnus deus,& vna ſubſtátia:& quia in conſtitutione pſonȩ ſecũ habet rationes pprie‑
tatũ quȩ non differunt ab ipſa niſi ratione,ideo & conuerſa eſt vera,vnus deus eſt tres pſonȩ ſi
ue trinitas.ſecundũ qȝ Magiſter probat hoc auctoritatibus.i.ſentétiarũ diſtin.iiii.c. Quidã tȋ.
Propter vtrũqȝ vero eorũ ſimul oȇs ppoſitiones cõcedunȓ in quib⁹ pdicanȓ cõcreta de cõcre
tis:vt pȓ eſt de⁹:vel abſtracta de abſtractis,vt paternitas ȇ deitas, vel ecouerſo:vel abſtracta de
cõcretis,vt paternitas ȇ de⁹,vel pȓ ȇ deitas,vt dictũ ȇ:licet nõ ſunt ſp ȩque ppriȩ: & hoc vbiqȝ
vbi nõ repugnat relatiõis oppoſitioȋſeu diſparatio.illa eȋ ȋpedit pdicatione:& hoc vel principa‑
liter vel ex adiuncto.Principaliter:aut ratione ſignificationis terminoȓ,propter qd nõ dicitur
paternitas aut pater eſt filiatio,aut filius: aut ratione modi ſignificãdi,propter qd non dicitur
eſſentia generat aut generaȓ.Ex adiuncto auȓt,vt licet dicaȓ abſolute eſſentia eſt pȓ,nõ tȋ diciȓ
eſſentia eſt pater filii.Licet enim Magiſter Alexãder in ſumma diſtinguat,dicédo qȝ ly pater po
teſt ſumi adiectiue vel ſubſtantiue:& ſi ſubſtantiue,ſic eſt vera:quia tũc ſupponit pro tota per
ſona habente filiũ,ſub hoc ſenſu,eſſentia eſt perſona quȩ eſt genitor filii:ſicut econuerſo iſta,pa
ter filii eſt eſſentia.i.pſona generans filiũ eſt eſſentia:Si vero ſumatur adiectiue,ſic eſt falſa:quia
dicit qȝ eſſentiȩ cõuenit proprietas qua refertur ad filium vt generans ipſum:Magiſter tamé
Prepoſitinus in ſumma ſua dicit eam veram eſſe ſimpliciter:& ly pater tȋ teneri ſubſtantiue,
ſicut hic,eſſentia eſt pater. Quod probat:quia ſequitur:pater filii eſt eſſentia , ergo eſſentia eſt
pater filii. prima eſt vera:quia pater teneȓ ſubſtantiue:quare ſimiliter & ſecunda. Item eſſentia

eſt pater,hęc eſt vera:quia ly pater tenetur ſubſtantiue:aut ergo eſt pater alicuius,aut nulli⁹.
Si nullius,ergo oĩno nõ eſt pater.Si alicuius,hoc nõ eſt niſi filii. Sed ĩ rei veritate illa eſt falſa,
eſſentia eſt pater filii:& tenetur ly pater tm̃ adiectiue:qm̃ noĩa q̃ ĩponũtur a potẽtia actiua vel
paſſiua,vt ſunt magiſter diſcipulus, pater filius, ædificator, adiectiua ſunt ſignificatione tm̃:
& hoc ex reſpectu quẽ habent ad aliud,qd̃ reſpicit potentia a qua imponitur. Sed ita eſt,q̃ cũ
aliquid habet,rationem adiacentis vel adiectiui ex reſpectu ad aliud,quãto magis eſt deteriat⁹
reſpectus:tãto magis habet rõnẽ adiacẽtis:& tãto min⁹,quãto magis ĩdeteriat⁹ eſt reſpect⁹.ſi‑
cut patet de modo iſinitiuo: q̃ grãmatici dicũt q̃ potius põt ſupponere q̃ ali⁹ modus: qa alii
dicũt finitã iclinatiõe ad ſuppoſitum, iſte vero infinitam. Et ſimiliter adiectiuũ in neutro ge‑
nere potius ſubſtantiuatur q̃ in maſculino aut fœminino.Quare cum ly pater,dicendo Pater
filii,habet finitã habitudinẽ & expreſſam,nõ ſic cũ per ſe ponit:ideo licet poſſet teneri ſubſtãti‑
ue dicendo Eſſentia eſt pater:non tamen niſi adiectiue,dicendo eſſentia eſt pater filii,Et ſic ſim
pliciter eſt falſa(vt dictũ eſt) illa,eſſentia eſt pater filii:hæc tñ eſt vera,eſſentia eſt pater.Si er‑
go obiiciatur Eſſentia eſt pater,& non eſt pater niſi filii:ergo eſſentia eſt pater filii aut non eſt
pater:patet q̃ eſt figura dictionis: quia in prima ly pater per ſe ſupponit pro tota perſona : in
ſecunda cum dicitur pater filii,copulat proprietatem tm̃ circa ſubiectum.Patet ergo q̃ nõ va
let primum argumentum Præpoſitini,Pater filii eſt eſſentia:ergo eſſentia eſt pater filii: qa de‑
beret ſic cõuertere:ergo aliquid qd̃ eſt eſſentia eſt pater filii. ſicut illa,indiuiduũ eſt homo,nõ
conuertitur ſic:ergo homo eſt indiuiduum:ſed ſic.ergo aliquid qd̃ eſt homo eſt indiuiduũ.Si
militer cũ arguitur:eſſentia eſt pater:ergo aut alicuius aut nullius:Dicendũ q̃ non ſequitur
propter figuram dictionis : quia ſtatim cũ additur alicuius aut nullius, aliter copulat q̃ pri⁹
ſupponebat:et eſt dicendum,nullius,i.non alicuius eſt pater.Et non ſequitur ex hoc q̃ non ſit
pater propter figurã dictionis:ſed ſequit tm̃, ergo non cõuenit ei proprietas paternitatis.Quia
etiam deitas(vt dictum eſt)ſiue eſſentia diuina habet rationem cõmunis,licet per ſolã cõmu‑
nicationem:& perſona rationem pprii:& ſic quandam rationem totius tenet eſſentia,& pſona
quaſi rationem partis,licetnec pars nec totum ſunt vere in diuinis,vt habitum eſt ſupra: pro
pter hoc talis ppoſitio tanq̃ ppria & vera cõcedenda eſt, filius eſt ſubſtantiæ diuinæ aut ſub‑
ſtantiæ patris:quaſi participatiua concluſione ſub hoc ſenſu,filius eſt aliquis ſubſtantię patris
.i.aliquis in ſubſtãtia patris ſubſiſtens:non autem aliquid. ſicut dicimus q̃ Sortes eſt aliquid
ſubſtantiæ hominis,quia in diuerſis hominibus eſt vera ptitio humanitatis . Per hunc etiam
modũ conceditur q̃ pater & filius & ſpiritus ſanctus ſunt vnius ſubſtantiæ,i.aliqui quoq̃ vna
eſt ſubſtantia. Sed ſi ille genitiuus ſubſtantiæ intelligatur conſtrui ſcd̃m habitudinem quaſi
cauſæ materialis,vt de q̃ aliq̃d vel aliquis pducitur:ſic iſta conceditur:Chriſtus eſt filius ſub‑
ſtãtiæ patris vel deitatis.dicente Auguſtino.xxv.de trinitate.Qd̃ dictũ eſt filii charitatis ſuæ
nihil aliud intelligatur q̃ filii ſubſtantię ſuæ.& hoc ideo qa genitus eſt de ſua ſubſtantia.que‑
admodũ dicimus q̃ imago eſt ſtatua æris:quia de ære facta. Non ſic autem poſſumus dicere
ingenitũ eſſe patrẽ ſubſtantiæ dſuinæ:quia non eſt de ipſa quaſi materialiter pductus,Propter
qd̃ dicit Auguſtin⁹.vii.de trinitate.Tres pſonas eiuſdem ſubſtantiæ vel vnã eſſentiã dicimus
tres aũt pſonas ex eadẽ eſſentia non dicimus,Illa tamẽ,Chriſtus eſt filius ſubſtantiæ diuinæ,nõ
debet paſſim concedi,niſi exprimatur circũſtantia quaſi principii materialis:quia ſcd̃m cõmu‑
nem vſum talis conſtructio ſolet intelligi penes circũſtantiã cauſę agentis: vt ipſa ſubſtantia
diuina intelligatur filiũ pduxiſſe.Propter qd̃ Magiſter talẽ ppoſitionẽ exponit quaſi ĩpropriã
in pdicto cap. Oſtenditur quoq̃.dicens. Expone illud filius ſubſtantiæ patris.i.patris qui eſt
ſubſtãtia,& cũ quo filius eſt eadẽ ſubſtantia.Sed nõ oportet ſic exponere:immo ſenſum habet
verũ & ppriũ.Aliter eñ iſta: Ingenitus eſt pater ſubſtãtię filii, æque vera eſſet & ppria ſicut
illa Chriſtus eſt filius ſubſtãtię patris,ſic exponendo.i.filius qui eſt ſubſtantia,qd̃ non eſt verũ
quia conſtruendo illũ genitiuũ ſubſtãtiæ in habitudine quaſi principii materialis,illa eſt vera
& ppria, Chriſtus eſt filius ſubſtãtię patris.Nullo aũt modo illa,Ingenitus eſt pater ſubſtãtię
filii,vt dictũ eſt.Aliqui aũt dicũt q̃ in talibus ppoſitionibus Pater genuit filium eſſentię ſuę,
tres pſonę ſunt vnius eſſentię,ille genitiuus in oĩbus talibus ppoſitionibus conſtruitur ex vi
deſignationis eſſentię:queadmodũ ſi dicat mulier egregię formę:hoc eſt mulier habens egre‑
giã formã.qd̃ nõ neceſſe eſt hic dicere, vt viſum eſt, nec debet:qa talis conſtructio ſolũmodo
vſitatur apud grãmaticos in formis accidẽtalibus:nõ aũt ĩ ſubſtãtialibus:ſed ſcd̃m illũ modũ
debet exponi oẽs illę ppoſitiones in qbus ſubſtãtia vel eſſentia ponit vt termin⁹ a quo, vel ter
minus ad quẽ actus pſonalis,vt illa Hil.ix.de trini.Nec corporali inſinuatione patrem in filio

L

M

prædicamus:sed ex eo eiusdem generis genitã naturã naturaliter in se gignentem habuisse na
turam.hoc est:nõ pdicamus corporali insinuatione.i.queãdm̃.odũ locatum est in loco,patrem
esse in filio: sed supple pdicamus genitam naturã.i.filiũ qui est natura genita,habuisse in se ex
eo.i.ex patre naturã eiusdẽ generis naturaliter gignẽte.i.que est pater q naturaliter gignit.

**N** ¶Et est hic aduertendũ ad pleniorẽ intellectũ pdictorꝝ,ꝗ hę tres ppositiones,a,ab,de & ex,si p
prie vsitentur, diuersas circũstãtias & habitudines nominant:licet proinuice sepius assumũt:
quoniã a,ppositio notat circũstãtiã & habitudine causę efficiẽtis siue pricipii originãtis. vnde
illa recipit, filius est a patre:nõ autẽ illa, Filius est a substãtia patris. Ab vero notat circũstãtiã
effectus siue principiati.Propter qd̃ esse ab alio in diuinis: solũ conuenit psonę procedenti.De
& ex cõmuniter notat circũstantia causę materialis & efficiẽtis vel quasi. Vnde istę recipiunt
indifferenter,filius est de patre,vel ex patre,vel de substãtia patris,vel ex substãtia patris. Sed
differũt aliquãtulũ tã in circũstãtia materiali ꝗ in circũstãtia causæ efficientis,vel q̃si.In circũ
stãtia.n.materiali differũt:qa in idifferẽter & eque pprie notat circũstãtiã materię ꝗ est aliud
re a forma eius qd̃ ex ipsa pducitur,& illius quæ nõ est aliud re ab illa. Vnde eque pprie dicit
ꝗ cultellus est de ferro:& ꝗ species est de genere.Ex vero pprie notat circũstãtiã materię pri
mo modo,nõ secũdo.Vnde magis pprie dr̃,cultellus ē ex ferro,ꝗ species est ex genere. Et scd̃m
hoc in diuinis magis pprie dicimus ꝗ filius est de essentia patris ꝗ ꝗ sit ex essentia patris, di
cente Augustino.vii.de tri.Tres psonas ex eadẽ essentia nõ dicimus,quasi aliud ibi sit qd̃ essen
tia sit,aliud qd̃ psona est. cuius tñ iam alia rõne assignamus. Differũt etiã i circũstãtia causæ
efficientis siue originãtis:quia ex aliquo dicit siue res sit de illius substãtia siue non. Bene.n.
dicit quia filius est ex patre,et domus ex artifice.De vero solũ dicit quãdo alterũ de substantia
alterius,vñ pprie dicit ꝗ fili⁹ est de patre:nõ aũt ꝗ domus est de artifice.Hanc distictionẽ po
nit Aug.li.de nat.bo.Et habet distinctione.xxxvi.li.i.cap.Illud etiã.Preter illos autẽ modos,de
& ex sumũtur ordinaliter solũ, vt ex mane vel de mane fit meridies. Sed de hoc nihil ad ppo

**O** situ in diuinis.¶Ad illud qd̃ arguit vlterius:Si deus pducit deũ,aut ergo sem̃ pducit eum:
aut nõ semp &c.Hic oportet primo declarare ꝗ diuina pductio termiata adita, æterna ē,sem
per psistens sine principio & sine fine:& deinde concedere vnũ mẽbrũ diuisionis in argumento
& alterũ negare.Primũ quidẽ duplici via declarat.Vna.s.deductione ad ipossibile:alia.s.osten
siue.Prima qdẽ,quia si principium haberet durationis aut finẽ:tũc aut nõ esset anteꝗ esset,aut
post esset:qd̃ nõ posset fore sine aliqua mutatione in deitate & ex pte pducti & pducentis &
eius de quo pducit simul,si non esset anteꝗ esset:quia agens actionẽ ꝗ non respicit aliqd extra
non agit de nouo nisi aliter se habẽdo ad actionẽ ꝗ prius:nec pductio potest de nouo esse post
non esse,nisi pductũ haberet esse post nõ esse:& esset noua dispositio in eo de quo pducit quæ
prius nõ erat.Mutatio aũt in diuinis oĩno cadere nõ potest,vt ostẽsum est supra. Via ostẽsiua
idem patet:quoniã pductio nõ incipit aut definit nisi quia agens scd̃m aliũ & aliũ modũ se ha
bet ad subiectũ de quo pducit:aut ipm̃ subiectũ ad ipm̃ pducentẽ.Agente em̃ existente in disp
positione illa ꝗ natũ est agere,& subiecto i illa dispositione qua natũ est recipere i se illius actio
nem,et sint approximata:ipossibile est actione non esse.In diuinis aũt psona quę nõ est omnino
ab alia,quia est purus actus & semper perfecte fœcũdus ad pducendum, & diuina essentia in
ipso est ab a terro:& ita non solũ quasi approximata: sed summe vnita: est semp perfecte fœ
cunda vt de ipsa pducatur filius.Deum ergo necesse est æternaliter deũ pducere, vt pduct⁹
sit coæternus pducenti.scd̃m ꝗ declarat Magister Sententiarũ distinctione.ix.primi li.in prin
cipio pluribus auctoritatib⁹.& sic concedendũ est ꝗ deus pducit deũ semp. Et qa assumit i ar

**P** gumẽto:ꝗ actio pducendi nõ cessat, hoc non est nisi quia nõ est aliqd pfecte pductũ:Dicendũ
ꝗ est qdã pductio in qua pductũ p pductionẽ accipit esse post nõ esse natura aut duratione
nõ esse pcedente esse.Est etiã pductio in qua pductũ p pductionẽ accipit esse:sed non post non
esse pcedens natura aut duratione.In prima pductione res non habet esse nisi per aliquod fieri
quo ei acquirit esse. Cui enim acquirit esse p fieri, nullo modo ex se naturaliter habet esse, vt
iam dicet.Et de tali pductione verũ est ꝗ nõ cessat:quia nõ est aliqd perfecte pductũ in ea,vt
patet i pductiõe p motũ naturale.Scd̃m em̃ expositores phi,Auer.& alios, omnis forma natu
ralis quę p agens naturale de potentia ad actũ reducit,in eo ꝗ de potẽtia vadit ad actũ p natu
ralem trãsmutationẽ ꝗ mot⁹ ē,scd̃m esse & esse diuidit,vt motus ad formã nõ sit nisi quædã
acquisitio ptis formę post ptẽ,vt ꝗuis idem sit scd̃m rem & substantiã in animali bruto viues
spirans sensibile:si tñ p motũ in esse producat̃,primo secũdũ esse dist̃dit in viuũ: deinde ex vi
uo in spirãs:deinde ex spirante in sensibile:& nõ est mediũ trãsmutationis simul cũ principio

& fine.Q̃uis eﬁ ſimul habēt eſſe cõſtitutũ ĩ ſubſtātia,nõ ſimul tñ habēt diuerſa eſſe ſubſtātiẽ recepta per motũ:q̃ cõplete nõ habetur niſi in vltimo. Vnũ eﬁ iſtoꝝ de altero pcedit ſcdm viã gñationis cõtinuẽ:vt ſit illud q̃ eſt ante,ſemp ĩ potētia ad id q̃ eſt poſt, ſecũdũ Auerro. Si vero ſit pductio ſubíta,vt eſt vera generatio ſubſtātiarũ oĩno indiuiſibiliũ,& illorum quoꝗ productio eſt in fine motuum,vt medii illuminatio ſcdm phm.vii. Phyſicoꝝ,ibi ſtatim ceſſat productio:quia aliqd ſtatim eſt pfecte pductũ: & tũc agēs nõ operaꞇ niſi ad pductĩ cõſeruatĩo nē:vt ſit alia actio qua res pduciꞇ & cõſeruaꞇ:licet agēs eſſet idẽ.Propter q̃ Auer.ſup.ii.Phy ſicoꝝ diſtinguit duplex agens:quoddã eſt cauſa fieri rei tñ, q̃ ſemel influit, & ſtatim ceſſat, vt homo in generãdo filiũ:quoddã vero q̃ nõ ſolũ eſt cauſa fieri rei & eſſe eius:ſed etiã cõſer uationis vtriuſꝗ:& hoc nũꝗ ceſſat,vt ſol generãs hominē. etſi eni ceſſat ab actu generatĩois: nõ tñ ab actu cõſeruationis.Vñ ꝗa talis eſt pductio in oĩbus q̃ habēt eſſe poſt nõ eſſe vel natu ra vel duratione:idcirco ois talis natura habet initiũ ſui eſſe:quia illa pductio cũ ſimplex eſt & indiuiſibilis,in indiuiſibili aliquo neceſſario habet primo eſſe,& de cẽtero nõ eſſe,manēte p ducto p actũ cõſeruationis ĩ ſe.Vt ſm hoc poſitio Auicēnẽ, quã dicit mũdũ ab æterno habere eſſe ab alio, & nõ eſſe ex ſe natura pcedens, implicat incompoſſibilia. Si vero illa pductio eſſet cõpoſita,neceſſe eſſet ſiſr eã finita eſſe & incepiſſe:quia aliter infinitæ eſſent ptes in re pducta per illã pductionē.Si aũt ſit pductio in qua producũ p pductione accipit eſſe ab alio:ſed non poſt nõ eſſe pcedēs natura aut duratione: in tali pductione res nõ habet eſſe per aliquod fieri: ꝗm fieri q̃ ordinaꞇ ad eſſe,reſpicit ſubiectũ & materiã:ꝗ ex ſe nõ habet eē: ſed ſolũ potētiã ad eſſe:q̃ acquirit ei in pducto p fieri.Vñ quia in diuina pductione id q̃ eſt quaſi ſubiectũ & materia de qua ſit pductio(vt iã ſupra dictũ eſt)ē diuina eſſentia,q̃ habet ex ſe eē ĩ actu nõ exi ſtens oĩno in potētia ad eſſe,vt habitũ eſt ſupra: licet ſit (vt iã ſupra dictũ eſt) in potētia quo dãmodo ad pſonã de ea pducendã:Idcirco talis pductio nõ eſt aliquod fieri rei & eſſe eius:ſed ſolũmodo eſt ipſius eſſe & eſſentiẽ cõmunicatio:& ipſius rei cui cõmunicaꞇ ab alio habere eſſe relatiuũ.Productũ eﬁ ĩ eſſe pſonali relatiuo habet eſſe ab alio:& eſſe eſſentiale p pductionē ſibi habet cõmunicatũ ab eodē. Et de tali pductione nõ eſt verũ ꝗ ceſſat:licet aliꝗs pfecte & pfectus ſit pductus ĩ ea:ſicut nõ ceſſat q̃ eſſe ſuũ habet ab alio:ſicut in pdicta pductione ceſſat fieri quod habet ſuũ eſſe.Et ſicut nõ oportet ꝗ ceſſet habere eſſe ſuũ ab alio:ſic nõ oportet ꝗ inci piat habere eſſe ſuũ ab alio.Habere eﬁ eſſe ſuũ ab alio,nõ repugnat nec ponit pricipiũ eſſendi in duratione,nec pcedere illũ a quo habet ſuũ eſſe: ſcdm ꝗ dixerũt hẽretici. Q̃ bene declarat Magiſter auctoritatib⁹ ſanctoꝝ,diſtĩctione.ix.prẽdicta, de pductione q̃ eſt gñatio & natiuitas. Q̃ etiã bene cõfitenꞇ phi in creaturis:ponit eﬁ Mũdũ habere eſſe ab alio:ſed ab æterno ſine initio & ſine fine,nõ ponēdo ꝗ mũdus ex ſe habet nõ eſſe pcedens ſuũ eſſe vel natura vel du ratione,vt ſcdm pdictũ modũ poſuit Auicẽna:ſed ꝗ mundus ex ſe non habuit ab æterno po tentiã niſi ad eſſe:& ꝗ cũ hoc bene ſtaret ꝗ ab alio ab æterno haberet eſſe. Sed hoc non poteſt poni.Q̃ eﬁ ex ſe habet ſola potentiã ad eſſe ex ſe & ſua eſſentia,nullum eſſe ponit: quia tunc eſſet neceſſarium accipere illud eſſe ab alio. Q̃ꝗ ergo ponatur habere eſſe ab alio ab æterno:ta mē ponendũ eſt ſcdm poſitionē Auicēne ꝗ habet ex ſe non eſſe pcedens natura vel duratione & ita p fieri acquiſitũ: & habet initiũ & finē, vt dictũ eſt. Vñ in diuinis ſolũmodo poteſt aliꝗs habere eſſe ab æterno & ab alio:& hoc abſꝗ omni fieri.Cuius ꝓpria rõ eſt, ꝗ ſubiectũ ꝗſi mate ria exiſtēs in diuina pductĩoe ex ſe habet eſſe abſolutũ cõmunicabile alteri cui p pductione cõ uenit ab æterno ſuũ eē reſpectiuũ:ſic ab æterno habet oppoſitũ eē reſpectiuũ ille a quo pduciꞇ ne po. nat eſſe mutabilis. dicēte Ambroſio. Dic mihi hẽretice, fuit ne omnipotēs deus quando pater nõ erat & deus erat?Nã ſi pater cœpit eſſe deus:ergo pri⁹ erat, & poſtea cœpit eē pater Quomodo ergo ĩmutabilis eſt deus?ꝗſi dicat,nullo mõ.Si aũt ſemp ē pater:& nõ eſt pater niſi generãdo filiũ: gñatio aũt pris et filii natiuitas ſimul ſunt ſine medio: filii aũt natiuitas & ei⁹ eē ſiſr ſimul ſunt:ꝗa ē pfectiſſima natiuitas:ſimul ergo ab æterno habet eē pf q̃ pater ē,& fili⁹ q̃ fili⁹ eſt,q̃ ĩpoſſibile eſt ponere circa vllã creatura a quocũꝗ ponaꞇ pduci. Q̃ bñ declarat Mgr diſtĩctĩoe.ix.pdicta,ĩ fine, auctoritate Hil.Et ſic ĩ diuinis nõ ceſſat nec incipit pductio:ſed ſemp iſtat ĩſtitit,& iſtabit,& pductũ nec icepit eē,nec deſinet eē:ſed ſemp ē,fuit,& erit.Sed que admodũ dictũ eſt ſupra,ꝗ æternitati maxime cõuenit pſens tēp⁹:licet p nullũ poſſit pfecte ex plicari:ſic & pductio & pductũ ſi ſcdm ſe explicetur in ſua duratione, magis ꝓprie explicanꞇ: dicēdo ꝗ pductio ſemp eſt:& ſiſr ipm productũ. Siſr ſi cõiunctim explicet eoꝝ duratio,adhuc certũ eſt ꝗ minus ꝓprie explicaꞇ p purũ ꝓteritũ, dicēdo ꝗ pductus ſemp pducebaꞇ, ſiue ſem per fuit pductus, aut ꝗ ſemp pduceꞇ,ſiue ſemp erit pducēdus: ne p ꝓteritũ intelligamus de

fectione:& p futurū expectatione.dicēte Augustino sup illo:Ego hodie genuí te.In æternitate
non pteritū est quasi esse desierit:nec futurū quasi nōdū sit.Sed nec ppriissime explicat p præ
sens tñ:dicēdo semp pducit,ne intelligat pductio fore in fieri.Sicut eñ æternę pductioni re
pugnat desitio pteriti,& expectatio futuri:sic repugnat ei fieri psentis. Vñ etsi pfecte explicari
nō possit,expressior tamen modus est quo pfectio productionis exprimitur sine alicuius expe
ctatione,& ipsius pducti istātia sine alicui[9] desitione,& vtriusq̃ pmanētia sine fieri & successio
ne.Q̃d sit,hāc actiuā, deus pducit deū,couertendo in passiuā:dicēdo Deus semp pductus est
a deo,vt ly pductus propter tēpus præteritū q̃d cōsignificat,pertineat ad pductionis pfectio
nē,per quā pfectus deus est pductus sine alicuius expectatione.Ly est,qa est psens verbi substā
tiui,ptinet ad ipsius pducti instātiā sine lapsu i aliquā defectiōe. ly semp, quia oēm differētiā
tēporis cōphēdit,ptinet ad æternitatis vtriusq̃ pmanētia sine fieri & successiōe.Gregori[9] tñ
in sua expositione illa duo, pduct[9] & est,refert ad psonę pductę pfectiōe,vt patet i eius aucto
ritate quā ponit sup hoc Magr Sētētiarū dist.ix.prędicta in ca.Hic q̃ri pot.vbi inuenies plures
auctoritates de hac materia. ¶Ad vltimū circa mediū pdictū:Si de[9] pducit deū:aut ergo p es
sentia aut p supposito:Dicēdū scdm pdeterminata:q̃ p supposito,imo p suppositis:qa princi
piū esse & terminū actiōis psonalis nō est nisi suppositorū. Et q̃d assumit cōtra hoc:quia in deo
nō est nisi suppositū relatiuū,q̃d scdm pfm.v. Physi. nō principiū nec terminus pot esse actio
nis:Dicēdū est q̃ verū est p se rōne relationis.Pot tñ rōne eius i quo fundat.cuiusmōi est ipsa
diuina essentia:q̃ sub rōne vnius ppietatis relatiuę est principiū vt quo q̃si formaliter:sub rōne
alterius relationis est principiū vt de quo quasi materialiter.& ipsa pprietas relatiua est ipsius
suppositi ratio ad modū indiuiduationis in creaturis: q̃ est cōditio & modus existēdi quo sup
positū habet rationem singularis.¶Ad illud q̃d tertio adducitur ad principale:q̃ actus omnis
diuinus est nobilissimus, & ita ppter seipm nō ppter aliq̃d pductū:dicēdū scdm q̃ superius
est expositū loquēdo de diuina actione in generali,q̃ differūt actus q est pprie actio,& q est p
prie opatio.Et sicut differūt,sic habet pfectiones differētes. Sicut.n.opis pfectio cōsistit i actiōe
circa obiectū pfectissimū,vt patet in opatione q ē felicitas:sic pfectio actionis pprie dictę ē q̃ ha
beat aliq̃d pfectū pfecte pductū.Et ideo licet act[9] diuin[9] q est pprie opatio,cuiusmōi est itellige
re,ppter suā pfectiōe nō est ppter aliud pueniens ab ipso:act[9] tñ q pprie ē actio,cuiusmōi sūt
generare & spirare,ppter aliū modū pfectionis suę bene pot esse ppter aliud aut ppter aliū p
ueniēte ex sua actione.¶Ad q̃rtū:q̃ emanatio iportat motū quēdā fieri aut exitū quēdā,q̃liū
nihil est in deo:Dicendū q̃ verū est p omnimodā ppprietatē scdm quā vtimur eis in creaturis.
Vere tñ dicunt in ipso p aliquā trāsmutatione.dicēte Hil.in pricipio.iiii.de tri. Nō ignoram[9]
ad res diuinas explicādas neq̃ hoim elocutiōe,neq̃ naturę hūanę cōpatiōne posse sufficere.
Q̃d.n.ienarrabile est,id significatię alicui[9] finē & modū nō habet:& q̃d spirituale est,id a specie
corporū exēploq̃ diuersum est.Tñ (vt dicit )cū de naturis cęlestib[9] sermo est,ipsa illa quæ sen
su mentiū cōtinent,vsu cōmuni & naturę & sermonis sunt eloquēda,nō vtiq̃ dei dignitati cō
grua,sed ingenii nostri imbecillitati necessaria:reb[9].s.verbisq̃ nostris ea q̃ sentimus & intelli
gimus locuturi. Et vt ait li.i. siqua nos de natura dei & natiuitate tractātes cōpationū exēpla
afferemus:nemo ea æstimet absolute i se rōnis pfectiōe cōtinere.Cōpatio eñ terrenoq̃ ad di
uina nulla est:sed ifirmitas nfę itelligętię cogit species quasdā ex inferioribus tāq̃ supiorū in
dices q̃rere: vt rerū familiariū cōsuetudie admonēte ex sensus nostri cōsciētia ad isoliti sensus
opiniōe educeremur.Et semp(vt dicit in li.ii.)dicti ratio intelligēda erit ex sensu dicētis.Li
cet ergo emanatio,pcessio,& hmōi noia accepta a creaturis in illis significant motū,fieri,exi
tū corporalē,& cętera q̃ idignitatis sunt: circa deū tñ cū ad diuina trāsferūt , vsitant solūmo
pro eo q̃ dignitatis aliq̃d & pfectionis simplr est significatum illis noibus etiā circa creaturas
iuxta artē supius expositā.Vñ de exitu psonę a psona quē ptendit emanatio,dicit Ambrosi[9].i.
de trinitate.Si vero generationis ppprietatē reqrimus, ex deo exiuit:nā cū in vsu nostro id sit
exire q̃d iā sit,& ex exterrorib[9] secretis prodire videat q̃d exire phibet,angustis licet, sermo
nibus ppprietatē diuinę generationis aduertimus:vt nō ex loco aliquo videat existe:sed vt de[9]
ex deo.Et li.ii.Neq̃ cū de patre exit quasi de loco recedit,aut quasi a corpore separat &c.Sed
hęretici emanatione,exitū &c. hmōi spirituale itelligētiā nō aduertētes oia scdm modū quo
vtimur eis i rebus corporalib[9],iterptati sunt.dicēte Hil.in principio.ii.de trini. Extiterūt plu
res qui cęlestiū verboq̃ simplicitatem p volūtatis suę sensu,nō p veritatis ipsius absolutione
susciperent:aliter interptātes q̃ dictoq̃ virtus postularet. De intelligentia eñ hęresis, non de
scriptura est. Vnde sup corporalē verboq̃ intelligētiā formabāt oēs suas rationes cōtra sctoq̃

Q
Ad nonū.

R
Ad.X.

S
Ad.XI.

patrum spiritualem intelligentiam:& interptabantur dicta sacræ scripturæ corporaliter,quæ
spiritualiter erant interptãda:vt quia natiuitas in creaturis prestat esse ei qui prius non erat
sic & in deo,& cętera huiusmodi.scdm ꝙ contra ipsos dicit Damascenus li.i.ca.viii. Non fuit
vnꝗ pater quando non fuit filius : sed simul pater,simul filius ex ipso genitus. Et ita impassi=
biliter & sine tempore,& nõ fluxibiliter generat & sine coitu, neꝗ principiũ habet.⸿Ad vlti=
mũ: ꝙ si vna psona emanat ab alia in diuinis:ergo pducitur in esse ab illa &c.Dicendũ ꝙ pso=

T
Ad.XII.

nam aliquã esse quæ non emanat ab alia:hoc cõtingit quia ipsa ex se formaliter,hoc est ex for=
ma sua quæ est sua essentia,habet esse:quia ipsa est esse:immo ipsum necesse esse.Principiatiue
aũt nec essentiã suã,nec ipm esse habet ab alio:ꝓpter ꝙ nec pducit in esse. Ecõtrario aũt pso=
na q̃ emanat ab alia principiatiue,suã essentiã & eē totũ ꝙ habet,ab alio habet:ꝓpter ꝙ verũ
est dicere ꝙ pducit ĩ esse ab illo.Sed hoc ĩtelligi põt dupl'r. Vno mõ ꝙ ab illo ei cõicetur esse.
Alio mõ ꝙ ab illo ei acquiraˀ esse.Primo mõ in diuinis psonæ emanãti ab alia cõicatur esse ab
illa:quia totum ꝙ habet & essentiam suam & esse principiatiue habet ab illa,inquantũ ipsam
producẽdo cõmunicat ei suam essentiam de qua illam pducit,& in essentia cõmunicat ei esse
suũ,& omnia quæ habet,præter proprietatem suam qua distinguitur a persona ab ipsa produ=
cta.Propter ꝙ & ipa persona producta a se formaliter, hoc est ex forma sua quæ est sua essen=
tia, habet esse:sicut & ipa persona pducẽs: quia Ioannis.xvii.sicut pater habet vitam in semet
ipo:sic dedit & filio habere vitam in semetipso.Secundo autem modo,persona emanans ab alia
in diuinis,nullo modo producitur in esse ab alio:quia ꝙ sic in esse producitur ab alio,non ha
bet eē ex se formaliter:hoc est ex forma sua,q̃ est sua essentia:sed ĩ essentia sua recipit eē ab alio
existẽte.Propter ꝙ oportet ꝙ sit aliud ĩ essentia ab eo a quo pducit.Talis aũt est essentia vni=
uersę creaturæ:quã etiam phi qui ponebant mundũ ab æterno fuisse, ponebant ab alio habere
esse p acquisitionem,quia ex sua essentia non habet esse, eo ꝙ ipa ex se non est esse neꝗ necesse
esse:sed possibile esse tm̃.Propter ꝙ etsi ab æterno haberet esse ab alio,æterna nũꝗ diceret esse.
⸿Et cũ vlterius quęritur in argumento:Si persona emanans ab alia producitur in esse ab illa,
ergo aut de non esse pducit in esse,aut de esse in esse:Dicendũ ꝙ ly de põt dicere aut circũstã
tiã pricipii q̃si materialis:aut circũstãtia ordinis circa pducẽt. Primo mõ cũ psona in diuinis
pducit de ipa diuina essentia,q̃ est ipm esse ꝙ cõmunicatur pducto, verũ est dicere ꝙ pduca=
tur de esse in esse: & nullo modo de non esse in esse. Et ꝙ quęritur tũc vlterius in argumento

V

aut ergo de eodem esse in idem esse aut in aliud:dicendum ꝙ non de alio in aliud, vt pbat me
dium ad hoc:sed de eodem in idem: sed alia & alia ratione vt de ipso: & vt in ipsum : quia de
eodem vt est patris,in idem vt est filio communicatum a patre.Et propter hoc non sequitur
ꝙ persona illa haberet esse anteꝗ produceretur vel non per productionem: quia esse illud non

X

est eius inquantum est de ipo productus , sed inquantum est in ipso. Sed hoc modo in crea=
turis nulla est productio possibilis de esse in esse:quia producens nunꝗ creaturæ communicat
suum esse.Si vero ly de notet circũstãtiam ordinis:sic in diuinis nulla persona producitur de
non esse:quia producens ñon producit nisi de sua substantia,quę est ipsum esse:quæ est etiam
ipsa substantia producti. Nihil autem produci potest de non esse in esse , siue non esse sola na=
tura siue etiam duratione ponatur præcedere ipsum esse: nisi sit tale ꝙ eius substãtia est in po
tentia ad esse & non esse : ita ꝙ ex se ei solummodo conuenit non esse : esse autem non nisi ab
alio:quemadmodum posuit Auicenna circa essentiam creaturæ. Vnde & aliqui alii philoso=
phantium qui ponebant ꝙ creatura mundi ex se erat inpotentia ad esse: sed nullo modo ad
non esse,& de necessitate naturæ a deo haberet esse ab æterno sicut & ipse erat æternus:dice=
rent creaturam mundi productam fore in esse:sed non de non esse.Similiter secundũ istũ mo=
dum in quo de notat circũstãtiam ordinis,nulla persona diuina producitur de esse in esse,nec
de eodem esse nec de alio.Non de alio: quia tunc mutatio esset circa ipsam personam produ=
ctam:sicut quando notat circunstantiam principii quasi materialis circa essentiam de qua p=
ducitur.Nec de eodem:quia absꝗ producto nunꝗ habuit hoc esse:& tamẽ esset absꝗ produ=
ctione sua in esse si ita esset.

Irca Quartũ arguitur:ꝙ ab illa persona q̃ in diuinis nõ est ab alia,nõ emanãt
plures aliæ q̃ vna.Primo sic.vbi non est nisi vnũ simplex principiũ emanandi
psonã:neꝗ nisi vna simplex emanatio: & ita neꝗ nisi vnũ emanãs:ꝗa ab eodẽ
inquantũ idẽ non pcedit nisi idẽ. in persona illa quæ in diuinis nõ est ab alia
non est nisi vnum simplex principiũ emanandi,vt ipsa diuina essentia,in qua
nulla est diuersitas nisi scdm rationem tm̃,vt habitum est supra:ergo in deo

A
Que.IIII.
Arg.

non eſt niſi vna ſimplex emanatio : neqʒ emanans perſona , et ſi in eis ſit aliqua diuerſitas, illa erit ſcdm rationē tm:quę non ſufficit ad perſonarū differētiā ſiue diſtinctionē,vt infra dicetur

2 ergo &c.ꝼSecūdo ſic.quarūlibet duarū emanationū tātū differūt iter ſe rationes principiorū emanationū,quātū rōnes terminoꝛ.ſed duarū emanationū p modū.ſ.naturę & volūtatis rationes prīcipioꝛ ſunt in eadē pſona,ꝗ.ſ.nō eſt ab alia: ergo & ſimilr rōnes terminoꝛ poſſunt eſſe in eadē pſona ꝗ eſt ab alia,ꝗ.ſ.ſit emanās modo naturę & volūtatis.& eadē rōne quotquot ſint principia & rōnes emanādi ī pſona ꝗ nō eſt ab alia,ab illa nō pōt emanare niſi vnica pſona ſiue

3 vnica emanatione ſiue pluribus.ꝼTertio ſic.illa ꝗ ſunt differētia ſola rōne,nō poſſunt eē prīcipia differētiū re:quia cū plurima ſint ī deo attributa differētia rōne vt habitū ē ſupra,tūc pari rōne ſm qdlibet diuinū attributū eſſet aliqd emanās differēs re ab illo a quo emanat : qd falſū

4 eſt.ꝗre cū oīa ꝗ ſunt ī pſona ꝗ nō eſt ab alia,differūt iter ſe in illa ſola rōne.ergo &c. ꝼQuarto ſic.diuerſus mod⁹ emanādi ſcdm ſpecie in eadē natura,nō diuerſificat emanās ſm ſpecie.dicete Ambroſio lī.de incarnatione verbi.Diuerſa initia in pleriſqʒ, et vnā ineſſe ſubſtātiā,de ſcriptu ris exēplū pſerā.Licet ergo ſit diuerſa emanatio modo naturę & volūtatis: non ꝓpter hoc erit emanās diuerſum ſpecie.In diuinis aūt(vt infra videbit )nō eſt emanātiū diuerſitas niſi ſpecie

5 vel quaſi.ergo &c.ꝼQuinto ſic.vnius naturę nō eſt niſi vn⁹ modus cōmunicādi eā. Scdm em Cōmētatorē ſup.viii.Phy.mures generati vnus ex ꝓpagatione,alter ex putrefactione,nō ſunt

6 eiuſdē ſpeciei.natura diuina nō eſt niſi vnica.ergo &c.ꝼSexto ſic.de rōne pſonę ꝗ nō ē ab alia,

**In contra.** eſt ꝗ nō ſit niſi vnica.ergo & ſimilr de rōne pſonę ꝗ eſt ab alia.ꝼCQ vero emanent ad minus tres
**Primo.** arguit Primo ſic.quia in creaturis videm⁹ tria principia emanationū & actuū elicitiua,ꝗ ſunt natura,ars ſiue intellectus,& volūtas.Quare cū iſta tria ſunt in deo : & duo illoꝛ.ſ.natura & volūtas,ponant principia emanationū:& p hoc emanare duas pſonas ab illa ꝗue nō eſt ab alia

2 eadē ratione ab arte ꝗue eſt in ipſo emanabit tertia.ꝼSecūdo ſic.nō magis differunt natura & voluntas in deo,ꝗ natura & intellectus.Si ergo voluntas in pſona ꝗue non eſt ab alia eſt principiū ꝓductiuū alterius perſonę ꝗ natura:ergo ſimiliter & intellectus.

**B** ꝼDicendū ꝗ ſcdm Ricardū li.v.de trinitate ca.v.perſonā eſſe aliūde non eſt incō
**Reſponſio.** municabilis exiſtētia.alioqn cū pſona eē nō aliūde ſed ex ſemetipſa(vt iā oſtēſum eſt )ſit exiſtē tia oīno icōicabilis:nō eſſent ī diuinis niſi duę pſonę tm: vnica tm ꝗ habet eſſe ab alia:ſicut eſt vnica tm illa ꝗ nō habet eſſe ab alia.Et ſic illi mō eſſendi ꝗ pſona habet eē ab alia,nō repugnat plures eē ab alia in diuinis:ſicut repugnat illi mō eſſendi quo pſona habet nō eſſe ab alia.Et ſic nō eſt poſſibile plures pſonas ī diuinis nō hfe eē ab alia:cui⁹ rō habita eſt ſupra.Poſſibile eſt tm plures pſonas in diuinis eſſe ab alia:cuius ratio eſt cōis quo ad vtrūꝗ: ꝗ.ſ.de ratione primi & principii eſt vnitas:non ſic aūt de rōne eius qd habet eſſe ex principio. dicete Dio.iiii.ca.de dīno.Ois dyas nō eſt principiū:monas aūt totius dyadis principiū.Etenī(vt dicit i ca.v.) in Mo nade ois numerus ante ſubſiſtit.quātū aūt a monade ꝓuenit, tātū diſcernit & multiplicat. Et hęc multiplicant & diſcernūtur differētia abſoluta rerū qualis eſt ī creaturis,ſiue relationū re aliū qualis eſt in pſonis diuinis,ſiue rōnū tm qualis eſt in attributis diuinis eſſentialibus.Et eſt triplex plurificatio ordine quodā ſe habēs iter ſe & ad primā vnitatē.Plurificatio em creatura rū pſupponit ordine durationis plurificatione diuinarū pſonarū:& illa ordine quodā rationis plurificatione attributoꝛ:de quoꝛ nūero ſunt intellectus & volūtas:ꝗ ſunt duo principia opa tionū ois itellectualis nature:ꝗ cū cęteris oībus eſſentialibus ad diuinā eſſentiā ꝑtinet.Perſona illa ꝗ ī diuinis nō ē ab alia:ex ſeipa ī ſeipſa ambit & cōtinet:& ordine quodā ab ipſa habet ieſſe aliis.Ex illa em,vt dicit Ricar.v.de tri.ca.iiii. eſt oē qd eſt, ex illa oē eſſe,ois exiſtētia,ois pſona humana angelica & diuina.Per hoc em ꝗ ambo illa principia in ſe ex ſe nō ab alio cōtinet:ha bet illa in ſe ī plena fœcūditate & nō exhauſta ad ꝓductionē duarū pſonarū intra ſemetipſam: vt nō ſolū ſit poſſibile pſonā in diuinis eſſe ab alia, ſed etiā ꝓpter duo principia emanationū in diuinis ꝗ ſunt ī illa,neceſſe ē ꝗ ab illa emanēt duę alię:vna p prīcipiū qd ē itellect⁹: alia p prin
**C** cipiū qd eſt volūtas.ꝼAd cuius intellectū ſciēdū, ſcdm ꝗ determinatū eſt ī prima ꝗſtione.vii. Qdlibet:ꝗ ī intellectuali natura intellectus & volūtas pfectione ſuā nō habet niſi ī duplici mo actionis:quarū vna eſt eſſentialis actio itellectus:alia vero pſonalis ſiue notionalis. Nō em habet diuinus itellectus ſuā pfectione quātūcūꝗ ꝑficiat p actū intelligēdi eſſentialē quouſqʒ in ipſo cōcipiat verbū pcedēs p eius actū dicēdi notionalē.Silr neqʒ voluntas p actū vo lendi eſſentialē,quouſqʒ ꝓducatur in ipſo amor pcedēs per eius actum ſpirandi notionalē , ſm ꝗ expreſſius in illa ꝗſtione declarauimus,& diffuſius ab illa pte.Eſt igit ſciendum tāꝗ a principio &c.vſqʒ ad illam ptem,Vlterius autem eſt aduertendum.

¶Ad primũ in oppofitũ:q̃ in perfona quę non eſt ab alia,non eſt niſi vnũ ſimplex C
principiũ emanãdi,vt diuina eſſentia:q̃re neq̃ niſi vna ſimplex emanatio &c.Dicedũ q̃ licet di ¶Ad primũ
uina eſſentia q̃ eſt forma vnica,ſimplex ſit ĩ eſſentia:eſt tñ multiplex in virtute. Et ideo ab ipa princip.
inquãtũ eſt penitus idẽ,& ſm eãdẽ tõnẽ,nõ pcedũt diuerſę emanationes:ſed ſolũmodo ſub ra
tionibus diuerſis diuerſarũ pprietatũ:ſine quibus non eſt pxima ratio eliciendi aliquã emana
tionem pductiuã pſonę:licet ex ſe ſit prima ratio omniũ diuinarũ emanationũ, vt dictũ eſt ſu
pra,& amplius declarabit infra.¶Ad ſecũdũ:q̃ duarũ emanationũ quarũ principia ſunt intel D
lectus ſiue natura & volũtas,termini a quo,ſunt in vna & eãdẽ pſona q̃ non eſt ab alia: ergo & ¶Ad ſecũdũ.
ſimiliter termini ad quẽ ſiue rationes terminorũ ad quos:cũ non magis differãt termini a qui
bus,q̃ termini ad quos ſiue rationes eorũdẽ:Dicendũ q̃ aliqua differre plus vel minus poteſt
intelligi dupliciter.vel ſcdm formã.vel ſcdm ſubiectũ. Poſſunt em quæ magis differũt forma
conuenire in ſubiecto plus q̃ illa q̃ cõueniũt forma.plus em differũt albedo & dulcedo q̃ duę
albedines:ille autẽ ſimul ſunt in eodẽ ſubiecto:nequaq̃ iſtę.Licet ergo nõ plus differãt rõnes ter
minorũ emanationũ q̃ principiorũ: bene tñ poſſibile eſt rationes principiorũ cõpati ſe in eodem
non autẽ rationes terminorũ.Cuius ratio eſt, quia ratio principii ſemp vergit in vnitatẽ:ratio
autẽ principiati ĩ pluralitatẽ,vt ppterea cũ oim neceſſe ſit eſſe vnũ primũ principiũ, & primũ
principiũ debet hfe ĩ ſe rõnes principiatiuas omniũ alioꝝ quæ recipiũt eſſe ab eo, neceſſe eſt q̃
in primo principio qd non eſt ab alio, prima principia primarũ emanationũ ſint ſimul:licet ra
tiones terminoꝝ nequaq̃.Et hoc ideo:quia emanatio q̃ eſt ad terminũ ſcdm vnã rationẽ vt ad
productũ ſub ratione filiationis,principaliter pcedit a principio qd eſt intellectus ſiue natura
ex adiũcto aũt a pricipio qd ē volũtas,& nõ ecõuerſo.Ecõuerſo aũt emanatio q̃ eſt ad terminũ
ſcdm rationẽ ſpirationis,principaliter pcedit a principio qd eſt volũtas:ex adiũcto ſolũ a prin
cipio qd eſt natura,& nõ ecõuerſo.Et ſic impoſſibile eſt q̃ vna pſona habẽs in ſe duas rationes
terminorum,procedat ſeu emanet ſcdm illas duas emanationes : ſicut impoſſibile eſt q̃ prin
cipaliter emanet ſcdm vtranq̃ emanationem : & ſcdm neutram,ſed ſcdm ambas ex adiũcto.
¶Ad tertiũ:q̃ natura & volũtas in perſona q̃ nõ eſt ab alia differũt ſola ratione : ergo nõ poſ E
ſunt eſſe principia pluriũ emanationũ differẽtiũ re &c.Dicendũ q̃ natura q̃ eſt intellectus & ¶Ad tertiũ.
volũtas,duplr poſſunt cõſiderari in pſona illa q̃ nõ eſt ab alia. Vno modo ſimplr & abſolute.
ſic ſunt principia pciſa actionũ eſſentialiũ, q̃ ſunt intelligere & velle . Alio modo vt cũ pprie
tatibus relatiuis.ſic ſunt principia proxima actionũ notionaliũ,q̃ ſunt dicere & ſpirare. Primo
mõ verũ eſt q̃ ſola rõne differũt iter ſe: nec ſic poſſunt eē pricipia pxima diuerſarũ emanatio
nũ pſonaliũ re relationis differẽtiũ,licet ſint principia remota.Secũdo aũt mõ nõ eſt verũ q̃ ſo
la ratione differunt.S.totũ hoc,intellectus cũ vna pprietate relatiua,& volũtas cũ alia:imo dif
ferũt re rõne relationũ.Sũt em diuerſę relatiões reales diſpatę:licet nõ relatiue oppoſitę, ſcdm
q̃ ſunt in pſona q̃ nõ eſt ab alia,vt iam dicet.Nec eſt ſimile de aliis attributis:quia rõnes eoꝝ
nõ dicũt ppria principia aliquarũ actionũ oino:ſicut faciũt natura,intellectus,& volũtas. Pro
pter qd nõ obſtãte q̃ ſola ratione differũt,poſſunt eſſe ppria principia actionũ eſſentialium:&
ſub rationibus pprietatum relatiuarum etiã poſſunt eſſe ppria principia actionũ notionaliũ,
vt iam videbit.¶Ad quartũ:q̃ diuerſus modus emanationis ſcdm ſpeciẽ nõ diuerſificat ema F
nãs ſcdm ſpeciẽ &c.Dicendũ q̃ large ſumẽdo diuerſitatẽ ſcdm ſpeciẽ,ponimus in diuinis ſpe ¶Ad quartũ
cie differre duos emanationis modos,& modos eſſendi diuerſos pſonarũ diuinarũ. iuxta illud
qd dicit Ambroſius proxime ante auctoritatẽ inductam. Q̃ non ex alio ſit pater, nec ex ſe fi
lius,ſpecies hic videtur eſſe diuerſa:ſpecies vtiq̃ diſtincta:ſed ĩdiſtincta diuinitas. Per hũc etiã
modũ etiã ipſas pſonas iam dicemus ſpecie differre:ſed cum diuerſitas ſiue diſtinctio ſcdm ſpe
ciem pcedit a forma.ſcdm phm.xi.Metaphyſicę.ſcdm q̃ duplex eſt forma,vel(vt magis pprie
loquar)duę rationes formæ,ſcilicet abſolutę q̃ eſt ipſius eſſentiæ,& relatiuę quæ eſt ipſius pro
prietatis.Scdm primam in diuinis nulla eſt diſtinctio ſcdm ſpeciem,immo deus eſt vna ſpecies
in vna ſingulari natura non plurificabili . Quam tamen diſtinctionem arguebant eſſe in deo
ſi in ipſo ſit ponere eſſe ingenitum & genitum:quia ambos eſſe vnius ſubſtantiæ ſcdm nume
rum intelligere non potuerunt . Vnde & contra tales dicit Ambroſius aſſumptam propoſi
tionem:q̃ in pleriſq̃ ſunt diuerſa initia ſcdm diuerſum modũ habẽdi & accipiẽdi:vbi tñ non
eſt niſi vna natura habita aut accepta.Et hoc declarat ĩ creaturis de vna natura cõmuni, quæ
diuerſimode producta eſt in diuerſis.ſcdm q̃ declarat ex textu Geneſis. Et in fine declaratio
nis concludit. Itaq̃ aduertimus quæ eiuſdem generis ſunt diuerſo modo eſſe cœpiſſe,alia de
aquis,alia de terra,alia de maris & fœminę generatione:& tñ vni⁹ eē natuꝛ.Itaq̃ ſi in his quę

mortalia funt,hoc potest conuenire:quemadmodũ patris & filíí & spíritus sancti diuinitati legem cuiusdã necessitatis imponũt:scilicet diuersa inítia. Scdm aũt formã respectiuã in diuinis bene pōt eē & est distiction scdm specié vel q̃si.Sicut em paternitas & filiatio sunt relationes diuersę quasi specie: sic pater & filius cōstitutę psone p illa sunt psone quasi specie diuersę:sed cōtinetes totã specié suã i singulis indiuiduis nō plurificabile i aliis,vt infra dicet. & tali diuersitate sm specié diuersus mod⁹ emanationis sm specié,vt sunt gnatio & spiratio,bene distiguũt emanans scdm specié.

**G**
**Ad quintũ**

¶Ad qntũ:q̃ vnius naturę nō est nisi vn⁹ modus cōicãdi eã: Rñdendũ est distiguēdo & ex pte modi cōmunicãdi,& ex pte naturę cōmunicatę. Ex pte naturę cōicatę dicedũ q̃ natura dupl̃r cōicat p actũ pductionis aut emanationis. Vno mõ vt q̃ habet eē p pductionē nō solũ i pricipaliter pducto:sed etiã scdm id qd est.Alio mõ vt q̃ habet eē sm id qd est absq̃ pductione: licet non in pducto.Primo mõ oēs formæ creaturę habet eē p pductionē: q̃a nō solũ habēs formã,habet eē p pductionē,sed etiã ipsa forma:quia ex se nō habet esse oīno. Secũdo mõ forma deitatis habet esse p pductionē:q̃a in ipso pducto:nō aũt i se: q̃a ex se habet eē etiã in supposito pducto.Propter qd dictũ est supra,q̃ i diuinis forma deitatis nullo mõ pducit:sicut neq̃ materia in naturalibus:sed solũ habetur p pductionē. Forma vero naturalis quodãmodo generatur.Sed primo modo ppríetas psonalis psonę pductæ quodãmodo habet esse p pductionē,vt supra dictũ est:sed illa nullo modo est cōmunicabilis nec in se:q̃a singularis est,in quo cōuenit cũ deitate:nec in suppositis diuersis:& in hoc differt ab eadē.Ex pte vero modi cōicãdi dicedũ q̃ mod⁹ cōicãdi naturã pōt dici vn⁹ vel diuersus aut tm ex pte cōicãtis & pducētis id cui cōicat:aut tm ex pte ipsius actus pducendi illud:aut vtroq̃ modo . Isto tertio modo vnius naturę bene est diuersus modus cōmunicãdi in creaturis,vt patet in exēplis Ambrosii iã positis de pductione eiusdē volatilis scdm specié modo de aquis:mõ de terra modo per coniuctionem maris & fœminę.Sed hoc nō contingit in illis quæ non fiunt naturaliter in creaturis absq̃ sexuũ cōmixtione,nisi vbi agens est supnaturale.In diuinis etiam vnius naturę bene est diuersus modus cōicãdi,vt deitatis a patre in filiũ p generationē, & ab vtroq̃ in spiritũ sanctũ p spiratione.Primo modo adhuc eiusdē naturę est diuersus mod⁹ cōmunicãdi in creaturis: et hoc vel altero agente supnaturaliter, vel vtroq̃ naturaliter. De primo ponit Ambrosius exēplũ de veritate naturę carnis humanę quæ in Christo & nobis diuersis est orta principiis:erat tñ vnus modus formandi eã. Suppleuit em spiritus sanctus id qd semen virile egisse potuisset: & per hoc virgo quãtum erat in se naturalis mater fuit. Si vero vtroq̃ agente naturaliter: sic quęcũq̃ generatur ex ppagatione maris & fœminę, si virtute solius solis,stellarum, & corporũ cęlestiũ eadē posset in materia pduci cōmixtionis proportio scdm calidum frigidũ humidum & siccũ: & talis virtus qualis cũ naturali calore a generatib⁹ effunditur in semine:eadem scdm specié possent pduci virtute solis,cęli,& stellarum absq̃ maris & fœminę coniuctione.Et hoc quia ex parte agentis intra & ipsius pductionis,iste modus pducendi idem est cũ illo qui est p ppagatione.Sed illud negarent phi posse fieri : et ideo nō posse eãdem naturã cōmunicari p ppagatione & fine.Propter qd dicit Auerrois:q̃ mus ex putrefactione generatus & fine nō est eiusdē specieí:qd forte nō est verũ i speciēb⁹ vilib⁹ saltē. Si vero modo pdicto est diuersus modus cōmunicandi ex pte actus pducendi tm, si agens sit supnaturale,bene potest cōmunicare eãdem naturã scdm diuersos modos pducendi eã,vel ex materia pcedente,vel p creationem ex nihilo.Si vero sit agens naturale creatum,nequaq̃.Et p hũc modum pater eandem naturam deitatis cōmunicat filio & spiritui sancto scdm diuersas pductiones. cuius ratio est fœcunditas & perfectio vtriusq̃ principii, scilicet naturę & voluntatis in deo: cũ in creaturis non possit esse fœcunditas cōmunicãdi naturam nisi scdm principium qd est natura:non autem scdm principium aliud,etiam si principiũ qd est voluntas sit in illa: & hoc propter eius imperfectionem naturalem.

**H**
**Ad sextũ.**

¶Ad sextum:q̃ persona quæ non est ab alia,non est nisi vnica,quare neq̃ illa q̃ est ab alia: Nō est simile:& patet quomodo non est simile,& per consequens solutio argumenti ex eis q̃ iam dicta sunt ad corpus quęstionis,& in dissolutione secundæ rationis huius quæstionis,& etiam ex dissolutione primi argumēti ad quęstionem.ix.præcedentis tituli.

**I**
**Ad primũ
in opposi.**

¶Ad septimum:q̃ tria principia sunt emanationũ,natura, ars,& voluntas:ergo tres emanationes & tres personæ ad minus procedunt ab illa: Dicendũ q̃ in intellectualibus natura,ars,& intellectus sunt vnũ principiũ & idē, non autem natura & volũtas. & hoc ideo: quia intellectus per obiectum sibi psens impetu quodam siue quadam immutabilitate naturalis necessitatis elicit actũ suum,sicut & natura absoluta non intellectualis: nō sic autem volũtas,sed libere fertur in ipm, scdm q̃ inferius amplius declarabitur.

Ad octauũ,ɋ non minus differunt natura & intellectus,ɋ natura & volũtas:Sicut ergo natu
ra & voluntas ſunt diuerſa principia emanationũ,ſimiliter natura & intellectus &c. Dicẽdum ɋ
licet minus non,differant natura & intellectus,ɋ natura & voluntas ſecundũ rem, minus tamen
differunt ſecundũ modum operãdi,propter qd(vt iam dictum eſt)natura & volũtas ſunt diuer
ſa principia emanationũ,non autem natura & intellectus.

 Irca quintũ,ɋ perſonę duę que emanant ab illa quæ non eſt ab alia,emanãt ab
illa æque primo principaliter & immediate, arguitur primo ſic. emanationes
quarũ principia ſunt equalis potentię & fœcunditatis in eadem perſona, eque
primo principaliter & immediate emanant ab illa,quia quando nulla eſt præ
rogatiua inter principia,nec inter principiata,principia emanationũ quæ ſunt
natura & voluntas in patre,ſunt huiuſmodi,quia aliter nõ eſſet in ipſis perfe
cta equalitas,nec per conſequens in perſonis productis ab eis,ergo &c. Secũdo ſic. Dionyſius di
cit de di.no,capit.ii.Eſt fontana deitas pater: filius autem & ſpũs ſanctus genitricis deitatis(ſi ſic
oportet dicere)frutices deo germinati & veluti flores & ſupereſſentialia lumina,vbi alia trãſlatio
dicit.Pullulationes diuinę naturę,& ſicut flores & ſupſubſtãtialia lumina,ſed in florib9 & i lumi
nibus duobus ab eodem pcedentibus,æque primo principaliter & immediate ambo procedũt,er
go &c. Tertio ſic.ſi a perſona que nõ eſt ab alia,non eque primo principaliter & immediate ema
narent ambę perſonę,hoc nõ eſſet niſi quia in ea eſſet aliquid per primã emanationẽ per quod pro
cederet ad ſecũdã emanationẽ. Hoc aũt eſt impoſſibile,quia tũc pſona illa reſpectu emanationis ɋ
emanat ab illa,nõ primo & principaliter eſſet in potentia anteɋ in actu.hoc autem eſt impoſſibi
le,ergo &c. In oppoſitum eſt.ɋ emanationes duæ,quæ ſic ſe habent ɋ terminus vnius eſt prin
cipium alterius, non procedunt ab eodem æque primo principaliter & immediate . emanationes
duę prędictę ſunt hmõi. emanationis eñ quæ eſt generatio, terminus eſt filius:qui cum patre eſt
vnum principium emanationis quę eſt ſpiratio,vt infra patebit,ergo &c.

Dicẽdum ad hoc,ɋ ſecundum ſuperius dicta & determinata iuxta auctoritatẽ
Dionyſii, a monade omnis numerus : ita ɋ omnem pluralitatem & numerum ordinatim opor
tet reducere ad aliquid primum vnicum, ita ɋ nec duo per æqualitatem, ad vnum primum ha
beant reduci. Vnde & pɂius vult.x.Metaphyſicę,ɋ in primis differentiis ppriorɱ generũ ſemp eſt
ponere vnum nobilius extremũ contrarietatis qd primo & principalius participat ɽõnem gene
ris,& alterum vilius qd per defectum aliquem ab illo naturam generis participat.In deitate ergo
omnem pluralitatem ordinatim oportet ad vnitatem reducere, ita ɋ duo quęcĩɋ per vniformi
tatem omnimodã ad vnum primum reduci nõ habeant.Propter qd cum in deo ſit perſonarum
pluralitas, oportet illam reducere ad vnitatem deitatis: vt ſint plures perſonæ,ſed tantum vnus
deus,ſed non per omnimodam vniformitatẽ habendo ſeſe ad deitatem, ſed ordine quodam: vt ſit
vna pſona prima,quę ex ſe nõ ab alio habeat in ſe cũcta quæ deitatis ſunt,& ab illa ões alię:& per
hoc primo : ita ɋ ad ipſam perſonę aliæ ſicut ad ſuum primum & principium habent reduci,&
hoc eadem ratione nõ niſi ordine quodam,vt vna illarum ſit principium alterius, & ad ipſam vt
ſuum principium habeat reduci,& ſic deinceps,vt iam patebit.Si enim duę eque vniformiter po
nantur eſſe ab vna abſɋ ordine, eſſent in illa vna rationes & proprietates principiãdi illas duas
ęque vniformiter & abſɋ ordine . Et ſic aut vtraɋ illarum eſſet perſonæ illius conſtitutiua:aut
neutra : puta vel illa qua habet aliquis emanare ab ea vno modo, vel illa qua habet aliquis ema
nare ab illa alio modo, quia ratio communis qua ab illa habent aliæ emanare,eo ɋ eſt cõmunis nõ
propria,nullius poteſt eſſe perſonę conſtitutiua. Non aũt eſt dicẽdum ɋ neutra ſiue nulla earum
nec vna,nec ambæ,quia per nihil aliud perſonę conſtituuntur in diuinis,niſi per proprietatẽ,qua
refertur vnus ad aliũ ſecũdum rationem originis,vt infra dicetur. Oportet ergo dicere ɋ vtraɋ
illarum eſt perſonę que non eſt ab alia conſtitutiua in deo.Quare cũ(vt iã in precedente queſtio
ne dictum eſt)rationes illæ duę ſeu proprietates emanationum non ſunt vnius rationis,ſed vna
ſe habet modo naturę,alia vero modo voluntatis,non eſſet vnica perſona non ab alia,ſed duę,non
modo ſecundũ eandem rõnem,vt duę innaſcibiles,aut duæ improceſſibiles, ſed ſecundũ diuerſas
rationes,vt duę improductibiles: a quarũ vna haberet produci vna perſona modo voluntatis: ab
altera vero alia modo naturę:qd neceſſario vlterius redundaret contra vnitatem vnius dei.Si eñ
ſcẽm Hila.plures eſſent innaſcibiles,licet ſecundũ eãdem rationem proprietatis,plures eſſent dii,
Sic multo fortius, ſi plures eſſent improductibiles ſecundum diuerſas rationes proprietatũ,
plures eſſent dii.Ita ɋ ſicut vnitas dei requirit vnitatem innaſcibilis, & vnus innaſcibilis vnum

deum effe idicat:& pluralitas pluralitatẽ:sic vnitas dei regit vnitatẽ improductibilis vt vnus sit
improductibilis scdm vnā rõnem singularē & vnũ modũ improductibilitatis:& vn⁹ improductibilis scdm vnam rõnem vnum deũ effe indicat,& pluralitas pluralitatem, vt idcirco oĩno fit inconueniens & impoffibile vt a persona illa quę nõ est ab alia,emanent duę alię ęque primo princi
N paliter & immediate.¶Et scdm hoc descendendo ad quęstionẽ dico ad primũ argumentũ quęstio
nis de ęque primo/q̃ quia vna productio illarũ necessario(si sic fas esset loqui)presupponit aliã &
nõ econuerso:propterea nõ ęque primo emanant illę duę ab illa quę nõ est ab alia:sed ordine quo
dã naturę:vt ly primo,& similir secũdo explicẽt dispositionẽ ordinatorũ scdm naturalẽ ordinẽ ori
ginis,sic enim licet in diuinis exprimere ordinata in tali origine,vt habitum est supra.Sed quia di
cit Ricar.v.de trini.cap.vii,In illa personarũ pluralitate,& vera ęternitate nihil ibi aliud pręcedit,
nihil ibi alteri succedit,& deo nihil ibi tempore prius, nihil ibi tempore posterius, sed quod non
potest effe prius temporaliter,potest prius effe caussaliter,& eo ipso naturaliter: perfectio enim per
sonę vnius exigit vtiq̃ consortiũ alterius,& ita fit vt vna sit causa alterius: ex hoc videtur q̃ ipse
velit q̃ nõ solũ ordinata naturaliter scdm rationes originũ poffint explicari scdm statum ordinis
sui per illa quæ sunt primũ,secundũ,tertiũ, per quę absq̃ dubio explicari possunt:sed per illa quæ
sunt prius & posterius,q̃d reputatur absurdũ,quia istud sancti negãt,illud vero ponũt,Hila.in fi
ne.xii.de trini.cap.penul.loquens de filii dei natiuitate dicit sic. Natiuitas deũ testetur auctorem
nõ ppoisterũ aliquid ab auctore significet. Et quidẽ cõfessiõe cõmuni,secũda quidẽ ab auctore na
tiuitas est quia ex deo est,& capit.vltimo. Filius ex te deo patre deus verus:& a te in naturæ tuę
veritate genitus post te ita confitendus vt tecum:quia æternę originis suę es auctor ętern⁹. nam
dum a te est,secundus a te est.Reuera si prius & posterius ex se nihil dicerẽt nisi circũstãtias illarum rationũ quibus inter se differunt ordinata inquãtum ordinem habẽt,& hoc indeterminate ad rõnes ordinatorũ in quocũq̃ ordine,ita q̃ determinaretur earũ circũstantia secundũ modũ
ordinis & ordinatorũ quib⁹ adiũgitur:tũc si adiũgerent eis quę sunt ordinata scdm locũ,dice-
rẽt prius & posterius scdm locũ: si scdm temp⁹ siue duratiõe,aut scdm naturã:cõsimiliter dice-
tent prius & posterius scdm tps seu duratiõe,aut scdm naturã. Si vero scdm originẽ,aut scdm
O rõnẽ tãtũ,similiter dicerẽt pri⁹ & posterius scdm originẽ,aut scdm rationẽ tãtũ.Et sic proculdubio intelligit Ri.q̃d bene indicat per hoc q̃d dixit.Q̃d non potest effe prius tẽporaliter, potest effe
prius caussaliter,& eo naturaliter. Et sumit ibi caussaliter large pro originaliter:eo enim quo origi
naliter,eo ipso naturaliter,Vnde lib.vi.cap.vii.dicit.Prius & posterius hoc loco intelligi volumus
nõ temporum successione,sed ordine naturę,& hoc scdm modum quo ordo naturę ponẽdus est
in diuinis,prout supra in quęstionibus de ordine attributoꝝ determinauimus.Nec etiã sic inueni
aliquẽ sanctum negantẽ expresse prius & posterius poni in ordine circa diuina,scdm q̃ notat pre
cise circũstantiã illius ordinis.Sed q̃ negant:hoc est maxime secundũ q̃ notant circũstantiam cir
ca ordinata tempore,aut duratione,aut aliquo aliorum modoꝝ ordinis: quæ non cadunt aut re
P cipiuntur in diuinis:quos tamẽ in eis ponebãt hęretici,& hoc in articulo propositę quęstiõis, Qm̃
(vt dicit magister pri.senten.distinctione.xii.)Arrius arguebat sic.Si pcessit spiritus sanctus a pa
tre,aut ergo iam nato filio,aut non nato filio. Si iam nato filio,ante natus est filius q̃ processit ipi
ritus sanctus, Si aũt nõ nato filio,ante processit q̃ filius genitus fuit.Quod bene etiam exprimit
Hila.in eo q̃d post prędictam sententiam suam adiungit in penultimo capit.dicens.Solus hic ita
q̃ de deo pius sermo est scire patrem,& cum eo eum qui ex eo est filium. Neq̃ in illud vnq̃ stul
titię atq̃ impietatis erũpam,vt te aliquãdo fine sapiẽtia & virtute & verbo tuo vnigenito deo do
mino meo Iesu Christo fuisse pręsumam,Nã cum verbum & sapientia & virtus in nobis interioris motus nostri opus sit:tecũ tñ perfecti dei qui & verbũ tuũ & sapiẽtia & virtus est,absoluta ge
neratio est,vt inseparabilis semper a te sit, qui in his æternarũ proprietatũ tuarum nominibus ex
te natus est.Item post prędictã sententiam in capi.vltimo dicit sic.Dum verus tuus est non sepa
Q rabilis ab eo es:quia nec sine tuo confitendus fuisse aliquãdo es: ne aut imperfectus sine generatio
ne:aut superfluus post generationem arguaris,Idem etiam bene exprimit Augustinus respõdens
dictę rationi hęreticoꝝ.xv.lib.de trinita.vbi dicit. In illa summa trinitate quę deus est interualla
temporum nulla sunt per quę possit ostẽdi vtrum prius de patre natus filius sit,& postea de ambobus procedit spiritus sanctus.Et aliquibus interpositis subdit.Nõ possunt prorsus ista ibi quęri
vbi nihil tempore inchoatur:vt consequenti proficiat in tẽpore.Cũ ergo quęrit vtrũ pcessit spũs
sanctus iam nato filio,aut iam non nato filio,neutra concedenda est.Sed habendo iuxta eius intel
lectum aspectum ad ante in tẽpore,ambę negandę sunt:& illa concedenda est,non processit iã na
to filio,q̃a simultate ęternitatis ambo pcesserunt simul:licet originaliter prima fuerit pcessio filii,

& ſecūda proceſſio ſpiritus ſancti, vt dictum eſt. Vnde ɋ prius & poſterius in diuinis circa illa in quibus eſt reperire aliquem ordinem, nō recipiantur omnino ſecundum modum illius ordinis, ſci licet rationis aut originis, prout determinauimus in quæſtione de vniformitate diuinorū actuū: hoc magis cōtingit ex vſu, ɋ ex natura rei. Et eſt ratio vſus illa quā ſupra expreſſi in qſtione qua dam de ordine attributoꝝ ɋ prius & poſteri⁹ ſiue ante & poſt in cōmuni vſu fundātur ſuper or dinata nō ratione habitudinis quā habent inter ſe: ſed ratione rerum quas ſignificāt: quarū vna poſteritatem in ordine habet reſpectu alterius, vt ibi declaratū eſt in creaturis. Q d non poteſt cō tingere in deo, quia neꝗ ratione ſubſtātiæ, ipſa eſt vnica ſingularis, neꝗ rōne relatiōis, quia re latiua ſunt ſimul natura, & non ſunt plures res in diuinis ſuper quas fundari poſſit. Sed ſi quis interius inſpiciat relatiōes notionales in diuinis perſonis, eſt aliquid inuenire in eis, propter quod in ipſis fundari poſſit ratio prioris & poſterioris. Relatio enim notionalis in deo dupliciter poteſt conſiderari. Vno modo abſolute vt relatio eſt. Alio modo vt habet rationem originis, vt ſcilicet eſt ratio qua ab alio eſt aliquis, vt eſt paternitas: vel qua aliquis eſt ab alio, vt eſt filiatio. Vnde li cet relatiōes ſcdm primū modū cōſiderandi eas, ſcilicet vt relationes ſunt abſolutæ, ſunt ſimul na tura: nec oino poſſint ſuper eas fundari prius & poſterius: nec mirū, quia nec ſic relationes ordinē aliquem habent inter ſe originis aut cauſalitatis, quia ſcdm pĥm relatiua ſunt ſimul natura, & neutrum eſt cauſa alteri vt ſit: ſecundū modum tn ſecundū conſiderandi eas, ſcilicet vt pertinēt ad originem, nō ſic ſunt ſimul natura hoc eſt naturali intelligentia, in qua non habent differentiam ſecundū primum & ſecundū, ſicut neꝗ ſecundum ante & poſt, quin habeant inter ſe ordinem na turalem originis, & inquātum hmōi non ſunt ſimul natura, hoc eſt in natura originandi: in qua ſecundū eundē modū habet differentiā ſcdm primū & ſecundū. Habēt etiā iuxta dictū Ri. differē tiam ſecundum ante & poſt, vt quomodo. filius dicitur ſecūdus a patre, quia eſt ab ipſo, ſic dicat & poſterior eo: poſterior ſcilicet origine nō tēpore auſ duratiōe: aut cōſimile. Et ſecundū hoc ad di ctam queſtionē Arrii vtrum proceſſit ſpūs ſanctus iam nato filio, an nō nato filio, poſſet reſpōde ri iam nato filio: vt ante intelligatur natus filius ɋ proceſſit ſpiritus ſanctus non ɋ tēpore natiui tas filii præcedit proceſſionem ſpiritus ſancti: ſed naturali origine ſolūmodo, vt dictum eſt. Quia tamen pro aliis modis hæretici intelligebant prius & poſterius: ideo eccleſia ad illos modos habēs reſpectum, ſimpliciter negabat ea eſſe in diuinis, & ad ſolos illos modos adhuc retorquet cōmu nis vſus ante & poſt, prius & poſterius, propter quod negat ſimpliciter illa recipi vllo modo in di uinis. Nec tamen video quin qtum eſt ex natura rei & circūſtantiarū quas importāt, poſſunt re cipi in diuinis ſecundū modum quo ordo habet eſſe in illis, & primum ac ſecūdū. nec tn aſtruo ſic debere fieri. ⸿Sic ergo reuertendo ad propoſitū, dico ɋ prædictæ duæ emanationes perſonarum ab illa quæ nō eſt ab alia, non emanant ab illa æque primo, ſed vna primo, altera ſecundo, quia ordi ne naturæ. Licet enim vna emanatio non procedit ab altera, vna tamen earum naturaliter alteram ſupponit, & non econuerſo, vt dictum eſt: vt ſecundū hoc ſit alia ratio ordinis patris ad filium, & vtriuſꝗ ad ſpiritum ſanctum, & vnius emanationis ad alteram. Hanc rationem per alium modū aſſignat Ric. v. de trini. cap. vii. dicēs. Naturaliter eſt dualitas prior ɋ trinitas. Nā illa pōt eſſe ſine iſta: iſta vero nequāɋ ſine illa. Naturaliter itaꝗ & illa ꝓceſſio prior eſt quæ pōt ſubſiſtere i ꝑſonarū dualitate, ɋ illa ɋ nō pōt eſſe ſine pſonarū trinitate. ⸿Per hoc patet reſpōſio ad ſecūdā partē quæ ſtionis. Sicut em nō æque primo ille emanatiōes ꝓcedūt a perſona quæ nō eſt ab alia, quia ſecunda requirit primā, & nō ecōuerſo, principalius autē eſt qd ab altero ad eſſe ei⁹ requirit. ɋ qd requirit illud, ſic nō æque principaliter emanāt emanatiōes, neꝗ perſonæ illæ, ſed principaliter emanat ema natio illa ɋ eſt mō naturæ, & ſimiliter pſona ꝓducta per illā. Ric. autē aſſignat hanc rōnem, loquēs enim de illa prima emanatione, & prima pſona, & de iſta ſecunda emanatione, & ſecūda pſona per hūc modū, lib. vi. capit. vii. dicit ſic. Illud primū poteſt cōſiſtere in ſola perſonarum dualitate: illud aūt poſterius oino ſubſiſtere nō pōt ſine pſonarū trinitate. Quātū vero ad ordinē naturæ, prior eſt dualitas ɋ trinitas, nam vbi eſt trinitas, nō poteſt de eſſe dualitas: poteſt aūt dualitas eſſe, etiā vbi cōtingit trinitatē deeſſe. Quātū ergo ad naturæ ordinē principalior ꝓceſſio eſt illa, cui ineſt princi palior ꝓcedēdi cauſa. Item alio modo aſſignat eādem rōne ex parte modorū emanādi. viii. ca. dicēs ſic. Principalior autē eſt illius proceſſio pro modo naturæ, quæ conſtat ab innaſcibili ſolo ꝓcedere. & cap. xvii. Pater tam filiū ɋ ſpiritū ſanctū de ſeipſo ꝓducit: vterꝗ cōſubſtantialis ſibi exiſtit, & tn vterꝗ eius filius dici nō poteſt: quoniā vtriuſꝗ ꝓductio vniformis nō eſt. Si em vtraꝗ vniformis eſſet, vna ſecundū ordinē naturæ altera principalior nō fuiſſet. Inter oēs aūt procedendi modos cō ſtat primum locum tenere & cæteris principaliorem eſſe illum ꝓcedendi modum, qui eſt filii a pa tre, nam vbi iſte non præceſſerit, nullus eſſendi locum omnino habebit. Intellige præceſſerit ordine

naturalis originis,non alicuius durationis:vt principalitas etiam illa nõ dicat gradum aliquẽ di
gnitatis,sed modum ordinati in ordine originis. queadmodũ & pater dicit principalior psonã in
trinitate,vt iam dicetur scdm Rica. ¶Ad tertiũ autẽ articulũ questionis,vtrum eque immediate
pcedunt emanationes ambẽ psonarum: Primo videndũ est quomodo duẽ personẽ pcedentes ab il
la quẽ nõ est ab alia,ambẽ immediate pcedãt ab illa:& deinde principale intentũ,quomodo eque
immediate.Circa primũ igitur sciendũ est,q̃ in diuinis a persona quẽ nõ est ab alia,necesse est per
sonã primo pcedẽte pcedere immediate.dicete Ríc.v.de trini.ca.viii.Ab illa principalissima existẽ
tia necesse est vna aliquã imediate pcedere:alioquin oportebit eam solã remanere,& hoc tantũ im
mediate,ga nõ est aliqua alia a qua illa siue mediate siue imediate possit pcedere. Cõstat nãq̃(vt
cõtinuo subdit)q̃ ceterarum nulla oĩo eẽ valeat quẽ nõ ab illa immediate vel mediate pcedat.Et
hoc quia si a secunda pcedit alia immediate,virtutẽ pducendi aliã a se habet a prima,vt etiã illã
tertiã necesse sit pcedere imediate a prima. Vt nõ solum verũ sit de diuersis psonis pductis q̃ vbi
nõ est immediata pductio,nõ potest eẽ mediata:sed etiã de eade : vt si aliqua vna nõ sit imediate
pducta ab illa,non põt esse mediate pducta ab eade.Et sic in diuinis põt esse imediata pductio,q̃
nullo mõ est mediata:nec regrit aliã mediatã:ecõuerso autẽ nulla põt esse mediata qn eade sit im
mediata,& cũ hoc requirat aliã immediatã.Vtrum aũt sit aliqua mediata, hoc ptinet ad sequẽtẽ
questionẽ, & ideo vsq̃ ad illam reseruabitur residuũ huius articuli.Sed quantũ ad ppositũ perti
net,vtrũ duẽ personẽ quẽ sunt ab alia,ab illa quẽ nõ est ab alia eque immediate pcedunt: Est dicẽ
dum q̃ immediatio quia cõsistit in negatione medii,licet mediatio posset esse multiplex secundũ
pluralitatẽ mediorũ,immediatio tamẽ in simplici & indiuisibili cõsistit,in qua nõ est sumere nisi
equalitatẽ.Propter q̃d absolute ponendũ est,q̃ psonẽ duẽ pcedẽtes ab illa quæ nõ est ab alia,eque
immediate pcedũt ab ea:equaliter em in ipsa secũda est voluntas vt natura, nec magis requirit
medium ad producendũ psonã per modũ voluntatis,q̃ natura ad pducendum personã modo
naturẽ.Propter q̃d dicit Ric.vi.de trini.capi.viii.In natura diuina aliã inuenis pcessionẽ quæ im
mediata est,& principalis:aliam vero quẽ imediata est non tamẽ principalis.& ex hoc etiam illa q̃
vsquequaq̃ immediata,est principalior q̃ illa quẽ simul est mediata & immediata.dicente Ricar.
vi.de trini,cap.ii.Processio illa personẽ de persona vsquequaq̃ immediata est scdm principalẽ pce
dendi ordinem & secundũ naturẽ operationem.

**X**
Ad pri.prin.

¶Ad primũ in oppositũ q̃ principia vtriusq̃ emanationis sunt equalis fœcundi
tatis:ergo eque primo principaliter & immediate emanant: Dicendum q̃ equalis fœcunditas be
ne facit ad equalem immediationẽ,vt dictũ est,non aũt ad equalẽ primitatem & principalitatem,
propterea q̃ fœcũditas principii secundæ emanationis,est quasi dependens a fœcunditate prin

**Y**
Ad secundũ

cipii primẽ emanationis,& nõ ecõuerso, vt dictũ est & iã amplius isra dicet.¶Ad secundũ de Dio.
Dicendũ q̃ sermo ei⁹ in dicto illo Metaphoricus est,& p similitudinẽ dictus quo ad ipsa emanatia
nõ aũt quo ad modos emanãdi,p qb⁹ pcedit argumẽtũ.Est em similitudo quo ad hoc, q̃ personẽ
pcedẽtes in diuinis paternã pulchritudinẽ & claritatẽ repręsentãt,ppter q̃d quasi flores & lumi
naria ab ipso pcedẽtia. Non aũt est similitudo quo ad principia florũ duorum aut luminariũ quẽ
nullo modo dependent abinuice in rebus corporalibus, vnde tracta est Metaphora:sicut quasi de
pendet principium emanationis secũdẽ productionis a principio emanationis primẽ productiõis
vt dictũ est.¶Ad tertiũ q̃ nõ est ratio quare ambẽ emanationes psonarũ nõ emanant eque primo
principaliter & immediate,nisi quia aliqd est in secũda emanatiõe per primã: Dicendũ q̃ ad actio

**Z**
Ad tertium

nem emanationis a volũtate nõ tam requiritur actus emanationis ab intellectu quia actio volun
tatis requirit cognitiõe voliti,q̃ quia voluntas nõ est principiũ fœcundũ ad emanationẽ persona
lem ab ipsa,nisi sit cõmunicata pducto per actionẽ emanatiõis ab itellectu.scdm q̃ in pxima quẽ
stione sequẽte declarabit. Quod vero assumit in eodẽ argumẽto q̃ ad actionẽ emanatiõis a volun
tate nihil requiritur propter q̃d nõ eque primo emanat persona ab ipsa,q̃ ab intellectu,quia aliter
esset ad secundã emanationẽ in potentia anteq̃ in actu: Dicendũ q̃ verũ est si requireret tanq̃ nõ
semp habitũ ordie durationis:nõ aũt qn regrit ipm,vt nõ habitũ ex se & sua opatiõe,semp tñ neces
sario secũ habitũ,sed ordine quodã prioritatis originis,si fas eẽt nobis loqui sic sicut erat Ricardo.

**A**
Quest.VI.
rg.i.

Irca sextũ arguit q̃ duarũ psonarum emanantiũ ab illa quẽ non est ab alia,vna
earũ nõ emanat a reliqua. Primo,q̃ spũs sanct⁹ qui emanat nõ principali ema
natione,non emanat a filio qui emanat principali emanatione, sic. Dicit enim
Damascenus pri.sen.ca.x.Credim⁹ in vnũ spũm sctũm deum ex patre procedẽ
tem, & in filio requiescentẽ,est ergo fili⁹ in quo terminat spũs sancti processio.
Sed nõ est idẽ principiũ a quo qs emanat,& terminus i quo terminat,ergo &c.

Clte ſecũdo ſic.Cap.xi.dicit.Spũm ſanctũ & ex patre dicim⁹ & ſpũm patris nominam⁹:ex filio ve 1
ro non dicimus,filii vero ſpiritũ nominam⁹.Item in epiſtola de Triſagono in fine dicit.Spiritus
hemypoſtata pceſſio & pmanatio ex patre,filii aũt & nõ ex filio:vt ſpũs oris dei verbi enũciatiu⁹
Sed ſi emanaret a filio,ex ipſo diceretur.ergo &c.Clte tertio ſic.lib.pri.ca.vii.dicit. Oportet verbũ 3
& ſpiritũ habere.Etem verbum noſtrũ non eſt expers ſpũs:qui in tẽpore pronunciationis vox ver
bi ſit virtutẽ verbi in ſeipſa manifeſtãs.In diuina em̃ natura nõ eſt verbum dei deficiens verbo no
ſtro:ſed ſicut dei verbũ ſubſiſtẽs,ita & ſpiritũ dei ſequentẽ cum verbo & manẽtẽ eius operationẽ
intelligimus ex patre pcedentem,& in verbo quieſcentem,& eius exiſtentie demonſtratiuum.Sed
inter enunciatiuũ ſiue manifeſtatiuum alterius & id cuius eſt manifeſtatiuũ,non cadit aliquis or
do originis naturaliter.poſſunt em̃ duo ſic ſe habere inter ſe,vt tamen neutrum ſit ab altero.non
eſt aũt in diuinis ordo originis iter aliquas pſonas,qn ſit inter illas ex neceſſitate nature,ergo &c.
Clte quarto ſic.ſi ſpũs ſanctus prcedit a filio,hoc non eſt niſi quia actio volũtatis preſupponit 4
actionẽ intellectus.Sed q̃ non ppter hoc debet poni pcedere ſpũs ſanctus a filio,probatur:quia ad
actum voluntatis non requiritur in intellectu niſi notitia q̃ eſt intelligere ſiue cognoſcere:quã
etiã quaſi preſupponit actio dicẽdi verbum:eo q̃ verbũ eſt notitia de notitia.Si ergo ambo equali
ter requirũt eandẽ notitiam,illa non obſtante eque primo poſſunt ſcdm nature ordinẽ ſuas ema
nationes pducere.ergo &c.Clte quinto ſic.cũ pater ſpirat imediate(vt iam habitũ eſt ſupra)p ſe 5
ſolũ,pſectam habet vim ſpirandi ſpũm ſanctum.ſupſluũ autẽ eſt fieri p plures,q̃d per vnicũ equa
liter poteſt fieri,in diuinis autem nihil ponendum eſt ſuperabundans aut ſuperfluum.ergo &c.
CSexto ſic, ſi ſpũs ſanctus procederet a filio,cum a filio nihil poteſt pcedere niſi ipſo iam exiſtẽte: 6
non autem exiſtit niſi iam natus:procederet ergo ſpũs ſanctus iam nato filio.quod negat Augu
guſtinus,vt ſupra iam dictum eſt,ergo &c.CSeptimo ſic.Si ſpũs ſanctus procedat a filio,cũ etiam 7
pcedat a patre:aut ergo pcedit ab ipſis ſecũdum q̃ ſunt vnus,aut ſecundum q̃ ſunt duo.Non ſe
cundum q̃ ſunt vnus,quia nullo modo in vnitatem alicuius perſonæ cõcurrũt. Preterea ſi ſcdm
q̃ vnus,tunc conuenienter diceret q̃ pater & filius ſunt vnus ſpirator,nullo aũt mõ q̃ ſunt duo
ſpiratores.cõſequens falſum eſt,vt infra patebit. ergo &c.Neq̃ ſimiliter ſcdm q̃ ſunt duo.quoniã
pater & filius nõ ſunt in aliquo duo, niſi in quo occurrit relatiua oppoſitio geniti & ingeniti, ſm̃
Damaſcenũ lib.i.ca.ii.Sed in ſpirãdo ſpũm ſanctum nulla talis oppoſitio occurrit,dicẽte Anſelmo
de pceſſ.ſpũs ſancti, Ex eo q̃ pater & filius vnũ ſunt,ideſt ex deo eſt ſpũs ſanctus,nõ ex eo vſi alia
ſunt abinuicẽ.ergo &c. COctauo ſic.ſi ſpũs ſanct⁹ pcedat ab ambobus:aut ergo vt ſunt vnũ,aut 8
vt ſunt plura.nõ vt ſunt plura:quia tũc eſſet ſubſtãtia patris,alia filii.non vt ſunt vnum,quia
vnũ nõ ſunt niſi in ſubſtãtia, & illa eadem eſt in ſpũ ſancto:ergo eadem rõne ſpũs ſanctus proce 9
deret a ſeipſo : q̃d eſt impoſſibile. CNono ſic,ſi pcederet ab vtroq̃,aut ergo vt ab vno principio,
aut vt a pluribus.Non vt ab vno,quia neq̃ ratione pſone:quia non ſunt vna perſona:neq̃ ratio
ne ſubſtãtie,quia tunc eſſet ſimul cũ eis principium ſuiipſius:neq̃ rõne proprietatis alicuius que
eſt cõmunis ſpiratio actiua:quia ſi propter vnitatem talis proprietatis que eſt ratio eliciendi vnũ
duo dicerẽt vnũ principiũ, eadẽ ratione propter duas ppprietates,que ſunt rõnes eliciendi duos
actus,vt ſunt paternitas reſpectu generationis,& ſpiratio reſpectu ſpirationis,ſcdm q̃ ambẽ ſunt
in patre,pater diceret eſſe duo principia,filii & ſpũs ſancti:qa vnũ principiũ filii,& aliud ſpũs ſcti.
cõſeques eſt falſum,ergo & antecedẽs.CPreterea.ſi eſſent vnũ pricipiũ,aut ergo vnũ:q̃d eſt pater: 10
& ſic filius eſſet pater:aut quod non eſt pater:& ſic pater non eſſet pater.que ambo falſa ſunt. er
go &c. CVndecimo ſic.ſi ſpũs ſanct⁹ pcedit ab vtroq̃,aut ergo vt ab vno ſpiratore,aut vt a duo 11
bus.Non vt ab vno,quia ſpirator eſt denoiatio ab actu,vt egreditur a ſuppoſito.Sed ab actu ſup
poſita plura denoiantur pluraliter,vt plures ſpirãtes,ergo &c.CNon vt a duob⁹.qa ſpiratore eſſe 12
importat rõnem principii:& nõ ſpirat vt duo principia.CItem non creat vt duo creatores,ſed vt
vnus,quare neq̃ ſpirat.Neq̃ ſimiliter ab eis vt ſunt duo principia,qa non eſt in eis niſi vna rõ cõ 13
munis ſingularis ſpirãdi ſpũm ſanctum:propter quã conuenit eis ratio principii reſpectu ſpirit⁹
ſancti.CQz etiam filius nõ emanat a ſpũ ſancto,arguit primo ſic.ſpũs ſanctus pcedit modo volũ 14
luntatis,filius modo intellectus.ſed q̃d voluntatis eſt ſupponit q̃d eſt intellectus,nõ ecõuerſo. di
cente Damaſceno lib.ii.cap.xxvi. Voluntariũ eſt cuius principium eſt in ipſo ſciente.& Auguſti.
ad Oroſ.Preire voluntas ſapiẽtiam non poteſt. illud autẽ a quo aliud emanat,quodãmodo prius
eſt ipſo,vt ſupra dictum eſt,ergo &c.CQz vnã earum neceſſe ſit procedere ab alia,arguit ſic.di 15
cit Ric.v.de trini.cap.x.Si gemina perſona de vna tãtum procederet,neutra alteri immediate ad
hereret.Et vt dicit cap.xii.ſi vero neutra alteri immediate adheret,forent vtiq̃ mediata germani
tate cõiunctẽ,& ſic non eſſet inter perſonas diuinas ſumma & equalis germanitas,q̃d eſt impoſſi

16 bile.CQ₂ autem emanet filius a ſpū ſancto,arguit p Auguſt.ix.de trin.cap.vltimo.Partum men=
tis precedit appetitus, appetitu voluntatis pcedit ſpūs ſanctus.vt habitum eſt:partu vero men=

**In oppoſitū.** tis filius ſiue verbum.ergo &c.CQ₂ autē a filio pcedit ſpūs ſanctus dicitur in ſymbolo Athana=
ſii.Spūs ſanctus a patre & filio nō factus,nec creatus,nec genitus,ſed procedens.

**B**
**Reſolutio.q.** ¶Iſta queſtio tangit controuerſiam de proceſſione ſpūs ſancti.Qui enim dicunt
ſpūm ſanctū nō pcedere a filio,dicūt q̃ neutra pſonarum emanātiū a pſona que eſt a nulla, ema=
nat a reliqua,quia illę duę pſonę emanātes ſunt filius,qui emanat modo naturę,& ſpūs ſanctus,q̃
emanat modo voluntatis . De ſpū ſancto aūt nullus vnq̃ dubitauit an filius de ipſo pcederet:oēs
eni ab initio fidei hoc negauerūt,nec pculdubio hoc introduxerūt,eo q̃ nec ſcriptura ſacra in ali
quo dicto inſinuat,aliquā auctoritatem aſcribēdo ſpiritui ſancto ſupra filiū, qualis debet eſſe ei
a quo pcedit aliquis,ſup illum qui pcedit ab eo.Illud eni q̃d Chriſt⁹ dixiſſe ſcribitur Eſaię.xlviii.
Dñs miſit me,& ſpūs eius.intelligit dixiſſe de miſſione ſua ad prędicādū,& pro natura humana
ſup quā ſpūs ſanctus mittendi habuit auctoritatē. De hac ergo queſtione nulla eſt dubitatio:niſi
quo ad pceſſionem ſiue emanatiōe ſpūs ſancti a filio.Et dicit Magiſter.xii.diſtinctiōe,lib.i, q̃ hoc
multi hęretici negauerūt:& ſunt aliqui qui totā eccleſiā Gręcorū quia in hoc nō cōcordat in oia
bus cū eccleſia latinorū,hęretica in hoc eſſe dicunt:q̃d durum videt multis propter Ioannem Da
maſcenū & q̃plurimos alios doctores grecoꝛ.Propter q̃d dicunt q̃ in dictis gręcorū non eſt con
trarietas dictis latinoꝛ circa ſpūs ſancti pceſſionem quātum eſt ex parte rei.Et hoc oſtēdunt ali
qui ex parte verbi quo gręci ſuā intētionem exprimunt.Alii vero hoc oſtēdunt ex parte modi di
cendi & exprimendi ſuā intentionē. Primi dicunt q̃ procedere apud gręcos cū hoc q̃ dicit pſonę
emanationē,& egreſſum eius ab illo a quo emanat, dicit etiā progreſſum eius in aliū vt in quo
quieſcit egrediens & emanās.Vnde q̃q̃ intelligerent ſpūm ſanctum egredi & emanare ab vtroq̃,
non tñ ſecundum ꝓprietatem vocabuli apud ipſos potuerunt dicere q̃ pcederet a filio: quia etſi
ab vtroq̃ exit:exit tamē a patre in filium & nō ecōuerſo,& hoc inquātum in emanatione ſpirit⁹
ſancti vis ſpiratiua habet eſſe a patre in filio,& nō ecōuerſo.Sed cōtra hoc eſt Ioānes in eo q̃d di
cit,vt iā habitū eſt.Spūm ſanctū ex filio nō dicimus.Sicut ergo gręci nō dicunt ſpūm ſanctū pro
cedere a filio,ſic nō dicūt ipm eſſe ex filio,quocūq̃ etiam modo emanationis . Et hoc verū eſt pro
multis ex eis.Aliqui tamē ex eis( vt dicūt qui libros ecꝛ viderunt )dicūt q̃ pcedit ex filio . Dicit
eni( vt dicūt )Cyrillus loquēs de filio.Spūs veritatis ꝗ fluit ab eo ſicut deniꝗ ex deo pfe.Et Didy
mus in lib.de ſpū ſctō.Neꝗ alia eſt ſpūs ſancti ſubſtātia ꝑter id q̃d ei datur a filio,Idē ibidē vt De
cretorū cap.vlti.Saluator ex ſe non eſt,ſed ex patre & me eſt.ſc̄m q̃ ſup hoc Magiſter in ſenten=

**C** tiis diſtinctiōe.xii.plures inducit auctoritates.¶Ideo alii dicūt ad excuſatiōe illoꝛ qui nec dicūt
ſpūm ſanctum ex filio eſſe, q̃ gręci licet nō dicūt ſpūm ſanctum eſſe ex filio,hoc tñ non negant.
Ratio quare hoc nō dicunt , eſt quia dicit Ioan. Damaſc.in principio ſententiarum ſuarū, pro ſe
& ſuis . Omnia quę tradita ſunt nobis ꝑ legem, & prophetas,& apoſtolos,& euangeliſtas ſuſ=
cipimus,& veneramur,& cognoſcimus nihil vltra hęc quęretes,hęc nos diligamus,& in his ma
neamus & nō tranſeamus terminos ęternos:neꝗ tranſgrediamur diuinā traditionē. In quo con=
cordat cū beato Dionyſio dicēte.Nō eſt audendum dicere aliquid de ſubſtantialis diuinitate ꝑter
ea quę diuinitus nobis ex ſacris eloquiis ſunt expreſſa.Quare cū in ſacris eloquiis nō continet
expreſſum de filio q̃ ab ipſo pceſſerit ſpūs ſanctus: ſicut hoc continet expreſſum de patre Ioā.xv.
Spiritū veritatis ꝗ a patre pcedit:Idcirco ergo nō dicūt ſpūm ſanctū procedere a filio:& hoc ma
xime,quia nec ſynodus generalis Nicena ſup profeſſione fidei habita hoc expreſſit:vbi legitur ſic
Credimus in ſpūm ſanctū ex patre pcedentē cū patre & filio adorandū.Etiā quia in quibuſdā cō
ciliis ſub interminatione Anathematis inuenit ꝓhibitū ne aliqd ſymbolo ordinato in cōcilio adda
tur.Item quia tēpore apoſtoloꝛ dicit cōſcriptū fuiſſe in quadā legenda beati Andreę.Pax oībus q̃
credūt in vnū deū patrē,& in vnū filiū ei⁹,& in vnū ſpūm ſanctū ꝗcedentē ex pfe,& in filio ꝑma
nentē. Nec tñ gręci negabāt expreſſe ſpūm ſanctū pcedere a filio niſi illi qui ex eis expreſſe erāt hę

**D** retici.¶Sed nūqd ſufficit Io. Damaſ.& ſibi ſimilib⁹ hoc nō dicere,aut hoc ꝓ dubio habere,aut fal
ſum eſſe inſinuare,cum dicat apoſtolus Rom.x.Corde credit ad iuſtitiā, ore autē confeſſio fit ad
ſalutē?Reuera anteq̃ fuit hoc determinatū & expreſſū ꝑ eccleſiā & poſteriores,ſuffecit confiteri q̃
ſpūs ſanctus pcederet a patre,nō dicēdo neꝗ profitendo ipſum pcedere a filio,quia licet etiā con
traria opinari circa notiones diuinas & alia credibilia quouſq̃ veridica ratione aut ꝑ auctoritatē
eccleſię ſint detecta : ſicut hactenus detectū eſt q̃ ſpūs ſanctus pcedat a filio.Hoc eni ordinatum
eſt profiteri & addi Symbolo Niceni concilii ſic.Et in ſpūm ſanctū viuificantē,qui ex patre filioꝗ
procedit.Et eſt additum illud Filioꝗ,auctoritate cōcilii Epheſini.primi Decretorū penulti,cap.de

ſpiritu ſancto,vbi dicitur.Spiritus appellatus eſt veritatis,& veritas Chriſtus eſt.Vnde etiam ab iſto ſimiliter ſicut a deo patre procedit.Nec hoc ſtatuerunt ſancti patres ſola voluntate mo-uente,ſed ex veridica rone hoc eis oſtendente & declarante.Sunt em ad hoc rationes quædã du-centes ad impoſſibile ſiue incoueniens,ſed fortior eſt ratio oſtenſiua.Ratio vna ducés ad incoue-niens,qd ſm Anſel.in deo eſt impoſſibile,eſt ratio Ricar.iã tacta:q no eſſent filius & ſpus ſanctus ſumma germanitate coniuncti.Vnde vt pfecta ſit germanitas:oportet ſingulam ſingulę imedia te coniungi,vt ſint a prima duæ,& tertia ſit a duabus,& media ſit ab vna,& ab ipſa ſit alia,vt ſic ſit in trinitate plena equalitas,quaſi triangulo clauſo in trib⁹ lineis,cui nihil addi vel ſubtrahi poſſit:vt ſcilicet a primo pucto pcedant ſingulę lineę ad ſecundũ punctũ,& ad tertiũ/& a ſecudo vna ad tertium.Sed iſta ratio no plus arguit ſpũ ſanctũ pcedere a filio,q econuerſo filiũ a ſpu ſancto.Alia vero eſt ratio aliorũ,&(vt eis videt)ducens ad impoſſibile talis.Si ſpus ſanctus no p

**E**

cedit a filio,nulla poteſt eſſe diſtinctio filii & ſpus ſancti:quia in diuinis no eſt diſtinctio perſonarũ niſi ſcdm rationes originis,q no ſunt niſi quia vnus eſt ab alio.quare ſi vnus eoꝛ no ſit ab alio,nul la eſt ipſoꝛ diſtinctio,& non ſunt diuerſe pſonę:ita qꝑ ponere filium eſſe perſoná alia a pſona ſpus ſancti,& neutrũ eorũ pcedere ab alio,eſt ponere no ſolũ impoſſibile,ſed etiã incõpoſſibile.ſ.qꝑ vna pſona ab alia ſit diſtincta & no diſtincta.Iſta ratio no oſtédit potius filium pcedere a ſpu ſancto q ecõuerſo,ſicut neqꝑ precedens:ſed illa eſt efficacior:quia illud ad qd deducit,vere incoueniens eſt & bene ſequit ex poſitione:ſed incouenies ad qd deducit iſta ro,no ſequit ex poſitione.Etſi em ſpi-ritus ſanctus ponat procedere a patre,& filius ſimiliter,& neuter ab altero,tamé filius a ſpu ſan-cto diſtingueret,licet aliter & no ita ꝓprie(vt infra videbit)q mõ.Quia ſunt qdã relationes origi-nis & oppoſitę vt q ſunt in diuerſis pſonis quarũ vna pcedit ab alia,& quedã diſpatę,vt quę ſunt in eadẽ pſona a qua pcedũt diuerſę diuerſimode,vel in diuerſis diuerſimode pcedentib⁹ ab eadẽ. Primo modo diuerſę relationes ſunt in patre & filio:ſecundo modo in patre reſpectu filii & ſpirit⁹ ſancti,& in ſpu ſancto & filio reſpectu patris.Et ſufficit iſta relationum diuerſitas in ipſis etiam ſi neuter eorum procederet ab alterutro.Quod declaratur ducendo ad impoſſibile dando oppoſi-

**F**

tum,quoniã ſi filius & ſpus ſanctus non diſtinguerentur abinuicem niſi quia a filio procedit ſpi-ritus ſanctus:ea ergo ratione qua ſpiritus ſanctus procedit aliomodo a patre q pcedat ab eodem filius non diſtinguitur ſpiritus ſanctus a filio.& ſi ſic,ergo eadem ratione nec emanatio qua ſpi-ritus ſanctus procedit a patre,vt procedit ab ipſo,diſtinguitur ab emanatione qua filius proce-dit a patre,& vlterius nec vis ſpiratiua qua a patre emanat ſpiritus ſanctus,a vi generatiua qua a patre emanat filius,& ſic filius & ſpus ſanctus inquantum ambo procedunt a patre non ſunt di-ſtinctę pſonæ,ſed vnica:neqꝑ ſimiliter emanationes generationis & ſpirationis ſunt diuerſę ema-nationes:ſed vnica tm:& ſimlr vis generatiua & ſpiratiua non ſunt diſtinctæ vires:ſed vnica:niſi forte ſcdm rationé tantũ.Et ſic eque principaliter primo & imediate a patre pcederent fili⁹ & ſpi-ritus ſanctus,quia iſta primitiua principalitas & imediatio no fundatur niſi ſuper diuerſas ratio nes originádi in eodẽ ordine naturę:vt dictũ eſt.Sed huius cõtrariũ oſtenſum eſt & determinatũ in pcedente queſtione.Vlterius ſi vis ſpiratiua vt patris eſt,no diſtingueretur a vi generatiua,neqꝑ ſpiratio a gnatione.Quare cũ filius vim ſpiratiuã no habet niſi a patre,& no magis diſtincta a vi generatiua q ſecundũ qꝑ eam habuit pater,ſimiliter emanatio ſpirationis vt eſt a filio non diſtin-gueretur ab emanatione gneationis,nec etiã per conſequens ipſe ſpiritus ſanctus a filio,qd totũ falſum eſt.Diſtinguerent ergo ſufficiéter relationib⁹ diſparatis filius & ſpiritus ſancti:ſi neuter ab altero procederet:ſicut & ipſoꝛ proceſſiões,quę aliter no diſtinguunt ſimiliter,neqꝑ principia

**G**

elicitiua earũ vt ſunt ſub reſpectibus perſonalib⁹.vt ſcdm hoc diſtinctioné iter pſonas filii & ſpus ſancti per relationes oppoſitas cũ pcedũt abinuice,neceſſe eſt reducere ad diſtinctioné emanatio-nũ,& vlterius ad diſtinctioné principioꝛ emanádi p relationes diſparatas,ita qꝑ ſi no eẽt iſta diſtin ctio diſpationis relationũ,nec illa oppoſitiõis.Propter qd etiã diuerſæ relationes diſparatę bene poſ ſunt eẽ in eadẽ pſona principiante,licet no i eadẽ pſona principiata,vt dictũ eſt ſupra.No eſt ergo aliter qreda diſtinctio iſtarũ duarũ emanationũ,licet em inter pſonas eſt diſtinctio p relationes no ſolum diſparatas,& quaſi differentes ſpecie:vt infra dicetur:ſed etiam per oppoſitas,inquantum vna earum pcedit ab alia:inter tamé emanationes no eſt querenda diſtinctio niſi per relationes diſ-paratas ſcdm diuerſum modum pcedendi no per oppoſitas relatiue.quia no pcedit vna pceſſio ab alia,nec relatiue dicitur ad ipſam,ſiue ſecunda proceſſio emanet ab vnica pſona ſiue a duab⁹. Sed tñ ordo naturę eſt inter ipſas inquatũ vna quaſi pſupponit alia,etiam ſi ſcdã pceſſio no eſſet a filio,vt dictũ eſt.vt ſecundũ hoc alio & alio modo ſit ordo naturę inter pceſſiones:alio vero mõ inter perſonas:vt non debeamus conſimilem modum diſtinctionis omnino querere inter emana-

**H** tiones qualé videmus inter personas.Istum autem modum distinctionis emanationum & nõ aliũ
aperte insinuat August.xv.de trini.cap.xxvii.determinãdo ꝗ propter huiusmodi distinctionem
emanationũ filius distinguit a spiritu sancto quo ad hoc ꝗ vnus dicaꝟ filius,alter nõ.sic dicẽs.In
illa ęterna ęquali incorruptibili & ineffabiliter imutabili trinitate difficillimũ est generatione a ꝑ
cessione distinguere.& infra.Attolle oculos ad istam lucẽ:& eos in eo fige si potes.Sic eī videbis
quid distet natiuitas verbi dei a ꝓcessione doni dei/propter ꝗd filius vnigenitus.Nõ de patre ge
nitũ(alioquin frater eius esseꝷ)sed procedere dixit spũm sanctũ. Et interposita declaratione horũ
in verbo procedente de nostra intelligentia,& amore de voluntate,subdit.Et ideo quandã in hac
re intelligibili natiuitatis & ꝓcessiõis insinuari distantiã.Q̃d clarius explicat Ansel.dicẽs in prin
cipio de ꝓcessiõe spũs sancti.Hęc itaꝗ sola causa pluralitatis est in deo vt pꝟ & fili⁹ & spũs sanct
dici nõ possunt deinuicẽ:sed alii sunt abinuicẽ,quia ꝓdictis duob⁹ modis est de⁹ de deo:ꝗd totũ
potest dici relatio. Nã quoniam filius existit de deo nascẽdo, & spũs sanctus procedendo,ipsa di
uersitate natiuitatis & processionis referiꝷ adinuice vt diuersi & alii abinuicem.& infra.Nam

**I** si per aliud nõ essent plures filius & spiritus sanctus:per hoc solum essent diuersi.Q̃d autem prę
dicti ponunt in sua rõne:ꝗ ponere filium esse distinctum a spũ sancto:si nõ ꝓcedat ab ipo:est po
nere incõpossibilia:Dicendũ ꝗ non est verum:sicut ponere hominem differre a bruto si non esset
risibilis,nõ est ponere incõpossibile.ſ.ꝗ differret a bruto,& non differret:sed solũ est ponere illud
impossibile,ꝗ nõ differret a bruto per risibilitatẽ:aut ꝗ esset hõ sine risibilitate.Et similiter in pro
posito solũ ponit impossibile.ſ.ꝗ filius nõ differt a spũ sancto spiratiõe actiua si nõ ꝓcedit ab ipõ,
aut ꝗ esset filius absꝗ eo ꝗ spiraret spũm sanctũ,nõ tñ sequit ꝗ nõ differt ab eo oīo:sicut nõ se
quit ꝗ hõ si non sit risibile nõ differt a bruto omnino. immo etsi nõ esset risibile posito ꝑ impossi
bile ꝗ tamen esset,tñ differret a bruto rationabilitate.Sic & in preposito filius a spiritu sancto na
scibilitate differret,etsi nõ ꝓcederet spũs sanct⁹ ab eo:posito tamẽ per impossibile ꝗ esset.Ad cui⁹
intellectũ sciendum ꝗ tunc solum ponitur aliquid ꝑ incõpossibile,qñ ponitur cum eo ꝗd princi
paliter ponit cõtrariũ eius. quod non cõtingit nisi quando illud priuat aliquid ꝗd est de eius si
gnificato & essentia,vt si dicatur hcmo si nõ esset rationalis differret a bruto:quia remoto ratio
nali non manet nisi id ꝗd cõmunicat cũ bruto.qñ vero non illud implicat ꝗd est de significato &
essentia positi,tunc non ponit principaliter cõtrarium eius: sed solum per quandã cõsequentiam.
Et ideo tale positum solũmodo ponitur ꝑ impossibile: vt si ponatur hcmo & ꝗ nõ sit risibilis.Ri
sibile eī quia accidens hois est,est extra significatum ei⁹. Sic est in proposito ponendo filiũ & nõ
ꝓcedere ab eo spũm sanctu. Spiratio eī actiua est extra significatũ filii,& quasi cõsecutiua psona
eius ordine quodã,vt patet ex dictis.Et ideo sicut verũ cet dicere ꝗ hõ si nõ esset rõnalis,nõ dif
ferret a bruto:quia nõ differt ꝑ se nisi rationali ꝗd priuaꝷ:sic verum est dicere ꝗ hõ si non esset
risibile,differret tamẽ a bruto:quia differt per se rõnale:sic nõ priuatur nisi ꝑ consequen

**K** tiam quadã priuatione risibilis.quae tamẽ consequẽtia negãda est, quia repugnat posito.Repu
gnans autem posito ꝗd est extra essentiam & significatum suum,semper in falsis positionib⁹ ne
gandũ est,secũdũ artem philosophi.viii. Topicorum.Et cõsimiliter verũ est dicere in proposito ꝗ
filius etsi nõ spiret spũm sanctum,tamen differt a spiritu sancto natiuitate secundum prędictũ
modum,quia non spirare nõ priuat natiuitatem a filio, nisi per quandã consequentiam, vt patet
ex iã dictis.Preterea esto ꝗ spirare sit de essentia & significato psonę filii,vt sit incõpossibile ponere
filium,& spiritum sanctum nõ ꝓcedere ab ipso , quia tamẽ non pertinet ad personam filii nisi sicut
aliquid ꝗd est cõmune ei cum patre, cui ꝓprium quo differt a patre est natiuitas,quemadmodũ
esse animal commune est homini cum bruto,proprium vero est ei rationale quo differt a bruto:
sicut ergo verũ esset dicere ꝗ homo etsi non esset animal,sed rationale tantũ,differret tñ a bruto,
quia brutũ non est rõnale: sic verũ est dicere in ꝓposito ꝗ filius etsi nõ spiret spũm sanctũ,differt
a spiritu sancto quia ille non est natus,nõ obstãte incõpossibilitate implicata vtrobiꝗ: sed falsum
esset dicere ꝗ spiritus sanctus etsi non spiraꝷ,differret a filio: qa spirari est ꝓprium cõstitutiuũ ꝑ

**L**
**Argu.**
sonę spũs sancti quo differt a filio/& implicant incõpossibilia. ℂSed cõtra hoc arguiꝷ scẩm susti
nentes contrarium,sic.Relatio non distinguit in diuinis nisi secundum ꝗ realis est & ratione suę
quiditatis . Ratio autem suae quiditatis & realitatis secundum quam vna est alia ab altera,non

**M**
sumitur nisi ex eo ꝗ per ipsam suppositum referiꝷ ad suum oppositum . Si ergo spiritus san
ctus non procederet a filio,& ita non distingueretur ab ipso secundum aliorum opinionem, nec
in patre generatio & spiratio distinguerentur vt disparata nisi secundum rationem tantum , si
cut nec filius distingueretur a spiritu sancto nisi secundum rationem tantum . Et est dicendum
ꝗ illud assumptũ ab eis pro principio,ꝗ realitas relationis secundũ quam vna est alia ab altera nõ

ſumitur niſi ex relatione ad oppoſitum,falſum eſt:quia relationis realitas non ſumitur omnino ex
reſpectu ad ſuum oppoſitum:ſed ex ſuo fundamento:vt ſepius dictum eſt in aliis queſtionibus,&
inferius amplius dicetur.⸿Ad ppoſitum oſtendendum efficacius.ſ. ꝗ ſpiritus ſanctus procedit a fi
lio,eſt ratio oſtenſiua explicans cauſam poſitionis,talis.Secundu enim ꝗ dictum eſt ſupra in prin
cipio ſolutionis queſtionis precedentis, ab eodem principio per omnimodam æqualitate abſꝗ omi
ordine impoſſibile eſt plura procedere:hoc enim non cotingit niſi in differentibus materialiter &
ſolo numero:quéadmodu vnus faber plures pducit cultellos,nec vnu mediate altero: vel vna lux
plures radios.Sed vt euidenti⁹ illud applicemus ad propoſitu noſtru,paulo altius inchoandu eſt.
⸿Sciédu eſt igit ſecundu ſuperi⁹ determinata,ꝗ eſſe eſt primu & propriu magis oim eoru ꝗ deo co
ueniut:ꝗd ſecundu intellectu ante ſe in deo nihil pſupponit:ſed oia alia eſſe in ſuo intellectu inclu
dunt.Propter ꝗd dicit Diony.ca.v.de di.no.Ante alias dei participationes eſſe ppoſitu eſt:& eſt ip
ſum p ſe eé maximu.Merito igit aliis principali⁹ ſicut ens de⁹ laudat:vt pſtatiore & digniore alio
ru donoru ei⁹:ita vt ppterea quodámo ordine quodá ronis & intellect⁹ nri ex eé ꝗſi ex prio & pri
cipio pcedit viuere,& ex viuere intelligere,& ex intelligere velle: ſed aliu & aliu modu ordinis in
pcedendo habet itelligere ex viuere,viuere ex eé,ꝗ velle ex itelligere:ꝗa illa tria ſe habet iter ſe in eſ
ſendo vnu ab altero quaſi per quandá informatione.Intelligere.n.eſt ꝗddá viuere,& viuere eſt ꝗd
dá eſſe.No ſic aut intelligere & velle ſe habet iter ſe:ſed poti⁹ p quandá diſtinctione,non.n.velle eſt
itelligere ꝗddá nec ecouerſo.Et ſilr eſt de itelligétia & volutate:& hoc ꝗa ordine quendá ronis ha
bet inter ſe:hoc eſt,licet ambo ſint quaſi potentiæ naturales nature immaterialis viuetis, tñ actio
voluntatis requirit quaſi preuiam actione intellectus & non ecouerſo.intelligere em poſſum⁹ quæ
non volumus:ſed velle no poſſumus quæ non intelligimus ſiue cognoſcimus, ſecundu Auguſti
nu. Et propter hoc etiá quodámodo quaſi immediatius ſecundu intellectum noſtrum ſe habet in
telligétia ad vitá ꝗ voluntas:vt quaſi ordine quodam rationis ex vita quaſi procedut.Et ſicut eſt
talis ordo rationis in ipſis vt habent eſſe in perſona quæ no eſt ab alia quo ad ipſorum actus eſſen
tiales qui ſunt velle & intelligere:ſic eſt in ipſis ordo naturæ quo ad ipſorum act⁹ notionales: qui
ſunt dicere,generare,& ſpirare.Sicut em voluntatis pfectio quo ad actu ſuu eſſentialé quaſi primu
requirit quaſi preuiá pfectione intelligentiæ quo ad eius actum quaſi primu & eſſentialé:ſic perfe
ctio eius quo ad actu ſuu notionalé,quaſi ſecundu quo in ſua pfectione conſummat vt dictu eſt ſu
pra,reꝗrit quaſi ſecundá intelligentiæ pfectione.ſ.quo ad eius actu notionalé:quaſi ſecunda aut pfe
ctio itelligétiæ coſiſtit i pductione verbi:ꝗſi ſcda aut pfectio volutatis coſiſtit in amore pcedéte, qui
eſt ſpus ſanctus, ſecundu ꝗ inferius declarabit. Neceſſario ergo ordine naturæ productio ſpus ſan
cti quaſi preſupponit productionem filii.Vnde & Damaſcenus dicit lib.i.ca.vii.ſpiritum ſanctum
ſequentem cum verbo:neꝗ deficit pater vnꝗ verbo:neꝗ verbo ſpirit⁹.Sed illud poteſt intelligi ſe
quentem cum verbo non ipſum verbum ſed patrem.Quod non poteſt ſtare: quoniam pater ope
re intelligentiæ producens verbum omnia quæ ſua ſunt ipſi comunicat præter proprietaté ſuam
originis qua generat,& relatiua oppoſitione ſe habet ad ipſum. dicente Auguſtino.xv.de trinita.
cap.xiiii. Verbu dei patris vnigenitus filius per omnia patri ſimilis & æqualis hoc eſt oino ꝗd pa
ter:nec tñ pater:ꝗa iſte filius,ille pater.Et ſequitur poſt pauca. Proinde tanꝗ ſeipſum dices Pater
genuit verbum ſibi æquale per omnia:nec enim ſeipſum integre perfecteꝗ dixiſſet ſi aliquid mi
nus aut amplius eſſet in eius verbo ꝗ in ipſo.Quicquid ergo eſt in patre pter eius proprietaté re
latiuá ad filium qua pater eſt,& filium generat ſiue verbum dicit:filius habet a patre ſibi comuni
catum per generationé:quare & ſuam volutaté ſœcundá vi ſpiratiua. Quare cum in quibus eſt
eadé vis actiua cois quæ eſt principium actionis:& eadem actio coiter pcedit ab ambob⁹: ſicut er
go pater vi illa ſpirat ſpm ſanctu vt ab ipſo pcedat: ſilr & fili⁹ vt ab ipſo pcedat ſicut a patre: vt
ſic eo mo quo ſequitur patrem,ſeꝗt & verbu. Et hoc eſt ꝗd dicit Ricar.li.v.cap.viii.Si idé eſt poſſe
ambob⁹ coe,coſeꝗés eſt tertiá in trinitate pſoná ex ambob⁹ & eſſe accepiſſe,& exiſtétia habere.Et
poſt aliꝗ iterpoſita.De ſe imediate exiſtéti dedit gcꝗd ab oipotéte veraciter dari potuit.Eſt ergo eis
coe illud eé a quo ceterou oim & eé & poſſe.Ab hac igit gemina exiſtétia eſt eétia ois,ois exiſte
tia,ois pſona:ergo & illa ꝗ eſt tertia in trinitate pſona.Et ſicut pfectio vni⁹ eſt cauſa alteri⁹:ſic ſane
pfectio geminæ eſt cauſa tertiæ in trinitate pſonæ.Propter ꝗd dixit filius de ſpu ſancto Ioan.xvi.Ille
me clarificabit,ꝗa de meo accipiet.Et ne dicat,veru eſt ꝗ accipiet:ſed a ſolo patre:addit. Oia ꝗcu
ꝗ habet pf mea ſut.In quo includit auctoritas pricipii,& vis ſpiratiua quá fili⁹ habz a pfe,& coem
cu pfe:ꝗd iſinuat etiá a ſe hére de ſuo.Ex quo patet omiſſu in ꝗſtione pcedéti:ꝗ pria pſona ꝗa ex
ſe habet potétiam qua producitur tertia, in mediate eá pducit & cu ſecuda:ꝗa potétiá illá habet
ſcda a pria: etiá ꝗ per illá potétiá ſecunda imediate pducit tertiá:& ꝗ tertia pſona a pria no ſolu

imediate:fed etiã mediate pcedit:nullã tñ mediate tm poffibile eft pduci ĩ diuinis:vt dictũ eft ibi. Propter qd dicit Ric.v.de trinita.cap.vi. In humanis qñcp pcedit perfona de pfona tãtumodo immediate:qñcp tantũmodo mediate:quãdocp autẽ fimul mediate & immediate. Tam Iacob ĝ Ifaac de fubftantia Abrahę proceffit:fed vnus mediate tantũ,alter immediate tm.Sed iftis proceffioni-bus non refpondent pceffiones diuinæ:fed magis illa qua de fubftantia Adę proceffit immediate Eua,& de fubftantia vtriufcp imediate Seth,& per Euam mediate de fubftãtia Adę,vt fic Seth de Adã procefferit fimul imediate & mediate. Vñ vt concludit in.ix.cap.neceffe eft vnã exiftentiã in nafcibili immediate effe coniunctã:& aliam tam mediate ĝ immediate:nullam autem mediate tã tũ.Et vt concludit in cap.x.fi quarta in deitate pfona effe potuiffet,proculdubio ex cæteris tribus eam originẽ trahere immediate oporteret.Et fi quinta perfona effe potuiffet, fimili ratione de cæ-teris quatuor immediate procederet,& fic in fequẽtibus quãtũcuncp feries huius progreffionis p trahatur.Sicut eñ in duabus perfonis cõmune eft illud poffe vnde conftat tertiam originẽ tra-here:fic proculdubio illud poffe cõmune effet tribus:vnde quartam effe oporteret:fi quarta in di-uinitate locũ haberet.Alioquin duę auarę fibi referuarent qd tertiæ falua vtriufcp proprietate da-ri poffet. Qd in iftis diximꝰ,proculdubio inuenies in cõfequentibus:nã hmõi differentia proprie-tatum in numero conftat producentium: nam prima habet effe a nulla : altera ab vna fola : ter-tia vero a gemina:et fi numerus in plures abundaret, eũdem progreffionis tenorem per cães in-ueniri oporteret.Sic ergo patet veridica ratione cp ex neceffitate naturę diuinæ fpm fanctum ne-ceffe eft procedere a filio quicquid dicant gręci.Nec valet eis cp fecundum Diony.nihil de deitate audendum eft dicere pręter ea quę facris literis funt expreffa.Verum eft vel mediate vel immedia-te.Immediate enim licet facris eloquiis folum exprimit id ad quod fignificandũ verba per fe funt impofita,mediate tñ eifdem exprimit qcqd p id qd verba prio fignificãt,veridica rõne elici vel in-telligi poteft.Propter qd dicit Aug.in fermone illo,Quia profundiffime.De affumptiõe vero Ma-rię dei matris tãto ĝ magna funt cautius tractanda exiftunt,quãto fpecialius auctoritatũ teftimo-niis nõ poffunt ad liqdũ roborari.Sed ga(vt dicit cõtinue)quędã fcriptura fancta veris indagatio-num ftudiis quęrenda religt,non fuperflua ęftimanda dũ vera indagatione fuerint propofita. Foe-cunda enim eft veritatis auctoritas:& dum diligenter difcutitur, de fe gignere qd ipfa eft cogno-fcitur. Sæpe enim difcuffa veram intelligentiam parat:quã manifeftis fermonibus abfcondit.Ex q-bus poft pauca cõcludit.Quid ergo dicẽdũ vñ diuina fcriptura nihil cõmẽdat, nifi qrẽdũ rõne qd confentiat veritati,fiatcp ipfa veritas auctoritas, fine qua neceffe eft ne valeat auctoritas.Qĝ er-go per verba fcripturę non fit expreffum vt fenfus eorum immediatus : eft tamen expreffum per ipfa vt fenfus eorum mediatus veridica ratione eliquandus ex fenfu immediate expreffo . Ex eo enim cp dicit fcriptura fpm fanctũ procedere a patre : non poteft procedere ab ipfo nifi vim illam ordine naturę filio quafi prius cõmunicet per generationem:quod ftudio verę indagationis ratio dictat.Ex quibus fequitur vt patet ex ratione prępofita , cp neceffario etiã fpũs fanctus procedit a patre.Per hunc modũ ex dictis fcripturę concludit Aug. xv.de trinita. cap.xxv.fpm fanctũ proce-dere de filio ficut & de patre.vbi dicit fic.De ambobus proceffit fpiritus fanctus:quoniã fcriptura fancta eũ dicit fpm amborũ.Dicit eñ fpũs filii.Roma.viii.Si quis fpm Chrifti nõ habet,hic nõ eft eiꝰ.Et Galat.iiii.Mifit fpm filii fui in corda noftra.Dicitur etiam fpiritus patris.Matth.x. Nõ vos eftis q loqmini:fed fpiritus patris veftri.Item de ambobus procedere probatur: ga ab vtrocp mif-fus legit: qm nõ eft mittẽs nifi habẽs auctoritatẽ fupra mittentem.dicit enim filius de fpũ fancto Ioan.xv.Veniet paraclitus quẽ ego mittã vobis a patre.&.xvi.Quẽ mittet pater in noie meo. Vñ ppter iftũ fenfum mediatum facrę fcripturę, generaliter tenendũ eft cp id qd de vna pfona dicit, intelligitur de aliis,vbi non occurrit relatiõis oppofitio. Et eft multum opus ad hanc regulam fre-quenter infpicere:quoniam (vt dicit Magifter fententiarum)cum dicit fpiritum fanctum a patre procedere,non addit folo,& ideo etiam a fe procedere non negat : fed ideo patrem tãtũ nominat: quia ad eum folet referre etiam qd ipfe eft:quia ab illo habet. Vnde dicit Auguftinus. cap. xxvii. Si ergo & de patre & filio proceffit fpiritus fanctus,cur filius dixit de patre procedit?nifi quemad-modum folet ad eum referre qd ipfius eft de quo & ipfe eft. Vnde eft & illud qd ait. Mea doctri-na non eft mea,fed eius qui mifit me.Si ergo hic intelligitur eius doctrina quam tamen dixit non fuam fed patris:quanto magis illic intelligendus eft de ipfo procedere fpiritus fanctus vbi fic ait, De patre procedit : vt non diceret de me non procedit ? Hunc etiam modum confequenter te-nuerunt Apoftoli.¶Nec eft etiam omnino negandum quin fcriptura exprefferit fenfu proprio & immediato fpiritum fanctum procedere ab vtrocp, licet fub verbis metaphoricis : vbi dicit Ioan. Apocalypfis.xxii.Oftendit mihi fluuium aquę viuæ candidum quafi glaciem egredientem a facie

dei & agni.Aqua illa ſpūs ſanctꝰ ē:ſedes dei & agni cōcors volūtas eſt patris & filii. Per hoc patet
ꝗ nec valet eis,ꝗ in ſymbolo Niceni cōcilii ſolū cōmemoratur ſpūs ſanctus procedere a patre.Per
hoc em̄(vt dictum eſt)dat intelligere ꝗ etiam procedat a filio. ꞓQz addunt ꝗ ſub Anathemate
ꝓhibet concíliū addere ſymbolo vel ſubtrahere:verum eſt ꝗ nō licet addere ꝗd nō latet in verbo
rum intellectu:ꝗd nō eſt addere:ſed implicatū explicare:ꝗd non eſt aliud ſed idem.Illud aūt adde
re ſymbolo ꝗd aliud eſt:bene etiā prohibet ſynodus Nicena: quæ dicit in fine ſymboli ꝗd cātatur
in miſſa.Qui aliud docuerit,vel aliud ꝓdicauerit,anathema ſit.i.cōtrarium vel modo contrario
ſecundum ꝗ exponit magiſter ſententiarum.qualiter & apoſtolus dicit Gala.v.Si quis aliud euan
geliʒauerit vobis ꝓter id ꝗd accepiſtis,Anathema ſit.Vbi dicit Aug.ſup loā.ꝑte ſecūda ſer.xliii.
& in ſer.iiii.ſuper illud.Adhuc multa habeo vobis dicere:ſed non poteſtis portare modo. Non ait
plus ꝗ accepiſtis:ſed ꝓter ꝗ accepiſtis:nā ſi illud diceret,ſibiipſi ꝓiudicaret,qui cupiebat venire ad Theſſaloniceſes vt ſuppleret quæ eorū fidei deerant.Sed qui ſupplet ꝗd minus erat:nō ꝗd in
erat tollit.Et intellige iſtud ſupplere nō reſpectu ſenſus immediati,ſed mediati.quando em̄ ꝗd la
tet in ſenſu immediato ſuppletur,nō tollit ꝗd inerat:nec ꝓprie additur:ſed explicatur.Vnde quā
tūcunꝗ datur ſententia contra addentes & diminuétes, non tangit eos qui per hunc modum ad
dunt ad explicationé & declarationé eorū quæ íplicata ſunt , niſi in ſentétia expreſſe prohibeaf ta
lis declaratio,qualis prohibita eſt ſub excommunicatione latæ ſententiæ in expoſitione regulæ fra
trum Minorū editæ a Nicolao papa.Propter ꝗd ſymbolo ꝗd in Niceno cōcilio ſancti patres tradi-
derūt tépore Conſtantini Auguſti,timéres ſententiam latam in illo concilio de non addendo aliꝗd ſymbolo,poſtmodum ſub Theodoſio ſeniore Conſtantinopoli ſymbolo formā dederunt:& cō
ſubſtantialem eſſe ſpiritum ſanctum patri & filio demonſtrauerūt, Macedoniū,qui ſpiritū ſanctū
deum eſſe negabat,condemnantes:vt dicitur Decreto,diſtinctione,xv,cap,i,

V
Ad primum
X
Ad ſecundū

T

V

Y
Ad tertium

Z
Ad quartū
A

R

S

ꞓAd illud ergo ꝗd primo arguit in oppoſitū de Damaſceno:Dicédū ꝗ etſi in fi
lio terminatur proceſſio ſpūs ſancti:eo ꝗ vis ſpiratiua a patre habet in filio:per hoc non pōt exclu
di:immo neceſſario debet includi ꝗ propter eandé vim etiā procedat a filio:vt dictum eſt. ꞓAd
ſecundū ex dicto eiuſdem,Spm̄ ſanctum ex filio nō dicimus:Dicendū ꝗ Ioan. Damaſcenus credi
tur fuiſſe in principio quando incepit opinio latinorum diuulgari ꝗ ſpūs ſanctus procederet a fi
lio,& græci hoc affirmare nolebant:quia hoc non habebant expreſſum ex ſcriptura:vt dictum eſt
propter ꝗd tanꝗ græcus nōdū ſoret vides pſecte veritaté,ſed in dubio poſitꝰ,nō negauit ſimplr̄ ſic
eſſe:ſed dixit nō dicimus:& tn̄ ſubdit ſtatim ꝗd ſcriptura exprimit: vn̄ latini ꝓbant ſpm̄ ſanctū ꝓ
cedere de filio:nō dicit.Spm̄ vero filii noīam̄ꝰ , Sed huiꝰ cōtrariū dicit ſtatim(vt obiectū eſt)i cꝑla
de Triſagono.vbi dicit.Filii auté & nō ex filio.Et ſic dicédū ꝗ forte illā epl̄am lōge ante ſcripſerat
ꝗuādo firmus erat in opinione,anteꝗ eccleſia latinorū in hoc græcis contrariabat. ꞓAd tertiū ꝗ
ſpūs ſanctus ſcdm Damaſcenū eſt enūciatiuus & manifeſtatiuus filii:talis aūt nō neceſſario proce
dit ab eo cuius eſt enūciatiuus & demōſtratiuus:Dicendū ad formā argumenti licet nō ad inten
tioné Damaſceni, ꝗ pſona eſt enūciatiua & manifeſtatiua pſonæ ſeipſa interius in diuina natura,
vel exterius ꝑ effectū in creatura.Qd prio enūciat & manifeſtat pſonā,ꝑcedit ab illa.& ſic ſecūdū
latinos verbū manifeſtat patré & ſpūs ſanctꝰ vtrūꝗ.Qd aūt ſolū manifeſtat ſecūdo nō,neꝗuaꝗ:&
hoc ſolum modo greci & Damaſc,ponebāt ſpm̄ ſanctū manifeſtare & enunciare filiū:ꝗa procedit
ab ipſo:& mittitur(ſecūdū ipſos)ad creaturas,& in hoc ſolū ſecundū eos habet auctoritatem ſup
eum propter ordinem ſuarum proceſſionum.Vnde dicit Damaſc.ca.x.Credimus in vnū ſpm̄ ſan
ctū:&c,per oīa ſimilé patri & filio, ex patre procedenté, & ꝑ filiū traditum & ſuſceptum ab omni
creatura,Vnde Auguſtinus,xv,de trinita.cap.xxviii.in hoc contradicit grecis dicens. Spiritus au
té nō a patre ꝓcedit in filiū:& de filio ꝓcedit ad ſanctificandā creaturā:ſed ſimul de vtroꝗ pro
cedit:quis hoc filio pater dedit:vt queādmodū de ſe, ita & de illo ꝓcedat. ꞓAd quartum:ꝗ ſpūs
ſanctus ꝓcedit a filio:hoc non eſt niſi quia actio voluntatis ꝓſupponit actionem intellectus:Di
cendum ꝗ verum eſt ſecundum iam determinatum modum.Et ꝗ arguitur contra hoc: quia ea
dem actio intellectus præcedit actionem notionalem eius : & ſic illa ſuppoſita æque primo vo
luntas & intellectus poſſunt in actiones productiuas perſonarum : vt ſecundum illud forte intel
ligere poſſimus quod dicit Damaſcenus libro primo capite.x. Simul eſt & filii ex patre genera
tio & ſpiritus ſancti proceſſio : Eſt dicendum ꝗ actio intellectus quæ requiritur quaſi præce
dens ad emanationem verbi,non eſt niſi intelligere eſſentiale : in quo non completur operatio in
telligendi : vt ſupra viſum eſt . Quod reuera etiam requiritur ad actum volendi eſſentialem: in
quo non completur actio volendi : vt ſupra viſum eſt . Voluntas enim de cognitione procedit

dicente Auguſtino.xv. de trinita.cap.xxvii.Nemo vult qd omnino quid vel quale ſit neſcit.Et di
cunt greci fundantes ſe in hoc, ꝙ ille actus intelligēdi eſſentialis ſufficit tanꝗ preuius ad vtranꝗ
emanationem:vt ipſo ſuppoſito ambę emanationes ęque primo procedāt:nec oportet ꝙ vna ema
natio ſit preuia ad aliam:nec cōmunicari filio vim ꝓductiua ſpiritus ſancti:ſicut nec ecōuerſo ſpi
ritui ſancto cōmunicatur vis productiua filii.Sed hoc eſt cōtra dicta & oſtēſa in principio diſſolu
tionis queſtionis precedentis & iſtius.Nec etiam ſufficit actio intellectus quę eſt intelligere eſſen
tiale,ad producendum actionem voluntatis notionalem:quoniam ſicut ad actionem volūtatis ſim
pliciter eſſentialem preexigitur actus intellectus eſſentialis:ſic ad completā actionem voluntatis
quę conſiſtit in actione emanationis ſpiritus ſancti:requiritur completa actio intellectus,quę cō
ſiſtit in actione emanationis verbi.Et ſic(vt dictum eſt)vim ꝓductiuā actionis notionalis volūta
tis neceſſe eſt ordine naturę ꝗſi prius cōmunicari filio: & ſic ab ipſo ſimul cum patre produci ſpi
ritū ſancti.vt dicit Ricar.i.de trini.cap.vii.In ſummę ſapiētię bonitate amoris flamma ſicut non
aliter ſic non amplius flagrat ꝗ ſumma ſapiētia dictat.Et cū hoc pōt addi: dicēdo ꝙ hoc eſt neceſ
ſarium:quoniā voluntas vt ſit fœcunda ad ſpirādum ſpiritum ſanctum:oportet ꝙ non ſolum ſit
voluntas qua quis amat ſimpliciter:ſed ꝙ ſit concors volūtas qua quis amat voluntate concordi
cum voluntate alterius:vt ſic voluntas ſpiratiua ſit nexus quidam duorū in vnum principiū acti
uum:ſi debeat ſpirare amorem fluentem ab vtroꝗ vt nexum vtriuſꝗ,in vnum principiatum ab
vtroꝗ.aliter enim amor eſſentialis in voluntate non eſt perfectus,vt voluntas ꝑ ipſum poſſit eſſe
perfecte fœcunda ad ꝓducendum amorem procedētem,qui eſt ſpiritus ſanctus. Propter qd dicit
Ric.iiii.de tri.ca.xvi.Inter delitias charitatis & ſapientię hoc maxime ſolet intereſſe, ꝙ ſapientię de
litię valēt & ſolēt hauriri de corde ꝓprio.Intimę aūt charitatis delitię hauriūt de corde alieno: nā
ꝗ intime diligit,& intime diligi cōcupiſcit,non tā delectatur ꝗ anxiatur.ſi de dilecti ſui corde nō
haurit dilectionis dulcedinē quā ſentit. ⸿Ad quintum ꝙ arguitur ꝙ perſonarum emanantium

**B**
**Ad quintū.**
ab alia neutra procedit a reliqua:quia ambę procedunt ſufficienter a patre:Dicendū ꝙ licet ambę
ſufficiēter ꝑ immediationē a patre procedāt,cōditio ordinis naturę ipſarū requirit ꝙ vna earū ſit
ab altera:vt dictum eſt:& cum hoc natura voluntatis,quę fœcunda non poteſt eſſe niſi vt con
cors eſt et duorum: vt iam tactū eſt.Et ſic ꝙ ſpūs ſanctus procedit a filio:hoc non eſt propter ali
quam patris imperfectionē: ſed propter naturę conditionem:qua neceſſe eſt filium cōmunicare
in ratione illius perfectiōis qua ſpirat ſpiritum ſanctū.⸿Ad ſextū ꝙ ſi ſpūs ſanct⁹ ꝓcederet a filio,

**C**
**Ad ſextum.**
**D**
**Ad ſeptimū**
ꝓcederet ab ipſo iam nato:verū eſt ordine quodam naturalis originis: non autē alicuius duratio
nis,ſecundum ꝙ hoc ſufficienter expoſitum eſt ſupra.⸿Ad ſeptimū,ſi ſpūs ſanctus ꝓcederet a fi
lio,cū ꝓcedat a patre:aut ergo ſecundū ꝙ ſunt vnus:aut ſcdm ꝙ ſunt duo: Dicendū ꝙ hic diſtin
guunt aliqui dicentes ꝙ ly vt,vim reduplicationis habet:& ita determinat actum procedendi po
ſitum in ꝓdicato in reſpectu & cōmparatione quadā ad ſubiectū qd eſt pater & filius. Poteſt ergo
ly vt determinare actū ꝓcedendi vt refertur ad ſubiectum ratione qua eſt agens:aut ratione vir
tutis agendi quę eſt in ipſo.Primo modo dicūt ꝙ ſpirant vt plures.Secūdo modo ſpirant vt vnū
vt iam videbit.Nullo aūt modo ſpirant vt vnus: ſicut ꝓbant media cōtra hoc membrū adducta.
Sed ꝙ iſta diſtinctio pro primo mēbro ſit impoſſibilis,apparet ex hoc:qm agēs ratione qua agens
dicit elicientem actum vt eliciens eſt:non aūt ratione elicitedi vt qua elicit.Nunc aūt reduplicatio
circa ꝓdicatū nō reduplicat niſi cauſam ſiue ratione ꝓdicati quā habet ī ſubiecto:qua habet ipſi in
eſſe: non autem ipſum totum: vt patet ex primo Priorum. Qꝗ ergo plures ſunt de quo ꝓcedit
ſpūs ſanctus:dicēte Anſelmo de ꝓceſſione ſpūs ſancti,Quoniā deus eſt de quo eſt ſpūs ſanctus,eſt
pater & filius:idcirco vere dicitur eſſe de patre & filio, qui ſunt duo: non tamen vt ſunt duo,eli
cientes.ſ.licet aliquo modo vt ſunt duo cōnotati circa rationem eliciendi:vt iā dicet.⸿Ad octauū

**E**
**Ad octauū.**
ꝙ procedit ab eis vt ſunt vnū,aut vt ſunt plura:Dicendū ꝙ nullo modo vt ſunt plura,ſecūdum
ꝙ oſtendit mediū cōtra hoc membrū:ſed vt ſunt vnū.Nō vnū qd eſt eſſentia: ſecundū qd eſt pu
re abſolutū:ſecundū ꝙ probat medium adductum contra hoc membrum:nec vnum qd eſt notio
cōmunis relatiua:ſecūdū qd eſt pura relatio: quia illa non pōt eſſe actionis principium elicitiuū:
vt ſupra dictū eſt:ſed medio modo inter vtrūꝗ.ſ,vt ſunt vna eſſentia non modo ſub ratione eſſen
tię:ſed vt ipſa eſt voluntas:nec vt eſt abſolute voluntas:ſed vt eſt voluntas ſub ratione proprieta
tis relatiuę notionalis cōmunis. Sed adhuc nō vt eſt eſſentia ſub tali ratione penitus eſt vna:quia
tunc non haberent rationē nexus aut cōnexorum pater & filius in ſpirando ſpiritum ſanctū,ſe
cundum ꝙ ex ſequētibus patebit:immo vt ipſa voluntas eſt vna cōnotās diſtinctionem plurium
patris.ſ, & filii circa,illā vnitatē:vt ſic dicantur pater & filius ſpirare ſpm ſanctum vt ſunt vnum
in eſſentia ſub ratiōe cōmunis ꝓprietatis relatiuę cōſiderata:& vt ipſi ſunt tanꝗ plures circa illud

ynum connotati : licet non vt ipſi ſunt principaliter plures diſtincti actum elicientes , ſecun⸗
dū cp iam dictum eſt in ſolutione argumenti præcedentis. Et ſecundum hoc licet non ſpirant vt
plures ſunt diſtincti principaliter & elicientes actum propter rationem prędictam:ſpirant tamen
vt ſunt connotati plures diſtincti circa id in quo ſunt vnum,quod eſt ratio eliciendi actum,& ſic
vt plures vniti in vna ſpiratiua ratione. Vniti intelligo per connotationem circa vnam rationem
agendi:ppter quā qdē cōnotatione in vna rōne neceſſario cōcurrunt in illā ynā actione. ¶Ad cu
ius intellectū ſciedū eſt cp inferius determinabit,act⁹ eſſentiales ſunt præuii ordine quodā
rationis,& fundamenta actuū notionaliū & quaſi cōplementa virtutis ſiue rationis elicitiuæ eoᵣ
ſub ratione reſpectus:ſiue vis ratio dicendi verbum ſiue vis dictiua in patre ſit diuina teſſentia inquā
tum eſt intellectus informatus ſapiētia eſſentiali in actuali actu ad intelligendū ſub ratione reſpectu
notionalis qué habet pater ad filiū: Ratio vero ſpirādi ſpm ſanctum ſiue vis ſpiratiua in patre &
filio ſit eadem diuina eſſentia inquantū eſt voluntas informata amore eſſentiali in actuali actu vo
lendi ſiue amandi:& hoc ſub ratione reſpectus notionalis cōmunis,qué habet cōiter pater & fili⁹
ad ſpm ſanctū.Sed in hoc intereſt ex parte intellectus vt ſit foecundus ad dicédū verbū:& ex par⸗
te volūtatis vt ſit foecunda ad ſpirandū ſpm ſanctum:quoniā intellectus perfectā foecunditate ha
bere poteſt ad verbi pductionem vt exiſtit in vna ſola pſona.Voluntas aūt pfectā foecunditate ha
bere nō pot ad ſpiritus ſancti pductione niſi exiſtat in gemina pſona,& hoc quia foecūditas intel⸗
lectus conſiſtit in plenitudine pfectę ſapientię cuę poteſt eſſe in vnico,dicéte Ricar.iii. de trini.ca.
xvi.Nihil definitur cōtrariū naturę:ſi plenitudo ſapientiæ dicatur poſſe ſubſiſtere in ſingularita
te perſonę,nā quátum videt,etiam ſi ſola vna pſona in deitate eſſet,nihilominus plenitudiné ſapi
entię habere potuiſſet.Foecūditas aūte voluntatis cōſiſtit in plenitudine pfecti amoris:q nō pot
eſſe niſi in duobus ad minus,dicéte Ric.ibidem,& iam habitum eſt ſupra.Plenitudo charitatis ſi
ue amoris nō haurit niſi de corde alieno.Vt em̄ dicit lib.eodē ca,il,q̄diu quis nullum alium q̄ ſe
ipſum diligit,ille qué erga ſe habet priuatus amor,conuincit cp ſummum charitatis gradum non
apprehendit.Non ergo (vt dicit cap.iii.)poteſt eſſe amor iocundus niſi ſit mutuus. Quare cum
in amore eſſentiali voluntas ſumme foecunditatis eſſe nō poſſit niſi ſumme perfectus & iocūdus
ſit amor:oportet,vt voluntas foecunda ſit cp amor mutuus ſit:vt(ſecūdū cp dicit ca.iii.)ſit q amo
ré impendit:& qui amoré rependit.Q m̄(vt dicit ca.vii.)ſumme diligenti nō ſufficit ſi ſumme di
lectus ſummā dilectioné nō rependit.Et ſecūdū hoc (vt iā dictū eſt ſupra)ad hoc cp cōis volun⸗
tas patris & filii ſit foecunda ad ſpirandum ſpiritum ſanctum,non ſufficit cp ſit vna cōmunis am
bobus, & amor eſſentialis in ipſa communis,qua ambo ſimul volunt & amant: ſed oportet cp ſit
voluntas concors & mutua duorum,qua vnus ſummū amorem alteri impendit,& ille viceverſa
eundem rependit:quo exiſtente foecunda eſt:vt ex ipſa neceſſe eſt emanare amorem qui eſt ſpiri⸗
tus ſanctus.dicente Ric.cap.xi.In mutuo amore multitq̄ feruéte nihil præclarius q̄ vt ab eo qué
ſumme diligis, & a quo ſumme diligeris,alium ęque diligi velis.In illis itaq̄ ſicut dicit mutuo di
lectis vtriuſq̄ pfectio vt conſummata ſit exhibitę dilectionis conſortę regrit: & hoc p vim ſpirati⸗
uā q̄ eſt ipſa cōcors volūtas in mutuo amore pducendo ſpm ſanctū nō ſolū vt ſunt vnū in volūta
te illa ſiue amore:ſed vt ſunt plures inter ſe diſtincti.Que diſtinctio cōnotat p hoc cp volūtas dici
tur eſſe cōcors & amor mutu⁹,nō poteſt eſſe niſi ſint
pluriū ſecūdū cp plures ſunt,iſeparabilis em̄ oppoſitio con,aſſociatione iportat:q̄ nō eſt niſi pluriū
diſtinctoᵣ.Propterea bene dicitur in plurali cp pater & filius vel ſpiritus ſanctus ſunt tres coęter
ni: cū tamen iſta negatur pater filius & ſpiritus ſanctus ſunt tres æterni.Per hoc etiam cp iſta vo
luntas concors eſt & amor mutuus duorum: licet ſit vnus & idem:nō tamē eſt eadem ratio eius
vt eſt a patre in filium impenſus,& econuerſo a filio in patrem repenſus.Quoniam vt dicit Ric.
lib.iii.cap.xix. quando duo ſe mutuo diligunt,& ſummi deſiderii affectus inuicem rependunt,&
iſtius in illum,illius vero in iſtum affectus diſcurrit:& quaſi in diuerſa tendit: & per hoc cp qua⸗
ſi in diuerſa tendit, quodammodo ratione diuerſus eſt.Sed iſta diuerſitas rationis eſt & conſiſtit
in pure eſſentiali:qua non obſtante in illa voluntate concordi & amore mutuo exiſtit foecunditas
penitus yna & eadem : in qua pater & filius vnum ſunt omnino:& vniformiter penitus ſpirant
ſpiritum ſanctum : qui a duobus concorditer diligitur, & duorum affectus tertii amoris incen
dio in vnum conflatur:vt dicit ibidem Ricar.Et ſecūdum hoc in ſpiratione ſpiritus ſancti dupli⸗
citer conſideranda eſt patris & filii diſtinctio. Vno modo:vt exprimuntur ſicut elicientes actum.
Alio modo,vt intelligitur eſſe concordes in voluntate & amore mutuo circa rationem eliciendi
actū.Et ex diſtinctione eius primo modo conſideratę & expreſſę nullo mō dicendi ſunt ſpirare vt
plures.Licet em̄ ſint plures q̄ ſpirant: non tn̄ ppter pluralitaté q̄ principalr eſt in illis ſpirant : ſed

solum ex diſtinctione eorum dicto modo connotata. & ſic pater & filius non ſpirant ſpiritum ſan
ctum vt ſunt plures in actionem eliciendo,licet concurrant in vnam rationem qua eliciunt actu:
ſed vt ſunt plures in vna voluntate,quę eſt ratio eliciendi actum concordando & amorem ſuum
in illa mutuando:qd̄ iā patebit amplius. ¶Ad.ix.aut procedit ab eis vt ab vno principio:aut vt a
pluribus:Dicendum q in talibus maxime aſpiciendū eſt ad ſignificatū termini.Eſt ergo intellige
dum propter ſignificatum huius nominis principium,q in diuinis eſt aliquod nomen qd̄ pure ſi
gnificat eſſentiam puram & per modum eſſentię:& non ſupponit niſi pro eſſentia:vt hoc nomen
deitas. Eſt & aliud nomē qd̄ ſignificat eſſentiam non per modum eſſentię : ſed per modum ſup
poſiti:& ſupponit pro ſuppoſito:vt hoc nomen deus.Eſt autē tertiū nomen qd̄ ſignificat relationē
puram & per modum relationis:& ſupponit ſolū pro relatione: vt hoc nomē paternitas. Quartum
eſt nomen qd̄ ſignificat medio modo, ſcilicet eſſentiam principaliter:ſed ſub ratione & n̄.ō reſpe
ctus ſiue relationis:vt hoc nomē potētia,& hoc nomē pricipiū.ſed differēter. Qm̄ potentia ſignifi
cat ſubſtantiā ſub rōne reſpectus ad actū principaliter:hoc nomē vero principium ſub ratione re
ſpectus ad productū principaliter . Et iterum potentia ſignificat ſubſtantiam ſub ratione reſpect⁹
& per modum reſpectus quātum eſt de ratione formali a qua nomen imponitur ad ſignificandū
Propter qd̄ determinauimus ſupra habēdo reſpectū ad hoc, q potentia non eſt quid ſed ad aliqd
non q ſignificet puram relationem:vt hoc nomen paternitas: ſed quia licet ſignificat ſubſtātiam
& ſupponit pro ſubſtantia:ſignificat tamen ipſam ſub ratione & modo reſpectus.Principium ve
ro ſignificat ſubſtantiam ſimiliter & ſub ratione reſpectus:ſed per modū ſuppoſiti:vnde & ſuppo
nit pro ſuppoſito.Vnde tam hoc nomen potentia q̄ hoc nomen principium ſignificant ſubſtan
tiam principaliter:ſed ſub ratione reſpectus:& hoc ſub indifferentia quadam & indeterminatio
ne:quemadmodum hoc nomen perſona ſignificat ſuppoſitum ſimpliciter ſub indifferentia & in
determinatione quadā.& determinatur iſta determinatio per adiunctum:& cum hoc,hoc nomē
principiū ſupponit p ſuppoſito ſub indifferentia & indeterminatione quadā:ſicut hoc nomē de⁹.
Quia igit̄ hoc nomē principiū principaliter ſignificat eſſentiā:licet ſub mō relationis: & p hoc di
cit de ſuo ſignificato potius rōne elicitiua q̄ ſuppoſitū in quo eſt,qd̄ p ipſam actum elicit:q̄uis eti
am pro ipſo ſupponit:ipſa autem eſſentia vna eſt in diuinis,& prima ratio elicitiua omnium diui
norum actuum:vt habitum eſt ſupra: & ratio principii maxime primo attribuitur: quia quanto
aliquid habet magis rationem primi:tanto habet magis rationem principii:primum enim & prin
cipium ide m,ſecundum philoſophum.i.Poſteriorum:Idcirco dico q in diuinis non eſt niſi vna ra
tio principii propriiſſime accepti:& non dicitur niſi ſingulariter:& hoc ſiue verificat locutionem
ſignificando eſſentiam ſub ratione vnius reſpectus ſiue pluriū:& ſiue ſupponat pro vno ſuppoſi
to verificando locutionem ſiue pro pluribus ſimul,duobus aut tribus: licet accepto principio nō
ſic proprie,ſcilicet pro ſimpliciter primo & remoto,ſed p proximo & immediato actui pꝛprio prin
cipia dicunt eſſe plura:ſicut & plures dicunt eſſe potētię.Ecōtrario em̄ cōtingit in rōne principii,
& ratione potentię:quia tanto vnūquodqꝫ magis habet rōne principii, quanto magis habet ratio
nem primi & remoti a principiato,vt iam dictum eſt.Tanto vero vnūquodqꝫ magis habet ratio
nem potentię,quanto magis habet rationem proximi & immediati ipſi principiato.Propter qd̄ ſe
cundum philoſophum,ix.Metaphy,acetum non eſt proprie in potentia vinū: ſed aqua exiſtens in
ſtipite.Vnde pater dicitur eſſe vnum principium filii,ſpiritus ſancti,& creaturarum:quia vna eſt
diuina eſſentia,quę in ipſo eſt vnica ratio principiandi illa oīa:licet ſub rōne alteri⁹ reſpect⁹ eſt ra
tio principiādi filiū:& ſub ratione alia ſpiritum ſanctum: & ſub tertia creaturarū. Similiter pater
& filius ſunt vnum principium ſpiritus ſancti & creaturarū,licet ſub alia ratione ſpirit⁹ ſancti,&
ſub alia creaturarum,& licet ſint diuerſa ſuppoſita:& hoc quia in ipſis vnica eſſentia eſt ratio pri
ma illorū elicitiua:nec referret in aliquo quin dicerentur eſſe vnum principium ſpiritus ſancti,
etiam ſi ſub pluribus rationibus reſpectiuis in patre & filio eſſet principiandi & originandi ratio
ſpm̄ ſanctū:quēadmodum nō refert in patre quin dicat vnum principium filii & ſpꝰ ſancti:q̄uis
eſſentia in ipſo ſecundum diuerſas relationes ſit ratio originandi ipſos.Et ſic p̄ciſa ratio qua pater
& filius dicunt principium vnum ſpūs ſancti,eſt ipſa eſſentia ſub ratione reſpectus & relatiōis ſim
pliciter,quem habet ad ſpm̄ ſanctū in pducendo ipm̄.Nō dico ſub ratione relationis vnius quę eſt
cōmunis notio vtriuſqꝫ:hoc em̄ icidit q ſit vna:qa(vt dictū eſt)ſi nō eēt vna ſed plures nihilomi
nus pꝛpter eſſentiam vnam q̄ habet rōne principii primi,dicerēt vnū principiū eius. ¶Ex quo pa
tet q̄tuor.Primū q vnitas principii p ſe ſumit & p̄ciſe ex vnitate ei⁹ qd̄ eſt pria rō pꝛincipiādi: licet
nō niſi vt cōſiderat̄ ſub rōne reſpect⁹ & relatiōis ad id cuius eſt rō originādi.Propter qd̄ licet eade
eſſentia ſit in principiato:nō tn̄ eade ratio principii:qa non eſt in illo ſub rōne eiuſdem reſpectus.

Secũdum eſt, ɋ alio & alio modo pater & filius dicũtur ſpirare ſpiritum ſanctum vt ſunt vnũ & vt ſunt vnum principium:quia ſpirant ſpm ſanctum vt ſunt vnum in eſſentia : & ſub vna ra‑ tione relationis côis qua referuntur côiter ad ſpm ſanctum: ſpirãt aũt ſpm ſanctũ vt ſunt vnum principium in eſſentia,diſtincti propriis relationibus quibus inter ſe refertitur. Propter quod pa‑ tet tertium.ſ.ɋ non bene dicunt ɋ eadem eſt notio in patre & filio ſecundum quã dicuntur vnũ principium ſpiritus ſancti.hoc enim incidit vt dictũ eſt:licet incõmutabiliter. Propter quod dicit Aug.v.de trini.cap.xiiii.Pater ad filium principium eſt:quia genuit eum. Ex quo cõcludit Magi ſter ſenten.lib.i.diſtinctiõe.xxix.ca.Deinde. Qua ergo notione eſt pater, ea filii principiũ dicit.i. generatione. Et cap. Vnum autem.dicit ſic. Sane intelligi poteſt & patrem & filium eadem no‑ tione vel relatione dici principiũ ſpiritus ſancti.vbi multum de hac materia per totam diſtinctio nem.Quartũ eſt, ɋ cum dicit ɋ pater & filius ſpirant ſpm ſanctum vt ſunt vnum.i.vnus deus:li cet in lib.de ſpiritu ſancto hoc dicat Anſelmus, non exprimit pciſa rõ vnitatis patris & filii in ſpi rando ſpm ſanctũ:qm illud in quo ſunt vnũ,ſi pciſe exprimat, oportet ɋ exprimatur ſub ratiõe reſpectus qui ſoli patri & filio conuenit.Deus aũt etſi ſupponat pro relatiuis ſuppoſitis, tñ nõ ſi gnificat aliqd ſub rõne relationis:& cũ hoc nõ ſignificat eſſentiã vt pciſe cõuenit patri & filio:ſed etiã vt cõuenit ſpiritui ſancto.Propter qd etiã cũ dicitur ɋ ſpirant vt vnũ.i.vnum principiũ,non exprimitur precciſa ratio vnitatis eorum in ſpirando ſpm ſanctum:quia etſi principium ſignificat eſſentiam ſub ratione relationis:non tamen precciſe illius qua pater & filius referuntur ad ſpiritũ ſanctum:ſed generaliter qua pater refertur ad filium,& ambo ad ſpiritum ſanctum,& tota trini‑ tas ad creaturas:& etiam vna creatura ad aliam. Vnde quia Anſelmus ponit pciſam ratione ſpi randi ſpiritum ſanctum in patre & filio ɋ ſunt vnus deus:per hoc probat ɋ oportet ɋ ſpirit⁹ ſan ctus ſit de filio aut econuerſo equali neceſſitate qua pater eſt de filio & econuerſo:& ſimiliter ſpũs ſanctus de patre aut econuerſo. Et manifeſtũ eſt ɋ non tenet de forma argumenti. Si enim aliɋ dicat ɋ ſpiritus ſanctus non procedat ratione deitatis ſimpliciter:ſed ſolum vt eſt ſub ratione no tiõis relatiue:& illa ponatur eſſe in ſolo patre: ſicut eſt notio generatiõis actiue,& cũ hoc dicat ɋ ille duę notiones in patre nullum habent ordinem inter ſe:talis poteſt cõcedere ɋ neceſſe eſt a pa tre procedere filium & ſpiritum ſanctum:ita tamen ɋ neuter ab altero , non obſtantibus rationi bus Anſel.vt patet inſpicienti.Vnde ſi conſimiles queſtiones fierent de patre reſpectu filii & ſpiri tus ſancti , vtrum produceret eos vt eſt vnus , an plures , reſpondendum eſſet vt prius : ɋ ipſe qui produceret eos,eſſet vnus. Si vero quærerētur vtrum produceret eos vt eſt vnum,an vt eſt plura:Dicendum ɋ vt eſt vna eſſentia ſicut prius : ſed vt ſub rationibus diuerſarum relationum ſiue proprietatum.Si vero quæratur an procedũt ab eo vt ab vno principio,an vt a plurib⁹:Di‑ cendum ɋ vt ab vno,ratione vnitatis eſſentiæ:licet ſub diuerſis rationibus relationum:ita ɋ ſi pa ter diceretur eſſe plura principia:pluralitas diuinarum eſſentiarum implicaretur eſſe in ipſo.Vn de de vnitate principii patris & filii reſpectu ſpiritus ſancti dicit Anſelmus de pceſſione ſpiritus ſancti. Sicut nõ credimus ſpm ſanctũ eſſe de hoc vnde duo ſunt pater & filius: ſed de hoc in quo ſunt vnum:ita non dicimus duo eſſe eius principia ſed vnum principium:ſi tamen debeat dici de us habere principium.Principiũ nanɋ videt nõ niſi rei incipientis eſſe. Propter qd innuit ɋ non ſumunt omnia in diuinis vniuoce ſecundum modum quo vſitantur in creaturis:ſed eminentio‑ ri.vnde ſubdit.Si tamen ineffabili quodã modo intelligatur,quoniã aliter proferri nequit,nõ incõ grue poteſt dici principium.Sed eſt intelligendum dictum illud Anſelmi de hoc in quo ſunt vnũ nõ abſolute:ſed ſolũ rõne reſpectus.Propter quod etiã nomẽ principii reſpectum importat,ſecun dum ɋ dicit Aug.v.de trini,cap.xiii. Dicitur relatiue pater: idemɋ relatiue dicitur principium. & cap.xiiii. Fatendum eſt patrem & filium eſſe principium ſpiritus ſancti non duo principia:ſed ſicut pater & filius vnus deus,& ad creaturam dicitur vnus creator & vnus deus:ſic relatiue ad ſpiritum ſanctum vnum principium:ad creaturam vero pater & filius & ſpiritus ſanctus vnum principium : ſicut vnus creator & vnus deus. CQ₂ arguitur iuxta hoc : ſi pater & filius eſ‑ ſent vnum principium ſpiritus ſancti,aut ergo vnum principium quod eſt pater, aut quod non eſt pater : Dicendum ɋ vtrunɋ precciſe & ſeparatim loquendo negandum eſt vt procedit obie‑ ctio : ſed vtrunɋ concedendum eſt coniunctim : quia pater & filius vnum ſunt principium ſpi‑ ritus ſancti quod eſt pater pro vno, & quod non eſt pater pro alio : quia relatio quæ includitur in nomine principii : non eſt determinata ad vnam ſingularem vel communem aut ad plures: nec principium determinate ſupponit pro aliquo ſuppoſitorum:vt dictum eſt : licet determinte‑ tur per adiunctum. CAd vndecimum: ɋ ſi ſpiritus ſanctus procedit ab vtroɋ, aut ergo vt ab vno ſpiratore : aut vt a duobus:Dicendum ɋ in hoc argumento non ſolum diuerſi contrarian‑

K
L
M
N
O
P
Q
Ad.X.
R
Ad.XI.

tur inter se:immo ex magnis doctoribus idem contrariatur sibiipsi:qui dixit super.i.Sent.ꝗ actus recipit numerum a suppositis:actus auté significat & in verbo,& in participio,& in nomine verbali:& ideo non possumus dicere ꝗ pater & filius spiret spiritum sanctum : vel ꝗ sint spirans,vel ꝗ sint spirator:sed ꝗ spirat & ꝗ sint spirates & ꝗ sint spiratores : ꝗuis sit vnus act⁹ quo spirat.In prima aũt parte summę suę repetit eandem sententiam dicés,Pater & filius licet sint vnum principium spiritus sancti:sunt tamé duo spiratores propter distinctionem suppositorũ,sicut duo spirantes:quia actus referútur ad supposita. Reuocando autem dictum suum in hoc,statim dicit contrarium subdens.Sed melius dicendum videtur ꝗ quia spirans adiectiuum est, spirator vero sub stantiuum,possumus dicere ꝗ pater & filius sunt duo spirantes propter pluralitatem suppositorum:non autem duo spiratores propter vnam spirationé. ¶Postmodum autem superuenit quidam alius,qui detestans dictam contrarietatem super.i.senten. scripsit sic.In hac quæstione iidem sibiipsis contrariantur:nam cum prius dixissent patrem & filium esse plures spiratores:postea dixerunt esse melius dicendum,ꝗ pater & filius sunt vnus spirator.Vbi continuo subdit dicens,ꝗ tota causa quare nos dubitamus concedere patrem & filium esse plures spiratores, est ꝗa sicut vna est potentia spirandi in patre & filio:ita est vna potentia creandi in tribus psonis: sed ꝓ pter vnitatem potentiæ creandi dicuntur omnes tres personæ vnus creator: ergo propter vnitatem potétiæ spirandi,pater & filius debent dici vnus spirator. Huius autem varietatis ꝗ tres personæ dicuntur vnus creator,duæ autem non dicuntur vnus spirator,rōné subdit dicens: ꝗ sicut tres personę non creant in eo ꝗ plures:sed in eo ꝗ vniũtur in aliquo absoluto,puta in deitate: ita pater & filius non spirant in eo ꝗ plures,sed in eo ꝗ vniũtur in aliquo absoluto: sed hoc aliter & aliter : nam prout tres creant sunt vnum in deitate, ita ꝗ ipsa deitas creat : sed duo non sunt vnum in deitate vt deitas spiret. Vt igitur dicit,ratione deitatis cui competit creare, non autem spirare,potuerunt plures personæ dici vnus creator, non autem vnus spirator . Sed manifestum est ex supra determinatis circa diuinas actiones in generali,ꝗ principium diuinæ actionis vt agés a qua emanat,non potest esse diuina essentia:licet sit ratio eliciendi omnes:sed solum suppositum subsistens, forma eñ rei non agit:sed habens formã agit per formã. Vnde nec actum intelligendi (de quo magis videtur)attribui plis animę cõiunctę sed composito:nõ enim differt (secundum ꝗ dicit)dicere animam intelligere,& texere,aut ædificare,Etsi ergo plures vt plures non creãt:vel spirant:sed solum secundum ꝗ vniuntur in vno,scilicet in deitate:non tamen (secundum ꝗ iam declaratũ est)vt in penitus absoluta:sed sub ratione alicuius respectus. Non plus tñ actus creandi poterit attribui essentiæ diuinæ:dicendo ꝗ essentia creat:ꝗ actus spirandi dicédo ꝗ essentia spirat: licet de creare validior sit apparentia:eo ꝗ essentia est ratio creandi in tribus personis:nõ aũt ratio spirãdi nisi in duabus.Vnde si alicubi propterea inuenitur ꝗ creatrix dicatur essentia:aut ꝗ creat:exponédus est sermo vt essentia stet improprie pro eo cuius est.Aliam ergo rationem diuersę ꝓdicationis creatoris in singulari de tribus,& spiratoris in plurali de duobus,oportet assignare, quæ non solum ostendat rationem quare sic possit esse:sed quare sic & nõ aliter debeat esse. ¶Ad cuius intellectum sciendum est : ꝗ licet nomina verbalia eundem actum significent que verba & participia:vt ædificator & ædificans:creator & creans:spirator & spirans : alio tamen & alio modo significant ipsum:quoniam verbum & participium significãt ipsum vt actu egreditur ab agéte:nomen autem verbale vt solum ab ipso egreditur etiã habitu. Aedificator enim aptus est ædificare:etsi non actu ædificet.Aedificans autẽ non est,nisi actu ędificet, Et similiter in diuinis: ꝗuis ibi actus vt est intra non distet ab habitu: nomen tñ verbale de ratione sua nõ indicat nisi agentem habitu:secundum ꝗ spirans non est nisi a quo actu emanat actus spirandi: spirator autem et si semper sit in actu spirãdi:nomen tñ hoc non indicat nisi spirãte habitu.& secũdũ,hoc verbũ & participiũ aliter cõparátur ad agere debété:siue aliter respiciũt ipsum:& nomé verbale.Cũ eñ(vt supra determinatũ est)act⁹ vt est in agereꝓ se sit suppositi: verbũ & participiũ nominãt actũ vt ꝓ se respicientem suppositum prout suppositum est.Propter qð generaliter ad plurificationem suppositi sequitur in prædicatione plurificatio in consignificatione pluralis numeri verbi & participii:vt infra declarabitur loquendo de modo loquendi de deo.Nomen autem verbale quia significat actum in habitu qui semp per se respicit vim elicitiuã actus,non aũt suppositum: non enim dicitur ædificator nisi qui habet vim & potentiam ædificandi secundum quã aptus est huiusmodi actum elicere:idcirco non generaliter ad plurificationem suppositi sequitur in prædicatione plurificatio in consignificatione numeri pluralis hmõi nominũ:sed qñꝗ sic,qñꝗ non. Ad cognoscendũ autem quando sic & quando non,est aduertendum ex parte ipsius virtutis vel rationis agendi elicitiuæ actus . Aut enim ipsa est diuersa in diuersis : & tunc generaliter nomen verbale pluraliter

prædicatur de ipſis,vt Sortes & Plato ſunt duo ædificatores. Aut eſt eadem in diuerſis,ſicut con
tingit in diuinis reſpectu omnium actionum quæ pluribus perſonis conueniunt.Sed hoc contingit dupliciter.Aut enim ſunt oīno vnū in illa vi ſiue ratione,vt penitus ſecūdū eūdem modum ſit
elicitiua actus ſiue ratio elicicdi vt eſt in vna & in altera,abſcʒ omni connotatione diſtinctiōis ſup
poſitorum,& diuerſitatis eorum in modo agēdi per illā.Aut licet ſint omnino vnum in illa:nō ta
men eſt penitus,ſecundum eundem modum elicitiua actus ſiue ratio eliciendi ipſum vt eſt i vno
& in altero:ſed connotat diſtinctionem ſuppoſitorum,& diuerſitatem aliquam in modo agēdi per
illam.Nomen verbale reſpiciēs in diuerſis ſuppoſitis vim elicitiuam primo modo,prēdicatur de il
lis nō niſi in ſingulari:qa licet plures ſint eliciētes,ppter tñ talē virtutē elicitiuā eliciūt actū vt pe
nit⁹ ſunt vnū in illa,& non vt ſunt plures ſecūdū ſe:vt reduplicatio iportata per ly vt,determinet
actum in reſpectu ad perſonas elicientes ipſum,nō notando conditionem elicietiū,inquantum.L
elicientes ſunt:ſed virtutis elicitiuē tantū inquantum eſt ratio eliciendi omnino eādē reſpectu plu
rium in eliciendo actum,& prēciſa ratio qua vna actum elicit & alia:vt licet perſonæ illē ſint diuer
ſæ:non tamen omnino eliciunt actum eo cʒ ſunt diuerſæ:ſed tñmodo eo cʒ conuenit eis ratio per
ſonæ:& habent vnitatem in vi actiua dicto modo:ita cʒ ſi non eſſet niſi vna illarū,non minus elice
ret actum ̃q ſimul omnes.Tale nomen verbale eſt hoc nomen creator:quia vim creatiuam quæ eſt
diuina eſſentia ſub ratione reſpect⁹ ad creaturas,reſpicit in diuerſis ſuppoſitis,vt in ̃q ſunt omnia
vnum:& penitus ſecundum eundem modum ipſa eſt ratio elicitiua actus vt eſt in vno & vt eſt
i altero,abſcʒ omni cōnotatione diſtinctionis ſuppoſitorū circa eam,& diuerſitatis ſiue difformita
tis eorum in modo agendi per illam.propter quod prædicatur de illis non niſi in ſingulari dicēdo
cʒ ſunt vnus creator,ad modū quo dicitur cʒ ſunt vnus de⁹,vt patet ex dictis Auguſtini iam ſupra poſitis.Qͣuis enim ſunt plures creantes,propter tamen talem vim elicitiuam,eliciunt actum
creandi vt penitus ſunt vnum in illa, & non vt ſunt plures ſecundum ſe &c. ſecundum iam dictum modum.Nomen autem verbale reſpiciēs in diuerſis ſuppoſitis vim elicitiuam ſecundo modo,prædicatur de eis non niſi in plurali , quia propter talem virtutem elicitiuam etiam eliciunt
actum nō ſolum vt ſunt vnum in illa:ſed cum hoc vt ſecūdū ſe ſunt plures & diſtincti:vt redu
plicatio per ly vt,determinet actum in reſpectu ad perſonas elicientes ipſum,ſimul connotando cō
ditionem virtutis elicitiuē inquantum eſt ratio eliciendi, & ipſorum elicientium vt ſunt diſtincti
Et licet illa vis ſit eadem talium plurium,non tamen vt penitus eadem,eſt præciſa ratio qua vn⁹
illorū elicit actum & alius.Vñ perſonæ illē actum eliciunt ſcdm cʒ ſunt diſtinctē & diuerſe:non ſo
lum eo cʒ conuenit eis ratio perſonæ ſimpliciter:& habent vnitatem in vi elicitiua prædicto mo-
do:ita cʒ ſi non eſſet niſi altera illarum,nullo modo actum illū eliceret ſine reliqua.Tale nomē verbale eſt hoc nomen ſpirator:quia vim ſpiratiuam quæ eſt eſſentia diuina ſub ratione reſpectus cō
munis ad ſpiritum ſanctum ſecundum prædictum modum,reſpicit in diuerſis ſuppoſitis vt i qua
ſunt vnum omnino:ſed ipſa non penitus ſecūdū eūdem modum eſt ratio elicitiua vt eſt in vno
& vt eſt in altero,abſcʒ omni connotatione diſtinctionis illorum circa eam ex connotato circa vim
elicitiuam,ſecundum cʒiam in parte dictum eſt ſupra.Aliqua eſt etiam difformitas eorum in mō
agendi & eliciendi actūp illā,vt iā patebit,ppter qd pdicat de illis in plurali,dicēdo cʒ ſunt plures
ſpiratores.Propter tale eñ cōnotatū & modū eliciēdi actū non eliciūt actū ſolūo vt penit⁹ ſunt
idē in vi ſpiratiua:ſed etiā vt ſunt plures ſecūdū ſe &c.ſecūdū iā dictū modū.Et ſic pf & fili⁹ & ſpi
ritus ſanctus in creando licet plures ſint,tamen quia omnino vnum ſunt abſcʒ omni differentia ra
tionis & diſtinctionis connotatē,totaliter creant vt vnum ſunt nō vt plures,& ſunt vnus creator
non plures creatores: vt ly vt determinet actum creandi vt refertur ad rationem agendi , & nul
lo modo ad agentes,Pater vero & filius in ſpirando: quia cum hoc cʒ ſunt plures in ſe, tamen qa
in vi ſpiratiua habent aliquam differentiam rationis,& aliquam diſtinctionem connotatam,licet i
ea ſunt omnino vnum re,non totaliter ſpirant vt vnum:nec totaliter vt plures: ſed vt plures inquantum connotatur eorum diſtinctio in vi ſpiratiua, & quandam rationis differentiā habent in
illa:vt vnum vero inquantum realiter in illa ſunt vnum: & vlteri⁹ vniūtur in vna communi foe
cunditate: & propter illam diſtinctionem & differentiam rationis dicuntur ſpirare vt duo:& eſſe
duo ſpiratores:Propter tamen vnitatem foecunditatis in qua ſunt vnum omni diſtinctione & ex-
preſſiōe connotata & differentia rationis reductis in idipſum,etiā bene dicuntur ſpirare vt vnum
& eſſe vn⁹ ſpirator, vt ly vt determinet actū ſpirādi,& vt refert ad agentes,& vt refert ad rōne
agendi.Quia cū ſpirant vt vnū,in eo in quo completur vis ſpiratiua,melius dicuntur ſpirare vt
vnum ̃q vt plures:& cʒ ſint vnus ſpirator ̃q cʒ plures,vt bene dixit Magiſter prēdictus ſeſe corri
gēdo,non tamen quin etiam bene dicat cʒ ſint plures.Quod videtur negare ex hoc cʒ auctoritatē

Nn

Hila.quæ dicit ⱷ a patre & filio auctoribus procedit spiritus sanctus,exponit:Dicendo ⱷ ibi ponitur substantiuum pro adiectiuo.Qd non oportet dicere,quia bene dicuntur duo spiratores: eo ⱷ in illa vi spiratiua ꝓpter connotatu sunt plures,& propter principale significatu sunt vnum:vt secundum hoc sint plures vniti: & vlterius quia propter rationis differentiã in amore mutuo sunt sibi inuicem vinculo amoris connexi:idcirco spiritus sanctus procedit ab ipsis vt a connexis:& in quantum duorum affectus amoris incendio in vnum conflatur,vna.ſ.fœcunditate connexoru ꝓducendo ipsum spiritum sanctum:ipse spiritus sanctus dicitur nexus amborum: & procedere vt nexus amborum, in quo scilicet ambo perfecte cōnectuntur. vt ratio istius nexus sit ⱷ procedit a duobus,non solum quia vt sunt vnum in vi spiratiua : sic enim creatura diceretur potius procedere a tota trinitate vt nexus, quia procedit a trib⁹ secudum ⱷ sunt vnum, nullam distinctionem connotando circa illã vnitatem,vt dictum est:sed cum hoc quia vt sunt plures,Nisi enim secudum dictum modum procederet ab eis vt sunt vnum & vt sunt plures,nullo modo diceretur procedere ab eis per modum nexus. Vlteri⁹,qa procedit ab eis vt sic sunt cōnexi,& in voluntate cōcordes & in amore mutui,& ꝑ hoc voluntas & amor habent fœcunditatem eliciendi amorem procedentem:ita ⱷ si in huiusmodi voluntate & amore non esset talis associatio & plurium concursus, huiusmodi fœcunditatem non haberent: & talis nexus & associatio nullo modo possunt esse circa voluntatem huiusmodi vt est in sola persona patris existens:idcirco patet ⱷ circuscripto filio a sola persona patris impossibile esset ꝓcedere spiritum sanctu,vt non solum sit necesse ponere ⱷ spiritus sanctus procedit etiam a filio,quia propter processionum naturalem ordinem necesse est filio communicari voluntate a patre,qua necesse habet spirare spiritum sanctum, secundum ⱷ ꝓcedit ratio superius posita: sed etiam ⱷ necesse sit ipsum procedere a filio si debeat procedere a patre:qa in solo patre etsi est ipsa voluntas:quia tamen non esset mutua, non esset fœcunda:vt non solum sit impossibile circunscribere filium a productione spiritus sancti, & ponere ipsum sic procedere a solo patre sicut procedit filius : immo sit etiam incompossibile,quia non solum impossibile est filium circunscribi ab actu spirationis:imo hoc posito per impossibile cum hoc est etiam incōpossibile ⱷ spiritus sanctus ponatur spirari a solo patre.Qd totum euenit ex cōditione sapientiæ a qua procedit filius,cuius perfectio hauritur ex corde proprio:& amoris, cuius perfectio nō hauritur nisi ex corde alieno,vt prædictum est secundum Ricardu.In actu aut creandi nō sic cōtigit sicut in actu spirandi.Quia enim ratio creandi præcisa est ipsa essentia vt est volutas arbitrio libera absꝗ omni connotatione distinctionis & pluralitatis personarum,quæ vniformiter habet esse in singulis personis & in tribus: propter hoc circuscriptis ab actu creandi per impossibile duabus personis, nō est incompossibile ponere tertiam posse creare per se solam. & hoc quia creare non conuenit per-

**A** sonæ diuinæ ratione qua vna vel plures: sed ratione qua est persona diuina simpliciter. Ita ⱷ si in telligatur in deo solum vna persona absoluta,sicut intelligunt Iudæi & gentiles: ponendum esset illam posse creare.Propter quod dicunt quidam,ⱷ tota trinitas & quælibet psona in ea creant,non quia talis:sed quia deus. & hoc non solum quia in deo sunt vnum in substantia, quia substantiæ non conuenit creare , vt dictum est:sed quia deus supponit indeterminate pro persona cum hoc ⱷ significat substantiam.Qd ergo arguitur contra membra diuisionis in argumento,ⱷ a patre & filio procedit spiritus sanctus vt ab vno spiratore: quia spirator est denominatio ab actu vt egreditur a supposito &c. Dicendum ⱷ verum est:sed non ratione suppositi vt actus ab ipso egreditur: sed ratione virtutis & rationis elicitiuæ qua egreditur . Quare cum illa sit vna,licet connotat pluralitatem suppositorum circa se,vt dictum est, propter illam bene dicitur vnus spirator. ⸿Si-

**B**
**Ad duo-**
**decimum** militer ⱷ arguitur ⱷ non vt a duobus spiratoribus,quia spirator importat rationem principii: & non spirant vt duo pricipia:Dicedum ⱷ non est simile de nomine spirator & de nomine principii: l'cet ambo assumunt ab eodem,scilicet a vi communi elicitiua actus:quia ratio principii sumitur præcise a vi elicitiua vt elicitiua est.Nunc autem(vt dictum est) vis illa completiue elicitiua est, vt supposita in ipsa habent vnitatem.plures enim vt plures omnino nunꝗ possunt principiare vnum simplicem effectum. Ratio autem spiratoris sumitur non præcise a vi elicitiua vt completiue elicitiua est,& supposita in ipsa vnitatem habent:sed vt circa huiusmodi vnitatem eorum distinctio & pluralitas connotatur.Quia(vt dictum est)vis illa quæ est voluntas,actuali amore qua si informata, ratio eliciendi actum spirandi non potest esse præcisa quia voluntas est & amor duorum,sed quia voluntas concors est & amor mutuus:vt propterea qq spirator includat in se ratio-

**C**
**Ad deci-**
**mutertiu.** nem principii , addit tamen in suo significato ordinem ad personas vt sunt distincti non vt sunt elicientes actum : sed vt concordes & mutui in ratione elicitiua . propter quod potest spirator prædicari pluraliter : non autem principium , vt dictum est. ⸿Patet etiam ad illud quod

iuxta hoc aſſumebatur de creatore,ꝗ ſecundum prædicta non eſt ſimile. ⸿Ad illud quod argui‑
tur,ꝗ ſpiritus ſanctus procedit a filio,non econuerſo:concedédum eſt. ꝗa rõ illa explicat bene cau
ſam illius:quia niſi eſſet ordo ille principiorum duorum emanantium, non eſſet ratio quare po‑
tius ſpiritus ſanctus procederet a filio ꝗ econuerſo. Aliam autem rationem huius exponit Anſel‑
mus de proceſſione ſpiritus ſancti,quæ eſt ad impoſſibile & a poſteriori:quia(vt dicit) ſi filius
procederet a ſpiritu ſancto,eſſet filius eius.Qɗ proculdubio verũ eſſet ſi ordine iſto voluntas p̄ret
intellectum quo voluntatem præit intellectus:tunc enim perſona quæ non eſt ab alia & quæ eſt ab
illa per voluntatem, communi notione eſſent pater filii:ſicut modo communi notione ſunt ſpira‑
tor ſpiritus ſancti. ⸿Secundum eundem modum eſt concedenda ratio Ricardi,ꝗ vnus eorum ne‑
ceſſario procedit ab altero:& hoc ratione prædicta oſtenſiua exigente:non autem propter rationes
Anſelmi aut Ricar.niſi tãꝗ propter illas quæ declarant inconueniens niſi ſic fieret,vt dictum eſt.
⸿Ad vltimum,ꝗ ſecundum Auguſtinum.ix.de trinitate,partũ mentis præcedit appetitus:Dicen‑
dum ꝗ ad literam ibi loquitur Auguſtinus de partu mentis per diſcurſum & inquiſitionem præce‑
dentem:quia(vt dicit ibidem)inquiſitio appetitus eſt inueniédi,ꝗ procedit a quærente,& pen‑
det neꝗ requieſcit in fine quo intenditur niſi id qɗ quęritur inuentum quærenti copuletur . Nã
voluntas dici poteſt,quia omnis qui quærit inuenire vult:& ſi id quod quęritur ad notitiam p̄rti
net , omnis qui quęrit noſſe vult. vbi ſequitur.Ergo partum mentis antecedit appetitus: quo id
qɗ noſſe volumus quærendo & inueniendo naſcitur proles ipſa notitia.Sed iſte appetitus eſt amor
voluntatis imperfectus:ſicut & eſt cum notitia imperfecta.Sed eſt alius amor perfectus qui coniun
gitur perfectę notitiæ quæ proles dicitur:de qua continuo ſubdit . Idemꝗ appetitus quo inhiatur
rei cognoſcendæ,fit amor cognitę dum tenet atꝗ amplectitur placitam prolem.i.notitiam:gignen
tiꝗ coniugit.& eſt quædã imago trinitatis ipſa mẽs,& notitia eius,& amor tertius.Talis autẽ pro
ceſſus in diuinis non eſt.dicente Auguſtino.xv.de trinita.cap.xxvi.Nũgd poſſumus quęrere:vtrũ
iam proceſſerat de patre ſpiritus ſanctus quando natus eſt filius,aut nondum proceſſerat,& illo na
to de vtroꝗ proceſſit,vbi nulla ſunt tempora:ſicut potuimus quęrere vbi inuenim⁹ tempora,volũ
tatem prius de humana mẽte procedere vt quęratur qɗ inuenta proles vocetur: qua iam parta ſi
ue genita voluntas illa perficitur,eo fine quieſcens,vt qui fuerat appetitus quęrentis,ſit amor fruē
tis:qui iam de vtroꝗ.i.de gignente mente & de genita notione,tanꝗ de parente ac prole procedat⁈
Nõ poſſunt prorſus iſta ibi quęri vbi nihil in tempore inchoatur vt conſequenti perficiatur in tem
pore.Et ſic breuiter ſecũdũ Auguſtinum.xv.de trinitate,illud dictum eius in.ix.de trinitate diui
nis emanationibus non poteſt applicari ad probandum ꝗ voluntas præcedat notitiam:& per con‑
ſequens ſpiritus ſanctus filium,vt procedat ab illo. ⸿Veruntamen intelligendum ꝗ omnibus illis
quæ inueniuntur in nobis ex parte intellectus & voluntatis & per diſcurſum temporis,in deo in‑
ueniuntur correſpondentia in permanentia æternitatis.Eſt enim in deo quædam notitia eſſentialis
in patre:quẽadmodum in nobis eſt prima notitia rei incompleta ꝗ omnem appetitum & amorem
præcedit: & primo excitat appetitum amoris ad inquirendum de cognito notitiam perfectam.Ne
mo eñ(vt dicit lib.xv.cap.xxvii.)vult qɗ omino quid vel quale ſit neſcit.Iſti amori in nobis reſpõ
det in patre amor eſſentialis cui complacet in verbi concepto de mente paterna quaſi informata
actuali notitia eſſentiali:et reſpondet iſta complacentia appetitui in nobis inquirenti notitiam per‑
fectam:qua habita voluntas illa perficitur & fit amor fruentis,& de gignente mente & genita no‑
titia procedens:cui reſpondet in diuinis amor procedẽs qui eſt ſpirit⁹ ſanctus. Et ſic in diuinis par
tũ mẽtis ordine quodã p̄cedit appetitus,ſcilicet amoris eſſentialis in volũtate patris vt ſoli⁹ patris:
ille tñ nõ eſt amor ille qui eſt ſpũs ſanct⁹:ſicut nec amor p̄fect⁹ eſt ille amor p̄cedẽs: niſi ꝗ ille amor
perſonalis habet in ſe amorem eſſentialem:ſicut & oĩa alia eſſentialia:& ille amor ĩ nobis perfectus
continet in ſe illum amorem prius imperfectum,vt dictum eſt:& ſic nunꝗ eſt amor niſi procedat
de notitia ſibi correſpondente,eſſentialis ſcilicet de eſſentiali,& perſonalis de perſonali : ita etiã
ꝗ amor perſonalis procedere non poſſit niſi p̄uia notitia perſonali de qua eliciatur, vt habitum
eſt ſupra.⸿Sed intelligendum ꝗ amorem elici de aliquo poteſt intelligi dupliciter.Vno modo tã
ꝗ de eliciente actum.Alio mõ tanꝗ de illo quod eſt ratio eliciédi actu.Primo modo amor proce‑
dit de notitia ingenita ꝗ p̄ eſt,& genita ꝗ fili⁹ẽ.Sic etiã fili⁹ eſt notitia de notitia,genita ſcilicet de
ingenita.dicente Auguſtino decimoquinto de trinitate cap.vigeſimoſeptimo. De horum p̄ceſſu
in nobis quando qɗ ſcimus dicimus,ex illo qɗ nouimus cognitio noſtra formatur:fitꝗ ĩ acie cogi
tantis imago ſimillima cognitionis eius quã memoria retinebat.iſta duo ſcilicet velut parentem &
prolem tertia voluntate ſiue dilectione iũgente:quam oſtendit de cognitione procedere.Secundo

D
Ad deci‑
mumꝗrtũ
E
Ad deci‑
mũquitũ.
F
Ad deci‑
mũſextũ.
G
H

modo amor procedit de voluntate personali mediante essentiali:sicut & notitia genita de itellectu
mediante notitia essentiali.

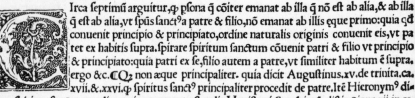

Irca septimũ arguitur,q̃ p̃sona q̃ cõiter emanat ab illa q̃ nõ est ab alia,& ab illa
q̃ est ab alia,vt spũs sanct̃ a patre & filio,nõ emanat ab illis ęque primo:quia q̃d
conuenit principio & principiato,ordine naturalis originis conuenit eis,vt pa
tet ex habitis supra.spirare spiritum sanctum cõuenit patri & filio vt principio
& principiato:quia patri ex se,filio autem a patre,vt similiter habitum ẽ supra.
ergo &c. ⦅Q₂ non ęque principaliter. quia dicit Augustinus.xv.de trinita.ca.
xvii.&.xxvi.q̃ spiritus sanct̃ principaliter procedit de patre.Itẽ Hieronym̃ di
cit q̃ spiritus sanctus pcedit pprie a patre,vt ostendit Magister.i.Sentẽtiarũ distinctione,xii,in ca.
Ex eodem,triplici auctoritate.sed non dr̃ pprie pcedere a pr̃e nisi ad differentiam aliquam q̃ nõ p
cedit ita proprie a filio.cum autem procedit aliquid a duobus,ab vno proprie, ab alio non proprie
principaliter procedit ab illo a quo procedit proprie.ergo &c. ⦅Q₂ nõ ęque immediate,arguit̃:ga
procedit a patre p filium,vt ostendit Magister distinctione dicta,ca.Forte.plurib̃ auctoritatib̃ Hi
la.Nihil autem ęque immediate pcedit a duobus quando ab vno pcedit p alterum.ergo &c. ⦅Q₂
non ęque p se,quia q̃d p se cõuenit alicui,cõuenit ei nõ ab alio.sed filio cõuenit spirare ab alio sicut
& esse,vt a patre,patri autem a se.ergo &c. ⦅Q₂ nõ eodem modo,arguitur primo sic.quia pcedit
a patre amore pcedente in filium,a filio autem econuerso amore procedente a se in patrẽ,vt dictũ
est supra.Amor autem est ratio pducendi spiritum sanctum ab vtroq̃:nõ autem idem modus iste
& ille.ergo nõ est idem modus ratione pcedendi spiritum sanctum ab vtroq̃.sed vbi non est ratio
penitus eiusdem modi, nec idẽ modus pcedendi.ergo &c. ⦅Secũdo sic.causa primaria & secũdaria
non pducunt eodem modo effectum vnum,secundũ primam ppositionem de causis.pater in pro
ductione spiritus sancti est causa primaria : filius quasi secundaria:quia filius habet a patre q̃ pro
ducit spiritum sanctũ.ergo &c. ⦅Tertio sic.propter quod vnũquodq̃ tale,& illud magis,si ergo fi
lius spirat ppter patrem a quo habet : magis ergo spirat pater . quare non eodem modo. ⦅Con
tra.quecũq̃ sunt vnum simpliciter in agendo aliquem actum,agunt ęque primo principaliter im
mediate p se & eodem modo.quia opposita horũ non habent locum in eodẽ simplici.pater & filius
sunt vnum simpliciter in spirando spiritum sanctum,vt habitum est supra,ergo &c.

⦅Dicendum ad primum argumentum iuxta prædicta in principio dissolutionis
q̃stionis pxie pcedentis,q̃ sicut multitudinẽ pcedẽtẽ ab vno oportet ordine quodã reduci ad vnũ
vnde ambo pcedunt:vt ideo non ęque primo possĩt plures procedere ab vno,secũdum q̃ ibi de
claratum est:Sic ex parte ista pluralitatem a qua procedit vnus,oportet ordine quodam reduci ad
vnum,vnde ambo procedunt,scilicet & ille vnus qui ab ambobus,& similiter alter illorum a quo il
le vnus procedit: vt ideo non ęque primo possit vna persona procedere a pluribus . Verũtamen
aliter hic q̃ ibi.Ibi enim nullo modo duo sic ęque primo procedũt ab vno , quin sit ibi aliquis or
do,vt ibi expositum est.Hic vero quodammodo sic,& quodammodo non.Iuxta enim quandam di
stinctionem in quæstione præcedente positam, ly ęque primo potest determinare actum spiran
di,vt refertur ad agens vt agens est & præcise eliciens actum, intelligendo potentiam spirandi ex
parte actus,& includi sub illa determinatione:vel vt refertur ad agens eliciens actum vi spiratiua
vim spiratiuam intelligendo ex pte agentis non inclusam sub illa determinatione.Primo modo di
co q̃ pater & filius non ęque primo spirant,sed ordine quodam,scilicet quo habent vim spiratiuã
pater scilicet a se,filius a patre.sic eĩ conuenit patri primo spirare & filio secundario:& hoc non ra
tione ipsi̇̃ act̃:sed r̃one virtutis spiratiuę intellectę circa actũ,quã ordine quodã hñt pr̃ & filĩ,ga
filius a patre. queãdmodũ scdm Hila,filĩ est scds a pr̃e,inquatũ habet eẽ a pr̃e.Scdo mõ dico q̃ pr̃
& filĩ ęque primo absq̃ oĩ ordine spirant:quia sunt vnũ principium in origine spirationis,vt supra
dictum est.Argumentum contra hoc inductum solum procedit in primo membro distinctionis,
vt patet inspicienti. ⦅Ad secundum argumentum de principaliter,distinguendum est distinctio
ne iam posita: & eodem modo est vera , & falsa . Vnde Augustinus cap.xvii. subdens quare di
xit principaliter,dicit . Ideo addidi principaliter : quia & de filio spiritus sanctus procedere repe
ritur:sed hoc quoq̃ illi pater dedit. ⦅Et cum principalitas dicitur quadrupliciter: scilicet Virtute
queãdmodum pater principaliter generat non mater,vt ĩ creaturis:Actione,queãdmodum forma
ignis principaliter generat ignem non calor eius:Dignitate,queãdmodum causa primaria & vni
uersalis principaliter agit respectu causę secundarię & particularis:Et auctoritate,quemadmodum
priceps principaliter præcipit respectu Baliui:solum isto modo vltimo sumit̃ principalitas in diuinis

& in ppoſito,licet non oīno eodē modo,vt infra declarabitur,& ſic cōuenit principalitas ſoli patri
non ſolum in ſpirando:ſed in omni actione quā communiter agit cum alia pſona vna vel pluribus
quia nomen auctoris pprie non conuenit alicui reſpectu alterius gn habeat ex ſe φ alter procedit
ab ipſo,dicente Hila.iiii.de trini.Ipſo quo pater dicitur eius quem genuit auctor oſtenditur,adhi
bens nomen qd neφ ex alio profectum intelligatur,& ex quo is qui genitus eſt ſubſtitiſſe doceatur
Vnde ſi pater haberet eſſe ab alio,nō principaliter diceretur auctor filii.& propter hoc ſecundum
φ dictū e ſupra,filius ea quæ ſibi conueniunt,patri ſolet aſcribere.Extendendo tamen nomen au
ctoris dicit Hila.φ ſpiritus ſanctus procedit a patre & filio auctoribus: appellando auctorem omnē
illum a quo habet alius eſſe : & ſic ſpiritus ſanctus non dicitur auctor niſi reſpectu creaturarum.
Et quia in iſto mō auctoris non concurrit auctoris dignitatis:quēadmodum concurrit in prin
cipe reſpectu Baliui: ideo in diuinis auctoritati in vna perſona non reſpondet ſubauctoritas in al
tera, ſecundum φ inferius declarabitur: ſicut auctoritati in principe reſpondet ſubauctoritas in
Baliuo : & hoc quia in Baliuo ſub inferiori gradu recipit potentia regis g̃ ſit in ipſo : in diuinis
autem penitus equalis virtus ab auctore recipitur i eo qui ab ipſo eſt,& ſic patet φ in primo mem
bro diſtinctionis prædictæ procedit dictum Auguſtini. Et ſimiliter poteſt diſtingui dictum Hie
rony,& in ſenſu eiuſdē mēbri pcedit.CQ:g̃ pprie tripliciter dicit:Vno mō ſecūdum φ diſtingui
tur contra participatiue: quemadmodum deus dicitur eſſe pprie quia eſſentialiter,& omnia alia
participatiue: Alio mō contra cōmune:quemadmodū riſibile dicitur proprium hoī:quia nō eſt ei
cū alio aliquo cōe: Tertio modo contra ab alio eſſe:quēadmodū ille proprie dicitur regnare qui ex
ſe habet eſſe rex,a nullo alio habendo φ regnet: nō autem ille qui ab alio habet & tenet regnū ſuū
Et in omnibus iſtis modis dicit ſpecialem modum habendi aliquid:tn in diuinis nō accipitur niſi
iuxta tertium modum eius qd eſt pprie: & ſic ſolus pater dicitur pprie ſpirare ſpūm ſanctū:quia
a ſeipſo non ab alio habet φ ſpirat eum:non autem filius:quia habet a patre . CAd tertium argu
mentum de eque immediate, dicendum ſecūdum prædictam diſtinctionem φ ſi refertur ad agētes
ratione virtutis in ipſis:ſic eque immediate pcedit ab ambobus:quia illa vnica eſt & eque ſimplex
in ambobus,in qua nulla poteſt cadere mediatio.Si vero ratione qua agentes ſunt,ſic dupliciter cō
tingit loqui de ipſis.Vno modo inquantum vterφ illorum virtutem ſpirandi habet in ſeipſo:& ſic
ambo æque immediate ſpirant . Alio modo inquantum filius habet a patre φ ſpirat,ſic pater ſpi
rat mediate filio:& ſecundum hoc non eque imediate.& nō eſt cōtradictio neφ cōtrarietas: ga eſt
ſecundum diuerſas rationes & conſiderationes.Et cum medium pluribus modis reperiatur, me
dium in propoſito eſt ſolum medium naturali ordine:quia ordine tali filius vim ſpiratiuā habet a
patre,vt patet ex ſupra determinatis.Vnde etiā cū plurib⁹ modis dicatur aliquis operari p aliū,vt
ſupra declarauimus in queſtione de vniformitate diuinarum actionum,in ppoſito ſecundum ean
dem rationem qua pater dicitur ſpirare mediante filio,etiam dicitur ſpirare p filium,vt cōfirmat
Magiſter Sentētiarū.xii.diſtinctione pdicta auctoritatibus Hila.in cap.Forte,vt pf dicat ſpirare pfi
lium:quia vis ſpiratiua ſub eadem ratione pcīſa qua conuenit patri in ſpirando ſpūm ſanctum, cō
uenit & filio in ſpirando eundem:præter hoc φ illam habet pater ex ſe,& filius a patre habet eam,
vt patet ex iam determinatis,& iam amplius declarabitur.Nec eſt incōueniens φ ab vna perſona
ſic procedat alia mediate & immediate:quia hoc eſt ſecūdum diuerſum modum:quoniam eādem
virtutem quā alteri dat mediate quo ſpirat,etiam ſibi retinet,vt per ipſam immediate ſpirare poſ
ſit.Et p hoc patet ad argumentū contra hoc.CEſt autem intelligēdum ad intellectum huius pro
poſitionis,pater ſpirat vel agit aliquid per filium:φ hæc præpoſitio per ſemper circa ſuum caſua
le notat aliquam rationem cauſalitatis ſuper actum quem determinat: ſed illam cauſalitatem quā
doφ notat ſuper actum vt fluit ab agente : & ſic etiam aliquam cauſalitatem circa id per quod
agit : & hoc vel finalem , vt cum dicitur φ artifex operatur per amorem lucri : vel formalem,vt
cum dicitur φ operatur per artem : vel efficientem , vt cum dicitur φ baliuus aliquid agit per
regem: vel materialem,vt cum dicitur homo pati per potētiam paſſiuam.Et nullo iſtorum modo
rum pater agit per filium,quia filius nullam habet cauſalitatem ſuper actum aliquem vt egredi ha
bet a patre, vt ſit ratio,cauſa , vel principium egrediendi actum ab ipſo.Immo iſto modo quaſi ſe
cundum genus cauſæ efficientis filius ecōuerſo dicitur agere quæcunφ agit per patrē,vt expoſitū
eſt in qſtiōe ptacta:quia pf eſt ratio & pricipium φ actus quicunφ egrediatur a filio,eo φ virtutē
ad hoc habet ab ipſo.Qnφ vero notat illā cauſalitatē ſuper actū ſolummodo vt trāſit in effectū ſi
ue in pricipiatū,& ho: cōtigit triplr.Qnφ enim illud p qd alius agit habet virtutē aliquā agēdi ex
ſeipſo,quæ fortificatur per virtutē alterius,ſic rex dicitur agere per Baliuum.Quādoφ autem ni
hil habet virtutis in agendo ex ſe ſed ab alio & hoc dupliciter:quia aut recipit virtutem defluen

O

P
Ad tertiū

tem ab illo,& aliam:sicut artifex operatur cultellum per malleum:aut recipit eãdê. Isto modo agit
pater per filium,& eisdem modis quibus dicitur aliquid agere per aliud,& mediante illo,& secun

**Q**
**Ad qrtũ.**
dum idem genus causę,vt patet inspicienti.℃Ad quartum de per se, dicendum ꝗ ly per se potest
sumi in ꝓposito orationaliter,vt ly se sit pronomê reciprocũ:& dictionaliter & significatiue secun
dum se,vel dictionaliter vt sit quædam aduerbialis circũlocutio determinans prædicatum in rela
tione ad rationem siue ad causam inhęrentię prædicati in subiecto,& ly se non sit dictio secũdum
se significatiua:sed solũmodo pars dictionis.Si primo modo,dicendum ꝗ pater & filius eius per se
spirant spiritum sanctum:licet non ambo ęque a se:quia vterꝗ eorum spirat per essentiam diuinã
quę sua est:& ideo per se:licet pater eam habeat a se:filius autem a patre. & propter hoc dicitur ꝗ
pater spirat a se,non sic autem filius. Et secundum hunc modum pater ęque per se gñat & spirat
inquãtum ambo immediate agit:licet non sic inquantum alterũ eorum agit ꝑ alium,vt ꝗ spirat
per filiũ:quęadmodũ nõ ęque principaliter pater generat & spirat,inquãtũ spirat ꝑ filium,vt habi
tum est supra secũdum Ricardum.Si aũt ly per se accipiatur dictionaliter,dicendum ꝗ cũ(vt di
ctum est in prænotata questione)per pluribꝰmodis accipiatur,& secundum multiplex genus cau
sę(vt etiã iã expositum est in modis dicendi per se)accipi potest secundum omne genus causę,vt
patet ex primo posteriorũ:sed in ꝓposito non pertinet nisi ad modum per se secundum genus cau
sę formalis:quia per se est conditio medii siue rationis inhęrentię prædicati in subiecto,& hęc ꝑ
posito est ipsa vis spiratiua,vt habitũ est.Et dicitur aliquid agere per se,quoniã habet essentialiter
in se vt aliquid sui id quo agit:& quæ ęque essentialiter habet illud in se,ęque essentialiter dicitur
agere propter illud per se:vt non habeat hic locum distinctio prætacta prædictis articulis applica
ta.Quare cũ pater & filius ęque essentialiter hñt in se vim spiratiuã spiritus sancti:quęadmodum
dicit Ioan.v.Sicut pr̃ habet vitã in semetipso,sic dedit & filio vitã habere in semetipso:Sic põt dici,
sicut pr̃ habet vim spiratiuam in semetipso,sic dedit filio habere vim spiratiuã in semetipso,& hoc
ęque essentialiter vtrobiꝗ.iuxta ꝗ Augustinus exponit prædictum verbum super Ioãnem sermo
ne.xxii.Ait in semetipso,vt nõ participatiõe viuat:sed vt cõmuniter viuat,& ipse omnino sit vita
Quid interest:quia ille dedit:ille accepit.Propterea igitur ęque per se pater & filius spirant spiri
tũ sanctum,& hoc iuxta secũdum modum dicendi ꝑ se:quemadmodũ illa est per se,pater est deus
iuxta primum modum dicendi per se,Nulla tamen illarũ,pater est deus,pater spirat,filius est deꝰ
filius spirat,est per se & primo:quia nulli illorum ratio inhęrentię prædicati in subiecto propria est
sed cõmunis ambobus:& sic vtriꝗ conuenit per se:quęadmodum in demõstratiuis cõmunis pas
sio per communem causam cõuenit pluribus:quęadmodum commutabilis proportio cõuenit nu
meris & magnitudinibus,sicut dicit Philosophus in primo posteriorum.De illo aũt ꝑdicat tale cõ
mune solummodo primo & ꝑ se,qꝺ est cõe vtriꝗ illoꝝ,siꝗd fuerit tale,ista em̃ est per se & prio,pr̃
generat.& ꝓpter hoc licet pr̃ ęque immediate generat & spirat(vt iã dictũ est)nõ tñ ęque ꝑ se ge
nerat & spirat,secũdũ ꝗ ꝑ se sumit dictionaliter.℃Ad obiectũ in oppositũ:qꝺ cõuenit alicui per se
non conuenit ei ab alio:dicendũ ꝗ aliquid conuenit alicui a se siue ex se formaliter siue effectiue si
ue principiatiue.Primo modo cõuenit vtriꝗ illorum ex se ꝗ sit deus & ꝗ spirat:quia ꝑ id qꝺ é for
ma essentialis in ipsis.Et qꝺ sic nõ cõuenit alicui ex se:sed solũ ab alio:nõ cõuenit ei per se.Scꝺo au
tem modo filio nihil conuenit ex se:ꝗa non habet nisi qꝺ habet a patre:sed qꝺ sic principiatiue ha

**R**
**Ad oppo.**
bet ab alio,bene habet formaliter ex se & ita per se.℃Ad quintum argumentũ de eodem modo,di
cendum ꝗ hic non habet locum ꝑdicta distinctio:quia modus actionis solummodo respicit modũ
emanãdi ipsam a virtute agétis.Sed est hic distiguédũ de ipsa actiõe:qm̃ dupliciter põt circa ipsam

**S**
**Ad qntũ.**
cõsiderari modꝰ,secũdũ duplicê cõparatione quã habet.Vno modo secũdũ ꝗ ꝑvirtute agétis ema
nat ab ipso:alio modo vt transit in terminũ siue obiectũ.Primo modo non est difformitas ex parte
actionis in diuinis vbi personæ agũt immutabili necessitate secundum modum virtutis suę,nisi sit
aliꝗ diuersitas in virtute ꝗ agũt. Ista autê virtꝰ in actiõe spirãdi ꝗ est cõcors volutas duoꝝ in mu
tuo amore vniꝰin alterũ(vt dictũ est supra)põt cõsiderari dupliciter.vno mõ rõne principalis signi
ficativoluntatis & amoris,alio mõ rõne cõnotati ex parte volũtatis ꝑ hoc ꝗ intelligit cõcors,& ex
pte amoris ꝑ hoc ꝗ ĩtelligit mutuꝰ.Primo mõ cũ volũtas & amor & rõne eéntialis in ipsis & rõne
respectꝰ notionalis sub quo sunt rõ spirãdi,sunt vnũ & idipsum in patre & filio:& sunt pater & fi
lius vnũ principium secũdũ hoc(vt habitũ est supra)& ex eodem secũdũ ꝗ idê nõ est nata ꝓcede
re actio vna nisi vno & eodem modo:dico ꝗ pater & filius spirat spiritum sanctum oĩno vno & eo
dem modo,dicente Augustino.xv.de trinitate cap.vigesimoseptio. Spiritꝰ sanctus simul de ytroꝗ
procedit:ꝗis hoc filio pater dedit,vt quęadmodum de se ita de illo quoꝗ procedat. Cuiꝰ ratiõe
subdit dicens.Sicut pater cum habeat vitam in semetipso,dedit & filio habere vitam in semet:sic

dedit ei vitam quæ ſpiritus ſanctus eſt , procedere de illo ſicut procedit de ipſo . Et Ricardus.vi.
de trinitate dicit ſic.Prorſus vno eodemꝗ modo procedit tam a patre ꝗa filio. Siquidem vtrobi-
ꝗ vna eademꝗ per omnia ratio. Si ſecundo aũt modo conſideratur ratio ſpirandi ratione connota
ti circa voluntatem per hoc ꝗ dicitur concors:cum cõcordia nõ eſt niſi i vniformitate:quo ad hoc
iterum ambo ſpirant vno eodemꝗ modo, & propterea ſpiritus ſanctus non plus nec minus aut
magis ſpiratur ab vno ꝗ ab altero.Si vero conſideretur ratione connotati circa amorem ex hoc ꝗ
dicitur mutuus,cũ ratione qua mutuus,reſpicit diuerſos terminos:quia ex hoc ꝗ eſt mutuus eſt
patris in filium & filii in patrem : quo ad hoc non vniformiter aut eodem modo ſpirant. Sed iſta
difformitas conſiſtit in ratione ſpirandi ſolummodo vt eſt in ſpirantibus ſe reciprocatiue amanti-
bus:non autem vt reſpicit actum:& ideo nec redundat in ſpirãdi actum,vt aliquo modo plurifi-
cet propter ipſos:ſicut nec pluralitas eoꝗ qui ſpirant.Si vero conſideret actus ſpirãdi vt trãſit i ob
iectum,hoc poteſt eſſe dupliciter. Vno modo vt trãſit in obiectum qd eſt terminus actionis conſti
tutus per ipſam.Alio modo vt mediãte illo trãſit in obiectum quod eſt terminus actionis tãtũ:&
non conſtitutus per ipſam.Primo mõ ipſe ſpiritus ſanctus eſt terminus actus ſpirandi ꝑcedens ab
ipſo vt perſona in ſe ſubſiſtens:& hoc modo vniformiter & eodem modo procedit ab ipſis:ꝗa nec
plenius nec perfectius ab vno ꝗ ab altero.Secundo modo terminus actus ſpirandi ſunt pater & fi-
lius:qui mutuo ſibi ſpirant, ſicut & mutuo ſe diligunt.Per actum enim ſpirandi ſpiritus ſanct⁹ ꝑ
cedit vt perſona in ſe ſubſiſtens:& ſic vt terminus actus conſtitutus per ipſam. Procedit etiã a pa
tre in filium,& a filio in patrem vt in terminũ actionis,ꝗ eſt terminus tm̃ non cõſtitutũ per ipſam.
& hoc ideo:quia procedit ꝑ modum amoris mutui:& ipſe eſt amor procedens in quo complet mu
tuus amor eorum tanꝗ in eo quo mutuo ſe amant,& ſic procedit a patre in filium vt quo pater ꝑ
fecte amat filium,& a filio in patrem vt quo filius perfecte amat patrem:& ita eſt nexus amborum
quo mutuo perfecte ſe amant,non eſt enim amor niſi tendat in alterum.Hoc ergo modo inquantum ſpirãt ſpiritum ſanctum mutuo vnus in alterum,non omnino eodem modo ſpirant: ſed hæc
difformitas nec redundat in ſpiratum,nec in actum ſpirandi : quia ſolum conſiſtit ex parte terminorum,ſ.patris & filii,inquãtum ſibi mutuo ſpirant ſpiritum ſanctum, vt dictum eſt.

Irca octauũ arguitur ꝗ a qualibet dictarũ triũ pſonarũ aliqua alia emanat,ſic,
de ratione pfectionis perſonæ in diuinis eſt ꝗ ab ipſa emanat alia perſona,vt dictum eſt ſupra.Sed æqualis pfectio eſt in qualibet diuinarum pſonarum etiã cũ
emanauerit alia pſona ab ipſa.perſona eñ emanãs nihil diminuit de virtute ei⁹
a ꝗ emanat.ergo a ꝗlibet diuinarũ pſonarũ emanat alia etiã cũ aliꝗ emanauerit
ab eadẽ. Scdo ꝗ a ꝗlibet pſonarũ emanatiũ emanat alia ſibi cõſimilis oĩo.qm̃

a pſona a qua alia emanat,cõicatur pſonæ emananti ſubſtantia illius,vt habitum
eſt ſupra.Sed non communicatur ſubſtantia niſi ſimul communicetur eius virtus & potẽtia,ea
dem autem virtute & potentia natum eſt ſimile emanare ab illo in quo eſt,ergo &c.Qd confirma **Cõfirmat.**
tur p hoc qd dicit Apſus Hebrę.prio de filio dei.Cũ ſit ſplẽdor gloriæ & figura ſubſtãtiæ ei⁹,portãt
ꝗ oĩa verbo virtutis ſuæ &c.Eſt ergo verbũ aliꝗd virtutis filii quo oĩa portat.verbũ autẽ quo oĩa
portãt nõ põt eſſe niſi verbũ iſinitũ & ĩcreatũ & æternũ:eſt ergo aliꝗd verbũ iſinitũ,æternũ,& in
creatũ virtutis filii.tale aũt nõ eſt niſi verbũ pſonale ꝑcedẽs a virtute filii.a virtute aũt filii nõ pce
dit verbũ niſi ſit verbum filii:non eſt aũt verbũ in diuinis niſi ſit filius.a verbo ergo in diuinis ꝑ
cedit verbum & a filio filius,ergo &c.Et eodẽ modo põt argui ex parte ſpirit⁹ ſancti i producendo
alium ſpiritum ſanctum. Tertio ſic.filius aut poteſt generare alium filium,aut non poteſt.nõ eſt **3**
dicendum ꝗ non poteſt, quia omnipotens eſt.& dicit Ricardus tertio de trinitate cap.iiii. Omnipotens per impoſſibilitatem excuſari non poteſt. Item Auguſtinus contra Maximinum libro pri- **Auguſt.**
mo cap.xiii.dicit ſic.Filius non genuit : non quia non potuit : ſed non oportuit. hoc autem non eſſet verum niſi quia potuit generare . ſi enim non potuit generare verum eſſet ꝗ non generauit
quia non potuit. ſi ergo potuit generare,ergo generauit : quia in æternis non diſtant potentia &
actus:& eo etiam in eis potentia a nullo eſt impedita niſi forte a voluntate . & tunc ſi filius potuit
generare ſed non generauit, hoc eſt quia non voluit:quod eſt impoſſibile:quia hoc eſſet magnus be
niuolentiæ defectus,ſecundum Ricardum vbi ſupra. & haberet pater aliquam voluntatem ſecundum actum quã non haberet filius. Quarto ꝗ in diuinis a qualibet perſona a qua emanat **4**
vna perſona poteſt emanare alia confimilis illi in perſona, arguitur : quia in diuinis emanans ab
alia , per hoc ꝗ emanat ab illa nihil derogat potẽtiæ per quam emanat in perſona a qua emanat.
ꝗ ſi ſic,qua ratione producit per illam potẽtiã vnam perſonam,& eadem ratione illa producta aliã

similem illi:queadmodum videmus in patre humano ⱷ vno filio producto per suam potentiã ge=
neratiuam,nihil minus ꝓducere potest alium.& qua ratione in diuinis ꝑsona ꝓducta potest ꝓdu=
cere secundam,eadem ratione & secunda ꝓducta potest producere tertiam,& sic in infinitum.er=
5 go &c.⳧Quinto sic.idem actus intelligendi qui conuenit patri,cõuenit & filio,& spiritui sancto.ꝗ
re & consimiliter id ꝗd super ipsum actum intelligendi fundaꞇ ad ꝓductione alicuius ꝑsonæ.qua
re cum super actũ essentialæ intelligendi(vt dictũ est supra,& iam amplius declarabitur i sequẽti
stione)fundeꞇ actꝰ notionalis dicẽdi:actꝰ ergo notionalis dicẽdi vniformiter cõuenit trib9 ꝑsonis si
cut & actꝰ intelligendi.& si sic,sicut pater actu dicendi ꝑfert verbum quod est filius eius:quare &
similiter filius & spiritus sanctus.quare cum secundum Augustinum in principio de trinitate,ni
hil ꝑfert siue ꝓducit seipsum:filius ergo alium filium a se ꝓducit,dicendo aliud verbum a se:& si
militer spũs sanctꝰ:quia aliter illũ ꝓduceret a quo ꝓducit,quod est impossibile.Eadem ratione po
test argui de spirare super velle,ad probandum ⱷ spiritus sanctus producat alium spiritum san=
6 ctum,& hoc vtrobiꝗ in infinitum. ⳧Sexto arguitur specialiter ⱷ a spiritu sancto emanat aliqua
alia ꝑsona, sic,non minoris efficaciæ sunt pater & filius simul in ꝓducẽdo spiritũ sanctũ,ꝗ sit
ꝑ se solus pater in producẽdo filium.sed pater per efficaciam suam i ꝓducẽdo filium dat ei ⱷ pos=
sit aliam ꝑsonam producere cum patre.ergo & propter efficaciam quã habet ambo in producen
do spiritum sanctum,dabunt ei ⱷ communiter cum ambobus possit producere personam aliquam

In opposi.
vlteriorem,& sic eadem ratione deinceps in infinitum.⳧In contrarium est fides catholica.ⱷ si alia
aliqua ꝑsona est emanans in diuinis a prædictis , non est in diuinis præcise trinitas personarum.

B
Responsio

⳧Quæstio ista petit explicari in speciali rationæ quare in diuinis sunt tres perso=
næ & tãtũ tres,quod declaratum fuit in summa & in generali in questione quadam super hoc mo
ta in articulo ꝓcedẽti.Et est dicẽdũ ad quæstionem ꝓpositã,ⱷ ab aliqua dictarũ triũ ꝑsonarũ, qua=
rum prima non emanat ab alia:sed ab illa emanat secunda: & simul ab vtraꝗ tertia: nõ cõuenit in
telligere emanare aliquam aliam nisi per aliquem alium modum emanationis a prædictis qui sunt
modo naturæ & voluntatis,aut per aliquem istorum duorum modorum,aut ꝑ vtrũꝗ ipsorum
Primo autem modo qui principaliter ꝑertinet ad prædictam quæstionæ,non emanat ab aliqua illa=
rum trium personarum aliqua alia persona:quia secundum supra determinata non cõuenit pone=
re in diuinis aliquem alium modum emanationis.ⱷ & si aliquis esset possibilis,secundum illũ pro=
cederet aliqua alia persona:& si essent plures alii modi,secundum illos ꝓcederẽt plures aliæ : & hoc
non solum ab aliqua illarum:sed ab omnibus simul:quia secundũ ꝓdeterminata diuersi modi ema
nandi in diuinis non possunt esse nisi ordinem quendam originis habeãt inter se: vt secũdum de=
terminationem superius habitã,a ꝑsona vnica quæ non est ab alia,ꝑ primam emanationem ꝓcede=
ret persona secunda,& ei communicarentur ꝑ hoc omnes alii modi quibus a ꝑsona vna nata esset
emanare alia:& ideo secundum modum emanandi a ꝑsona quæ non est ab alia,& ab illa quæ est ab
vnica simul,secunda emanatione emanaret tertia,& eadem ratione quarta ab illis tribus:& sic de=
inceps.Secundo etiam modo qui pertinet specialiter ad istam quæstionem,nõ emanat ab aliqua illa
rum trium personarum aliqua alia:quia ab vnico modo emanationis non potest in diuinis ꝓcede=
re nisi vnica ꝑsona,quotcũꝗ ponant in diuinis modi emanationum,siue duo prædicti tm̃,siue plu
res finiti aut infiniti,dicente Ricar.v.de trini.cap.x.Iuxta qualibet differẽtiã iꝓssibile est ee plus ꝗ
vnã ꝑsonã.nã a sola vna ꝑsona,nõ pot ee nisi vnica filꞇ ꝑsona,ꝗ ꞇ tm̃ a gemina,nõ pot ee nisi vnica
sola:& sic deiceps si essent i diuinis emanatiões plures duab9.Et in diuinis a sola vna ꝑsona nõ pos
sunt ꝓcedere duæ ꝑsonæ,sed vnica tm̃:& secũdũ vnũ modũ emanãdi:& a solis duab9 ꝑsonis filꞇ nõ
nisi vnica,& secundũ vnũ alium modũ emanãdi.Ex quo concludit vlterius subdens.Sicut ergo in
diuinitate non potest esse nisi vnica ꝑsona quæ sit a seipsa:sic non pot ee plus ꝗ vna quæ sit ab vna
tm̃ persona:nec nisi vna sola quæ nõ est nisi a gemina.Quare cum in diuinis nõ sunt nisi duo mo=
di emanationum,per quas non emanant nisi tm̃ duæ persona: & præter illas secundum supra de=
terminata non est nisi tm̃ vnica quæ non est ab alia:idcirco irrefragabiliter concluditur ⱷ in diui=
nis nõ sunt nisi tres ꝑsonæ:vna ꝗ a nulla emanat:& vna ꝗ emanat ab illa sola ꝗ nõ emanat ab alia,
& tertia a qua nulla emanat,& quæ cõiter emanat ab illa quæ est a nulla emanans,& ab illa ꝗ ema
nat ab alia.Aliter aũt.f.ⱷ a sola vna persona non potest esse nisi vnica,Ricar.ibidem assignat ratione
ducentem ad inconueniens tale.Nã( vt dicit )si gemina tãtũ de vna procederet,pro certo proce=
dentium neutra alteri immediate adhæreret:quod est iꝓssibile.Et similiter si duæ tm̃ de duab9.Qm̃
( vt dicit ibidẽ)si ꝗrta i deitate persona esse potuisset,proculdubio ex cæteris tribus eam originem
trahere immediate oporteret:alioquin alicui earũ nõ nisi mediãte germanitate cohæreret.Et si quin
ta ꝑsona ibi esse potuisset,simili ratione de cæteris quatuor immediate procederet:& sic in cæte

ris,quantũcũcɋ ſeries intelligibiliter protrahat.Et procedit hæc ratio cõmunitr ſiue de vnica ſola
perſona ponantur duæ procedere,ſiue ſecundũ vnum modum procedendi, ſiue ſecundũ plures:&
ſic de cęteris.Sed ſuper eo qd ſpecialiter pertinet ad ꝓpoſitam quæſtionẽ,ɋ.ſ.ſecundũ vnum & cũ
dem modum procedendi non poſſunt in diuinis procedere plures perſonę,ſiue ab vna perſona,ſiue
a pluribus:ad hoc ſunt alię ſpeciales rationes. Qʒ enim ſecundũ vnũ modum procedendi ſiue ema
nandi ſingularem,puta ſecundũ vnam ſingularem actionem generandi emanarent duæ perſonæ,
vt duo filii,hoc clarum eſt impoſſibile,quia vna actio numero & ſingularis, non eſt niſi ad vnum
terminũ numero ſingularē:vt hæc dealbatio ad hanc albedinẽ,ſecundũ Philoſophũ.v.
phy.Similiter ɋ ſecundũ eundẽ modũ emanandi ſpecie,diuerſum numero, puta ſecundũ diuerſas
generationes aut ſpirationes,ponantur emanare in diuinis diuerſæ perſonæ numero in eadẽ ſpecie
conuenietes,vt duo filii vel duo ſpũs ſancti:etiã oĩno eſt impoſſibile. Qd declarat duplici via.Vna
ex parte eiꝰ qd eſt quaſi materia ſiue ſubiectum aut fundamentũ ſuper qd fundatur actus emana
tionum,& circa qd habent eſſe,& ex quo habent produci perſonę emanãtes,& in quo habet funda
ri ꝓprietates perſonarũ emanantiũ.Alia vero ex parte eius a quo procedunt & eliciunt actus ema
nationũ.Prima via ſic.quicquid eſt in deo eſſentiale,vnicũ eſt,ſingulare, & ſimplex. Eſt eĩ diuina
eſſentia ſingularis & vnica:ſimiliter intellectus diuinꝰ & volũtas,& intelligere & velle,in qbꝰ fun
dantur,& circa quę habent eſſe omnia notionalia & perſonalia.Actus eĩ notionales vt dicere ſiue
generare & ſpirare,fundatur in actibus eſſentialibus qui ſunt velle & intelligere,vt declarabitur in
ſequenti queſtione.Habent etiã eſſe circa diuinam eſſentiã vt circa ſubiectum & quaſi materiam,
& ex ipſa habent perſonę produci,vt habitum eſt ſupra:& in ipſa habent fundari proprietates per
ſonales:paternitas,filiatio,& ſpiratio. Quare cũ illud qd fundat in aliquo, aut habet eſſe circa ali
quid,aut produci ex eo,non poteſt plurificari ſecundũ numerum ſimul & in eodem inſtãti ſub ea
dem ſpecie niſi plurificato illo in quo fundat,& circa qd & ex quo habet eſſe.Verbi gratia, in crea
turis.Cum eĩ actus videndi colorẽ fundatur ſuper actum immutandi viſum a colore, ſi vnica &
ſimplex eſt immutatio,ſimul in eodẽ inſtanti non poteſt eſſe niſi vnica ſimplex viſio. Similiter cum
actus dealbationis eſt circa corpus,ſi corpus eſt vnicum ſecundũ numerũ,ſimul in eodẽ inſtãti nõ
poteſt eſſe niſi vnica dealbatio.Similiter cum album fiat ex non albo,ſi ſubiectum non albũ eſt vnũ
numero,in eodem inſtanti non poteſt ex ipſo fieri niſi vnum album,& vnico actu albationis. Simili
ter cum albedo fundetur in corpore, & ſimilitudo in corpus illud eſt vnũ numero,non
poteſt albedo fundata in ipſo eſſe plures numero,& ſi albedo eſt vna numero, & ſimilitudo fundata
in illa,etiam ſi per illam referatur ad plures:quemadmodũ vnicus pater vnica paternitate bene re
fertur ad plures filios.Oportet igitur ɋ ſicut actus intelligendi & volendi in deo eſſentiales ſuper
quos fundatur actus dicendi & ſpirandi notionales,ſimplices ſunt & ſingulares numero non pote
tes plurificari:ſimiliter & ſicut diuina eſſetia vnica eſt & ſimplex & ſingularis circa quã habet eſſe
vt circa ſubiectũ & quaſi materiã actus dicendi & ſpirandi & intelligendi:oportet ɋ cõſimiliter &
ipſi actus ſint ſimplices ſingulares & vnici:Conſimiliter etiam perſonę quę ex ipſa habent produci
ſecundum modum ſupra determinatum, oportet ɋ ſint ſingulares & vnicæ numero, & etiam
ipſę proprietates perſonales quę in ipſa diuina eſſentia habent fundari: vt ſic non ſit plus poſſibile
in diuinis eſſe plures generationes,plures filios,aut plures filiationes, ɋ̃ ɋ in eadem materia nume
ro eſſent in eodem inſtanti plures tranſmutationes numero ſub eadẽ ſpecie, vel in eodem homine
numero plures filiationes,vel ɋ ratione eſſet plures filii vnus & idem homo,& hoc maxime ſimul
in vno & eodem inſtanti:quemadmodũ ſimul in eodem inſtanti æternitatis habent eſſe quæcunɋ
ſunt in ipſo deo.Secunda via idem declaratur ſic,in qualibet emanatione diuinę perſonæ tota fœ
cunditas in perſona producente exhauſta eſt omnino in productione vnicę perſonæ,vt nec in pro
ducente,nec in producto reſtet fœcunditas aliqua ad aliquã aliã emanationẽ productiuã pſonę cõ
ſimilis. Aliter eĩ illa perſona ſecunda conſimilis produceretur abſɋ fœcunditate producentis,&
eſſet principiatũ productũ abſɋ ratione principiandi ipſum in principiante:qd eſt omnino impoſ
ſibile.Illud aũt ex parte intellectus in productione verbi,patet ſic,& per ſimile:qd intelligat ex par
te voluntatis in productione ſpiritus ſancti.Nam verbũ qd in diuinis producitur,quia ſemper ma
nens eſt,& ſimiliter actus ipſe producendi & producens ipſum ſemp vniformiter ſe habet,ipſo pro
ducto non poſſet reſtare fœcunditas ad aliud verbum producendũ niſi poſſent eſſe duę productio
nes omnino eiuſdẽ modi & eiuſdẽ rationis ſimul,emanantes ex eodem principio,& circa idẽ omni
no vniformiter ſe habens: cum omnis productio verbi in diuinis neceſſario eſt eiuſdem rationis ſi
cut eſt & omne verbũ qd poteſt eſſe in diuinis,quemadmodũ & ois actus intelligendi,& omnis ꝓ
ductio filiorum in eadem natura,& omnes filii,& oẽs filiationes etiã in creaturis. Illud etiam oĩno

est impossibile.Nam duas pductiones omnino vnius & eiusdem rationis esse circa idem oino vniformiter,impossibile est,vt ostedit ratio præcedens, maxime ab eodem agente vniformiter semper se habēte,quia hoc etiā impossibile est a diuersis agētib9:sicut impossibile est in creaturis vnā & eādem naturā numero oino vniformiter semper se habentem simul & semel siue ab eodem agente siue a diuersis pluribus motib9 eiusdem speciei moueri.Impossibile est ergoq eiusdem rationis sint in diuinis plures pductiones,aut plures pducti.& sic omnino secundum eundem modum pcedēdi non possunt in diuinis plures pcedere psonæ:secundum q hæc omnia amplius ptractata sunt in quadam questione de Quolibet,an.s,in deo sint tres personæ & tantum tres.

℄Ad primum in oppositum,q æqualis perfectio est in singulis personis , ergo & æqualiter & vniformiter est personæ emanatio a singulis,Dicendum q in deo differēt perfectio & ratio pfectionis.Perfectio eī de puris essentialibus est:ppter qd eadem est de singulis personis.Ratio aūt pfectiōis est modus habēdi eam,secundū quē cōtrahit ad personale:q nō est pluribus semp cōmunis:scdm q expositum est supra. Vnde q filius & spiritus sanctus nō generat,hoc nō pcedit ex imperfectione:sed ex perfectionis conditione.nam eadem est perfectio trium,sicut & eadem deitas:& ex eadem perfectione & diuersa pfectionis conditione est q pater generet, & non generetur, & q filius generatur & nō generat.solus enim pater habet eam ad generare:qa sub pprietate primitatis innascibilis:filius autē ad generari:quia sub pprietate nascibilis.℄Ad secundum q psona a qua emanat aiia communicat illi quæ emanat,suam substantiam:quare & virtutem &c.Respōsio ad hoc dependet a significato huius nois virtus siue potētia in diuinis.Ad cui9 intellectū sciēdū ē, q large sumendo significatū, p nomē significatur aliqd dupliciter.vno modo vt a quo nominis sit impositio:alio modo vt cui sit . Primo modo potētia nō significat formaliter nisi respectum siue relationē:& quasi materialiter in suo significato includit id in quo fundatur huiusmodi respec9.Et hoc mō diximus supra,loquendo de potētia dei in generali,q nō significat nisi respectū. Scdo autē modo loquendo de significato potētiæ,& hoc in speciali de potentia quæ respicit in deo actiōes notionales personarum,sciendū q cum in diuinis personis non sunt nisi substantia & relationes reales:potētia nō pōt significare nisi aut substātiam trm: aut relationem trm:aut vtrūq simul.Nō isto vltimo:quia significans substantiam cum proprietate non est nisi persona:& potētia de suo significato nō importat psonā.Substātia trm nō pōt intelligi significare nisi dupliciter,aut secūdū se,aut sub ratione alicuius respectus.Primo modo non potest dici significare substātiam:quia substātia secundum se nullam habitudinem notat ad actū,quā necessario notat potētia,vt satis declaratū est supra loquendo de potentia dei in generali.Si ergo significat substantiam,hoc necessario est vt sub aliquo respectu ad actum:qd necessarium est ponere,s.q significat substātiam vt id cui nomen im ponit:& nō nisi substātiā:& hoc vt est sub ratione respec9,& nō nisi vt est sub ratiōe respec9.Nō nisi substantiam:quia non est potentia nisi id quo agens elicit actum,aut id de quo elicitur . Hoc autem non est nisi forma qua agens agit,& natura qua patiens patit.Et non nisi sub ratione respectus:ita q nō sit ipse respectus potentiæ:sed sine quo non habet substantia rationem potētiæ . Propter quod licet substantia sit eadem sub diuersis respectibus:non tamen ipsa est eadem potentia.immo sicut ipsa sub respectu,hoc ē qa sub tali respectu,est potētia simpliciter:sic quia est sub diuersis respectibus,est diuersæ potētiæ.& hoc quēadmodum determinauimus alibi q anima licet sit vna substātia,tamen est diuersę potentiæ,& tamē potentia nō est nisi substātia animæ:& substātia aiæ est suæ potentiæ.sicut est de prima materia:q licet sit vna substantia,est tamē plures potentiæ.Et per hūc modū dicit Philosophus loquēs de materia.xii.metaphysicæ. Cum agēs est vnum,si materia esset vna secundum potentiā,& species vna secundum substantiam,generatum ex ea non esset nisi vnum . ℄Alii tamen considerantes q non est potentia nisi ipsa substantia, non attendentes q non est potentia nisi vt est sub respectu,putāt q sicut substantia est vna sic est vna potentia.Et di cunt q in diuinis non est nisi vna potentia in tribus,sicut neq nisi vna substantia.Et(vt videtur) positio est Magistri Sententiarum lib.i.distinctione.vii.ca.Idē.Vn isti ad argumentum respondent ex parte virtutis siue potentiæ,sicut iam responsum ē ex parte perfectionis:Dicendo q eadem est potentia patris & filii,sicut & eadem deitas:& q ex eadem potentia est q pater generat & q filius generatur:ita q nullam potētiam habeat pater,quā nō habeat filius.sed pater ad generare habet eādem vt potentiam actiuam:filius autem ad generari vt potentiam passiuā,& hoc quia alteri coniunctam respectui in patre & filio. Et sic dicunt q pater communicat filio suam virtutem qua ge nerat siue potentiā sicut & naturam:non tamen p ipsam potest generare filius:sed solus pater : qa sub alio respectu habet eam pater q fili9.Sed(vt dictum est )non debet dici q significat quid abso lute omino:sed solū sub rōne respectus,vt sicut essentia est potentia ad gnare sub respectu patris,&

ad generari ſub reſpectu filii:ſic eſt potẽtia ad actum indeterminate,vt eſſentia:nõ ſic potẽtia ad generare:niſi ſit ſub reſpectu paternitatis,neq̃ ad gñari niſi ſub reſpectu filiatiõis:ita q̃ ſit alia & alia potentia,ſecundũ q̃ eſt alius & alius reſpectus.Et hoc modo nõ eadẽ eſt potẽtia in patre ad generare,& in filio ad generari,& in vtroq̃ ad ſpirare,& in ſpũ ſancto ad ſpirari:niſi intelligamus eãdem quantũ eſt ex ſe indeterminatã,quia ſub indeterminato reſpectu:nec eſt in filio potẽtia ad generare ſiue qua generatur actiue,nec in patre potẽtia ad generari,ſiue qua generatur paſſiue:& ſimiliter de potentiis vtriuſq̃ reſpectu ſpũs ſancti,& econuerſo. Aliter igitur reſpondendum eſt ad argumentũ,dicendo q̃ perſona cõmunicans ſubſtantiã ſuam,communicat cũ ipſa & virtutem. Dicendum q̃ verũ eſt quo ad id q̃ eſt ipſa virtus ſiue potẽtia, quia non eſt niſi ipſa ſubſtantia, vt dictũ eſt:non tñ quo ad potentiã ſecundũ rationem potentiẽ. Nõ plus eñ potentiam ſiue ſubſtantiã ſub ratione potentiẽ ſue ſibi cõmunicat,q̃ ſuã proprietatẽ ſub qua ſubſtantia habet rationem potentiẽ ſue ſibi determinatẽ.

K

¶Aliter autẽ poteſt reſponderi diſtinguendo,q̃ eſt quẽda ſubſtantia que ex ſe habet determinatũ reſpectum ad actũ,& quædam q̃ non niſi per aliquid q̃ eſt eius in quo eſt. De ſubſtãtia primo modo,nõ eſt verũ q̃ cõmunicata ſubſtãtia cõmunicatur & potentia eius.Iſto modo quẽlibet ſubſtantia creata habet potẽtia determinatã ſibi ad actũ determinatũ, ſm Pĥm in fine iiij.Meteororũ:& hoc propter ſubſtantiẽ creatẽ limitationem.Subſtantia vero increata propter ſuã illimitationem ex ſe habet potẽtiã abſq̃ determinatione per aliquid ad oẽs actus eſſentiales,ſed nõ ad actus notionales, niſi per determinatione ad actũ ſub aliqua proprietate.Et ideo perſona in diuinis cõmunicans ſuã ſubſtantiam,cõmunicat ſuam potẽtiam ad omnes actus eſſentiales,ſed potẽtiã ad actus notionales non, q̃ non eſt niſi ex adiũcto in perſona cui cõmunicatur. ppter q̃ non poteſt cõmunicari niſi ſimul cum cõmunicatione ſubſtantiẽ cõmunicetur adiũctũ ppter q̃ habet potẽtiã illam.Et ideo quia perſona a qua emanat alia nõ communicat illi ſuã proprietatem ſub qua habet ſua ſubſtantia potentiam determinatã ad actum illius emanationis: ppter hoc licet cõmunicet illi ſuam ſubſtantiã:nequaq̃ tamẽ ſuam potentia,vt ſicut pater nõ cõmunicat filio ſuã ſubſtantiã ſub ſua proprietate,ſic nec ei cõmunicat ſuã potentiam qua generat.¶Q̃ autem confirmabatur de filio q̃ haberet verbum,quia ſecũdũ Apoſtolum portat omnia verbo virtutis ſue:Dicendũ ſecundũ Gloſſam q̃ ibi non ſumitur verbum p̃ aliquo conceptu mentis,ſed pro imperio voſuntatis.Dicit eñ ſic.Poteſtatẽ cõmendans ait,ipſe fili⁹ eſt portans,i.cõtinens & gubernãs oĩa verbo,i.ſolo imperio virtutis.i.potẽtie & bonitatis ſuẽ.Et nota(vt dicit)per ſimile dictum eſſe.Hoc eñ dicendo facilitatẽ continẽdi voluit deſignare per metaphoram illorum qui ſine vllo labore verbo vel digito mouent aliquid vel efficiunt.¶Ad tertium:filius aut poteſt generare filium aut non

L
Ad cõſir.

M
Ad tertiũ

poteſt:Dicẽdũ q̃ pertractando rationẽ de potentia modo prẽdicto quo aliqui ponunt potentiam ſignificare ſubſtantiam abſolute, multum refert quẽrere an filius poſſit generare,& an in filio ſit potentia ad generandum:quia poſſe verbaliter ſignificatum ſignificat potentiam vt applicabilem ad actum,ſecundũ q̃ eſt in eo cui attribuitur poſſe. Potentia vero nominaliter ſignificata ſignificat potentiam vt eſt res quẽda abſoluta ſecundũ dicta & modum ſignificandi reſpiciens actum vt applicabilem ſimpliciter ad actum in aliquo ſuppoſito,licet non determinate in eo cui attribuitur. Vnde dicendũ ſecundum illos q̃ iſta eſt vera,in filio eſt potentia a patre ad generare,non qua ipſe filius generet,ſed qua aliquis in diuinis generet.vt ſecundũ hoc differat dicere q̃ in filio eſt potentia q̃ eſt ad generare,& in filio eſt potentia vt generet.Hẽc eñ ſecundũ illos ſimpliciter vera eſt:in filio eſt potentia que eſt ad generare:iſta vero ſimpliciter eſt falſa,filius poteſt generare:& illa oppoſita vera,filius non poteſt generare,diſtinguendo tamen ſecundum illos,vt iam dicet. ¶Et q̃ arguit per Ricar. q̃ omnipotens per impoſſibilitatẽ non poteſt excuſari: Dicendũ q̃ aliquẽ excuſari per impoſſibilitatem ne poſſit in actum,poteſt intelligi dupliciter,ſecundum q̃ dupliciter poteſt cauſari illa impoſſibilitas,ſiue ex duplici cauſa. Vno modo & vna de cauſa ex defectu potentiẽ ordinabilis ad actum.Alio modo ex inapplicabilitate eius ad actum vt eſt in aliquo.Primo modo(vt dicunt)veritatẽ habet dictum Ric.Vnde poſtq̃ dixit,Omnipotens per impoſſibilitatẽ excuſari non poteſt,continuo ſubdit.Sed conſtat non ex defectu potẽtiẽ.& hoc modo filius per impoſſibilitatem non poteſt excuſari a poſſe generare : quia vt dictũ eſt,habet potentiam quẽ ad hoc ordinatur,licet in alia perſona.Secundo autẽ modo dictũ Ric.non intelligit nec habet veritatẽ:ſic eñ filius p̃ impoſſibilitatem excuſatur a poſſe generare,quia potentia quẽ eſt in ipſe ad poſſe generare,nõ eſt applicabilis ad actum generandi actiue ſecundum q̃ eſt in ipſo,quia non eſt in ipſo vt generet,nec ſub ppriate qua determinari poteſt ad hoc,vt dictũ eſt.Et ſic iſta impoſſibilitas in filio non dicit aliquid priuatiue:hoc eñ defectus eſſet in filio non conditio perſonẽ:ſed dicit aliquid negatiuẽ tantum,licet eñ defectus eſt ſi in aliquo non ſit q̃ natũ eſt ex ſua conditione ei ineſſe,vt viſio in ani

mali,qualem defectum nominat priuatio:non tamen defectus est si in aliquo non sit quod non est
natū ei iesse ex sua cōditione,vt infra declarabit. Et si arguatur cōtra hoc,ꝙ si filius non potest generare & pater potest generare,ergo pater aliquid potest qd̄ nō potest filius:Argumentum hoc tā
git Magister distinctione.vii.primi Sententiarum in principio distinctionis.Et est dicendum ꝙ nō
sequitur:quia secundum ꝙ dicit Magister Sentētiarum,posse generare filium nō est posse aliquid
sed ad aliquid.quoniam in diuinis generatio non est aliquid, sed ad aliquid. similiter neꝗ filius,Et
ideo posse gñare,est posse ad aliqd,& posse gñare filiū nō est posse generare aliqd,sed aliquē.Nec est
incōueniens ꝙ pf pōt in actione alicui⁹ respectus i quā nō pōt fili⁹:& pducere aliquē quē nō pōt p
ducere filius:& hoc nō ex ipossibilitate defect⁹ & cōditiōis,vt dictū est,& amplius iam dicet:vt nō
possit cōcludi ex prædicto modo:ergo aliqua potentia est in patre quæ non est in filio:sed solum ꝙ
potentia quæ est eadem in patre & filio,sit ad aliquam actionem vel personā producendam in patre ad quā non in filio.₡Q₂ arguitur etiā ex dicto August.filius ꝙ nō genuit nō est ga non potuit

generare:sed quia non oportuit:Dicendum ꝙ illa negatio cum dicit non potuit,potest intelligi pu
re negatiue vel priuatiue.Si negatiue,sic dicendum ꝙ illa,filius nō genuit nō ga nōpotuit,duplicē
habet intelligentiam:quia cum ly potuit includat potentiam vt ordinatam siue ordinabilem ad
actum in persona cui attribuitur:aut ergo illa negatio cum dicitur non potuit, potest negare potentiam generandi actiue,ratione ipsius potentiæ & applicationis eius ad actum simul:vel ratione
applicationis eius ad actum tm̄.Primo modo falsa est:quia negat filio non inesse potentiam qua ge
neratur siue qua aliquis generat. quem sensum querebat hæretici.Vnde assumpto verbo pmittit
Augustinus lib.iiii.contra Maximinū cap.xii.Absit vt quomodo putas ideo pater sit potentior filio
quia creatorem genuit pf:filius autem non genuit creatorē.nō enim non potuit &c.Et sic isto mō
est illa vera,non quia non potuit:sub hoc sensu exponendo dictū August.Nō genuit nō quia nō
potuit:sed quia non oportuit.i.non quia non habuit potētiam qua generat pater:sed quia nō opor
tuit,& hoc ideo quia sufficienter impleta fuit in actu,& omnino exhausta in hoc ꝙ pater per eam
generauit.Vnde Augustinus exponens quare non oportuit,continuo subdit dicens.Immoderata
enim esset diuina generatio si genit⁹ filius nepotem gigneret patri:ga & ipse nepos nisi auo suo p
nepotē gigneret secundum vestram mirabilem sapientiam,impotens diceretur iste:& ille nisi nepo
tem gigneret auo suo, & pronepotem proauo suo, non a vobis appellaretur omnipotens: nec im-
pleretur generationis series si semp alter ex altero nasceret:nec eam perficeret vllus si nō sufficeret
vnus.Vn̄ si pf nō effunderet totā potentiā actiue generationis vnico actu vnicū filiū gñando:filius
filium generaret in infinitum.propter quod supra fundata est ratio nostra ostēdens ꝙ in diuinis nō
potest generari plus g̃ vnus filius ab vno.Ex eo autem qd̄ sic negatur de filio ꝙ nō potuit genera
re,dicendo non quia non potuit, non sequitur ( licet videatur sequi ) ꝙ potuit generare . sensus
enim illius est: non quia non habuit potentiam qua generatur applicabilem ad generare vt est in
seipso tum ratione potentiæ tū ratione applicabilitatis:immo ipse habuit potentiam qua generat.
Ex quo non sequitur ꝙ potuit generare.Quia(vt iam dictū est supra)ly potuit dicit non solum po
tentiam:sed applicabilitatem eius ad actum in eo cui attribuitur:habere aūt potentiam hmōi,neꝗ
g̃ hmōi applicabilitatē iportat:& sic illa est vera,fili⁹ nō genuit nō ga nō potuit.i.nō ga nō habuit
potentiam qua generat:imo habuit illā licet nō applicabilē ad illū actum vt est in ipo,vt dictū est.
Si vero illa negatio non potuit,neget potentiam vt generet de filio, nō ratione illius potentiæ qua
generans generat:sed ratione applicationis eius ad actū solummodo:sic ipsa est vera sub hoc sensu
filius non habet potentiam vt applicabilem ad generare: & illa,filius non generat non quia non po
tuit:falsa est sub hoc sensu: non ga nō potuit generare.i.nō quia nō habuit potētiam applicabilem
in seipso ad generare:immo habuit eam sic:sed non oportuit: quia noluit, eo ꝙ pater filium generauit,qd̄ sufficit.Penes quem modum solebant aliqui dicere ꝙ filius potest generare:sed non gene
rat,reducendo potentiam suam ad actum propter inconueniens qd̄ sequitur,scilicet filiorum gene
rationem in infinitum,vt iam inductū est secūdum Augustinum.Sed hoc nihil est:tū ga in ꝗter
nis secundum Philosophum nō differunt esse & posse:vnde quicquid non est in deo,ipossibile ē es
se in ipso:& quicquid est in ipso,impossibile est non esse in ipso:tū quia scdm August. in deo minimum inconueniens summum est ipossibile .Vnde si inconueniens sequit ex hoc ꝙ ponat filius pos
se generare,illud est summum impossibile,immo si generare potuit generauit secundum ꝙ pcedit
deductio rationis.Si vero illa negatio non potuit gñare,ponat priuatiue,sic est falsa sub hoc sensu,
fili⁹ non potuit generare.i.impotens fuit carendo potentia ad generandum,quā tamen natus esset
habere,vel omnino non habēdo applicabilitatem eius ad actū, aut non pfectam ꝓpter aliquem defe
ctum aut impedimētum.In hoc enim differūt negatio & priuatio.Negatio enim dicit amotionem

alicuius ab alio abſolute:priuatio autem notat poſſibilitatem eſſendi ei qd̄ priuatur in ſubiecto a
quo priuat̄,ſecundū Philoſophū.iiii.Metaphyſicę. Et ſic iterū dictū Auguſtini eſt verū, filius nō
genuit non quia non potuit,ſub hoc ſenſu quē ponit Magiſter ſententiarū primo: non ex impoten
tia ſua fuit φ filius non genuit:qd̄ bene oſtendit deductio rationis: ſed quia non oportuit.i. non ei
cōueniebat:hoc eſt non conueniebat ſuę proprietati:& ideo non potuit.ſicut filius non poteſt eſſe
pater non vtiq̄ ex aliqua impotentia,ſed ex proprietate natiuitatis qua oportuit eum non eſſe pa
trem ſed filium tantū. Vnde in diuinis aliquid non oportere,vel non congrue fieri, vel nō conueni
re vt fiat,idem eſt qd̄ oportere vel congruere nō fieri,& ita φ impoſſibile ſit fieri. Sed ponendo po
tentiam non eſſe ſubſtantiam nec econuerſo niſi ſub ratione reſpectus, ita φ ſub alio reſpectu &
alio eadem ſubſtantia bene eſt alia & alia potētia:non reſfert dicere filium poſſe generare,&φ in ipſo
ſit potentia quae eſt ad generare:nec reſfert quęrere an filius poſſit generare,& an in filio ſit poten
tia ad actum generandi.quia loquēdo de tali potētia,cuiuſcunq̄ eſt potētia,eius eſt & actus ſibi re
ſpondens,nec eſt potentia in aliquo niſi ſit applicabilitas eius ad actum in eodem.Et ſic circa dicta
in ratione nulla eſt difficultas:quoniam ſicut filius non poteſt generare ſed generari, ſic nec in ipſo
eſt potētia q̄ eſt ad generare,ſed q̄ eſt ad generari, & habet pater aliqua potētiā quā nō habet fili,
nec eſt eadē potētia penit in patre qua potuit pater gignere, & in filio qua potuit fili gigni:ſicut
nec ſunt idē gignere & gigni, vt nō ſit dicēdū φ eadē potētia q̄ ē in patre,eſt & in filio,licet ad aliū
actū,ga eſſe ad aliū actū ſub alio reſpectu,eſt eſſe alia potētia.Quia ei potētię diſtinguunt p act fm
Phm,hoc ſolum facit φ potētia ſit alia,φ.ſ.eſt ad aliū actum. CAd formam vero arg. reſpondendū
eſt ſicut prius fm Magiſtrū ſententiarū.Et ſicut nullū eſt incōueniens aliquā potētiā in patre eſſe q̄
non eſt in filio,ſic nullū eſt inconueniens aliquā eſſe pprietatē patris q̄ non eſt filii, vt infra videbit̄.
Et confimiliter non eſt iſta diſtinguenda,filius non habet potentiā generandi quā habet pater,quia
nec habet potentiam vt generet ſicut pater,nec eadem potētia eſt qua poteſt gignere & ille gigni,
vt dictū eſt.q̄uis Magiſter ſententiarū.vii.diſtinctione diſtinguat eas. Vnde licet in argumento
prędicto ad qd̄ reſpondet Magiſter ſententiarū,cōmutat ad aliquid in quid,ſi tamen ſic arguatur
ſi filius non poteſt generare,ergo aliqua potentia non eſt in filio quæ eſt in patre:diceret Magiſter
ſecundū opinionē pdicta φ non ſequit̄:ſed φ hoc bene ſequat̄,ergo potentia in filio nō eſt ad eundē
actū ad quē eſt in patre:eadē tn̄ potentia quæ eſt in patre eſt in filio.Qd̄ non poteſt ſtare.Cum eñ
(vt dictū eſt)nō eſt ſubſtātia niſi vt eſt ad actū:& nō eſt determinata potētia niſi ſit ad determina
tū actū:q̄q̄ ergo eadē ſubſtātia q̄ eſt in patre ſit in filio:ſi tn̄ in patre eſt ad actū q̄ eſt generare,vt.ſ.
ea pater generet,& ideo eſt in patre aliqua determinata potentia:in filio autem nequaq̄ eſt ad eun
dem actū,ſed potius ad oppoſitum: in filio ergo non eſt eadem potētia quæ eſt in patre, immo fru
ſtra eſſet in illo.Igitur bene tenet dictus proceſſus ad aliquid in ad aliquid. etenim licet ſubſtantia
non ſit ad aliquid, quia tn̄ non cōuenit ei nomen potētiæ niſi vt eſt ſub reſpectu qui eſt ad aliquid,
potentia eſt ad aliquid:& etiam cum hoc ſignificat ſubſtantiā.Sicut eñ ſubſtantia eſſe ſub vno re
ſpectu,non eſt ipſam eſſe ſub alio reſpectu,ſic ſubſtātia licet omnifariam ſit vna & eadem ſubſtātia
non tn̄ eſt vna potentia vt eſt ſub vno reſpectu & ſub alio,ſed alia & alia. Eſt eñ ſecundū aliquos
ſubſtantia tracta ad relationē,licet non ſit principaliter relatio. Et ſecundum hunc modum poten
tiæ filius per impoſſibilitatem excuſatur ne poſſit generare,non quæ eſt defectus,ſumendo impoſſi
bilitatem priuatiue:omnipotens eñ per talem impoſſibilitatem a nullo actu poteſt excuſari: ſed q̄
eſt conditio naturæ,ſumendo impoſſibilitatem negatiue.Licet enim filius non habet omnino poten
tiam generandi actiue,hoc nō eſt ex aliqua impotentia defect in illo,ſed quia non congruit omni
no:immo contrariatur ſuo modo eſſendi,vt dictū eſt.Quomodo autē non repugnat omnipotē
tiæ filii φ non eſt in eo aliqua potentia quæ eſt in patre,inferius videbitur.Hoc autē modo loque
do de potētia in illo dicto Auguſti.Filius non genuit non quia non potuit:negatio in eo qd̄ dicit
non potuit,non ponitur niſi priuatiue.Sic eñ iſta eſt falſa,filius non potuit generare, vt iam dictū
eſt.Negatiue autem illa ſimpliciter eſt vera,filius nō potuit generare,nec habet niſi ſenſum vnicū,
quia negat potentiam ſimpliciter,vt dictū eſt.& ſic in ſenſu priuatiuo illa ſimpliciter eſt vera,fi
lius non genuit non quia non potuit,ſed quia non oportuit,vt dictū eſt. CAd quartum:φ per
ſona emanans nihil derogat potentię eius a qua emanat,& ſic poſt emanationem vnius perſonę po
teſt emanare alia cōſimilis:Dicendū φ nō eſt verū,Nec hoc puenit ex aliqua derogatione facta po
tentiæ eius a quo emanat,ſecundum qd̄ tamen proceſſit obiectio:ſed potius puenit ex ipſius po
tentię perfectione,qua ſemel diffundit ſe in actum perfectū & permanentem, in perfectam produ
ctionem pſonæ per illum.Qz enim ex potentia eadem actus iterantur,hoc non contingit niſi ex de
fectu potentiæ,φ ſcilicet ſemel nō diffundit ſe in actum perfecte,vt qd̄ nō cōſequitur in vnico actu

O

P

Q

R

S
Ad q̄rtū.

consequatur in pluribus,Et eadé ratione cp multiplicantur pducta in eadé natura, non é nisi ex de
fectu producti:in eo,f.cp non plene continet in se qd pertinet ad naturam & rationem suam.ppter
hoc enim solum plurificantur indiuidua sub eadem specie secundum Commentatorem super pri‍
mum cæ.& mun.Vbi ergo potentia perfecte semel se diffundit in actum perfectum , aliquid per‍

**T**
**Ad qntū,** fectū p ducens, non est actio nisi vnica secūdū vnicam rationem, & pductum nisi vnum,secūdum
cp expositum est in præsignata quęstione de Quolibet.CAd quintum,cp iidem actus essentiales in
telligendi & similiter volendi trium communes sunt: quare & actus notionales fundati super ip‍
sos communes sunt tribus &c.Dicendum cp huiusmodi actus essentiales dupliciter cōsiderari pos
sunt,vno mō scdm se & absolute:alio mō vt habent esse in persona hac vel illa,Primo mō nō fundā
tur in eis actus notionales,quia sic essent communes omnibus personis quibus illi actus conuenīt
vt pcedit obiectio,sed fundātur in eis secundo modo.Actus enim notionales dicędi non fundātur
super actum essentialem intelligēdi,nisi prout ipse habet esse in patre,In solo eī patre ratione suæ
innascibilitatis & primitatis qua non habet esse ab alio,sed omne aliud & omnis alius ab ipso,est foe
cunditas ad primum actum primi producti : & est foecunditas sapientiæ & intellectus patris exi‍
stentis in actu intelligendi essentialiter ad dicendum siue producendum verbum,quo perfectus est
totus intellect⁹ diuinus essentialis & in se & vt est in qualibet trium personarum:vt sic pater qua
si vice omnium dicat vnicum verbum perfectum,vt non oporteat aliquam aliarum personarū ver
bum dicere.& per hoc impossibile est in diuinis esse aliud verbum,vt supra expositum est.Cōsimi
liter actus notionalis spirandi non fundatur super actum essentialem volendi,nisi prout ipse habet
esse communiter in solo patre & filio,In solis eī ipsis ratione communis inspirabilitatis qua nō ha
bent esse ab alio per spirationem:licet illud nō ponatur esse notio,vt infra videbitur:sed ab ipsis ha
bet esse ipsum spiratū: est foecunditas ad secūdū actum pductiuum: & est foecūditas amoris & vo
luntatis patris & filii existentis in actu volendi essentialiter ad spirandum amorem qui est spiritus
sanctus:quo perfecta est tota voluntas essentialis diuina & in se & vt est in qualibet triū personarū
vt sic pater & filius quasi vice totius trinitatis spīrēt vnicū amorē perfectū,vt nō oporteat spiritū
sanctum omnino spirare aliquem amorem.& propter hoc impossibile est in diuinis esse alium amo

**V**
**Ad sextū.** rem spiratum siue alium spiritum sanctum,CAd sextum cp pater per efficaciā suam dat filio quē
generat vt aliam psonam producat:ergo ambo dant idem spiritui sancto:Dicendum ad hoc secun
dum Ricar,iiii.de trinitate cap.xi.cp sicut necesse est aliquam esse personam quæ non habet esse ab
alia:sic necesse est ibi esse aliquam a qua nō sit aliqua alia, vtruncp nācp simili ratione conuincitur.
Nā si in illa vera deitate non esset aliqua psona a qua nō pcederet aliqua alia:sed qlibet ex alia pce
dens de se procedētem haberet,hmōi deductio in infinitum pcederet.Et vt dicit cap.xii.hęc perso
na a qua nulla pcedit,hoc sibi pprium habet,vt sicut nō possit esse in diuinis nisi vnica psona quę est
a nulla & a qua alia aut alię, & vnica q ab alia & a q alia: sic necesse est tm vnicā esse illam quæ est
ab alia,& a qua nulla,ga(vt dicit) si tales essent duę,nulla immediata germanitate essent cōiūctæ.
Sed huiusmodi cā essentialior,habet ex præde.erminatis:ex quibus etiā patet cp non pcedit ex aliq
impotentia aut impfectione talis psonę cp nulla pcedit ab ea:sed ex conditionis suę pprietate: quia
non oportuit:quia tota foecunditas diuinæ naturæ in duplici pductione secundum prædetermi‍
nata exhausta est & completa.Nec etiā pcedit ex aliqua inefficacia patris & filii in spirādo spiritū
sanctū,cp talem psonam pducit q non potest aliam vlterius pducere:licet pater personam produ
cat q vlterius pducit aliam:sed pcedit ex pducentium & pductorum conditione,ga cp filius a pa
tre recipit vim pductiuā psonę,est quia prima pductione pducit:quę ordinem habet ad secūdam
ppter qd vis pductiua secūdum illam productionem ei communicatur vt cum patre pducat ter
tiam psonam,sicut patet ex supra determinatis:& illa pducta nō restat vlterior, propter qd ei nul
la vis productiua communicatur,quia nulla est vlterius nec esse oportet nec potest , vt patet ex
supra determinatis.

**A**
**Quęst. ix.**
**Arg.I.** Irca nonum,cp actus emanationum notionales generandi & spirandi sunt quæ‍
dam intelligere & velle,siue quidam actus intelligendi atcp volendi,arguit Prio
sic,vnius potentiæ non est nisi vna per se operatio:quia secundum Philosophum
potentiæ distinguuntur per actus,sed generare & spirare sunt operationes intel
lectus & voluntatis:quæ sunt potentię quædam dei secundum modū supra de‍
terminatū:& sunt singulę & vnicę in deo:quia in vno nō potest esse nisi vna po‍
tentia vnius rationis,& istarum potentiarum operatiōes pprie sunt intelligere

² & velle,ergo &c.CSecundo sic,Augustinus dicit.xv.de trini,cap.xv,Si potest esse in aīo aliqua sciē

tia ſempiterna, & ſempiterna non poteſt eſſe eiuſdem ſcientiæ cognitio,& verbum verum noſtrũ
intimũ niſi noſtra cognitione nõ dicam⁹, ſolus deus intelligitur habere verbũ ſempiternum.Vult
ergo ꝙ verbum noſtrum cognitione dicimus.Eſt ergo dicere in nobis cognitio quædã,cogitare au
tem eſt intelligere quoddam, ergo &c. Ergo & conſimiliter dícere dei, ꝗꝗ non ſit cogitare quod
dam,vt dícit cap.xvii.tamen reſpõdet ei cogitare in nobis,erit ergo dicere intelligere quoddam. &
ſicut eſt de dicere ex parte intellectus ꝗ eſt quoddã intelligere, eadẽ ratione ſpirare ex parte volũ
tatis eſt quoddam velle,ergo &c.℆In contrarium eſt:quia ſi actus emanationum notionales gene **In oppoſi.**
randi & ſpirandi eſſent quædam intelligere & velle : tunc in deo non eſſet alia potentia qua pater
generat & ſpirat,ab illa qua intelligit & vult:& eſſent actus generandi & ſpirãdi eſſentiales cõmu
nes tribus,ſicut & potentia intelligendi.conſequens falſum eſt,ergo &c.

℆Vt videamus differentiã actuũ notionaliũ generandi ex vna parte & eſſentialiũ **B**
intelligẽdi atꝗ volẽdi ex alia: oportet videre quomodo iſti actus habẽt formari in intellectu & vo **Reſolu.ꝗ.**
luntate:& primo ex parte intellectus,& deinde per ſimilia eorum ꝗ videmus in intellectu, ex par
te voluntatis:quia clariora nobis ſunt quæ experimur ex parte intellectus,ꝗ ex parte voluntatis:&
ordo quidã eſt eorum quæ ſunt in intellectu,ad ea quæ ſunt in voluntate,ſecundũ prædetermitata,
& amplius infra determinãda.Et quia vt dicit Ric.in creata natura legimus quæ de natura increa
ta ſentire debemus: adhuc primo illorũ actuum formationem inſpiciamus in intellectu noſtro, vt
hęc nobis ſcala fiat ad cõſpiciendũ illã in intellectu diuino,& informatione intellectus noſtri cõſide
remus inchoãdo in ſimili ab informatiõe viſionis ſenſibilis in oculo corpis,tãꝗ ab informatiõe ſen
ſus nobis notiſſimi,iuxta ꝓceſſum Aug.ab.xi.de Tri.& deinceps.In informatiõe aũt viſionis corpa
lis in oculo,primũ principiũ eſt ſpecies corpis viſibilis:a qua ſm Augu.xi.de Tri.cap.ii. ſpecies ſiue
forma ĩprimĩt ſenſui,ꝗ viſio vocaſ:a qua etiã ſpecie corpis ſubtracta,manet corpis ſimilitudo in me
moria ſenſibili:ad quã intrinſecus conuertiſ acies imaginationis, vt exinde formetur intrinſecus,ſi
cut ex corpore ſenſibili obiecto ſenſus extrinſecus formabatur.Et vt dicit ca.vii.illam ſpeciem ꝗ ĩ
memoria eſt,quaſi parentem dicimus eius quæ fit in phantaſia cogitantis.Sed neꝗ illa vera parens
eſt:quare neꝗ iſta vera proles eſt: ſed vnde interiora atꝗ veriora exercitatius veriuſꝗ videantur,
& hoc in ipſa mente intellectuali in cognoſcendo ſeipſam.Quæ,ſecundũ determinationem Augu.
per totum.x.de Trini.& vt replicat li.xiiii.cap.iiii.in fine,ſemetipſam noſcit, & hoc non aliunde ac
cipiendo ſpeciem qua in noſcendo informatur. quia nihil tam nouit mens ꝗ ꝗꝺ ſibi præſto eſt, nec
mẽti quicꝗ magis præſto eſt ꝗ ipſa ſibi.Vnde(vt dicit cap.v.)mẽs infantis ſe noſcere credẽda eſt,ſed
cogitare ſe nõ poteſt:tanꝗ ipſa ſibi ſit memoria ſui vt formet cogitantis obtutus,& gignat in intel **C**
lectu ſuam cognitionem.quia(vt dicit cap.vii.) ibi verbum eſſe ſine cognitione non poteſt.Cogita
mus eĩ omne ꝗꝺ dicimus, quando eis quæ memoriæ præſto fuerant,ſed non cogitabantur, cogni
tio noſtra formatur.Et vt dicit libro.xv.cap.xi. Gignitur de ſcientia ꝗ manet in animo,ea ſcientia ꝗ
int⁹ dicit.Et vt dicit cap.xiiii.verbũ hoc veritas eſt: ꝗm ꝗcꝗd eſt in ea ſcientia de qua eſt genitũ,etiã
in ipſo eſt ſimile in ænigmate illi verbo dei ꝗꝺ deus eſt,ꝗuãdo & ſic de noſtra naſciſ,quemadmodũ
de ſcientia patris & illud natum eſt.Qualitercunꝗ autẽ veritas ſe habeat de hoc ꝗꝺ vult Augu.ꝗ
mens noſtra ſemper ſeipſam cognoſcit,in hoc tamẽ proculdubio veritas conſiſtit,ꝗ in omni noſtra
cognitione intellectuali circa rem de qua natũ eſt formari verbum:primo eſt aliqua ſimplex ſcien
tia ſiue notitia in intellectu creata non opere intellectus,quia reſpectu talis notitiæ intellectus crea
tus ſolum paſſiuus eſt,ſed de re intelligibili obiecta agente in intellectum ſuã ſpecie quæ eſt notitia
ꝗꝺã de ipſa quæ manet in memoria,& ab illa ſimplici notitia ſiue ſcientia exiſtẽte in memoria in
tellectu ſic informato replicãte ſe ſupra ſe vt eſt intellectus ſimpliciter,& mouẽte ſeipſum ſeipſo ſic
informato vt quodã intelligibili obiecto gignitur notitia ſiue ſcientia cogitatiua, quæ eſt verbum
in intelligẽtia. Dico aũt ſecũdũ Aug.xiiii.de Trini.ca.vii.intelligentiã qua intelligim⁹ cogitantes,
& hoc(vt dicit ibidẽ)illo verbo iteriore,ꝗꝺ(vt dicit ca.xv.)maxie intelligere dicim⁹. Ex quo aĩad
uertendum eſt ꝗ duplex eſt actus intelligendi in intellectu. Vnus ſimplicis intelligetiæ de re intel
ligibili vt ſecundũ ſe eſt obiecta ante verbi formationẽ,ſed per ipſius rei obiectę actionem formatus
ex quo manet ſimplex notitia ĩ memoria,& alter cogitatiu⁹ poſt verbi formationẽ format⁹ de re ĩ
telligibili vt eſt obiecta in ipſo verbo.Cuius verbi formatio media eſt inter vtrũꝗ actũ intelligen
di:quia vnus oĩno ꝑcedit ipſius verbi formationẽ in nobis:alter vero ſequiſ.Et ſic actus dicẽdi quo
formatur ipſum verbũ,medius eſt inter vtrũꝗ actũ intelligẽdi.Cum eĩ vt dicit cap.xv.quiddam
mentis noſtrę hac atꝗ illac volubili cogitatione iactamus,& a nobis nunc hoc nũc illud,ſicut inuẽ
tum fuerit vel occurrerit cogitaſ,tunc fit verbũ verũ:qñ.ſ.illud ꝗꝺ dixi volubili cogitatiõe iactari

ad id qd ſcimus peruenit,atq̃ inde formaꝼ,eius omnimodã ſimilitudinẽ capiens. Formatur autem
de eo qd ſcimus intelligentia ſimplici, tanq̃ de memoria. Cum enim noſter intellectus p diuerſas
differentias ſub genere diſcurrit inueſtigãdo de re ſcita ſimplici notitia qd quid eſt eius:quã inue
ſtigationem appellat volubilẽ cogitationem:inueſtigatione eius completa habita vltima differẽtia
qd appellat Auguſtin⁹ puenire ad id qd ſcim⁹: tunc prio iteriora rei ſcitæ detegunꝼ:vt p hoc tũc
prio dicamur oculo intuit⁹ ꝑtingere ſiue puenire ad ipm ſcibile in vere ipm ſciẽdo:qd cũ attigim⁹
ſtatim ſcibile vt ſcitum eſt actualiter & ſimplici notitia exiſtẽs in memoria,generat de ſe quaſi ſubi
to collectis omnibus differentiis cũ genere,qd quid eſt,qd in ipſa intelligentia eſt quẽdã notitia di
ſtinctiua & diſcretiua ſeu declaratiua, quã verbum appellam⁹:in quo res ipſa exiſtẽs vt explicata
p partes, mouet ipſam intelligentiam vt intelligat cogitando,non cogitatione volubili qualis erat
ante verbi formationem : ſed ſtabili qua res perfecte cognoſcitur & ſcitur. Quia notitia ſecunda
quę eſt in verbo,non ſolum ſcit & intelligit rem:ſed ſic ſcit & intelligit eam vt ſciat ſe ſcire & intel
ligere eam intellectu intelligendi ſecundo reflexo ſuper actum intelligendi ſiue ſciendi primum.
Et ſic actus qui eſt dicere ſiue generare, non eſt idem quod intelligere ſiue primum ſiue ſecũdum:
quia dicere eſt vera actio pcedens a memoria ſiue a notitia ſimplici exiſtente in ipſa, ſiue de re ob
iecta vt eſt in memoria.& ſic eſt actio ſiue operatio qdã intellectus informati ſimplici notitia, qua
in ſeipſo format notitiam declaratiuam ſimillimam illi ſimplici notitię.Intelligere autẽ eſt paſsio in
intelligentia a re intelligibili in ſe vt ex ſe eſt confuſum quid, vel in ſuo quod quid eſt vt eſt di
ſtincta per partes in notitia ſimplici.Hoc ergo applicando ad ꝓpoſitum dicim⁹ cꝗ deus pater actu
ſuo intelligendi ſimplicis notitię cognoſcit ſuam eſſentiam:quæ quidem notitia eſt in ipſo tanꝗ in
memoria,de qua naturaliter formaꝼ in ei⁹ intelligẽtia notitia declaratiua & manifeſtatiua ei⁹ qd iã
eſt cognitum notitia ſimplici quæ verbum dicitur.dicente Ricar.vi.de trinitate cap.xii.Proferen
tis verbũ ſenſus & ſapiẽtiæ ipſius ſolet eē indicatiuũ.Recte ergo dicitur verbum,per qd patris qui
fons ſapientiæ ē,notitia manifeſtatur:quia verbum naſcitur de corde ſuo,& ipſo propalatur ꝓferen
tis intentio.In patre eſt omnis veritatis conceptio:in verbo ois veritatis platio.Et ca.xiii.Dei filius
verbum dicitur,eo cꝗ ipſe paternã claritatem loquitur:& qualis vel quanta ſit per ipſum manifeſta
tur. Sic autem in deo de notitia ſimplici formatur notitia manifeſtatiua nõ per diſcurſum ſicut in
nobis:ſed ſimul & ab æterno cum ipſa notitia eſſentiali ſimplici.In quo differt formatio verbi noſtri
a formatione verbi diuini. Vt enim dicit Auguſtinus.xv.de trinitate capitu.xvi. dicitur dei ver
bum vt dei cognitio nõ dicatur:ne aliquid quaſi volubile credatur in deo qd recipiat formam vt
verbum ſit. Cognitio quippe noſtra perueniens ad id quod ſcimus, atq̃ inde formata,verbum no
ſtrum verum eſt.& ideo verbum dei ſine cognitione debet itelligi:vt forma ſimplex intelligaꝼ,nõ
aliquid habens formabile qd eſſe poſſet informe.& hoc ſubſiſtens in eo in quo formatur,nõ ei inhę
rens,ſicut contingit in verbo noſtro : in quo tñ intelligit is a quo formatur: queadmodum & nos
in verbo formato a nobis. ⸿Dicimus ergo ad quæſtionem deſcendendo, cꝗ emanatio actus no
tionalis dicendi verbum ſiue generandi filium(qd idẽ eſt) nõ eſt aliquis actus intelligendi:ſed eſt
in nobis medius inter duos actus intelligendi:quorum vnus eſt perfectus & completus,alius vero
imperfectus & incompletus,differentes ſecundum rem.In deo vero inter duos actus intelligendi pa
tri eſſentiales,differentes ſola ratione: quorũ vterq̃ eque completus eſt,quia vnus & idẽ eſt ſecun
dum rem differens ſola ratione:quia ſcilicet vnus declaratiuus & manifeſtatiu⁹eſt,& hoc notitia ꝗ
ſi cogitatiua eius qd ꝑ alium cognitum quaſi ſimplici notitia. Vñ verum eſt cꝗ actus dicẽdi ſi
ue generandi in deo, eſt actus intellectus,nõ ſub ratione qua eſt intellectus purus ſiue intelligentia
ꝗſi nuda:ſub iſta enim ratione verbũ in ipſo nõ concipitur per actum dicendi:ſed eſt actus intelle
ctus ſub ratione qua eſt memoria,continẽs in ſe notitiam ſimplicẽ,& in ea obiectum quo elicit actũ
dicẽdi verbũ,vt dictũ eſt.Et ſic dicere nõ eſt aliquod itelligere,qd conſiſtit in ſimplici ſpeculatiõe:
ſed eſt potius pducere quoddã,qd conſiſtit in ſpeculabilis explicatione,ſecundũ cꝗ ãꝑlius in ſeꝗn
ti queſtione declarabitur.Et ſicut hoc dictũ ē de dicere ſiue generare ex parte intellect⁹ reſpectu
actus intelligendi , conſimiliter intelligatur qꝛo ad aliqua de ſpirare ex pte volũtatis reſpectu act⁹
volẽdi,licet in multis ſit diſsimile,ſcdm cꝗ hęc oia ex pte volũtatis inferius habent declarari loquen
do de ꝓprietate ſpirationis actiuę in patre. Et ſcdm hoc concedendum eſt argumẽtum inductũ
pro iſta parte.

**D**
**Reſponſio**

⸿Ad argumentum vero primũ inductũ pro pte oppoſita cꝗ nõ eſt operatio ſiue
actio itellect⁹ & volũtatis niſi velle & itelligere &c.Dicẽdũ cꝗ intellect⁹ in deo duplꝛ põt cõſiderari
vno mõ vt ē itellect⁹ ſub rõne itellect⁹:alio mõ vt ē natura,& ſub rõne mẽorię,ſcdm iã dictũ mod⁹

**E**
**Ad arg.**

Primo modo eius operatio non eſt niſi intelligere:et conſiſtit in ſpeculatione, atᵹ perficit mo=
do paſſionis:qua ſcilicet ab obiecto intelligibili quaſi informat notitia illius. Secūdo aūt modo
eius opatio cōſiſtit in pductione. Intellectus eīm exiſtēs in actu intelligendi ſimplicis notitiꝭ,iā
perfectus & ſoecūdus eſt ad pducēdū verbū:nō vt intellectus eſt & ī patiendo:ſed vt natura ꝑ
ducēs & in agēdo. Et ſilᵹr eſt de volūtate & eius duplici actu:pter hoc ᵹ volūtas ī actu ſimplici
volēdi actiua eſt,mouēdo ſe actu volēdi in obiecto:cū tn̄ intellectus pure paſſiuus ſit ī actione
intelligēdi ſimplici recipiēdo modū ab obiecto,vt dictū eſt. ⸿Ad ſecundū:ᵹ verbū dicimus co=
gnitione:Dicēdū ᵹ hoc nō dicit quia cognitio ſit actus quo pricipiatiue verbū pducit:ſed qa
ſine cognitione actuali quaſi prꝫuia nō pducit:ſcdm ᵹ ſeqꝫs q̃ſtio declarabit.

F
Ad ſecūdū

Irca Decimū arguitur : ᵹ emanationes actuū notionaliū dicendi ſiue gene=
randi & ſpirādi nō fundent ī actibus eſſentialibus intelligēdi & volēdi quaſi
preſuppōnētes illos,Primo ſic.actus eſſentiales intelligēdi & volēdi cōmu=
nes ſunt patri & filio & ſpiritui ſancto,ᵹ pducunt per ipſos actus notionales
generandi & ſpirandi.Perſonꝫ aūt agētes actus quoſcūᵹ ſcdm rationē intel
ligēdi pcedūt actus:& pductꝫ ꝑ actus ſequitur ipſos . actus ergo notionales
generare & ſpirare ſcdm rationē pſonas filii & ſpiritus ſancti ꝑ ipſos pductꝫ pcedunt: & pſo=
nꝫ eꝫdē pcedunt actus eſſentiales:quare & actus notionales ſimiliter pcedūt actus eſſentiales
& ita nō fundātur ī illis,aliter eīm pſonꝫ filii & ſpūs ſancti eſſent & agerēt anꝭᵹ pducerēt:& ꝑ
cederēt ſeipſas,& eſſent rō ſuꝫ pductionis:quꝫ oīa falſa ſunt.ergo &c. ⸿Secūdo ſic.ī intellectu
eſt ratio qua eſt intellectus,& ratio qua eſt natura:& ſimiliter eſt in voluntate:& ſcdm hoc alia
& alia opatio cōpetit eis,videlicet opatio eſſentialis intelligēdi & volendi ſcdm ᵹ eſt intelle=
ctus,& volūtas,& opatio notionalis generādi & ſpirādi ſcdm ᵹ ſunt natura,vt iam dictū eſt
in q̃ſtione pcedente.ſed ſcdm ratione intelligēdi prior eſt in eo ratio qua eſt natura,q̃ qua eſt
intellectus aut volūtas:quia ſcdm ᵹ intellectus & volūtas ſunt potentiꝫ in natura:& ita quaſi
determinātes naturaliter rationē naturꝫ.ergo prior eſt ſcdm rationē īntelligēdi opatio pcedēs
ab eis vt ſunt natura,q̃ vt ſunt intellectus aut volūtas:& ſic idem qd̄ prius. ⸿In cōtrariū eſt.
qm̄ ſcdm rationem eſſentialia pcedunt notionalia,vt ſepius declaratū eſt ſupra.

G
Queſt.X.
Arg.ı.

ı

In oppoſi.

⸿Dicendū ᵹ perſona patris ex ſe non ab alio ſicut nec habet eſſe ab alio, in ſe ha
bet oīa eſſentialia.Propter qd̄ a Diony.fontana deitas:& ab Auguſti.principiū toti⁹ diuinita=
tis dr̄. Per hoc aūt ᵹ exiſtit in actu ſcdm actus eſſentiales ītelligēdi & volēdi,eſt ī pfecta ſoecū
ditate ad primos actus alicuius pductiuos:cuiuſmōi ſunt actus notionales pductiui pſonarū
infra diuinā eſſentiā.Et cū neceſſario ordo quidā ſit ſcdm ſupra determinata actuū eſſentialiū
inter ſe:& ſilᵹr actuū notionaliū:quia actio intelligēdi quodāmodo puia eſt ad actū volēdi,&
actio dicēdi ad actione ſpirādi:Ideo pater ꝑ hoc ᵹ eſt q̃ſi primo in actu exiſtēs ſcdm actū ītelli
gēdi,ratione ſuꝫ primitatis quaſi primo eſt in pfecta ſoecūditate ad primū actū notionalē qui
eſt generare ſeu dicere:qui pcedit a patre ſic exiſtēte in actu ꝑ actū intelligēdi eſſentialem. &
ſcdm hoc actus notionalis generādi ſeu dicendi fundari dicitur in actu eſſentiali intelligēdi
& ordine quodā rationis quaſi pſupponit ipm̄.Et ſicut hoc ita ſe habet de actu generādi & in
telligēdi reſpectu patris & intellectus paterni: ſimiliter ſe habet de actu ſpirandi & volēdi
reſpectu patris & filii & voluntatis vtriuſᵹ.

H
Reſponſio.

⸿Ad primū in oppoſitū:ᵹ actus eſſentiales cōmunes ſunt tribus pſonis:Dicēdū
ᵹ verū eſt:ordine tn̄ quodā rationis:licet ſimul ꝫternitate & ſimiliter ordine quodā rationis
per actus notionales pducūtur filius & ſpiritus ſanctus:& ab ipſis ſunt actus eſſentiales. Act⁹
eīm eſſentiales intelligēdi & volēdi dupᷝr poſſunt cōſiderari.Vno mō ſimplᷝr & abſolute. Alio
modo vt diuerſis pſonis cōueniūt ſub diuerſis ꝓprietatib⁹. Primo mō oīa eſſentialia ſcdm for
mā & rationē qua ſūt eſſentialia,ordine quedā rōnis ſm̄ ſupra deteriata habet ad pſonalia:qa
pſonalia ī eſſentialibus fundant. Secūdo aūt mō eſſentialia ordine quodā rationis diuerſis pſo
nis cōueniūt:iquātū patri cōueniūt q̃ſi primo,quia ex ſe: & filio ſecūdo,qa a patre:& ſpiritui
ſancto tertio,qa ab vtriſᵹ,licet ſimul ī ꝫternitate. Et ſcdm hoc aſpiciēdo ad diuerſas pſonas
diuerſum ordinē rationis habet actus eſſentiales intelligēdi & volēdi,ad notionales generādi
& ſpirādi.Intelligere eīm & velle vt patris ſunt,quaſi puia ſunt ad generare & ſpirare:vt aūt
ſunt filii,ſcdm rationē intelligēdi q̃ſi pcedit actus notionalis generādi actus eſſentiales ītelli=
gēdi & volēdi:qui tn̄ vt cōmuniter ſunt patris & filii,prꝫuii ſunt ꝉcdm rationē reſpectu act⁹
ſpirādi:& actus ſpirādi q̃ſi puius reſpectu actuū eſſentialiū intelligēdi & volēdi : vt ſunt ſpū=

I
Ad primū
princip.

sancti.Et sic ad declarationē q̄stionis & dissolutionē rationis dicēdū est q̄ actus notionales ge
nerandi & spirādi nō fundant in actibus essentialibus intelligēdi & volendi, vt simplŕ cōside-
rātur:sed solū scdm q̄ habēt esse in determinata psona.Actus eni generādi nō fundat sup actū
intelligēdi nisi vt specialiter patris est:quia in ipso nō radicat fœcūditas gnatiua nisi ƀm q̄ ha
bet esse sub ppríetate primitatis pfis:silŕ neq̄ actus spirandi sup actū volendi nisi vt est cōmu
niter patris & filii:q̄a in ipso nō radicat fœcūditas spiratiua, nisi scdm q̄ habet eē sub cōmuni
ratione principii,quā habēt pater & filius respectu spūs sancti.Vñ sup actū intelligēdi,vt filii
est aut spūs sancti,nullo mō fundat actus generādi:neq̄ sup actū volēdi,vt est spūs sancti, act⁹
spirādi.Aliter eni seq̄rent incōueniētia cōclusa in argumēto,vt patet inspicieti. ⸿Ad secudū
**K**
**Ad secūdū** q̄ ratio q̄ intellectus vel volūtas est natura,prior ē q̄ sit ratio qua est intellect⁹ vel volūtas &c.
Dicēdū q̄ cū ƀm supius deteriata , intellectus & volūtas sunt in deo q̄si q̄dā potētie:Potentia
aūt cōpat ad duo,& ad subiectū i quo radicat,& ad actū q p ipsa elicit:itellect⁹ ergo & volūtas
in deo possunt cōsiderari in cōparatione ad q̄si subiectū,vel ad actū.Si primo mō,sic itellect⁹ &
volūtas in deo sunt q̄dā nature:q̄a potētie dei naturales fundate naturaliter i ei⁹ essentia diui
na:q̄ est natura in eo q̄ est res q̄dā naturalis.Et loq̄ndo de ista naturalitate, verū est q̄ prior ē
ratio qua itellectus est natura q̄ qua ē itellect⁹: & silŕ q̄ volūtas ē natura,q̄ qua est volūtas:q̄a i
essendo tali mō.s.natura,cōueniūt, ratione.s. vnitatis quā habent in subiecto. Sed de isto modo
nature nihil ad ppositū:quia scdm istū modū nature nō sunt pricipia elicitiua aliquoꝛ actuū
quia nec ad act⁹ oīno cōparant,vt dictū est. Si vero cōsiderēt secūdo mō.s.ƀm cōpari ad act⁹
sic adhuc alia est ratio i eis qua sunt intellectus & volūtas, alia vero qua sunt natura,scdm q̄
duplŕ ad duplicē actū cōparant:Ad vnū,vt sunt intellectus & volūtas:ad aliū vero vt sunt na
tura.Est.n.i deo hmōi potentiarū duplex actus.Vn⁹ q̄ pprie dicit operatio:quo pficiuntur in se
ipsis absolute.Alter q̄ pprie dicit actio:quo pficiunt in cōparatione ad aliū.Act⁹ qb⁹ itellectus
& volūtas pficit primo mō,sunt act⁹ essentiales,itelligere.s.& velle.Act⁹ vero secūdo mō,sunt
actus generādi & spirādi.Primi actus cōueniūt intellectui & voluntati scdm rationē qua sunt
intellectus & volūtas.Secūdi vero cōueniūt eisdē ƀm rōne qua sunt natura : hoc est principia
actiua naturaliter actus pductiones psonarū elicitia.Intellect⁹ eni vt intellect⁹,pficit absolute i
cognoscēdo verū:& volūtas vt volūtas pficit absolute in volēdo bonū:sed itellect⁹ vt natura,p
ficit i dicēdo verbū:volūtas vero vt natura, pficit i spirādo amore mutuū. Et sic i cōparatio
ne ad aliū tā ex pte intellectus q̄ ex pte voluntatis patet differētia horū actuū ex pte intellect⁹
in exēplo corporali: & p idē intelligat ex pte volūtatis a simili.Sigillū eni habes in se figurā, si
intellectualis nature esset,rōne qua itellectus esset,pficeret specificādo in se figuratione suā: &
in hoc sisteret.Inquātū aūt natura est, simile figurā seipso materie imprimeret, et si possibile
esset in eadē materia in qua figura sua est.Per hunc modū quodāmō intellectus diuinus pficit
actu itelligēdi seipm & suā essentiā:& hoc quasi ab ipa essentia cognita, q̄ sub rōne obiecti co
gnoscibilis in intellectu suā notitiā agit.Intellectus aūt diuinus vt specialiter est in patre pfectus p tale actū itelligēdi suā essentiā quē ipsa esse opat i ipo itellectu suo vt est q̄si i potētia ad
notitiā essentialē,scdm rōne itelligēdi,fœcūd⁹ est naturali fœcūditate ad pducēdū de seipso si
bi simile ad quē est q̄si i potētia,p hoc q̄ est i actu sub illa notitia essentiali.Intellect⁹.n.vt est q̄
dā notitia essentialis ƀm actū,est natura & pricipiū actiuū quo pater de itellectu eodē vt ē itel
lect⁹ purus,& tātū itellect⁹,& de principio passiuo format notitiā q̄ est verbū:qd ƀm rē ē eadē
notitia cū illa de qua forat,differes solū ab illa iquātū pcesserit ab ea vt manifestatiua & decla
ratiua illius, vt sepe dictū est. Et poēm eūdē modū itelligere debem⁹ verbū in nobis formari.
Cognitū eni primo simplicē notitiā suā iprimit nro intellectui,repsentādo se illi vt pure passiuo:& sub rōne qua est intellectus.Intellectus aūt sic pfectus simplici notitia p obiectū cognitū
qd in se cōtinet expssiue fact⁹ est fœcūd⁹ & pricipiū actiuū vt natura,i seipm vt est itellectus
tm:& pricipiū passiuū ad formādū i se declaratiuā notitiā de notitia simplici. vt scdm hoc qn
df verbū formari p itellectū:& q̄ itellect⁹ sit i formatiōe verbi alicui⁹: hoc itelligit de itellectu
actu iformato simplici notitia.Per hoc eni est pricipiū & natura:& necessario prior est rō ei⁹ q̄
est itellect⁹ & passiu⁹,q̄ q̄ sic est natura & actiu⁹.Et ideo ordine rōnis pri⁹ habet esse vt est itel
lectus q̄ vt est natura:& fundat actus notionales quē agit vt natura,sup actū essentialē quē
patit vt itellectus.Et sicut hæc exposita sunt ex pte itellect⁹ i actu dicēdi & formatione verbi
sic itelligant ex pte volūtatis i actu spirādi & pductione amoris spirati: pter hoc q̄ itellectus
passiu⁹ est respectu act⁹ itelligēdi q̄ cōuenit ei vt est intellect⁹:actiu⁹ vero respectu act⁹ dicēdi q̄
cōuenit ei vt est natura.Volūtas vero respectu vtriusq̄ actus & volēdi & spirādi,actiua est.vt

sic & actus dicendi & actus ſpirandi ſint actus & emanationes naturales,& modo naturæ. Eſt
tñ in hoc aliqua differētia in pcedendo modo naturę ex pte actus dicēdi & ſpirādi:qa vtraqʒ
pceſſio eſt ſcdm naturę opationē,& mō naturę. Eſt tñ vnus eoꝵ principalior altero: qa actus
dicēdi pcedit ſcdm pricipaliorē modū pcedēdi mō naturę, ſcdm Ríc.vi.de tri.ca.ii.viii.&.ix.
Vt ideo actus dicēdi & ſpirādi dicant neceſſarii in deo nō ſolū neceſſitate ịmutabilitatis qua ị
poſſibile eſt eū aliter ſe habere:Tali ẽm neceſſitate inſunt deo q̃cūqʒ ei ſunt:ſicut ſunt eſſentia
lia ſiue notionalia aut pſonalia: Sed etiã neceſſitate naturalitatis, qua ịpoſſibile eſt deū p princi
pium qd eſt natura in ipſo,huiuſmodi actus nō elicere : & p idem princípiū eiſdem actibus de
ſua ſubſtantia manens in ea nō pducere:vt ſcdm hoc hmōi actus pcedūt ſcdm naturę opera‑
tionem:quia a princípio qd eſt natura eliciuntur:& modo naturæ:qa modo neceſſitatis natu
ralis. Quomodo aūt actio dicēdi eſt ſcdm principaliorē modū naturę,& modo intellectus ſiue
intellectualis opationis: actio autē ſpirādi nō ſcdm principaliorē modū naturę, & modo volū
tatis ſiue voluntarię operationis, ịnfra declarabitur.

¶ Art.LV.De notiónibus ſeu proprietatibus perſonarū diuinarū in ſpeciali.

M
Art.LV.

Abito de ipſis perſonis ſequitur de ipſarū proprietatibus
quę cōmuniter notiones dicūtur.Et Primo de ipſis in gñali.Secūdo
in ſpeciali:ſcdm qʒ pprie ſingulis perſonis cōueniūt.Et circa Primū
duo quęruntur. Quorū primū eſt de ipſis ſcdm ſe. Secundū de eiſdē
in comparatione ad ipſas perſonas.

¶Circa primum iſtorum quęrenda ſunt ſex:quorum Primum eſt
Vtrum in diuinis perſonis ſit ponere proprietates perſonarum.
Secundum:vtrum plures.      Tertium:ytrum tm̄ quinqʒ.
Quartum:vtrum omnes ſint notiones.
Quintum:vtrum omnes ſint relationes.
Sextum:vtrum omnes ſint relationes reales.

Irca Primū iſtoꝵ arguit:qʒ ị diuinis nō ſit ponere aliq̃s pprietates pſonarū:
Primo ſic. proprietas ſemp eſt aliqd extra intellectū eius cuius eſt pprietas
vt riſibile eſt aliqd extra intellectū hois. Cōtingit ẽm intelligere hominē nō
cointelligendo riſibile.Sed in diuinis nihil eſt qd eſt extra intellectū pſonarū
quia ị diuinis ſcdm ſupius determinata non ſunt niſi ſubſtātia & relatio:&
ambo ſunt de ịtellectu pſone,vt inferius patebit:ergo &c. ¶Secūdo ſic.pprie
tas nō conſtituit in eſſe id cuius eſt propprietas:quēadmodū riſibile nō cōſtituit hoīem in eſſe
hois.paternitas,& filiatio,& hmōi,cōſtituit pſonas in eſſe pſonarū:ergo nō ſunt pprietates ea
rū.In diuinis aūt nō dicūt veri⁹ pprietates q̃ iſta,vt infra patebit.ergo &c. ¶Tertio ſic.in ſim
plicibus nulla eſt differētia inter abſtractū & cōcretū niſi in mō ſignificādi,vt inter albedinē &
albū:qa albū ſm̄ pñm ſolā qualitatē ſignificat ſicut & albedo.ſed ị diuinis pſona æque ſimplex
eſt & eſſentia,vt iã patebit inferius.nulla ergo eſt differētia inter patrē & paternitatē:ịter filiū
& filiatiōe,niſi in mō ſignificādi tm̄.Sed ịter pprietatē, & id cuius eſt pprietas,neceſſario eſt
alia differētia q̃ in mō ſignificādi tm̄.ergo paternitas & filiatio nō ſunt pprietas patris & filii.
Sed pter hęc & cōſilía ị diuinis nō ſunt alię pprietates pſonarū.ergo &c.vt pri⁹. ¶In cōtrariū
eſt illd Damaſceni li.i.ca.x.Propter patrē habet filius & ſpūs ſanc⁹ oīa q̃cūqʒ habet.hoc eſt,qa
habet ea pter ịgenerationē & generationē & pceſſionē.In his ẽm ſolū hypoſtaticis pprietatib⁹
abinuicē differūt.Et ca.xi.Quoniã ſcdm oīa vnū ſunt pater & filius & ſpūs ſanctus pter ịgene
ratione & gñatiōe & pceſſione. Vnū ẽm deū cognoſcimus in ſolis pprietatibus paternitatis
& filiationis & pceſſionis:& ſcdm exiſtentię modū differentiā ịntelligimus.

N
Queſt.I.
Arg.1.

2

3

In oppoſit.

¶Dicēdū qʒ ị eis quorū natura occulta eſt,prius q̃ ſciatur an ſint oportet ſcire qd
ſit qd ſignificaꞇ p nomē,vt dicit Cōm.ſup ca.de vacuo.iiii.phyſic.Occulte aūt valde habēt eſſe
pprietates in diuinis:cuius ſignū eſt multiplicitas errorū circa ipſas.Prius ergo oportet hic vi
dere qd noịe pprietatis ſignificari ịtelligimus:& ex hoc demū an tale qd & quō in deo intelli
gere debemus.Eſt igiꞇ ſciēdū ſcdm qʒ Ambroſius determinat ị libro de ịncarnati.qʒ tā ị creatu
ris q̃ ị diuinis qdā ſunt vocabula q̃ exprimūt naturā vt homo,leo,de⁹. Quędā vero exprimūt
naturę modū aliquē aut qualitatē,large accepta q̃litate. Nā(vt dicit) in diuinis ſignificatoriū
generatis & geniti exprimit ſubſtātię qualitatē. Sed ſciēdū qʒ taliū qualitatū quædā ſunt ſub
ſtantię vt ſubſtātia eſt,vt ſunt bonitas,veritas,& hmōi:que in diuinis dicuntur attributa: Que

O
Reſponſio.

dam vero fuppofiti:& illa funt quę hic appellantur ꝓprietates.Et ſcd̃m hoc dicendũ ꝙ in diui
nis oportet ponere proprietates ſicut & attributa.

**P**
**Ad primũ**
**princip.**
**Ad ſecũdũ**
**Q**
**Ad tertiũ.**

CAd primũ in oppofitũ:ꝙ ꝓprietas eſt aliqd extra intellectũ eius cuius eſt ꝓprie
tas: Dicẽdũ ꝙ verũ eſt qñ ꝓprietas idẽ eſt ꝙ ꝓpriũ qntũ vniuerſale.Sic autẽ nõ ſumit hic,vt
dictũ eſt.CAd ſecũdũ:ꝙ ꝓprietas nõ cõſtituit in eſſe id cuius eſt ꝓprietas: reſpõdẽdũ eſt eode
modo.CAd tertiũ:ꝙ in ſimplicibus nõ eſt differẽtia cõcreti & abſtracti niſi ĩ modo ſignificãdi
&c.Propter hãc rõnẽ Mgr̃ Prepofitin⁹ attẽdẽs diuinã ſimplicitatẽ dixit nullã ꝓprietatẽ pone
dã eẽ ĩ diuinis,ſic ingens.Innotuit diuerſas eẽ opiniones de ꝓprietatib⁹.qdã.n.pene iſinitas cõ
ſtituũt,vt Mgr̃ Gilbert⁹:qdã.vi.vt Mgr̃ Radulph⁹:qdã tres,vt mgr̃ Robert⁹:qdã nullã,ĩ qua
ſentẽtia dicĩt fuiſſe diu Mgr̃ Iuo Carnotẽſis:& huic opinioni cõſentim⁹. Et oẽs auctoritates &
ꝓppones ĩ qb⁹ iſinuãt ꝙ ꝓprietates ſunt ĩ diuinis,exponit ponẽdo ĩ ipſis poni abſtractũ indicãs
ꝓprietatẽ ſiue noĩe cõĩ qd ẽ ꝓprietas, ſiue noĩc ꝓprio qd ẽ paternitas aut filiatio,ꝑ cõcreto in
dicãte pſonã,ſic inquies.Cũ dicimus Paternitas eſt in patre, vel pater paternitate diſtinguit a
filio,modĩ loquẽdi ſunt:& eſt ſenſus,paternitas eſt ĩ patre,i.pater eſt pater:ſicut cũ dico:Rogo
dilectionẽ tuã,i.te dilectũ.Cũ dicim⁹:Pater generat filiũ:idẽ ꝑdicat de ſe:qa is eſt ſenſus. Pater
eſt pater filii,ſiue a patre eſt filius.Sed cõtra hoc(vt dicit)vidẽt clamare oẽs auctoritates.Nã
Auguſtin⁹ dicit,Propriũ eſt patri gñare:ꝓpriũ ẽ filio gñari:& ſpũi ſcõ ꝓpriũ eſt ꝑcedere. Silr̃
alia eſt ꝓprietas qua pater generat:alia qua filius gñat:&c.Auctoritas ſic itelligẽda eſt:ꝓpriũ ẽ
patri gñare,i.ſolus pr̃ gñat.& ſic et ĩ aliis.Hila.Propriũ ẽ pr̃i ꝙ ſit pr̃: ꝓpriũ ẽ filio ꝙ ſit fili⁹: ꝓ
priũ ẽ ſpũi ſcõ ꝙ ſit ſpũs ſanct⁹.ergo alia eſt ꝓprietas:&c.Hęc auctoritas exponat vt ꝓmiſſa:ſo
l⁹ pr̃ eſt pr̃ &c.Itẽ Amb.In pſonis ꝓprietas:in eſſentia vnitas &c.Dicim⁹ ꝙ auctoritas illa ſic ex
ponẽda ẽ:ĩ pſonis ꝓprietas,i.pſonẽ ꝙ ſunt diſtictẽ,& ſunt vnũ in eſſentia,& equales ĩ maieſtate
adorent.Hiero.Cõfitemur nõ tm̃ noĩa:ſed etiã noĩm ꝓprietates.Sed ſi diligẽter attẽdat,appa
ret ꝙ nõ dixit:Cõfitemur ꝓprietates pſonarũ:ſed noĩm:& ꝓprietas dici ſolet eius ſignificatio.
Eſt ergo ſenſus:cõfitemur nõ tm̃ noĩa:ſed etiã ꝓprietates noĩm,i.ſignificationes. quę ſint autẽ
ſignificationes noĩm,exponit cũ addit.i.pſonas.Sed Ioães Damaſcen⁹ magis videt eẽ cõtrari⁹
q ait.Idiomata ſunt characteriſtica hypoſtaſeon & nõ naturę.ideſt ꝓprietates deteriatiuę ſunt
pſonarũ & nõ naturę. Idẽ Io.Singula hypoſtaſeon ꝓpriũ exiſtẽdi modũ poſſidet. Sic rñdemus
idiomata &c.i.pſonę adinuice diſtinguunt:ſed nõ natura ab aliqua earũ.ꝗlibet pſona ꝓpriũ exi
ſtẽdi modũ poſſidet.i.ꝗlibet pſona eſt vna ſubſtãtia:ita ꝙ nõ alia. Reſpõdet etiã rõni ꝗ obiicit
cõtra ipm̃,ſic ingẽs.Sed obiicit nobis ſic:nulla ꝓprietate pr̃ diſtĩguit a filio:nec fili⁹ a pr̃e, & pr̃
eſt idẽ ĩ eſſentia cũ filio:ergo pr̃ eſt fili⁹,Inſtãtia.nullo accñte diſtinguit pr̃ a filio,nec fili⁹ a pr̃e,
& pr̃ eſt idẽ cũ filio ĩ eſſentia:ergo pr̃ eſt fili⁹.Et itẽdit ꝙ ſeipſis diſtĩguut ſicut ſimplicia.Ali=
ter.n.eſſet ꝑceſſus ĩ iſinitũ. Vñ ſubdit.Quęrit a nobis: ſi pſonę nõ diſtĩguunt ꝓprietatib⁹,quo
diſtĩguũt?Ad hoc dicim⁹ ꝙ ſeipſis diſtĩguũtur.Dicit.n.Hiero.Perſonę ſeipſis & noĩb⁹diſtĩguũ
tur : ergo pr̃ ſeipſo diſtĩguit a filio & ſpũ ſcõ,& ſic de aliis.Et adducit ꝑ ſe vnã rõne dices.Sed
ꝗrit ab illis vtrũ illa ꝓprietas ꝗ pr̃ diſtĩguit a filio,ſit ſubſtãtialis:et ſi hoc,ergo pr̃ ſubſtãtialit
diſtĩguit a filio:ergo nõ eſt eiuſdẽ ſubſtãtię cũ filio.CReuera Prepofitin⁹ bene vidit ꝙ ꝓprie
tates ꝗ ꝓpriiſſime ſunt proprietates in diuinis, nõ hñt poni niſi ꝓpter neceſſitatẽ diſtĩguẽdi ꝑ
ſonas abinuice. Vñ q imaginãt tm̃ vnicã pſonã in deo,vt Iudęi & Gẽtiles,nõ neceſſe habent
ponere aliquas ꝓprietates in illa.Idcirco poſtꝗ negauit ꝓprietates eſſe ĩ diuinis,neceſſe habuit
ponere ꝙ pſonę diuinę ſeipſis diſtĩguunt.Aliter em̃ ponẽdo eas diſtĩgui,neceſſe erat eas pone
re diſtĩgui aliqbus ꝗ ſunt earũ aliqd,ꝗ nõ niſi ꝓprietas (vt dictũ eſt)habet appellari.Vñ di
cit Ambroſi⁹ in prĩcipio de trinitate.Nõ ipſe pater q filius:ſed inter patrẽ & filiũ gñationis ex
preſſa diſtinctio ẽ.vt.ſ.ꝓprietate gñationis actiuę & paſſiuę diſtĩguunt. Sed ꝙ pſonas diuinas
nõ poſſumus ponere ſeipſis diſtĩgui niſi ꝑ tãto ꝙ diſtĩguunt ꝑ aliqd ſui,hoc efficaciſſime ap
paret quadruplici ratione cõtra Prepofitinũ:qb⁹ apparet error fore ĩ dicto ei⁹,& ꝙ neceſſario
oportet ponere ꝓprietates eſſe in deo.CQuarũ prima talis eſt.Quęciꝗ ſimplicia ſeipſis diffe
rũt,differũt eo ꝙ eſt ſui:aliter enim differrent aliquo ꝙ eſt ſui, & aliquo nõ differrẽt. Quę
cunꝙ autem ſic differunt omnino differunt,& in nullo conueniunt:quemadmodũ differunt
genera ꝑdicamentoꝛ ſubſtantię & accidẽtis.Si ergo ſic differrẽt diuinę pſonæ,oĩno differrẽt:
& ĩ nullo cõuenirẽt.cõſeqñs falſum ẽ:ergo & añs. CSecũda talis.ſimplex qⷣlibet qⷣ ſeipſo ſm̃
totum nõ aliqd ſui differt ab aliis ſimplicib⁹,eo penitus quo differt ab vno, & ab altero.ſi ergo
hoc mõ differrent inter ſe pſonę diuinę tres:tũc pater eo penitus quo differt ſiue diſtĩguit a fi
lio,differt ſiue diſtĩguit & a ſpũ ſcõ,Quare cũ pſonę diuinę nõ diſtĩguũt aliquo abſoluto:qa

**R**

**S**

**T**

**V**

tũc differrẽt in ſubſtãtia & natura:ſed ſolũ aliquo relatiuo:vna ergo & eadẽ relatiõe differret pf a filio & ſpũ ſctõ. ჭ ſi ſic:ergo & ecouerſo fili⁹ & ſpũs ſanct⁹ vna & eadẽ relatione differrẽt a pᵳe:& eſſent vna eadẽ ჭ pſona:cũ i diuinis pſonas nõ multiplicat niſi relatio. Qz aũt vna relatiõe fili⁹ & ſpũs ſctũs differrẽt a pᵳe,ſi pᵳ vnica relatiõe differret ab ãbob⁹:patet.ჭa ea, relatõie ჭ aliჭ differũt ab aliquo:& referũt ad illd:& oĩa relatiua eiſdẽ relatiõib⁹ adiuicᷤ referũt ჭb⁹ ad inuicᷤ opponũt. Si ãt vna ᷤ relatio ჭ pᵳ refert ad filiũ & ad ſpm ſctm. & ſilᵲ vna ᷤ relatio ſaltᷤ ᷤm ſpecie ჭ ãbo referũt ad patrᷤ. ჭa rõ relatiõis conſiſtit i hoc ჭd ᷤ ad aliud ſe hfᷤe:ad vnũ aũt p relatione vnã ſpecie ſi poſſut referri plures:ᷤm plures relatiões ſpecie differẽtes:ჭeãdmodũ ad patrᷤ vnũ ჭ ᷤ pᵳ vna relatiõe ᷤm ſpecie ჭ ᷤ pᵳnitas,nõ põt referri plures ᷤm plures relatiões ſpecie dᵲentes: cuiuſmõi ſũt filiatio & ſeruit⁹.CTertia rõ talis ᷤ:ſi pſonᷤ diuinᷤ ſeipſis ᷤm totũ differũt iter ſe,aut ergo illd ᷤ abſolutũ aut reſpectiuũ.Nõ abſolutũ: ჭa tũc vt pri⁹ differrẽt in abſolutis.Nõ reſpectiuũ:ჭa tũc diuinᷤ pſonᷤ nõ eẽnt niſi ჭdã reſpec⁹: ჭd ᷤ cõtra illd Aug. de tri.Oᷤ ჭd relatiue dr,aliჭd ᷤ ᵱter hoc ჭd ad aliud dr.Et cũ pᵳ & fili⁹ eodᷤ reſpectu referunt ad ſpm ſctm,eadᷤ pſona oĩno eſſent pᵳ & filius ſicut & ſunt vnũ principiũ ſpũs ſcti . CEx quo ſumit ჭrta ratio ad idᷤ quã inducit cõtra ſe Prepoſitin⁹,talis.Si pᵳ & fili⁹ ſunt vnũ principiũ ſpũs ſcti: ſed nõ ſunt vnũ i pſona:ergo ſunt vnũ in ᵱprietate ჭ referunt ad ſpm ſctm:& ideo i deo ᷤ ponere ᵱprietatᷤ.et ſi vnã,eadᷤ rõne & plures.Et rñdet Prepoſitin⁹ dicẽs ჭ ideo vnũ ſint princi piũ ſpũs ſcti:ჭa vno mõ ſpirant.ჭd nõ valet ei ad ſuũ ᵱpoſitũ:ჭa nõ ſpirarẽt eodᷤ mõ niſi eſſet aliჭd idᷤ in eis quo differrẽt a ſpũ ſctõ:ჭd non põt eſſe niſi ᵱprietas:ჭa rõne ſubſtãtiᷤ cõis nõ ſunt vnũ principiũ ſpiratiuũ.Aliter eĩ ipſe ſpũs ſctũs ſpiraret.CAd argumẽtũ ergo tertiũ principale ſupra inductũ,ჭ in ſimplicib⁹ nõ differãt abſtractũ & cõcretũ niſi i mõ ſignificãdi: Dicendũ ჭ eſt quoddã ſimplex in quo nõ eſt niſi pura vnitas ſignificata : & nullo mõ aliquoჭ pluralitas:qualis ſignificat hoc nõie deus,vel hoc nõie ſapiẽtia.Eſt vero aliud ſimplex i quo aliჭ quo mõ eſt ſignificata pluralitas:nõ tñ repugnãs ſimplicitati. vt i hoc nõie pſona vel pᵳ aut fili⁹ aut ſpũs ſctũs. De ſimplici primo mõ bene ᵱcedit obiectio:ſed tale ſimplex nõ ᷤ pſona i diuinis:ſed ſcdo mõ.Et de illo nõ eſt verũ ჭ abſtractũ & cõcretũ nõ differãt niſi in mõ ſignificãdi ſimo differũt & i ſignificato:ჭa abſtractũ ſignificat aliჭd ei⁹ ჭd ſignificat cõcretũ,vt illd a quo nomᷤ ſibi formaliter iponit:ჭd enᷤ ſibi ſignificat ipſa ᵱprietas.Cõcretũ vero cũ hoc ᷤt ſignificat ipſam ſubſtãtiã cõem,vt infra patebit.Et ſcdm hoc ჭa ᵱprietas cadit quaſi fofalius i ſignificato pſonᷤ,ipſa eſt ſubſtãtialis pſonᷤ,ᷤm ჭ ſubſtãtiale diſtinguit cõtra acciᷤtale.Nõ tñ ex hoc ſeჭ ჭ ſit ſubſtãtia:neჭ ჭ ſubſtãtialiter,hoc eſt ſcdm ſubſtãtiã,vna pſona diſtinguat ab alia.Bene tñ põt dici ჭ ſubſtãtialiter ex oppoſito ei ჭd eſt diſtingui acciᷤtaliter.Et ſic nõ valet rõ quã p ſe inducit Prepoſitin⁹.CQd aũt ponit Prepoſitin⁹ ჭ oẽs ᵱdicationes ჭ vident iſinuare ᵱprietates eſſe in deo,debet exponi emphatica loquutiõe ponẽdo abſtractũ pro cõcreto: nõ eſt verũ. Si eĩ ſcdm ჭ dicit, idᷤ eſt dicere paternitas eſt in pſe aut pᵳ generat, ჭd pᵳ eſt pᵳ: tũc ſilᵲ idᷤ eſſet dicere pᵳ gñat:& ſilᵲ pater ſpirat:ჭd pᵳ eſt.Quare cũ patrᷤ eſſe patrem ſemp ᷤt idᷤ:& ჭcũჭ vni & ei dᷤ ſunt eadᷤ,inter ſe ſunt eadᷤ,idᷤ ergo eſſet dicere:Pᵳ gñat & pᵳ ſpirat,& p cõſeჭes eadᷤ eẽt pſona gñata & ſpirata:ჭd falſum eſt.Aliter hoc iprobat Magᵲ.i.Sᷤtẽtiarũ diſti.xxvi.ca.Hic ჭri põt.Silᵲ ჭd dicit ჭ idᷤ eſt dicere,propriũ eſt pᵳis gñare,& ჭ ſolus pᵳ gñat, non eſt verũ : licet vnũ cõcomitat alterũ.Nõ.n.ſolus gñaret niſi ſol⁹ haberet ᵱprietatᷤ ჭ ᷤ ad gñare. Auctoritatᷤ Ambroſii forte bene exponit:quia nihil in diuinis eſt adorandũ niſi rõne deitatis.Propter ჭd & vnica adoratione trinitas eſt adoranda.Sed de hoc nihil ad pſens: nec obſtat ჭn ᵱprietates ſint in diuinis:etſi ex hoc adorandᷤ ჭ radicant in eſſentia deitatis,& diuinas pſonas conſtituũt.Et ჭd dicit attẽdẽdũ in auctoritate Hieronymi: ჭ nõ dicit ᵱprietates pſonarũ : ſed nominũ:non oportet.Qd plane exprimit Hierony. i pricipio auctoritatis ſic inquiẽs. Exceptis vocabulis ჭ ᵱprietatᷤ indicãt pſonarũ,quicჭd de vna pſona dr de tribus põt intelligi. & infra . Impietatᷤ Sabellii declinãtes tres pſonas expᵳſſas ſub ᵱprietate diſtinguimus. Et ſic ᵱprietates ſunt pſonarũ,vt cõſtituẽtes & diſtinguᷤtes eas:& ſunt noĩm vt a ჭbus noĩa ჭ ſi fofaliter iponunt:quas tñ ſolas nõ ſignificãt noĩa:ſed vt ſubſtãtia cõi:ჭ ambo iclude̊t i ſignificato pſonᷤ. Propter ჭd addit.i.pſonas:nõ ჭa pſona ſignificet p nomᷤ, ჭ nõ pſonᷤ ᵱprietas, vt vult Prepoſitin⁹.Vnde & Magᵲ Sᷤtẽtiarũ li.i.diſt.xxv.ca.vlti.illa auctoritate probat ჭ perſona ibi ſtat p ᵱprietate. & diſt.xxvi.ca. Quocirca.Dictũ aũt Damaſceni li.iii.ca.vi.manifeſte exponit cõtra intẽtionᷤ lᵲᷤ ჭ ſic iacet.Neჭ differũt abiuicᷤ hypoſtaſes ᷤm ſubſtãtiã ſed ᷤm acciᷤtia,ჭ ſunt characteriſtica .i.deſignatiua idiomata.characteriſtica vero hypoſtaſeos & nõ naturæ.Etenᷤ hypoſtaſim determinat ſubiecta cũ acciᷤtibus.Quare ჭd cõe eſt cum ᵱprietatib⁹ habet hypoſtaſis.i.pſona. Appellat aũt largiſſimo noᷤe acciᷤtia ipſas ᵱprietates.Ecce ჭ plane nõ intẽdat p hæc verba ſol ſ

Y

Z

A

psonas inter se esse distinctas,& nō naturā a psonis,vt dicit Prepositin⁹:sed ꝙ psonę distinctę sunt
inter se scdm ꝓprietates:& nō scdm substātiā:ꝙ ꝓprietates determinatiue sunt substātiæ non
naturę,vt infra declarabiť: ita ꝙ psona in suo significato & substātiā & ꝓprietatē cōtineat. Et
ꝙd dicit in expōne secudę auctoritatis de libr.iiii.ca.v.ꝙ ꝗlibet psona ꝓpriū modū existēdi possi
det.i.ꝗlibet psona ē vna substātia:ita ꝙ nō alia:manifeste ē cōtra illd Damas.li.i.c.xi.Scdm oīa
vnū sunt pater,filius,& spūs sanctus,ꝓter ingeneratiōe,gnatiōe,& pcessiōne.vnī.n.deū cō
gnoscim⁹:i solis vero ꝓprietatib⁹ & paternitatis & filiationis & pcessionis & scdm cām & cau
sale:ꝗa pater est causa,& filius ex hac causa,& spūs sanct⁹, & scdm pfectitudinē hypostaseos.s.
existētię modū,differētiā intelligim⁹.Ecce,ꝗa p illud ꝙd dicit : ꝗlibet psona ꝓpriū modū existē
di possidet:nō itelligit ꝙ ꝗlibet psona est substātia deitatis,& nō alia: sed ꝙ ꝗlibet psona habet
ꝓpriū modū existēdi:hoc est subsistēdi scdm suā ꝓprietatē.s.vt a qua alia,vel ꝗ ab alia,vel ꝗ ab
aliis.Et scdm hoc in diuinis vsitať triplex modus interrogādi siue ꝓdicādi:ꝗ sunt p ꝙd,ꝗ respi
cit substātiā:p qui,qui respicit psonā:per quomodo,ꝗ respicit ꝓprietatē.Sed ꝗ & quomodo re
ducunt ad vnū modū.s.relationis,ꝗa ꝗ respōdet ei ꝙd referť, quō respondet ei quo referť, siue
noialiter siue pticipialiter significet. ¶Et ꝙ arguit Prepositinus ꝙ nō sequiť, psonę nō distin
guuťur ꝓprietatibus:ergo nō distinguunť:Sicut nō sequiť,Nō distinguunt accidētibus:ergo
nō distinguuťur: Dicēdū ꝙ nō est sīle:ꝗa in eis ꝗ distinguunť scdm accidētia:restat alia distin
ctio ꝗ est scdm substātiā.propter ꝙd nō sequiť:si aliꝗ nō distinguunť scdm substātiā:ꝙ non di
stinguuť.In diuinis aūt psonis ꝓter distinctiōne scdm ꝓprietates:nō restat alia distinctio, vt visū
est.Et ideo bene sequiť:Nō distinguunť scdm ꝓprietates:ergo nō distinguiťur.

**B**

**C**
Quęst.II.
Arg.j.

2

In opposit.

**D**
Responsio.
**E**
Ad primū
princip.

**F**
Ad secūdū

Irca Secūdū arguiť:ꝙ in deo nō sit ponēdū plures esse ꝓprietates,Primo sic.
ꝓpriū sequiť formā & speciē rei,siue rōne speciei & formæ,sicut accidēs seꝗ
tur rōne indiuidui.sed i diuinis nō est nisi vna forma deitatis:ergo neꝗ nisi
vnū ꝓpriū,siue vna ꝓprietas.¶Secūdo sic.plures ꝓprietates nō possunt esse
nisi scdm eādē rōnē speciei:aut scdm diuersas . neutro aūt mō possunt poni
diuersę ꝓprietates in diuinis:ꝗa neꝗ istę neꝗ illę natę sunt esse circa idē nu
mero:queadmodū neꝗ duę albedines,neꝗ nigredo & albedo,queꝗcꝗ asit sunt i diuinis,habēt
esse circa idē numero,vt circa diuinā essentiā. ergo &c.¶In cōtrariū est:ꝗm nō est ꝓprietas in
deo nisi ꝓter psonarū pluralitatē,vt habitū est iā supra.Sed pluriū psonarum necessario sunt
plures proprietates.ergo &c.

¶Dicēdū ꝙ hoc ad plures ꝓprietates necesse habem⁹ ponere i deo circa psonas:
ꝗa plures ꝗlitates scdm ꝓdictū modū iueniunť denoiantes eas,vt iā i seꝗnte ꝗstiōne declarabiť.
¶Ad primū in oppositū:ꝙ ꝓprietas sequiť formā & speciē rei &c.Dicēdū ꝙ est
quędā ꝓprietas absoluta:& illa nō ē nisi vnica i vna forma & specie.Et hoc loꝗndo stricte de p
prio siue de ꝓprietate:queadmodū ponim⁹ solū risibile eē ꝓpriū hois. Vñ & hmōi ꝓpriū sepe
ponit in descriptione rei,cū eius fōrma specifica ignorať. Alia vero est ꝓprietas respectiua: & il
la in eādē forma & specie bene pōt esse multiplex,ꝗa nō tā sequiť essentiā formę ꝗ modū habē
di illā & subsistēdi in illa,vt iā videbiť.Talis aūt est ꝓprietas psonę in diuinis: de qua loꝗmur,
vt sīliter patebit.¶Ad secūdū:ꝙ plures ꝓprietates neꝗ eiusdē speciei neꝗ diuersę possunt esse
circa idē numero &c.Dicēdū ꝙ verū est de ꝓprietatibus absolutis,vt circa subiectū cui inhę
rēt.Et sic in deo nulla est oīno ꝓprietas circa diuinā essentiā,dicēte Rica.iiii.de tri.ca.xvi.Pro
priū est oī substātię ꝗ vere nomē habet ex re,habere ꝗdē esse cōpositū: & accītib⁹ subesse. Sola
aūt diuina substātia habet simplex eē,& nulli inhęrēti subiectū. Circa vero idē nūero,vt circa
fundamētū i quo fundanť:bene possunt eē diuersę ꝓprietates relatiue ꝓpter diuersum modū
habēdi illud idē,vt non ab alio,vt a quo alius,& hmōi,vt iam patebit.

**G**
Quęst.III.
Arg.j.

2

3

4

Irca Tertium arguiťur ꝙ in deo nō sunt plures ꝓprietates duabus.quia nō
est ꝓprietas in deo nisi ex modo habendi vnā psonā ad aliā: quia nulla est ab
soluta,vt infra dicetur.Sed in diuinis solū duo sunt modi habēdi psonā vnā
ad aliā,scilicet vt a ꝗ,& vt ꝗ ab alia,vt patet ex supra determinatis. ergo i di
uinis sunt solū duę ꝓprietates. ¶Qꝛ sint tm tres,dicit Ricardus.v.de trini.
ca.xxv.Iuxta numerū ꝓprietatū est numerus psonarū: & sicut quartā ꝓprie
tatē,sic quartā psonā nullatenus inuenire poterimus. ¶Qꝛ sint tm quatuor
arguiťur.quia nō est ꝓprietas in deo nisi sit relatiua,vt infra videbiť.Et similiter nō est relatio
in deo nisi sit ꝓprietas.Est eīm ꝓprietas in re quicꝗd est in ea ꝓter substātiā suā , sed in deo tm
sunt quatuor relationes scdm duas emanatiōes,vt patet ex ꝓdeterijatis, ergo &c. ¶Qꝛ aūt sunt

plures qngɔ & quaſi infinitę,arguit ex eo qd dicit Ambroſius.ii.de tri.in pricipio.Proprietates
ſunt gnatio,deus fili⁹,verbũ,ſilitudo,character,ſplēdor,virtus,veritas,vita & cętera hmõi,ꝗ
ſunt circa ſolũ filiũ,& plurima alia ſunt circa patrē,vt ingenitũ,primũ principiũ,& hmõi.Et
plurima circa ſpiritũ ſanctum,vt amor,donũ,& hmõi.Item plurima circa tres cõmuniter,vt
æqualitas ſimilitudo,& huiuſmodi,quæ ſunt quaſi infinita,quare &c.

⸿Dicendũ ad hoc:ꝗ ꝓprietas quadrupliciter dicitur in diuinis,largiſſime,large
ſtricte & ſtrictiſſime.Largiſſime i diuinis ꝓprietates appellant quęcũꝗ habēt cõſiderari circa p
ſonas:quęadmodũ attributa appellant ꝗcũꝗ habēt conſiderari circa diuinã eſſentiã:& ſic loq̃
tur Ambroſi⁹ de tri.in aſſumpta auctoritate. Et hoc modo loquēdo de ꝓprietatibus dicit Prę
poſitinus,ꝗ qdã pene infinitas i̾deo cõſtituũt ꝓprietates. Dicũt ḿ ꝗ ꝗdã ꝓprietates ſequũ
ſm eſſentiã,vt æqualitas,coęternitas,ſilitudo. quędã vero ſm hypoſtaſim,vt paternitas,filia
tio,& hmõi.Hoc ēt mõ oĩa diuina attributa eſſentialia poſſunt dici ꝓprietates.iuxta illd phī,ꝗ
dicit de numero ternario in pricipio cęli & mũdi.Per hũc numerũ adhibuim⁹ nos magnifica
re vnũ deũ eminentē ꝓprietatibus eoꝝ ꝗ ſunt.Large aũt loquendo,vt dicit idē Prepoſiti⁹,ma
giſtri nři dicũt quɔꝗ ſolũmõ eſſe ꝓprietates:duas i̾ ſolo patre,ꝗ ſunt paternitas & inaſcibilitas,
vnã in ſolo filio,ſ.filiatiõe,vnã i ſpiritu ſancto,ſ.paſſiuã ꝓductiõe,& vnã i̾ duob⁹ cõiter.ſ.in
patre & filio,ꝗ dr̃ ſpiratio actiua.Stricte aũt loquēdo ꝓprietates nõ ſunt niſi ꝗtuor:qa ſpiratio
actiua eo ꝗ cõis eſt duobus,& nulli ꝓpria,ꝓprie ꝓprietas dici nõ põt. Strictiſſime aũt ꝓprie
tates nõ ſunt niſi tres,ꝗ ſunt paternitas,filiatio,& ſpiratio paſſiua:eo ꝗ ſolũmõ ſunt cõſtitui
ue & diſtinctiue pſonarũ abinuice. Vñ & nõ ſunt niſi ſcdm numerũ pſonarũ.dicēte Ric.iiii.de
tri.ca.xvi.Pluralitas pſonarũ manifeſtat ꝗ in illa trinitate ꝓprietatũ differētia nõ põt deeſſe.
Et ca.xvii.In trinitate abſꝗ dubio oportet tot pſonales ꝓprietates eē quot ſunt pſone.Et li.v.
ca.xv.Proprietatũ aũt diſtinctio verſat circa duo:cõſtat.n.in dãdo & i̾ accipiēdo.vnius ḿ p
prietas cõſiſtit in ſolũ dãdo:alteri i̾ ſolũ accipiēdo:iter has aũt media tã i̾ dãdo ꝗ i̾ accipiēdo.
Et ga iſtę tres ꝓprietates ſolę cõſtituũt & diſtinguũt pſonas:ideo ꝓprietates pſonales dicunt,
vt dicit Prepoſitin⁹:nõ aũt ſolũ ꝓprietates pſonę:cũ reliꝗ oēs dicunt ꝓprietates pſonatũ tm̃.

⸿Ad primũ:ꝗ in diuinis non ſunt niſi duo modi ſe habendi &c. Dicēdũ ꝗ verũ
eſt cõmunes tm̃ & generales,ſub quibus alii ſpeciales continent:quia modus habēdi vt a quo
alius,neceſſario ponit modum ſe habēdi vt a nullo.Aliter ḿ ex pte quaſi anteriori pcederet
in infinitũ:vt ſemp ille a quo eſt alius,eſſet ab aliquo alio. Et ſic etiã modus nõ eſſendi ab alio
includit in modo a quo alius:& ille continet duos:quorũ vnus eſt p generatione: alter vero p
ſpiratione actiuam.Similiter modus qui ab alio,continet duos:vnũ p generationē,alium p ſpi
ratiõe paſſiuã. & ſic ad illos duos modos alii.v.reducitur.⸿Ad ſecundum,ꝗ ſunt tm̃ tres:
Dicendũ ꝗ verũ eſt pſonales ſiue pſonarũ cõſtitutiue.per qd tm̃ nõ excluditur alię duę,vt ta
ctũ eſt,& inferius magis patebit.⸿Ad tertiũ:ꝗ in diuinis nõ ſunt niſi quatuor relationes:qua
re nec niſi ꝗtuor ꝓprietates.Dicēdũ ſm iã dicta,verũ eſt poſitiue dicte,& ꝗ ſumitur ſcdm hy
poſtaſes. Pręter has tm̃ eſt vna negatiua ſignificata noie innaſcibilis:& ſimiliter plures alię quę
ſumũtur ſcdm eſſentiã,de quibus infra erit ſermo.⸿Ad vltimũ:ꝗ ſunt plures & ꝗſi infinitę:
Dicēdum ſcdm iam dicta ꝗ verũ eſt largiſſime loquendo de ꝓprietate.

Irca Quartũ arguitur:ꝗ oēs proprietates ſunt notiones. Primo ſic. illud eſt
notio quo res innoteſcit: ſed qualibet ꝓprietate pſonę diuinę nobis innote
ſcũt: quia ſcdm Ambroſium, ſunt quaſi quædam qualitas, et ſcdm Da
maſcenũ, quaſi ꝗdã accidētia:vt patet ex pdictis.Et talia ſcdm phm.i.de aĩa,
maximã pte conferũt ad cognoſcendũ qd qd eſt.ergo &c.⸿Secũdo ſic.eſſen
tialius cõueniũt deo ꝓprietates per quas pſonę reſpiciũt ſeſe mutuo, ꝗ illę p
ꝗs reſpicit deus creaturas:qa & illę verius dicũt notiones pſonarũ ꝗ iſtę dei
tatis.ſed illę notiones ſunt per ꝗs nobis eſſentialia deitatis inoteſcũt:cuiuſmõi ſunt eē creatore,
eſſe gubernatorē,& hmõi &c.⸿In oppoſitũ arguit,Primo ꝗ nulla ꝓprietas ſit notio. cũ
ḿ notio nõ debet dici niſi rõ & principiũ cognoſcēdi re̾ : tale aũt in diuinis reſpectu pſonarũ
nõ eſt niſi cõis eſſentia a qua habēt eſſe:quia ſm phm eadē eſt ratio eſſendi & cognoſcēdi.ergo
&c.⸿Secũdo ꝗ cõis ſpiratio actiua nõ debet dici notio:ſic.illud ſolũmõ debet dici notio qd ꝓ
pria cognitione de re manifeſtat.ꝓpter qd de definitiõe dicit phs,ꝗ eſt notificationis gfa.Im
portat.n.ꝓpriã notitiã de re:& ideo ꝓprie notio rei df:nõ aũt gen⁹,qd cõem notitiã de re i̾ꝛ
portat.ſed ſpiratio actiua ga cõmunis eſt patri & filio,nullã ꝓpriã notitiã importat.ergo &c.

---

Marginal notes (right column):

H
Reſponſio

I
Ad primũ
princip.

K
Ad ſecũdũ.
L
Ad tertiũ.

M
Ad quartũ
N
Que.IIII.
Arg.i.

2

3

4

5 CPręterea scdm phm,eadem sunt principia essendi & cognoscendi,sed cōmunis spiratio acti‐
6 ua,nullius persone est principium essendi:quia non est persone cōstitutiua.ergo &c. CTertio
arguitur q̄ innascibilitas non est notio:quia nihil præter alias pprietates personales importat
nisi negationem.Negatio autē non est p se principiū cognoscendi,quale debet esse notio in di‐
uinis,aliter em plures alie negationes,notiones in diuinis dici deberēt, vt infra magis patebit.
7 ergo &c.CQuarto arguitur,q̄ generatio passiua & spiratio passiua non possunt dici notiões.
quia notio debet esse principium declarandi aliqd dignitatis in eo cuius est notio:qd nō faciūt
passiua generatio & spiratio:quia dicūt psonam esse,sed ab alio.vbi licet sit dignitatis ipm esse,
nullius tamē dignitatis est ipm esse habere ab alio:immo magis videtur esse defectus:quia qd
habet aliquis omnino nō nisi ab alio,non habet illud ex se:qd est magnę indignitatis. ergo &c.

O
Responsio.

CDicēdū ad hoc:q̄ notio multipliciter diciť. Vno em mō diciť aliqd notio for‐
maliter:quia est ipsa cognitio de re oīno impressa menti,sic nihil aliud est q̄ simplex mentis cō
ceptus in quo res cognoscit.Alio vero modo dicitur aliqd notio effectiue:quia facit & causat
notitiā rei in mente.& hoc cōtingit dupľr:quia tale aut est aliquid extra rem,ordinem tamen
ad rem habens:sic omnis effectus notio potest dici respectu sue cause. Vel aliqd in re : & hoc
dupliciter.Vel vt aliquid essentię rei quo cōstituit in esse: & hoc modo definitio,& vniuersali
ter qd est forma essentialis ię̄tre:diciť notio rei: & hoc mō solū tres pprietates psonales psonarū
cōstitutiuę,dicēde sunt notiones psonarū.Vel vt aliquid virtute existēs in eo quo res cōstituit
in esse:queadmodū vis motiua oīm vniuersaliter cōsistit in vi motiua primi mobilis:& e notio
respectu motoris primi mobilis:& hoc modo innascibile siue ingenitū,est notio patris,scdm q̄

P

inferius declarabitur loquendo de innascibili.Vel vt aliquid cōcomitans rē essentialiter in esse
constitutā:queadmodū accidentia sequunt substātiā:& sunt notiones.Et iuxta hunc modū re
moto tamē omni modo accidētalitatis,duplex notio est in diuinis psonis:quia aut consequunt
personā ratione psonę:vel ratione diuine essentię ī ipsa.Primo modo cōmunis spiratio actiua no
tio est patris & filii: ordine em quodā consequiť fœcūditas spirationis generatione, vt habitū
est supra.Secūdo modo vniuersaliter omnes alie pprietates quæ sunt in psonis scdm essentiā
siue personarum comparatarū inter se:vt sunt æqualitas,similitudo,& huiusmodi: siue singu
larum psonarū scdm se,vt sunt attributa essentialia,notiones dicūtur.Vnde inspiciendo dicta
patet q̄ in pposito solū dicūtur notiones pprietates illę quæ sunt psonarū cōstitutiuę , aut in
sunt psonis ratione qua sunt personæ, non ratione qua sunt essentiæ. Et tales sunt solūmodo
quinq̄: quarū numerus accipitur sic. Cū em (scdm supra determinata) psona in deo non est
nisi relatiua:et hoc scdm rationē originis: relatio aūt scdm ratione originis pōt esse vel vnius
ad vnū:quorū vnus est a quo alius:& alius qui ab alio:& vnus ab vno:sic sunt duę notiones:
vna patris,vt paternitas siue generatio actiua q̄ alius est ab eo: alia vero filii,vt filiatio siue na
scibilitas qua ipe est ab alio : vel potest esse plurium ad vnū qui est ab illis pluribus: et sic est
notio cōmunis spirationis actiuę patris & filii:vel potest esse vnius ad plures:& hoc vel vnius
a quo sunt plures:& sic est notio patris innascibilitas,vt infra patebit:vel vnius qui est a pluri
bus:sic spiratio passiua est notio spiritus sancti.

Q
Ad arg.
R
Ad duo
prima.

CAd dissolutionem quorundam argumentorū distinguēdum est hic de notione
sicut supra distinctū est de pprietate:quoniā aliqd potest dici notio largissime,large,stricte,&
strictissime.Primo modo,ois pprietas diuina largissime accepta pprietate pōt dici notio,scdm
q̄ pcedūt duo prima obiecta.Large aūt loquēdo de notionib⁹ psonarū,nō dicunt nisi.v.pprie
tates q̄ sunt in psonis scdm ipas psonas:non scdm essentiā cōmune,vt dictū est.Stricte aūt lo
quēdo nō sunt nisi quatuor ex illis . Cōmunis em spiratio actiua nulla notitiā psonæ ppriam
facit.Stricte aūt loquēdo nō potest dici notio,scdm q̄ pcedit quarta ratio: & similiter quinta.
Strictissime aūt loquēdo nō sunt notiones nisi tres psonales pprietates. Innascibilitas em rōne
negationis quā īportat,notio esse nō pōt,vt pcedit penultima rō.Ratio aūt affirmationis itel‐
lectę qcqd dignitatis simpľr īportat,cōtinet ī actiua generatiōe & spiratione: & quo ad hoc ad
illas reduciť,vt inferius patebit loquendo de innascibilitate.CAd illud qd assumiť in tertia ra
tione:q̄ nulla pprietas est notio,quia nō est principiū essendi in psonis:sed solū ipa essentia:Di
cendū q̄ in psonis & est esse & est ad aliud esse. Primū est ab essentia, & est commune tribus.
Secundū vero a pprietate,& distinguiť scdm distinctiōe pprietatū. dicēte Augustino.vii.de
trinitate.Substātia patris ipe pater est:non quo pater est : sed quo est.Et sic vno modo princi‐
pium & ratio cognoscendi personas est essentia : & alio modo proprietates. Sed ista propria est

S
Ad quartū
& quintū.
Ad sextū.

T
Ad tertiū.

perſonis,ſecundū ꝗ ſunt perſonę:& ideo ꝓprie dicuntur notiones perſonarū & nō iſa eſſentia.
Ad vltimū ꝗ generatio & ſpiratio paſſiuę nō poſſunt dici notiones:Dicēdum ꝗ in eo qd eſt
ab alio habere eſſe per generationē aut ſpirationem,eſt tria conſiderare.ſcilicet ipſum habere eſ
ſe,qd eſt dignitatis,& cōmune omibus,& ideo nō dat rationē notionis.Et ipſum ſimplr ab alio
habere illud,qd nō ponit rationem dignitatis,neqʒ etiam indignitatis:& ideo etiā non dat ra
tionē notionis.Eſt etiam in illo tertiū conſiderare,ſcilicet habere ab alio eſſe ſic,ſcilicet per na
turalem generationē aut ſpiratiōe.quę qᵘ́ꝭ ſunt nobiles modi habēdi,idcirco dant rationem
notionis.Quomodo autē ſunt nobiles modi habendi,ſatis declaratur primo ſentētiarū diſtin.
xxv.de filio,cap.Hic quęritur.de ſpiritu ſanō,cap.Ita etiam.

V
Ad ſepti.

Irca quintū arguitur primo: ꝗ nulla proprietas in deo ſit relatio,ſic.ꝓprie
tas in diuinis eſt ipſa eſſentia ſiue ſubſtātia. Paternitas em̄ eſt deitas. ſed qd
in diuinis eſt ſubſtātia non eſt relatio:quia ex oppoſito diſtiguunt̄ ſicut duo
ꝑdicamēta in diuinis:vt patet ex ſupra determinatis.ergo &c̄.Scdo ſic.Ve
riſſimo enti nō cōuenit debiliſſim⁹ mod⁹ eſſendi: quia modus debet r̄ndere
rei.quicꝗd in deo eſt,eſt ens nobiliſſimū:& modus relatiōis eſt modus entis
debiliſſimus.dicēte Cōmentatore ſuper.xi.metaph.Relatio debilioris eſſe eſt inter omnia ꝓdi
camenta.ergo &c̄.Tertio arguitur ꝗ nō ois proprietas in deo eſt relatio,ſic ſcdm Damaſce
nū lib.i.cap.xi.Secundū omnia ſunt vnū pater & filius & ſpūs ſanctus,ꝑter generationē,ingene
 rationē,& proceſſione.ſed alię ſunt proprietates ꝑter iſtas:ergo vnū ſunt in eis. ſed in relationi
bus nō ſunt vnū,immo in ſola ſubſtātia. ergo oēs alię ꝓprietates in deo ſubſtātię ſunt & nō re
lationes. Quarto oſtenditur ꝗ aliqua ꝓprietas in deo vt ſaltem ingenitū,non ſit relatio, ſic.
non eſt relatio niſi ſint duo extrema,vnū de quo dicitur,& aliud ad qd reſpicit.ſed ingenitum
nō habet niſi vnū extremū: ſcilicet de quo dicitur,& nō habet aliud ad qd dicat̄.ergo &c̄. Sí
vero dicatur ſcdm Auguſtinū.v.de trini.ꝗ dicitur ad nō genitorem:hoc nō poteſt ſtare: quia
ille nō genitor non poteſt eſſe aliqua pſona diuina:vt filius vel ſpūs ſanctus,quia ad ipſas pater
refertur aliis relationibus.eadem autem perſona ad eandem non refertur pluribus relationib⁹:
vt infra declarabitur. Et preterea tunc non genitor eſſet proprietas filii, aut ſpiritus ſancti , ſi
cut ingenitū patris,qd non eſt verū:vt infra patebit.Nec poteſt eſſe creatura,quia ad illam non
habet deus aliquē eſſentialem reſpectū, nec reſpectu illius accipitur in deo aliqua notio:quia ni
hil ponit nobilitatis in deo:& notio debet eſſe ꝓprietas ad dignitatē ꝑtinens:nec pōt ſine reſpe
ctu alicuius alterius,quia nullū eſt aliud:& reſpectu eius qd omnino nihil eſt,nihil magis acci
pienda eſt aliqua notio in deo ꝗ reſpectu creaturę,quare &c̄. In cōtrariū eſt,quoniā quicquid
eſt in deo ꝑter ſubſtātia relatio eſt.Plura enim ꝓdicamēta ſecundū ſuperius habita in deo nō
ſunt.omnes proprietates in deo ſunt aliquid ꝑter ſubſtātiam.dicente Auguſtino libro nono de
ciui.dei.Ideo ſimplex perſona dicitur:quia eſt hoc quod habet, excepto ꝗ relatiue queqʒ perſo
na ad alteram dicitur.ergo &c̄.

A
Queſt.V.
Argu.i.
2

3

4

5

In oppoſi.

Dicēdū ad hoc ſecūdū iam determinata,ꝗ proprietates in diuinis nihil aliud
ſunt ꝗ quędā qualitates ſubſtantię,& ſic ꝗ́ꝗ re ſunt ipſa ſubſtantia ſiue eſſentia(paternitas em̄
eſt deitas,& ſimiliter cętera huiuſmodi )tn̄ inquātū ꝓprietates ſunt,alia eſt ratio ipſarum, alia
ſubſtātię:quę non poteſt eſſe ratio aliqua abſoluta,quia neceſſario poneret ꝑter ſubſtantiam ali
quā rem abſolutam in qua fundaretur & eſſet in deo cōpoſitio. Oportet ergo ꝗ ſit ratio relati
ua:quę nō requirit niſi rem abſolutam vt eius fundamentū.ſed aliter importatur reſpectus ſi
ue relatio per proprietates ſubſtātię quę ſunt attributa,& per ꝓprietates pſonarum,quę verius
proprietates dicunt̄: quia illę,vt bonitas,veritas,& huiuſmodi,ſignificāt ipſam eſſentiā ſub ra
tione reſpectus:vt ſupra determinatū eſt:nō ſic autem ꝓprietates pſonarum: ſed ſignificāt ſuo
nomine ſolū reſpectū:vt paternitas nō eſſentia ſignificat cū reſpectu ad aliū: hoc em̄ ſignificat
pſona quæ eſt pater:vt infra dicet̄:ſed ſignificat purū reſpectum quo pater eſt pater,& ſic de cę
teris.Vn̄ dicit Magiſter.i.ſente.diſtin.xxvii.cap.Nec tamen.Patris nomen non tantū relationē
notat: ſed etiā hypoſtaſim.i.ſubſtātiā ſignificat.ita & filius & ſpiritus ſanctus. Relationū vero
vocabula:ſcilicet paternitas, filiatio, pceſſio,gignere,vel gigni,procedere,ipſas tn̄ relationes.

B
Reſponſio.

Ad primū in oppoſitū,ꝗ proprietas eſt iſa eſſentia:vt paternitas eſt deitas &c.
Dicēdū ꝗ circa ſignificatū dictionis licet realitas ſit eādē ꝓprietatis ſiue reſpectus & ſui fun
damenti in quo fundatur,quę ſignificatur & nomine fundamenti,& nomine ꝓprietatis tam in

C
Ad primū
prin.

deo q̃ in creaturis:vt in ſequente queſtione declarabitur:vt propterea in diuinis proprietas ſi
dicetur de eſſentia,& econuerſo:vt infra declarabitur exponendo modos loquendi & ꝑdicandi
in diuinis:ſemper tñ modus alius eſt huius & illius:q̃ licet ex oppoſito diſtinguunt inter ſe,nõ
tñ reſpectu ſui fundameti,immo in ipſo conueniũt.Ꝑredicametũ eñ relationis in realitate a rea=
li tatibus ꝑdicamentorum ſuper quas fundatur non diſtinguitur: ſed ſolũ in modo & ratione
ꝑdicamenti:vt ſuperius expoſitum eſt.Et ſic ratione rei in diuinis ſubſtátia eſt relatio:licet non
ratione modi:& ex hoc cõtingit,q̃ licet proprietates ſint ipſa diuina eſſentia, tamen proprieta=
tibus diſtinguĩtur diuinę perſonę & non eſſentia,ſecundũ q̃ determinat Magiſter ſenten.i.di=
ſtin.xxxiii.per totam.Et ſic vere cõtingit ꝓprietates poni in deo eſſe relationes, nõ obſtante q̃

ſunt ipſa diuina eſſentia.CAd ſecundũ q̃ modus debiliſſimus eſſendi eſt relationis:qui non de
bet conuenire enti nobiliſſimo:Dicedum q̃ in creaturis modus eſſendi relatiõis etiã quę eſt re
latio ſecundũ eſſe,debiliſſimus eſt:quia eſt in eis per dependentiã quãdã non ſolum ad realitatẽ
ſui fundamenti ſiue ſubiecti:ſed etiam ſui obiecti.quia in diuerſis ſubiectis fundantur ſemper
in creaturis relatiua ſcdm eſſe:vt paternitas in ſubſtátia patris,& filiatio in ſubſtantia filii,& ſi
militudo in duabus albedinib⁹,ita q̃ ſi realitas deſtruat in obiecto, etiã deficit relatio in vtroꝗ
extremo.Vn̄ quidã putabát relatioñ eſſe de ſecundis intentioñibus, & rē rationis in animo ſo
lum exiſtente.Non ſic autem eſt circa relationes reales in diuinis:quia in diuinis non eſt relatio
in vno extremo per aliquã dependentiam:ſed ſolum per ordinem quẽdam ad aliud extremum
eo q̃ relatio in vtroꝗ extremo fundatur ſuper eandem eſſentiã. Hoc mõ qd naturaliter eſt ſub
huiuſmodi reſpectibus, ſine illis eſſe non poteſt, pluſꝗ ſine ſuo modo eſſendi qui proprius eſt
ei ſeculdũ q̃ eſt ſubſtátia ſiue eſſentia. Propter qd in diuinis nõ magis debilis eſt modus relatio

nis ꝗ ſubſtátię:nec res relatiõis ꝗ ſubſtátię:qa eſtvna & eade.CAd tertiũ dicedũ q̃ Damaſcen⁹
loquitur de ꝓprietatib⁹ ſtrictiſſime : & ſub vna illrati cõprehendit proceſſione actiuã & paſſi
uam,& ſub ingeneratione comprehendit generationem actiuam:vt infra videbitur. In cæteris
autem proprietatibus conueniunt:quia ſubſtantiales ſunt:vt ſimilitudo,ęqualitas, & huiuſmo
di.& ideo per hoc q̃ ſunt vnum in iſtis, non excluditur quin ſunt vnum in ſola ſubſtantia:
quia illarum vnitas in perſonis eſt per vnitatem ſubſtantię:vt infra declarabitur. CAd quartũ

de ingenito,q̃ non eſt relatio,dicendum eſt q̃ hoc non eſt verũ.Ad cuius intellectum ſciedum
eſt q̃ ingenitum ad aliud dicitur non ad ſe . qd oſtendit Auguſtinus.v.de trini.cap.vii.ſic in
quiens.Negatiua porro iſta particula non,id efficit:vt qd ſine illa relatiue dicitur,eade prepo=
ſita ſubſtantialiter dicatur:ſed id tñ negatur,qd ſine illa agebatur,ſicut in ceteris ꝑdicametis:
velut cũ dicimus homo eſt,ſubſtátiá deſignamus:qui ergo dicit nõ homo,nõ aliud genus=pre
dicamenti nunciat:ſed tñ illud negat &c̃. Non ergo receditur a ꝓredicamento relationis cum
dicit ingenit⁹.Sicut eñ genitũ nõ ad ſeipſum dicit,ſed q̃ ex genitore ſit:ita cũ dicit ingeñitus
nõ ad ſeipm dicit,ſed q̃ ex genitore nõ ſit,oſtendit.qa ſicut fili⁹ ad patrẽ,& nõ fili⁹ ad nõ patrẽ
refert,ita genitus ad genitorẽ,& nõ genitus ad non genitorẽ referat neceſſe eſt.Sed quia iſta re
latio negatiua eſt,ideo aliqui negabát ingenitum eſſe relatioñe:& de numero.v.notioñ pone
bát tñ quatuor illarũ eſſe relationes.Et verũ eſt q̃ nõ ſint niſi quatuor poſitiue,negatiua tamẽ
nõ minus eſt relatio ſcdm dicta Auguſtini ꝗ alię, & hoc realis:quia ſicut ex natura rei abſꝗ in
tellectus cõſideratione habet fundari illę affirmatiue, ſimiliter & iſta negatiua, ꝗ facit relatio
nem realem:vt infra declarabitur . CQ₂ ergo arguit q̃ non genitus nõ dicitur ad nõ genitorẽ

vt ad aliquã perſoná diuiná,aut ad creaturá:Dicendũ q̃ bene verũ eſt, immo refertur ad aliud
qd nec eſt,nec eſſe poteſt in rerũ natura:vt ad nõ genitorẽ . Et q̃ arguitur q̃ reſpectu talis nõ

poteſt haberi notio:Dicendũ q̃ verum eſt ratione negationis pure,aut relationis negatiue. eſt
tamen notio ratione affirmationis cointellectę:vt infra patebit. CAliter autem reſpondet Pre
poſitinus ſic dicens.Ad hoc qd obiicitur:q̃ ſi innaſcibilitas ſit relatio,oportet q̃ alia ſit correla
tio,ſic reſpondemus:q̃ non omnis relatio habet correlationẽ.Nam ꝗdam relatio ineſt vel adeſt
creaturę reſpectu creatoris:nulla tamen ineſt vel adeſt reſpectu creaturę.Qd verum eſt ſecun
dum rem.ineſt tamen ei ſiue adeſt ſecundum rationem & cõſiderationem intellectus. Et ſic in
propoſito adeſt relatio alteri extremo ſecundum conſiderationem intellectus negatiue , & ſic
nec eſt,nec poteſt eſſe aliquid in re . Prepoſitinus autem dicit q̃ ingenitum dicitur relatiue ad
filium & ſpiritum ſanctum,ſic inquiens.Preterea proprietate illa dicitur referri ad filium & ad
ſpiritum ſanctum,quia per eam oſtenditur remoueri a patre proprietas filii, & proprietas ſpiri
tus ſancti.qd non vſquequaꝗ abſurdum eſt:vt infra videbitur.

Irca fextum arguitur ꝗ omnes proprietates in deo funt relationes reales,fic: reale dicitur quid a re.nihil autem rei abfolute eft aut poteft effe in diuinis, nifi ipfa effentia : a qua ortum habet omne refpectiuum : quod ex fe non eft res. fcdm Boethium dicentem de trini.capi.xii.ꝗ tria prędicamenta,fcilicet fubftantia,quátitas,& qualitas rem monftrant: alia vero ꝑdicamenta circu= ftantias rei.nihil ergo in diuinis habet effe reale quid nifi ab ipfa diuina effen tria.fed ꝓprietates quęcuꝗ equaliter realitatē habēt ab ipfa effentia diuina:ꝗa ab ipfa nō habēt realitatem nifi quia in ipfa fundatur:& oēs equaliter in ea fundatur,quia immediate:ergo &č.

Ⅽ Pręterea fi relatio eft realis a fubftátia in qua fundatur:cum non fit realis dicta nifi quia etiā res fit aliqua,aliter enim non conftitueret perfonā quæ res eft:res autem effe non poteft ꝓpter rem fubftantię nifi quia ipfa eft fubftátia: qua ratione ergo relatio pōt dici res, eadē ratiōe pōt dici fubftátia.cōfeques eft falfum.ergo &č. ⅭQꝛ autē aliquę fint reales arguitur.Boethius di= cit libro de trini.ꝗ fola relatio multiplicat trinitatem.qd autē aliquid multiplicat realiter , nō poteft effe nifi reale.Multiplicatio autem trinitatis perfonarum in deo realis eft,non fecūdū ra= tionem tm.dicente Auguftino ꝗ pater & filius & fpiritus fanctus funt tres res.ergo &č.ⅭQꝛ autem nec iftę fint reales,ergo multo fortius nec aliqua aliarum,arguitur fic.Ioan.Damafcenꝰ dicit lib.i.cap.xi.Aliud eft re confiderare, aliud ratione & cognitione . in omnibus quidē crea= turis hypoftafeon diuifio confideratur re,cōmunitas autem earum ratione & cognitione con fiderať.in fubftátia vero fupfubftátiali econuerfo eft.illic enim cōmune & vnum re cōfideraf: cognitione vero eft fcdm diuifum.fed iftud diuifum non eft nifi fecundū proprietates perfona les.dicēte eodem.Vnū enim deum cognofcimus:in folis vero proprietatibus & paternitatis & filiationis & proceffionis fcdm exiftentię modum differentiar intelligimus. ergo fecundū pro= prietates huiufmodi non differunt ꝑfonę nifi cognitione feu ratione.hoc autem non effet fi effent relationes reales.ergo &č. Ⅽ Item Boethius de trinitate dicit, ꝗ relatio patris ad filium & vtriufꝗ ad fpiritum fanctum fimilis eft relationi eiufdem ad feipfum . illa autem eft ratio= nis tantum.ergo &č.

Ⅽ Dicēdū ad hoc fcdm fupra determinata,ꝗ ꝓprietates attributales relatiōes fi= ue refpectus reales non funt.cuius tamē ratio iam videbitur. De aliis autē fciendum,ꝗ cū re= latio omnis confiftit in quodam ordine & collatione quadam relatorum inter fe, ifte ordo va riari habet fcdm varietatem ordinatorum:& hoc tripliciter:quia aut confiftit in ordine ordi= natorum ex natura rei:vt ex vtraꝗ parte ratio ordinis fit ex natura rei:vel in ordine ordinato rum ex ratione intellectus:vt ex vtraꝗ parte ratio ordinis fit ex ratiōe intellectuſ: vel partim in ordīe ordinatoꝛ ex natura rei, ꝑtim ī ordīe ordinatoꝛ ex ratiōe ītellectꝰ:vt videlicet ex vna ꝑte fit ratio ordinis ex natura rei,& ex alia ex ratiōe intellectus.Si ī ordine ordinatoꝛ ex natu ra rei,fic eft relatio realis. Si in ordine ordinatorum ex ratiōe intellectꝰ, fic eft relatio ratiōis.Si ꝑtim vno mō & ꝑtim alio mō:fic eft ꝑtim & ex vno latere relatio ratiōis,ꝑtim vero & ex alio la tere relatio rei.Exēplū de hoc tertio modo eft:fi homo dextera fua cōparatur ad colūnā,ifta re= latio quā hō habet ad colūnā vt dexter ei:& colūna ad hoiem vt ei finiftra:ꝗa fita eft ad dexte ram eius:ifta inꝗ relatio hominis ad colūnam realis eft:quia dexterum fuꝑ qd fundatur in homine,fcdm rem eft in homine:relatio vero colūnę ad hominem folum rationis eft:quia fini= trū fuꝑ qd fundatur in colūna,nō eft in colūna nifi fcdm cōceptū intellectus,fcilicet ex refpe ctu ad dexterū hominis. Exemplum de fecundo eft, quādo intellectus accipit vnum vt duo:& ꝑer hoc intelligit illud fub quodam ordine & refpectu ad feipfum,ficut cum dicitur aliquid eſ fe idem fibiipfi.ibi enim eft ex vtraꝗ parte relatio fecūdum rationem:quia duplicatio ifta eiuf= dem non eft nifi in conceptu intellectus. Vel cum dicitur in diuinis pater eft equalis filio , ex vtraꝗ parte eft relatio fcdm rationē,& hoc quia equalitas aliquorum nō eft relatio nifi fcdm magnitudines eorum cōmenfuratas inter fe,fiue fcdm ꝗ habent magnitudines inter fe cōmē= furatas,& ideo non eft realis relatio equalitas duorum aut plurium:nifi fcdm duas aut plures magnitudines cōmenfuratas,fecundum quas inter fe cōmenfuratur realiter abinuicem diuer fas,fuꝑ quas fundatur refpectus reales diuerfi.Magnitudo aūt fpiritualis patris & filii , eft ipfa diuina effentia:quę vna eft in vtroꝗ fcdm rem,& nullo modo plurificata. Cū ergo fcdm ipfam dicitur effe perfonarum equalitas,oportet ꝗ bis accipiatur fcdm intellectum : femel vt habet effe in vna perfona:& femel vt in alia:vel ter fi trium perfonarum equalitas fecundū ipfam eft accipienda.vt fecundum hoc diuerfi refpectus poffint fundari in ea.Et ideo perfonarum ęqua-

**L** litas in diuinis ex vtraqʒ parte eft relatio fecundum rationem.Et non eft differétia in iftis duo bus exemplis:nifi qʒ in illo duplicantur per intellectum ambo , fcilicet & illud fuper qd fun datur ordo & relatio vt eft fubftantia rei,& ipfe cuius eft.non enim eft idétitas nifi bis fumen do idem per intellectum,& fimiliter fubftantiam eandem.In ifto vero exemplo duplicatur per intellectũ alterũ folũ:fcilicet illud fuper qd fundatur ordo relationis.Perfonę enim diuinę ex fe nõ ex opere intellectus funt plures:fed effentia deitatis q̃ vnica eft in eis,inquantum in ea fun dat ęqualitas,accipit penes itellectũ vt plurificata iquãtũ eft hui⁹ & inquãtũ eft illi⁹,& quo ad hoc magis realitatis eft in relatione ęqualitatis huius q̃ identitatis. Exemplum de primo eft in omnibus ordinatis fecundum relationem côfequenté quãtitatem,qualitatem, aut actionem,& paffionem:dum tamen ex vtraqʒ parte correfpondens ratio ordinis & refpectus inueniatur.Sic enim referuntur adinuicem ęqualia vel fimilia in creaturis:quia in vtroqʒ eft quãtitas vel qua litas fecundum ré, quibus ordinem & refpectum habent inter fe:& fimiliter naturaliter actiua & paffiua : quia in vtroqʒ eft id realiter fuper quo fundatur actio & paffio : & eft femper illud reale î creaturis aliud & aliud re abfoluta:vt alia & alia quãtitas,vl' alia & alia qualitas,vel ali⁹ & alius motus,aut aliquid aliud:fecundum qʒ ipfa extrema relata neceffario funt alia & alia re abfoluta.Si enim illud reale non fuerit in vno extremo vnum re,& in alio aliud re: non eft in creaturis relatio realis ex vtraqʒ parte: immo fi fuerit vnum re in vtroqʒ differens fola ratione ex vtraqʒ parte, eft relatio & ordo fecundum rationem tãtũ:vt dictum eft de relatione identi tatis.Similiter fi fuerit aliquid reale in vno cui nõ refpondet aliud reale in altero: ex vna parte eft relatio & ordo realis,ex altera vero rationis tãtũ:vt dictũ eft de homine & columna. **C**Hoc

**M** eft ergo qd fumme difturbat nos in diuinis,vbi neceffe habemus ponere fcdm fidem & dicta fanctorum,qʒ inter diuinas perfonas eft relatio realis:ne fola ratione ponamus perfonas diftin gui.Quia eñ nihil in diuinis eft abfolutũ reale nifi eentia deitatis:& ideo fuper ipfam oportet fingulos refpect⁹ in fingulis pfonis fundari: obfcurũ eft valde quomodo eft magis realis relatio inter diuinas perfonas fecundum rationes actiuas & paffiuas que funt generare & generari: q̃ fecundum rationes quantitatis & qualitatis quæ funt ęquale & fimile : cum tamen omnes ifti refpectus fundentur in identitate diuinę effentię.Q d licet ratio ad plenum non poffit compre hendere:tentandum tamen eft aliquantulum attingere. **C**Ad cuius intellectũ fciendum eft, qʒ

**N** fcdm predicta,relatio eft debilioris effe inrer ofa predicamenta,& hoc ideo maxime quia predi camentum fubftantię fignificat per modum entis,ratio enim fubftantię eft fecundũ fe exiftere: predicamenta autem accidentis abfoluta vt quãtitas & qualitas,fignificant per modum inhęré tię,ratio enim accidentis eft in effe:relatio vero fignificat per modum ad aliud fe habentis. ra tio enim relationis eft ad aliud effe,quafi nihil fit eius qd per ipfam refertur . dicente Boethio cap.xii.de trinitate.Hęc ois predicatio exterioribus datur.& etiã dicit Philofophus quinto me taphyficę,qʒ fcientia inquãtum eft relatio non eft fcientis:fed fcibilis. Vnde aliqui putauerunt relationem effe de fecundis intentionibus,quę non funt nifi res rationis non exiftétes extra in

**O** tellectum,quales funt intentio generis & fpeciei. Q d videtur fenfiffe Boethius, cum dixit in li bro de trinitate loquens de differentia predicationis fubftantię,quãtitatis,qualitatis,& relatio nis.Patet ergo(inquit in cap.xii.)quæ fit differentia predicationum:qʒ alię quidem quafi rem monftrant: alię vero quafi circunftantias rei: qʒqʒ illa ita predicantur:vt effe aliquid rem often dãt:illa vero non effe:fed potius extrinfecus aliquid quodãmodo affignat.Non igitur(vt dicit in cap.xiii.)poteft pdicatone relatiua quicq̃ rei de qua dicitur,fecundũ fe addere vel minuere, vel mutare,q̃ tota non in eo qd eft eē,côfiftit:fed î eo qd eft in côparatiõe quodãmodo fe ha bere. & in fine capituli dicit. Quocirca fi pater & fili⁹ ad aliqd dicunt:nihil aliud differũt nifi fola relatione.Relatio vero non predicatur ad id de quo predicatur quafi ipfa res fit: & fecun dum rem non facit alteritatem rei de qua dicit.Propter qd & Gilbertus Porretanus in cômen to fuper hunc paffum,relationes non ineffe & infiftétes perfonis, fed affixas dicit, fic inquiens. Theologicę perfonę quoniã effentiarum oppofitione a feinuice alię effe non poffunt,harũ quæ dictę funt extrinfecus affixarum rerũ oppofitione a fe inuicem alię & probantur & funt . Q d non vfqʒquaqʒ falfum eft.relatio enim & res eft , & modus : fed ex fe non eft nifi circunftantia fiue quidam modus.nifi aliquis fic velit extendere rem,vt rem appellet etiam modum rei:ma xime qui fequitur rem ex natura rei & non ex natura intellectus:qui etiam res rationis appella tur,cum habet effe a folo intellectu : licet non appellatur res fimpliciter . qʒ etfi refpectus qui

ſequitur ex natura rei,poſſit dici res vera aliquo modo,hoc nõ conuenit ei ratione illa & comparatione qua eſt ad aliud , ſiue ex eo q̃ eſt reſpectus : aut relatio. Aliter enim non eſſet
vna res ſed plures , neq̃ vna realitas ſed plures , reſpectus ille qui eſſet ad plures terminos. Et ſic non eſſet vna relatio ſecundum rem qua vnus eſt equalis duobus, neq̃ vna paternitas qua vnus eſt pater duorum filiorum in creaturis : cum ſint duo termini ad quos:
q̃d falſum eſt. ¶Præterea ſi relatio ex ſe eo q̃ eſt reſpectus & ad aliud , eſſet res,tunc comparata ad ſubſtantiam non eſſet niſi modus tantum. & ſic vno modo eſſet res: alio modo tantũ mo
dus:q̃d eſt inconueniens: ſicut eſt incõueniẽs q̃ aliquid vno modo ſit accidens:alio modo ſub-
ſtantia.Propter q̃d relatio q̃ ipſa eſt res vera ſiue realis , hoc accipit ab alio : vt a ſuo fundamento : quia ab alio habere hoc non poteſt : quia ad aliud comparationem non habet niſi
vt ad fundamentum , aut vt ad terminum . Specialiter autem de relationibus notionum in
diuinis q̃ realitatem ſumant a fundamento ſuo vt dicantur reales , patet inſpiciendo iam
dicta : hoc enim neceſſe eſt propter hoc , q̃ conſiſtunt in ordine & collatione ordinatorum
ex natura rei exiſtentis in eis abſq̃ omni conſideratione intellectus.Scdm enim ſupra determinata deitas ſeipſa formaliter habet eſſe: immo eſt ipſum eſſe: & ſcdm ſe a nullo habet eſſe prin-
cipiatiue:propter quod tanq̃ forma pura eſt prima ratio principiãdi omnia,& fundatur in ipſa
reſpectus & ordo ad principiata:& ordine quodã naturæ primo ad primũ principiatũ.Qui qui
dem reſpectus ad primum principiatum cum ipſa forma deitatis conſtituit primam perſonam:
quæ ratione ſuæ primitatis neceſſario innaſcibilis eſt : quæ non habet eſſe ab alio ſed ab ipſo omnis alius & omne aliud : ſed ordine quodam naturæ primo primum principiatum.
Per hoc enim q̃ deitas in hac prima perſona eſt intelligere quoddam ſecundum actum , ipſa deitas fœcunda eſt, & ratio principiandi actiue modo naturæ & intellectualis operationis,
vt qua quis habet producere : & ſimiliter paſſiue , vt qua quis habet produci : & per hoc
q̃ eſt ratio ex qua fundatur in ipſa reſpectus qui eſt ab alio produci , & conſtituit cum eſſentia ſecundam perſonam , & exiſtens in vtraq̃ perſona ſimul, eſt fœcunda vt ſit ratio producendi actiue,qua duo producunt modo voluntatis : & ſimiliter paſſiue vt ex qua quis ſic
producitur : & per hoc fundatur in ea reſpectus qui eſt ab alio produci modo voluntatis : &
conſtituit cum ea tertiam perſonam . Et ſic relationes notionales in diuinis ex hoc reales ſunt
q̃ fundantur in ipſa deitatis eſſentia ex ſola natura eius abſq̃ omni conſideratione & collatione intellectus:quemadmodum & in creaturis relationes reales dicuntur quę fundantur in re
ex ſola natura rei abſq̃ conſideratione intellectus.

## Dubium.

¶Sed dubium eſt vtrum cum hoc q̃ ſunt reales relationes,poſſunt dici res:& eſt **P**
verum proculdubio q̃ inquantum includunt in ſe ſuum fundamentum , ſicut reales dicuntur quia fundantur in re , ſic & res ſunt quia rem ſui fundamenti in ſe includunt.Sed ſecundum hoc non ſunt niſi vna res , licet ſint tres relationes vel quatuor. ¶Aliis videtur q̃ ſicut
reſpectus fundatus in re ex conſideratione intellectus dicitur ad minus res rationis tam ſecundum ordinem quem habet ad fundamentum, q̃ ſecundum ordinem quem habet ad obiectum : quia vtrunq̃ ordinem habet ex conſideratione intellectus : ſic reſpectus ille qui fundatur in re ex natura rei abſolutę, debeat dici res ſcdm vtrunq̃ ordinem : quia ex natura rei
conuenit rei vterq̃:ſcilicet q̃ fundatur in re abſoluta,& q̃ reſpicit obiectum. ¶Sed ſi hoc ponatur circa reales relationes in diuinis, eadem ratione & in creaturis : vt videlicet paternitas
in creaturis non ſolum dicatur res & realis ex fundamento quæ eſt naturalis potentia generandi: ſed etiam ex eo q̃ eſt obiectum: quod dicunt multi : & q̃ illa realitas ex ordine ad obiectum,eſt propria prædicamento relationis.

## Queſtio.

¶Sed tũc q̃ro:cũ p̃dicamẽtũ relatõis trãſfert' ſcdm aliq̃d manẽs i dinis,an iſta res
maneat i dĩnis trãſlato p̃dicamẽto relatiõis,an nõ,ſed trãſit i ſubſtãtiã.Et ſiue ſic dicat' ſiue ſic.

aut ista res est idem omnino cum modo pdicamenti q est ad aliud esse:aut non.Si non, tunc si
trāslata relatiōe ad diuina nō manet huiusmodi respectus:quia sm aliquos est accidens in crea
turis:sed transit in substantiam: tūc qd manet de relatione in diuinis non est nisi modus tātū,
& nō est res plusq in creaturis.Si autē manet in diuinis vt aliquid aliud ab illo modo,tunc res
aliqua creaturę esset in diuinis pręter rem deitatis , & pręter modū essendi ad aliud: qd falsum
est.Si autē res illa in creaturis sit ipse modus,& transfertur ad diuina,oportet ꝗ maneat : quia
Q  aliter nihil de pędicamento relationis maneret in diuinis.In diuinis ergo realitas relationis ex
ordine ad obiectum non est nisi ipse modus.& sic secundum ꝗ sunt diuersi modi ad aliud essendi,secundum ꝗ sunt obiecta diuersa , sic & diuersę res . Sed tunc non est disputatio nisi de
nomine, appellando extenso nomine rem quod alii appellant modum rei. Attamen si sic respectus possint dici res,hoc non est nisi quia ex natura rei fundantur in vera re . Quia enim realiter & ex natura ipsius rei fundantur in re secundū dictum modum vt dicantur res ex ordine
ad fundamentum , ideo etiam realiter respiciunt obiectum,& dicuntur res in ordine ad obiectum , non autem ex ordine ad obiectum.Non enim respicere obiectum realiter dat eis ꝗ sunt
res etiam in comparatione ad obiectum:immo econuerso,quia enim sunt res ex ordine ad fundamentum , etiam sunt res in ordine ad obiectum, & etiam realiter respiciunt obiectum. Bene tamen verum est si respectus dicatur res , ꝗ sicut diuersi sunt respectus ex comparatione ad diuersa obiecta , sic & diuersę sunt res : sed hoc nunꝗ prouenit vt ex causa propter
quam sic , sed solum sine qua non . aliquando enim sunt diuersi respectus ad idem obiectum,
vt duorum filiorum ad eundem patrem : vt prędictum est . Vnde ꝗ duorum filiorum sunt
duę filiationes ad eundem patrem,causa siue ratio ꝗ sunt diuersi respectus,aut diuersę res, nō
est obiectum vnum:sed potius fundamenta : quę sunt diuersę potentię generandi passiuę in
diuersis materiis:ex quibus generantur duo filii:super quorum diuersas potentias passiuas fundātur diuersę filiationes,cum tamen paternitas vnica scdm rem respōdeat eis in obiecto: quia
fundatur super vnicam potentiam generandi actiuam quę est in forma substantiali generantis.
R  Sic & in diuinis ꝗ respectus sunt diuersi ad diuersa obiecta,non sunt causa aut ratio obiecta,li
cet non sunt sine illorum diuersitate: quia scdm Philosophum relatiua sunt simul natura:neu-
trum tamen est causa alterius vt sit: sed causa & ratio per se est ipsa diuina essentia inquantum
est fundamentum omnium diuinarum proprietatum,scdm pretactum modum.Licet enim sit
vnica re absoluta,propter tamen eiusdem infinitatem & illimitatem ipsa est per se ratio vt qua
si fluant ab ipsa diuersi respectus modo actionis & passionis sibi respondentes,& vlterius diuer
sa producta: vt modo actionis generare & spirare ad producendū actiue filiū & spiritū sanctū,
& modo passionis generari & spirari ad producendum quasi passiue filium & spiritum sanctū:
vt ipsa essentia simplex & vnica sit per se perfecta ratio eius ꝗ respectus diuersi sunt,non solum
ꝗ sunt respectus simpliciter,generare,& spirare,generari & spirari,& per hoc ꝗ sunt diuersi siue distincti ipsi producti non econuerso,diuersitas productorum est ratio diuersitatis eius qd
est generare & generari,spirare & spirari.Ex quo patet quoddam suppositum superius,ꝗ scilicet quiditas & realitas secundum quam vna relatio alia est ab altera:non sumitur ex ordine ad
suum oppositum:sed potius ex suo fundamento . Vnde ꝗ proprietates emanationum inter se
distinguuntur , hoc non est quia vna est ad aliam , aut vna ab alia:neꝗ quia sunt ad diuersos
productos vel a diuersis producentibus:sed quia diuersimode fluunt,vel potius sunt quasi diuersi fluxus ab eadem substantia . Vnde & personę inter se sunt diuersæ non tam ꝗ vna procedit ab altera, ꝗ quia diuersimode procedunt ab eadem:vt dictum est supra . Vnde cum vna
persona ab alia emanat, non tam sunt diuersæ quia vna ab altera est, ꝗ quia constituuntur diuersis proprietatibus emanationum. Pater enim est alius a filio non tam quia ab ipso est filius:
ꝗ quia constituitur proprietate qua actiue ab ipso est filius : & filius proprietate qua qua
si passiue est a patre : vt constitutio in esse per talem proprietatem in patre sit pręuia secundum rationem rationi emanationis ipsius producti . Sed ꝗ respectus appelletur res,istum
modum loquendi nōn videtur admittere vsus ecclesiæ . Cum enim quatuor sunt relationes reales in diuinis,tunc esset pręter rem essentię quaternitas rerum in diuinis: quod non videtur admittere vsus loquendi: licet intellectus veritati non repugnaret. Propter qd si omnino dicēdū sit ꝗ relationes sint diuersę & plures res iam dicto modo, videtur mihi ꝗ melius sit
dicere cū determinatione,ꝗ sunt plures & diuersę res relatiōis: ꝗ ꝗ sint plures & diuersę res re
simpliciter accepta:qa si absꝗ determinatione diceret res,cū non sit res in se existens: quia non

ſubſtantia:neq̃ in ſe ſubſiſtens:quia nō eſt perſona:neq̃ alteri inhęrens in diuinis:ga in diuinis non eſt accidens:neq̃ ſimiliter in creaturis:quia tunc non trāſferretur manens in diuinis:eſſet ergo neceſſario ſcdm opinionem Porretani res extrinſecus affixa:quĕadmodum & ille modus videtur eſſe quiddam affixum ſubſtantię inquātum res eſt,ſcdm dictā opinionē: q̃ non ponit q̃ iſtā realitatē habeat a ſubiecto:ſed potius ab obiecto,licet aliā realitatē habeat a fundamēto: vt ſcilicet q̃ plures reſpect9 habeāt a fūdamēto q̃ ſint res & vna res: ſed a diuerſis obiectis q̃ ſint diuerſe res.Sed(vt iā dictū eſt)vtrūq̃ modū realitatis habēt a fundamēto: vnū vt ſunt vnū in illo:aliū vt diuerſimode quaſi fluit ab illo:multo fortius q̃ q̃ ab eo fluit diuerſę creaturę.Ema nationes enim interiores ſunt rationes emanationī exteriorū.Pręterea ſi quis velit dicere q̃ in creaturis alia res ſit fundamentū relationis,alia vero ipſa relatio:& q̃ ſit accidens inhęres ſub iecto ſicut alia p̄dicamenta accidentis,& q̃ cum hoc ſit ibi modus proprius huius p̄dicamenti qui eſt modus purus & non res,& cōſimiliter in diuinis,obuiabit ei ſic.Cū in diuinis duo ſunt pręi dicamenta tranſlata a creaturis,ſubſtātia ſcilicet & relatio,ita q̃ cum aſſumuntur in diui na prędicatione,quicquid in ipſis rei eſt vt ſunt circa creaturas,non manet:ſed totum trāſit in diuinā ſubſtantiā : & manent ſolum duo modi & rationes illorum p̄dicamētorum : qui etiam ſunt iidem in creaturis:ſi ergo in diuinis eſſent diuerſe res, ſubſtātię ſcilicet & relationis, am bo eēnt ibi ex natura deitatis:& vni reſpōderet vn9 modus trāſlat9 a creaturis, & alteri alius. Quare cum modus proprius ſolum fundatur immediate in re ppria,& nō in alia niſi per rem propriā:quia ſcilicet habet eſſe vna earum in alia:ſicut ergo in diuinis modus ſubſtātię qui eſt ſecundum ſe eſſe , per ſe & immediate habet eſſe circa rem ſubſtantiæ & fundari in ipſa , ſic & modus relationis qui eſt ad aliquid eſſe, per ſe & immediate habet eſſe circa rem relationis, & fundari in ipſa. Ita q̃ in diuinis modus relationis qui eſt reſpectus quidam & ad aliquid eſſe non habeat eſſe circa rem ſubſtātię neq̃ fundari in ipſa:niſi per rem relationis exiſtentē in ſub ſtātia,aut circa ſubſtātiā:ſicut ſi in creaturis reſpectus q̃ eſt eſſe ad formā,nō dicāt eſſe in eſſen a materię niſi per rem aliā relationis exiſtentē in ea. Ex quo neceſſario ſequit q̃ res illa relatio nis alia a re ſubſtātię eſſet aliquid abſolutū:ga reſpectus ille qui nō eſt niſi modus & ad aliquid eſſe,non fundatur niſi in re abſoluta:quia quicquid eſt pręter abſolutū eſſe,non eſt niſi modus ius:qui eſt vel ſecundum ſe eſſe,vel ad aliquid eſſe.Modus autem non habet fundari in modo quia qua ratione vnus eorum fundatur in alio,eadem ratione & ille alius in tertio,& eſſet abi re in infinitum.Stādum eſt ergo in aliquo qd eſt res abſoluta, in qua immediate fundat omnis modus. Et ſic in diuinis non eſt ſimpliciter dicendum q̃ ſit res pręter rem ſubſtantię, ita q̃ cū determinatione dicatur in deo pręter rem ſubſtātię eſſe res relationis, hoc eſt ſcdm iam dictū modum appellando rem ipſum modum rei ſimpliciter dictę : cui nō curamus obuiare:quia nō eſſet diſputatio niſi de nomine:quę non prodeſt vbi certum eſt de re.

S

Ad primū in oppoſitū,q̃ relatio non poteſt eſſe realis a ſubſtātia ſubiecta : quia tunc omnes relationes diuinę eſſent res & reſpectus reales: quia omnes fundantur in ſubſtan ia diuina:Dicendum q̃ fundari in ſubſtantia poteſt proprietas dupliciter. Vno modo vt per ecte habet eſſe in ſubſtantia fundata ex natura ſubſtantię abſq̃ omni conſideratione intelle ctus,& cōparatione eius ad quodcūq̃ reale alterius rationis: Vel nō abſq̃ conſideratione intel lectus & cōparatione ad reale alterius ratiōis. Omnis proprietas primo fundata ſupra diuinā ſubſtantiam, realis eſt.& tales ſunt ſolūmodo proprietates perſonales.Secundo autē modo ne quaq̃. Simile enim & ęquale non ſunt relatiōes reales in deo:quia non fundantur in deo ſuper diuinā eſſentiam abſq̃ conſideratione intellectus:vt ſupra dictum eſt.Similiter neq̃ reſpectus attributorum:quia non fundatur ſuper diuinā eſſentia abſq̃ omni cōſideratione intellectus & comparatione ad reale. Secūdum enim q̃ ſupra determinatū eſt, non habent eſſe in deo niſi ex conſideratione intellectus diuini ſecundū ſe : aut etiam ex comparatione ad realem diſtinctio nem perſonarum diuinarum : aut ex conſideratione intellectus diuini ſub comparatione ad diſtincta in creaturis:vt alii dicunt.Aliqui etiā ponunt q̃ non habent eſſe in deo niſi ex conſi deratione intellectus noſtri,& comparatione ad correſpondentia eis in creaturis. Ad ſecun dum q̃ relatio ſi eſt realis eſt res aliqua, ergo eſt ſubſtantia : Dicendum q̃ verum eſt inquan tum realis eſt: alias nequaq̃. Quia hoc nomen relatio vno modo ſignif.cat reſpectum vt eſt in ētio pura & ratio p̄dicamēti.& ſic relatio non eſt res,neq̃ ſubſtātia,neq̃ accidens,nec eſt realis: ed modus ad aliud ſe habēdi purus,niſi ſcdm modū p̄tactū,appellādo rem modū rei:vel appel ando modum realem:quia ſequitur rem.Alio modo ſignificat reſpectum vt eſt res p̄dicamēti

T
Ad primū
prin.

V
Ad ſectidū

absoluti sup quę fundař,sicut & significant omnia nomina specierũ relationis:vt paternitas,si=
liatio,& hmõi.& sic in diuinis significat rē quę est substātia,& est substātia,sed sub ratiõe respe
ctus significata.Est enim quo ad hoc differētia inter significatiõne respectus in nominib⁹ attri=
butorũ quę sunt sapiētia,bonitas, & in nominibus proprietatum quę sunt paternitas, filiatio,
& in nominibus psonarum quę sunt pater,filius.Quoniã attributorũ nomina significat substā
tiam sub ratione respectus rationalis,& nõ imponunt ad significãdum respectũ: sed ipsam sub=
stātiam sub ratiõe respectus.Nomina vero pprietatum imponũtur ad significãdum respectum
fundatũ in substātia,& non substātiam sub ratione substātię:sed solũmodo includunt eã in sua
significatiõe.Nomina vero psonarum imponitur ad significãdum substātiam sub ratiõe respe

X
Ad tertiũ.

ctus:ita φ etiã significat ipsum realem respectũ,& ab illo imponitur principaliter.CAd aliud,
diuisum in diuinis cõsideratur ratione & cognitione: Dicendum φ in diuinis diuisum dupli=
cem habet cõparatiõne:vnã ad id qđ cõe est:aliã ad suũ cõdiuisum.Primo quidē mõ cõsiderat
ratiõe & cognitiõe:quia differũt sola ratiõe substātia & pprietas:non aũt scđo mõ. Sed ista rñ
sio est cõtraria dicto Damasc.quia cõparat cõtrario mõ cõe & diuisum in creaturis . Dicit em̃
expsse φ diuisum considerat re:ita φ diuisa sub cõmuni inter se differunt re.Ergo scđm men=
tem eius,in diuinis diuisum consideratur ratione.i.φ distincta sub cõmuni inter se sola ratio=
ne differunt. CIdeo aliter dicēdum:φ licet in deo(vt dictum est)proprietas significat substan=

Y

tiam:non tamen est distinctiua personę vt est substātia: sed solũ vt est respectus:vt sic sit alius
modus substātię vt est substātia, & alius vt est sub ratione respectus.Ita φ diuinarũ psonarum
differētia penes huiusmodi modos rationis est respectu differētię duarum psonarum in diui=
nis scđm substātias absolutas.& ita quo ad hoc scđm intētionem Damasceni diuisum cõsidera
tione siue ratione est.Et hoc modo ad modũ respectus aspiciendo dicit Boethius, scđm φ iã ha
bitum est,φ relatio non dicit rem sed modum solũmodo.CAd vltimũ φ relatio psonarũ inter

Z
Ad quartũ

se similis est relationi eiusdē ad se,quę nõ est nisi scđm rationē:Dicendũ φ verũ est quo ad hoc
φ relatio ex vtraφ parte fundatur super idipsum re. Differt tamē quo ad hoc φ ibi duplicatio
relationis super idem & extremorum relatorum distinctio est ex sola ratione & consideratione
intellectus:non sic in proposito:vt visum est supra.

## Articu.LVI.

Equitur Artic.LVI.de proprietatibus sed specialiter per=
sonarum realibus, in comparatione ad ipsas personas. vbi quęrun
tur quatuor.

Primum est:vtrum proprietates sint in personis.

Secundum:vtrum in eadem persona sint plures proprietates.

Tertium:vtrum sint constitutiuę personarum.

Quartum:vtrum ambo simul constituant personam,scilicet pprie=
tates cum essentia.

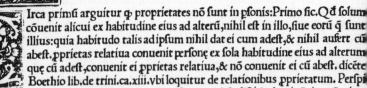

A
Quęstio.I.
Argu.I.

Irca primũ arguitur φ proprietates nõ sunt in psonis:Primo sic.Qđ solum
cõuenit alicui ex habitudine eius ad alterũ,nihil est in illo,siue eorũ q̃ sunt
illius:quia habitudo talis ad ipsum nihil dat ei cum adest,& nihil aufert cũ
abest.pprietas relatiua conuenit personę ex sola habitudine eius ad alterum
quę cũ adest,conuenit ei pprietas relatiua,& nõ conuenit ei cũ abest. dicēte
Boethio lib.de trini.ca.xiii.vbi loquitur de relationibus pprietatum. Perspi
cue ex alieno aduentu constare pspiciũtur:si auferas seruum,abstulisti & dominũ.An nõ etiã
si abstulisti albedinē,abstulisti quoφ albũ: Sed interest: φ albedo accidit subiecto : sed potestas
qua seruus coercetur,quoniam sublato deperit seruo,constat non eam per se domino accidere:
sed per seruorũ quodãmodo extrinsecus accessum.nõ igitur vt cõcludit dici potest prędicatio
ne relatiua quicφ rei de qua dicitur,vt iam supra.ergo &č. CSecũdo sic.ita simplex est persona
in diuinis vt essentia.sed proprietates essentię,vt attributa eēntialia,bonitas,veritas,& huius=
modi,propter essentię simplicitatem non dicitur esse in essentia:sed solũ modi quidam intelli
gendi circa ipsam.ergo similiter nec proprietates sunt aliquid in persona:sed solũ modi circa p
sonas.CTertio sic.Proprietas relatiua est in illo, in quo essentialiter fundař.vt similitudo vni⁹
albidinis ad aliam , quia essentialiter fundat in albedine est in albedine.vnde & denominat eã
dicendo φ albedo est similis albedini . proprietas quęlibet relatiua in diuinis essentialiter fun

datur in diuina eſſentia,vt iã habitum eſt.ergo eſt in illa. nõ ergo proprie dicenda eſt eſſe in perſo-
na.CIn oppoſitũ eſt Gregori⁹,qui dicit in præfatiõe Miſſe.In eſſentia vnitas,in perſonis proprietas. In oppoſi.

CIn iſta queſtione antiquitus erat via erroris vna dicentium ꝗ proprietates licet   **B**
ſint aliquid in diuinis.i.inter ea ꝗ circa deũ conſiderant,non tñ in pſonis nec in eſſentia,nec ipſę ꝑ  Reſol.ꝗ
ſonę aut ipſa eſſentia diuia,ſed tñ habitudines ab extriſeco pſonis ꝗſi affixę & aſſiſtetes.Et erat po
ſitio Porretani:quã excepit ex verbis Boethii,vt ſupra. Sed qd dixit Boethi⁹(vt habitũ eſt iã ſupra) Ex quo appet ꝗ ꝓprietates & relatiões nihil rei dicũt i diuinis:ſed circuſtãtiã & modũ rei ex
trinſecus aſſignant:Hoc non dixit intendendo ꝗ non ſunt res aliqua:ſed omnino aliud ab eſſentia
& perſona,vt putauit Gilbertus:ſed hoc dixit quia non dicunt in diuinis aliꝗd re diuerſum ab eēn
tia & perſona,ſicut ſignificant accidentia abſoluta,vt manifeſtat per ſua exempla:ſed ſolum modũ
ſe habendi & circunſtantiam,non tamen omnino diſtinctam & ſeparatam ab eſſentia & perſona:ſed
vt includens in ſuo ſignificato rem & eſſentiam in qua fundatur modus ille,vt dictum eſt:quæ ꝓ
pterea conuenit perſonę ex natura illius rei:vt ſic circuſtantiam & reſpectum ad alium habet perſo
na non ſolum quia alius quodammodo ſe habet ad ipſam:ſed ex ſeipſa reſpicit alium cũ ali⁹ reſpicit ipſam.Vnde ꝗ dixit Boethius hmõi circuſtantiã cõſiderari ex aduentu alterius:non dixit hoc
quia ex ſolo aduentu alterius,qd intelligit Gilbert⁹:ſed quia non ſine aduentu alterius.Sic em eſt
ꝗ ois natura perfecta habet ex ſe naturam qua habet ad aliud cõparari:& tãto ad plura quanto ꝑ
fectior & ſimplicior eſt natura,vt habitum eſt ſupra loquendo de attributis . ſed ꝗ quandoꝗ actu
non refertur ad aliud hoc contingit ex defectu alterius extremi : ſicut contingit in luce ꝗ habet
in ſe perfectam naturã qua ſemper habilis eſt vt actu illuminet:& ꝗ nõ ſemper actu illuminat, hoc
eſt quia non præſens eſt illuminationem ſuſcipiens:& cum fuerit præſens,ſtatim ſine omni ſua im-
mutatione illuminat.Similiter album in ſe habet naturam qua habile eſt vt alteri aſſimiletur ſecũ
dũ actum:& vt actu aſſimiletur non requiritur niſi preſentia alterius extremi.Et ita in talibus id
reale quo habile eſt aliquid ad alterum reſpicere,bene eſt in ipſo ex ſe:ſed non ſub ratione reſpectus
niſi per præſentiam alterius extremi. & vtrunꝗ includitur in ſignificato proprietatis relatiuæ,vt
habitum eſt ſupra.Et quo ad hoc ſecus eſt de ſignificato relationis & ſubſtãtiæ quãtitatis & ꝗlitatis.
Cum em in quolibet prædicamento eſt duo cõſiderare,& rem ipſius prædicamenti,& rationem ge
neris prædicamenti,ſecundum ꝗ eſt ſuperius expoſitum: alia tria prędicamẽta propriã rem habẽt
ſui generis:& ad illam ſignificandam imponuntur:non autem ad ſignificãdum modum ſiue ratio
nem ſui generis quę conuenit ſuę rei.Subſtantia em imponitur ad ſignificandum rem cui cõuenit
eſſe ſecũdũ ſe:Quãtitas vero imponitur ad ſignificãdũ vnã rem:Qualitas vero ad ſignificãdũ aliã
rem:quibus tñ cõmuniter cõuenit eſſe in alio,licet diuerſimode.Relatio vero ad ſignificãdũ ꝓpriã
rationem ſui generis imponitur,& nõ ad aliquã rẽ propriam ſui generis:quia illã nõ habet ad quã
ſignificandam poſſit imponi:ſed ſolum habet res aliorum prędicamentorum ſuper quas fundatur
vt ſepius tactum eſt: ſed aliter ꝗ accidens, quantitas ſcilicet vel qualitas,fundatur ſup ſubſtãtiã:
quia illa fundatur ſup ſubſtantiam vt res ſup rem cui inhæret:cum in ſe non poſſit eſſe.Relationis
vero reſpectus fundatur ſuper rem vt modus quo alter reſpicit.nihil autẽ in ſe ex hoc reſpectu re-
cipit.Et ſic propria ratio quãtitatis & qualitatis eſt ſecundum comparationem eius ad ſuũ fundamentum vt ad ſubiectum cui inhæret:ſed propria ratio relationis non eſt omnino ſecũdum compa
rationem eius ad fundamentum ſuum vt in quo ſit,ſed potius vt ab ipſo,& ſecundum comparatio
nem ad id quod reſpicit.Et quo ad hoc relationes & reſpectus earum nec ſunt inhærentes nec ſub
ſiſtentes:ſed aſſiſtentes,& quaſi extrinſecus affixę & quodammodo contingentes rem prout quaſi
tendit ad alterũ.Et iſto mõ tñ conſiderauit Gilbertus relationes:& dixit eas non eſſe ſubſtantiam
nec pſonam nec in ſubſtantia nec i perſona:ſed affixã & aſſiſtentẽ pſonę.Sed licet propria ratio rela
tionis non eſt omnino ad ſubiectum vt eidem inhærens:eſt tamen ad ſubiectum vt eidẽ innitẽs,nõ
quaſi res alia ab ipſa:ſed ꝗſi res eadem ſub ratione modi per quẽ alterũ reſpicit. Et non eſt differen
tia niſi quia eſt alia ratio eius ſcdm ꝗ eſt in ſe aliꝗd,quæ eſt ratio ſubſtantiæ:& alia ſecundũ ꝗ eſt
ſub ratione modi per quem ſuppoſitum ſe habet ad aliud,quę eſt ratio relationis.Res enim eadem
abſolutiſſime conſiderata ,abſolute eſt aliquid in ſe,& ſub comparatione quadam habet modum re
ſpect⁹ ad alterũ:& eſt vna indifferens ſicut fundamentum ad duos modos,ſubſtãtiæ ſcilicet & re
lationis:& ſub vno mõ eſt res ſubſtantiæ in diuinis & in creaturis quantitatis aut qualitatis:ſub
alio vero mõ eſt res fundamentalis relationis,& ſic eadẽ vt res ſubſtãtiæ,quantitatis,aut qualitatis
& res relationis mõ pdicto:& ſignificaꞇ noie ſubſtãtię,quãtitatis,aut ꝗlitatis & noie relatiõis ſcdm
diuerſos reſpectus differens ſolum modo.Et ideo in creaturis relatio fundata ſup quantitatem aut

qualitatem,accidens eft:& idē accidēs re fub diuerfis rationib⁹ p̄dicamentorum:vt idem re fignifi cent quátítas & æqualitas,& qualitas & fimilitudo,In diuinis autem vbi nõ eft relatio fundata ni fi fupra fubftantiam,cõfimili modo fubftantia eft & eadē fubftantía re fub diuerfis rationibus p̄di camentoꝝ,fubftantíę.f.& relationis.& propterea relatio fiue ꝓprietas in diuinis non eft affixa & af fiftens:fed potius infiftens effentię vt fundamento pfonę vt conftituto per ipfam,vt patebit in fe quenti queftione.Propter qđ Magifter primo Sētentiarum dift.xxvi.cap,Iam de proprietatib⁹. lo quens de proprietatibus dicit.Vocát relationes quæ non funt deo accidētales,fed in ipfis perfonis ab æterno funt incõmutabiliter:vt non modo appellatione fint relatiuę:fed & ipfę relatiões fiue no tiones in rebus ipfis,fcilicet in perfonis,fint.

**C**
**Ad pri.**
**principa.**
**D**
**Ad fcđm.**
**E**
**Ad tertiũ**

**[** Ad primum in oppofitnm,ꝙ proprietas relatiua conuenit perfonę ex fola habi tudine ad alterum,Dicēdum fecũdum iam dicta ꝙ hoc poteft itelligi dupliciter,Vel quia ex folo aduentu alterius:fic non eft verum:nec fic eft ꝓprietas aliquid in pfona ꝓprie loquendo, vt pofuit Gilbertus.Vel quia non fine aduentu alterius aut coexiftentia eiufdem:fic eft verum.& fic ꝓprie tas eft in pfona ex virtute exiftentiæ fuę alterũ refpicientis,vt dictũ & expofitũ eft. **[** Ad aliud, refpectus attributorũ non dicuntur effe aliquid in diuina effentia propter eius fimplicitatem:qua re neꝗ ꝓprietates in perfona: Dicendũ ꝙ in ꝓpofito aliqd pōt intelligi effe in,vel vt in fubiecto:fic nihil eft in diuinis:vel ficut in fundamento:& fic oīes refpectus diuini funt in effentia,nec fimpli citati effentiæ repugnāt:qa quafi ex ipfa pullulant:vel quafi vt conftituēs in cõftituto vel determi nans in determinato:& fic ꝓprietas non habet effe in effentia:fed tñ in pfona : nec obftat eius fim plicitati,fecundum ꝙ hoc melius patebit in fequente queftione.**[** Ad tertiũ,ꝙ relatio fundata in al bedine denominat eā,& ita eft in ea &c,Dicendũ ad hoc,ꝙ relatio habet fundari in aliqua re abfo luta dupliciter,vno modo fecundũ id qđ eft & vt res aliqua eft:alio modo vt principium actionis productiuę alicuius eft,Primo mõ dupliciter. Vno modo vt in fe eft aligd:alio mõ vt alteri inhæ rens,Primo modo relatio fundata in re aliqua eft in illa:fed non nifi vt in fundamento:& denomi nat illam,fecudum qđ vna albedo in abftractione dicitur effe fimilis alteri albedini,Secundo modo relatio fundata in re eft ĩ illa nõ vt in fundamēto:fed vt in fubiecto in illo cui⁹accidēs eft res in qua fundatur.& fecundum hoc albedo in fubiecto exiftēs vt in fubiecto eft nõ dicitur fimilis:fed album & eft prima fimilitudo fubftantialis:fecunda vero accidentalis,Neutro iftorum modorum funda tur relatio fup diuinam effentiam,Non primo modo:quia non habet aliam fibi fimilem,Non fecũ do modo:quia preter hoc ꝙ non habet fimilē fibi aliam,nõ eft in aliquo ficut in fubiecto.Sed iuxta hũc fecũdũ modũ inquātũ exiftit eadem ĩ diuerfis fuppofitis,in qb⁹ differre poteft fecudum ratio nem acceptionis noftrę,fup ipfam fundatur fimilitudo qua pfonę inter fe fimiles dicuntur,Tertio autem modo relatio fundata in re non eft ĩ illa nifi fecundum ꝙ ordinat̃ ad actionem & paffionem & hoc ꝓductionis perfonalis ĩ diuinis:in qua refpectũ non hñt inter fe nifi ꝓducens actiue & ꝓdu ctum paffiue:ꝗ oportet pfonaliter diftingui, Qđ cum in diuinis nõ poteft effe p fubftantiam,opor tet ꝙ illud fit p ꝓprietates relatiuas cõftituentes pfonas ꝓducentē & ꝓductam,Relatio eī (vt ait Boethius cap.xiii.de trini.)fi dici poteft quoquo modo id qđ vix intelligi potuit , interptatiuū eft pfonarum,Et fic fubftantia vt in ipfa fundatur talis relatio nõ exiftit in fe fed in fuppofito.Et ideo ficut in relatione accidentali quæ fundat̃ fuper accidens vt eft inhęrens fubiecto,non denominat id fup qđ fundat̃:fed fubiectũ ei⁹,vt dictum eft:fic relatio pfonalis fundata fup diuinam effentiam nõ denominat effentiam fed pfonam:nec fecũdũ ꝙ dicit Prepofitin⁹ eft ꝓprietas effentiæ fed pfonę: & ideo non eft determinatiua effentię:fed pfonę,& p hoc ꝓprie eft in pfona nõ in effentia , vt iā dicef.

**G**
**Quæ.ii.**
**Arg.i.**

**2**

**[** Irca fecundum arguitur,ꝙ in vna perfona non poffunt effe plures proprietates Primo fic,Magifter dicit primo Sententiarum diftinctione,xxxiii,cap,Quorum. In ipfis hypoftafibus fic funt proprietates ꝙ eas determinant,fed perfonam nõ determinat proprietas nifi eam conftituat : quia determinando conftituit : & vna perfona non conftituitur nifi vna proprietate,ergo &c, **[** Secundo fic,cum proprietas in diuinis fecundum determinata res fit,fi in vna perfona effent plu res proprietates,cum proprietates denomināt perfonam,vna perfona effet plu

**In oppofi.** res res. **[** In contrarium eft,quoniam perfona non diftinguitur a perfona nifi proprietate.Cum er go vna perfona diftinguitur a pluribus , oportet ponere ꝙ in vna perfona fint plures proprie

**H** tates.

**Refponfio [** Dicēdũ ad hoc,fcđm ꝓdeterminata,ꝙ ftrictiffime loquēdo de ꝓprietate nõ fut pprietates plures in vna psona:quia nõ sunt plures nisi tres psonales cõstitutiue triũ psonarũ. Largius autê loquêdo secũdum ꝗ inascibilitas & cõmunis spiratio dicũt̄.pprietates,planum est ꝗ due sunt pprie in patre,innascibilitas & generare:& vna cõiter i ipo & filio,scilicet cõis spiratio actiua.

¶Ad primum in oppositum,ꝗ non est proprietas in persona nisi eam determinet & tales non sunt nisi tres cõstitutiue:Dicêdũ est ꝗ illud dictũ est solũ de trib⁹ pprietatibus psona libus. Verũtamê distinguêdũ est,ꝗ determinare potest pprietas psonam vel in se & respectu alteri⁹ psonę simul,vel respectu alteri⁹ psonę tm̄. Tertiũ mêbrũ,scilicet in se tm̄,est impossibile: quia in diuinis secundum supra determinata non est psona nisi relatiua.Primo mõ nõ determinant psonã nisi tres pprietates psonales. Secũdo modo potest proprietas determinare psonam dupliciter, aut positiue,aut negatiue.Primo modo determinat communis spiratio personas patris & filii distinguê do eas a persona spiritus sancti.aliter em̄ non esset in eis principium emanationis spiritus sancti.Ni hil em̄ pducit̄ proprietate aliqua,ꝙ nõ determinat̄ p eam. Vnde Magister primo Sententiarũ di stinctõe.xxxii.cap.Quorũ.dicit.Licet paternitas & filiatio sint in essentia diuina:cum eam non de terminent:non ideo potest dici ꝗ diuina essentia generet & generetur: vel ꝗ eadem res sit pater & filius,ita enim proprietas determinat psonas,vt hac pprietate hypostasis sit generans:& illa alia hypostasis sit generata. Secũdo modo ingenitum determinat personam patris respectu non genito ris,vt tactum est supra:& inferius amplius declarabitur.¶Ad secundum,ꝗ plures res essent in ea dem persona:dicêdũ scdm ꝗ dicit Alexander in summa sua,ꝗ pprietas non dicit rem proprie:sed ra tionem rei.Et huius ratio est,quia res secundum ꝗ sumitur in diuinis,nõ dicit a reor rerĩs:sed tm̄ a ratitudine:& nõ est nisi duplex ratitudo.s.existêdi & subsistêdi.Ratitudine existêdi nõ est res i di uinis,nisi essentia in ꝗ existunt psonę,& ꝗcũꝗ sunt in deo,Ratitudine vero subsistêdi nõ est res in diuinis nisi psona in qua subsistit essentia,& quęcũꝗ sunt in diuinis,ppter ꝗ proprietas licet i di uinis dicit̄ relatio realis,vt supra determinatũ est: non tamen pprie potest dici res nisi cum deter minatione:dicendo res relationis.

Irca tertiũ arguit̄,ꝗ pprietas siue relatio i deo nõ sit cõstitutiua psonę,Prĩo sic. ꝗ referri est aliꝗd pter id quo refert̄.dicente Augustino.vii.de trinita.Omnis res quę relatiue dicit̄,est aliꝗd excepto eo ꝙ ad aliud dicitur . Persona aũt in diuinis est ꝙ refert̄:pprietas relatiua est quo refert̄.ergo &c.Sed ꝙ est aliꝗd pter ipsam psonam,non est cõstitutiũ eius,ergo &c.¶Secũdo sic,ꝙ est cõstitu tiuũ psonę,est distinctiuũ eius,.pprietas vna non est ab alia distincta:quia in di uinis non est distinctio nisi secũdum originem vnius ab altero:& vna pprietas nõ est ab altera,ergo &c.¶Tertio sic,scdm Phm̄. 4. physico.Relatio nec est terminus nec principiũ mot⁹.imo cõsequit̄ relatio ad illd ꝙ est termin⁹ mot⁹,in pductõe ergo diuina oportet itelligere ꝗ est pricipiũ & ꝗ est termin⁹pter relationê.ergo &c.¶Qz nõ ois pprietas relatiua sit psonę cõstituti ua,arguit sic.actiões notionales i deo.s.gñare & spirare,pprietates relatiuę sũt psonarũ:ꝗ nõ possũt cõstituere psonas,ga sunt elicitę a psonis,& sic psonas suppõut cõstitutas,ergo &c.¶Qz ois pprie tas relatiua sit psonę cõstitutiua arguit prio sic.ois pprietas relatiua est distinctiua,ga oppositionê ponit:& nõ est oppositio nisi i diuinis distictio nisi psonarũ,ergo &c.Sed nõ est op p prietas distictiua psonarũ nisi ga ę psonę cõstitutiua:ga eodê cõstituit res in eê,& distiguit ab alio. ergo &c.¶Scdo sic.relatiõe nõ refert̄ ad aliꝙ nisi ꝙ p ipsa cõstituit,aut ꝙ ipsa p̄supponit,p̄suppo ni em̄ non pot ab eo ad ꝙ ipsa refert̄:ga nõ est relatio nisi ga referat.in diuinis aũt relatio ꝗcũꝗ p̄supponit nisi substantiam:quia omnis relatio i diuinis immediate sup essentiam fundat:quia non est ibi aliud absolutũ:& non fundat nisi sup absolutũ.quare cũ nõ pot referre substantiam: quia eã distingueret:refert ergo id ꝙ constituit. illud autem non est nisi persona,ergo &c.

¶Dicêdũ ad hoc,ꝗ secũdũ ponentes proprietates non esse res in diuinis,nec insi stentes,sed assistentes & modos intelligendi solum,proprietas nec est constitutiua nec distinctiua personę:immo personę seipsis sunt,& sunt distinctę:& seipsa vna habet ordinem ad aliam:ita ꝗ re spectus qui consistit in illo ordine,consequens est ad personas.A quorum dicto in modico distant il li qui ponunt ꝗ subtractis proprietatibus per intellectũ manet hypostases.ꝙ em̄ illi dicunt de per sonis , nullã faciêdo differentiam iter psonas & hypostases: hoc isti dicunt de hypostasibus, diffe rentiam assignando inter hypostases & psonas.secũdũ ꝗ Alexãder ptractat i summa sua positiõe illorum sustinendo hanc opinionem,distinguendo in diuinis quatuor:quorum duo dicit esse extre ma,& duo media,sic inquiens opponendo.In diuinis inuenim⁹ aliquid ꝙ nec est distinguibile nec distinctũ: & hoc est essentia.Item inuenimus distinguibile & distinctũm: & hoc est persona.Inter hęc autem duo extrema,intercidunt secundum rationem intelligentię duo media,scilicet substã tia & hypostasis: sicut iter duo, scilicet quo est, & quis est, intercidūt qđ est & qui est. Essentia enim dicit quo est: substantia qđ est: hypostasis qui est, persona quis est. Et etiam dicit in soluēdo ꝙ verū est ꝙ hęc duo sunt media iter illa duo secundum rationem intelligentię: verūtamen ita se habēt ꝙ vnum magis se habet cum vno extremorum & reliquum cum reliquo: quia substantia magis se tenet apud nos cum essentia, hypostasis vero cum persona: & dicitur vna substātia sicut vna essentia similiter sicut dicimus tres personas, ita dicimus tres hypostases. Cū em̄ (vt dicit) paternitas & filiatio sint oppositę relationes respicientes se inuicem, non possunt simul inesse eidem rei subsistenti: sed differentibus. Sed res subsistentes proprietatibus illis vel relationibus sunt hypostases: ergo positis proprietatibus vel relationibus differentibus in diuinis, necesse est ibi ponere differentes hypostases. Quia igitur ꝓprietates vel relationes in deo sunt distinctæ & incompossibiles, scilicet paternitas, filiatio, & processio, ideo distinctas habent hypostases. Et intendit tamen ꝙ ista distictio non sit per proprietates, & ita ꝙ seipsis distinguantur. Vnde assignando quomodo differenter dicuntur in deo tres hypostases, & tres ꝑsonę, subdit dicēs. Differūt tñ in hoc ꝙ hypostasis dicit qđ distinctū: sed non habet in suo noīe vñ distīguit̄: sed dicit respectū ad distīguētē. Hypostasis em̄ dicit rē subsistētē respectu ꝓprietatis: nō habet ergo in suo noīe ꝓprietatē distinguētē: sed dicit respectū ad illā. Persona autē est hypostasis ꝓprietate distincta. Vñ in hoc addit quātū ad rōnē ītelligētię nomen personę respectu noīs hypostasis: quia ꝑsona dicit distinctum: & iterum habet de suo intellectu & de suo noīe ꝓprietatē distinguentē. nihilomin⁹ tñ distinctū est hypostasis actu sicut & ꝑsona: sed nō habet de suo ītellectu ꝓprietatē distīguētē.

O ¶ Ex dicto aūt Boethii arguit contra se hoc modo. Substantia cōtinet vnitatem, relatio multiplicat trinitatem: auferatur ergo relatio ꝑ intellectū non remanebit nisi substantia quæ continet vnitatem: aufertur ergo multiplicatio. Et respondet dicens ꝙ verbum Boethii non intelligitur ꝙ in deo non sit distinctio nisi relationum: immo est ibi distinctio rerum subsistentium, scilicet hoc modo, ꝙ hęc res subsistens non est illa. Verūtamen relatio manifestat distinctionem in diuinis: & respectu diuersarum proprietatum sunt plures res subsistentes: non ꝙ sint plures solum per illas: immo & seipsis: sed respectu illarum non respectu essentiæ, quia hypostasis dicit respectum ad proprietatem: vnde remota per intellectum proprietate personali est intelligere hypostasim: quia adhuc est intelligere rem subsistentem habentem respectum ad proprietatem. Et licet tollatur ꝓprietas per intellectum, non tamen in re potest tolli. Vñ adhuc est ītelligere res distīctas actu: sed nō ꝑ ꝓprietates personales, sed seipsis. Exēplū. Petr⁹ & Paul⁹ sunt duo homines, vnus pater, alter filius, distinguuntur ergo relatione & hypostasi. subtrahe ꝑ intellectum paternitatem & filiationem: nihilominus manent duæ hypostases: immo etiam duę substantię indiuiduę. vnde non tm̄ dicuntur duæ res subsistentes relationibus: sed etiam duo homines. In diuinis similiter ablatis per intellectum proprietatibus remanent duę hypostases siue duę res subsistentes, non tamen duæ substantiæ sicut in creatura, & ī hoc est dissimilitudo.

P ¶ Dictū istorū nullo modo potest stare in diuinis: quoniam quęcunq; seipsis sunt distīcta, toto eo qđ sunt, distincta sunt non aliquo sui, vt prima simplicia: ita ꝙ nihil est cōmune vtriq; eorum. Si enim aliquid esset commune eis, illo non distinguerentur: sed præter illud oportet quęrere aliud distinctiuum qđ nō est commune sed proprium. Quęcunq; autem sic sunt distincta vt nihil sit eis commune, necessario oīno & secundum rem & secundū essentiam sunt distincta. Si ergo hypostases vel ꝑsonę diuinę seipsis distinguerentur, nec esset de earum constitutione aliquid ꝓprium quo distinguerētur re, essent distinctę necessario. Cum igit̄ in diuinis necesse sit ponere aliqđ cōe in quo nec hypostases nec ꝑsonę distinguūtur oīno, aut est in eis aliqđ de essentia & cōstitutiōe earū quo distīguunt̄ ad hoc ꝙ plures sint: illđ aūt nō pōt esse aliqđ absolutū: qa tūc secūdū rē absolutā differrēt: oportet ergo ꝙ illud sit aliqđ respectiuū vt aliqs respect⁹. Et qđ diceret Gilbert⁹ ꝙ vna ꝑsona in seipsa habet respectū ad aliā: & qđ dicit Alexā. ꝙ hypostasis dicit rē subsistētē respectu ꝓprietatis q̄ est extra suū intellectū hoc īplicat cōtradictionē. Si em̄ ꝑsona aut hypostasis aliqđ sit in se: & habet respectū ad aliđ siue ad ꝑsonā siue ad respectū: alia ē rō ei⁹ qđ est scđm se: alia respect⁹ q̄ se habet ad aliū: ita ꝙ si absoluat̄ rō respect⁹, nō est nisi absolutū ab oī respectu: qđ nō est in diuinis nisi essentia vnica & īdistīcta. Si ergo sit aliqua distinctio & pluralitas ꝑsonę aut hypostasis, oportet ꝙ distinctum in se includat respectū & sic ꝑ respectū cōstituat̄ vt sit persona aut hypostasis distīcta ab alia. Nihil ergo est dictu ꝙ ꝑsona seipa siue respectu quē īcludit, respiciat ꝑsonā: sed ꝙ respect⁹ cōseqns ē & assistēs, vt dixit Gilbert⁹ aut ꝙ hypostasis seipsa significat rē respectu proprietatis q̄ est extra suū ītellectum, vt dicit Alexā. Immo ille respectus quem ambo ponunt extra intellectum personæ & hypostasis, necessario intra ponendus est: & ille est quem vocamus ꝓprietatem constitutiuā ꝑsonę: vt in diuinis oīno nō differant ꝑsona & hypostasis nisi ratione, vt habitum est supra. vt secūdū hoc dicere ꝙ subtractis ꝓprie

tatibus a pſonis manét hypoſtaſes,ſimile ſit ei qđ eſt dicere hoíem remanere hoíem ſubtracto ratio
nali.¶Aliter autem ſolet dici a quibuſdā:q̃ cõſtitutio & diſtinctio ſiue pluralitas hypoſtaſum & p
ſonarum nõ ſit niſi per pprietates ſiue relationes & reſpect⁹.Dicút enim q̃ in diuinis perſonis cõ
ſideratur & ratio orígínis:qua hæc habet eſſe a qua alia,& illa quæ ab alia:& ratio relationis:ita q̃
ratio originis ſignificetur verbaliter, vt generare & generari,ſpirare & ſpirari:& ſic p modū agere
egredientis & tranſeuntis ab vno in alterum:ratio vero relationis ſignificetur nominaliter, vt pa
ternitas filiatio:& ita per modū formæ.Attédédo igit q̃ tales formæ ſcđm ratione formæ ſequitur
actus,dixerunt q̃ hypoſtaſes in diuinis conſtituuntur per ſeipſas vt principia & termini actuum,vt
pater & fili⁹:qa huius eſt generare:illi⁹ vero generari.Ad hos auté actus conſequútur proprietates
quæ ſunt paternitas & filiatio:vt hic dicatur pater qa generat: ille vero fili⁹ quia generat.Et ſunt
conſtitutiuæ pſonæ ſicut pprietates ad dignitaté pertinentes & manifeſtantes:non autem cauſan
tes diſtinctióes hypoſtaſum:imo ipſis pſonis ſubtractis manet penes itellectū diſtictæ̃ hypoſtaſes,&
hoc quemadmodum in creaturis proprietates indiuiduorum manifeſtat diſtinctionem indiuiduo
rum ex materia & forma:ſed non cauſant eam:immo ipſis ſubtractis manet penes intellectum ipſo
rum diſtinctio.Sed dictum iſtorum redit in idem cum dictis præcedentium.Hypoſtaſes em̃ nõ ſũt
principia & termini actuum niſi per aliquem reſpectum ad illos qui ipſas conſtituunt,vt aliquid in
ter eas & ipſas diſtinguũt:qa in eſſentia oíno cõueniũt:nec eſt differétia realis,ſiue relatio itelligitᵉ
vt rõ elicitiua act⁹,ſiue vt ſit ipe act⁹,ſiue vt diſpoſitio ex actu:& nõ eſt vni⁹ pſonæ ad vnā plus q̃
vna proprietas ſecúdum rem,vt dictum eſt:& infra amplius declarabitur.vt nihil ſit dictū q̃ alio
reſpectu diſtinguitur hypoſtaſis,alio reſpectu perſona:immo hypoſtaſis etiam ſecundum eos in di
uinis non eſt niſi exiſtentia incommunicabilis naturæ intellectualis,& talis non poteſt eſſe niſi per
ſona:ita q̃ perſona communiter accepta tam in natura creata q̃ in increata , principalius dicitur
perſona ratione naturæ intellectualis ſimpliciter , q̃ ratione proprietatis ſiue indiuiduationis ſim
pliciter. nõ poteſt enim natura intellectualis exiſtere niſi in perſona: poteſt tamen eſſe cõditio indi
uidualis vbi non eſt perſona:vt ſecúdum hoc in diuinis omnino nõ poteſt abſolui ratio perſonę a ra
tione hypoſtaſis niſi abſoluatur omnino natura:vt ſcilicet hypoſtaſis ſit in natura non rationali ſi
ue non intellectuali:quia in diuinis non differt natura & hęc natura.In creaturis vero poteſt abſol
ui ratio perſonę a ratióe hypoſtaſis,abſoluendo hanc naturá ſecundum quã habetur perſonalitas,
non autem naturam ſimpliciter:quia in creaturis differt hæc natura vt humanitas,a natura ſim
pliciter:quia abſtrahédo ab aliquo vt a Sorte hanc humanitatem:licet non maneat Sortes,qa non
eſt Sortes niſi ab hac humanitate:manet tamen ſecundum intellectum hęc animalitas,hęc corpo
reitas,& huiuſmodi:in quibus manet ratio hypoſtaſis licet non perſonę.Et ſic in creaturis abſtra
ctis p intellectum proprietatibus perſonalibus & naturis ſcđm quas dicitur perſona, remanent hy
poſtaſes ſecúdum intellectū. Sic ergo ſimpliciter dicendum eſt q̃ relatio in diuinis conſtitutiua ē
& diſtinctiua ſuppoſiti:ſed intelligédum q̃ non quælibet, ſed aliqua ſic & aliqua non. ¶Ad cuius
intellectum ſciendum eſt,q̃ ſicut in creaturis inuenimus duplicem rationem formarum:quædam
enim forma eſt in materia,quę conſiſtit in dádo eſſe ſuppoſito,vt eſt forma ſubſtantialis,quędá quę
conſiſtit in adueniendo iam conſtituto in eſſe:Similiter dicimus q̃ in re increata duplex eſt ratio
relationum ſiue reſpectuum aut pprietatū, quæ quaſi formæ ſunt. Quædam enim dat eſſe ſuppo
ſito:quędam conſequitur ſuppoſitum conſtitutum ratione ſuppoſiti.Proprietas primo modo illa
eſt conſtitutiua & diſtinctiua ſimul:& ſunt tm̃ tres,quę dicuntur perſonales,ſcilicet paternitas,fi
liatio,& ſpiratio paſſiua,dicente Ricar.iiii.de trinitate cap.xvii.Proprietas pſonalis eſt ex qua vnuſ
quiſq̃ habet eē is qui eſt:per quã quilibet vnus eſt,& ab oibus aliis diſcretus.& cap.xviii.Et quantū
eſt ad diuina,nihil aliud eſt pſona q̃ incõmunicabilis exiſtétia,habés eſſe ſupſubſtátiale ex proprie
te perſonali. & cap.xix.Significat autem ſubſtátiale eſſe ex aliqua ſingulari pprietate:quia ſunt plu
res habentes vnum & indifferés eſſe ex differéti pprietate.& li.v.cap.i.Nam etſi plura habet incõ
municabilia,ſufficit tñ vnū ſolū ad pbádū q̃ ſit pſona.ná ex eo cõſtat q̃ ſit aliquis ſolus ab ahis oi
bus ex illa proprietate diſcretus.Proprietas ſecundo modo eſt communis ſpiratio actiua:nec eſt p
ſonæ conſtitutiua,licet ſit duarum a tertia diſtinctiua.

¶Ad primū in oppoſitum,qđ refert ad aliud eſt aliquid pter relationé,ſecúdū Au
Ad pri.
principa.
guſtinū:Dicédū q̃ verū eſt:ſed hoc in diuinis nõ eſt niſi ipſa eſſentia deitatis. Perſona enim q̃ refer
tur ad aliud præter reſpectú,eſt ipſa eſſentia deitatis:qa ambo cadút in ſignificatione pſonæ,vt pa
tebit in ſequéti q̃ſtióe:& ipſa eſſentia eſt aliqd pter reſpectū,vt habitū eſt ſupra:licet ipſa illa relatio
ne non dicat relatiue:ſed pſona quã conſtituit. Secus em̃ eſt de iſtis pprietatibus i diuinis & aliis
relatiuis.Aliæ enim relationes pſonarum adueniunt ſuppoſito qđ referút, vt ſimilitudo,æquali

Q

R

S

T

tas in deo,dominiũ & feruitus ĩ creaturis.In deo aũt ꝑprietates pſonales ſuppoſita referunt quę
cõſtituũt. Vñde alię relationes ꝓprie reſpe̅ctu iſtarum quodammodo dicunt̃ aſſiſtẽtes:iſtę vero ꝓ
prie dicuntur inſiſtentes. ¶Ad ſecundum ꝙ pſonę non poſſunt proprietatibus diſtingui,quia ipſæ
ꝑprietates inter ſe non ſunt diſtinctæ:quia non oriuntur abinuicem: Dicendum ꝙ eſt duplex diſti
ctio,aliqua em̃ in ſeipſis diſtinguũtur vt ꝓprietates & vniuerſaliter rõnes diſtinctiuę alioꝝ.alia ve
ro aliquo ſui. Et de iſtis verum eſt ꝙ non diſtinguuntur niſi quia oriuntur abinuicem.aliter enim
non habent ſuos reſpe̅ctus perſonales.de illis quæ dicuntur primo modo,nequaꝗ.Poteſt tñ aliquo
modo concedi ꝙ vna ꝑprietas oriat̃ ab altera , inquantum ſcilicet proprietas p̃ris eſt ratio generan
di in ipſo,& ꝑprietas habet in filio per generatione̅.Vñde dicit Prepoſitinus,Cõcedimus hanc,filia
tio eſt a patre,& ꝑgenerationem a patre:nõ tamen ſequiꝗ,ergo eſt genita a patre, Sed tamen(vt di
cit)Magiſtri noſtri non concedunt hanc filiatio eſt a patre:ſed hanc filiatio eſt in filio a patre.ſicut
in ſimili hęc eccleſia eſt iſti ab epiſcopo, non tñ eſt ab epiſcopo. ¶Ad tertiũ,ꝗ eſt vna de rõnib⁹ Ale
xandri:relatio nec eſt terminus nec principium motus:ergo in generatione eſt aliquis vñde motus
p̃ter reſpe̅ctum relationis:Dicendũ ad hoc,ꝙ relatio non poteſt eſſe terminus aut principium mo
tus in creaturis:ſimiliter nec actionis pſonalis in diuinis vt p ſe ꝓducens & p ſe ꝓductũ. Tale enĩ
ſolum eſt ſuppoſitũ aut vt forma ꝗ elicit actio ꝗ eſt ꝓductio,aut ꝗ acquirit̃ ſiue communicat̃ p ſe p
ducto p ꝓductiõe,talis enim eſt forma aliqua abſoluta ĩ creaturis,& forma deitatis ĩ deo.Nihil tñ
in deo pōt eē ex pte ꝓducẽtis rõ determinãdi ad actũ vim actiuã:aut ex pte ꝓducti rõ determinã
di vim ꝗſi paſſiuã vt forma ꝓducẽtis cõicet̃ ꝓducto,niſi reſpc̅t⁹: & p hoc p ſe ĩ diuinis tã ꝓducens
ꝗ ꝓductũ pſona relatiua eſt:qd̃ nũꝗ cõtigit aut cõtigere pōt in creaturis.¶Ad ꝗrtũ ꝙ gñare gña
ri ſpirare ſpirari ſunt ꝑprietates relatiuę & nõ cõſtitutiuę pſonaꝝ:Dicendũ ꝙ in rei veritate eæ
dem ꝑprietates intelligũt p iſtas generare generari,& p illas pater filius,ſecundũ rē,differẽtes ſo
la ratione,vt infra videbit̃.Et ſic ſecundũ rem oēs conſtituunt pſonas & diſtinguunt:ſed nõ ſub ra
tionibus ſuorum nominũ . Actus enim originales generare generari ſpirare ſpirari non ſignificãt
aliquid vt in re exiſtens:ſed vt a re vel vt ad rem.generatio enim communiter actiue & paſſiue di
cta eſt quaſi fluxus quidam ꝑgrediens a generante inquantum eſt actio,ad genitum inquãtum eſt
paſſio. Vñde quia in diuinis conſtitutio perſonæ non habet fieri niſi p aliquid intrinſecum ei,neꝗ
ſe habet aliquid vt conſtituẽs niſi ſignificetur vt intrinſecũ : ideo actus notionales vt actus nõ poſ
ſunt dici conſtitutiui pſonarum:ſed ſolum ꝑprietates ſignificantes vt aliqua forma in eis exiſtens:
licet ĩ ordine ad aliud mediate actu.Vñde quia rationes iſtarum ꝑprietatum paternitas filiatio ꝗ
ſi præcedunt actus originales generare & generari,eo ꝙ fundantur ſup ipſos:non enim eſt pater ni
ſi quia generat,nec filius niſi quia generatur:ideo ſaltem ex parte patris paternitas non poteſt dici
in patre ꝑprietas conſtitutiua perſonæ generantis vt eſt principium: ſed proprietas innotata:quæ
tame̅ realiter idem eſt qd̃ paternitas vel generare,vt infra videbitur. ¶Ad quintum,ꝙ omnis pro
prietas & relatio in deo eſt conſtitutiua perſonæ : quia ponit oppoſitionem: Dicendum ad hoc,ꝙ
ſicut duplex eſt in diuinis relatio, ſecundũ rem.ſ.& ſecundũ rationem : ſic & duplex oppoſitio re
latiuorum:ſecũdũ rem qñ eſt relatio in vtroꝗ extremo:ſecundũ rē & ſecundum rõnem qñ ſaltẽ ĩ al
tero eſt ſecũdum rationẽ. nũc aũt non quælibet oppoſitio eſt diſtinctiua & cõſtitutiua pſonarũ:ſed
illa tñ quæ eſt ſecundum rem,licet non quælibet,vt patet de ſpiratione actiua. ¶Ad ſextũ,ꝙ rela
tio non refert niſi qd̃ ſupponit aut qd̃ cõſtituit:Dicẽdũ ꝙ verum eſt.Et qd̃ aſſumit̃,ꝙ quęcũꝗ rela
tio in diuinis non ſupponit niſi ſubſtãtiam:quia immediate fundatur ſuper ipſam: dicẽdum ꝙ nõ
oportet:quoniam relatio poteſt fundari immediate ſup.ſubſtantiam aut vt ſubſtantia eſt in ſe cõſi
derata,& non ibi exiſtens in perſona cõſtituta per illam relatione̅:aut poteſt fundari immediate ſu
per ſubſtantiam,vt tñ iam exiſtens in perſonis cõſtitutis per alias relationes. Relatio fundata ĩ ſub
ſtantia immediate primo modo,vere eſt perſonę cõſtitutiua:& tales non ſunt niſi tres.Relatio fun
data in ſubſtantia immediate ſecũdo modo,nequaꝗ eſt cõſtitutiua:vt eſt ſpiratio actiua,æqualitas,
ſimilitudo,& huiuſmodi.

A
Quæ.iiii.
Arg.i.

Irca quartum arguitur ꝙ relatio cum ſubſtantia non cõſtituit perſonam:ita ꝙ
ambo ſimul cadant in conſtitutionem perſonæ,Primo ſic.ſi perſona ex ambob⁹
.ſ.ex relatione & eſſentia,cõſtitueretur,aut ergo ſecundum ꝙ ſunt duo quędam
aut ſecundum ꝙ ſunt vnum quid. Si ſecũdo modo,cum relatio & eſſentia non
ſunt vnum quid,niſi ſecundum ꝙ relatio conſideratur vt comparata ad eſſen
tiam,& ſic cadit in ipſam: quemadmodum prædicametũ relationis in diuinis
cadit ſeu reſoluitur in p̃dicametũ ſubſtãtiæ ſecundum ſuperius determinata:

& non eſt relatio aliud q̃ ipſa eſſentia:tunc ergo relatio non eſſet conſtitutiua pſonę vt habet reſpe
ctum ad ſuum correlatiuũ:ſed vt eſt quid abſolutum in ipſa eſſentia.& ſic pſonã abſolutã cõſtitue
ret,non autem reſpectiuã:cuius cõtrarium iam determinatũ eſt. Eſſet etiã eſſentia ex ſeipſa pſona:
q̃d eſt contra Auguſtinum.vii.de trini.vbi vult q̃ pſona non dicit niſi relatiue:eſſentia autem non
niſi ad ſe.quia(vt dicit)ſi eſſentia relatiue diceret eẽntia,eſſentia ipſa nõ eẽt eẽntia.Si prio mõ:aut
ergo eſſentia & relatio cõſtituũt pſonã vt duo q̃ ſunt duę res,aut q̃ non ſunt duę res.Si primo mo
do,cum ergo(vt iam dictum eſt ſupra)eſſentia in pſona eſt aliquid excepta relatione:& ſimiliter re
latio ẽ aliquid p̃ter eſſentiã:& ſic neutrũ eoꝝ includit alterũ:eſſent ergo in deo tres res relationum
pſonalium,& quarta p̃ter illã:& eſſet in deo rerũ quaternitas:q̃d falſum eſt.Si ſecũdo mõ,aut ergo
nõ ſunt duę res quia neutrum eorum eſt res,aut q̃ alterũ eſt res tm̃,alterũ vero nõ res. Nõ prio
modo:quia ſecũdũ Auguſtinum deitas eſt q̃dam ſumma res q̃ trinitas eſt:& quia tunc pſona nõ
eſſet res:cuius cõtrariũ vult Auguſtinus.i.de doctri.chriſtiana, ex non rebus autem nõ conſtituit̃
res,ſicut ex non ſubſtãtiis non conſtituitur ſubſtantia.Nõ ſecũdo modo:quia illud non eſſet niſi q̃
eſſentia eſt res:relatio vero non res,ſed relatio non res non eſt niſi intentio q̃dam ſecunda:& ſic cũ
intentio ſit ens rõnis,perſona in deo eſſet aliquid naturę & aliquid rõnis,aliquid rei & aliqd inten
tiõis:q̃d abſurdum eſt,nullo modo ergo ex eſſentia & relatiõe pſona cõſtituit̃ in diuinis.⸿Secũdo
ſic.ſi pſona cõſtitueret ex eſſentia & relatione,tũc nõ generaret de ſe intellectum ſimplicem:ſed cõ
poſitum,cõp̃hẽdẽdo in pſona non hoc tm̃,ſed hoc & aliquid aliud ab hoc.Quare cũ ſecundũ Philoſo
phum vnũq̃dq̃ ſic ſe habet in eſſe & veritate ſicut ſe habet in cognitione:eſſe ergo verũ pſonę diui
nę cõpoſitum eſſet:q̃d falſum eſt,quia in deo nulla poteſt cadere cõpoſitio ſecundũ ſupra determina
ta.⸿In oppoſitũ eſt illud Auguſtini.vii.de trinitate.Si pater nõ eſt aliquid ad ſeipſum,non eſt oĩno ═ In oppoſt.
qui relatiue dicatur ad aliud,dicit ergo pater relatiue,& eſt aliquid ad ſeipſum.ad ſe aũt nõ eſt ni
ſi cõtinendo in ſe eſſentiam,relatiue aũt non dicitur niſi includendo in ſe relationem,vt patet ex di
ctis,non continet autem hęc niſi vt cõſtituentia ipſum & quę ſunt de ſignificato eius,ergo &c.

⸿Dicendum ad hoc,q̃ in omni pſona & ſuppoſito ſingulari oportet eſſe duo:quo ═ **B**
rum vnum eſt natura q̃ ex ſe cõmunis eſt q̃ aliquid exiſtit:& p̃prietas ſecundũ quã ſubſiſtit,q̃ ipm̃ Reſponſio
ſubſiſtens determinatur vt modo ſingulari determinato & incommunicabili ſubſiſtit:q̃ neceſſe eſt
ſimul includi i ſignificato pſonę ſeu ſuppoſiti ſingularis. Verbi gratia ſuppoſitũ hoc ſingulare q̃d
eſt Petrus,exiſtit ex natura humanitatis,quę ſecundum ſe cõmunis eſt,& determinatum atq̃ ſingu
rem modum ſubſiſtendi habet ex limitatione quadam & determinatione ipſius naturæ qua habet
eſſe hęc humanitas,ſecundum q̃ habitum eſt ſupra:quæ neceſſario cadunt ſimul in ſignificatio
ne ſuppoſiti ſingularis.Et ſicut eſt in ſuppoſito creato cum limitatione atq̃ determinatione ſimul
naturæ & ſuppoſiti:ſic eſt in ſuppoſito increato abſq̃ oi limitatiõe,& etiã abſq̃ determinatione na
turę ſed ſuppoſiti tm̃. Sicut enim in eſſe naturæ creatæ homo ſecundum q̃ homo habet eſſe homo
ſimpliciter ex corpore & anima ſimpliciter,& iſte homo ex hoc corpore & hac aĩa,ſcdm Plm̃.viii.
metaphyſicę:& ſicut in eẽ quidditatiuo homo ſimpliciter eſt animal rõnale ſimpliciter,& iſte hõ eſt
hoc aĩal & hoc rõnale,ſecũdũ Auicẽ.i metaphyſica ſua:ita q̃ ly hęc ſeu hoc dicũt p̃prietatẽ deter
minationis ſecũdũ quã ſuppoſitũ ſubſiſtit ſingulariter: vt de rõne & natura ſingularis ſubſiſtentis
& ſimiliter nois ſignificantis ipm̃ nõ ſolũ ſit res & natura qua exiſtit,quę exprimit̃ noie hois,aĩalis
& rõnalis:ſed etiã ipa p̃prietas qua determinat̃ natura in ipſo:ſic i eſſe naturę increatę. De⁹ eim̃ ſe
cũdũ q̃ deus habet ſimpliciter eſſe deus ex deitate ſimpliciter:& iſte deus a deitate iquatum ex ſe
eſt hęc & ſingularis ſecũdũ modũ ſupra determinatũ:nõ vt ly hęc vel hic dicat aliquã p̃prietatẽ de
terminantẽ & cõtrahẽtẽ:ſed in natura rei ex ſe exiſtente:vt nõ ſit aliud dicere de⁹ & iſte de⁹,ſumẽ
do ly iſte nõ niſi eſſentialiter,multo eim̃ verius eadẽ eſt rõ dei & huius dei,quia non eſt alter de⁹ q̃
iſte:q̃ hois & huius hois:q̃ p̃ter iſtũ eſt ali⁹.Sed cũ iſte vel hic ſumit pſonaliter ſcdm q̃ p̃ eſt hic i ═ **C**
deitate ſubſiſtẽs,& fili⁹ eſt ali⁹ ab eo:q̃ hic & ali⁹ dicũt p̃prietatẽ determinatiuã nõ eẽntię:ſed ſup
poſiti:ſecũdũ quã ſingularitate ſuppoſiti ſingulariter ſubſiſtit.vt de rõne & natura talis ſingularis
ſubſiſtẽtis & ſimilit de rõne nois ſignificãtis ipm̃ nõ ſolũ ſit res & natura cõis q̃ exprimit̃ noie dei:
ſed et ipa p̃prietas q̃ determinat̃ nõ natura in eſſendo:ſed ipſum ſuppoſitum in tali mõ ſingulari
& ſcõicabili ſubſiſtẽdo.Quare cũ ex illis vnũq̃dq̃ dicitur cõſtitui q̃ de natura ei⁹ & ſignificato ſui ═ **D**
nominis exiſtunt:ſimpliciter dicendum q̃ pſona in deo conſtituitur ex eſſentia & p̃prietate: vel
potius eſſentia & p̃prietas ipſam perſonam conſtituunt,dicente Damaſceno libro tertio cap.vi.
Quod commune eſt cum proprietatibus, habet hypoſtaſis,id eſt perſona vt talis proprietas: quia
ſic eſt perſona perſonæ intranea, & non inhærens:vt accidentalis, ſed eſſentialis ei in quo eſt,
dicatur proprie inſiſtens ſuppoſito, & non aſſiſtens, quaſi iam conſtituto conueniens ex eius

E
cōparatione ad aliam psonam consimili modo iam constitutam,& quasi extra eius constitutionem:si cut quodāmodo assistunt equalitas & similitudo,vt in pcedente qstione dictum est.CAd cui⁹ am pliorem intellectum sciendum est, cp id quod primo natum est cadere in cōceptu intellectus de eis quæ exprimuntur nomine persone, est ipsa deitas secundum cp est essentia & summa res qua= dam,quæ de se simplicem intellectum format & penitus absolutū. Deitatem ergo secūdum talem modum consideremus primo:deinde ordine quodam rationis & cōceptuum nostri intellectus.In tellectu vero sequente naturā rei & fundato super ipsam,considerare debemus rem istam summā vt est virtus quędam & potentia foecūda,a qua nata est emanatio quasi fluere. Sed ne procedamus in æquiuoco in eo cp dicim⁹,a qua nata e qsi fluere emanatio:Sciendū cp ab aliquo fluere aliqd po test dupliciter intelligi:vel vt ab agente principali:vel vt ab eo qd est vis & ratio agendi in illo,quē admodum dicimus actum volendi procedere a supposito habente in se vim volitiuam:& ab ipsa vi volitiua.Et hoc mō dicimus hic intelligi debere deitatem vt a qua nata est fluere emanatio alteri⁹ veluti ab eo qd est vis ipsa & ratio in agente qua procedit actus emanationis:quęadmodum volū tas in volente & est vis & ratio qua ab ipso procedit actus volendi . Sic autem essentia deitatis considerata consideratur vt in se assumit rationem respectus: non quo ipsa refertur:sed qui in ipsa fundatur . Et sic isto intellectu est considerare quodammodo duo circa eandem rem,& rationem substantiæ siue essentiæ qua est quid absolutum,& rationem respectus fundati in ipsa quo ordinat ad actū,velut vis & potētia ipsius elicitiua ad alicuius productiōe.In qua consideratione conside ratur deitas non tm vt deitas est:sed etiā vt est id quo habet emanare aliquis actiue ex parte agen tis:& quasi passiue ex parte eius qui emanat.& hæc est ipsa proprietas relatiua qua superius dixi mus constitui rationem suppositi singularis in diuinis: & per tales contingit communicari vnam singularem essentiam diuersis suppositis singularibus,non per aliquam eius diminutionem:quęad modum essentia specifica in creaturis communicatur diuersis suis suppositis per eius aliqualem di minutionem,vt habitum est supra.CEt est vlterius hic aduertendum,cp quemadmodum essentia

F
in creaturis habet indiuiduari per hoc cp facta est hæc.s. determinata , limitata, & signata in sin gularitate : sic essentia increata habet communicari per hoc cp ex se habet esse id quo scilicet na ta est emanatio esse,siue actiue vt quo habet ab aliquo procedere,siue passiue vt quo habet in aliū terminari: vt ipsa communicatio essentiæ singularis in diuinis respondeat indiuiduationi essentię specificę in creaturis. Quia sicut ibi essentia specifica indiuiduatur per hoc cp facta est hæc & illa sic hic essentia singularis diuīa communicatur per hoc cp ex sua natura habet esse quo,hoc modo & illo.i.quo quis habet generare,& alius generari,& tertius spirari.vt sic in diuinis respectibus rela tiuis habet diuina essentia communicari pluribus,quęadmodum in creaturis essentia creata deter minationibus absolutis habet in pluribus indiuiduari. Et ita sicut in creaturis dicimus constitui suppositum singulare ex hoc cp essentia ī se recipit rationem determinationis,quia non determina tur nisi in supposito, vt simul natura essentia determinatur & suppositum subsistens in ea:nec est aliud ī ea qd determinet ipsam:quemadmodū aliud e in specie qd determinat ipsam, scilicet diffe rentia,quæ determinat formam generis in specie:consimiliter in diuinis dicimus constitui suppositum singulare ex hoc cp essentia in se habet rationem respectus,qui non habet esse in ea nisi vt est ī supposito,vt simul omnino fundetur in essentia , & determinet suppositum abscp omni alio:vt & ipsum fundari eius in essentia sit ipsum cōstituere suppositum cum ipsa.quemadmodum quoquo modo differentiam adesse generi, est constituere speciem:& determinationem adesse speciei,est cō stituere suppositum indiuiduum.Et sic dicimus cp in diuinis suppositum constituitur ex essentia & relatione:siue magis pprie loquendo & euitando suspitionem compositiōis, essentia & relatio si

G
ue essentia cum ratione respectus constituunt suppositum diuinum,vt ambo cadant in natura & significato eius.CEx quo patet quomodo vlterius eliciendum est cpquęadmodum in creaturis es sentia vt humanitas, non est hæc nisi quia est huius.i.eius qui est hic , signatus & determinatus in essentia humanitatis & supposito: sic in diuinis deitas non est quo aliquis habet producere vel produci nisi quia est alicuius.i.eius qui est quis determinatus ī persona & supposito,licet nō in na tura.Quod non dicitur qp prius natura forma creata sit huius q̃ hæc , aut forma deitatis pri⁹ na tura sit alicu:us q̃ quo:licet hoc quodammodo videntur verba prætendere:sed hoc ideo dicitur,qa forma creata in se considerata abscp ratione suppositi,nō pōt habere cp sit hęc:nec forma deitatis cp sit quo: quia secundū se non habet esse quo: sed secūdum cp habet esse in determinato. Quo enim non dicit nisi rationem emanandi ex parte principii aut termini emanationis:in diuinis autē essen tia vt essentia est,nec principium per se,nec terminus emanationis diuinæ potest esse: sed solūmo do suppositum,secundum cp superius determinatum est loquendo de diuinis actionibus in genera

li.Per iam dicta patent in parte argumenta in oppoſitum.

CQr ergo arguitur primo, quærendo an eſſentia & relatio conſtituũt perſonã ſe **H**
cundum φ vnum,an ſecundum φ duo:Dicendũ φ ſecundũ φ duo. non tñ eſt per hoc ponere in **Ad prímũ**
deo quaternitatem rerũ:quia res relationum reducunt in vnitatem rei ſubſtantiç, & non differũt **principale**
ab ipſa niſi ratione tantũ.CAd ſecundũ φ perſona eſſet compoſita ſi conſtitueretur ex relatione & **I**
eſſentia:Dicendum ſecundũ iam dicta φ non eſt verum: qm realitas relationis vt reſpicit eſſentiã **Ad ſcdm.**
differens eſt ſola ratione ab illa,& ideo ambo ſimul ſtant in equali rei ſimplicitate, vt nõ ſit ſimpli
cior eſſentia q̃ pſona:nec differt pſona ab eſſentia re,ſed ratione tãtũ.Inquantũ tñ relatio cõparat ad
relatione oppoſitã,diuerſitate rei relationis ponit,vt dictũ eſt.nõ tñ rei ſubſtãtiç: ſic em vna eſt diſtinctiua ſuppoſiti ſui a ſuppoſito alterius & ecõuerſo, & p hoc cõſtitutiua:& ſunt in pſona vt pſo
na eſt.i.quid relatum ad oppoſitum,ambo,ſcilicet eſſentia & relatio,vt duç res: eſſentia vt res abſo
luta qua non diſtinguit:relatio vero vt res reſpectus qua diſtinguit.Et ſic licet eſſentia & relatio vt
cõſiderant inter ſe cõparata nõ differũt niſi ratiõe tñ: inquãtũ tñ cõſiderant vt cõparata ad oppo
ſitũ differũt re,nõ ſimpliciter,ſed re ſubſtãtiç & relationis,quaſi cũ determinatione,nõ abſolute ex
plicãdo illã differẽtiã,vt ppter iſtã differẽtiã vere poſſit dici eſſentiã & relatione pſonã cõſtituere:
vel pſonã cõſtitui ex eſſentia & relatione abſcz oĩ cõpoſitione in pſona. qa nõ eſt iſta differẽtia cõſti
tuentiũ pſonã inter ſe cõparatorũ,ſed ad aliud ſolũ.Nõ facit aũt differẽtia aliquorũ in aliquo cõpo
ſitione niſi ſit ipſorũ inter ſe cõparatorũ in vnum cõſtitutio, quemadmodũ differunt forma & ma **K**
teria in compoſito naturali,& genus & differentia in ſpecie,& ſic de aliis facietib⁹ inter ſe compoſi
tionem,de quibus habitum eſt ſupra loquendo de ſimplicitate Dei. Nec tamen propter illã differentiam rei ſubſtãtiç & relationis eſt ponere in deo rerũ quaternitatẽ,ſed quodãmodo alia ratione
ponimus φ nõ ſit rerum quaternitas inter rem quç eſt eſſentia,& res quç ſunt pprietates,& inter
rem quç eſt eſſentia,& inter res quç ſunt perſonç,quia in iſtis ratio eſt,quia res q̃ ſunt perſonç,in ſe
& in ſuo ſignificato includunt rem quç eſt eſſentia:in illis vero ratio eſt,quia quç ſunt proprietates,in eſſentia fundantur,& ab ea realitate ſuam habent,vt dictum eſt.

¶Art.LVII.De proprietatibus perſonæ patris in ſpeciali.

Abito iam de proprietatibus perſonarũ in generali:ſequitur **Art.LVII**
de eiſdem quo ad ſingulas perſonas in ſpeciali.Et primo de illis quç perti
nent ad perſonã patris: Secundo de illis quæ pertinent ad perſonam filii:
Tertio vero de illis quç pertinent ad perſonã ſpiritus ſancti.
Circa primum duo.
Primũ de eis quç propria ſunt perſonç patris.
Secundũ de ſpiratione actiua quæ cõmuniter conuenit patri & filio.
Et circa primum primo de ingenito:Secundo de generare. Et circa pri-
mum quatuor.Quorum primũ eſt vtrũ ingenitũ ſit proprietas patris.
Secundum:vtrum ingenitum ſit alia proprietas q̃ paternitas.
Tertium:vtrum ingenitum prius eſt ratione q̃ paternitas.
Quartum:vtrum ingenitum proprietas ſit conſtitutiua perſonç patris.

Irca primum arguitur φ ingenitũ non poſſit dici proprietas patris,Primo ſic.ſi- **L**
cut ſol⁹ pater eſt a nullo & a quo alii,ſic ſolus ſpũs ſanct⁹ eſt a quo nullus,& ipſe **Queſt.i.**
eſt ab aliis,cum ergo hoc non eſt proprietas ſpiritus ſancti,ergo nec illud patris. **Arg,i.**
Illud autem eſt patrẽ eſſe ingenitum,vt iam patebit,ergo &c.CSecundo ſic,ſicut **2**
pater eſt a nullo per generationem,propter qd dicitur ingenitus, ſic pater & fili⁹
ſunt a nullo per ſpirationem,ſed hoc non eſt proprietas filii & patris communis,
ergo nec illud patris ſolius. CTertio ſic,quod eſt aliis commune non eſt proprie- **3**
tas patris ſolius,ingenitum eſt commune eſſentiç & ſpiritui ſancto,& mundo,& materiç:quia non
ſunt genita,dicente Ambroſio,iiii.de Trinitate contra hereticos.Spiritus ſanctus quia genitus nõ
eſt, ingenitus ſecundum veſtram ſententiam nominandus. & infra. Multa poſſunt & innumera
exempla ſuppetere de eo φ id quod genitum non ſit, dicatur ingenitum. Nam & mundum pleri
φ ingenitum eſſe dixerunt,& materiam rerum omnium.Videant ergo in hoc verbo prerogatiuã
quãdam poteſtatis eſſe poſſe,niſi forte hoc verbo ſibi honorare deum videntur,quomodo philoſophi mundũ putauerũt eſſe donandũ.& infra. Nihil ergo pcioſum deo in eo ſermone qui cõmunis
poſſit eſſe cũ ceteris.De natura vero patris φ ſit ingenita,dicit Hil.in principio ſecundi de Trini.
ſic.Ex his quæ ingenita in ſe erant genuit,& in fine de Trinita,ſic.Filius tuus ex te vero deo patre

est deus verus,& a te in naturę tuę ingenitę genit⁹ potestate.Et de spū sctō Hierony.dicit. Spirit⁹

4. sanctus pater non est:sed ingenitus,qd autem alteri conuenit,nõ est ꝓprium vni.ergo &c.ℭQuar
to sic.Ambrosius de incarnatione verbi,q est.4..de trinitate,reprehēdit eos qui ingenitum ꝓprium
dicunt patri,dicens sic.Quidā dicentibus nobis filium dei qui generatus sit patri qui generauit in
æqualem esse non posse.& ista,Putāt mutationē fieri quęstionis mutatione sermonis,dicentes:quo
modo possunt ingenitus & genitus esse vnius naturæ & substantię.Ergo vt respondeā clementis-
sime imperator,primum omnium ingenitum in scripturis diuinis nusꝗ inuenio,non legi,non au-
dio.sed non reprehenderet eos in hoc,aut male reprehenderet si esset proprium patri,ergo &c.

5. ℭQuinto sic.Augustin⁹ dicit.Cū pater dicitur ingenitus,ostendit non quid sit,sed quid nõ sit,sed
nõ esse nõ est ꝓprietas entis,nec notificat ens,neꝗ ad dignitatem eius pertinet,sicut ad personæ di
gnitatem in diuinis debet pertinere eius proprietas.ergo &c.Si vero dicatur ꝗ licet non notificat
neꝗ ad dignitatem pertinet ratione qua est negatio,pertinet tamen ad dignitatem & notificat rõ
ne positiui subtracti:Si illud,ergo aut est substātia patris,aut relatio ad filium & spiritum sanctū
quia plura positiua non sunt in eo.Nõ substantia:quia ipsa est communis tribus psonis:& ideo qc
qd dignitatis rõne ei⁹ est in vna psona,& in aliis.Non rõne relationis:ꝗa dicit Aug.v.de trinita.Pa
ter si filium non generaret,nihil prohibet ipsum dici īgenitū.quare & multo fortius etsi non spira-

6. ret.ℭVnde ad principale ex eodē arguitur.vi.sic.proprietas ꝓpria non potest esse nec esset si non es
set id cuius est :nec econuerso: vt homo si non esset risibile:nec econuerso.ingenitum esset etsi non
esset pater:& econuerso,dicente Augustino.v.de trinitate.Si filium nõ generaret,nihil prohiberet

7. ipsum dicere ingenitum.sed si filiū non generaret non esset pater.ergo &c.ℭSeptimo arguitur ad
idem sic.quando dignitatis est aliquid de vno affirmare,nulli⁹ dignitatis est idem remouere.cū er
go esse ingenitū ab alio sit proprietas dignitatis in filio,vt infra patebit:ingenitum qd negat esse ge

8. nitum,in nullo potest esse dignitatis:quare nec in patre.ℭOctauo sic.priuatio siue negatio non ponit aliqd dignitatis in vno,nisi ꝗa positiuū qd negat aut priuat,ponit aliquid idignitatis in alio:vt
patet ī corruptibili & in īcorruptibili,mortali & immortali.sed esse sub alio simpliciter aut p gene

rationem aut p spiratione in nullo ponit indignitatem.ergo &c.ℭIn contrarium est illud quod dicit Hila.4.de trini.cap.xv.Est eī vnigenitus deus:neꝗ cōsortem vnigeniti nomen admittit:sicut
nõ recipit innascibilis in eo ꝗ innascibilis,ꝑticipē.est ergo vnus ab vno.Vterꝗ itaꝗ vn⁹ & solus est
proprietate videlicet in vnoquoꝗ & innascibilitatis & originis,idem autem est ingenitum & in-
nascibile.ergo &c.

M
Respontio ℭQuin patri sit proprium ingenitum siue innascibile,de hoc nemo dubitare de-
bet:cum nec de hoc dubitent hęretici,dicente Hila.4.de trinitate cap.v.Inter cętera addiderūt solum se patrem innascibilem cognoscere : tanꝗ hinc quisꝗ possit ambigere eum ex quo ille genitus sit per quem omnia sunt,id quod ipse est a nemine consecutum. In ipso enim quo pater dicitur,eius quem genuit auctor ostenditur,id habens nomen qd neꝗ ex alio natū neꝗ ex alio ꝑfectū
intelligatur,ex quo is qui genitus est substitisse doceatur.Igit id qd deo propriū,ꝓpriū ei ac se-
cretū relinquamus confitentes ęternę virtutis innascibile potestatem.Nemini autem dubium esse
existimo ob eam causam in confessione dei patris quædam eius quasi peculiaria & priuata me-
morari:ne præter ipsum eorum quisꝗ particeps relinquatur.De numero autem talium est ingenitum,dicente Ricar.v.de trinitate cap.xv.Proprium est solius personę primę procedere a nulla:pro
prium est solius alterius procedere ab vna sola:ꝓpriū est solius tertię procedere a gemina.Sola vna
a qua nulla,sola a qua vna sola , sola vna a qua procedit gemina . Adhuc autem cum ingenitum
negationem siue priuationem importat,& negatio siue priuatio inquantum huiusmodi ex se nihil
oīno aut rei,aut modi,aut dignitatis,aut notificationis ponit,& proprietas modum aliquem in re
& dignitatis aliquid ponere debet,etiā dubium nulli esse debet,quin īgenitum proprietas nec pſis

N nec alterius debet dici ratione puræ negationis:licet aliqui hoc ponunt dicendo ꝗ prima & principia per negationes notificantur : vt punctus dicitur cuius pars non est. Sed manifestum est ꝗ
hoc non est verum nisi quia nos simplicium positiuam rationem non possumus attingere,quę sub
est negationi,& quam per negationem dare intelligi volumus,Propter qd secundum Dionysium
quia de deitate vix capimus aliquid sicut est,in diuinis veriores sunt negationes ꝗ affirmationes.
Et sic proculdubio dicendum est in proposito ꝗ ingenitum proprietas patris est non ratione negationis aut priuationis puræ,sed potius ratione alicuius positiui substrati:vt ingenitum nõ importet negationem extra genus,quę omnino nihil ponit:quā Philosophus tertio metaphysicę appellat absolutionem esse:sed potius importet negationem in genere siue circa aliquod genus entis
per qd accedit quoquo modo ad rationem priuationis,iuxta differentiam quā ibidem Philosoph⁹

aſſignat iter negationem & priuationem. Propter quod etiam exprimitur per notam priuatiuam
quæ eſt in,licet non ſit vera priuatio,vt iam dicetur.Sed tūc de iſto poſitiuo tali negationi ſubſtra
to quid ſit illud,& an ratio dignitatis & notionis conſiſtat in negatione vt habet eſſe circa tale po
ſitiuum,an circa ipſum poſitiuū vt conſideratur ſub tali negatione,amplior dubitatio eſt.Et ſunt
hic quatuor modi ponendi:quorū tres ponūt ꝗ illud poſitiuum ſit aliquod relatiuū ad prīcipiatū
quartus vero ꝗ ſit aliquid abſolutum.Item primi duo ponunt ꝗ ratio dignitatis & notionis con
ſiſtit in poſitiuo,vt habet eſſe ſub negatione.Duo vero vltimi ponunt contrarium.Dicunt ergo ali
qui ꝗ illud poſitiuum ſubſtratū negationi eſt fontana deitas qua pater omniū aliorum eſt princi
pium tanꝗ ſubiectum circa quod ſit negatio, & ꝗ illud ſit ratio principii vniuerſalis a quo habet
eſſe omne aliud,& omnis alius,vt ſit ſenſus:pater eſt ingenitus, ideſt pater eſt a quo omnia alia,&
omnes alii,qui non eſt omnino ab alio, vt principiū hic intelligat ſtare generaliter & ad creaturas
& ad diuinas perſonas.Et ſic manifeſtū eſt ꝗ ſoli patri cōuenit,vt amplius exponetur inferius. Qď
non poteſt ſtare:quoniā ratio principii vt eſt ad creaturas, non eſt niſi rationis tantū relatio vt eſt
in deo:ſuper quā nihil realiter exiſtens in deo,ſicut exiſtit omnis notio, fundari poteſt. Propter qď
alii ponunt ꝗ illud poſitiuū ſit ratio principii non vniuerſaliter,quia nō ad creaturas, ſed ad perſo
nas diuinas tantū,vt ſit ſenſus:pater eſt ingenitus.i.pater eſt principiū omniū perſonarum diuina
rū qď non eſt ab alio.& ſic manifeſtū eſt ꝗ ꝓprie patri cōuenit.Sed nec hoc poteſt ſtare:quia ſi inge
nitū non eſſet proprietas in patre niſi quia fundatur ſuper ratione principii quo alii ſunt ab ipſo,
ita ꝗ ratio qua eſt notio exiſteret in ipſo ſubſtrato,& nō in negatione,cū nihil in diuinis ſit ꝓprie
tas niſi ratiōe relationis quā importat,vt patet ex ꝓdeterminatis:ingenitū ergo non īportaret rela
tionem niſi eius in quo fundatur,& ſic non eſſet proprietas diſtincta ab aliis quę importātur in no
mine principii perſonalis cōmuniter accepti.Propter qď dicunt adhuc alii in parte variando a diă
cto iſtorum,videlicet ꝗ ingenitū dicatur notio ratione talis poſitiui:non quia in illo poſitiuo con
ſtat ratio notionis:qď ſupponebant primę duę opiniones iam dictæ,ſed ſolū ꝗ ratio notionis impor
tatur per ingenitū ratione negationis,ſed non niſi vt conſideratur circa poſitiuū illud perſonale cō
muniter acceptum.Qď nō poteſt ſtare,quia tunc ingenitumnon eſſet notio abſꝗ principio perſo
nali ſubſtrato:qď falſum eſt,quia ſecundū Auguſtinū nihil ꝓhiberet patrem dici ingenitū etſi non
genuiſſet filium,vt infra videbiꝉ.Si autē non genuiſſet filium,non eſſet principium perſonale. ¶Eſt
igitur dicendum aliter,ꝗ ſicut eſt in relationibus poſitiuis ꝗ ideo reales ſunt notiones, quia fundă
tur ex natura rei in ipſa diuina eſſentia, ſic eſt & de iſta negatiua. Sicut enim ex natura ipſius diui
nę eſſentię eſt ꝗ in aliqua perſona eſt ratio a qua eſt alia, ſic in aliqua eſt ratio ꝗ ipſa non ſit ab alia.
Et ſic ſubſtratum illud negationi non eſt niſi ipſa diuina eſſentia:vt ſit ſenſus, pater eſt ingenitus
ideſt habens in ſe diuinam eſſentiam non ab alio, iuxta illud quod loquēdo de patre dicit Hil.iiii.
de Trini.in principio.Ipſe eſt plenus perfectus ęternus, non aliūde quid ſumēs, ſed ad id qď ita ma
net ſibi ipſe ſufficiēs.Hic ergo ingenit⁹.Ingenitū ergo poſitiue dicit plenitudinē & ſufficiētiā in pa
tre an ſe:negatiue autem dicit nihil habere ab alio,vt ſecundū hoc ingenitum ſit notio præciſe ra
tione negationis quā importat,aliquid tñ dignitatis importans ex hoc ꝗ circa talem affirmatiōe
fundatur,habere em omnia quę deitatis ſunt eſſentialia ex ſe formaliter,toti trinitati conuenit, vt
ſupra declaratū eſt.ſed ea habere ſic ex ſe formaliter,ꝗ cum hoc a nullo prīcipiatiuē, hoc magnę di
gnitatis eſt.Et reſoluunt iſti duo modi habēdi ea ꝗ deitatis:quorū vnus eſt poſitiuus,ſcilicet ex ſe
formaliter:& alter negatiu⁹,ſcilicet nō habere ab alio principiatiuē:in vnū modū habendi ſignifica
tum poſitiuū,ſcilicet habere ea libere,quemadmodū rex non ab alio tenens regnū dicitur libere te
nere illud:cū alio modo habere regnū,ſcilicet ab alio, non ſit libere habere. Et iſte modus habendi
eſt magnę dignitatis.Vnde & habere ea quæ ſunt deitatis ab alio ſimpliciter non eſt dignitatis in
pſona filii & ſpūs ſancti ratione ei⁹ qď eſt habere ab alio ſimpliciter, ſed ſolūmodo ratione modi ha
bēdi nobilis:qui eſt per generationem & ſpirationem, vt tactum eſt ſupra in parte, & inferius am
plius declarabiꝉ.Secundū hunc modū Hil.iiii.de Trini.exponit ingenitum ſic inquiens. Nouit ec
cleſia vnum innaſcibilē deum:nouit vnigenitū dei filium: confitetur patrē ęternum ab origine libe
rum,confitetur & filii originem ab ęterno.Vnde ſi iſta libertas vno nomie poſitiuo exprimeretur
eſſet ꝓprietas affirmatiua,ſecundum modum ſignificādi:& ſolum daret intelligi reſpectu nega
tiuum,ratione tamen cuius notio eſſet.

¶Ad primum in oppoſitum ꝗ ſpiritū ſanctum eſſe a quo nullus, non eſt proprie
tas,ergo nec proprietas patris ꝗ ſit a nullo:Dicendū ꝗ proprietas nō eſt quodcūꝗ qď vni ſoli ipſo
nę cōuenit,ſed qď cū hoc ad dignitatē ꝑſonę pertinet. Qꝗ ergo illud cōuenit ſoli ſpiritui ſancto
ſicut hoc ſoli patri:hoc tñ eſt ꝓprietas patris:quia(vt dictum eſt) ad dignitatē pertinet: non autē

O

P
Reſponſio
auctoris.

Q

R
Ad primū
principale

illud spiritus sancti:quia nullā dignitatē ponit ī ipso:sicut neqʒ dignitatem ponit in filio ɋ nullus
est ab eo per generationē:ɋa tūc cōtrariū ei⁹,scilicet ɋ aliquis sit ab alio p generatione,nihil esset di
gnitatis:ɋd falsum est:immo hoc in patre dignitatis est.CAd secundum ɋ esse a nullo p spirationem, nō est communis ppríetas patris & filii:quare similiter nō est pprium solius patris non esse
ab alio per generationem,ɋd ponit ingenitū:Dicēdū ɋ in nō esse ab alio p spiratione,duo dicitur,
scilicet non esse ab alio,& nō esse ab alio p talem modū:quoʒ primum dignitatis est ín significato
ingenitī,vt dictum est:& isto modo non conuenit filio.non enim nō est ab alio p spirationem:ita ɋ
simpliciter nō est ab alio:sed solus pater. Secūdū vero nō ponit aliqd dignitatis:quia eius oppositū
scilicet esse ab alio per spirationem,ratione ei⁹ ɋd est p spirationem,ponit dignitatem & notione in
spiritu sancto. & sic esse non ab alio per spirationem, nō potest esse communis proprietas.CAd ter
tium,ɋ ingenitum cōuenit diuine essentiæ,mūdo,materiæ primæ secūdum Philosophos, & spiritui
sancto secundum Hieronymum:Dicendum ɋ distinguendum est de ingenito ɋ potest accipi ne
gatiue pro eo quod est non genitus,dicente Augustino.v.de trinitate.Nihil intellectui demitur
si dicatur non filius:queadmodum etiam si dicatur nō genitus p eo ɋd dicit ingenitus,nihil enim
aliud dicit.Et istra.Ingenitus porro quid est nisi non genitū?Vel potest accipi priuatiue:ɋd pprīu
est negationi importatæ per hanc præpositionem in,quando cadit in compositione. Et hoc modo
si proprie accipiatur priuatio,nunɋ cadit in diuinis:quia priuatio pprie dicta non est nisi sit remotiua circa subiectū eius ɋd est dignitatis in alio:ita ɋ sit dignius habere illd ɋ carere eo siue nō
habere:ita ɋ habere sit dignitatis,& non habere sit indignitatis:& habens quo ad hoc sit digni⁹:&
nō habēs minus dignū.Et hoc patet in tribus modis priuationis pprie dictæ:qua vno modo secun
dū Philosophū.v.metaphysicæ dicit aliqd priuari eo ɋd non est natum cōuenire ei secūdū suum
pprium genus:sed solum secundum genus supmū:queadmodū lapis dicitur nō viuus quia caret
vita, quam in nulla specie sui generis natus est habere:sed solūmodo secūdū aliquā speciem gñis
superioris,que in hoc nobilior est omni specie lapidum.Alio modo dicit aliquid priuari eo ɋd non
est natum cōuenire ei secūdū suam speciem:sed secūdū suum pprium genus:queadmodum tal
pa dicitur non vídens quia caret visu,qui in nullo indiuiduo suæ speciei natus est esse:sed solum se
cūdum aliquā speciem sui generis: que ī hoc nobilior est specie talpe.Tertio modo dicit aliquid pri
uari eo ɋd natum est conuenire ei in suo esse indiuiduo:queadmodum catulus dicitur non vídens
post.ix.diem:quia caret visu qui extunc natus est inesse eidem : qui ī hoc nobilior esset si visum ha
beret: & est ignobilior cæteris catulis suæ speciei visu habētib⁹.Quia ergo in diuinis nō pōt ab aliɋ
psona priuari aliquid p ɋd dignior simpliciter dicatur is ī quo reperitur,& indignior is in quo nō
reperitur: nullo igitur modo pprie accipiendo priuationem, priuatio neqʒ in,priuatiue acceptum
potest poni in diuinis.Vnde non bene dicunt aliɋ ɋ pater & spūs sanct⁹ filr possunt dici ingeniti
priuatiue:queadmodum talpa nō vídes:quia,s.nō habēt esse p generationē:sed tñ in natura sua est
ɋ habeāt aliqd suppositū,cui conuenit habere esse p generationem.Neqʒ similiter bene dicūt dice
tes ɋ pater priuatiue dicitur ingenitus:quia dicit priuationem geniti circa principium psonale,p
ductiuū,s.psonæ:quia est aliqd tale ɋd habet esse genitū. Nō igit dicit ígenitū in diuinis aliter ɋ ne
gatiue,nisi extēdēdo & communiter accipiēdo nomen priuationis.Quæ priuatio extenso noie du
plex est.Vna ɋ priuat id ɋd indignitatis est in alio:& ē vera priuatio siue defect⁹ secūdū rē:ɋles pri
uationes sunt immortale & incorruptibile & isfinitum in deo:per quas circūloquitur veræ affirma
tiones & rōnes positiuæ nobis icognitæ,& ínoiatæ.Et ideo tales negationes siue priuatiōes dicūt fun
dari sup oppositum eius ɋd negant aut priuant.Qd nō proprie dicitur:immo fundantur super id
circa quod intelligitur positiuū ɋd circūloquuntur:& cuius oppositū priuant.Et ratione illi⁹ ɋd
sic dant intelligere & circūloquuntur,huiusmodi negationes importāt rationem dignitatis nō au
tem ratione negationis,neqʒ ratione eius circa ɋd sunt. Hoc modo nō priuat aut negat negatio ín
hoc ɋd est ingenitum,nō em priuat aliquid ponēdo aliquod oppositum positiuum circa substratū
illud circūloquēdo vel dādo intelligi:sed est pura negatio circa id ɋd est substratum ipsi ɋd priua
tur : vt nullo modo possit dici negatio hmōi fundari circa suum oppositum, & ratione illius ali
quid dignitatis importare:quia tunc ipsum priuatum necessario esset aliquid idignitatis in alio:ɋd
non est verum.Esse em ab alio nullius est indignitatis in filio & spiritu sancto:licet non esse ab alio
sit dignitatis aliquid in patre,queadmodum secundum Hila.pater dicitur esse maior:filius tamē
nō dicit esse minor patre,cuius ratio declarabitur infra loquēdo de psonarū æqualitate,& ī noie in
geniti alia est priuatio ɋ præcedens:scilicet qua aliquid negatur ab vno ɋd non est indignitatis in
alio,absɋ eo ɋ non ponat aliquod contrarium positiuum circa substratum.vt secundum hoc pri
uatio in nomine ígeniti nullo modo fundatur super suum contrarium:vt ratione illius possit dici

importare aliquid dignitatis.Et puto talé modum priuationis in creaturis inueniri non poſſe. Ne
gatiue vero ingenitũ poteſt poni dupliciter:vno modo abſolute: alio modo circa ſubiectũ aliquod
poſitiũ.Negatio primo modo eſt negatio extra gen⁹:& indifferéter cõuenit enti & nõ enti:quẽad
modũ nõ hõ vel non iuſtũ dicif chimęra & tragelaphus,leo & aſinus.Sic non genitũ ſiue ingenitũ
non eſt proprietas in diuinis.Secundo modo dicif aliquid ingenitũ,quia eſt ſecundũ aliquẽ modũ
eſſendi:ſed non per modũ generationis habet illũ.& eſt negatio in gñe. Sed hoc cõtingit tripliciter,
quia ingenitum dicif aliquid vno modo,quia non eſt terminus generationis per ſe,habitũ tñ in ge
nerato per generationé.Sic diuina eſſentia dicif eſſe ingenita: & ſimiliter ſecundũ philoſophos ma
teria prima.Alio modo quia nõ eſt p ſe terminus generationis,nec habés eſſe in alio per generatio
nem,ſed p aliã productioné,quę tñ non eſt ſine generatione. Hoc modo ſm Hierony.ſpirit ſanc⁹
ingenitus dicif,quia per proceſſioné habet eſſe a pratre,ſed non per natiuitaté: & ſecúdum philoſo
phos mũdus:qa effec⁹ eſt a deo nec genit⁹:nõ tñ ſine gñatione:qa pceſſio ſpũs ſcti & factio mũdi
non ſunt ſine generatione verbi pręuia vel quaſi pręuia. Tertio modo dicif aliquid ingenitũ,quia
a nullo habet eſſe per generationé,qa.ſ.neqʒ ſecundũ ſe eſt terminus generationis, neqʒ eſſe habet
in alio per generatione(dico ſicut aliquid geniti) neqʒ p aliã productioné oino ponente aut ſuppo
nente aliquo modo gñatione.& p hoc id qd ſic abnegaf eſſe genitũ,qa gñatio diuina neceſſario eſt
prima omniũ productionũ,ipſum dicere ingenitum,idem eſt cũ eo qd eſt nullo modo eſſe ab alio.
Quod em ſic eſt ingenitũ qʒ nullo dictorum modorũ habet eſſe per generationé, nec habet etiam
eſſe per ſpiratione,nec per quécũqʒ aliũ modũ ab alio.Vnde dicit Ric.vi. de Trini. Solus pater a
nullo eſt:idcirco nulla ratione genitus dici poteſt:merito ergo ingeniti nomé accepit.Spũs ſanctus
genitus non dicif,ne q filius non eſt,filius eſſe putaref:nec tñ ingenitus dicif, ne eo ipſo is qui a ſe
metipſo non eſt,aliunde origine habere negaref.Et hoc eſt ingenitũ qd conuenit ſoli patri,& inclu
dit inſpiratum,quia vt dicit Alexander in ſumma ſua,poſterior eſt habitudo ſpiratio q natiuitas.
Et quia illa eſt prior habitudo,illa ablata oĩs poſterior remouetur. Sed large vtif noie prioris & po
ſterioris,qualiter nos nõ auderem⁹ vti.Et ideo ſumédo ingenitũ tam largo modo vt cõuenit patri
& genitũ ſecundũ qʒ conuenit ſoli filio,ſpũs ſctũs nec dicif genitus,quia non eſt fili⁹: nec igenitus,
quia non eſt pater.ſecundũ Auguſtinũ ad Oroſiũ,vt recitat Magiſter.i.ſententiarũ diſtinctio.xiii.
cap.Nunc cõſiderãdũ.& trib⁹ capitulis ſequẽtib⁹.Nec facim⁹ differentiã inter ingenitũ & nõ geni
tũ:licet aliq dicaf ſpiritu ſanctũ dici nõ genitũ,licet nõ igenitũ. vt tãgit Magiſter diſt.xxviii.in ca.
Idé ſolet.quia vt dictũ eſt ly in,non ſtat ibi priuatiue loquédo proprie de priuatione,ſcilicet ſecũ
dum tres modos pdictos.Cõmuniter aũt loquédo de priuatione appellãdo priuationé qñ circa ſub
iectum exiſtens negatur aliquid qd in alio aut eſt dignitatis, aut ſaltem non eſt alicuius indignita
tis,ſic ingenitũ priuatiue accipitur,vt iam dictũ eſt:nec plus conuenit ſpiritui ſancto dici ingenitũ

V

hoc modo priuatiue,q nõ genitũ negatiue,vt patet ex dictis. ¶Ad quartũ qʒ Ambroſius rephédit
eos qui ingenitũ patri attribuunt:Dicendũ ad hoc, qʒ ibi diſputat Ambroſius cõtra hęreticos q ne
gabãt hoc nomé Homouſion debere recipi in diuinis,quia nõ inuenif ſcriptũ, vtebátur tñ hoc no
mine ingenitũ de patre loquédo:ad probandũ qʒ pater & filius non ſunt eiuſdé ſubſtantię:quia(vt
dixerunt)genitũ & ingenitũ nõ poſſunt eſſe eiuſdé ſubſtãtię: cũ tñ poti⁹ inueniaf ſcriptũ illud qd
ſignificaf hoc noie homouſion,qd é eſſe vni⁹ ſubſtãtię,patré ſcilicet & filiũ: q qʒ pater ſit ingenit⁹.
Vnde rephendit eos nõ ppter nomen ingenitũ,quaſi non eſſet cõueniens eo vti in diuinis,ſed pro
pter ipſos vtétes, ad reprimendã.ſeorũ pteruiã,quia.ſ.nolebãt vti hoc nomine homouſion contra
ſe:qa ſcriptũ non erat:ſed vtebãt hoc nomine ingenitũ pro ſe,qd minime ſcriptũ erat, ſecundũ qʒ
hęc patét ex diſputatiõe Aug.in Epiſtola cõtra Poſcétiũ Arrianũ in principio,& in lib.ad Optatũ
cõtra Felicianũ Arrianũ in prĩcipio.Vñ poſtq dixit Ambroſi⁹,Ingenitũ in diuinis ſcripturis nuſq
iuenio,nõ legi,nõ audiui,cõtinuo ſubdit. Cui⁹ ergo mutabilitatis ſunt hoies vt nos dicãt ea vſur
pare q nõ ſunt ſcripta,cũ ea q ſunt ſcripta dicam⁹:& ipſi obiiciãt qd ſcriptũ non ſit:ĩmo ſibiipſis

X
Ad qrtũ.

Y
Ad quitũ

uerſaṽt,& auctoritati calũnię ſuę derogãt.¶Ad quintũ dicédũ ſcdm qʒ iã expoſitũ eſt, qʒ ingenitũ
nõ notificat ratióe qua eſt negatio pura, ſed ratione qua eſt circa poſitiũ ſubſtratũ.¶Ad ſciendũ
aũt diſtincte qd ſit illud poſitiuũ ſubſtratũ:Sciédũ qʒ ingenitũ dupliciter põt cõſiderari:vno modo
ſimpliciter & ſecundũ ſe:alio mõ vt cõſideraf circa naturã diuinã. Si primo modo ſic ſubſtratũ nõ é
uiſi eſſétia. Ingenitũ ei df ſuppoſitũ qdcũqʒ ſiue abſolutũ ſiue reſpectiuũ habés eſſentiã aliquã ex ſe
formaliter ita qʒ a nullo pricipiatiue.& ſm hoc pſona patris ſi p impoſſibile poſſet eſſe pſona,aut hy
poſtaſis abſqʒ pprietate paternitatis q eſſentiã deitatis nõ haberet ab alio,ingenita eſſet, abſqʒ eo qʒ
negatio hmõi haberet aliquod relatiuum ſubſtratũ,vt iam amplius patebit. Si Secundo modo, ſic
ſubſtratũ eſt illi negatiõi aliquid tripliciter, Vno modo vt in quo habet fundari:alio modo vt quo

habet fundari in illo:tertio modo vt cuius est.Primo modo secundum prędicta non est nisi diuina
essentia. Secūdo modo est ipsa proprietas paterna siue generare. Eo enim ꝙ generare in diuinis est
prima productio,necessarium est ꝙ generans non ab alio principiatiue habeat diuinam essentiam.
Tertio modo est ipsum suppositum cōstitutum ex essentia cum proprietate paternitatis siue gña
tionis actiue.Et habet negatio importata nomine ingeniti rationem notificādi suppositū vt subie
ctum cuiusest:non ratione illa qua est circa ipm vt circa subiectū:quia tunc esset seipso ratio notifi
candi & dignificādi seipsum:ꙫ est impossibile:neꝗ ratione illa qua est circa ꝓprietatem generādi:
quia non est circa ipsam vt qua formaliter habet esse in subiecto: sed solū vt qua quasi dispositiue.
formaliter eīm habet esse circa essentiā:sed pręcise vt est in patre sub ꝓprietate paternitatis . Vn
de essentia diuina vt est in patre sub proprietate paternitatis,est ratio formalis qua pater for
maliter est ingenit⁹:& ꝗ ingenitū habet ratiōe dignitatis notificātis. ₵Q̲ ergo obiicit,ꝗ nō noti
ficat rōne substantię,quia illa est cōmunis:Dicendū ꝗ licet notificet rōne solius substantię formali
ter:non tamen nisi vt est sub tali ꝓprietate:& hoc specialiter in natura diuina,vt iam infra amplius
declarabitur.₵Et ꝙ arguit cōtra hoc &.vi.ad principale,ꝗ ingenitum non est ꝓprietas patris:quia
esset ingenitus etsi non esset pater:Dicendum ꝗ pater si filium non genuisset non esset psona i di
uinis,quia in diuinis pater non est psona nisi paternitate,vt dicet in 4.quęstione sequēte.Si aūt nō
genuisset,nō cōueniret ei ꝓprietas paterna,vt infra declarabit. Et ideo si non genuisset , idem ipe
non esset ingenitus:sed si aliquis esset ingenitus,ille esset secūdum imaginationem infidelium pso
na vnica absoluta in diuinis. Vnde hoc dixit Aug. ponendo siue supponendo p impossibile ꝗ ille
qui est pater in diuinis,esset persona, etsi non genuisset.& hoc habendo respectum ad illa a quibus
nomina sunt trāslata ad diuina sub hoc sensu,pater etiā si filiū non genuisset,& cum hoc esset ali
qua psona,nihil ꝓhiberet eū dicere ingenitū,quia.s.nō ex eo ꝗ generauit filiū,sed ex eo ꝗ est existēs
ex se formaliter a nullo principiatiue, dicitur igenitū:& hoc siue sit psona absoluta siue relatiua
Vn̄ ipsemet pręmittit dicens.Nō eīm hoc dicitur ingenitum ꙫ est patrē dicere: qa ex eo ꝗ ge
nerauit filium,dicitur ad genitū:ex eo vero ꝗ est ingenitus,nequaꝗ:sed ad non genitorem. vt ex
ponit consequenter. Vn̄ exemplum ꙫ ibi subdit in creaturis:etsi aliquis gignat quisꝗ filiū non ex eo ipse
est ingenitus:quia geniti hoies ex aliis hominibus gignuntur & ipsi alios gignūt: non valet ad pro
bandū ꝗ aliquis in diuinis posset generare aut esse pater:etiā si nō esset ingenitus:aut esse igenit⁹,
etiā si nō generaret:sed solū ad ostendendum ꝗ non generat ex eo ꝗ est ingenitus, & ꝗ non est i
genitus ex hoc ꝗ generat.Et ꝓpter hoc Alexāder in summa sua exponendo Augustinum dicit,ꝗ
Augustin⁹ nō habuit respectū ad naturā eēndi,sed ad naturā intelligēdi. Cōcedim⁹ eīm ꝗ si pꝼ nō
genuisset non esset.Si itelligit ꝗ nō genuit,bñ pōt intelligi ꝗ sit igenit⁹:qa intellecta inascibilitate
nō intelligitur paternitas. Vn̄ dicit Prępositinus sic.Si attēdas proprietatē verbi,falsa est loquutio
quia gratia impossibilitatis dicitur hæretico respectu ad ea a quib⁹ hęc noīa translata sunt ad crea
torē.Vn̄ neutru istorū est verū:si aliꝗs est pꝼ est igenit⁹,& si est igenit⁹ est pꝼ.sed in pre æterno be
ne sequitur gratia termini.Ex quibus patet clare ꝗ positiuum substratum ingenito non est rō ali
qua principii.₵Ad formā ergo argumēti quo dicit:si ꝓprietas patris nō posset esse si nō esset pꝼ,&
hoc neꝗ p possibile neꝗ per impossibile:sed solū per icōpossibile:sicut si non esset aliquis homo non
posset esse risibile sicut nō posset esse rationale: Dicendum ꝗ quędam est ꝓprietas quę secūdū suā
formam ad vnā speciem siue rationē subiecti determinata est, vt habere tres triāgulo.Est vero alia
ꝓprietas quæ secundum formā suam non est determinata ad vnam speciem siue rationem subiecti
vt cōmutata ꝓportio:ꝗ secūdū Pḿm in libris posteriorū,cōuenit nūeris & magnitudinib⁹. De pri
ma ꝓprietate verū est ꝗ ꝓprietas nō pōt eē nisi eēt id cui⁹ est.Scda vero bñ pōt esse i vno subiecto
secūdū vnā rationem etsi non esset in alio:non tñ si in neutro illorū esset. De primo mō ꝓprietatū
non est ingenitum ratione significati per terminum cum consideratur in diuinis:quia alibi conside
rari nō pōt in significatione illa qua ꝓprietas est secundum modum præexpositū:quia subiectum
sibi determinat personam siue suppositum. & hoc quantum est de ratione suæ formæ siue significa
cati indifferenter,siue fuerit absolutū siue respectiuū:ita tñ ꝗ suppositū absolutū vō ꝓt sibi deter
minare i diuinis nisi p iꝓssibile:supponēdo aliꝗd tale eē in diuinis:sed tñ absꝗ oī positiōe icōpossi
bilitatis:qa ingenitū ex sua significatiōe etiā circa diuina nihil icludit p ꙫ necesse ē poni ꝗ ingenit⁹
sit pater.Propter quod ingenitus per impossibile posset esse aliquis etiam in diuinis : etsi nō esset
pater nec generaret:& econuerso,quantum est de ratione formę paternitatis & significato termini
simpliciter,ꙫ indifferenter habet considerari circa diuina & circa creaturas , licet non ita proprie
circa creaturas (vt infra videbitur)pater potest esse etsi nō sit ingenit⁹:& hoc per possibile, vt pa
tet in creaturis:Et in diuinis quātū est de significato termini p impossibile, nihil prohibet esse pa

Z
Ad gntū.

A
Ad sextū.

B

C

trem etſi non eſſet ingenitus. Ratione tamen materiæ in diuinis nec eſt ingenitum niſi ſit pater: nec pater niſi ſit ingenitus: ita tñ φ paternitas potius ſit ratio ingeniti q̄ econuerſo, propter qd̄ paternitas eſt proprietas conſtitutiua patris,&·non econuerſo:vt ideo ingenitum ſit vere proprie= tas patris in diuinis, vt iſta amplius patebit. ¶Ad ſeptimum φ genitum eſſe ponit dignitatem in filio,ergo ingenitum eſſe qd̄ eſt ei⁹ priuatio ſiue negatio,nullam ponit dignitatem in patre:Dicen dum φ differt dicere poſitiue ab alio eſſe ſimpliciter & abſolute,& ab alio eſſe modo determinato, ſcilicet per generationem aut per ſpirationem. Eſſe eñ ab alio ſimpliciter,nihil ponit dignitatis in perſona quæ habet eſſe ab alia. Eſſe vero ab alio ſic, ſcilicet per generationem aut per ſpirationem, rationem dignitatis ponit,vt infra declarabitur.Et propter hoc ingenitum inquātum ſtricte ſumi tur ſecundum φ etiam conuenit ſpiritui ſancto,ſcilicet inquantū idem eſt qd̄ n̄ó eſſe ab alio per ge nerationem,nihil dignitatis importat, nec eſt notio aut proprietas in aliqua perſona diuina, ſimili ter nec inſpiratum.& hoc modo loquendo de ingenito,bene procedit obiectio. Sed(vt dictum eſt) ingenitum qd̄ dicitur de patre,idem eſt quod nullo modo eſſe ab alio.Sed quia nomen poſitiuum non eſt impoſitum modo eſſendi ab alio ſimpliciter: ſicut generari eſt nomen eſſendi ab alio mo= do determinato,ſimiliter & ſpirari:ideo proprietas iſta ſumitur per negationem primi modi proce dendi determinati, quia illo negato intelligitur negari omnis alius, vt dictum eſt, & inferius am= plius dicetur.Et ſic nomine ingeniti vt eſt notio patris, intelligitur non eſſe ab alio ſimpliciter,ſe= cundum modum prædictū,& priuat ſiue negat circa ipſum eſſe ab alio ſimpliciter, qd̄ in nullo ra= tionem dignitatis habet. Non enim eſt dignitatis in filio φ non eſt ab alio, ſed φ eſt ſic ab alio,ſci licet per generationem:non tamen ſequitur ex hoc φ ſit in filio aliquid indignitatis. ¶Dicendum ergo ad octauum: φ non eſt verum illud propoſitū.Priuatio aut negatio non eſt aliquid digni= tis in vno,niſi poſitio ſit aliquid indignitatis in alio,hoc enim non eſt verum niſi vbi poſitiuum ſe cundum nomen,priuatiuum eſt ſecundum rem,quemadmodum ſecundum φ aſſumitur corrupti bile & mortale dicunt defectū virtutis permanendi in eſſe. Propter qd̄ talis priuatio & habitus ne ceſſario ſunt circa diuerſa ſecundum ſubſtantiā.Et eſt priuatio ſiue ſignificatū modo priuatiuo cir ca ſubſtantiam ſuperioris gradus,& ſignificatum modo poſitiuo circa ſubſtantiam inferioris gra= dus,q̄ deficit ab aliquo qd̄ eſt in ſubſtantia ſuperioris gradus.Ex quo cōtingit φ poſitio indignita tis eſt:Priuatio vero dignitatis. Vbi aūt qd̄ poſitiuū eſt ſcdm nome,nō eſt ſecundū rē priuatiuū,li cet nō ſit dignitatis neq̄ indignitatis,& qd̄ priuatiuum eſt illius eſt ſimpliciter dignitatis,vt in p poſito:nō eſt verum illud quod ρponitur.Et φ in propoſito priuatiuum ſit dignitatis,poſitiuum vero non ſit indignitatis,contingit quia habent eſſe circa eandē ſubſtantiā numero,dicente Hil.ix. de Trinita.cap.xxvii.Si donantis auctoritate pater maior me eſt, nunq̄ per doni conceſſionem mi nor filius eſt? Maior vtiq̄ donans eſt: ſed minor iam non eſt cui vnum eſſe donatur. Habes & in donantis auctoritate quia maior eſt:& in donati conceſſione quia vnū ſunt.& cap.xxviii.Maior ita φ pater eſt dū pater eſt:ſed filius dū filius eſt,minor nō eſt. Natiuitas filii patrē cōſtituit maiorē: minorē vero filiū eſſe natiuitas natura nō patit̄.Nō habet natiuitas itaq̄ ignobilitatē,quia in for ma dei eſt qui ex deo naſcit̄: & cum differre ſignificatiōe ipſa æſtimetur innaſcibilitas a natiuitate natiuitas tamen non eſt extra innaſcibilitatis naturam,quia non ſumpſit aliunde φ ſubſiſtit. Et ſi= cut eſt de natiuitate ſiue eſſe ab alio naſcendo,φ non ponit minoritatem aut idignitatem in nato, quia naſcendo idem eſſe,& tantum quantū habet pater accepit,& tamen innaſcibilitas æſtimatur alicuius dignitatis a natiuitate,hoc eſt reſpectu natiuitatis: ſic eſt de eſſe ab alio ſimpliciter : quod nihil ponit indignitatis in eo qui eſt ab alio propter idem, & tamen non eſſe ab alio ponit reſpectu illius rationem dignitatis multo potius q̄ reſpectu natiuitatis, quia illa ex ſe rationem dignitatis importat,vt infra patebit. Quare autem huiuſmodi dignitas aut maioritas dignitatis in vna per ſona reſpectu alterius,non ponit in illa alia indignitatem aut aliquam minoritatem,debet declara ri inferius loquendo de equalitate perſonarum.

Irca ſecundum arguitur φ ingenitum nō ſit alia proprietas in patre ab illa quæ eſt generare ſiue paternitas. Primo ſic. in diuinis non eſt minus ſimplex perſona q̄ eſſentia. ſed propter eſſentiæ ſimplicitatem omnes proprietates eſſentiæ ſibi inuicem coincidunt,quia veritas eſt bonitas & econuerſo.quare & propter perſo ne ſimplicitatem omnes proprietates perſonæ vni⁹ coincidunt,vt verum ſit dice re φ ingenitum ſit generare aut paternitas, ergo &c. ¶Secundo ſic. ingenitum in patre auctoritatem importat.dicente Hil.iiii.de Trinita. cap.iii.Nouit eccleſia vnum deum ex quo oīa,& vnū deū dominū noſtrū Ieſum Chriſtum per quem omnia, ab vno vni=

uerforum originem,per vnum cunctorũ creatorem.In vno ex quo,auctoritatē innafcibilitatis in-
telligit.Et cap.v.Ipe enim pater eius quem genuit auctor oftenditur,id habens nomen qđ neq̃ na
tum neq̃ ex alio pfectum intelligatur: ex quo is qui genitus ē fubfiftere docetur. Sed pater aucto
ritate principalem nõ habet nifi paternitate & generatione qua refpicit alium,non eft eŋ auctori-

**3** tas nifi ad alium qui habet aliqđ ab auctore,ergo &c. ¶Tertio fic, & eft ratio Præpofitini, eo quo
pater eft pater eft hæc perfona.fed eo quo eft hæc perfona eft innafcibilis:ergo eo quo pater eft pa-

**4** ter,pater eft innafcibilis: innafcibilitas ergo eft paternitas,ergo &c. ¶Quarto fic,fecundum qđ dicit Auguftinus de fide ad Petrũ,non eft dicendum fpiritum fanctum ingenitum,ne duos effe patres confiteri compellamur.ad hoc autē non cõpelleremur nifi innafcibilitas effet paternitas:vt fpi

**In oppofi.** ritus fanctus effet pater inafcibilitate,ficut & ipfe pater paternitate,ergo &c.¶In cõtrariũ eft:quo
niam vt Auguftinus dicit.v.de trini.fi filium nõ generaret nihil prohiberet eum dicere ingenitũ,
non autem diceretur pater,vt infra videbitur.ergo &c.

**G**
**Refponfio**
**aliquorũ.**

¶Aliqui dicunt fecundum qđ recitat Præpofitinus,q̃ id qđ pater fignificat affir-
mãdo,fignificat nõ genit⁹ vel ingenitus negando : & ppter hoc dicunt q̃ ingenitum non fignificat aliud q̃ paternitas.Et qđ vult Auguftin⁹q̃ alia eft notio qua pr eft pater:alia vero q̃ eft ingeni
tus,exponunt fic.i.alio modo notificaŧ pater p hoc nomē pater, alio modo p hoc nomen ingenitus
Variis enim modis i facra fcriptura notificãtur perfonæ,nec necette eft effe tot proprietates quot
vocabula quibus notificantur. Qđ non eft verũ:quia aliq̃ ratio dignitatis importatur nomine ingeniti alia q̃ nomine patris:quia vna earũ ex ratione qua proprietates funt,non habet habitudinē
ad aliam,folummodo eŋ ratione naturę diuinæ contingit q̃ non eft ingenitum nifi generans: nec
econuerfo:nec poteft effe,vt patet ex prædictis in quæftione præcedente,& amplius dicetur in fe-

**H**
**Refponfio**
**auctoris.**

quenti quæftione.¶Dicedum ergo q̃ alia eft proprietas patris ingenitũ,& alia paternitas:quia paternitas eft proprietas qua pater eft,& qua habet refpectum pofitiuum ad illum qui a fe eft:& inge
nitum eft pprietas qua habet refpectum negatiuum ad non a quo eft,fecũdum modum pdictum.
& eft vtrũq̃ dignitatis ratio in patre,vt dictum eft.

**I**
**Ad pri.**
**principa.**

¶Ad primum in oppofitum:q̃ omnes proprietates effentiæ coincidunt,ergo &
pfonę:Dicendum q̃ non eft fimile,quia fecundum prædicta proprietates effentiæ differunt tm fe
cũdum rationē & per intellectus cõfiderationem:non autē pprietates perfonæ:fed differunt ex na
tura & habitudine rei ex fe preter intellectus cõfiderationé,fecũdũ pdicta.Propter qđ quãtũ eft ex
natura rei coincidũt pprietates effentię nõ autē pfonę.Nec eft illi⁹ coincidētię caufa fimplicitas ex
parte proprietatum effentię:nec iftarum non coincidentia repugnat fimplicitati ex parte pfonę: qa

**K**
**Ad fcđm.**

nõ funt nifi refpectus in ea:qui nullã cõpofitionē ponũt,vt dictũ eft. ¶Ad fecũdũ,q̃ fecũdũ Hila.
Ecclefia i vno ex quo auctoritatē innafcibilitatis itelligit &c. Dicēdũ q̃ reuera patri cõuenit aucto
ritas ex hoc ipo q̃ ali⁹ habet effe ab ipfo:nõ aũt ex eo q̃ nõ eft ab alio.Nihil ei ē auctoritas nifi q̃fi q̃
dã maioritas illi⁹cui⁹ē auctoritas refpectu alteri⁹.& hoc vl ex eo folũ q̃ ab hoc ille habet eē:fecũdũ
q̃ in diuinis pater habet auctoritatē quafi maioritat fup filiũ.dicete Hila.xi.de trini.cap.v.In eo q̃
pater maior eft,cõfeffionē paternę auctoritatis itellige. Dũ nõ a fe facit id qđ agit fecũdũ natiuitatem,fibi pater eft auctor. Et per eundem modum pater & filius habent auctoritatem refpectu fpiri
tus fancti,dicente Hila.ii.de trini.cap.xv. De fpiritu nec tacere nec loqui necette eft:qui a patre &
filio auctorib⁹confitendus eft. Vel dicitur auctoritas non folũ qa quafi maioritas eft hui⁹ ad hunc
quia hic ab illo:fed etiam quia in fubftãtia ille a quo aliud eft, eft fupra illud qđ ab ipfo eft.& fecũ
dum hoc dicitur q̃ trinitas auctoritatem habet fuper creaturas. Vñ vbi dicit Hila.In vno ex quo
auctoritatē innafcibilitatis intelligit,cõtinuo fubdit. In vno per quem, poteftatem nihil differentem ab auctore veneratur:cum ex quo & per quem ad id quod creatur & in his quæ creata funt
cõmunionis auctoritas fit. Vñ qa patri ex eo q̃ eft ingenit⁹ nõ cõuenit q̃ alius fit ab ipfo:fed potius ex eo q̃ eft pr:idcirco auctoritas nõ cõuenit ei rõne ingeniti,fed rõne paternitatis:fed rõne in
geniti cõuenit ei q̃ nõ habet fibi auctorē. Vñ illđ dictũ Hila.auctoritatē innafcibilitatis,debet itelli
gi refoluendo fubftantiuum in adiectiuum fub hoc fenfu.auctoritatem innafcibilitatis,i.innafcibi-
lis.Verum eft enim(vt dictum eft)q̃ auctoritas debeŧ innafcibili,fed nõ innafcibilitati: vt innafci
bilitas fit ipfa auctoritas:vel q̃ ratione innafcibilitatis conueniat ei auctoritas : fed potius ratione
paternitatis.Et hoc fecundum modum quo illud aliud dictũ eius.xi.de Trinitate cap.xv.Deus

**L**

quidē pr natiuitatis eft.debet exponi,ideft illi⁹ q̃ natus eft. Sed contra videŧ effe dictũ fequēs. Ipfe
eŋ pr ei⁹ quē genuit auctor oftēdit.Dicēdũ q̃ i diuinis duplex ē rõ fiue mod⁹ auctoritatis:vn⁹ pri

cipalis,alter non principalis: ſcđm ꝙ ĩ eis eſt duplex ꝑductio,vna principalis,& alia nõ princi
palis ſecundũ ſupra determinata. Auctoritas principalis eſt illa quę prima eſt,& illi⁹ qui nõ ha
bet reſpectu ad auctoritatem alterius:& iſta propria eſt patri,& ei ſoli couenit.Non principalis
eſt illa quę eſt cõmunis patri & filio reſpectu ſpūs ſancti:quę eſt ſecũda reſpectu illi⁹ quę eſt pro
pria patri.Eſt ergo intelligẽdum ꝙ auctoritas principalis ab alio habet ꝙ ſit auctoritas:ab alio
ꝙ ſit principalis.Q₂ ſit auctoritas habet ab hoc ꝙ alius habet eſſe a pſona cuius eſt.& hoc mo﹦
do pater eſſet auctor filii etſi nõ eſſet innaſcibilis:ſed natus ab alio.& ſic ſola paternitate eſt au
ctor.Q₂ aũt ſit principalis,habet ab hoc ꝙ eſt prima.Cui⁹ duplex ratio eſt.Vna poſitiua p quã
habet eſſe,ſcilicet deitatis natura,cui⁹ eſt primo pullulare modo naturę.Alia negatiua ꝑ quã
oſtẽditur eſſe:ſcilicet quia habẽs eã nõ reſpicit auctoritatẽ reſpectu ſui in aliquo alio.& quo ad
hoc ſcilicet pater eſt auctor innaſcibilitate.i.ꝙ ſit auctor principalis : vt principalitas reſpiciat
dignitatem quam habet ex natura deitatis,& oſtẽditur eam habere ex hoc ꝙ non eſt ab alio:&
abſoluta auctoritas reſpiciat dignitatem qua alius eſt ab ipſo. Vnde quia iſta principalitas non
eſt proprie aliquid auctoritatis:ſed potius conditio quędã ipſius:per quã oſtenditur eius diffe
rẽtia ad oẽm aliam auctoritatem:quia etiã nõ habet eſſe propter negationẽ innaſcibilitatis: ſed
oſtendi tãtum:ideo Hila.proprie loquens non dicit, Ipſe pater eius quẽ genuit auctor eſt : ſed
oſtenditur auctor. Sctm tñ aliquos libros litera illa nõ eſt in Hila.ſed iſta.Ipſo quo pater dicit
eius quẽ genuit auctor oſtenditur.& clarũ eſt ꝙ illud eſt paternitas,nõ aũt innaſcibilitas. ⟨Ad
tertiũ ꝙ pater eo quo eſt hęc pſona,eſt innaſcibilis:Dicẽdũ ꝙ bñ verũ eſt ꝙ ille qui eſt hęc per﹦
ſona eſt innaſcibilis:quia ſeſe de neceſſitate concomitãtur in eodẽ paternitas & innaſcibilitas.
Primũ enim ꝑducens neceſſario eſt nõ ab alio ꝑductum.Paternitas autẽ importat primã ratio
nem ꝑducendi:& innaſcibilitas importat rationẽ non ab alio ꝑducti.Alia tamẽ eſt ratio huius
& illius:propter qđ vna harũ proprietatũ poteſt eſſe qua pater eſt hęc pſona vt paternitas : ꝗa
ipſa eſt conſtitutiua pſonę:vt infra videbitur:cũ tamen non ſit ratio alterius proprietatis ſine
qua perſona illa habet denominari a ꝑprietate illa.ꝓpter qđ illa non eſt vera,pater quo eſt hęc
perſona eſt innaſcibilis:ſed illa eſt vera,qui eſt hęc perſona,eſt innaſcibilis. ⟨Per idem reſpondẽ
dum eſt ad quartum.ʼAuguſtinus enim non dicit:Non eſt dicẽdum ſpiritum ſanctum ingeni﹦
tum,ne duos eſſe patres confiteri compellamur:quia pater eo ꝙ eſt ingenitum ſit pater, ſecun﹦
dum ꝓ proceſſio obiectio : ſed quia neceſſario ſeſe concomitantur in eadem perſona paternitas
& ingenitum.propter qđ ſi eſſent plures ingeniti ſcđm modum quo ꝑ proprietas patris,ne﹦
ceſſario eſſent plures patres. ⟨Quomodo autem intelligendum ſit dictum in ratione ad con﹦
trarium, patet ex determinatis in precedente queſtione.

M

N
Ad tertiũ.

O
Ad quartũ

Ad oppo.

P
Queſt. III.
Argu.ı.

Irca tertiũ arguitur:ꝙ prior ſit ſcđm rationẽ innaſcibilitas in perſona patris
ꝗ paternitas,Primo ſic.Quãdociꝙ in eodem ſunt duo reſpectus ſeu compa
rationes duę:vna ad aliquid a quo habet eſſe:alia ad aliquid habẽs ab eo eſſe:
ordine quodam conueniunt illi, ita ꝙ ſcđm rationẽ noſtrã prius conueniat
ei comparatio ad id a quo habet eſſe,& prior habet eſſe in illo ꝓprietas ſcđm
illã comparatione,ꝗ ſcđm aliam. Verbi gratia,in filio ſcđm hũc modũ ſunt
duo reſpectus:vnus ad patrẽ,alius ad ſpiritũ ſanctũ:& ordine quodã cõueniũt ei ſcđm ſuperi⁹
determinata.& ſcđm noſtrã rationẽ prius conuenit comparatio ad patrẽ qua dicitur fili⁹,ꝗ ad
ſpiritũ ſanctum qua dicitur ſpirator,ita ꝙ ꝓpter hoc prior ſcđm rationẽ filiatio habet eſſe in
filio ꝗ actiua ſpiratio.quare cũ affirmatio & negatio ſcđm definitionẽ cõtradictionis ſunt vni⁹
& eiuſdẽ ſimul & eodem modo,ſicut ergo cõparatio qua aliquid affirmatiue cõparatur ad ali
quid vt a quo habet eẽ,prior eſt ſm ratione illa qua cõparat affirmatiue ad aliꝗd qđ ab ipſo ha
bet eſſe:& ſimiliter ꝓprietas ꝗ habet eſſe in eo ex illa cõparatione,prior eſt in illo ſcđm rationẽ
ꝗ illa quę habet eſſe in eodem ſcđm aliã comparationem: ſic comparatio qua aliquid negatiue
cõparatur ad aliquid vt a quo non habet eſſe,prior eſt ſcđm rationem illa qua cõparat affir
matiue ad id qđ ab ipſo habet eſſe:& ſimiliter proprietas proprietate. Quare cũ ingenitũ in p﹦
ſona patris eſt ex cõparatione negatiua ad id a quo non habet eſſe,paternitas autẽ ex compara
tione affirmatiua ad illũ qui habet eſſe ab ipſo,prior ergo eſt ſcđm ratione ingenitum in patre
ꝗ paternitas. ⟨Secũdo ſic.Quãdociꝙ duo aliqua habent eſſe in eodẽ , quorum vnũ natum eſt
illi ineſſe ſcđm eſſe abſolutum:alterũ autem nõ niſi ſcđm eſſe comparatũ ad alterũ: illud prius
ineſt ei ſcđm rationẽ,qđ natũ eſt ei ineſſe ſcđm eſſe abſolutũ:ꝗ qđ nõ niſi ſcđm eſſe comparatũ:
ſicut ſemp ſcđm ratione abſolutum in eodem prius eſt cõparato.Sic ſe habet in pſona patris in
genitũ & paternitas,Ingenitum enim eſſet in perſona quæ prima oĩm rerum eſt in diuinis, etſi

effet omnino abfoluta:ficut Pagani & Iudei vnã perfonam abfolutam in diuinis imaginant.Pa
3 ternitas autẽ in nulla perfona habet effe nifi ex comparatione eius ad alterã.ergo &c̄. ¶Tertio
fic.Prior fcd̃m rationem eft comparatio ad principium q̃ ad principiatum : vt filii ad patrẽ q̃
ad fpiritum fanctum.quare cum ingenitum confiftit in cõparatione ad principium, paternitas
vero in cõparatione ad principiatum,& prior eft ṗprietas quę confiftit in priore comparatiõe,
**In oppofi.** ergo &c̄.¶In cõtrarium eft.quãdocũq; fic fe habẽt circa idem aliqua quorum vnũ eft per fe ra
tio ponẽdi alterum & non ecõuerfo:illud eft prius fcd̃m rationẽ q̃d eft ratio alterius:quia quo
dãmodo habet rationẽ principii refpectu illius.effe aũt primum a quo aliud vel alius, eft ratio
ponendi q̃ ifte a quo eft primo alius,fit non ab alio : quia nõ poteft effe a quo primo alius,fi fit
ab alio.non effe autẽ ab alio,nullo modo eft per fe ratio eius q̃d non exiftẽs ab alio fit a quo ali⁹.
Hoc enim ex fe non includit.effe autem patrẽ in diuinis faltem ratione materię,eft effe illum a
quo prio ali⁹,vt patet ex dictis in p̃cedẽte q̃ftione:& q̃ ẽ pater,cõuenit ei paternitate. ergo &c̄.

**Q**
**Refponfio.** ¶De ordine proprietatũ in patre quo ad fpirationem refpectu paternitatis & in
geniti,patet q̃ eundẽ habet fpiratio ad paternitatẽ quẽ habet generare ad fpirare: quia paterni
tas eft ratio generationis,& fpiratio eft ratio fpirãdi,aut potius eadem ṗprietas:vt inferius de
clarabit.Quomodo autẽ generare & fpirare habet ordinẽ naturalis originis quo generatio na
turalt in diuinis eft prima & principalis p̃ductio,& fpiratio fcd̃a,patet ex p̃determinatis.Pro
pter q̃d manet dubitatio de ordine in eodẽ paternitatis & ingenerationis:quia conftat q̃ eodẽ
ordine refpiciunt fpirationẽ,non enim conuenit ei vis fpiratiua nifi habendo filium:ad quẽ or
dinẽ naturę habet pater cum fuis proprietatib⁹ refpectu eius & ṗprietatum fuarũ:vt pater fit
prima perfona,& filius fecunda.Et cõfimili modo ṗprietates ṗprię patris quodãmodo funt pri
mę,refpectu eius quę eft filii fi fit ṗpria filio,fiue cõmunis eidẽ cum patre. Vt nullo modo dicẽ
dũ eft q̃ ingenitũ fupponat cõmune fpirationẽ actiuã etiã vt patris eft,nifi valde ĩ generali &
implicite.In fpeciali eñ & explicite nõ fupponit nifi paternitatẽ,fcd̃m modũ iã exponẽdũ. Sed
quia paternitas ratio eft primę p̃ductionis omniũ:& cui cõuenit prima p̃ductio actiue, eidem
neceffario cõuenit omnis alia,vt in illa notione quę eft actiue ratio primę p̃ductionis,quafi vir
tute & implicite cõtineatur ratio cuiuflibet alterius p̃ductiõis:idcirco ingenitũ in eo q̃ in fpe
ciali & explicite fupponit paternitatẽ,implicite & in generali quodãmodo etiã fupponit cõmu
ne fpirationẽ actiuã:& fortaffe etiã potentiã creãdi actiue,& hoc vt funt patris. Vnde ingenitũ
**R** licet explicite etiã in fpeciali nõ negat nifi generari : implicite & in generali negat & fpirari &
creari. ¶De ordine igit̃ paternitatis & ingeneratiõis inter fe fciendũ q̃ duplr̃ poffunt cõfidera
ri. Vno modo fcd̃m fe,& quafi ratione formę. Alio modo fcd̃m q̃ confiderantur in tali natu
ra,fcilicet deitatis:& quafi ratione materię.Primo modo nõ fe habent per aliquẽ ordinem rei,
aut rationis: neq; habitudinẽ habẽt inter fe:quia neq; ab eo q̃d eft nõ effe ab alio,habetur q̃ ali
quis eft a quo alius:neq; econuerfo.Etenim fi aliquis etiã in diuinis nõ genuiffet, nec effet pa
ter,nihil p̃hibet ipm effe ingenitum: & econuerfo fi non effet ingenitus , nihil p̃hibet ipm ge
nerare & effe patrem quãtum eft ex forma terminorũ,fed poni non poteft vnũ fine alio nifi per
impoffibile:vt patet ex tactis in p̃cedentibus queftionibus.Scd̃o autem modo & effe nõ ab alio
ponit a quo alius per generationẽ & econuerfo.& hoc ideo, quia in natura diuina aliquem effe
a quo eft alius p generationẽ,eft effe eũ a quo primo eft alius:q̃d neceffario ponit ipm non effe
ab alio:vt fit pofitio ipfa ratio effendi talis negatiõis. Propter q̃d folũmodo in diuinis vera pa
ternitas eft a qua ois alia paternitas fcd̃m quãdã imitationẽ nominat̃.Non enim eft vere pater
qui patrem habet:ficut non eft vere dñs q̃ dñm habet.Propter q̃d dicit Damafcenus lib.i.c.ix.
Non ex nobis tranflatum eft ad beatã deitate paternitatis & filiationis & p̃ceffionis nomẽ: ecõ
trario autem eft inde nobis traditũ:vt ait diuinus apoftolus.Flecto genua mea ad patrẽ, a quo
omnis paternitas.vt fic ex natura rei huiufmodi nomina prius,verius,& p̃fectius habẽt effe in
deo q̃ in creaturis:licet contrariũ fit fcd̃m vfum & nominis impofitionẽ.Econuerfo etiã eũ nõ
effe ab alio ratiõe talis naturę ponit neceffario ipm effe a quo alius,nõ vt negatio fit ratio effen
di ipfius affirmationis:fed confequẽdi tñ:quia circa idem femp affirmatio eft effendi ratio ne
gationi & non ecõuerfo:vt q̃ homo eft añal,eft ratio eius q̃ non eft lapis,& nõ econuerfo.& fic
**S** negatio illa fupponit in fubiecto talem affirmationẽ.¶Sed eft aduertendũ q̃ q̃q̃ ingenitũ fup
ponit circa id circa q̃d eft, q̃d non eft nifi natura diuina, q̃ fit a quo aliquid:& hoc ratiõe ma
terię fiue naturę diuinę circa quã eft,nõ ratiõe formę fui fignificati:vt dictũ ẽ:cũ filr̃(vt dictũ
eft )ratiõe fui fignificati indifferẽter eft fuppofiti,fiue abfoluti,fiue relatiui:filr̃ indifferẽter fup

ꝗ ab ipſo eſt aliquid vt ab abſoluto, aut vt a relatiuo: vt ſi ꝑ impoſſibile ingenitum in diuinis
eſſet ꝑſona abſoluta, ponit ꝗ ipſa eſt a quo omne aliud & omnis alius:ſed hoc nõ ſcdm actum
ſed ſecũdum habitum:quia a ꝑſona abſoluta in diuinis nihil eſt natũ ꝑcedere niſi creaturæ,
quę nulla neceſſitate naturę ab ipſa ꝑcederent:licet hoc poſuerunt Philoſophi.Nunc autẽ cum
ſcdm veritatem & naturę neceſſitatẽ(vt ſupra declaratum eſt)in diuinis non ſit pſona niſi re
latiua, ingenitum in diuinis ponit ꝗ id cuius eſt, ſit a quo omne aliud in creaturis, & oĩs alius
in diuinis,& hoc ſcdm actum reſpectu eorum qui ſunt alii in diuinis , & ſcdm habitum reſpe
ctu eorũ quę ſunt aliud in creaturis. Vnde reſpiciẽdo ad alios in diuinis, dicit Ric.vi.de trini
ca.i.Sicut innaſcibilis naturę eſt ab alio nõ ꝑcedere, ſic ei naturale eſt de ſe ꝑcedentẽ habere.Et
ad hoc reſpiciebãt illi qui ſcdm ſuperius declarata ponebant ſubſtratũ poſitiuum negationi in
nomine ingenitę ſignificatę eſſe rationem principii aut vniuerſalis ſcdm prima opinionem,aut
pſonalis ſcdm ſecundã & tertiã.& vere ſubſtratũ eſt:ſed alio modo ꝗ ſit ſubſtratum id circa qd
habet fundari illa negatio:vt patet ex ꝑdeterminatis.⸿Ex iã dictis patet ꝗ ꝗꝗ negatio quæ eſt

**T**

non ab alio eſſe ſignificata in ingenito,& affirmatio quę eſt ab alio eſſe.ſignificata in paternita
te, mutuo ſeſe ponunt: tñ illa negatio ponit iſtã affirmatiuã, ita ꝗ eam ſupponit , & nõ eſt ra
tio exiſtẽdi ipſam in ſubiecto:affirmatio autẽ negationẽ ponit & ſupponit, & eſt ratio exiſtendi
eã in ſubiecto.Quia autẽ quęcũꝗ ſic ſe habet ꝗ mutuo ſeſe ponũt in eodẽ ſubiecto:ſed vnũ eo
rũ ponit alterũ tãtum,& nõ eſt ratio eſſendi ipm:ſed ecõuerſo alterũ eſt ratio eſſendi illius: ꝗꝗ
ſint ſimul natura & duratione, ſcdm rationem tñ prius eſt id qd eſt ratio eſſendi alterius,& nõ
econuerſo.Et ſi non ꝓprie dicatur prius, ſaltẽ ſcdm ratione dicatur vnũ illorũ primũ & alterũ
ſecundũ. vt ſcdm hoc paternitas in patre dicat ꝓprietas prima reſpectu ingeniti,& ingenitũ ſe
cũda reſpectu paternitatis.Et ſcdm hoc cõcedenda eſt vltima ratio, quę ſcdm iã dicta procedit.

⸿Ad primũ in oppoſitum, ꝗ ſcdm rationem noſtram eidem prius conuenit ratio
reſpectus ad illũ a quo habet eẽ poſitiue, ꝗ ad eũ qui ab eo habet eſſe: ergo ſimiliter ad eũ a quo
non habet eſſe, ꝗ ad eũ qui ab ipſo habet eſſe:Dicendũ ꝗ non eſt ſimile de negatiua & affirmati
ua, quoniã affirmatiua qua aliquis eſt ab alio, ſemp potius eſt ratio eius ꝗ ab illo eſt alius, ꝗ ecõ
uerſo.vt ꝗ filius eſt a patre per generationem, ratio eſt eius ꝗ a filio eſt ſpiritus ſanctus per ſpi
rationẽ:& nullo modo ecõuerſo.Propter qd ſcdm rationẽ noſtrã prius ſiue quaſi prius aut pri
mũ eſt filium eſſe a patre, ꝗ a filio eſſe ſpiritũ ſanctũ:aut hoc eſt ſecũdũ reſpectu illius.Ecõuerſo
aũt eſt de negatiua:vt dictũ eſt. Et qd aſſumit ꝗ affirmatio & negatio ſunt ſimul, verũ eſt du
ratiõe: quia ĩ eodẽ inſtãti intelligit cõtradictio fieri ſcdm affirmationẽ & negationẽ.Hoc tñ nõ
repugnat ei ꝗ vnũ eoꝛ ſit ratio alteri⁹ & nõ ecõuerſo:queadmodũ cauſa ſcdm actũ & cauſatũ
ſcdm actũ ſiꝉ ſunt, vnũ tñ eſt ratio alterius & nõ ecõuerſo.propter qd nõ obſtãte illa ſimultate
vnũ eoꝛ poteſt ſcdm rationẽ eſſe prius altero:vt dictũ eſt.⸿Ad ſecundũ ꝗ eſſe ingenitũ habet
eſſe ſcdm eſſe abſolutũ:paternitas autẽ nõ niſi ſcdm eſſe cõparatũ: Dicẽdũ ꝗ hoc verũ eſt, quo
ad hoc ꝗ ingenitũ licet reſpectu negatiuũ importet qd aliũ vt a quo nõ habeat eſſe, reſpectu tñ
affirmatiuũ non importat quãtum eſt ex ſe ad aliquid vt ad id qd habet eſſe ab eo . Vnde etſi
importet rationẽ primitatis, hoc nõ eſt ſcdm rationẽ primi a quo alius: ſed ſcdm illã rationem
qui nõ ab alio:quis(vt dictũ eſt)ratiõe materiæ & naturę diuinę circa quã eſt, neceſſario ponit
a quo alius.⸿Sed relatio circa aliquid habet eſſe dupliciter.Vno modo vt circa fundamentum
a quo oritur. Alio modo vt circa ſubiectũ cuius eſt,& qd denoiat.Primo modo(vt ſupra dictũ

**V**
**Ad primũ
prin.**

**X**
**Ad ſecũdũ**

**Y**

eſt)oẽs ꝓprietates pſonarũ & relationes in deo habet eſſe circa ipſam diuinã eſſentiã.Secũdo ve
ro modo habent oẽs eſſe circa pſonã:ſed quodã ordine ratiõis circa eſſentiã & circa pſonã. Sed
quãdo abſolutũ & cõparatũ habet eſſe circa idem vt circa ſubiectũ : & ſic vno modo:vt vtrũꝗ
eorũ ſit extra rationẽ eius circa qd habent eſſe:ſic ſemp prior eſt ratio abſoluti ꝗ cõparati:vt ſi
homo humanitate eſt riſibilis & ſimilis , prior ſcdm rationẽ habet eſſe in eo ratio riſibilis ꝗ ſi
milis.Et hoc modo ſe haberẽt ingenitũ & paternitas ſi eſſent ꝑ ſe ꝓprietates diuinę eſſentię aut
alicuius pſonę abſolutę vt ſubiecti:& eſſet prius ſcdm rationẽ ingenitũ ꝗ paternitas. & in hoc
mẽbro ꝑceſſit obiectio.Alio aũt modo abſolutũ & cõparatũ habent eſſe circa idem ſubiectũ ſic
vt vnũ eoꝛ ſit de ratione & cõſtitutiõe eius circa qd habẽt eſſe,& alterũ nõ.Sic ſemp ratio ei⁹
qd eſt de illius cõſtitutiõe,prior eſt:quia alia eſt quaſi cõſecutiua ipſius cõſtituti iã ĩ eſſe pſo
nali.Sic autẽ contingit in ꝓpoſito:quia ꝓprietas cõſtitutiua pſonę patris, paternitas eſt ſiue ge
nerare,& nõ ingenitũ:vt iã dicetur in qſtione ſequẽte.Propter qd & generare eſt ꝓprietas pſo
nalis non tantũ pſonę:Ingenitũ autẽ eſt ꝓprietas nõ pſonalis:ſed pſonę tñ:& generare neceſſa
rio eſt prius ſcdm rationẽ.⸿Ad tertiũ ꝗ prior eſt cõparatio ad principiũ ꝗ ad principiatũ: Di

**Z**
**Ad tertiũ.**

cendū ꝗ verū eſt ꝗ̄ vtraꝗ̃ cōparatio poſitiua ſiue affirmatiua eſt:& eſt vtraꝗ̃ ꝑprietas ſcd̄m vtraꝗ̃ cōparationē extra rationē ſubiecti:queadmodū extra rationē hois ſunt riſibile & ſimile. Non aūt ꝗ̄ altera eſt negatiua & altera affirmatiua:& vna ꝑprietatū eſt de ratione & cōſtitu‑ tione ſubiecti aut quaſi ſubiecti,& non altera:queadmodum ingenitum non eſt de conſtitutio‑ ne perſonę patris vt eſt paternitas:vt iam dicetur.

**A**
Queſt.IIII.
Argu.ı.

**C**Irca quartū arguit̃:ꝗ̃ ingenitū ſit ꝑprietas cōſtitutiua pſonę p̃ris,Primo ſic. Damaſcen9.i.lib.c.x.loquēdo de diuinis pſonis dicit ſic.Oīa quęcūꝗ̃ habent: hoc eſt ꝗa.p̃r habet ea p̃ter ingeneratiōe, generatiōe, & proceſſiōe. In his em̃ ſolis hypoſtaticis ꝑprietatib9 abiuicé differūt hę tres hypoſtaſes nō ſub‑ ſtātia. Characteriſticę vero hypoſtaſeon̄. nō ſunt autē characteriſticę & di‑ ſtinctiuę niſi quia ſunt pſonæ cōſtitutiuę.Conſtituit ergo ingeneratio pſonā patris ſicut generatio pſonā filii, & pceſſio pſonā ſp̃us ſancti. **C**Scd̄o ſic. Hila.dicit.iiii.de trini‑ ca.xv. Neꝗ̃ cōſorte nome vnigeniti admittit,ſicut nō recipit inaſcibilis eo ꝗ̃ inaſcibilis p̃ncipē. Vterꝗ̃ itaꝗ̃ vn9 eſt ſolus.ꝑprietate videlicet i vnoquoꝗ̃ & inaſcibilitatis & originis. eſt ergo pater vn9 ſolus ꝑprietate inaſcibilitatis, ſicut fili9 ꝑprietate originis,ſed ex eo res habet eē & eſſe vna:ergo & ꝑprietate innaſcibilitatis pſona habet eſſe pſona ſicut & vna:hoc autē nō eſt ni‑ ſi ꝗa é cōſtitutiua pſonę.ergo &c̄.**C**Tertio ſic.Digni9 eſt habere p̃fectionē nō ab alio ꝗ̄ ipam cō municare alii.ſicut maior eſt dignitas in rege ꝗ̄ ipſe a nullo teneat regnū ſuū, ꝗ̄ ꝗ̃ faciat alios participes regni ſui.dignior eſt ergo ꝑprietas ꝗ̄ eſt ingenitum,ꝗ̄ illa ꝗ̄ eſt generare. dignū autē eſt ꝗ̃ dignā pſonā dignior ꝑprietas cōſtituat. ergo &c̄. **C**In cōtrariū eſt,ꝗ̄ pſonā nō cōſtituit ꝑprietas niſi ꝗ̄ eā ab alia diſtinguit pſona:ꝗa relatiua oppoſitio multiplicat trinitatē. ſed pſonā patris nō diſtinguit ab aliquo inaſcibilitas:ſed paternitas & pceſſio actiua: ꝗa ſolū p has ꝑprie‑ tates habet reſpectū ad illas.ergo &c̄.**C**Preterea ꝑprietatib9 pluriv9 in eadē pſona exiſtētib9 nō eſt pſonę cōſtitutiua niſi prima illarū.Aliter em̃ illa prima nō eſt ꝑprietas pſonę ſed eſſentię,qd̄ non eſt verum,ꝗ̄ꝗ̄ omnes fundentur in eſſentia.quare cū ſecundum determinata in precedente queſtione paternitas eſt proprietas prima reſpectu ingeniti.ergo &c̄.

In oppoſi.
primum.

ı

**B**
Reſponſio.

**C**Dicendum ad hoc : ꝗ̃ perſona in diuinis quia eſt quis ſubſiſtens relatiue, pro‑ prietate qua conſtituitur ſubſiſtit & refertur ad alterū,a quo per hoc diſtinguitur.Relatiue au‑ tē non poteſt ſubſiſtere ꝑprietate negatiua:ſed ſolū poſitiua.Proprietate em̃ negatiua non po‑ nit illū ad quē eſt:ſed denegat potius ipm.& ideo quātū eſt ex ſe, poſſet eſſe ſuppoſiti abſoluti vt p̃dictū eſt:quia nō ponit id cui9 eſt fore diſtinctū ab alio. Non em̃ ponit aliū ſubſiſtētē: & nō eſt diſtinctio niſi inter ſubſiſtētes.Ita ꝗ̃ ſi non eſſet alia ꝑprietas cōſtitutiua pſonę cuius ꝑprie‑ tas eſt ingenitū,ꝗ̄ ꝑprietas cōſtitutiua eſſet relatiua & affirmatiua,nullo modo pſona illa ex eo ꝗ̃ pſona eſt,relatiua eēt ad principiatū:ſed eſſet pſona abſoluta:& ſi paternitate eēt relatiua ad pſonā filii pducta a ſe,paternitas ſua nō eēt ꝑprietas pſonalis ſed pſonę tm̃:queadmodū ꝑprie‑ tas ſpirādi qua pater refert ad ſpiritū ſanctū,nō eſt pſonalis ſed pſonę tm̃.& ſic relatio in diui‑ nis nō multiplicaret trinitatē niſi quo ad duas pſonas conſtitutas ꝑprietatib9 relatiuis ꝗ̄ ſunt filius & ſp̃us ſanctus.Ingenitū em̃ quantum eſt ex ſe, non ponit reſpectū niſi ad principium:& nullo mō ad p̃ncipiatū,niſi rōne naturę dinę i ꝗ̄ eſt,ſuppoſitus ꝗ̃ ille cui9 e,neceſſario é a quo ali9 eſt:ita ꝗ̃ ratio illa ꝗ̄ ali9 é ab ipo,prior é ꝗ̄ illa ꝗ̄ nō eſt ab alio,ſcd̄m p̃dicta.Proprietas aūt ꝗ̄ prima é,neceſſario é pſonę cōſtitutiua:aliter em̃ illa nō eſſet ꝑprietas pſonę ſed eſſentię:qd̄ nō é verū:ꝗa eſſentię nō aſſignant̄ ꝑprietates niſi attributales. Ingenitū ergo nullo mō pōt eē pro‑ prietas cōſtitutia pſonę. Vn̄ & dicit Prepoſitin9,Innaſcibil:tas nō ꝑprie oſtēdit ꝗ̃ ſit:ſed ꝗ̃ ipe a nullo ſit.& ideo mag̃ paternitas ꝗ̄ inaſcibilitas ꝑprietas pſonalis dicēda é.Propter qd̄ & Au guſtin9 loquēs de ꝑprietatib9 pſonalib9 cōſtitutiuis,negat igenitū ſiue nō natū eſſe ꝑpriū p̃ris ſic iquiēs. Neꝗ̃ em̃ i illa trinitate ꝑpriū é ſoli9 p̃ris ꝗa nō é nat9 ipe:ſꝫ ꝗ̃ vnū filiū genuit.Neꝗ̃ ꝑpriū ſolius filii quia nō genuit ipe:ſed ꝗa de p̃ris eēntia nat9 é. Neꝗ̃ ꝑpriū ſp̃us ſancti ꝗa nec nat9 é nec genuit:ſꝫ ꝗa ſol9 de p̃re filioꝗ̃ pcedit.Prepoſitin9 tn̄ dicit i ſūma ſua ſic.Nō é rō ꝗ̄re paternitas é magis pſonalis ꝑprietas ꝗ̄ inaſcibilitas:& vix aut nunꝗ̃ poteris inuenire ratiōe.

**C**
Ad primū
prin.

**C**Ad primū in oppoſitū de dicto Ioānis Damaſceni,dicūt aliꝗ̃ ꝗ̃ ibi ſumit genera tiōe large ad actiue & paſſiue dicta:vt cōprehēdat duas ꝑprietates:ꝗrū vna é cōſtitutia pſo‑ nę p̃ris:alia vero pſonę filii.Et ꝗ̃ ibi tāgit igeneratiōe hoc nō facit ꝗa pſonā cōſtituat:ſed ꝗa p pria é vni pſonę ꝗ p illā differt ab aliis duab9.Sꝫ huic repugnat lr̃a,ꝗ̄ dicit has treseē hypoſta cas.p̃perates & characteriſticas hypoſtaſeos.qd̄ nō eēt verū niſi ꝗ̄libet illaꝗ̃ eēt tal̃,ſm̃ ꝗ̃ pceſſit obiectio.Iō dicēdū ſm̃ p̃dicta ſuperi9,ꝗ̃ ibi ſub ignare cōp̃hēdit gnare:ꝗa vt dictū eſt,ſeſe cō comitātur ī eodē:& p vtraſq̃ pr differt a filio & ſpū ſanɛto:ſed aliter & aliter:quia paternitate differt a filio vt relatiōe oppoſita illi q̃ eſt in filio:& ſimiliter differt a ſpiritu ſanɛto ſpiratiōe actiua:ſed ī genito ſiue ī generabilitate differt ab vtroq̃ vt relatiōe diſparata:queadmodū fili⁹ quodāmodo differret a ſpū ſanɛto ſi nō pcederet ab ipſo.Sed pprie pſona a pſona dicī diſtiguī pprietate illa q̃ eſt relatiue oppoſita. Vñ pr pprie loquēdo diſtinguī a filio paternitate, nō aūt innaſcibilitate.Propter qd̄ etiā ſi ſpūs ſanɛt⁹ nō pcederet a filio:licet ppter relatiōes diſparatas eſſet alia pſona a pſona filii:non tamen pprie diceretur eſſe diſtinɛta ab ea. Comprehendit autē Damaſcenus potius generare ſub ingeneratiōe, q̃ ecōuerſo:qa p ingeneratione vniformiter diſ fert a filio & ſpiritu ſanɛto,non aūt per generare:quia per generare differt a filio vt relatiōe op poſita:a ſpiritu ſanɛto autē vt relatione diſparata tm̄. Q̃ autē ſub ingeneratione comprehen dit paternitatē,patet ex eo qd̄ dicit lib.i.c.ix.comparādo patrē & filium. Omnia quecūq̃ habet pater eius ſunt pter ingenerationem.Et tamen conſtat q̃ paternitas patris non eſt filii. & ibidē parum ante. Per omnia ſimilis eſt patri prᵉter non generationē.& tamen conſtat q̃ non eſt ei ſi milis in paternitate.¶Ad ſecundum de dicto Hilarii: Dicendū eodem modo q̃ ſub innaſcibili tate comprehendit generare:& originē ſumit ibi pro origine paſſiue dicta qua filius habet ori ginari a patre:licet cōmuniter accipi poſſet quātum eſt de ſe pro origine actiue & paſſiue dicta ſicut accipi poteſt generatio.¶Ad tertium,q̃ dignior pprietas eſt ingenitū q̃ generare,Dicen dū q̃ nō eſt verū:immo ſi aliqua illarū habet ratiōe maioris dignitatis, illa eſt generare ꞉ quia ex hoc q̃ ipm̄ eſt prima pductio, habet perſona cuius eſt q̃ nō ſit ab alia.& ſic q̃ ingenitū ha bet eſſe,habet ex ratione generationis:vt patet ex dictis in pcedente queſtione. ¶Ad formā au= tē argumēti quo dicit:dignius eſt habere pfectionē non ab alio q̃ ipſam alii cōmunicare:Dicēdū q̃ verū eſt,ſuppoſito tñ q̃ ſit habens eā,hoc eſt q̃ ſit ſuppoſitū,non eo quo eā alteri cōmunicat de quo eſt queſtio. Vnde nō pcedit ratio niſi pᵉtēdo qd̄ patet in exemplo argumēti. Rex em̄ tē poralis nō eſt rex , aut habet regnū ab eo q̃ alteri cōmunicat ipm̄:ſed ex ſe abſolute.Nunc aūt in pſona diuina ingenita ſummᵉ dignitatis eſt q̃ nō habet pfectionē niſi in cōmunicādo eā , & per hoc nō ab alio:quia eſt primū & primo cōmunicās eā ſcd̄m pdictū modū:vt ſit multo di gnius habere ipſam in cōmunicādo:quia liberalius eſt:q̃ non ab alio.& ſemp eſt multo dignius aliis eiſdem retentis bonum cōmunicare alteri,q̃ non habere ab altero.

## Articu.LVIII.

Equitur Arti.LVIII.de proprietate patris quᵉ eſt generare
Circa quam querenda ſunt quinq̃.
Quorum primum eſt,an generare ſit proprietas patris.
Secundum,an ſit idem quod dicere.
Tertium,an in patre ſit aliqua proprietas alia a generare.
Quartum,an generare ſit proprietas conſtitutiua patris.
Quintum,an generare per ſe ſit opus paterni intellectus.

Irca primū arguit:q̃ generare nō ſit pprietas patris:quia nō cōuenit ei, Pri mo ſic.Generare nō eſt in re niſi ppter ſuā defectibilitatē. fm̄ PꝪm.ii.de aīa. Data eſt vis generatiua reb⁹ vt qd̄ ī vno ſaluari nō potuerit ſaluet ī ſiꝉi.ſed in pꝝe diuino nulla defectibilitas eſt:qa de⁹ eſt imutabilis.ergo &c.¶Scd̄o ſic non eſt trāſitus circa ſubiectū aliqd̄ in terminū vbi nulla eſt diſtātia termini ab ipſo ſubiecto.generatio aūt eſt trāſitus quidā circa ſubſtātiā q̃ eſt ī potētia ad eſſe,ad ipm̄ eſſe:in diuinis aūt nō eſt ſubſtātia ī potētia ad eᵉ diſtās ab eᵉ.ergo &c. ¶Deinde ar guit q̃ nō cōuenit ei vt ppriū,Primo ſic.Eodē mō cōueniūt rei ſcd̄m ratiōe pprii & cōis po tētia & actus:qa nō eſt ppria potētia niſi ſit ppri⁹ actus,nec ecōuerſo,Sed potētia generādi nō eſt ppriū patris:qa eadē potētia generādi q̃ cōuenit pꝝi & eſt in pꝝe,contuenit filio & eſt in filio. Aliter em̄ aliq̃ eᵉt potētia pꝝis q̃ nō ē filii, nec eſſet fili⁹ oīpotēs ſicut ē pr,qd̄ falſum ē. ergo &c. ¶Scd̄o ſic.Actio & paſſio nō habet eſſe in agēte ſed in paſſo.ſcd̄m PꝪm.iii.phyſi. Sed generatio actio eſt,& generare agere:ergo eſt in patiēte nō in agēte ſiue generāre.cum ergo pater ſit ge nerans,generare nō eſt in patre:ſed pprietas eſt in perſona cuius eſt pprietas,ergo &c.¶Q̃ au tem generare cōueniat patri , habetur in Pſalmo.vbi dicit pater ad filiū . Ego hodie genui te. Q̃ autem ita conueniat ei q̃ ſit pprium eius,patet:quia ei ſoli cōuenit:quia(vt patet ex ſupra determinatis)in diuinis oportet eſſe vnicā pſonā q̃ non habet eſſe ab alia: & ab illa ſola vnī

D
Ad ſecūdū

E
Ad tertiū.

F
Queſtio.I.
Argu.I

2

3

Probatio.

4

In oppoſi.

ca emanatione pcedere solum vnicam.Illud autem ppriú siue pprietas est psoñe,qd solú vni
cóuenit. Manifestú est ꝙ illa emanatio qua vnica psona pcedit ab illa persona quæ nó est ab alia
pprietas est patris:ipse em solus est illa psona quę non est ab alia: vt habitú est iá supra. Vñ cú
generatio nominat emanationem quádam,queſtio ista intendit quærere an illa emanatio qua a
solo patre emanat alius,sit generatio quedá siue dici possit generatio,ita ꝙ nulla alia emanatio
possit dici generatio:vt sic sit proprietas patris & propria,vt nulli alií conueniat.

**G**
**Resolu.q.**

⸿Et quo ad primú articulum expediemus nos hic declarando ꝙ illa emanatio de
bet dici generatio:quo ad secúdú articulú reseruamus declarationé vſꝗ ad ꝗstioné de proprie
tate spirationis,quomodo est pprietas patris , & vtrum sit in eo alia proprietas a generatione.
Supposito igitur ex supra determinatis ꝙ in diuinis est emanatio principalis qua a solo ingeni
to pcedit vnicus,difficile est adhuc videre quomodo illa emanatio possit dici generatio, & ta=
men conandum est nobis aliquid exinde scire.dicente Hila.iii.de trini.cap.ix.Noli nescire ꝙ ab
ingenito & pfecto patre vnigenitus pfectus natus dei filiꝰ sit:quia sensum & sermoné hûanę na
turę virtus generatiõis excedat.Sed hoc circa diuina cóiicere nó possumus nisi ex generatiõe
quá circa creaturá videmꝰ.Propter qd dñs generationé suá circa creaturas nobis suadet Esaię
vlti.Ego ꝗ generationé cęteris tribuo sterilis ero:Qd exponit Glos. de generatiõe eterna.Atta
mé siſę oíno circa generationé creaturarú nó iuenimꝰ.Vñ cóparádo generationé diuiná & hu
maná ꝗ pfectissima est in creaturis,dicit Damasc.lib.i.c.x. Sicut nó silꝝ facit hõ & deus,ita neꝗ
similiter homo generat & deꝰ. Et ppter hoc ea quę scriptura modo humano loquitur de gene
ratione diuina,modo quo naturę diuinę sermo competit intelligêdus est.dicente Ambrosio.i.de
trinitate in exponendo illud A deo exiui. Cum in vsu nostro id sit exire quod iam sit,& ex in=
terioribus secretis prodire videatur quod exire perhibetur,angustis licet sermonibus proprie
tatem diuinę generationis aduertimus:vt non ex loco aliquo videatur exisse, sed vt deꝰ de deo

**H** filius ex patre. Sic & í aliis quę deo ex creaturarú generatione attribuimꝰ , vt deo nata sunt có
uenire attribuere debemus,amouendo qd defectus est & impfectionis circa creaturas, & asseré
do qd est perfectionis.Propter qd dicit Damascenus . Deus sine têpore ens,& sine principio,&
impassibilis,& influxibilis,& incorporeus,& solus,& infinitus,sine têpore, & sine principio, &
nó fluxibiliter & sine coitu generat. Semper em scdm naturarú diuersitaté diuersus modus ge
nerationis inuenitur:& quáto natura est inferior,tanto generatio exterior & planior: & quáto
superior táto intimior & occultior.Ab infimo igitur modo generationis ascendimus dicimus ꝙ
ille est accidentiú:ppter qd Phus in.i.de generatiõe,generationé accidétiú non appellat simplr
generationé,sed aliquá generationé.Generationé vero substátiarú appellat simplr generationé.
& hoc ideo:quia eorú generatio est de subiecto in subiectú,generatio vero substátiarú est de nó
subiecto in subiectum:vt dicit quinto physicorú.Et est generatio diuina in aliquo habés simile
cum generatione accidétium,& in aliquo cum generatione substantiarú.Cum generatione ac=
cidentium:quia in ipsa generatione diuina est quasi subiectum existens in actu ipsa diuina essen
tia:& in generatione accidentiú subiectú est existens in forma substátiali:differt autem in aliis.
Conuenit autem cum generatione substantiarum,quia vtrobiꝗ generatum est aliquid subsi
stens:licet hic relatiue,ibi vero absolute:in aliis auté differt.In substantiis auté est quædam ge
neratio ęquiuoca:vt cum a calore solis per putrefactioné generatur vermis:cui minime conue
nit ista generatio:quia pcedit scdm rationem similitudinis.Vnde maxime assimilatur illi gene
rationi quę est similis ex simili:differt tñ a qualibet illarú:quęlibet enim illarú est per mutatio=
né media inter generás & genitú circa illud ex quo fit generatio:quia ex quo fit generatio non
est nisi ens in potétia:qd per mutationé facta ab agête transit ad actú scdm aliud in forma rea=
liter a forma generátis. In gñatiõe auté diuina id ex quo est generatio est aliꝗd existés in potê
tia , non ꝙ p generationé fit in actu aliquid acquirendo in seipso per qd in actu fiat ex potentia
existête:sed ꝙ per generationé idipm numero scdm eundé actú formę fit geniti qd est generan
tis:vt cú hęc generatio sit sine motu & mutatione, non est in ipsa plus ex pte generátis ꝗ respe
ctus siue relatio ad genitú:vñ nec similꝝ in genito plusꝗ respectus eiꝰ ad generáté: qui respectꝰ
sunt fundati í ipsa eêntia ex qua est generatio,cú qua sunt cóstitutiui psonarú generátis & ge
niti.Vnde sicut generatio in corporalibꝰ intelligitur modo corporali:sic in deo modo spiritua
li.Et quia deus est intellectualis natura,modo intellectualis emanationis debet intelligi genera
tio diuina,& hoc scdm aliquos per hunc modum.Dicút em sic.Deus seipm intelligit:omne au
té intellectum inquantum intelligitur oportet esse in intelligête.vnde etiam intellectus noster

ſeipm intelligēs eſt in ſeipſo,nō ſolũ vt idē ſibi p eſſentiã: ſed etiã vt a ſeipſo apprehēſum intelligēdo.Oportet igitur ꝙ deus in ſeipſo ſit vt intellectũ in intelligēte. Hoc totũ verũ eſt:ſed qd̄ addunt cōtinue: intellectum autē in intelligente eſt intentio intellecta & verbum:eſt igitur in deo intelligēte ſeipſum verbũ dei quaſi deus intellectus,ſicut verbũ lapidis in intellectu eſt lapis intellectus:Hoc nō eſt ſufficiens vſquequaꝗ.Deus eͫ trinitas intelligit ſeipm, & ſimiliter quęlibet perſonarũ diuinarũ. Per actũ autē intelligēdi intellectũ in intelligēte ſemp eſt intentio intellecta,nō tn̄ ſemper eſt verbũ:quia in propoſito tale intelligere eēntiale eſt. Vnde nō magis intētio intellecta eſt verbum cũ pater intelligit ſeipm:ꝗ cũ fili⁹ intelligit ſeipm,aut ſpirit⁹ ſanct⁹,aut vna perſonarũ intelligit alteram. Propterea cum pater intelligit ſeipm,ipſe eſt in ſeipſo ſcilicet pater in patre vt in intelligēte.Si ergo omne intellectũ in intelligēte eſſet verbũ & fili⁹, tunc pater eſſet verbũ & filius ſuiipſius: qd̄ falſum eſt. Non ergo omne qd̄ eſt in alio vt intellectũ in intelligēte verbũ eſt,neꝗ in deo,neꝗ in hoibus:ſed aliquod ſic, & aliquod nō.⌘Ad qd̄ **I** diſcernēdum ſciendum eſt,ꝙ cum dicitur,intellectum exiſtēs in intelligēte eſt verbũ eius, aliquid attendēdum eſt ex parte intelligētis,aliquid vero ex parte intellecti exiſtentis in intelligēte. Ex parte eͫ intelligentis attendēdum ꝙ aliquid vt deus eſt intelligēs ſcdm actum:quia ipſe intelligens eſt ipm intellectum.Et ideo intelligere quo dicitur intelligēs,non eſt intelligere per aliqua actione alicuius mouētis intellectum eius, niſi ſcdm rationē tn̄ : ſed eſt intelligere per eſſentiã.Et eſt iſtud intelligere operatio ꝗd̄ā eēntialis intelligētis, nō aũt aliquid operatũ in intelligēte,nec ab aliquo qd̄ eſt intra aut extra eum niſi ſcdm rationē : intelligendo ſcilicet in eo idem ſub ratione intelligibilis mouētis & intellect⁹ moti, & actus intelligēdi formati in intellectu:queadmodum iſta habent differre & eſſe ſcdm rem in actu noſtro ſimplicis intelligentię in telligibili extra agente in noſtrũ intellectum,vt formetur in ipſo actus intelligēdi:reſpectu cui⁹ intellectus noſter pure paſſiuus eſt. ⌘Ex parte vero intellecti eſt attendēdũ ꝙ intellectum con **K** tingit eſſe in intellectu dupliciter. Vno modo eſſentialiter : quia intellectum eſt ipſum intelligens:vt ſit eſſe in,ſecundũ rationem tn̄:quia abſꝗ omni actione ſiue operatione alicuius in intellectum ſecundum rem ad ipſius formationem:vt iam dictum eſt.Et quod ſic eſt in intelligēte,non eſt verbum niſi eſſentiale, & ſola ratione differens ab intelligente. Non tamen etiam ſecundum ratione eſt opus intelligentis ſcdm ꝙ eſt intelligens:immo eſt forma qua intelligēs eſt intelligens: nec etiam eſt opus intellectus vt intellectus ſolum : quia vt eſt purus & nudus ab omni informatione reſpectu actus intelligēdi, non eſt niſi paſſiuus:ſed eſt ſolummodo opus rei intellectę:propter quod nec verbum intellectus poteſt dici:vt infra amplius declarabitur. Alio vero modo contingit intellectum eſſe in intelligente cauſaliter:quia eſt aliquid operatum in intelligente: vt ſit eſſe in ſcdm rem.Sed in intelligente poteſt eſſe intellectum operatum dupliciter. Vno modo ab aliquo obiecto agente in intellectum:vt per actum intelligēdi quem format in intellectu habeat eſſe intelligens ſcdm actum, & ipſum obiectum intellectum in intelligente. Sed non vt verbũ intellectus in huiuſmodi intellectu habet eſſe actus intelligēdi,aut ipm obiectum: quia non eſt ab ipſo intellectu actus intelligendi in intellectu formatus : ſed ab obiecto.propter qd̄ ſi verbum diceretur,potius diceretur verbũ obiecti ꝗ intellectus.Hoc modo intellectum eſſe in intelligēte contingit in ſolis creaturis:quia non intelligunt ſe & alia per ſuam eſſentiam:ſicut ſolus deus . Et ideo per hunc modum nihil eſt in deo vt intellectum in intelligēte, niſi ſcdm rationē tn̄:vt dictum eſt.Et quo ad hoc verbũ eſſentiale potius dicitur eſſe,intellectum in intelligente ſimplicis notitię in creaturis ꝗ in deo: quia illud eſt operatũ realiter & vera actione in intellectu creaturę,licet non ab intellectu,ſed ab obiecto:vt dictum eſt: & differt ſcdm rem ab ipſo intellectu , licet non ab intelligente inquantum intelligens eſt : quia eſt forma qua formaliter intelligit:in deo autem(vt dictum eſt)non eſt operatum nec differēs ab intellectu niſi ſola ratione. Alio autem modo poteſt aliquid in intellectu eſſe operatum ab ipſo intelligente inquãtum eſt intelligens in actu,& ſic ab opere intellectus ſcdm ꝙ eſt actus intelligens & informatus intellectione actuali qua agit in ſeipſum inquantum eſt intellectus purus & quaſi materialis,ſecundum ꝙ ſupra expoſitum eſt in quæſtione,an actus generandi & ſpirādi ſint quædam intelligere & velle , de formatione verbi in intellectu creato,& per ſimile quodammodo in intellectu increato . Vnde quia non eſt verbum aliquod niſi ab opere intellectus conceptum in ipſo intellectu per actum ſuum qui eſt dicere:illud ergo intellectum quod eſt in intelligente nō per actum intellectus qui eſt dicere : ſed ex ſola actione rei intellectę in intellectu:vt quo ad ipm actum intellectus ſit pure paſſiuus,& nullo modo actiuus: nullo modo eſt verbum,Et tale eſt omne qd̄ dicimus intelligi intellectu ſimplici:quoniam talem intellectũ nō

agit nisi res intellecta:vt scdm se est quoddā intelligibile:cuius actio pure naturalis est,nō per
cognitione:quéadmodum calidum agit calefactione. Propter qd talis actio nullo modo est dia
cere:quia dicere est actio quæ fit per cognitione. Vnde isto modo ponere generationem in di
uinis,non est ponere ipsam modo intellectualis operationis,sed precise naturalis:nec est genera
tio notitię de notitia:sed de re cognita:vt dictum est.Licet ergo aliquid fit in seipso:non solum
vt idem per essentiam:sed vt comprehensum a se in intelligendo:non ex hoc verbum est ipsum
comprehensum aut intellectio : sed solummodo illud intellectum quod est in intelligente per
actum intellectus qui est dicere , verbum eius est . Et tale est omne quod dicimus intelligi in‐
tellectu declaratiuo siue manifestatiuo:quoniam talem intellectum nō agit res intellecta vt est
res secundū se:sed vt iam est intellecta & forma intellectus per actionem intelligendi simplicis
notitię qua intellectus sic informat[9] est intelligere quoddā in actu:ita φ totus intellectus vt sic
informatus est,& intelligere quoddā in actu,est quoddā intelligibile : qd quéadmodum quod
dā obiectū natū est quasi reflecti in ipsum intellectū eūdé,vt intellectus vt est purus ,mouédo ipm
ad actū intelligendi seipsum iā informatū actu intelligédi simplicis notitię. Talem autē actū
nō agit res intellecta vt res est secundū se:sed vt iā intellecta est:immo ipse intellectus vt iam
est intellectus & intelligere quoddā in actu per ipsam rem intellectā:ppter qd non est pcise na‐
turalis:sed naturalis p cognitionem: & ab itellectu informato notitia simplicis itelligentię qua
intelligit rem intellectā,generatur in eodé notitia declaratiua qua intelligit se intelligere rem
intellectā,Propter quod proprie dicitur esse modo operationis intellectualis,& est generata no
titia de notitia:videlicet de notitia simplicis intelligentiæ, notitia manifestatiua siue declarati
ua illius notitię quæ concepta est simplici intelligentia:quę quia sic generatur & de tali gene‐
rāte,eius generatio pprie dicere quoddā est,& eius genitū pprie verbū generantis est.De talis
igitur verbi emanatione oportet nos videre quomodo vere & scdm naturā rei debeat dici ge

M     neratio:sed modo intellectualis operationis. ¶Dicendū igitur φ scdm supra determinata ipsa
diuina essentia est fundamentū omnium diuinarū pprietatū: sed quasi primo constitutiua pro
prietatis psonę primę: sub qua quidé proprietate inquātū est vt quoddā intelligere eēntiale in
intelligēte(vt iā dictū ē)est primo foecūda ad actū primę emanatiōis qua emanat psona prima
emanans.Ex cuius modo emanādi clare patet φ debet dici vera generatio. Intellectus ēm diui
nus in psona illa prima quę nō est ab alia,a qua procedit ista prima emanatio, vt scdm iā dictū
modū est intelligere quoddā in actu,est ratio qua habet elicere actū huiusmodi emanatiōis. Et
est illud itelligere in tali psona,sicut actualis memoria:quā oportet esse actualé:quia ex quo p
fectissima est ista emanatio,debet esse summe actuale id quod est ratio eliciendi ipsam.Et est il

N     le actus intelligēdi scdm qué est in actu,pure essentialis:in quo sunt idem re,differétia sola ra‐
tione, intelligens, intellectum, actus intelligendi, & cętera huiusmodi. Idem vero intellectus
in eadem persona existens, vt est quasi in potentia ad actum intelligendi declaratiuum , est id
a quo habet produci emanans quod est ipsa notitia declaratiua siue intellectio in actu intelli‐
gēdi declaratiuo existens in psona a qua emanat:vt verbū in intelligentia non inhęrés sed sub‐
sistés,& declaratiuū notitię illius a quo formatur,distinctū ab eo in quo est.dicéte Damasceno
assignādo differentiā inter verbum nostrū & verbū diuinum.lib.i.c.vi. Semper habet suiipsius
verbum,nō scdm verbum nostrum nō subsistés,sed subsistens,omnia habens quęcūqꝫ genitor
habet.Sicut enim verbum nostrum de intellectu nostro procedens,neqꝫ per omnia idem est cū
intellectu,neqꝫ omnifariá aliud:nā ex intellectu ens aliud est pręter ipm:ipm autē intellectū in
apertū ducens:neqꝫ adhuc omnifariá aliud pręter intellectū:sed scdm naturā vnum ens aliud
est subiecto:ita & dei verbū in eo quidem φ subsistit scdm se, distinguit ab eo a quo habet exi‐
stentiā: in eo vero φ eadem ostédit in seipso quæ circa deū inspiciunt,idem est scdm naturā cū
illo.Sicut ēm qd in omnibus perfectū , in patre consideraᵗ,ita & in eo qd ex eo genitū est verbū
cōsiderabit. Cuius reuera emanatio ex modo emanādi ostédit vera generatio: quia ex hoc ema
natio dicitur vera generatio φ agens est in actu scdm formā qua agit,& hoc imprimendo for‐
mam eius in subiecto passibili materiali , & per hoc producendo sibi simile in natura & forma:
quéadmodū ignis generat igné ex materia,& hō hominé.Per oém auté talé modū emanat in di

O     uinis psona a psona,propter qd vera & naturalis debet dici generatio.¶Qꝫ aūt ita sit,patet ex
cōparatione huius emanationis ad illā q est vera generatio in creaturis:q in hoc solo differūt:
φ ibi agés formā suā naturaliter imprimit in exteriorē materiā,aliā scdm numerū ab illa quæ
in se est sub sua forma:propter qd etiam cōmunicat ei aliā formam scdm numerum, & produ
cit aliud re absoluta.Hic autem persona a qua est prima emanatio,suam formam quæ est quæ

dam notitia eſſentialis qua ſcdm actum itelligit ſe:quaſi imprimit in pptrium intellectum,vt
in quaſi ſubiectu & in qſi materia modo intellectuali paſſibile ab illa forma vt a pprio intelligi
bili.Propter qd coicat ei eade forma ſcdm numerum qua agit,& ide quaſi ſubiectu in qd agit:
& pducit re abſoluta non niſi idem, diſtinctu ſolu penes ab alio habere eſſe, & penes a quo aliꝰ
habet eſſe,& penes eſſe notitiam ſimpliciter,& penes eſſe notitia declaratiua,qui ſunt modi ha
bendi tm. ⸿Ad ampliorem aut aliqualem declarationem huiuſmodi generationis incompehen
ſibilis:Sciendum ꝙ in ipa eſt conſiderare generans & forma qua generat comunicanda gene
rato,& ſubiectum de quo generat,cui quaſi formam ſui imprimit eam quaſi educendo vt de
quodam quaſi potentiali . Ipa enim pſona ingenita tota generans eſt p ſuam formam quæ eſt
diuina eſſentia,inquantum eſt intelligere quoddam eſſentiale ſcdm actum intelligendi ſeipm.
Per hoc eni generans ſcdm ſua forma eſt fœcundus actiue ad ſimile ſibi ſcdm formam pduce-
dum:& ad forma ſuam illi comunicada.Per idem etia intellectus paternus qui eſt ipa diuina
eſſentia,inquatum eſt intelligentia queda,qui eſt ſubiectum de quo generat formam ſua quaſi
imprimendo ea ſcdm pdictum modum,eſt fœcundus quaſi paſſiue,modo quo ſuperius poten
tia paſſiuam in deo poſuimus:& eſt quaſi diſpoſitus vt materia,quæ dicitur neceſſitas ad formam de ipa quaſi pducenda ſiue ei imprimeda. Scdm hoc enim dicitur habere ratione vteri
iuxta illud Pſal.Ex vtero ante Luciferum genui te.In tali enim vtero p actione formæ ſuæ dicit
Sapientia genita ſe conceptam eſſe. Prouerbioꝝ.viii. Nondum erant abyſſi: & ego concepta
eram.Dicitur autem coceptio:quia virtute formæ qua agit,formatur in intellectu:abſꝗ tame
omni impfectione:ſicut cotingit in coceptu materiali.Nec differt iſta coceptio a generatione
niſi ratione.Dicitur enim generatio,quia pfectum eſſe ſcdm forma habet in intellectu paterno
& quia in deo idem eſt generare & parere,genitus dicitur partus. Differut tamen ratione:ꝗa
partus dicitur non ex hoc ꝙ eſt pfectus ſcdm formam : ſed ex hoc ꝙ eſt diſtinctus a parente.
Vnde i corporalibus pfectus ſcdm forma dicitur generatꝰ generatione in vtero anteꝗ pariat
ex vtero & ſeparetur ab vtero.Et quia in iſtis inter generationem in vtero & partum, mediu
eſt parturire,qd eſt quidam motus ad pariendum in quo cruciantur matres:licet diuinu con
cipere generare & parere ſit totum ſimul & æternu abſꝗ ſucceſſione omni: vti tamen voluit
ſcriptura hoc nomine in diuina generatione:cu dixit Prouerbioꝝ.viii.Ante colles ego partu-
riebar.ꝗuis idem omnino ſint in deo parere & parturire.Hæc enim omnia que diuerſa ſunt in
creaturis:quia aliquid pfectionis pter defectum eis annexu important: ideo ſingula ſcriptura
diuina transferre dignata eſt ad ſignificadum generatione diuina,quæ pfectiſſima eſt:nec aſſi
milatur ei aliqua alia generatio aut pductio.In hoc enim conſiſtit generatio ꝙ genitu aſſimilat generanti: & modo aſſimilandi pcedit:no ſic aut pductio alia:p qd in diuinis differut generatio & ſpiratio,vt infra videbitur. Vnde & in rebus naturalibus generans quantu eſt in ſe
ſtatim pfecte aſſimilaret ſibi genitum prout eſſet poſſibile, niſi eſſet indiſpoſitio materiæ & de
bilitas virtutis actiuę: & hoc non ſolum in ſubſtantialibus: ſed in accidentalibus : non ſolum
ex pte corporis,ſed etiam ex pte animæ in hominibus.dicente Pho in primo Politico. Digni
ficant quemadmodum ex homine homine,& ex beſtiis fieri beſtiu: ſic & ex bonis fieri bonu.
Natura aute vult hoc facere multotiés:non tm poteſt . Quia ergo pfectio generationis in hoc
coſiſtit ꝙ genitu generati aſſimilat:vbi ergo verior & pfectiſſima e aſſimilatio,& verior & pfe
ctiſſima gnatio:ꝗa ois ſilitudo fundat ſup identitate in forma.ſm Phm.ix.Meta. Vbi ergo eſt
maior in forma identitas,& maior ſimilitudo:hęc aut eſt in ſummo inter generas & genitu:ꝗa
ſunt vnum & idem in forma deitatis. ergo &c.⸿Quare igitur emanatio illa qua a perſona ingenita alia emanat,propria eſt illi perſone: quia nulli alii poteſt conuenire ſcdm ſupra determinata: & ſcdm iam determinata illa eſt veriſſima generatio. Generare igitur proprium ſiue proprietas eſt illius perſonæ quæ eſt pater.Idcirco abſolute dicendum ꝙ generare eſt pro
prietas patris.

⸿Ad primu in oppoſitu:ꝙ generare no eſt i re niſi propter ſua defectibilitate,&
ita ppter impfectionem:Dicedum ꝙ generationem eſſe in rebus ppter impfectionem & defectibilitatem,poteſt dupliciter intelligi. Vno modo ꝙ ipa generatio ſiue ipm generare ſit aliqd
impfectionis aut defectus in generantibus.Alio modo: ꝙ non eſt niſi in habetibus impfectionem & defectibilitatem propter qua eſt in eis. Primo modo falſa eſt ppoſitio , & falſo intelligitur. generatio enim non dicit in re defectum & impfectionem: ſed potius pfectionem, quæ
data eſt creaturis impfectis ppter ſuppledam ſua impfectione,vt dicit auctoritas phi adducta

P

Q

R

S

T
Reſponſio.

V
Ad primu
princip.

in argumento.Et sic secudo modo vera est ppositio,& veru habet intellectu:sed nõ nisi in crea
turis , intelligendo.s. generationem non esse rebus datam nisi propter earum imperfectionem.
Dictu aut illud vniuersaliter sumptum,nõ est verum:quia in diuinis est generatio ppter pfe-
ctione.vnde nõ pcedit argumentu.¶Ad secudu:ꝙ generatio est transitus circa subiectu ab eo
ꝙ est in potētia ad id ꝙ est in actu &c.Dicendu ꝙ hoc veru est in creaturis:in quib⁹ generare & generari,& vl̄r agere & pati siue actio & passio sunt motus aut mutatio:nõ aut in deo:ꝙ
immutabiliter generat.dicēte Damasceno li.i.ca.viii.In filii generatione impiu est dicere tempus mediare:vel post patrē f.lii existentiā genitam esse. Et ifra. Sed gn̄atio est sine principio &
ēterna,naturę opus existēs.& infra. Neꝗ similiter deus generat & homo.Deus em̄ sine tēpore
quid ens,& sine principio,& impassibilis & influxibilis impassibiliter & sine tēpore & nõ fluxi
biliter generat.Et ifra.Homo aut manifestu ꝙ cōtrarie generat sub generatione existens & cor
ruptione & fluxu. ¶Ad cuius ampliorē intellectum sciendu ꝙ in creaturis quia nõ est genera
tio nisi ex eo ꝙ est in potentia quantu est ex se,& nõ in actu nisi p agens generās:propter hoc
necessario motu vel mutatione vadit ad actu de potentia:qui ꝙ dē mot⁹ aut mutatio fluxus ꝗ-
dam est ab agente in passum:qui dicīt actio vt est ab agēte,& passio vt recipitur in passio:ita ꝙ
actio & passio inquantu sunt huiusmodi fluxus,constituut duo pdicamenta accidentiu:vnum
vt est ab agēte,ꝙ dicitur actio:alterum vt in recipiente,ꝙ dicitur passio: & ambo habēt esse
in passo recipiente vt in subiecto,sicut determinat pl̄is.iiii.Physicoꝗ.Et hoc modo generare &
generari non habent esse : neꝗ actio aut passio omnino. Alio autem modo considerantur generare & generari & vniuersaliter actio & passio non secundum ꝙ sunt motus aut mutatio
siue fluxus:sed solum scd̄m rationes respectuu fundatorum in actiuo & passiuo,quibus se mutuo respiciunt scd̄m habitudinē qua vnum eoꝗ habet esse ab alio:& sic amittunt rationem p-
dicamēti actionis aut passionis,& pertinēt ad predicamentum relationis.Habent tamē in diui
nis vere & pfecte quicꝗd est de pfectione actionis & passionis.Fluxus eni illa non est nisi ppter
defectum in agente & patiente:maxime in patiente:quia in ipso naturaliter actus distat a potē
tia.Est etiam defectus huiusmodi in agēte, quādo est in tali dispositione ꝙ nõ est natum agere
Propter ꝙ necesse est ipsum deduci ad huiusmodi dispositionē p motum aut mutatione, nec
mouet nisi motum.Si autē fuerit agens natum mouere non motum,& passum,in quo non distant naturaliter potentia & actus,coniūcti agēti,agens natum est ei suā speciem quasi imprimere seu cōmunicare absꝗ fluxu medio: & passum absꝗ omni fluxu natum est eā recipere, &
hoc modo actio & passio,& generare & generari,habent esse in diuinis:licet magis pprie ea ꝗ
pertinent ad actionem ꝗ ad passionē,vt habitū est supra. ¶Ad illud ꝙ arguitur Primo:ꝙ generare non conuenit patri vt pprium,quia potentia generandi non est ppria ei:eo ꝙ etiam est
in filio:Dicendu scd̄m positionem eoꝗ qui dicunt ꝙ potentia significat substantiā absolutam:
ꝙ licet eadem potentia qua pater generat sit in filio:alio tamē & alio modo habet eam pater &
filius:vt generare p illam soli patri conueniat, vt supra expositum est.Scd̄m autē aliā positionem quā veriorem credimus: Dicēdum ꝙ potētia generandi actiue non est in filio, sed in solo
patre,vt supra dictum est. ¶Et ꝙ assumitur ad eius pbationem, ꝙ aliter sequeretur ꝙ aliqua
potentia esset in patre quae non est in filio:& ꝙ non esset filius ęque omnipotens vt pater:Di-
cendum ꝙ hoc nomen omnipotens,impositum est potentię actiuę quae pprie in diuinis est:nõ
autē passiuę.& componīt ex omni & potens per apocopen:dicendo p oim omni.& est ly omni
ois generis:& inquātu est neutri generis,est idē omnipotēs ꝙ potens omnia:hoc est ꝙ habēs
potentiā agendi quodcūꝗ est aliquid absolutum in rerum natura.Inquātum vero est mascu-
lini generis,idem est omnipotens ꝙ potens omnē,hoc est habens potentiam agendi quēcunꝗ
qui est aliquis in supposito siue absoluto,siue respectiuo.Inquantum vero sumitur cōmuniter
vt est ois generis,idem est omnipotens ꝙ potens omne & omnē:hoc est habens potētiā agēdi
siue producēdi quęcunꝗ & quodcūꝗ.Scd̄m primū modum ęque oĩpotentes sunt tres personę
diuinæ.iuxta illud Athana.Oĩpotens pater,omnipotens filius,omnipotēs spiritus sanctus. Et
ad insinuandū ꝙ ista omnipotentia essentialis est,& respectu eorum quę deus potest ratione es
sentiæ vt est essentia existens in personis simpliciter,non autē vt determinate est sub aliqua p
prietate:& ita ꝙ non sit nisi omnipotentia essentialis:ideo cōtinue subdit . Et tamen non tres
omnipotentes:sed vnus omnipotens.sumēdo ly vnus essentialiter: & distribuit ly omnipotes
pro omni absoluto. Scd̄m modu secūdu potest omnipotens distribuere pro suppositis absolutis,qualia sunt in creaturis:& sic adhuc ęque omnipotentes sunt:& non tres omnipotētes:sed
vnus omnipotens:vel pro suppositis respectiuis,qualia sunt in diuinis:sic alicui supposito diui

X
Ad secūdū

Y

Z
Ad tertiū.

A
Ad proba-
tionem.

no nulla conuenit potentia:quia nullum poteſt producere:vt ſpiritus ſanctus:alicui vero vna
tm̄:quia tm̄ vnū poteſt producere vt filius ſpiritū ſanctū tm̄:alicui vero omnis:quia omnē p̄-
ducibilem in diuinis poteſt p̄ducere vt pater.Propter q̄d iſto modo ſolus pater dicitur omni-
potens.Vnde dicēdo,omne q̄d poteſt pater poteſt filius,poteſt & ſpiritus ſanctus,verū eſt:di-
cendo vero:omnē quē poteſt pater poteſt filius,poteſt & ſpiritus ſanctus,falſum eſt.Pater enim
poteſt p̄ducere filium quē non poteſt p̄ducere filius nec ſpiritus ſanctus: & vterq̄ ſpiritū ſanctum,quē non poteſt p̄ducere ſpiritus ſanctus. Vn̄ ſi arguaf ſic:Omne q̄d poteſt pater poteſt

**B**

filius,poteſt & ſp̄ūs ſanctus:filiū poteſt p̄ducere pater : filiū ergo pōt p̄ducere filius,poteſt &
ſpiritus ſanctus:non ſequitur,quia argumentū peccat i̅ forma cōmutando quid in ad aliqd.Et
hoc,q̄a vt dictū eſt ſupra ſcdm̄ Magiſtrū Sētētiarū,poſſe generare filiū:nō eſt poſſe alqd ſed ad

**C**

aliquid.& ly omne diſtribuit p̄ eo q̄d eſt q̄d tm̄.Si vero arguaf ſic:quēcunq̄ poteſt pater p̄du
cere pōt p̄ducere fili9 aut ſp̄ūs ſctūs:filiū pōt p̄ p̄ducere:ergo filiū pōt p̄ducere fili9 aut ſp̄ūs
ſctūs:bn̄ ſequif:ſed argumētū peccat i̅ materia.maior.n.eſt falſa.Scdm̄ vero tertiū modū oi̅po-
tēs ſimul diſtribuit p̄ abſolutis & reb9 & ſuppoſitis:& cū hoc etiam p̄ ſuppoſitis relatiuis. Et
ideo iſtis vltimis duob9 modis ſolus pater oi̅potēs d̄f:& nō eſt niſi vn9 oi̅potēs vno p̄ſonaliter
accepto:quia de patre verū eſt dicere q̄ poteſt aut potuit p̄ducere oē & omnē: non autē verū
eſt dicere q̄ filius aut ſpiritus ſanctus potuit p̄ducere omne & omnem: quia licet poteſt filius
producere omne:non tamē omnē:& hoc non quia non potuit:ſed quia non oportuit,vt ſupra
expoſitū eſt.Quemadmodū etiā poteſt dici de patre q̄ non genuit duos filios non quia nō po

**D**

tuit: ſed q̄a nō oportuit. Et ſic eſt aliqd p̄priū q̄d p̄tinet ad oi̅potētiā patris: q̄d non p̄tinet ad
omnipotentiā filii:aut ſpiritus ſancti: q̄d nullum eſt inconueniēs: quia potentia aut omnipo
tentia etſi dicat ſubſtantiam, non tamen niſi vt tracta eſt ad relationem ſcdm̄ ſuperius dicta.
quia potentia p̄pria patri ſignificat ſubſtātiam ſub vno modo exiſtēdi determinato:quē quidē
modū non ſignificat potentia ſed paterna p̄prietas:q̄ ſcdm̄ Damaſcenū lib.i.ca.ix,non ſignificat ſubſtātiē differētiā aut dignitate:ſed modū exiſtētiē. vt in hoc differat ſignificatio ſubſtātiē,potentiē,proprietatis:q̄ ſubſtātia ſignificat rem abſolutam ſimpliciter : Potentia vero ſignificat eandē rem:nō aūt aliquā differentiam eius:neq̄ ipm̄ modum exiſtendi,ſed ipſam rem
ſolam vt ſub illo modo exiſtit:ſiue ſub illo modo exiſtentem.Proprietas vero ſignificat nō ſub
ſtantiā neq̄ differentiam ſubſtantiē:ſed p̄ciſe modū exiſtētiē:qui eſt quaſi differētia p̄ſonē cui9
eſt ille modus exiſtendi:& ſub quo ſubſtātia exiſtit in p̄ſona.Qui modus cū eſt p̄prius vni p̄ſo
nē,ſubſtātia ſub illo exiſtit tm̄ in vna p̄ſona & nō in alia.Et p̄pter hoc ipſa ſubſtātia eſt aliqua
potentia in illa p̄ſona & illius p̄ſonē,q̄ non eſt in alia & quē nō eſt alterius perſonē.Sed ſic am-

**E**

pliando ſignificatū & diſtributionē omnipotētiē vt ſoli patri cōueniat,nō loquitur ſancti de
omnipotētia dei:ſed ſolū ſcdm̄ q̄ dicit poſſe quid q̄d eſt omne agere vel operari, vel op̄atum
q̄d eſt abſolutū quid:ſiue ſit aliqua actio,ſiue op̄atio eſſentialis in deo manēs intra,ſiue trāſiēs
in creaturā ſiue reſpectu creaturē extra,ſiue ſit ipm̄ extra operatū.Poſſe aūt ad aliqd vt actionem relatiuā vel ſuppoſitū relatiuū p̄ductum p̄ actionem relatiuam,non comp̄hendunt ſub
omnipotentia,neq̄ etiā potētiam quē eſt ad talem actū dicūt p̄tinere ad omnipotētiā.Vnde

**F**

& potentia quā dicūt ſancti cōem tribus p̄ſonis, eſt potentia pure eſſentialis & reſpectu actus
eſſentialis.Eſt enim potentia ad actus notionales quaſi medium inter pure notionalia & pure
eſſential̄a in eo q̄ eſt ſubſtātiale tractum ad notionale ſcdm̄ p̄dicta:omnipotētia aūt inter pu
re eſſentialia computaf.dicente Ambroſio.ii.de tri.exponēdo illud Ioannis. v.Omnia quē habet pater mea ſunt.Quē ſunt omnia?Non vtiq̄ locutus eſt de creaturis.Hæc enim facta ſunt
per filiū.Sed ea quē pater habet.i.æternitatem,maieſtate,deitatem,quę naſcēdo poſſedit.Er-
go cum ea habet quæ pater habet(Scriptū eſt enim,Omnia quæ habet pater mea ſunt)omni
potentem eſſe dubitare non poſſumus.Vnde & p̄ poſſe ea q̄ p̄tinet ad actiones eſſentiales dei,
probat filiū eſſe æquipotētem patri ſubdens.Certe oſtendat aliquis q̄d ſit q̄d non poſſit dei filius. Quis ei adiutor cū cęlum faceret fuit?quis adiutor cum conderet mūdum?An q̄ in con
ſtitutione angeloꝝ & dān̄ationū adiutorio non eguit,eguit vt hominē liberaret?Scriptū eſt in
quit.Pater ſi poſſibile eſt transfer a me calicē hūc.Et ideo ſi omnipotens eſt,quomodo de poſſi
bilitate ambigit?Ergo quia omnipotentē p̄baui,p̄baui vtiq̄ ambigere nō poſſe eum de poſſibilitate. Ecce plane per illas actiones dicit ſe probaſſe filii omnipotētiā. Vnde & p̄ huiuſmodi
actiones filius probat q̄ ſit patri æqualis ſcdm̄ diuinitate,dicēte Ambroſio ibidē.Dei filius vt
dei ſe filium & æqualem p̄baret, quęcunq̄ inquit pater fecerit, eadem & filius facit ſimiliter
Hinc etiā dicit Hil.x.de trini.In eo vero q̄d dicitur Pater maior,confeſſionem paternę aucto-

ritatis intellige. sicut &illud est,Nõ potest filius a se facere quicq̃ nisi qd̃ viderit patrẽ facientẽ Quecũq̃ eñ ille facit,eadem & filius facit similiter. Dũ vero a se facit id qd̃ agitur scdm nati uitatẽ,sibi pater auctor est:& tamen cũ quecũq̃ facit pater,& filius facit similiter,non in aliud aliqd q̃ in deũ subsistat ad facienda omnia q̃ Deus pater faciat paternẽ oĩpotentiẽ natura in se subsistente.Vbi nota ꝙ non dicit paterna omnipotentia,sed paternẽ omnipotẽtiæ natura: qua eadẽ oĩpotẽtia essentialis eis cõmuniter inest: licet aliquid conuenit patri proprie ratione suæ omnipotentiẽ,vt dictũ est. Posse ergo in aliquã opationẽ notionalẽ vnã persona & nõ alia,aut aliquẽ pducere actione notionali quẽ in diuinis non potest pducere aliq̃ alia persona,de hoc nĩ hil ad omnipotentiã dei essentialem,siue ad æqualitate personarũ scdm potentiã & omnipotẽ tiam,de qua loquitur sancti,& de qua inferius debet esse sermo.Vnde ad pbandũ æqualitate suã cũ patre,nequaq̃ dicit filius:Quecũq̃ producit pater,eũdẽ & filius similiter pducit. Hoc enim solum pertinet ad omnipotentiã patris,vt dictũ est.

Irca Secũdũ arguitur:ꝙ generare non sit idem qd̃ dicere:Primo sic.generare scdm Damascenũ,est opus naturẽ,scilicet vt natura est. dicere vero est opus intellectus,vt intellectus est siue ratio.Diuersẽ aũt rationes principiãdi sunt natura & intellectus ea ratione qua diuersẽ sunt rationes principiãdi natura & voluntas.Aequaliter eñ diuina natura est voluntaria sicut est intellectua lis: & quasi determinatur p vtrũq̃. sed diuersarũ rationũ principiãdi diuersi sunt actus principiati:ergo &c. ℂSecũdo sic. generare ꝓpriũ est patris,& nõ terminat ad aliũ nisi ad filium genitũ,scdm supra determinata. Dicere aũt cõmune est tribus personis:& indifferenter terminatur ad ipm dicentem,& ad alios. dicẽte Ansel.mon.lxii.cap. Pater & filius & eoꝛ spiritus sanctus vnusquisq̃ seipm & alios ambos dicit sicut se & alios in telligit.ergo &c.ℂTertio sic.dicere pati quoddã est,tũ quia idẽ est qd̃ ĩtelligere,vt dictũ est iã scdm Anselmũ,& intelligere pati quoddã est: tum quia respectu formarũ intelligibiliũ intelle ctus cuius est dicere nõ est nisi passiuus,se habẽs quẽadmodũ materia prima respectu formarũ sensibiliũ pticulariũ & primarũ & secũdarum:q̃ nullo modo est actiua aliquarũ formarũ in se ipsa:nec etiã secũdarũ,vt est ĩformata primis.Generare vero non est pati:sed verũ agere & ve ra actio scdm supra exposita.ergo &c.ℂQuarto sic.si dicere esset idẽ qd̃ generare,tũc dici esset idẽ qd̃ generari:cõsequẽs falsum est.quia dicit Anselmus in ca.iã dicto.Quid ibi dicit nisi eoꝛ essentia?& loquif de dicere diuinarũ psonarũ.Essentia autẽ eoꝛ non generat,scdm superius de terminata,ergo &c. ℂQuinto sic.Augustinus sup Ioannẽ pte.i.Sermo.xxii. Qui dicit aliquid verbo dicit. & sic dicere supponit verbi pductione. Qui aũt generat,non verbo generat,nec generare psupponit verbi productionem.ergo &c. ℂSexto sic.si tres persone generarent essent tres generãtes,tres personẽ dicunt:& tñ non sunt tres dicentes sed vnus dicens,ergo &c.ℂIn contrariũ autẽ arguit Primo sic.Gregorius dicit.xxiii.Moral.ca.xviii. Loqui dei est verbũ ge nuisse.Loqui aũt dei idẽ est qd̃ dicere eius,ergo &c.ℂSecũdo sic.sup illd̃ Genesis.i.Dixit deus Glos. i.verbum genuit.ℂTertio sic.si dicere non esset penitus idẽ qd̃ generare:sed aliqd aliud ab ipso:cũ ipsi dicere respõdet verbum ꝓpriũ:esset in deo aliud verbum q̃ sit filius genitus. cõsequẽs falsum est scdm Augustinũ dicente.vii.de trini.cap.ii.Eo filius quo verbũ:& eo veꝛ bũ quo filius.Et cap.vltimo. Verbũ nõ dicit nisi filius,ergo &c. ℂQuarto sic.si dicere nõ esset penitus idem qd̃ generare:cũ multo fortius nõ sit idẽ qd̃ generari,nec idẽ qd̃ spirare aut spira ri:non esset ergo illud dicere psonale:sed essentiale.Tale autẽ dicere nõ conuenit ponere in di uinis nisi habeat verbũ essentiale sibi r̃ndes.qa,vt dictũ est s̃m Augustinũ,q̃ dicit, verbo dicit. Dicere autẽ essentialiter nõ potest aliquis verbo psonali:quia verbũ quo dicit dicẽs,necessario est similitudo eoꝛ quẽ dicunt ipso verbo.Verbũ autẽ psonale nõ potest esse similitudo eoꝛ q̃ dicitur dicere essentiali:quia illa sunt omne qd̃ est siue creatũ siue increatũ.Trinitas eñ dicit se,& singulẽ psonẽ se & singulas & omnes creaturas.qa vt dicit Anselmus in.lxii.cap. ꝑdicto, intelligit se & alias psonas & creaturas.ergo & dicit.Qd̃ autem verbũ personale non sit crea turarũ silitudo:qd̃ tñ necesse esset si esset verbũ earũ sic vt ipso dicerent: dicit Anselm⁹ Mon. xxxii.ca.Quomodo (ĩqt) qd̃ simplex est veritas potest esse verbũ quoꝛ nõ est silitudo : & oẽ verbũ quo aliqua res dicit,similitudo sit eiusdẽ rei.ℂQuinto sic.si differũt dicere & generare aut ergo absoluto aut relatiuo.non absoluto:quia in diuinis nõ est absolutum nisi essentia,in qua omnia quæ sunt in deo conueniũt.nõ relatiuo:quia tunc relatiue diceretur vnĩ ad alterũ & diuersas notiones constituerent:qd̃ falsum est,ergo &c.

2
3
4
5
6
2
3
4
5

**I**
Reſponſio.

⟪C⟫Dicendũ ad hoc:ϙ dicere & generare in diuinis an ſint idem:an non idem:hoc nõ poteſt intelligi niſi aliquo horum modoϟ,videlicet ϙ generare nullo modo ſit dicere: aut ϙ generare nõ ſit niſi dicere,& ecõuerſo dicere non ſit niſi generare: & hoc ſiue differant ſola ratione,ſiue etiã nec ratione ponãtur differre:aut ϙ generare ſit quoddã dicere:non tñ omne dicere eſt generare:ſed aliquod ſic & aliquod nõ.Cõuerſus aũt modus eſt impoſſibilis:quia in diuinis nõ eſt generare niſi vnicũ.Quid hoϟ tenẽdũ ſit,liqueſcere habet viſo modo diuinę generationis,& modo diuinę dictionis. Ex modo enim generationis diuinę primo liqueſcit quo modo generare & dicere ſunt idem re vt dicere eſt notionale,& differũt ſola ratione.Ex modo aũt diuinę dictionis ſiue loquutionis liqueſcit quomodo dicere aliquod eſt generare, & aliqd non.⟪C⟫Circa primũ ergo ſciendũ,ſcdm ϙ iam expoſitũ eſt in pcedẽti ǫſtione:ϙ ſcdm diuerſi

**K**

tatẽ naturarum diuerſus eſt modus generationis.Sicut ergo in corporalibus generatio habet eſſe modo emanationis corporalis,ſic & ĩ ſpiritualibus generatio habet eſſe modo emanationis ſpiritualis:vtrobiϙ tñ naturalis & pure naturalis: qa generatio eſt opus naturæ vt natura eſt ſcdm Damaſ.Cũ igitᵕ natura diuina nõ ſit niſi ĩtellectualis & volũtaria:& a volũtario ſcdm ϙ volũtariũ nihil pcedit niſi liberaliter:et ſi naturaliter,nõ tñ pricipaliter pcedit modo naturæ: ſed potius mõ liberalitatis:Qᵈ dico ppter pceſtionẽ ſpiritus ſancti,qui etſi cũ hoc ϙ procedit mõ volũtatis,etiã pcedat mõ naturę:nõ tñ ſcdm principaliorẽ modũ naturę vt tactũ eſt ĩ pte ſupius,& amplius determinabit iſtiᵕ:Gñatio igitᵕ in diuinis ǫrẽda eſt in diuina natura modo emanationis ſpũalis:vt ipſa eſt natura intellectualis. Intellectualis aũt natura vt nuda eſt, intellectu.ſ.nõ informato aliquo actu intelligẽdi,nullo mõ actiua eſt ad alicuius formationẽ in ſeipſa:ſed ſolũmodo paſſiua & receptiua,ǫſi materia informabilis ſcdm actũ intelligẽdi ab abſoluto intelligibilis. Generatio vero nõ eſt niſi a principio actiuo exiſtẽte in actu ſm quã habet agere:& p hoc ſm illã informare ſuũ pprium paſſibile ad pducẽdũ ſibi ſiƚe.In actu aũt tali nõ eſt natura ĩtellectualis niſi ipõ actu intelligẽdi ſm actũ.Gñatio igitᵕ nõ eſt actio diuinę naturę niſi ſm ϙ ĩ actu intelligẽdi actualiter exiſtit ipſe diuin⁹ ĩtellectus: & hoc primo actu ĩtelligẽdi ſimplicis notitię:qa ille prim⁹ eſt.Cũ eni informat⁹ eſt iſto actu:adhuc eſt ĩ potẽtia naturali actiua ad actũ intelligẽdi notitię declaratiuę ſeu manifeſtatiuę eius qd iã cognitũ eſt in ſimplici notitia: ſine quo actu intelligẽdi declaratiuo nõ eſſet pſectus ipſe intellect⁹ aut eius intelligẽre,ſcdm ϙ alias declarauimus in quadã ǫſtione de Quolibet.Ad iſtũ aũt actũ ſecudũ ipſe intel-

**L**

lectus vt eſt ex ſe nudus & pur⁹,ē ĩ potẽtia paſſiua naturali,ǫ nata eſt deduci ĩ actũ a ſeipſo vt iam informatus eſt actu intelligẽdi ſimplicis notitię, vt habẽte p hoc in ſe potentiã naturalem actiuã reſpõdẽte illi potentię paſſiuę, & coniũctam eidẽ,ſcdm ϙ ſupius expoſitũ eſt ſepius,& iam infra declarabit ĩ intellectu noſtro.Productio aũt alicui⁹ naturaliter de principio naturali paſſiuo p principiũ pure naturale actiuũ,eſt vera generatio: & pductũ eſt vere genitũ quoddã. Scdm hoc ergo pductio prima ĩ diuinis generatio dicit: & ipm pductũ dicit genitũ. Quia tñ

**M**

iſta generatio nõ eſt in quacũϙ natura & cuiuſcũϙ pducentis de quocũϙ:ſed eſt ĩ natura intellectuali & ĩtelligẽtis ſcdm actũ pducẽtis ſua notitia ſimplici vt forma qua agit,de ſuo intellectu puro notitia declaratiuã : Idcirco pductio talis dicit dicere,& pductũ dicit verbũ: & ſic idẽ ſunt ĩ generare in tali natura & dicere,& genitũ atϙ verbũ.Tale eni generare ſiue dicere nõ eſt niſi ipm pducẽte luce ſuę ſimplicis notitię fulgere,& ipm genitũ ſiue verbũ non eſt niſi fulgor ſiue candor de fulgẽte p actũ fulgẽdi pcedens.Propter primũ dicit Aug.ſup Ioã.parte.i. ſermo.xx. Vide deũ qa ipſe dicẽs eſt:nõ ſyllabis dicit: ſed fulgore ſapiẽtię,fulgere,hoc eſt dicere Propter ſecundũ dicit Sapiẽ.vii. Candor eſt lucis ęternę. Vñ beat⁹ Gregori⁹ expꝛimẽs idẽtitatẽ realẽ dicere & gñare,dicit.xxxii.Moral.ca.v.Ipſe vox eſt:qa eũ pater gignẽdo dixit. Sic ergo mõ diuinę gñationis patet ϙ ipm gñare ſit idẽ ſm re qd eſt dicere:& ex eodẽ ſtatim liǫſcit ϙ diffe-

**N**

rũt ſcdm rõne:& hoc primo ex pte principioϟ emanãdi.Sicut.n.ex eo ϙ emanatio hęc eſt a primo cipio naturali actiuo ſimpƚr,& de pricipio naturali paſſiuo ſimpƚr,ipa dř gñatio, & emanãs dř genitũ:ſic ex eo ϙ eſt a pricipio actiuo naturali qd eſt notitia: & de principio paſſiuo naturali qd eſt ĩtellectus:ipa emanatio dicit dicere:& emanãs dř verbũ. Vlterius etiam ex hoc patet ϙ ſecudo differũt ſcdm ratione ex pte ipſarũ emanationũ & emanantiũ. Quẽadmodũ eni eſt ratio pſectior & magis ſpecialis cũ dicit natura ǫ eſt intellectus ǫ cũ dicit natura ſimpƚr:& cũ dř agens naturale qd eſt ĩtellect⁹:ǫ cũ dř agẽs naturale ſimpƚr:ſic pſectior ratio emanationis diuinę exprimit cũ dicit dicere,ǫ cũ dicit generare,& perfectior ratio emanantis cum dicitur verbum,ǫ cum dicitur genitũ:ita etiam ϙ ratio eius qd eſt dicere,in ſe includat rõne eius qd eſt generare,& nõ ecõuerſo:& ratio verbi rõne geniti:& nõ econuerſo.Propter qd in corporalitᵉᵣ

generātibus iueniūtur generare & genitū esse:Dicere autē & verbū nō nisi iuspiritualiter ge
nerātibus:in qbus est perfectior generatio & pfectior modus generādi.Et sic ꝫm ratione dicere
& verbū modos speciales pfectionis in suo significato icludūt,quos addūt sup generare & geni
tū. Vlterius aūt specialiter ex pte eius qd emanat sumit tertio differētia ꝫm rōne inter ꝑdicta.
Quia em(vt dictū est)verbū nō ꝑcedit solū vt notitia, sed etiā cū hoc vt notitia declaratiua
de notitia simplici vt ei⁹ est declaratiua & manifestatiua:& p notitia diuinā essentialē simpli
cē cognoscit ipa essentia diuina vt prima & p se rō obiecti respectu diuini itellect⁹ in quo relu
cet cognitio oīm cognitionū:l& ꝗ sunt & subsistūt in ipsa diuina essentia,& ꝗ sunt & subsistūt
extra eā,vel nata sunt ee aut subsistere:Q̄d aūt est declaratiuū alicui⁹, simul etiā est declarati
uū & manifestatiuū oīm ꝗ relucet ī ipso:Idcirco igit ipm verbū nō solū est declaratiua notitia
ei⁹ notitiē de qua emanat:sed etiā oīm ꝗ ī ipsa relucet:vt ꝓpterea non solū iportet respectū ad
illū a quo emanat vt manifestatiuū eius:sed etiā ad oīa alia,vt manifestatiuū illoꝛ.Et vlterius
quia ea quæ manifestari habet p verbum dictū,quodāmodo dicitur p ipsum & in ipso:idcirco
etiam ipso dicere quo dicens dicit verbū,quodāmodo in dicendo verbū omnia alia dicit.Vt in
hoc tertio differant dicere & verbum a generare & genitum esse:ꝗ scilicet generare non respi
cit nisi genitum esse,& genitū non nisi generātē: Dicere vero mediāte verbo & in verbo respi
cit omnia alia a verbo: inquātum.s.dices notionaliter dicendo verbū dicit quodāmodo omnia
alia iu verbo:& ipsum verbum nō solum respicit dicentē vt ab eo habet esse,& vt manifestati
uū eius:sed etiam omnia alia vt manifestatiuū illoꝛ.Ita ꝗ in hoc super generare & genitum
esse speciales respectus connotāt dicere & verbum:sed precipue ipsum verbum,scdm ꝗ de hoc
debet esse amplior sermo inferius loꝗndo de verbo. Vt ꝓpterea sicut verbum ī significato suo
& suo nomine non solū importat ratione ꝑducti ab alio, & producti vt notitia simpliciter: sed
etiam ꝑducti vt notitia manifestatiua illius a qua ꝑductū est: & non solum illius sed & omniū
quæ relucent in ea: sic dicere in significato suo & nomine suo nō solum importat actum ꝑdu
cendi,sed ꝑducēdi intellectualiter & declaratiue.Et sic in suo significato cū actu ꝑductionis in
cludit actū manifestationis annexum : vel potius rationem manifestandi:sicut verbū in suo si
gnificato cū ratione ꝑducti includit ratione manifestatiui. Et inquantū dicere includit actum
productionis simpliciter ꝗ est generare simpliciter,notionale est sicut & generare, soli patri cō
ueniens:& similiter dici sicut generari:& cōuenit soli verbo. Sed non solū sic, scilicet vt dicere
in suo significato includit generare cum ratione manifestādi,vtūtur ipso dicere sacra scriptu
ra & sancti in suo modo loquendi,immo etiā vtūtur ipo dicere vt solum includit in suo signi
ficato actum manifestandi:supponēdo solū actū generandi & verbū ꝑductum. & idcirco ven
ditur scdm hoc dicere vltra generare:vt licet omne generare in diuinis sit dicere: nō tamē oē
dicere sit generare.Vt ergo liquescat ex modo loquutionis sanctorum & sacrę scripturæ, imo
ipsius dei in sacra scriptura,quomodo aliquod dicere sit generare & aliquod non:oportet vide
re varios vsus ipsius dicere.CEst ergo sciendū ꝗ.vi.modis diuersis in vsu sanctorum & sacrę
scripturę accipit hoc verbum dicere. Primo modo vt dicere solū terminatur ad ipm verbum,
dicendo simpliciter dicit verbum:& sic pcise significat idem quod ꝑducere siue generare ver
bum,& est personale soli patri conueniens: & similiter dici ei respondens, soli filio conueniens
sicut iam dictū est.Hinc dicit Ricardus.vi.de trinitate ca.xii. In illa supereminente deitate in
terna loquutio agit auctore patre solo.Solus enī pater dicit.Secūdo modo,vt dicere in dicēdo
verbum terminat quoquo modo ad ea ꝗ in ipso verbo substantialiter sunt eidē a patre in dicē
do verbū cōmunicata.dicēte Augustino.xv.de trinita. cap.xxi. Omnia quæ substātialiter ha
bet æterno sibi verbo suo dixit.Et significat idē qd cōmunicauit: qd est dicere quoquo mō,ꝗa
non simpliciter.Et ꝗ in tali significatiōe ibi accipiat Augustinus ipsum dicere, vt ly verbo sit
datiui casus,satis declarat p hoc qd statim subdit loquens de deo verbo dicens. Qui nec plus
nec minus aliquid habet etiam ipse substantialiter,ꝗ qd est in illo qui verbum non mendaciter
sed veraciter genuit.Et est istud dicere personale sicut pcedēs.Sicut enim solus pater dicit ver
bum:sic solus pater dicendo verbum essentialia deitatis ei cōicat.Et dici ei rūdens similiter est
psonale:& terminat ad essentialia vt sunt solius filii. Vnde & istud dicere idē est qd generare
quia sic essentialia communicare idem est quoquo modo cum generare . dicente Hilario.ii. de
trinitate cap.primo.Pater autem quomodo erit si non qd in se substantiā atꝗ naturæ est, ge
nerat in filio?Et libro quarto cap.v. Nihil nisi natum habet filius. Vnde istud dicere proprie
idem est qd condicere:qd idem est qd congenerare: & ipsum dici idem qd cōdici & connasci.
De quo dicit Hilarius quinto de trinitate cap.sexto . Nemo ambigit naturam auctoris in

filii natiuitate connaſci:vt ex vno conſiſtat in vnũ.Tertio modo vt dicere includit actũ ge=
nerandi verbũ,& vt mediáte verbo terminatur ad alia.dicête Auguſtino ad Oroſium.Dictio
dei,verbum dei.vnũ enim verbũ genuit,in quo omnia ineffabiliter dixit . & ſup Ioannẽ pte.i.
Sermone.xxi.Nihil dixit deus qđ non dixit in filio. Dicendo eni in filio qđ facturꝰ erat p filiũ:
filium ipſum genuit. Et ſic dicere ſignificat idem qđ dicẽdo filium,ipm ſilium dictum & ea q̃
dicitur in ſilio manifeſtare. Et eſt perſonale ſoli patri conueniens: Dici autem ei reſpondens
vt terminatur ad filiũ:ſimiliter pſonale:vt vero terminatur ad alia,eſt eſſentiale . Quarto mõ
vtunt dicere vt terminat ad id qđ dicit mediáte verbo:ſed nõ mediáte actu dicẽdi notionali.
Et ſic dicere conuenit omnibus perſonis diuinis.de quo loquit Auguſtinꝰ cum dicit ſup ioãnẽ
parte.ii.Sermo.xxiiii. Deus cum aliquid dicit & docet: tota trinitas dicit & docet. Hoc modo
omnia diuina eſſentialia & perſonalia & quæcũꝗ ſunt in creaturis,dicitur:ſed non niſi ver=
bo diuino perſonali.dicente Auguſtino ſup Ioannem pte.i. Sermo.xxii.Ois q aliqd dicit verbo
dicit.In iſto dicere,conſiderant quatuor:ſcilicet dicens,& qđ dicitur,& cui dicitur,& quo dici
tur.iſto enim modo dicendi pater dicit filio & nobis.dicente Auguſtino ſuper Ioannem pte.i.
Sermone.xxii.Quicquid nobis pater dicit,verbo ſuo dicit.Quo alio verbo dicit? Vnꝰ deus vnũ
verbum habet:in vno verbo omnia cõtinet.Sic etiam filius dicit ſiue loquitur ſe nobis. dicẽte
eodem ibidem Sermo.xiiii.Cũ verbũ dei filius ſit,filius locutus eſt nobis nõ verbũ ſuũ:ſed ver
bũ patris:ſe nobis loqui voluit qui verbũ patris loquebatur.& ſermo.xliii.Se videt:ſe loquitur.
& ſer.xliii.Erat verbũ patris qđ hoĩbus loq̃bat.Idẽ cõtra qnꝗ hęreſes ca.xvi.Q đ loquit pater,
loquit & ſilius:qa verbũ patris eſt:& qđ filius loquit pater loquit:qa pr̄ verbi eſt. Et ſup Gene
ſim ad literã li.i.ca.v.Q đ fili⁹ loquit,pr̄ loquit:qa a patre loquẽte dr̄ verbũ qđ eſt illius.Et li.i.
de tri.cap.xii.Si verbũ patris loquit,ſeipm loquitur:quia verbũ patris eſt.Et ſcđm eũdẽ modũ
dicere etiã cõuenit ſpiritui ſc̄ō.dicẽte Anſelmo.mon.lxii.ca.vt habitũ eſt ſupra opponẽdo.Per
eundem etiam modum dicit ſe & omnia alia omnis creatura intellectualis quæ videt verbũ.
Et eſt in iſto modo dicendi dicere idẽ qđ manifeſtare ſiue indicare. Vt enim dicit Auguſtinus
ſuper Ioãnem pte.i.Sermo.xxiii. Per ipſum filium indicat deus filium ſuũ : indicat ſe p filium.
Et Sermone.liiii.Seipſum locutus eſt: ſeipſo ſeipſum annunciauit.Et.vii.de trinitate cap.iii. Si
cut verbum qđ nos proferimus temporale ſeipſum oſtendit,& illud de quo loquimur: quanto
magis verbum dei qđ ita oſtendit patrẽ ſicut eſt,qa & ipm ita eſt:Et qa dicere id cõuenit omni
naturę intellectuali:ideo eſſentiale eſt.Similiter eſſentiale eſt Dici ei reſpondẽs:qa conuenit ge=
neraliter omni naturę q̃cuꝗ ſit illa.Quinto mõ vtunt dicere vt ipm dicere idẽ eſt qđ creare ſi
ue aliqd nouiter in creaturis operari. Vnde quia tota trinitas creat verbo & per verbũ,dicere
iſtud ex ſe eſſentiale eſt, quia toti trinitati conuenit.Et ſimiliter dici ei reſpondens omnino eſt
eſſentiale: quia ſic dicitur creatura. de quo Auguſtinus ſuper Geneſim ad literam lib.primo
cap.iiii.Dixit deus.i.per filium ſuũ fecit quicquid fecit.Et Gregori⁹.vii.Moraliũ ca.xi. Plerũꝗ
verba dei ad nos nõ ſunt dictionũ ſonitus:ſed effectus opationũ .in eo enim ſolo nobis loquit:
nđ erga nos tacitus operatur. Sexto modo idem eſt dicere qđ ad ſciẽtiam illuminare:& ſic ſo
lis creaturis itellectualibus dicit & loquitur tota trinitas:vnde eſt eſſentiale, & ſimiliter dici ei
reſpondens.de quo Auguſtinus ibidem li.viii.in fine. Certiſſime debemus tenere deum aut p
ſuam ſubſtãtiam loqui:aut per ſibi ſubiectam creaturã.Sed per ſubſtãtiam ſuam nõ loquit niſi
ad creandas omnes naturas: ad ſpirituales vero atꝗ intellectuales non ſolum ad creandas, ſed
etiam illuminãdas,cum iam poſſint capere lumen eius qualis eſt in verbo. Et Gregori⁹.xxviii.
Moralium cap.ii.Duobus modis loquutio diuina diſtinguitur:aut per ſeipſum nãꝗ dominus
loquitur:aut per angelicam creaturam eius ad nos verba formãtur.Sed cũ per ſeipſum loquit,
verbo eius ſine verbis ac ſyllabis cor docetur.Idem ibidẽ. Spiritui dei quaſi q̃dam verba nobis
dicere,eſt occulta q̃ agenda ſunt intimare:& cor hois ignarũ nõ adhibito ſtrepitu & tarditate
ſermonis peritum de abſconditis reddere.Et quia ad ſcientiã illuminare non eſt niſi abſcondi
ta manifeſtare,modus iſte coincidit cum tertio.☞Eſt autem aduertendum ꝙ in primo dictorũ
modorum dicere conſtruitur cum verbo in accuſatiuo caſu tm̃, dicẽdo dicit verbum, in aliis
autem.v.modis conſtruitur cũ verbo in ablatiuo caſu:ſed in ſcđo modo non niſi mediante p̃
poſitione ſubintellecta.ea enim quæ verbo in dicendo ipſum cõmunicãtur, pater quodãmodo
dicit in verbo,vt in quodã q̃ſi toto cõtinẽte in ſe ea que dicitur in ipſo cũ ipm dicitur:qũad
modũ quodãmodo materia & forma dicitur generari in cõpoſito p hoc ꝙ cõpoſitũ ex ipſis ge
nerat.In aliis vero quatuor modis cõſtruit cũ verbo in ablatiuo vt formali rõne, & ſic abſꝗ p̃
poſitione,cõiter accipiẽdo rõne formalẽ ad rõne elicitiuã act⁹:& ad opatiuã potẽtiã in faciẽdo

aut manifestando alíqd.Sed in tertio & ĩ quarto dicens:ita dícít verbo vt formalí rõne:qd etiã dicít in verbo vt ĩ libro:vel ficut ĩ fpeculo ĩ quo ōía velut defcripta relucẽt.Et ĩ iftis duob⁹ mo dís cõftruiẽ vt formalí rõne manifeftatíua eoꝛ q̃ dicunẽ verbo.Sed pf dícít verbo ga pferт ver bũ:fíli⁹ dícít verbo, ga ípe eft verbũ: spũs fancti dícít verbo:ga ĩ fuo ĩtellectu effentiali habet ípm verbũ:creatura vero ĩtellectualís dícít verbo folũmõ ga ĩtueẽ verbũ.Q̃ etiã cõe eft ĩ di cere patrís,& fílíí,& spũs fancti.tale eĩ dicere vt terminatur ad id qd verbo dícít,fuppõít in dicẽte actũ,q̃ eft ĩtelligere ípm verbũ quo dícít.Nullus.n.dícít verbo nifi ĩtellígẽdo ípm verbũ & in verbo ea q̃ dicere & manifeftare ĩtẽdit ipfo verbo. ipo.n.verbo ꝑpalaẽ dícẽtís ĩtẽtio: quã in offerendo verbum ipfo verbo & in verbo intendit monftrare illi cui dícít aut loquiẽ.& hoc immediate fi poteft.fi nõ poteft,vtiẽ ad hoc tãq̃ medio,verbo vocís:aut alíquo hmõí. Ad ípm autẽ actũ talem dicendi verbo,fequitur actus ĩtellígendí verbum ex pte ipfíus audientis.dicẽ te Rícard.ví.de trinit.cap.xíí.Ipfo verbo propalatur pferentís intentío. Quid eft vox nifi ver bi vehículũ! vel fi magis placet,verbí indumẽtũ! Cũ verbũ prolatũ ab auditore fuerit ĩtellectũ nonne íncipit effe in corde fuo qd prius erat in corde tuo! Si vero aurem haberet ad loquutio nem cordís,quemadmodũ hanc habet ad locutionem orís, nõ omnino opus haberet vt ei exte ríor locutío fieret. Item Auguftínus fup Ioannem Sermone.í. Verbũ in hcmine eft qd manet intus:qd autẽ fignificat, fonus:& in cogitante eft q̃ dícít:& in intelligente q̃ audit. Et pte.í.fer mone.xxxvíí.Verbum qd apud te eft, vt trãfeat ad me fonũ quafi vehículũ q̃rit:ꝑ aurẽ meã defcendit in cor meum cogitatío tua. In quinto autem modo dicens verbo non dícít ipfo vt ra tíone formalí manifeftatíua fed operatíua.

**T**
Ad prímũ
princíp.

❡Ad id qd arguitur Primo:q̃ generare nõ eft ídẽ qd dícere:ga generare eft opus naturę:dicere intellectus:Dícendũ q̃ hoc nõ arguit nifi q̃ nõ ídẽ ratione.quia natura & intel lectus funt ratíones princípiandi fola ratione differẽtes fcdm praetactum modum.Et qd affu mitur contra hoc: q̃ funt díuerfę ratíones príncipiandi fícut natura & voluntas: Dícendum q̃ non eft verum:quía non funt nifi duo modi princípíadi,fcilicet libere fiue liberalíter, qui eft modus voluntatís:& ĩpetu quodam,qui eft modus naturę: qui nunq̃ ambo coíncídũt ꜳque princípalíter in eodem actu:quia contrarií funt: licet in eodem actu coíncídũt vnus príncipa líter:alter fecundarío,vt ínferius patebit circa ꝑductiõne fpiritus fancti . Intellectus autẽ ex fe non nifi ĩpetũ naturalem & neceffítatẽ habet in fuo actu : libertatẽ aũt nõ nifi vt ꝑcedit act⁹ voluntatís,dirígens fuo imperio actũ intellectus,vt iam patebit. Propter qd quãdo intellectus cõĩugitur cũ princípío qd eft natura,quafi contrahendo naturã fimplíciter ad naturã intellectu ctualẽ,fícut cõtíngit in ꝑductíone verbi fcdm fupra determínata:tũc totũ nõ eft nifi vnũ prin cípíum qd eft natura. Et q̃ affumiẽ,q̃ natura & intellectus funt díuerfę ratíones princípíandi fícut natura & volũtas:quía natura diuina eft ꜳqualiter volũtaría & ĩtellectualís: Dícedũ q̃ ĩ diuínis natura dupl'r põt accipi. Vno mõ vt oĩno dícat abfolutũ qd.f.ꝑ ípa effentia abfolute. Alío modo vt dícit rõne principíadi & refpectus cuiufdã ad actũ gñatíonis.Primo mõ natura diuina ꜳqualíter eft volũtaría & intellectualís:& q̃fi cõtrahit natura fimplíciter ad volũtaríũ & ĩtellectuale.fed fícut nullũ modũ agendí fibi determínat: fíc neq̃ effentía:fed eft q̃fi prícipíũ prímũ & remotũ omníũ diuínarũ actíonum.Secũdo autẽ mõ nõ ꜳqualíter eft volũtaría & intel lectualís.Sic eĩ intellectuale poteft quafi contrahere naturã, & coíncidere in ídẽ princípíũ qd eft natura ꝓpter rõne iam dictã. Volũtaríũ aũt naturã fíc dictã nullo mõ quafi cõtrahere põt quia tũc cõtraríũ deteríaret cõtraríũ,& coíncíderẽt prícipaliter ĩ eodẽ actu: quẽ natura q̃fi in choãdo elíceret ĩpetu,& volũtas libera q̃fi cõplẽdo elíceret libere:& fíc eídẽ formã daret:quẽad modũ opãt natura & ĩtellect⁹ ĩ gñatíõe verbi,fícut dictã eft.illũ aũt oĩno ē ĩpoffibíle.Libertas eĩ fupueníẽs ĩperui vt rõ elícíẽdí actũ,tollit neceffarío ípm ĩpetũ:lícet ípet⁹ ĩmutabilitatis affi ftẽs líbertatí nõ vt rõ elícíẽdi actũ,nullo mõ eã diminuat, aut ĩpediat,aut eídẽ repugnet,vt ha bitũ ē fupra loquẽdo de volũtate deí,& ꜳplíus exponeẽ ĩfra de ꝓceffíone spũs fancti loquẽdo.

**X**
Ad fecũdũ.

❡Ad fecũdũ:q̃ generare ꝓpríum eft folíus patrís:dicere autẽ cõmune eft fíbí & alíís : Dícedũ q̃ verũ eft de dicere effentíalí qd folũmodo ĩportat actũ manifeftandi aut creandi.Eft tñ alíus modus dícere,q̃ ꝓpríus eft patrí & ídẽ re cũ generare, differẽs fola ratíone,vt dictũ eft.Quare autẽ dícere poterit ex ratíõe fui fignificati fíc extẽdi & nõ generare:patet ex ꝓdíctís affignãdo

**Y**
Ad tertiũ.

differẽtía fcdm ratíone inter dícere notíonale & generare.❡Ad tertíũ:q̃ gñare eft agere:& dí cere eft patí:dícendũ q̃ falfum eft:ga dicere eft agere fíue fit effentíale fiue pfonale.Et qd prímo arguiẽ q̃ ímo:ga dicere ídẽ eft qd intellígere fm Anfelmũ, qd fcdm verítate patí quoddã eft:

Dicẽdũ ꝗ falſum eſt:quia dicere nõ ſignificat niſi actum generãdi,vel cõmunicãdi,vel creãdi,vel manãdi:vt patet ex ꝓdictis:quorũ nullum ſignificat intelligere:ꝗd ſignificat ſolũmodo intellectio nẽ:ꝗ nõ eſt niſi perfectio quaſi paſſio in intellectu ab intelligibili,& penitus abſolutum quid,nullũ cõnotãs ordinem aut reſpectum ad verbum,& ea quę manifeſtari habẽt ipſo verbo : quę reſpectũ cõnotat dicere,vt dictum eſt.Cõtingit eñ intelligere,& hoc non intelligendo verbum,nec verbo, nec in verbo,nec mediãte verbo:dicere aũt nõ cõtingit niſi verbũ,aut verbo,aut in verbo, aut me diante verbo:ſed ipſum dicere ſupponit ex parte dicentis actũ intelligendi verbum:vnde ois dicẽs intelligit:ſed non econuerſo. Ois enim dicẽs verbum,illud ꝗd dicit,aut quo dicit,aut in quo dicit aut mediate quo dicit intelligit:ſed non econuerſo.Cõtingit eñ intelligere ipſum verbũ, vel diui nam eſſentiam,vel aliquid ipſa diuina eſſentia,vel in ipſa diuina eſſentia abſꝗ eo ꝗ intellectus di cat aliꝗd,ꝓprie loquẽdo de dicere.Pater etiã licet verũ ſit ꝗ dicat verbo vt formali ratione ſecũdũ ꝓdicta:nõ tñ verũ eſt ꝗ verbo vt formali ratione intelligat:ſicut non ſapit verbo ſiue ſapientia ge nita:ſecundũ ꝗ dicit Aug.vii.de tri.mouẽs ſuper hoc queſtionem,& dicens in principio libri. An ita ſit ſapiens quomodo dicens: Verbo eñ ꝗd genuit,dicens eſt:quo ſemp atꝗ incõmutabiliter ſe ſ pſum dicit:vt & hoc ſit verbum eſſe ꝗd eſt eẽ ſapiẽtiã.quaſi diceret nequaꝗ.Et ratio huius diuer ſitatis eſt ꝗ intelligere penitus eſt abſolutũ,nullum cõnotans ordinem ſiue reſpectum ad verbum, ſiue ad alia mediate verbo,ſicut facit dicere ſecundũ ꝓdicta. Vnde & creare quia cõnotat ordinẽ ad verbum vt ad operatiuã potẽtiã:bene dicitur ꝗ pater vt operatiua potẽtia creat verbo:& hoc ꝓter illum modũ quo dicitur creare verbo ſicut & intelligere.ſ.per verbũ & mediante verbo. Pro tanto enim creat & intelligit ꝑ verbũ,& mediãte verbo:quia ꝗ verbum ſiue ipſe fili⁹ creat aut in telligit:hoc habet a patre. Et congruit iſte modus intelligendi patris,nature rei:licet ſit inuſitat⁹. Vt ratione aũt formali pater verbo nec creat nec intelligit:ſed ſolummodo eẽntia deitatis: & hoc ideo,ꝗa ꝗd aliꝗs agit aliquo vt rõne formali,eo ſiue ab eo habet ꝗd agit:ꝗd vero agit aliquo vt opa tiua potentia vel mediante illo,non eo habet ꝗd agit:ſed potius illi dat ꝗd agat,quę multũ diffe runt.dicente Hug.in epiſtola ad beatum Bernardum.Quantũ mihi videtur multum intereſt in ter facere & fieri:inter erudire & erudiri:inter ſapiẽtem facere,& ſapientem fieri. Certe ſi pater ea ſapientia quae filius eſt ſaperet & ſapiẽs fieret,ab ipſo proculdubio eſſet: cui idem eſt eſſe & ſapere & ſapiẽte eſſe:quãdo autẽ per filium pater aliꝗd erudit , ea ſapientia quæ filius eſt aliꝗd facit, Nec tamẽ ſequitur vt a filio ſit:proculdubio ꝗ filius agit pater agit, a quo filius accipit vt agat & agere poſſit.Hinc eſt illud beati Hila.Intelligere filium agentẽ,& ꝑ eum patrẽ agentẽ:filr intelli ge ſpiritum ſanctum agentem,& ꝑ eum non modo patrẽ ſed & filiũ agẽte.Fili⁹ erudit:ſpiritus ſanctus diligit:& vtrobiꝗ pater agit.Qz aũt pater per filiũ opari dicitur, nõ ſic intelligitur quaſi filius ſit auctor & origo potẽtiẹ quę pater eſt:& quę vult opaꝛ:ſed ꝗ pater auctor & origo ſit potẽ tiẹ ꝗ filius eſt:& ꝗ ꝑ beneplacito eius agit ꝗd agit.Silꝛ ꝗ pater ſpiritu ſancto diligere dicit: nõ ſic intelligitur quaſi ſpiritus ſanctus auctor & origo exiſtat dilectionis quę pater eſt, & ꝑ arbitrio ei⁹ amat ꝗd amat:ſed ꝗ pater eã dilectione quę ſpũs ſanctus eſt,ſpirat:& illius auctor & origo exiſtat. Et ſcãm hoc cum actus attribuit alicui diuinẹ pſonẹ ratione ſuẹ eſſentiẹ ꝗ eſt in ea, tũc attribuit ei ꝑ illud ꝗd ineſt ei,quaſi ſcãm primũ modum dicẽdi ꝑ ſe.Qd enim cõuenit alicui primo modo di cẽdi ꝑ ſe,eſt ratio formalis & eſſentialis eius:vt rationale hõis.Cũ vero actus attribuit pſonae illi a qua ꝓcedit alia,rõne illi⁹ ꝗ ab ea ꝓcedit:tunc attribuit ei ꝑ id ꝗd ineſt ei:quaſi iuxta ſecundũ mo dũ dicẽdi ꝑ ſe.Qd enim ineſt alicui ſecũdo modo dicẽdi ꝑ ſe,eſt aliquid principiatum ab eo:vt riſi bile ab homine.Speciali autẽ modo dicit ꝗ pater dicit verbo,ꝗa nõ ſicut ab agẽte mediato:quia.ſ. id ꝗd verbum dicit ipſe dicat:& hoc mediate verbo:quia verbum ꝗ aliquid dicit,hoc habet a pa tre:nec ſicut opatiua potẽtia:quaſi ſcilicet ipm verbum ſit ars qua agat actum dicẽdi:ſed pater di cit dicere verbo ſicut rõne formali.Nõ dico formali in dicẽte,qua ipſe elicit actũ dicẽdi: in hoc eñ modo ſicut & in duobus ꝓcedẽtib⁹ ipſum quo ſecundũ rationem noſtram mediũ eſt inter dicẽte & actum dicẽdi:ſed dico ratione formali qua inoteſcit id ꝗd dicit,& qua actus dicẽdi dirigitur in il lud.In iſto eñ modo id quo dicit ſecundũ noſtram rationẽ,ſolum mediũ eſt inter actum dicẽdi & rẽ dictã.& ſecũdũ hunc modũ dictum eſt ſupra ꝗ non ſolum pater vt ratione formali dicit verbo: ſed etiã ſpũs ſanctus,& ois intellectualis natura vides verbu.⸿Et ꝗ aſſumit ꝗ ſcãm Anſl. dicere eſt idẽ ꝗd intelligere:quia de⁹ dicit ſicut intelligit:Dicẽdũ ꝗ ly ſicut nõ dicit oĩmodã ſiſilitudinẽ: ꝗa nõ dicit ſiſilitudinẽ rõne actuũ:quaſi in hoc dicat ꝗ intelligit:Hoc eñ nõ eſt veri:ſed ſolũ dicit ſiſilitudinẽ rõne ſubiectoꝛ. & obiectoꝛũ,ꝗa.ſ.illi iidẽ qui intelligũt ſe & alios,etiã dicit ſe & alios.Et cũ intelligere contingit dupłr quælibet eorũ:& in ſua eſſentia intelligẽdo ſuã eſſentiã:& i verbo in telligẽdo ipm verbu:ꝗd ergo dicit quæibet illorũ dicere ſe & alios,ſicut & intelligete ſe & alios:hoc

Z

A

Rz

intelligit Ansel.de intelligere in verbo intelligendo verbū.& hoc nō de itelligere sua essentia,siue
de intelligere in sua essentia,siue de intelligere simplr dictō:sed solū de intelligere in quadam dire
ctione verbi ad illa quę intelligunt in verbo.Qd bn declarat cū subdit in ca.lxiii.Nihil aliud est sū
mo spiritui dicere,q̄ cogitādo intueri.Cogitādo ēm & intelligēdo ipm verbū primo,deinde quasi
directione seu inflexione verbi ad illa q̄ itelligunt in verbo,intueret se & alios in verbo & ipso ver
bo:sicut dictū est:vt intueri dicat quādā inflexiōe p cognitione in id qd est intellectū,ad illud q̄si
amplius & intēsius cognoscēdū.Qd adhuc plus declarās per sixe subdit.Sicut nxq̄ mētis locutio nō
aliud est q̄ cogitātis inspectio:q̄.s.cogitās id quod cogitat quasi intēsius cogitādo inspiciat:sic scire
ei⁹ & intelligere nihil aliud est q̄ dicere.i.semp psens qd scit & itelligit intueri.scdm q̄ subdit post

modicū.Sed qd scit & intelligit potest intueri dupliciter.Vno mō vt q̄dā obiectū cognitū in seip
so,in quo & cognoscunt alia.Alio modo vt ratiōe cognoscendi se & alia.Priō mō intueri nō dicit
nisi qd intelligere,secundū iā dictū modū.Secūdo mō bn dicit rōne manifestādi se & ea quæ in ip
so intelligunt:& sic ponit actū dicendi.vt semp Anselmus intelligat dicere essentiale aliqd addere
sup intelligere.Qd vero vlterius assumit p rōne q̄ intellectus cuius est dicere nō est nisi passiu⁹
sicut materia:q̄re dicere nō est nisi passio in ipso:Hic ad hui⁹rōnis dissolutiōe,& ad declaratione
q̄stiōis vltimę hui⁹ articuli.s.Vtrū gñare in diuinis sit opus intellect⁹ paterni:vt simul tāgam⁹ to

tā materiā hoc cōtingentē,oportet pquirere quō intellectus noster sit passiu⁹ & quō actiuus.Ad

cuius intellectū sciendū est q̄ alia est distinctio in anima humana p potētias:alia aūt per vires.Per
potentias ēm fit distinctio secundū rationes formales obiectorū diuersas:secūdū quas solūmodo in
anima vt ppria est homini,est distinctio penes intellectum & voluntatē:vt p duas diuersas poten
tias secundū rationes obiectorū quę sunt verum & bonū.Per vires autē fit distinctio scdm diuer
sos modos se habendi ad obiecta:secundū q̄ voluntas humana distinguitur p cōcupiscibile & ira
scibile:sicut declarauim⁹ in quādā q̄stione de Quolibet alias:& scdm q̄ intellect⁹ distinguit p spe
culatiuū & practicū.Speculatiu⁹ ēm dicit vt respicit verū absolute:practic⁹ vero vt respicit verū
sub rōne boni opabilis,& extensione ad opari illud.Silr distinctiōe famosa distiguit speculatiuus in
agentē & passibilē.Circa agentē ergo primo inspiciēdum est quomodo sit actiuus:vt videamus an
ois actio intellectus nostri possit illi ascribi:& passibili nō nisi passio:qd videtur sonare verba phī.
vbi dicit tertio de Aīa.Necesse est & in aīa has esse differētias:& est hic q̄dē intellectus in quo oīa
fiunt:ille vero quo oīa est facere.Declarat aūt actiōe eius per hoc qd dicit q̄ est in possibili habit⁹
quidā vt lux.Indiget ēm intellectus possibilis agēte ad intelligendū res vniuersales:quēadmodum

visus indiget luce ad vidēdum colores.comparat ēm possibilē visui,agentē luci, colorem vniuersa
li existenti in phantasmate.Comparat autem agentem luci quo ad duo.se habet ēm agens ad pha
tasmata:sicut lux ad colores:ad possibilem vero vt lux ad visum.Ad colores sic se habet lux si si
mile sit omnino:q̄ licet in tenebris sint actu colores:non tamē mouēt specie sua nisi in potētia: sed
lux facit eos mouere medium & visum in actu. Ad mediū aūt & visum se habet lux sic, q̄ dat eis
formā illuminationis,mediāte qua recipiunt motū coloris & etiam informationis ab ipso:ita q̄ si
ne luce non possent colores medium aut visum mouere ad illorum informationem. Confimiliter
autem agens se habet ad phantasmata. Ipsa enim vt particularia & sub conditionibus materiali
bus non sunt species vniuersalium nisi in potentia:nec possunt mouere intellectum possibilem ni
si in potētia.Sed lumē agentis splendens spiritualiter super illa sicut lumen materiale materialiter
resplēdet super colores,separat ea a conditionibus materialib⁹ & particularib⁹, & sub ratione spe
ciei vniuersalis pponit ea itellectui possibili,qui & mouet mediatib⁹ illis a reb⁹ vlibus,& informat
intellectiōe vniuersaliū scdm actū: quēadmodū colores specie sua in luce actu mouēt visum ad vi
dēdū colores.Qd intelligo in sixi maiori sic. videmus ēm q̄ noctilucę de die non mouet visum ni
si sub forma coloris. Et sic lux quæ est hypostasis coloris,sub particularibus & materialibus con
ditionibus habet eē in noctilucis terminata in forma coloris.De nocte vero mouet visum sub for
ma lucis puræ q̄si abstractę a materia & cōditiōnib⁹ particularibus corpis in quo est.Colores ergo
in corpore nō terminato,puta in ligno & lapide,sunt sub esse pticulari & materiali:quēadmodum
phātasmata in phātasia,q̄ quātū ē de se & hic & ibi nō sunt nata mouere nisi scdm esse materiale
& particulare.Quēadmodum ergo si super colorē ligni aut lapidis lux aliqua temperata radiās sa
ceret colorem visum mouere sub forma lucis quasi abstractæ a materia & cōditiōnibus particula
ribus eius ad vidēdum ipsam lucem specie sua: sic super phantasmata lux agētis radians quasi se
parat ipsa a materia & conditionibus materialibus : & pponit ea intellectui possibili: & per ea res
vniuersales,& in eis eidem pponit ppositum: & sic secūdū ratiōne vniuersalis mouet possibilē ad
intelligendū vniuersale,qd scdm hoc est in intellectu sicut obiectū cognitū in cognoscente.Agens

autē ſe habet ad poſſibile ſic,q̑ niſi eſſet ipſe in poſſibili vt lux eius cōnaturalis,non eſſet receptibi=
lis alicuius informationis ab intelligibili:quēadmodum neq̑ viſus a colore,niſi eſſet informat⁹ lu=
ce materiali.Sicut eī non recipit viſus ſpecies colorum niſi admixtas lumini:& quaſi lumen ipſm
determinātes:ſic nec intellect⁹ poſſibilis recipit intellectiones q̑ ſunt ſpecies phantaſmatū vniuerſa
líum,& ipſarum rerum vniuerſaliū in intellectu:niſi admixtas luci agentis: & quaſi ipſam deter=
minantes vt vniuerſalem habitum in illo exiſtentem.Vnde ponit Commēt.q̑ quādo agens fuerit
determinatus omnibus ſpeciebus omniū intelligiliū ſuorum, tunc eſt intellectus adeptus in actu
& poterit intelligere poſſibilis agentem,& ſeipſum,& ſubſtātias ſeparatas.CEſt igitur hic tria cō=
ſiderare circa viſum,ſ.lucem materialē,colorem ſenſibilem,viſionem in viſu:& tria correſpondētia
circa poſſibile intellectū.ſ.lucem agentis,phātaſma,intellectionem. Et eſt ages ſicut lux materialis:
Phantaſma ſicut color ſenſibilis: Intellectio ſicut viſio. Et ſicut lux materialis facit q̑ colores ma=
teriales ſpecie ſua ſine materia immutāt viſum ad actum viſionis quę terminatur ad colorem vt
ad rē viſam:cōſimiliter lux agentis facit q̑ phātaſmata particularia ſub ratione ſpeciei vniuerſalis
abſq̑ conditiōibus materialibus immutāt intellectū ad actum intellectionis,quæ terminatur ad
rem vniuerſalem vt ad ipſum qd̑ intelligitur. Et non eſt differentia niſi in duobus. Primo in hoc
q̑ ibi colores particulares ſunt extra exiſtentes in rebus,circa quos operatur lux materialis ab eis
abſtrahendo ſpecies eorum ſine materia ad immutandum viſum actu viſionis,quæ ſunt obiecta
ad quæ terminatur actus viſionis.Hic vero phātaſmata particularia ſunt exiſtētia in phātaſia,cir=
ca quę operatur lux agentis,ſeparādo ea a conditiōnibus particularibus,& ſequeſtrādo illas ab eis:
qd̑ ē abſtrahere ab eis ſpecies quæ ſunt phātaſmata vniuerſalia.Species & ſimilitudines dico nō tā
ipſorum phātaſmatū particulariū quę ſunt ſpecies rerum particulariū extra,q̑ rerum vniuerſaliū
illarum rerum particulariū.Ipſa eī phātaſmata particularia circa quę operatur lux agentis ſic ad
immutādum intellectū poſſibile actu intellectionis,nō ſunt obiecta ad quę terminaſ actus intelle=
ctionis:ſed potius ipſa vniuerſalia rerū particulariū extra exiſtentiū:quarū ſpecies & ſimilitudines
ſunt phātaſmata particularia:ſicut vniuerſaliū illarum rerum particularium ſpecies ſunt phāta=
ſmata vniuerſalia.Secundo aūt in hoc eſt differentia q̑ ibi aliud eſt re color & ſpecies coloris:& q̑
ipſa ſpecies coloris abſtrahitur a colore p q̑ſi quādā ſeparatione realem & generatiōne ſiue multi=
plicatiōe ipſius in totū mediū qd̑ eſt inter rem viſam & id oculi in quo viget vis animę viſiua ip
ſum informādo,ſiue mediū fuerit exteri⁹ extra oculum,ſiue interi⁹ in oculo. A quo medio ſic in
formato nō vidente ſed deferente ſpeciem viſibilis,punctus nerui interioris eſt in quo concurrunt
duo nerui duorum oculorum:& in quo vis viſiua eſt recipiēs immutationem ſecūdū actu qui eſt
viſio.Nō eī in vltimo eſt aīa,ſed manifeſtū q̑ interius,ſicut ſcribitur in de Sēſu & ſenſato.Reue=
ra in illo interiori ſolo eſt anima ſcdm vim viſiuā:& ideo illo patiēte vt quo ſentimus,ab ipſo me
dio informato ſpecie viſibilis ſit videre:vt dicit in ſecūdo de Aīa.Et adhuc in ampli⁹ interiori eſt
aīa ſcdm vim phātaſię:ita q̑ mediū tā intra q̑ extra informaſ ſpecie viſibili tm̄,& non viſione aut
phātaſiatiōe:illud vero iteri⁹ phātaſiatiōe aut viſione tm̄ & nō ſpecie p ſe,niſi p quāto illud idiui
ſibile quo imutaſ vis viſiua vel phātaſiatiua,eſt aliqd illi⁹ diuiſibilis qd̑ iſtormaſ ipſa ſpecie.Species
eī cū ſit habit⁹ in corpe,& ideo nō moues niſi p cōtactū:nō mouet qd̑ informat,ſed qd̑ tāgit,ſiue
in cōtiguo ſiue in cōtinuo,large ſumēdo cōtactū.Hic vero nō eſt aliud re phātaſma pticulare, &
ſpecies quę eſt phātaſma vniuerſale:ſicut nec res vniuerſalis eſt alia a re particulari:nec ipſa ſpeci
es quę eſt phātaſma vniuerſale,abſtrahitur a phātaſmate particulari per modū ſeparationis realis
aut generationis aut multiplicationis in intellectū:vt quę informat ad eliciendū in intellectu actū
intellectionis:ſed ſolum p quādā ſeparatiōe virtualē cōditionum materialium & particularium,
& illarū ſequeſtratione ab ipſo:qua.ſ.habet virtutē immutādi intellectū: non ſecūdū conditiones
particulares ad intelligēdū primo & principaliter ipſam particularē rem(vt aliq dicūt)qd̑ eſt im=
poſſibile:ſed ſecūdū rōnem phātaſmatis ſimplr̄,& quaſi abſtracti & ſeparati a materia & cōditiō=
bus pticularibus materię,& hoc ad eliciendum in intellectu actū intellectionis inhęrentem ipſi in
tellectui,& informātē ipſum abſq̑ omni alia ſpecie rei vniuerſalis intellectę illi inhęrente ad intelli
gendū rem vniuerſalē. CEſt igiſ progreſſus in actu viſionis talis.Primo lux materialis ſup colorē
pticularē materialē exiſtentē extra irradiat.Secūdo coloris ſpeciem abſtrahēdo ſine materia in me
diū agit,& ipſum informat illa ſpecie.Tertio mediū ſpecie illa actū viſionis elicit.Et ſilr̄ in phāta=
ſia actū phantaſiādi qui terminaſ quaſi quodā circulo in colore p̄dicto:licet differunt:quoniā vi=
ſio nō terminaſ ad illū niſi cū p̄ſens fuerit ſenſui:Phātaſiatio vero terminaſ ad illū ad abſentiam
eius a ſenſu. Quarto vero ſupra phātaſma particulare quo ſic phantaſia exiſtit in actu,irradiat lu
men itellectus agentis.Et prǣdicto modo phantaſma vniuerſale a particulari abſtrahit, & intelle=

F

G

H

ctui poſſibili ſponit:vt obiectum propriũ illius immutatiuũ:per qd actu immutat intellectione ſi
ue actu intelligendi ad cognitione non ſui,ſed rei vniuerſalis cui⁹ eſt ſpecies:licet nõ ab iſta abſtra
hitur:ſed a phātaſmate particulari abſtracto a re extra particulari,in qua potentia exiſtit vniuerſa
le:ſicut neq̃ ſpecies coloris immutat viſum ad cognitione ſui,ſed coloris a quo abſtrahit. Et ſic in
tellectus poſſibilis intelligit primo & per ſe ipſam rē vniuerſalem abſtractã a ſingularibus,non pri
mo intelligendo ſingulare vnũ vel plura: & deinde intelligendo ex ipſis p abſtractione vniuerſale
vt cõmune quid ſuper ſingularia:hoc em eſt impoſſibile:quia impoſſibile eſt intellectionem ſingu
larium pcedere intellectione vniuerſaliũ.Vnde intellectus agens in abſtrahẽdo phātaſma vniuerſa
le a particulari,abſtraheret vniuerſale qd eſt in intellectu vt cognitũ in cognoſcẽte:etiã ſi nullum
haberet ſingulare exiſtẽs extra in re: dũ tñ eſſet phātaſma alicuius pticularis eius qd aliquãdo fu
it ſenſatum in ipſa phātaſia. Qd ſi oĩno deficeret, & ſimiliter deficeret abſtractio phātaſmatis vni
uerſalis ab illo:& per conſequens vniuerſalis intellectus omnino:ſicut deficiente ſenſu aliquo,omni
no neceſſe eſt deficere ſcientiã que eſt ſecundũ illum ſenſum,vt vult phs. Talis aũt intellectus rei
vniuerſalis ſub ratione incomplexi vocatur intellectus ſimplicis intelligentiæ.Et patet ex iã dictis
quomodo intellectus agens actiu⁹ eſt in tali modo intelligẽdi,& intellectus poſſibilis paſſiuus:qui
vt dicit Cõment.ſuper caput de agente,ſunt duo p diuerſitate actionis eorum.Actio em intellectus agentis eſt gñare:iſtius aũt informari.& quõ hoc,patet ex dictis. Et eſt iſta actio pure naturalis agenti,& iſta paſſio pure naturalis poſſibili:qua poſtq̃ informatus fuerit,vlterius eſt actiuus,
& quo ad ſimplicium intelligẽtiã, & quo ad intelligẽtiã complexionũ. Quo ad ſimpliciũ intelligẽ
tiã:quia propter ſeparatione ſuã a materia cum eſt informatus ſimplici intelligentia,ſtatim cõuer
tit ſeipſum ſuper ſe & ſup actum intelligendi & ſuper obiectum intellectum : vt ipſum informet
notitia declaratiua que dicitur verbum. Et eſt iſta conuerſio prima actio ſua:ſed quia ab eo ad qd
conuertitur non ſtatim informatur notitia declaratiua, vlterius agit in negotiãdo circa intelligibilia intellecta ſimplici notitia : vt intellecta fiant notitia declaratiua. Licet enim agat in nobis in
tellectus agens circa intelligibilia intelligenda cõfuſe in phātaſmatibus ſcdm pdictũ modũ:non ta
mẽ ſolus agit circa intelligibilia intelligẽda diſtincte in intellectibus confuſis. Cum em intellectus
poſſibilis informatus fuerit ſimplici notitia confuſa eius cuius eſt qd quid eſt: puta hominis aut
equi:albi aut nigri:voluntas delectata in cognito ſed impfecte ſicut imperfecte eſt cognitũ flagrat
p intellectũ noſſe qd reſtat:vt pfecte cognitũ pfecte delectet,dicente Aug.x.de tri.ca.i.Quo aliquid
notũ eſt,ſed nõ plene notũ eſt,eo cupit animus de illo noſſe qd reliquũ eſt.Propter qd ſuo imperio
mouet intellectũ vt iã confuſe cognito: vt ad amplius cognoſcẽdum intẽdat. Intellectus aũt motus imperio volũtatis & ppria vi actiua ei⁹,aciem ſuã in rem cognitã fortius & acrius figit:& pe
netrare nititur interiora ipſius cogniti confuſe:vt in partibus integrãtibus eius eſſentiam ipſum
limpide quid ſit cognoſcat.Et eſt illa acies intellectus ſic intenta (iuxta dictum Auguſt. xv.de tri
nita.cap. xv.)concipiens quiddã quod poteſt eſſe verbum, & nõ iã dignum eſt verbi nomine,for-
mabile de noſtra ſcietia que eſt in memoria, nondum formatũ quouſq̃ intellectus penetrauerit in
teriora eius qd cognitũ eſt cõfuſe,& illis fuerit informata.Aĩa em rõnalis(vt dicit Auicẽ.ix.Meta
phy.)penetrat interiora apprehẽſi:& hoc p diſcurſum quendã:quo ſecũdũ Aug.hac atq̃ hac,quaſi
iubili quadã motione iactat,cũ a nobis nunc hoc nunc illud ſicut inuentũ fuerit vel occurrerit co
gitatur:& tunc fit verbum quãdo p diſcurſum iã dictũ poſſibilis intellectus,& cũ hoc illuſtratio-
ne & irradiatione agẽtis ſup cõfuſe cognitũ,partes eius eſſentiales que in illo inquãtũ hmõi, ſunt
in potentia intelligibilia,facta ſunt actu intelligibilia,& diſtĩcte pponũt intellectui poſſibili:vt acı
es cognitionis ad illa directa pueniat p hoc ad illud qd ſcimus:hoc eſt quo verã & perfectam habe
mus de incomplexo notitiã:quaſi inueniendo in memoria qd in ea latebat:atq̃ inde formatur ei⁹
omnimodã ſimilitudinem capies. Vt ſecundũ hoc intelligamus dictum Aug.ibidem cap.xvi. Co
gitatio noſtra perueniẽs ad id qd ſcimus:atq̃ inde formata,verbum noſtrum verum eſt.Quia vt
cit lib.ix.cap.vltimo,notitia iã inuentum eſt qd partum vel repertum dicitur:nã inquiſitio eſt ap
petitus inueniendi,qd idem valet ſi dicas reperiendi,que autem reperiuntur quaſi pariuntur: vn
de proli ſimilia ſunt.Vbi niſi in notitia: ibi enim quaſi expreſſa formantur. Nam etſi iam erat res
quã querendo inuenimus : notitia tamen ipſa non erat quã ſicut prolem naſcentem deputamus.
Porro appetitus ille qui eſt in querendo, pendet quodãmodo neq̃ requieſcit niſi id qd quæritur
inuentum querenti copulet,& infra. Partũ ergo mentis præcedit appetitus quo id noſſe volum⁹.
qrẽdo & inueniẽdo naſcit proles ipſa notitia.Vnde in gñatione talis verbi ipſe intellectus poſſibi
lis ſimplicis intelligentiẽ cum ſua notitia ſimplici confuſa generata in ipſo p ſpeciem vniuerſalis
phantaſmatis & terminata in obiectũ vt eſt confuſe cognitum ab ipſo,in quo p diſcurſum ratio-

nis,& irradiatione lucis intellectus agentis secundū actū psentant partes illius cogniti vt qditati
ua eius ratio,tenet ratione memorię & parentis.Idem vero intellectus vt habet rationem intellectus simpliciter conuersi super seipsum post discursum pdictu agente in ipsum hmōi memoria:in
formatur notitia declaratiua determinata & terminata ad definitiuā ratione siue quod quid est
eius qd confuse cognitum est in memoria:& tenet ratione prolis & intelligentię. dicente Aug.ca.
xxi.Deū patrem & deum filiū in memoria & intelligentia mentis nostrae signare curaui memorię
tribuens omne qd scimus:etiā si non inde cogitem9:intelligetię vero proprio modo quādā cogita
tionis informatione.Cogitando em qd inuenim9 hoc maxime intelligere dicim9.Et per hūc modū
gignit notitia de notitia,declaratiua de simplici.secundū cp dicit cap.x. Necesse est cū verū loqmur
id est qd scimus loqmur,ex ipsa scientia quā memoria tenemus nascat verbū, qd eiusmodi sit cuiusmodi est illa scientia de qua nascitur. Formata gppe cogitatio ab ea re quā scimus, verbum est
qd in corde dicim9.Et sic ex parte parentis se tenent intellectus possibilis & ipsa notitia simplex,&
ipsum obiectum confuse cognitum:vt in eo patescunt partes definitiue rationis:non vt iā cogni-
rę:sed vt iam factę in actu per rationis discursum,& irradiatione agētis:vt possint mouere intelle
ctum conuersum ad suā notitiā formādā in ipso.Ex parte vero prolis & verbi se tenet intellectus
idem vt est informatus notitia illa declaratiua:& ipsum obiectū cognitū in sua definitiua ratiōe.
Vnde cp assumitur in argumēto,cp materia etiā sub aliqua forma nullo modo agit:neqs actiua est L
in seipsam ad generatione alterius formę:quare neqs intellectus possibilis vt informatus est forma
vnius notitiae,nullo modo aget in seipsum ad generatione alterius notitię:Dicendū cp hęc est opi
nio illorum:qui volunt omnino necessitare intellectu in intelligendo, & per consequēs volūtatē in
volendo:vt intellectus possibilis nihil omnino agat ad hoc cp pfecte intelligat:sed solūmodo patiat
vt motus ab obiecto scdm qd accidit necessario in se recipiat notitiā:quā pponēdo volūtati vlterius ad volendū qd sibi proponit eā necessitet.Sed non est ita:neqs est simile de materia & intellectu.
Materia em omnino ex se aliud est ab omni rōne formę:& nullā ratione conuersiui super se potest habere.Vlterius aūt cum patitur formas in se recipiendo:hoc non est nisi vt quātitati corpo
rali subiecta est.Forma aūt vel habitus corporalis non agit nisi p contactum:non aūt p aliquā cō
uersione sup se.Secundū em cp dicit.xv. propositio Procli,omne qd ad se cōuertiuū est,incorporeū
est.qd plane exponit ibidē Cōmēt.& scdm cp dicit ppositio.xvi.omne ad se conuersum habet substātia separabilē ab omi corpore.qd etiā planius exponit Cōmēt. Propter qd nec materia vt est in
formata vna forma,per illā pōt agere in seipsam ad generatione alterius formę.Vnde materia sub
iecta cū forma ratione materię causa est eorū quae fiunt in ea:non sicut pater in agendo:sed solum
modo sicut mater in recipiendo ab agente extra.Intellectus aūt possibilis licet sit materia respectu
formarū vniuersaliū & intelligibiliū,& passiuus atqs receptiuus,& nullo modo in intelligēdo sim
plicia simplici notitia est actiuus:sed solūmodo actiuę sunt species vniuersalis phātasmatis:aut ip
sa res vniuersalis & ipse intellectus agēs,cuius est generare irradiādo in vle phātasma, & similiter
in ipm vle cōfuse intellectū ad explicādum distinctione definitiuę rationis scdm pdictū modū:In
se tn ipe intellect9 possibilis forma quędā est: propter quod post receptione formę secundū simpli
cem intelligentiā:vt intellectus materialis factus est speculatiuus & in habitu,aliqua actio ei cōpe
tere potest.Cōment.em Auer.loquendo de vnitate & incorruptibilitate intellectus,distinguit tri
plicem intellectū:materiale quē ponit pure passiuum: & agente quem ponit pure actiuum: quos
ponit ingenerabiles & incorruptibiles:& speculatiuū mediū inter illos: quē ponit generabilem &
corruptibilem:sicut & phātasiā qua formatur.Istum aūt ponimus quodāmodo actiuum:p hoc cp
ponimus eum super seipsum,& sup actū suum & sup obiectū cognitū conuersiuū. Iā dictę em p-
positiones Procli cōuertunt.Sicut em omne ad se cōuersiuū incorporeū est: sic econuerso one in
corporeū est ad se cōuersiuū:& sicut omne ad se conuersiuū habet substātiā separabilē ab omi cor
pore,sic econuerso omne habens substātiā separabilē ab omi corpe,est ad se cōuersiuū.Vnde de in
tellectu dicitur in Cōmento propositionis.xx.Intelligit em seipsum & operat circa seipsum.& hoc
quātū ad psens suo actu intelligēdi tā circa intellectum incōplexorū q cōplexorū.Circa intellectū
incōplexorum,in negotiando circa incomplexa confuse intellecta ad explicādum in eis distinctionem partium essentialium: & hoc inquātū habet ratione intellectus siue intelligentię simpliciter.
Inquātū vero operat circa seipsum vt est intellectus siue intelligētia simplr:habet ratione memorię,de notitia quae est in memoria, generādo notitiā declaratiuā, vt ipsa fiat intelligētia declaratiua scdm iā expositū modū.In ista em gnatione nō soli est agēs notitia q est in memoria,aut obie
ctū ei9:sed etiā ipse intellectus vt est m se habes dictā notitiā sub rōne memorię. dicēte Aug.ix.de
tri.Ligod tenēdu est cp ois res quācūqs cognoscimus cōgenerat in nobis notitiā sui. Ab vtroqs em

notitia paritur.f.a cognoscéte & cognito.Itacq més cu.f.p memoriá de presenti seipsam cognoscit.f.
confuse:sola parés est notitie sue,f.discretiue,quá gñat in intelligentia.Et cognitu em & cognitor
ipsa est.Et intelligo a contrario cq cu aliud a se nouit:nõ sola parés est sue notitie:sed & ipsa & co
gnitu illud.Et cõsimili modo vtrucq notitia parta est,f.& ipsum cognoscens & ipsum cognitum.f.
distincte scdm ratione definitiua.Intelligentia em cu scdm ratione definitiua seipsam cognoscit di
stincte:sola ples est notitie illius de qua est.& cognitu em & cognitor ipa est.Sed cum mens nouit
aliud a se,non sola parés est:sed & ipsa & illud cognitu simul:quia nõ cognitu & cognitor ipsa:sed
ipsa sola est cognitor:& illud aliud est cognitu. Similiter intelligentia cu nouit aliud a se,non sola
ples est:sed & ipsa & illud cognitu simul propter eandé rõne.CEst aut aduertédu:cq in cognoscen
do aliud a se non dicit cognitu cu mente esse parés notitie sue,f.declaratiue in seipsa vt est obie
ctu quoddã:sed in ipsa notitia simplici qua ab ipso informata est ipa memoria.Silt nec dicit cogni
tu cu méte esse ples in seipso:sed in ipsa notitia declaratiua eius que generata est de notitia simpli
ci.vt proprie loquédo obiectum cognitum sub rõne obiecti non est de rõne parentis necq prolis:ni
si in ipsa notitia que de ipso est.In notitia em simplici est de ratione parentis.In notitia vero decla
ratiua est de rõne prolis.Et sic in cognoscédo aliud creatum a se,verbum mínime simplex est:sim
plicius vero in cognoscédo seipsum:simplicissimu vero in cognoscédo deu : quia ipse intimior aie
est cq ipsa sibi:& maxime inquantu ipse est obiectu cognitu & ipa silt.Et ideo verbu nostrum cum
mens nouit seipsam,magis assimilatur simplici verbo diuino, cq cn cognoscit aliud a se creatum
& maxime cu nouit deu.Et cqcq verbum(vt dictum est)cõprehendat actu notitie que est actualis
intellectio in intelligentia,& ipsum obiectu:propriissime tamen ratio verbi cõsistit in ipsa notitia
discretiua:vt cõprehendit ipm intellectu siue cognoscente cu sua notitia eidé inhérente de ipso in
telligente vt de potétiali educto qd erat notitia,& verbu in potétia:& formabile non formatu cu
volubiliter ingrendo iactabat.Sed tuc primo erat verbu in actu,cu ab ea notitia cq est in memoria
informabat.Informabat dico nõ ita ex eo cq ipsa notitia memorie notitiá impressit intelligentie: cq
ex eo cq ipsa notitia intelligétie terminat & sistit in eodé obiecto, per quod notitia memorie illam
impressit.Propter qd & ipm qd quid est inquantu dat rõne formalé verbo intellectui inhérenti,&
hoc non tá in exprimédo verbu qd est ipsa notitia in intellectu, cq in terminádo ipsam eádem no
titiá vt est quoddã intelligere secúdu actu:etiá ipsum qd qd est verbu dicit:quia.f.actu cognitiu
obiectu informat, nõ tam ea rõne qua ipsum terminat cq ea rõne qua elicit.Principalius tamen &
essentialius dicit verbu ipsa intellectio intellectui impressa a memoria de eo qd quid est informan
te ipsam:vt tñ ipsa intellectio cõprehédit in se ipsum intellectum . Et cõsimiliter in nõ habétibus
definitione discreta cognitio in intelligétia parata a cognitione cõfusa in memoria,pprie verbu
est.Vn in beatis licet nõ sit verbu scdm definitiua ratione de deo:scdm cq alias determinauimus
in quadã qstione de Quolibet: quia simplicia illa nõ habent:est tñ in eis de deo verbu discretiue
cognitiõis,natu de cognitione cõfusa in memoria pcedéte vel natura,vel duratione . Naturaliter
em etsi nõ semp duratione, ois creatura intellectualis pri⁹ apprehédit cõfuse de quocúcq qd qd sit
cq qd qd sit determinate:licet cognoscédo cq aliqd sit cõfuse,in hoc cognoscit qd sit cõfuse.Per qué
modu supius determinauim⁹:nos de deo intellectu posse pcipere qd sit gñalissima cognitiõe.In cõ
téplatiõe em pfunda pcipit quasi trãsuoládo,sed nõ sistédo in illo,queadmodu cu aliqd subito im
mutádo visum corporalé,pcipimus nos aliqd vidisse:nescim⁹ tñ determiate qd fuit.Solus aut de⁹
pfectã notitiá habet sui & aliorcq absq omni cognitiõe cõfusa pcedéte natura vel duratiõe. Propter
qd i solo deo é verbu pfectu nõ formabile pri⁹ natura vel duratiõe cq formatu.Vn Aug.xv.de tri
ca.xvi.expones illud prie loã.iiii.Siles ei erim⁹ qa videbim⁹ eu sicuti est:dicit sic,Tuc quidé verbu
nostru nõ erit falsum,qa nõ métiemur necq fallemur: tamé cu hoc fuerit, formata erit creatura cq
formabilis fuit:vt nihil iã desit ei⁹ forme ad quã puenire deberet:sed tñ coequáda nõ erit illi im
plicitati:vbi nõ formabile aliqd vel reformatu est:sed forma necq informis necq formata. de qua di
cit cap.xv.Quis nõ videat quáta hic sit dissilitudo ab illo dei verbo qd in forma dei sic est: vt nõ
antea fuerit formabile cq formatum: nec informe esse pot. Vn in deo nõ dicit verbum notitia de
claratiua:qa clarior & pfectior est illa que est memorie de qua format,sicut cõtingit de verbo cre
ature intellectualis:sed qa tñ dicédo & modo declaratiuo siue manifestatiuo ex hoc pcedit:secu
du cq de hoc inferi⁹ amplior erit sermo. Preter dicta aut actione quã habet intellect⁹ vt est simpli
ciu intelligétia circa icõplexa,habet actione vt est cõpositiu⁹ & diuisiu⁹ simpliciu:cq magis est eui
dés & manifesta,Cu em intellect⁹ simpliciu intelligétia cõcepit hoiem equu albu nigru aial rõnale
& hmõi alia,cõcipiédo ista simplicia nõ solu cõcipit ista absolute:sed etiã vnu cõcipit in ordine ad
alteru,ex cõceptione simpliciu simul cognoscédo simplicé habitudiné vni⁹ ad alteru:vt cõcipiédo

hoc albū & illud,cōcipit fiſſe:ſed hoc nō aliud ſua actiōe ǫ̃ illa qua poſtǫ̃ ſimplici cōprehēſione cō
cepit vnū vt indiuiſū: deīde naturali intuitione & diſcurſu volubili iuxta vnū vel in vno cōcipit
plura diuiſa:vt iuxta albū in ordine ad aliud albū cōcipit fiſſe:in ordine vero ad nigrum diſſiſſe:in
vno vero cōcipit plura:vt in hoīe aial & rōnale.De ǫ̃ actiōe intellect⁹dicit Cōmēt.ſup.xii.Meta.In
tellectus nat⁹ eſt diuidere adunata in eſſe in ea ex qb⁹ cōponit adunatū:ǫ̃uis nō diuidant in eſſe.
Sed ī tali diuiſione nō ſtat ei⁹ opatio:imo ſic diuiſa habet cōponere,cōplectēdo abo in ꝓpoſitiōe af
firmatiua aut negatiua:dicēdo hoc ē hoc,vel hoc nō ē hoc:vt dicit idē ſup.vi.Meta.Sed dicit aliǫ̃
ꝙ ad cōpoſitione & diuiſiōe in ꝓpoſitiōib⁹ nō ſe habet intellect⁹ niſi paſſiue:ſicut neǫ̃ ad indiui
ſibiliū intelligētiā.Cū em̄ cōprehēdit duo ſeorſum:& habitudinē vni⁹ ad alterū: ex hoc ſine omni
ſua actiōe cōprehēdit illa in forma cōplexionis:queadmodū cū apprehēdit vnū albū in ordine ad
aliud,ex hoc ſola paſſione ſua cōprehēdit fiſſe.Sed hoc nō pōt ſtare duplici rōne.Pria:ǫ̃a ſi ſic intel
ligēdo cōponeret & diuideret:tunc nō cōponeret aut diuideret inter aliqua duo: niſi ſecundū ra
tione habitudīnis quā habet iter ſe:vt ſi haberēt hitudinē cōueniētiē, ea cōponeret affirmādo. Si
vero haberēt hitudinē diſcōueniētiē,ea diuideret negādo.Quare cū nulla duo ſm̄ eādē hitudinē
habēt rōne cōueniētiē & diſcōueniētiē ſimul: tunc nūǫ̃ libere ǫ̃ctūǫ̃ cōponeret in ꝓpoſitione affir
matiua,poſſet diuidere in ꝓpoſitiōe negatiua:ſicut ex ordine vni⁹ albi ad aliud albū nō pōt apꝑe
hēdere diſſiſſe:ſed ſolū fiſſe.& ſic nō poſſet eē in intellectu cōpoſitio & diuiſio oppoſitoꝝ ſiue cōtra
dictoriōꝝ ſimul.Cui⁹ cōtrariū dicit ꝑhs in fine.vi.Meta.vbi dicit Cōmēt.Qd eſt ī aīa:recipit duo
oppoſita ſimul:ǫ̃ eſt extra aīam, nō. Et aīa intelligit duo ſimul oppoſita: quod nō pōt eſſe extra
aīam:ǫ̃a materia recipit cōtraria ſucceſſiue.Vn̄ ſi in hoc eſſet fiſſe de intellectu & de materia:ſicut
materia nō recipit cōtraria niſi ſucceſſiue:ſiſr neǫ̃ intellect⁹:& nō intelligeret hāc affirmatiuā ho
mo eſt albū,niſi cū intelligeret hoīem albū ſiue albedinē in hoīe:nec illā negatiuā,niſi cū intellige
ret albedinē ſeorſum extra hoīem,& nō eēt aliter cōpoſitio & diuiſio ſcdm complexiōe in aīa ǫ̃
ſint in reb⁹ ſcdm incōplexiōe. Vera em̄ affirmatio ſignificat cōpoſitione in entib⁹,& vera nega
tio diuiſione:vt dicit Cōmēt.ibidem.Scda rō ad idē eſt.cū em̄ obiecta itellect⁹ nō ſunt tm̄ incom
plexa:ſed etiā cōplexa:& obiectū ſit agēs actu intelligēdi in intellectu:& hoc nō niſi ſcdm ǫ̃ ē ali
ǫd ſcdm actū:igit oportet ſalte natura pri⁹ ipam cōplexione eē cōſtitutā in eē,anteǫ̃ moueat intel
lectū vt itelligat ab ipſo.Quare cū cōſtitutio cōplexionis a natura rei nō h̄ʒ eſſe:ǫ̃a tūc nō eſt niſi
vno mō:oportet ǫ̃ ſit opus rōnis,ǫ̃ circa idē cōtrario mō pōt opari.Nec valet ǫd adducit de albo
& fiſſi:ǫ̃ fiſſe apprehēdit ſola paſſione intellect⁹,ſ nō cōſtituēdo ipm̄.Dicēdū ǫ̃ verū eſt:ǫ̃a a natu
ra rei fiſſitudo cōſtituta eſt in albo poſtǫ̃ habeat aliud albū ſibi correſpōdes. Non ſic aūt a natura
rei eſt inſtituta iſta cōplexio.Illa tm̄ apprehēſio fiſſis ſine aliquo ope intellect⁹ noſtri ꝓcedēte nō ſit:
vt dictū eſt. Vn̄ aliā rōne intelligibilis ſiue ſcibilis habet entia abſolutæ naturæ, & relatiōes,& iꝓſe
cōplexiones,Queadmodū.n.ſunt ǫ̃da ſenſibilia p ſe & primo:vt albū:ǫ̃dā p ſe nō primo:vt figura:
ǫ̃dā oīno p accidēs:& hoc vel ſimpſr per accidēs:vt vmbra ǫ̃ pcipit iuxta luce, eadē in qua pcipit
lux:vel accidētaliter p accidēs:vt Diatrii fili⁹,ǫ̃ nō pcipit a ſenſu in ſe ſcdm ǫ̃ filius ſed ſolūmo a
virtute ſupiore:ſic ſunt quædam intelligibilia p ſe & prio vt abſoluta:quedā p ſe & non primo vt
relationes:ǫ̃a nō intelligunt niſi iuxta abſoluta,ſicut nec ſenſibilia p ſe nō prio:niſi iuxta illa ǫ̃ ſūt
ſenſibilia p ſe & primo.Mouet tm̄ ſeipſis obiectiue relatiōes intellectu, ſicut ſenſibilia cōmunia ſen
ſum.De modo taliū intelligibiliū ſunt cōplexiones:ǫ̃a in ǫ̃dā relatiōe cōſiſtūt,quā ſcdm cōpoſitio
nē aut diuiſione inſtituit itellect⁹. Vn̄ & ſcdm hoc & cōplexiones diuerſæ ſecūdū affirmatiōe &
negatiōe,& differētias tpis diuerſas inter eoſdē terminos diuerſa ſunt itelligibilia ſecūdaria:in ǫ̃
bus cū principali cōpoſitiōe tēpus cointelligit:& ſic cōponit.ſcdm ǫ̃ dicit ꝑhs.iiii.de Aīa. Si fuerit
ꝑterita aut futura,tūc cū hoc intelligit tēpus & cōponit.vbi dicit Cōmēt. Si intellecta fuerint re
rū ǫ̃ ſunt natæ eē,aut in ꝑterito tpe,aut in futuro,tūc itelligit cū illis reb⁹ tēpus,& poſtea cōponet
ipm̄ cū eis:& iudicabit ǫ̃ illæ res fuerūt & erūt.Et oīa iſta intellecta p ſe ſed non prio,ꝓprie dicunt
nō intelligibilia vel ſcibilia:ſed cointelligibilia vel cōſcibilia:queadmodū nō ſunt ꝓprie res:ſed ali
ǫd cū re ǫ̃ vera res eſt & abſoluta.Intelligibilia vero p accidēs ſimpſr ſunt priuationes,ǫ̃ intelligū
tur iuxta habit⁹.Accidētaſr vero p accidēs nullū intelligibile habet:ǫ̃a reſugit pceptiōe intellect⁹
vt purū nihil.Sed forte dicet aliǫ̃s verū eē ǫ̃ cōplexio cōſtituit ope intellect⁹ nō materialis aut il
li⁹ ǫ̃ eſt ſcdm hitū ſed agētis.Qd nō pōt ſtare. Cū.n.intellect⁹ agēs ſecūdū pdicta nō agit niſi irradi
ando ſicut lux:naturaſr ergo agit ǫ̃cǫd agit & ſcdm diſpoſitiōe eoꝝ circa ǫ̃ agit.Si ergo ī ipſis re
bus incōplexis nō eſt niſi diſpoſitio ad affirmatiōe,aut ad negatiōe tm̄: & circa idē inǫ̃tū idē
natura nō eſt nata agere cōtraria:ergo p itellectū agēte nō fieret cōplexio idifferēter circa idē ſecū
dū affirmatiōe & negatiōe.Si ergo ab eodē libere & p indifferētiā habent fieri circa idē cōplexio

affirmatiua & negatiua:opere ergo intellect⁹agẽtis nõ habet aliqua cõplexio inſtitui.Quare cũ cõ
ponere & diuidere cõplexiones in ꝓpoſitione,agere ſit,& nõ pati,quale eſt intelligere:nec ſeqũs ip
ſum:ſed ipſm ꝑcedẽs ſecũdũ dicta:& hoc nõ habet agere intellectus agens nec intellectus poſſibi
lis ꝟt materialis eſt:neceſſe eſt ergo ꝗ faciat intellectus poſſibilis ꝟt eſt ſpeculatiuus & formalis ſe
cũdũ actũ intellectus,hoc enim eſt tertiũ genus in natura intellectus:ꝟt ꝟult pħs in principio di
cti capituli.ꝟbi dicit Cõmẽt.Sicut neceſſe eſt in ꝟnoquoꝗ gñe naturaliũ tria eſſe ex natura illius
gñis & ei attributa,ages,ſ.& patiẽs & factũ:ita debet eſſe in intellectu.Vñ ſicut cõpoſitũ ex mate
ria & forma aliꝗd agit ꝟt eſt informatũ:ſic & intellect⁹ formalis.Vñ Cõmẽt.aliquãtulũ poſt ꝟbi
pħs aſſignat differẽtiã inter agẽtẽ formalẽ & materialẽ dicit ſic.Notificauit ꝗ ĩtellect⁹ agẽs diſ
fert a materiali in eo ꝗ agens eſt pura actio:materialis aũt eſt ꝟtrũꝗ ꝓpter res ꝗ ſunt hic.Vnde li
cet ex ſe ꝟt nudus eſt:eſt paſſiuus tm̃:ꝟt tamen eſt informatus formis abſtractis a rebus ꝗ ſunt
hic,eſt etiã actiu⁹ quoquo modo:ꝗa diminute.ſ.ꝗa nõ niſi ex eo ꝗ prius paſſus eſt.Vñ ſubdit Cõ
mẽt.Et ideo opinãdũ eſt ſcdm Ariſto.ꝗ ꝟltim⁹ intellectorũ abſtractorũ in ordine eſt iſte intellect⁹
materialis.Actio em̃ eius diminuta eſt ab actione illorũ:cũ actio ei⁹ magis videt̃ eſſe paſſio ꝗ actio
Iſta em̃ actio nõ eſt niſi quoddã iudiciũ quo dicim⁹ hoc eſſe hoc in ꝓpoſitione affirmatiua,vel hoc
nõ eſſe hoc in ꝓpoſitiõe negatiua.Vñ dicit modicũ añ.Et poſſumus ſcire ꝗ intellectus materialis
eſt nõ mixtio ex iudicio & cõprehẽſione ei⁹:ꝗa iudicam⁹ p ipſm res multas numero in ꝓpoſitione
vniuerſali.Auenpace aũt exiſtimauit hãc ꝟirtutẽ eſſe intellectũ agẽtẽ:& nõ eſt ita.Iudiciũ em̃ &
diſtinctio nõ attribuit in nobis niſi intellectui materiali.Vñ ſup principiũ illius cap.Indiuiſibiliũ
intelligẽtia,dicit expreſſe ſic.Intellecta in quibus inueniũt ꝟeritas & falſitas,eſt in eis aliꝗ cõpo
ſitio ab intellectu materiali,& in intellectu qui primo intelligit ſingularia.Si igit̃ hęc cõpoſitio fu
erit cõueniẽs,erit ꝟera:ſinautẽ,erit falſa.Et ita actio intellectus in intellectu fił:is eſt ei ꝗd Empedo
cles dicit de actione amicitię in entia:ꝗ ſicut multa capita erant ſeparata a collis:deinde cõgrega
uit ea amicitia & poſuit fił:e cũ fił:i:ita intellecta prio extiterũt diuerſa in intellectu materiali.Ver
bi gratia,dicere diametrũ quadratũ,& dicere aſymmetrũ lateri.Intellectus em̃ primo intelligit
ſingularia:deinde cõponit ea.Et poſt modicũ adhuc ſubdit Cõmẽt.Et ꝗ hęc intellecta ſingula fa
cit eſſe ꝟnũ p cõpoſitione poſtꝗ erant multa,eſt intellect⁹ materialis.Iſte em̃ diſtinguit intellecta
ſingula,& cõponit fił:ia,& diuidit diuerſa.Et ſicut opus ĩtellect⁹ in habitu eſt cõpoſitio & diuiſ
ſio in ꝓpoſitiõe:ſic & diſcurſus in argumẽtatiõe.Nec tñ ab iſta actione excludit irradiatio agẽtis.
Secũdũ em̃ Cõmẽt.in lõgo cõmẽto,intellecta ſpeculatiua ſunt exiſtẽtia in nobis ex his duob⁹ ĩtel
lectibus,ſ.ꝗ eſt in hoĩe,& intellectu agẽte.Et ſicut cõponere & diuidere dicto modo eſt actio intel
lectus ſpeculatiui in ſpeculabilib⁹:ſic & intellectus practici in agibilibus,ſecundũ ꝗ inferius dicit
pħs.Cũ aũt lętũ aut triſte,affirmãs,aut negãs,imitat̃ aut fugit.Sic autẽ cõponere aut diuidere:&
actione intellect⁹ in ſe formare obiectũ cõplexũ:dicere ꝗddã eſt,quo ꝟſi ſunt phi.Vñ dicit pħs cap.
de mouẽte.Extẽdẽte ſe ĩtellectu & dicere ĩtelligẽtia fugere aliꝗd aut imitari &c.Et eſt ꝟn⁹ alĩ⁹ mo
dus a ꝓdictis dicẽdi,&.vii.in vniuerſo:& iſte modus dicẽdi extẽdit̃ a cõplexiõe termioꝝ in ꝓpoſi
tione,ad colligatiõe ꝓpoſitionũ in argumẽtatiõe.Eiuſdẽ.n.virtutis eſt termios cõplectere enũciã
do,& enũciata colligare argumẽtãdo.¶Ad ꝗrtũ ꝗ eẽntia nõ gñat ſed dr̃ ſcdm Anſel.ergo dicere

Q

R
Ad quartũ.

nõ eſt idẽ ꝗd gñare:Dicẽdũ ꝗ dictũ illud Anſel.veritatẽ habet:& intelligit̃ de dicere eſſentialr̃ ac
cepto.Sed ſic nõ ſola eſſentia dr̃:ĩmo idifferẽter pſone & eẽntia.Vñ nõ video quõ ꝟerũ ſit illud di
ctũ ei⁹.Quid naꝗ ibi dr̃ niſi eorũ eſſentia:ꝗ.d.nihil aliud.Vñ ſubdit.Si ergo illa ꝟna ſola eſt,ꝟnũ
ſolũ ẽ ꝗd dr̃.niſi accipiat dicere ſcdo mõ ꝓdicto:ꝟt ſit idẽ ꝗd dicẽdo cõicare.ſed tũc nõ valeret ꝗd
dicit,ad ꝓpoſitũ ſuũ,ſicut patet.iſpiciẽti.¶Ad qntũ ꝗ dicere ſupponit ꝓductiõe verbi:ꝗd nõ fa

S
Ad quintũ.

cit gñare:Dicẽdũ ꝗ nõ eſt ꝟerũ de dicere prio & ſcdo mõ.Dicere etiã tertio mõ ponit ꝟerbi ꝓdu
ctiõe:quã nõ ſupponit niſi rõne actus demõſtrãdi quẽ ſimul iportat:ꝟt pt̃ ex dictis.In oĩb⁹ aliis
modis ꝟerũ eſt ꝗ ſupponit ꝟerbi ꝓductiõe:de qb⁹ verificat̃ dictũ Aug.Qui aliꝗd dicit:verbo di
cit.Sed iſtud dicere,eſſentiale eſt:ꝟñ nõ eſt idẽ cũ gñare.ſed differt ab eo ſicut eſſentiale a notio
nali.¶Ad ſextũ:ſi tres gñarẽt:eẽnt tres gñantes:& tñ cũ tres dicũt,ſcdm Anſel.nõ ſunt tres dice

T
Ad ſextum.

tes:ergo &c.Dicẽdũ ꝗ in rei veritate ſicut ſi tres gñarẽt:ꝟerũ eẽt dicere ꝗ tres eẽnt generãtes: &
fił:i cũ tres dicũt:vere dicim⁹ ꝗ ſũt tres dicẽtes,ꝗa ꝗcũꝗ verbaliter & ꝑticipialr̃ ſignificat̃,pluralr̃
dicũt̃ de trib⁹,ꝟt ifra debet declarari:loquẽdo de mõ loquẽdi de deo.Vñ dicim⁹ ꝗ tres pſonæ ſũt
tres entes eo ſolo ꝗ p modũ act⁹ ſignificat pricipiũ ens.Vñ nõ video quõ ꝟerũ dicit Anſel.dicẽdo
ꝗ tres ſimul nõ ſunt plures ſciẽtes aut ĩtelligẽtes:ſed ꝟn⁹ ſciẽs & ꝟn⁹ ĩtelligẽs:ita ſi ſingulus ꝗſꝗ
ſit dicẽs:nõ tñ ſũt tres dicẽtes ſed ꝟn⁹ dicẽs,niſi forte ſumat ibi hęc,ſciẽtes,ĩtelligẽtes,dicẽtes,noĩa
liter & ſubſtãtiue,& tũc valet ꝗd cõcludit:ꝗa intẽdit ꝓbare ꝗ nõ eſt niſi ꝟnicũ ꝟerbũ licet tres di
cãt.Si em̃ tres dicũt ꝟerbaliter:tres ſunt dicẽtes ꝑticipialr̃.Et ideo ſi cuilibet dicẽti participialiter

reſpõdet ſuũ verbum: pctuldubio tria verba erunt in diuinis. Aut ſi ſunt vn⁹ dicens nominaliter
& eſſentialiter(qd videtur intelligere p hoc qd ſubdit dicẽs.Sicut ergo vnum eſt in ipſis quod di
cit,& vnum qd dicitur: vna quippe ſapientia eſt in illis quę dicit, & vna ſubſtãtia quæ dicitur)
tunc nõ ſequit cõcluſio quam ſubdit.Conſequitur nõ ibi eſſe plura verba:ſed vnũ verbum.Quia
ſi cuilibet dicere rñderet ſuũ verbũ:cũ dicere iſtud eẽntiale eſt eo q̃ trib⁹ cõuenit: qd eſt aliud a
dicere pſonali:habebit ergo verbũ eſſentiale ſibi reſpõdẽs aliud a verbo pſonali. cuius cõtrariũ ſu
pra determinatũ eſt.Q d etiã eſt cõtra intẽtionẽ Anſelmi:q̃a intẽdit cõcludere q̃ nõ ſit in diuinis
niſi vnũ verbũ pſonale,licet tres dicãt,q̃a illi tres ſunt vnus dicẽs.Vnde ſubdit dicẽs. Licet igitur
vnuſquiſq̃ ſeipm & oẽs inuicẽ ſe dicũt: impoſſibile tñ eſt eſſe in ſumma deitate verbũ aliud prę
ter illud de quo ſic iã cõſtat q̃ naſcit de eo cui⁹ eſt verbũ,vt & vera eius poſſit dici imago,& vere
eius fili⁹.Sed ex hoc nullo mõ põt cõcludere,ſuppoſito q̃ cuilibet dicere reſpõdet ſuũ verbum:a
quo ſumit rõ quã ponit in cap.lxii.& cui intẽdit rñdere in ca.lxiii.Rñdet em̄ interimẽdo illã quę
ponit q̃ in diuinis ſunt tres dicẽtes & tres q̃ dicũt,quã male interimit. Vnde licet hm̄õi falſa ſup
poſitiõe poſita bñ rñdit illi argumẽtatiõi quo arguit.lxii.ca.Tres dicẽtes,& tres q̃ dicũt,ergo tria
verba,nõ tñ rñdet illi argumẽtationi:ergo duo ſunt dicere,ergo duo ſunt verba:& tñ vtrobiq̃ eſt cõ
ſimilis efficacia.Siue em̄ ſit vn⁹ dicẽs,ſiue plures,ſiue vn⁹ dictũ verbo,ſiue plura:ſi dicere eſt vnũ
nõ põt eẽ niſi vnũ verbũ:ſicut ſi ſpirare eſt vnũ,nõ põt eſſe niſi vn⁹ ſpirãt⁹:licet ſint duo ſpirãtes.
Et ſil̄r ſi dicere eſſent plura,& cuilibet rñderet verbũ,neceſſario plura eẽnt verba. Quare aũt plu
rib⁹ dicere in diuinis nõ rñdet niſi vnũ verbũ,in pte tactũ eſt ſupra & iã ampli⁹ dicet . ¶Prętere a
qd Anſel.aſſumit in ſuo dicto,vna ſapia ē q̃ dicit i trib⁹:nõ eſt ver⁹ ſermo,ſi pprie loquat:q̃a nulla
actio neq̃ eſſentialis neq̃ pſonalis elicitur ab eſſentia.vel ab aliquo eſſentiali: ſed ſolũmodo a per
ſona,licet eſſentia ſit ratio eliciendi oẽs actiones diuinas, ſcdm q̃ ſupra,expoſitũ eſt. ¶Ad primũ
in oppoſitũ q̃ idē eſt dicere & gñare:quia loqui dei ſm̄ Greg.eſt verbũ genuiſſe:Dicendũ q̃ verũ
eſt de dicere pſonali de quo loquit Greg. Nihilominus tñ eſt aliud dicere.eſſentiale,qd nõ eſt pe
nit⁹ idē.Illud etiã dicere pſonale,ſcdm rõne differt a gñare,vt patet ex pdictis. ¶Eodẽ mõ dicẽdũ
ad ſecũdũ de gloſſa Gen.ii. Dixit, ideſt verbũ genuit.¶Ad tertiũ,ſi dicere eẽt aliũd a gñare,cũ ipſi
dicere rñdet verbũ,aliud ergo eſſet verbũ in diuinis q̃ verbũ pſonale genitũ a patre:quod nõ eẽt
niſi eẽntiale,qd ſupra negauim⁹ poni in diuinis: Dicẽdũ q̃ dicere eẽntiale ſcdm pdictũ modũ eſt
aliũd a gñare,& q̃ cuilibet dicere rñdet verbũ. Sed hoc põt itelligi dupl̄r.q̃a vl dicere rñdet verbũ
aut qd dicit,aut quo ſiue in quo dicit.Prio mõ adhuc dupl̄r:aliqd em̄ dicit aut pduc̃tiue:aut in
dicatiue. Prio mõ dicit qd dicẽdo pducit. Et ſic ſoli dicere pſonali rñdet verbũ.Solus em̄ pr dicit
verbũ:qd ſufficit in tota trinitate ad pficiẽdũ eſſentiale intellectũ in ſingulis pſonis, vt ſupius &
in Quolibet quodã declarauim⁹.Ipſe em̄ ſolus dicẽdo verbũ pducit.cui⁹ pductiõe ſupponit di
cere eẽntiale,Scdo mõ dicit id qd dicẽdo eſſentialiter ipſo verbo dicto indicat:ſic ois natura intel
lectualis beata dicit ſe,& oẽs alios,& oia alia,vt dictũ eſt ſupra. & tali dicere nõ rñdet verbum qd
dicit,niſi appellãdo verbũ largiſſime id quod indicat verbo ſiue indicãdo dicitur. Sic enim lapis
qui eſt in muro, verbũ eſt eius qui indicat ipm̄ alteri verbo ſuo ad indicãdũ ſiue ſignificãdũ illã
rē impoſito. Vnde iſti dicere licet rñdet verbũ qd dicit indicatiue extendendo nomē verbi,ipſi tñ
nõ rñdet verbũ qd dicit pductiue quale querim⁹,qd proprie eſt verbũ:ſed verbũ qd dicit pduct̃i
ue dicere pſonali a ſolo patre,rñdet etiã iſti dicere vt quo aliquid indicatiue dicit, Iſto em̄ mõ di
cẽdi qd dicit,verbo dicit,vt habitũ eſt ſupra. Et ſcdm hoc rñdẽdũ eſt ad interrogatiões Anſelmi
pdicto cap.lxii.Cũ em̄ querit primo,ſi ita eſt q̃ pater & filius & eorũ ſpiritus, vnuſquiſq̃ ſeipſum
& alios ambos dicit,quõ non ſunt in ſumma eſſentia tot verba quot ſunt dicẽtes:& quot q̃ dicũ
tur:Et eſt dicendũ q̃ eo non ſunt tot verba quot dicẽtes & quot dicti,quia nõ oẽs dicũt,nec di
cunt pductiue:ſed indicatiue tñ.Sed pductiue ſolũ vn⁹ dicit:& vnicus ſolus dicit:qui ſolus ver
bum eſt quo oms dicũt indicatiue.Nec valet(vt dictũ eſt)reſpõſio qua reſpondet ca.lxiii.negãdo
plures eſſe dicentes,& plures qui dicũtur.Hęc enim ſimpliciter concedenda eſt.Et qd arguit con
tra hoc per ſimile in hoĩbus,q̃ ſi in eis plures ſunt dicentes,aut plura quę dicũtur,plura ſunt ver
ba,ſubdens de pluralitate dicentiũ & vnitate dict̃i:Si em̄ plures hoĩes vnũ aliqd cogitatiõe dicãt
tot videntur eſſe verba quot cogitantes,quia in ſingulorum cogitationib⁹ verbũ ei⁹ eſt: Dicẽdũ
q̃ verũ eſt,quia idem verbum numero creatũ de illa re non poteſt eſſe in ſingulorum cordibus.
Sed ſicut corda ſunt ſingula & diuerſa,ſic & verba ſingula & diuerſa oportet eſſe in ipſis. Sed ſi
vnũ cor eſſet ſingulorũ,& tãtum vnũ omniũ eoꝛ,quẽadmodũ vnus intellec⁹ eſſentialis eſt ſingu
larũ diuinarũ pſonarũ,& tñ vnus omniũ,nõ oporteret q̃ eſſent tot verba quot dicẽtes,imo ſuffi
ceret q̃ vnus eoꝛ diceret vnicũ verbũ pductiue qd eſſet pductũ in corde,qd eſt eſſentialiter ſingu
loꝛ:quo oẽs ſimul & ſinguli dicũt indicatiue,ſicut modo ſufficit.Et ideo in diuinis neceſſariũ

V

X
Ad primũ
in oppoſitũ.
Y
Ad ſecundũ
Z
Ad tertium

eſt ⱥ vnic⁹ dicat vnicũ verbũ ꝓduꝛtiue:ꝗd productũ eſt in itellectu eſſentiali,qui eſt ſingularũ ꝑ
ſonarũ diuinarũ:quo oẽs ſimul & ſinguli dicũt indicatiue. Similiter ⱥ ſubdit de vnitate dicetis,
& pluralitate dictoꝛ.Ite ſi vnus hõ cogitet plura.&c. Dicendũ ⱥ re vera ſi vnus hõ cogitet plu
ra aliqua,tot verba ſunt in mẽte cogitãtis quot ſunt res cogitate,quia illarũ nõ eſt vna res ſingu=
laris,nec gcquid realitatis eſt in vna eſt in alia. & verbũ format de illis cogitatis ſecũdũ ⱥ diuer=
ſe ſunt & ſingule,& nõ ſcdm ⱥ i vna aliqua realitate ſingulari cõueniũt,de qua ꝑ ſe cogitata for
metur verbũ vnicũ ſingularũ idicatiuũ.Propter ꝗd verbũ expreſſum in mẽte cogitãtis de vna il=
larũ,illius ſolius eſt declaratiuũ,& nullo mõ alterius illarũ.& neceſſario oportet ⱥ ſingulis rebus
cogitatis reſpondeãt ſingula verba in mẽte.Sed in diuinis ſi vna ꝑſona intelligat ſiue cogitet plu
res,vt ſe,& alios,large ſumẽdo cogitare(Proprie em nõ admittit in diuinis ſm Aug.xv.de trinit.
ca.xvi.)nõ tñ tot ſunt verba i mẽte cogitãtis quot ſunt ꝑſone cogitate.Quia verbũ in diuinis nõ
format de diuinis ꝑſonis cogitatis ſiue intellectis ſcdm ⱥ ſunt diuerſe & ſingule, ſed ſcdm ⱥ in
vna realitate ſingulari cõueniunt:de qua cogitata ꝑ ſe & intellecta ab eo qui a ſe nõ ab alio habet
ꝗd intelligit,format verbũ nõ niſi vnicũ ſingularũ ꝑſonarũ diuinarũ indicatiuũ .Et idcirco non
oportet ⱥ ſingulis ꝑſonis diuinis intellectis,ſiue ab vna earũ,ſiue a ſingulis,reſpõdeãt ſingula ver
ba in intellectu intelligẽtis:ſed vnicũ platũ ab vno eoꝛ ſufficit.Propter ꝗd neceſſariũ eſt ⱥ a nullo
alioꝛ quãtũcuꝗ intelligat ſe & alios,verbũ aliꝗd ꝑferatur.Q₂ aũt verbũ in diuinis nõ format de
ꝑſonis diuinis intellectis ſcdm ⱥ ſunt ꝑſonæ ſingule,ſed ſcdm ⱥ in vna eẽntia cõueniũt vt prin=
cipaliter & formaliter intellecta in formãdo verbũ,patet ex hoc ⱥ ꝑſona prima in diuinis nõ pro=
fert verbũ niſi actu eſſentiali intelligẽdi,qui aſcribitur memorie, quaſi ſubtracto fundamẽtaliter
actui dicẽdi notionaliter,vt quo eliciat ipm actũ dicendi tanꝗ notitiã de notitia,& ſimile de ſimi=
li:ſed hoc ꝑecipue ipſo obiecto ꝗd intelligit tanꝗ magis formali in illo.Id aũt quo quis principa
liter & formaliter ꝓducit in ꝓducẽdo ſimile de ſimili,eſt hoc in quo ambo cõueniũt ꝓducẽs & ꝓ
ductus,nõ aũt quo vnus ab altero diſtinguit.Id aũt in quo in diuinis ꝓducẽs & ꝓductũ cõueni
unt,nõ eſt niſi ipa cõis eẽntia.Nõ ergo in diuinis verbũ format de pluribus intellectis niſi ſub ra
tione vni⁹ principaliter intellecti.Propter ꝗd nõ oportet de plurib⁹ ꝑſonis itellectis in diuinis,for
mari plura verba: ſicut in hoib⁹ vbi plura intelligunt nõ ſub rõne vni⁹ principaliter itellecti.Q ꝗ
credo Anſelmũ intellexiſſe cũ dixit.Quidnã ibi dicit niſi eoꝛ eẽntiã? ſumẽdo ſcilicet dicere pro in
telligere.**C**Ad quartũ ſi in diuinis eſſet dicere aliud a gñare illud eſſet eſſentiale:Dicẽdũ ⱥ ꝑcul
dubio verũ eſt.aliter em nõ cõueniret ſimul trib⁹. Q₂ autẽ aſſumit,ergo haberet verbũ eſſentia=
le in diuinis ſibi reſpõdẽs:Dicendũ ſcdm iã dicta,ⱥ re vera habet verbũ ſibi reſpõdens,vt quo di
cens dicit,nõ eſſentiale,ſed ꝑſonale. Similr habet verbũ iproprie dictũ reſpõdens ſibi: vt ꝗd dicen
do indicat,nõ aũt vt ꝗd dicendo ꝓducit. Tale em verbũ,eſſentiale ſcilicet ꝗd dicit indicatiue,nõ
reſpõdet niſi dicere eſſentiali:ſicut verbũ ꝑſonale ꝗd dicit ꝓductiue,reſpondet dicere ꝑſonali ſiue
notionali.& hoc quia tale dicere ſcilicet eſſentiale, nõ ſignificat in diuinis adintra actũ ꝓducendi
ſed manifeſtãdi ſolũ,ſicut ſignificat dicere ꝑſonale: adextra autẽ bene põt ſignificare actũ produ=
cendi ipſas.ſ.creaturas,ga vt dicit in Pſal.Ipſe dixit & facta ſunt. Tale em dicere dei ſimul impor
tat & manifeſtare & ꝓducere,ga ꝓducẽdo creaturas manifeſtat illas & ſe in illis. Vñ verba eſſen
tialia reſpõdentia dicere eſſentiali ꝓductiue,nõ ſunt niſi ipę creaturę:vt ſcdm hoc quelibet crea=
tura verbũ dei dici poſſit,dicẽte Greg.vii.moraliũ ca.xi.Pleruꝗ ad nos verba dei nõ ſunt dictoꝛ
ſonit⁹,ſed effect⁹ opationũ.In eo em nobis loquit ꝗd erga nos tacitus opatur. Et vlteri⁹ arguit
ⱥ dicere eẽntiali nõ põt reſpõdere verbũ ꝑſonale vt quo dicit:ga verbũ ꝑſonale nõ eſt ſimilitudo
eoꝛ ꝗ dicunt dicere eẽntiali:eo ⱥ nõ eſt ſimilitudo creaturarũ & totius trinitatis,ꝗ dicitur dice
re eẽntiali:Hãc rõnem tractat Anſel.Moñ.ca.xxxii.vbi tãgit argumẽtũ: ſed incipit eã tractare ca.
xxxi,vbi dicit ſic.Quid tenẽdũ eſt de verbo quo dicũt & ꝑfecta ſunt oia?erit aut nõ erit ſilitudo
eoꝛ ꝗ ꝑ ipm facta ſunt?Et determinat plane iu illo ca.xxxi. ⱥ nullo mõ debet dici eſſe ſimilitudo
creaturarũ. Et in fine ca.lxiii.determinat ⱥ nec ſuiipſius nec ſpũs ſancti eſt ſilitudo,ſed ſoli⁹ pa
tris:ſed dictũ ſuũ aſſumptũ in argumẽto nõ exponit:& ſic formę argumẽti nõ ſatiſfacit,vt patet
inſpicienti. Et eſt dicẽdũ ⱥ differt dicere aliꝗd eſſe ſimilitudinẽ alteri⁹,& aliꝗd eſſe ſimile illi.Sил
litudo em ſicut & imago non põt aliꝗd dici alteri⁹,niſi ꝗd ſicut exẽplatũ ſm imitatione alteri⁹ vt
exẽplaris ꝓductũ eſt. Vñ imago Herculis dicit eẽ ſilitudo Herculis & nõ ecõuerſo.& ſic fili⁹ ſo=
lius ꝓris eſt ſilitudo,& ſolus ꝓ ſeipm dicit verbo vt ſimilitudinẽ ſua.Simile aũt alteri põt dici &
exẽplar exẽplato,& ꝗd fit ad imitationẽ alteri⁹,& id ad cui⁹ imitationẽ fit.Vñ ga nihil dicit ſimi
le alteri niſi habendo in ſe ei⁹ ſimilitudinẽ,de vtroꝗ bñ dicit ⱥ h₃ in ſe ſimilitudinẽ alteri⁹,licet
de altero ſolo bñ dicit ⱥ eſt ſimilitudo alteri⁹:& propter vtruꝗ,ſcilicet & quia habet in ſe ſimili
tudinẽ alterius,& ga eſt illius ſimilitudo,bene verbo dicitur,& id cui⁹ ipm verbũ eſt ſimilitudo,

**A**

**B**
**Ad quartũ.**

**C**

& cuius habet ſimilitudine.Et ſcdm hoc reſpondendũ eſt ad interrogationē Anſelmi qua quęrit
quõ quod ſimplex eſt veritas,poteſt.eſſe verbum eorũ quorũ non eſt ſimilitudo:Dicendo ꝗ bene,
quia etſi non ſit ſimilitudo eorũ,habet tamen eorũ in ſe ſimilitudinē,licet aliter ꝗ illa habent in ſe
eius ſimilitudinem:quia ſcilicet ipſum habet illorum ſimilitudinem vt exemplar:illa vero huius
vt exēplata:vt ſcdm hoc habere ſimilitudinē alteri⁹ vt exēplatū ſiue pducũ ad illius imitatione,
& hoc rõne modi pducēdi,vt iſta videbiꞇ:facit ꝗ habes ſimilitudinē,dicit alteri⁹ ſimilitudo:dum
eñ pſectã illi⁹ in ſe habeat ſimilitudinē.Et ſcdm hoc verbũ eſt ſimilitudo ſoli⁹ patris,ſicut e verbũ
ſolius patris,& nullũ aliorum eſt proprie ſimilitudo euiuſcũꝗ alterius. Alio tamē modo eſt verbum alioꝛ,eo ſcilicet quo ſimile eis eſt,& productũ vt eoꝛ repreſentatiuũ,ſicut exēplar exēplati.
Propter qd dicit Anſelmus ca.xxxi.Si nullã habet mutabiliũ ſimilitudinē quõ ad exemplar illius
facta ſunt?quaſi diceret nullo modo. Similitudo eñ(vt dicit ca.lxiii.)nõ eſt in vno ſolo ſed in plu
ribus.Et ſecundũ hoc aliter verbũ noſtrum habet ſimilitudinem rerum,aliter verbum diuinum.
Verbum eñ noſtrũ inquãtum eſt ſpeculatiuũ,habet ſimilitudinem rerũ vt exemplatũ & imago
ab eis menti impreſſa,& ſic eſt ſimilitudo eaꞇũ?ſcdm ꝗ dicit Anſel capi.xxxi. Omnia verba quib⁹
res quaſlibet mente dicimus,ſimilitudines & imagines ſunt rerũ quarũ verba ſunt.Verbum vero
noſtrum inquãtum eſt practicum & vt ars producendi res artificiales in eſſe ſcdm ipſum,habet
ſimilitudinē rerum vt exemplar earum.Quicquid eñ facimus,verbo noſtro pręuenimus.Verbũ
autem diuinũ inquãtum eſt ſpeculatiuũ,& inquãtum eſt quoquo modo practicum,vtroꞇ modo
habet ſimilitudinē rerum vt exemplar:ſed vt eſt ſpeculatiuum,vt eſt exemplar declaratiuũ notitię ſpeculatiuę ſimplicis de eis in diuina eſſentia: vt vero eſt practicũ,vt eſt exēplar pductiuũ earum in eſſe,& ita vt eſt ars. Quomodo aũt verbũ dei?ſimpliciter ſpeculatiuũ eſt,& practicũ nõ ni
ſi quoquo modo,inferi⁹ declarabitur. Nec tamē ſequitur,ꝗ omnis ſimilitudo ſit ſcdm rationem
exempli,& exemplati.Bene enim eſt eorum ſimilitudo quę ſcdm neutram rationem adinuicem
ſimilitudinem habent inter ſe: qm verbũ habet ſimilitudinē ad ſpiritũ,etſi nõ proprie ſecũdũ ratione exēpli & exēplati:licet ſpũs ſanctus procedat a filio,vt infra declarabiꞇ. ❡Ad quintũ:ꝗ gene
rare & dicere ſi differũt,aut abſoluto aut relatiuo:Dicendũ ꝗ relatiuo nõ cõtrarietatis,ſed diſpa
rationis. Inquãtum eñ dicere eſt notionale & ſola ratione differunt,tunc ſunt vna relatio & notio ſcdm rem,& duę diſparatę ſcdm rationem.Inquãtum vero dicere eſt eſſentiale,tunc generare
eſt notio quia vni ſoli cõuenit,ſed nõ dicere,quia cõuenit pluribus.Et dicunt duas relationes diſparatas. Generare eñ dicit relationē ſcdm rem ad gñari,ſicut gñans ad genitũ:dicere vero dicit
relationem ſcdm rõnem & ad verbũ & ad ea quę dicitur verbo.Omnis eñ relatio diuinis attributa rationis eſt exceptis illis quę ſunt notionales.

D
Ad quintũ.

Irca tertiũ arguiꞇ ꝗ in patre ſit aliqua ꝓprietas,alia a generare & ingenito.Pri
mo ſic.paternitas eſt patris ꝓprietas,quę nec eſt ingenitũ eſſe eadem rõne qua
rõne gñare nõ eſt ingenitum eſſe, nec eſt ipm generare:quia nõ ex eo eſt aliꝗs
pater ꝗ gñat.Homo eñ generans nondũ eſt pater quouſꝗ habeat filium ſecũ
exiſtentē,ergo &c. ❡Scdo ſic.ratio eliciendi actũ gñationis non eſt niſi diuina
eſſentia vt determinata ad talem actum:ad quę non determinatur niſi aliqua
ꝓprietate,ſcdm ꝗ patet ex ſupra determinatis. ꝓprietas autem illa neceſſario eſt alia a generare
quia nihil determinat aliud reſpectu ſuiipſius.ſimiliter eſt alia ab ingenito,quia ingenitum ſupponit principium generandi,vt habitum eſt ſupra.ergo &c. ❡Contra.ſi in patre eſſet proprietas
illi propria alia a generare & ingenito,cũ illa neceſſario eſſet notio,tũc ſex eſſent notiones,tres pa
tris,vna cõmunis patri & filio,vna propria filio,& vna ꝓpria ſpũi ſancto:quod eſt cõtra ſuperius
determinata.

E
Quęſt.III.
Arg.i.

2

In oppoſitũ.

❡Dicendũ ad hoc:ꝗ proprietatem vnã ab alia eē aliã, poteſt intelligi dupliciter:
vel ſcdm rē vel ſecũdum rõnem.Si primo modo,hoc ſecundũ ſuperius determinata non contingit ex ordine ad eius fundamentũ ſiue ſubiectum,ſed ſolũmodo ex ordine ad obiectum.Cum eñ
in diuinis non eſt proprietas niſi relatiua,& relatio comparationem importat & ad fundamentũ
ſiue ſubiectũ & ad obiectũ,& in diuinis fundamētum omniũ relationũ nõ tam in eadem perſona
ꝗ in diuerſis eſt idem:vt ipſa diuina eſſentia: eadem eſt ergo realitas omniũ relationum diuinarum:& ideo ſecundũ huiuſmodi comparationē non differũt realiter ſiue ſecundum rem. Vnde
ſi in diuinis relatio vna ſcdm rē eſt alia ab altera,hoc nõ contingit niſi ex ordine ad obiectũ:ꝗa
ſcilicet illud eſt aliud & aliud,vt ex alio ordine habeat relatio ꝗ ſit realis ſimpliciter.ſex ordie ad
ſubiectum ſiue fundamētũ:& ex alio ordine ꝗ ſit relatio vna realis alia ab altera,ſcilicet ex ordine

F
Reſponſio.

ad obiectū.Quare cum pater non potest habere ordinem relatione aliqua nisi ad triplex obiectum ad vnū scilicet pprie negatiue.f.ad nō genitorē,q̄ importat per ingenitū: & ad vnū pprie affirma tiue,scilicet ad genitum,quę importat noie generare:& ad tertiū cōmuniter cū filio,scilicet ad spi ratū,quę importat cōmuni spiratione actiua:q̄ nō est pprietas ppria patris:de quali quęrit q̄stio: in patre ergo nō possunt esse nisi duę pprietates ei pprie,alię abinuicē scdm rem,scilicet ingeni tū & gn̄are.Loquēdo aūt de alietate scdm rōne,sic necesse est ponere in patre aliā pprietatē ab in genito & gn̄are:quę tn̄ nō sit alia scdm rem ab altera illarū vt a gn̄are. Proprietas em̄ importata noie geniti ad nō genitorē,quia est negatiua,& negatio negat vniuersaliter,vnico mō respectū di cit nō geniti ad nō genitorē.Proprietas vero gn̄antis ad genitum qa est positiua siue affirmatiua necessario pluribꝰ modis scdm rōnem dicit respectū gn̄antis ad genitū. Quia vno modo dicit re spectū imediate gn̄antis ad genitū,scilicet vt est hiis ipm̄ secū iam existentē & iā pductū: qui em̄ portat noie pfn̄itatis,pater em̄ eo est pater,qa secū habet filiū a se genitū.Dicēte Aug.vii.de trin. in principio.Ideo pater quia est ei fili⁹.Hic etiā dicit Hila.viii.de tri.ca.xix.Pater nō est pr̄ nisi per filiū.Nō aūt quia gn̄at aut gn̄auit ipm̄,vt tangit in primo argumēto.quia nome paternitatis qua si cōsequit gn̄are & gn̄ari.Dicēte Hila.ix.de trin.ca.xv.Exitio a deo est absoluta natiuitas quā pa terni nois cōsequuta est cōfessio.Vnde pater nō dicit pater qa gn̄ans nec ecōuerso: sed precise qa secū habet filiū a se genitū:& tā fundat paternitas supꝶ ipm̄ gn̄antē vt iā generauit,q̄ supꝶ ipm̄ vt iā gn̄at,aut supꝶ actum,aut supꝶ potētiā gn̄andi actiue:& similr filiatiō supꝶ ipm̄ genitū.Alio vero mō dicit respectū generātis ad genitū mediāte actu generationis,qui tripliciter pōt mediare inter ge nerantē & genitum. Vno mō inquātū generās est aptꝰ gn̄are. Alio mō vt est potēs gn̄are. Tertio modo vt est actu generās.Et primo mō significat noie gn̄atiui:scdo mō noie potētie gn̄andi:ter tio modo ipso actu gn̄andi.Et sic eadē pprietas scdm rem & ex ordine ad fundatū & ex ordine ad obiectū importat istis quatuor q̄ sunt gn̄atiuū,potēs gn̄are,gn̄ans,pater:alia aūt & alia scdm rō nē tn̄ ex diuerso mō respiciēdi obiectū. ℂDe alietate ergo scdm rōnem bene pcedunt duo prima obiecta,pbantia ꝗ in patre sit proprietas aliqua alia ab ingenito & generare: quę tamē scdm rem nullo mō potest esse alia ab altera:vt procedit tertia ratio.

Irca quartū arguit ꝗ gn̄are nō sit pprietas cōstitutiua psonę prr̄is,primo sic.ge nerare nō est pprietas nisi psonę iam cōstitutę,habētis respectū & ordinem ad genitū:quia est actio notionalis,q̄ nō elicit nisi a psona gn̄ante in ordine ad ge nitū ad quē terminat.Persona aut non cōstituit nisi pprietate : ergo gn̄are est pprietas psonę iā cōstitutę pprietate qua habet respectū ad genitū. ergo &c. ℂScdo sic.Gn̄are sm̄ Damasceni est opus naturę,non vt absoluta est: quia sic est in qualibet diuina psona.ergo est opus naturę,vt est in determinata psona.persona aūt non est determinata nisi pprietate cōstituente ipsam.ergo &c.ℂContra,nō est in diuinis pprietas reali ter distinguēs vnā psonā ab alia nisi sit eius cōstitutiua/quia tūc esset aduentitia & superueniēs psonę iam cōstitutę & distinctę/& esset accidentalis,vel scdm rōnem tātum distinguēs personam a persona.sed generare realiter distinguit generantem a genito.ergo &c.

ℂDicēdū ꝗ generare in patre dupliciter consideratur.Vno modo cōmuniter vt distinguitur scdm rem a genito,& cōprehēdit in se oēm modum quo generās respicit genitum. Alio modo proprie vt distinguitur scdm rationem a generatiuo potente generare & habente se cum generatum.Loquendo de generare primo mō,bene verum est ꝗ est proprietas cōstitutiua personę patris.vt procedit tertia obiectio.Secūdo autem modo proprie intelligitur quęstio,an,sci licet generare sub ratione eius qd̄ est generare,sit proprietas cōstitutiua personę primę:an pater nitas sub ratione paternitatis:an generatiuum sub ratione generatiui:an potens generare sub ra tione tali.Et est dicendum:ꝗ quia generare sub ratione eius qd̄ est generare,dicit actum elicitum ab vna persona producente alteram per illum actum,qui necessario supponit personam perfectam cōstitutam actum elicientem, nullo modo generare sub ratione eius qd̄ est generare potest esse proprietas cōstitutiua personę generantis,secundum ꝗ procesſerunt duo prima obiecta. Immo ordine quodam rationis,ratio secūdum quam proprietas est cōstitutiua personę illius,debet esse prima respectu eius qd̄ generare, sub ratione eius quod est generare.ℂAd cuius intellectum scien dum:ꝗ alietas secūdum rationem (de qua habitū est in quęstione precedēte)inter illa quatuor, quę sunt generatiuū,potens generare,generans,pater, siue habens secum genitum, principaliter intelligenda est ex parte ordinis differentis secundum rōnem ad ipsum obiectum,secundum me

G

H
Ad argu.

I
Quest.IIII.
Argu.i.

2

In oppositū.

K
Responsio.

L

diatius & imediati⁹,& p hoc ſcdm rōnē primi,ſecūdi,tertii,& quarti.Rō eī illa ſcdm quā immediatius reſpicit genitū.ſemper prima eſt reſpectu illius ſcdm quā reſpicit illum mediatius. Et qa
non reſpicit ipſum genitū niſi vt perſona conſtituta proprietate illa qua reſpicit: ideo proprietas
vna eſt ſcdm rem qua generans reſpicit genitum,quomodocūq; differēti ſcdm rationem reſpiciat
illū.Quia vero nō cōſtituit pſonā pprietas aliqua niſi vt eſt dans eſſe pſonale eidē,ideo nō eſt pro
prietas illa cōſtitutiua pſonē patris niſi ſcdm rōnē illā qua dat eē ei. Hęc aūt rō eſt pricipiū rōnū
ſcdm quas pſona alia ab ipſa habet emanare vel ſecū eſſe,cuiuſmodi nō ſunt illę tres vltimę.ſ.poſ
ſe gñare,gñans,& pater:qa ſupponūt eē pſonę cui⁹ ſunt.Scdm rōnē ergo illā primā qua pater dicit eſſe gñatiuus,eſt pprietas dicta cōſtitutiua pſonę patris,dans ei eſſe pſonale,& vt ſit principiū
primū emanādi pſonā aliā ab ipſa:& oēs alię rōnes ſunt quaſi ſupuentitię perſonę iam cōſtitutę in
eſſe,Et eſt in patre rō proprietatis quę eſt gñatiuū quaſi remotior ab obiecto.ſ.filio:& ſonat in ſolam aptitudinē pducēdi illū.Vnde oē potes gñare & aptū natū gñare,& nō ecōuerſo,Puer eī eſt
apt⁹ nat⁹ gñare:ſed nō poteſt gñare.Et poteſt gñare eſt remotior a filio q̃ ſit gñare,quia ois gñans
pōt gñare,ſed nō ecōuerſo.Ois eī vir pfect⁹ pōt gñare,ſed nō ois gñat.Et filī gñans eſt rō remotior a filio q̃ pater,qa nō eſt pater quin gñat aut gñauerit,ſed nō ecōuerſo.mortuus eī ante for
mationē plis in vtero gñauit eū quoquo mō,nūq̃ tñ ſuit pf ei⁹:qa nunq̃ ſuit ſimul exiſtēs cū ple.
Idcirco ergo gñatiuū eſt ſcdm rōnē primū,potes gñare ſecundū,gñare vero tertiū,pf aūt quartū.
Propter qd̄ pprietas illa realis vnica qua generans reſpicit genitū nec ſub rōne pſis, nec ſub rōne
gñare,nec ſub rōne potētis gñare,ē conſtitutiua pſonę gñantis:ſed ſolūmodo ſub rōne gñatiui,&
ſub illa rōne ſola ſupponit eā pprietas alia q̄ eſt igeniti,aut ſub alia rōne cōiori,q̄.ſ.eſt a quo ali⁹
prio,iquātū includit in aliquo determinato,ſiue ſuerit gñatiuū,ſiue ſpiratiuū,ſiue creatiuū,ſiue
aliud hmōi vt iſra declarabit. Et ſic fili⁹ eſt pgenies ingeniti, vt dicit Hila.ii.de tri,ca,v.vt ordine
quodā rōnis gñatiuū eſt primū.Et per hoc pſona illa habet rōnē primitatis oīmodę vt ſit primus,
quia eſt ille qui ex ſe eſt,& a quo oē q̄d eſt cōſiſtit.Dicente Hila.ii.de Trinit.capi.iiii.Pater ex quo
ōme q̄d eſt cōſiſtit:certe in ſe eſt,nō aliūde q̄d eſt ſumēs,ſed illud q̄d eſt in ſe ex ſe cōtinens. Et ex
hoc vlteri⁹ habet rōnē ingeniti: vt ingenitū ordine quodā rōnis:ſit ſecūdum reſpectu generatiui.
Quęadmodū cū primum ſcdm duplicē reſpectū ſuī vno modo dicit quia ab ipſo alius,alio modo quia ipm nō ab alio,ordine quodā rōnis in diuinis prior eſt ratio ordinis qua dicitur primū eo
q̃ ab illo eſt alius,q̃ eo q̃ ipm non eſt ab alio,quia non conuenit ei omnino ratio primi niſi ratione
ſuppoſiti,& ratio ſuppoſiti nullo modo accipi poteſt in diuinis niſi ex ordine & reſpectu ad aliud
ſuppoſitum.& hoc reſpectu poſitiuo qui eſt ad illum qui ab ipſo, non negatiuo qui eſt ad non illum a quo ipe,vt habitum eſt ſupra determinatis,vt de ordine generatiui & ingeniti contrarium cōtingat modo in diuinis,cū nō eſt in eis niſi ſuppoſitū relatiuū,ei q̄d cōtingeret ſi eſſet in
eis ſuppoſitū primū abſolutū. In illo eī ſuppoſito abſoluto prior ſcdm rōnem eſſet rō ingeniti q̃
gñatiui:in abſoluto eī prior eſt rō nō eſſendi ab alio q̄ a quo alius in relatiuo aūt cōtingit econtrario,quia cōſtituit in eſſe pſonę per hoc q̃ eſt a quo alius, nō aūt per hoc q̃ non eſt ab alio. Sed
hoc q̄d nō ē ab alio,neceſſario cōuenit ei ex hoc q̃ ab eo eſt ois ali⁹,& ōme aliud:& pcipue ex hoc
q̃ ab eo eſt ille q̄ eſt ab alio primo.Ex hoc enim q̃ eſt a quo alius,eſt aliquis ſimplr,& ex hoc q̃ eſt
a quo alius primo eſt,eſt ille q̄ eſt is qui eſt ōme q̄d eſt in ſe ex ſe obtinēs nō ab alio:& ex hoc eſt in
genitus.ita q̃ licet rō ingeniti ſupponit in prima pſona rōne qua alius eſt primo ab ipo,& rōnem
qua ex ſe oīa ſua in ſe obtinet:& ab vtraq; trahat rō ingeniti:dicēte Hila.iiii.de tri.ca.v.Inter cęte
ra addiderūt ſe ſolū patrē innaſcibilē cognoſcere:tanq̃ quiſq̃ poſſit ambigere eū eſſe a quo ille ge
nitus:ſit p quē oīa ſunt,id q̄d ipſe eſt a nemine conſecutum:trahit tamen ipſa ratio ingeniti vt a
rōne prima ab illa qua alius eſt a perſona prima:trahit vero vt a ratione pxima ab illa qua perſona illa habet in ſe oīa ex ſe nō ab alio,Vt quo ad ſecūdū intelligam⁹ dictū illud Hila.iii.de tri.cap.
iii.Pater eſt extra oīa & in oībus,nō aliunde quid ſumēs, ſed ad id q̃ ita manet ſibi ipſe ſufficiēs:
hoc igit eſt ingenitum.Quo ad primū vero intelligamus dictum illud eiuſdem.iiii.de trinit.cap.
iii.Nouit eccleſia vnum deum ex quo omnia,& vnum per quem,ab vno vniuerſorum originem
per vnū cūctoꝝ origine & creatione.In vno ex quo auctoritate innaſcibilitatis intelligit.Conſitet
patrem ęternum,ab origine liberum:cōfitetur & filii originem ab æterno nō per ſeipſum ſed ab
illo qui a nemine ſemper eſt.Eſt igitur in pſona prima ratio prima eſſe genetatiuum,ſcdm quam
eſt conſtitutiua perſonę illius principaliter:ſecunda vero ratio eſt ingenitum,tertia vero potētia
generandi actiua,quarta vero gñare,quinta vero & vltima patrē eſſe,& ſcdm nullā iſtarum quatuor eſt perſonæ conſtitutiua:licet ſecundum omnes illas rationes eſt eadem pprietas ſcdm rem.
¶Rationes autem vtriuſq̃ partis patent exdictis.

M

N
Ad argu.

O
Quæſt.V.
Argu.i.

Irca.v.arguit q̃ gñare nõ ſit p ſe op⁹ pfñi intellect⁹,prio ſic.nihil pfectũ eſt p ſe gñatiuũ pfectiõis ſuę in ſeipſo:qa p hoc eēt gñatiuũ ſuiipi⁹,& idē ſcdm idē reſpectu ſuiipi⁹ eēt in actu & i potētia,& iret ſeipſo de potētia in actũ:q̃ oĩa falſa ſunt & icõpoſſibilia.intellect⁹ pfnus pfect⁹ eſt verbo gñato in ipſo,vt habitũ eſt ex ſupra determinatis.ergo intellect⁹ pfnus nõ eſt p ſe gñatiuus verbi. Sed generare nõ eſt opus niſi ei⁹ qd eſt gñatiuũ verbi.quia in diuinis nõ gñatur niſi verbũ,qd eſt ipſe filius,vt patet ex pdeterminatis.ergo &c . Scdo ſic.gñare eſt agere.intellectus nõ eſt virt⁹ actiua ſed paſſiua.ergo &c. Cõtra ſic. Scdm ſupius determiata gñare i diuinis ē op⁹ naturæ vt intellectualis eſt: natura aũt itellectualis vt itellectualis eſt,nõ eſt niſi intellect⁹.ergo &c.

2
In oppoſitũ.

P
Reſponſio.q.

In huius queſtionis diſſolutione nõ eſt opus diu immorari : quia patet ex pdeterminatis.Cum enim natura incorporea quælibet intellectualis eſt & volutaria,intellectus & volutas duę ſunt potētię principales in illa:& ſe tenet intellectus cũ principio qd eſt natura,qd ex oppoſito diſtinguit contra principiũ qd eſt voluntas,quę ſunt principia duarũ pductionũ in diuinis.Eſt eñ intellectus principium pductionis verbi,ſiue filii:voluntas vero ſpũs ſancti. Et ideo cũ productio verbi ſit gñare,principiũ gñationis actiuę eſt intellectus nõ vt qui gñat,ſed vt quo generãs generat. Qui eñ generat,nõ eſt niſi pſona,ſed aliquo ſui vt principio generatiuo.Et hoc iuxta illud qd dicit Augu.xv.de trini.cap.xxii.Intellectus & amor mea ſunt non ſua,nec ſibi,ſed mihi agunt qd agunt:immo ego p illa.Et ſcdm hoc dico q̃ proprie loquendo generare in diuinis nõ eſt opus paterni intellectus,ſed ipſius patris,cuius eſt intellectus.Aſcribendo tñ actionē ei quo agens agit vt principaliter actiuo,queſtio eſt vtrũ aſcribēda eſt paterno intellectui actio q̃ eſt gña re.Et eſt dicendũ q̃ intellectus vt diſtinguitur cõtra voluntatē dupliciter poteſt cõſiderari. Vno modo vt nudus & purus nõ informat⁹ ab obiecto aliqua notitia ſiue habituali,ſiue actuali.Alio modo vt eſt notitia aliqua informatus.Primo mõ quaſi virtus paſſiua eſt & quaſi materialis nata informari notitia ab obiecto agēte in ipſam.Scdo mõ cõſiderat dupl̉r. Vno mõ vt eſt iformat⁹ notitia quaſi ſimplici,& quaſi confuſa.Alio modo vt eſt informatus notitia declaratiua.Primo modo vocatur memoria,nec generatur aliquid in ipſo intellectu ipſo agente,aut etiã agente illo ipſo cuius eſt intellectus,ſed ſolũ agēte obiecto,nec dicitur talis notitia in creaturis aut in diuinis verbum.Et licet in creaturis differt re ab ipſo obiecto cognito,& ab intellectu in quo eſt,in deo tamē differt ab eiſdem ſola rõne.Secundo aũt modo vocatur intelligentia:& eſt in ipſa gñatio notitię declaratiuę ab illa quę eſt ſimplex in memoria,dicēte Aug.xv.de trin.ca.xxi.Gignit intimũ verbũ qd nullius lingue eſt,tãq̃ ſcientia de ſcientia,& viſio de viſione,& intelligētia quę apparet in cogitatione de intelligentia quę in memoria iam fuerat.& cap.x.Ex ipſa ſcientia quã memoria tenemus.&c.vt ſupra habitũ eſt ſepi⁹.Et ſit iſta cognitio nõ a ſola notitia memorię,ſed etiã ab ipſa memoria cõtinēte notitiã illã in ſe,& ab ipſo obiecto relucēte in ipſa notitia,& ſic & ab ipſo cognoſcēte inquãtũ cognoſces eſt,& a cognito ſimul,vt declaratũ eſt ſupra. Sed hoc nõ niſi cõuerſione itellectus,qui ſub ratione memorię eſt notitia ſimplici informat⁹.Intellectus eñ qui vt eſt ſub tali notitia habet rationem memorię,& vt eſt ſub notitia declaratiua habet rationem intelligētię,idē ſecundũ ſe conſideratus,vt ſcilicet nõ eſt aliqua notitia informatus,eſt intellectus tantũ,& vt talis cõuerſiuus eſt ex ſe ſuper ſeipſum,& ſuper notitiã qua eſt informatus ſub rõne memorię,& ſimiliter ſup eius obiectũ.Cũq̃ ſup illã ſic cõuerſus fuerit ſpũali quadã cõuerſione,& ſe vt potētiale qd dã atq̃ informabile notitia itellectuali nõ aũt formatõ quãtũ eſt ex ſe,illis oppoſuerit tãq̃ iſorma tiuo intellect⁹ notitia itellectuali,cõfeſtim illa oĩa agũt notitiã declaratiuã i ipo itellectu ſic cõuer ſo,tãq̃ vnũ p ſe principiũ gñatiuũ itelligētię iformatę notitia declaratiua.Propter qd dicit Aug.ca.xxii.Ad memoriã meã aciē cognitiõis aduerto,ac ſic in corde meo dico qd ſcio,verbũq̃ de ſcientia mea gignit.Eſt tñ in diuinis eadē ſcientia penitus & ęque perfecta ſcdm rē & quę gignit & quę gignit,ſicut idē eſt intellect⁹ ſub vtraq̃. In creaturis aũt bene põt differre ſicut cõpletũ & incompletũ,exiſtēs tñ in cõpleto ſub cõplemēto,& idē re cũ ipſo. Et ſic ad queſtionē dicedũ q̃ gñare eſt

Q
Reſponſio.

op⁹ paterni intellect⁹,put op⁹ attribuit vi aut potētię qua elicit: & hoc nõ vt eſt intellect⁹ nud⁹,neq̃ vt eſt formata intelligētia,ſed vt eſt mēoria exiſtēs in actuali notitia itellectiua eēntiali,intelligēdo diuinã eſſentiã ſimpl̉r.vt eñ talis,in itellectu ad illã cõuerſo ſub rõne qua eſt intellect⁹ pur⁹ agit in ipm,naturaliter iformãdo ipm ſub rõne itelligētię notitia ſimillima declaratiua,& gñando de ipo notitiã declaratiuã q̃ verbũ dicit. Quã informationē agit in ipm nõ ſolũ vt res & natura aliq̃ & obiectũ itelligibile,ſed vt eſt natura itellectiua actu itellectus.Aliter eñ pductũ nõ eſſet verbũ,neq̃ ipm pducere tale eēt dicere,ſicut neq̃ iformatio mēorię ſiue ſimplicis itelligētię a ſolo obiecto intelligibili dr eſſe verbũ,aut actio eius hmõi dicitur eſſe dicere.

¶Ad primũ in oppoſitũ ꝙ intellectus paternus perfectus eſt verbo generato in
ipſo,ergo nõ eſt gnatiu⁹ ipſius,ꝗa tũc idẽ reſpectu ſuiipſius eſſet in actu & in potentia,& ſeiꝑo &
de potentia in actu,ꝗd eſt ipoſſibile:Dicendũ ꝙ verũ eſſet ſi ſcdm eandẽ rõnem ynus & idẽ eſſet
modo in potẽtia & modo in actu ſcdm generatiõe verbi : hoc eĩ eſſet oĩno impoſſibile.Nunc
autẽ quia intellectus in potẽtia eſt ad generatiuẽ verbi in ipſo & de ipſo vt purus eſt & nudus:
in actu vero eſt vt iam informatus eſt notitia ſimplici ſub ratione memoriẽ,yt a quo ꝓcedit gene
randi ſeu dicendi actio,& ſic nõ ſcdm eandẽ rõne eſt in potentia & in actu,ſed in potẽtia eſt vt cõ
uerſus,in actu vt actiuus in cõuerſum,& ſic non vt ynus, ſed vt duo,immo vt duẽ vires eiuſdẽ
potẽtiẽ ĩtellectiuẽ:idcirco igit nullũ eſt incõueniẽs ꝙ ſic ynũ vt duo,& ſcdm duas rõnes reſpectu
ſuiipſius ſit ĩ potẽtia & in actu & ſeipſo yadens de potentia in actu. Eſt igitur aduertendũ ꝙ in
tellectus paternus quadrupliciter cõſideratur.Vno modo vt eſt purus & nudus,& ſic eſt ĩ potẽ
tia ſolũ ad notitiã in ipſo & de ipſo generandã.Sed hoc dupliciter.primo enim modo cõſiderat vt
eſt in potentia ad notitiam ſimplicem generatã ſcdm rõnem in ipſo a ſua eſſentia vt ſub ratione
veri eſt obiectũ cognitum.Scdo autẽ modo cõſiderat vt eſt in potentia ad notitiam declaratiuam
generatã ſcdm rem in ipſo & de ipſo ab eodẽ vt eſt informatus notitia ſimplici habẽte rõne me
moriẽ.Et iſte modus cõſiderandi paternũ intellectum,ſcilicet vt eſt informatus notitia ſimplici
ſecundum prædictum,eſt tertius modus principalis cõſiderandi ipſum:qui ſcdm quartum mo
dum principalẽ cõſiderat vt perfectus eſt notitia declaratiua ſiue verbo gñato de ſe actiue vt eſt
intellectus informatus notitia ſimplici:& de ſe quaſi paſſiue vt eſt intellectus nudus & purus.Et
ꝑer hoc paternus intellectus ſecũdum ꝙ eſt perfectus notitia declaratiua,ſumme perfectus eſt:nõ
ſic aũt ſcdm ꝙ eſt informatus & ꝑfectus tm notitia ſimplici.Vnde & ſcdm illã rõne ꝑfectiõis quã
habet a notitia declaratiua , non eſt eius generare:ſicut neꝗ creaturis ꝑfectis ſimpliciter,cuiuſ
modi ſunt angeli & corpora celeſtia,cõꝑetit generare.Scdm illam vero rõnem ꝑfectiõis quam ha
bet a notitia ſimplici,cõꝑetit ei generare:& hoc ꝗa notitia ſimplex nõ oĩmodam rationem ꝑfectio
nis importat:ꝗd ꝓprĩũ generãti.Vnde & in creaturis nõ cõꝑetit aliquibus generare niſi ꝓpter ali
quã rõne impfectionis eis annexã,ſcdm ꝙ alibi plenius declaraui.¶Ad ſecũdũ ꝙ generare eſt age
re:intellectus autẽ eſt virtus paſſiua.&c. Mediũ hoc tactum eſt in argumẽto quodã queſtionis ſe
cũdẽ ꝓcedẽtis: & ad ipm diffuſius in magno digreſſu reſꝑõſum eſt ibidẽ.Vnde ad diſſolutionem
huius argumẽti & neceſſariorum ad eius declarationem,ad dicta illa recurratur.

## Arti.LIX.De proprietatibus peculiaribus perſonẽ filii.

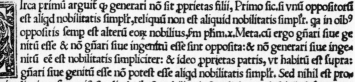

Equitur de proprietatibus quẽ proprie & ſpecialiter per
tinent ad perſonam filii,ybi occurrunt.vi.dubitanda.
Quorum primum eſt:vtrum generari ſit proprietas filii.
Secundum:vtrum potentia generandi paſſiue ſit proprietas exiſtens
in filio.
Tertium:vtrum generari ſit proprietas conſtitutiua perſonẽ filii.
Quartum:vtrum in filio ſit aliqua alia ꝓprietas a generari.
Quintum:vtrum filius ex eo ꝙ eſt verbum habet reſpectũ ad ſolum
patrem.
Sextum:vtrum filius ſit verbũ practicũ an ſpeculatiuum.

Irca primũ arguit ꝙ generari nõ ſit ꝓprietas filii, Primo ſic.ſi ynũ oppoſitorũ
eſt aliꝗd nobilitatis ſimplr,reliꝗũ non eſt aliquid nobilitatis ſimplr. ꝗa in oĩb⁹
oppoſitis ſemp eſt alterũ eoꝝ nobilius,ſm phm.x.Meta.cũ ergo gñari ſiue ge
nitũ eſſe & nõ gñari ſiue ingenitũ eſſe ſint oppoſita:& nõ generari ſiue inge
nitũ eẽ eſt nobilitatis ſimpliciter: & ideo ꝓprietas patris, vt habitũ eſt ſupra.
gñari ſiue genitũ eſſe nõ poteſt eſſe aliꝗd nobilitatis ſimplr. Sed nihil eſt pro
prietas ſiue notio alicuius pſonẽ niſi ſit aliꝗd ꝗd eſt nobilitatis ſimpliciter:vt habitũ eſt ſupra. er
go &c.¶Secũdo ſic. ꝓductio ſimilis in natura eſt generatio.ſpũs ſancti productio eſt productio ſi
milis in natura.Eſt eĩ ſpiritus ſanctus ſimilis in natura patri & filio,ſicut filius eſt ſimilis patri.
ſpũs ſancti ergo ꝓductio eſt generatio.ſpũs ſanctus ergo generatur,ſed quod alteri pſonẽ cõuenit
nõ eſt ꝓprietas ynius,ergo &c.¶Cõtra.relatiue oppoſitorũ in diuinis inter duas ſolas ꝑerſonas ſi
ynũ eoꝝ eſt ꝓprietas ynius pſonẽ,alterũ eſt ꝓprietas alteri⁹.generare & generari relatiue opponũ
tur inter ſolũ patrem & filium:quia ſolus pater generat & ſolus filius generatur, vt habitum eſt
ſupra:& iã iſta ampli⁹ patebit.quare cũ gñare ſit ꝓprietas pris:cõſimiliter gñari eſt ꝓprietas filii.

# Summe

**B**
**Responsio.**

⸿Dicendum ad hoc: q̃ cum generari dicitur aliquid dupliciter, subiectiue & obiectiue, vt in sequenti quæstione declarabitur: & generari subiectiue nõ est nisi materiæ vel quasi, vt declarabitur ibidẽ: quasi autẽ materia siue subiectũ generationis diuinæ nõ est nisi essentia diuina, licet sub rõne intellectus: de qua qdẽ essentia sub ratione intellectus generãs generat, vt habitum est iã supra: generari autem subiectiue nõ est proprie nisi subiecti generatiõis vel quasi: & non nisi in illo: Generari ergo hoc modo non est proprietas nisi essentiæ, & in illa: & non filii, neqʒ in filio, ni si ratione essentiæ existentis in illo per generationem: sed sic nullo modo est notio. An tamen sit eius vt est in filio, an vt est in patre, de hoc erit sermo in sequenti quęstione. Restat ergo dubitatio

**C**

de generari obiectiue, & est dicendum q̃ cum generari obiectiue dicit ab alio esse sub modo quodam determinato: Est enim generari idem qd procedere accipiendo esse ab alio simile in natura il li a quo accipit: & hoc modo naturę: secundum hoc de ipso generari in diuinis cõtingit loqui du pliciter. Vno mõ ratione ipsius processionis ab alio, qua simpliciter aliquis habet ab alio esse. Alio modo ratione modi determinati quo ab alio habet esse siue procedere, f. modo naturę: qui distin guit ab alio modo procedẽdi passiue, qui est spirari, & a quo nomen eius qd est generari imponit. Primo modo generari non distinguitur a spirari: quia ambo dicunt pcessionem passiuam qua ha betur esse ab alio. Sed secundo modo abinuicem distinguuntur, modus enim determinatus in spi rari, alius est a modo determinato in generari, vt habitum est supra, & iam amplius habebitur in fra. Et primo mõ nec per generari nec per spirari importatur notio siue proprietas aliqua, sic eni ab alio esse esset proprietas siue notio vna cõis filio & spũi sancto, quia. f. ambo habent esse ab alio. Et si esse ab alio simpliciter esset pprietas siue notio, eius oppositum scilicet nõ esse ab alio simpli citer, nullo modo posset poni pprietas siue notio primę plonę in diuinis, qa (vt pcedit tertia ob iectio) si vni oppositoʒ est dignitatis simplʳ, tũc nõ est reliquũ dignitatis simplʳ. Vñ esse ab alio simplʳ & passiuę, nullo mõ põt esse pprietas siue notio: sed si esse ab alio passiue sit notio, hoc nõ est nisi rõne modi determinati quo habet eẽ ab alio, sicut nec esse a quo ali⁹ simpliciter. Sic eni cũ a patre est filius, & a filio spũs sanct⁹, ex hoc pter cõem spiratiõe actiuam esset vna notio cõmu nis patri & filio: scilicet quia a patre est filius: & a filio spiritus sanctus: etiam si spiritus sanctus non a patre, sed a solo filio procederet. Sed si esse a quo alius actiue sit notio, hoc non est nisi rati ne modi determinati quo habet esse a quo alius: & hoc ideo, quia ipsum simpliciter eo q̃ habet ra tionem communis & confusi, non importat id quod est dignitatis simpliciter, sed illam solũmo do importat ratio quasi determinans ipsum confusum. Similiter nec est notio esse ab alio simpl citer: sicut nec notio siue proprietas est esse a quo nõ est alius: qd cõuenit spiritui sancto: eo q̃ est

**D**

negatio non fundata in aliquo positiuo, quę nihil dignitatis oĩno importare potest: Negatio enim nihil dignitatis importare potest nisi ratione positiui substrati, vt habitum est supra: sed solũmo do in eo qd est nõ ab alio eẽ, ipsum simpliciter pprietas est siue notio in prima diuinarũ psona rum: & hoc nõ ratiõe negationis, vt dictum est supra loquendo de ingenito: sed ratione positionis

**B**

substratę: quę est a quo alius. Quę positio tribus modis potest considerari. Primo modo vt in ge nere siue omnino simpliciter & absolute: scdm q̃ a quo alius, est cõmune ad a quo alius p gene rationem, & per spirationem, & per creationem. Secundo modo vt in specie specialissima siue o mnino sub modo determinato: secundũ q̃ a quo alius determinatè dicit a quo alius per genera tionem, aut per spirationem, aut per creationem. Tertio modo vt a quo alius medio mõ intelligã quasi in specie subalterna siue sub modo non determinato: secũdũ q̃ a quo alius nõ accipitur oĩne indeterminate, nec oĩno determinate per generationem, aut spirationẽ, aut creationem: sed ptĩm indeterminate partim determinate, scilicet scdm q̃ dicit a quo alius primo. Est aũt ipsum simpli citer nõ ab alio habere esse, notio siue pprietas rõne positionis substratę negatiõi q̃ est a quo ali⁹ non primo mõ cõsiderado ipsum a quo alius: quia a quo alius illo mõ partim conuenit filio, quia ab ipso & patre sunt spũs sanct⁹ & creaturæ, & partim toti trinitati: qa a tota trinitate sunt creatu rę: pprĩu autem vni personę nõ cõuenit ei nisi ratione eius qd sibi soli cõuenit: nec secũdo mõ cõsiderado ipm a quo alius: qa nec rõne illi⁹ a quo alius p spirationẽ: qa illud etiã conuenit filio si cut patri: & pprĩu patri nõ põt ei cõuenire p id qd est ei cõe cũ filio: nec similiter ratione illius a quo ali⁹ p gnatione, quia scdm Aug. vt habitũ est supra, prima psona in diuinis etsi nõ generare

**F**

nihilominus diceretur ingenita esse. Est igitur non ab alio esse notio siue proprietas ratione posi tionis substratę negationi quę est a quo ali⁹, tertio modo considerando ipsum a quo alius, scilicet quod dicit a quo alius primo. Ex hoc eni nõ ab alio esse est notio negatiua personę alicuius, qa ipsa illa habet esse alius primo: & hoc simpliciter accipiẽdo primo: quia si per impossibile persona habens esse ab alio in diuinis: nõ primo generaret, sed primo spiraret: aut nec generaret nec spi raret prio,ſed primo crearet:non ab alio habere eſſe,eſſet notio in illa iquātum fundať in eo qd eſt a quo alius primo.Et hoc modo intelligitur dictū Auguſtini de prima pſona q̃ non eſt ab alia in diuinis:q̃ ſi non gñaret,nihil minus eſſet ingenita:dum tñ primo ſpiraret & ſecūdo gñaret & tertio crearet,aut primo crearet & nec gñaret nec ſpiraret.ſecundum q̃ Pagani ponunt vnam pſoná abſolutá ingenitá in diuinis,q̃ primo creat,& deinde virtute accepta ab ipſa vlteri⁹ ipſa creata generant.Vñ nõ ab alio eſſe,qd importať noie igeniti,nõ ppꝛie ſupponit gñare ſicut nec ſpirare aut creare:nec fundať in ipſo:ſed in aliquo cõmuniori:quod pciſe nõ ſupponit niſi ꝑducere prio ſimpliciter,& in illo fundať,ſiue ipſum ꝑducere prio eſſet gñare ſiue ſpirare ſiue creare.Q̃ etſi ex natura rei in diuinis primū ꝑducere neceſſario & naturaliter non eſt niſi gñare:& ad hoc aſpiciendo ſupra loquēdo de ingenito,determinauimus q̃ ſupponit generare:& in q̃ſtione pcedēte q̃ ſupponit generatiuū ſecūdū rõne gñatiui:cū tñ ingenitum nõ ſupponit ipſum ꝑducere primo rõne qua ipſum eſt gñare aut gñatiuū,ſed ſolūmodo rõne qua ipſum eſt ꝑducere primo ſimplr̃:q̃a etſi p imꝑoſſibile ꝑducere primo nõ eſſet gñare:nõ eſſe tñ ab alio,importatū noie igeniti,eſſet notio,vt dictū eſt:Propter hoc ingenitū diciť eſſe notio negatiua rõne primitatis ſimplr̃ quã ſupponit & in qua fundať:cū tñ ipſa primitas non ſit notio niſi iquātū incidit in gñatione actiuā,q̃ ſecundū rem & naturā eſt prima ꝑductio:vt ſecūdū veritatē ordine quodā rõnis a quo ali⁹ ſiue ꝑducere primo ſit primū ſecūdū rõne:ſecūdū vero ingenitū:tertiū gñatiuū:quartū poſſe gñare:quintum generare:ſextū patrē eſſe.Et eſt aduertēdū q̃ notio iſta negatiua nõ ppꝛie exprimiť noie ingeniti:q̃a noie ingeniti magis determinata negatio importať q̃ requirat hec ppꝛietas:quia ingenitū diciť non ab alio eſſe p generationem:& fundať negatio vt ſic ſignificata in affirmatione magis determinata q̃ requirat iſta ppꝛietas:q̃a in eo a quo eſt ali⁹ p gñatione.Iſta eñ ppꝛietas diciť nõ eē ab alio ſimplr̃ & fundať negatio hec in affirmatione quae eſt a quo eſt ali⁹ primo ſimplr̃,ſiue fuerit p gñatione ſiue quocūq; alio mõ.Quia tñ nomen ppꝛiū non eſt iꝑoſitū ꝑductioni ſimpliciter q̃ diciť aliqꝭ eſſe a quo alius primo ſimpliciter:& generare eſt ppꝛiū nomen prime ꝑductionis ſecūdū naturá rei:iõ in iſta ppꝛietate ſignificanda vtimur cū negatione iſta ꝑductione paſſiua q̃ eſt prima ſecūdū rem, & determinata loco ꝑductionis paſſiuae,quae eſt prima indeterminate,dicēdo ingenitū q̃ſi vice eius qd eſt improcedens.Q̃d eñ ſic eſt ingenitū q̃ nec immediate nec mediate habet eſſe p generationem oīno,non pcedit habēdo ſiue accipiēdo eſſe ab alio.Vnde illud poſitiuū ſup qd fundať non ab alio eſſe vt ſit notio,non eſt notio.Nõ eñim a quo alius primo,eſt notio niſi rõne modi determinati.ſ.per generatiõe aut per ſpiratiõe.Propter qd dictum eſt ſupra:q̃ ingenitū eſt notio negatiua & hoc non niſi ratione negationis:vt tñ fundať in affirmatione:nõ aūt rõne ipſius affirmationis.Et ſicut a quo alius primo,nõ eſt notio niſi ratione modi determinati,quo.ſ.eſt a quo p gñationem quae ſecūdū rē & naturā eſt prima ꝑductio actiua rõne ſui modi determinati,iportãs qd eſt dignitatis ſimpliciter,qd nõ importat ipſum indeterminatū:ſic qui ab alio primo,nõ eſt notio niſi rõne modi determinati:quo.ſ.eſt qui ab alio p gñatione:q̃ ſecūdū rē & naturā eſt prima ꝑductio paſſiua rõne ſui modi determinati q̃ importat id qd eſt dignitatis ſimpliciter:qd non importat ipſum ideterminatū inquātū rõ ſua deficit a rõne determinati.Et ſic q̃ cõſimilem modū determinationis in generare & gñari,æqualis dignitatis eſt in diuinis generare & generari:& eſt generari notio filii ſicut & generare eſt notio patris.

¶Ad illud qꝯ arguiť primo in oppoſitū,q̃ non generari eſt dignitas & notio,ergo eius oppoſitū qꝯ eſt generari nec eſt dignitas nec notio:Dicēdū q̃ verū eſſet ſi ingenitū vl' nõ generari eſſet notio rõne pure negationis:& maxime vt negat ſpecialiter ipſum generari.Nūc autē q̃ nõ eſt notio niſi rõne negationis vt fundať ſup affirmationem q̃ eſt a quo ali⁹ prio ſicut dictū eſt:& gñari nõ ponit notio niſi rõne affirmatiõis ipſi⁹ eſſe ab alio p gñationē idcirco vtrūq; eoꝛ.ſ. & gñari & nõ gñari ſiue nõ genitū,eē poſſūt notiones:vnū affirmatiuā rõne gñatiõis paſſiuæ affirmatæ:alterū negatiuā rõne eē ab alio,etiā p gñatione negati cū poſitione eius a quo alius prio.
¶Ad ſecundū,q̃ generari cõuenit nõ tñ filio:ſed & ſpiritui ſancto:q̃a ꝑduciť ſimul in natura:Dicendum ſecūdū ſupi⁹ determinata & inferi⁹ ampli⁹ declaranda,q̃ gñari non conuenit ſpiritui ſancto.Q̃uis eñ ipſe ꝑductus eſt ſimilis in natura,non tñ ꝑduciť ſub rõne ſimilis & modo principali naturae:quē requirit productio quae eſt gñari.¶Tertium argumentum concedendum eſt.

Irca ſecundū arguiť gñali⁹ q̃ q̃ſtio eſt ꝑpoſita,q̃ potētia gñandi paſſiua nõ ſit pꝛprietas i diuis̃.Prio ſic.gñatio paſſiua ſiue gñari nõ eſt niſi accipe ſiue habere p gñatione eē ab alio,potētia ergo gñandi paſſiue ſiue poſſe gñari nõ eſt niſi illi⁹ qd poſſibile eſt eſſe ab alio.poſſibile aūt eē ab alio nõ ex ſe habet eē:q̃a tūc fruſtra eſſet poſſibile eſſe,tale autem quid nõ eſt in diuinis:in qꝯ⁹nihil eſt niſi quod eſt neceſſe eſſe,ergo &c.¶Secundo ſic.potentia generandi paſſiue non conuenit

G

H
Ad pri.
principa.

I
Ad ſcĩm.

Ad tertiꝯ
K
Queſt.ii.
Arg.i.

alicui nisi rône materię vel quasi,de qua est gñatio ei⁹ qd est possibile gñari.materia aut vel qñi nõ
est in potentia vt aliquid de ea generetur nisi quia in potentia est ad formã rei generandę & edu-
cendę de potentia materię vel quasi p generatione.forma aut pter essentiam diuinã nõ est in diuinis nisi relatio:q̃ non est p se terminus generationis vel qua generatio terminaf ad aliquid,vt cui⁹
ipsa est forma.ergo si in diuinis esset potétia generãdi passiue,in eis esset aliqd vt materia & in po
tentia ad diuinam essentiam.consequens falsum est:quia in diuinis nihil est quasi materia aliorum
3 nisi ipsa essentia.ergo &c.⹂Tertio sic.qd est proprietas in deo, est in eo secundũ veritaté,illa eñ q̃
sunt in eo secundũ similitudiné:vt sedere,vestitũ esse,& hmõi,nullo modo pprietates sunt in deo.
potentia generandi passiua non est in deo secundum veritatem:quia nec ipsum generari:cũ gñari
sit pati,sicut generare est agere.pati autem secundum veritatem in deo nõ est.dicente Boethio de
4 trinitate cap.xii. Situm passionemq̃ recipi in deo non oportet,non eñ vere sunt.ergo &c.⹂Quar
to arguitur q̃ sit proprietas essentię diuinę,sic.proprietas illius est & in illo cui p se cõuenit,& cui
libet alteri p ipsum,vt patet de risibili in hoie. Potétia aut passiua qualis est potentia generandi,nul
li cõuenit nisi materię aut rône materię vel quasi q̃ est in eo.agere eñ pprie est formę: pati aut est
alterius potétię,vt dicit Philosophus,i.de generatione.quare cum in diuinis nihil est quasi materia
ad generationem nisi ipsa diuina essentia,potentia ergo generandi erit ipsius essentiæ diuinę & in
5 ipsa essentia:quare nõ p se in filio:non ergo est pprietas filii:neq̃ i eo p se. ⹂Quinto arguitur q̃ sit
potius proprietas patris & in patre sic.vt iam dictum est,potentia generandi quia est passiua,non
est in aliquo neq̃ conuenit ei nisi ratione materię vel quasi existentis in illo:q̃ in diuinis nõ est nisi
ipsa diuina essentia,sed diuina essentia vt est quasi materia de qua generat pater,est in patre,quia
pater non generat nisi de sua substantia,vt patet ex supra determinatis,ergo potétia generãdi pas
siua est in patre & non nisi in patre.sed nõ est pprietas nisi eius in quo est.potentia ergo generan
**Primum** di pprietas patris est & in patre:non ergo filii nec in filio.⹂Qz etiã pater generat de sua substan
**arg.pro se** tia siue inquãtũ sua est,ne dicaf q̃ generat de substãtia q̃ non sua est,sed vt est filii,deducif qua
**cundo.** druplici medio.Primo sic.quia si ignis generet igné de aqua,hoc non est quia generat igné de
2 substantia aquę vt est aqua,quia non est alterius.quare cum bene dicif pater generat filiũ de seipo
hoc non est nisi quia generat de sua substãtia vt sua est.⹂Secũdo sic.licet eadem sit substãtia triũ
psonarum:non tñ pater gñat de illa vt est filii:quia tunc de illa gñaret aliũ filium:quia filius ille
cuius est ipsa substantia,saltè secũdũ rône pcedit gñationem eius q̃ gñaf de sua substantia vt sua
est.Actus eñ præcedit secundum rationem semper id qd de eo generatur,nec de substãtia eadem
vt est spiritus sancti:quia ipsa spiritui sancto p spiratione cõmunicaf:q̃ supponit generationem se
3 cundum superius determinata.⹂Tertio sic.sicut pprietate paterna in patre determinatur essentia
ad actum generãdi actiue,& fœcundatur sub ipsa inquantum est forma qua habet agere:sic sub
eadem proprietate fœcundatur & determinaf ad actum generandi passiue inquãtum est quasi ma
teria in qua habet pducere.sub pprietate eñ filiationis & communis spirationis fœcundari sic nõ
potest:quia tunc aut frustra esset, aut ex ea filius aut spiritus sanctus posset generare:eo q̃ inquan
tum hmõi, filii est aut spiritus sancti:qd falsum est.sed potétia illius est pprietas illius in quo fœ
4 cũdatur ad actum,ergo &c.⹂Quarto sic.secundum Commentatorem sup primũ physicorũ,& in
principio de substãtia orbis,talis est differétia iter materia & ei⁹ potétiã passiuã,q̃ materia manet
cum forma.Potétia autem nõ manet.quare cũ in filio est forma,aut ipse potius est forma ad quam
**In oppo,1.** est potétia gñandi passiue:nullo ergo modo in ipso est potétia talis,ergo &c. ⹂In contrariũ arguif
primo sic.sicut se habet posse generare ad patré gñanté:sic posse gñari ad filiũ genitũ.illud aut é p
2 prietas solius patris & in patre secũdũ supra determinata,ergo &c. ⹂Secundo sic.cuius est potétia
eius est & actus, scdm Phm,x.meta,actus qui est generari est proprius filio & in ipso.ergo &c.

**L** ⹂De potétia generãdi actiue clarũ est q̃ sit ,pprietas patris secũdũ superi⁹ deter
**Resol.q.** minata.sed tñ cũ hoc solebat esse q̃stio & dubitatio an ipsa etiã sit in filio. Videt eñ Magister Sété
tiarũ sentire q̃ eadé est potétia gñandi actiue & passiue:& q̃ potétiã gñandi actiue clarũ sit eé in
pte:& potétiã generãdi passiue clarũ sit eé i filio:& q̃ idcirco potétia generãdi actiue & passiue sit
in patre & in filio,secundum q̃ de hoc habitus est sermo superius.Sed de potentia generãdi passi
ue an sit pprietas filii & in solo filio existés,etiã supposito q̃ nõ sunt eadé potétia gñandi
actiue & passiue:sz diuerse,secũdũ q̃ supra determinauim⁹:adhuc obscura é ppter rônes ppositas
Suppono igif ex supra determinatʒ,q̃ potétia formal' relatione significat:& q̃ secũdũ nomé ab ipsa
sponat:& nõ eéntiã,nisi material' icludédo eã i suo significato,& q̃ alia é potétia gñandi actiue:&
alia é potétia gñandi passiue:& q̃ nullo mõ potétia gñandi actiue est i filio,sicut nec pfna pprietas

aut potius gñatiuū ſub quo ad hoc habet determinari:adhuc dubitatio eſt an potētia gñandi paſ
ſiue ſit in filio:& p ſe ppprietas eius,& in ſolo filio. Et ga potētiæ cognoſcunt p act⁹:& actus p obie
ctum,vt habetur i ſecundo de Anima:Potētiæ aūt generādi paſſiue actus reſpondens eſt generari
paſſiue:cuius obiectum eſt id quod generatur paſſiue:ad diſſolutionem igitur huius dubitationis
& difficultatum quæ eam circuſtant,ſciēdum ꝙ licet in eo ꝙ generat nulla lateat æquiuocatio:ga
ꝙ gñat non dicitur niſi principium actiuum generatiõis:in eo tamē ꝙ generatur æquiuocatio
eſt in rebus naturalibus,Generari em ſiue eſſe id ꝙ gñat in naturalibus,vno modo dicit aliquid

ſubiectiue:alio vero modo obiectiue.Primo modo dicit gñari vel eē ꝙ gñatur ſubiectum ſuſtinēs
actum generationis.Secundo aūt modo illud ꝙ pductum eſt p actum generationis dicit generari
vel eſſe ꝙ generatur.Secūdū ꝙ de primo dicit Philoſophus i ſecūdo metaphyſicę.Quēadmodum
inter eſſe & nõ eſſe eſt generatio:ita ſemp id ꝙ gñat eſt inter illud ꝙ eſt ens & non ens.Addiſcēs
em eſt generatum ſciēs. Et intendit ſecundum Commēta.ꝙ ſicut addiſcēs eſt medius inter omnino

ignorantem & pfecte ſciētem:ſic ꝙ generat vt materia,& ſubiectū,ſemp medium eſt iter purum
non ens & ens in actu.& hoc ideo quia ipſa eſt ens in potentia.De ſecundo autem dicit in.vii.me
taphyſicę.Omne ꝙ gñat eſt aliquid & ab aliquo & p aliquid,vbi dicit Cõmentator.Eſt aliꝗd.i.ali
quod pdicamentorū:& ab aliquo,vt materia:& p aliquid:& eſt agēs.Et ſumit ibi Philoſoph⁹ large
generationē ad omne fieri alicuius decē pdicamētoꝝ ſiue fuerit a natura ſiue a voluntate,vt patet
ex ſerie literæ ſuę. Nos autē eam ad pſens amplius extendamus,ſcilicet ad generationē diuinā &
ad creationem.Cū igit dictis duob⁹ modis ſubiectiue & obiectiue dicitur aliquid eſſe id ꝙ gñat,
conſimiliter ergo & gñari dicit aliquid dupliciter:ſubiectiue.ſ.& obiectiue.& eadē rõne conſimili
ter etiā dupliciter dicit potētia generandi paſſiue ſiue poſſe gñari:vt ipſa potētia generādi paſſiue
ſecūdū hoc dicaf eſſe i aliquo dupl'r:aut.ſ.vt in eo ꝙ gñat ſubiectiue:aut in eo ꝙ gñat obiectiue
Similiter & poſſe gñari dicit eiſdē modis. Primo modo certum ē ꝙ poſſe gñari & potētia gñandi
non ſunt niſi materię vel quaſi:ſed hoc alio & alio mõ in gñatione ex materia pcedēte,& in crea
tione ſine aliquo præcedēte,& in gñatione diuina. Vt ergo primo proſequamur complete hoc
primū mēbrum in illis tribus pductionibus,perſcrutando cuius proprietas ſit dicta potētia paſſi
ua,& in quo ponēda ſit eſſe:vt per id ꝙ de hoc videmus in aliis duabus productionibus,pateat no
bis quid de hoc ſentiendum in productione diuina:Sciendum igitur,ꝙ in prima iſtarum pductio

num.ſ.generationis naturalis,duplex eſt potētia generandi ſubiectiue,ſecūdū ꝙ duplex eſt materia
ſubiecta:quædam.ſ.remota & ꝗdā ppinqua.Secūdū em ꝙ diſtiguit Philoſophus in.ix.metaphy.&
ſuus Cõmētator ibidem,illud quod eſt in potētia ſimpliciter,eſt materia ſimpliciter:& hoc eſt ma
teria ppinqua.Remota em tm̄,nõ eſt materia ſimpliciter nec in potētia ſimpl'r.Nõ eſt aūt materia
in potētia ſimpl'r illud cuius eſt materia,qm̄ indiget in hoc ꝙ exeat in actū alio motore ab eo ꝙ ge
nerat illud ꝙ eſt in potētia. Verbi gra:qm̄ terra non eſt idolum in potētia:ſed eſt cuprum,qm̄ ter
ra cū transmutatur a corpe cęleſti erit cuprū:& cuprū eſt in potētia idolum,ga eſt illd ꝙ ab vno
motore fit idolū:& materia ꝗ pōt ſimpl'r,exit in actū nõ niſi vno motore:materia aūt ꝗ nõ dr paſſi
ue ſimpl'r,exit in actū p plures motores vt:ppter ꝙ & a materia pxima denoiaf res:nõ aūt a re
mota : nõ em dicit ꝙ idolū eſt terra aut terreū:ſed ꝙ eſt cuprū aut cupreū.Si ergo loquamur de
potētia paſſiua gñandi ſubiectiue remota,illa nullo modo eſt in gñato:ſed i ſuo cõtrario.ſic em po

tētia gñandi ignē paſſiue eſt in aqua qñ ignis gñat de aqua. Sed talis potētia gñandi nullo mõ ha
bet eſſe i diuinis:quia oīs potētia in diuinis habet eſſe in actu æterno ab vnico agēte:vel ſi a pluri
bus vt cõtingit in cõi ſpiratione,hoc nõ eſt niſi ſecūdū rõnē vnā.eſt aūt aliquo mõ in eis ꝗ creant,
vt iā patebit.Si vero loquamur de potētia gñandi ppinqua,de illa ſciēdū eſt ꝙ in naturali gñatio
ne duplex eſt trāſmutatio ſimul in eodē inſtāti tēporis.ſ.corruptio vni⁹ formę & gñatio alteri⁹.Na
turaliter tm̄ prior eſt corruptio & poſterior gñatio:ita ꝙ ſecūdū Phm.viii.phyſico.ſigni illud ſiue
inſtans idē ſecūdū rē in quo fiūt,debet diſtingui in prius & poſterius ſecūdū rõnē:& fit corruptio i
priori,gñatio in poſteriori:ita ꝙ nõ dr pprie materia eſſe in potētia ppinqua ad gñationē niſi pro
poſteriore ſigno i quo iā eſt denudata a forma priori p corruptionē:& ſic in potētia ppinꝗ exiſtēs
vt nõ ſolū nõ egeat niſi vno motore,ſed etiā nõ niſi vna trāſmutatiõe vt exeat in actum. Quo po
ſito,licet materia exiſtens i potētia ppinqua i eodē inſtāte tpis ſimul trāſmutat,& transmutata eſt
exiſtēs actu ſub forma geniti:tñ hic fil'r oportet vnū inſtās ſcdm rē & ſecūdū vnā rõnē gñalē diui
dere in duo ſcdm rõnes ſpeciales:& naturaliter in priori trāſmutatur & eſt in potētia ad formā:&
in poſteriori trāſmutata eſt & ē in actu ſub forma.Et eſt materia i illo priori pprie mediū iter ens
& nõ ens:nec p illo ſigno potētia gñandi i corrupto nec i gñato:ſʒ i ipſa materia ſola:vt ſic media
eſt & ſubiectū trāſmutationis,ꝗ eſt via ad gñationē,vt ſic vnū inſtās ſcdm rē diſtinguam⁹ ſecūdū

tria figna differétia fola rőne.Quorℓ Primű eft i quo fit corruptio:Tertiű i quo fit gñatio:mediű i
**Q** quo é trãfmutatio ad gñationé.Sed talé potétiã gñandi paffiuã nő eft repíre i diuis,ga i eis nihil é
príus nec duratione nec natura in potétiã ğ in actu:nec aliğd vadit p tranfmutationem de potétia
in actű.tali em potentía nihil eft i potétia ad actű,nifi fit in potétia ad trãfmutationé qua vadit ad
actű:propter qď qñ actu eft fub tranfmutatione,eft id qď gñat fubiectiue,vt nihil poffit pprie effe
ad qď gñat fubiectiue,nifi poffit effe fubiectum trãfmutationis.Et ppterea nő eft pprie in diuinis
qď gñat fubiectiue:ga nihil eft ibi trãfmutabile:fed talis potétia paffiua quodãmő habet eé in eis ğ
creant.Si em creatio qua creatű de non effe fimpliciter pcedit in effe fit vera mutatio,licet nő talis
qualis gñatio,eft ex pcedéte materia:ga illa in naturalib⁹ nő p fe refpicit idem vt fubiectű & termi
**R** nű ficut ifta ğ eft creatio,vt iam infinuabit.¶Eft igit fciendű,qp id qď creat obiectiue,debet habere
etiã aliquid vt fubiectum eius qď creatur fubiectiue:& hoc non nifi idé fecundum ré:qď inquantű
eft obiectum & terminus naturaliter tranfmutationis, pofterius eft & in figno pofteriori diuiden
do vnum in duo fecúdú rőne: & prius & i figno priori inquantű fubiectű fuftétans ipfam trãfmu
tatione.Eft em effentiã creaturę tripliciter cőfiderare,ficut & materiã prímã,Primo em.ſaꞥ inftãs
fuę creationis,folú eft in intellectu vt cognitű in cognofcéte,& fub non effe actualis exiftétiæ.& fic
eft in potentia remota vt creetur:nec fic eft fubiectum creationis:queadmodű neꞧ materia fecúdű
qp eft in actu fub forma abiiciéda,eft fubiectű tranfmutationis quæ eft generatio,aut in potentia p
pinqua ad generandum.Secúdo modo eft cőfiderare ipfam effentiã creaturę vt eft in inftanti fuæ
creationis amota priuatione nő entitatis p eãdé tranfmutatione qua ei acquíritur effe.Sic non eft
proprie fubiectum huius tranfmutationis: fed terminus. quemadmodum neꞧ materia vt eft in
actu fub forma generati,eft fubiectum generationis.Tertio modo eft ipfam effentiam creatã confi
derare fecúdú fe.ſ.fecundum qp eft aliquid pter effe & nő effe , fecundum qp fupra expofuimus.Et
fic p primo figno & medio eft fubiectű ipfius creationis:queadmodú iã dictű eft qp materia ſquã
tum media eft inter ens & non ens,eft fubiectum gñatiőis:& p vltímo figno eft terminus ei⁹.Nec
eft vllum inconueniens qp vnum & idé fecundú hűc modú habeat fe refpectu fuiipfius in diuerfo
genere caufę,& fit prius & pofteri⁹ feipo fecúdú rationem.Materia em vt eft pars compofiti,& fic
terminus generationis & aliqd compofiti,eft caufa finalis fuiipfius vt eft fubiectű & materia tranſ
mutationis,& econuerfo:vt fecundum hoc materia quoquomodo coincidat cú fine.Sic ergo patet
qp i diuinis nihil eft qď gñat fubiectiue pprie loquédo:nec é in eis aliqd qď é materia & fubiectű,in
quo fit potentia generãdi fubiectiue: nec talis potentia paffiua eft in diuinis:nec aliquid de quo ge
nerans generat fecundum talé potentiam paffiuã. Sic em generaretur genitú i diuinis p hoc qp id
de quo generatur effet in potentia vt de ipfo educeretur aliqua forma p tranfmutationem:qď
**S** impoffibile & in generatione diuina & in creatione.Sed quia in diuinis ponendum eft aliquid necef
fario de quo generans generat:quia non de nihilo generat,vt fupra habitum eft: non autem gene
rat de aliquo nifi per potétiam generandi paffiuam quæ eft in illo:p quã de ipfo poteft generari ali
quis:potentia aút omnis ğ eft eius de quo gñat,ineft illi refpectu actus ad quem eft:in diuinis au
tem neceffe eft potétiam effe indiftãté fecúdú ré ab actu,& nő poffe effe diftãté:potentia aút quę
nec diftat nec diftare poteft ab actu,neceffario eft idé cum actu,quia fi effet alia ab actu effet fimul
& non effet:quia cum res eft in potentia quę eft alia ab actu,nő eft fub actu:quia contrariaꞇ actui:&
nő manet fimul cú eo:& fi ponatur effe fimul,hoc eft p icőpoffibile:& iplicaꞇ cőtradictoria fimul
in eodé.Potétia vero ğ eft idé cú actu,fi in aliquo differt ab eo,nő differt ab eo nifi fecúdú rőne:quia
re cú potentia non diciꞇ potentia nifi ex eo qp refpicit actú:qď aút refpicit alterű nő refpicit illud nifi
fecúdú qp alterű eft ab eo:potétia ergo generandi eius de quo qs gñat in diuinis,nő eft nifi potétia
fcdm rőne,& fic fimiliter id de quo gñans gñat eft quafi fubiectű act⁹ & materia folú fecúdú rőne
Nő eft ergo in diuinis id de quo gñat genitum nifi fecúdú rőne tátú , habédo tñmodo rőne fub
iecti fiue materię & potétię paffiuę.Secúdú ré tñ i diuinis reali gñatione aliqs gñat de ipo:quia cú
potentia gñandi de ğ,vel ğfi vt de ğ,eft gñatio, non eft fecundum fe nifi in materia & ipfius materię
licet in diuis nő fit i aliquo vel alicu⁹ pprie vt i fubiecto & fubiecti:fed vt i fundaméto & funda
méti,& p ipm fundamétú iquãtű é fundamétú in eo i quo é fundamétú potétię.Et iő nő eft talis po
tétia paffiua geníti aut in genito,vt dictű eft fupra in gñatiőe naturali de potétia paffiua materię
naturalis:fed eo mő quo é potétia nő p fe nifi i ei⁹ & i eo de quo gñat,& pprietas ei⁹:fed fcdm rőne
ficut eft potétia fcdm rőne.Et ga eft fcdm rőne folú:qď pcipue ex hoc patet,qp nő eft p fe vni⁹ pfo
nę refpectu alteri⁹ pfone:ſꞇ tñmő ei⁹ de quo gñat refpectu ei⁹ ğ gñat,aut refpectu act⁹ quo gñat,ğ
fecúdú rőne ab hmői differt potétia,vt dictű eft:ideo non eft proprietas notionalis,nec ad illam re
**T** ducéda. Qď quomodo fic habeat eé,patet ex mő gñatiőis diuinę.Cú em fcdm fupra determinata

pater generat mõ oͤationis intellectualis:Ipſe eͤn generat inquãtũ eſt q̃dã ſimplex itellectualis no
titia,& ita quaſi memoria:in q̃ eſt cõſiderare tria ſecũdũ rõne differētia,itellectũ.Ś.in quo eſt illa no
titia vt forma eius,& ipſam notitiã vt formã intellectus,& ipãm rē intellectã p notitiam informan
tē intellectũ vt obiectũ: q̃ ſic ſe habet adiuicē cp a re itelligibili inquãtũ eſt itelligibile qd vt ab age‐
te,de itellectu vt de poſſibili quodã formã notitia:ſed actiõe ſecũdũ rõne tm̃.Similiter ſilr̃ ſiue ver
bũ qd generaͭ inquãtũ eſt qdã intellectualis notitia declaratiua,& ita quaſi intelligētia:in ipſo ſilr̃
eſt cõſiderare tria differētia ſcdm̃ rõne ſolũ,cõſimiliter ſe habētia inter ſe:itellectũ.i.ipſam notitiam
& rē intellectã:& illa tria i patre,iſtis trib⁹ in filio re ſunt eadͤ,differentia rõne ſolũ,reddēdo ſingu
la ſingulis.In iſtis aũt trib⁹vt ſic cõſiderant in patre,obiectũ ſe habet in rõne agētis q̃ſi potētia acti‐
ua:& intellect⁹ in rõne patientis quaſi potētia paſſiua.& notitia ſimplex i rõne pͤducti:& ſic vt ab
obiecto agēte potēs pͤduci obiectiue de itellectu,vt de quo pͤt quaſi pͤduci ſubiectiue. Et iſta oĩno
ſunt ſecundum ratiõne noſtri intellectus:pͤpter qd de potētia actiue & paſſiue dicta ſcdm̃ iſtos mo‐
dos non loquimur:quia codē modo habet eſſe in filio ſecũdũ illa tria in ipſo:ſed ſermo noſter eſt de
potentia paſſiua qua de aliquo pͤt generari paſſiue pſona diſtincta ſecũdũ rē a generãte.Verbũ eͤn
ſiue filius cõtinēs dicta tria in ſe ſecũdũ vnã rõne,natum eſt generari de patre cõtinēte eadͤ tria in
ſe ſecũdũ alia rõne.Et generaͭ verbum vt ſubſiſtēs i illis trib⁹ ſcdm̃ vnã rõne,a patre ſubſiſtēte i il
lis trib⁹ ſecũdũ alia rõne:vt ipſe ſilr̃ tot⁹p ſe generet:& totũ in quo ſubſiſtit habitũ ſit & cõicatum
in ipſo p generatiõne.& ipſe pater p ſe totus generat,& toto eo in quo ſubſiſtit,vt rõne generandi
actiue & quadã potētia actiua:ſed de ſe generat vt de eo de quo pͤt ali⁹ generari obiectiue,vt de po
tente generari paſſiue & ſubiectiue,& ſic vt de habēte in ſe potētia generandi paſſiue & ſubiectiue.
& hoc non de ſe toto rõne toti⁹ in quo ſubſiſtit:ſed ſolũmo rõne intellectus.Pater eͤn p ſe generat
non aũt illa tria in que ſubſiſtit:ſed illis generat.Generat aũt p ſe de intellectu i quo ſubſiſtit vt ali
quo eius ſcdm̃ rõne:& nõ generat de ſe niſi quia de illoqd eſt i ſe,& ſic quodãmõ nõ p ſe de ſe:ſed
p aliquid ſui:vt ſcdm̃ hoc ſimpliciter generat p ſe:non aũt ſimpliciter generat de ſe p ſe:ſed p aliqd
ſui de quo generat p ſe,vt intellectu patris informatus notitia ſimplici ab obiecto & circa obiectũ
ſecũdũ vnã rõne intellectus notitie & obiecti eſt in potentia vt formet de ipſo totũ verbũ ſiue no
titia declaratiua ſecundũ rationē totius.i.illoͬ triũ q̃ in ipſo differũt rõne:nõ aũt ſolũ rõne ipſi⁹no
titie:q̃ eſt vt aliqd verbi differēs rõne ab intellectu vt eſt in ipſo & ab obiecto intelligibili,principiati
ue tñ a toto pͤe ſcdm̃ rõne oͤim q̃ in eo ſunt,licet de ſolo intellectu ſub rõne intellect⁹,vt iã patebit.
Vt hic cõſiderare poſſim⁹ duplicē tõne potētie:vnã qua ipm̃ verbũ dr̃ poſſe gñari obiectiue de pa
tre vt de principiante:alterã qua de ipſo intellectu patris dr̃ poſſe formari quaſi ſubiectiue & q̃ſi de
materiali(cõiter loquēdo de eͤ in potētia paſſiua ſubiectiue)ipm̃ verbũ.Que potētie due ſic ſe hñt
ſcdm̃ rõne adiuicē,cp vna eſt rõ alteri:vt videlicet verbũ nõ dicaͭ poſſe gñari obiectiue de pͤe pri
cipiante niſi qa de intellectu pͤno quaſi ſubiectiue pͤt formari,& hoc queadmodũ in reb⁹ naturali
bus cõpoſitũ nõ dicit poſſe gñari obiectiue ab agēte niſi qa de materia pͤt formari,& de potētia il
li⁹ ſubiectiua.Et eſt illud poſſe quo de intellectu ſubiectiue pͤt gñari quaſi paſſiue,ſcdm̃ rõne tm̃:
& iſtud poſſe quo verbum poteſt gñari paſſiue & obiectiue,eſt poſſe ſecundum rē:ſed ſecũdũ vnã
ordinē tm̃,vt iã patebit.& ſcdm̃ illũ etiã ptinet ad pͤprietatē notionalē,vt iã videbit.Et qa illd poſ
ſe eſt rõ iſtius(vt dictũ eſt)& iſtd habet reduci ad ipm̃:ſic oͤe notionale ſiue pſonale ad eēntiale:nõ
ecõuerſo.Qͤ̃q̃ aũt(vt iã diximus)pͤprietas illa ſcdm̃ rõne dicta ſit ipſi⁹ intellect⁹ ſubiectiue:nõdũ tñ
ſatis clarũ eſt an vt eſt itellect⁹ gñantis,an vt eſt intellect⁹ geniti:ſed hoc ſtatim clareſcet pſcrutan
do cuius pͤprietas ſit,& in quo ſit potētia generãdi paſſiua obiectiue dicta,qua dr̃ paſſiue gñari id
qd eͤ habet p gñatiõne.Hoc ergo mēbrũ ſecundũ diuiſiõis ſupradictͤe i dictis trib⁹ pͤductis pſcrutã
dũ,cui⁹ hͤes potētia ſit pͤprietas,et in quo ſit poñeda:vt p hoc qd de aliis duob⁹ videbim⁹ pateat qd
nobis de hoc ſit ſentiēdũ i diuino ſpectaculo ſiue gñato. Et eſt hic pͤio cõſiderãdũ ex parte pͤducto
rũ:Scdo aliqd ſilr̃ ex pte potētie gñandi paſſiue q̃ ei attribuiͭ.Circa primũ igiͭ ſciēdũ,cp ſecũdũ pͤ
dictas tres pͤductiones triplex eſt mod⁹ eoͬ q̃ pͤducunͭ in eſſe.aliqd enim pͤducit in eſſe impͤfecte,
aliqd vero pͤfect⁹,aliqd aũt pͤfectiſſime.Primo mõ pͤducit in eͤ pͤductum p gñatiõne naturale:qa nõ
totaliter et oĩno recipit eſſe ſuũ a gñante: ſed ſolummodo recipit ab illo pͤfectiõne ſuã in eſſe:qa ge
neras naturaliter nõ gñat niſi pͤincipio materiali pͤſuppoſito in eͤ in quo gñatũ pͤhabuit eͤ in potē
tia:qd nõ dedit ei gñans gñando:ſed ſolũ p gñatiõne cõicado.De quo dicit Auic.vii.metaphyſice,
cp eius eͤ nõ eſt poſt nõ eſſe abſolute:ſed ſcdm̃ priuatiõne ei⁹in materia.Et eſt inductio eͤ rei ex re
debilis & breuis.Secũdo mõ producitur in eſſe productum ſecũdũ creatiõne,totaliter et oĩno a pͤ
ducēte recipiēdo eſſe abſqͤ aliquo ei⁹ pͤecedēte quoquo mõ in eſſe.de quo dicit Auicenna ibidem.
Śi fuerit eſſe poſt non eſſe abſolute,tũc aduentus eius a cauſa ſua erit cauſatũ,& eſt dignior omnı

bus modis dādi eſſe.Qd̄ verũ eſt dandi eſſe poſt non eſſe.Tertio em̄ mō pducit́ in eſſe pductũ i
diuinis & modo pfectiſſimo atꝗ digniſſimo,qd̄ totaliter a pducente recipit eſſe,non ex aliquo prę
cedēte,nec poſt non eſſe natura aut duratione:quia talis pductio pſtaret ei eſſe qd̄ non fuit:ſed de
aliquo & ab agente aliquo ſemper exiſtente:a quo & ęque ſemp & ſimul natura atꝗ duratiōe ha
bet eſſe ſecūdũ iam dictum modũ,& iam amplius dicēdum:& id eſſe quo ipſe pducēs eſt:licet ſecū
dum alium modum habendi illud,dicēte Hila.de natiuitate q̄ in diuinis eſt pductio filii.Semp ꝑa
trē ſemper filium ꝑdicantes nō poſt aliqua deum oim̄:ſed ante omnia eſſe edocebim9,& infra,Ita
ſemp eſſe vt & natum ꝑdicemus:ita vero natum eſſe vt ſemp fuiſſe manifeſtemus,quia & natiui
tatis auctorem habeat,neꝗ careat eternitate diuinitatis,& lib.iiii.cap.i.Ex his q̄ in patre,ſunt ea in
quibus eſt filius.i.ex toto patre tot9 filius nat9 eſt nō aliūde,ꝗa nihil anteꝗ fili9:neꝗ ex nihilo,quia
ex deo fili9.Qd̄ in patre eſt,hoc i filio eſt,alter ab altero,& vterꝗ vnũ.& lib.vi.ca.vi.Nō q̄ nō erāt
tenet́:ſed q̄ dei manebāt & manēt obtinuit veritate naſcēdi.Et eſt pfectiſſimus modus dādi eē.de
quo dicit Chriſt9 Ioan.xvii.Sicut pꝼ vitā habet i ſemetipſo,ſic dedit & filio vitā habere i ſemetipſo

Z  Circa potētiā vero generādi paſſiue obiectiue,& circa ipſum pductũ in trib9 dictis pductionibus
ſciēdũ eſt ꝗ ipſa potētia pōt attribui alicui obiectiue vt ei qd̄ pducit ſiue gn̄at́,dupliciter:ꝗa ſcdm
duplicē ordinē.ſ.& ſcdm ordinē ad id de quo ſubiectiue gn̄at́,& ſecūdũ ordinē ad id a quo princi
piatiue gn̄at́.Ipm ei qd̄ obiectiue gn̄at́,& gn̄at́ de aliquo ſubiectiue,& ab aliquo principiatur:& iō
etiā pōt eiſdē modis gn̄ari & de aliquo & ab aliquo:& illi potentiæ qua poteſt obiectiue gn̄ari de
aliquo reſpōdet potētia in eo de quo gn̄at́,qua illud ſubiectiue eſt in potētia vt de eo gn̄et: & eidē
potētię qua pōt obiectiue gn̄ari ab aliquo,reſpōdet potētia actiua in eo a quo pōt gn̄ari,q̄ actiue po
teſt gn̄are illd̄. Et eſt in diuinis magna differētia iter potētiā gn̄ādi paſſiue & obiectiue de aliquo
vt de ſubiecto,& ab aliquo vt a pricipio. Inquātũ em̄ eſt potētia paſſiua q̄ obiectiue pductũ pduci
pōt de aliquo,eſt ſcdm rōnē,ꝗa ipſa potētia paſſiua ſubiectiue i eo de quo,ꝯ ſcdm rōnē tm̄.Ipm aut
gn̄ari de aliquo ſubiectiue,& ipm gn̄ari alicui9 obiectiue,ſola rōne differũt:ꝗa ab eo qd̄ nō habet eē
i diuis niſi ſecūdũ ſola rōnē cuiuſmōi ē poſſe gn̄ari ſubiectiue,nihil pōt differre ſcdm rē.Et ſic ſola
ratione differũt potētię paſſiuę qua hoc obiectiue ab illo ſubiectiue pōt pduci:licet potētia paſſiua
ſubiectiue in eo de quo,ſit ratio illius paſſiuę obiectiue in eo qui ab.nō enim habet ꝑductũ obiecti
ue potētiā vt pducat́ de aliquo,niſi ꝗa illud de quo pducit́ habet potētiā vt de eo pducat́,queadm
modũ id de quo pducit́ nō habet potētiā vt de eo pducat́ niſi ꝗa pducēs habet potētiā vt de illo il
lud pducat.Et ſic potētię paſſiuę obiectiue ratio eſt potētia paſſiua ſubiectiue:& potētię paſſiuę ſub
iectiue rō eſt potētia actiua.Ois em̄ potētia paſſiua qa potētia materię reducit:& potētia
materię qa potētiā agētis.Et ſicut eſt de potētiis,ſimiliter eſt & de actib9.Actus em̄ quo ꝗs gn̄at́ ob
iectiue rō,eſt ille actus quo aliꝗs gn̄at́ ſubiectiue:& illi9 rō eſt act9 quo quis gn̄at́ principiatiue,nō
em̄ gn̄at́ fili9 obiectiue niſi qa de diuina eſſentia gn̄at́ ſubiectiue:nec de illa gn̄at9 ſubiectiue eſt niſi
quia pater de ea gn̄at́ principiatiue. Et ſicut gn̄ari & poſſe gn̄ari obiectiue & ſubiectiue inter ſe dif
ferunt ſola rōne:ſic & inter ſe ſola rōne differunt poſſe gn̄are & gn̄are principiatiue,& poſſe gn̄ari
& generari ſubiectiue.Et poſſe gn̄are & generare principiatiue ſecūdũ rem differũt a poſſe genera
ri & gn̄ari obiectiue.Vnde potētia paſſiua qua pductum poteſt pduci ab alio principiatiue,eſt po
tētia ſecūdũ rē:quia ſecūdũ rē differt a potētia gn̄ādi actiua:q̄ ei rn̄det i eo a quo pducit́.Queadm
modũ em̄ ſecūdũ rē differũt generare & gn̄ari,ſic & poſſe gn̄are & poſſe gn̄ari:ꝗa poſſe gn̄are re
ducit́ ad gn̄are:& poſſe gn̄ari obiectiue,reducit́ ad gn̄ari obiectiue,vt ſupra dicti,eſt & iſta ampli9
dicet́.In diuinis ergo poſſe gn̄ari obiectiue in ordine ad gn̄ātē ꝑprietas eſt,ꝑpter diſtinctionē ſcdm
rē ꝑſonalē gn̄antis & geniti,& ſiꝉ gn̄are & gn̄ari:nō aut i ordie ad id de quo gn̄at́,ꝑpter idētitatē
ſecūdũ rē ipſius poſſe gn̄ari ſubiectiue & ipſius poſſe generari obiectiue:queadmodũ idētitas eſt ſe
cūdũ rē geniti & illi9 de quo gn̄at́,& differētia ſecūdũ ſola rōne. Vnde ꝗa gn̄ari ꝑ ſe ꝑprietas ē filii
& ſoli9 filii & in ſolo filio:ideo dico ꝗ iſta potētia gn̄ādi paſſiue.ſ.obiectiue in ordine ad illũ a quo
gn̄at́ aliꝗs,in filio eſt & filii ꝑprietas & ſoli9 filii & in ſolo filio. Et ſimiliter eſt i ſolo filio ſecūdũ or
dinē quē habet ad id de quo gn̄at́:ſed nō eſt ꝑprietas:ꝗa ſolũ eſt ſcdm rōne differēs a potētia q̄ pōt
de illo gn̄ari. Vn̄ nulla potētiarũ q̄ſi paſſiuarũ in diuia pductiōe ꝑprietas eſt excepta illa q̄ ꝑſona ꝑ
duci poteſt paſſiue & obiectiue,vt genitũ a generāte.De potētia aut paſſiua & q̄ſi ſubiectiua i eo de
quo pducit́ ꝗs,puta iu intellectu de quo pducit́ verbũ,clarũ eſt ꝗ eo mō quo ē potētia ſcdm rōnē
in ipſo intellectu ſcdm rōnē. Vtrũ aut i ipſo itellectu vt eſt patris q̄ generat an vt ē filii q̄ gn̄at́
de hoc nōdũ eſt clarũ:ſed iā videbit́ qd̄ de hoc ſentiendũ ſit in diſſolutione rationis quinte.

A
Ad pri.
principa.  ⸿Q̄ ergo arguebatur primo,ꝗ potentia generandi  paſſiue non eſt in filio:quia
ipſe ē neceſſe eſſe ſicut pater,& potentia generandi ponit poſſe eſſe:ꝗa gn̄atio eſt actus ad eſſe poſ

se autem esse contrarium est ad necesse eē: Dicendum ꝙ aliquid vel aliquis potest intelligi esse possibile esse ab alio, dupliciter: vel formaliter, vel pricipiatiue. Qđ primo mō est possibile eē ab alio, secundum se est natura & essentia aliqua quæ quātum est ex se caret forma essendi: & ideo oportet ꝙ ei esse acquiratur ab alio. & tale solum est in creaturis, & in omnibus creaturis quibus esse acquiritur non nisi per aliquid existens extra earū essentiam: quia quantum est de se & sua essentia mutabiles sunt de non esse in esse: & econuerso. & tale posse esse ab alio, est cōtrariū necesse esse: vñ nec ab alio potest esse necesse esse. Qđ vero est possibile eē ab alio secūdo modo, secūdū se est natura & essentia aliqua q̄ ex se formaliter est ipsa forma essendi & ipsum esse: cui idcirco nihil potest acquiri ab alio: sed ꝙ ipsum possibile eē tale sit eē secūdū actū, hoc habet pricipiatiue ab alio. Et tale posse eē ab alio nō repugnat ei qđ est necesse esse: quia ex se formaliter est necesse esse licet ab alio principiatiue. Quia aūt esse formalr̄ necesse esse nō pōt esse nisi vnū secūdū substātiā, q̄a est primū ens: a quo autem quis habet ꝙ sit necesse esse ille nō potest esse nisi necesse eē: quia possibile esse formaliter cū sit posterius esse q̄ sit necesse esse non potest esse principium eius qđ est necesse esse: Patet igitur ꝙ ambo sunt eiusdē substantiæ, scilicet & ille qui habet ꝙ sit necesse esse ab alio, & ille a quo habet hoc Et sic filius siue verbum est possibile esse ab alio pricipiatiue, a quo habet ꝙ sit necesse esse ex se formaliter, sicut est ille a quo illud habet. Et sic ex se habēs esse formaliter non frustra est possibile ab alio habere esse principiatiue: quia illud ex se non haberet formaliter nisi posset illđ habere ab alio principiatiue: & hoc ꝑ potētiam quæ est in producto vt possit ꝓduci de alio obiectiue, & q̄ est in intellectu ꝓducentis vt de eo possit produci subiectiue secundum ꝓdictum modū. ¶ Ad cuius ampliorem intellectum est aduertēdum, ꝙ secundū ꝓdeterminata iam, in deo est tria considerare: scilicet ipsam substantiam diuinā sub ratione intellectus, & ipsam actualē notitiam quasi formā intellectus secundum formam intelligentis, & ipsam diuinā essentiā vt est qđdā intelligibile obiectū quo intellectus habet esse quasi a quodā actiuo informante intellectū secūdū actū intelligēdi terminatū ad ipsam vt ad formale cognitum: q̄ scđm rōnē solūmodo differunt, & sunt communiter in tribus ꝑsonis diuinis sub ꝓprietatibus quibus ꝑsonę illę inter se distinguunť: & conueniunt singulis formaliter ex seipsis: sed ab alio principiatiue sunt in filio & spiritu sancto, & in patre nō ab alio. Et vt sunt in patre, hm̄ōi notitia habet scđm cōsiderationē rōnis q̄si formari in intellectu vt est intellectus simpliciter & pure quasi passiuus, & vt ipsa notitia est simpliciter siue simplex notitia, & vt ip̄m obiectū simpliciter mouens ad actū intelligēdi, & simplr̄ cognitū. Quib⁹ sic se hn̄tib⁹ in patre & sola ratione inter se differentib⁹, ipse intellect⁹ vt pr̄is est nō solū stat in simplici notitia ad quā est quasi pure passiuus: sed spiritualiter se cōuertit suꝑ seip̄m & suū actū & suꝑ obiectum cognitū Hoc est em̄ naturę cuiuslibet substātię intellectualis seꝑatę: q̄ intellect⁹ actiuus est: & nō solum habet rōnē intellect⁹ in recipiēdo sed aspectus in cōsiderādo & diligēti⁹ intuēdo seip̄m, suā naturā, & ipsum cognitū ab eo. Et per hoc intellectus patris est in potētia ꝓpinqua vt de eo generet verbū Etem̄ intellectus informatus notitia simplici, q in patre tenet rōnē memorię siue notitiæ q̄ dicitur memoria, agit in ipsum intellectum vt aspectus est & cōuersus suꝑ seip̄m & suꝑ notitiā qua informatur & suꝑ obiectū cognitū a quo informať, gn̄ando de ip̄o & in ip̄o notitiā sibi simillimā terminatā in idip̄m a quo gn̄ať vt in obiectū vnicū, licet tria in se cōtineat scđm rōnē. vt nō solū illa notitia q̄ verbū est sit sil̄itudo obiecti in simplici notitia: sed & illi⁹ notitię & intellectus in quo est: vt secūdū hoc itellectus q est aspect⁹ secūdū actū, est aliq̄d verbi scđm rōnē, hn̄s in se notitiā illā q̄ terminať ad illud totū in patre. Et ꝑ hoc notitia patris simplex notitia est, terminata ad diuinā essentiā vt simpliciter cognitū. Notitia vero filii. s. illa q̄ verbū ē & fili⁹, est declaratiua terminata intuitiue nō solū ad cognitū illa simplici notitia: vt scilicet id qđ illa notitia cognitum erat simplr̄, ista notitia cognoscať discretiue: sed etiā ad ipsam notitiā & ad intellectū in quo est, & ꝑ hoc ad ipsum totū intelligētē: q̄a intelligēs notitia vt declaratiua est, nō solū intelligit rē discretiue quā intellexit simpliciter notitia simplici: sed intelligit se, & se intelligere illā: in quo ꝑficiť act⁹ intelligēdi & ꝑfecta rō verbi. ne solū intelligať verbū gn̄ari ex hoc ꝙ intellectū simplici notitia agit in intellectū vt est aspectus gn̄ando in se notitiā discretiuā. Nō em̄ verbū solūmō gn̄ať a cognito ī simplici notitia secūdū modū quē declarauimus in ꝓcedēti q̄stione: sed etiā a cognoscēte, vt ibidē diximus scđm Augustinū. Vt scđm hoc in gn̄atione verbi intellect⁹ simpliciter informat⁹ simplici notitia circa obiectū simpliciter cognitū totū iq̄ātū hoc vt intelligibile qđdā agat nō tā naturaliter vt obiectū cognoscibile, q̄ intellectualiter, vt actualiter intelligēs & itellectualis notitia ī ip̄m intellectū, hoc ē in eēntiā diuinā sub illa rōne q̄ ē aspect⁹. Et ꝑ hoc habet eē notitia de notitia, itelligētia. s. de mēoria, declaratia de simplici. Et dr̄ declaratia ñ q̄a clari⁹ cognoscit aliq̄d a deo ī declaratia q̄ ī simplici: s; q̄a diuia eēntia q̄ ī simplici notitia cognoscit solū sub rōne itelligibilis cogniti simplr̄, ī declaratiua co

B

C

gnoſcitur,& ſub ratione intelligibilis cogniti diſcretiue,& ſub rōne qua eſt ſimplex notitia diſcre
te cognita,& ſub ratione qua eſt intellectus diſcrete cognitus.Et ſecundum hoc in creaturis intelli
gentibus aliud a ſe,verbū nō ſolum continet notitiam qua cognoſcitur quid eſt cognitum vel qđ
quid eſt eius diſcretiue:ſed qua cognoſcitur ipſe actus cognoſcendi illud:qua ſcilicet cognoſcit ſim
plici notitia. Et quādo formatur verbum de notitia qua cognoſcit ſeipſum,illa non ſolum cōtinet
notitiam qua cognoſcitur quid eſt: vel quod quid eſt circa cognitum in ſimplici notitia:& qua co
gnoſcitur ipſa notitia:ſed qua cognoſcitur intellectus quo cognoſcit cognoſcens illa notitia,& per
hoc totus ipſe cognoſcens.Qđ verbū in nobis maxime aſſimilatur verbo diuino,qđ eſt notitia de
claratiua ſecundum iam dictum modū:in qua ſecundum ratiōne(vt dictum eſt )ſunt tria; intel
lectus vt aſpectus,notitia vt declaratiua,cognitum vt quid eſt:queadmodum tria ſunt in notitia
ſimplici quæ pater eſt,ſcilicet intellectus vt ſimpliciter intellectus eſt,notitia vt ſimplex,cognitum
vt aliquid eſt. Et ſunt penitus eadem ſecundum rem abſolutam ſingula ſingulis & ſingula omib⁹
& in patre & in filio,diſtinctione ſolummodo habita in eis per habitudines ſiue reſpectus qui ſunt
a quo & qui ab:qui conſtituunt ſuppoſita in quibus illa habent eſſe.Notitia enim quæ ſub vna ra
tione differt a ſeipſa ſub alia ratione,ratione illa qua eſt notitia ſecūdum aliam & aliam rationem
non diſtingueret perſonas niſi abſolutas & ſecundum rationem tm̄,Inquantum etiam conſideran
tur vt abſoluta & ratione ſola differentia,vna non habet eſſe de altera vt terminus & principium
alicuius productionis: quoniam i diuinis nihil abſolutum eſt principiatum neqȝ ſecundum ſe neqȝ
etiam in alio,ſecundum modum quo forma naturalis dicitur eſſe principiata: quia ſcilicet de potē
tia materiæ alicuius a non eſſe ad eſſe in cōpoſito eſt pducta. Vnde nihil abſolutum debet cōſide
rari in diuinis vt ab & a:quia nihil in illis eſt quod eſt ab,ſicut terminus:nec qđ eſt a quo,ſicut pri
cipium actiuum productionis:ſed debent illa abſoluta differentia ratione conſiderari ſicut funda
mentum illorum reſpectuum,& cum ſingulis reſpectibus conſtituētia ſingulas perſonas quæ per
ſe ſunt terminus & principium productionis,ſubſiſtētes in illis abſolutis differentibus ſecundum
rationem tm̄:quę differentia ſecundum rōne tm̄,eſt fundamentalis origo diſtinctionis ſuppoſitoȝ
ſecundum rem:ita tamen cȝ ſicut intellectus patris vt eſt intellectus ſimpliciter,ſemper eſt informa
tus notitia ſimplici ab ipſa diuina eſſentia,ipſa eētia q̄ſi ſecūdū rōne agente in intellectu ipſam ſim
plicem notitiam:ſic idem intellectus vt eſt aſpectus ſemper & immutabiliter conuerſus ad ſeipſum
vt eſt notitia ſimplici informatus,ſemper eſt quaſi informatus notitia declaratiua ab ipſa notitia
ſimplici:quæ tria ſecūdum rationem continet in patre,vt iā dictū eſt:ipſa tali ſecundum rem agen
te in aſpectu ipſam notitiam declaratiuam.Et ideo eſt imago illius continens in ſe tm̄modo duo ſe
cundum rationem differentia,ſcilicet ipſum aſpectum de quo quaſi formata eſt,& ipſam notitiam
formatam. Obiectū autem intelligibile de quo formatur ſimplex notitia, ſemper ſe tenet ex parte
notitiæ ſimplicis & eius a quo formatur declaratiua notitia:& ſolūmodo ex hoc cȝ hęc eſt de illa ſe
cundum rem principiatiue formata,conſtituuntur diuerſa ſuppoſita in ipſis ſubſiſtentia diſtincta
ſecundum rem.& hoc ideo,quia hoc eſt eſſe ab ſecundum rem.Vbi em̄ ē conuerſio alicuius ſup ali
quid,oportet cȝ ſint diſtincta ſecūdum rem quoquo modo & qđ cōuertitur & ſupra qđ conuertit:
cū tamen ex hoc cȝ de intellectu formatur ſimplex notitia ab eſſentia intellecta,eſt ſecundum ratio
nem tm̄.Et ſimiliter qđ eſt ab & id a quo eſt,habet eſſe diuerſa ſecūdū rationem tm̄:quia hoc eſt eſ
ſe ab ſecundum rationem tm̄:quia abſcȝ conuerſione . Et ſecūdum hoc magna eſt differentia inter
hanc generationem & illam quæ eſt in creaturis:in qua abſolute diuerſa ſunt ſecundum rem i ge
nerante & genito,& ſubiectum de quo,& qđ de ipſo educitur,quo conſtituitur genitū in eſſe. Sed
minor eſt differentia huius generationis verbi in diuinis a generatione verbi in intellectu noſtro &
angelorum.In verbo enim noſtro & angeli quoquo modo diuerſitas eſt ſecundum rem inter noti
tiam genitam & eam quæ generat:propter quod non ſine tranſmutatione verbum in nobis & in

**D**   angelis formatur,vt iam patebit.℀Vt ergo modus generandi in diuinis iā tactus magis illuceſcat
iuxta diſſimilem modum generandi verbum in nobis & in angelis,ſciendum eſt cȝ alius eſt modus
generandi verbum in nobis & in angelis & in deo , ſecundum cȝ alius eſt modus cognitionis ange
lis & deo. Similiter in nobis alius & alius eſt modus formandi verbum de alia & alia re cognita.
Eſt em̄ nobis modus cognoſcendi proprius(ſecundum dictum Philoſophi in principio phyſicorū)
incipiendo a confuſis. Sunt em̄(vt dicit)nobis primum manifeſta & cognita confuſa magis,& hoc
in vita præſente prioritate temporis. Vnde cum de compoſitis in eſſentia ſua complectētibus par
tes quæ conſtituunt eorum definitiuas rationes dixiſſet,Primum nobis nota ſunt confuſa ma
gis,continuo adiecit.Poſterius autem ex his nota fiunt elementa & principia diuidētibus hęc, Pro
pter quod de talibus prius eſt verbum formabile in nobis,habendo ſcilicet de eis confuſam cogni

tionem ſub ratione definiti,q̃ ſit actu formatū habendo de eis cognitiõe determinatam & diſtin‑
ctam in eorum definitiua ratione.& hoc quemadmodū(vt dicit)pueri confuſa cognitione primū
appellant oẽs viros patres,& oẽs foeminas matres:poſtmodū vero vigorato intellectu cognitiõe diſ
creta determinant horum vnumquodq̃,diſtincte cognoſcendo patrem inter alios viros,& matrẽ
inter alias foeminas.& etiã quẽadmodū cū videmus aliquid alonge,primo mediante viſu & phan‑
taſia intelligimus illud eſſe aliquã ſubſtantiam corpoream:poſtmodū appropinquãdo magis & ma
gis per motum cognoſcimus q̃ ſit animal:deinde per ſtaturam corporis cognoſcimus q̃ ſit homo:
deinde quis homo ſit:ſi tñ eum alias nouerimus.Sed iſta cognitio adhuc cõfuſa eſt apud intellectū
quouſq̃ cognoſcamus de homine quid ſit in ſua ratione definitiua,quę eſt eadem hominis & hui⁹
hominis ſecundū Philoſophū.Sic autẽ non cognoſcimus eum iam habita prius de eo notitia confu
ſa,niſi diſcurſu & intuitione intellectus & irradiatione agentis,ſecundū ſupra expoſitum modum
Per quẽ pateſcunt nobis in definito partes eius eſſentiales,quemadmodum(vt ſupra expoſitū eſt)
pateſcit etiam irradiatione agentis vniuerſale in phantaſmate.Sunt aũt partes illę ſecundū logicã
definitiõe genus & differentia,ſed ex his duobus primo nobis innoteſcit genus tanq̃ magis con‑
fuſum:deinde differentia vt diſtinguens genus & determinans ipſum ad ſpeciem: ita q̃ in neutro
horum ſecundū ſe concipiatur verbū perfectum definiti,ſed in vtroq̃ ſimul.Similiter prioritate tẽ
poris,licet forte imperceptibilis nobis,nota ſunt confuſa magis in eis quę ſunt ſimplicia,non habẽ
tia partes in eſſentia ſua,neq̃ definitiuas rationes vt ſunt vltimę differentię ſpecierum ſpecialiſſi
marum.Talia eñ cum primo occurrūt intellectui mouent ipſum ad cognoſcendū de eis q̃ ſint ali‑
quid in rerum natura,non tñ quid ſit determinate,vt ſcilicet ſit differentia talis vel talis.Semper
tñ aut nihil de eis cognoſcitur,aut cognoſcit totum qd̃ eſt in eis cognoſcibile q̃uis non totaliter.
Et hoc contingit in intellectu,quẽadmodū contingit in ſenſu. Cum eñ in luce obſcura ſiue modi‑
ca videmus librum ſcriptum,ſtatim videmus q̃ in eo aliquid ſcriptum ſit.Sed q̃ non videmus diſ
cretiue qd̃ in eo ſcriptū ſit,hoc ſit per duo:quorum primū eſt lucis intentio,cuius irradiatione cla
riore pateſcit viſui quid ſcriptum ſit amotione tenebrę obumbrantis.ſecundum quem modum
irradiat lux agentis ſuper phantaſmata amouẽdo vmbram particularium circunſtantiarum mate
rię,ſecundū quem modū etiam irradiat ſuper confuſe intellectū amouendo vmbram cõfuſionis.Se
cundum vero eſt viſus approximatio ſecundū q̃ viſus diſcernit a propinquo qd̃ non diſcernit a re
motis.Et eſt aſpectus ipſius intellectus ſiue intuitio, ipſius ad intelligibile appropinquatio ſpiritua
lis:qua quaſi penetrantur eius interiora:& eſt in ſenſu viſus illa viſio certa & diſcreta eadem re cũ
illa prius confuſa,differens ſolū ſecundū magis & minus.Et eſt illa determinata quaſi verbū in ſen
ſu,ſed non proprie eſt verbum,eo q̃ non formatur actione ſenſus:ſed tantūmodo obiecti.Magis tñ
habet de ratione verbi q̃ illud qd̃ quidam dicunt eſſe verbū eſſentiale in diuinis,quia ibi viſio cer‑
ta pſupponit confuſam:in diuinis autẽ notitia eſſentialis nullam aliam pſupponit.Et notitia decla
ratiua quę verbū eſt,ſemper ſupponit notitiam ſimplicem:vt vbicũq̃ ſit verbum qualecũq̃,requiri
tur duplex notitia,& ex parte intellectus aſcribit illa notitia ſimplicis intelligentię confuſa ipſi me
morię:qa tūc primo mouet intellectū ſub ratione intelligentię determinata cognitiõe,qñ mouet in
tellectū ad cognoſcẽdū de cognito qd̃ determinate ſit in rerũ natura. Quicqd ei intellect⁹ noſter ap
phẽdit,primo ſubito apphẽdit q̃ aliqd ſit,& ex hoc itellect⁹ fact⁹ quaſi attonit⁹ ſtatim aſpectũ ſuũ
cõuertit vi ſua actiua ſup actũ ſuũ,& ſup obiectū confuſe cognitū:& mouetur acrius illud diligen
tius intuẽdo,vt diſcretius ipſum cognoſcat.& hoc quẽadmodū oculus corporalis cũ ſubito imu‑
tatus fuerit a luce, aſpectum ſuum acrius intuendo in illam extẽdit vt perfectius eã videat, & hoc
appetitu delectato in eo quod cognoſcit intellectus aut ſenſus, & per hoc mouente intellectum
aut ſenſum ad amplius intuendū, vt perfectius cognoſcat & perfectius delectet in cognito. Vnde
ſecundū q̃ dicit Auguſti.xiiii.de Trini.cap.v. hinc coniici poteſt: q̃ infantis mens lucis haurien‑
dę ſic auida eſt,vt ſi quiſq̃ minus caute neſciens quid inde poſſit accidere, nocturnū lumen poſue
rit vbi iacet infans in ea parte ad quã iacentis oculi poſſint retorqueri , aut ceruix poſſit inflecti,
ſic ei⁹ inde nõ remouet aſpectus,vt nõnullos ex hoc etiã ſtrabones fieri nouerimus. Vnde cũ obie
ctum nõ moratur,ſed trãſuolat, ſolum confuſa & indeterminata notitia permanet.quemadmodũ
cum aliquid ſubito tranſuolat immutando viſum corporalem,percipim⁹ nos aliquid vidiſſe: neſci
mus tñ quid fuerit determinate.Secundum hunc enim modum determinauimus ſupra,q̃ deum
intelligimus in præſenti,& cognoſcimus de eo quid eſt generaliſſima cognitione,i.q̃ aliquid ſit qd̃
mentem noſtrã quaſi in ictu oculi tranſuolando immutat,ſed quę & qualis natura ſit determinate
non percipimus.dicente beato Gregorio.xvi.Moralium cap.v. Sic nobis intelligẽdum præbet,vt tñ
ipſum nobis radium ſui intellectus obnubilet, & rurſum caligine ignorantiæ ſic nos reprimit vt

tamen menti nostrę radios suæ claritatis intermiscet:quaten⁹ & subleuata quippiam videat, & re
uerberata contremiscat:& quia eum sicuti est videre non pōt,aliquaten⁹ vidēdo cognoscat. Quia
vt dicit lib.v.ca.xiii.etsi plane nō intimat,qddā tñ de se humanę menti manifestat, Sed vt dicit lib.
viii.ca.xix.inhęrere diu luci nō valet,qa raptim videt.Sic etiā de⁹ se cōfusa cognitiōe,qua.f.de se ꝙ
aliquid sit cognoscit,intellectui beato in primo instante visionis gloriosę prius naturaliter manife
stat:& subito & in eodem instante forsitan conuertit se super obiectum acrius intuēdo ipsum: vbi
de deo in intellectus aspectu formatur verbū,quo certe cognoscitur de deo quid sit determinate in
rerum natura,ꝗuis ipsum videndo non concipiamus de eo verbum indicans quid est secundum
definitiuam rationem,quia nullam habet propter eius simplicitatem,vt dicit Auicen.Secūdū quę
modum alias diximus in questionibus de Quolibet,ꝗ intellectualiter vidēdo deum non concipi
mus verbum de ipso:sed cognoscendo quid sit determinate in rerum natura, verbum de ipso con
cipiemus.secundum illud primę Ioannis.4.Similes ei erimus,quoniam videbimus eū sicuti est.Sū

G  per quo dicit Augustinus.xv.de trinitate cap.xvi.Sed tunc quidem verbum nostrum non erit fal
sum,quia neꝗ mentiemur neꝗ fallemur:tamen cū hoc fuerit,formata erit creatura quæ formabi
lis fuit, vt nihil iam desit eius formę ad quā peruenire deberet: sed tamen coæquanda non erit illi
simplicitati vbi non formabile formatum vel reformatum est:sed forma neꝗ informis neꝗ forma
ta ipsa ibi æterna est immutabilisꝗ substantia.In quo August.tangit vnam differentiam iter ver
bum nostrum & cuiuslibet intellectus creati etiam de deo, & inter verbum dei : videlicet ꝗ ver
bum intellectus creati prius tempore aut natura formabile est ꝗ formatum . Prius tempore,quo
ad verbum nostrū in pſenti qd magis cognitū est nobis. Quia vt dicit Augustin⁹.xiiii.de trini.ca.
vii.facili⁹ dignoscit qd tpe antecedit,vbi parēs plē p spatia tpis antecedit . Quō aūt antecedit tpe
vt formabile qd nōdū formatū,exponit Aug.xv.de trini.cap.xv.dicens.Quid est inquā hoc forma
bile nōdū formatū &c.vt supra i ꝗstiōe de dicere dei.Pri⁹ vero natura in ītellectu cuiuslibet beati
verbū de quacunꝗ re formabile est ꝗ formetur.Formabile intelligo in ipsa confusa cognitione,qua
primo cognoscitur de re cognita ꝗ aliquid est:de qua cognitione confusa formatur verbum sicut
completum de incōpleto:vt format vir de puero,& cognoscit eadē res prius scōpleta & postea cō
pleta cognitione:qua.f.cognoscit de ipsa quid est vel qd quid est.nulla ēm notitia verbum est nisi
qua cognoscitur determinate de re quid ē vel qd quid est:primū in simplicib⁹ non habētibus defi
nitiuam rationem, secundum in compositis habentibus eam. Verbum autem diuinum nec tēpo
re nec natura prius est formabile ꝗ formatum,nec informe esse potest. Vnde differētiam quo ad
hoc exprimit Augustinus ibidem subdens post iam signata.Quis nō videat quāta hic sit dissimi
litudo ab illo dei verbo qd in forma dei sic est vt non antea fuerit formabile ꝗ formatū:nec aliqua
do possit esse informe:sed sit forma simplex & simpliciter equalis ei de quo est, & cui mirabiliter
coæterna est: In quo etiam tangit differentiam aliā verbi dei ad verbum intellectus creati: & hoc
quo ad duo. Quorum primum est , ꝗ licet in intellectu creato eadem secundum rem sit notitia
simplex & notitia declaratiua quæ verbum est, & hoc de eadē re,eo ꝗ simul sunt in eodem(Duo
enim actus intelligendi de eadem re cum solo numero differunt, non possunt esse simul in eodē in
tellectu secundum numerum )differunt tñ sicut magis perfectum & minus perfectum. semp ēm
perfectior est in intellectu creato notitia cogitatiua & declaratiua de eadem re,ꝗ sit simplex notitia
Propter qd dicit Augustinus ibidem cap.xxi.Cogitando qd verum inuenimus,hoc maxime itel
ligere dicimus. Secundum vero est ꝗ verbum intellectus creati cum de re superiore se concipit
non equatur rei de qua formatur.dicente Augustino.x.de trinita.cap.xi.Cum deum nouimus,no
titia verbum est:sitꝗ aliqua dei similitudo.Illa tamē notitia iferior est.In deo vero notitia quę ver
bum est,& notitia simplex quę memorię ascribitur,ęque perfecta est secūdū rē & illi equata de quo
est.qa tātū se nouit De⁹ quāt⁹ est:& ęque pfecte cognoscit a deo singularia i notitia simplici & es
sentiali,& i notitia declaratiua ꝗ verbū est.Dr tñ verbū notitia declaratiua & manifestatiua respe
ctu notitię simplicis & eorū ꝗ i ipsa cognoscūt:qa eo ꝗ dicēdo pcedit,mō manifestatiuo pcedit.Ma

H  nifestatiuo dico notitię ei⁹ de ꝗ pcedit:queadmodū verbū vocis pcedit mō manifestatio verbi qd
est in mente. Est autem aspectus iste de quo iam locuti sumus, in intellectu vis eius aliqua quę
spirituali conuersione conuertit se sup ea quę pcipit in se:& est in nobis vis cogitatiua itellectualis.
dicente Augustino ibidem cap.vi.Tāta est cogitationis vis vt nec ipsa mens quodammodo in cō
spectu suo se ponat nisi quando cogitat:ac p hoc nihil in conspectu mentis est nisi vnde cogitat.Et
post aliqua interposita quibus pbat ꝗ aspectus mentis non sit ꝗcꝗ aliud a mēte,subdit dicēs . Pro
inde restat vt aliquid pertinens ad eius naturam sit aspectus eius etiā quando se cogitat:non quasi
per loci spatium,sed incorporea conuersione reuocetur.Cum vero non se cogitat , non sit quid in

conſpectu ſuo,nec de illa ſuus format obtutus,ſed tamen nouit ſe tanq̃ ſibi ſit memoria ſui.Quic
quid ſit de notitia quam mens habet de ſe:de qua loquitur Auguſti.certum tn̄ eſt q̃ quicquid ſci
mus cogitando,prius ſimplici notitia non cogitatiua apprehendimus:ſed niſi cogitando ad illud
nos conuertimus,nihil de apprehenſo iudicamus.Vnde notitia iſta memorię deputatur,qua mens
vt cogitet excitatur.Quemadmodū intētus aliunde tranſeuntes oculis apprehēdit,ſed de illis nō
iudicat niſi cū p phantaſmata eorum excitatus de illis cogitat.Et tunc cū cogitat de notitia prece
dente formata de re intellecta,verbum in cogitatione format. dicente Auguſt.ibidem.Nec ita ſane
gignit iſtam notitiam ſuā mens quando cogitando ſe conſpicit tanq̃ ſibi ante incognita fuerit:ſed
ita ſibi nota erat,quemadmodū notę ſunt res q̃ memoria continētur.Nō dico memoria qua in ha
bitu tn̄ cognoſcunt res,ſed qua actu ſimplici notitia intelligitur,ſecundū q̃ dicit cap.xi.in fine.Si
cut in rebus prꝛteritis ea memoria dicit qua ſit vt valeat recoli,ſic in re prꝛſenti qd̄ ſibi mens eſt
memoria ſine abſurditate dicēda eſt,Reſpectu autem talis memorię intellectio cogitatiua intelligē
ria dicitur.Vnde de memoria dicit predicto cap.vi.Notitia cuiuſcunq̃ rei quꝛ ineſt menti, etiam
quando non de ipſa cogitat ad ſolam dicit memoriā pertinere.& cap.vii.dicit de intelligentia.Nūc
dico intelligentiam qua intelligimus cogitantes.i.quando eis repertis quę memorię prꝛſto fuerant
ſed nō cogitabant,cogitatio noſtra format.Sic ergo cū mens aſpectu ſuo ſe cōuertit ad ſimplicē no
titiam quā in ſe iam comprehendit acrius intuendo,& quaſi intellectualiter penetrādo interiora in
tellecti,irradiatione intellectus agentis ſuperueniente eidem intellectui,amplius pateſcit idem,& p
hoc ipſe itellectus fit ſœcūdus paſſiue,vt in ſe cōcipiat & pariat notitia declaratiuā.Eſt aūt ex ſe ſœ
cūda actiue ipſa memoria per ſimplicē notitiā q̃ eſt in ea,vt ſtatim aſpectu intellectus ad ſe conuer
ſum moueat generando in ipſo intellectionem declaratiuā:qua determinate & diſtincte diſcernit
de ipſo cognito qd̄ quid eſt ſi ſit compoſitū,vel quid eſt in rerū natura ſi ſit ſimplex.Eſt autem & in
mente diuina quidam eius aſpectus qui ad incommutabilem notitiam eſſentialem in patre exiſtē
tē ꝛternaliter & incōmutabiliter cōuerſus eſt,Propter qd̄ ꝛternaliter & cinōmutabiliter ab illa for
matus eſt habēdo in ſe formā verbi ꝛternaliter & incōmutabiliter in eo,& de eo,nō p potētiā paſſi
uam quā habeat in ſcipſo aſpectu aut ipſm verbū ad aliqd̄ formabile qd̄ eſſe poſſet informe prius q̃
formet ſiue natura ſiue duratiōe:Tūc ē nō eſſet formatū ſine mutatiōe,& tale poſſe eſſe cōtrariū
eſt neceſſe eſſe:ſed p potentia paſſiuā quā habet in ſe aſpectus ſubiectiue,& ipſum verbū obiectiue
vt ſit aliquid ſemper ex ſe formaliter exiſtens forma,qd̄ non habet omnino potentiā ad eſſe infor
me,Q₂ tn̄ ſit,& q̃ in forma verbi ſit, habet ab alio principiatiue a quo habet q̃ ex ſe ſit formaliter
neceſſe eſſe,ſicut eſt & ille a quo habet hoc,Et tale poſſe eſſe nullo modo repugnat ei qd̄ eſt neceſſe
eſſe.  Ad ſecundū qd̄ directe videtur huic dicto obuiare,q̃ potentia generandi paſſiue non conue Ad ſcd̄m.
nit alicui niſi ratione materię,vel quaſi,q̃ nō eſt niſi in potentia ad formam eius qd̄ eſt generandū
ex ſe non habens formam illam:Dicendū q̃ ſecundum predicta bene verū eſt q̃ poſſe generari paſ
ſiue nulli conuenit niſi ratione materię vel quaſi.& hoc inquantū ois potentia paſſiua vel quaſi ad
potentiam paſſiuam materię vel quaſi habet reduci,& hoc in diuinis ſecundum q̃ dictum eſt.quia
ipſa materia vel quaſi in diuinis eſt ipſa diuina eſſentia inquantum eſt intelligens reſpectu verbi in
potentia ad formam eius qd̄ eſt generandū,non quę eſt abſolutum in illo,& pars ei⁹,ſed quę eſt ver
bum & ipſum totū relatiue generandū,immo ſemp genitū habens per generatiōe eande formam
abſolutam qua ipſe pater eſt neceſſe eſſe,& ita qua cum patre ipſum verbum ꝛqualiter habet eſſe
neceſſe eſſe. Qd̄ non eſſet verū ſi potentia generandi reſpiceret principaliter aliquid abſolutū ac
quiſitum producto vt partem eius aliam ab eo de quo ſubiectiue eſt,& a quo principiatiue produ
citur,ſicut acquiritur forma compoſito in naturalibus,& hoc iuxta modum iam ſupra expoſitum
immo potentia generandi paſſiue & ſubiectiue q̃ nō eſt niſi materię vel quaſi,principaliter reſpicit
ipſum ſuppoſitum relatiuum cui per generatiōe acquiritur eſſe qd̄ eſt abſolutum in diuinis vt
aliquid eius,licet non vt pars,qd̄ in illo productum eſt ſiue habitum per productionem:ex quo re
ſpectus conuenit ſuppoſito,quod principaliter intelligitur productum,ita q̃ in diuinis ipſum ab
ſolutum potius intelligatur terminus productionis q̃ ipſe reſpectus:& ſic quod eſt quaſi mate
ria,q̃ id quod eſt quaſi forma:econuerſo ei quod contingit in naturalibus,licet principaliter nihil
in diuinis intelligatur eſſe terminus productionis q̃ ipſum ſuppoſitum conſtitutum quoquomo
do ab abſoluto & ipſo reſpectu,vt habitum eſt ſupra.  Ad tertium q̃ proprietas ſecundum verita Ad tertiū
tem eſt in eo cuius eſt proprietas:poſſe autē generari pati eſt:qd̄ non eſt in deo ſecundum veritatē?
Dicendum q̃ generare & generari tam in diuinis q̃ in creaturis ſpecies ſunt actionis & paſſionis,
quia generare & generari ſunt ſpecies productionum alicuius ſubſiſtentis:actio autē & paſſio bene
poſſunt eſſe ſine ſubſiſtentis productione.Aliter tamen & aliter ſunt actio & paſſio in creaturis &

in diuinis.In creaturis em̄ actionum & similiter passionum quędam est pductio,& quędam nō est productio:& illa q̄ est productio,includit in se illam quæ nō est productio.Actio eim̄ q̄ i creaturis non est productio( vt aliqui ponunt)non includit in suo significato nisi trāsmutationem: & simi liter passio q̄ non est pductio:sed sub diuersis respectibus quibus distinguuntur secundum diuer sa prædicamenta.Et q̄ idem motus siue transmutatio secundum diuersos respect̃ dicitur actio & passio:qui respect̃us sunt a quo,& in quem. Mot⁹ enim vt est ab agente,actio vero i passum recipitur passio est.Generatio autē actiua, est actio pductiua actiue alicuius de aliquo.Generatio vero passiua est passio pductiua passiue alicuius de aliquo.Generatio enim actiua & passiua super actionē & passionem quæ non sunt pductio,addunt pductionem actiuam & passiuā alicui⁹ de ali quo.Vnde in creaturis actio & passio quæ non sunt productiones,nō sunt nisi fluxus quidam:qui est motus aut transmutatio ab agente in passum.Generatio autem actiua & passiua sunt actio & passio pductiue alicuius de aliquo mediante motu. Nam de actione primo modo quæ nō est gene ratio,dicitur in.vi.principiis.Actio non quęrit quid agat,sed in quid.Actio vero quę est generatio necessario regrit cū eo in quo agit etiā qd agat.In diuinis aūt ois notionalis actio est pductio acti ua:& ois notionalis passio est pductio passiua:sed nō icludūt in suo significato actionē & passionē q̄ nō est pductio,neq̄ quo ad motū q̄ materialiter cadit in significato actiōis & passiōis circa crea turas,neq̄ quo ad respectus qb⁹ mot⁹ dicit̃ actio vt ab agēte,& passio vt i passo:sed solūmō actiōe & passiōe q̄ est pductio. Et sic in diuinis in significatione actiōis & passiōis notionalis siue gñatio nis actiuę & passiuę nō cadūt nisi pductio de aliquo:quēadmodū nō caderēt i creaturis,si i creatu ris posset sine trāsmutatione educi forma de materia, & sic cōpositū ex materia & forma pducere tur in esse absq̄ omni transmutatione.Tūc enim solū in hoc esset differentia,q̄ ibi pduces de alie no produceret,hic vero producit de suo:& ibi realiter educeretur forma alia secundum rem diffe rens ab eo siue a forma eius de quo pduceretur:hic vero nō est eductio formę,vt patet ex supra di ctis.Ista etiam pductio in diuinis de aliquo,vt respicit ly de aliquo scdm supra determinata,& solū secundum rationem, in creaturis est secūdū rē : vt secūdū rē in diuinis nihil maneat secundum rē de rōne actionis & passionis quæ sunt in creaturis,nisi ipsa pductio q̄ est absq̄ omni transmuta tione,& q̄ nihil ponit absolutum:sed solummodo respectū indefinitū:q̄ secūdū duos respect̃ deter minatos ad diuina transferatur a duobus pdicamentis quæ sunt actio & passio in creaturis:nō qui bus motus siue transmutatio dicit̃ esse ab aliquo,sed in aliquid:sed qb⁹ ipm pductū dicit̃ esse ab ali quo,& in aliquē terminari.Productio em̄ secūdū q̄ est ei⁹ a quo est,est actio, q̄ in diuinis dicit̃ gña tio actiua:secūdū vero q̄ est eius qui ab alio pducit̃,est passio,quæ est generatio passiua in diuinis Et ptinent in diuinis ambo ad pdicamentum relationis , omisso qd erat materiale in pdicamentis actionis & passionis circa creaturas.s.motu per quem distinguebātur cōmuniter cōtra alia pdica menta:sed inter se distinguebāt penes dictos respectus,vt dictū est.Propter qd quia in diuinis for male manet p qd erat pdicamentū actionis & passionis circa creaturas.s.respectus vt erat pductiōis terminus non vt erat motus:sicut neq̄ manet materiale per quod erant prædicamenta simpliciter scilicet motus:licet non per illud diuersa prędicamenta:sed tm̄ per respectus,vt dictum est:propter quod nec ista prædicamēta manet in diuinis:generatio ergo in diuinis actiua vera actio debet dici: vt falsum sit dicere q̄ non sit vera actio sed relatio: immo vera actio debet dici:sed relatiua. Et ea dem ratione generatio passiua deberet dici vera passio:sed relatiua : nisi aliud reformaret pactum. Quod ( vt aliqui dicunt ) est quoniam in creaturis agere non ponit aliquem motum in agente: sed ponit passio in patiēte.Licet em̄ agens in eo q̄ dicit agens & mouēs,denominatur a motu, hoc tamen non est a motu qui est in ipso agente & patiente: aliter enim agens & mouens pateretur & moueretur,qd falsum est:sed denoiatur a motu qui in patiente ab ipso procedit.Est em̄ mot⁹ a q̄ huius in hoc,scilicet agentis in passum,vt dicit Philosophus.v.physicorum. Patiēs vero denoiat̃ a motu qui est in ipso.Propter qd aliq̄ posuerūt q̄ motus est de pdicamento passionis & non actiōis: & q̄ prędicamento actionis sit solummodo respectus circa motum.s.ab hoc,a quo respectu secū dū eos denominat̃ agēs:nō aūt a motu.vt sic pdicamētū actionis omnino transferat ad diuina quo ad rōné respect̃ qui est ab hoc,licet nō quo ad rationē characterizatę realitatis quā a motu tra hit,qua cōstituit pdicamētū actionis:q̄ si non esset, ad pdicamentum relationis ptineret. Vñ etiā dicunt aliq̄ q̄ motus nec est de genere actionis nec de gñe passionis,sed quantitatis,vt vult Philo sophus.v.metaphysicę:sed respectus dicti solūmodo a motu characterizant vt constituāt duo præ dicamenta:queadmodū pdicamētum relationis:& alia.4.quæ solum in respectibus consistunt,ex eo solummodo q̄ characteres trahunt accidentales a rebus aliorum prædicamentorum absoluto rum,sunt prædicamenta accidentium,ita q̄ plus realitatis non habeant.vii.prædicamenta sup mo dum qui reſpectus eſt in ipſis:q̃ habent ex characterizatione, licet ſecundum diuerſas rationes reſpectuum conſtituunt diuerſa prædicamenta,ſecundum cp hec omnia declarauimus in quæſtione quadã de relatione in.ix.Quolibet.Qui reſpectus cũ abſoluuntur a characterizatione,pertinent ad vnum prędicamentum relationis in diuinis,vt dictũ eſt ſupra in queſtione de prędicamẽtis. Nõ ergo dicendum ſecundũ modũ iam ſupra expoſitum cp motus ſit de prędicamẽto actionis aut paſ ſionis in creaturis,aut in ſignificato earũ includatur, niſi quo ad rationẽ characterizationis:ſed ſo lummodo ipſi duo reſpectus characterizati a motu.Et debemus ponere cp tam in diuinis q̃ in crea turis generare & generari ſint ſpecies actionis & paſſionis ſecundum modum prædictum:præter hoc cp non ponamus actionem quæ in creaturis non eſt productio, neq̃ ſimiliter paſſionem quæ in eiſdem non eſt productio,in ſuo ſignificato includere motum aut trãſmutationẽ, ſed ſolum prę dictos reſpect9 vt characterizatos a motu.Vnde in diuinis generatio actiua & paſſiua nõ includũt in ſuo ſignificato actionem aut paſſionẽ quę in creaturis non eſt productio,neq̃ quo ad ipſum mo tum,neq̃ quo ad illos reſpectus circa motũ qui ſunt ab hoc,& in illud:neq̃ quo ad eorũ characteri zationem:ſed ſolũmodo includũt in ſuo ſignificato actionem & paſſionem quæ ſunt productiones quo ad illos duos reſpectus qui ſunt a quo alius,& qui ab alio.Vnde aduertim9 in generatione na turali creaturarũ duo genera reſpectuum.Vnum circa motum fluentem ab agẽte in paſſum, qui ſunt a quo & in qd̃.Aliud circa productũ mediante motu:qui ſunt a quo & qd̃ ab.Et ab iſtis duo bus reſpectibus ſuperadditis prædictis duobus,habent in creaturis actio & paſſio cp cõtrahuntur ad ſpecies,& ſunt generatio actiua & paſſiua:ita cp ſi per impoſſibile in creaturis eſſet actionis cõ poſiti generatio abſcp omni motu & trãſmutatione de materia educendo formam,abſolueretur ra tio ſpeciei quæ eſt generatio actiua & paſſiua, a ratione generis quæ eſt actio & paſſio ſimpliciter,ſi actio & paſſio intelligantur conſtituere prædicamenta ratione motus,aut ratione reſpectuum prę dictorum in motu,ita cp actio & paſſio ſecundum rationem generis nõ eſſent in illis ſpeciebus quę ſunt generare & generari,quia non ſecundum illos reſpectus circa motum a quo & in qd̃,a quibus habent rationem generum,ſed ſolummodo manerent in illis ſecundum rationem ipſarum ſpecie rum : quoniam ſecundũ illos reſpectus circa productum a quo & qd̃ ab,differunt omnino illi duo reſpectus in qd̃ & qd̃ ab,ſicut penitus diuerſi modi reſpectuum, q̃m alia & alia eſt ratio reſpectus ſed ſolummodo circa aliud & aliud. Ex quo patet cp cum actionem & paſſionem transferimus ad diuina, hoc eſt ſecundum rationem ſpecierum quæ ſunt generare & generari:non autem ſecun dum rationes generum quæ ſunt actio & paſſio fundata in motu,Et ſunt in diuinis puræ produ ctiones ſine tranſmutatione alicuius de aliquo ab alio, nec eſt ipſa tranſmutatio etiam in creaturis de ratione productionis,ſicut nec genus de ratione differentię qua conſtituitur ſpecies.Sed tamen non poteſt eſſe naturalis generatio in creaturis ſine ipſa tranſmutatione media,ſicut nec ſola diffe rentia poteſt conſtituere ſpeciem ſine genere.Si tamen per impoſſibile abſolui poſſet differentia a ratione generis,ſe ſola conſtitueret ſpeciem:& ſimiliter ſi natura poſſet agere ſine motu,produce ret ex materia ſine motu,& abſolueret actum productionis ab actu qui eſt motus:qui in rei verita te eſt in generatione naturali creaturarum. Et eſt in creaturis ois productio motus aut tranſmuta tio quædam,aut reſpectus characterizatus ab illo:ſed agẽs ſupernaturale actum pductionis omni no habet abſolutum a motu & trãſmutatione,ſicut abſolutam & illimitatam habet eſſentiam. Et ſic ſecundum rationes ſpecierum vera actio & vera paſſio ſunt generare & generari: & etiam ſecũ dum rationẽ generum,vt abſtrahuntur a talibus ſpeciebus: q̃ ſcilicet nõ includũt in ſe rationẽ mo tus:licet non ſecundum rationes generum vt abſtrahuntur a ſpeciebus quæ circa creaturas in ſe includũt rationem motus,vt iam amplius declarabitur. Sed qd̃ aures catholicorum diſturbat au dire cp generari ſit vera paſſio:non autem cp generare ſit vera actio,eſt cp ſecũdum cp iam dictũ eſt reſpectus actionis qui eſt a quo,idem eſt omnino in ratione generis & in ratione ſpeciei,differẽs ſo lum penes illud circa qd̃ eſt.Propter qd̃ remoto eo circa qd̃ eſt ſcdm rationem generis,ſ.motu a di uinis,actio cõpetẽter aſſumit ad diuina,& ſecundũ rationẽ generis,& ſecundũ rationẽ ſpeciei,quia eadẽ eſt.Reſpectus vero paſſionis q̃ eſt in qd̃,ſecũdũ primũ gen9 reſpectuũ,q̃ cõuenit ei ſcdm ratio nẽ gñis,& q̃ eſt ab,ſcdm ſecundum genus,q̃ cõuenit ei ſcdm rationẽ ſpeciei, alius & ali9 eſt ſecũdũ ſe pter hoc cp ſunt circa aliud & aliud.Et reſpect9 ille q̃ eſt in qd̃,nullo modo cadit in diuinis niſi ſecũ dũ rationẽ ſolũ.In paſſione aũt ſcdm rationẽ ſui generis(vt dicit) eſt ſcdm rẽ & realis reſpect9 nõ rationis tr̃.Pater eñ generãdo non agit in ſuã eſſentiã niſi ſcdm rationẽ tãtũ,ſicut nec educit de ea notitiã declaratiuã ſub ratione abſoluti niſi ſcdm rationẽ tantũ.Sed reſpect9 ille paſſionis qui eſt ab,bene cadit in diuinis ſcdm rem,& eſt realis mutando ſolũ qd̃ in qui.Filius eñ eſt q̃ ab alio eſt ge neratus.Propter qd̃ remoto a diuinis eo circa qd̃ eſt reſpectus ille paſſionis ſecũdũ rationẽ generis

N

qui est qd in,non adhuc passio secundũ rationẽ illius respectus qui est qd in,aliquo modo recipit ĩ
diuinis:quia non est talis respectus nisi circa motum.Solũ igit recipit in diuinis secũdũ rõne illi⁹ re
spectus q est qd ab,mutato qd in qui.Propter qd passio in diuinis nullo modo recipitur secũdum
rõne gñis:sed solũmodo secũdũ rõne speciei:cũ tñ actio vtroq mõ recipiat,scdm qp iam dictum est.
Et ideo nec secũdũ naturã rei & pprietatẽ noĩm,nec scdm vsum eloquii sanctoꝝ & doctorũ catho
licorũ gñari ē vera passio,sicut gñare actio.Immo eã repellit Boethi⁹ cũ dicit primo de trini.ca.xii.
Si tñ passionem recipi in deo nõ oportet:neq eñ vere sunt.Illã vero de actiõe recipit Aug.sub vo
cabulo facere,simul repellẽs illã de passione,cum dicit.v.de trini.ca.x.Qd ad faciẽdum attinet,for
tassis de solo deo verissime dicatur:solus eñ deus facit neq patitur quantum ad eius substãtiã pti
net. Nõ ergo ppter motum qui magis ptinet ad passionẽ q̃ ad actionẽ,est qp gñatio actiua diuina
vera est gñatio & vera actio:generatio vero passiua licet sit vera gñatio, non tamen est vera passio
sed quia respectus qui importat noĩe actionis & rõne gñis & rõne speciei trãsferat ad gñationẽ acti
uã in diuinis:non aũt respectus q importat noĩe passionis:nisi quo ad illũ q cõuenit ei rõne speciei.
Qd totũ verum est itelligẽdo pdicamenta actionis & passionis cõstitui & distingui penes respectꝫ
qui sunt a quo & in qd,circa motũ:secũdũ quẽ modũ vsitant in creaturis. Si tñ itelligant distigui
penes respectus q sunt a quo & qd ab siue qui ab, sic nõ solũ intelligimus in creaturis qd ab est,ali
quod pductum p motum aut mutationẽ:sed etiã ipm motũ.tunc actio & passio sunt gña ad oẽm
pductionẽ & operationẽ q̃ est sine pductione tam in creaturis q̃ in diuinis:& æque pprie pdicamẽ
tum passionis cadit in diuinis penes respectum qd vel qui ab,sicut pdicamẽtũ actionis penes respe
ctum a quo.Ad cui⁹ intellectũ sic vtẽdo noĩe actionis & passionis,sciendũ est de actione(& idẽ in
telligẽdũ de passiõe) qp actionum quædam est operatio,vt est illa a qua nõ relinquit aliqd operatũ.
Quædam vero est pductio:vt est illa a qua relinquit operatum.Actionis aũt q̃ est operatio,q̃dam
est motus vel non sine motu:vt est omnis opatio naturalis in creaturis:sed qñq est motus corpa-
lis,vt est citharizatio:qñq vero spiritualis, vt est intellectio aut volitio: q̃da vero nõ motus & oĩno est sine motu,vt est ois opatio in diuinis manẽs intra,vt est diuina intellectio aut volitio.Actio
nis autem quæ est productio,quædam est naturalis quæ est generatio:& hoc vel simpliciter,vt est
illa quę est secũdum substãtiam & in deo & in creaturis:vel aliqualis,vt est illa q̃ accidẽtiũ in solis
creaturis:q̃ dicit alteratio in qualitatib⁹, augmẽtũ vel diminutio ĩ quãtitatib⁹.Quẽda vero est vo
luntaria tã in deo q̃ in creaturis:cuiusmodi actio ĩ creaturis est ædificatio,& in deo creatio.Et sic si
cut in diuinis gñare est pprie agere,quia eius est a quo est alius:sic & gñari pprie est pati:qd est q̃
qui ab alio obiectiue:licet nõ ei⁹ qd in alio subiectiue.qd pprie facit passionem,q̃ est in solis creatu
ris. Et loquẽdo de hoc modo passionis intelligunt auctoritates pdicte.Ad quartũ,qp potentia ge

**P**
**Ad qrtũ.** nerandi passiue quia est passiua p se cõuenit materiẽ & nulli nisi materiẽ aut p ipsam:& ideo p se
est ppprietas eius:quare in diuinis p se est in diuina essentia & pprietas essentiẽ, q̃ ibi est quasi mate
ria:Dicẽdũ secũdũ pdicta qp posse gñari subiectiue p se cõuenit materiẽ vel quasi & nulli alii:& sic
posse gñari in diuinis bñ verũ est qp soli essentiẽ inest,& pprietas eius est:sed secũdũ rõne tñ:scdm
qp est potẽtia secundũ rõne tñ secũdũ pdictũ modũ:qualẽ nõ est incõueniens attribuere essentiẽ:quẽ
admodũ ei attribuit bonitas aut sapiẽtia sicut pprietas. Posse vero gñari obiectiue inest ipsi geni
to:sed secũdũ duplicẽ ordinẽ secũdũ pdicta,quia & secundũ ordinẽ ad id de quo gñat,& secũdũ
ordinem ad gñantẽ.Et secundũ vtrũq ordinẽ posse generari est in gñato vt in filio siue in verbo:
sed secũdũ primũ ordinẽ est in ipso secũdũ rõne tñ:quia est aliquid differens ab eo sola rõne:& iõ
p hunc ordinẽ est pprietas secundũ rõne solũ. Scdm ordinẽ vero secũdũ est ĩ ipso secũdũ rẽ:quia ad
eũ qui secũdũ rẽ ab ipso distinguit:& ideo secũdũ hũc ordinẽ solũmodo habet rõne pprietatis no
tionalis,& est soli⁹ filii & ĩ solo filio,sicut & posse generare ipsi oppositũ est pprietas solius patris &
in patre existẽs.Et reducit posse gñari vt est pprietas filii,ad gñari nõ secũdũ ordinẽ quẽ habet ge
nitũ & ad id de quo gñat:sed secũdũ ordinẽ ad eum a quo gñat,sic eñ posse gñari obiectiue redu
cit ad generari sibi respondens. Vnde magna quasi æquiuocatio est in gñari & posse gñari: q̃ non
est in gñare & posse gñare:ppter qd multo difficilior est questio de gñare & posse gñari,& in quo
sit & cui⁹ pprietas: q̃ de gñare & posse gñare:qa difficultas q̃ ē circa posse gñare,ppter quã videt
qbusdã eē nõ tãtũ in pfe:sed etiã ĩ filio:eadẽ est circa posse gñari:qa q̃ rõne posse gñare siue potẽtia
gñandi possit poni esse ĩ filio,eadẽ rõne & posse gñari põt poni eē ĩ pfe,& hoc loquẽdo de posse siue
potẽtia scdm qp est pprietas,illd eñ nõ ponit nisi qa credit qp eadẽ sit potẽtia gñandi actue & passi
ue sicut eadẽ est essentia.Sed de hoc expeditũ ē superi⁹.Specialis aũt est difficultas circa posse gñari
siue circa potentiam generandi passiue,quæ non est circa potentiam generãdi actiue:de quo expe

**Ad qntũ.** ditum est modo.Ad quintum,qp potentia generandi passiue est in patre vt pprietas eius:quia nõ eſt alicuius niſi ratione materię vel quaſi,de qua generat:quæ in diuinis non eſt niſi eſſentia,& hoc vt eſt in patre,ga generat de ſua ſubſtātia:quare potētia generādi paſſiue eſt in patre ſolo, & ita p prietas ſolius patris:Dicendum ꝗ ꝗuis potentia generandi paſſiue & obiectiue non eſt niſi ratione materię:licet non ſit materię:quia nihil generatur obiectiue,niſi quia de aliquo poteſt generari ſub iectiue,vt patet ex dictis:de hoc tamen modo potentiæ non intendit procedere argumentum,ſed de modo ſecundum quē potentia generandi paſſiue ſubiectiue non eſt per ſe niſi materię,vel quaſi & in ipſa & proprietas eius,& per ipſam eius in quo eſt ipſa materia,vel quaſi, ꝗ eſt ipſa ſubſtantia diuina,ſecundum ꝗ eſt intellectus.Et bene verū eſt ꝗ potētia generandi, paſſiue ſcilicet & ſubiecti ue,non eſt niſi ratione materiæ,vel quaſi:& in illa eſt vt proprietas eius, & etiam in illo in quo illa eſt,& per ipſam eſt proprietas illius,ſecundum modum tamē quo proprietas poteſt dici. Sed tamē an de illa generatur ſub ratione qua eſt in patre,an ſub ratione qua eſt in filio,nondum eſt clarum. Vnde cum aſſumitur in argumento ꝗ pater generat de ſubſtantia ſua,ly ſua poteſt ſuum antece dens qd eſt pater,referre relatione ſimplici,vt pure relatiue conſtruatur cum ſuo ſubſtantiuo, vel relatione implicatiua.Si primo modo,ſic proculdubio eſt illa vera,pater generat de ſua ſubſtantia, ſcilicet de ſubſtantia quæ eſt ſua:quēadmodū generat de ſubſtātia quæ eſt totius trinitatis.Sed iſta adhuc triplicem habet intellectū ſecundū triplicē cauſam veritatis,qm aut quia generat de ſub ſtantia ſua ſecundum ſiue inquantū eſt ſua,vel ſecundum ſiue inquantū eſt alterius,puta filii,ſiue inquātū eſt ſubſtātia deitatis ſimpliciter. Et ſic reſtat adhuc dubitatio in quo ē illa potētia p ipſam eſſentiā in qua eſt p ſe: qd omiſſum & reſeruatū eſt ſuperius vſꝗ hic. & pertinet hoc ad mēbrum ſecundum.Si ergo ly ſua referat ſuum antecedens relatione implicatiua,ſic continet vnum ſenſū dictorum,& implicat rationem cauſalem explicandam per reduplicationem circa ſuum ſubſtātiū ſub hoc ſenſu,pater generat de ſua ſubſtantia.i.de ſubſtantia deitatis inquantū eſt ſua, vt ſecundū hoc dicamus ꝗ potentia generandi paſſiue & ſubiectiue ſit in patre:quia id de quo generat inquā tum de ipſa generat eſt in patre & non in alio,neꝗ in filio,de quo eſt dubitatio. Et perſcrutādum eſt hic quid de hoc ſit ſentiendum.Et eſt dicendum ſecundū prędeterminata, ꝗ non eſt ſimpliciter potentia ſubiectiue niſi ſit propinqua,& cum hoc diſtans ab actu, vel ſecundum rem vel ſecundū rationem,quemadmodū potentia paſſiua ſubiectiue,quandoꝗ eſt ſecundū rem,quandoꝗ eſt ſecū dum rationem,quia in creaturis eſt ſecundū rem,in diuinis ſecundum rationem tantū,vt patet ex ſupra dictis.Vnde cum in diuinis potentia ſolūmodo ſecundum ratione eſt diſtās ab actu, ſicut ſo lummodo ſecundum rationem differt ab ipſo:igitur quemadmodum non eſt potentia materię ſe cundum rem diſtans ab actu ſub actu ſuo exiſtens: ſic nec potentia ſecundum rationem diſtans eſt ſecundum rationem ab actu ſub actu ſuo exiſtens.Oportet ergo ꝗ ipſa potentia ſi ſit potentia,ha beat eſſe non ſecundū ꝗ eſt ſub actu illo,& ita non vt eſt in filio in quo eſt actus illi reſpōdens : ſed ſecundū ꝗ in ſe conſideratur,aut ſecundum ꝗ in patre eſt. quia non vt eſt in ſpiritu ſancto:quia ſi lius eſt principium ſpiritus ſancti:non autē ſecundū ꝗ conſideratur in patre, quia in patre eſt ſub proprietate oppoſita ꝗ ſit illa ſub qua eſt in filio.Et ideo ſicut materia vt eſt ſub forma aquę nō eſt in potentia propinqua ad formam aeris,ſed ſub remota tantū,ſed ſolummodo eſt in potentia pro pinqua vt conſideratur ſecundū ſe,vt medium inter vtraꝗ formam:ſic diuina eſſentia vt eſt ſub p prietate patris,non eſt in potentia propinqua ad filium de ipſa generandum,ſed ſub remota:immo ſolūmodo eſt in potētia ppinqua ſubiectiua ad filiū,vt conſiderat ſcdm ſe vt mediū inter vtraꝗ p prietatē tm,vt immediate primo habet eſſe in patre.Quia vt ſcdm ſe cōſiderat,& nō ſcdm ordinē vt habet eſſe primo in aliqua diuinarū pſonarū,ad nihil determinat ipſa eſſentia, & p iſtā potentiā determinat ad actū generādi paſſiue filiū de patre. Vnde ſicut materia nō eſt in naturalib p ſe & imediate vt materia ppinqua in potētia quaſi ſubiectiua ad filiū niſi vt eſt media inter pprietatem patris & filii,& ſub neutra earū exiſtēs,non tñ niſi ſub ordine quodā,vt primo quodāmodo ſit exi ſtēs in patre ſub ei[9] natura: vñ ſicut vere dr ꝗ acetū nō generat niſi de materia vini,ga oportet vt immediate in materia pcedat forma vini ſi de materia illa debeat generari acetū,licet pprie mate rię illa nō eſt ſubiectū & materia generationis aceti,niſi vt eſt media inter formā vini & formā ace ti indifferens ad vtraꝗ: ſic vere dicit ꝗ filius nō generat niſi de ſubſtantia patris, quia oportet vt primo ordine naturę imediate diuina eſſētia habeat eſſe in patre ſub pprietate paternitatis,ſi de eſ ſentia illa diuina debeat generari fili[9],licet pprie diuina eſſētia nō eſt quaſi ſubiectū & materia ge nerationis filii,niſi vt eſt quaſi media inter pprietatē paternitatis & filiatiōis, indifferēs ad ambas, & hoc ideo:quia ipſa diuina eſſentia ſub pprietate patris fœcundat inquantū eſt materia, & id de quo generat quaſi paſſiue.quēadmodū in ipſa fœcundat inquātū eſt forma qua quis generat quaſi actiue,& hoc ſub pprietate paternitatis.Et ſcdm hoc potētia generandi paſſiue & quaſi ſubiectiue

R

S

T

est in essentia diuina vt est essentia simpliciter primo existens in patre sub pprietate opposita:licet abiiciéda.Et sic illa nõ est ppria & p se,pater generat de sua substátia:nisi sic exponat,id ē de substá tia q̃ est sua.ſ.primo. Vnde cũ Magister Sentétiarũ exponit eã sic.i.de se qui est substátia:quęro ab eo an ly de significat circunstantiam quasi materię,an principii actiui.Si pricipii,tunc equiuoce ex ponit: quia ly de sua substantia,non notat ibi nisi circũstátiam quasi materię.Cũ ẽ hęretici q̃re bant:si pater generat filiũ:aut ergo de aliquo,aut de nihilo,aut de substátia sua,aut de aliena:non erat eoę̃ intentio quęrere nisi secũdum q̃ ly de notat circũstantiam quasi cauę̃ materialis.Si vero notet circunstantiam materię cum dicitur gñat de se, hoc non est nisi quia substátia de qua gñat in ipso est.ſ.prio.Proprie tñ & prio gñat de ipsa substantia simpliciter:sub ordine tñ vt habet eē in patre primo,sicut dictũ est. Et propter hoc illa,pater gñat de substátia deitatis simpliciter,magis ppria est q̃ illa pater generat de sua substantia,q̃a est magis p se. Quia tñ pr̄ nõ gñat de substátia deitatis simpliciter nisi sub ordine vt primo habet esse in se:ideo illa cõcedit potius, pater generat de sua substantia,q̃ de substantia filii aut spũs sancti.nec tamen gñat de substantia vt est sua:nec vt est filii:nec vt est spiritus sancti:sed vt est substantia simpliciter deitatis,sicut dictũ est. ¶Ad pri mum in opposito de gñatione ignis de aqua:q̃ ignis non gñat ignem nisi de substantia aquę: Di cendum q̃ verũ est vt de eo qd̃ est in potentia remota vt est aqua:nõ aũt de eo qd̃ est in potétia p pinqua vt est substantia materię simpliciter,prius tamen existens sub forma aquę aut alterius ele menti aut mixti,nullũ eoę̃ determinãdo:queadmodũ materia si de ea debet generari acetũ,prius determinat vt sit sub forma vini. ¶Ad secundum dicendũ q̃ non sequiť:pater non generat de sub stantia deitatis vt est filii neq̃ vt est spiritus sancti,ergo generat de illa vt est sua:quia mediũ est.ſ. q̃ generat de illa vt est substantia deitatis simpliciter secũdũ dictũ modum. ¶Ad tertium,q̃ sub ppprietate paternitatis fœcundatur passiue,ergo &c.Dicendũ q̃ verum est:& p hoc est sub illa sola vt in potentia remota:non aũt vt in potétia ppinqua,sicut dictum est. ¶Ad quartũ,q̃ potétia non manet cũ forma: bene verũ est de potentia ppiqua q̃ nõ est nec sub forma prima nec sub forma se cunda:nec est i materia vel quasi vt est sub aliqua forma:sed vt secũdũ se cõsideraf,sicut dictũ est.

V
Ad pri.se
cũdi arg.

X
Ad scdm.
Y
Ad tertiũ
Z
Ad q̃rtũ.

A
Quęst.iiii.
Arg.i.
2

In opposi.

B
Responsio

C

Irca tertium arguitur q̃ generari sit ppprietas cõstitutiua psonę filii,Primo sic. esse ab alio p generatione est ratio ptinens ad originẽ,distinctiua filii a patre:quę eadẽ est cõstitutiua filii . generari aũt non est nisi esse ab alio per gñationem.er go &c.¶Secundo sic.qd̃ est pprium psonę & nõ cõstitutiuũ eius,est supueniens psonę iam cõstitutę.generari est ppriũ psonę filii,vt iam habitũ est.ergo si non ē cõstitutiuũ eius,supueniens est ei iã cõstitutę:aut nõ erit pprietas psonę.conse quens falsum est:quia gñari est pprietas psonę.fili⁹ ẽm non habet esse nisi q̃a ge neratur.ergo &c.¶Contra.termin⁹ generationis tam actiuę q̃ passiuę est p suppositum,sed qd̃ est constitutum generatione,non est terminus illius,quia tunc idem esset terminus suiipsius:qd̃ falsũ est.ergo &c.

¶Hic distinguendum est de generari respectu filii:secundum q̃ supra in questio ne pcedente distinctũ est de gñare respectu patris.Generari enim obiectiue in filio de quo ad prę sens est sermo,vt habitum est ibidẽ,dupliciter consideratur. Vno modo cõmuniter, vt cõphen dit sub se omnem modum quo genitum respicit generátem. Alio modo proprie,vt secũdũ rõnem distinguitur a genito esse & potente generari obiectiue, & habente secum ipsum generantem. Lo quendo autem de generari primo modo,bene verum est q̃ est proprietas constitutiua psonę filii, vt procedunt duo prima obiecta.Sic ẽm præter gñari nõ est alia pprietas ppria filio:sicut pter ge nerare non est alia positiua propria patri,vt habitum est supra.Loquendo aũt de generari secundo mod,sic proprie intelligitur proponi questio. An scilicet generari sub ratione eius quod est gene rari,sit pprietas constitutiua psonę filii: an sub ratione geniti:an sub aliqua alia ratione. ¶Et est di cendum,q̃ quia generari sub ratione generari dicit quasi passionem circa subiectum generationis terminatam in personam genitam,quę necessario includit proprietatem constitutiuam sui sub ra tione termini,sub qua non potest includi id quod est ad terminum inquantum huiusmodi:nullo igitur modo generari sub ratione eius quod est generari,potest esse proprietas constitutiua perso nę filii,secundum q̃ procedit tertia obiectio; immo ordine quodam rationis ratio secundum quam proprietas est cõstitutiua psonę filii,debet esse secũdo respectu ei⁹ quod est generari,secun dum rationem eius quod est generari considerati.Ad cuius intellectum sciendum est,q̃ sicut secũ dum supra determinata in proprietate propria patris quę est alia ab ingenito, quę ptinet ad gña tionẽ actiuã,est cõsiderare idẽtitatẽ scdm rẽ & alietatem secundum rationem: sic & in proprietate

propria filii,quæ pertinet ad generatione paſſiuã.Sic tñ licet in patre ſit ponere plures pꝓrias
proprietates diuerſas ſcdm rem,vnã affirmatiuã & aliã negatiuã ex ordine ad diuerſa obiecta
ad vnũ affirmatiue:& ad alterũ negatiue,vt habitũ eſt ſupra: in filio tñ non eſt ponere ꝓꝓrie‐
tatem ſcdm rem niſi vnicam : quia ꝓprie non habet ordinē niſi ad vnicũ obiectum,ſcilicet ad
patrem a quo eſt. Q₂ eñ habet ordine ad ſpiritũ ſanctũ:hoc eſt ei cõmune cũ patre.Eſt autem

D

in ꝓprietate filii quę ptinet ad generationē paſſiuã,conſiderare diuerſitatē ſcdm rationē penes
ſiii.reſpõdētia illis.iiii.q̃ ſupius cõſiderata ſunt circa generare:q̃ ſunt poſſe gñari,generari,ge
nitum eſſe,filiũ eſſe.Et hoc in cõparatione ad ipm patrē eius oppoſitũ ſcdm mediatius & im‐
mediatius: & p hoc ſcdm rationē primi,ſecũdi,tertii,& huiuſmodi . Quia ſemper ratio ſcdm
quam mediatius reſpicit generante, prima eſt reſpectu cuiuſlibet alterius:& quia non reſpicit
generante niſi vt pſona conſtituta in eſſe:ideo non eſt niſi proprietas vna ſcdm rem qua geni
tum conſtituitur in eſſe: & qua ſcdm plures rationes reſpicit generante.Quia vero nõ conſti
tuit pſonã niſi vt eſt dans eſſe eidē:ideo nõ eſt conſtitutiua pſonę filii : niſi ſcdm rationē illã q̃
dat eſſe eidē.Hęc aũt ratio eſt terminus omniũ rationũ ſcdm quas ipſa habet eſſe a pſona alia
vel ab illa emanare, econtra ei qd dictũ eſt ſupra de ratione illaſcdm quã ꝓprietas patris in or
dine ad filiũ eſt conſtitutiua pſonę patris.Et hoc ideo:quia pater ſe habet ad filiũ vt principiũ
Filius aũt ad patrē vt principiatũ.Illa aũt ꝓprietas i filio remotior a patre dans eſſe filio eſt eē
genitũ.Scdm rationē ergo illã quæ eſt eſſe genitũ,ꝓprietas ꝓpria pſonę filii eſt conſtitutiua p
ſonæ ipſius:& terminꝰ in quo ſtat emanatio filii a patre:& alię duę rationes ſunt quaſi pręuię
ad iſtã.ſ.poſſe gñari obiectiue,& gñari obiectiue:& ſolũ ipm genitũ eſſe ſonat i actu pducti eē:
ipm aũt qd eſt filiũ eſſe,eſt rõ q̃ſi ſupuentitia pſonæ iam cõſtitutę in eſſe.Ex eo.n.ſolo genitus

E

dicitur filius,q̃ habet ſecũ in eē generante: qui ſcdm pdicta vice verſa etiam ex hoc ſolo dicit
pater q̃ habet ſecũ i eſſe illũ quē genuit.Vñ genitus nõ habēs ſecũ i eſſe illũ q̃ eũ genuit: licet
dici poſſit genitꝰ:nõ tñ dici pot filius.Vñ ecõtrario illis q̃ ſupra dicta ſunt de rõnibꝰ ꝓprieta
tis patris,ois filius eſt genitus:ſed nõ ecõtrario:& ois genitꝰ generat obiectiue aut generabat
aliquãdo: ſed nõ ecõuerſo. Dico p diuerſis inſtãtibus diſtinctis ſola ratione,vt habitũ eſt in q̃
ſtione pcedente.Et ſimiliter omnis qui generat obiectiue poteſt generari obiectiue & non ecõ‐
uerſo.Et ſic in ꝓprietate filii poſſe generari eſt ſcdm rationē primũ:generari vero eſt ꝗm ratio
nē ſecundũ:genitũ eſſe ſcdm rationē tertiũ:filiũ eſſe ſcdm rationē quartũ. ꝰEt eſt hic aduer‐

F

tendũ: q̃ cõparando rationes in ꝓprietate filii reſpectu patris: & ſimiliter rationes exiſtētes in
proprietate patris reſpectu filii:q̃ alię quę ſunt in patre & filio a filiatione & paternitate, ha
bent inter ſe ordinē naturæ . Primę eñ ſunt ordine naturę rationes ꝓprietatis patris reſpe‐
ctu rationũ ꝓprietatis filii:cũ tñ illę q̃ ſunt ꝓprietatis patris,iter ſe ſolũ habēt ordine rationis
& ſimiliter illę inter ſe quæ ſunt ꝓprietatis filii.Vnde illa quinq̃ pdicta, a quo alius primo,in
genitũ,generatiuũ,poſſe generare,gñare,inter ſe habēt ordine rõnis : & habēt ordinē naturæ
ꝗm rõne primi & ſecũdi ad iã dicta tria:q̃ ſunt poſſe generari obiectiue.gñari obiectiue,& geni
tũ eſſe:q̃ inter ſe nõ habēt niſi ordine rationis.Rationes aũt importatæ noīe paternitatis & no
mine filiationis,ſe habent ordine rationis ad omnes pcedentes tam patris q̃ filii ſecundę reſpe
ctu illarũ.Pater eñ non eſt pater quia generans, nec econuerſo eſt generans quia eſt pater,ſed
ſolũmodo quia habet filiũ a ſe genitũ ſecũ exiſtētem.dicente Auguſtino de trinitate,vt habitũ
eſt ſupra.Similiter filius nõ eſt filius quia genitus:nec ecõuerſo eſt genitꝰ quia filius : ſed ſolũ
modo quia habet patrē a quo eſt genitus ſecũ exiſtentē. Inter ſe aũt paternitas & filiatio nullũ
ordinē habēt neq̃ naturæ neq̃ rationis:ſed tñmodo ſimultatē ex eo q̃ ſimul habent eſſe gene
rans & genitus.Vñ paternitas ſub noīe paternitatis non habet rationē principii reſpectu filia
tionis,ſicut nec ecõuerſo:ſed cętera q̃ ſunt i patre:& habēt ordine ad illa q̃ ſunt i filio.& ſcdm
ſuas rationes habēt inter ſe ea q̃ ſunt i patre,& ſilt ea q̃ ſunt i filio,ordine ꝗm rõne.Quę.n.ſunt
in pſe,habēt ordine ad ea q̃ ſunt i filio ꝗm rõne principii & principiati: qa ea q̃ ſunt i patre ha
bēt rõne pricipii reſpectu illoꝛ q̃ ſunt in filio,vt generatiuũ ad genitũ, poſſe generare ad poſſe
generari,generare ad generari.Et ꝓpterea veriſſima rõ relationis eſt inter talia q̃ ſimultatē ha
bēt abſq̃ omni ordine & naturæ & rõnis: qualis eſt inter patrem & filiũ ſcdm rõnes paterni‐
tatis & filiationis: & hoc iuxta illã definitionē relatiuoꝛ qua dicitur in prædicamentis q̃ re‐
latiua ſunt ſimul natura:& neutrũ eoꝛ eſt cauſa alterius vt ſit. ꝰEſt aũt aduertēdum q̃ pter

G

omnes pdictas rationes ꝓprietatum tam in patre q̃ in filio:& pcipue præter rationes illas filii
quæ ſunt poſſe generari & generari obiectiue,ſunt adhuc duę rationes quæ ſcdm determina‐
ta in quæſtione præcedente proprie ſunt rationes proprietatis circa diuinam eſſentiam & in

Tt

diuina essentia,scilicet generari & posse generari subiectiue:quę habẽt esse scdm rationem solũ
quia essentię nulla est ppritas realis. Et habẽt istę duę rationes circa diuinã essentiam ordinẽ
rationis inter se:quia omne qd subiectiue generatur,subiectiue potest generari:& nõ ecõuerso
Habẽt etiã ordinẽ ad alias rõnes pdictas quę sunt in patre & filio: sed scdm rationẽ tm. Licet
eni(vt dictũ est in qstione pcedente) generari & posse generari subiectiue & obiectiue differũt
scdm rõnẽ tm: & filr posse generare & generare pricipiatiue differũt scdm rõnẽ tm a posse ge
nerari & generari subiectiue:tñ posse generari & generari inquantum sunt subiectiue dicta in
ipsa essentia,sunt quasi principia eorũ vt sunt obiectiue dicta i filio generato.Et similiter posse
generare & generare,vt sunt principiatiue dicta in patre,sunt quasi principia posse generari
& generari vt sunt obiectiue i filio. Vt scdm hoc qq prędictę rationes pprietatis quę scdm rẽ
est in patre,ordinẽ naturę habent ad rationes pprietatis quæ scdm rem est in filio,præter paternitatem & filiationem:& præter cõsimilia duo innominata:quorum vnũ cõmuniter est no
men patris & filii,vt habent secum in esse spiritũ sanctum ab illis procedẽtẽ:aliud vero est pro
prium spiritui sancto inquantũ secũ habet in esse patrem & filiũ a quibus procedit:ad rationes
tamen pprietatis quæ scdm rationem tm habet esse in essentia, ambę rationes & quæ sunt in
patre & quæ sunt in filio,habẽt ordinem rationis tm.Vnde colligendo prędicta, series & ordo
proprietatum quæ sunt in patre & filio,& rationũ earum,& ex abundanti quę sunt in spiritu
sancto,colligendo eas ex dictis circa rationes pprietatũ patris & filii:& consimiles rationes cir
ca pprietates spũs sancti:patet cp nũerus earũ est iste:a quo alius primo,ingenitũ,generatiuũ,
posse generare,generare,posse generari subiectiue,generari subiectiue,posse generari obiectiue,
gñari obiectiue,genitũ esse,paternitas,filiatio,posse spirare actiue, spirare actiue,& tũc est. xv.
rõ,posse spirari subiectiue,&.xvi.spirari subiectiue,&.xvii.posse spirari obiectiue,&.xviii.spira
ri obiectiue:&.xix.spiratũ esse.Quib9 si cõiũgant & vnũ innominatũ circa patrẽ & filiũ cõmu
niter respectu spiritus sancti:& cõsimiliter vnũ inominatũ circa spiritũ sancti respectu patris
& filii cõmuniter:& similiter si iuxta illa.viii.quæ sunt generatiuũ &c.vscp genitum esse, cõ-
iungantur alia.viii.quæ sola ratione differunt ab illis,vt iuxta generatiuũ dictiuũ, iuxta gene
rari posse dici:& sic de cæteris:erunt.xxix.rationes. Per dicta patet quid dicẽdum ad obiecti.

¶Ad primũ ergo cp generari est proprietas constitutiua personæ filii: quia ge
nerari est ab alio esse per generationem:qd est ppritas constitutiua personę filii:Dicẽdum cp
proprie loquendo & distinguendo rationes pprietatum , sicut generare non est esse a quo est
alius per generationem:immo hoc potius est ipsum generatiuũ:sed generare proprie est actio
qua aliquis alteri dat esse:sic non generari non est esse ab alio per gñationẽ:imo hoc potius est ipm
genitum esse:sed generari ppric est quasi passio qua aliquis ab altero recipit esse. Et ideo sicut
ex pte patris gñare nõ est ppritas cõstitutiua psone patris: sed potius gñatiuũ esse:sic ex pte
filii generari nõ est ppritas cõstitutiua psonæ filii:sed poti9 genitũ eẽ. ¶Ad secũdũ:cp si gene

rari nõ esset proprietas constitutiua personæ filii,esset superueniẽs personæ filii iam institutæ
aut non esset ppritas psonæ:consequens falsum est:Dicendum est cp in ordine rationũ consti
tutiuarũ psonarũ patris & filii,posse generare, & generare ex pte patris respectu psonæ patris
& respectu rationis constitutiuę psonæ ipsius,contrario modo se habent ipsi posse generari ob
iectiue,& generari obiectiue ex pte filii respectu psonæ filii, & respectu rationis cõstitutiuę pso
nę filii . Quia ex pte patris ratio cõstitutiua psonę habet rationẽ principii siue primi respectu
posse generare,& generare:eo ẽ pater cp est generatiuus habendo naturale fœcunditatem
potest generare:& eo cp potest generare,potentia q est necessitas generat. Propter qd ratio ei9
qd est posse generare,& generare,est psonę patris vt supueniẽs in illo rationi cõstitutiuę ipsi9
psonę.Ex pte vero filii ratio constitutiua psonę filii habet rationẽ termini respectu posse gene
rari obiectiue,& generari obiectiue:eo ẽ cp potest generari obiectiue,potentia q est necessitas
generat obiectiue:& eo cp generat genitũ est.Propter qd ratio eius qd est posse generari,& ge
nerari obiectiue,est psonę filii vt pueniens in illa rationẽ constitutiuam ipsius psonæ.Vt scdm
hoc aliqualiter alio modo sunt pprietates psonarũ generare & generari. Generare eñ sub ratione generare est ppritas psonæ quia est actio elicita a psona in id de quo generat. Generari
vero sub ratione generari est ppritas psonæ quia est quasi passio terminata ad psonam ex eo
de quo generatur.Et sic sicut generare est ppritas psonæ:non quia sub ratione eius qd est ge
nerare est per se in persona generante: sed quia est ab ipso in subiecto generationis, sicut & in
naturalibus actio est agentis ppritas non quia est in agente, sed quia est ab agẽte in subiecto
passo subiectiue:consimiliter generari obiectiue est ppritas personæ non quia sub ratione eius

qd est generari,est p se in psona genita:sed qa est ad ipm in illo existes,ex quo vt ex subiecto ge nerat.Nõ eñ(vt dictũ est supra)generat aliqd obiectiue nisi qa gñat aliqd subiectiue.Et sic ꝙ proprietates dicunt esse in psonis,hoc non intelligit pprie nisi scdm rõnes illas sm quas sunt personarum constitutiue.Scdm rationes autẽ generare & generari,scdm quas non sunt consti tutiue(vt dictum est)nequaꝗ.Proprie dico loquendo.Vnde nec ois proprietas nõ cõstitutiua persona est superueniens persona iam constitute,vt dicitur in argumento. Hoc enim verũ esset si nõ esset pprietas psona nisi qa esset in psona pprie loquẽdo:nũc autẽ qa df pprietas nõ solũ quia est in psona,sed etiã qa est a psona aut ad psonã,vt dictum est:ideo scdm huiusmodi ratio nes proprietas persona quia est a psona,est ꝗsi cõsequens & superueniens personalitati:Proprie tas vero psona quia est ad psonã, proprietas psonę quasi ꝓcedens eam. Vnde scdm hoc.v.sunt modi pprietatis psonalis.Quędam quasi ꝓcedens psonam & ad psonam:non in psona proprie: sed potius i eo ex quo habet generari subiectiue,vt generari & posse generari subiectiue.Que dam vero est in psona & quasi ꝓcedens,vt posse generari & generari obiectiue.Quędã vero est cõstitutiua psonę & in psona,vt generatiuũ respectu patris,& generatũ esse respectu filii.Que dam autẽ quasi consecutiua psonę,& a persona,non in psona:sed in eo quod subiicitur: vt ge nerare.Quędã vero quasi consecutiua psonę & a psona,vt paternitas in patre,& filiatio i filio: & similiter posse generare in patre.⸿Argumentũ in oppositum bene procedit scdm dictam de terminationem. Generari enim sub ratione generari: quia filium non respicit nisi vt terminũ, nullo modo potest esse proprietas constitutiua persona filii.

Irca Quartum arguitur ꝙ in filio sit aliqua alia pprietas a generari, Primo sic. Filiatio est pprietas filii,& est alia a generari:quia non ex hoc aliquis est filius ꝙ generatur,vt iam habitũ est supra.ergo &c. ⸿Secundo sic.Augusti nus dicit lib. de tri.vi.ca.ii. ꝙ non est in diuinis imago nisi filius , qd aũt soli filio conuenit est eius pprietas.Imago aũt alia est a gñari: qa p generari habe tur ratio imaginis.ergo &c. ⸿Tertio sic. dicit Augustin⁹ li.de Trinitate.xv. cap.xvii.& li.vii.cap.vltimo. & li.vi.cap.ii. ꝙ in diuinis non dicitur verbum nisi filius.sed qd soli filio conuenit proprium est eius:ergo verbum pprium est filio. sed verbũ non est idem qd generari:quia filius per generari habet ꝙ sit verbum: eo ꝙ generare idem est qd dicere:& generari idem est qd dici.ergo &c. ⸿Cõtra.si in filio esset alia pprietas a generari cum omnis pprietas est notio:tunc in filio essent plures notiones propriæ ꝗ vna:& essent plu res notiones ꝗ quinꝗ: & plures pprietates ꝗ quatuor:quod est contra superius determinata. ergo &c.⸿Item filius non est imago patris nisi quia ꝑcedit a patre vt similis a simili.imaginis em ratio fundatur in ratiõe similitudinis . sed spiritus sanctus ꝑcedit a patre & filio vt similis illis. ergo eadẽ ratione diceret esse imago illoꝝ.cõsequẽs falsum est. ergo &c. ⸿Preterea in pa tre nõ sunt nisi substãtia & pprietas personę cõstitutiua.filius aũt nõ potest dici imago patris ratione substãtię:quia ratione substantię est eadẽ veritas cũ patre:non aũt est eadẽ ratione ad aliqd qd imago eius. Adhuc: eadẽ est substãtia spiritus sancti cũ patre sicut & filii:& tñ rõne illius spũs sanctus nõ df imago patris. ⸿Nec sirͥ filius põt dici imago patris tõne pprietatis: qa rõne pprietatis pater habet oppositiõe ad filiũ,& ecõuerso,siue distinctiõe ad illũ & diffe rentiã ab illo. Imago aũt eo ꝙ est imago nõ ponit nisi cõtenientiã ad id cuius est imago, ꝗ re pugnat oppositioni,distictioni,& differẽtię.nullo ergo mõ filius est imago patris.Sed ꝑter ima gine non apparet alia pprietas in filio ꝗ generari.ergo &c. ⸿Preterea,verbũ est idẽ qd filius:& est nomen psonę sicut est filius : & eiusdẽ psonę,vt habitũ est supra.tale autẽ nullo modo põt esse proprietas illius.ergo &c.vt iam supra conclusum est.

⸿Dicendum:ꝙ licet proprietas aliquãdo extẽditur ad cõmune pluribus personis scdm ꝙ cõmunis spiratio actiua dicit esse cõmunis proprietas,sicut est cõmunis notio patris & filii:tñ in pposito pprietas appellat pprium qd tñ vni psonę coueniet. Sed vni psonę aliqd coueniere põt tripliciter.Primo mõ quia est cõstitutiuũ psonę & distinctiuũ illius ab alio.Alio mõ quia habet esse in ipsa psona ratione ei⁹ qd est cõstitutiuũ illius. Tertio mõ quia est signi ficatiuum ipsius persona.Primo modo scdm ꝓdeterminata nõ est in vna psona nisi vna ppria tas scdm rem:licet in ea sit aliqua alia illi ppria non cõstitutiua persona:vt est ingenitum in patre,præter generatiuũm qd est pprietas constitutiua persona patris : & licet illa vna scdm rem possit plurificari scdm rationem,vt supra expositum est . Et sic in filio non est alia pprie tas a generari siue generatum esse:qd idem est scdm rem,licet differant scdm rationem,quem

L
Ad argũ.
in opposit.
M
Quest.IIII.
Arg.⸱
2

1

In opposit.
Primo.

2

3

4

5

N
Responsio.

admodum generare & generatiuum esse,vt habitū est supra.Et hoc modo nec imago nec ver
bum nec aliquid aliud potest dici ꝑprietas filii,etsi scdm rē sint idē cū ꝑprietate cōstitutiua ꝑ
sonæ filii:& differūt ab illa sola rōne:qm̄ id qd̄ ponūt nō est aliqd ꝑtinēs ad ꝑsonę cōstitutionē
& distinctionē tãꝗ quo cōstituit & distinguit.Vñ scdo mō imago est ꝑprietas filii: ꝗa licet rō
imaginis nō sit cōstitutiua ꝑsonæ filii,nec cadit ī idē re,notionaliter sumēdo rē,cū eo qd̄ est cō
stitutiuū ꝑsonę filii,sicut cū gñatiuo in patre inquātū est ꝑprietas cōstitutiua ꝑsonæ patris ca
dūt ī idē re notionaliter non solum essentialiter sumendo rē, potentia generādi & generare &
paternitas,vt habitum est supra:conuenit tamen ratio imaginis filio ratione eius qd̄ est consti
tutiuū ꝑsonę ipsius.s.rōne eius qd̄ est gñari siue generatū esse. Ex eo eīm ꝗ filius ꝓcedit modo
generationis naturalis: & scdm ratione assimilandi & vt filie,df silitudo & imago patris.a quo
procedit.Natura enim est vis insita rebus ex silibus similia ꝓduces. Dico autem scdm rationē

**O** assimilandi prout cōꝓhendit assimilationem scdm quālibet speciem qualitatis: vt scilicet simili
tudo quæ proprie dicit scdm tres primas species qualitatis: et comꝓhēdit rationem imaginis
quę dicitur ꝑprie scdm quartā speciem qualitatis.Et sic imago seu similitudo est ꝑprietas filii
non ratione substantiæ eius aut eorum quæ sunt substantialia in ipsa.Ratione enim illoꝝ. quę
libet ꝑsonarum dicit similis alteri:de qua similitudine inferius sermo est habēdus: sicut & de
æqualitate.Sed tali similitudine nulla diuinarum ꝑsonarū dicit esse similitudo alterius,de qua
hic sermo est:immo ꝗ filius sic dicit similitudo aut imago patris,hoc ei cōuenit ex suo modo
ꝓcedendi: & sic ratione eius qd̄ est cōstitutiuū & distinctiuū ꝑsonæ filii a ꝑsona patris: & hoc
quodāmodo quēadmodū risibile & vniuersaliter ꝑpriū suū conuenit cuilibet speciei in creatu
ris ratione suæ differentiæ specificę. vt scdm hoc in diuinis imago vel similitudo magis habet
ratiōe ꝑprii in diuinis ꝗ ꝑprietas constitutiua ꝑsonæ filii:& illa magis habet rōne dsię.Et est

**P** aduertendū ꝗ cū filius ꝓcedit vt filius modo naturę simpliciter:vt verbū autē procedit mo
do naturę intellectualis,inquantum ꝓcedit modo naturę simpliciter, principaliter ei cōuenit
ꝗ sit similitudo aut imago. Quoniā ꝓcedes modo naturę simpliciter ī corporalibus & natura
libus absꝗ ꝓcessu modo intellectuali,ꝓcedit vt similitudo & imago.Quę ratio imaginis in cor
poralibus,includit in se ratiōe figurę & characteris.Generatio eīm naturalis & ꝓcessus modo
naturę sit impssione quadā formę in materia in rebus naturalibus ad modū aliqualiter quo si
gillū silitudinē & imaginem suam imprimit ī cęra molle configurādo & characterizando eā si
bi.A qb⁹ rō imaginis,figurę,& characteris,& taliū transfert ad diuina:vt filius rōne ꝓcessus
mō generationis naturalis simplr ꝑprie dicat imago & figura & character patris. vt ꝗa ꝓces
sus naturalis mō intellectuali ꝗsi addit aliqd supra modū ꝓcedēdi mō naturali simplr,idcirco
sm rōne ꝓcessus ille ꝗ ē mō naturę simplr,& id qd̄ ꝑ se rōne eius cōuenit ꝓcedenti, primū sm
rōne est respectu modi ꝓcedēdi mō ītellectuali,& eius qd̄ ꝓcedēti rōne illius cōuenit.Nūc aūt
sicut filio inquantū est filius ratione ꝓcessus modo naturę simpliciter:vt ratione suę ꝑprieta
tis constitutiuę ꝑsonę inquantū est filius simplr, conuenit ꝗ sit imago figura & character: sic
eidē īquātū est verbū rōne ꝓcessus sui mō naturę ītellectualis,vt rōne ꝑprietatis eiusdē cōsti
tutiuę ꝑsonę eiusdē īquātū est verbū,conuenit ꝗ sit splendor candor lux aut lumen.Primū er
go scdm ratione sunt generatū esse quo constituit ꝑsona filii vt est filius & imago figura siue
character:quę ratione eandē vnius ꝑprietatis importāt respectu eius qd̄ est dictū esse,quo con
stituit ꝑsona verbi vt est verbū & splēdor cādor lux siue lume . Sicut eīm idē sunt re differētia
sola ratione generare & dicere,vt actus ꝓductiui: similiter filius & verbū scdm supius deter
minata sic idē sunt re:& sunt eadē notio constitutiua ꝑsonæ eiusdē scdm rem generatū esse &
dictū eē.Et similiter eadē ꝑprietas cōsequēs ex eo qd̄ est cōstitutiuū ꝑsone,sunt imago,figura,
character,cū splendore,candore,& luce:differūt aūt sola ratione.Vnde si inter rationes ꝑprie
tatū ꝑsonarum cum.xxix. ꝑdictis & ꝑordinatis in quæstione ꝓcedenti in suo ordine iuxta ge
neratum esse cōnumerētur imago,figura,siue character sub vna ratione vnius ꝑprietatis : &
deinde iuxta dictum esse connumerētur splendor,lux,& huiusmodi,sub vna ratione vnius ꝑ
prietatis,erunt rationes ꝑprietatum.xxxi. quibus si connumeretur dictū qd̄ est ꝑpriū spirit⁹
sancti,quēadmodū imago est ꝑpriū filii,erūt in vniuerso ratiōes.xxxii.vt infra vídebit. Tertio
aūt modo ꝑdictoꝝ conuenit tm̄ vni ꝑsonæ.s.quia est significatiuū ipsius ꝑsonæ ꝗ sit verbū
hoc enim est proprium ꝑsonę filii.vtruꝗ eīm tā filius ꝗ verbum est nomen significatiuū ꝑsonæ.
Dicitur tñ potius,verbum est ꝑprium ꝑsonæ filii,ꝗ econuerso:quia (vt iam dictum est)filius
& verbum differunt scdm rationē:& ratio qua persona est filius, prima est respectu illius qua
est verbum:sed idcirco hoc modo improprie dicitur aliquid esse ꝑpriū vel ꝑprietas alterius.

Ad quæstioné ergo breuiter dicendū:qp in filio non est aliqua alia ppríetas a generarí scdm em differens ab illa:& scdm eūdem modum ppríetatis:& quæ vere ppríetas debeat dici.Est ñ aliqua alia differés scdm rationem ab illa,& scdm eūdé modū ppríetatis:q̃ vere proprietas onstitutiua psoné debet dici,vt est posse generarí,& similiter dicí & posse dicí:q̃ minus scdm ratione differunt q̃ generarí.Est etiam in filio aliqua alia scdm alium modum ppríetatis,scili et nō constitutiuę psonę,qualis est imago,vt dictū est.Et similiter est aliqua alia q̃ nō vere p prietas dici potest,cuiusmodi est ipsum verbum .

Q̃r ergo arguitur primo qp alia sit proprietas filii a generarí : quia non ex hoc **Q** Ad primū princíp. est aliquis tilius qp generatur &c.Dicedū qp non est aliqua alia scdm rem ppríetas qua dícítur ilíus q̃ sit generarí,qua filius est,siue quę est psonæ filii constitutiua:licet non sub ratione quę est generarí sit silii constitutiua:quoniam scdm prædicta, eadem est proprietas filii quæ est ge erarí & generatū esse .Tñ non sub ratione generarí constitutiua est psonæ filii:sed sub rōne eius qd est generatum esse:sicut generare sub ratione generate nō est constitutiua psonæ pa eris:sed solummodo sub ratione eius qd est generatiuum esse . Et similiter non est simpliciter alia ppríetas filii q̃ est cōstitutiua psonę ei⁹ a generarí:est tñ aliqua ppríetas alia cōseq̃ns prin ipía cōstitutiua rōne eius qd est psonę filii cōstitutiuū, vt imago sicut dictū est:& illa est vni a scdm ré:sicut in creaturis vnicum est ppríe ppríum ratione formę & speciei.Ad secundū probans qp imago non est ppríetas filii:Dicendum qp immo est ppríetas,& alia a generarí: sed **R** Ad secūdū scdm alium modū ppríetatis. Quia (vt dictum est) generarí sub ratione eius qd est genera tum esse,est ppríetas constitutiua filii. Imago autem est ppríetas consecutiua psonæ filii iam constitutę ratione eius qd est consecutiuum illius. Ad tertiū:qp verbum est ppríum filio in **S** Ad tertiū. diuinis qa ei soli conuenit:Dicendum qp aliqd alicui psonæ conuenit soli tripliciter. Vno mo do quia est constitutiuum & distinctiuum psonæ eius ab aliis. Alio modo: quia est idem ipsi scdm ré,etsi ßm rōne differat ab ipso. Tertio mō:qa est conseq̃s ipm rōne ei⁹ qd est cōstituri uū illius.Primo mō ppríetas siue ppríū dr psonę cōstitutiuū illi⁹,qd tñ verius habet rōne di cere: si sic pateret ipm noíarí consuetudo & modus loquendi sanctorū.Scdo mō ppríū filio dr verbū.Sunt enim scdm superius declarata fili⁹ & verbum eandem psonam explicantia: sed tñ verbum potius dicitur ppríum filio : quia ratio filii prior est respectu rationis verbi: & ratio verbi secunda,vt patet ex dictis. Tertio autem modo imago ppríum est filio,vt dictum est:& iam amplius declarabitur.Q̃ autem arguitur primo in contrarium : qp si in filio esset alia **T** Ad primū in opposit. proprietas q̃ generarí, esset in ipso & alia propria notio:Dicedum qp in diuinis non dicitur p prietas notio nisi sit pertinens ad rationem originis siue originandi per se:& hoc vel actiue vel passiue : qualis non est aliqua propria in filio nisi generarí : per quod non excluditur quin sit aliqua alia proprietas consequens illam quæ pertinet ad rationem originandi,quæ non sit no tio:quemadmodum imago in filio sequitur ipsum generarí.Et est scdm hoc alius & alius mo dus ppríetatis,nomine imaginis, & eo quod est generarí,vt patet ex dictis . Ad secundum p spiritus sanctus procedit a patre & filio vt similis:ergo est imago eorum: nec est ideo ima **V** Ad secūdū go proprium filio:Dicendum qp cum dicitur,Spiritus sanctus procedit vt similis,ly vt potest notare modū respicientem actum procedendi:sic est falsa.Spiritus sanctus enim ex rōne modi procedendi nō pcedit vt similis,sed solus filius,De ratione enim generationis est,quia est qua si per formæ impressionem, assimilare productum producenti:non sic autem de ratione spira tionis:quia non est quasi p formæ impssionem in aliud: sed potius quasi p excussioné & exsuf flationé alicuius de aliquo,vt infra videbitur. Vel potest ly vt notare modum respicienté soli modo ipsum pductum:sic est vera.Spiritus sanctus eñ est psona quę vere similis est illis a q̃ bus pcedit. Nūc autē ratio imaginis licet fundatur in similitudine:hoc tamen non est nisi vt respicit modum pducēdi. nihil eñ simile pcedēs dicif imago aut similitudo eius a quo pro cedit nisi procedat actione assimilatiua.Vnde multum differt dicere aliquid esse simile alteri, & esse imaginem siue similitudinem illius. Vt enim dictum est supra in quæstione de dicere,si mile dicitur producens pducenti & econuerso,siue vnum sit ab altero scdm rationem exem plí & exemplati,siue non . Similitudo aūt aut imago alterius nihil dícitur nisi sit ab alio pro ductum vt exemplatum ab exemplari.q̃ quidem ratio exēplandi includit pductioné ßm rōne assimilandi.Cum ergo aliquid procedit ab alio quātūcūq̃ sit simile illi: si ex modo pcedēdi nō procedit scdm ratione assimilandi & exemplati, non dicitur esse imago aut similitudo eius a quo pcedit.Quātūcūq̃ ergo spíritus sanctus sit similis patri & filio:quia tñ non procedit mo do assimilandi sicut filius,nullo modo potest dici imago aut similitudo eoꝝ sicut dicif filius.

X
Ad tertiũ.

Y
Ad quartũ

CAd tertium:q̃ filius non potest dici imago patris neq̃ ratione substantie:neq̃ ratione ꝓprie tatis psonalis:Dicēdum q̃ immo ratione ꝓprietatis psonalis,scdm q̃ consistit in modo pcedē di siue pducēdi.CEt q̃d arguitur,q̃ ꝓprietate psonali differt f.lius a patre:non ergo p eam est ei similis,neq̃ imago aut similitudo eius:Dicendum q̃ verum est loquendo de similitudine q̃ fundatur in identitate qua tres persone inter se sunt similes propter substantie identitatē nu meralem.vel duo homines quorũ vnus non est ab alio,sunt similes ppter qualitatis idētitatem scdm speciem:propter quã non dicitur vnũ eoq̃ similitudo vel imago alterius.Loquendo vero de similitudine quae fundatur in modo pcedendi scdm assimilationē,non est verũ.Illa eñ simi litudine eo q̃ distinguitur vt pcedens sit alter ab illo a quo pcedit,assimilatur illi non ppter idētitatem illius quo assimilatur,vt contingit in dicta similitudine:sed ppter correspōdētiam vnius eorum ad alterum in ratione exemplati ad exēplar,vt dictum est. Et sic similitudo in di uinis æquiuoca est.Vno eñ modo nominat tm vnũ extremum relationis,vt similitudo scdm imaginē.Alia continet duo extrema,vt similitudo quæ est scdm substantiã. CAd quintum:q̃ verbũ non est ꝓpriũ filio:quia est nomen eius psona:Dicendũ q̃ verum est scdm pdicta loquē do proprie de ꝓprio siue de ꝓprietate.Propter q̃d inter rationes ꝓprietatũ non debet connu merari.Habet tñ quãdam rationem ꝓprii respectu filii:quia illi soli cōuenit: & ratione differt ab illo quasi consequente ipsum,vt dictũ est.

Z
Ad quintũ

A
Quest.V.
Arg.1.

Irca Quintum arguitur q̃ verbum ex eo q̃ est verbum,habet respectum ad solum patrem dicentem verbum,Primo sic.Q̃ d̃ habet respectum ad aliud di citur ad illud. verbum diuinũ scdm q̃ verbum, non dicitur nisi ad solum di centem.Non enim dicitur verbum nisi dicentis verbum. nõ dicitur autem verbũ eius q̃d dicitur verbo:tũc enim diceretur verbũ creaturę,q̃a creatura verbo diuino dicitur.Illud autē negat Anselm[9].CQ̃ d̃ etiã arguitur p rõne:

2

quia etsi creatura nihil esset oĩno,sicut nihil aliq̃ fuit:tñ esset verbũ in diui nis:& tũc nullũ oĩno iportaret respectũ ad creaturã,q̃a nõ est in vno sine respectu sibi respōdē te in alio:quare neq̃ modo.Si eñ verbũ inquãtũ verbũ importaret tale respectũ,nõ posset esse

3

verbũ qn eũ iportaret:& sic etiã non posset esse verbũ nisi simul essent & creaturę.CPreterea respectus quo verbũ est verbũ,realis est:& ordinē essentialē & naturalem ponit verbi ad id q̃d respicit. ad creaturam autem non habet deus respectum realem aut ordinem essentialem aut naturalem,vt habet declarari inferius loquendo de deo in ordine & comparatione ad creatu

4

ras.ergo &c.CPræterea simul sunt natura relatiua.non sic verbũ diuinũ & creatura.ergo &c.

5

CPreterea spiritus sanctus quia ad nos refertur,noster dicitur.v.de trinitate ca.x.Q̃ d̃ datum est,& ad eum qui dedit refertur, & ad eos quib[9] dedit:itaq̃ spiritus sanctus non tm patris & filii qui dederunt:sed & noster dicitur qui accepimus.Verbum autem dei non dicit̃ nostrum:

6

quia verbum dicitur filius patris & nõ noster:& eo verbũ quo filius,ergo &c. CPręterea ema nationes diuinę natura pcedũt oẽ q̃d est in creatura.sed q̃d habet respectũ ad aliq̃d inquantũ

7

huiusmodi,simul est cũ eo.ergo &c.CItem verbũ inquãtũ verbũ est,verbũ est ꝑ ꝓprietatē cõ stituiũ verbi:quia reduplicatio est eius q̃d est formale & cõpletiuũ in re. ꝓprietate cōstitui ua verbi a solo patre distinguit̃:& ea ad illũ solũ refert a quo p eam distinguit̃.ergo &c . CItē

8

vii.de trini.cap.ii.dicit Augustin[9].Eo filius quo verbũ:& eo verbũ quo filius.Sed filius eo quo

9

filius siue iquãtũ filius nõ habet respectũ nisi ad patrē.ergo &c.CItē ibidē.Accipiam[9] cũ dicit filius,ac si dicatur nata sapientia:& in eo q̃ nata, & verbũ & imago & filius intelligatur.Q̃ d̃ ergo cõuenit verbo eo q̃ verbũ,conuenit ei eo q̃ natũ.sed eo q̃ natũ nõ habet respectũ nisi ad illum a quo nascitur:quia.v.de trinitate ca.xiiii.df. Q̃ d̃ de patre natũ est ad solũ patrē refert̃.

In opposit.
Primo.

ergo &c.CContra.Primo sic.lxxxiii.q.q.lxiii.exponens illud,In principio erat verbũ.dicit Au gustinus.Q̃ d̃ græce logos dicit̃,latine & verbum & rationem significat . Sed hoc loco melius rationem interpretatur:vt significetur non solũ ad patrem respectus:sed etiã ad illa q̃ p verbũ

2

facta sunt.Ratio aũt etsi idē p illã fiat,recte ratio dicit̃.CSecũdo sic.sicut se habet donũ ad spi ritũ sanctũ:ita verbũ ad filiũ.Est eñ donũ ꝓpriũ spiritus sancti sicut & verbũ filii.xv.de trini tate ca.xvii.Nõ dicit̃ verbum nisi filius:nec donũ dei nisi spiritus sanctus. Sed donũ refert̃ nõ solum ad dantes,sed etiam ad recipientes.v.de trinitate cap.xiiii. vt dictũ est. ergo & ver

3

bum non solum ad dicentes refert̃, sed etiam ad eos qui verbo dicuntur.CTertio sic.super illud Psal.Semel loquutus est deus.Glossa.Verbum æternaliter genuit: in quo omnia dispo suit.Genuit autem verbum inquantũ verbũ:quia scdm perfectam & formalem rationē verbi,

ergo verbo inquantum verbum omnia diſpoſuit.ſed diſpoſitio dicit reſpectũ ad ea quæ diſpo=
nũtur.ergo &c. ¶Quarto ſic.nihil dicitur aliquo niſi illud quo dicit habeat reſpectũ ad illud. **4.**
omnia dicuntur verbo inquantum eſt verbũ:quia nihil poteſt dici niſi verbo.ergo &c.

¶Dicendum:ꝗ notitia huius, an ſcilicet filius ex eo ꝗ eſt verbum:habet reſpectũ **B**
ad ſolum patrem, dependet de notitia illius:an ſcilicet verbum ex eo ꝗ eſt verbum,ſiue inquã Reſol.ꝗ.
tum eſt verbum,habet reſpectum ad ſolum patrem.De hoc ergo conſiderandum.Et eſt dicen=
dum ad hoc, ꝗ verbum ad nihil habet reſpectum niſi mediante actu dicendi. Non enim eſt
verbum niſi quia ipſum dicitur,vel quia eo aliquid dicitur.Et ſcdm hoc mediante actu dicẽdi
poteſt aliquid reſpicere dupliciter.Vno modo vt eſt ipſum dictum & terminus actus dicendi
notionalis.Alio modo vt eſt ratio actus dicendi eſſentialis. Primo modo reſpicit ſolum dicen=
tem notionaliter:vt ſcilicet a quo habet eſſe:qd etiam & per verbum eſt. & hoc reſpectu realis
originis conſtitutiuo perſonæ verbi. Et ideo hoc modo loquendo de verbo,verbum ex eo ꝗ eſt
verbum ad ſolum patrem dicentem verbum habet reſpectum. Secundo autem modo verbum
reſpicit ſolum ipſum dictum eſſentialiter: vt quo dictum eſt manifeſtatum & declaratũ ſcdm
modum ſupra determinatum in quæſtione de dicere eſſentiali. Et hoc modo loquendo de ver=
bo,verbum ex eo ꝗ eſt verbum, ad omne dictum verbo habet reſpectum: de quo nulla eſt du=
bitatio ſtando in reſpectu ſimpliciter circa verbum ſimpliciter . Eſt enim ipſum verbum per
aliquam conformitatem ad dicta ſe habens,inquantum ſcilicet eſt declaratiuum & manifeſta=
tiuum eorum quæ verbo dicuntur. Quæ quidem conformitas ſine reſpectu non eſt:ſed vnde & **C**
quomodo conueniat verbo iſte reſpectus,& quis ſit:de hoc etiam eſt dubitatio: an ſcilicet con=
ueniat ei ratione ſui proprii: & ſic inquantum verbum: an ratione ſibi appropriati: & ſic non
inquantum verbum.Et putant aliqui ꝗ conueniat ei ratione ſibi appropriati. Dicunt enim ꝗ
ipſa eſſentia diuina inquantum habet rationem veri,eſt ratio cognoſcendi omne verum.Eſſen
tia autem diuina licet ſcdm rationem veri cõmunis eſt tribus perſonis : quia tamẽ veritas per
ſe reſpicit intellectum & notitiam eius in qua lucet:& eſt manifeſtatiua ſui & aliorum: ſolum
autem verbum in diuinis notitia eſt manifeſtatiua & declaratiua,vt ſepius expoſitũ eſt ſupra:
Idcirco appropriatur verbo:& ratione eius(vt dicunt) verbũ habet reſpectum ad manifeſtata
& declarata verbo:ſed diuerſimode ſcdm diuerſitatem eorum quæ verbo manifeſtantur . Ea
enim quæ ſunt infra diuinam eſſentiam (vt dicũt) manifeſtantur ſiue dicuntur verbo vt ipſa
diuina eſſentia eſt ei appropriata ſub ratione veri ſimpliciter.Et ideo(vt dicunt)per huiuſmo
di rationem habet reſpectum ad illa.Quæ vero ſunt extra diuinam eſſentiã,manifeſtantur ver
bo vt ipſa diuina eſſentia ſub ratione veri eſt eis rationes ideales diuerſe, ſcdm quas ipſa eſt ra
tio cognoſcendi & manifeſtãdi ipſas creaturas:& per reſpectus idealiũ rationũ ſic in verbo exi
ſtẽtium appropriate verbum habet reſpectum ad creaturas ſcdm rationẽ:quemadmodũ & ipſe
rationes ideales ſunt reſpectus ſcdm rationem ad creaturas: ſcdm ꝗ nuꝑ expoſuimus in.ix.
Quolibet noſtro in queſtione.iiii.de ideis. Iſtud non poteſt ſtare:qm verbũ reſpectũ de quo lo
quimur non habet ad manifeſtata per ipm vt manifeſtata ſunt quociꝗ modo,ſcilicet ſimplici
notitia: & vt ipſa eſſentia ſcdm ꝗ eſt veritas,eſt ratio manifeſtandi: ſed ſolũmodo vt manife=
ſtata ſunt notitia declaratiua:& vt ipm verbũ eſt ratio manifeſtãdi declaratiue.Nũc aũt ratio
dicẽdi & manifeſtãdi aliqua hoc modo, nõ pot eſſe verbũ ratione veri appropriati ſibi:qa tunc
ipm verum ſiue diuina eſſentia ſub ratione veri , potius eſſet ratio dicendi & ſic manifeſtandi
dicẽdo,ꝗ ipm verbũ ĩquãtũ ei appropriat. qm quãdociꝗ aliqd cõuenit alicui ꝑ ſibi appropria
tum,æque aut magis ꝑprie cõuenit ipſi appropriato:vt ſi dicat:Pater diſponit de opandis ver
bo quia ei appropriat ſapientia:æque ꝓprie dicit:Pater diſponit de opandis ſapiẽtia.Nũc autẽ
diuina eſſentia ꝑ ſe,ſiue ſub ratione veri ſimplr: ſiue ſcdm rationes ideales:non eſt ratio dicẽ=
di neꝗ manifeſtãdi aliqd dicendo. Nõ eĩ ꝓprie dicit:Pater dicit aliqd eſſentia ſiue veritate ſi
ue idea.Similiter eĩ & aliæ ꝑſonæ diuinæ in quibus ſunt eſſentia diuina,& idee,eſſent ratio=
nes dicẽdi:licet nõ appropriatẽ:vt cõpetenter diceret:Pater dicit ſpiritu ſancto:qd falſum eſt:
quia idea aut eſſentia aut ſpũs ſanct⁹ nullo mõ dicũtur verbũ:& quicqd dicit nõ niſi verbo di
cit,vt habitũ eſt ſupra in ꝗſtione de dicere eſſentiali. Nõ ergo eſt verũ ꝗ verbũ eſt ratio mani
feſtandi ea ꝗ dicuntur verbo ratione eſſentialis alicuius vt diuinæ eſſentiæ ſub ratione veri aut
idealis rationis. Cũ ergo reſpectũ habet verbũ ad dicta & manifeſtata verbo:eo ꝗ ſunt manife
ſtata ꝑ ipſum in dicẽdo:manifeſtũ eſt ꝗ reſpectus iſte nõ cõuenit ei rõne alicui⁹ ſibi appropriati:
imo quia verbũ non eſt ratio dicẽdi aliqua & manifeſtãdi ea niſi quia eſt verbũ,reſpectus igit
iſte non conuenit ei niſi inquãtum verbũ eſt:& ſic ex eo ꝗ verbum eſt, reſpectum habet ad oĩa

dicta verbo:quæ funt non pater tm:sed quęcunqȝ alia a deo cognoscuntur.Omnia enim a deo
ipso verbo personali dicitur:quia sic dicuntur verbo,vt solo verbo psonali dicitur. & hoc nõ
ratione cõmunis & essentialis,sed ratione proprii & personalis tm. Cuiuscũqȝ enim actionis in
diuinis ratio est verbum scdm qȝ est verbum,eius nõ est ratio aliquod essentiale existens in di=
uinis,nec aliquid ex cæteris ratione essentialis est illius ratio:sicut & ecõuerso cuiuscũqȝ actio
nis in diuinis ratio est aliquod essentiale,ratio illius nõ potest esse verbum.Quia enim bene di
citur,Pater sapit aut intelligit sapientia,non bene dr,sapit aut intelligit verbo:fm Augustinũ
vii.de trinitate.Vnde et si aliquãdo actionis eiusdem ratio est essentiale aliquod & verbũ:que=
admodum dicimus qȝ deus creat sua sapientia: & qȝ creat verbo suo:hoc nõ est eodem modo
neqȝ scdm eandem rationem.Pater enim creat sua sapiētia vt notitia & arte simpliciter: creat

**D** autem verbo vt notitia & arte declaratiua.⸿Sic ergo dico qȝ respectus verbi ad ea qͤ dicuntur
verbo inquantum huiusmodi,non conuenit verbo ratione sibi appropriati,sed ratione sui pro
prii.Qd cõtingit & bene & male intelligi.Cum enim proprium sit hoc qd vni soli cõuenit ita
qȝ non alteri:vt in diuinis dicatur pprium qd conuenit vni persone ita qȝ nulli alteri:quemad
modum in creaturis hoc dicitur pprium qd sic conuenit vni speciei qȝ non alteri:Est enim sin
gula persona in diuinis quasi vnicũ singulare in ratione psonalitatis suæ quasi in ratione vni⁹
speciei:Sicut ergo vni soli psonæ in diuinis potest aliquid conuenire ita qȝ non alii dupliciter:
et sic esse pprium vni personæ dupliciter : sic dupliciter potest alicui conuenire respectus ali=
quis ratione sui pprii. Vno enim modo aliquid in diuinis conuenit vni soli psonæ ita qȝ non
alii principaliter:scilicet quia est id quo vna psona distinguitur ab alia.Alio vero modo conue
nit illi consequēter,scilicet quia consequitur ex illo principali in illa psona cuius est.Primo mo
do conuenit psonæ diuinę vt pprium ei,pprietas ad originē ptinens: vt qua principaliter ori=
ginat alteram,vel qua principaliter originatur ab altera.Et isto modo,scilicet principaliter ra
tione pprii,vni diuinarum personarum solummodo conuenit respectus ad alteram:immo tale p
prium est ipse respectus: cuiusmodi sunt generatiui in patre:& genitum esse in filio . Secundo
autem modo conuenit psonæ diuinæ vt pprium ei pprietas non ptinens ad originem, vt qua
principaliter originat alteram:vel qua ab altera originatur : sed consequēs in persona ex ipso
modo originandi: & ita ratione illius pprii in eo qd dicto modo ptinet ad originem: quemad
modum imago (vt dictum est in pcedente quęstione) propriũ est filio.Et isto modo scilicet cõ
sequenter ratione pprii, in diuinis non solum vna psona habet respectũ ad alteram quam ori=
ginat vel a qua originatur:sed etiam ad qͤcũqȝ alia vt est ad alia.Huiusmodi respectus est scdm
rationem solum in diuinis : qualis est iste quem quęrimus : quem sic verbum habet ad ea quæ
dicuntur verbo . Et sic ratione pprii consequēter non principaliter conuenit verbo respectus
ad ea quæ dicuntur verbo.⸿Qd vt melius intelligatur:sciendum qȝ scdm Augustinũ. vii.de

**E** trinitate:Verbum siue filius in diuinis non est nisi notitia siue sapiētia genita siue dicta:vt p
notitiam intelligamus qd absolutum est & essentiale i verbo:p genitũ vero respectũ originalē
constitutiuũ psonę verbi.Quæ quidem notitia licet scdm qȝ est notitia simpliciter,est essentiale
& cõmune,& non pprium:inquantũ tamen est genita siue dicta , non solum est pcise notitia:
sed etiã est notitia declaratiua siue manifestatiua notitię,scilicet ei⁹ de quo est . Qd cõuenit ei
ex eo qȝ ē notitia de notitia:& ita rõne sui pprii originalis & modi emanãdi. Et est notitia de
claratiua essentiale qd contractũ ad psonale siue ad psonã,cui rõne qua declaratiua siue mani
festatiua est, annexus est respectus quidam ad id cuius est declaratiuũ: inquantum scilicet est
declaratiuũ ipsius. Quare cũ ratione pprii originalis habet qȝ sit notitia declaratiua, cui ne=
cessario est annexus respectus ad id cuius est declaratiuum : ratione ergo proprii originalis
ipsius verbi pter respectũ quem habet ipsum verbum ad dicētem vt habet esse ab ipso : habet
etiam respectum aliũ consequētem ad id qd declaratur verbo,vt habet esse declaratiuũ & ma
nifestatiuũ illius. Et quia manifestatio p verbum consequēs est ad esse ipsius:idcirco ille respe
ctus cõsequēs dicitur respectu illius qui dicitur originalis:& est vterqȝ pprius verbo. Sed ille
qui est originalis, solus est constitutiuus psonę verbi:& ipso refertur verbum ad solum dicētē
verbum inquantum est dicens.Ille vero qui est consequens non est constitutiuus psonæ verbi:
sed consequēs & quasi adiunctus personæ in sua constitutione a proprietate originali consti=
tuente psonam,& a modo emanãdi eius, quo scilicet notitia quæ simpliciter notitia est in no=
tionaliter dicente,habet esse declaratiua notitia in notionaliter dicto.Tali autem respectu pri
mo & principaliter refertur verbum ad dicētem non inquãtum dicens est ipsum verbum actu
dicendi notionali: sed inquantũ dictus siue declaratus est siue manifestatus ipso verbo , & actu

dicēdi eſſentiali quo pater dicēs verbum notionaliter,ipſo verbo ſic dicto dicit ſeipm eſſentiali
ter.Ipſo em actu dicendi notionali dicens verbū producendo ipm,ſimul verbo dicto notionali=
ter dicit ſeipm actu dicendi eſſentiali manifeſtando ſeipm ſibiipſi. Et licet dicto reſpectu conſe=
quēte verbum primo & principaliter ipm verbum refertur ad dicentē vt ad manifeſtatum ſibi
ipſo ſuo verbo: vlterius tñ eodem reſpectu refertur ad diuinā eſſentiam & quęcūcp ſunt eſſen
tialia in eo,& ad alias perſonas diuinas,& etiā ad omnes creaturas,& ꝗcunꝗ ſunt cognoſcibi=
lia in eis:vt etiā manifeſtata ſuntipſi dicenti verbū.Pater em notionaliter dicens ipm verbum,
etiā eſſentialiter dicit oīa alia ipſo verbo:vt quo & ī quo cognoſcit notitia declaratiua & mani=
feſtatiua ꝗcūꝗ cognoſcit ſua eſſentia & ī ſua eēntia notitia ſimplici. Et licet ſic primo illo reſpe
ctu verbū reſpicit oīa pdicta inquatū ſunt dicta & declarata ipſi patri verbo ſuo qd a ſe dicitur
notionaliter,& quo dicit ſe & oēm alium & omnia alia eſſentialiter : conſequēter tñ illo eodem
reſpectu verbū reſpicit omnia pdicta inquatum declarata ſunt omni videnti verbū ipſo verbo
patris,qd ab illo ſolo dicitur notionaliter,& quo omīs intellectus ſiue creatus ſiue increatus di
cit eſſentialiter ſe & oēm alium & omnia alia,ſecundū cp ſupra determinatū eſt in queſtione de
dicere eſſentiali.CSic ergo breuiter dico ad ꝗſtionē, cp verbum inquantū verbū,ſiue ex eo cp
verbū,ſiue quocūꝗ alio modo reduplicetur,ſi intelligat reduplicatio fieri ratione ſolius reſpe=
ctus originalis,ſic reſpectu habet ad ipm patrem vt dicentē notionaliter ipm verbū.Si vero in=
telligatur reduplicatio fieri ratione reſpectus cōſequētis, licet ad ſolum patrē vt ad dictū actu
dicēdi eſſentialiter ſibiipſi ipſo verbo primo & principaliter : vlterius tñ ſecundo habet reſpe=
ctū ad oēm alium,& ad omnia alia vt dicta & manifeſtata ſunt ſoli patri verbo ſuo a ſe dicto no
tionaliter.Et vlterius tertio habet reſpectū ad quodcūꝗ manifeſtatū eodē verbo intellectui cu=
iuſlibet alterius.Et ꝗa nō pōt aliꝗd habere reſpectū ad aliꝗa:quin viceuerſa illa cointelligātur
habere reſpectū ad illud:idcirco etiā oīa dicta verba inquatū dicta habet reſpectū ad verbū.Sed
ipm verbū ſuū reſpectū habet ex ſe & ex ſuo pprio originali,& vt ſuū ppriū cōſeques ad ppriū
originale ſm pdicta,& ita nō ꝗa aliud habet reſpectū ad ipm.Cetera vero ꝗcūꝗ dicta ſunt ver=
bo,iꝗtū dicta reſpectū habet ad verbū,ꝗa verbū habet reſpectū ad illa:queadmodū ſm ratio=
nē mēſuratiōis ſcibile habet reſpectū ad ſciētiā:ꝗa ſciētia habet reſpectū ad ſcibile:ꝓter hoc cp re
latio inter ſcibile & ſcientiā ex parte ſcibilis eſt ſcdm rationē,ex parte vero ſcientię eſt ſcdm rē.
Verbū vero ad dicta verbo, & ecōuerſo dicta verbo ad verbū,ambo habent relationem mutuo
ſcdm rationem tñ.Cum enim pater verbo dicit ſpiritū ſanctum,ſpūs ſanctus ex hoc nullā re=
latiōe realem habet ad verbum,quare nec eadē ratione aliquid aliorum in eo cp dicit verbo ad
ipſum verbū:nec econuerſo verbū ad aliquod illorū:ſed rationis tñ.Inter dicentē quidem ver=
bo & ipſum verbū ſimiliter eſt reſpectus talis qualis eſt inter ſcientiam & ſcientē inquatum eſt
ſciens. Sciens enim quia habet eſſe ſciens ſcientia vt ipſa eſt forma intellectus eius,ideo ipſe ad
ſcientiā refertur:ſed relatione ſcdm rationem tñ, & econuerſo ſciētia quia nullo modo habet
eſſe a ſciēte ſed a ſcito.Aliter em idem diceretur bis,& eſſet cauſa & cauſatū eiuſdē:vt dicit.v.
metaph.Ideo nō refert ad ſcientē niſi ſcdm rationē tñ:quia ſcilicet ſciēs refertur ad ipſam. Et
ſic dices eſſentialiter verbo:quia inſtituit per verbū vt ſit dices:nō aūt inſtituit verbū inquatū
huiuſmodi:ideo dices inquatum dicens refertur ſcdm ratione ad verbum:nō aūt verbū ad di
centē,niſi quia dicens refertur ad ipm.Et patet ex hoc differens reſpectus inter verbū & dictū
verbo:& inter ſcientiā & ſcitum.Scientia em in creaturis quia inſtituitur per ſcitum,ex ſe ha=
bet relatiōe dupliciter ſcdm rem ad ſcitū:quia vt inſtituta ab illo,& vt menſuratum ab eodem:
& econuerſo ſcitum inquatum eſt inſtitutiuum ſcientię habet ex ſe relatiōe realem ad ſcien=
tiam penes ſcdm modum relationis.Inquatum vero eſt mēſura ſciētię,habet relatiōe ad illam
ſcdm ratione:quia ſciētia refertur ad ſcitū penes tertiū modum relationis. Verbum autē quia
non inſtituitur per dictum, nec mēſuratur ab ipſo , ideo nullā habet inter ſe relatiōe ſcdm
rem:ſed ſolum ſcdm rationem pdicto modo.De iſto autē reſpectu conſequenti exiſtēte in ver=
bo eſt aduertendū cp ad ea quę ſunt in deo ſcdm diuinā eſſentiam:habet ipm verbū huiuſmo=
di reſpectū ſcdm actum dicendi cognitiuum ſolū.Ad creaturas autē & ſcdm actum dicendi
cognitiuum:& ſcdm actum dicendi factiuum. Eſt igitur pdictus reſpectus in verbo ab ęterno
ſcdm actum dicendi cognitiuum ad oīa quę ſunt in deo,& quę pertinent ad creaturas, & hoc
quo ad earū eſſentias,& quo ad earū exiſtentias,ſcdm ſingulas differētias tēporū vt ſunt in di
uina notitia . Eſſentias em rerū quas deus cognoſcit & quo ad ipſarū eſſentias, & quo ad earū
exiſtentias & omnes modos exiſtēdi,& hoc ſimplici notitia per rationes ideales earū ſcdm mo=
dū declaratum in.ix. Quolibet ī ꝗſtione de ideis,ipſe cognoſcit verbo,& p verbū,& hoc notitia

F
Reſponſio.

G

declaratiua.Scdm actum vero dicendi factiuum,de quo in Psal.Dixit & facta sunt:idem respe꜑
ctus est in verbo ad existentias creaturarũ scdm habitũ ab eterno,licet scdm actũ ex tepore tñ
Iuxta illud Anselmi mon.xxxiiii.Queadmodum opus qd sit scdm aliquã artem,nõ solũ qñ sit,
verũ & anteq̃ fiat,& postq̃ dissoluit,semp est in ipsa arte &c̃.Et sic patet cp pter modos relatio꜑
nis dei ad creaturas scdm rationé, quib⁹ ab eterno refert ad creaturas,nõ qa creaturę referunt
ad ipsum,expositos in dicta questione de ideis:est iste modus relationis scdm dictũ respectũ dei
ad creaturas ab eterno scdm rationé,non quia creaturę referunt ad ipsum,sed ex seipso potius.

**H** Cum ergo querit vtrum verbũ inquãtum verbum habet respectũ ad solum patré dicente: Di꜑
cedũ cp si intelligatur reduplicari verbũ ratione respectus originalis qui couenit ei quasi iuxta
primũ modum dicendi per se, sic(vt dictum est)verbũ inquãtum verbũ habet respectũ ad solũ
patré.Si vero intelligatur reduplicari ratione respectus consequetis qui couenit ei quasi iuxta
scdm modum dicedi per se,sic verbũ inquãtum verbum non solum ad patrem habet relationé:
sed etiam ad omnia essentialiter dicta verbo,vt dictum est.

**I**
**Ad primũ**
**prin.** ⸿Ad primũ ergo cp verbum inquãtum verbũ habet respectũ ad solum patrem di꜑
cente verbum,quia ad solum illũ dicitur:Dicedum scdm iã dicta,cp respectu principali & reali
qui in verbo ptinet ad originem,non dicit verbũ nisi ad solum dicente,& hoc inquãtum dices:
quia illius solius est similitudo,imago,& figura,siue character:a quo solo quasi format & impri꜑
mit.& ideo scdm hoc ipsius solius est verbũ, & nõ spũs sancti,nec creaturę : q̃uis pr illo verbo
dicat spiritũ sanctũ & creaturã.Et secudũ hoc dicit Ansel.Mon.xxxiii.Verbũ quo pater dicit se
non incouenieter sicut similitudo,ita & imago,& figura,& character eius dici potest.Verbum
autẽ quo creaturã dicit,nequaq̃ similiter est verbum creaturę:quia nõ est eius similitudo. & p
**K** eũdem modũ nee est verbũ spiritus sancti.Respectu vero cõsequeti nõ principali, quo scdm ra꜑
tionem tñ,dicitur verbum ad oĩa quę dicitur verbo,& hoc non scdm habitudinem imaginis
aut similitudinis ad id cuius est similitudo aut imago : sed scdm habitudiné declaratiui ad id
cuius est declaratiui,etiã si in veritate sit eius similitudo & imago.Vñ si pater dicit se verbo,
hoc non est per se,eo cp verbum imago eius est & similitudo: sed eo solo cp est notitia declarati꜑
ua.Quãtũcũcp eĩ aliquid est similitudo aut imago alicuius,nõ illo dicitur nisi cũ hoc sit noti
tia eius declaratiua.Nõ eĩ dicit illo ille cuius est,ex hoc eĩ cp aliquid,est sola imago.Vnde pa꜑
ter non dicit se filio inquãtum filius est,licet inquantũ est filius sit imago:sed solũ dicit se ver꜑
bo inquantũ verbũ est :quia ratione illius qd verbũ addit sup rationé filii.Vnde qd dicit Ansel꜑
mus mon.xxxi.Oĩa huiusmodi verba quibus quaslibet res mente dicim⁹,similitudines & ima꜑
gines sunt rerũ quarũ verba sunt:Verũ est:nõ tñ eo cp imagines res dicitur eis: sed eo cp sunt
earũ declaratiua notitia. Vñ & cum alia a patre dicant verbo patris vt creaturę,nõ dicunt ex
hoc illo verbo cp verbum habet imitabilitates in se ad creaturas , & creaturę ipsum imitantur
quoquo modo:sed quia est notitia declaratiua illorum scdm predicta . Et secudum huiusmodi
habitudiné dicitur verbum eorum quorum non est imago aut similitudo:qd non cõtingit de
quolibet alio verbo vt dictũ est iã scdm Anselmũ.Ex quo soluta est questio quã quęrit Ansel꜑
**L**
**Ad secũdũ** mus cap.xxxii.Quomodo simplex veritas potest esse verbũ eorũ,quorum non est similitudo:&
omne verbũ quo aliqua res sic mente dicitur similitudo sit rei eiusdę?⸿Ad secudum qd arguit
specialiter:cp verbũ non habet respectũ ad creaturas: quia verbum esset etsi non esset creatura
&c̃. hanc dubitationem mouet Anselmus de creatura quo ad eius existentiam,cũ dicit predi꜑
cto cap.Deniq̃ si nunq̃ creatura esset,nullũ eius esset verbũ?Quid ergo?An cõcludedũ:si nullo
modo esset creatura,nunq̃ esset verbũ illud?Immo esset, vt probat cõtinue,scdm cp patere po꜑
test inspicieti.Et cõcludit in fine.Siue igitur ille cogitetur nulla alia existente essentia,siue aliis
**M** existentibus,necesse est verbum illius coeternũ illi esse cũ illo. Et est dicedum scdm pdicta:cp si
nulla creata essentia esset,nõ esset verbum earũ factiuum: esset tamen verbũ earũ cognitiuũ.di
cete Anselmo.c.xxxiiii.Quomodo tã differetes res(scilicet creãs & creata eentia) dici possunt
vno verbo:psertim cũ verbũ ipsum sit diceti coeternũ:creatura autem non sit illi coeterna? For
san quia ipse est summa sapientia & summa ratio in qua sunt oĩa quę facta sunt.scilicet ab eter
no in sua notitia,secundũ cp subdit . Nam & anteq̃ fierẽt & postq̃ facta sunt & cum corrupun
tur siue aliquo modo variantur,semp in ipso sunt,non cp sunt in seipsis,scilicet extra notitiam
per actualé existetiam:sed cp est idẽ ipse. Etenim in seipsis sunt essentię mutabiles scdm imuta꜑
bilẽ rationé creata.In ipso vero sunt ipsa prima essentia:& non solũ scdm cp est idem ipse:sed se
cundũ cp sunt ipsa immutabiliter in eius notitia vt obiecta cognita, secundũ cp expositum est

In.lx.Quolibet in qͤstione de ideis.& sie vt sunt eēntie cognite in eiͦ notitia habēt respectͣ rͤndē
tē respectui verbi ad ipͣa.Sed fortis̔ cādo argumētū arguam⁹ sic.id qd ptinet ad diuinā eēntiͣ N
prius est omni eo qd pertinet ad essentiam creaturͤ etiͣ cōsiderate scͣm se vt est essentia absc₉
omni existētia.quia essentia creaturͤ id qd est ad se,a deo est scͣm ratiōe formͤ exemplaris:vt
dictū est in dicta quaestione. Prius ergo verbū habet esse a patre in eius intellectu formͣrum vt
patris est intellectus,q̄ esse creaturͤ sit id qd est a deo scͣm ratiōe formͤ exemplaris. Et si sic,
tunc dicamus iuxta dictū Anselmi.Denic₉ si nō esset creatura aliquid per essentiam in diuina
cognitione,nullͣ esset verbū in deo!Immo esset, vt cōuincitur ex verbis Anselmi ibidē. Vnde
iuxta illud qd dicit cap.xxxiiii.si nihil vnq̄ aliud esset,neq₉ scilicet per essentiͣ in diuina cognitione,neq₉ per existentiͣ extra nisi summus ille spiritus: ratio tñ cogit verbū illud quo se dicit
ex necessitate esse.Sic igit̔ ille cogitetur siue nulla alia existente essentia nō tam exterius q̄ interius in diuina cognitiōe,siue aliis existētibus. Et siue sic,siue sic,necesse est verbū illius coeter-
num illi, in rerū natura esse cū illo:& sic inquantū verbum, nullū omnino respectum habet ad
creaturas vt videtur:quia nō potest esse respectus ad illas nisi sint aliquid saltē per eēntiͣ:quē-
admodū ad pure nō existens qd nō est factibile, non habet verbū respectum,nec ipse deus p ali
qua̔ ideam.Et est dicēdum cp bene verum est cp essentie creaturarū immutabiliter vt obiecta & O
cognita quedͣ ab eterno,habet esse in diuina cognitione id qd sunt ad se. Bene etiͣ verum est
cp id qd sunt per essentiͣ aliquid ad se,non habet nisi a deo scͣm ratiōe causͤ formalis exem-
plaris:vt dictū est:cp similiter id qd sunt per existētiͣ aliquid non habet nisi p diuinͣ operationem scͣm ratiōe causͤ efficiētis: & similiter cp vtroq₉ esse naturaliter prior est ipsa diuina essentia & quecūq₉ infra illam sunt.Omnes eñ diuini respectus psonales adintra naturaliter ter
minati sunt inter psonas prius q̄ cōsiderari possit aliquis respectus eius essentialis cōmunis to
ti trinitati ad extra:etiͣ licet simul per totͣ duratiōe eternitatis de⁹ nunq̄ erat de⁹,quin oīm
creaturͣrum essentias in notitia sua haberet vt obiecta cognita.Hoc eñ est de sua perfectiōe qua
de⁹ est,cp resplēdet in sua notitia alia a se. Vn̄ & Phī non distinguētes iter rerū essentias & existētias,posuerūt cp de perfectiōe dei esset creaturas mūdi secū existere, & hoc scͣm Auicēnam
ab ipso principiatiue: vt ipse deus natura nō duratione intelligatur pcessisse creaturam. Et sic
deus natura pcedit rerū essentias in sua notitia,licet non duratione. Idcirco eñ dicitur cp dūs
regnauit in eternū & vltra. Vltra dico, inquͣtum natura prior est deus existētiis rerum in sua
notitia. In eternum,inquͣtum in regno notitie sue eternaliter essentias creaturarum intuitus
est,& non solū essentias:sed etiͣ omnes mutationes & mutationū modos quos habuerūt, & iͣ
habiturͤ sunt in eternū.dicēte Augustino.xii.de trini.cap.penul.Ad sermōe sapientie ptinēt
ea que nec fuerūt nec futura sunt,sed sunt. Quomodo autem sunt & vbi,subdit cōtinue. Sed
ppter eternitatē in qua sunt,& fuisse, & esse, & futura esse dicunt̔ sine vlla mutatione tepor̔.
Non eñ sic fuerunt vt esse desinerēt:aut sic futura sunt quasi nūc nō sint: sed idipsum eē sem
per habuerunt,semp habitura sunt.Manet autem nō tanq̄ in spatiis locorū fixa velut corpora:
sed in natura incorporali.Et infra. Nō solū autē rerū sensibiliū in locis positarū sine spatiis lo-
calibus manet intelligibiles & incorporales rationes:verū etiam motionum & teporū trāseun-
tium sine teporali trāsitu stant etiam vtiq₉ ipse intelligibiles non sensibiles. Q₂ si rationes illͤ P
ab aliquibus intelligātur ipse ideales rationes,tūc proculdubio idee nō sunt nisi respect⁹ essentiales ad ipsas creaturas:non quo ad ipsarū existētias:sed solūmodo quo ad ipsarū essentias . Si
cōsiderent̔ essentie creaturarū,& ipse creaturͤ nihil esse omnino,vt nō sit ad qd sint illi respe-
ctus:ergo nec erūt illi respectus. Et sic nō esset omnino ponere hmōi respectus siue ideas in deo
queadmodū si verbū diuinū nō haberet aliū respectū,scilicet adintra, q̄ illū quē habet adextra
scilicet ad creaturas,amotis creaturis oīno non erit verbū natura pcedens essentiͣ creaturarū.
Si ergo ponatur idee in deo,necesse est ponere creaturas esse p essentiam aliquid in eius notitia
& eque eternaliter vt idee ponuntur esse in ipso.vt quicūq₉ neget essentias esse aliquid etiͣ in
diuina cognitione pter existētias earū,vt si non sint in existētia cp sint purū nihil,necesse habet
negare ideas.qd aliqui forte nituntur.Nunc autē sic est cp sicut se habet idee ad rerū existētias
cp eas respiciunt in habitu nō autē in actu:sic se habet ipsum verbū ad rerū essentias,cp illas vt
natura prior est illis solum respicit in habitu , non autem in actu siue scͣm actum.Si ergo cō- Q
sideremus verbum dei inquͣtum ipm in diuina essentia pcedit natura rerū essentias que sunt
in notitia eius, nullum habet actualē respectum ad aliquid extra diuinͣ notitiam. & hoc queadmodū nec spiritus sanctus vt est donum,respicit creaturas quib⁹ donabilis est ab aeterno.
Cum enim creaturͤ sunt,& actualiter eis donatur,datū est & donum scͣm actum.Anteq̄ au

tem daretur & anteq̃ essent in actu in respectu ad essentias creaturarũ rationaliũ in diuina notitia, quę natę sunt eũ recipere postq̃ fuerint existẽtes extra scdm actum, dicit̃ ab ęterno donũ.
Dicẽte Augustino.v.de trini.c.xv.Spiritus sanctus ab ęterno pcedit:sed quia sic procedit vt esset donabile,iã donum erat & anteq̃ esset cui daretur.Aliter em̃ intelligitur cũ dicit̃ donũ,ali-
ter cum dicit̃ donatũ. Nã donũ potest esse & anteq̃ detur.Donatũ vero nisi datum fuerit nullo modo dici potest.Nõ vt dicit in principio.xvi.c.sempiterne Spũs donũ:temporaliter aũt do-
natum.Sempiterne re vera donũ:quia aptum donari creaturę:qd̃ nata est recipere de ppĩquo
vt est in actuali existẽtia:vel de remotiori,vt est aliquid in diuina notitia absq̃ actuali existẽtia.

R  ¶Est igit̃ aduertẽdũ q̃ spũs sctũs ĩ triplici habitudine cõsiderat̃ respectu creaturę cui donabilis
est.Primo em̃ spũs sanct⁹ cõsiderat ĩ diuina eẽntia secudũ q̃ naturalt̃ prior ẽ rerũ eẽntia ĩ diuina notitia.Et sic solũmodo remotissima aptitudie donabile ẽ creaturę:donabile tñ,ga pcedit ratiõe sui modi pcedẽdo vt donabile. Et scdm hãc em̃ cõsideratiõe spũs sanct⁹ pcedit vt donũ
datũ:extendẽdo nomẽ doni & dati actu inquantum pcedit a patre in filiũ,& econuerso:& sic vt
donũ mutuum ab vno in alterũ, & actu datũ vtriq̃:sed pcedit vt donũ tantũmodo
aptitudine remotissima donabile,inquãtũ donabilis est creaturę. Quę quidem aptitudo remotissima circa creaturã,non requirit terminum existẽte in actu extra aut in cognitione : sed solũmodo in virtute:quẽadmodum forma artis existens habitu in artifice,aptitudine habet respectũ ad domũ quę nec est ĩ materia extra,nec in actuali cõsideratione artificis.Secũdo aũt spũs
sanctus cõsideratur vt simul duratione est cum creatura existẽte in beneplacito diuinę volũta-
tis.Scdm hãc cõsideratione spũs sanctus pcedit a patre & filio vt donũ donabile creaturę aptitudine remota : quę requirit terminũ existẽte scdm actum in diuino beneplacito:sed hoc vel
ordinãte creaturã ad actualem pductiõe quãdoq̃ futurã,vel nõ ordinãte. Tertio quidẽ spiritus sanctus cõsiderat̃ vt pcedẽs duratione creaturã existẽte in effectu extra. Scdm hãc cõsideratiõe spiritus sanctus pcedit a patre & filio vt donũ donabile creaturę aptitudine ppĩqua
quę requirit terminũ sic existẽte vt possit ei dari scdm actum & esse actu datũ.Et confimiliter
verbũ in triplici habitudine confiderat̃ respectu creaturę simpliciter,cuius est declaratiuũ siue
manifestatiuum.Primo em̃ confiderat̃ secũdũ q̃ in diuina essentia naturaliter prior est omni
essentia creaturę,& sic solũmodo remotissima aptitudine pcedit vt declaratiuũ essentiæ crea-
turę:nec requirit terminũ scilicet essentiã creaturę in existẽtia actuali extra,nec in actuali noti-
tia:sed solũmodo in virtute exemplaris:vt iã dictũ est de forma artis:quę est exemplũ magis
propriũ circa verbũ q̃ circa spiritũ sanctũ.Secũdo modo cõsiderat̃ verbũ vt simul duratiõe est
cũ essentia creaturę existẽte in diuina notitia.Tertio autẽ modo cõsiderat̃ vt duratione pcedit
essentiã creaturę existẽte in effectu extra.Et vtroq̃ modo pcedit verbũ vt declaratiuũ essentię creaturę aptitudine ppĩqua:quia vtroq̃ modo scdm actu declarat siue manifestat ipam: licet primo vt est in sola notitia:& deinde vt est in exteriori existẽtia,& in hoc est distinctio aliqua respectu creaturarũ in verbo & in spiritu sancto.Et sic oĩbus modis verbũ dicit respectum
ad creaturas, nec potest esse verbũ,quin huiusmodi respectũ importet.¶Ad tertiũ q̃ respectus

S  quo verbũ est verbũ,realis est: Dicẽdũ q̃ verũ est,quia ille nõ est nisi respectus originalis consti-
**Ad tertiũ.** tutiuus verbi,q̃ & ordine naturalẽ & essentialẽ ponit ad id qd̃ respicit. Est tñ alius respect⁹ ei⁹
qui cõuenit verbo inquatum verbũ:quia ratione suę pprietatis cõstitutiuę & consequẽter vt
dictũ est supra:licet ipso verbũ nõ sit verbũ:quia nõ est realis:nec p ipm,ordine naturalem,sed
rationis tñ,scilicet per voluntatẽ & intellectũ,habet ad creaturas.Propter qd̃ verbũ inquantũ
verbũ duplicẽ habet respectũ:primũ scilicet & secundũ.Primũ enim ad patrẽ,scilicet a quo di-
cit̃,habet:quasi iuxta primũ modũ dicẽdi per se.Secundũ vero ad ea scilicet q̃ dicunt verbo,ha-

T  bet quasi iuxta scdm modum dicẽdi p se.¶Ad quartũ,q̃ relatiua sunt simul:Dicẽdum q̃ verũ
**Ad quartũ** est de relatione scdm actũ & habitudinẽ ppĩquã,non autẽ de illa quę est scdm habitũ & habi-
V  tudinẽ:vt patet ex dictis.¶Ad quintũ, q̃ spiritus sanctus quia respectũ habet ad nos,noster di-
**Ad quĩtũ.** cit̃:non sic filius:quare nec verbũ:quia eo verbũ quo filius:Dicẽdum scdm pdicta,q̃ verbũ Dei
scdm modum quo habet respectũ ad nos,bene dicitur nostrũ,non tñ a nobis dictũ notionaliter
sed quo nos dicimur & quo nos dicimus essentialiter.Et qd̃ assumit q̃ filius non dicit̃ noster:
Dicẽdum q̃ sicut scdm supra determinata idẽ sunt in diuinis generare & dicere notionaliter,
alia tñ & alia ratione,quia dicere aliquã ratione addit super generare:Sicut em̃ in diuinis sup
naturã simpliciter addit intellectuale ratione aliquã,scilicet intellectualiter, sic super generare
qd̃ dicit actũ pducẽdi modo naturę simpliciter , ratione quãdam addit ipsum dicere qd̃ dicit
actum pducẽdi modo intellectualis operatiõis:Cõsimiliter in pposito,licet eo filius quo ver-

bū & ecōuerſo,ratione tñ quādā addit verbū ſup ly filius:quia fili⁹ dicit pductū vt ſimile ſcdm naturā pciſe:verbū vero dicit vt ſile pductū ſm naturā intelleꝗ̈ualē:quo habet ratio declarati ui,in quo fundaſ reſpect⁹,de quo loquimur,& ſic cōſequiſ ſm ratione illā q̃ pprie cōuenit ver bo vt verbū e,ſup ratione filii.Propter qd̃ fili⁹ vt fili⁹ nullū oīno habet reſpectū ad nos,nec diciſ noſter:verbū vero vt verbū,reſpectū habet ad nos:& ſcdm hoc nō incōueniéter(vt dictū e)pōt dici verbū noſtrū.ᶜAd ſextū reſpoſum eſt ſupra i reſpōſiōe ad ſecūdū.ᶜAd.vii.qd̃ erat ſcilicet ſecūdū principale,q̃ ſcilicet formale reduplicatū cū dicit verbū inquātū verbū,nō poteſt eſſe ni ſi pprīu cōſtitutīuū quo refertur ad ſolū patrē:Dicédum ſcdm pdicta q̃ ſi intelligaſ redupli cari in ratione formę iuxta primū modū dicendi per ſe,tunc verbū inquātum verbū ad ſolum patrē habet reſpectū.Si vero intelligaſ reduplicari in ratione eius ad qd̃ quaſi cōſequés eſt pro priū aliud,ſic verbū nō ad ſolū dicéte verbū habet reſpectū ſed etiā ad creaturas vt dicte ſunt verbo:& hoc quaſi iuxta ſecūdū modū dicédi p ſe.ᶜAd octauū,q̃ filius inquātū filius nō ha bet reſpectū niſi ad patré,ergo nec verbū inquātū verbū:patet ex dictis iā.ᶜAd vltimū,q̃ ver bū eſt nata ſapiétia:& eo q̃ nata,verbū eſt,& ad ſolū patré habet reſpectū:Dicédū q̃ natū dupli citer pōt conſiderari.Vno modo ſimpliciter:alio modo vt ſub modo intellectuali.Primo modo natū pprie cōuenit filio vt eſt filius.Secūdo modo vt eſt verbū.Et ppter ſecūdū modū verbū nō ſolū eſt nata ſapientia ſimplr ſed declaratíua:vt dictū eſt.& ratiōe huius habet reſpectū nō ſolum ad patrem ſed ad omnia alia:licet non habet eū filius:vt dictum eſt . ᶜArguméta in op poſitum concedenda ſunt ſcdm modum tamen expoſitum iam.

Irca ſextū arguiſ:q̃ verbū in diuinis ſit verbū practicū nō ſpeculariuū,Pri mo ſic.Augu.dicit.iiii.de trini.c.v.de hoc verbo ſiue de filio, q̃ eſt ars plena oīm rationū viuentium. Ars aūt ad praxim pertinet, non ad ſpeculatione. ergo &c̃.ᶜScdo ſic.Id qd̃ eſt principiū factíuū & operādi potétia,practicū eſt & nō ſpeculariuū:vt patet in arte.verbū diuinū principiū factíuū eſt. Ioan.i. Omnia per ipm facta ſunt.& ſimiliter potétia ſiue virtus operādi. Ad Rom.i. Predicam⁹ Chriſtū dei virtuté &c̃.ᶜCōtra.qd̃ eſt digniſſimū & nobiliſſimū ſemp deo attribuē dū eſt,vt habitū eſt ſupra in ſermone de attributis. eſſe ſpeculatiuum dignius eſt & nobilius q̃ eſſe practicum,ſcdm Pm̄ in.i.Metaphyſicę.ergo &c̃.

ᶜDicendū ad hoc:q̃ verbū diuinū dupliciter poteſt cōſiderari. Vno modo vt eſt aliquid in ſe ſubſiſtés:& ſic vt eſt verbū ſolius patris:& terminus ipſius actus dicédi notionalis. Alio modo vt eſt pſectio intellectus eſſentialis dei:& ſic vt eſt pſectio eſſentialis intellectus to tius trinitatis,& ratio actus dicédi eſſentialis.Et primo quidé modo cōſideratum pure ſpecula tíuū eſt,quia abſq̃ omni ordine & reſpectu ad creaturas cōſideraſ:vt patet ex dictis iā in prece= déte q̃ſtione.Ratio autē praxis nullo modo pōt conuenire verbo diuino niſi ex reſpectu & ordi ne q̃ habet ad creaturas.& ſic ſi verbū diuinū vllo modo poſſit practicū dici, oportet q̃ hoc ſit ex ipſo cōſiderato ſcdo modo.ᶜSed hoc ſecūdo modo adhuc pōt cōſiderari dupliciter.Vno modo,vt eſt ratio actus dicédi eſſentialis quo ad manifeſtatiōe & declaratioũe notitię creatu rarū.Alio modo vt eſt ratio eius quo ad actū pducédi ipſas creaturas diſpoſitiue:vt infra dice tur.Actus eñ dicédi eēntialis reſpectu creaturarū,& actū manifeſtādi ipſas,& actū diſpoſitiue pducédi eaſdé iportat:vt patet ex dictis in pxima q̃ſtione pcedéte,& etiā ex dictis in q̃ſtiōe de dicere.Primo modo,ſcilicet quo ad actum manifeſtandi,adhuc clarum eſt q̃ verbum diuinum eſt pure ſpeculatiuū: quia ratio manifeſtādi ſolum notitiam ſpeculatiuam importat:& nul lum ordiné ad creaturarum pductioné ſiue ad aliquā operationé aliā circa ipſas. Ratio autem praxis nullo modo poteſt cōuenire verbo diuino niſi in ordine ad pductioné creaturarū,vel ad aliquā aliā operationé ſiue actioné circa ipſas.Et ſic ſi verbū diuinū dicédū eſt aliquo modo fore practicū,oportet q̃ hoc ſit inquātū eſt pſectio intellectus eſſentialis dei:& vt eſt toti trinitati ratio dicédi eſſentialiter creaturas in pducendo illas,vel in agendo aliquid aliud circa ipſas iā pductas,quarū inquātum huiuſmodi verbū diuinum quoquo modo eſt ratio & ſimilitudo,vt in pcedétibus declaratum eſt. Sed pter modum quo tres cōmuniter dicunt verbo:quia verbū eſt perfectio intellectus eſſentialis eorū:vt patet ibidem: pater ſpecialiter dicit verbo quia ver bū ab ipſo pcedit,& filius ſpecialiter dicit verbo quia ipſe eſt verbū,& ſimiliter idem verbū eſt ſapientia & ratio qua tres ſimul operāda diſponunt,non ſolus pater per ſe,ſed ſimul cū ipſo fi lius & ſpiritus ſanctus. Vt ſecundum hoc ſi aliquo modo verbū diuinū ſit practicū,oporter q̃ hoc ſit aut inquantū eſt virtus ſiue potentia operis circa creaturas elicitíua:ſi tñ ſit talis poté

tia, quod non puto:aut inquantum est sapientia operandorum dispositiua. Vtroꝗ enim mo=
do dicitur aliquid potentia qua agens agit. Verbi gratia, Aedificator dicitur potens ędifica=
re:vt potentia elicitiua actus virtute naturali,quę primo est motiua membrorum , & secundo
per membra mota est motiua instrumentorum , & tertio per instrumenta est motiua materiæ
domus,puta lignorum & lapidum:vt eis forma domus imprimatur . Dicitur autem ædifica=
tor potens ędificare: vt potentia dispositiua operandorum ipsa arte ędificatoria regulatiua mo=
tuum membrorum & instrumentorum in modo mouendi materiam . Primo quidem modo
clarum est ꝗ verbum diuinum non est potentia operatiua : qua scilicet pater aut tota trini=
tas eliciat actum creandi siue producendi aut agendi aliquid circa creaturas: quoniam poten=
tia huiusmodi est id quo pater & filius & spiritus sanctus sunt vnum principium immedia=
tum creaturarum:quod non potest esse nisi aliquid essentiale, in quo vnum sunt tres personæ
sub quadam indistinctione:quale non est verbum diuinum: quod non est nisi personale siue no
tionale:sed hoc est solum ipsa diuina essentia indistincta,& hoc vt est essentia simpliciter : non
autem vt est patris determinate , neꝗ vt est filii determinate , neꝗ vt est spiritus sancti deter=
minate:sed vt est communis & indifferens tribus , & vt in ipsa nullam omnino habet distin=
ctionem,propter quam dicuntur vnus creator , vt habitum est in precedentibus. Si ergo ver=
bum diuinum sit iuxta secundum modum operandorum dispositiua potentia , oportet ꝗ hoc
sit inquantum est sapientia siue ars qua operanda disponuntur. Sed cum duplex sit opus: vnū
quod operans omnino operatur in seipso,aliud vero quod operatur in alio & circa aliud extra
se : potentia qua quis operatur opus primum , est etiam quicunꝗ habitus pure speculatiuus.
Hoc enim modo peritia syllogizandi potentia est qua quis potest expedite syllogizare : & vni=
uersaliter quilibet habitus cognitiuus potētia est qua quis potest considerare secundum illum
si velit.Et est ista potentia in tali operatione non practica sed pure speculatiua , siue fuerit ope=
rans in pure speculatiuis, siue fuerit operans in pure practicis:quia non considerat practica si=
ue operanda vt operanda , scilicet ad ipsorum executionem in opus, sed potius vt speculanda,
scilicet ad ipsorū notitiam inspiciendam : etiam licet sit consideratio circa modos operandi &
exequendi operabilia in opus : licet forte sit verius speculatiua vt est in pure speculatiuis , ꝗ
vt est in pure practicis : maxime quo ad modos operandi & exequendi operabilia in opus: cir=
ca quos magis est practica , quia respicit particularia: ꝗ vt est circa vniuersalia operandorum,
vt circa virtutis diuisionem & definitionem & cæterorum huiusmodi. Sicut etiam magis est
practica vt est circa particularia cognita per experientiam , ꝗ circa cognita absꝗ omni expe=
rientia vt iam dicetur , & magis patebit in prima quæstione articuli sequentis . Et clarum est
etiam ꝗ hoc modo verbum diuinum non est practicum sed speculatiuum , inquantum scili=
cet deus trinitas ipso declaratiue seipsum & essentias creaturarum & operandorum circa ip=
sas speculatur absꝗ omni ordine & respectu ad operis executionem : licet verius fortasse sit
speculatiuum vt ipso speculatur seipsum & essentias rerum secundum se:ꝗ vt speculatur cir=
ca ipsas creaturas modos operandi & exequendi operabilia in opus . Absꝗ omni enim or=
dine ad operis executionem non est aliquis habitus proprie practicus: quæ quidem executio
pertinet ad operationem in aliud & circa aliud . Potentia enim qua quis operatur opus ali=
quod in aliquid vel circa aliquid extra se , est solummodo habitus practicus siue moralis,qui
est circa operabilia proprie loquendo , cuiusmodi sunt iustitia , fortitudo , temperantia : siue
intellectualis , & hoc siue sit tantum circa factibilia : vt est ars : siue indifferenter circa agibi=
lia & facti bilia , vt est prudentia . Iustitia enim est potentia qua quis potest expedite iusta
agere , & sic de aliis . Et est ista potentia in tali operatione vt iustitia in operando iusta,
non speculatiua , sed pure practica , quia est circa executionem operandorum particula=
rium : & eo magis est practica quo magis est circa particularium operandorum executio=
nem cognitorum per experientiam operis:ꝗ quo minus , aut quo est circa particularium ope=
randorum executionem cognitorum absꝗ omni experientia . Licet enim habitus aut poten=
tia talis quanto magis descendit ad particularia , tanto magis accedit ad praxim, nullo tamen
modo intantum practica potest dici illa quæ acquisita est absꝗ omni operis experientia,
quantum illa quæ est acquisita ex operis experientia . Quantumcunꝗ enim habet quis ar=
tem citharizandi aut fabricandi ex doctrina absꝗ experientia , per illam tamen citharizare aut
fabricare expedite non potest,quod tamen requiritur ad hoc ꝗ potentia simpliciter & perfecte
practica dici possit. Simpliciter ergo nulla potētia talis simpliciter & pfecte potest dici practica

niſi ſit acquiſita ex operū particularium executione & experiētia:quā cū quis habet ſimplíciter
potés eſt operari ſcdm eā cum vult.& ſimplíciter practicū denominat habentē: vt carpentariſi
a talí potentia ſiue arte carpentandí,aut fabrū a talí potentia ſiue arte fabrili. Propter qd dicit
Philoſophus in.i.Ethico.φ citharizantes cithariſtę ſimus, & fabricantes fabrí, & ſic de cæteris.
Vnde faber non poteſt proprie dici quis quantūcunφ ſciat artem fabrilem ſi tm ſciat eā ex ſo﹣
la doctrina abſφ experientia. Vlterius autē eſt aduertēdū φ talis potētia per operis executione   **G**
atφ experientiā acquiſita poteſt dupliciter cōſiderari. Vno modo vt ſcdm ipſam intellectus in
formatus pponit voluntati modos operādí particulares poſſibiles & cōuenientes,atφ impoſſí﹣
biles & incōuenientes,aut magis cōuenientes & minus cōuenientes per indifferentiā.Alio mo
do vt ſcdm ipſam vnū poſſibiliū & conuenientiū determinat volūtati,& illum pfert aliis,dicen
do ſic eſſe operandū & non aliter tanφ modo conuenietiorí.Primo modo nō eſt adhuc potentia
pprie practica,quoniā nō eſt per ſe principiū operādí ſiue exeqūdi opus idoneum & ſufficiēs
& pximū.Sicut em ab eo qd ſe habet vt principale operās per indifferētiā omnimodā ad plura
operabilia, nulla omnino pcedit actio niſi ſit ſuiipſius determinatiuum ſicut eſt libera volūtas
ſic illud qd ſe habet per indifferentiā ad plura operabilia vt ratio operādí,nō eſt omnino ratio
eliciendi etiā diſpoſitiue actū operādí aliquod illorū.Et ppter idem nec intellectus,inquātū ta﹣
li potētia ſiue habitu pficitur,pprie practicus:ſed potius ſpeculatiuus dicēdus eſt.Scdo autem
modo potētia pprie practica dicitur, quia eſt p ſe principium idoneum & ſufficiens & pximū
operandi diſpoſitiue,operantē ſcilicet ſi velit dirígēdo in opus.Et ppter idem intellectus inquā
tū perficitur tali potētia ſiue habitu,pprie practicus dicitur,ſecundū φ hęc alibi clarius expo﹣
ſuimus,& inferius queſtione.i.articuli ſequētis adhuc exponemus.Si ergo verbū diuinū conſí﹣   **H**
deret vt potētia qua tota trinitas operatur extra ſe ípas creaturas:vel aliquid circa illas:hoc ſo
lo modo habet rationem praxis ſiquā habet:& dicitur ars plena rationum viuentiū , ſecūdū φ
procedit prima obiectio.Sunt autē illę rationes ideales,nō vt ſunt abſolute rationes cognoſcen
di declaratíue operāda & operādí modos:ſic em(vt patet ex iā dictis)potius ſunt rationes ſpe﹣
culatiuę ꝗ practicę:ſed hoc vt ſunt rationes dirígēdi operantē in operis executione,& hoc quo
ad particularia operandorū.quia vt ſolū ſunt rationes dirigendi circa vniuerſalia operandorū
potius ſunt ſpeculatiuę ꝗ practicę:vt patet ex dictis:& quāto magis deſcendūt ad particulariū
cognitione,tanto magis habēt ratione praxis.Quia tū huiuſmodi ratiōes ideales nō habent in
verbo ex aliqua operis experientia:ſed ex ęterna ſapientia ſine aliqua experiētia(vt dictū eſt)ni
hil poteſt dici ſimplr practicū:idcirco verbū diuinū nullo modo poteſt ppter huiuſmodi ratio
nes operandorum dici practicū ſimpliciter , ſicut neφ ipſa diuina ſcientia eſſentialiter dicta, ꝗ﹣
uis ſit potētia qua trinitas pōt operari creaturas,in eſſe producēdo eas vel aliqua circa ipſas.&
hoc maxime ideo:φ licet verbū ſcdm dictas ratiōes diſponit modos diuerſos operādorū,& pro
ponit eos volūtati,nullū tū eorū determinat illi.Ipſa em diuina volūtas ſola ſeipſam circa ope﹣
rāda determinat,ſecūdū φ alibi declarauimus.Et ſic multo minus verbū diuinū habet rationē
praxis ꝗ habitus pticulariū operādorū acꝗſit⁹ ex doctrina abſφ experiētia. Ille em quodāmodo
modos operādoꝗ volūtati determinat.Et ſic de⁹ ſua ſciētia & verbo ſimplr ſpeculatiuis cogno
ſcit operāda ſicut nō operāda: & ſilr de operādis diſponit,licet inquantū hmōi quādā ratione
praxis habēt.CAd cui⁹ ampliorē intellectū aduertendū eſt φ aliquid dicí practicū quia eſt cir
ca operāda & circa operādí modos,multipliciter.Vno modo ppriiſſime & ſtrictiſſime:qd ſcili﹣   **I**
cet eſt acquiſitū circa particularia,& ex particulariū experiētia,& determinat ſcdm actū volū﹣
tati modū operādi.Propter hoc em in talib⁹ finis eſt nō verū & cognitio: ſed bonū & operatio.
& hoc tā ipſius cognoſcētis ꝗ ipſius habitus cognitiui. Alio aūt modo dicí aliqd practicū ga
eſt circa operāda & circa operādí modos cōiter & large:qd ſcilicet eſt acquiſitū circa particula
ria & ex experiētia pticulariū: & determinat volūtati modū operādi nō ſm actū:ſed ſm habitū
tm:in qualib⁹ finis cognoſcētis eſt verū & cognitio:finis vero notitię eſt bonū & operatio. Ter
tio mō dicí aliqd practicū quia ē circa operāda & circa operādí modos cōius & largi⁹:qd.ſ.eſt
acꝗſitū circa pticularia abſφ experiētia pticulariū:ſed ex ſola doctrina circa pticularia indeter﹣
minata:qd modū operandi nō eſt natū determinare niſi in vſu. Quarto mō dicí aliqd practicū
ga ē circa operāda & circa operādí modos adhuc cōius & largi⁹:qd.ſ.eſt acꝗſitū ex doctrina vl﹣
la ex ſo
la doctrina vniuerſaliū abſφ oí experiētia pticulariū,& hoc maxie qū eſt circa qditates eoꝗ:qd
ſilr nō eſt natū determinare modū operādi niſi í vſu.Quito mō dicí aliqd practicū cōmuniſſi﹣
me & largiſſime,quia iproprie,ga eſt circa operāda & circa operādí modos:qd.ſ.non eſt omni﹣
no acquiſitū nec doctrina vniuerſaliū,nec experiencia pticulariū : qd etiā nullo mō natum eſt

determinare volútati operãdi modũ:licet fit circa particularia fignatorũ operandoꝗ.Sic enim ſcientia dei ſimpliciter eſſentialis de operandis circa creaturas,& ſimiliter verbũ qd eſt notitia declaratiua de eiſdem,practica dicũtur,& non alio modo.Naſcitur eĩ verbum circa operanda ex operandorũ notitia ſimplíci,ſicut circa ſpeculãda ex notitia ſpeculãdorũ ſimplíci.Et ꝓpterea quia ſcilicet notitia dei ſiue ſimplex ſiue declaratiua nõ eſt operis determinatiua reſpectu volũtatis diuinę vt alibi declarauimus:idcirco ſciętię ſiue notitię dei,ſiue fuerit ſimplex,ſiue fuerit declaratiua,cuiuſmodi eſt ípm verbũ diuinũ:nullo modo eſt finis operatio ſiue bonum aliquod extra ípm qd conſiſtit in creaturis:ſed finis eius ſolũmodo eſt verum,ſicut cognitio habita de illis,& hoc nõ ſolum ipſius notitię:ſed etiã ipſius cognoſcẽtis.Qui quidem finis qui eſt notitia non excludit bonũ amoris qd eſt intra,qd eſt annexum notitię:immo huiuſmodi eſt finis intra ipſius notitię diuinę circa quodcũꝗ fuerit.Omnis eĩ notitia in amore vt in ſuo fine intra perfi citur:ſimplex ſcilicet notitia quę eſt cõiter in patre & filio & ſpiritu ſancto,perficitur in amore eẽntiali ſimplíci qui eſt ei eẽntialiter annexus in eiſdẽ:& notitia declaratiua quęꝓprie verbũ eſt in amore inflãmatiuo,qui ꝓprie eſt ſpũs ſanctus: vt infra videbiꝰ.In quo etiam mediante noti tia declaratiua pficitur amor ſimpliciter,ſicut & notitia ſimpliciter mediãte amore ſimpliciter perficiꝰ in notitia declaratiua.Sed perficiꝰ notitia ſimplex in notitia declaratiua, & amor ſim plex in amore inflãmatiuo,tanꝗ in eo qd eſt quaſi ſui generis:ſed notitia ſimplex pficit in amo re ſimplíci, & notitia declaratiua in amore inflãmatiuo, tanꝗ in eo quod eſt quaſi non ſui ge neris.In quo quidẽ amore inflãmatiuo eſt quaſi finis intra & cõplementum totius trinitatis:vt ſcdm hoc finis ſciętię dei ſimplicis aut declaratiuę nullo modo poteſt eſſe opus aliquod extra, aut bonũ: quẽadmodũ illud eſt finis potẽtię aut habitus practici:ſicut neꝗ eſt finis amoris ſim plícis,aut inflãmatiui:ſed potius ipſa dei ſcientia ſimplex & declaratiua,ſimiliter amor ſimplex & inflammatiuus, ſicut ſunt principium omnis eius qd operatur deus trinitas circa creatu ras,ſic ſunt illorũ etiã finis. Omnia eĩ propter ſemetipſum operatus eſt dñs:vt dicitur in Eccle ſiaſtico:ſed finis ſcientię dei quaſi extra eſt amor,ſcdm iam dictũ modum:in eo ſcilicet ꝙ amor eſt quaſi alterius generis ꝙ ſit ſcientia, ex eo ꝙ ſcientia eſt ex parte intellectus,amor vero ex par te voluntatis.vt ſcdm hoc proprie ſcientia dei ſimplex aut verbũ eſt,nullo mo do poteſt dici practica:ſed ſolũmodo íproprie vt dictũ eſt : & hoc ꝑter alias dictas cauſas ſcdm ꝙ dictum eſt,quia finis eius nullo modo bonũ ſiue opus aut operatio extra eſt.Poteſt tñ dici ꝓ prie ſcientia dei affectiua & verbũ affectiuũ ,inquãtũ ſm dictũ modũ ſciętię dei finis amor eſt.

⸿Per .am dicta patet quid dicendũ eſt ad argumenta. Qd enim aſſumitur in pri
k
Ad primũ
prin.
mo ꝙ verbum eſt ars &c.Patet ꝙ hoc non dicitur niſi quatenus reſpicit operãda & modos ope rationũ extra. Reſpectu quorum nõ dicitur practicũ niſi cõmuniſſime & improprie , & ſimili ter cõmuniſſime & improprie attribuitur ei nomen artis.Proprie autẽ ei attribuitur nomẽ ſa pientię:quę vt ꝓprie accipitur,diſtinguiꝰ contra artem proprie acceptam:vt patet ex principio
L
Ad ſecũdũ
Ad oppoſi.
vi.Ethic.⸿Qd arguiꝰ ſcdo,ꝙ verbũ diuinũ eſt principiũ operandi &c.Dicedũ ꝙ verũ eſt diſpo nendo tñ:non autẽ opus determinando aut opus ſibi finẽ ſtatuendo:ſine quo nihil ꝓprie diciꝰ practicũ: licet cõmuniter & improprie practicũ poteſt dici:vt ſimiliter patet ex dictis. ⸿Et ſe cundũ hoc tertium,qd erat ad oppoſitum,concedendum eſt.

### Arti.LX.de ſpiratione actiua,quę eſt proprietas patri & filio cõmunis.

Arti.LX.

Equitur de proprietate cõmuni patri & filio, quę eſt ſpira tio actiua.Circa quam.x.ſunt dubitanda.

Quorum primũ eſt:vtrum principium elicitiuum eius ſint ambo ſi mul natura & voluntas in patre & filio communiter exiſtentes : an alterum eorum tñ.
Secundum:vtrum realiter diſtincta ſit & diuerſa a generatione.
Tertium:vtrum ſit aliquis ordo inter generationem & ſpiratiõe.
Quartum:vtrum generatio ſit principalior productio ꝗ ſpiratio.
Quintũ:vtrũ actiua ſpiratio ſit ꝓprietas cõſtitutiua alicuius pſonę.
Sextũ:vtrũ ſpiratio actiua ſit proprietas ſiue actio vni⁹ ſpiratoris.
Septimũ:vtrum plures ſpirantes ſint vnum principium ſpirandi.
Octauum:vtrum aliquis ſpirantium habeat rationem ſpiratiuam ab alio.
Nonum:vtrum vnus ſpirantium.ſ.pater,principalius ſpiret ꝗ alter,puta filius.
Decimũ:vtrum ſpirantes habeant aliquam aliam proprietatem cõmunẽ ꝗ ſpiratiõe actiuam.

Irca primum iſtox arguit,ꝙ rō elicĩẽdi actũ ſpirationis actiuę a patre & filio nō  **M**
ſit aliquo modo voluntas ſed tm̃ natura,Primo ſic.actionis ꝙ eſt ad producendũ  **Queſt. i.**
de illo ſimile in forma pducenti,principiũ eſt nō volũtas: ſed natura.quia ſolius  **Arg.i.**
naturę eſt aſſimilaꝛe pductũ pduceti̇. ſecũdũ cõmune deſcriptionem naturæ
Natura eſt vis inſita rebus ex ſimilibus ſimilia pducens.actio quę eſt ſpiratio eſt
ad pducendum ſimile in forma pducenti:quia per ipſam ſpiritus ſanct⁹ pducit
in forma deitatis de diuina ſubſtãtia ſicut & filius:quia ſpiritus ſanctus ſimilis ẽ
patri & filio ſicut & filius eſt ſimilis patri.ergo &c.CSecundo ſic.actio cuius rō elicĩẽdi eſt volun **2**
tas,pſupponit in cognitione terminũ ad quẽ eſt,Nihil em̃ vult volũtas aut amat ſecũdũ Auguſti
num niſi cognitũ.quare cum terminus actionis ꝙ eſt ſpiratio,ſit ſpiritus ſanctus: & illũ nō pſuppo
nit ipſa in notitia:quia tũc in ſpiritu ſancto differret eſſentia qua eſſet cognitũ,& pſuppoſitũ i notitia,& eſſe exiſtentię qđ haberet p actionem ſpiratis:& ages pducendo ipſum ageret p cognitionẽ
& regimẽ rōnis,ſicut cõtingit i creaturis:qđ falſum eſt.ergo &c. CTertio ſic.ſpirit⁹ ſanct⁹ emanat **3**
de patre & filio vel vt amor de mente & notitia,ſecũdũ ꝙ determinat Auguſti⁹ lib.ix.& lib.x.de
trinita.per totum.vel vt voluntas de memoria & intelligentia,ſecundum ꝙ determinat a lib.xi.&
deinceps.ſed ratio elicĩẽdi eius qđ emanat de mẽte & notitia nō eſt volũtas:ſed potius natura. qa
qđ eſt in deo ex parte intellect⁹,cōnumerat cũ principio qđ eſt natura: vt habitũ eſt ſupra.& ꝓpter
eãdem rationem nec eius qđ emanat de memoria & itelligentia,quia ambo ſe tenent ex parte itel
lectus:& hoc etiã maxime ideo:quia tũc voluntas eſſet ratio elicĩẽdi actũ quo emanat:& ſic ſimiliter pducendi ſuiipſius,qđ eſt impoſſibile.ergo &c. CQuarto ſic.ſicut ſe habet intellectus ad pdu **4**
ctionem filii,ſic volũtas ſi ſit rō elicĩẽdi eius,ad pductionẽ ſpiritus ſancti.ſed intellectus non eſt ra
tio elicĩẽdi actum generationis filii vt eſt intellectus ſimpliciter,ſed vt eſt natura.ergo &c.CQui **5**
to ſic.qđ eſt cõmune trib⁹,non eſt rō elicĩẽdi actũ pductiuũ alicuius illox.quia tũc aliqd eſſet rō
pductiua ſuiipſius:qđ eſt impoſſibile.Voluntas aũt in diuinis eſt eſſentiale quid,& cõmuniter tribus pſonis cõueniens.ergo &c.CSexto ſic.non eſt productum idem in natura cum producente cõ- **6**
municãdo illi naturam pducentis,niſi quia ei cõmunicat p actum naturę,quia orta a principio eidem debet atteſtari.vnde ſup illud.vii.metaphy.Sicut in ſyllogiſmis eſt principiũ cuiuſlibet,& hic
generationes.dicit Cõmentator.i.quẽadmodum ſyllogiſmi ex quibus fiunt artificiata ſunt quidita
tes artificiatorum:ita res generabiles fiunt a ſuis quiditatibus. Et intendit ꝙ quęcunꝗ producun
tur a ſuis quiditatibus realiter exiſtentibus ſic vt ſint eiuſdem naturę cũ pducentibus,ſunt gñata
naturalia modo naturę:quẽadmodum quęcũꝗ pducunt a ſuis quiditatibus intellectis ſic vt non
ſint eiuſdem naturæ cum producentibus,ſunt facta artificialĩ modo artis,& econuerſo.ſpiritui au
tem ſancto p ſpirationem cõmunicatur natura patris & filii,vt ſit idem in natura cum producentibus ipſum.ergo pducitur modo naturę,non ergo modo voluntatis.ergo &c.CSeptimo ſic.ratio **7**
elicĩtiua actus quo producitur pductum naturale eſt natura non voluntas,quia productum voluntatis potius eſt artificiale aliquid ꝗ naturale. ſpiritus ſanctus eſt productũ quid naturale:quia
eſt ſpiritus connaturalis patri & filio.ergo &c. CContrarium arguitur primo ſic.Spiratio eſt actio **In oppo.i.**
qua productũ excutit ſiue expellit a producente,ſicut patet in nobis de ſpiratione ſpũs,qui eſt aer
a pulmone expulſus,qui anhelitus dicitur,vnde emanatio iſta in diuinis nomen accepit.ſed volun
tas non natura proprie eſt ratio elicĩẽdi actum quo aliquid ab alio quaſi excutitur,qa natura potius eſt ratio actus quo aliquid alicui imprimitur vt forma:& ſic aliquid de illo pducitur.ergo &c.
CSecundo ſic.ratio completa elicĩẽdi actum ſibi proprium ſic perfecte ſemel ſe in ſuum actum ef- **2**
fundit & exhaurit,vt ſecundum illam decætero nullus actus reſtet elicĩẽdus, vt patet ex ſupra
determinatis de eo ꝙ ſolum vnicus filius eſt in diuinis.omnis ratio elicĩtiua actus in diuinis ſumme completa eſt,& ratio elicĩtiua actus in diuinis quæ eſt natura ſemel ſe in ſuum actum effudit,
ſcilicet in generatione filii. ergo ſecundum rationem illam quæ eſt natura præter generationem
vnici filii nullus reſtat alius actus elicĩẽdus.Ex hoc enim ſupra declarauimus ꝙ in diuinis tm̃ eſt
vnica generatio:& tm̃ vnici filii.quare cum ſpiratio ſit alia actio a generatione,ratio elicĩtiua eius
nullo modo eſt natura.Eſt ergo ratio illius ſola voluntas.CTertio ſic.ſicut ſe habet natura ad gene **3**
rationem ſic voluntas ad ſpirationem.ergo ꝑmutatim ſicut ſe habet voluntas ad generationem
ſic natura ad ſpirationem.ſed voluntas nullo modo eſt ratio elicĩẽdi in generatione : ergo nec
natura in ſpiratione. CQuarto ſic.ſi̇ſe pductũ rōne naturæ fili⁹ eſt,vt habitũ eſt ſupra.Spũs ſãctus **4**
oino eſt ſimilis patri in natura & fili̇ filio:ergo ſi eſſet pductus rōne naturę ipe eſſet fili⁹.Eſſet aũt
pductus rōne naturę ſi natura eſſet rō elicĩẽdi ſpirationem,cõſequens eſt falſum.ergo &c.CQuin **5**

to sic,semper in eodem natura prior est voluntate,aut si in diuinis non sunt prior & posterior,primum tamen secundum rationem est natura respectu voluntatis,& voluntas secundũ,Quando autem primum & secundum agens in eadem actione concurrunt, semper primum est principa-

**6** le, & secũdũ cõsequens & annexum.Natura ergo esset principalis rõ eliciendi actum spirationis si natura eet ratio spirãdi cũ volũtate:& volũtas secũdaria.cõsequẽs ẽ falsum.ergo &c.¶Sexto arguitur ꝙ natura nõ potest esse ratio spirandi coassistens & annexa volũtati vt principaliter spirãti tã q̃ spirãs secũdario,sic.Sicut se habet natura ad ꝓductiõe filii,sic & volũtas ad ꝓductiõe spũs sancti.ergo ꝑmutatim sicut volũtas ad productionem filii, sic natura ad ꝓductionem spiritus sancti. sed voluntas nõ sic est assistens ꝓductioni filii vt sit aliquo modo rõ eliciẽdi actũ quo ꝑducat̃:qua

**7** re neꝗ natura ẽ assistens in productione spirit⁹ sancti vt dicat̃ rõ ꝑducendi ipm.¶Septio arguitur ꝙ natura neutri⁹ ꝑductiõis sit ratio eliciendi:sed ꝙ volũtas sit rõ vtriusꝗ. Dicit em Ricar.vi.de trinitate cap.xvii.Ingenitum velle habere de se conformẽ atꝗ cõdignũ,idem mihi videt̃ qd̃ gignere filium:tam genitum q̃ ingenitum velle habere cõdilectum,idem mihi videt̃ qd̃ ꝑducere spiritũ

sanctum.eius autem qd̃ habet voluntate,habendi ratio est voluntas non natura.ergo &c.¶Deinde arguebat̃ ꝙ neutrũ eorũ est ratio eliciẽdi spirationis,Prio sic.ad id qd̃ in diuinis habet̃ ex solis actibus essentialibus non requiritur act⁹ notionalis neꝗ ratio elicitiua ipsius.spiritus sanct⁹ in diuinis habetur ex solis actibus essentialibus.spiratio autem est actus notionalis.ergo ad hoc ꝙ spirit⁹ san-

ctus sit in diuinis non requirit̃ rõ elicitiua spirationis,q̃ est natura aut voluntas.¶Probatio minoris est:quia Augustin⁹ dicit,ix.de trini.cap.ix.Qui perfecte nouit perfecteꝗ amat iustitiã iust⁹ est, etsi iam nulla existat secũdũ eam forinsecus ꝑ membra corporis operãdi necessitas,& sic(vt dicit) vir est in spiritualibus,quare cum spiritus sanctus summe spiritus est,ex hoc ꝙ ex patre & filio per-

fecte noscit̃ & pfecte amatur, iã habetur.¶Sed illi sunt actus essentiales.ergo &c. ¶Secũdo sic.in ꝑ

**2** ductione filii ratio eliciẽdi actum notionalem qui est generare non est nisi notionalis quia propria

est sicut & actus.sed natura & voluntas in deo essentialia sunt & non notionalia.ergo &c.¶Deinde arguit̃ ꝙ non possunt ambo simul esse rationes eliciendi eiusdẽ actus,Primo sic.impetus & libertas in eadẽ actione cõcurrere nõ possunt,qa sunt contraria.natura est rõ eliciẽdi ꝑ impetũ,volun-

**2** tas vero ꝑ libertatem.ergo &c.¶Secũdo sic,sicut se habet ratio eliciẽdi passiue ad id de quo aliqd̃ elicitur,sic ratio eliciendi actiue ad eum qui elicit.sed respectu eiusdem actus non possunt esse plures rõnes eliciẽdi passiue in eo de quo elicitur:quia plures psonẽ passiue non possunt esse in materia eadẽ secundũ numerũ respectu eiusdem formẽ:ergo eiusdẽ elicientis nõ possunt esse plures rõnes eliciẽdi actiue vnius actus,spiratio est vnus actus,natura autem & volũtas sunt plures rõnes

**3** eliciẽdi.ergo.&c.¶Tertio sic.vni⁹ naturẽ nõ est mod⁹ ꝑducẽdi quo aliqd̃ de ea ꝑducit̃ nisi vn⁹.ꝓpter qd̃ dicit Cõmeta.super.viii.physicoꝝ,ꝙ mus generatus ꝑ ꝓpagatiõe,cum eo qui est gñat⁹ ꝑ putrefactionem non est vnus in specie,quare cũ diuina natura sit vnica,& nõ est nisi vnus mod⁹ ꝑducendi quo aliquis ꝑducitur ea : ergo nec plures q̃ vna ratio eliciens actus,qua de ipsa habet ef-

se ꝑductio.¶In contrarium arguitur ꝙ ambo simul necessario cõcurrunt & equaliter. quia sicut i diuinis intellectus est natura & naturalis potentia : sic & voluntas.sed intellectus & natura simul sunt æque principaliter rationes eliciendi in actu intellectus: ergo & in actu voluntatis . ¶Vlti-

mo arguit̃ ꝙ voluntas nullius vt termini suẽ actionis est ꝑductiua, in quocũꝗ fuerit.quia mot⁹ siue actio voluntatis supponit terminũ in quẽ mouet vt amatũ,in quẽ terminat̃ suus motus & sua actio.Qd̃ aũt supponit terminũ suẽ actionis,nullo modo producit illum.ergo &c.

¶Dicendũ,ꝙ secundum superius determinata in questionibus de diuinis emanationibus,natura & voluntas sunt duæ rationes principales emanandi siue producendi tam in diuinis q̃ in creaturis:ad q̃s oẽs aliæ q̃ sunt habẽt reduci:& vbi habent esse pfectius,pfecti⁹ ꝑducũt. Quare cũ pfectissime habẽt esse in deo sicut & cætera quæ sunt in ipso:igitur secundum vtrãꝗ in diuinis oportet ꝙ sit pfectissima emanatio siue ꝑductio,& diuersẽ siue distinctẽ,sicut & ipsa iter se diuersa sunt & distincta. sic tñ ꝙ sicut in radice non separant̃,nec in suis productionibus, vt scilicet necessarium sit ꝙ in ambabus diuinis emanationibus ambo,scilicet natura & volũtas,quoquo modo concurrant.¶Sed cum in deo natura consideratur vno modo vt simpliciter natura est, alio

modo vt quasi ratione aliqua determinata,scilicet vt est intellectus siue intellectiua : Sciendum ꝙ dupliciter potest intelligi ꝙ natura & voluntas in duabus emanationibus concurrunt.Vno,s.mo considerãdo naturam vt natura est & ratio eliciẽdi actum naturalem.Et alio modo considerando naturam vt intellectus est.Dico vt intellectus,vt scilicet intellectus est ratio agendi modo intellectus simpliciter,non modo intellectus vt est natura . Consimiliter enim distinguitur intellectus

ɋ vno modo conſideratur vt eſt intellectus ſimpliciter. Alio modo vt eſt natura & ratio eliciendi
actum naturalem. Nõ ſic autem diſtinguo ex parte voluntatis:quia non conſideratur vt natura ɋ
eſt ratio eliciendi actum naturalem:quia illa natura excludit libertatem, vt iam patebit. ¶Suppoſi
ta ergo dicta diſtinctione ex parte naturæ & intellectus, dico ɋ quicɋd procedit in diuinis a volun
tate, intelligitur ab intellectu ſimpliciter vt eſt intellectus:& econuerſo quicɋd in diuinis procedit
a natura vt natura eſt ſimpliciter, vel vt eſt natura intellectualis, vel( ɋd idé eſt )ab intellectu vt eſt
natura, amatur a voluntate & complacet voluntati in eo ɋ ſic emanat ab intellectu naturali, vt ſic
voluntas ſit annexa & aſſiſtens emanationi intellectus,& econuerſo:ſuper quo nulla eſt dubitatio.
Hinc dicit Auguſtinus.ix.de trini.cap.x. Cum mens ſe nouit & amat, iũgitur ei amore verbũ ei9.
& quoniam amat notitiam & nouit amorem, & verbum in amore eſt, & amor in verbo,& vtrum
ɋ in amante atɋ dicente. Vnde ſicut verbum amore concipitur, vt dicit ibidé cap.vii.ſic & ſpiri
tus ſanctus notitia procedit, præter hoc ɋ verbum non concipitur niſi amore eſſentiali annexo ſi
ue aſſiſtente:Spiritus ſanctus autem pcedit notitia aſſiſtente ſiue annexa tam eſſentiali patri & fi
lio, ɋ non eſſentiali ſed notionali, quæ eſt ipſum verbum.De iſto autem modo naturæ vt ipſa eſt in
tellectus & ratio agendi modo intellectus ſimpliciter, non eſt difficultas queſtionis ppoſite, an.ſ.na
tura cum voluntate eſt ratio eliciédi communem ſpirationem actiuam.Quoniam natura vt eſt in
tellectu iam dicto modo, non concurrit cum voluntate in ſpiratione actiua ſicut ratio eliciendi, ſi
cut nec econuerſo voluntas cũ natura in generatione:ſed ambo hic mutuo concurrunt, non vt ra
tiones eliciendi:videlicet voluntas cum natura in generatione, & natura cum voluntate in ſpiratio
ne:ſed ſolũ vt rationes annexę in aſſiſtédo & non in coagendo,& ſicut ratio ſine qua non, elicit eli
ciens.Vnde ɋ Ricar.vi.de trinitate cap.iii.videtur ponere rationem pductionis filii in ſola volun
tate patris cũ dicit:Si in ſolo voledo non poterit obtinere ɋd voluerit, quomodo ɋso veraciter oĩpo
tés dici poterit:erit itaɋ ei de ſe & cõſubſtãtialé & cõformé pducere rõne exigéte, idipſm immobili
ter velle:hoc pculdubio erit ei plé pducere í eo ipſo ſibi p oia cõplacere.& ca.v.Inuenim9 ɋ id ſit í
naſcibili de ſe plem pducere exigente ratione, idipſum velle. in hoc dicto ſuo Ricar.abſɋ dubio ni
miũ attribuendo voluntati excedit. Nõ eĩ eſt contra omnipotentiã patris ſi nõ ex ſolo velle pote
rit gñare: ɋa hoc nõ eſt ex voluntatis conditione.Sed difficultas queſtionis eſt de modo naturæ vt
eſt natura:aut intellectus vt eſt intellectus agés modo naturę, & vt ipſe intellectus eſt natura:An.ſ.
ſit ratio eliciendi ſpirationem cum voluntate.Eteñ licet voluntati neceſſario complacet in natu
raliter producto per intellectum & in emanatione ipſius:& etiã intellectus cognoſcit productum a
voluntate & emanationem ipſius, vt iam dictum eſt:hoc nullam rationem eliciendi ponit in volun
tate circa productum ab intellectu:nec econuerſo. Nec eſt dubitatio talis de voluntate vtrum con
currat cum natura & intellectu in actu generationis vt ratio eliciendi:ſicut eſt de natura vtrũ cõ
currat cum voluntate in actu ſpirationis vt ratio eliciédi.Circa enim productionem generationis
quæ eſt ſolius patris actio, clarum eſt ɋ nullo modo voluntas eſt ratio eliciendi illam . quoniam
ratio eliciédi actum notionalem, aut eſt quid notionale, aut eſſentiale determinatum ad actum no
tionalem per proprietatem notionalem, & ſic eſſentiale contractũ quodammodo ad notionale, ſecũ
dũ ɋ hęc patét ex ſupra determinatis.In voluntate auté nec eſt nec eſſe põt aliɋd notionale aut cõ
tractum ad ipſum ɋd ſoli patri cõueniat qui ſolus generat.Quia quicɋd eſt in diuinis ex parte vo
luntatis a patre cõmunicatur filio p gñationem, eo ɋ ipſe filius generat actione intellectus.Et ordi
ne quodã naturali ea quę ſunt ex parte itellectus notionalia, prima ſunt reſpectu eorum ɋ ſunt ex
pte volũtatis, vt iſeri9 declarabit. pduco aũt p primũ neceſſario cõicat id ɋd eſt ſecũdũ.¶Circa p
ductioné aũt ɋ eſt ſpiratio, nõ eſt clarũ ex pte itellect9 & naturę ſiue itellect9 vt é natura:an.ſ.ex par
te eius ſit aliqua ratio elicitiua ſpirationis:ɋa non eſt incõueniés ex pte naturę & intellect9 ɋ notio
nale vel cõtractũ ad ipm ſit cõmune patri & filio reſpectu act9 ſpirationis:ɋa pducto p primã pdu
ctioné, neceſſario cõicat ois vis elicitiua ſecũdę pductiõis, Dico ɋ quo ad hoc nõ eſt incõueniés:ſed
aliud eſt ppter ɋd eſt incõueniés & impoſſibile.ſ.ɋ libertas non concurrit cum natura ſecũdo mõ
dicta, vt iam videbitur. Nec adhuc eſt tãta dubitatio an itellect9 vt eſt intellect9 cõcurrat vt rõ eli
ciés ſpirationé cũ volũtate, ſicut é de natura vt é natura.Quia licet volũtas iquãtũ volũtas cũ agit
actũ ſibi ppriũ ſupponit actũ intellect9 vt eſt intellect9, qué habet ſibi annexũ, vt dictũ eſt:nõ tñ ex
ſe pſequit actum ſuum itellectualiter.hoc eñ certũ eſt, eo ɋ volũtas ex ſe cognitionem non habet
Certum tñ non eſt an pſequatur aliquem actum ſuum naturaliter, an nõ, immo volũtas in nobis
actũ ſuũ circa finé pſequitur naturaliter in volendo ipſum, vt ſepi9 dictũ eſt in ɋſtionibus de Quo
libet.Nõ reſtat ergo dubitatio niſi vtrum í eliciendo actum ſpirationis a volũtate, etiã rõ eliciendi
modo aliɋo ſit natura ſiue ex parte intellectus ſiue ex parte volũtatis. ¶Qɋ autem negare non

poſſumus quin quoquo modo natura vt natura concurrat cum voluntate in eliciendo actum ſpirationis,patet ex eo ꝙ Ricar.vi.de trinitate determinat vtranꝗ proceſſionē eſſe modo naturæ:ſed
illam quæ eſt filii principaliter eſſe modo naturæ ſiue ſecundum principalem modum naturæ:
quia eſt immediata & prima ordine naturæ.Dicit enim ibi cap.i.In diuina natura nihil poteſt eſſe
ex operante gratia:ſed totum iuxta proprietatem exigentis naturæ.& cap.ii.Proceſſio illa perſonæ
quæ eſt inter parentem & prolem de perſona vſquequaꝗ immediata & eſt ſecundum principalem
procedendi ordinem,& ſecundum naturæ operationem . Illam vero quæ eſt ſpiritus ſancti ,quia
non eſt vſquequaꝗ immediata,dicit eſſe non ſecundum principalem modum procedendi, tamen
ſecundum naturæ operationem,cap.xvi.in fine vt iam videbitur . Et hoc ideo,quia etſi ſit immediata a patre,tamen vniformis nō eſt cum illa quæ eſt filii.Illa enim eſt immediata & tn̄ immedia
ta a ſolo patre,& ita prima:illa vero etſi ſit imediata,non tamē a ſolo patre,& ideo ab ipſa mediate
& immediate,& ita ſecunda. Si enim (vt dicit cap.xvii.)vtraꝗ vniformis eſſet ſecūdum ordinem
naturę,altera principalior nō eſſet.Idem etiam patet ex dicto Hilarii, ꝗd ſtatim ſequitur annexo di
cto Magiſtri Sententiarum:quod etiam clarum eſt. Ex hoc dicitur ſpiritus ſanctus naturalis ſpiritus patris & filii,ſicut & fili⁹ dicitur naturalis filius patris:& de natura eadem ſpiratur ſpirit⁹
ſanctus de ꝗ generat filius:ꝗd nō poſſet contingere niſi ſpiritus ſanctus naturaliter aliquo mō pro

**T**   cederet.⫶Ad quorum intellectum & ad clariorem ſolutionem argumentorum ſuperinductorum
ſciēdum eſt ꝗ natura in diuinis quadrupliciter dicitur.Vno modo appellatur natura ipſa diuina
eſſentia in qua tres perſonæ conſiſtunt,& dicitur pure eſſentialiter.Secundo mō dicit natura prin
cipium actiuum naturale:& ſic natura eſt vis productiua ſimilis ex ſimili,& ſic potentia generan
di actiue eſt natura:& ſic eſt eſſentiale cōtractū ad notionale:quia eſt ipſa natura dicta primo mo-
do.Natura enim quæ eſt ipſa diuina eſſentia, vt eſt ſub ꝓprietate paterna determinata ad actum
generandi,eſt potentia generandi actiue in ſolo patre exiſtēs,vt patet ex ſupra determinatis. Duos
iſtos modos naturę tangit Hila.v.de trinitate cap.xvii.dicens de filio.Ex virtute naturę in eandem
naturā natiuitate ſubſiſtit filius.Ex virtute naturæ,ecce ſecūdus modus,In eādē naturā natiuitate
ſubſiſtit,ecce primus modus.Tertio modo dicitur natura quælibet vis naturaliter exiſtens in natura prio mō,etiā etſi ſit libera illa vis, & ſic volūtas in deo dicit natura:ꝗa ,eſt naturalis potentia
exiſtēs naturaliter i diuia natura. Quarto mō dr̄ natura icōmutabilis neceſſitas circa aliquē acti.
Et iſtos duos modos exprimere poſſumus alludendo verbis Hila,dictis de generatione filii circa ꝓ
ceſſionem ſpiritus ſancti ſic dicendo.Spiritus ſanctus ex virtute voluntatis naturalis(ecce tertius
modus) in proceſſione ſubſiſtit.Vnde poſt dicta verba Hila.Ex virtute naturę in eandem naturā
natiuitate ſubſiſtit filius,immediate ſubiungit,Magiſter Sententiarum de ſuo diſtinctione.xvii.ca.
Aliquid breuiter.Et ex virtute naturæ in naturam eandem proceſſione ſubſiſtit ſpiritus ſanctus,
vt hic dicamus ſpiritum ſanctū ſubſiſtere in eandem naturam in qua ſubſiſtit & filius,& hoc virtute naturæ primo mō dictę: quæ natura eſt ipſa diuina eſſentia,& cuius virt⁹ eſt eius potentia,li
cet gemina,qua de ipſa ſubiectiue poteſt generari filius & ſpirari ſpiritus ſanctus.In eandem enim
naturam ſubſiſtit filius generatione & ſpiritus ſanctus ſpiratione,& hoc ſubiectiue non elicitiue,
& hoc non ex eadem virtute:quia ex alia virtute quaſi paſſiua de diuina natura poteſt generari filius,& ex alia ſpirari ſpiritus ſanctus:ſicut ex alia virtute naturę actiua pater pōt generare filiū,&
ex alia pater & filius poſſunt ſpirare ſpiritum ſanctum.Vnde Hila,nihil ibi declarat niſi quomodo
pater filius & ſpiritus ſanct⁹ eiuſdem naturę ſunt.Vnde ante dicta verba præmittit.Perfectum fidei ſacramentū eſt deum ex deo,& deum in deo confiteri poteſtate naturę.Et poſt dicta verba ſub
iungit.Natiuitas igitur dei non poteſt non eam ex qua profecta eſt tenere naturam:neꝗ eū aliud
ꝗ deus ſubſiſtit,ꝗd non aliunde ꝗ ex deo ſubſiſtit.Et ſecundum hunc modum dictum illud exponit Magiſter.iii.Sentētiarum quaſi vltima clauſula fuiſſet Hila. & forte iuenit eam in libro quem

**V**   vidit.Ex quo modo naturæ,ſcilicet primo modo:conſequitur quartus modus naturę. ⫶Loquendo
igitur de natura primo modo,dico ꝙ concurrit ad actum ſpirationis cum voluntate, non aūt elici
tiue ſed ſubiectiue tn̄.Sicut enim generatur filius de diuina natura vt eſt patris, ſic ſpiritus ſanctus ſpiratur de natura diuina vt eſt patris & filii,ſecundum modum infra exponendum . Loquē
do vero de ſecundo modo naturæ:dico ſimpliciter ꝙ natura ſolummodo eſt principium eliciendi
actus generationis filii,& nullo modo communis ſpirationis cum voluntate.Loquēdo vero de tertio modo naturæ , ſic dico ꝙ natura concurrit ad actum ſpirationis : quia voluntas quæ eſt vis
elicitiua ſpirationis,eſt ipſa natura iſto tertio modo dicta . Sed vt natura , ſolummodo habet ordinem ad ſubiectum ſuum ſiue fundamentum . Ad actum autem ſpirandi , ordinem habet non vt eſt natura naturaliter agens, ſed vt eſt libera liberaliter agens .Loquendo autem

de quarto modo naturæ:ſic dico,q̄ natura concurrit ad actum ſpirationis cū voluntate:q̄ volūtas elicit ipſum icōmutabili neceſſitate:qua etiam terminatur & tendit in ſpm̄ ſanctū.CAd cuius   **X**
intellectum,& vt clarius videam⁹ differentiā iter generatiōe & ſpiratiōe:Sciēdū ē,q̄ tā itellect⁹
q̄ voluntas in quocunq̄ habent eſſe propter ſeparationem illius a materia,poſtq̄ habuerint eſſe
in actu ſuo primo ſimplicis intelligentiæ,aut volitionis naturæ,ſunt conuerſiue ſuper ſe & ſuper
actus ſuos ſimplices & eorum obiecta per actus conuerſiuos intelligendi & volendi.Quia itellect⁹
non ſolum intelligit verum ſimplici intelligentia:ſed etiam intelligentia conuerſiua,intelligendo ſe
eſſe intelligere,& conuertendo ſe ſuper obiectum intellectum,& ſuper actum intelligendi ſimplicem,& ſuper ſe intelligentem per actum intelligendi conuerſiuum. Similiter voluntas non ſolum
vult bonum ſimplici volitione:ſed etiam volitione conuerſiua volendo ſe velle,conuertendo ſe ſuper obiectum volitum,& ſuper actum volendi ſimplicem,& ſuper ſe volentem per actū volendi cō
uerſiuum.Sed iſta conuerſio partim vno & eodem modo conuenit intellectui & voluntati:partim
alio & alio.Q̄ enim ambo ſe conuertunt vt ſunt puræ & nudæ & ſolæ potentiæ, vt iam patebit,
hoc eſt vno & eodem modo quantum eſt ex parte ipſorum ſe conuertentium: ambo enim ſe ſolos
conuertunt vi ſua actiua,quæ æqualiter eis conuenit:ſed alio & alio modo quātum eſt ex parte eo
rum ad quæ ſe conuertunt.Intellectus enim poſtq̄ eſt conuerſus,ad i'la ad quæ conuerſus eſt ſe ha
bet vt potentiale quoddam & purum poſſibile:& vt intellectus purus & nudus natus recipere ab
illis tanq̄ proprium paſſiuum a ſuo proprio actiuo naturali,quod eſt idem intellectus informatus
notitia ſimplici,informationem notitiæ declaratiue,ſecundum q̄ ſupra expoſitum eſt tam in emanatione verbi noſtri q̄ diuini,Voluntas vero poſtq̄ conuerſa eſt,ad illa ad quæ conuerſa eſt, ſe ha
bet vt actiuum quoddam,& vt voluntas pura & nuda nata exprimere de illis tanq̄ propriū actī
uum de ſuo proprio paſſiuo,cuiuſmodi eſt eadem voluntas informata amore ſimplici,quēdā amorem incentiuum:qui eſt ſpiritus ſanctus in diuinis:qui habet eſſe a producentibus ipſum,non per
informationem eius de quo eſt ſubiectiue,ſiue per aliquam impreſſionem factam eidem,ſecundum
modum quo filius ſiue verbum procedit a patre per quandam quaſi impreſſionem & informationem in intellectu paterno conuerſo:& ſic ſicut notitia declaratiua de notitia ſimplici:ſed p.aſi quā
dam excuſſionem ſiue expulſionem aut ̄pgreſſum,aut(magis proprie loquendo) per quandam ex
preſſionem producti de eo de quo ſubiectiue producitur:& hoc ad modum quo ſpiritus corporalis,qui eſt aer,ſi i nobis non attraheretur ad pulmonem per inſpirationem,ſed aliqua virtute exiſtente in ipſo pulmone,excuteretur per expiratiōe de pulmone:& per hoc daret ei eſſe,Et eſt quodammodo ſimile,præter hoc,q̄ ſpiritus corporalis qui eſt aer,ſpiratus tali ſpiratione ſeparatur a
ſpirante & ab eo de quo ſpiratur:non ſic autem ſpiritus ſanctus. Vnde Ricar.vi.de trinitate exponens in quo ſit ſimile,dicit ſic,cap.ix.Q̄ in ſcripturis diuinis ſpiritus dei vel ſpiritus ſanctus dicitur,penitus præter ſimilitudinis rationem non fuit.Dictus eſt enim ſpiritus qui ab homine procedit,& ſine quo homo omnino non viuit,a quo habet nomen ſpiritus diuinus : ſed per ſimilitudinem. Forte tamē alicui hæc pronunciatio nimis peregrina videbitur:ſed ad aliquam proprietatis
ſuæ ſimilitudinem refertur.Nonne magiſter veritatis ſpiritum ſanctum diuinum eſſe ſpiramen p̄
ſimilitudinem docuit,quando diſcipulis inſufflauit & dixit:accipite ſpiritum ſanctum! Quod intelligo ac ſi aperte diceret: quemadmodum ego inſufflando yobis corporaliter ſpiritum ſanctum
do vobis,qui quidem flatus corporalis ſpiramine corporali a me procedit:ſic ſpiritus ſanctus a me
ſpiramine quodam ſicut flatus ſpiritualis ſpiritualiter procedit.Vnde Auguſtinus libro tertio cō
tra Maximinum.Niſi procederet de ipſo non diceret diſcipulis:Accipite ſpiritum ſanctum,cuq̄
inſufflādo daret:vt a ſe quoq̄ ̄pcedere ſignificās aperte oſtēderet,qd ſpirando dabat occulte.Et loquitur ibi Auguſtinus ad literā de differentia inter generatiōe & ſpiratiōe.Ante em̄ verba iam
dicta:̄pmiſit dicēs.Quæris a me:ſi de ſubſtātia p̄ris eſt fili⁹,de ſubſtātia p̄ris eſt ſpirit⁹ſanct⁹,cur vn⁹
filius ſit.Ecce reſpondeo ſiue capias ſiue nō capias:de patre eſt filius:& de patre eſt ſpiritus ſanctus
ſed ille genitus, iſte procedens:ideo ille filius patris eſt de quo eſt genitus:iſte ſpiritus vtriuſq̄ quo
niam de vtroq̄ procedit:nam niſi procederet de ipſo &c. vt ſupra. & ſequitur poſt verba dicta.
Quid autem inter naſci & procedere interſit,explicare quis poteſt ! Diſtinguere autem inter illā
generationem & hanc proceſſionem neſcio,non valeo,non ſufficio.Quāto ergo multo fortius nee
nos valemus!fecimus tamen qd potuimus.Proceſſionem autem ſpiritus ſancti per modum flatus   **y**
proſequitur Ricar.vbi ſupra dicens cap.x.Quid enim ſpiritus ille qui de corde humano in aliis le
nius,in aliis vehemēt⁹ ſpirat,in his tepidi⁹,in illis ardēti⁹ flagrat,niſi intimus ai affect⁹ & ęſtuan-
tis amoris impulſus!Hinc eſt q̄ illi dicunt vnū ſpiritū habere qui idē amāt,idem affectāt, & pari
voto deſiderant.Ad huius itaq̄ ſpiritus ſimilitudinē q ̄pcedit & ſpirat de multoꝝ cordib⁹,dic⁹

est spiritus ille qui in trinitate personarum procedit ex ambobus,Intelligo aũt hãc similitudinem hoc modo,ɋ sicut in hominibus qui idem affectant,affectus quidam ęstuans & flagrans tendit ad id quod affectant & diligunt: & hoc de amore qui in illis est et ad illud,& agente illorum voluntate concordi:sic & in patre & in filio a voluntate concordi ɋ est in illis de amore simplici & essentiali quẽ habent ad se,procedit spiritus sanctus in alterutrum:ita ɋ voluntas idem diligens in hominibus comparetur concordi voluntati in patre & filio:affectus flagrãs comparetur spiritui sancto:amor de quo flagrat,cõparet amori simplici patris & filii: id aũt quo ille pcessit,ad cɋd flagrat, & affectant & diligunt,comparetur patri inquãtum spiritus sanctus pcedit a filio in ipsum,& ecõ uerso,vel ab ipsis in creatura:affectus quo procedit de voluntate principiatiue,& de amore in illo subiectiue cõparet actui spirationis de simplici amore patris & filii:principiatiue autem tam in hominibus ɋ in patre & filio a voluntate eorum tendente in bonum volitum simplici amore,& inde excutiendo spiritum vt incẽtiuum amorem tendentem in alterutrum,& generaliter in omne dilectum ab eis:qui se habet in deo ex parte voluntatis ad amorem simplicem, quemadmodũ ex parte intellectus notitia declaratiua,quæ verbum est,se habet ad simplicem notitiam:in hoc videlicet ɋ sicut secũdum superius exposita de verbo qɋd cognitum simpliciter notitia simplici declaratiue cognoscit notitia declaratiua procedente,quę verbum est in diuinis:sic amatum simpliciter amore simplici intensiue amat amore incentiuo procedente,ɋ est spiritus sanctus in diuinis:secundum ɋ hęc amplius infra patebunt.Et sicut hic intellectus simplici notitia informatus vt natura secũdo modo dicta & principium agens elicitiuum, elicit quasi imprimendo in nudo intellectu conuerso & de ipso notitiam declaratiuam immutabili necessitate,vt natura quarto modo dicta non sit nisi conditio & modus circa actum elicitum:sic per simile in contrarium ibi voluntas nuda vt libera & principium elicitiuum elicit quasi exprimendo de voluntate informata amore simplici ad quã est cõuersa,amorem incentiuum ɋ spiritus sanctus dicitur:& hoc immutabili necessitate:vt natura quarto modo dicta non sit nisi cõditio & modus circa actum elicitum:vt sic sola volũtas vt voluntas sit ratio elicitiua actus: & natura ɋrto mõ dicta nõ sit nisi sicut conditio & mod⁹ circa actũ elicitum.In quo plane patet quomodo differenter voluntas se habet ad spirationem & natura.Est enim voluntas sic ratio eliciendi: ɋ sit ratio qua media eliciens elicit:natura aũt solum est cõditio & modus circa actum elicitum:nullo autem modo ratio elicitiua. Et sic generatio & spiratio differunt oĩno secundũ rõnes elicitiuas:quia in generatione est ratio eliciendi natura secundo modo:in spiratione autem voluntas.Cõueniunt autem secundum conditiones & modos eliciẽdi:quia ytro biɋ modus eliciendi est natura quarto modo,secundum quã ambæ emanationes possunt dici modo naturæ:& hoc in eliciendo ipsum,& in progressu & in terminatione ei⁹ in obiectum.Quia tamen ista necessitas incommutabilis quæ est natura quarto modo,in generatione est annexa principio elicitiuo quæ est natura secundo modo,ex eo ɋ est simpliciter natura secundo modo dicta : in spiratione autem principio elicitiuo quod est voluntas non est annexa incommutabilis necessitas ex eo ɋ est voluntas simpliciter : sed solummodo ex eo ɋ actio voluntatis diuinæ in spirando est circa obiectum summe diligibile, a quo , cum cognitum est , nulla voluntas neɋ creata neɋ increata potest se diuertere:vt infra dicetur:Est enim alia ratione talis necessitas propter naturaliter esse , quam habet voluntas ex hoc ɋ est in natura diuina , vt iam infra dicetur : Idcirco bene dicitur ɋ generatio est productio secundum principaliorem modum naturæ : quia principalior naturæ modus,quomodo natura secundo modo dicta,actum elicit:& natura quarto modo actum terminat:quod contingit in generatione.Quam quãdo tm determinat & non elicit:quod contingit in spiratione secundum prædicta:est etiam generatio secundum principalem ordinem naturæ: quia ordo primus est inter patrem & filium:secundus vero ordo naturæ est inter patrem cum filio ad spiritum sanctum.Ricar.tn.vi.de trinitate videtur ponere ɋ spiritus sanctus procedit modo naturæ secundo modo dictæ,vocando vtraɋ productionem generationem:ɋ tamen specialiter secundum illam generationem qua aliquis immediate procedit ab vno tm , sumuntur illa nomina germanitatis pater & filius:& ɋ propterea spiritus sanctus licet generet non tamen possit dici filius.In.xvi.eĩ cap.dicit sic.Nomen geniti quandoɋ strictius,quandoɋ largius accipimus.Nõ eĩ omnibus quæ gignere vel gigni dicimus,eadem secundum vsum loquendi germanitatis vocabula attribuimus.cum homo hominem gignit,hunc parentem, illum prolem norma loquendi dicere consueuit : arbor ramum gignere dicitur:nec tamen arbor parens:nec ramus proles illius nominatur. & infra . Generatio autem quando large accipitur nihil aliud videtur esse ɋ productio existentis de existente secundum naturæ operationem . Quædam autem naturalis productio prædicta germanitatis nomina suscepit : quædam omnino non suscepit . Quoniam igitur

ſpiritus ſancti productio talis non eſt vt debeat dici filius,merito non dicitur genitus.Sed quia eſ⁹
proceſſio ſecundum naturæ productionem eſt,non debuit dici ingenitus:ne in hoc naturalem ori
ginem habuiſſe negetur.Rationabiliter genitus nõ dicitur,ne qui non eſt filius,filius eſſe credaꝛ.
Item cap.xviii.Generatiõis ſignificationem modo extendimus,modo reſtringimus. Quod autē in
hoc dictum eſt de generatione,idem dicimus & de proceſſione . Quod enim dicimus procedere,
non vbiꝗ ſolemus vniformiter accipere:quantum ad generalem autem acceptionem,idem videꝛ
eſſe gigni,qꝺ exiſtens de exiſtente ſecundum naturalem operationem produci.Secundum hanc ac
ceptionem ſolus pater ingenitus dicitur:ſpiritus ſanctus ingenitus eſſe negatur. Ecce ꝗ innuit ꝗ
ſecundum hanc acceptionem ſpiritus ſanctus poteſt dici genitus:ſed non dicitur,ne filius eſſe cre
daꝛ.Sed ſi ita eſſet,nõ diſtingueretur ſpiratio a generatione,niſi ſicut vnus modus generandi ab
alio,ſecundum ꝗ videtur dicere cap.xvi.Alius (inquit) eſt modus procedēdi filii de patre ſuo,ali⁹
nepotis ab auo ſuo:alius pronepotis ab atauo ſuo,Inter quos (vt continuo ſubdit) conſtat locū pri
mum & principaliorem eſſe illum qui eſt filii a patre. Ex generatione ꝓcedere,idem videtur qꝺ in
procedendo principalem procedendi modum habere.Sine generatione procedere,idem videtur eſ
ſe qꝺ in procedēdo principalē procedēdi modum omnino non habere.Et ſic ſpiritus ſanctus proce
deret per generationē a patre ſicut nepos ab auo,inquantum procedit a patre mediáte filio:& quo
ad hoc non ſecundum principalem modum naturę & generationis.Nihilominus tamē inquātum
immediate procedit a patre,ſupponendo tñ generationem filii,procederet vere per generationem
ſicut filius ſecundo genitus ab homine , eſto tamen ꝗ non poſſet generari ab illo niſi altero prius
genito,Et eſſet diſtinctio diuinarum ꝓductionum in ſolo modo procedendi primo vel ſecundo,me
diate vel immediate:nullo autem modo ex parte radicis & virtutis elicitiuæ.In quo mihi videtur
Ricar.valde inconuenienter ſenſiſſe ſi ſic ſenſit.Propter quod non mihi videtur in hoc aliquatenus
ſuſtinendus niſi exponendo ipſum ꝗ intelligat operationē naturæ a natura quarto mõ dicta,quan
do operatio eſt ſecundum incommutabilem neceſſitatem . Vt ſecundum hoc generatio large ac
cepta nihil aliud ſit ꝗ productio exiſtentis de exiſtente ſecundum naturæ operationem:in quo con
ueniunt generatio & ſpiratio,vt dictum eſt:& præter hoc generatio ſtricte accepta ſit illa in ꝗ prin
cipium elicitiuum eſt natura ſecundo modo accepta:quæ omnino differt a ſpiratione:nec ſpiratio
vllo modo poteſt dici generatio talis,vt patet ex prædictis.Et ſecundum hoc ſpiritus ſanctus inge
nitus nõ dicitur,nõ ne negetur naturale originē habuiſſe,nõ ne bñ negeꝛ naturale originē,ſcilicet
ex principio elicitiuo quod eſt natura habuiſſe ſecundum prædicta:ſed ingenitus non dicitur ne
negetur omnino originem habuiſſe,vt patet ex ſupra determinatis de ingenito.℧nde ex iã di

**B**

ctis elicienda eſt vera differentia inter dictas duas emanationes:ſuper qua Auguſtin⁹ mouet ꝗſtio
nem.ix.de trinitate cap.xii.dices.Cur mēs notitiam ſuam gignit cum ſe nouit:& amorem ſui nõ
gignit cum ſe amat! Nam ſi propterea notionis ſuæ cauſa eſt:quia noſcibilis eſt:amoris etiam ſui
cauſa eſt:quia amabilis eſt.Cur itaꝗ non vtrunꝗ gignit difficile eſt dicere.Hæc autem queſtio de
ſumma trinitate ſolet mouere homines cur nõ ſpiritus ſanct⁹ quoꝗ a deo patre genitus creditur
vt filius etiam & ipſe dicatur. & infra.Quod ergo cognoſcit ſe,prolem ſibi notitiam gignit.Quid
ergo de amore dicendum eſt!cur non etiam cum ſe amat,ipſum quoꝗ amorem ſuum genuiſſe vi
deatur!Et reſpondet ibidem licet non ſufficienter,vt arbitror:quia inferius reſpõſione complet,vt
iam videbiꝛ.Reſpõdet ergo ſubdens. Sed nõ ideo recte dꝛ genitus ab eo ſicut notitia ſua qua ſe no
uit:qa qꝺ notitia iam inuentum eſt, partum vel repertum dicitur. Quæ autē reꝑiūtur quaſi pa
riuntur:vnde proli ſimilia ſunt,vbi,niſi in ipſa notitia!ibi enim quaſi expreſſa formantur.Sed cum
(vt dicit lib.x.cap.vii.)inuenire eſt in id qꝺ quæritur venire:propterea quæ quaſi vltro in mentem
veniunt,non vſitate dicuntur inuenta ꝗuis cognita dici poſſint:quia non in ea quærendo tendeba
mus vt in ea venirem⁹.Et (vt dicit lib.ix.ca.iã dicto ſcilicet.xii.)ſepe præcedit ingſitio eo fine quie
taꝛ.Nã inquiſitio eſt appetit⁹ inueniendi,qꝺ idem valet ſi dicas reꝑiendi.Et (vt dicit in eodē, ca.
ix.) inardeſcit atꝗ ægrotat animus indigentia donec ad ea perueniat & quaſi pariat. Vnde elegan
ter in latina lingua parta dicuntur & reperta atꝗ comperta:quæ verba quaſi a partu dicta reſo
nant.Clarū eſt & manifeſtū ꝗ ſecundum hunc modum in diuinis non poteſt dici ꝗ notitia ſit ge
nita potius ꝗ amor:quia ipſa ſcilicet notitia in diuinis non habetur per inquiſitionem & appeti
tum inueniendi quod quæritur,vt in eo appetitus quieſcat:ſed vltro venit in mentem:quia natu
raliter ſecundum prædicta. Vnde ſecundum illum modum appellare notitiam partum & prolem
non habet locum niſi in verbo noſtro vbi aliquid eſt cognoſcibile prius ꝗ cognitum.Nam (vt di
cit in prædicto cap.duodecimo)etſi iam erant res quas quærendo inuenimus,notitia tamē ipſa
non erat: quam ſicut prolem naſcentem deputamus, Nam appetitus ille qui eſt in quærendo

procedit a querệte,& pendet:nec requiescit nisi id quod queriť iuệtủ quærenti copulet.Vñ in ta-
libus(secundum ꝙ sequiť)partủ mentis antecedit appetitus ꝗda:quo idẽ ꝙ nosse volum⁹ querẽ
do & inueniẽdo nascatur ꝓles ipsa notitia,Et manifestủ est ꝙ tale quid in partu diuinæ notitiæ ꝗ
verbum est,poni noñ potest:nec hoc modo cum generatione diuina concurrit cum natura voluntas siue appetitus:sed solum modo prædeterminato,Propter ꝙ Augustinus videns ꝙ non satisfe
cit quęstioni per illa quibus respondit ad eam in lib.xi,resumit eandem & insinuat eiusdem difficultatem lib.xv.cap.xxvii,dicẽs, In illa trinitate difficillimủ est generationem a processione distinguere,Et anteꝗ insinuet veram illarum processionum distinctionem,primo reuertitur ad tacta lib.
ix . ꝙ sanctus spiritus non dicitur filius aut genitus: ostendendo inconueniens esse ꝙ spiritus
sanctus dicitur genitus aut filius,subdens,Vtcunꝗ etiam illud intelligiť cur non dicatur nat⁹es
se:sed etiam procedere spiritus sanctus:quoniam si & ipse filius diceretur,amborum vtiꝗ diceret
ꝙ absurdissimủ est.Et dicit ꝙ hoc debet interim sufficere,& credi potius ꝙ i sacris literis de hoc
inuenitur,ꝗ poscere liquidissimam rationem reddi,ꝗ ab humana mẽte infirma non capitur nisi in
luce æterna,secủdum ꝙ subditur. Attolle oculos ad istam lucem,& eos in ea fige si potes . Sic em
videbis quid distat natiuitas verbi dei a processione doni dei,Propter ꝙ filius vnigenitus non de
patre genitum(alioquin frater eius esset)sed procedere dixit spiritum sanctủ.Vnde cum sit comu
nio quædam consubstantialis patris & filii , amborủ spiritus nõ amborum(ꝙ absit)dictus est fi-
lius.Vnde quia per prædicta non sufficienter distinguit generationem & spirationem,in fine cap.
**C** breuiter innuit veram distinctionem inter illa ex differentia modorum emanandi secundum prin
cipia elicitiua diuersa,vt supra determinatủ est,dicens,Quando ꝙ scimus dicimus,ex illo ꝙ nouimus cognitio nostra formatur:fitꝗ in acie cogitantis imago simillima cognitioni ei⁹ ꝗ memo
ria continebat,ista duo,.s.velut parentem & prolem tertia voluntate siue dilectione iũgente . Quã
quidem voluntatem de cognitione procedere dicim⁹:nemo em vult ꝙ omnino quid vel quale sit
nescit:non tñ esse cognitionis imaginem:& ideo quandam in hac re intelligibili natiuitatis & pro
cessionis insinuari distantiam. Quæ reuera plane insinuatur in imagine sua quæ est in mente nostra,licet nõ explicať in dicto Augustini.Cũ em dicit,Ex eo ꝙ nouim⁹ cognitio nostra formať:&
fit in acie cogitantis imago cognitionis vnde formatur: & licet de nostra cognitione amor proce
dit:non tñ est imago cognitionis a qua procedit:& similiter cum deus pater nouit se formaliter in
telligentia sua:& fit in acie intelligentie paternę imago simillima notitiæ vnde formatur,quæ ver
bum est:& notitia declaratiua:de vtraꝗ autem notitia procedit amor qui spiritus sanctus est,& tñ
notitiæ de qua ꝑcedit imago nõ est:Per hec nihil aliud dicitur ꝗ ꝙ secủdủ ꝑdeterminata iuestiga
uimus,Processio enim filii quia habet esse per informationem & impressionem formę eius a quo ꝑ
cedit in id de quo producit: & ꝑ hoc procedit modo actionis naturæ producentis simile & secủdủ
rationem assimilantis:idcirco procedens fili⁹ est & imago & character aut figura . Processio aũt spi
ritus sancti quia habet esse per expressionem & expulsionem de illo de quo producitur:propter ꝙ
**D** non procedit modo actionis naturæ elicientis,neꝗ vt simile,neꝗ secundum rationem assimilantis
ꝗꝗ ipse ꝑcedens sit similis:nõ est similitudo,imago,aut character.Et per hoc ꝑcessio vna differt ab
alia in.v.& ex parte rationis elicitiuę primo,quia hic est natura,ibi vero voluntas: & ex parte elicie
tis secundo, quia hic est eliciens intellectus informatus notitia simplici sup quã fit cõuersio, ibi vo
lũtas cõuersa sup volũtatẽ informatã amore simplici:& ex parte subiecti de quo,tertio:quia hic de
itellectu cõuerso nudo,ibi vero de amore simplici,& informata volũtate ꝑ illũ:& ex ꝑte modi elicie
di quarto, quia hic fit per impressionem, ibi per expulsionem:& ex parte procedentium quinto,ꝗa
ille procedit vt imago & filius,iste vero nequaꝗ.Vnde non est distinctio productionum ex parte ꝓ
ductorum tñ,Ex hoc patet ꝙ vnus procedit immediate tñ ab vno: & alter non tñ ab illo imme-
diate:sed etiam ab alio,secundum ꝙ declarat Ricard⁹.vi.de trinitate cap.vi, Hoc enim solum facit ꝙ vna est secundum principaliorem modum naturæ ꝗ alia . Principalior enim & primus ordo naturæ est inter patrem & filium:non principalis autẽ & secundarius est inter spirantes & spi-
**E** ratum,Sed non ex hoc solo vna esset principalior causa ꝗ altera:si vtrobiꝗ principium elicitiuum
esset natura:cum em ratio naturæ est producere per impressionem & informationem:& ita ꝑ assi
milationem:tunc non solum filius diceret filius,imago,& similitudo : sed etiã spirit⁹ sanctus. Nõ
em ex hoc est filius ꝙ procedit ex vno solo immediate,Dato enim per impossibile ꝙ spiritus proce
deret ex solo patre immediate & eque primo cum filio:non tamen spiritus sanctus esset filius aut
imago:cum tamen ex hoc solo ponit filium esse filium,non autem spiritum sanctum esse filium,ca.
xvi.Et cap.xi,ex hoc solo ponit filium esse imaginem non spiritum sanctum : quia scilicet plenitudo diuinitatis sicut a patre manat in alium, sic & a filio . De spiritu sancto autem in nullum

manat.Secundum hẹc etiam non eſſet filius perfecta imago & ſimilitudo patris. Non em per oẽm modum manat cõſimiliter plenitudo diuinitatis a patre & filio. A patre manat in ipſum filium & etiam in ſpiritum ſanctum:a filio autem in ſpiritū ſanctum tm:& cum hoc a filio manat in ſpiritū ſanctum immediate tm:a patre aũt & immediate & mediate:& iterũ φ a patre manat,hoc a ſe ha bet & non ab alio:φ vero manat a filio,hoc non habet filius a ſe ſed ab alio.

¶Ad illud ergo qd arguitur primo: φ actionis quæ eſt in aliquid ad producendũ de illo ſimile in forma producenti,principium eſt natura non voluntas &c.Dicendũ φ tam ſpiratio quæ eſt modo voluntatis q̃ generatio quẹ eſt modo naturẹ,ſecundũ prẹdicta eſt productio alicuius de aliquo vt de ſubiecto,& ſimilis producenti:ſed aliter in ſpiratione,aliter vero in generatione.De aliquo em aliquid ſimile in forma producitur non ſolum imprimendo, qd ſit in generatione modo naturẹ,vbi illud de quo,ſe habet in ratione ſubiecti in qd aliquid recipit & reſpectu agentis & re ſpectu eius qd habet eſſe de illo,quia filius eſt verbum impreſſum menti paternẹ,ſed etiam exprimẽ do,qd ſit in ſpiratione modo voluntatis:vbi illud de quo,ſe habet in ratione ſubiecti in qd aliquid recipitur reſpectu agentis vt eius actio ſiue actio productionis eius:ſed nõ reſpectu eius qui de ipſo exprimit.Quia ſpiritus ſanctus eſt amor expreſſus de amore eſſentiali exiſtente in volũtate patris & filii,ſecundum præexpoſitum modum. Et poteſt aſſignari ſimile de forma impreſſa & expreſſa. Si enim pellis tenuis mollis & receptibilis impreſſionis applicetur vndiq̃ faciei hominis,& quo ad ſuperficiem interiorem,& quo ad ſuperficiem exteriorem, & ſtatim remota indureſcat: & retineat figuram faciei & interius & exterius:ſicut dicitur retinuiſſe Veronica faciei Chriſti applicata: fi gura ſiue forma faciei in interiori ſuperficie,ſcilicet concaua illius pellis,eſſet impreſſa in pelle. Illa vero quẹ eſſet in exteriori ſuperficie,ſcilicet conuexa:eſſet expreſſa de pelle. Vnde ſuper illud Pſal. lxxvii.Vt excludant eos qui probati ſunt argento: dicit Augu.Excludantur dictum eſt appareant emineant.Vnde & in arte argentaria excluſores dicuntur qui de confuſione maſſæ nouerunt for mam vaſis exprimere,ſecũdum φ hoc patet in ſcyphis Turonis factis. Vtrum autẽ in filio ſit alia ſimilitudo ſibi ratione qua ſolus eſt imago,vt ſecundum hoc proprium ſit ei produci vt ſimile,ſer mo erit iſferius.Vnde qd dicit Aug.ix.de Trinita.cap.xii.φ proles in notitia expreſſa formatur,vt habitum eſt iam ſupra, ibi ſumit expreſſionẽ pro perfecta ratione aſſimilationis ipſius producti ad producentem.Hic autẽ accepimus expreſſionem pro modo producendi de aliquo ipſum productũ quo ſpiritus ſanctus producitur nonfilius.¶Ad ſecundũ:φ actio cuius ratio eliciendi eſt voluntas

terminũ preſupponit in cognitione &c.Dicendũ φ aliquid ante actionẽ volũtatis poteſt pſupponi in cognitiõe dupliciter:vel ſcdm ſũũ pfectũ eſſe:vel ſcdm ſuũ impfectũ eſſe,vel quaſi.Primo modo pſupponit volũtas in cognitione oẽ qd p ipſa pducit vt eſt libera arbitrio,ſicut artificialia in nobis & creaturẹ in deo,& ſiliter oẽ in qd ſert amore abſq̃ eo q̃ ſit pductũ ab ipſo,& hoc ſiue ſerat in illd libero arbitrio:queadmodũ volũtas noſtra ſert in aliud bonũ a ſũmo, ſiue ſerat in illud libere & im mutabili neceſſitate,ſicut ſert volũtas noſtra in ſummũ bonũ.Secũdo modo in diuinis volũtas & ſi militer in nobis preſupponit in cognitione productũ a ſe.Si em voluntas producit in ſe amorem incentiuum de amore ſimplici habito de aliquo amato,non oportet φ ſecundũ ſuum perfectũ eſſe amor ille incẽtiuus pſupponat in cognitione,ſed ſufficit φ preſupponatur amor ſimpliciter,quo vo luntas excitata & conuerſa de illo producit amorẽ incentiuũ non cognitũ ſcdm eſſe tale prius q̃ p ducatur.Et cõſimiliter circa productionẽ voluntatis diuinẹ in cognitiõe ſupponitur cognitio amo ris ſimplicis eſſentialis,& in illo amore ſimplici eſſentiali cognoſcunt quodammodo ipſum amorẽ procedentem,ſcilicet vt principiatum in ſuo principio de quo principiatur,ſecundũ modum præ dictum.Scdm hoc em intelligit dictũ Auguſt.iam ſupra. Nemo vult qd oĩno quid ſit vel quale ne ſcit,hoc eſt nullo modo ſcit.vult tñ bene qd non perfecte nouit:aliter em non moueret intellectum voluntas ad querẽdum illius notitia.Et loquitur ibi Aug. de ſpiritu ſancto qui procedit de cogno ſcente,de quo tamen vt eſt amor procedens non habetur cognitio niſi annexa & concomitans, vt dictum eſt ſupra.¶Ad tertium,φ ſpiritus ſanctus emanat vt amor de notitia, & ita de eo qd ſe te net ex parte intellectus:Dicendũ φ verum eſt ſecundũ Augu.xv.de Trinita.cap.xxvii.vt iam ha

bitum eſt ſupra.Sed de notitia ſiue de mente aut intelligentia aut memoria poteſt intelligi ſpiri tus ſanctus procedere vt mens,intelligentia,aut memoria,eſt notitia quædam,& ſic de intelligente vt eſt intelligens,vel vt cum illis habet eſſe eſſentialis voluntas conuerſa ſecundum modum præ dictum,& ſic intelligatur procedere de intelligente vt eſt volens.Et iſto ſecũdo modo procedit ſpi ritus ſanc⁹ de notitia & mẽte ſiue de intelligentia & memoria ſiue de patre & filio vt ſunt notitia ſimpliciter & notitia de notitia,ſed hoc non inquantũ ſunt notitia ſed inquantũ ſunt amor,ſecũdũ φ de hoc amplius erit ſermo inferius. ¶Ad quartũ,φ intellectus nõ eſt elicitiuus actus dicẽdi ſiue

generandi nisi vt est natura,ergo neq̃ voluntas actus spirandi:Dicendum q̃ neq̃ intellectus neq̃
voluntas ratione qua sunt simpliciter intellectus aut voluntas,sunt principia elicitiua actuum no
tionalium per quos producuntur similes in forma naturali ipsi pduceti:quia tunc in quibuscunq̃
essent,essent principia elicitiua actuũ qbus pducereť simile i forma:qd falsum ē in creaturis.Sunt
enim solummodo principia elicitiua actuum naturalium vt sunt in natura diuina,& sic vt per il
lam habēt in se naturalitatem quãdam ad productiones notionales.Secũdũ hoc eñ diximus i qua
dam quæstione de diuinis emanationibus in generali,q̃ intellectus & voluntas,vt sunt simpliciter
intellectus & voluntas,modo.s.intellectuali & voluntario agentes,tñ sunt principia actuum essen
tialium quæ sunt intelligere & velle:licet hoc sit passiue ex parte intellec9: actiue vero ex parte vo
luntatis.Vt autem sunt natura & principia actuum naturaliter actus elicientia,sunt principia acti
ua elicitiua actuum notionalium quæ sunt gñare & spirate,& hoc necessitate naturalitatis qua im
possibile est deum per principia q̃ sunt natura in ipso,hmõi actus non elicere.Ad cui9 dicti simul
& ad ampliorem ppositi declarationem sciendum,q̃ hmõi naturalitatem habent a natura diuina
in qua sunt intellectus & voluntas:sed aliter & aliter:quoniam intellectus diuinus habet ipsam co
incidendo in rationem naturę,quæ est ratio principalis elicitiua actus notionalis:& hoc iuxta secũ
dum modum naturæ prædictum:vt omnino naturalitas ista sit pręuia,& ratio intellectus sit con
comitans vel quasi.Propter qd non nisi modo naturæ & naturali impetu actum suum notionalē
elicit:vt magis proprie pater dicatur generare natura intellectuali,q̃ itellectu naturali:vt itellec9
potius intelligatur quasi determinare naturam q̃ econuerso:& secundum hoc ratio qua produc9
natura eliciente dicitur filius sit prima:et qua dicitur verbũ,sit respectu illius secunda,sicm q̃ ha
bitum est supra.Voluntas autem habet ipsam non vt incidendo in rationē naturæ dictę secundo
mõ naturę:sed hñdo sibi annexã vim quãdã naturę prio mõ dictę ex hoc q̃ fundať in illo:vt natu
ralitas ista in volũtate nullo mõ sit pueniēs ei9 libertatē,nec rõ elicitiua act9 ei9 notionalis penes se
cũdũ modũ naturę:hoc eñ esset oĩno cõtra ipsam libertatē:sed poti9 vt sit cõsecutiua & annexa li
bertati,& hoc non vt aliquid quo voluntas suum actum notionalem elicit principiatiue:sed vt ali
quid quo assistēte volũtati voluntas ipsa ex vi quã habet eo q̃ est volũtas,& libera,pōt elicere suũ

K actum notionalem quem sine illo assistente omnino elicere non posset.Ex quo patet q̃ aliter intel
lectus & aliter voluntas vt natura & vt principium actuum naturale,est elicitiuũ actus notiona
lis.Quoniam in hoc intellectus est natura & principium actuum naturale & elicitiuum actus ge
nerationis: quia incidit in idem cum illo quod est per se vis elicitiua & natura secundo modo di
cta,& vt quasi determinatio eius.Voluntas autem est natura & principium actuum naturale &
elicitiuum actus spirationis:non quia incidit in idem cum illo qd est vis elicitiua & natura secũdo
modo dicta:sed quia habet vim naturæ primo modo dictæ concomitantem & sibi annexam nõ
qd est principium elicitiuum:sed quo assistente volũtas ipsa vi propria actiua elicit actum suum
notionalem:& sine quo assistente ipsum nõ eliceret.Et sic intellectus vt est natura,licet magis pro
prie natura vt est intellectualis,est natura elicitiua penes secundum modum naturę:nõ sic autem
voluntas,licet sit prima elicitiua penes primum modum naturę vt iam expositum est.Secũdũ hoc
ergo non similiter voluntas se habet ad spirationem & intellec9 ad generationem:nec valet argu
métum.Ad cuius ampliorem declarationem ex parte voluntatis:qa de ipsa est maior dubitatio,

L Sciendũ q̃ triplex est actio voluntatis,Pria,q̃ est elicita a voluntate vt est voluntas simpliciter abs
q̃ omni naturalitate & necessitate:vt est illa qua procedit a libertatis arbitrio siue in deo siue in
creatura intellectuali & in nobis,& tendit solũmodo in bonũ amatũ qd est citra summum bonum
.Secunda quę est elicita a voluntate vt similiter volũtas est simpliciter:& hoc cum sola naturalita
te necessitatis imutabilis annexa ipsi actiõi:vt est illaą, pcedit a libertatis arbitrio,& tendit in sum
mum bonum amatum & aperte visum.Tertia quæ est elicita a voluntate non vt est voluntas sim
pliciter:sed vt est natura, naturalitate sibi annexa dicto mõ:vt est illa q̃ procedit a voluntatis liber
tate in solo deo:& tendit non solum in summum bonum amatum & visum:sed etiam in ipm amo
rem procedentem quo incentiue amatur:licet diuersimode tendat in ytrũq̃.& hoc secundum aliã
& aliam necessitatem immutabilitatis annexam ipsi actioni.Inquãtum eñ actio ordinatur in ama
tum summum,ab ipsa sola voluntate ratione qua est libera,procedit immutabilitas necessitatis &
l actione ei9 secunda,& in actione eius tertia.Inquantũ vero actio ordinatur in amorem producti
tendentem in amatum terminatum sic,a dicta naturalitate annexa voluntati procedit necessitas i
mutabilitatis circa solum actum notionalem elicitum a voluntate,vel potius ab ipsa libertate vo

M
Ad qntũ. luntatis,vt ei talis naturalitas est annexa.Ad quintum,q̃ volũtas est cõmunis tribus:ergo nõ est
ratio elicitiua:Dicendum q̃ eadem ratione nec natura eēt ratio elicitiua:quia est cõmunis tribus,

Vnde eſt aduertendum,ꝗ omne principium qđ eſt ratio agendi vt elicitiua actus,abſolutum eſt
ſub ratione tamen reſpectus determinati, qua determinatur ad actum. Diuina enim eſſentia ſub
ꝓprietate paternitatis in patre natura eſt & ratio quę eſt potentia generādi actiua:vt vero eſt ſub
proprietate cōmuni patri & filio,voluntas eſt ratio quę eſt potētia ſpirandi actiua,& per hoc natu
ra & voluntas vt ſunt rationes elicitiuę ſunt eſſentialia tracta ad potentialia:& ſecundū hoc ſunt
propria,ꝓpter proprios ſcilicet reſpectus ſuos ad proprios actus.ℭAd ſextum ꝗ ſpiritui ſancto cō
municatur per ſpirationē natura patris & filii:Dicendū ꝗ verū eſt inquantū natura ſumitur pri
mo & tertio modo prędictis.Et quod aſſumitur,ꝗ natura in qua idem ſunt realiter producens &
productum,non cōmunicatur niſi per actum naturę agentis modo naturę:Dicendū ꝗ hoc verum
eſt in rebus creatis cōmunicantibus naturā ſuam per actionem ſuā in materia quæ eſt in potentia
ad illā.Propter limitationem eī illarū in materia,& per materiam,nō poteſt eis ineſſe aliud prin
cipiū cōmunicandi ſuam naturā ꝗ ipſa natura.In ſeparatis aūt a materia:limitatis tñ in eſſētia nō
eſt omnino principium cōmunicandi naturam,licet ibi ſit aliud principiū agendi ꝗ natura,ſcilicet
voluntas,In ſeparato aūt a materia & illimitato in eſſentia, propter eius illimitationem eſt prin
cipium naturam ſuam ſecundū omnem rationem principiādi,ſcilicet ratione naturę & ratione vo
luntatis,vt habitū eſt ſupra.Et qđ aſſumebat vlterius,ꝗ orta a principiis atteſtant eiſdē:Dicendū
ꝗ verū eſt in propoſito.natura eī quæ eſt eſſentia diuina,ſub ratione amoris & volūtatis cōmuni
catur per ſpirationē,ſicut ſub ratione notitię cōmunicat ꝑ generationē:& ſicut per generationem
cōmunicat natura ꝗ eſt eſſentia ſub ratione notitię ꝑ principiū qđ eſt notitia & intellectus:ſic ꝑ ſpi
ratione cōicatur ſub ratione amoris ꝑ principiū qđ eſt amor & voluntas.& ſic principiatū atteſtat
principio.Medium autē procedit ac ſi natura ſub ratione naturę ſecundo modo cōmunicaretur in
diuinis,qđ non eſt verum:illa eī ſoli patri conuenit,nec filio cōmunicatur ſub illa ratione, nec ſpi
ritui ſancto.Sed hoc modo cōmunicatur generabilium & corruptibiliū natura in creaturis. Secū
dum eī vnum modū agendi quo natura eſt ei cōmunicata, & nata eſt eam alteri cōmunicare.Et
quia philoſophi alium modum cōmunicationis naturę non videbant in alia,ſcilicet in ſuperiori na
tura:immo potius negabant: ideo generali ſermone dicebant ꝗ forma quæ eſt eſſentia & quiditas
rei, in qua cōmunicant realiter & per ſe producens & productū,vt contingit in rebus naturalib⁹
non poteſt cōmunicari niſi modo actionis naturalis:ſed forma illa ꝗ eſt eſſentia & ꝗditas rei,in qua
nō cōicant realiter & ꝑ ſe pducens & pductū,vt cōtingit in reb⁹ artificialib⁹,bene cōmunicat mo
do actionis voluntarię,ita ꝗ ꝗcūꝗ eandē naturā habeant,ſi vnū eorū habet eā cōmunicatā ab alio:
cōicatio illa ſit modo actionis naturalis.& econuerſo,vbi eſt cōicatio modo actionis naturalis,eadē
eſt illorū natura.Quę vero non cōmunicāt eandem naturā, ſi vnum eorum habet aliquid cōmu
nicatum ab alio:cōmunicatio illa ſit modo actionis voluntarię & artificialis & econuerſo. Et proce
dit prima productio a ſimili ſecundū totum:Secunda vero a ſimili ſecundū partem. dicente Philo
ſopho.iiii.Meta.Omne qđ ſit,ſit a conuenienti in nomine,ſicut illud qđ eſt ꝑ naturā aut a parte ei⁹
qđ eſt conueniens in noïe,vt domus ex domo.Cōment.Intendit per conueniens in nomine genera
bilia naturalia.Per hoc aūt ꝗ dixit aut a parte,illud qđ generať ab arte: & dixit ex parte quia arti
ficiatū componitur ex materia & forma, & nō eſt in anima artificis ex generato niſi forma tñ.i.ꝗ
artifex non eſt niſi forma generati.& infra ſuper illud.Sicut in ſimilib⁹ eſt principiū cuiuſlibet:ita
hic generationes.Cōment.i.quemadmodum cuiuſlibet rei factæ eſt quiditas quæ eſt ſimilis: ita &
in omnibus generabilibus per naturā eſt ꝗ ſunt a quidítate precedente. quoniam quemadmodum
ſimilia ex quib⁹ ſunt artificiata ſunt quiditates artificiatorum, ita res generabiles ſiunt a ſuis qui
ditatibus.Ex quo adducebatur aliud mediū ad probationē maioris, videlicet ꝗ in cōmunicantib⁹
eandem naturam non cōmunicatur natura niſi modo naturę.Et eſt dicendum ſecundū iam dicta
ꝗ licet hoc veritate habet in rebus creatis producentibus ſimile ſecundū totum,vt in naturalibus,
vel ſecundū partem vt in artificialibus,vt videlicet omne productū a ſimili in natura ſecundū to
tum producitur modo naturę & econuerſo:& omne pductum a ſimili ſecundū partem producieť
modo artis & voluntatis & econuerſo:in re tñ increata prima pars aperte falſa eſt in propoſito. ſpi
ritus eī ſanctus producieť a ſimili in natura ſecundū totum. Nō minus eī ſimilis eſt ſpiritus ſan
ctus patri & filio,ꝗ filius patri,licet ex modo producti filius potius dicitur imago & ſimilitudo pa
tris ꝗ ſpiritus ſanctus patris & filii, vt dictum eſt. Et tñ ſpiritus ſanctus non procedit ab eis mo
do naturę & naturalis productionis,ſed tñ volūtarie. Et ſi prima pars aperte falſa eſt in productio
ne de re increata,multum preſumendū eſt de falſitate ſecundę partis in eadē re. & re vera falſa eſt
ſi intelligatur productū a re increata vt ſimile ſecundū partem produci modo artis & voluntatis
quemadmodū producitur ſimile ſecundū partem modo artis & voluntatis a re creata,a creato cū

N
Ad ſextū.

O

P

artifice qui eſt ſimilis domui exiſtenti in materia ſecundū domum quā habet in mente quo ad for
mam domus non quo ad materiam,producitur domus ſecundū artem pure practicam:quę eſt po
tentia in ipſo quo ad productionem domus in materia a domo in mente:inquantū ipſa ars ſiue in
tellectus aut ratio per formā artis voluntati artificis determinat modum agendi aliquē particula
rem ſic ꝗ non aliū:vt ſi vellet aliter agere delinqueret cōtra regulas artis & ei contrariaret. Nō
ſic autem aliqua ars quā deus habet de creaturarum productione,determinat voluntati diuinę in
createę modum aliquem particularem agendi:ꝗ ſi vellet aliter agere,cōtrariaretur regulis rectę ra
tionis & artis in ea.Quare cum impoſſibile eſt ꝗ in deo voluntas rationi contrarietur,ꝗ nō niſi re
cta eē pōt:& ipa pōt diuerſis & variis modis ꝑducere vel nō ꝑducere ꝗ ꝑducit i creaturis:ergo pe
nitus non determinatur ei a ratione aliquis modus circa producenda:quia aliter poſſet rectę ratio
ni contrariari etſi nunꝗ contrariaretur:qd tn æquale inconueniēs eſt.Quare etſi deus habet cogni
tionem de operandis ab ipſo per omnes particulares rationes quibus res poſſunt fieri:& illa cogni
tio in ipſo eſt potentia producendi illam:non tamē illa cognitio practica eſt:nec producit res ſecū
dū eā vt ſecūdū notitiā practicā:ſed vt ſecūdū pure ſpeculatiuā.Quoniā practica cognitio non di
citur operādorū ex hoc ꝗ eſt circūſtātiarū pticulariū:ſed ꝑcipue ex hoc ꝗ ſecūdū eā ratio determi
nat volūtati operandi modū.Et eſt hoc formale in practica cognitione:p qd habet ꝗ ſit potētia pxi
ma vt ſecūdū eā res extra ꝑducat:qd ſi nō fuerit,nō ē niſi potētia remota:ꝗa nō magi ſic habet vn
modus ſecundum quaſdam circunſtantias vt ſecundum ipſum res producatur,ꝗ alius ſecundum
alias particulares circunſtantias,niſi ratio determinauerit opus faciendū potius ſecundū has ꝗ ſe
cundum illas,& ſic ſine hmōi determinatione cognitio non reſpicit opus niſi in potētia remota,&
ideo potius eſt ſpeculatiua ꝗ practica,licet ſit de operandis.Et hoc modo ꝑprie ratio eſt cōtrarioꝝ
quia ſcientia cōtrarioꝝ eſt:& eſt proprie potentia rōnalis valens ad contraria,Cum em ratio deter
minauerit:tunc nō eſt niſi alterius contrariorū,ſicut eſt potentia naturalis,& tunc primo eſt vere
potentia artis habendo formam artificiari,dicente Philoſopho.ix.metaphyſicę.Scientia eſt potentia
ſecundū ꝗ habet definitionem,qm ſanans tm facit ſanitatem,& calefaciēs calorem. Scientia aūt fa
cit vtruꝗ:ſed non eodem modo:quoniam ſcientia eſt potentia actiua ſecundum ꝗ habet definitio
nem,i.ſecundum ꝗ habet formale illud principiū,non agit niſi alterum contrariorū.Verbi gratia
ꝗ potentia ſanans ſolummodo agit ſanitatē & calor calorem.Sciens autē agit duo cōtraria : quo
niam apud ipſum ſunt intentiones intellectæ.Et ideo inuenitur in anima principium motus. aut
em mouet ab intellectu in actu:aut a ratione:ſed non eodem modo.& intelligit itellectū in actu
quando habet determinationem:rationē vero quando non habet determinatione,Qd explicat ſub
dens continue,& intēdit Cōmēta.Qn mouet a potētia agit alterū cōtrarioꝝ tm,& hoc quia ratio
vt eſt ratio habet rationē indeterminatam:potentia vero inquantum potentia habet ſcientiam de
terminatam.Vnde ſequitur in litera Philoſophi.Agit cōtraria qn agit plurima ſine definitiōe,plu
rima p definitiōe.Determinat em principiū vnū p definitionem.Cōme.Sciens em mouet contra
riū qd vult facere per pricipium ꝓprium,& eſt definitio propria. Et qd tale eſt ſecūdū Philoſophū
agit ad modū potentiæ naturalis quę eſt ſine rōne.illa em inquantum eſt determinata ꝓpria defi
nitione non eſt ꝓprie cū ratione:ſed ſine ratione.Propterea em Philoſophus parū poſt ꝓdicta diſtin
guens potentiā ꝗ eſt cum ratione,ab illa quæ eſt ſine ratione,dicit ꝗ illa eſt in animato tm:& non
agit neceſſario ꝓcedēte poſſibili,ſic inquies,Et eſt neceſſe illa eſſe in animato:iſta vero in vtroꝗ.Po
tentiæ vero tales qn appropinquant ſecūdum ꝗ eſt poſſibile eis de actiuo & paſſiuo,neceſſe eſt vt ꝗ
dā agant & ꝗdā patiant:alia vero non neceſſe.ageret ergo cōtraria inſimul:ergo neceſſe eſt vt alteꝝ
verus ſit aliud. Dico appetit⁹ aut volūtas. Cōme.Hoc eſt principiū qd magis facit alterū cōtrario
rū.Ecce ꝗ qn ratio nō determinat,& eſt ꝓprie potētię rōnalis & cōtrarioꝝ:tūc ipſa volūtas deter
minat,& abſꝗ rōnis determinatione agit qdcūꝗ voluerit,qd reuera nō eſt agere practice:nec per
intellectū practicū:ſed ſpeculatiue tm.Cū vero rō determinat alterū cōtrariorū,tūc vere practica ē
ratio,& non eſt ꝓprie potētia rōnalis:& ſcdm Pſm volūtas neceſſario exequitur in opus qd deter
minatū eſt ſi non fuerit impedimētū ſecūdū eā.Qd dicit de cauſa mot⁹ aialiū:qnꝗ intellect⁹ opera
tur,qnꝗ non operatur:& mouet qnꝗ,quādoꝗ aūt non mouet.Et videtur ſimiliter accidere de im
mobilibus intelligibilibus & ſyllogizantibus:ſed ibi qdē theorema finis.Cū enim duas propoſitiōes
intellexerit componit.Hic aūt ex duabus ꝓpoſitionib⁹ cōcluſio fit operatio , vtputa cū intellexerit
ꝗ omi hoi ambulandū:ipſe aūt hō:ambulat cōſeſtim.Si aūt ꝗ nulli nūc ambuladū:ipſe aūt hō:iſta
tim quieſcit.& hoc facit ſi nō aliqd ꝓhibeat. Sed i hoc ꝗ ſic neceſſiteꝛ volūtas,nō ſeqmur Pſm,vt
in.ix.Quolibet declarauim⁹. Et eſt intellect⁹ ſic determinans vere practicus,etſi volūtas nolit exeꝗ
opus:primo modo vere ſpeculatiuus,etiam cōſiderans opanda,dicente Philoſopho,iii.de aīa.Specu

latiuum intelligit nihil actuale bonũ neq̃ dici de fugiendo & imitabili, ſed tñ ſpeculatiuus hmõi percipit fugere aut imitari,& multotiens intelligit timendũ aliquid aut lætum:non iubet autẽ timere. Amplius aũt extendende intellectu & dicente fugere aliquid aut etiã imitari &c. Et ſic quia ratio diuina nihil determinat de operãdis,ſed ſola voluntas in operãdo, non practicã ſed ſpeculati uam habet notitiam deus de operandis,quã habet in nobis operãs ſine determinatione intellectus. In eo tñ ϙ diuina cognitio eſt de operãdis,ſi velit aliquis appellare practicã notitiam,nolo litigare de verbis,neq̃ ſi ſecundũ hoc deus dicatur habere de rebus practicã cognitionẽ,& modo artis eas producere. Verbũ eñ per qd facta ſunt omnia,ſecundũ Auguſt. ars eſt plena rationum viuentiũ. Eſt etiam præter dicta differẽtiã inter artẽ q̃ eſt in deo reſpectu creaturarũ,& q̃ eſt in artifice reſpe ctu domus:adhuc magna differentia.qm artifex ſecundum prædicta ſecundũ artem nõ producit ſimile ſecundũ totum ſed ſecundũ partem,quia non habet ſimilitudinẽ domus niſi quo ad formã domus,& ideo non producit niſi ſecundũ formã. Artifex autẽ deus producit ſimile ſecundũ totũ, qa habet ſimilitudinẽ ei⁹ in ſua notitia ſecundũ totum,vt ſecundũ hoc multo verius ſunt quidita tes creãdorũ intellectẽ in artifice icreato vt qditates eorũ,q̃ in artifice creato. ⫽Ad ſeptimũ ϙ ſpũs ſctus eſt naturale pducitu,ergo ratio pducẽdi ipm eſt natura:Dicendũ ϙ aliqd dicit naturale pdu ctu,qa eſt vera res naturalis:alio modo qa eſt pducitu modo nature:tertio modo qa elicitũ a princi pio elicitiuo qd eſt natura. Quæ qdẽ diſtinctio nihil valet in creaturis & pductis ab agẽte creato, qa mẽbra cõcurrũt. In illis eñ oẽ qd eſt res vera naturalis,pducit modo naturæ,& ab elicitiuo pri cipio qd eſt natura,& econuerſo. Sed in diuinis bona eſt,quia eſt aliquis productus qui eſt vera res naturalis:vt ſpiritus ſanctus productus eſt modo nature,quarto modo nature:non tñ a principio elicitiuo qd eſt natura. Filius autem eſt res naturalis illis tribus modis. Nihil eñ in diuinis poteſt produci niſi ſit res vera naturalis:quia quocũq̃ modo producitur vera natura producentis produ cto cõmunicatur,licet aliqñ modo naturæ,aliqñ autem modo voluntatis quantũ eſt ex parte prin cipii elicitiui,ſemper tamen modo nature,quarto modo naturæ,vt patet ex prædictis. ⫽Ad primũ in oppoſitum ϙ natura nullo modo eſt ratio elicẽdi ſpirationem,quia ſpiritus ſanctus procedit p grediendo,& natura agit imprimendo:Dicendum ϙ verum eſt, quia illa eſt natura ſecũdo modo ſi q̃ eſt ratio elicitiua. Natura tñ quarto modo dicta bene poteſt eſſe elicẽdi modus,& ſimiliter pgreſ ſus ipſius actus & terminationis in obiectum. Hoc eñ qd libere elicitur & progreditur ab elicien te ſecundum prædicta,non repugnat incommutabili neceſſitati:ſed ſimul libere elicitur & progre ditur a voluntate,& terminatur in productum etiam incõmutabili neceſſitate,& hoc ſecundũ ſe cundũ modũ nature quarto modo dictæ. Quã qdẽ neceſſitatẽ incõmutabilẽ exigit natura diuina ſe cundũ præexpoſitum modum,quia in ea nihil poteſt eſſe aliter q̃ ſit. Propter qd præter talem neceſ ſitatem nature voluntas non poteſt ſpirare ſpiritũ ſanctũ,& tñ libere ſpirat ipſum, & hoc aſpicien do ad actum ſpirationis in ordine ad ſpirantẽ, vt ab eo elicitur. Aſpiciendo tñ ad actum in ordine ad ſpiratũ,vt actus ipſe ad ſpiratũ terminat:etſi libere ſpiratus ſpiratur quantũ eſt ex parte ſpirãtis & vt actus ab ipſo egreditur,& vt progredit,& vt in productũ terminat,& hoc immutabilitate ne ceſſitatis ſecundũ quartum modũ nature:forte tñ actus ſpirandi quantũ eſt ex parte actus ſpiran di neceſſitate nature ſecundo modo dictæ terminatur in ipſum ſpiratũ,ſicut & actus calefaciẽdi in calorem,etſi libere procederet a calefaciente,non eñ in ipſo actu quantũ eſt ex ſe eſt aliqua libertas. Licet eñ aliquis libere ſe pcipitat: actus tñ pcipitationis naturaliter ſecũdo modo nature terminat deorſum. ⫽Ad ſecundum ϙ ratio elicẽdi quæ eſt natura,totaliter exhauſta eſt in prima productio ne:Dicendũ ϙ verum eſt de natura ſecundo modo,quia non eſt niſi ynus modus elicẽdi actum generationis,non autẽ de natura quarto modo:quã ſecundũ prædicta ponimus rationem elicẽdi in ſpiratione,non autem naturam ſecundo modo,vt patet ex dictis.neq̃ ſimiliter de natura primo modo,quia illa in prima cõmunicatione licet tota cõmunicatur, non tñ totaliter hoc eſt ſecũdum omnem modũ quo cõmunicabilis eſt. ⫽Ad tertium ϙ voluntas nõ eſt ratio elicẽdi generationem ergo nec natura ſpirationẽ:Dicendũ ϙ verũ eſt loquẽdo de natura ſecundo modo. ſic eñ eſt ſimi le,& valet cõmutatio. Loquendo autẽ de natura quarto modo,ſic neganda eſt ſimilitudo,quia non ſic natura ſe habet ad generationẽ vt voluntas ad ſpirationẽ. Eſt eñ voluntas ratio elicitiua ſpiratio nis,nõ aũt natura quarto modo generationis,ſed ſolũ eſt conditio & modus elicendi tã circa gene ratione q̃ circa ſpirationẽ,vt dictũ eſt. ⫽Ad quartũ:ϙ ſpũs ſctus cum ſit ſimilis in natura pducen tibus,ſi eſſet pductus ratione nature eſſet filius:Dicendũ ϙ Ric.diceret ϙ non eſt verũ, quia nõ di cit germanitas patris & filii niſi ſcdm principaliorẽ modũ & pricipaliorẽ ordinẽ nature, ſcdm quẽ nõ producitur ſpiritus ſanctus,vt patet ex pdictis.Sed etſi non propterea diceret filius ſcdm vſum mois,tñ modo nature pductus diceret & genitus,licet non ſcdm modũ quo genitus dicit fili⁹ aut

T
Ad ſepti
mum.

V
Ad primũ
in oppoſi

X
Ad ſecũ.

Y
Ad tertiũ

Z
Ad q̃rtũ.

proles.Ramus enim dicit genit⁹ de arbore,& flos de ramo,& vermis de fimo,modo naturę secūdo modo dictę, licet genitus aut filius dicat.Et sic vtendo nomine filii sicut & noīe geniti, ipse spū=

sanctus genitus posset dici:qd nō est verum,Ideo dicendū aliter:ꝙ argumentum verū concludit sī spiritus sanctus esset ꝓductus modo naturę secundo modo.Qd tñ non est verū ponendo ipsum ꝓ

**A**

**Ad qntū.** ductum modo naturę quarto modo.⸿Ad quintū,ꝙ natura est principium respectu voluntatis,er= go principalior ratio in spirando:Dicēdū ꝙ natura secūdo modo prima est respectu voluntatis:& ideo est principalior ratio producendi: sed non eiusdem ꝓductionis cum voluntate . Natura autē quarto modo ꝙ concurrit cum voluntate in spiratione,illa non est prima:sed secunda & annexa:&

**B** ideo non principalis in spiratione,nec principiū elicitiuum,vt patet ex dictis.⸿Ad sextum,ꝙ volū=

**Ad sextū.** tas nō est assistens generationi vt rō ꝓducendi:quare nec natura spirationi: Dicendum ꝙ verum est de natura secundo modo:de qua vera est similitudo & ꝓportio.Loquēdo aūt de natura quarto

**C** modo,nequaꝙ.& de illa non tenet similitudo,vt patet ex dictis.⸿Ad septimū,de dicto Ricar.ꝙ na=

**Ad septi-mum.** tura neutrius ꝓductionis sit elicitiua:Dicēdū ꝙ quantum mihi videtur,Ricar.nō distinxit omni= no diuinas ꝓcessiones penes rationes procedendi,modo.ſ.naturę & voluntatis,secundum ꝙ iā di= stinximus supra:sed solummodo penes principalitatem & non principalitatem in procedendo,& ī ordine ad eum a quo est processio,vt patet ex prædictis.Vnde dicit dicto cap.xvii.allegato.Ex ge= neratione procedere idem mihi videtur quod in procedendo principalem procedendi modum ha= bere:sine gñatione procedere idem mihi videtur qd in procedendo principalem procedendi modū omnino non habere.Producēti proculdubio qui est ipsa omnipotentia, idem est de se alium produ= cere qd ex ordinatissima causa idipsum velle:ex principaliori autem causa id velle,idem est qd gña= re,Et ne dicatur ꝙ loquitur de voluntate annexa secundum modum prædictum,non aūte elicitiua , super hoc expressius explicat suum intentum ibidem dicens cap.vi. Quærendum quid sit in= ter processionem & alterius generationem. Qꝫuis eī vterꝙ procedat de volūtate paterna,potest tñ esse in hac gemina processione causa diuersa.Ecce cum dicit de voluntate,videt insinuare rōne elicitiuam,Vnde nō videtur mihi in hoc Ricar.esse sustinendus:sed exponendus,si fieri posset.Insi= nuauit enim aliquantulum vnam distinctionem inter processiones in eo qd subdit dices in eodem cap.vi.Condignū habere voluit vt esset cui cōmunicaret magnitudinis suę diuitias:cōdilectū ve= ro habere voluit cui cōicaret charitatis delitias,Cōmunio itaꝙ maiestatis fuit (vt sic dicā) causa originalis vnius. Cōmunio amoris videt velut ꝙdā cā originalis alteri⁹.Ex quo cōcludit cōtinuo. Qꝫuis igit vtriusꝙ psonę ꝓductio pcedat (vt diximꝰ)de volūtate pōna,est tñ ī hac ꝓductiōe vl⁹ꝑ cessione gemina ratio alia,& causa diuersa.Reuera cōmunio maiestatis mō naturę est causa origi= nalis filii.Cōmunio vero amoris modo voluntatis,spiritus sancti. Sed quomodo aliter est vtriusꝙ

**D** ratio alia & causa diuersa,non video quomodo intelligi possit aut poni . ⸿Ad primum ꝙ neu=

**Ad pri-mū cōtra aliud.** trum neꝙ ratio neꝙ volūtas est ratio eliciendi spirationem:quia spiritus sanctus in diuinis habe= tur ex actibus essentialibus qui sunt nosse & amare:Dicendū ꝙ falsum est:quia nō habet sine actu

**E** notionali sicut nec filius,vt habitū est supra.⸿Qd autem assumitur ad eius pbationem,ꝙ secūdū

**Ad pba-tionem.** Augustinū id qd in spiritualibus noscit & amatur,habetur:Dicendum ꝙ verum est perfecta noti= tia & pfecto amore,de quibus ipse loquit: sed ī diuinis perfecta notitia habetur p gñationem psona=

**F** lem verbi:& pfectus amor p emanationē spiritus sancti,vt habitū est supra.⸿Qd aūt assumitur ꝙ

**Ad assum-ptum.** nosse & amare sunt actus essentiales:Dicendum ꝙ verū est cū simpliciter cōsiderant.Cū vero consi= derant vt pfecta & secūdū rōnem & modū noscēdi & amādi pfecte:quia necessario(vt dictū est)in cludūt actus notionales,quo ad hoc non sunt essentiales,vñ perfecte noscēdo & amando habet spūs sanc⁹. Similiter vt loquar de exemplo Augustini,pfecte nemo potest nosse iustitiam nisi verbo mē tis qd habet de iustitia.dicente Augustino ibidem cap.vii.Nihil agimus quibus approbant vel im probant mores hominū quod non verbo intus edito apud nos ꝓuenimus: & consimiliter nihil per= fecte amamus quod non amore incentiuo intus edito præuenimus. Correspōdet eī sibi verbum ex parte intellectus & amor incētiuus qui est spūs sanctus ex pte volūtatis,vt infra patebir. Sed qd est qd dicit Augustinus,ꝙ qui pfecte noscit & pfecte amat iustitiā iustus est:nūqd habitus practi= ci sine actib⁹ exterioribus haberi possunt sicut speculatiui? Qꝫ sine actu exteriori haberi possīt iusti tia noscēdo & amādo interius nō operando actū, nō dicit Augustinus:sed dicit ꝙ haberi pōt at = si nulla existat exterius operandi necessitas,qd verū est.Habes eī in habitum virtutis moralis ex acti bus exterioib⁹ iā gñatū & acqsitū,etsi desit facultas seu opportunitas opandi exteri⁹,& exercendi se in actib⁹ pticularib⁹, nō amittit ex hoc habitū suū.Si tñ pfecte noscit & amat habitū opportuni= tate operādi qrit.quę etiā pfecte nosse aut amare nō pōt nisi ipm pfecte habeat:nec pfecte haberi ī= ne experiētia singulariū ī pōt, nisi miraculose a deo,de quo nobis sermo nō est ad psens. Aliter enim

coino est ipossibile,& cotra Phm dicet.ii.Ethicorũ.Operãtes in particularib⁹ fiũt hi quoq; iusti,
autem iniusti.Sunt eĩ operationes dominę quales fieri habitus,quoniã ex iusta operari sit iust⁹
temperata temperatus: ex non operari autem hoc, nullus vtiq; erit bonus. Sed multi non ope-
ntur ad rationem fugientes:estimant philosophari,& sic fore studiosi:simile aliquid facientes la-
rantibus qui medicos audiũt studiose:faciunt aũt nihil eorũ quę praecepta sunt.Quemadmodũ
ñ illi non bene habebunt corpus curari,neq; isti animã ita philosophãtes.Reuera isti nõ habebũt
ne secundũ animã,quia nullũ ex sic philosophando acquirunt habitũ moralis virtutis quãtũcũ-
sciant definitiue & diuisiue & argumentatiue ea quę pertinẽt ad virtutes & ad virtutũ opera,
uare cũ secundũ Philos.vi.Ethicorũ prudẽtia acqri aut haberi nõ potest nisi simul acquirant &
beantur morales virtutes:isti ergo sic philosophãtes in doctrina moraliũ studendo,legẽdo, & dis-
stando,nec habitũ prudentię acquirunt,sicut nec moralium virtutũ. Si ergo ex tali studio habi-
m aliquem sibi aliũ acquirunt scientialẽ,aut ergo est speculatiuus aut practicus.Non practicus:
ia praeter habitum prudentię non est habitus practicus nisi ars. Tali autem studio non acquirit
bitus artis,quia studium istud est de agibilibus: & habitus artis nõ acquiritur nisi per studium
rca factibilia,de quibus est ars.Acquirunt ergo sibi ex tali studio habitum pure speculatiuũ.Nõ
ñ est dicere ợ nullum omnino sibi habitũ acgrunt,sed tantũ verba Empedoc.quia tales sine expe
mento rationem habent, & vniuersale cognoscunt:& ideo per Phm prin.Metaphy. sapientiores
nt expertis,vt iam dicet.ợd non esset verum si tantũ verba haberẽt. Nec est differẽtia inter haec
rca agibilia & circa factibilia,quia in amboḃ⁹ sunt cognitio vniuersalis & particularis:& moralia
rist.descripta sunt scdm rationem vniuersalis nõ particularis: propter ợd artes docentes modos
guendi debẽt pcedere moralia Arist.licet moralia inquantum traduntur inartificialiter per ad-
onitiones,debeãt pcedere logicalia,dicente Simplicio in principio super praedicamẽta. Si moralia
rist.essent solũ instructiones monitorię & sine demõstratione,esset ab his incipiẽtes mores presti
sere.Si aũt & illa tradidit Arist.cum diuisionibus & demonstrationibus maxime scientificis,quo
odo sine demonstratiuis artibus procedentes ad ipsa poterimus in aliquo proficere?Forte igitur
us est prae morali pstitutione non ea ợ tradita est p moralia Arist.sed per assuefactionẽ,& persua
ses inartificiales.Est igĩ habit⁹ aliqs speculatiu⁹ acqsit⁹ ex notitia moraliũ Arist.sine experientia
is,de agibiliḃ⁹ tñ.Vt nõ sit verũ dicere ợ ex hoc solo sciẽtia practica ẽ ợ sit de agibiliḃ⁹ aut facti
liḃ⁹:& speculatiua ợ est nec de agibiliḃ⁹,nec de factibiliḃ⁹ a nobis.Immo ex fine debet distĩgui spe
latiua & practica sciẽtia bm Philos,vt dicat ợlibet sciẽtia speculatiua inquantũ stat in cognitione
ri circa vniuersales rõnes siue agẽdorũ siue faciẽdorũ siue aliorũ: practica aũt inquantũ determi
t in particulari rõnes operũ particulariũ,alias eĩ de quocũq; sit sciẽtia,nõ est nisi speculationis
ratia.Et tali habitu acqsito ĩ moraliḃ⁹ habẽtes ipm vere approbãt & reprobãt multa in moriḃ⁹,li
e nullũ habitũ moralẽ habẽt:& circa siliter artificiata multa approbarent & reprobarẽt vere,licet
bitum practicũ artificiatorũ non haberent.Hinc dicit Aug.de vera religiõe.Rationalis vtiq; ga
 nto est peritior quãto alicuiusartis vel disciplinę vel sapientię particeps est,ipsius artis natura ợ
nda est.Neq; tũc arte intelligi volo ợ notat experiendo:sed quę ratiocinando indagat. Itaq; repe
tur artem vulgarem nihil aliud esse nisi rerũ expertarũ placitarumq; memoria vsu quodam cor
ris atq; operationis adiuncto,quo si careas,iudicare de operibus possis:ợd multo est excellentius
uis operari artificiosa non possis,vt iam infra videbis.Illud tñ iudiciũ Aug.attribuit regulis eter
s ibidem,& similiter.iiii.de Trini.cap.xv.dicens sic.Qui non operat & tñ videt quid operandum
,ipse est qui ab illa luce auertitur a qua tñ tãgitur.Multa reprehendunt,recteq; laudant in mo
bus hominũ,quemadmodũ quisq; viuere debeat:et si ipsi eodẽ modo nõ viuant,ibi vident, nõ in
bitu suae mentis:mentes eĩ eorum constat esse iniustas. Vnde in artibus factiuis Simplicius di
nguens theoriam ab operatione,dicit ợ theoria incipit a fine & procedit vsq; ad principiũ,a quo
cipit operatio,sic inquiens.Theoria quidẽ a fine incipiens ratione procedit ad principium: opera
autem a principio ad finem progreditur.Sicut in domo theoria quidem a fine incipiẽs mox aspi
finem propter quẽ est domus,quia propter ptectionem a ventis & imbribus & caumate:& inci
ens a fine & qualiter iste fiat considerans,inuenit ợ protectione fieri sine parietiḃ⁹ impossibile est
arietes autem sine fundamentis non est possibile collocari: sed neq; hoc fundari anteq; terra fodia
r,& hic desinit.Vnde operatio inchoans primitus fodit terram,deinde fundamenta iacit,& de
per ędificat parietes,& vltimo tectum imponit.Et non solum sic est in factibilibus sed etiã in agi
libus,vnde subdit continue. Hoc igitur simile obserua:sicut enim domo indigem⁹ prohibẽte cor
ptionem quae fit a ventis & imbribus & caumate,ita demonstratione indigemus phibente cor
ptionem a falso in theoriam,& eam quae mala operatione,quae principaliter vocatur corruptio.

Etenim sicut in speculatione opponitur vero falsum: ita & in practica opponitur bono malum:&
indigemus organo segregante ipsa vt non falsis p veris & malis p bonis intendamus. Hæc auter
est demonstratio.Ecce sicut in domo præcedit theoria operationem:sic & in actione boni.¶Sed q
est si non solum non sit necessitas alicui operandi extra secundũ iustitiam:sed etiam si nunq̃ fuer
operandi facultas?nũqd talis noscendo & amando iustitiam posset esse iustus?puta qui nũq habu
quod posset dare,nec se exercere in opibus misericordię,q̃ est pars iustitię,nunqd opib⁹ ex volunt
te mentis posset esse pius & largus?Dico q̃ nequaq̃:quia habitus practici inquantum practici ni
lo modo haberi possunt nisi ex experientia circa particularia opera.Ad cuius intellectũ sciẽdũ:q̃ a
notitiam aliquã agibiliũ aut factibilium potest aliquis ad addiscendum se exhibere tripliciter.Vn
modo dissentiendo & discredendo oĩo eis q̃ dicuntur & tractantur circa illa.Alio modo assenti
do illis q̃ dicuntur,& crededo ea esse vera:sed nullo modo i particularibus experiendo veritatẽ cc
gnitam in ratione vniuersali.Tertio modo q̃ cum hoc q̃ dictis assentit & credit ea esse vera,exper
tur in particularibus eorum veritatẽ.In discente primo modo nullus omnino generat̃ habitus sci
tialis:sed verbalis tm̃:qualẽ habẽt experti & manuartifices,de quo statim habebitur.Quia ad gn
tionem habitus sciẽtialis nõ solũ in theologicis:sed etiã in omnib⁹ sciẽtiis oportet eũ primo crede
re q discit,vt dicit Philosophus in Elenchis.Vnde talis solummodo habet notitiam verborum ī
bus põt disputare legere & opponere & respõdere,ad modũ habẽtiũ habitũ scientiæ:& sunt ei oī
sicut verba Emped.nihil intelligendo eorum q̃ dicunt:sicut nec intelligit cæcus q̃ dicit cũ disputa
de coloribus.In discente autem secundo modo bene gñat habitus scientialis qui est pure speculat
uus,de quo dictum est iam.& si fuerit moralis,nullũ habitũ moralem nec prudentiã habebit ex h
iusmodi doctrina,sicut dictũ est.Dico priusq̃ cognita sic dilexerit vt ea experiri in ope voluerit. p
ta si cognouit iustitiã,& si eius diligat notitiã,non ex hoc iustus est:qa non eam diligit:sed notiti
eius:propter qd̃ nec eam sic diligit vt eã diligẽdo habeat & iustus fiat.dicente Augustino sparsi
viii.de trinitate cap.vi.Vbi nouit qui< sit iustus qui non est iustus? Vbi nouimus quid sit i
stus,cum iusti non sumus?In nobis n̄uimus.Cum enim dico & sciens dico quia iustus est an
mus quia scientia atq̃ ratione inuita ac moribus sua cuiq̃ distribuit,non aliquam rem absente
cogito,sicut Carthaginem,aut fingo:sed præsens quid cerno:& cerno apud me,etsi non su
ipse qd̃ cerno.Iustus aũt cum dicit,id qd̃ ipse est cernit & dicit.Quod vnde esse potuerunt nisi i
hærendo illi formę quã intuentur? vt sint animi non tm̃ cernentes & dicentes iustum esse anim
qui scientia atq̃ ratione in vita ac moribus sua cuiq̃ distribuit:sed etiam vt ipsi iuste viuant su
cuiq̃ distribuẽdo.Et vnde inhæretur illi formę nisi amando?Cur igitur alium diligimus quem a
dimus iustum,& non diligamus ipsam formam?aut nisi istam diligeremus,nullo modo eum di
geremus quem ex ista diligimus?sed dum iusti non sumus minus eam diligimus q̃ vt iusti eẽ v
leamus.Est autem dilectio(vt dicit cap.vii.in pricipio)vt inhęrentes veritati iuste viuamus.& h
insistẽdo experientiæ particularium quibus insistit quantum facultas se offert qui iustitiam qua
nouit pfecte diligit.Et sicut de iustitia,sic de tẽperantia & fortitudine & prudentia & etiã de om
bus artibus prout ad scientiam practicam pertinent.Et sic in discente tertio modo generetur h
bitus practicus:& hoc duobus modis.Vno modo quãdo cum experientia singularis simul addisc
vniuersale.Alio modo quando habitus ille qui primo absq̃ experientia operis particularis pu
speculatiuus est cognoscendo quod rationis est & vniuersale,experiendo vniuersale in particula
bus sit practicus:& hoc quẽadmodum intellectus qui in nuda consideratione terribilium pone
do ea præ oculis sicut cõtingit positis in recordatiuis,est pure speculatiuus nihil dicendo de fug
dis extendendo se ad operis determinationem & dicendo quia fugiendum est,fit practicus,vt
iam dictum est supra ex tertio de anima.¶Ad cuius intellectum sciendum q̃ triplex est experiẽt
particularium.Quarum prima est instrumẽtalis tm̃.Secunda sensualis tm̃.Tertia mixta siue co
posita ex vtraq̃.Primo mõ experiẽtiã hñt sine arte & notitia vniuersalis manuartifices circa īstr
menta corporalia exercendo ea quę sunt artis non ex arte:sed ex solo vsu,puta percutientes lyra
citharam & cætera instrumenta musicalia,cum artem vniuersalem musicæ penitus ignorent: v
cantantes ad modum artis voce propria sine arte. Non enim est quo ad hoc differentia in orga
nis separatis & coniunctis: quia a solo opere practici dicuntur. Secundo modo experientiam ha
bent etiã sine arte,sensu particulari vno vel pluribus percipiendo opus pticulare exercitũ in instr
mentis ab expertis primo modo. Dico autem vno sensu,vt audiẽtes cantus aliorum & percipiẽt
modulationes in singularibus ex vocum eleuatione,depressione,protractiõe,& modulatione.Dic
autem duobus sensibus, vt videndo citharæ pcussiões,& audiẽdo sonoꝝ modulationes.Ex qua se
suali experiẽtia nouẽt pticulare & potest operari cum vult,nisi defectum patiatur in instrumẽto

ſed nõ ſtatim tã expedite ſicut exercitat⁹ experiẽtia inſtrumẽtali:qa ex tali exercitio aptanť ipſa
mẽbra corpis nří ad ipm faciliter exequẽdũ.Et ideo pſectior eſt experiẽtia iſtrumẽtalis ĝ ſenſua
lis tñ:qa illa includit iſtã,& nõ ecõuerſo.Et tã iſti ĝ illi in operãdo magis pſiciũt & min⁹ errãt,
ĝ habẽtes artẽ & ſciẽtes vniuerſale abſcŷ vtracŷ experiẽtia.dicẽte Philoſopho in principio Meta
phy.Ad actum experiẽtia ab arte nihil differre videtur:ſed expertos magis pſicere videm⁹ ſine
experiẽtia ratiõe habẽtib⁹.Cauſa quidẽ eſt,cŷ experimẽtũ ſingulariũ eſt cognitio:ars autẽ vni
uerſalium.Si ergo ſine experimẽto aliquis rationem habeat & vniuerſale cognoſcat:in hoc au
tem ſingulare ignorat:multotiens peccabit．Sed tamen ſcire magis arte ĝ experimẽto arbitra
mur:& artifices expertis ſapientiores eſſe opinamur.Hoc autem eſt cŷ hi cauſam ſciunt:illi au
rem non.Experti quia ſciunt:ſed propter quid neſciunt:hi autem propter quid & cauſam co
gnoſcũt．Vnde architectores circa vnumquodcŷ nobiliores & magis manuartificibus ſcire de
monſtramus:quia factorũ cauſas ſciunt.Illi autẽ ſicut inanimatorum quedã faciunt:& que fa
iunt,incognita faciunt:vt ignis comburit:ſed inanimata natura faciunt vnũquodcŷ:manu ve
o artifices per cõſuetudinẽ．Propter qđ dixi ſupra,cŷ potentia practica magis circa particula
ia cõmunicat cum potẽtia naturali ĝ cum rationali:& cŷ eſt ad alterum contrariorum: cum 

L

otentia rationalis inquantum rationalis eſt contrariorũ.Diſtinguit tamen Philoſophus in.ix.
Metaph.ſecundũ hoc tria genera potẽtiarum,vbi dicit.Cũ fuerint omnes potẽtie, quędam ha
ent vnum genus vt ſenſus,& quædam p additamentum,& quædã per doctrinam.Cõmẽ.Cũ
otentiæ ſunt diuerſi modi,quædã conueniunt in hoc cŷ exiſtunt per naturã:verbi gratia,ſen
us:& quædã aſſiſtunt per aſſuetudinẽ,& quedã per doctrinam:verbi gratia,vt plures artes.Et
ixit hoc,quia artes operatiuẽ quedã acquirunť per aſſuetudinem,& quædam p rationem．Per
ſſuetudinẽ intelligo quando eſt experiẽtia ſine ratione,in quibus in eodẽ neceſſario actus prẽ
edit potẽtiam.Per rationem intelligo quãdo eſt cognitio vniuerſalis ſine experiẽtia pcedente,
n quibus nõ pcedit actus potẽtiam in eodem:licet neceſſario pcedit in alio.Quia vt dicitur in

M

rincipio Metaph.hominibus ſcientia & ars p experimẽtum accidit.Et in hoc differt dicta po
entia artis duplex a potentia naturali．dicẽte Pĥo vbi ſupra.Iam neceſſe eſt vt quædam ſint
uorũ actio pcedit,& ſunt omnia que ſunt p conſuetudinem & loquutionem．Que autem non
alia,ſunt iſta que ſunt p paſſionem.Cõmẽ.Neceſſe eſt vt potẽtias & habitus pcedãt actiones il
arum potẽtiarum & habituum.Qui eñ tangit citharã non acquirit habitum tangẽdi citha
ã donec tangat illã.Potentiẽ autem naturales pcedunt ſuas actiones in eſſe.Qui eñ habet po
entiã viſibilem non eſt neceſſarium in hoc cŷ acquirat hanc potentiam．hoc,ſcilicet cŷ ante vi
eat.Et eſt habitus qui eſt in expertis non ſcientibus vniuerſale,nõ vere habitus:ſed quædã cõ
uetudinalis habilitas in intellectu:qualis etiã eſt in mẽbris corporeis aſſuetis ad actũ:aut qua
em ponimus in viribus ſenſitiuis ab habitibus moralibus impreſſum,qui ſunt in volũtate．Si
e experientia aũt & tali habitu cõſuetudinali nunĝ habitus verus quo cognoſcit vniuerſale
racticus eſt:qui per experiẽtiã duplicem iam dicta dupliciter habet fieri practicus ſcdm duos
modos ia dictos.Primo qñ ſimul cũ experiẽtia ſingulari addiſcit vniuerſale.ſcdm illud qđ dicit
n principio Metaph.Fit aũt ars cũ multis experimẽto intellectis vna fit vniuerſalis de ſiĩb⁹ ac
eptio．Sed iſta acceptio vniuerſalis qñ fit experientia inſtrumẽtali pfectius acquiritur habitus
niuerſalis & ſub ratione qua eſt ſpeculatiuus & vniuerſalis,& ſub ratiõe illa qua ex experiẽtia
racticus eſt.Vnde de talis habitus acquiſitione dicit.ix.Metaph.Impoſſibile eſt vt ſit ædifica
or qui non ędificat omnino,& vt ſit cithariſta,qui non citharizat omnino．Qui eñ addiſcit
itharizare,citharizat & addiſcit,& ſimiliter de aliis．Et Cõmen.Quia actus pcedit potentiam
ẽpore,impoſſibile eſt vt acquirat artem citharizandi qui nunĝ citharizauit.qui eñ addiſcit ci
harizare citharizat & addiſcit,& ſic acquirit artem citharizandi, & ſic etiã in aliis artificiis ĝ

N

ddiſcunť per exercitium．Quãdo vero dicta acceptio vl̃s fit experiẽtia ſenſualis tñ in artibus
ue natẽ ſunt acquiri experientia inſtrumẽtali,tunc habitus vniuerſalis ſub ratione qua practi
us eſt,minus pfecte acquiritur ĝ (vt dictũ eſt) acquiriť experiẽtia inſtrumẽtali．Aliquãdo aũt
ars ex ſola experiẽtia ſenſuali nata eſt acquiri:vt medicina:quæ tãto pfectius acquiriť ĝto plu
rium ſenſuum experientia acquiriť,puta ſi quis diſcipulus in medicina ambulãs cũ perito me
dico practicãte,qui ſimul docet eum vniuerſale,& facit ipm experiri circa ęgrotos in pticulari:
ipe ſimul & ſpeculatiuã & practicã artem medicinę acquirit:quę ſpeculatiua eſt ex ratiõe vni
uerſalis: practica vero ex ratione determinationis ipſius vniuerſalis in particulari cognito ex
ſenſu.Et talis licet nunĝ fuit operatus ſcdm artem medicinę,nec in addiſcendo intẽdebat vnĝ
operari,potẽs eſt operari cum vult:& pfecte practicus eſt licet nunĝ fuerit operatus:quia nul

Iam experientiā inſtrumētalem requirit ꝓpriam in qua ars experitur.Et ſcđm hunc modū ex
periētes experiētia ſenſuali viſus & auditus opera iuſtitię & largitatis & aliarū virtutū mora-
liū atꝗ prudētię circa opera aliarū cū bona voluntate operādi cōfimilia ſi eis adeſſet facultas
acquirūt ſibi habitus harum virtutū non tam in merito apud deū,qui talem voluntatē ꝓ facto
reputat,ꝗ in ſubſtātia habitus ,nō dico infuſi,ſed vere acquiſiti. Scđo autē modo habitus quo
cognoſcit vniuerſale,ſit practic⁹ quādo primo cognito vniuerſali ſpeculatiue,ponit ſe ſciens ad
experiēdū,& ꝑ hoc ad cognoſcēdū vniuerſale in pticulari,qđ prius nouit ſcđm ſe.Et ſemꝑ ē idē
habitus ſimpliciter ſpeculatiuus & practicus,ſola ratione diſtinctus & pſectione,ſicut idem eſt
vniuerſale qđ ſcđm ſe cōſiderat,& qđ cōſideratur exiſtēs in particulari,ita ꝗ parum ſit cogno
ſcere vniuerſale in particulari tm̄:plus autē cognoſcere ipſum in vli tm̄: pſectū autem cogno
ſcere ipſum vtroꝗ modo.Propter qđ Phus non ſtatuit ſtandū in ſpeculatiua moraliū:ſed pgre
diendū eſſe ad operatione,cum dixit.ii.Ethico.Pꝛeſens negotiū non contēplationis gratia,nōvt
ſciamus quid eſt virtus:ſed vt boni efficiamur:quoniā pꝛeſens negotiū principaliter eſt gratia
operis virtutū.Propter qđ auditor huius ſcientię ab initio non debet eſſe quoquo modo expers
operationū aſſuefactione ſiue arte,vt iā dictum eſt.Hinc dicit primo Ethico.Politicę non ꝓprie
auditor iuuenis.Inexpertus em̄ eſt eorum qui ſcđm vitam ſunt actuum. Vnde & in cognoſcē
do ambo ſimul eſt diſtinguere & quo conſideratio nata eſt dici ſpeculatiua , & quo eſt practica,Propter qđ Phus in principio Metaph.ponēdo architectonicos qui ſciunt vniuerſale & par
ticulare,eſſe ſapientiores manuartificibus qui ſciunt pticulare tm̄, diſtinguēdo illa duo in eodem dicit ꝗ non ſecundū qđ eſt practicos eſſe ſapientiores ſunt,ſed ſecundū ꝗ ratiōe habet &
cauſas cognoſcūt.Vnde qualia illa duo eſt cōſiderare in habitu operatiuo.Q͛ tamē dicit potetia operādi,iuxta illud.ix.metaph.Oīa artificia & ſcietię ſunt potētię,quia ſunt principia trāſ
mutātia in aliud ſecūdū ꝗ aliud . hoc cōtingit ei ab eo quod habet ex experiētia in particulari,
non autem ab eo qđ habet ex ratione in vniuerſali.Sepius em̄ deficiunt habētes vniuerſale ſine
experiētia,vbi ꝑficiūt habētes experiētiā ſine ratiōe vniuerſalis. ¶Eſt autē aduertēdū ꝗ hmōi
habitus nō ſunt potētiæ eo ꝗ per eos poteſt aliquis operari ſimpliciter : ſed ꝗ poteſt ſic per eos
operari,ſcilicet ſepius aut in pluribus abſꝗ omni errore.Ars em̄ eſt recta ratio factibiliū,& pru
dentia eſt recta ratio operabilium.Vnde etſi id qđ habet ex experientia in particulari poſſet habere homo circa cognitiōe vniuerſalis ꝑ infuſione aut miraculum abſꝗ omni experiētia ꝑ ce
cedēte aut ſequēte notitia vniuerſalis:adhuc ratiōe illi⁹ ars eſſet practica,& potētia quædam
qua artifex pōt in opus:& hoc nō quia ꝑ eā ſimpl̕r artifex pōt in opus:ſed quia pōt determina
re particularē modū operandi circa determinatā materiā, & quia nō operat circa illā priuſꝗ ſic
determinet:vt ꝗ egrotus talis ſic debet curari & nō aliter, vel aliter nō ita cōmode:vt ſic etiā
habitus vt practicus eſt,& intellectus qui practicus eſt vt ipſo eſt informatus determinēt actio
nem & modū agendi ipſi voluntati:dicēdo ſic eſſe agendū pciſſe.Vnde q̄uis ſcientia ſit de opera-
bilibus,ſi nonſit nata determinate opus volūtati, ſed a ſola voluntate depēdet operis determi
natio,practica ſcientia nō ē:nec eſt alius finis eius inquātū hmōi ꝗ veritatis cognitio:qua pꝛen
tat volūtati operanda non autem determinat.Vnde ſi per impoſſibile ponatur in nobis ſcientia
operadorum qua ſciamus oīa particularia & operādi modos particulares,ꝓter hoc ꝗ nata eſſet
determinare opus & modū operandi, a ſola notitia particulariū non poſſet practica dici : ſicut
nec ſcientia dei de creaturis.Licet autē ſcientia noſtra vniuerſalis nō poteſt dici practica, quia
non eſt nata determinare practica niſi vt potētia remota: magis tamē habet rationem practicę
quia ipſa per experientia nata eſt fieri practica,& determinare operāda. Scietia vero Dei quātū
cūꝗ ſit rerum ſcđm earum eſſe particulare,nequaꝗ.quēadmodū ſcientia noſtra vniuerſalis eſt
potētia quaſi remota operandorū:quę ſicut nō meretur vere dici potētia illa quę eſt propinqua
ſic nec meretur dici practica.aliquātulum tñ accedit ad naturā ipſius,& eſt media inter pſecte
ſpeculatiuas & pſecte practicas.Vnde ſup illud primi Ethic.Practicę autē finis nō cognitio ſed
actus.dicit Cōmen.Hęc em̄ ars non ſpeculatiua eſt ſimpl̕r:vt cognitione dictorū contenti ſint
auditores:ſed & oportet cognitioni ſermonū actus & operationes apponere, & ſic verius pra
ctica eſt ꝗ ſpeculatiua.Nec dicit finis ſcientię practicę operari ab eo ꝗ habens illā intendit ope
rari ſm̄ eā vel nō:ſed quia ꝑ ipſam determinat operāda volūtati,determinat operandū volun
tati:& ꝗ inquātū talis eſt,ſcđm eam non cōtingit operari cōtraria:ſed vnicū tm̄.ita etiam ꝗ
ſcđm Phm non ſolū determinat voluntati quantum eſt in ſe quid & quomodo eſt agendū di
mittēdo agere vel nō agere ī libertate volūtatis:ſed etiā determinat ipſam volūtatē: vt exiſtē
te iſta determinatione ſi nō ſit impediens neceſſe ſit illā velle & agere.Quoniā ſcđm ipm in de

caufis motus aialiu(vt habitu eft fupra)fimile eft de operabilib⁹ & intelligibilibus. Et vt dicit
in tertio de aia,oino de actione & fine actu veru & falfum in eode genere funt bono & malo.vt
ficut intellect⁹ duab⁹ ppofitionib⁹ ppofitis in fpeculatiuis neceffario coponit coclufione aut di
uidit dicedo veru vel falfum ibi fiftedo,fic intellectus duab⁹ ppofitionib⁹ ppofitis in actiuis co
clufio fcdm intellectu eft operadu vel no operadu,& coclufio apud intellectu eft operatio apud
volutate.CAd fecundu q volutas & natura funt effentialia in deo,quare no funt ratioes elicie

Q
Ad fecudu

di actus notionales:Dicendu fcdm pdicta q licet fcdm fe funt effentialia,nec principia eliciedi
actus notionales:tn vt funt fub pprietatibus pfonaru notionalib⁹,trahunt ad notionalia,& fic
bene poffunt effe principia actionu notionaliu.CAd illud qd vlterius arguit: q natura & volu

R

tas fimul cocurrut vt ratioes eliciendi actum:quia volutas eft naturalis potetia ficut & intelle
ctus:Dicedu q potetia habet coparari ad duo,& ad fubiectu,& ad actum atq obiectu.Et fcdm
prima coparatione volutas eft ita naturalis potetia nature intellectualis ficut & intellect⁹ . fed
de illa coparatione nihil ad pfens. Secudu vero fecudam coparatione que refpicit modu elicien
di actum cu impetu vel fine,intellectus vt naturalis potetia operat, & refpectu illi⁹ actus eft pu
re naturalis & operat vt naturalis.Voluntas aute nec refpectu illius actus,nec refpectu alterius
operat vt naturalis potetia fcdm modum fecudu nature predictum:fed folu vt libera.CPrime
due rationes in oppofitum concedende funt : quia non concludunt de natura & voluntate q

S
Ad arg. in
contrariu.

non concurrunt fimul,nifi inquatum ambo fumunt vt rationes elicitiue : vt patet infpicienti
eas. CAd tertium q in vna & eadem natura non eft nifi vnus modus producendi & eliciendi

T
Ad tertiu.

actum:Dicendum q veru eft in natura creata,no aute in natura increata,vt pdictum eft.Licet
em voluntas in creaturis nec pot de materia ipfius pducentis,nec de materia aliena pducere
fimile in fpecie fcdm forma fubftatialem:quia volutas in nobis ordinata ad pducendu aliquid
nihil pducit ex virtute forme fubftatialis in qua eft illa volutas:fed folu in virtute forme idea
lis q eft in mete.In deo aute pducit ex virtute forme fubftatialis in qua eft . Virtus em nature
deitatis qua pducitur filius elicitiue penes fcdm modu nature,licet no comunicat in volutate
filii & patris per generatione ad eliciendu actu fpiratiois:propter qd fpus fanctus non eft filius
aut genitus: comunicat tn in voluntate vis deitatis vt eft natura primo modo,vt p ea volun
tas fit foecuda actiue ad pducendu vt ratio elicitiua,licet modo volutatis libere, qui pprie eft
ei actus fpiratiois,& p illu pductionis fpiritus fancti.Propter qd ipfe fpiritus fanctus eft ide in
natura primo modo dicta cu filio.Comunicat etia ex fupra determinatis q incomutabili necef
fitate actu fpirandi eliciat volutas libere.fic q non pot ipm no elicere,neceffitate nature quar
to mo dicte pgreditur, & hoc in ordine ad amatu ex ipa libertate.In ordine vero ad pductum
ex vi nature primo modo dicte fibi annexe. CAd vltimu q volutas terminu actiois & mot⁹ fui

V
Ad vlti.

fupponit,nihil aut terminu fuu pducit:Dicedu q termin⁹ actiois volutatis fiue motus voluta
tis duplex e,fcdm q duplex e finis actiois.Vn⁹ itra que cofequit ages fua actione ipm pducedo
queadmodu artifex carpetatioe cofequit forma dom⁹,q pprie e finis opis,ad que ipm opus car
petationis p fe ordinat.Alter vero e finis extra, que cofequit ages fua operatioe ipm attingedo
fecundu q inhabitatio eft finis carpetationis,q tn pprie eft finis operatis, quia ipm principali
ter intedit.Et ficut hoc cotingit i creaturis circa alia materia , fic hoc cotingit i diuinis circa
ppriam natura deitatis. Finis em & termin⁹ intra in actione volutatis diuine notionali eft ipfe
amor pcedes,qui eft fpus fanctus.Volutas em patris & filii conuerfa fcdm pdictu modu,quafi
feparat fe a feipfa vt eft informata fimplici amore fiue amatione , & ponit fe ex oppofito illi.&
ideo agit pducendo de amore fimplici actu fuo flagratiois q eft fpiratio actiua,amore incetiuu
de amore fimplici quafi de amore minus feruete p exfufflatione agedo amore magis feruetem:
queadmodu in generatione de notitia fimplici quafi minus clara agit notitia declaratiua quafi
magis,& tn non eft nifi vna & eade notitia:quia in amore incetiuo eft amor fimplex,& in noti
tia declaratiua eft notitia fimplex quafi minus intefum iu magis intefo,licet no funt ibi plura
fcdm veritate.Vnde eft eade notitia fcdm rem q eft in pcedete & q eft in illo a quo pcedit:fed

X

in illo a quo pcedit p modu fimplicis tn,in ipfo pcedete p modu declaratiue.Et qa p couerfio
ne intellect⁹ i quo gnat notitia declaratiua fe habet vt oppofit⁹ & feparat⁹ a fe vt e informat⁹
notitia fimplici a quo pcedit actio gnatiois:que quide feparatio & oppofitio no importat nifi
diftictione relatiois & modu habedi hui⁹ vt eft actiuu i illud vt in ppriu paffiuu,ideo necef fa
rio eft vera diftictio frm ratione relatiois q hec ab illa.Et cofift intelligedu fuo mo de amore du
plici iuxta fuperi⁹ declarata.Et qa volutas diuina pris & filii p fpiratione q eft flagratio qda af
fectus eftuatis,no pducit amore incetiuu q eft fpus fanct⁹ quafi flatu æftus illi⁹ ampli⁹ iflama
do amore eentiale ppter fe:vt i illo amore incetiuo ftet:fed p illu fert i amatu prius amore fim

plíci q̃fi ardēti⁹ ſe ĩ illud ímergēdo & maiore flãma amoris,ſcdm q̃ dictũ ſuo mõ ſiſe de notítia ſimplíci & declaratiua ĩ idē cognoſcēdo.Q̃ d̃ qdē qa eſt amatũ prio eſſentíalr̃ & q̃fi incõplete,qa primo cognitũ ē notítia eēntiali q̃fi incõplete,volũtas eſſentialis excitat ĩtellectũ ad cõuerſione & p hoc ad ampliore cognitione pcipiēndã de amatore q̃ pcipit notítia declaratíua ĩ ipo gñato. Vt ſcdm hoc etiã ĩ diuinis ſcdm rõne noſtrã ĩtelligēdí partũ mētis,ſ.pſonale pcedit appetit⁹ eſ

**Y** ſentialis.Cum aũt illud prio amatũ eſſentialr̃ cognitũ ē a notítia declaratiua,ſtatí volũtas ĩ id qd̃ iã q̃fi cognitũ ē amore pſonali incētiuo fert ĩ illud, & r̃ſidet amor notítię & ĩ illo p talē amoré vt ĩ fine extra:voles p hmõi amore vt ipſi⁹ flagratiõis & ſpiratiõis p ſe termin⁹ ſit amor flagrãs:ipſi⁹ vero ſpirãtis pprie ſit finis quies ĩillo:tanq̃ ĩ illo ĩ quo eſt termin⁹ ĩtētiõis agētis,& ppter quē expſſit amoris flagrãtiã ĩ illud:vt ille illi intimíſſime & ardētíſſime vníretur.Et ideo ſpirãs volũtas nõ ſtat in ſpirato:ſed ſpiratũ dirigit ĩ amatũ.Secũdũ quē modũ(prout dicit)do

**Z** nũ ſpũs ſancti ſpirat a pr̃e & quieſcit ĩ filio vt ĩ amato ipo ſpũ ſancto : & ecõuerſo ſcdm latinos ſpũs ſanct⁹ a filio ſpirat,& quieſcit ĩ pr̃e vt ĩ amato filr̃.Breuiter ergo ad argumẽtũ dicēdũ q̃ li cet nõ pducit volũtas terminũ actiõis:ſed ſupponit q eſt vt finis extra,bñ tñ ĩ diuinis pducit terminũ qui eſt vt finis intra,ordinatus in finem extra,& hoc per ſimilitudinem in creaturis ſe cundum verba Rícar.ſuperius poſita & expoſita.

**A**
**Queſt.II.**
**Argu.J.**

Irca ſecũdũ arguit q̃ gñatio & ſpiratio nõ ſũt pceſſiões diſtinctę aut diuerſæ iter ſe realr̃,Prio ſic.Realis diſtinctio nõ ē niſi ĩ ea q̃ realr̃ ſũt alia & alia:ſicut nõ ē diſtinctio ſm rõne niſi eorũ q̃ ſm rõne ſũt alia & alia,ſed p alia & alia ſm ré abſolutã nullo mõ pñt diſtingui,qa ſic alia & alia nõ ſũt ĩ diuinis,qa idipm ſunt oĩa ſm ré abſolutã vt habitũ ē ſupra,nec ſm ré relatiuã ſiue notionale: qa relatio nõ diſtinguit niſi ſm oppoſitione relatiuã originis,ſ.ei⁹ qd̃ ē ab,ad il lũ a quo ē.Vñ & dicũt aliq̃ ſm q̃ habitũ ē ſupra,q̃ ſi ſpũs ſanct⁹ nõ pcederet a filio,nõ diſtingue ret oĩno a filio.gñatio aũt & ſpiratio nullã hñt relatiuã oppoſitione iter ſe ſm hũc modũ , quia

**2** neq̃ a gñatióne habet eē ſpiratio,nec ecõuerſo,eo q̃ actiõis nõ ē actio,ſicut neq̃ motus eſt mot⁹, neq̃ ſicut termin⁹,neq̃ ſicut ſubiectũ ſm Pm.v.phyſi.§ &c.Scdo ſic.vbi nõ differũt pricipía ppria pxía & p ſe agẽtia niſi ſm ratione,neq̃ pricipiata:qa pricipía ſunt vnigenea principiatis Pricípia pxía ppria & p ſe gñatiõis & ſpiratiõis ſũt volũtas & natura:q̃ in deo nõ differũt niſi ſm rõne.§ &c.Sed forte dicet ſecũdũ ſuperi⁹ determinata,q̃ ppter rõnes reſpectuũ quos ſpor

**Euaſio.** tãt diuerſimode ad eliciēdũ act⁹ q̃ notiõales ſunt & reales re relatiõis, ĩ diuinis & volũtas atq̃ natura differũt atq̃ diſtinguunt re.Cõtra q̃ ſcdm Pm potētię diſtinguunt p act⁹:quare nõ ecõuerſo:qa aliter idē diſtingueret a ſeipſo.q̃re cũ pceſſiões act⁹ ſũt,volũtas aũt & natura ſũt po

**3** tētię,nullo mõ pceſſiões q̃ ſunt gñario & ſpiratio diſtinguunt d̃ſtinctione volũtatis & naturæ.
**In oppoſi.** Cõtra.emanatiões idifferẽtes & idiſtinctę nõ ſũt ad termios differẽtes & diſtinctos.q̃re cũ gña tio & ſpiratio ſunt ad termios diſtinctos q̃ ſũt fili⁹ & ſpũs ſanct⁹: ipa neceſſario iter ſe ſũt diſtincta.

**B**
**Reſponſio.**

Dicendũ ad hoc q̃ gñatio & ſpiratio ſunt pceſſiões diſtinctę inter ſe realiter nõ re abſoluta:ſed re relatiõis,& hoc nõ niſi penes rõne originis q̃ hoc ē ab hoc,& vnũ eoq̃ ab alio ſuã trahit origine:vt ſit quodãmodo hoc ab hoc.Sed hoc cõtingit dupſr̃.Vno modo pprie q̃ habet eē ab hoc qa.ſ.vnũ eſt pricipiũ & aliud principiatũ,& hoc poſitiue.Alio mõ cõiter,qa.ſ. hoc nõ habet eſſe ſine illo præuio vel quaſi,& ſic ab illo vt a pricipio ſine quo nõ eſt,& quo nõ poſito alterũ nõ habet eſſe.Primo mõ eſt diſtinctio re relatiõis inter relatiões relatiue oppoſitas q̃ ſunt extrema vni⁹ relationis,q̃ eſt interuallũ illarũ,vt eſt ſiſitudo q̃ eſt Sortis fundata ſup al bedínē Sortis ad illã ſiſitudinē q̃ eſt Platonis fundata ſup albedínē Platonis.& talis diſtinctio ē

**C** inter relatiões q̃ ſunt patris ad filiũ,& q̃ ſunt cõiter patris & filii ad ſpũm ſanctũ. Et ſic diſtinguunt gñatio actiua & paſſiua, & ſiſt ſpiratio actiua & paſſiua inter ſe, & ſiſt illa q̃ cũ illis hñt idētitatē reale.re dico relatiõis.Differũt aũt inter ſe ſola ratiõe.de quib⁹ ſermo habit⁹ eſt ſupra In oĩbus eĩ talibus eſt diſtinctio relationũ,qa hęc ab illa:ſed hoc nõ niſi ĩ ſuis ſuppoſitis.Quia eĩ a toto patre in quo eſt paternitas eſt tot⁹ fili⁹:& filiatio q̃ eſt ĩ filio quoquo modo eſt a pater nitate q̃ eſt in patre:& ſiſt quia a toto patre & filio,in quibus eſt vna ſpiratio actiua,eſt tot⁹ ſpi ritus ſanctus in quo eſt ſpiratio paſſiua,& ſpiratio paſſiua quę eſt in ſpiritu ſancto quoquo mo do eſt a ſpiratione actiua quæ eſt in patre . Vnde non reſtat dubitatio niſi de ſpiratione & generatiõe ſimpliciter.Dico ergo q̃ inter generationem & ſpirationem ſimpliciter acceptas ſecũ

**D** dũ iam exponendum,duplex differentia debet aſſignari:vna quaſi materialis:& alia quaſi for malis.Quaſi materialis,qualis eſt illa quæ iã aſſignata eſt in fine diſſolutionis ad corpus quæ ſtiõis præcedentis:quia(vt ibi expoſitum eſt)illa accipitur ſcdm rationem & modum eliciendi

dictas emanatiões ex ſuis principiis quaſi materialibus ex quibus eliciunt ⸳ de qua diſtinctione
adhuc erit ſermo in qſtione pſente.Formalis vero diſtinctio q debet aſſignari inter dictas duas
emanatiões,e penes rônes relatiuas originãdi vnã illarũ ab alia.CAd cui9 itellectũ ſciendũ e q **B**
gnatio & ſpiratio ſunt pceſſiões diſticte iter ſe realr nõ re abſoluta ſed re relatiõis:& hoc nõ ni
ſi penes ratiõemoriginis q hoc e ab hoc,& vnũ eoq ab alio ſuã trahit originẽ:vt ſit quodãmodo
hoc ex hoc. Sed hoc ee ab hoc cõtigit duplr.Vno mõ pprie,quia,ſ.vnũ eorũ alteri9 eſt prícipiũ
& aliud prícipiatũ,& hoc poſitiue. Alio modo cõiter,qa.ſ.hoc nõ habet ee ſine illo puio vrquaſi
vel ſic ab illo vt a prícipio ſine quo nõ & quo nõ poſito alterũ nõ habet ee.Primo mõ eſt diſtin
ctio re relatiõis iter relatiue oppoſita p relatiões reales, & talis diſtictio e pfis ad filiũ,& pfis &
filii ad ſpiritũ ſanctũ,& p cõſeques relationũ quib9 diſtiguunt.Cũcta em q ſunt pprïa filio,quo
dãmodo habet ee ab illis q ſunt pprïa pri:& eadẽ ratione cuncta q ſunt pprïa ſpũ ſancto,ab illis
q ſunt cõiter pprïa pri & filio,ſecũdũ q hoc patet ex ſupra determinat|.Et hoc mõ diſtiguunt
gnatio actiua & paſſiua,& ſilr ſpiratio actiua & paſſiua iter ſe,& ſilr illa q cũ illis hñt idétitatẽ
realẽ,re dico relatiõis,& differũt iter ſe ſola ratione,de qb9 ſermo habit9 e ſupra.In oib9 em tali
bus diſtictio e relationũ,qa hec ab illa,& hoc nõ niſi i ſuis ſuppoſit|.Quia em a toto pfe i quo e
paternitas,e tot9 fili9,& filiatio q e i filio quoquo mõ9 e a paternitat q eſt in pfe:& ſilr qa a toto
pfe & filio,i qb9 e vna ſpiratio actiua, q e i pfe & filio,ſicut & gnatio paſſiua q e i filio,eſt a gna
tiõe actiua q e i pfe: nõ reſtat dubitatio niſi de ſpiratiõe & gnatiõe cõparatis iter ſe vt ſimplr
accipiunt,& gnatio continet tã actiuã gnatiõe q paſſiuã,& ſilr ſpiratio tã actiuã ſpiratiõe q
paſſiuã. De qbus dico q diſtiguunt realr etiã re relatiua iſto prio mõ,qa gnatio actiua & ſpira
tio actiua ſilr hñt ee i pfe,& gnatio paſſiua & ſpiratio actiua ſilr hñt ee i filio.Illorũ aũt q ſunt in
diuinis,nũqvnũ habet ee ab alio iſto ſcdo mõ.Spiratio paſſiua q habet ee i ſpũ ſcto,nõ habet ee
iſto prio mõ a gnatiõe actiua aut paſſiua:ſed poti9 a ſpiratiõe actiua.Scdo aũt mõ pdicto diſti
guẽdi relatiua & reali diſtictiõe,ſecũdũ quã.ſ.hoc habet ee ab hoc:qa hoc e puiũ ad illud:diſti
guit gnatio ſimplr a ſpiratiõe ſimplr:qa ſpiratio ſimplr originẽ trahit a gnatiõe ſimplr:i hoc.ſ.
q gnatio tã actiua i pfe q paſſiua i filio puia e vel qſi ad ſpiratione & actiuã & paſſiuã.Que ad
modũ em act9 intellect9 ſimplr puius e ad actũ volũtat| ſimplr:vt ſine quo volũtas nõ poſſet ín
ſuũ actũ,ſic act9 itellect9 quo ſic itelligit declaratiue,puius e ad actũ volũtatis relatiue: vt ſine
quo nõ poſſet volũtas i actũ tale,ſecundũ q hec oia patent ex ſuperi9 declaratis. Scdm hoc em
etſi ſpũs ſanctus pcederet a ſolo pfe,ſicut & generat filius, iſto ſecũdo modo ſcdm rationẽ ori
ginandi hoc ab hoc,generatio actiua diſtingueret a ſpiratione actiua,& ſimiliter filius a ſpiritu
ſancto:non ſolum autem ſcdm modum diſtinctionis relationum diſparatarum⸳

C Ad primũ in oppoſitũ:cũ dicit q nõ eſt diſtictio realis i diuinis niſi relatiõis ori
ginis ei9 q e ab ab alio ad illũ a quo e,qliter nõ ſe hñt iter ſe gnatio & ſpiratio:dicút aliq q tri
plex e diſtictio relationũ.Vna.ſ.fm relatiuã oppoſitione:qlis eſt iter relatiões qbus illa in qbus
ſunt,relatiue dicunt inter ſe:vt ſunt paternitas & filiatio:q ſũt relatiões ſimplr:quib9 ſubiecta
dicune inuice ad ſe qn relatiões ille cõparant ad diuerſa ſubiecta i creaturis.Eſt em pr,filii pr,&
ecõuerſo:& ſi pr eſt fili9 e,& ecõuerſo.Sũt aũt relatiões relatiue oppoſite quib9 ſubiecta a ſe mu
tuo remouent ſecũdũ q cõparant ad idẽ ſubiectũ.Si em iſte e pr illi9,ergo nõ e fili9 eiuſdẽ.Alia
vero e diſtictio relationũ fm oppoſitione cõtrarietatis:qlis e iter relatiões quib9 ſubiecta in qui
bus ſunt dicunt iter ſe relatiue illis relatiõib9:ſed poti9 iter ſe cõtrariant:vt ſunt relatiões fun
date ſup fundamẽta q ſunt cõtraria abſoluta:qliter opponit ſilitudo fundata ſup duas albedies
i diuerſis,& ſilitudo fundata ſup duas albedines i aliis.Et e ſemp iſta oppoſitio iter duas relatio
nes,quarũ vtraq cõtinet duas relatiões relatiue oppoſitas iter ſe:& ipſarũ vtraq e qſi iteruallũ
inter relatiões relatiue oppoſitas.Prima aũt oppoſitio nõ e niſi iter duas relatiões q ſunt extre
ma vni9 qſi iterualli.Tertia vero eſt diſtictio relationũ ſcdm oppoſitione diſparatiõis:qlis e in
ter relatiões q fundant ſup fundamẽta abſoluta diſparata:qliter diuerſe relatiões ſũt & diſpara
te qlitas fundata i quãtitate & ſilitudo fundata i qlitate.Et e ſp iſta oppoſitio ſicut pcedes iter
duas relatiões:q ſunt qſi iteruallu duarũ extremitatũ:q ſunt relatiões relatiue oppoſite.Vñ di
cút q differũt relatiões iſte ſeipſis formalr ſicut & ſua fundamẽta.Et etiã gnatio & ſpiratio ſe
cũdũ q ſũt iterualla,& cõiter cõtinẽt rõne actiõis & paſſiõis,iſto tertio mõ differũt.Qd nullo
mõ põt ſtare i diuinis:qa talis oppoſitio nõ cauſat niſi ex diuerſitate fundamẽtoq:qlis nõ e ín
deo,i quo fundamẽtũ oim relationũ e ſimplex eẽntia deitat|:i qua relatiões fundate ſemp ſunt
diuerſe ſcdm ratione tm,niſi inter ipſas ſit aliquo modo ratio originis qua hoc quoquo modo
habet eſſe ab hoc.Dico ergo ſcdm iã dicta,q licet generatio & ſpiratio nullã habeant relatiuã

oppofitione fcdm rationé originddi hoc ab hoc primo modo pdictog,vt pcedit obiectio : bene habét inter fe relatiuá oppofitioné fcdm rationé originddi hoc ab hoc fecudo modo , vt patet ex iá dictis,& iá ampli⁹ patebit ex dicédis in fequéti qftione.Et fcdm relatióes q fic differut,nó dicitur aliqua relatiue inter fe:& quo ad hoc tales relatióes quoquo modo funt feparatę. Et ef fet etiá talis differétia inter generationé & fpiratioé etiá fi fpus fanctus pcederet a folo patre ficut & filius:qa generatio filii adhuc eét neceffario quafi pręuia ad fpiratioé fpus fancti ea ra tione quę iá dicta eft fupra.Et fcdm hoc fi fpus fanctus nó pcederet a filio,effet tñ ratio origi nádi fpiritu fanctu a filio fecudo modo pdicto:& ordo quidá naturalis filii ad fpiritu fanctu:vt tágetur in fequéti qftione:& effet diftinctio fpus fancti a filio fcdm relatiuá oppofitioné ex ra tione originddi fecudo modo:licet fcdm illas relationes neuter ad alteru diceret,fi effent fcdm hoc relationes difparatę tñ. & hoc modo vnus motus in creaturis bene pōt effe ab altero,licet nó primo modo.℃Ad fecundu cu dicit q pxima principia generatiois & fpiratiois q funt na tura & volutas nó differut in deo nifi fcdm ratione,ergo nec ifta:dicendu eft refpondédo vt fu pra.℃Et qd arguit in contrariu,q potétię diftinguunt p actus,ergo nó econuerfo:Dicédum em potétię qñcp ordinant ad actus differétes fcdm numeru tm,quádocp vero ad actus differentes fpecie aut genere.Act⁹ fcdm numeru tm differut vt videre hoc albu vl' illud,videre albu & vi dere nigru.Actus vero differétes fpecie funt videre,audire,& hmõi.Actus vero differétes ge nere funt audire,intelligere,fentire,velle. De primis actib⁹ eft veru folumodo q potétię difti guunt.i.determinant per actus. Eadé enim potétia numero puta vifiua,nó determinat nifi di uerfis vifionibus: quibus nó pprie diftinguit.De fecudis auté nequaq.Per ea em potétię difti guunt per quę determinant actus.Actus autem folo numero differétes non determinátur nifi ipfis actibus,qa ad oés tales actus vna & eadé potétia naturalis p indifferétia fe habet. Actus auté differétes fpecie aut genere nó determinant neqp diftinguunt ab actibus:fed potius in fe ipfis habét fuá diftinctioné & differentiá in fuis fundamétis a generáte & pducéte illas in effe ita q potétię quaru actus funt feparati,habent pfectę a producéte fubftátias feparatas in qbus funt:exigéte hoc natura earu.Potétię vero quaru actus funt í materia & organo corpali:licet í radice fundaméti habeát diftictioné a pducéte naturá fundaméti,& fic determinationé ad act⁹, vlteriorem tñ determinationé recipiut per organa corporalia: in qua determinatione habét po tétię organicę pfectionem fuá.ita q aia licet feparet cu ofbus potétiis fuis,pfecte fecu defert nó organicas,licet per illas nó poffit operari opera,puta intelligédi,modo quo intelligit in corpore quia quo ad talé modu agendi dependét ab organo.& hoc ppter obiectu qd accipitur ab illo qd eft:vt patet de actu noftro intelligendi,& per cófequens de actu noftro volendi.Potentías vero organicas fecu defert fub ratione impfecta:quia fub impfecta determinatione,& ita vt in radice tm. Et fic in deo natura & volutas potius funt diftinctiua actuum emanationu inter fe differé tium quafi fpecie aut genere,vt funt generatio & fpiratio:q econuerfo.qd bene ex differentiis emanationum fupra affignatis patet,vt in fequéte queftione amplius declarabitur.

G
Ad fecúdú
H
Ad tertiú.

I

K
Queft.III.
Argu,1.

2

3

4

5

In oppofi.
pri.

Irca tertiu arguit q in diuinis nó fit aliquis ordo naturæ fiue naturalis iter generationé & fpiratioé,Primo fic.fcdm Augu.li.iiii.cótra Maxi.ordo natu rę in diuinis eft nó q alter eft prius altero:fed q alter eft ex altero. Spiratio auté non eft ex generatione: nec ecóuerfo. quia q alter fit ex altero hoc folu pfonis cópetit:ergo &c.℃Secudo fic.Non eft ordo in principiatis nifi ex or dine in principiis.In hoc em vnigenea funt principia principiatis,fed in diui nis inter naturá & volútate q funt pricipia emanationu,generatiois & fpiratiois,nó eft ordo naturę fed ratiois tm:quia funt attributa effentialia eque primo fcdm ré fundata in diui na effentia.ergo &c.℃Tertio fic.Ordo eft cóparatio illog.q inter fe habet refpectus diuerfos cu refpectu ad aliquod principiu determinatu,neutru aut inuenit in cóparatione generatiois ad fpi ratione:quia nó habét inter fe refpectus diuerfos,eo q nó funt relatiua inter fe vt habét refpe ctu ad vnu principiu determinatu í ordine ad qd cóparent inter fe. qa etfi gnatio refpicit vnu principiu,nó tñ fpiratio: fed refpicit duo fupra patré & filiu.§ &c.℃Quarto fic.Ordo naturę i portat naturale diftictioné.gnatio & fpiratio nó diftiguunt naturalr í diuinis:qa abo fut í ea dé natura:& talia iter fe nó diftiguunt vt funt í eodé,qa funt idé re.§ &c.℃Quito fic.Filio acci dit generari íquátu fpirat.qa nó genitus generare poffet:exéplu in Adá.& filr patri accidit ge nerare inquátu fpirat,quia voluntate artifex pducit artificiu abfcp primo generante.Si er go ordo eft inter generatione & fpiratione,ille eft per accidens. ℃Contra.inter mediatu & im mediatum fcdm naturam neceffario eft ordo naturę: quia nó funt medium & extremum fine

ordine,fed generatio eft proceffio a patre immediata,fpiratio autem non eft proceffio nifi mediante generatione:quia ad actum volutatis cuiufmodi eft fpiratio, neceffario prefus vel qua
fi preuius eft actus intellectus:cuiufmodi eft gnatio in diuinis.ergo &c.⟨Scdo fic.illa q de fe & **2**
per fe & de fua rone funt principia ordinis naturalis in aliis,funt naturaliter ordinata inter fe:
quia no eft ordo in principiatis nifi ab ordine in principiis.talia funt generatio & fpiratio:quia
generatione & fpiratione ordinantur diuine perfonæ inter fe, vt principiis quibus originatur.
ergo &c. ⟨Tertio fic. Sicut fe habet generatio ad generatu, fic fe habet fpiratio ad fpiratu. er- **3**
go permutatim,ficut fe habet generatum ad fpiratum,ita fe habet generatio ad fpiratione . fed
generatum fic fe habet ad fpiratum cp inter illos eft ordo naturę.ergo &c.

⟨Ante queftionis huius determinationem tria funt aduerteda. Primu, vnde oria **L**
tur.Secudum,quomodo intelligatur.Tertium,qualis difficultas in ea contineatur.⟨Circa pri- **Refolu.q̃**
mum iftorum fciendum eft,cp in precedentibus duabus queftionibus inueftigantes diftinctionem inter generationem & fpirationem coniecimus cp diftinctionem habent difparationis,
quia a difparatis principiis oriuntur & eliciuntur, cuiufmodi funt natura & voluntas.Diftin-
ctionem enim omnem realem in diuinis fecundum relatiuam oppofitionem oportet reduci ad
diftinctionem realem difparatam.Oppofitione enim relatiuam inter generare & generari,fimi
liter inter fpirare & fpirari,oportet reducere ad oppofitione difparatiois inter generare & fpira
re,& hac oportet reducere ad diftinctione rationis inter intellectum & volutate:& fic per ordinem oem diftinctionem maiorem oportet reducere ad minore,quoufcp tota reducatur, ficut &
omnis pluralitas in diuinis ad vnitate fimpliciffima re & ratione fimul, cuiufmodi eft effe primu diuinorum,fimpliciffimu fcilicet effe, ad quod omnia alia fe habent quafi per quadam attri
butionem & additionem,fecundu cp fuperius diffufius expofitum eft. Natura autem & volun
tas a quibus generatio & fpiratio principiatur in diuinis,non per vniformitatem mutuo fe ha
bent adinuicem, vt videlicet equaliter abalterutrum in fuo actu inuicem mutuo quafi depen-
deant , vel non dependeant:quemadmodum contingit in fimul trahentibus nauem: cp fcilicet
mutuo equaliter abinuicem dependent in fuis tractibus : & ficut contingit in vifu & auditu,
quorum neutrum ab altero in fuo actu eliciendo dependet.Sicut enim vifus no requirit,omni-
no ad actum fuum fiue fimul fiue prequium actum auditus , fic nec econuerfo .Sed natura &
voluntas in deo difformiter fe habent adinuicem : quia volutas in fuo actu exercedo quafi dependet ab intellectu & eius actu,& non econuerfo.Volutas enim vt eliciat actu volendi neceffario requirit quafi prequium actum intellectus:queadmodu actus intellectus in hominibus requirit preuiu actum phantafie,quia no intelligimus nifi nę phatafmatibus exiftetibus in actu.
Igif voluntas neceffario requirit quafi prequium actum intellectus,fed non ecouerfo intellectus
quo ad fuu actu eliciendu requirit actu volutatis prequiu.Nunc aute ita eft cp vbi duo fe habet
fic,cp vnu neceffario prequiu vel quafi prequiu eft ad alteru, inquatu huiufmodi neceffario eft_or
do aliquis inter illa,prout pcedit prima ratio ad fecunda partem queftionis inducta. Quare cu **M**
generatio in diuinis fit actus intellectus,& fpiratio fit actus voluntatis fcdm fuperius declarata : generatio ergo in diuinis prequia eft ad fpirationem : quare neceffario inter generatione &
fpiratione eft aliquis ordo.Propter qd reftabat videre quis & qualis ordo effet inter generatione & fpiratione. Et quia doctores no fignabat in diuinis pter ordine rationis in attributis alia **N**
ordine nifi ordine naturę, & hoc folumodo inter diuinas pfonas, fecundum cp in primo argumeto ppofitu eft fm Augu.idcirco reftabat dubitatio, Vtru inter generatione & fpiratione q̃
no funt pfonę fed emanatiões quibus emanat pfonę,effet ordo naturę. ⟨Circa fecundu pdicto **O**
ru eft aduertendu cp ordo naturę tripliciter accipit,primo materialiter,fecundo elicitiue,tertio
fubiectiue. In diuinis aut no poteft effe ordo naturę materialiter, quia in illis quę materialiter
ordinatur ordine naturę,ipfa natura eoru in illis ordinat & habet eé in illis per ordine quęda:
quęadmodum eft ordo naturę inter duas fpecies fub eodem genere:quia in diuifione generis p
differetias nobilius eft alteru extremu cotrarietatis:& nobiliori differetia coftituit nobilior fpe
cies, qa vt p rationale & p irrationale in diuifione aialis:p aiatu & p inaiatu in diuifione corporis. Et
eft ifte ordo fcdm differetias ordinis q̃ funt fuperius & inferius, i gradu dignitatis & pfectiois
naturę:q̃les gradus i diuinis iueniri no poffunt,i qb⁹ no eft nifi vnica natura. Silr i diuinis no
pot pprie eé ordo naturę elicitiuę:qa i illis q̃ elicitiue ordinat ordie naturę ipfa natura eoţ in
ipfis exiftes illa ordinat:quęadmodum ordo naturę eft iter flore & fructu,qa natura naturalr ex
flore fructu pducit.Dico aut cp i diuinis pprie no pot effe ordo ifte,& hoc quo ad tres pfonas.
Licet em natura fit elicitiue principiu ordinis inter patre & filium,quia pater fimpliciter pdu **P**

cit filium modo naturæ, & secundum principaliorem modum nature,non tamen proprie est
principium elicitiue principaliter ordinis inter patrē & filium ex vna parte,& spiritū sanctum
ex alia:quia pater & filius producūt spiritum sanctum modo volūtatis,& filium modo naturę
quoquo modo,nõ tñ principaliter,neqǝ scđm principaliorē modū naturę,secũdū cp superius de
clarauimus.Quia tñ spūs sanctus aliquo modo pducit modo naturæ,& principalior modus na
turę quo pducit fili⁹ est origo pcessionis quę est modo nõ principaliori:ideo diximus superius
cp ordo in diuinis personis est modo naturę elicitiue.Sed quia hoc non est omnino proprie quo
ad ordinē spiritus sancti ad patrem & filiū, ideo distinctioni bimēbri ibi positę hic adiunximus

**Q** tertium, sub quo pprie continet omnis ordo naturę in diuinis . Sed est in diuinis ordo naturę
subiectiue : qui est in illis quę in eadē natura eis quasi subiecta & substrata ordinate subsistunt
aut existunt:sed hoc vel in eadem natura secundum speciem, differente autem secundum nu-
merum:vel in eadem natura singulari omnino indifferente . Primo enim modo est ordo naturæ quandoqǝ in diuersis indiuiduis sub eadem specie,puta in diuersis hominibus, quorũ vnus
est pater alterius.Secũdo modo est in diuinis psonis inter patrē & filiũ & spiritũ sancti. Et differt ordo in istis tribus modis.quia primus nõ est secundū superius & inferius in gradu natu-
rę:Secũdus aũt nõ est natura scđm prius & posterius in tēpore:sed tertius prout inuenitur in
creaturis,aliquãdo nõ est nisi scđm prius & posterius in tēpore , sicut pater prior est filio:aliqñ
autē est sine priori & posteriori in tēpore:sed non sine priori & posteriori natura : quēadmodũ
ordo naturę est in illuminatione aeris a sole,quo ad partem eius superiorē & inferiorē.Pars ẽ
superior natura,i.naturali aptitudine prius illuminat a sole q̃ inferior:quia pars superior imediate illuminat a sole:pars autē inferior nõ recipit illuminationē nisi a pte superiori & mediãte illa.Tertius autē modus prout inuenit in diuinis,est omnino sine superiori & inferiori gradu naturę,& sine priori & posteriori tēpore aut natura : non tñ est sine ratione primi secũdi &
tertii,vt patet ex diu superius declaratis. Et sicut i primo modo est ordo naturę quia vnũ illorum est superius altero in gradu naturę:sic in isto tertio modo est ordo naturę quia vnũ illoꝝ
est ab altero,ita cp si eē vnũ illoꝝ ab altero amoueret etiã i creaturis,nullus eēt ordo naturę in
ter illa oĩno:quia inter indiuidua q̃ sunt sub eadem specie,nõ est ante similiter neqǝ post,& hoc
secundũ primũ modorũ dictorum,prout vult Pħus in.v.Metaph.An autē sit secus in omnib⁹
animalib⁹,de hoc nihil ad psens.Sed quia clarũ est secundũ dicta sanctoꝝ cp in diuinis est ordo
naturę iter diuinas psonas cp vna ē ab altera:prout tactũ est supra p Augu.in.i.argumēto:nõ
autē ita clarũ est an talis ordo sit inter ipsas diuinas emanatiões, quia nequaq̃ ita põt dici vna
earũ esse ab altera,eo cp esse ab alio & esse a quo alius,est pprie personarum,sicut & generare &
generari,spirare & spirari, eo cp omnis actio notionalis in diuinis procedit a psona,& terminat
in psonam, prout pcedit primũ argumentũ: ideo dubium est an sit ordo naturę inter diuinas
emanationes quę sunt generatio & spiratio:licet certum sit ex predeterminatis cp ordo aliquis

**R** sit inter illas.ℂCirca tertium est considerandum,cp quæstio ista multum est inuoluta, & mul-
tos sinus habet.Generatio eĩ simpliciter dicta cõprehendit & generationē actiuã existētem in
solo patre,& generationem passiuam existentem in solo filio,& similiter spiratio cõprehendit &
spirationem actiuam existentem cõmuniter in patre & filio,& spirationem passiuam existētem
in solo spiritu sancto.vt questio proposita de ordine inter generationem & spirationem,intelli-
gatur de generatione & spiratione vt comprehendunt generationem actiuam & passiuã,& similiter spirationem actiuã & passiuam.Vbi oportet cõsiderare ordinem generationis actiuę in
patre ad generationem passiuã in filio, & similiter spirationis actiuę in patre & filio ex vna par
te ad spirationem passiuam in spiritu sancto ex altera , & similiter ordinem generationis actiuę & passiuę ad spirationem tam actiuã q̃ passiuã,& similiter spirationis actiuę prout est in pa

**S** tre ad eandem prout est in filio.ℂDescendendo ergo ad questionem dico secundũ iam superius
**Responsio.** in questione precedēte inchoata,cp ratio originis qua hoc habet esse ab hoc siue ex hoc,duplici
ter habet esse inter aliquos aut aliqua. Vno modo proprie,scilicet quia vnũ eorum proprie est
principiatum alterius, & ab illo habet emanare per suam actionem:vt terminus actionis illius
quod est eius principium.Alio modo communiter & minus proprie secundum vsitatum modum loquendi sanctorum , quia scilicet licet vnum eorum non sit principiatum ab altero per
eius actionem vt a suo principio: quia sic omne principiatum & principium solum modo sup
positorum est, quorum est elicere actionem & terminare illam: tamen vnũ illorũ est quasi prę
uium vt alterũ sit . Primo quidem modo non est ordo originis seu naturę nisi inter tres diuinas personas:primum se subsistentes,scilicet inter patrem & filium:quia a patre est filius : & sic

inter ipſos eſt vnus ordo naturæ. Et ſimiliter inter patrem & filium ad ſpiritum ſanctum, quia a patre & filio eſt ſpiritus ſanctus. Et ſic, inter ipſos eſt ſecundus ordo:de quo nihil ad præſens:ſed aliquantulum habitum eſt ſupra. Secundo autem modo eſt ordo naturæ inter diuinas emanationes quę ſunt generatio & ſpiratio:de quib⁹ propoſita eſt quæſtio. Vna enim non eſt principiata ab altera:nec habet ab illa emanare per eius actionem,eo ꝗ actionis non eſt actio: & ſimiliter neꝗ a generatione actiua aut ſpiratione actiua generatio aut ſpiratio paſſiua : nec econuerſo : tamen vna earum eſt præuia ad alteram vt ſit , & ſic originetur non vt ſubſiſtens in ſe ſed vt exiſtens in alio. Sed hoc contingit dupliciter. Vno modo emanatio vna poteſt eſſe pręuia ad alteram poſitiue,& propter quã alia quodammodo habet eſſe.Alio modo negatiue,& ſolúmodo ſine qua alia non habet eſſe omnino.Primo iſtorũ modorum adhuc con tingit dupliciter:quia emanatio originata vt exiſtens in aliquo ſubſiſtēte,non vt in ſe ſubſiſtēs & hoc ab alia,per hoc ꝗ præuia eſt illi,aut eſt originata in illo alio vt in ſubſiſtente p ipſam:aut in non ſubſiſtente p ipſam. Et primo iſtorum duorum modoꝛ eſt ratio originis & ordinis na turæ ad quatuor ſcđm duplicem ordinem. Vnũ inter generationem actiuã i patre, & paſſiuã in filio:& p quã in ſubſiſtētia conſtituit filius. Aliũ inter ſpiratione actiuũ i patre & filio,& ſpi ratione paſſiua exiſtēte in ſpiritu ſancto,p quã in ſubſiſtētia conſtituit ſpũs ſanctus.Procedit enim iſto modo generatio paſſiua a generatione actiua:& ſimiliter ſpiratio paſſiua a ſpiratione actiua:ſcđm modum quo a phis quibus libere loqui licitum fuit, dictum eſt ꝗ paſſio & effect⁹ illius qđ actionis.Sed hoc non eſt procedere ab alio proprie,quemadmodum pſona procedit a perſona in ſe ſubſiſtendo:ſed potius proprie haberi per aliud in eo ꝗ ſubſiſtit tãꝗ paſſio quęđa in ipſa per actionem illius alterius. Proprie enim generari filii i filio eſt a patre per generatione patris. Secundo autem modo iam dicto eſt ratio originis inter generationem & ſpirationem actiuam:per quam ſpirationem actiuam non ſubſiſtit perſona,nec ſubſtituitur in perſonalitate ſcđm ꝗ inferius declarabitur . Habet enim eſſe in patre & filio ſpiratio actiua per generatio nem actiuã patris: quia per hoc ꝗ pater generat cõmunicat voluntas patris filio: ex quo etiã exiſtit voluntas duorum,quæ ſolius patris erat quantum ex ſe erat.& per hoc voluntas illa eſt concors & fœcunda ad eliciendum actum productiuum perſonæ ſpiritus ſancti, qui eſt ſpira re.Et ſic a generatione actiua habet quoquo modo originari poſitiue vis ſpiratiua: & per hoc in ſua origine etiã actus ſpirandi actiue in illis in ꝗbus eſt illa concors voluntas,ſcilicet in pa tre & filio. Et per hoc eſt ordo quidam naturæ generationis ad ſpirationem actiuam in patre & filio: & vlterius mediante ſpiratione actiua ad ſpirationem paſſiuam in ſpiritu ſancto: quæ ab illa procedit ſcđm dictum modum.Sed dices ꝗ diuina eſſentia habet eſſe in filio per gene rare patris:& tamen non dicitur eſſe aliquis ordo inter generare patris & eſſentiam diuinam. Dico ꝗ ſecus eſt : quia eſſentia alias habet eſſe in patre ꝗ per generare : & ideo vt exiſtens non per generare communicatur filio: & ſine ordine ad generare . Spirare autem non habet alias eſſe in diuinis ꝗ a generare in patre & filio ſcđm dictum modum.& ſic ipſum ſpirare quoquo modo habet eſſe a generare: propter qđ eſt ordo inter illa.Loquēdo aũt de ratione originis ne gatiue,& ſine qua non,penes ſecũdũ membrũ primę ſubdiuiſionis,Dico ꝗ a generatione paſſi ua quę eſt in filio,qua ſcilicet filius genitus eſt,habet eſſe ſpiratio actiua cõuniter in patre & filio. Et eſt ordo naturæ ſcđm hoc iter generatione paſſiuã & ſpirationem actiuam:quia nec p generationem paſſiuam cõmunicatur voluntas patris filio:nec eſt concors & fœcunda in eis: non tamen ſine ipſa preuia habet filio cõmunicari:quia ipſa eſt de cõſtitutione filii: qui vt vet bũ neceſſario ſcđm prædicta preuius eſt vt habeant pater & filius vím ſpiratiuã actiuã.Scđm hos ergo modos partim poſitiue, partim negatiue generatio cõmunis ad actiuam & paſſiuã eſt quaſi primũ & principiũ reſpectu ſpirationis cõmunis ad actiuam & paſſiuam: & hoc po ſitiue quo ad generationem actiuã:& negatiue quo ad generatione paſſiuã.Et quia vna & ſim plex eſt ſpiratio actiua quę cõmunis eſt patri & filio,in ipſa non cadit aliquis ordo prout eſt pa tris & put eſt filii:qa i ſpirãdo actiue ſunt vnũ principiũ: & ideo abſꝗ ordine naturę i ſpiratio ne actiua vt eſt patris & vt ē filii,gnatio actiua & paſſiua ſunt primũ & principiũ ſpiratiõis acti uę: vnũ poſitiue vt eſt patris.ſ.generatio actiua: & alterũ negatiue vt eſt filii.ſ. generatio paſſi ua,ſcđm ꝗ iã dictũ eſt.Ordinē tñ quēđa in principiãdo ſpiratione actiuã prout eſt in patre & in filio,habēt inter ſe generatio actiua in patre & generatio paſſiua in filio. Eo eñ ordine ꝗ eſt inter generare & generari,pcedit ſpirare ab vtroꝗ prout eſt in patre & in filio: quia non pce dit ab eis niſi prout ptinet ad actũ generationis conmunitēs & generatione actiuã & paſſiuã:ad quē ptinēt ordine quodã ſcđm pdicta.In principiãdo aũt ipſm ſpirare prout habet

esse in filio, nullum ordinem habet omnino generare & generari.Q̃d proculdubio verũ est po
**Y** nẽdo scdm latinos spiritũ sanctum pcedere cõmuniter a patre & filio.Sed si scdm Grecos spiritus sanctus pcederet a solo patre,in pte idem esset sentiendũ de hoc,& in pte aliud.Idem sentiendũ esset quo ad hoc videlicet ꝙ generatio esset quasi preuiũ & principiũ respectu spiratio-
nis:etiam si spiritus sanctus pcederet a solo patre,& principiũ spiratiuũ in ipso esset voluntas
vt volũtas simpliciter & solius patris:& nõ vt concors duorũ.Quia volũtas etiã vt solius patris est,sicut non potest exire in actũ volendi simpliciter & essentialiter nisi preuia notitia simpliciter & essentiali in intellectu:sic nec eadẽ volũtas potest exire in actũ volendi & incentiue
& notionaliter qui est spirare,nisi preuia notitia declaratiua.In deo enim actus itellectus & vo
luntatis cõmunicantes semp sibi correspõdet.Et scdm ꝙ dictum est supra, & amplius dicetur
adhuc, ꝙ diligere simpliciter est actio simplex siue simpliciter dicta volũtatis vt est libera:spi-
rare vero siue diligere incentiue est actio eiusdem perfecta:sic & intelligere simpliciter est actio
simplex siue simpliciter dicta intellectus vt est natura:generare autẽ siue dicere est actio eiusdẽ
perfecta.Ita ꝙ sicut tali actione perficitur intellectus per notitiam declaratiuã quae est verbum
sic dicta actione spirandi siue diligendi incentiue perficitur voluntas p amorem incentiuũ,qui
est spiritus sanctus.Secus autem esset & aliud sentiendum quo ad hoc,videlicet ꝙ si a solo patre pcederet spiritus sanctus,generatio cõmunis ad actiuã & passiuã solũmodo negatiue esset
quasi preuiũ & principium ad spirationem nihil operando positiue ad pductionem actus spirationis actiuẽ a voluntate circa voluntatem:sicut neꝗ operatur circa ipsam in nobis ad producendum actum volẽdi siue simplicem siue incentiuũ, in quibus intellectus suo actu siue intelligendi siue dicendi non mouet voluntatem: nec quicꝗ positiue circa eam facit vt fiat in actu:
sed ipsa sola seipsam facit esse in suo actu:licet nõ nisi preuia actione intellectus: scdm ꝙ in ꝗ-
stionibus de Quolibet sepius exposuimus.Ipsa enim voluntas in nobis actus suos elicit sola libertate sua,& nulla naturalitate siue quam habet ex se i ordine ad actum suũ eliciendũ,siue quã
nata sit recipere ab alio:vt a motu intellectus, scdm ꝙ dicunt aliqui: nisi quatenus voluntati
naturale est ꝙ sit libera, sic ꝙ sua libertas sit sua natura,& ita naturale sit ei actum suum elicere libere,& suo vltroneo appetitu proprio,& nullo festino a seipso nec violento impulsu neꝗ
consentaneo sibi seu conuenienti motu eius ab alio,puta ab intellectu,vt quidam dicunt. Quẽ
omnia excludit libertas voluntatis:quia est ppria conditio potentiæ pure actiuæ:& nullo mo
do passiuẽ:sicut ecõuerso necessitas naturalitatis virtutis pure passiuæ,quæ excludit omnem li
bertatem.Libertas enim solius virtutis actiuæ cõditio est, & nequaꝗ passiuæ.Aliqd enim solũ
modo libere agit & nõ naturaliter:sed nihil libere patitur:sed quicquid patitur, id qd patitur
solũ naturaliter siue sola naturalitate patitur. Vt mirũ sit quomodo aliqui possunt dicere vo
luntatem esse vim passiuam,libere tñ.Siue enim voluntas ponatur pati modo congruẽti natu
ræ suẽ,qualiter dicunt aliqui ipsam pati ab intellectu:siue modo nõ cõgruẽti naturæ suẽ:vtro
ꝗ modo patitur id qd patitur absꝗ omni libertate: sed sola recipiendi necessitate illata sibi ab
alio:quæ tñ libertas volũtatis ex pte volũtatis eliciẽtis suũ actũ nullo modo excludit necessita
tem immutabilitatis circa ipsum actum in eliciendo ipsum & in processu eius a voluntate.Ta
lis enim necessitas non est nisi modus quidam circa actum & quo ad eius processum ab eliciẽ-
te & quo ad eius pcessum i terminũ siue obiectum,vt tactum est in pcedenti questione.Quẽ ꝗ
dem necessitas circa actionem voluntatis est coniuncta eius libertati non ratione volũtatis cir
ca finem vltimũ & summe diligibile: qd sic ad se ligat voluntatem, ꝙ postꝗ visum & cognitum fuerit,nulla voluntas creata aut mutata ab illo se potest diuertere. Sed hoc non quia obiectum cognitum aliquid agit in voluntate: sed quia ipsa in illo nata est quiescere naturaliter
vt in suo fine: in quo se tenet vi eiusdem libertatis qua se mouit in illud.Sicut autem voluntas nostra ab actione intellectus siue intelligẽdi siue dicendi preuia nullã vim aut imutatione
habet ad eliciendum suũ actum siue amationis simplicis siue incentiuæ : sed solummodo se
ipsa:sic neꝗ voluntas patris si a solo patre pcederet spiritus sanctus, suam fœcunditatem aur
quicꝗ aliud reciperet ab actione intellectus,siue sit actio intelligendi vel gubernandi,siue dicẽ
di preuia:ꝗuis non sine ipsa præsupposica quasi remouente phibes. Vnde si vniformiter se ha
berent inter se voluntas & intellectus in eodẽ:vt sicut intellectus nõ requirit preuiã actionem
voluntatis, sic nec econuerso actio voluntatis requireret præuiã actionem intellectus: sicut se
habent in eodem auditus & visus:quia neuter illorum sensuum ad actum suũ requirit actionem alterius preuiã:tunc eque primo naturaliter absꝗ omni ordine rerũ si solus pater generaret filiũ,& spiraret spiritũ sanctũ,nõ plus ordine naturæ esset ꝓuia spirationi generatio sicut

nec econuerſo. Sed ꝗ modo eſt ordo naturæ inter generationem & ſpirationem ſi ſolus pater  Z
ponatur ſpirare:hoc non eſt niſi quia voluntas ad ſuam actionem requirit preuiam voluntatē:
& ſic ordo naturæ itercidit propter ſolam neceſſitatem voluntatis,nequaꝗ intellectus: quia ſi
pater non ſpiraret,ſed ſolum natus eſſet ſpirare,generaret tamen. ita ꝗ licet impoſſibile eſſet
eum ponere generare & non ſpirare: quia quicquid eſt in deo neceſſario eſt in ipſo,& impoſſi=
bile eſt non eſſe in ipſo: & quicquid non eſt in ipſo: impoſſibile eſt eſſe in ipſo : & hoc propter
eius incommutabilitatem:non tamen ponendo ꝗ generaret aut ſpiraret,in hoc ponerentur in
compoſſibilia: eo ꝗ generatio nulla neceſſitate requireret ſpirationem ſubſequentem:ſicut ne
ꝗ intelligere in nobis aliqua neceſſitate requirit ꝗ ſubſequatur velle.Et ſic ſi poſtꝗ ſolus pater
ponaꝫ generare & ſpirare,neceſſario eſt ordo naturæ iter gñare & ſpirare: hoc eſt ꝗa voluntas
rõne ſui actꝰ ad ꝭtellectũ aliquē naturalē reſpectũ habet:ſed nõ ecõuerſo.Et ꝗ ꝭtellectus habet
aliquē reſpectũ ad voluntatē:hoc eſt quia volũtas habet reſpectũ ad ip̄m.ſicut cõtingit in ſciē=
tia & ſcibili.Sine reſpectu enim mutuo ordinatorum non eſt ordo quicunꝗ inter aliqua. Qui
quidem reſpectus relatio non eſt: licet ad prædicamentum relationis habeat reduci. non enim
omnis reſpectus eſt relatio : puta accidentis ad ſuum ſubiectum . Scientia enim reſpectum
quendam habet ad ſcientem vt ad ſubiectum in quo eſt : ſed non habet relationem niſi ad ſci=
bile ad quod eſt. ſcdm philoſophum.v.Metaphyſicæ. Sed ponendo ꝗ non ſolum pater ſpirat
ſed & filius:ſicut ſcdm veritatē ponunt latini:ordo naturꝫ eſt inter generare & ſpirare non ſo
lum propter neceſſitatem voluntatis quꝫ ad ſuum actum requirit preuium actum intellectus
ſicut contingeret ſi ſolus pater ſpiraret,vt dictum eſt: ſed etiam propter neceſſitatem intelle=
ctus. Et hoc nõ propter neceſſitatem ſuam qua requirit actum voluntatis ſubſequētem,quaſi
illo indigeat aliquo modo:ſicut indiget & requirit voluntas ad ſuum actum eliciendum puiũ
actum intellectus:ſed potius propter neceſſitatem ſuam,ratione.ſ.perfectionis ſuæ: qua exigi
te in generando filium cõmunicat ei ſuam voluntatem vt ſit concors duorũ, & per hoc pſecte
ſœcunda ad ſpirãdũ ſpiritũ ſanctũ ſicut dictũ eſt.Ita ꝗ nõ ſolum impoſſibile eſſet ponere pa
trem generare filium & non ſpirare ſpiritum ſanctum:immo hoc ponendo ponerentur incom
poſſibilia:quia ex quo volũtas eſt fœcunda,& in ea eſt potentia ad ſpirandum, quæ eſt neceſſi
tas:qđ (vt dictum eſt) habet ex generatione:ſi poneretur ꝗ generaret & non ſpiraret,eſſet po
nere ꝗ non eſſet potentia fœcunda, ex eo ꝗ non ſpiraret ſcdm actum : quia in æternis non
differunt neꝗ diſtant(ſcdm philoſophum )actus & potentia: & ꝗ eſſet fœcunda, ex eo ꝗ ge=
neraret:& ſic ꝗ eſſet fœcunda,& non fœcunda:& ſic cõtradictoria,quæ incompoſſibilia ſunt.
Propter quod cum ſimul ſpirant pater & filius, non ſolum voluntas patris ratione ſui actus
reſpectum naturalem habet ad eius intellectum,& actum eius quaſi præuium: ſed & natura,
ſiue eius intellectus vt eſt natura,ratione perfectionis ſui actus habet naturalem ex ſe reſpectũ
ad voluntatē & actũ eius quaſi ſubſequentem,non quia voluntas habet reſpectũ ad illum.

¶ Qꝫ ergo arguitur Primo quia ſcđm Auguſtinum non eſt ordo naturꝫ in diui=
nis niſi quia alter eſt ex altero:qđ ſolum conuenit perſonis:Dico ꝗ verum eſt proprie loquen
do ſcđm ꝗ loquitur Auguſtinus . & hoc ſolummodo de ordine naturæ inter diuinas perſo=
nas. De quo licet ſolummodo expreſſe loquatur nihil tangendo de ordine emanationum:quia
tamen perſonꝫ non ordinantur quia altera ex altera,niſi per ipſas emanationes:quibus habent
eſſe altera ab altera, impoſſibile eſſet ordinem eſſe in perſonis niſi eſſet in emanationibus eo=
rum:& propterea licet illum non expreſſit, per illum tamen quem expreſſit intellexit de alio:
& inſinuauit nobis illum intelligendum.Spiritus ſanctus enim ſic ſuam eccleſiam ordinauit,
ne præcedentes doctores omnia & ſingula declararent & exponerent quꝫ declaranda & expo=
nenda eſſent in eccleſia:vt aliquid inuenirent declarandum doctores ſequentes in quo profi=
cerent:vt ſcdm hoc vſꝗ in finem ſeculi ſemper magis & magis declarabitur & cognoſcetur
doctrina veritatis, ſcdm ꝗ ſupra verſus principium diſputationis noſtræ declarauimus. Vn
de Gregorius li.xxvii.Moralium ſuper illud Iob. xxxvii. Aufert ſtillas pluuiæ, & effundit im
bres ad inſtar gurgitis. dicit ſic.An non Moyſes aſtrum pluuiæ extitit ! An non Eſaias, an
non Hieremias, & prophetæ cæteri aſtra pluuiæ fuerunt: qui in prædicationis culmine ere=
ct quaſi verborum guttis obcæcationis humanæ puluerem rigando præſunt ! Cum prophe=
tas abſtulit, eorum vice dominus apoſtolos miſit,qui in ſimilitudine gurgitum pluerent poſt
ꝗ ſubductis antiquis patribus exteriora prædicamenta tacuiſſent.Quia dum prꝫdicatores le=
gis ad ſecreta intima retulit, per dicta ſequentium vberior vis prædicationis emicauit.Redu=

A
Ad primũ
princip.

etis etiam ad superna Apostolis, per expositorum sequentium linguas fluenta diuinę scientiæ diu abscondita largiori effusionę patefecit:qui qd illi sub breuitate locuti sunt,hoc exponędo multipliciter auxerunt:quia dum multorum præcedentium dicta colligunt, ipsi in eo qd asse runt profundius dilatatur.Nam dum testimonia testimoniis iungunt,quasi ex guttis gurgi tes faciunt.Et sicut hic dicit Gregorius de doctoribus, puta Hilario, Augustino, Ambrosio, & cæteris qui secuti sunt apostolos, quo ad ea quæ apostoli & præcedentes doctores obscu

**B** ra reliquerunt : sic dici potest de doctoribus qui illos subsecuti , & de cæteris scdm φ suis temporibus succedent post alios . Nequaq̃ tamen propter hoc debent se posteriores præferre prioribus:quia nisi ab illis accepissent,nihil amplius ptulissent.dicente Gregorio ibidē.Sed ne quaq̃ se apostolis expositores in scietia pferant cū exponendo latius loquitur. Meminisse quip pe incessanter debēt per quos eiusdē scientiæ inuentiones acceperūt.Quia si ex sanctis apostolis vim itelligentiæ non acciperent,nequaq̃ per ora doctorum largior manaret. Et hoc est qd aper te dicit Augustinus in Sermone de assumptione beatę Mariæ virginis. Quędam scriptura sa cra veris indagationum studiis querenda reliquit:quæ non sunt superflua æstimanda dum ve ra indagatione fuerint patefacta.Fœcunda est enim veritatis auctoritas:& dū diligenter discu titur,de se gignere qd ipsa est cognescitur.Sepe enim discussa veram intelligentiam parit,quā manifestis sermonibus abscondit.Quid ergo dicendum est vnde diuina scriptura nihil comen dat,nisi querendum ratione quid consentiat veritati: fiatq̃ ipsa veritas auctoritas, sine qua ne cesse est nec valeat auctoritas? ¶Hæc digrediędo diximus ne aliquis miretur si aliqua ex dictis sanctorum declarando inuestigare nitimur quæ in scriptis præcedentium inuestigata non in ueniūtur.Dico ergo reuertendo ad ppositum: φ Augustinus loquutus est de hoc proprie lo quendo & circa personas tm.Communiter tamen loquendo & quodammodo improprie:bene est hoc ex hoc inter emanationes,scdm prædictum modum tactum in prima diuisione præpo sita.¶Ad secundum:φ inter naturam & voluntatem in diuinis quæ sunt principia emanatio

**C**
**Ad secūdū** num, non est ordo naturæ: sed rationis tm : quare neq̃ inter emanationes : Dico φ licet hoc verum sit de natura & voluntate in diuinis vt sunt pure essentialia & principia quasi remota emanationū,inquantū tñ sunt contracta ad notionalia & principia emanationū quasi proxima scdm modū superius expositū,inter ipsa bene est ordo naturæ.Quia (vt iā dictum est)volun tas nō est fœcunda & quasi proximum principium eliciendi actum spirationis nisi præcedente

**D**
**Ad tertiū.** actu notionali naturę. ¶Ad tertium : φ ordo est comparatio duoq̃ per respectus inter se cum respectu ad aliquod principiū determinatū: Dico φ quādoq̃ verum est φ ordo aliquorū inter se accipitur in respectu ad aliquod principiū ad qd ambo ordinantur:puta in tempore pterito & futuro est ordo inter præterita inter se,& similiter inter futura inter se respectu præsentis. Preteritū eni ē prius qd est remotius a psenti,& posterius qd ē pximi⁹ psenti. Econtrario aūt futurū est prius qd est proximius psenti:posterius autem qd est remotius a psenti. Illud tamē non semper est necessarium : bene enim cōtingit aliqua esse ordinata inter se: nō tñ in respectu ad aliquod tertium : puta duo indiuidua sub eadem specie : quorum vnū est ab altero, vt fi lius a patre:quæ vt comparātur ad tertium,puta illam speciem,in respectu illius nullū ha bent ordinem omnino,sicut dictum est.Et sic est in diuinis absq̃ comparatione ad tertium in ter tres personas:& similiter inter earū emanationes. Nisi velimus dicere φ emanationes ordi nem habent inter se, & hoc respectu patris qui est principium & origo ambarum emanationū Qzq̃ enim spiratio actiua sit in respectu ad duo,quia pcedit a patre & filio:hoc tñ est per redu ctionem vnius illorum ad alterum : quia φ filius habet vim spiratiuam illam habet a patre.

**E** ¶Qz arguitur φ generatio & spiratio nullum respectum habent inter se: quia non sunt rela tiua:Dicendum scdm prædicta φ non omnis respectus ponit relationem qua respectus habe tes relatiue dicitur inter se.Vel possumus dicere φ scdm modum quo est ordo generationis ad spirationem,& hoc ab hoc: eodem modo est relatio inter illa:sed innominata sunt extrema eius:sicut & relationis inter patrem & filium essent extrema innominata si non essent imposi ta hæc omnia, pater & filius, generans & genitus : & reduceretur illa relatio ad tertium ge nus relationis quod est in actiuis & passiuis:ad quod ptinet relatio inter patrem & filium.Sed relatio illa quantum est ex parte generationis non est alia scdm rem a relatione quæ est inter patrem & filium: sicut nec alia actione fœcundatur voluntas ad actum spirandi q̃ qua gene ratur filius,nec alia est actio qua pducitur spiritus sanctus q̃ spiratio actiua. vt non oporteat ponere plures q̃ quatuor relationes reales esse notionales, Et scdm hoc generatio & spira rio non solum distinguuntur vt relationes disparatę : sed quoquo modo vt relatiue oppositę

❡Ad quartum,ɋ generare & ſpirare nõ diſtinguuntur naturaliter: & ideo nec habent ordi= **F**
nem naturæ:quia ambo ſunt in eodem:& ita idem re:Dico ɋ argumentum hoc ꝑcedit ſcdm **Ad quartū**
illos qui ponūt ɋ quiditas relationis & diſtinctio nõ eſt niſi in ordine & ex ordine ad alterum
ad qd relatiue dicitur.Qui etiam dicunt ɋ non eſt diſtinctio inter relationes diſparatas:ſed ſo
lum inter relatiue oppoſitas:ita ɋ ſi nõ conſideretur relatio in ordine ad illud ſed ad aliud,nõ
diſtinguitur ab illo ſcdm rem & proprietatem ſuam:qualis eſt conſideratio ſpirationis actiuæ
ad generationem:quia ſunt in eodem.Sed ponendo ɋ relatio quiditatem habet a fundamento
abſɋ operatione rationis:licet non ſine oppoſito & reſpectu ad illud:non ꝑcedit argumētū.ɋa
relationes ad diuerſa oppoſita ex hoc ſolo ɋ in eodē fundantur diuerſimode,ſicut dominiū &
paternitas fundantur in eodē in ordine ad diuerſa oppoſita,bene diſtinguitur inter ſe vt diſ=
parata,quia vna comparatio nõ aufert aliam. Et ſic licet in eodem ſint generatio & ſpiratio:&
ad diuerſa oppoſita inter ſe:tamē bene poſſunt eſſe diſtincta naturaliter & realiter vt diſpa=
rata:& per hoc eſſe ordo naturæ inter illa:ſed non ex hoc quia ſunt diſparata & ad diuerſa op
poſita:ſed quia vnū eorum quoquo modo habet eſſe ab altero. & per hoc habēt quoquo modo
relationem licet innominata inter ſe:quę tamen non diſtinguitur ex vna parte a relatione quę
eſt inter generare & generari : & ex alia parte quæ eſt inter ſpirare & ſpirari,ſicut dictum eſt.
❡Ad quintum ɋ accidit generanti & generato ſpirare:ergo ordo ꝑ accidēs ſolūmodo eſt in= **G**
ter prędicta:& non ordo naturæ:licet non eſt per accidens: Dico ɋ tam patri ɋ̄ filio non acci= **Ad quintū**
dit generare aut generari:immo eſt neceſſarium & naturale ſcdm ꝑdicta. Et non eſt ſimile de
hoie generante abſɋ eo ɋ generatus:quia etſi non poteſt eſſe generatus,eſt tñ creatus aut fa=
ctus,& ab alio in eſſe ꝑductus:qd gñari appellam⁹ quoquo mõ. Et ſic nõ ſolū filio i diuinis ne
ceſſariū eſt prius gñari ſi debeat ſpirare:ſed etiā cuicuɋ habēti eē ab alio neceſſe eſt gñari quo
quo mõ vt generet.Sil̕r non eſt fil̕e de artifice & deo patre:quia artifex non habet vim artis ad
producēdum artificium ex eo ɋ generaret,ſicut habet deus pater,ſcdm iam dicta. ❡Qd dicit **H**
primo arguendo in oppoſitū:ɋ inter mediatū & imediatū neceſſarius eſt ordo &c. Dico ad in **Ad argu.**
tellectum non ad diſſolutionem rõnis,ɋ in emanationibus i diuinis dupliciter habēt mediatū **in oppoſit.**
& imediatū. Vno mõ inter pſonas ꝑducentes,quia ſpiritus ſanctus imediate ꝑcedit a patre &
a filio: & etiam mediante filio inquantum vim ſpiratiuam habet a patre,de quo non ꝑcedit ar
gumentū.Alio aūt modo inter ipſas emanationes in ordine ad pſonas a ɋbus ꝑcedūt emana
tiones,de qua mediatione procedit argumentū.Spiratio eñ ꝑcedit a patre & filio mediante ge
neratione actiua & paſſiua.❡Alia autem duo argumenta bene & clare procedunt.

Irca quartum arguitur ɋ generatio non ſit principalior productio ɋ̄ ſit ſpi= **I**
ratio:ſed potius econtrario,Primo ſic.illa eſt principalior quæ procedit a po= **Queſt.IIII.**
tentia ſiue virtute principaliore . quia ſicut ſe habet potentia ad potētiam in **Arg.**
principalitate & aliis conditionibus,ſic actus ad actū.ſicut enim viſus princi
palior ſiue nobilior ſenſus eſt: ſic & actus eius ɋ eſt videre,nobilior ſiue prici
palior actus ſentiēdi eſt.quare cum volūtas eſt vis ſiue potētia principalior ɋ̄
intellectus:ɋa dñiū habet in nobis ſuper intellectū vt alibi ſepi⁹ declarauim⁹:
ergo in deo ēt actus volūtatis cuiuſmodi eſt ꝑductio ɋ eſt ſpiratio,pricipalior ē ɋ̄ act⁹ itellect⁹
cuiuſmodi eſt gñatio. ❡Scdo ſic.illa ꝑductio ē pricipalior p quā adipiſcit maior ꝑfectio:ɋa act⁹ **℞**
determinant p obiecta. ſed maior eſt ꝑfectio ɋ̄ volūtas ſua ꝑductione ꝑficit i amore ꝑcedēte, ɋ̄
qua,itellectus ꝑficit i notitia ꝑcedente.ɋa p amore amās cõuertit i amatū:p notitiā vero noſcēs
ſolū cognito iſformat,vt alibi declarauim⁹.ergo &c.❡In cõtrariū eſt Ric.cū dicit ɋ fili⁹ ꝑcedit **In oppoſit.**
ſcdm modum principaliorem,vt habitū eſt ſupra.Procedit autē ſcdm generatione.ergo &c.
❡Dico in diuinis de principalitate eſſe ſentiendum ſicut & de auctoritate & de **K**
maioritate.hęc enim fundantur ſuper rationem principii ſiue primitatis in originando: & ob **Reſponſio.**
hoc auctoritas attribuitur patri reſpectu filii: & ſimiliter principalitas atɋ maioritas.Principa
litas autē auctoritas,& maioritas cõueniūt deo reſpectu creaturæ rõne reſpect⁹ ſiue relationis
ſcdm rationem: reſpectu vero perſonarum diuinarum inter ſe deo cõueniūt ratione reſpectus
realis.Licet enim in deo magnitudo non niſi ſubſtantiā abſolutam & abſolute ſignificet:tamen
ɋ ſcdm Hilarium pater dicitur maior eſſe filio,hoc non dicitur niſi ratione relationis.Dicitur
enim ſcdm Hilarium & Damaſcenū maior filio etiam non habendo reſpectum ad humanitatē
filii:& hoc quia pater ipſe habet in ſe vim principiandi filium.Et per hoc etiam habet principa
litatem & auctoritatem reſpectu filii.dicente Damaſceno de maioritate patris lib.primo.ca.ix.
Cum audimus maiorem filio patrem,cauſam intelligimus,vbi accipit Damaſcenus nomē cau

fæ pro nomine originis fiue principii,fcdm ꝙ fe exponit parū ante dicens fic.Neꝗ fcdm aliud: hoc eſt ꝗ quoniam filius ex patre genitus eſt.Et fcdm hunc modum etiam cum audimus au=

L · ctorem filii patrem,vel principalem pfonam in diuinis eſſe patrem,caufam intelligamus: quia fcilicet filius eſt ex patre ♦ Et per aliqualem confimilem modum in propofito : quia vis fpiri=tiua quoquo modo ortum habet a vi generatiua,quantum ordine quodam naturæ genera=tio quafi præuia eſt ad fpirationem fcdm modum iam fupra expofitum : Dico ꝙ principa=lior productio in diuinis eſt generatio ꝗ fpiratio,quia fcilicet per actum generationis quafi præ uium habet pater ꝙ poſſit fpirare fcdm modum præexpofitum : & etiam ipfi filio vim fuam fpiratiuam generando cõmunicat.Propter quod etiam pater dicitur principaliter fpirare fpi=ritū fanctum,vt habitum eſt fupra. Sed hoc nõn inquantum immediate fpirat: & filius æque immediate cum ipfo:quia vna & eadem vi fpirant:fed inquantum pater fpirat mediante filio: eo ꝙ filius habet per fui generationem a patre etiam vim fpiratiuam ab illo. Et fcdm hoc con cedenda eſt ratio pro hac parte adducta:ꝗuis Ricardus non dicat fimpliciter ꝙ filius procedit fcdm principaliorem modum ꝗ fpiritus fanctus: fed ꝙ procedat fcdm principaliorem modū naturæ. Alia enim ratione dicitur generatio principalior productio fimpliciter ꝗ fpiratio, vt iam expofitum eſt hic. Alia vero ratione dicitur filius pcedere fcdm principaliorem modum naturæ:qd fatis expofitum eſt fupra.

M
Ad primū princip.

¶Ad primum in oppofitum ꝙ voluntas eſt principalior vis ꝗ fit intellectus:quare & actus voluntatis & eius pductio quæ eſt fpiratio,principalior eſt ꝗ fit actus fiue pductio in tellectus quæ eſt generatio:Dico ꝙ duplex eſt actus fiue actio intellectus & volūtatis.Quædā naturalis:quæ dicitur operatio,vt intelligere & velle.Quędam vero notionalis,quæ dicitur p ductio:vt funt generare fiue dicere ex parte intellectus:& fpirare fiue flagrare ex parte volun=tatis.Et multum differunt inter fe iſta duo genera actionum: quoniam operatio quæ eſt actio eſſentialis vt intelligere & velle, caufantur a nuda potentia & vi intellectus & voluntatis in ipfo intellectu & voluntate a quibus caufant:licet differenter ab intellectu & a volūtate.Quia ab intellectu in feipfo caufatur operatio vitalis quæ eſt intelligere in virtute obiecti coagentis cum intellectu & mouentis ipfum vt agens & mouens primum:eo ꝙ intellectus eſt vis paſſi=ua:& nihil agit nifi paſſa prius.A voluntate autem in feipfa caufatur operatio vitalis quæ eſt velle,nõ in virtute obiecti coagentis cum voluntate & mouentis ipfam:fed folummodo affiſte te præfentia obiecti in intellectu:eo ꝙ voluntas non eſt paſſiua ab alio,& agit non paſſa ab alio ad præfentiam folam obiecti.Operatio autem quæ eſt actio notionalis, vt generare fiue dicere & fpirare fiue flagrare,caufantur contrario modo ex parte intellectus & voluntatis.Ex parte enim intellectus caufatur actio notionalis fimplici in intellectu nudo conuerfo fupra fe & fupra noti tiam fuam fimplicem. ita ꝙ intellectus informatus notitia fimplici eſt principiū actiuū & elici=tiuū actus notionalis intellectus.Ipfe aūt itellectus nudus cõuerfus nõ eſt nifi principiū quafi paſſiuū: de quo quafi de materiali pducit verbū quafi per impreſſionẽ.Ex pte autẽ voluntatis caufatur actio notionalis ab ipfa voluntate nuda conuerfa fupra fe & fupra fuū amorem fim= plicem in ipfam voluntatem informatam amore fimplici:ita ꝙ voluntas nuda cõuerfa eſt prin cipium actiuū & elicitiuū actus notionalis voluntatis.Ipfa vero voluntas informata amore fim plici nõ eſt nifi principium quafi paſſiuū: de quo quafi de materiali pducitur fpiritus fanctus quafi per quandam excluſionẽ,fcdm ꝙ hęc fuperius amplius funt expofita. Comparando igit intellectū & voluntatẽ penes principalitatẽ inter fe: Dico ꝙ fi cõfiderentur in ordine ad actus fuos eſſentiales:femper principalior vis eſt volūtas ꝗ intellectus : eo ꝙ nullo modo eſt paſſiua refpectu fui act⁹ eſſentialis,fed pure actiua a nullo depẽdẽs,neꝗ ab itellect⁹ notitia nifi ficut a caufa fine qua nõ. Vis aūt intellectus refpectu fui actus eſſentialis potius eſt paſſiua ꝗ actiua: ꝗa nõ actiua,nifi ꝗa prius paſſiua,vt dictū eſt. Et quo ad exercitiū talis actus itellect⁹ volūtas habet merū imperiū fuper intellectū:licet non quo ad determinationẽ primi actus intelligen= di ꝗ occurrit,ficut cõtingit ab obiecto,fcdm ꝙ in.xii.Quolibet fatis declaraui.Si vero cõfide= rent intellectus & volūtas in ordine ad actus fuos notionales: Dico ꝙ fimpliciter principalior vis eſt intellectus ꝗ volūtas:eo ꝙ intellectus informatus notitia fimplici pure actus eſt, & qui vt agat in intellectū cõuerfum ꝗ eſt fuū ꝑpriū paſſibile,a nullo depẽdet:fed a feipfo oĩno pro= pter pfectã fœcunditatẽ naturalẽ impetu eliciendi actū notionalẽ i itellectū nudum cõuerfum & pducẽdū de ipfo verbū.Volūtas aūt nuda cõuerfa licet fit pure actiua:& a nullo paſſiua vt dictū eſt:tñ fm iã dicta vt agat in volūtate informatã amore fimplici qui eſt eius ꝑpriū quafi paſſibile,quafi dependet ab actione notionali intellectus,vt ipfa fœcundetur ad eliciendum fuū

actum notionalem: vel ſaltem vt ſine qua præuia non poteſt voluntas ſuum actum notiona
lem elicere.Et ſic licet reſpectu vtriuſq; generis actionis actio intellectus ſemper neceſſario ſit
præuia vt cauſa ſine qua non ad actionem voluntatis:reſpectu tamen actus eſſentialis principa
lior potentia eſt voluntas q̄ intellectus:& ſimiliter productus actione voluntatis q̄ productus
actione intellectus etiam ſi vna illarum procederet ab altera: eo q̄ intellectus plus paſſiuus
eſt q̄ actiuus reſpectu talis actus: voluntas autem pure actiua,& hoc pura libertate non impe
tu naturali in eliciendo.Reſpectu autem actus notionalis principalior potentia eſt intellectus
q̄ voluntas:& ſimiliter actio notionalis intellectus q̄ actio notionalis volūtatis in diuinis:eo q̄
reſpectu talis actus æque pure actus eſt intellectus informatus notitia ſimplici in diuinis vt vo
luntas nuda. Et in tali actione ſua a nullo ibi dependet intellectus:queādmodū quaſi dependet
voluntas ab intellectu:maxime ponendo ſcdm veritatem catholicam ſpiritum ſanctum proce
dere non niſi a concordi volūtate patris & filii:ſicut patet ex iam dictis. In nobis autem etiam
reſpectu actus quaſi notionalis quo cōcipimus verbum per intellectum, & flagramus amorem
incentiuum per voluntatem,omnino voluntas eſt etiam principalior:quia quo ad hunc actum
etiā in nobis nihil poſitiue habet voluntas ab intellectu ſicut habet intellectus a voluntate: qa
hūc actū intellectus habet voluntas imperare, & ab ipſo ſi vult retrahere.⟨Ad ſecundū:q̄ per
productionem quæ eſt ſpiratio, maior adipiſcitur perfectio: ergo &c. Dico q̄ in diuinis ſcdm
rem & ſubſtātiam non ſunt magis & minus:licet poſſunt eſſe ratione modi perficiendi: qui in
creaturis bene ponit maiorem & minorem perfectionem ſcdm rem.Vnde in diuinis ſcdm rem
non eſt maior perfectio qua voluntas perficitur in amore,q̄ qua intellectus perficitur in co
gnitione,vt procedit obiectio.Quia tamen in creaturis eſt maior perfectio ſecundum rem qua
voluntas perficitur in amore, q̄ qua intellectus perficitur in cognitione : bene poteſt in diui
nis modum maioris perfectionis ſecundum rationem intelligendi habere voluntas in amo
re q̄ intellectus in cognitione . Et eſt diſtinguendum de amore & cognitione : quia poſſunt
conſiderari in ordine ad terminū ſiue obiectum amatum aut cognitum: & in ordine ad prin
cipium elicitiuum qd̄ eſt amans & intelligens.Eſt etiam aduertendum q̄ circa adeptionem p
fectionis duo conſiderātur,ſcilicet ipſa perfectio adeptiua, quæ per ſe reſpicit ordinem ad ter
minū: & modus adipiſcendi illam:qui per ſe reſpicit elicitiuum principium.Licet ergo quan
tum eſt de ratione perfectionis adeptę maior perfectio adipiſcatur per productionem amoris q̄
cognitionis:eo q̄ magis perficitur voluntas per amorem productum in ipſa q̄ intellectus p co
gnitionem productam in illo,vt procedit obiectio:quantum tamen eſt de ratione modi adipi
ſcendi illam perfectionem,perfectiori modo adipiſci poteſt perfectio cognitionis in intellectu q̄
amoris in voluntate. Et hoc vbi in eliciendo ſuam actionem qua adipiſcitur ſua perfectio,mi
nus dependet ab alio intellectus q̄ voluntas . Nunc autem ita eſt in propoſito q̄ licet volun
tas in ſua actione eſſentiali qua adipiſcitur perfectionem ſcdm amorem eſſentialem,minus de
pendet ab alio q̄ intellectus in ſua actione eſſentiali qua adipiſcitur perfectionem ſcdm cogni
tionem eſſentialem : eo q̄ intellectus non elicit illam actionem niſi paſſus ab obiecto : volun
tas autem eam elicit non paſſa omnino : & ſic comparando intellectum & voluntatem in
ter ſe ſcdm perfectionem reſpectu eſſentialis amoris & cognitionis ſcdm vtrunq; dictorum or
dinum,& ratione ipſius perfectionis adeptæ,& etiam ratione modi adipiſcendi illam,principa
lior eſt actio voluntatis qua adipiſcitur perfectio eius ſecundum amorem:q̄ intellectus qua ac
quiritur perfectio eius ſecundum cognitionem : Voluntas tamen in ſua actione notionali
qua adipiſcitur perfectionem ſecundum amorem notionalem, magis dependet ab alio q̄ in
tellectus in ſua actione notionali qua adipiſcitur perfectionem ſecundum cognitionem no
tionalem:eo q̄ intellectus elicit illam actionem pure actiue abſq; omni alia actione præuia. Vo
luntas autem etſi illam elicit pure actiue , non tamen ſine actione notionali intellectus præuia
vt dictum eſt iam. Et ideo comparando intellectum & volūtatem inter ſe ſcdm perfectionem
notionalis amoris & cognitionis,licet rōne modi ipſi⁹ pfectionis adeptę pricipalior eſſet actio
notionalis voluntatis q̄ intellectus: Modus enim eſt maioris perfectionis in deo diligere ſe q̄
cognoſcere ſe cum notionali dilectione & cognitione q̄ eſſentiali: ratione tn̄ modi adipiſcendi
perfectionem,principalior eſt actio notionalis intellectus q̄ voluntatis,Modus enim perfection
eſt eliciendi actum notionalem intellectus abſq; omni dependentia ad actionem alterius, q̄ ſit
modus eliciendi actū notionalē volūtatis cū dependētia vel quaſi ad actionē intellectus.Et hęc
eſt pfectio q̄ p ſe reſpicit ipm̄ actū:quia p ſe eſt circa ipm̄ . Præcedēs autē pfectio reſpicit ipſum
per accidēs:quia nō eſt per ſe niſi circa ſubiectū actionis, Propter qd̄ loq̄ndo de principalitate

actuum simpliciter,principalior est actio notionalis intellectus q̄ volūtatis in diuinis.secus aū tem est in nobis,vt dictum est.

Irca Quintum arguitur ꝙ actiua spiratio sit proprietas cōstitutiua personæ Primo sic.non est minoris efficaciȩ passio q̄ actio: quia quicquid in se cōtinet passio procedit ab actione. quare cum spiratio passiua sit proprietas constitu tiua personæ:ergo & consimiliter spiratio actiua.C Secundo sic.non est mino ris efficaciȩ in agendo apud deum voluntas q̄ natura:quia ambo sunt per se principia agendi. quare cū natura in agendo actione quæ est productio, illa constituit personam vt generatione actiua : consimiliter ergo & voluntas in agendo actione quæ est productio,illa constituit personam vt spiratione actiua.C Contra est:ꝙ illa persona esset alia a persona patris & filii:quæ tamen nec esset a patre nec a filio : sed a nulla omnino:sicut nec pater a qua eēt spiritus sanctus ex parte voluntatis: sicut & filius a patre ex parte intellectus:& esset quaternitas personarum in diuinis:& duplex binarius personarum in connexarum scdm relationes:quarum duæ non essent ab alia aut aliis omnino: & duæ essent ab aliis a quibus nullȩ aliȩ: & duȩ ex parte voluntatis, sicut sunt & duæ ex parte intellectus: nec esset voluntas in illis quȩ sunt ex parte intellectus:nec intellectus in illis q̄ sunt ex pte vo luntatis. nisi diceretur contra Augustinum.xiii.de Trinitate,ꝙ illæ duæ quæ sunt ex parte intellectus,non tm̄ sibi sed aliis duabus intelligerēt:& illȩ duȩ quæ sunt ex parte voluntatis, non tm̄ sibi sed aliis duabus vellent:& illȩ quæ sunt ex parte intellectus,nihil sibi aut aliis vel lent: & similiter illȩ quæ sunt ex parte voluntatis , nihil sibi aut aliis intelligerent : quod est contra fidem catholicam.

C Dico:ꝙ differt dicere proprietatem aliquam esse proprietatem personæ:& esse proprietatem constitutiuam psonam. Quia omnis proprietas constitutiua personæ,etiam est ꝑ prietas illius personæ quam constituit:sed non econuerso omnis proprietas personæ est consti tutiua personæ illius cuius est proprietas . Et etiam alio & alio modo est illa proprietas perso næ:& ista.Illa eīn quæ est constitutiua personæ est in persona: & aliquid personæ: ad modum quo differentia est in specie aliquid ipsius speciei.& non solum dicitur proprietas personæ:sed etiam dicitur ꝑprietas psonalis.Ista vero quæ non est cōstitutiua psonȩ est in psona & aliquid ipsius personæ ad modum quo proprium est in specie aliquid ipsius speciei,scilicet consequens ad ipsam iam constitutam in esse speciei per differentiam.Propter quod scdm Boethium pro prium in creaturis est aduentitiȩ naturæ: & manat de genere accidentium . Et ideo in diui nis talis proprietas licet dicatur proprietas personæ:non tamen dicitur proprietas personalis & habet magis rationem aduentitii & accidentis respectu personæ cuius est,q̄ proprietas illa quæ est personalis : & hoc quia est personæ iam constitutȩ in esse personæ per aliam ꝑprieta tem,vt inter istas duas ꝑprietates sit ordo quidam naturæ scdm modū supra expositū. Quia igitur spiratio actiua non est nisi proprietas personæ iam constitutȩ in esse personæ per aliam proprietatem,puta paternitate scdm Græcos ponentes ꝙ solus pater spirat: vel potius etiam filiatione scdm latinos ponentes ꝙ ambo,scilicet pater & filius spirant:idcirco nullo modo spi ratio actiua est vel potest esse proprietas constitutiua personæ: aut oportet ponere ꝙ nec pa ter nec filius spirarent: sed solum illa persona constituta in esse personæ per spirationem acti uam:sicut pater constituitur in esse personæ per generationem actiuam.& sequerentur incon uenienria conclusa in tertia ratione. Et qd̄ amplius est, si per spirationem actiuam esset psona aliqua constituta,hoc non esset sub ratione eius qd̄ est spirare : sed potius sub ratione spirari, scdm tacta superius circa generare.

C Ad rationem primam in oppositum,ꝙ non est maioris efficaciȩ spiratio passio q̄ spiratio actio,ergo &c. Dico ꝙ si spiratio passio est constitutiua psonæ:non sic spiratio actio: hoc non facit efficacia aliqua quæ maior sit in passione q̄ in actione.Sed hoc solū facit conditio earū,ꝙ scilicet spiratio actio quasi aduenit personæ iam constitutæ in esse personæ:non sic au tem spiratio passio. Spiratus enim nulla alia ratione subsistit,siue vt qui ab alio, siue vt a quo alius,q̄ spiratione passiua: spirans autem actiue non est nisi subsistens aut vt a quo alius alio modo sicut pater: aut vt qui ab alio sicut filius,vt iam videbitur.C Ad secundū:ꝙ in deo non

est minoris efficaciȩ voluntas q̄ natura &c. Dico iuxta id quod iam dictum est, ꝙ si actio no tionalis voluntatis non constituit sic psonam sicut nature,hoc non facit aliqua maior efficacia in agendo naturæ q̄ voluntatis: sed conditio, eo scilicet ꝙ voluntas in deo non est elicitiua actionis notionalis niſi quaſi pręuia ordine quodam naturę actione notionali naturæ ex parte intellectus,ſicut patet ex prędictis.Quod etiam amplius declaratur,ſiue actio notionalis voluntatis ponatur ſecundũ gręcos elici a ſolo patre,ſiue communiter a patre & filio, licet quoquo modo aliter & aliter,hoc modo.Quia enim (vt ſepius dictum eſt ſupra) ſcdm Auguſtinum, nihil poteſt voluntas velle niſi cognitum, ordo ſemper aliquis eſt inter actum intelligendi quo ſit aliquid cognitum,& actum volendi, etſi non ſcdm prius & poſterius, tamen ſcdm primum & ſecundum: vt ſemper actus intellectus ſit primus, & actus voluntatis ſecundus : & hoc vel ſcdm rationem & ordinem rationis,vel ſecundum rem & naturam atqᷓ ordinem naturæ: vt ſi actus intelligendi eſſentialis ſit in prio ſigno aliquo, in a.actus volēdi erit in ſcdo aliquo ſigno alio,puta in b.ſed hoc ordine quodã rōnis inter actus itellec⁹ & volútatis eſſentiales.Nũc aũt ita eſt qᷓ intellectus vt na turalis eſt,ſiue vt eſt natura,cum eſt in ſuo actu intelligēdi eſſentiali qui eſt intelligere in ſigno a. ſtatim cōuertit ſe ſupra ſe:& hoc non in eo ſigno quod eſt a.ſed in alio, ſcilicet in b.vt ſimul in eo ſigno ſcilicet b.quod ſecundum rationem eſt ſecundus ab a. voluntas elicit ſuum actum volen di eſſentialem: & intellectus exiſtens in ſuo actu intelligendi eſſentiali conuertit ſe ſupra ſe,& in quátum eſt informatus notitia eſſentiali eſt foecundus actiue ad eliciendum actum ſuum notio nalem qui eſt generare ſiue dicere.Inquátum eſt intellectus purus conuerſus,eſt foecundus paſſi ue vt de ipſo producatur filius ſiue verbum per actum notionalem.Er tũc in tertio ſigno,puta in c.intellectus elicit ſuum actum generãdi ſiue dicēdi notionalem: & producit verbum ſiue filium. In eodem etiam ſigno ſimul voluntas paterna vt ſolius eſt,exiſtens in ſuo actu volendi eſſentiali ter cōuertit ſe ſupra ſe,& ſic conuerſa cōmunicatur per actum generatiōis filio. In quarto autem ſigno puta d.voluntate cōuerſa producitur.Ita qᷓ licet hæc oĩa ſint in eodem inſtanti ęternitatis ſunt tamen in diuerſis ſignis eiuſdem p ordinem ſe habentibus conſideratione intellectus noſtri. Et licet ordo rationis trm ſit inter a.b.c.eſt tamen ordo naturæ inter c.d.eo qᷓ ſcdm prędicta actus intellectus notionalis eſt quaſi pręuius ad actum voluntatis notionalem quodã modo vt cauſa p pter quam ſit.Quia ſine actu intellec⁹ notionali,quo intellectu producitur notitia declaratiua qᷓ verbum eſt,non eſt foecūda voluntas exiſtens in ſuo actu volendi eſſentiali, etiã conuerſa ſupra ſe,non enim poteſt elicere amorē incentiuum,niſi cognoſcēs declaratiue : ſicut neqᷓ amorē ſimpli citer,niſi cognoſcens ſimpliciter.Et hoc maxime ponendo qᷓ actus notionalis voluntatis non pro cedit ab illa vt eſt voluntas ſimpliciter:ſed ſolũmodo vt eſt concors,& duorum, ſcilicet patris & filii.Et ſic licet volũtas foecũda equalis efficacię ſit cũ intellectu foecũdo ad eliciendum ſuũ actum notionalem,ex cōditiōe tamē volútatis.C̃.ſ.qᷓ quaſi præuius ad actum eius tam eſſentialem,qᷓ no tionalem ſit actus tã eſſentialis qᷓ notionalis intellectus:& cōſimiliter quaſi pręuia eſt productio p ſonæ per actionem intellectus ad productionem perſonę per actionem notionalem voluntatis,pa tre actione notionali generandi actiue conſtituto in eſſe perſonę:& ſimiliter filio notione generan di paſſiua:& hoc in eodem ſigno,quēadmodum relatiua ſunt ſimul natura)quaſi aduenit in alio ſigno volũtas foecunda qua producitur actio notionalis,& ſic notio talis eſt ꝓprietas quaſi aduē titia perſonę iam cōſtitutę in eſſe p aliam proprietatē quaſi priorē,etiam ſi per impoſſibile,immo p incōpoſſibile ſcdm Græcos ponatur qᷓ actio notionalis voluntatis eliciatur a ſolo patre,& nullo modo actio notionalis intellectus eſſet vt cauſa propter quam ſic reſpectu actionis notionalis vo luntatis:nec quo ad hoc eēt principalior actio notionalis intellectus qᷓ volútatis,nec yllo mõ volũ tas cōuerſa foecundaret ad eliciēdum actum ſpirandi per actum dicendi pręuium:quę neceſſe ha bent ponere Gręci:& negare qᷓ ad actum ſpirandi requiritur voluntas concoꝛs duorum: & dice re qᷓ ſola voluntas paterna,& vt ſolius patris eſt,p ſolam cōuerſionē ſupra ſe eſt foecunda ad actũ ſpirandi & actiue & paſſiue. & ſi ſit pręuius quoquo modo actus dicendi hoc ſolũ eſt vt cauſa ſi ne qua non,& nullo mõ vt quo foecundaꝛ voluntas ad actũ ſpirádi.Si em ſic eſſet pręuia foecũ dationi voluntatis productio filii : ſic voluntas foecundaretur non ſolum vt eſt patris,ſed etiam vt iã filio eſt cōĩcata a patre:vt in ſigno c.ponátur hæc quatuor eſſe, videlicet volútatis paternæ cōuerſio,filii generatio,& voluntatis cōuerſę ipſi filio cōĩcatio,& ipſius voluntatis conuerſę foecũ datio. Siquam autem rationem habent greci ad ponēdum ſolum patrē ſpirare (vt ęſtĩmo)illa eſt qᷓ putant nõ poſſe in eodem ſigno ſcilicet c.eſſe volútatis cōuerſionem ſupra ſe,& ipſius cōuerſę cōmunicatione,quēadmodum impoſſibile videẜ qᷓ graue in aliquo ſigno generetur ſurſum,& in eodem factum ſit per deſcenſum deorum, dato qᷓ nõ ſit mediũ reſiſtens. Quare cum nihil cō municetur filio niſi in dicto ſigno c.in quo generatur,& in eodem ſigno ſcdm dicta ſit volunta tis paternæ conuerſio:impoſſibile ergo eſt ſecundum græcos qᷓ voluntas vt conuerſa cōmunice tur filio,etſi ei communicetur vt volũtas informata ſimpliciter amore eſſentiali, Quare cum nõ

S

T

V

est vis spiratiua nisi in voluntate conuersa,secundū modum supra expositū:nullo modo(vt vide
tur)filio cōicatur a patre p gñatione vis spiratiua,nec spūs sanct⁹ spirat a filio. Quia cū spirat vo
lūtate cōuersa vt nuda est de ipsa vt est essentialis,& informata amore essentiali,sicut expositū est
supra,voluntas vt sic est essentialis & informata cōicata est a patre filio per gñatione.In eo aūt est
p̄ pductiōe is q̄ pducit,in quo est id de quo p̄ducitur. Et ideo licet scdm graecos spūs sanct⁹ nō

**X**

procedat a filio,scdm eosdem tñ a patre procedit in filio,& requiescit in ipso.sicut dicit Damasc.
lib.i.cap.xi.Sed proculdubio in dicto signo c.sunt & voluntatis cōuersio & ipsius cōmunicatio:
licet ordine quodā.Nec est simile de graui. q̄ eñi impossibile ē illud in eodē signo sursum genera
ri,& deorsum ferri,hoc cōtingit quia illi termini sursum & deorsum sunt extra essentiam gra

**Y**

uis,& re differētes ab ipso. In proposito aūt non sic est,quia terminus cōuersionis voluntatis est
ipsa voluntas informata amore simplici,supra quē ipsa nuda se cōuertit.Terminus aūt cōmunica
tionis est ipse filius,cui cōicatur ipsa voluntas essentialis informata & etiā cōuersa.Propter q̄d be
ne in eodē signo possunt esse & cōuersio volūtatis & eiusdem cōmunicatio.Quēadmodum in eo

**Z**

dem signo tēporis potest esse lux generata in aliquo puncto medii,& ab illa eadē altera lux genera
ta in alio puncto,scdm iā dicta supra in corpore solutiōis. Nullo modo spiratio actiua potest esse
p̄prietas constitutiua personæ : sed solūmode est proprietas p̄sonæ.Et sic impossibile est q̄ in diui
nis alia notio actiua sit p̄sonæ constitutiua,q̄ illa quæ cōsistit in prima productione actiua qua con
stituitur in esse personæ illa persona quæ in diuinis est prima omnino.Omnes eñi aliæ productiōes
actiuæ/si plures essent, essent notiones siue p̄prietates p̄sonæ aut p̄sonarū iā constitutarum in esse
personali per alias p̄prietates:& omnes aliæ personæ ab illa q̄ est omnino prima nō cōstituūtur in
esse p̄sonæ nisi per notiōes siue per proprietates passiuas:nec est aliqua notio,siue proprietas passi
ua personæ iā constitutæ in esse personæ, sed quælibet illarū est constitutiua p̄sonæ,etiā si produ
ctio personarū in diuinis procederet in infinitum,

**A**
Quæst.VI.
Arg.i.
2

In oppositū.

Irca sextum arguitur q̄ spiratio actiua sit proprietas siue actio vni⁹ spiratoris,
Primo sic.sicut in denominādo passio se habet ad passum,sic actio ad agente.
sed spiratiōe quasi passiua nō dicitur spiratus nisi vnus:ergo & spiratiōe acti
ua nō dicitur spirator nisi vnus.⸿Secundo sic.sicut se habet creatio actiua ad
creantē,sic spiratio actiua ad spiratrē.sed q̄q̄ plures sint creātes,tñ nō dicitur
nisi vnus creator. ergo q̄q̄ plures sint spirantes non tamen dicetur esse nisi
vnus spirator. ⸿Contrarium profitentur plures doctores: qui dicunt q̄ pater & filius sunt duo
spiratores.

**B**
Responsio.

⸿Dico q̄ differt quærere,An spiratio sit actio vnius personæ,& an sit actio vnius
spirantis.De primo expeditum est supra:vbi determinando de diuinis proprietatibus in genera
li,determinatum est q̄ non solus pater spirat,sed etiā filius:ita q̄ in diuinis nulla potest esse actio
vnius personæ tantū præter gñationem,nec potest procedere a sola prima p̄sona nisi scdā sola.Q̄
si tertia sit persona in diuinis, oportet q̄ illa procedat a prima & secunda simul:& si quarta,opor
teret q̄ p̄cederet a tribus primis,& sic deinceps.& hoc quia sic est circa diuinas p̄ductiones,q̄ vi
res p̄ductiuæ sunt ordinatæ:queadmodum secundū prædicta ordinatæ sunt vires p̄ductiuæ mo
do intellectus & voluntatis:& semper producto per primā vim,a producente cōmunicatur omis
alia vis productiua.De secundo dicetur inferius disputādo de modo loquēdi de deo,assignādo ra

**C**

tione quare verba & participia in diuinis pluraliter p̄dicant de pluribus agentib⁹,nō sic aūt sem
per verbalia noīa. Dicimus eñi q̄ pater & filius & spūs sanctus sunt tres creantes,nō sic dicim⁹
sunt tres creatores.De tertio eñi secus. Dicimus eñi q̄ pater & fili⁹ sunt spiratores.Et sic ad p̄
positā quæstione dico q̄ spiratio actiua nō est actio vni⁹ spiratoris,sed pluriū.Et hoc ideo,quia ra
tio spirādi ad hoc q̄ ea quis spiret,ex cōditione & natura sua requirit pluralitatē spirantium: ita
q̄ si per impossibile poneret q̄ pductione gñationis nō cōmunicaretur volūtas paterna,impossi
bile esset ponere q̄ solus pater spiraret,quia (vt dictū est supra)non est voluntas ratio spiran
di nisi sit cōcors plurium,nec aliter esset ad spirandum fœcunda.

**D**
Ad pri.prin.

⸿Per hoc patet ad primum in oppositum dicendo q̄ nō est simile de spiratione
actiua & passiua:quoniam spirationis passiuæ ratio nullam pluralitatem requirit spiratorum pas
siuæ:sed est per spirationem passiuam cōstituiua personæ iā spiratæ,vt iam dictū est supra.& ideo
sicut ipsa est vnica,& similiter spiratio passiua:sic necessario persona spirata est vnica.Spirationis
autem actiuæ ratio non est constitutiua personæ:sed secundum prædictum modum requirit q̄
plurium personarum : eo q̄ licet sit vnica in radice voluntatis & vt est ratio spirandi quasi remo

ta,eſt tamen quaſi bifurcata per hoc ⱷ debet eſſe concors ad hoc ⱷ ſit ratio ſpirandi quaſi pro‑
pinqua.Sic aũt non eſt quaſi bifurcata niſi per hoc ⱷ non eſt fœcunda niſi yt eſt duorum.Ad
ſecundũ dico ⱷ non eſt ſimile de creatione actiua.quoniã ratio creandi qua plures creãt: ſic yni
ca eſt ⱷ ſub omnimoda ratione ynitatis omnimodæ eſt ratio creandi plurium.Propter quod etſi
plures creant:creant tamen yt ynum,& ideo non ſunt niſi ynus creator.Ratio aũt ſpirandi qua
plures ſpirant,licet ynica ſit, non tamen ſub omnimoda ratione ynitatis, ſiue ſub ratione omni‑
modę ynitatis eſt ratio ſpirandi plurium,ſed(yt dictum eſt)ſub ratiõe quodãmodo bifurcata ſci
licet yt eſt plurium concors.Propter qđ plures ſpirant: & ideo non ſunt ynus ſpirator ſed plures
ſpiratores.Vnde ⱷ plures creant yt ſunt ynus,ſpirãt tamen yt ſunt plures, patet ex hoc:ⱷ ſi per
impoſſibile ponatur eſſe ynica perſona in diuinis abſoluta,&nulla pſona relatiua, illa poſſet crea‑
re ratione diuinę ſubſtãtię quę in illa eſſet.Si autem per impoſſibile amoueatur vis ſpiratiua a ſi
lio:yt per gñationem non cõmunicetur ei voluntas paterna:pater ſpirare nõ poſſet ratione volũ
tatis ſuę:quia non eſſet plurium nec cõcors,& ideo nec fœcunda.Qz ſi eſſet:& ſolus pater poſſet
ſpirare:nulla apparet ratio quare plures ſpirãtes dicantur plures ſpiratores,non ſic autem plures
creãtes dicantur plures creatores.Vnde non credo ⱷ greci ſi per impoſſibile ſcdm ipſos ponere‑
tur filius ſpirare cum patre, dicerẽt patrem & filium eſſe plures ſpiratores:ſicut nec dicunt ipſos
eſſe plures creatores:quia ſpirarent per voluntatem yt volũtas eſt ſimpliciter, nõ yt cõcors duo‑
rum:ſicut creant per eſſentiam ſimpliciter,nõ yt eſt duorũ vel trium.Vtrobiⱷ autẽ yniformiter
dicitur plures creantes,& plures ſpirantes,quia hoc cõuenit ratione modi ſignificandi dictionũ
yt patebit inferius,qui eſt yniformis in illis principiis creans & ſpirans.

F
Queſt.VII.
Arg.i.

Irca ſeptimũ arguitur ⱷ plures ſpirantes nõ ſunt ynum principium ſpirandi
quia ipſis non attribuit ratio principii ſpirãdi,niſi quia ab ipſis elicitur actus
ſpirandi,& per illũ pcedit ab eiſdem perſona ſpirata. ab ipſis aũt nõ elicit actꝰ
ſpirandi yt ſunt ynum,ſed potius yt ſunt plures, ſicut iam dictũ eſt,ergo &c.
Secundo ſic.pater eſt principium ſpirandi non de principio,quia non habet
ⱷ ſpiret ab alio. filius autem eſt principium ſpirandi de principio: quia habet
ⱷ ſpiret ab alio.non eſt autem idem & ynũ principium ab alio, & non ab alio:quia cõtradictoria
non concurrũt in eodem.ergo &c.Contra.principium & principiatum ſunt relatiua: quare cũ
principiatum actu ſpirãdi eſt ynũ,ſcilicet ſpũs ſanctꝰ:ergo & ſpirandi principium eſt ynum.

2

In oppoſitũ.

Dico ⱷ in omni actione eſt conſiderare agentem ſiue eum qui agit,& ratiõe
agendi,hoc eſt vim ſiue virtutem & potentiam qua agit.Agens aũt in omni actione non eſt niſi
ſuppoſitum:cuius eſt aliqd ipſa agendi ratio yt forma qua eſt aliquid in natura ſimpliciter,non
qua eſt iſte yel ille in ſuppoſito:yt declaratum eſt in precedentibus.Vnde ratio ſuppoſiti qua ſup
poſitum eſt iſte yel ille etſi non ſit ratio agendi & elicitiua actus,eſt tamẽ ratio agentis & elicien
tis actũ,& ſecũdũ hoc proxima actui elicito,& pximior ꝗ ſit ratio illa ꝗ eſt vis elicitiua.Quæ qui
dem ratio agẽtis licet ſit ratio principii,nõ tñ eſt ratio qua ipſum ſuppoſitũ habet ⱷ ſit aũt dica
tur principium,ſed potius illa quę eſt vis elicitiua.In qua eſt etiã diſtinguere rationem ppinquã
ac remotam,ſecundũ ⱷ diſtinguitur potentia in propinquã & remotam,non ſecundum diuerſi‑
tatem rerum,ſed ſecundũ diuerſitatem rationum in eadem potentia ſecundũ rem: ita ⱷ a vi illa
ſecundũ rõnem propinquã actui habet ſuppoſitum eliciens actum rationem principii propinqui
& a vi eadẽ ſecundũ rõne remotã habet rõne principii primi:& ita principii ſimpliciter.ga ſecundũ
Phm,principium & primum idem ſunt.Quare & ab ynitate illius rationis remotę habet ratiõe
ynitatis ſimpliciter:ſicut a bifurcatiõe rationis illius remotę habet ratiõe pluralitatis ſpira‑
is dupplicis:& vlterius a ratione illarum proprietatum qua plurificãtur perſonę,habet rationen
dupplicis ſpirantis.Quemadmodum eñ a ratione ſpiratiua remota ſumitur ynitas principii: & a
ratione illa bifurcata,ſumitur ratio dupplicis ſpiratoris:ſic etiã a rõne dupplicis proprietatis per‑
ſonalis ſumitur ratio dupplicis ſpirantis yel potius duorum ſpirãtium:& ſimiliter a rõne triplicis
pprietatis perſonalis ſumitur ratio triplicis creantis vel potius trium creantium,put infra am‑
plius declarabitur.Propter qđ dico ⱷ ſimpliciter pater & filius qui ſunt plures ſpirãtes & plures
ſpiratores,ſunt ynum principium ſpũs ſancti.

G
Reſponſio.

H

Ad primum.in oppoſitum ⱷ plures ſpiratores non ſunt ynum principiũ ſpirã
di &c. Dico ⱷ ratio ſpirandi non attribuitur ſpirantibus quia ab ipſis elicitur actus ſpirandi : ſed
potius elicitur actus ſpirandi,quia ipſis cõuenit ratio ſpirandi.Propter quod licet ab ipſis non eli‑
ciatur actus ſpirandi niſi yt ſunt plures quo ad propinquam & proximam rationem ſpirandi,

I
Ad pri.ptin.

procedit tamen ab ipsis vt sunt vnum quo ad primã & remotam rationem spirandi,quę bene po test esse plurium absq omni inconueniente in diuinis,immo hoc necesse est secundum prædicta.

k
Ad secundũ
¶Ad secundum q pater est principium spirandi non de principio &c . Dico q idem siue vnum principium in deo possunt sumi vel masculine,vel neutraliter.Si primo modo, dico q nullo mo do est idem siue vnum ab alio & non ab alio:sed cõtra tale vnum omnino repugnãt,quia impossi bile est vnum & idem in supposito esse ab alio, & non ab alio.Si secundo modo,dico q illud bene est possibile sine omni repugnantia.sic enim in diuinis pater & filius sunt vnus deus:& pater est deus nõ de deo,nec ab alio,& filius est deus de deo & ab alio. Vel potest distingui de esse ab alio, & non esse ab alio:quia hoc potest esse proprie vel improprie.Primo enim modo nõ est ab alio ni si ipsa persona:& hoc modo non est idem ab alio & non ab alio,propter contradictionem circa idẽ proprie & per se.Secundo autem modo est ab alio ipsa diuina essentia in filio:& similiter rõ spirã di prima & remota.& hoc modo non est inconueniens q aliquid vnum & idem sit ab alio & non ab alio,absq contradictione:quia non in eodẽ est ab alio,& nõ ab alio,quia in patre non est ab alio,

Ad argu. in
oppositum.
licet in filio sit ab alio,& cõtradictio debet esse circa idẽ eodem modo se habens.¶Argumentũ in oppositũ bene procedit ex parte principii de vno in natura specifica in creaturis, & in diuinis ra tione materiæ de natura numerali.Si enim in creaturis principiatũ est vnum,necesse est q princi pium sit vnum in specie simplici:quemadmodum in eadem specie est vnum principiatum ex mas culo & fœmina:vel in composito:quemadmodum ex equo & asino generatur mulus,cõnixtum enim ex semine vtriusq est quasi mulus scdm phm.vii.Metaph.eo q coniunctæ sunt illę species. In diuinis autem vbi principiatum est vnum,principiũ est in singulari natura deitatis ẽ. spirãdi ratione vt dictum est.

L
Quest.VIII.
Arg.i.

Irca octauum arguitur q neuter spiratium habet rationem spiratiuã ab alio. quod clarum est de patre.Qz etiam ita sit de filio,patet primo sic.si filius habe ret rationem siue vim spiratiuam a patre, tũc pater ex seipso vim spiratiuam haberet, & posset spirare etiam si filius non haberet vim spiratiuã a patre nec spiraret:quia nullus potest alteri dare qd ipse nõ habet ex se.cõsequens falsum est.quia aliter non esset voluntas concors,quæ requiritur ad vim spiratiuam,

2
secundum prædeterminata,ergo &c.¶Secundo sic,si filius haberet vim spiratiuam a patre:cum a vi spiratiua habeat q sit spirator:sicut a generatione passiua quam habet a patre genitus est:si cut ergo filius habet a patre q sit genitus:& ex hoc relationem realem habet ad patrem,& econ uerso relationem habet pater ad filiũ,sic filius haberet a patre q sit spirator: & ex hoc haberet re lationem realem ad patrem:& econuerso pater ad ipsum.illa autem non est relatio in filio,quę est filiatio & generatio passiua:quia spiratio in filio est proprietas actiua:quare nec illa respõdens ei dem in patre,vt paternitas siue generatio actiua: sed aliqua alia,hoc autem falsum est:quia tunc in patre essent duæ relationes reales & differentes positiuæ respectu filii & econuerso:cuius con

in oppositũ.
trarium tenet ecclesia & fides catholica,ergo &c. ¶Cõtra.qui ab alio habet esse suum & id quod est,habet ab eodem omne qd habet.quia esse est prima ratio in diuinis,sicut habitum est supra.& a quo habet aliquis primum qd est in ipso: & quodcunq aliud in quo includitur & supponitur illud.Quare cum filius habeat esse a patre & q filius est:vis spiratiua autem supponit & inclu dit esse in filio:ergo &c.

M
Responsio
¶Dico iuxta processum vltimę rationis, q filius vim spiratiuam habet a pa tre:intelligendo tamẽ q filius potest intelligi dupliciter habere aliquid a patre.Vno modo tanq genitum a patre.Alio modo tanq existens in filio per generationem a patre.Primo modo habet fi lius a patre q sit genitus siue filius,siue persona aliqua in diuinis,& nihil aliud. Secũdo modo ha bet filius a patre quicquid est in persona eius.Sed hoc potest eẽ dupliciter.Vno modo vt quid cõ municatum filio a patre per actum generationis.Alio modo vt quasi derelictũ in filio per actũ generationis actiuę patris. Isto autem secundo modo filius habet a patre relationem in se existen tem in ordine ad patrem,scilicet filiationem. Primo autem istorum modorum,quo scilicet filius habet aliquid communicatum sibi a patre per generationem,potest esse dupliciter.Vno modo vt q pertinens ad constitutionem personę suę:& sic habet deitatem & q sit deus a patre. Alio autẽ modo tanq proprium ipsius personę constitutę: & hoc modo habet vim spiratiuã a patre. sic enim est circa diuinas productiones,q quicquid est producentis per productionem sit ipsius producti excepto eo quo producens distinguitur a producto.Distinguendum tamen est circa vim spirati uam:quia licet sit semper vna & eadem re,potest tamen considerari vt est principiũ spirandi pri

mum & remotum,ſimiliter vt eſt principium ſpirandi proximum & propinquum,modo quo ta
ctum eſt iam ſupra.Si primo modo,ſic ſimpliciter ſciendum eſt ꝙ vis ſpiratiua filio cōmunicata
eſt a patre,ſcilicet voluntas vt eſt voluntas ſimpliciter:quam habet pater eſſentialiter ex ſe, & filius a patre.& ſecundū hoc principaliter proceſſit ratio vltima.Si ſecundo modo,ſic nō eſt ſentiē
dum ꝙ vis ſpiratiua ſit cōmunicata filio a patre : quia talis vis non eſt voluntas vt eſt voluntas
ſimpliciter:ſed vt eſt volūtas concors patris & filii. Sed ſolūmodo ſentiēdū eſt ꝙ vis ſpiratiua eſt
quid derelictum in filio per actum generationis,vt propriū eius cum patre,& ꝙ filius habet prin
cipium ſpirandi per patrem.Licet enim filius habeat principium ſpirandi ꝗ eſt voluntas, a pa-
tre:non tamen ex hoc habet ꝙ habeat concordem voluntatem a patre : quia non eſt concors niſi
per hoc ꝙ eadem voluntas eſt,& manet in patre.Sic etiā ſentiendum eſt ꝙ pater habet principiū
ſpirandi per filium:quia niſi filius haberet a patre voluntatem illam quam habet pater, nec eſſet
voluntas patris concors,nec principium ſpirandi ſecundum dicta. & hoc quemadmodum ſecūdum diu ſuperius expoſita,pater nō habet ꝙ ſit pater niſi per filium,& hoc vtrobiꝗ vt per cauſam ſine qua non.Et ſecundum hoc ſimpliciter concedenda eſt vltima ratio.

¶Ad primum in oppoſitum ꝙ ſi filius haberet rationem ſpirandi a patre:tūc pa
ter haberet eam ex ſe vt ſpiraret:etiāſi filius nō ſpiraret:Dico ꝙ vim ſpirandi primam & remotā
quam filius habet proprie a patre:pater habet ex ſe,non autem propinquam ſic habet ex ſe quin
eam habeat per filium:quam filius non habet proprie a patre: licet per patrem: ſicut dictum eſt.
¶Quod autem additur,ꝙ ſi pater ex ſe haberet vim ſpiratiuam: ex ſe poſſet ſpirare ſine filio ſpirante : Dico ꝙ hoc verum eſt, ſi ex ſe haberet vim ſpiratiuam propinquam: non autem verum
eſt de remota. Vim autem ſpiratiuam propinquam non habet pater niſi modo ſupra expoſito:eo
ꝙ ſecundum prædicta voluntas non eſt concors ad ſpirandum niſi ex hoc ꝙ eſt concors.¶Ad ſecundum: Si filius haberet vim ſpiratiuam a patre,haberet a patre ꝙ eſſet ſpirator: ſicut & ꝙ eſt
genitus:Dico ꝙ re vera filius a patre habet ꝙ eſt ſpirationis principium:quia vere & proprie pri
mam & remotam rationem ſpirandi,a qua ſecundum prædicta ſumitur nomen principii,habet a
patre. Quia autem a propinqua ratione ſpirandi ſumitur(vt dictū eſt)nome ſpiratoris: & illā nō
proprie habet a patre,ſed ſolummodo per patrem,ſecundum iam dictum modum:idcirco licet fi
lius vim ſpiratiuam primam & remotam habeat a patre:non tamen proprie dicendus eſt habere ab eo ꝙ ſit ſpirator, ſed potius ꝙ eſt ſpirator per eum.Eſto etiam ꝙ a patre haberet ꝙ eſſet ſpirator,non tamen eſſet ſimile de eo quod eſt ſpirator,& de eo quod eſt genitus: quia filius in eo ꝙ
genitus,habet eſſe a patre per generationem,vt per ſe terminus generationis, nō ſic autem in eo
ꝙ ſpirator: quia ꝙ eſt ſpirator ratione primi principii ſpirandi, habet a patre vt communicatum
per actum generationis: & ꝙ eſt ſpirator ratione propinqui principii ſpirandi,non habet a patre:
ſed ſolummodo per patrem,ſecundum iam expoſitum modum. Propter iſtam aduerſitatem non
ſequitur vlterius concluſum in argumento,videlicet ꝙ filius ſicut in eo ꝙ genitus,habet relationem realem ad patrem & econuerſo: conſimiliter in eo ꝙ eſt ſpirator. quia in eo ꝙ eſt per patrem vel a patre ſpirator,nullam relationem realem habet ad patrem,nec econuerſo:quia relatio
nem realem non habent perſonæ diuinæ inter ſe quia per generationem vel actum alicuius perſonæ aliquid ſit communicatum alteri vel derelictum in illa:ſed ſolummodo quia vna ſimpliciter
habet eſſe ab altera vt per ſe terminus actus illius.

Irca nonū arguitur ꝙ vn⁹ ſpirantiū videlicet pater non ſpiret principaliꝰ ꝗ
alter puta ꝗ filius.Primo ſic,in diuinis non ſunt gradus aliqui:quia repugnat
æqualitati quæ ſumma eſt in diuinis,ſed nō eſt compatio ſine gradu penes ma
gis & minus:ergo ſecundum principalitatem in diuinis eſſe non poteſt. ergo
&c.¶Secundo ſic,procedens a pluribus vna & eadem virtute ſimplici,non p-
cedit principaliꝰ ab vno,ꝗ ab altero:quia virtus agendi determinat modum
actionis,actio ſpirandi procedit a patre & filio vna ſimplici virtute ſecundum prædicta. ergo &c.
¶Contra,ille principaliꝰ agit qui ex ſe habet ꝙ agat: ꝗ qui ab alio habet illud: quia hoc non eſt
ſine aliqua prærogatiua in agendo ex parte eius qui ex ſe habet ꝙ agat. pater autē habet ex ſe ꝙ
ſpiret:non ſic autem filius:vt patet ex prædictis,ergo &c.

¶Dico hic de principalitate circa actum ſpirandi patris reſpectu filii : quemadmodum dictum eſt ſupra de principalitate generationis reſpectu ſpirationis: ꝙ non accipitur ra

tione alicuius abfoluti,ficut neq; auctoritas aut maioritas:fed folummodo ratione refpectus & or dinis in principiando vnius eorum ad alterum inter quç vel quos fit comparatio.Sicut enim ge= neratio principalior dicitur productio: quia fecundũ praedicta fpiratio quoquo modo habet effe & originari a generatione:fic pater dicendus eft principalius fpirare:quia ꝙ filius fpirat, habet fi= lius a patre per generationem: vt patet ex praedictis. Vnde nec ratione actus eliciti, nec ratione modi eliciendi,nec ratione virtutis elicitiuae pater fpirat principaliter:fed folummodo quia vim fpirandi habet filius a patre:quam pater habet ex fe,fecundum ꝙ procedit vltima ratio.

**.T**
**Ad pri.prin.**

❡Ad primum in oppofitum ꝙ in diuinis nõ funt gradus:quare nec comparatio quae importatur per ly principalius:quia non eft comparatio fine gradu:Dico ꝙ fecundum grã= maticos triplex eft comparatio.Quaedam voce tantum,& non fignificatione,vt nouus/nouior/no uiffimus.Quaedam fignificatione tantum,& non voce:vt bonus/melior/optimus.Quaedam vtro ꝙ,vt albus albior albiffimus.De illa autem fignificatione in qua idem fignificant pofitiuum & co paratiuum fiue hoc fit voce fiue non,diftinguendum:quia aut diuerfi gradus comparationis fi= gnificant eandem rem diuerfificatã fecundum numerum circa diuerfos:aut eandem penitus. cir ca eundem.Comparatio primo modo importat eiufdem rei cõmunionem fecundum gradus & fe=

**V**

cundum magis & minus.Dicit enim de tali comparatiõe Remigius fuper Donatum.Sic dicitur autem comparatio quafi affimilatio: eo ꝙ affimilando vnum alteri praefert inftar pulpiti,& dici= tur pofitiuus gradus.Comparatiuus autem eo ꝙ plus fignificat pofitiuo,fuperlatiuum dicitur fuperexcellens.fuũ enim excellit comparatiuum,Et quia in deo non eft aliquid vnum qd conue= niat pluribus fecundũ plus,& fecũdum fuperexcellens in vno : ideo talis compatio non eft in deo aliquo modo:quia talis comparatio requirit ꝙ id in quo fit comparatio,fit in aliquo vno fimplici ter:& fecundum plus in alio,& fuperexcellenter in tertio,prout de tribus hominibus dicitur ifte primus eft doctus,ifte fecundus eft doctior,ideft magis doctus q̃ primus, ille tertius eft doctiffi= mus/ideft excellenter doctus fuper fecundum & fuper primum.Et femper in tali cõparatione fi= cut comparatiuum dicit in vno aliquid magis illius rei in qua fit comparatio:fic pofitiuum dicit minus eiufdem rei in alio:vt fi doctior eft magis doctus, fimpliciter doctus refpectu cuius ille di cit doctior,eft minus doctus:& fi doctiffimus eft magis in excellêtia doct⁹,doct⁹ fimpliciter & fi= militer magis doctus refpectu quorum ille dicitur doctiffimus, vterq; illorum refpectu illius eft

**X**

minus doctus.De tali autem cõparatiõe verum eft ꝙ non eft fine gradu,nec eft inter aliqua quae funt in diuinis:& ideo nec talis comparatio,vt dictum eft, eft inter perfonas diuinas.Nec idcirco fecundum talem comparationem dicitur aliquid principalius alio in diuinis, puta nec generatio principalior emanatio q̃ fit fpiratio:quia aliter fpiratio dicenda effet non folum non principalis fpiratio: fed min⁹ principalis q̃ gnatio:& fic eiufdê rationis effet vtraq; emanatio differês folum fecundum magis & minus,qd falfum eft.Nec fimiliter dicitur pater principalius fpirare q̃ filius: quia aliter filius dicendus eft non folum non principaliter fpirare: fed minus principaliter q̃ pa= ter:& effet illa ratio qua ambo fpirant,differês fecundũ magis & minus,vt vnus & alter fpirat fecundũ eam:qd totum falfum eft.Similiter qa in diuinis fpiratio nullo modo dicitur principalis emanatio fiue productio:nec etiam minus principalis q̃ fit generatio: fed folũmodo dicitur non principalis productio : confimiliter filius nullo modo dicitur principalior fpirare:nec etiam mi= nus principaliter fpirare q̃ fpiraret pater:fed folũmodo dicitur non principaliter fpirare.Et fic in propofito gradus comparationis inter principaliter & principalius in diuinis non fignificant ean dem rem diuerfificatã circa diuerfos fecundum dictum modum,fed eandem penitus,& vt circa generationem & fpirationem quando generatio dicitur effe principalior emanatio refpectu fpi= rationis:vel circa fpirationem quando pater dicitur principalius fpirare q̃ filius. Vnde principa= lis & principalior pductio in diuinis nõ dicitur nifi generatio:fimiliter principalis & principalior fpirator fiue principaliter & principalius fpirare non dicitur nifi pater.Quare gradus iftius com parationis,fcilicet pofitiuus & comparatiuus,idem fecundũ rem fignificant, non diuerfificatũ ta men fecũdum magis & minus,fed penitus idem:vt fit diuerfificatio fecundũ vocem tantũ.Et fe cundũ hoc eft comparatio fecundũ vocem tantũ: fed aliter q̃ grãmatici appellant comparationê fecundũ vocem tantũ,in qua non eft aliqua eadem fignificatio fecundũ rem in diuerfis gradib⁹ comparationis:fed tantũ eadem vox fecundum finem variata.Hic vero appellatur comparatio fe cundum vocem tantum, in qua eft penitus eadem fignificatio fecundum rem,non variata fecun dum magis & minus in diuerfis gradibus:fed folummodo vox diuerfificatur ex parte finis.pro= pter quod licet fit res eadem,non tamen eft comparatio fecundum rem,fed fecundum vocem tã

Y

tū.Et eſt aduertendum,qͥ principalitas tam in diuinis q̄ in creaturis nihil aliud dicit q̄ prȩrogaꝶ tiuam quandā in aliquo.ſed illa prȩrogatiua vel poteſt fundari in aliquo abſoluto,vel in aliquo re latiuo.Prȩrogatiua quidē in abſoluto habet in creaturis cōparationem ſecundū rem eandē penes magis & minus variata:vt patet cum dicitur doctus doctior:& ideo talis prȩrogatiua nō inueni tur in diuinis:quia in diuinis nō ſuſcipit res eadē magis aut minus,ſed tantūmodo illa quȩ fun data eſt in relatiuo: quȩ ſimpliciter ſignificatur in poſitiuo,& ſub modo exceſſus ſecundū.vocem in cōparatiuo.Et cōſiſtit iſta prȩrogatiua in hoc,qͥ hoc ſiue ille cui cōuenit prȩrogatiua,habet raꝶ tionē originādi reſpectu illiꝰ ſuꝑ qd̄ ſiue ſuꝑ quē eſt prȩrogatiua:quȩadmodū habet generatio ſu per ſpirationē ſcd̄m prȩdicta.Propter qd̄ dicitur generatio ꝓceſſio principalis reſpectu ſpirationis & ſimiliter ꝓceſſio principalior q̄ ſit ſpiratio.Et quȩadmodum habet prȩrogatiuā pater in ſpirāꝶ do ſuper filiū:quia qͥ filius ſpirat,hoc habet a patre ſcd̄m prȩdicta,propter qd̄ pater dicitur ſpiꝶ rare principaliter reſpectu filii,& ſilꝶ principaliꝰ q̄ filiꝰ.Nec tn̄ filiꝰ ex hoc dicēdus eſt ſpirare minꝰ principaliter,aut ſpiratio eſſe proceſſio minus principalis q̄ gn̄atio:quia ſpiratio nequaq̄ dicitur proceſſio principalis,nec filius vllo modo dicendus eſt ſpirare minus principaliter.Et hoc ideo,ꝗa filio aut ipſi ſpirationi nullo modo cōuenit illa ratio ſiue relatio ſuꝑ quā fundatur illa principaꝶ litas quȩ eſt ex parte patris qͥ a ſe habet aliꝗ qͥ ſpiret,& ex parte gn̄ationis qͥ ipſa quodāmodo eſt ratio ſpirationis ſcd̄m dicta.Et cōtingit hoc in propoſito:quȩadmodum ſm̄ Hila,pater dicit maꝶ ior filio,& tamen filius nullo modo dicitur eſſe minor patre:vt patebit inferius,diſputādo de per ſonarum ȩqualitate.Vnde qͥ pater dicitur ſpirare principaliter & principalius filio: non eſt comꝶ paratio ꝓpria:ſed abuſiua,quȩadmodū eſt comparatio abuſiua cum Angelus bonus dicitur eſſe melior diabolo:quia diabolus nec ſimpliciter eſt bonus,nec minus bonus q̄ Angelus.dico bonitaꝶ te gratiȩ:quia illā in nullo cōmunicat diabolus.Et ſimiliter etiā eſt comparatio abuſiua qua dicit qͥ gn̄atio eſt principalis proceſſio,& principalior ſpiratione.℟Ad ſcd̄m qͥ actio ꝓcedens a pluribꝰ vna ſimplici virtute non ꝓcedit principalius ab vno,q̄ ab altero,Dico ſcd̄m iam dicta qͥ verū eſt de principalitate fundata in aliquo abſoluto.puta quādo duo delegati vna & eadem virtute deleꝶ gātis ſibi cōmiſſa exequitur mandatū delegātis,neuter illorū dicit principaliꝰ mādatū illud exeꝶ qui q̄ alter,nec etiam vnus illorum dicit principaliter exequi reſpectu alterius,eo qͥ ambo habēt illā poteſtatē ȩqualiter ab eodē:& neuter ab altero : quȩadmodum ſi ſp̄s ſanctus ꝓcederet a ſolo patre,ambo ȩqualiter haberēt poteſtatem creandi a patre:& neuter ab altero:& ideo neuter illoꝶ rum principalis diceretur aut principaliꝰ creare reſpectu alterius,Quȩadmodum modo,filiꝰ dicit principaliter creare reſpectu ſp̄s ſancti,eo qͥ poteſtatē creādi h3 ſp̄s ſanctꝰ a filio.De principaliꝶ tate aūt fundata in relatiuo illud nō eſt verū ſcd̄m qͥ ꝓcedit ratio in oppoſitū,& bene:quia em̄ a patre habet filius qͥ ſit,& qͥ ſit deus:ideo pater dicitur eſſe principale nomē deitatis.dicēte Augu ſtino in ſcd̄o de trin,Credimus ſanctā trinitatē & vnum deū eſſe patrē & filiū & ſpūm ſanctū.Paꝶ ter eo eſt qͥ habet filiū,filius eo qͥ habet patrē,ſp̄s ſanctus eo qͥ ſit ex patre & filio ꝓcedens,Pater ergo principiū priſcipale nomē eſt deitatis. Sicut aūt pf̄ eo qͥ eſt principiū & filii & ſp̄s ſancti,eſt principale nomē deitatis ſimplꝶ:ꝓpter qd̄ dicit Aug.lib.de tri.iiii.ca.iiii.qͥ pater eſt principiū totiꝰ diuinitatis:ſic filius eo qͥ eſt principiū ſp̄s ſancti.Et ſecūdum eundē modū pater pōt dici princi paliter deus, & ſimiliter principalius deus q̄ filius aut ſp̄s ſanctus,& cōſimiliter filius pōt dici principaliter deus reſpectu ſp̄s ſancti,& etiā principalius deus q̄ ſp̄s ſanctus,Et cōſimiliter ſi fiꝶ lius dicitur principalius deus reſpectu ſp̄s ſancti:quia qͥ ſp̄s ſanctꝰ eſt deus hoc habet a filio:paꝶ ter etiā pōt dici principaliſſime,quia & filius & ſp̄s ſanctus habet a patre qͥ ſunt deus,vt ſecūdū hoc pater dicatur principaliſſime in ſuperlatiuo:& hoc reſpectu filii & ſp̄s ſancti,& filius princiꝶ palius reſpectu ſp̄s ſancti. Nō tamē iuxta prȩdicta ſp̄s ſanctus vllo modo dicendus eſt eſſe prin cipaliter deus:neqͥ minus principaliter q̄ pater aut filius:quia nullo modo conuenit ei relatio ſeꝶ cundū quā dicit aliquis principaliter deus.ita qͥ ſi in diuinis recipiat cōparatio ſcd̄m tres gradꝰ qͥ ſcilicet in diuinis ſit deus principaliter,principalius,& principaliſſime: poſitiuus conuenit cōꝶ ter patri & filio:cōparatiuus filio reſpectu ſp̄s ſancti,& patri reſpectu vtriuſqͥ:ſuperlatiuus autē cōuenit ſoli patri.Et cū dicitur filius eſſe deus principaliter reſpectu ſp̄s ſancti,& ſimiliter prin cipalius: & ſilꝶ pater deus eſſe deꝰ principaliter,& ſimiliter principaliſſime reſpectu filii & ſpiritꝰ ſancti,eadē eſt penitus ſignificatio in poſitiuo quȩ eſt in comparatiuo & in ſuplatiuo:ſed cum di citur filiꝰ eſſe deus principalius reſpectu ſp̄s ſancti:& pater principaliſſime reſpectu vtriuſqͥ: pe nitus eſt alia & alia ſignificatio in compatiuo & ſuplatiuo:eo qͥ principalitas ſuperlatiua i patre & compatiua in filio fundatur ſuꝑ relationem aliam & aliam.Filius em̄ nō dicitur deus principaꝶ lius q̄ ſp̄s ſpꝰ,niſi quia ab ipſo eſt ſp̄s ſanctus.Pater etiā non dicitur eſſe deus principaliſſime

Z
Ad ſecundū

nisi qa ab ipso habet esse fili⁹,& ab ipso habet filius ꝗ a filio habet esse spūs sanctus. Ex hoc em ꝗ precise a patre habet esse spūs sanctus:solūmodo dicit esse principalius deus ꝗ spūs sanctus:sicut & filius ex hoc ꝗ similiter ab ipo habet esse spūs sanctus.Et sic pater solūmodo dicitur esse deus principalius respectu filii inquantū pcise ab ipo habet esse filius. Et sic cū in diuinis dicit esse deus principaliter principalius & principalissime,est cōparatio voce tantū inter compatiuū & suplati= uum scdm modū grāmaticum,quo aliud significat oīno in vno gradu & in altero.Alia em rela= tione oīno dicit pater principalis siue deus,alia vero dicit filius principalius deus ꝗ spūs sanctus. propter qd nō minus principaliter dicit deus filius ꝗ pr̄:nec spūs sanct⁹ ꝗ pater aut fili⁹. Est aūt compatio voce tantū inter cōpatiuū & positiuū, scdm modū quo scdm pdicta in diuinis penitus idem significat comparatiuū & positiuū.Eadem em relatione oīno dicit filius aut pater principa liter aut principalissime deus:quia singulus eorum dicitur principaliter deus.

A
Quæst X.
Arg.i.

Irca decimū arguit ꝗ spirātes habēt aliquā aliā ꝓprietatē cōem ꝗ spirationem actiuā.Primo sic.Sicut se habet gnatio ad solū patrem,sic se habet spiratio cōi= ter ad patrē & filiū.Sed nō solum gnatio actiua est positiue ꝓprietas ꝓpria pa= tris,sed etiā generatio passiua negatiue est proprietas patris,quæ est ingenitū esse,ergo cōsimiliter non solū spiratio actiua positiue est ꝓprietas cōis patris & filii:sed etiā spiratio passiua negatiue erit cōis ꝓprietas patris & filii,quæ est in spiratū esse.

2

Secūdo sic.Sicut in deo intellectus est naturalis, & ideo cōsiderat in deo intellectus vt est natura aut vt est intellectus:& ab eo inquantū est natura simpliciter,cō= sequitur ꝓprietas quæ est generatio actiua in patre:inquantū vero est intellectus siue natura itel= lectualis,consequit ꝓprietas ꝗ est dicere scdm superius determinata:Sic in deo est volūtas natura lis ꝗ cōsiderat vt est natura,aut vt est volūtas,ergo & ab ea inquantū est natura simpliciter,cōse= qui debet vna ꝓprietas:& ab ea inquantū est volūtas,debet sequi alia ꝓprietas,quarū vna respō= det ei qd est generare in patre,alia vero ei qd est dicere.Quare cū volūtas scdm supra determina ta est principiū pductiuū in patre & filio cōiter,sicut intellectus in patre: & ex parte intellect⁹ in patre nō solū est ꝓprietas patris gnare:sed etiā dicere:cōsimiliter in patre & filio ex parte volūta= tis nō solū est ꝓprietas ipoꝛ cōis spirare,sed etiā aliqua alia. In cōtrariū est ꝗ tūc essent plures notiones ꝗ quinꝗ scdm superius determinata:qd est cōtra oēs doctores Theologicos.

In oppositū.

B
Responsio.

Dico secundū ꝗ supra expositū est in principio quęstionis tertiæ circa ꝓprieta= tes ꝓprias patri,ꝗ vna ꝓprietas pōt intelligi esse alia ab altera,vel scdm rem,vel scdm rōne tātū. Scdm rē aūt vna nō est alia ab altera(vt ibi tactū ē)nisi ex ordie ad obiectū aliud & aliud.Quare cū pater & filius nō habeāt cōem ordinē ad obiectū, nisi ad vnicū,s.spūm sanctū cōiter pductum ab ipsis:scdm rem igit nō est nisi vna ꝓprietas cōis patri & filio:quę cū sit spiratio actiua secudū predeterminata,preter spirationē ergo actiuā spirātes nullā habent aliā proprietatem reale cōem. Scdm rōnem aūt proprietas vna est alia ab alia ex diuerso modo se habendi in ordine ad obiectū. Et hoc modo bene verū est ꝗ spirātes habēt aliā immo alias ꝓprietates cōes ꝗ spirationem : quæ tamē sunt idē scdm rē cū spiratione actiua:queadmodū pater habet ꝓprietates ꝓprias alias scdm rōnem a gnare:quæ scdm rem sunt idem cum ipso gnare.Sed hmōi diuersitas in ordine diuerso ad idem obiectū potest accipi tripliciter.Vno modo vt ipm obiectū iā habitū est,& simul existens cū pducente.qualis ꝓprietas in patre importat noīe paternitatis:vt expositū est in dicta quęstio= ne.Alio modo vt obiectū habet pduci a producente,& hoc dupliciter. Vno modo accipiēdo istā diuersitatē ex parte principii pductiui.Alio modo accipiēdo ipsam ex parte actus quo pducitur. Vno em modo quia pductio ꝗ est gnatio in patre,nō est in quacūꝗ natura,& cuiuscūꝗ pducen tis de quocūꝗ,sed in natura intellectuali,pductio illa qua pater producit filiū,nō solū dicit gna= re rōne naturæ simpliciter:sed etiā dicit dicere rōne naturæ intellectualis:& sunt idem re,differen tia sola rōne,scdm ꝗ supra declaratū est de ꝓprietatibus patris in quęstione scda.Alio aūt modo quia actus generādi tripliciter habet mediare inter generantem & genitum, differunt scdm rō= nem in patre generatiuum & potentia generandi & ipsum generare,vt declaratum est ibidem in quęstione tertia.Scdm primū istorū modorum est modus ꝓprietatis innoiatus: quo pater & filii respiciūt spūm sanctū vt iam pductū & simul existentē cū eis:qualis importatur in patre respe= ctu filii noīe paternitatis.Vnde sicut pater dicit pater quia est ei filius,& non est pater nisi p filiū vt expositū est in dicta quęstiōe tertia: & similiter nō est pater nisi quia habet filiū : vt tactū est is in quęstiōe precedēte:sic pr̄ & filio non cōuenit iste modus relationis innominatus ad spiritum sanctum nisi quia est eis spiritus,& per spiritum sanctū, & quia habent spiritum sanctū iam

C

pductum ab eis.Et quia iſte modus innominatus eſt,ideo Auguſtinus in ſermone prędicto de tri    **D**
ni.cũ dixit:Pater eo eſt ꝗ habet filiũ:filius eo ꝗ habet patrẽ. non ſubiũxit ſiſe qd de ſpiritu ſancto
dicendo,Spiritus ſanctus eo eſt ꝗ habet talem vel talem a quo habet eſſe: ſed dixit, Spũs ſanctus
eo eſt ꝗ ſic ex patre & filio ꝓcedit.Spũs ſanctus tñ non circuloquitur relationem talẽ qualis importat nomine paternitatis aut filiationis:ſed potius qualis importat nomine geniti,vt infra pate
bit.Penes ſecundũ dictorũ modoꝗ quo iſta ꝓductio quę eſt ſpiratio actiua in patre & filio,nõ eſt a    **E**
quacũꝗ voluntate:ſed a voluntate ſumme liberali:productio iſta qua pater & filius ꝓducũt ſpm̃
ſanctũ,nõ ſolũ dicẽda eſt ſpirare rõne volũtatis ſimpliciter:ſed etiã alio quodã modo,ꝗ ſe habet ad
ſpirare ſicut ſe habet dicere ad gñare:quę poſſumus vocare flagrare. ⸿Ad cui⁹ ampliorẽ intellectũ aduertendũ ex ſupra determinatis ꝓcipue in q̃ſtione de intelligere dei:ꝗ ſicut ſuppoſita infor
matione intellect⁹ vt ſimpliciter eſt notitia ſimplici eſſentiali:ipſe intellectus ſic informatus cõſide
rat vno m̃o vt eſt natura ſimplr : & principiũ actiuũ naturale in ſeipſum vt eſt conuerſus & nudus ſecundũ modũ ſuperius expoſitũ:Cõſideratur etiã alio m̃o vt eſt intellectus & principiũ actiuum intellectuale:Et vt primo m̃o cõſiderat, eſt principiũ actus generãdi: vt vero cõſiderat ſecũ
do m̃o,eſt principiũ actus dicẽdi:Differũt eñ ſola rõne actus generãdi & dicẽdi,quẽadmodũ ſola
rõne differt itellect⁹ vt cõſiderat prio m̃o & ſcdo:Sic ſuppoſita iſormatiõe volũtatis vt ſimplr eſt
amore ſimplici eẽntiali,ipſa volũtas cõuerſa cõſideratur vno m̃o vt eſt volũtas ſimplr nuda & princi
piũ actiuũ voluntariũ in ſeipſam vt eſt informata amore ſimplici eſſentiali . Cõſiderat etiam alio
m̃o vt eſt liberalis & principiũ actiuum liberale.Et vt primo modo conſiderat,eſt principiũ actus
ſpirandi:vt vero ſecũdo modo,eſt principiũ actus innominati,quẽ vocamus actũ flagrandi: quẽad
modũ ſola rõne differt volũtas vt cõſideratur prio & ſecũdo m̃o. Et actus ſpirandi ex parte volũtatis reſpondet actui generandi ex parte intellectus.Actus vero flagrãdi reſpõdet ex parte intellect⁹
actui dicendi: & addit ipſum flagrare ſup ſpirare, & ſuper actũ amãdi eſſentialẽ: quẽ ipſum dice
re addit ſup generare,& ſup actũ intelligẽdi eſſentialẽ:prout ſupra eſt expoſitũ de generare, & di
cere, & intelligere.Et per correſpõdentia hic cõſimilia debẽt intelligi de ſpirare & flagrare & ama
re.Secundũ eundẽ m̃ modũ quo ſunt idẽ ſecundũ rem generare & dicere ex parte intellectus : &    **G**
differunt ſola ratione:vt expoſitũ eſt ſupra in q̃ſtione ſecunda ꝓdicta de generare & dicere:cõſi
militer ſunt idẽ ſecundũ rẽ ſpirare & flagrare ex parte volũtatis:& differũt ſola ratione. Vnde &
fere eiſdẽ modis quibus ſacra ſcriptura & ſancti vtuñt hoc verbo dicere,ſecundũ ꝗ determinatũ
eſt ſupra de dicere in ꝓdicta q̃ſtione ſecũda:conſir poſſent vti hoc verbo flagrare. Sicut eñ ſecun
dũ ibi determinata,dicere aliquando tenetur notionaliter:aliqñ vero eſſentialiter: & tũc ſupponit intelligere:& includit in ſuo ſignificato actũ manifeſtãdi,ſiue manifeſtũ faciẽdi cũ relatione
ad illa q̃ nata ſunt manifeſtari cuicũꝗ intellectui eo ꝗ notionaliter dicit: cuiuſmodi eſt verbũ ſiue declaratiua notitia,qd eſt idẽ re qd fili⁹,ſecundũ ſupius determinata: Cõſimiliter & flagrare ali
quãdo teneri pot notionaliter:aliqñ vero eſſentialiter:& tũc ſupponit amare:& includit in ſuo ſignificato actũ placẽdi ſiue placitũ faciẽdi cũ relatione ad illa q̃ nata ſunt placita fieri cuicũꝗ volũ
tati eo ꝗ notionaliter flagrat:cuiuſmodi eſt qddã correſpondẽs verbo apud emanationẽ volũtatis,qd poſſum⁹ vocare zelũ ſiue inflãmatũ amore,qd eſt idẽ re qd ſpũs ſctũs:quẽadmodũ verbũ eſt
idẽ re qd filius. & flagrare eſt idẽ re qd ſpirare:quẽadmodũ dicere eſt idẽ re qd gñare:prout inferi⁹ declarabit. Vñ qualia ſupi⁹ determinata ſunt de dicere ex pte intellectualis opationis:cõſimilia
p quãdã correſpõdẽtiã intelligi debẽt hic de flagrare ex pte volũtarię opatiõis. Penes tertiũ aũt di
ctorũ moderũ differunt ſecundũ rõne in pre & filio ſpiratiuũ,potẽtia ſpirãdi,& ſpirare:ſicut in pre
generatiuũ,potẽtia generãdi,& gñare,vt habitũ eſt ſupra.Sic ergo nõ eſt ſcdm̃ rẽ alia ꝓprietas cõ
munis pri & filio q̃ ſpirare:licet alię ſint quę differunt ab hac ſecundũ rationem:ſed ſunt eędẽ ſe
cundum rem,ſecundum ꝗ procedit vltima ratio.


⸿Ad primã in oppoſitum:ꝗ patris nõ ſolum eſt ꝓprietas gñare ſed etiam inge-    **H**
nitũ eſſe:ergo & pris & filii cõiter ꝓprietas eſt nõ ſolũ ſpirare:ſed etiã inſpiratũ eſſe:Dico ꝗ ſecũ    **Ad pri.prĩ.**
dum ſuperius determinata ingenitũ nõ eſt ꝓprietas ſiue notio pris ratione ei⁹ qd p ſe & ꝓcipa-
liter ſignificat.Cũ eñ dignitatis ſit genitũ rõne principalis ſignificati:nullo m̃o rõne eiuſdẽ iquã
tũ ꝓciſe,priuat in noĩe ingeniti,ingenitũ eẽ pot eſſe dignitatis,non tñ eſt indignitatis : ſed potius
cõditionis alteri⁹ dignitatis.Qz aũt ingenitũ eſt notio,hoc eſt rõne ei⁹ qd cõſeqt ſiue intelligit in
ingenito rõne ei⁹ qd ꝓcipalr ſignificat noĩe geniti.Quia eñ gñare eſt prima productio,& genitũ
eſt primum productum,ipſum generare eſt ratio omnis vlterioris productionis, & ipſe genit⁹ eſt    **I**
ratio producendi omnem vlterius productum: vt licet aliquis ſit immediate ꝓductus alia produ

ctione,productus tamen est quoquo modo mediante generatione alte ius,& ideo ipse non oīno ita proprie & perfecte potest dici ingenitus sicut non genitus:sicut ille in quo habet esse primo alius per generatioñe,Propter quod quia generatio est prima pductio, ingenitū sic acceptū circa generãte:non solū negat genitū siue p generatioñe esse immediate,sed etiã mediate: & sic negat oīne esse ab alio:& hoc est qd intelligitur nomine ingeniti,& consequitur principale significatū:ratioñe cuius habet ratioñe dignitatis simplr,& est notio:vt superius est expositū.Nunc aūt in proposito non est simile de non spirato: quia non spiratū ꝓprietas siue notio nō est rōne eius qd p se & prin cipaliter significat:cū neget id qd dignitatis est & notio,rōne sui pricipalis significati:similiter ne ꝙ ratione alicuius qd cōsequit siue intelligit in nō spirato ratione eius qd principaliter significat in ipso,Quia eīn spirare nō est prima pductio,& spiratū non est primū pducti, neꝗ ipsum spira re est ratio omnis vlterioris pductionis,neꝗ ipse spiratus est ratio ꝓducendi omnis pducti in diuinis:immo nullius:quia in diuinis non est vlterior pductio,vt habitū est supra : vt ꝓpterea ipse genitus in diuinis ita pfecte possit dici non spiratus siue inspiratus: sicut ipse generans dicitur ingenitus,Et cōmuniter cōueniens gignenti & genito, nō negat esse ab alio:& ideo quando solūmo do(vt dictum est)ingenitū habet ratioñe dignitatis & notionis,hoc habet eo ꝙ includit iu suo in tellectu nō esse omnino ab alio. Nullo igitur modo inspiratum ꝓprietas poterit dici aut notio pa tris & filii cōmunis:ꝗa nullo modo in suo intellectu includit eē omnino ab alio,& sic inspiratū nul lo mō potest esse proprietas cōis patris & filii: licet ingenitum sit ꝓprietas & notio solius patris.

**k**
**Ad secundū**

❡Ad secundū ꝙ in deo considerat natura vt est natura,& vt intellectus est:ergo & voluntas &c. Dico ꝙ verum est conclusum: sed illa diuersitas ꝗ ꝓcedit a voluntate vt est natura & vt est vo luntas,est secundum rationem tm,& ambo sunt vna proprietas secūdū rem,sicut superius est ex positum de dicere & generare. Circa tamen ipsum medium inductum est aduertendum ꝙ defe cit in similitudine:licet eīn intelligere & voluntas in deo considerantur vt natura & vt intellectus si ue voluntas:& natura cōmuniter in eis accipitur p principio intrinseco notionaliter siue modo naturæ:hoc tamē sit diuersimode:quia motum modo naturæ,mouet quodã modo principaliori:

**l**

quodã vero non principaliori,Est eīn duplex modus mouendi modo naturę,ſ,& impetu & neces sitate:quorū primus est principalior:& excludit modū mouendi ex libera voluntate:secundus ve ro est non principalior,nec excludit modum mouendi ex libertate voluntatis:sed solū ex volunta tis libero arbitrio,Prio modo in generatione filii & verbi distinguitur pductum & vt est natura, & vt est intellectus:quia non solū necessitate incommutabili,sed impetu quodã pater pducit filiū siue verbū,Secūdo modo in spiratione spiritus sancti distinguitur productum vt est natura:& vt est voluntas:quia sola necessitate incōmutabilitatis absꝗ omni impetu pater & filius producunt spm sanctū,Propter qd dictum est superius ꝙ vtraꝗ pductio est mō naturę:sed principaliori mo do naturę producitur filius,Est etiam processio filii principaliori modo naturæ ꝝ parte modi ꝓ cedendi incommutabili necessitate: quia etsi voluntas sub diuersis rationibus consideratur vt est natura:& vt est voluntas:sicut & intellectus : tamen alius & alius est ordo harum rationum: quia ex parte intellectus ratio intellectus vt est natura,prima est respectu eiusdē vt est intellectus. Ecōuerso aūt est ex parte voluntatis:nam ratio volūtatis vt est volūtas,prima est respectu eiusdē vt est natura,Libertas ex parte volūtatis est:principalitas autē ex parte intellect⁹: vt in deo volun tas dicat esse naturalis respectu pductionis spūs sancti:natura vero ītellectualis respectu pductio nis filii,Nunc aūt prima ratio principiandi pricipalis est respectu secundę:propter ꝗ ex parte in tellect⁹ principalior est modus naturę,quia secundū primā rationem est,ꝗ ex parte voluntatis,ꝗa secunda est,Propter ergo istum duplicē modū principaliorē naturę in ꝓcedendo,filius simpliciter dicit procedere modo naturæ:& spūs sanctus modo voluntatis,Nec tñ modus voluntatis remo uendus est a processione filii:pater enim dicitur generare filium volūtate cōsequēte siue cōcomi tante:& omnino non impertiñete ad ratioñe generatiuam:vt habitum est supra,& amplius decla rabitur in,vi,quęst,articuli sequentis,Pater aūt & filius nequaꝗ dicuntur spirare spm sanctum na tura cōsequēte siue cōcomitãte, modo quo voluntas sequitur generatioñe filii:& hoc ideo ꝗa mo dus naturę ex impetu nullo modo cadit in processione spiritus sancti:quia(vt dictū est modo)is modus naturę libertatē siue liberalitate excludit:modus autem naturæ ex necessitate incommu tabili non cōcomitatur rationem voluntatis qua primo & principaliter spiratur spūs sanct⁹:sicut modus voluntatis liberæ cōcomitatur rationem naturæ qua primo & principaliter generatur fi lius:quia modus ille naturę licet sit cōcomitans, pertinet ad rationem spirandi cum ratione vo luntatis:non sic autem modus iste concomitans pertinet ad rationem generandi cum ratione na turę:vt propterea sit diuersus modus concomitandi hic & ibi.

Equitur Articu.LXI.de ꝓprietatibus propriis spiritui san cto.De quibus decem sunt inquirenda.

Primum est:vtrum spiritus sanctus sit nomen personæ institutum a proprietate personali.

Secundum est:vtrum spirari sit proprium spiritui sancto.

Tertium:vtrum spiritui sancto sit aliqua alia proprietas q̃ spirari.

Quartum:vtrum spiritus sanct⁹ spiretur a patre in filiũ & ecõuerso.

Quintum:vtrum spiritus sanctus in eo ꝙ spiratur ꝑcedat vt amor.

Sextum:vtrum procedat vt amor de amore:an sit amor de notitia.

Septimum:vtrum spiritus sanctus sit amor quo pater & filius diligũt se & alia.

Octauum:vtrum spiritus sanctus procedat vt donum.

Nonum:vtrum spiritus sanctus sit donum quo cætera donantur.

Decimum:vtrum a patre detur filio,& econuerso.

Irca primum arguitur ꝙ spiritus non sit nomen personæ diuinę,Primo sic.non est persona diuina nisi relatiua vt habitum est supra.sed spiritus sanctus nõ est nomen relatiuum,sed absolutum:quia absolutũ est qd dicitur spiritus & simi liter qd dicitur sanctus.ergo &c.⸿Secundo sic.nomen quod communiter con uenit tribus personis diuinis,essentiale est in diuinis & non personale,vt patet ex supra determinatis,hoc nomen spiritus sanctus conuenit.tribus personis.pa er enim & spiritus est & sanctus,similiter & filius,& quæcũq̃ alia ꝑsona in diuinis.ergo &c.⸿Cõ ra.i.Ioan.iii.dicitur.Tres sunt qui testimonium dant in cælo,pater,verbum,& spiritus sanctus. hoc autem non esset nisi spiritus sanctus esset nomen personæ.ergo &c.

⸿Dicunt aliqui ꝙ nomen aliquod dupliciter potest cõsiderari. Vno modo ratio ne sui principalis significati.Alio modo ratione actus sui.Primo quidem modo dicur̄ ꝙ spiritus sanctus non est proprium nomen personę:sed cõmune trinitati,vt procedunt duo prima obiecta. Secũdo modo(vt ꝑcedit tertiũ obiectũ)dicunt ꝙ est ꝓpriũ nomen personę in diuinis. Vtunt̃ cm̃ theologi hoc nomine spiritus sanct⁹ pro nomine relatiuo nondũ imposito:licet de se sit absolutũ. Qd non oportet dicere:immo simpliciter potest dici ꝙ spũs sanct⁹ est propriũ nomẽ ꝑsonæ & rela iuum.⸿Ad cuius intellectũ & ad dissolutionẽ argumentorũ simul,sciendũ est ꝙ hoc nomẽ spi itus vno mo dicitur a spiritualitate, appellando qualecunꝗ rẽ prę naturę suę subtilitate spiritu lem spiritum,scdm ꝙ etiã ventus spũs dicit̄,& hoc mõ spũs est in diuinis nomẽ naturę siue essen ię,& penit⁹ absolutũ,cõueniẽs trib⁹ psonis:vt ꝑcedit duo pria obiecta.Et hoc mõ de⁹ eẽtialiter ꝺuppones̄ & cõiter ꝑ trib⁹psonis,dicit spũs,Ioa.iiii.Deus spũs est.Alio aũt mõ dr̄ spũs ab actu spirã di.f̄.q̃ spirat & spiratione esse habet,& q̃si ꝑ expulsione siue excussione de eo de quo spi at̄:scdm ꝙ supra declaratũ est:assignãdo differẽtiã inter gñatione & spiratione.Hoc aũt mõ nõ nõinãdo spm̃:spũs i diuinis est nomẽ psonę,nõ eẽtię:& penit⁹ relatiuũ,cõueniẽs solũmõ tertię pso ę in diuinis:& est istitutũ a ꝓprietate psonali relatiua q̃ est spirari:sicut genitũ iꝓsitũ est a ꝓprie ate relatiua q̃ est gñati,scdm modũ supi⁹ expositũ de genito:& iã exponet de spũ sctõ. Quia vt dicit Aug.v.de tri.ca.xi.Spũs sanct⁹ in eo ꝙ ꝓprie dr̄ spũs sanct⁹,relatiue dicit̄:sed ipsa relatio nõ pparet in hoc noie sicut in hoc noie donũ. Q̷ aũt cũ noie spũs adiũgit̄ sanct⁹,hoc fit ꝑ Antono nasiã:qa huic spiritui sanctitas appropriat̄:vt spũs iste ab aliis spiritib⁹ discernat̄:vt sit idẽ ex pte ertię psonę i diuinis spm̃ eẽ:qd est ex pte psonę scdę genitũ eẽ.& sm hoc bñ ꝑcedit tertia obiectio.

Irca secundum arguitur ꝙ spirari non sit proprium spiritui sancto,Primo sic. Illi cui conuenit spirare,non est proprium spirari:quia nihil potest esse propri um alicui cui conuenit contrarium illius.spirare autem conuenit spiritui san cto.Ioannis.iiii.Spiritus vbi vult spirat.ergo &c.⸿Secundo sic.qd̄ spiratur,pro cedit a termino in terminum.aer enim nõ spiratur,nisi cum procedit intus ab extra per inspiratione,vel extra abintus per respirationem.Spiritus sanctus au em in sua emanatione non procedit a termino in terminum : quia non recedit ab eo a quo ema nat,ergo spiritus sanctus non spiratur,si autem non spiratur,spirari nõ est proprium ei,ergo &c. ⸿Contra.Spiritus sanctus spiritus dicitur quia spiratur,vt iam tactum est.& hoc nõ nisi quia spi rari est ei proprium,sicut generari est proprium filio vt supra expositum est.ergo &c.

⸿Dico ꝙ sicut secundum superius determinata aliquid dupliciter dicitur gene

rari:Vno modo vt ſubiectum generationis:alio modo vt terminus generationis:Confimiliter aliquid dicitur ſpirari vno modo vt ſubiectum ſpirationis de quo ſpirans ſpirat.Alio modo vt terminus ſpirationis:vt ille qui ſpiratur.Primo autem modo ſpirari potius proprium eſt ei de quo
ſpiratur,q̃ ei qui ſpiratur:& non eſt proprium ei qui ſpiratur niſi per quandam reductionem ei⁹
de quo ſpiratur ad illum qui ſpiratur:ad modũ quo hoc ſuperius eſt expoſitum de generari,q̃ cõ
uenit vt ſubiecto ei de quo generatur.Secundo autem modo ſpirari proprium eſt ei qui ſpirat:vt
ſpiritui ſancto,ſicut ſecũdum prædeterminata generari eſt proprium ei qui generat,vt filio:ſicut
procedit vltima obiectio.Illa enim quę ſuperius expoſita ſunt circa proprietatem filii quę eſt gene
rari:hic intelligenda ſunt circa proprietatem ſpiritus ſancti quæ eſt ſpirari.Ipſum enim ſpirari
proprietas conſtitutiua perſonę ſpiritus ſancti ſecundũ eundem modum quo generari eſt proprie
tas conſtitutiua perſonæ filii.Et ſimiliter potentia ſpirandi paſſiue eſt proprietas ſpiritus ſancti &
in ſpiritu ſancto,ſecundum eundem modum quo potentia generandi paſſiue eſt proprietas filii &
in filio,& ſic de pluribus aliis quæ ſupra expoſita ſunt circa perſonam filii.

**¶ Ad primum** in oppoſitum:q̃ ſpiritui ſancto conuenit ſpirare:ergo non eſt pro
prium ei ſpirari:Dico q̃ ſpirare ęquiuocum eſt ſicut & generare & procedere. Eſt enim quædam
generatio æterna,& ſimpliciter pceſſio,qua in diuinis vna perſona ab alia generatur & procedit.
Et ſimiliter eſt quędam generatio temporalis,qua in creaturis aliquid recipit eſſe per creationem
a perſonis diuinis:& hoc extendendo nomen generationis modo quo extẽditur Geneſis. ii.vbi di
citur.Iſtę ſunt generationes cæli & terrę,vbi exponitur q̃ non loquitur niſi de generatione creationis,vnde ſubdit.In die qua creauit domin⁹ cælum & terram.Quæ quidem generationes etiam
poſſunt dici proceſſiones:& hoc prꝫter illam proceſſionem qua in miſſione ad aliquem effectum
in creaturis,vna diuinarum perſonarum temporaliter dicitur procedere ab alia vel ab aliis:de qua
proceſſione habendus eſt ſermo inferius in tractatu de prouidentia dei & gubernatione creatura
rum.Et confimiliter eſt quædam ſpiratio æterna : qua ſcilicet in diuinis tertia perſona procedit a
duabus primis,& talis ſpiratio paſſiua ſiue tali ſpiratione ſpirari proprium eſt ſpiritui ſancto ſe
cundum iam dicta.Eſt autem alia ſpiratio temporalis:qua in creaturis aliquid ſpirituale procedit
a diuinis perſonis,qd quia eſt donum gratiæ & bonitatis diuinæ:licet tali ſpiratione tota trinitas
ſpirat:ipſa tamen appropriate attribuitur ſpiritui ſancto:de qua procedit obiectio, Et de tali ſpira
tione loquitur beatus Petrus quando dicit.ii.Pe.i.Spiritu ſancto inſpirati loquuti ſunt ſancti dei
homines.De qua dicit Auguſt.ſuper Ioan.ſer.i. ¶ Ad ſecundũ cũ dicitur,id qd ſpirat pcedit a ter
mino in terminum &c.Dico q̃ aliquid poteſt intelligi pcedere a termino in terminũ dupliciter.
Vno enim modo vt aliquid præexiſtens in vtroꝗ termino tanꝗ habens eſſe actu in illis,& ſic exiſtens in illo ab illo procedit vt exiſtat in aliud:Et qd ſic ſpiratiõe procedit ab vno termino in alte
rum,non habet eſſe p ſpirationem:ſed ſolũmodo per ſpirationem habet tranſitum ab vno termi
no in alterum prꝫſuppoſito eſſe eius.Et talis ſpiratio ſolum conuenit rebus corporalibus aliquam
ſpiritualitatẽ ratione ſuę ſubtilitatis habentibus:propter qd earum tranſitus talis,ſpiratio quęda
dicitur: quemadmodum aer dicitur ſpirari quando abextra trahitur inſpiratione in pulmonem
& expelliꝗ a pulmone p expirationem:de qua principaliter pcedit obiectio.Alio autem modo aliquid intelligit pcedere a termino in terminũ nõ vt aliqd pexiſtẽs in vtroꝗ termino:tanꝗ habẽs eſ
actu in illis:ſed ſolũmõ vt exiſtens virtute in termino a quo pcedit, inquãtũ pcedit ab illo, & ſic
exiſtens in illo,ab illo pcedit in alterũ:in quo a primo habet eſſe in illum ſecũdũ actũ .Et qd ſic qd
ratione pcedit ab vno termino in alterum,non ſolum pcedit in alterum terminum p ſpirationem
vt habeat eſſe ſuũ in illo:ſed etiã vt habeat eſ in ſeipſo ſimplʔ: & in ſeipſo ſit terminus ſpirationis.
Et ideo quod ſic ſpirat p ſpiratione nõ habet trãſitũ ab vno termino in alterum ſuppoſito eſſe ei⁹
in vno.Immo p ipſam ſpiratione habet eſſe non ſolum in altero:ſed etiam in ſeipſo.Et talis ſpiratio
paſſiua conuenit alicui dupliciter . Vno modo vt pducto in eſſe ab alio vt a principio producen-
te:non autem vt a ſubiecto & materia, & hoc modo dona ſapiẽtię & bonitatis ſpiritualiter ſpiratione quadam prædicta producuntur in animas ſanctas a tota trinitate principaliter:ſed appro
priate a ſpiritu ſancto:vt iam dictũ eſt. Alio autem modo vt cui per productionem cõmunicatur eſſe ab alio vt a principio pducente:& vt a principio quaſi ſubiecto & materiali de quo produ
citur.& hoc modo ſpũs ſanctus ſpiratione pduciꝗ a patre & filio p voluntatem eorum concorde
vt eſt nuda & conuerſa ſup ſeipſam informatam amore ſimplici & eſſentiali: & habet eſ ab vtroꝗ
& eſt tertia pſona in diuinis:& de ſubſtãtia ipſoꝗ:vt ipſa eſt voluntas informata amore ſimplici &
eſſentiali,ſcdm q̃ hęc determinata ſunt ſuperi⁹ . Produciꝗ etiam hoc modo ſpũs ſanct⁹ a patre in

filium,vt in terminum:& econuerſo a filio in patrem: ſecundum ꝙ iam declarabitur inferius. Et
eſt hic aduertendum ꝙ iſta productio ſpiritus ſancti inquātum habet eſſe a producentibus,nō dif
fert a modo ꝓducēdi filium:niſi ꝙ ꝓductio filii eſt a ſolo patre: & ꝑ principium qd eſt intellectus
Productio aūt ſpiritus ſancti eſt ſimul a patre & filio: & ꝑ principium qd eſt volūtas,ſecundū mo
dū ſuperius expoſitum.Inquantū vero iſta ꝓductio ſpūs ſancti habet eſſe ab illo de quo vt de qua
ſi ſubiecto & principio materiali ꝓducitur: differt a modo ꝓducendi filium non ſolum in hoc ꝙ
ꝓductio filii eſt de intellectu ſimplici conuerſo ſup ſe vt eſt informatus notitia ſimplici & eſſentia
li:productio vero ſpiritus ſancti eſt de voluntate informata amore ſimplici & eſſentiali ſecundum
modum ſuperius expoſitum:ſed etiam differt ab illo in hoc,ꝙ ꝓductio filii eſt de intellectu vt de
ſubiecto & quaſi materia ꝑ quaſi illius informatiōe & impreſſiōe factam in illo ab intellectu informato notitia ſimplici:a quo in intellectu quaſi format notitia declaratiua queᷓ verbum eſt & ſi
lius.Productio aūt ſpſis ſancti eſt de voluntate informata amore eſſentiali:vt de ſubiecto & quaſi
materia,non per quaſi informationem aut impreſſiōe quacūꝗ:ſed potius ꝑer quaſi excuſſionem
ſiue exuſſlationem,ſiue expreſſionem,aut expulſionem quādam factam a volūtate nuda:a qua vt
a ratione ſpiratiua exiſtente in patre & filio,quaſi excutitur de voluntate informata amore ſimpli
ci amor incentiuus cui eſt ſpūs ſanctus:ſecundum ꝙ ſupra declaratum eſt: & iam amplius decla
rabitur inferius.Talis autē excuſſio ſiue exuſſlatio ſpiritualis ſpiratio dicitur:& eſt ſimilis ſpiratio
ni corporali qua virtute cordis excuteretur ſiue exuſſlaretur aer ꝑ expiratiōe de pulmone vt de
ſubiecto & principio materiali:qui prius non fuiſſet contentus in pulmone ꝑer inſpirationem in ip
ſum attractus. Sed eſt differentia in hoc : ꝙ aer iſte excuteret de pulmone per quendam tranſitū
& receſſum ab illo.Spiritus ſanctus autem excutitur de voluntate informata amore ſimplici abſ
ꝙ trāſitu & receſſu ex parte ſpiritus ſancti a patre & filio,aut ab eo de quo producitur.Nihilomi-
nus tamen ꝑcedit ab illo,modo prædicto:& ſic vere ſpiratur:licet aliter q̄ aliquid ſpiretur tempo
raliter:vt patet ex iam dictis.Et quia ſecundū modum iam dictum ſpiritus ſanctus in ſua emanatione non ſolum procedit a producentibus:ſed etiam ab illo de quo emanat:inquantum videlicet
ab illo excutitur: filius autem in ſua emanatione ſolūmodo ꝑcedit a ꝓducente:nullo autem modo ab illo de quo emanat, inquātū videlicet in illo quaſi imprimitur:propter hoc licet cōmuniter
vtraꝗ emanatio dicatur proceſſio:proprie tamen emanatio ſpiritus ſancti,dicitur proceſſio:nō au
tem filii:& hoc non ratione eius ꝙ ſpiritus ſanctus habet procedere a producentibus:ſed ſolūmodo ratione qua procedit modo iam dicto a principio quaſi materiali & ſubiecto. Propter quod eti
am talis emanatio proprie dicitur ſpiratio:ſicut emanatio filii proprie dicitur generatio.Vnde ex
parte modi ꝓducendi ꝑerſonas de aliquo vt de ſubiecto & quaſi materia,debet accipi differentia
emanationum:non autem ex parte modi producendi ab ipſis producentibus:ſecundum ꝙ ſuperi
us eorum differentiam aſſignauimus.

Irca tertium arguitur ꝙ in ſpiritu ſancto ſit aliqua alia ꝓprietas q̄ ſpirari:Pri
mo ſic.ſicut conuenit ſoli patri eſſe a quo alius per generatiōe : & cōmuniter
patri & filio eſſe a quo alius ꝑer ſpirationem:ſic conuenit cōmuniter patri & fi
lio & ſpiritui ſancto eſſe a quo alius ꝑ creationem.ſed eſſe a quo alius per gene
ratiōe,eſt proprium patri:eſſe a quo alius ꝑ ſpirationem,eſt proprium filio cō
muniter cū patre.ergo conſimiliter eſſe a quo alius per creationem,eſt propriū
ſpiritu ſancto cōmuniter cum patre & filio. ¶Secundo ſic.ſicut conuenit proprie patri ꝙ non ſit
ab alio ꝑer generatiōe:ſic conuenit ſpiritui ſancto cōmuniter cū patre & filio ꝙ non ſit ab alio ꝑ
creationem.quare cum propter illud ꝓprietas ꝓpria patris eſt ingenitum eᷓ,ſimiliter ꝓpter iſtud
ꝓprietas cōmunis ſpūi ſancto cum patre & filio eſt increatum eſſe.¶Tertio ſic.ſicut conuenit ſoli
patri eſſe a quo omnis alius in diuinis,ſic conuenit ſpiritui ſancto eſſe a quo nullus alius in diuinis,ſed illud eſt proprium ſolius patris:ergo iſtud conſimiliter proprium eſt ſolius ſpiritus ſancti.
¶Quarto ſic.ſicut cōmune eſt patri & filio ꝙ ab ipſis eſt alius ꝑer ſpirationem:ſic cōmune eſt pa
tri & ſpiritui ſancto ꝙ non habent eſſe ab alio ꝑer generationem.ſed illud eſt cōmunis proprietas
patris & filii,ergo & iſtud eſt cōmunis proprietas patris & ſpiritus ſancti.¶Quinto ſic.ſicut patri
conuenit non eſſe ab alio ꝑer generationem:ſic & ſpiritui ſancto.ſed propter illud patris proprietas eſt ingenitum eſſe,ergo propter idē hoc etiam eſt ꝓprietas ſpūs ſancti cōmunis cū patre.¶Se
xto ſic.ſicut cōuenit pᷓi ꝙ ab ipſo eſt alius ꝑ gᷠnatiōe,& ipſe non eſt ab alio per generationem:ſic
econuerſo conuenit ſpiritui ſancto ꝙ ipſe eſt ab alio ꝑ ſpirationē,& ab ipſo nō ſit alius ꝑ ſpirationē,Quare cum ꝓpter illa duo duplex proprietas conueniat patri : & propter vnum illorum eius

Y

Z

A
Queſt.iii.
Arg.i.

2

3

4

5

6

proprietas eſt generare: propter alterum vero eius proprietas ingenitum eſſe:ergo & propter iſta
duplex proprietas conuenit ſpiritui ſanĉto:vt propter vnum illorum eius proprietas ſit ſpirari:&
propter alterum eius proprietas ſit non ſpirantem eē.¶Septimo ſic.ſicut cōmune eſt patri & filio
7 ᵱ ab ipſis eſt alius per ſpirationē:ſic cōmune eſt filio & ſpiritui ſanĉto ᵱ non eſt ab ipſis alius per
generationem,ſi ergo illud eſt proprietas cōmunis patris & filii:& iſtud erit ᵱprietas cōmunis fi
8 lii & ſpiritus ſanĉti.¶Octauo ſic.ſecundū Auguſt.xv.de tri.cap.xvii.eſſe donum proprium eſt ſpi
ritui ſanĉto in diuinis:quia nec donum dicitur niſi ſpiritus ſanĉtus,ſed donum eſt aliud a ſpirari:
**In oppoſitū.** ergo &c.¶Contra.tunc eſſent plures notiones ᵩ quinᵩ,ſecundū ᵱ ſuperius argutum eſt.ᵩd fal
2 ſum eſt.¶Specialiter autem arguitur cōtra vltimū ᵩ eſſe donum non ſit proprium ſpiritus ſan
ĉti:quia ᵩd cōuenit alteri perſonæ,nō eſt proprium vnius,licet em ᵱprietas vna poſſit eſſe plurib⁹
perſonis cōmunis:non tamen idem poteſt eſſe proprium vni & conuenire alteri.Eſſe donū conue
nit alteri ᵩ perſonę ſpiritus ſanĉti:quia filius donum eſt:eo ᵱ datus eſt,Eſaie.ix.Puer natus eſt no
bis,& filius datus eſt nobis,quicquid aūt proprie datur.ſ.gratuito,donū eſt,ergo &c.

**B**
**Reſponſio.**
¶Dico ſecundum ᵱ dictum eſt in principio ſolutionis queſtionis decimę articu
li ᵱcedentis,ᵱ proprietas vna poteſt eſſe alia ab altera,vel ſecundū rem,vel ſecundū rationem tm.
Loquendo ergo de diuerſitate ſecundū rem:Dico ᵱ in ſpiritu ſanĉto non eſt alia proprietas ᵩ ſpi
rari.Loquēdo autem de diuerſitate proprietatū ſecundū rationē,bene verū eſt ᵱ in ſpiritu ſanĉto
ſunt alię proprietates ᵩ ſpirari,quę tamē ſecundū rē eędem ſunt cū ipſo ſpirari.Quēadmodū in pa
tre ſunt proprietates alię ſecundū rationē a generare,quę tamē eędem ſunt ſecūdū rē cū generare
& in filio alię a generari:& cōmuniter in patre & filio alię a ſpirare:quę tamē eędem ſecundum rē
ſunt cū ipſo ſpirare.ſecundū ᵱ hæc omnia patent inſpiciēti ſuperius determinata,maxime in quæ
ſtione.x.iam tacta,& in queſtione quarta de proprietatibus filii.

**C**
**Ad pri.prin.**
¶Ad primum in oppoſitū dico ᵱ in propoſito non loquimur de proprio ſiue de
proprietate conueniente deo quacūᵩ:ſed ſolumodo de illa quę dicitur notitia,vt inſinuat vltima
ratio.Eſt autem notitia ſecundū ſuperius determinata proprietas relatiua ad dignitatem ᵱtinens
qua notificatur vna ᵱſona in ordine ad aliam,vel duę ad vnam,aut vna ad duas.Quapropter ta
lis ᵱprietas non pōt ſimul omnibus cōuenire.Quare licet eſſe a quo aliud ᵱ creationē.ſit ᵩdā pro
prietas relatiua:quia tñ non eſt ᵱſonę ad ᵱſonam:ſed cōmuniter cōuenit omnibus ᵱſonis diuinis
& non niſi in ordine ad creaturas: nullo igit modo poteſt dici talis proprietas de quali ad preſens
eſt ſermo:neᵩ ſpūs ſanĉti,neᵩ alicuius alterius ᵱſonæ diuinæ ſiue communiter ſiue ſingulariter.
**D**
**Ad ſecundū**
¶Ad ſecundū patet ᵱ idem.licet em conueniat ſpiritui ſanĉto cum patre & filio ᵱ non ſit ab alio
ᵱ creationem : non tñ ſicut patri cōuenit ᵱ non ſit ab alio per generationē:quia patri cōuenit nō
eſſe ab alio ᵱ generationem:quia ipſe eſt generās:& ſic a quo alius habet eſſe primo:& qui non ha
bet eſſe ab alio:ſed ab ipſo omnis alius:& ſic quia ipſe eſt primus omnino:ᵩd eſt ſimpliciter dignita
tis:& ſecundū ordinē vnius ᵱſonę diuinę ad alias: ſup ᵩd fundatur illa negatio qua pater dicitur
eſſe ingenitus,ſiue non habens eſſe ab alio ᵱ generationē:vt ſuperius expoſitum eſt. Spiritui ſan
ĉto aūt etſi cōmuniter cū patre & filio cōueniat nō eſſe ab alio ᵱ creationem:eſto ᵱ hoc ſit quia ipſe
eſt creans ſiue potens creare,ᵩd eſt dignitatis ſimpliciter:vt ſup hmōi affirmatione fundetur illa
negatio:& ſic ſit dignitatis ſimpliciter:quia tamen iſta dignitas non eſt in ordine inter ipſas diui
nas perſonas inter ſe:ſed communiter in ordine ipſarum ad creaturas: ideo non eſſe ab alio per cre
ationem,non poteſt eſſe proprietas quæ eſt notio alicuius perſonæ diuinæ : de quali eſt ſermo de
præſens : ſicut eſt non eſſe ab alio per generationem : quia eſt proprietas pertinens ad dignitatem
ſimpliciter,& conuenit vni perſonæ diuinæ in ordine ad aliam. Vnde & negatio importata nomi
ne ingeniti:licet fundetur ſuper rationem primitatis qua a patre habet eſſe omnis alius & omne
aliud:non tamen habet rationem dignitatis notionalis:inquantum illa primitas reſpicit aliud in
creaturis:ſed ſolūmodo inquantum reſpicit aliquos in diuinis.¶Ad tertium,ᵱ ſicut patri conue
**E**
**Ad tertium**
nit eſſe a quo omnis alius in diuinis:ſic ſpiritui ſanĉto conuenit eſſe a quo nullus alius in diuinis:
Dico ᵱ verum eſt:hoc excepto ᵱ illud eſt dignitatis in patre ſimpliciter : non ſic iſtud in ſpiri
tu ſanĉto.& hoc ideo quia ſi aliquid eſt dignitatis ſimpliciter:eius contrarium non eſt dignitatis
ſimpliciter. Et ideo,quia eſſe a quo alius in diuinis eſt dignitatis ſimpliciter : nullo modo ſit eſſe
a quo nullus alius in diuinis poteſt eſſe dignitatis ſimpliciter : ſicut neᵩ non genitor poteſt eſſe
proprietas filii:licet non genitum ſit proprietas patris:vt habitum eſt ſupra in quarta queſtione
de proprietatibus filii. Propter quod deficit ſimile,& non ſequitur : licet eſſe a quo omnis alius,
ſit proprium patri:& hoc in duabus notionibus quæ ſunt generare,ſpirare:vt tactum eſt ſupra

in tertia quæſtione de proprietatibus patris,q̄ ſimiliter eſſe a quo nullus alius ſit notio omnino. ¶Ad quartum q̄ communis proprietas patris & filii eſt q̄ ab ipſis habet eſſe alius per ſpirationem: ergo conſimiliter proprietas communis patris & ſpiritus ſancti eſt q̄ ipſi non habent eſſe ab alio per generationem:Dico q̄ non ſequitur:eo q̄ non eſt ſimile in hoc,q̄ illud cōmune patri & fi lio eſt dignitatis ſimpliciter:inequaq̄ aūt iſtud cōmune patri & ſpiritui ſancto: Dico inquantū eis cōmune eſt.Q̄d dico propterea,q̄ nō eſſe ab alio p generatione vno modo poteſt negare gñationē inquantū eſt vna emanatio ſimpliciter. Alio modo inquantū eſt emanatio prima cōmuniter. Prio mō cōuenit patri & ſpiritui ſancto:& negat ſolūmodo eſſe immediate p generationem:& hoc mo do æqualiter ingenitus ſiue non genitus dicunt eſſe pater & ſpūs ſanct⁹:& non eſt alicuius dignitatis:quia eſt pura negatio eius q̄d eſt ſimpliciter dignitatis in filio.Secundo autem modo conue nit ſoli patri:& negat eſſe per generationem tam mediate q̄ immediate:& ideo ponit rationem pri mitatis eius a quo eſt omnis alius.& hoc modo ingenitus ſiue non genitus dicitur ſolus pater:& eſt dignitatis ſimpliciter,vt habitum eſt ſupra. ¶Ad quintum patet per iam dicta.¶Ad ſextum: q̄ proprietas patris eſt q̄ nō eſt ab alio per gñationem, ſecundum quam dicitur eē ingenit⁹:ergo proprietas ſpiritus ſancti eſt q̄ non eſt ab ipſo alius per ſpiratiōe,ſecūdū quā dicatur nō ſpirans: Dico ſecundum iam dicta q̄ non eſt ſimile:q̄ nō ſpirare nō eſt niſi pura negatio: q̄d nō eſt digni tatis ſimpliciter:non ſic aūt nō eſſe ab alio per generationem in patre,propter affirmationē ad dignitatem pertinentem ſuper quā fundatur:vt patet ex dictis.¶Ad ſeptimum, q̄ ſicut proprietas cōmunis patris & filii eſt q̄ ab eis ſit alius per ſpirationem: ſic debet eſſe communis proprietas filii & ſpiritus ſancti,q̄ non eſt ab eis alius per generationem: Dico q̄ non eſt ſimile . Eſſe enim ab eis alium per ſpirationem ſimpliciter dignitatis eſt,& determinate,& in ordine ad diuinam perſo nam: quæ tria conſtituunt proprietatem notionalem.Propter q̄d eſſe a quo alius per ſpirationem, eſt proprietas notionalis:non ſic aūt eſſe a quo non eſt alius per generationem: quia non ſolūmodo negat id q̄d eſt ſimpliciter dignitatis:& ideo nō pōt eſſe ſimplr dignitatis:nec pprietas notionalis q̄d tamen non eſt indignitatis:q̄ conditionis eſt non defectus.¶Ad octauū q̄ eſſe donū eſt pprītß ſpiritui ſancto:& eſt pprietas alia ab eo q̄d eſt ſpirari:Dico q̄ ſicut circa filiū iſta tria, pprietas cō ſtitutiua perſonę eius,imago,& verbum,q̄ diuerſimode dicitur eſſe pprietates ſiue propria filio conſiderantur ordine quodam ſecundū determinata in queſtione.iiii.de proprietatibus filii:ſic cir ca ſpiritum ſanctum ordine quodam conſiderantur iſta tria,proprietas conſtitutiua perſonæ eius donum, & eſſe zelū:& ſunt proprietates ſiue propria ſpiritus ſancti diuerſimode eiſdē modis qui bus illa tria.Vnde ex declaratione illorum modorum ibi expoſita circa propria perſonæ filii quo ad illa tria,intelligatur declaratio iſtorum modorum hic circa propria perſonę ſpiritus ſancti quo ad dicta alia tria . Eſt enim ſpirari proprietas conſtitutiua perſonæ ſpiritus ſancti : ſicut generari eſt proprietas conſtitutiua perſonę filii.Eſt ſimiliter donum proprietas ſpiritus ſancti conueniens ei ratione ſpirari:ſicut eſſe imaginem conuenit filio ratione eius q̄d eſt generari.Sicut enim filius ex eo q̄ procedit modo generationis naturalis procedit vt ſimile,& dicitur imago: Natura enim eſt vis aſſimilatiua eius q̄d producit illi q̄d ab ipſo producit:ſic eſſe donū conuenit ſpiritui ſancto rōne ei⁹ q̄d eſt ſpirari.Ex eo enim q̄ pcedit modo ſpirationis voluntarię,procedit vt amor:& dici tur donum.Voluntas enim eſt vis incētiua amoris,q̄ producitur ab illis in illum in quē tēdit,pro pter q̄d dicitur donū illius:quaſi illi liberaliter collatū:ſecundum q̄ hæc amplius iā inferi⁹ decla rabuntur in queſtione octaua.Eſt etiam zelum proprietas ſpiritus ſancti ſignificatiua perſonę ſpi ritus ſancti:ſicut verbum eſt proprietas filii ſignificatiua ipſius perſonæ filii: vt aliquātulum tactum eſt ſupra:& iam inferius amplius declarabitur in queſtione quinta & ſeptima. ¶Q̄ arguitur vltimo q̄ donum non eſt proprium ſpiritus ſancti:quia conuenit etiam filio:Dico q̄ datū aliquod poteſt dici donum duplici de cauſa ſiue ratiōe. Vna accepta ex diſpoſitione ipſius dantis.ſ. q̄ dās ipm dat liberaliter.q̄d dare rōne liberalitatis qua dās dat,pprie dicit eſſe donare,& ipm da tum donum.Illud enim q̄d dat ex debito,& non ex liberalitate,datū tm eſt,& nō donū,& tale da re eſt dare ſimpliciter:& nō donare. Alia autē ratio accepta eſt ex cōditione dati q̄ ex natura ſua habet rationem donabilis:non quia ſimpliciter poteſt dari,ſimpliciter enim dari poteſt a liberalita te donantis:ex conditione autem ſua donabile nō eſt niſi id q̄d ex ſe ordinatur vt alteri detur: q̄d ſt ſolummodo perſona ſpiritus ſancti,inquantum in ratione & mō ſuo procedēdi habet q̄ ſit do nū,& ordinatur ad alterum vt cui donetur,ſecūdum q̄ iam patebit inferius.Et talis conditio ſo lummodo facit q̄ aliquid dicatur donum:non autem merus actus quo aliquid ex liberalitate dā tis datur:ſecundum quem modum filius datus eſt nobis.Propter quod non obſtante q̄ filius da tus eſt,ſpiritui ſancto proprium eſt q̄ ſit donum.

F
Ad quartū.

G
Ad quintū.
Ad ſextum.

H
Ad ſeptimū.

I
Ad octauū.

k
Ad vltimū
.i. ſecūdū in
oppoſitum.

**I.**
**Quest.iiii.**
**Arg.i.**

Irea quartum arguitur ꝙ spiritus sanctus nō spiretur a patre in filium nec ecō
uerso.Primo sic.spiritus sanctus spiratur vt subsistens psona.Persona aūt oīnis
subsistens vt subsistens subsistit in seipsa:vt patet ex natura personę superi⁹ ex
posita:ergo spūs sanctus spiratur vt in seipso subsistēs,q̄re inquantū spirat a pa
tre spiratur in seipso:& sic non in alium vt in filiū:& inquantū spiratur a filio,
similiter spiratur in seipso & nō in patrę. ¶Secūdo sic.spiritus sanctus spiratur

**2**

vt amor pcedens p expressionem siue excussionem aut exsufflationē a voluntate cōmuni patris &
filii,econtrario generationi filii qui generat vt notitia pcedens per impressionem siue informatio
nem a notitia simplici patris in intellectu paterno secūdū superius dicta & inferius amplius dicen
da.sed procedens ab aliquo vt expssum siue excussum ab aliquo,nō pcedit in illud,ꝗa reciperet in
illud.idem aūt nō potest esse terminus a quo excussionis,& in quem receptiōis:quia sunt termini
quasi vni⁹ mot⁹,cui⁹ nō pōt eē termin⁹ a quo vnius & ad quē.Quod eīn est terminus a quo mot⁹
deorsum,nequaꝗ pōt esse terminus ad quē eius: ꝗa contraria essent simul in eodē. ergo voluntas
cōis patris & filii cū sit terminus a quo amoris pcedentis qui est spiritus sanctus, nullo modo er
go potest esse terminus in quem spiratur,siue per spirationem pcedit spiritus sanctus. Sed amor
non procedit aut recipitur in aliquid,nisi in voluntate recipiatur:quare cum a patre pcedens spi
ratur,non potest pcedere in voluntatē filii,nec econuerso:quia eadem est voluntas patris & filii a
qua procedit.nullo ergo modo spiritus sanctus cū spiratur a patre,spiratur in filiū nec econuerso.

**In oppositū.**

¶Contra.dicit Damasce.lib.i.cap.x.secudū opinionē gręcorū.Spm̄ sanctū pcedere a patre dicimus
procedere aūt ipsum a filio nō dicim⁹,sed pcedens a patre ꝗescit in filio. sed nō ꝗesceret in filio pa
cedēs a patre,nisi pcedēs a pfe pcederet in filiū.ista aūt pcessio spiratio est.spūs sanct⁹ ergo a patre
spirat̄ in filiū scdm sentēria gręcorū tm̄.in hoc ꝙ pcedēs a patre quiescit in filio, nō cōtradicūt la
tini:ergo eadem ratione pcedens a filio secundū latinos pcedit in patrē.quare cū scdm latinos ꝗn
spiratur procedit simul a patre & filio,consimiliter spirat etiā a patre in filiū,& econuerso.

**M.**
**Resolutio,q.**

¶Priusꝗ ad dissolutionē huius ꝗstionis descendatur,aduertendū est in qua ema
natione pponatur,& quomodo proponatur.Proponit̄ autem quęstio psens de emanatione secun
da in diuinis:quia in ipsa sola,& non in emanatione prima pōt habere locum.Prima enīn emana
tio est secundę psonę a prima vna in qua pcedit a sola altera:vt ppterea non sit dubitatio:quin si
cut vna sola ē termin⁹ a quo:sic vna sola sit termin⁹ ad quē:in ꝗ sistat emanatio vt in se subsistēte:
& nullo mō in aliū tendēte. Scda vero emanatio est tertię psonę a sola psona prima secūdū grecos
vel a prima & secūda simul secundum latinos:vt ppterea licet certum esset de termino a quo: an

**N**

scilicet essent due psonæ,an vna sola:dubitatio tamē manet an vna sola psona sit termin⁹ ad quē
in qua sistat emanatio . Quia talis emanatio sistere potest in aliquo dupliciter. Vno modo vt in
producto subsistēte.Alio modo vt in recipiente in seipsum,productum. De primo quidem modo
terminādi eam certum est ꝙ vnica persona est terminus eius in quo sistat ipsa persona spirit⁹ san
cti pducta.De secundo autem modo est dubitatio in vtroꝗ mō pducendi spm̄ sanctum,& secun
dum græcos,& secundū latinos,siue eīn a solo patre pcedat:siue nō: cū emanatio filii sit prima re
spectu emanationis spūs sancti, semper dubitatio manet an cum hoc ꝙ pcedat a patre vt persona

**O**

subsistens,eius pductio quasi vlterius tendat in filium,vt ipse pductus a patre p suam pductionē
recipiatur in filium vtin terminum vlteriorem & alterius generis. Alia eīn est ratio termini qua
aliquis est terminus pductionis vt ipsum pductum:& alia qua aliquis est terminus pductiōis vt
receptiui in se ipsius pducti:queadmodum alius est terminus generatiōis grauis.s.ipsum graue:
al⁹us vero est ipe locus grauis deorsum.¶Proponit̄ etiā ista ꝗstio de modo pducēdi spm̄ sanctum
ex parte termini secudo modo dicti:An.s.ab vna duarū primarū psonarum pducatur in alterā,tā
ꝗ in illam tendat pductio ipsa ꝗsi in terminū abextra:cū dicit in casu accusatiuo an spiritus san
ctus pcedat vel spiretur a patre in filium. Nō aūt pponitur an ab vna illarū primarum personarum pducatur in altera,tāꝗ infra illam fiat ipsa pductio ꝗsi infra ipsum: vt diceret̄ in casu ablati
uo an spiritus sanctus pcedat vel spiretur a patre in filio. De hoc eīn scdo modo nulla est dubita
tio.Cū eīn tres diuinę psonę sint vni⁹ substātię:& inseparabiliter vna existat & subsistat in altera
secundū modum superius expositum:vna illarum non potest nō pduci in altera quę prima est re
spectu illius,vnde pater producit & generat filiū in seipso,& producit siue spirat spm̄ sanctum in
seipso & in filium:sed clarum est ꝙ pater nō spirat siue pducit spm̄ scm̄ in seipsum propter con

**P**

trarietatem terminorum circa idem:vt tactū est in secūda ratione.¶Restat bona dubitatio:An pa
ter producat siue spiret spm̄ sanctum in filium & econuerso secundū iam tactū modū propter di
uersitatē terminoꝝ a quo & in quem.Dissolutio autē quęstionis est aduertenda ex modo pcessio

nis ſpiritus ſancti cōtrario pceſſioni filii.Quia em̄ filius inquātū verbū eſt pcedit vt notitia,ei⁹ p
ceſſio ſiue pductio eſt quaſi motio in ipſum intellectū paternū terminata & ſiſtēs in illo vt de quo
producitur.Spiritus aūt inquātū eſt amor,eius proceſſio ſiue pductio eſt quaſi motio in obiectum
amatum non terminata aut ſiſtēs in voluntate informata amore ſimplici de qua producitur:ſed ip
ſo pducto quaſi vlterius pcedit in obiectum amatum:& hoc ipſo amore incentiuo procedēte,q eſt
ſpiritus ſanctus,vt iam inferius declarabit.Amore aūt incētiuo tali qui pcedit a patre & filio non    **Q**
ſolum pater ſpiritu ſancto amat incentiue ſeipſum:ſed etiā filiū:nec ſimiliter fili⁹ ſeipſum: ſed etiā
patrem.Amor em̄ incentiuus non eſt cōtentus vt ipſo amet quis a ſeipſo:ſed neceſſario tendit etiā
in alterū,dicente Ricar.lib.iii.de trinitate cap.vii. Summa charitas nondū eſſe cōuincit vbi dilect⁹
ſumme non diligit:ſed ipſius amoris cōuincit pprietas quoniā ſumme diligenti non ſufficit ſi ſum
me dilectus ſumma dilectione non rependit.Et cap.xi.Probatio ſummę charitatis eſt votiua cōmu
nio exhibitę ſibi dilectionis.& cap.xx.Cordialis amor nūq̄ ſingularis iuenitur.Propter qd pater ſpi
rans ſpiritum ſanctū non ſolū ſpirat ipſum vt in ſemetipſum tendēte & in ſemetipſo manentem &
pficientē voluntatem patris vt patris eſt:ſed etiā ſpirat ipm̄ vt tendentē in filium & manētem i fi
lio , & pficientem voluntatem filii vt eſt filii.Conſimiliter etiā filius ſpitans ſpiritum ſanctum non
ſolum ſpirat ipſum vt in ſemetipſum tendentē & manentē in ipſo & pficientē voluntatē filii vt eſt
filii:ſed etiā ſpirat ipm̄ vt tendentē in patrem & manentē in ipſo & pficientē volūtatē patris vt pa
tris eſt. Et ſecūdū hoc ſpirit⁹ ſanctus pcedens vt amor(ſecūdū q̄ declarabit in q̄ſtiōe ſequente)nō
procedit a patre & filio ſolūmodo vt amor ſimpliciter:ſed etiā vt amor vnitiuus,& p hoc vlterius
vt amborꝫ nexus.Et ſic ſimpliciter cōcedēdū eſt q̄ ſpūs ſanct⁹ ſpirat a pfe in filiū & ecōuerſo:& filſ
ter manet & quieſcit in vtroꝗ nō ſolū p hoc q̄ alteruter ipm̄ ſpirat in alterū:ſed etiā p hoc q̄ vter
q̄ illoꝝ ſpirat illū manētē in ſeipſo:qualiter etiā geſceret & maneret in patre & ſpiraret a ſemetipſo
in ſemetipſum etſi ſecūdū Grecos pcederet ſiue ſpiraretur a ſolo patre. Et ſecūdū hoc cōcedenda
eſt vltima ratio pro iſta parte adducta,

¶Ad primā rationem in oppoſitum , q̄ ſpiritus ſanctus procedit vt pſona ſubſi    **R**
ſtens in ſeipſa:ergo non ſpiratur in alium:Dico q̄ reuera ſpiritus ſanctus ſpiratur vt ſubſiſtens p    Ad pri.
ſona & in ſeipſo ſubſiſtēs.Quiſquis em̄ ſubſiſtit,in ſeipſo ſubſiſtit.p qd excludit ſubſiſtere i alio nō    principaꝛ
vt in continente:ſed vt in ſubiecto. Subſiſtere em̄ hoc i alio vt in ſubiecto,oppoſitio eſt in adiecto
Subſiſtere em̄ eſt in ſeipſo exiſtere:cui opponit exiſtere i alio vt in ſubiecto.Iſti em̄ ſunt duo modi
exiſtendi inter ſe diſtincti & oppoſiti: quib⁹ inter ſe diſtinguunt pdicamētū ſubſtātię & prędicamē
ta accidentiū,vt habitum eſt ſupra in quæſtione quadā de prædicamentis in diuinis.Subſiſtere au
tem & hoc in alio vt in continente,nō repugnant: ſicut neꝗ ipſum ſubſiſtere,& ad aliud ſubſiſte
re.Sic em̄ diuinę perſonę habent eſſe vna in altera,vt habitum eſt ſupra.Et ſic in altero ſubſiſtūt:&
tn̄ in ſemetipſis ſubſiſtūt: ſicut & ad alterū ſubſiſtūt,ſicut ſpirit⁹ ſanctus ſubſiſtit i ſemetipſo & ſpi
ratur in ſeipſo: p qd etiam nequaꝗ excludit quin ſpiretur in alium in quo habet eſſe & quieſcere
ſicut in cōtinente,ſecūdū pexpoſitū modū.¶Ad ſecundū,q̄ ſpiritus ſanctus ſpiratur p excuſſione    **S**
a voluntate cōmuni patris & filii:ergo non pcedit p ſpirationem in illam: Dico q̄ verū eſt pceſſio    Ad ſcdm̄,
ne directa:& vt voluntas illa eſt vnius & eiuſdem:quia ſic idē haberet ratiōe contrariorum termi
norum vt procedit argumentum. Proceſſione aūt nō directa ſed quaſi reflexa,aut etiam proceſſio
ne directa,ſed vt ipſa voluntas eſt alterius & alteri⁹,nulla ponit terminoꝛ cōtrarietatē.Primo mō
ſcilicet proceſſione quaſi reflexa pater voluntate ſua conuerſa ſuper ſeipſam vt eſt informata amo
re ſimplici quo diligit ſeipſum,in qua eſt voluntas illa vt informata & conuerſa,de illa voluntate i
formata excutiendo ſpirit ſpiritum ſanctum in ſeipſum,& in ipſam voluntatem conuerſam q̄ ſpi
rat:in qua eſt eius perfectio & amor incentiuus:quemadmodum verbum eſt perfectio in intellectu
paterno de quo generat vt notitia declaratiua.Vnde de iſta productione ſpiritus ſancti a patre in
ſeipſum quaſi p quandā reflexiōe ſimul & de productione dicit quædam propoſitio de maximis
theologię. Monas monadē gignit: & in ſe ſuū reflectit amore.Et iſta reflexio a termino eode in eū
dem nullā ponit contrarietatem:ſicut nec motus circularis ab eodē termino in eūdē aliquā cōtra
rietatē ponit.Secūdo aūt modo,ſ.pceſſione directa vt ipſa voluntas eſt alterius & alterius , ſimili    **T**
ter nullam ponit contrarietatē:quia licet tunc voluntas ſit vna ſecūdum rem,eſt tamen quaſi alia
& alia vt eſt alterius & alterius.Et hoc modo pater voluntate ſua vt patris eſt cōuerſa ſupra ſe vt
eſt informata amore ſimplici quo diligit filium,in quo eſt eadem voluntas conuerſa,de illa volūta
te informata vt eſt in patre excutiendo ſpirat ſpiritum ſanctum in filium & in ipſam voluntatem
conuerſam:in qua ſimiliter exiſtit vt eius perfectio quaſi amor quidā incentiuus,

**A**
Quæſt.v.
Arg.ɪ.

**2**

Irca quintum arguit ⵊ ſpiritus ſanctus in eo ⵊ ſpirat non pcedit vt amor,Pri
mo ſic.Amor cū ſit paſſio q̈dam contraria timori,pcedit in eſſe p impreſſionem
a cōmodo ſiue bono eſtimato:ſicut timor pcedit in eſſe p impreſſionem a noci
uo ſiue malo eſtimato.ſpiritus ſanctus aūt nō procedit p modū impreſſionis:ſed
potius p modū exp̃ſſionis,vt habitum eſt iam ſupra.ergo &c. ⵊSecūdo ſic.ſicut
ſe habet natura ad id q̈ procedit modo natur̨,ſic ſe amor habet ad id q̈ pro
cedit modo amoris,ſed eius q procedit modo natur̨ natura eſt ratio producti
ua ex pte pducentis & in pducente:non autem in pducto,vt patet in pductione filii qui pducit
modo natur̨,ergo & eius qui pducitur modo amoris,amor eſt ratio pductiua ex pte producētis,
& in pducente.nunc autē amor non eſt ratio productiua ſpiritus ſancti in pducentibus: ſed volū

In oppoſi, tas nuda conuerſa,ſecundum modū ſepe tactum ſuperius.ergo &c.ⵊContra.ſpiritus ſanctus pce
dit a principio q̈ eſt volūtas,nunc q̈ pcedit a principio q̈ eſt voluntas,eo modo pcedit ab illo ſi
cut natum eſt aliquid pcedere a principio q̈ eſt amor:quia q̈ volūtas agit, libere agit:q̈ eſt age
re modo amoris: ergo & ſpiritus ſanctus dicendus eſt pcedere modo amoris.

**B**
Reſponſio

ⵊDico ⵊ queſtio iſta poteſt habere intellectum triplicem. Tripliciter em̃ aliq̈d pb
teſt intelligi pcedere vt amor ſiue modo amoris.Vno em̃ modo aliquid dicitur pcedere modo ali
cuius,quia illud eſt ratio ⵊ iſtud pcedit:& ideo modo illius pcedit: quemadmodum dicim⁹ ⵊ fi
lius in diuinis pcedit modo natur̨:quia,ſ.natura eſt ratio qua pcedit. Secundo autem modo dici
tur aliquid pcedere modo alicuius:quia pcedit a ſuo principio eo modo quo aliquid natum eſt ab
illo pcedere:queadmodum dicimus ⵊ ea qų procedūt ex antiqua cōſuetudine fiunt modo natu
r̨:quia pcedunt ab illa eo modo quo natum eſt aliquid pcedere a principio q̈ eſt natura. Tertio
vero modo dicit aliquid pcedere modo alicuius:quia ipſum procedit ſicut illud natum eſt pcede
re:queadmodū dicimus ⵊ filius i diuinis pcedit modo verbi quia procedit eo m̃ quo verbū natū
eſt procedere. Primo iſtorū modorum dico ⵊ ſpiritus ſanctus nō procedit modo amoris,ſecūdum
ⵊ procedit ſecūda ratio.Amor em̃ non eſt ratio elicitiua actus quo pducitur ſpirit⁹ ſanctus,ſicut
natura eſt ratio elicitiua qua in diuinis producitur fili⁹:ſicut expreſſius iam declarabitur in q̈ſtio
ne ſequenti.Secundo autem modo & ſimiliter tertio dico ⵊ ſpiritus ſanctus dicendus eſt pcedere
modo amoris. Secūdo quidē modo procedit modo amoris ſecundum ⵊ procedit tertia ratio.Sicut
enim modus natur̨ eſt ⵊ agat impetu quodam , ſic etiam modus antiqų conſuetudinis eſt ⵊ
agat impetu quodā:& ideo dicitur agere modo natur̨:& illud q̈ procedit a tali conſuetudine,di
citur procedere modo natur̨.Conſimiliter autē ſicut modus amoris eſt ⵊ id q̈ ab amore vt a ra
ne elicitiua actus procedit , libere procedit: ita modus voluntatis nud̨ eſt ⵊ id q̈ ab ipſa vt a ra
tione elicitiua actus procedit,libere procedit.Propter quod ſpiritus ſanct⁹ quia procedit vt a ratio
ne elicitiua actus procedendi eius a voluntate nuda conuerſa ſecundum p̃expoſitū modū:ideo ſe
cundū hoc competenter dicit procedere modo amoris.Tertio vero modo in quo conſiſtit difficul

**C**

tas queſtionis,ſpiritus ſanctus dicendus eſt procedere modo amoris:quia procedit a volūtate:quē
admodum amor natus eſt ab illa procedere.& hoc ſecundum Gregorium in Homil.Pentec. ſuper
illud euangelii, Si quis diligit me ſermonē meum ſeruabit.Spiritus ſanctus amor eſt.Verūtamen
de amore diſtiguēdum eſt ex parte voluntatis circa productionem ſpiritus ſancti:queadmodū ſu
pra diſtinctū eſt de notitia circa productionem filii ſiue verbi.Sicut enim eſt qued̨m notitia ſim
plex & eſſentialis,& qued̨m declaratiua ſiue illuſtratiua & perſonalis,qų verbum eſt ſecundum
ſuperius declarata:ſic eſt quidam amor ſimplex & eſſentialis, & quidam incentiuus ſiue gratifica
tiuus & perſonalis,qui zelus dici poteſt:& ſe habet ad ſpiritum ſanctū ſicut ſe habet verbum ad fi
lium:& actus quo producitur poteſt dici flagrare:& ſe habet ad ſpirare ſicut ſe habet dicere ad ge
nerare,vt tactum eſt aliquantulum ſupra.Vnde qualiacunq̈ dicta & determinata ſunt ex parte i
tellectus de dicere & de verbo,talia & conſimilia dici & determinari debent hic ex parte volunta
tis de flagrare & de zelo.Sicut enim verbum eſt notitia declaratiua veri & illuſtratiua intellectus
ad cognoſcendum verum declaratiue:ſic zelus eſt amor gratificatiuus boni,& incentiuus volunta
tis ad amandū bonū incentiue.Verbum em̃ & intellectum illuſtrat,quē perficit: & clarum facit
omne verū:zelus aūt & voluntatem inflammat,quā perficit, & gratum facit ei omne bonum.Vn
de ſicut verbum non ſolum habet reſpectum ad dicentem:ſed ad omnia qų determinant & clara
fiunt verbo:vt cognoſcenda declaratiue per ipſum ab intellectu qui ipſo verbo illuſtratur:qų ſim
pliciter cognoſcuntur per ſimplicem notitiam & eſſentialem: ſic zelus non ſolum habet reſpectum
ad flagrāte ipm̃:ſed etiā ad omnia alia q̈ gratificatur zelo vt amāda incētiue p ipm̃ a volūtate qų
ipſo zelo incēdit:qų ſimpliciter amant per ſimplicem amorem & eſſentialem. Verbum enim non

ſolum apud intellectū illuſtratū libere eſt declaratiua notitia pſonę illiusa qua dicit,& de qua ema
nat:ſed etiā omnium alioꝝ ꝗ in illa declaratiua notitia hñt cognoſci:& idcirco nõ ſolum importat
reſpectum ad illum de quo emanat vt declaratiuū illius apud intellectū ſuū,& apud quēlibet aliū
videntem ipſum verbum:vt quaſi clarius cognoſcatur ipſa notitia declaratiua ſeu in ipſa,ꝗ noſcere
tur ſimplici notitia vel in ipſa:ſed ēt ad oīa alia vt manifeſtatiuū & declaratiuū illoꝝ apd itellectū
quēlibet illuſtratū verbo: vt quaſi clarius cognoſcant ipſa notitia declaratiua ſeu in ipſa, ꝗ noſcerē
tur notitia ſimplici ſeu in ipſa,ꝗ quidē alia quodāmodo in ipſo verbo dicunt,vt habitum eſt ſupra
in ꝗſtione de dicere.Et ſimiliter zel⁹ nõ ſolu apud volūtate inoēſam zelo eſt amor gratificatiuus illarum pſonarū a qbus flagrat & emanat:ſed etiā oīm aliorū ꝗ illo amore hñt amari:& idcirco non
ſolum importat reſpectum ad illos a qbus emanat vt gratificatiuū illoꝝ apud voluntatē illorū,&
apud quālibet aliā volūtatē inceſam ipſo zelo,vt gratioſius & ardenti⁹ ament ipſo amore gratifica
tiuo ſiue in ipo ꝗ amarēt amore ſimplici vel ī ipſo:ſed etiā ad oīa alia vt gratificatiuū illoꝝ apd vo
lūtatē quālibet inceſam zelo ſiue vt quaſi ardenti⁹ ament ipſo amore gratificatiuo ſiue in ipſo,ꝗ amare
tur amore ſimplici vel in ipſo,ꝗ quidē alia quodāmodo in ipſo zelo flagrant,mõ pportionali quo ſe
cundū ſuperi⁹determinata in ipſo verbo dicunt.Et ſic ſicut ipſum dicere in ſuo ſignificato ſcdm ſu
perius determinata cū actione pducēdi includit rōne ſiue actionē manifeſtādi ſiue declarādi,& ali
quādo accipit notionaliter p ſola actione pducēdi,aliꝗ aūt eſſentialiter p ſola actione manifeſtādi
ſecudū ſuperius determinata:ſic ipſum flagrare qd reſpōdet ipſi dicere in ſuo ſignificato ctm actio
ne pducendi includit actionem ſiue rationem gratificandi:& aliꝗ accipitur notionaliter pro ſola
actione producendi:aliꝗ etiā eſſentialiter p ſola actione gratificādi:vt omnibus cōſimilibus modis quibus dicere accipit,vt habitū eſt ſupra,ſic accipiat & flagrare.Sicut etiā ſecundū pdicta non
eſt verbū in diuinis niſi pſonale,ſic nec zelus.Eſt tamen zelare perſonale & eēntiale,ſicut & dicere.

¶Non reſtat igitur niſi reſpondere ad primam rationem ꝗ amor eſt paſſio, mo D
Ad pti.
do cuius non pcedit ſpirit⁹ ſanct⁹.Dico ſecūdū ſuperi⁹ expoſita in ꝗſtione de amore dei,ꝗ amor ē principa.
equiuocū:quia & eſt paſſio vno modo in parte cōcupiſcibili:& bene verū eſt ꝗ mõ talis amoris nõ
pcedit ſpūs ſanctus,ſicut pcedit rō,& bene.Eſt etiā alio modo opatio inpte rōnali volūtatis: & hoc
vel eſſentialis,ꝗ nõ eſt niſi in hoc velle quoddā secundum actū:ſicut ex parte intellect⁹ notitia eſſen
tialis in deo nõ eſt niſi itelligere ſiue noſſe qddā ſcdm actū:vel notionalis,ꝗ pcedit naturali actiōe
volūtatis:ſicut verbū actione naturali intellectus:licet non ſit actio volūtatis pticipaliori modo na
turę ſicut eſt illa ꝗ eſt intellectus.eo ꝗ illa ꝗ eſt ex parte intellect⁹ pcedit impetu naturę:illa vero ꝗ
eſt ex parte voluntatis,nõ:ſed liberaliter ſiue libere:licet neceſſitate incommutabili,vt habitū eſt ſu
pra.Et ſicut ex parte intellect⁹ dicere ſiue gñare non eſt intelligere,licet non ſit ſine illo,qd etiā nõ
eſt niſi eſſentiale:ſic ex parte volūtatis flagrare ſiue ſpirare nõ eſt velle licet non ſit ſine illo,qd ſimi
liter non eſt eſſentiale. & modo talis amoris pcedit ſpiritus ſanctus:quia ipſe amor quidam eſt,vt
iam dictum eſt.

Irca ſextū arguit ꝗ ſpirit⁹ ſanct⁹ pcedit vt amor de notitia,Primo ſic.emanatio E
Queſt.vi.
in ptibus imaginis createę correſpondēs eſt emanationi in pſonis trinitatis icrea Arg.
tę,ſecūdū Auguſtinum eín ſicut filius pcedit a patre,& a patre & filio ſpūs ſan
ctus:ſic in partibus imaginis quę vno modo ſunt in eius notitia amor,alio au
tem modo memoria,intelligētia,& volūtas,notitia pcedit de mēte,& de mente
& notitia pcedit amor:& ſimiliter intelligētia pcedit de memoria,& de meōria
& itelligētia pcedit volūtas.ſed i ptib⁹ imaginis amor nõ pcedit vt mēte ac no
titia,& ſilr volūtas de memora & itelligētia niſi vt de notitia:ꝗa mens,notitia,memoria,& intelli
gētia ad notitia ptinent:& actiones eoꝝ nõ ſunt niſi actiōes notitię,ergo & in pſonis trinitatis ſpūs
ſanct⁹ cui in ptib⁹ imaginis rñdet amor & volūtas,nõ pcedit a pře & filio niſi vt de notitia.& ideo
cū ſit amor,pcedit vt amor de notitia:nõ aūt vt amor de amore. ¶ Qꝛ aūt nõ pcedit vt amor de
amore arguit ſcdo ſic.ſi ſpūs ſanct⁹ pcederet vt amor de amore,pcederet vt ſilis de ſili,nõ min⁹ ꝗ
fili⁹ de pře iquātū pcedit de illo vt notitia de notitia:& ſic ſpūs ſanct⁹ nõ min⁹ pcederet vt fili⁹ &
imago,ꝗ fili⁹:& ſilr mõ nature:cui⁹ eſt de ſili ſile pducere.cōſequēs falſum ē ſcdm pdicta.ergo &c.
¶ Qꝛ aūt ſpūs ſanct⁹ pcedat nec vt amor de notitia nec vt amor de amore,arguit tertio ſic.ſi ſpūs
ſanctus pcederet altero duoꝝ modorū,tūc cū ipſm verbū eſt notitia pcedens ſicut ſpūs ſanctus eſt
amor pcedens,diceret verbum pcedere vt notitia de notitia,potius ꝗ ſpūs ſanctus vt amor de noti
tia:eo ꝗ magis conformis eſt notitia notitię ꝗ notitia amori,aut ſaltem pari ratione verbum diceret pcedere vt notitia de notitia,ꝗ ſpiritus ſanct⁹ vt amor de notitia pcedere dr.cōſequēs falſum ē
videlicet ꝗ verbum procedit vt notitia de notitia,ergo &c. ¶ Qꝛ autem verbum non procedat 4

vt notitia,probať:quia illa notitia effet effentiale attributum quaſi pcedens ipſam verbi emanationem:qđ eſt impoſſibile,quia attributa non habēt eſſe in deo niſi p diſtinctā apphēſionē:q̃ in diuinis
non habet eſſe niſi in verbo & p verbum iā pductum:eo q̃ eſt complementum diuinę intelligentie.

5    Q₂ autē ſpiritus ſanctus non procedat vt amor de notitia, arguiť quarto ſic. Si ſpiritus ſanct⁹ p
cedat vt amor de notitia,cū pductio ſpirit⁹ ſancti ſit ex parte volūtatis:& omnis notitia ſit ex parte
intellectus:tunc intellectus effet actus in pductione ſpiritus ſancti.ſed omnis actio intellect⁹ eſt mo
do principali nature,pcederet ergo ſpiritus ſanctus modo principali nature ſicut & filius.cōſequēs

eſt falſum ſecundū ſuperius determinata.ergo &c.  Q₂ autē pcedat neqʒ vt de notitia neqʒ vt de
amore arguiť, quia pcedit vt amor de nuda voluntate ſecūdū prædicta:ſed voluntas talis nō ē no
titia vel amor.ergo &c.

   Dico q̃ procedere de aliquo equiuocum eſt:quia ly de vel poteſt dicere circun
ſtantiam principii quaſi materialis & de quo elicitur:vel circunſtātiā principii agētis & elicietis ſiue eius qđ eſt ratio eliciendi.Primo modo ſumendo de aliquo,ſpirit⁹ ſanctus pcedit vt amor.ſ.notionalis,de amore.ſ. eſſentiali: de quo quaſi excutiēdo ſiue exufflando pducit.Sed iſto modo non p
cedit filius vt notitia de notitia:ſed vt notitia de itellectu puro,ſicut patet ex ſupra determinatis.
Secundo autē modo ſumēdo de aliquo:ſpiritus ſanctus pcedit vt amor notionalis de aliquo dupli
citer. Vno modo vt de rōne pducēdi:alio modo vt de ipſo pducēte. Et de ratione pducendi dupliciter:vno modo vt de rōne pducēdi propter quā ſic:alio modo vt de ratione pducendi ſine qua
non.Primo iſtoʒ modorū pcedit ſpiritus ſanctus nec vt amor de notitia nec vt amor de amore:q̃a
ratio elicitiua actus quo pducit (ſecūdū pdicta) eſt nuda voluntas,q̃ nec eſt notitia nec amor:q̃a
ipſe habet rationē potentiæ:iſta autē inquantū ſunt rōnes elicitiuę alicuius,rōne habēt act⁹ ſiue ha
bitus quaſi pficiētis potētiam.Sed iſto modo filius pcedit vt notitia de notitia,ſicut patet ex ſupra
determinatis. Secundo autē iſtoʒ modorum ſpiritus ſanctus procedit vt amor de notitia:& hoc

dupliciter.ſ.eſſentiali & notionali:ſine qua quaſi preuia ſpiritus ſanctus nequaq̃ pduceret de volū
tate vt de rōne pducēdi propter quā ſic. Eſt ēm ratio pducēdi ſpiritū ſanctū ppter quā ſic ex par
te pducentium illum,voluntas nuda conuerſa ſup ſeipſam informata amore ſimplici & eſſentiali,
vt patet ex ſupra determinatis.Voluntas aūt nuda nullius eſt pductiua,neqʒ alicuius actionis pri
cipium ſine notitia preuia intellectus,vt patet ex ordine volūtatis & intellectus ſepius declarato in

qſtionibᵍ de Quolibet. Eſt aūt notitia eſſentialis qſi præuia ad pductionē ſpūs ſancti:quia ſine hac
nec eēt amor eſſentialis in pfe p gnatione a pfe cōicādus filio:ſup quē volūtas cōcors vtriuſq̃ ſe
uertit vt de ipſo qſi materialiter ſpiret ſpūs ſanct⁹,ſecūdū ſuperiᵍ determiata.Incognita ēm oīno ſe
cūdū Auguſtinū amari nō poſſunt.Notitia veropcedēs ſiue notionalis eſt qſi preuia ad pductionē
ſpūs ſancti:q̃a ſicut ſine notitia eſſentiali qſi pficiēte itellectū paternū nō poſſet volūtas paterna de
ſe volēdo elicere actū amoris eſſentialis cōicādū filio p gnatione: ſic ſine notitia pcedēte notionali
ſi pficiēte itellectū patris & filii nō poſſet volūtas ipſoʒ cōcors cōuertere ſe ſup ſe qſi iformata amo
re ſimplici,ad pducēdū de amore ſimplici amore incētiuū,ſicut maiore flāmā de minori.Sicut ēm ī
cognita ſimpliciter,ſimpliciter amari nō poſſunt,& ideo ad amorē ſimplice neceſſaria ē notitia ſim
ri nō poſſunt,& ideo ad amorē incētiuū neceſſaria eſt notitia declaratiua qſi puia,ſine q̃ talis amor
ma:queadmodū ex pte intellect⁹ notitia declaratiua qſi maior & clarior eſt ſimplici notitia:q̃ nō ſūt
plex quaſi preuia:ideo q̃ talis amor nō habet elici a volūtate:ſic icognita declaratiue incētiue ama
nō habet elici a volūtate de amore ſimplici:ſicut flāma maior de minori,q̃ tñ non eſt niſi vna flam
tñ niſi vna notitia.Dico qſi maior:q̃a licet in diuinis notitia vel amor eſſentialis nō ſit maior ſcām
rē q̃ notitia vel amor notionalis ſiue pcedēs: tñ ex mõ pcedēdi notitia pcedēs ē declaratiua reſpectu
notitie ſimplicis:& amor procedēs eſt incētiu⁹ reſpectu amoris ſimplicis. Nec eſt differētia in hoc
ex pte intellect⁹ & volūtatis,niſi q̃ ex pte volūtatis qſi materialiter pcedit amor de amore:pricipiatiue aūt de nuda volūtate. Ex pte aūt intellect⁹ ecōuerſo principiatiue & pductiue pcedit notitia
de notitia:ſed qſi materialť pcedit notitia de itellectu nudo,vt patet ex pdeterminatis. Et eſt hic

aduertēdū,q̃ licet ſcām iā dictū modū ſpūs ſāct⁹ dicať pcedere vt amor de notitia duplici ſicut de
rōne pricipiādi ſine q̃ nõ,nō tñ fili⁹ dr̄ pcedere de amore vt de rōne pricipiādi ſine qua nõ. Nō de
amore notionali,q̃a ille pcedit de filio:nec de pricipalitate:nec etiā de amore eſſentiali quo pr̄ amat
ſe & eēntiā ſuā,q̃ annex⁹ eſt notitie eēntiali:de q̃ vt de rōne pricipiādi ppter quā ſic,pr̄ pducit filiū:
q̃ licet pducēs filiū nō ſit ſine illo amore qſi puio,nō tñ de illo pducit filiū vt de rōne ſine q̃ nõ.q̃a
ille amor nō ē neceſſari⁹ notitie ſimplici vt de ipſa qſi pricipiatiue pducat notitia declaratiua:ſicut
notitia duplex eſt neceſſaria voluntati vt de ipſa principiatiue producatur amor incentiuus. Plus
enim indiget voluntas vt exeat iɴ actum ſuum intellectu preuio, q̃ econuerſo intellectꝰ vt exeat

in actum ſuum quaſi præuia voluntate. Vnde loquendo de notitia quaſi antecedéte,& ſimiliter de
amore quaſi antecedente,ſpirit⁹ ſanct⁹ poti⁹ dicédus eſt eſſe cũ notitia amor,⁊ filius ſiue verbũ cũ
amore notitia:quia notitia duplex.ſ.eſſentialis & declaratiua,qua pater & filius noſcunt ſpiritum
ſanctũ a ſe pductum,eſt ſaltem ratio ſine qua nõ ſpirit⁹ ſanct⁹ produceret,& quaſi præuia ad ipm
producendum ſicut dictum eſt.Amor aũt qui ſolus quaſi præuius eſt in productione filii quo pa
ter amat genitam a ſe prolem,nec etiam eſt ratio ſine qua non produceretur filius,vt dictum eſt.
Propter quod nequaq̃ legitur notitia ſiue intellectus procedere de amore:dicitur tamen amor ſiue
voluntas procedere de notitia. Vnde Auguſtinus loqués de luce increata dicit.xv. de trini.ca.xvii.
Ipſa tibi oſtendit duo velut parentem & plé tertia voluntate ſiue dilectione iungente. Quã quidé
voluntaté de cognitiõe pcedere neceſſe eſt.Nemo em̃ vult qđ quid vel quale ſit neſcit.Sumédo au
tem pducere de aliquo vt de ipſo producente,cum pducentes ſpiritum ſanctum ſunt pater & fili⁹
quorum neuter dicit eſſe amor:ſed potius dicuntur eſſe amantes aut habentes in ſe amoré:ſecũdũ
iſtum modum nullo modo ſpirit⁹ ſanct⁹ dicendus eſt procedere vt amor de amore:ſed potius de
amantibus vel habentibus amoré:quia amor perſonaliter non dicitur de patre & filio. Quia autë
pater & filius non ſolum dicuntur noſcentes vel habentes in ſe notitiam,accipiendo notitiam pro
actu vel habitu perficiente perſonam ſecundum intellectum:ſed etiam notitia perſonaliter dicitur
de illis inquantum pater eſt notitia ingenita,de qua procedit filius vt notitia genita: Ideo ſecundũ
iſtum modum ſpiritus ſanctus dicendus eſt procedere non ſolum vt amor de noſcentibus vel ha
bentibus in ſe notitiam:ſed etiam vt amor de notitia duplici,genita.ſ.& ingenita.Sed eſt aduerten
dũ q̃ cum ſpiritus ſanctus dicitur pcedere de noſcentibus vel habentibus notitiam,hoc non eſt p
ſe:ſed potius per accidens:quia non procedit de noſcentibus vel habentibus notitiam inquantum
tales:ſed potius inquantum ſunt volentes vel ipſam voluntatem concordem habéte:eo q̃ in ipſis
ſecundum iam dicta , voluntas eſt ratio ſpirandi ſpiritum ſanctum propter quam ſic: non ſic no
titia. Vnde per ſe loquendo ſpiritus ſanctus non procedit niſi de volentibus inquantum tales ſunt
non autem de noſcentibus inquantum noſcentes ſunt:nec etiam de amantibus inquantum aman
tes ſunt:niſi accipiendo de aliquo vt de principio quaſi materiali,non autem vt de principio eliciti
uo,ſicut patet ex pdictis.Filius autem econuerſo accipiendo de aliquo vt de principio elicitiuo pro
cedit per ſe de cognoſcente inquantum cognoſcens eſt,& de intelligente inquantum intelliges( di
co notitia eſſentiali)non autem de amante inquantum amans eſt,neq̃ de volente inquantum vo
lens eſt:licet aliquis voluntate & amore eſſentiali ipſe ſit amans & volens ſe & ſuam eſſentiam.Lo
quédo autem de aliquo vt de principio quaſi materiali,tunc filius non eſt dicendus pcedere de co
gnoſcente aut intelligéte aut amante aut volente:ſed ſolummodo de intellectu aut habente in ſe í
tellectum. Et ſecundum hoc loquendo de volũtate antecedente vt terminatur ad ipſum filium,pa
ter neq̃ dicendus eſt generare filiũ volens neq̃ nolens:ſed loquendo de voluntate conſequéte quo
ad actu volédi vt terminat ad filium,dicendus eſt generare volens:quia & amore eſſentiali & amo
re notionali cõplacet ei in prole genita. Similiter loquédo de itellectu antecedéte vt terminatur ad
ſpiritũ ſanctũ,pater & filius non ſunt dicendi ſpirare ſpiritũ ſanctũ intelligétes:ſed loquédo de in
tellectu cõſequente quo ad actũ intelligendi vt terminatur ad ſpiritum ſanctũ,dicendi ſunt ſpirare
ſpiritum ſanctum intelligentes : quia & notitia eſſentiali & notitia notionali cognoſcunt amorem
procedentem a ſe.

¶Ad primũ ergo obiectũ q̃ ſpiritus ſanct⁹ procedit de patre & filio vt amor de
notitia: qa ſic cõtigit in ptib⁹ imaginis create:Dico ſcdm iã expoſita q̃ loquédo de aliquo quaſi ma
terialiter ſpũs ſanct⁹ nõ pcedit de notitia: nec ſimilr in ptib⁹ imaginis amor aut volũtas : & ſilĩter
neq̃ loquédo de aliquo elicitiue vt de rõne ppter quã ſic . Dicit tñ pcedere de noſcéte⁹,inquantũ
notitia ſumit p habitu vel actu noſcédi:& ſilĩter de notitia genita & ingenita iquatũ notitia ſumit
pſonaliter ſcdm iã expoſitũ modũ.Et io cũ in ptib⁹ imaginis amor dicit pcedere de méte & de no
titia vt de notitia duplici,genita.ſ.& ingenita:& ſimiliter volũtas dicit pcedere de memoria & itel
ligentia vt de duplici notitia:ibi accipit notitia quaſi pſonaliter:& ſtat ibi mens p habente mentem
ſiue pro meminéte, & notitia p cognoſcéte,q̃ pſonaliter eſt ipſa notitia aut habés in ſe notitia,ſumé
do notitiã p habitu aut actu.Et ſic loquit Auguſt.qñ de pceſſu amoris qui eſt ſpiritus ſanctus di
cit.x.de tri.cap.xii.Ab ipſa q̃ppe méte pcedit. Et ibi ſimiliter accipit memoria p habente memoriã
ſiue pro memoráte, & intelligétia pro intelligente,qui pſonaliter eſt ipſa intelligétia aut habens in
ſe intelligentiam,ſumendo intelligentiam pro actu aut habitu, ſecundum q̃ hæc omnia debent
exponi diſputando de creatura intellectuali in generali quomodo creata eſt ad imaginem , & quo
modo eſt imago creatoris : & ſic ratio illa nullo modo poteſt procedere contra determinata.

N
Ad ſcdm.

℘Ad ſecūdum,ꝙ ſi ſpiritus ſanctus pcederet vt amor de amore,procederet vt imago de ſimili,ſi= cut filius: Dico ꝙ verum eſſet ſi pcederet de amore vt de ratione qua ꝑductiue prīcipiaret ꝓpter quā ſic,ſicut ꝓcedit filius de notitia.Nūc autē nō eſt ita:quia nō procedit de amore niſi vt de ratio ne de qua quaſi materialiter prīcipiatur. Vt de ratione aūt qua productiue principiatur nō proce dit niſi de voluntate nuda,& hoc modo non procedit vt ſimile:quia non vt voluntas de volunta= te,neꝗ vt amor de amore:neꝗ modo aſſimilandi ꝑ ſpeciei ſimilis impreſſionem:ſed quaſi ꝑ quandā excuſſione alterius,ſecundū ſpeciem,ſ.amoris de notitia duplici,vel duplici cognoſcente,vel de duo bus volentibus. Vnde pceſſus filii de patre eſt cōformis generationi vniuocꝗ caloris de calore:pceſ ſus vero ſpiritus ſancti de patre & filio ē quaſi cōformis generationi equiuocꝗ caloris de ſole.℘Ad tertiū,ſi ſpiritus ſanctus procederet vt amor aut de notitia aut de amore,tunc verbū diceret ꝑ= cedere vt notitia de notitia,quę eſt eſſentiale attributū & pcedens ꝓductiōe verbi,Dico ꝙ verum eſt ſecundum iam declarata & ſuꝑius expoſita de productione verbi:quia licet attributa quæ ha bent eſſe ꝑ diſtinctam apprehenſionem eſſentialem tribus ꝑſonis, non poſſunt habere eſſe di= ſtinctum quaſi pcedens ꝓductionem verbi ꝑ illā apphenſionem vt ipſa eſt verbi actio,aut etiā ſpūs ſancti,ꝗ pcedit a verbo: habet tn eſſe illud ꝑ illam vt ipſa eſt actio patris & circa diuinam eſſentiā ſpecialiter vt ipſa patris eſt.Et ꝙ notitia talis quaſi precedit emanationem verbi,expreſſe pbat ꝑ id qd Auguſtinus de verbo producto in nobis vt imagine verbi diuini dicit ſic.xiiii.de trinita.cap. vi.Nec ſane gignit notitiam ſuam mens,quando cogitando intellectum ſe conſpicit tanꝗ ſibi inco gnita fuerit.Et lib.xv.cap.xv.hoc applicans ad diuina dicit.Concedamus iam vocandum eſſe ver= bum illud mentis noſtræ qd de noſtra ſcientia formari poteſt etiā priuſꝗ formatū ſit.& ſequitur cap.xvi.Cogitatio qppe noſtra ꝑueniens ad id qd ſcimus verbum noſtrum eſt . Et nulla eſt quo ad hoc differentia alia a formatione verbi dei & noſtri,niſi ꝙ in deo non eſt prius verbum formabi le ꝗ formatum.Vnde ex dictis continue cōcludit dices.Et ideo verbum dei ſine cogitatione debet intelligi:vt forma ſimplex intelligatur nō aliquid habens formabile qd etiam eſſe poſſit iforme,Et ſic cōcedere oportet ꝙ de ſcientia ſiue notitia dei patris vt patris eſt,format verbū ipſius:licet nō vt de informi de ꝗ pri⁹ duratiōe formari poſſit:ſed vt de ꝗ ſemp formatū eſt,& de ꝗſi pcedenti ſecū dū rōne intelligēdi.Aliter eīm verbū nō procederet de patre vt de ſapiēte & ſciente & intelligente: nec eſſet pater ſapiens ſciens & intelligens niſi ſapientia ſcientia & intelligentia quā genuit. Vnde Auguſtinus in principio.vi.de trinitate reprehendit rationem quorūdam fidelium contra hæreti cos quoſdam inductam cogentem hoc concedere,dicens ꝙ ratiocinatio ad hoc cogit vt dicamus deum patrem non eſſe ſapientem niſi habendo ſapientiam quā genuit,non exiſtentia ꝑ ſe patre ſi ſapientia.Deinde ſi ita eſſet,filius quoꝗ ipſe ſicut dicit deus de deo lumen de lumine,vidēdum eſt vbi poſſit dici ſapientia de ſapientia ſi non eſt deus pater ipſa ſapientia:ſed tn genitor ſapientię,ꝗ ſi diceret,nequaꝗ. Habet ergo pro incōuenienti ꝙ filius non ſit ſapientia de ſapientia , & ꝙ pater non ſit ſapiens niſi habendo ſapientiam quā genuit.Qd plane explicat ꝑtractādo hanc queſtionē ꝑer totum principium.vii.libri:ad quā reuertit lib.xv.cap.vii.dicens.In illa trinitate quis audeat di cere patrem nec ſemetipſum nec filium nec ſpiritum ſanctum per ſe intelligere:ſed non niſi per fi lium,nec diligere niſi per ſpiritum ſanctum:quaſi diceret nullus.Dico ergo ꝙ deus pater diuina eſ ſentia vt eſt ſua ſapientia & intelligentia intelligit ſe & ſuam eſſentiam & omnia attributa eſſen tialia diſtincta intelligentia quaſi prius ordine quodam rationis ꝗ generet verbum,a notitia qua ſicut intelligit de intellectu quo intelligit generat.℘Qd autē dicitur in argumento ꝙ diſtincta ꝑ prehenſio in diuinis non habet eſſe niſi in verbo aut per verbum:eo ꝙ eſt complementum diuinæ intelligentiæ:Dico ꝙ reuera verbum eſt complementum diuinæ intelligentiæ & intellectus,prout ſuꝑius declarauimus.Sed non ſequitur ex hoc ꝙ in diuinis non ſit diſtincta apprehenſio niſi in ver bo & ꝑer verbū:qa ꝙ verbū dicitur cōplementū diuinę intelligentię & intellectus eius,hoc non eſt quaſi perfectior ſit actio intelligendi in verbo aut per verbum , ꝗ in notitia eſſentiali vel ꝑer illam ſicut nec verbum dicitur notitia declaratiua quia clarior eſt ꝗ notitia ſimplex:ſed qa ratione mo di procedendi procedit vt notitia formata de notitia ſimplici & eſſentiali.Illud autem non ſeque tur niſi verbum ſecundum rem eſſet notitia clarior:nec adhuc ex illo amplius ſequeretur niſi ꝙ in verbo & per verbum eſſet diſtinctior apprehēſio attributorum,clarius ſcilicet apprehendendo illo rum diſtinctionem:quemadmodum contingit in nobis ꝙ clarius intelligimus & apprehendimus in definitiua ratione in ſe. Et ſic ex illo nequaꝗ ſequitur quin diſtinctio aliqua attributorum præcedat productionem verbi ſecundum modum iam dictum.Ipſum etiam verbum produ ctum apprehendit patrem prius ordine rationis apprehendere ſeu apprehendiſſe ipſam attri butorum diſtinctionem ꝗ ipſe produxerit ipſum verbum : & ſic ipſum verbum apprehen=

O
Ad tertiū

P
Ad ꝗrtū.

dit diſtinctionem attributorum,diſtinctã apprehenſionem a patre neceſſe eſt pcedere pductionem
verbi ordine rõnis:licet ſua apphenſio vt eſt verbi ſequatur illã,aliter eñ verbum non diceretur p
cedere modo intellectus,& ſpiritus ſanctus mõ volũtatis.Dico tñ φ ipſa poeſſio verbi nõ depédet
ab ipſa diſtinctione:nec requirit ipſam quaſi preuiã quo ad id qd rõnis ſeu a ratione in ipſis diſtin-
ctis:ſed ſolũ quo ad id qd ſunt in ipſa diuina eſſentia virtute & quaſi inchoatiue & in aptitudine
ad diſtinctione qua exiſtit in actuali cõſideratione itellect9:& ſic ſunt origines emanationũ. Sed ſũt
aliqui qui concedunt cõcluſum in dicto argumento:diceres φ nõ dicit verbũ pcedere mõ itellect9
& ſpũs ſanctus modo voluntatis:qa intellectus & volũtas ſunt pricipia pductiua perſonarum vt
ſunt intellectus & voluntas.Non eſt ita:ſed ipſa diuina eſſentia eſt principiũ pductiuũ pſonarũ vt
eſt ſubintrans quẽdã modũ qui eſt pprietas relatiua. p hoc enim habet in ſe vim gnatiuã & ſpira-
tiuã.CQd aũt dicit φ vna pductio pcedit p modũ naturę & intellectus:altera vero p modũ volũ
tatis:ſic debet itelligi vt dicit.Sφ vna pcedit i eſſentia diuina p vim talẽ:alia verop vim aliã:quarũ
poeſſiones nominamus modo intellectus & volũtas.Quare i creaturis tales modos repimus:vbi
ſ.vnũ pcedit ab alio,& eſt pductio naturę:aliud vero a duobus,& eſt pductio voluntatis: φ pſup
ponit intellectũ.Qd dicut quia tenẽt p firmo φ impoſſibile eſt in deo aliquorꝰ corporaliũ diſtinctã
apphéſione eſſe niſi in verbo & p verbum:ita φ impoſſibile ſit intelligi φ in diuinis ſit vna poceſſio
modo intellectus, & alia modo volũtatis: aut φ in deo ſint diſtincta vllo mõ natura aut volũtas
aut aliq̃ alia attributa inter ſe niſi in verbo & p verbũ,& niſi cointelligendo cõſimilia vel correſpõdentia in creaturis. Et dicũt φ ideo Auguſtinus vocat filiũ artẽ:vbi exponédo dicta Hila.lib.vi.de
trinitate cap.vltimo dicit ſic. In imagine noiauit ſpeciem tanq̃ verbũ pſectum cui non deſit aliquid
& ars quædam omnipotentis & ſapientis dei plena omnium rationum viuentium incommutabi-
lium: & omnes vnũ in ea ſicut ipſa vnum de vno cum quo vnum.Qualiter attributorum diſtinctio in diuinis non eſt accipienda p habitudinẽ ad creaturas extra:ſed ſolũmodo adintra, ſatis de
claratum eſt ſupra loquendo de attributis: & amplius declarabitur infra loquendo de relationib9
cõmunibus. Q2 aũt iſta diſtinctio non ſit ſolũmodo in verbo & p verbũ:ſed p itellectum eſſentialẽ
patris vt patris eſt,iã(vt arbitror)eſt ſatis declaratũ.Ad illud dictum Auguſtini φ verbum eſt ars
plena rationum:Dico φ ibi Auguſtinus non loquit de rõnibus attributalibus:ſed ſolummodo de
rationib9 idealibus: quæ ſunt rationes cognitiuæ & cauſatiuæ eſſentiarum in creaturis.Quod be
ne declarat Auguſtinus ſubdens poſt verbum pdictum.Ibi nouit deus omnia q̃ fecit deus p ipſam
non ſolum in eſſe eſſentiæ quo ad rerum formas & ſpecies:ſed etiam in eſſe exiſtentiæ quo ad rerũ
ſpecifica indiuidua.Vnde ſequitur cõtinue.Et ideo cum decedunt & ſuccedunt tempora, non de
cedit nec ſuccedit aliquid ſcientiæ dei.Nõ eñ q̃ creata ſunt ideo ſciuntur a deo quia facta ſunt,&
non potius ideo facta ſunt vel mutabilia qa immutabiliter ab eo ſciuntur.CQ2 vero dicunt φ intellectus & voluntas in deo non ſunt pricipia pductiua perſonarum ſed potius diuina eſſentia ſub
intrãs modum & rationem pprietatum:Dico φ diuina eſſentia non eſt principium diuinarũ ema
nationum ſubintrans rationem pprietatum,niſi ipſa ordine quodam rationis primo ſit origo intel
lectus & voluntatis immediate ſubintrans modos illorum originaliter , inquantum quaſi virtute
in ipſa ſunt eſſentia,ſic enim ſunt pxima principia ſubintrantia rationes illarum proprietatum re
latiuarum,& hoc realiter,ſicut iam expoſuimus.CQ2 aũt dicunt φ filius dicitur procedere modo
naturę & intellectus,& ſpiritus ſanctus modo volũtatis: quia in creaturis conſimiles modos proce
dendi reperimus:hoc nihil arguit,nec aliquam rationem dicti eorum oſtendit:quia conſimili modo
poſſumus dicere de ipſis emanationibus:ſcilicet φ filius dicitur pcedere generatione,& ſpirit9 ſan
ctus pceſſione,quia conſimilia & correſpondentia illis inueniũtur in creaturis:qd tñ omnis falſum
eſſe pronunciauit,quia ſicut horũ diſtinctio eſt ibi actione & natura rei,ſimiliter eſt ibi illorum diſtinctio virtute & natura rei:licet nõ cõpleatur niſi ab intellectu.CArgumenta duo vltima conce
denda ſunt ſecundum modum iam expoſitum.

Q
Ad qntũ.

R

S

Ad vltia
duo arg.

Irca ſeptimum arguitur φ ſpiritus ſanctus non ſit amor quo pater & filius diligunt ſe & alia,Prio ſic.ſicut ſe habet filius iquantũ eſt notitia ad actũ intelligé
di ex parte intellectus: ſic ſe habet ſpiritus ſanctus inquantum eſt amor ad actũ
diligendi ex parte voluntatis,quia ſicut filius inquatum eſt notitia eſt perfectio
vel qſi intellectus ſecudũ ſuperius determinat: ſic ſpiritus ſanctus eſt perfectio
vel quaſi voluntatis,ſed pater non intelligit ſe & alia filio vt eſt verbum ſiue no
titia:quia per qd intelligit ſapit.Nõ autem ſapit verbo ſed ſapientia ſiue genita
ſecundum Auguſtinum.vii.de trinitate cap.i.&.4.ergo &c.CSecundo ſic.ſi pater & filius dilige-

T
Qua.vii.
Arg.

rent se & alia amore qui est spiritus sanctus:cum spūs sanctus sit amor notionalis:tunc diligerent
se & alia amore siue dilectione notionali , consequens falsum est : quia diligere in diuinis est actus
3 essentialis,cuius ratio nō est nisi ipsa diuina essentia vt est amor essentialis,ergo &c. ⸿Tertio sic.se-
cundum non est ratio primi:sed potius ecōuerso,omnia essentialia sunt prima & quasi preuia respe
ctu notionalium,vt patet ex supra determinatis.Quare cum diligere sit actus essentialis,& spirit⁹
In opposi. sanctus sit amor notionalis,spiritus sanctus non est amor quo pater & filius diligunt, quia id quo
diligunt est ratio eliciendi actu diligendi.⸿Cōtra,non est amor nisi sit vis vnitiua amantis cū ama
te,& si talis vis est amor simplex,multo fortius ergo & amor incentiuus.quia quanto est ardentior
tanto fortius vnit.quare cum spiritus sanctus secundū iā exposita sit amor incētiuus:ipse ergo est
vis vnitiua amantis cum amato,sed hoc non nisi mediante actu diligendi,ergo &c.

V ⸿Dico ꝗ secundum dicta sanctorum concedere oportet ꝗ pater & filius diligūt
Responsio spiritu sancto:Spiritus sanctus autem amor est:oportet ergo concedere ꝗ spiritussanctus sit amor
quo pater & filius diligunt.Vnde Augustinus loquens de processione spiritus sancti a patre,dicit
x.de trinitate cap.xii. Manifeste ostenditur hoc amoris esse principium vnde procedit : ab ipsa qꝑ
ꝑ mente procedit:atꝗ ita principium est amoris sui quo se amat. Vnde nō proponitur questio ꝗsi
X dubitandum sit an pater & filius diligant amore qui est spiritus sanctus : sed quia dubitatur quō
hoc vere intelligi possit:& qua ratione ille ablatiuus amore construat̄ cum actu diligendi siue amā
di,Et est ratio dubitandi sup hoc expressa in tribus primis argumentis:quę concludūt ꝗ tamē pos
sunt construi cum illo vt ratio elicitiua illius actus:& non est clarum ꝗ alio modo possit cum illo
construi.propter qd̄ circa hoc diuersę sunt exortę quęstiones.Vnde difficultatem quęstiōis ꝓpter
tactum in primo argumento,tangit Hug.de sancto Victo.in epistola quadam ad b.Bernardū sic ī
quiēs.Quęris a me quomodo verum sit qd̄ Augustinus dicit.Dicit em̄ ꝗ pater spiritu sancto dili
git filium,& filius eodem spiritu diligit patrem. Qʒ tn̄ pater ea sapientia quę est filius sapiat,om̄i
no contradicit hmōi ratione. Nam si ea sapientia quę filius est saperet ipse pater,non tam filius a
patre,ꝗ pater a filio esset:quibus idem est esse qd̄ sapere.Et eadem ratione si eo amore diligeret qui
est spūs sanct⁹,nō tam a patre ꝗ pater a spiritu sancto esset·ꝗbus idem est esse qd̄ diligere,Hoc aut
falsum est. Vn̄ subdit.Hinc est ꝗ quidā in hunc modū opponunt & dicunt. Cum idem ibi sit dili
gere qd̄ esse,quomodo dicitur pater vel filius non esse ea dilectione quo alter alterum diligit:cum
Y ideo pater negatur sapere sapientia quā genuit , ne ea esse intelligatur:Et respondet Hug.ad argu
mentum & simul ad quęstionem,vt tactum est supra in quęstione de differētia inter dicere & ge
nerare,distinguendo ꝗ agere aliquo contingit dupliciter,vel vt ratione formali quę est in agēte,&
sic pater non diligit spiritu sancto,neꝗ filius,vt procedit ratio:vel vt potentia operatiua quę est ab
alio,& sic bene diligunt spiritu sancto,& similiter pater intelligit verbo:non tamen sequit̄ ꝗ est spi
ritu sancto aut verbo,vt ibidem expositum est.Vnde dicit sic.Quātum mihi videtur multum est
inter facere & fieri &c. vsꝗ ibi . Et secundum hoc cum actus attribuitur &c. vt habitum est ibi
dem.Dicitur ergo(vt subdit Hug.ibidem)pater spiritu sancto diligere:& pater suo amore proce
dente diligit:non ꝗ per eum amorem habeat sed exhibeat:non ꝗ p eum amorem accipiat sed ipen
dat.Et sic secūdum Hug.ꝗ pater dicitur diligere spiritu sancto,·est·ꝗ spiritus sanct⁹ diligit hoc ha
bet a patre:quia ipse est a patre.vnde subdit in eadem epistola. Fili⁹ de seipso dicebat,mea doctrina
Z non est mea . Cur & spiritus sanct⁹ non ęqua ratione dicat dilectio mea nō est mea sed patris! No
ta ad intellectū dicti Hug.& hoc ex verbis eius in illo dicto Christi,Mea doctrina nō est mea: ꝗ du
pliciter potest intelligi illud Doctrina mea. Vno mō sic. mea doctrina.i.doctrina qua ego sapio nō
est mea:quia ego non habeo eam a me:sed a patre,& secundum hoc pater secundum Hug.dicitur
sapere filio:quia sapientiam & doctrinā qua filius sapit & ꝗ filius sapit hoc habet a patre,& sic idē
qd̄ fili⁹ agit in eo ꝗ sapit pater agit:sed p filium siue filio,Et similiter si spiritus sanctus dicat mea
dilectio non est mea,idem est qd̄ dilectio qua ego diligo non est mea:quia non habeo eam a me:sed
a patre,Et secundum hoc secundum Hugo.pater dicitur diligere spiritu sancto : quia ꝗ spiritus
sanctus diligit & dilectionem qua spiritus diligit habet a patre,Alio autem modo illd̄, Mea doctri
na,intelligitur sic.i.doctrina qua ego homines erudio & quā eis impendo nō est mea:quia illam nō
habeo a me:sed a patre,& secundum hoc secundum Hug.pater dicitur erudire filio:quia doctrinā
qua filius erudit ipse habet a patre,& sic qd̄ filius agit in eo ꝗ erudit pater agit,sed filio siue p filiū
Et si spiritus sanct⁹dicat mea dilectio nō est mea,idē est ac si diceret:dilectio qua ego hoīes inflāmo
& quā eis impendo non est mea:quia illam nō habeo a me:sed a patre, Et secundum hoc pater dici
tur inflammare homines igne charitatis:quia charitatem siue dilectionem qua spiritus sanctus in
flammat,ipse habet a patre,& sic qd̄ spiritus sanct⁹ agit in eo ꝗ inflāmat,pater agit,sed spiritus san

cto ſiue p ſpiritū ſanctum.Sed ſecundū talem expoſitionē nullā difficultatem habet omnino q̃ſtio
aliã q̃ habet quaſtio qua quæreret an pater creat filio ſiue per filiū,an ſpiritu ſancto ſiue per ſpiritum ſanctum:nec ad hoc inueſtigandū anhelat intellectus in hāc queſtione:ſed potius an cū dicitur pater diligere ſpiritu ſancto,ſpiritus ſanctus habeat quaſi rationē cauſalitatis ſuper actum diligendi patris:quā reuera habet:q̃ & mentē Hug.tetigit,licet eam non explicauerit.Quod bene inſi
nuat quando poſt p̃dicta in dicta epiſtola ad aſtruendū q̃d omnino concedendū eſt,patrem & filiū
diligere ſpiritu ſancto,ſubdit iuxta poeſſum vltimi argumēti dicēs.Si ſpirit[9] ſctūs amor eſt vtriuſ
q̃,cur pater non dicaf recte ſpiritu ſancto,hoc eſt ſuo diligere amore!Animus humanus amor nō
eſt,ſed ab ipſo amor procedit,& ideo ſe non diligit:ſed amore,qui a ſcipſo p̃cedit.Pater vero amor
eſt,& ideo pater diligit ſeipſo:diligit & ſpiritu ſancto:diligit ſeipſo amore,diligit & ſuo amore.Si ſpi
ritus ſanctus diceret amor cordis tui,ſicut ſpiritus ſanctus dicitur amor patris & filii,quæſo quis
poſſet negare te ſpiritu ſancto,hoc eſt amore tuo diligere!Reuera pater amor eſt,ſed eſſentialis:quo
diligit formaliter,hoc eſt tanq̃ forma quadã q̃ ipſe eſt eliciēdo actū diligendi:q̃ nō eſt niſi eſſentialis
Animus autem humanus amor ex ſe non eſt,& ideo ipſe ſeipſo non diligit:ſed ſolummodo amore a ſe p̃cedente p actū volendi.Per q̃d inſinuat q̃ pater conſimiliter habet amorē a ſe procedētem
& in animo ſuo manentem,licet ſubſiſtendo non autē inhærendo,ſed informando:ſicut inhærendo
informat animū humanum amor ab ipſo procedens.Sicut ergo homo diligit amore procedēte, ſic
& pater.Illud autē non eſt niſi quia amor quo diligit homo habet aliquã rationem cauſalitatis ſup
actum diligendi.Similiter ergo cum pater diligit amore a ſe p̃cedente,oportet q̃ ille amor habeat
aliquã quaſi cauſalitatem ſuper actum diligendi.Et quia iſtam rationē cauſalitatis difficile eſt aſſi
gnare.Certum eṁ eſt q̃ cauſalitatē principiandi & eliciendi actum diligendi eſſentialem in patre
non habet amor qui eſt ſpiritus ſanctus,quia tunc ſpiritus ſanctus daret patri q̃ diligeret eſſentia
liter,& ita q̃ eſſet:quia idem eſt ei(ſcilicet patri)diligere q̃d eſſe: ſicut & ſapere idē ē patri q̃d eſſe
vt vult Augu.vii.de Trini.cap.i.&.x.Et ideo circa hoc diuerſi ſunt modi dicēdi.Dicunt eſt quidã
q̃ ille ablatiuus ſpiritu ſancto habet cauſalitatem ſuper actum diligendi patris non in eliciendo
vt dictum eſt,ſed in appropriãdo. Dicunt eṁ q̃ pater diligit ſpiritu ſancto per appropriationē.i.p
amorem qui ei appropriatur.Amor eṁ eſſentialis ei appropriatur,vt inferius declarabif loquendo
de appropriatione. Sed eadē ratione bene diceret,pater ſapit filio,quia eodē modo filio appropriat
ſapientia:q̃d non conceditur.Ideo alii dicunt q̃ ille ablatiuus habet cauſalitatē ſuper actum dilige-
di in indicando q̃ in patre ſit actus diligendi.Vnde dicunt q̃ conſtruit cum verbo diligēdi in habitudine ſigni ad ſignatum,quemadmodū ſi diceret iſti diligunt ſe verbis:quando nullū aliud in-
dicium q̃ ſeſe diligant habetur q̃ q̃ verbis amabilibus ſeſe alloquunt. Qualem dilectionem prohi
bet Io.quãdo dicit prima Canonica cap.iii. Non diligam[9] verbo neq; lingua,ſed opere & veritate.
Sed eadē ratione poſſet concedi illa,pater ſapit verbo.Q₂ ei habet in mente ſua verbum a ſe proce
dens,ſignū eſt q̃ ſapiat.Sed tṁ iſta negatur & illa cōceditur.Alio ergo modo cauſalitas huiuſmo-

**A**

di intelligenda eſt.Ideo dicunt alii q̃ conſtruitur in ratione forn e ſiue cauſe formalis: quemadmo
dum dicif q̃ iſte lucet luce,calet calore,viuit vita.Q̃d nō poteſt ſtare,quia talis forma denominat
ipſo actu & cadit in ſignificatione actus penitus idem ſignificando cum actu,Differunt autē in ſo
lo modo ſignificandi vt eſſentia & eſſe,vt ſatis expoſitū eſt ſuperius.Nunc aūt in propoſito amor
ſiue dilectio quæ eſt ſpiritus ſanctus non eſt forma illa a qua pater denominatur diligens : nec illa dilectio quæ ſignificatur actu diligendi eſt penitus eſſentialis:& dilectio q̃ eſt ſpiritus ſanctus no
tionalis eſt.Vnde cū dicitur pater amat amore,id q̃d denominat patrē ſignificatū eſt in actu amãdi,& eſt amatio,non autem ipſe amor,ſiue ſumatur eſſentialiter ſiue notionaliter.Et bene differūt
ſecundū rem in creaturis amor & amatio: ſicut cū dicitur pater diligit dilectione quæ eſt ſpiritus
ſanctus,quaſi equiuoca eſt dilectio quæ ſignificatur actu diligendi & ipſo denominat,& quæ dicif

**B**

eſſe ſpiritus ſanct[9].Propterea dicunt alii q̃ conſtruif dictus ablatiuus in ratione effectus ſiue prin
cipiati formalis,ſicut cū dicitur q̃ arbor floret flore.Reuera iſti magis propinqui ſunt veritati q̃ p
cedentes,quia in ratione cauſe formalis denominatiue dicitur q̃ arbor floret floritione, & multo
magis ſe habet ad actum diligendi patris amor procedens qui eſt ſpiritus ſanctus, ſicut flos ad flo
rem.Quia perucaſa diligendi ſicut flos ab arbore per actum florendi quodãmodo a patre procedit
ſpiritus ſanctus,inquantū ſcilicet pater & filius potius ſpirant ſpiritum ſanctum vt diligētes ſiue
amantes q̃ vt ſcientes vel vt cognoſcentes. non ſic autē floritio procedit ab arbore per actum florendi,ſed eſt forma ſignata in actu florendi.Sed tṁ iſtud nō poteſt ſtare in propoſito, quia cū talis
ablatiuus conſtruitur cum verbo,verbum illud per ſe poſitum includit in ſe actum producendi
propinquum tranſeuntē in rem iſtam ſignatā per ablatiuum.Florere eṁ ſecundū ſe acceptum idē

est qd́ producere florem.Nśic autem in propofito diligere cum fit purum eſſentiale, non eſt idem qd́ producere amorem,& ideo licet iu ratione cauſę formalis bene dicit arbor florere flore,eo ꝗ floᵃ rere includit actum propinquum producendi florem:nõ tamen in ratione effectus formalis dici fic

**C** poteſt pater diligere amore qui eſt ſpiritus ſanctus,quia licet per actum diligendi a patre procedat ſpirit⁹ ſanct⁹,hoc tamen non eſt nifi vt per actum producendi remotum. Præterea quando actus conſtruitur cum ablatiuo in ratione effectus formalis,verbum illud neceſſario ex ſe fic eſt abſolutū ꝗ nullo modo poteſt fimul conſtrui cum alio in qd́ defignetur trāfire.Non eī̃ poteſt dici ꝗ arbor floret hoc vel illud flore. Sed in propofito verbum diligēdi fimul poteſt conſtrui cum dicto ablatiᵃ uo & tranfire in aliud,dicendo pater diligit filiū vel creaturā amore qui eſt ſpūs ſanctus.& hoc qa quando illo modo conſtruitur,ablatiuus ille non dicit nifi rationem quandam circa actum vt abᵃ ſolute habet eſſe in ſubiecto:non autem vt tranſeat in aliquem terminū extra.Quādo vero iſto mo do conſtruitur,iſte ablatiuus non dicit rationem circa actum vt habet eſſe in ſubiecto : ſed potius vt tranfit in aliquid extra: & ideo dicit rationem & circunſtantiam tranſeuntem in illud,& tunc actus ille conſtruitur cum ablatiuo tanꝗ cum eo quo act⁹ ordinatur & dirigitur in illud. Sic in ꝓ pofito pater diligit amore qui eſt ſpiritus ſanctus,tanꝗ eo quo ordinatur actus diligendi in illd́ qui

**D** diligitur vel natum eſt diligi a patre.Secūdū hūc modum igitur oportet hic aſſignare aliquam raᵃ tionem a prædictis,qua talis ablatiuus dicendus eſt conſtrui cum tali verbo. ⸿Ad cuius inueſtiᵃ tionem aduertendum eſt ꝗ diligere in diuinis tripliciter accipitur.Primo modo vt eſt purum eēᵃ tiale:vt quando dicit actum diligendi fimplicem.Secūdo modo vt habet annexum aliquid notionaᵃ le,vt quando dicit actū diligendi incentiue ex parte diligentis,& gratificatiue ex parte dilecti.Ter tio modo vt accipitur pro notionali extenſo ad eſſentiale:vt quando accipitur ꝑ actu flagrandi, ſe cundum ꝗ iam declarabitur.Si ergo accipiḗ diligere primo modo , dico ꝗ nullo modo dict⁹ ablaᵃ tiuus conſtrui debet cum tali verbo:nec vllo modo eſt hæc recipienda,pater diligit amore vel diliᵃ git filium vel aliquid aliud ſpiritu ſancto.Similiter neꝗ de filio neꝗ de ſeipſo ſpiritu ſancto , ꝗ diᵃ ligit amore qui eſt ſpūs ſctus.Nec eſt ratio eliciendi talē actum de ſubiecto,vt habitū eſt ſupra:nec etiam ratio dirigendi ipſum in obiectum:ſed horum ratio ſolummodo eſt amor eſſentialis:quia taᵃ lis actus & directio in obiectum conueniret perſonæ vniuoce,fi eſſet in diuinis abſꝗ amore proceᵃ

**E** dente,& fimiliter abſꝗ verbo ꝓcedente:& fic quaſi ꝓio cōueniret patri ꝗ generare aliqd́ ſpirare.Si vero accipitur diligere ſecundo modo,videlicet vt habet annexum aliquid notionale,puta vt cum dicit actum diligendi incentiue:dico ꝗ illa bene eſt recipienda,pater diligit ſpiritu ſancto:quia licet amor procedens non fit ratio eliciendi actum diligendi fimpliciter de ſubiecto,& ordinandi ipſum in ſubiectum:eſt tñ bene ratio incentiui circa actum,& hoc in ordine eius ad ſubiectum a quo eliᵃ citur,& etiam in ordine ad obiectum,ſecundum ꝗ iam inferius declarabitur in ſolutione primi arᵃ gumenti,Pater eī̃ etfi non diligit nude & fimplʳ nifi amore eſſentiali:incentiue tñ non diligit nifi amore notionali qui eſt ſpiritus ſanctus.Quia ficut ſe habet diligere fimpliciter ad amorē fimpliciᵃ ter:fic ſe habet diligere incētiue ad amore notionalē.Eſt eī̃ ratio icētiui aliqd́ notionalis circa actū

**F** diligendi eſſentialem,licet cum illa determinatione tribus perſonis conueniat. Si vero diligere acᵃ cipiatur tertio modo,videlicet ꝓ notionali extenſo ad eſſentiale,vtputa pro actu flagrandi:dico ꝗ adhuc bene recipitur illa,pater diligit ſpiritu ſancto,quia licet amor notionalis non fit ratio elicien

**G** di actum talem de ſubiecto,eſt tamen ratio ordinandi ipſum in obiectum . ⸿Ad cuius intellectum eſt aduertendum ſecundum prædicta,ꝗ ficut ex parte intellectus circa actum producendi eius eſt vna notio ſecundum rem:diuerſa vero ſecundum ſolam rationem,qua ꝑater dicitur generare fiᵃ lium,& dicere verbum:& fimiliter eandem perſonam nominant ſecundum rem filius & verbum: licet ſecundum diuerſas rationes:fic ex parte voluntatis circa actum producēdi eius vna notio eſt ſecundum rem quæ ſecundum rationes diuerſas diuerfis nominibus eſt appelláda:& fimiliter vna perſona ſecundum diuerſas rationes diuerfis nominibus eſt appellanda.Sed ſecundum vnam ratio nem nomen eſt ei impofitum tam actui ꝗ perſonæ:ſecundū quā pater & filius dicuntur ſpirare ſpi ritū ſanctū:& reſpondet actus ſpirandi ex parte voluntatis,actui generandi ex parte intellectus:& nomen ſpiritus reſpondet filio. Secūdum aliam autem rationem nomen non eſt impofitū nec actui nec perſonę:ſed actum poſſumus dicere flagrare,& ꝑſonam poſſumus appellare zelum:vt flagrare reſpondeat illi qd́ eſt dicere,& zelū verbo. Et ficut dicere ex parte intellectus nõ ſolum accipitur vt purum notionale, & vt dicit ſolum actum producendi verbum, & conſtruitur cum verbo in acᵃ cuſatiuo,dicendo pater dicit verbum:ſed etiam vt extenditur ad eſſentiale & dicit rationem maᵃ nifeſtationis ſiue declarationis apud intellectum illorum quæ intellecta fiunt intelligentia fimplici formata per ipſum verbū vt per manifeſtatiuum cuilibet itellectui illuſtrato vero verbo: fic etiā fla grare ex parte voluntatis non ſolum accipitur vt purum notionale, & vt dicit ſolum actum producendi zelum vt conſtruitur cum ipſo in accuſatiuo dicendo pater & filius flagrant ſpiritū ſanctum,ſed etiam accipitur prout extenditur ad eſſentiale,& dicit ratione gratificationis apud voluntatē illorum quę volita ſunt ſimplici voluntate informata per ipſum zelū, vt per gratificatiūū cuilibet volūtati inceſſe per ipſum zelum.Sicut em in verbo omnia alia dicūtur quodãmodo, ſic in ipſo zelo omnia quodãmodo flagrantur.Et ideo quemadmodū dicere conſtruitur cum verbo non ſolum in accuſatiuo,qd ſoli patri & filio conuenit:ſed etiam in ablatiuo,qd etiam conuenit aliis ſecundum ſuperius determinata in quæſtione de dicere:Sic flagrare conſtruitur cum zelo non ſolū in accuſatiuo,qd ſoli patri conuenit & filio:ſed etiam in ablatiuo,qd conuenit aliis modis proportionalibus,quibus dicere verbo vel in verbo conuenit aliis a patre. Et flagrare vt ſic extenſum eſt id qd notionale,& ſupponit actū amandi ſeu volendi quē non ſignificat:ſicut dicere extenſum ſupponit actum intelligendi quē nõ ſignificat. Pro dicto autē actu innoiato quē appellamus flagrare inquantū dicto modo extenditur ſecundū vſum theologorū, accipitur actus amandi:& ideo eiſdē modis quibus ſecundū ſuperius determinata dicimus oēs illuſtratos verbo dicere ſe & omnia alia verbo & in verbo:proportionaliter eiſdē modis dicimus omnes acceſos zelo qui eſt amor procedēs ſiue ſpūs ſctus,ſe & alia amare ſpū ſancto.Vnde ſicut ex parte intellect9 notitia eſſentialis eſt quod dā manifeſtatiūu quo verū manifeſtat intelligēti ſiue intellectui,& habet fieri in intellectu vt cognitū in cognoſcēte:ſic verbū quoddā eſt manifeſtatiūu quo declaratiue & quaſi amplius manifeſtat intellectui,& qſi ãpli9 habet fieri in intellectu.Sed ex pte volūtatis amor eſſētialis eſt qdã iceſiuo ſiue quoddā incēdiū quo bonū gratū ſit volūtati,& quo volūtas ſe diffūdit in bonū illud:& zelus ſiue ſpūs ſanctus eſt quoddā incentiūu quo bonū amplius gratū ſit volūtati,& quo volūtas ſe amplius in bonū diffundit.Et ita ſicut omnia quæ nata ſunt declarari verbo:in verbo pater immediate dicit quando dicit verbum:& quando alia quę in verbo dicit verbo, illa verbo dicit non vt medio inter dicente & actum dicendi,& vt ratione eliciriua actus dicendi de dicente, inquantū notat actū producendi:aliter em ſolummodo diceret verbo dicens verbū : ſed vt ratione qua innoteſcit apud intellectum eius cum dicitur id qd verbo dicitur,& qua actus dicendi inquantū notat actum manifeſtandi declaratiue dirigitur in illud,vt ſit ſolum ratio media inter actum dicendi ratione manifeſtationis quam importat,et rem dictam:vnde & verbo dicit nõ dicēs verbū: ſpūs ſctus em verbo dicit creaturam, hoc eſt ſpirit9 ſanctus creatura quã intelligit manifeſtat verbo intellectui illu9 cui dicit:Sic omnia quæ nata ſunt gratificari ſpiritu ſancto,in ipſo pater & filius imediate flagrāt qñ flagrant ſpiritū ſancto:& quãdo alia q in ſpiritu ſancto flagrāt,flagrat ſpiritus ſanctus: illa ſpū ſancto flagrat ſiue diligit non vt medio inter flagrantē & actum flagrandi inquātū notat actum p ducēdi:aliter em ſolūmodo flagraret ſpū ſctõ flagrans ſpm ſctm:ſed vt ratione qua flagraſcit apud voluntatem eius qui flagrat id quod ſpiritu ſancto flagratur ſiue diligitur:iuxta vſum theologorum ſumendo diligere pro flagrare,& qua actus flagrandi ſiue diligendi inquantū notat actū gratificandi dirigit in illud, vt ſit ſolummodo ratio media inter actum diligendi ratione gratificationis quam importat ly flagrare,& rem dilectam. Vnde & ſpiritu ſancto diligit non producēs ſiue flagrans ſpiritum ſanctū.Creatura em intellectualis bñ ſpiritu ſancto diligit deum patrem,hoc eſt creatura intellectualis bene deum patrem quem diligit ſpiritu ſancto gratioſe & complacenter diligit.Sicut em omne verum intellect9 qd amplius innoteſcit verbo,ſic omne bonum voluntatis qd amplius grateſcit ſpiritu ſancto. Et ſic pater amore qui ipſe eſt ſibi eſſentialis,& ſimiliter filius & quęlibet creatura amore ſuo naturali aliter diligūt bonū, aliter ſpiritū ſanctū inquantum eſt amor cordis ſui:per hoc q procedit in ipſum.Ab ęterno enim amor cordis patris & filii procedit in ipſis ex tempore autē creaturę intellectualis.Amore em ſibi eſſentiali aut naturali quilibet diligit bonū vt ratione media inter ſubiectum a quo elicitur & actum diligendi qui illa ratione elicitur.Amore vero qui eſt ſpiritus ſctūs quilibet diligit bonū vt ratione media inter actū intelligendi & ipſum obiectū qd dirigitur tantūmodo,ſecundū iam dictū modū. Quo viſo & intellecto non eſt alia difficultas in hac quæſtione an pater & filius diligant ſe & alia ſpiritu,accipiendo diligere pro dicto verbo innominato:q̃ in illa an pater dicit ſe & alia verbo. Sed ratiõe maioris obſcuritatis & dubitationis inducit,quia non eſt ex parte voluntatis verbū impoſitum reſpõdēs illi qd eſt dicere:qd expreſſe ſignificaret actum gratificandi, ſicut dicere ſignificat actū manifeſtandi:quē nullo modo ſignificat actus diligendi,quo vtimur loco illius verbi nobis deficientis,vt dictum eſt.Accipiendo aūt diligere in ſua ppria ſignificatione,patet difficultas q̃ſtionis ex dictis ſupra,& ãplius exponet in dicēdis.

¶Qd ergo arguitur primo in contrarium,q̃ pater non intelligit ſe & alia notitia quę eſt verbum,ergo &c.Dico diſtinguendo de intelligere modo quo iam diſtinctū eſt de diligere principale

H

I

Ad primū

in duabus primis significationib9.Intelligere enim vt est purum essentiale & dicit actum intellige
di simplicem,nullo modo potest concedi illa,pater intelligit verbo.& sic(vt bene procedit argume
tum)nullo modo potest concedi q̄ pater & filius diligant amore qui est spiritus sanctus. Intelligere
autem vt habet aliquid annexum notionale,vt quando dicit actum intelligendi illustratiue ex par
te intelligentis & declaratiue ex parte intellecti,licet nullo modo posset concedi q̄ pater intelligit
simpliciter verbo:non tñ omnino negandum est quin pater intelligat verbo declaratiue. Quia vt
hoc q̄ secundum p̄dicta verbum illustrat siue illuminat intellectum in quo est,& declarat siue ma
nifestat ipsam rem intellectam:licet non sit ratio eliciendi actum intelligēdi de subiecto intelligēte:
sed solummodo essentialis:est tamen ratio modi intelligendi tam in ordine intelligentis ad actū in
telligendi q̄ in ordine actus ad obiectum intellectum.vt propter hoc bene possit concedi q̄ pater de
claratiue intelligat verbo:& potius declaratiue q̄ illustratiue:quia actio intelligendi potius proce
dit in intellectū ab obiecto declarato & manifestato q̄ ab intellectu illustrato in obiectum intellectū
Et sic confimiliter non obstante argumento,licet nullo modo posset concedi q̄ pater & filius dili
gāt amore qui est spiritus sanctus simpliciter : non tamen est omnino negandum quin diligant
amore q est sp̄us sanctus incentiue:quia p hoc q̄ secundū p̄dicta amor qui est spiritus sanctus pro
dit volūtatē in qua est,& ipsi gratificat ipsam rē volitā licet nō sit rō eliciēdi actū diligēdi de subie
cto diligēte : sed solummodo essentialis:est tñ rō modi diligendi tā i ordine diligētis ad actū diligē
di:q̄ in ordine actus ad obiectū dilecti. Vt ppter hoc bene possit cōcedi q̄ pater & filius incētiue di
ligant amore qui est spiritus sanctus:& potius incentiue q̄ gratificatiue:quia actio volendi potius
procedit a voluntate in obiectum gratificatum q̄ ab obiecto gratificato in voluntatem incēsam. In
tellectus enim mouetur ab obiecto,& voluntas mouet se in obiectum,vt sepius declarauimus alibi.

**k** Est tñ in hoc magna diuersitas aduertēda ex parte illorum qui dicuntur intelligere verbo & non
sunt ipsum,& ex parte eius qui est ipsum verbum,& similiter ex parte illorum qui dicuntur dili
gere amore qui est spiritus sanctus,& nō sunt ipse:& ex parte eius qui est ipse spiritus sanct9.Quia
licet illi qui non sunt ipsum verbum, non dicuntur intelligere verbo vt ratione elicitiua de intelli
gente ipsius actus intelligendi:ille tñ qui est ipsum verbum,bene stelligere dr̄ verbo vt ratione eli
citiua de intelligente ipsius actus intelligendi.Et confimiliter licet illi qui non sunt ipse amor qui
est spiritus sanctus, non dicuntur diligere amore qui est spiritus sanct9 vt ratione elicitiua ipsius
actus diligēdi:ille tñ q est ipse amor,vt ipse sp̄us sanct9,bñ dr̄ diligere ipo amore q est sp̄us sanct9:
vt rōne elicitiua de volūtate ipsi9 act9 diligēdi. Vñ fili9 qa e verbū ittelligit verbo declaratiue vt rō
ne formali eliciente actū intelligēdi simpliciter:sed hoc non nisi rōne notitiæ essentialis vt est aliqd
verbi.Pater autem quia non est verbum licet intelligat declaratiue verbo secūdum expositum mo
dum,non tamen vt ratione formali eliciente actum intelligendi simpliciter. quia licet illum eliciat
vt ratione elicitiua notitia essentiali,nō tamen vt ipsa est filii vel aliquid ipsius verbi,& habita per
generatiōe:sed potius vt est ipsius patris omnino ingenita.Nec in hoc est aliqua differentia de ver
bo hominis qui nō est suum verbum,& de verbo patris qui etiam non est suum verbum.Licet eni̅
homo intelligat declaratiue suo verbo,non tamen vt ratione formali eliciente actū intelligendi sim
pliciter:quia licet illum eliciat notitia simplici quę includitur in ratione verbi sui,non tamen vt ipsa
est aliquid verbi:sed potius vt se tenet ex parte memorię p̄ducentis verbū.Cōfimiliter spiritus san
ctus quia ipse amor pcedēs est,diligit incentiue amore pcedente vt ratione formaliter eliciēte actū
diligēdi simpliciter:sed hoc nō nisi rōne amoris essentialis vt est aliqd amoris pcedētis siue zeli.Pa
ter autem quia non est amor procedens licet diligat incentiue amore procedente,secundum expo
situm modum:non tamen vt ratione formaliter elicitiua actus diligēdi simpliciter:quia licet illum
eliciat vt ratione elicitiua amore suo essentiali,non tamen vt ipse spiritus sanctus vel aliquid ipsi9
zeli,& habitus per sp̄ratiqnem:sed potius vt est ipsius patris omnino inspiratus. Nec est in hoc dif
ferentia aliqua de zelo siue amore procedente in homine qui non est suus zelus sicut neq̄ suum
verbum : & de zelo patris qui etiam non est suus zelus . Licet enim homo diligat incenti
ue zelo suo,non tamen vt ratione formali eliciente actum diligendi simpliciter:quia licet illum eli
ciat amore simplici qui includitur in ratione zeli , non tamen vt ipse est aliquid zeli:sed potius vt
se tenet ex parte voluntatis quam informat, vt de quo materialiter elicitur zelus secundum mo

**L** dum supra expositum . Tertio autem modo proportionali tertio modo eius quod est dilige
re , non accipitur ipsum intelligere . ḡuis enim diligere sit ita essentiale vt intelligere : est ta
men ratio quare intelligere potius accipitur pro notionali extenso ad essentiale q̄ diligere : & hæc
duplex, scilicet necessitas & commoditas.Necessitas,quia ex parte intellectus non deficit verbum
notionale extensum ad essentiale,tale enim est ipsum dicere. Tale autem verbū deficit & deficit ex

parte voluntatis:qd nos appellamus per tranſlationem flagrare:propter quod neceſſe fuit vti nomine eſſentiali qd eſt diligere,pro illo verbo deficiente, & extendere ſignificationem huius verbi
quod eſt diligere.Non ſic autem neceſſe fuit vti hoc verbo intelligere,aut extendere ipſum.Ratio
autem talis defectus ex parte voluntatis potius q̃ ex parte intellectus,eſt ex hoc q̉ nobis min9 no
ta ſunt pertinentia ad emanationem voluntatis q̃ pertinentia ad emanationem intellectus.Cuius
ratio eſt,q̉ nos diuina cognoſcimus per ea quę in creaturis videmus,ſecundum Ricar.in principio
de Trinita.Nunc autē in creaturis videmus emanationem modo naturæ principaliorē: qualis eſt
illa quę in diuinis eſt ex parte intellectus. Emanationē vero modo naturæ nō principalē quę principaliter eſt modo voluntatis,non videmus penitus in creaturis.Non em̄ productio alicuius ſubſiſtit in creaturis niſi artificialis & ex libero arbitrio:nulla aūt ex immutabili neceſſitate naturę.Et
qa clarior propterea nobis eſt emanatio modo naturæ ex parte intellectus:euidentior ideo eſt facta
tranſlatio verborum interpoſitorum actibus creaturarum actibus diuinis,& ex parte intellectus
q̃ ex parte voluntatis.Aequali tamen proprietate flagrare tranſferri poteſt ad ſignificandum in di
uinis ſpirationem amoris a voluntate liberali,qua tranſfertur dicere ad ſignificandum in diuinis
generationem notitiæ a natura intellectuali. Commoditas etiam eſt ratio quare diligere potius M
dicto modo accipitur q̃ intelligere:quia omnis actus notionalis procedit a potentia vt a principio
actiuo in productum vt in terminum.In quo cum illo conuenit actio diligēdi:quia procedit a po
tentia volitiua eliciente actum in amatum vt in terminum:non ſic actus intelligēdi,quia eſt quid N
receptū in intelligente ab intellectu.¶Per dicta patet quomodo oportet reſpondere argumento qd̄
beatus Bernardus propoſuit Hugo,vt recitat Hugo in principio epiſtolę ſuę,vbi dicit ſic. Quęris
a me quomodo verum ſit &c.vt habitum eſt ſupra.Dico em̄ q̉ ſi loquimur de diligere primo mo
do,in illo bene procedit argumentū:quia ſicut pater non ſapit ea ſapientia quæ filius eſt:ſic nec diligit ſecundū iſtum modum eo amore qui eſt ſpiritus ſanctus. quia ſecundū iſtum modum ſapien O
tia & amor non dicunt niſi rationem formalem eliciēdi actum de ſubiecto:virtute cuius tenet ar-
gumentum.Si vero loquamur de ſecundo modo,etiam bene verum eſt q̉ ſicut pater diligit ſpiritu ſancto, ſic intelligit verbo,quia & incentiue diligit ſpiritu ſancto, & declaratiue intelligit ver-
bo.Sicut nec ſimpliciter diligit ſpiritu ſancto,nec ſimpliciter intelligit verbo,vt patet ex prædictis.
Et qd̄ arguit Bernar. ſecundū Aug.q̉ ſi pater ea ſapientia ſiue notitia quę filius eſt ſaperet ſiue in
telligeret:non tam filius a patre eſſet q̃ pater a filio:Dico q̉ verum eſt de ſapere & intelligere ſimpliciter primo modo dicto.Quod etiā verum eſt de diligere ſimpliciter: quia ſi eo amore qui ſpiritus ſanctus eſt,pater diligeret ſimpliciter eliciēdo actū:non tam ſpiritus ſanctus eſſet a patre,q̃ pa
ter a ſpiritu ſancto. De ſapere autem & intelligere declaratiue non eſt verum,nec etiam diligere
incentiue.Non enim idem eſt patri eſſe & ſapere declaratiue qd̄ præſupponit verbum,& dicere no
tionale in quo habet annexum aliquid notionale:& ſimiliter diligere incentiue qd̄ preſupponit ſpi
ritū ſanctum,& ſpirare:vt de tali intelligere non ſit idem patri eſſe & diligere. Et multo minus ve
rum eſt de diligere tertio modo q̉ idē ſit diligere illo modo qd̄ eſſe:quia tale diligere ex parte voluntatis reſpondet ei qd̄ eſt dicere ex parte intellectus.Sicut em̄ dicere quo pater dicit verbo ſupponit verbum in quo dicunt ea quę dicuntur,& per hoc etiā dicere ipſum verbum, & addit tanq̃
de propria ſignificatione actum ſecundū predicta:Sic diligere quo pater diligit ſpiritu ſancto ſecū
dum iſtum modum tertium,ſupponit ſpiritū ſanctū in quo flagrant ea quæ flagrantur ſiue diligū
tur ſpiritu ſancto:& per hoc etiam ſupponit ipſum ſpirare ſiue flagrare ſpiritum ſanctū, & ſuper-
addit de propria ſignificatione actum gratificandi ſiue acceptandi.Nec eſt differentia in aliquo in
ter dicere verbo & diligere ſpiritu ſancto:ſimiliter inter verbum & ſpiritū ſanctū:niſi in hoc q̉ dicere & verbū non ſolum dicunt reſpectū & ordinem ad dictum,ſed etiam ad illum cui dicitur.Pa
ter em̄ verbo dicit ſpiritū ſanctū creaturę,vel creaturā ſpiritu ſancto. Diligere aūt & ſpiritus ſc̄tus
dicunt reſpectum & ordinē ad dilectum,& non ad aliquē vlterius.¶Ad ſecundū,q̉ ſi pater dilige P
ret ſpiritu ſancto diligeret amore notionali:Dico q̉ amor vel dilectio dupliciter conſideratur.vno **Ad ſcām**
modo vt ſignificatur per verbū diligendi ſiue amandi,alio modo vt ſignificatur nomine amoris ſiue **principale**
dilectionis.Primo modo quicūq̉ diligit ſiue amat,diligit ſiue amat dilectione ſiue amore ſecundū
rationem habitudinis formę denominantis:ſicut ignis dicitur calefacere actiua calefactione, & arbor florere floritione,& ſplendens ſplendere ſplendore,& dicens dicere dictione: & talis amor ſiue
dilectio non eſt niſi eſſentialis.Aut quicūq̉ diligit aut amat,non diligit neq̉ amat niſi amore vel
dilectione eſſentiali,ſed hoc ſecundum aliquem trium prædictorum modorum. Secundo autem
modo licet amor de ſe ſit eſſentialis,tamen cadit in circulocutione notionalis quādo dicitur amor
notionalis.Et nullum eſt inconueniens qd̄ penes ſecundum & tertiū modos predictos diligens vel

amās diligat vel amet amore notionali.Et quoquo modo æquoce dilectio significat verbo diligēdi & nomine dilectionis notionalis,sicut splendor & dictio equoce vel quasi significat hoc verbo splen dere & dicere,& hoc nomine filius siue verbum.Pater em dicit filium dictione significata nomine illius verbi dicere,sicut generat filium generatione:sed non dicit filium dictione significata nomine verbi,sicut nec dicit filium verbo.☾Ad tertium ꝙ notionale non ē ratio essentialis,quia est secūdū

**Q**
**Ad tertiū** respectum ipsius:Dico secūdum pdicta ꝙ verum est ratio elicitiua quasi media inter elicientem & actum elicitum.Est tn ratio illius vt qua ordinatur eliciens ad eliciendū actum sub modo determi nato in secundo modo intelligendi prædicto:vel qua ordinat actus elicitus ad obiectum,vt in secū do & tertio modo pdictis.Et nullum est inconueniens ꝙ secūdū sit ratio primi isto modo:quia nec ipse actus in secundo modo & tertio prædictis habet rationē primi respectu notionalis amoris: sed potius secundi.Incentiue enim diligere penes secundum modum diligendi,aut summe complacē ter penes tertium modum diligendi,non potest aliqua diuina psona diligere nisi producto spū san cto quasi prius:quia non nisi spū sancto:sicut nec declaratiue intelligere penes secundū modum in telligēdi,nec intelligere manifestādo( ꝗd est idem ꝗd dicere)potest pater nisi quasi prius producto verbo,vt patet ex pdictis.☾Ad argumentum in cōtrariū ꝙ nō est amor nisi eo quis amet: Dico ꝙ

**R**
**Ad arg.in oppoſi.** verum est vel elicitiue secundum primum modum amandi pdictum:ꝗd nō cōuenit nisi amori es sentiali:vel ordinatiue,ꝗd bene conuenit amori notionali penes secundū & tertium modum prædi ctos:queādmodū ( vt supra expositū est)pater aliter amat amore essentiali qui ipse est: aliter amat amore suo notionali qui non est ipse.

**S**
**Que.viii.**
**Arg.i.**

Irca octauum arguit ꝙ spiritus sanctus non procedit vt donum, Primo sic,pro cedens vt ratio donandi omnia,non procedit vt donum:quia aliud est donū , & aliud ratio donādi illud:sicut aliud est ratio diligendi & aliud dilectum,spiritus sanctus pcedit vt ratio donandi singula dona:quia est ratio donandi omnia do na,ex hoc ei dona gratuita & liberaliter a deo donata dicunt esse dona spūs san cti,ꝗꝗ a tota trinitate cōiter donant,vt patebit in ꝗstione seꝗnte,ergo &c. ☾Se cundo sic.si spiritus sanctus pcedit vt donum:donum autem relatiue dicit non solum ad dantem ipsum:sed etiam ad recipientem.dicente August.ii.de trini.ca.xiiii.Qd datū est & ad eū qui dedit refertur & ad eos quibus dedit: spirit⁹ sanct⁹ ergo & dei est qui dedit,& nostri qui accepimus.ergo spiritus sanctus ex pcessione sua habet ꝙ relatiue dicatur non solum ad dan tem:sed etiam ad creaturā cui datur.Relatio aūt ꝗ habetur ex pcessione,realis est:sicut & ipsa p cessio realis est.Relatio enim rationalis non nisi ex actu rationis siue rationali circa relatum oritur.

**In oppoſi.** habetur ergo spiritus sanctus relationē realē ad creaturam.cōsequens falsum est.ergo &c.☾Contra rium habetur ibidem secūdo de trini.vbi dicit Aug.de spiritu sancto.Ipse exit a patre sicut in euā gelio habetur.Exit em non quomodo natus:sed quō datus,& hoc nōn nisi quia exiuit vt donum aptum & habile dari ab æterno prius ꝗ actu detur.ergo &c.

**T**
**Reſponſio** ☾Dico ꝙ postꝗ secundum prædicta verum est ꝙ spiritus sanctus proprie donū est:propriū autē non est aliquid in diuinis alicui psonæ nisi ex suo modo pcedendi:quia ois pprie tas notionalis & proprietas reducta ad ipsam necessario ad originem ptinet secundum pdetermina ta:necessario ergo cōcedēdū est ꝙ spūs sanct⁹ pcedat vt donū. Et nō restat hic videre nisi quō spūi sancto ex ratione originis siue modi procedendi cōueniat ꝙ sit et dicatur donū: & tactum est hoc ī parte atꝗ expositum in ꝗstione tertia precedēte,& dissolutione rationis.viii.Vt em dictum est ibi: queādmodum filius pcedit vt imago:& habet ex suo modo procedendi ꝙ sit imago:sic spirit⁹ san ctus procedit vt donum:& ex modo suo procedendi habet ꝙ sit donum.Sicut em filius quia pro cedit vt simile pductum de simili pducente:& vt notitia de notitia modo operationis naturæ qua si p impressionē formę generantis similis ei de quo generat secundū modum superius expositū:ideo dicit imago & pcedit vt imago:Imago ei dicit ꝗsi alteri⁹ imitago:sic spūs sanct⁹ga pcedit vt amor de volūtate pducēte mō opatiōis volūtarię & liberalis ꝗsi p excussione ab eo de quo pducit siue ex cutit in aliū tendens,scdm superi⁹ etiā determinata:ideo dicit esse donū & pcedere vt donū. Donū enim dicit dabile liberaliter in aliud directum vt ei conferendū.Non em spūs sanctus pcedit solum modo vt amor manēs in eo cuius est,sicut pfectio voluntatis illius a quo pcedit:sicut solūmodo p cedit filius vt notitia manens:& sicut pfectio in intellectu eius a quo pcedit,vt patet ex supra de claratis: sed etiā vlterius procedit vt tendens in alterum ad pfectionem illius in quem tendit,vt a patre in filium & econuerso:& ab ambobus in creaturam itellectualem. Et in hoc partim differt a pprietate filii ꝗ est verbum:& partim conuenit cum illa.Differt siquidem in hoc ꝙ verbū pcedit a patre vt manens in ipso, & non procedens ab ipso in aliū vel in aliud:sicut filius non procedit a

patre in aliū vel in aliud.Propter qd̄ filius siue verbum solius illius est a quo procedit,& non di
citur filius siue verbū nisi patris.Donum autē procedit a donante non solum manens in ipso, sed
vt vlterius procedens in aliū vel in aliud.propter qd̄ nō solum dicitur donū donantis, sed etiam il
lius cui donatur.secundū qp de hoc habetur ab Augu.v.de Trini.c.xiiii.Conuenit aūt proprietas
doni cum proprietate verbi in hoc,qp verbum secundū superius determinata non solum habet re
spectum ad dicentem,sed etiam ad dicta & manifestata siue declarata verbo: & confimiliter etiam
donū ad id cui datur,licet alio & alio modo relationis.Quia donū refertur ad recipientē secundū
relationem equiparantię:Verbum autē refertur ad declarata verbo secundū relationem mensurę.
Et similiter zelus relationem dicit ad ea ad quę diligens inflammat̄ zelo,prout expositum est, secū
dum modum relationis conforme illi quo verbum refertur ad declarata verbo.¶Ad cuius amplio
rem intellectum est aduertendū qp voluntas liberalis est,vt amans siue volens non solum per amo
rem in bono amato secundū se eundem se quiescat:sed etiam vt eundem amorem suum in amatum transfū
dat:qui amatur sibi actum amandi rependat,& in se viceversa conquiescat: & non solum hoc, sed
vt etiam ambo eundem amorem in tertium transfundant,vt id qd̄ quisq̢ eorum diligit,alter con
diligat & in eodem conquiescat,vt ab eodem vterq̢ eorum diligatur.Amor em̄ perfectus non so
lum quęrit dilectum,sed rediligentē & condiligentē & cōdilectū.dicente Ricar.iii.de Trini.cap.xi.
In mutuo amore multūq̢ feruēte nihil p̄clarius q̄ vt ab eo quē summe diligis, & a quo summe di
ligeris,aliū eq̄ diligi velis.Sūme igit̄ dilectorū vterq̢ oportet vt pari voto & dilectū reḡtat. &.xix.
cap.Quando vnus alteri amore impendit & solum diligit,dilectio quidem,sed condilectio non est
Condilectio autem iure dicitur vt a duobus tertius concorditer diligatur:& duorū affectus ter
tii amoris incēdio in vnum cōferatur. Et secundū hoc pater diligendo filium spirat in ipsum amo
rē qui est spiritus sanctus,& ecōuerso: & illo mutuo sese diligunt vt dono suo,& illud etiā diligūt
vt requiescat in illo:atq̢ viceversa redieligūt ab illo, & illud requiescit in illis,& ambo etiam spirāt
ipsum temporaliter in dilectum creatum, vt ambo eum condiligant & condiligantur ab eodem
prout hæc aliqualiter tacta sunt in.vii.quęstione p̄cedente.Est etiam aduertendū qp differentia est
inter donum & datum.Datum em̄ dicit actū dandi simpliciter,siue detur quid liberaliter siue nō,
& generaliter notat in se dabilitatem siue potentiā nudam qua potest dari.Donum aūt dicit actū
dandi sicut datum,non simpliciter sed liberaliter,& notat in se nudam dabilitatem siue poten
tiam qua potest dari etiam liberaliter,sed etiam notat in se habilitatem & aptitudinem qua quam
tum est ex se & ex conditione sua,ordinatur vt alteri detur.Qualē aptitudinem ex cōditione & ex
modo suo procedendi,secundū iam dicta,habet in se spirit⁹ sanct⁹, vt nō solum dicatur donum ex
actu dandi quo datur,& quando datur,sed etiam ex habilitate sua ad donandū passiue,& hoc non
solum ex libertate siue ex liberalitate dantis,sed etiam ex habilitate dati vt detur siue donet,prius
q̄ detur aut donetur.Secundū hoc em̄ non omne datum donum potest dici: nec econuerso omne
donum datum,quia est aliquid datū qd̄ nec liberaliter datum,nec ex se habilitatem naturalem ha
bet vt detur.Omne etiā datum ex libertate licet cōmuniter loquendo donum dici posset: proprie
tn̄ donum dici non potest nisi ex conditione & natura sua habeat rationem donabilē,sicut eam ha
bet spiritus sanctus,& hoc ipse solus,propter qd̄ ipse solus proprie donum dici potest,prout proce
dit vltima ratio.

¶Ad primam rationem in contrarium cum dicitur qp procedens vt ratio donā
di non procedit vt donum, quia aliud est donum, aliud ratio donandi: sicut aliud est dilectum:
aliud vero diligendi &c.Dico qp est quoddā donum,& similiter quoddā dilectum habens per se ra
tionem doni & diligibilis, & quoddā habens per accidens rationem doni & diligibilis. Primo mo
do a matre habet proles rationē diligibilis:eo qp id qd̄ est,a matre est.Secundo modo rationem dili
gibilis a matre prolis habet nutrix:quia scilicet fouet prolem.De eo autē qd̄ est per se ratio dilige
di,id bene est dilectum per se:sed de eo qd̄ est ratio diligendi secundo modo,scilicet per accidens,ve
rum est qp non est dilectum per accidens,quēadmodū proles quę est ratio diligendi per accidens.s.
nutricem,nequaq̢ diligit per accidens:est tn̄ dilectum per se & simpliciter.Et confimiliter oē aliud
donum a spiritu sancto sicut donabile per accidens,quia scilicet habet in se rationem aliquā boni a
spiritu scō,p̄pter quā est donabile:spūs sanctus qui est ratio donandi aliā,nequaq̢ est donabile per
accidens:est tn̄ in se simpliciter & per se donabilis.¶Ad secundū qp si spiritus sanctus poderet vt
donū,ex processsione sua relatiue diceretur ad id cui donabile est,& sic relatione reali:Dico qp ex p̄
cessione oritur relatio procedentis ad illū a quo procedit,& illa semper realis est:& non est spiritus
sanctus qui est donum nisi ad patrem & filium,a quibus procedit.Oritur etiam relatio proceden
tis ex sua processione ad aliquē vel ad aliquid aliud q̄ a quo procedit:quā nequaq̢ oportet eē realē

V

X
Ad primū
principale

Y
Ad scd̄m

**Z** sicut est realis ipa pcessio.Puta verbū in diuinis ex sua pcessione habet ꝙ sit verbū,& relatione ha bens ad omnia dicenda verbo:ad quædam tn̄ illorum non habet relationem nisi rationalem secun dum superius determinata.Et ꝙ arguit ꝙ actus pcessionis in diuinis est realis,& relatio rationalis non est nisi ex actione rationali:quare talis cum sit relatio ad creaturam,rationalis est: non ergo est ex actione reali:Dicendū ꝙ relatio dei ad creaturas reuera non est nisi rationalis,etsi econuerso re latio creaturæ ad deum est realis aliquando,prout in quæstionibus de Quolibet latius,& aliquantu lum etiā in superius determinatis declarauim⁹.Et sicut relatio dei ad creaturas non est nisi rōnalis sic non est nisi ex actione rationali:quæ est rationis secundū intellectū aut voluntatē sicuti intellige re aut velle.Sed in ꝑposito relatio doni ad creaturā ex actu voluntatis & amoris est tendens in id cui datur & cui donabile est:& hoc ex ratione suæ pcessionis qua in se habet esse,non absolute ma nens in eo a quo procedit.In quo( vt dictū est )differt in diuinis verbum ab amore pcedente siue dono.Verbum enim solummodo declaratiuu:a est apud dicēte verbo illi⁹ dicitur verbo,Zelus autem siue amor pcedens non solum est inflammatiu⁹ eius ꝙ zelat zelo in id ꝙ ipso zelo zelat: sed etiam tendit a zelante a quo pcedit vt donū in id ꝙ zelatur: & illi dat:& ita refertur ad illud ꝙ zelat,nō solum ad id ꝙ zelo zelatur:quēadmodū verbū nō solū refert ad id ꝙ verbo dicitur: sed etiam ad id cui donatur,ꝙ est propria relatio i spiritū sanctū inquātum est donum:qualis nul la correspondens est in filio:licet relationi qua spiritus sanctus spiratur vt ens, & refertur ad spirā tem,respondeat in filio relatio ad patrem qua generatur ab illo vt est filius:& relationi qua flagra tur vt est zelus,& refertur ad flagrante,respōdeat relatio in filio qua dicit a patre vt est verbū: & relationi qua spiritus sanctus vt est zelus refertur ad zelata zelo, respondeat relatio qua verbū re fertur ad dicta verbo.Et sicut dicere verbo essentiale est:licet præsupponat dicere notionale:& per hoc relatio verbi rōnalis ad dicta verbo cōsequit actione notionale qua pcedit verbū a patre:cōsi militer zelare zelo essentiale est:licet præsupponat flagrare siue zelare notionale:& per hoc etiā rela tio zeli rationalis etiam ad zelata zelo consequitur actionem notionale qua zelus procedit a zelan te seu flagrante ipsum:& vlterius etiam zeli relatio rationalis ad id cui donat seu donabile est, cō sequitur actionem notionalem eandem,& præsupponit actio essentialis donādi actionem notiona lem qua spiritus sanct⁹ seu zelus procedit vt donum.Et est ista processio qua procedit vt donum a flagrante,æterna,Illa autem qua procedit vlterius in id cui donat,quandoꝙ est æterna quandoꝙ temporalis.Aeterna autem,quando dat ei qui est æternus,vt filio a patre & econuerso:de quo erit sermo in sequenti quæstione.Temporalis vero quando datur ei qui est tēporalis vt creaturæ.Et dif fert donatio qua donatur ab æterno, ab illa qua donatur ex tempore : in hoc ꝗ illa donatio qua donatur ab æterno filio a patre & econuerso:nihil aliud est ꝗ ipsa processio æterna qua procedit a patre in filium & econuerso.Illa vero qua datur ex tempore creaturæ alia est a processione qua pro cedit ab æterno a patre & filio:sicut alia est processio spiritus sancti temporalis ab æterna.

## Quæstio.IX.

Irca nonum arguitur ꝙ spiritus sanctus non sit donum quo cætera dona donan tur,Primo sic.sine dono quo cætera dona donantur nullum aliud donū donatur & illo dato non est aliquod donum ꝙ non donetur:quia ipsum est propria causa & ratio donandi cætera, & posita causa tali necesse est poni effectum:& remota illa necesse est remoueri effectum,sed sine dono ꝙ est spiritus sanctus dato,mul ta dona donantur,& illo dato multa alia non simul donantur,puta dona gratis data,quæ dantur quandoꝙ illis quibus datur spirit⁹ sanct⁹: & similiter non dat **2** illis quibus datur spiritus sanctus,ergo &c.￢Secundo sic.Apostolus dicit primæ Corinth,Qui pro nobis illum donauit filium suum spiritu sanctū,quomodo non cum eo donauit nobis omnia:filius **3** ergo donum est quo cætera dona donantur,non ergo hoc est proprium dono quod est spirit⁹ san ctus.￢Tertio sic,illuminatio sapientiæ donum est ꝙ proprie datur dono ꝙ est verbū siue filius: quia vt dicitur Ioannis primo,erat lux vera quæ illuminat omnem hominem venientem in hunc

mundum.non est ergo proprium dono ꝙ est spiritus sanctus,ꝙ ipso donetur donum hoc. ￢Con tra.in quolibet genere vno est vnum primum ꝙ est ratio omnium illorum quæ sunt in illo gene re secundum Philosophum.x.metaphysicæ,ergo & in genere donorum,hoc autem non est nisi spiri tus sanctus in diuinis:quia ipse solus est proprie donum quo cætera dona donantur,sicut lux ē pri mum visibile quo cætera videntur.ergo &c.

**C**Dico ſcᵭm proceſſum vltimę rationis,q̃ ſpiritus ſanctus donū eſt in quo conſi **B**
ſtit perfectiſſime ratio doni ſiue donabilis:ſicut in quolibet primo cuiuſlibet generis entiū p̃ **Reſponſio.**
fectiſſime cõſiſtit ratio naturę & p̃fectionis illius generis: vt ratio coloris ĩ albedine,& viſibilis
in luce:& vl̃r cuiuſlibet menſurę inquātū meſura eſt,in ſua meſura prima.Et cõuenit hoc ſpi
ritui ſancto ex modo ſuo p̃cedendi:qa ſcᵭm p̃dicta ab illo habet q̃ ſit p̃priū donū: & p hoc ſil̃r
veriſſime habet rationẽ doni:ita q̃ in quocũq̃ alio ſit ratio aliqua doni vel donabilis:illa eſt p
quādā p̃ticipationẽ reſpectu rõnis doni q̃ eſt in ſpũ ſctõ:& eſt p eſſentiā:quẽadmodū ratio viſi
bilis in alio eſt p quādā p̃ticipationẽ reſpectu rõnis viſibilis in luce:& ratio meſurę in quacũq̃
poſteriori meſura eſt p quādā p̃ticipationẽ reſpectu rõnis meſurę ĩ prima meſura. Nūc aũt ita
eſt q̃ illud iu quo cõſiſtit penitus ratio alicuius generis:non ſolū eſt ratio p̃euia alioᵣ q̃ ſunt
ſub eodẽ genere quo ad rõnẽ illā qua ſunt ſub illo genere:ſed etiā actus illius conuenit illis
qui ſunt ſub eodẽ genere ex ratione illa qua exiſtūt ſub illo genere:puta in genere actus actiue
dicti:cuiuſmodi eſt actus meſurādi:qa meſura meſurat menſuratū.Vncia eñ q̃ eſt ratio men
ſurę qua libra dicif meſura: etiā eſt meſura & ratio actus quo libra meſurat meſurata. Quare
cũ act⁹ donādi paſſiue illis q̃ ſicut dona donant ſub genere donabilĩ cõuenit rõne doni q̃ ſim
pliciter eſt in illis ſcᵭm rõnẽ primi doni, in quo cõſiſtit prima ratio doni:eſt ergo in illis actus
donādi qᵘo donant paſſiue ſcᵭm ratione primi doni.Nulla eñ eſt quo ad hoc differẽtia ĩ acti
bus actiue & paſſiue dictis.Quare cũ ſpũs ſanctus ſit ratio cuiuſlibet doni:quia illud eſt donū
atq̃ douabile:cõſimiliter eſt ratio actus donādi quo illud donat.Spũs ſanc⁹ ergo eſt ratio qua
cętera dona donant. **C**Sed eſt aduertẽdū q̃ eſſe donū quo cętera dona donant,cõtingit ĩtelligi
dupl̃r. Quia eñ actus donādi ordinẽ habet nõ ſolū ad illud qᵭ donat,ſed etiā ad illū a quo do
nat:omittẽdo ad p̃ſens ordinẽ eius ad illū cui donat: dico q̃ donū illud quo cętera dona donã
tur,contingit intelligi aliqᵈ eſſe dupl̃r. Vno.ſ.modo in ordine ad illud qᵭ donat.Alio modo ĩ
ordine ad illū a quo donat.Primo modo ĩdubitātẽr ſpũs ſanctus ſcᵭm iam expoſitū modū eſt
ratio qua cętera dona donant:& hoc paſſiue,ex pte.ſ.donati:quia a ratione primi doni in quo
libet alio.Sed hoc modo magis p̃prie dicif q̃ ſpũs ſanctus eſt donū quo cętera dona habent q̃
ſint dona,q̃ quo cętera dona donant.Secũdo cõſil̃t modo ſpũs ſanc⁹ eſt donū quo cętera dona
donant,& hoc actiue,ex pte.ſ.donātis:quia ratio primi doni inclinat donātẽ in cętera dona ad
donādū illa:Sed hoc nõ inquātum eſt donū:ſcᵭm ratione eñ qua eſt donū, ſolūmodo reſpicit
actū donādi paſſiue iã dicto modo: ſed inquātū eſt amor, ſiue ſcᵭm rõnẽ qua eſt amor p̃cedens
quo pater & filius ſeſe mutuo gratuito & zelatiue diligūt, eſt ratio qua diligūt gratuito & ze
latiue creaturā intellectualẽ:dilectione dico zelatiua,ad modū quo verbū eſt ratio qua dicunt
creaturā:& illo amore zelatiuo creaturę intellectuali & illi dona cõferūt gratuita,& gratis da
ta ſupnaturalia.Naturalia aũt dona cõferūt amore zelatiuo oñi creaturę g̃naliter.Cuius col
lationis tā in donis naturalibus q̃ gratuitis radix & origo eſt amor eſſentialis:ſicut & dilectio
nis zelatiuę radix & origo eſt amor ſimplex eſſentialis:& notitię zelatiuę radix & origo eſt no
titia ſimplex eſſentialis.Sed q̃ amore zelatiuo cõferūt dona,hoc aliter cõtingit in donis gratis
datis & ĩ donis gratuitis: quia in dãdo dona gratis data nõ ſimul dat ſpũs ſanctus:qa illa etiā
malis & pueris manẽtib⁹ danf:nõ ſic aũt ſpũs ſanctus.Cũ iſtis aũt.ſ.donis gratuitis,ſimul dat
& ſpũs ſanctus,quia pater & filius nõ dant illa niſi illis q̃bus prius naturali ordine dãt amorẽ
a ſe p̃cedẽtẽ nõ ſolū ab vno in alterum ab æterno:ſed ab ambobus ex tempore in creatura ra
tionalem,ſcᵭm q̃ inferius declarandū eſt,diſputando de p̃ceſſione ſpũs ſancti temporali.

**C**Q̃ arguitur primo q̃ ſpiritus ſanctus non eſt donū quo cętera dona donātur, **C**
quia ſine eo aliq̃ dona donanf:& cũ illo dato aliqua dona nõ donanf:Dico q̃ ablatiu⁹ ille quo **Ad primũ**
cętera dona donanf,põt conſtrui cũ verbo illo donant aſſociatiue vel cauſaliter.Et primo mõ **princip.**
ſpũs ſanctus ſolūmõ eſt donū quo donant dona gratuita:q̃ nõ danf niſi cũ ſpũ ſancto,qui etiã
nõ datur ſine illis. Non aũt iſto modo eſt donū quo dant naturalia aut dona gratis data,de
quibus bene p̃cedit obiectio.Sed de hoc mõ nõ intelligit p̃ſens q̃ſtio:ſed de ſecũdo mõ:illo eñ
modo nullũ donū naturale aut ſupnaturale ſiue gratuitū ſiue gratis datū cõfert creaturę in
tellectuali nõ ſpũ ſctõ:vt cauſa ſiue rõne intellectiua volũtatis ad donādū illis:licet ſolum ipſe
met det cũ donis gratuitis:& dona gratuita nõ niſi cũ ipſo.Alia aũt bene dant ſine ſpũ ſancto
& ipſe ſine illis,ſcᵭm q̃ tangit argumẽtū.& de illo ſecũdo mõ intelligit p̃ſens q̃ſtio ſolūmodo.
**C**Ad ſecũdū:q̃ filius eſt quo cętera dona donant:ergo nõ eſt hoc p̃priū ſpũi ſctõ:Dico q̃ illud **D**
verũ eſt primo modo,ſ.p aſſociatione ſiue concomitātiā,ſcᵭm q̃ ſonat verbū Apl̃i.Cũ filio eñ **Ad ſecũdū**

**AA**

nobis donato pater oĩa nobis donauit:non vt in effectu sed in virtute:& hoc singulis quo ad
dona gratuita necessaria ad salutem,& cętera diuersis prout opus erat:licet non singulis. Vt
eĩ dicit Ioã.i.Quotquot aũt receperũt eũ,dedit eis potestatẽ filios dei fieri his q̃ credũt in eũ.
Et bene hoc exponit cũ subdit.Et verbũ caro factũ est.Et vidimus eũ plenũ gratia & veritate.
Et de plenitudine eius oẽs accepimus gratiã p gratia.Secũdo autẽ modo.s.causalitate & rõne
donãdi illud cõuenit soli spũi sancto:q̃a pprie donũ est & amor pcedẽs nõ filius,vt habitũ est

**E**
**Ad tertiũ.**

supra:licet nobis datus sit ĩ incarnatione.scdm illud Esa.Puer natus est nobis, & fili⁹ dat⁹ est
nobis. Vñ.s.q̃ filius datus est nobis:ideo est spũs.¶Ad tertiũ:q̃ donũ sapiétie pprie dat verbo:
q̃d videt directe esse contra iã dicta:Dico q̃ pter dictos modos eius q̃d est quo aliqd donat,ad
huc est vn⁹ quo aliqd donat effectiue:& hoc solo mõ filio ĩquãtũ lux est & verbũ aut sapiétia
genita dat creaturę rõnali sapiétia,vt pcedit obiectio. Sed de isto mõ nihil ad psenté qstione.
Vt causalis eĩ rõ donãdi istud donũ solũm est donũ q̃d est spũs sanct⁹, sĩ iã dicta:licet cau
sale principiũ effectiuũ siue donatinũ illius sit solũmõ verbũ: & hoc nõ nisi per quãdã appro
priatiõe.Quia eĩ ei appropriat q̃ sit lux & sapiétia essentialis : ideo appropriatiue dr solũ
verbũ dare sapiétia,licet principaliter & cõiter ipsam det tota trinitas,sicut & cætera dona.

**F**
**Ad argu.**
**in opposit.**

Et p hũc modũ appropriationis solus pater dicit dare potẽtia:q̃a potẽtia illi soli appropriat:&
solus spũs sanct⁹ bonitatẽ:quia illa ipsi soli appropriat.¶Argumẽtũ in oppositũ nõ pcedit nisi
de ratione donãdi passiue in ordine ad donatũ:& bene verũ est q̃ illo mõ spũs sanct⁹ vt est do
nũ,est ratio donandi cætera dona.& pter hoc etiã est ratio donãdi illa actiue in ordine ad do-
nantẽ:sed hoc non nisi inquantũ est amor pcedens,sicut patet ex iam dictis.

**G**
**Quest.X.**
**Arg.i.**

Irca Decimũ arguit q̃ spiritus sanctus nõ datur vt donũ a patre & filio nec
ecõuerso,Primo sic.sicut nemo dat aut potest dare q̃d nõ habet apd se:sic ne
mini dat nec põt dari id q̃d habet apud se. quare cũ filius habeat apud se spi
ritũ sanctũ:quia pcedit ab ipso:& filr pater:& in diuinis pcedẽs semper est
in eo a quo pcedit,nõ recedẽs ab illo:spiritus sanctus ergo nequaq̃ a patre da
tur aut põt dari filio,nec ecõuerso. ¶Secũdo sic.id q̃d dat alicui,nõ habet ab

**2**

illo cui dat si nõ det eide.quia de illo q̃d q̃s habet ex alterius dono,potest dici
illud Aplĩ.i.Corĩ.iiĩ.Quid habes q̃d nõ accepisti?Si ergo spũs sanct⁹ a patre daret filio aut ecõ
uerso,neuter haberet in se spiritũ sanctũ si nõ ab vtroq̃ vtriq̃ daret.cõsequẽs falsum est: quia
filius & filr pater habet in se spiritũ sanctũ ex actu pcedẽdi illius de substãtia illoq̃,sicut pater
habet in se filiũ manentem ex actu generationis eius de sua substãtia : non autem ex alicuius

**3**

dono.ergo &c.¶Tertio sic.si a patre datur vt donũ filio spiritus sanctus aut ecõuerso: aut er
go datur spũs sanctus iã existẽs vel nõ iã existẽs.non secũdo mõ:quia sicut nemo põt dare q̃d
nõ habet,sic nihil potest dari quod nõ iã existit.Si ergo dicto modo dat spũs sanct⁹, oportet vt
det iã existẽs vt possit dari.q̃ si sic,cũ spũs sanctus processione existit,alia est actio qua mutuo
dat a patre & filio:& qua pcedit ab vtroq̃. Vtraq̃ aũt est æterna & intranea. quare cũ non sit
dare istd,actio essentialis eo q̃ nõ cõuenit spũi sancto:q̃a nõ dat seipm patri aut filio:erit ergo
actio psonalis & notionalis.cõsequẽs falsum est:quia tũc nõ essent solũ duę actiones notionales
generare & spirare:& duę q̃si passiones notionales.s.generari & spirari:sed etiã dare spm sctm
esset actio notionalis:& filr dari, esset quasi passio notionalis: & filr actio notionalis esset reci
pere spm sctm tã ex pte patris q̃ ex pte filii.cõsequẽs falsum est: q̃a tũc essent plures notiones

**In opposit.**

q̃ exponit:q̃d falsum ẽ scdm doctores, & etiã apud doctores.ergo &c. ¶Cõtra.illud q̃d volũtate
liberali ab vno in alterũ pcedit:& p hoc habet esse illi⁹:dat ab illo a quo sic pcedit vt donũ illi
in quo pcedit.In hoc.n.pcedit rõ dationis doni q̃ dr donatio.Spũs sctũs aũt sic pcedit a patre
in filiũ etiã sm grecos,q̃ nõ ponũt ipm pcedere a filio:sicut patet ex supra deteriatis,ergo &c.

**H**
**Responsio.**

¶Dico iuxta pcessum vltimę rationis, q̃ spiritus sanctus datur vt donũ a patre
filio,& ecõuerso:in hoc videlicet q̃ ab vtroq̃ pcedit liberali volũtate:nõ solũ vt psona distĩcta
ab illis a q̃bus pcedit, & in se subsistit:sed etiã cũ hoc vt in alio existit.Ita q̃ act⁹ pcedẽdi quo
spũs sanctus pcedit:nõ solũ terminat ad spm sctm vt ad psonã q̃ pducit:sed etiã ad psonã in
qua pducit,vt ad filiũ inquãtũ pcedit a patre in filiũ:& ad patrẽ inquãtũ pcedit a filio in pa
trẽ.Ita q̃ licet vnica pductione siue pcessione æterna spũs sanct⁹ pcedat a patre & filio scdm

**1**

supius determinata: est tñ istã pcessione dupliciter cõsiderare.Vno.s.mõ vt ipsa est a patre:
alio aũt mõ vt ipsa est a filio: sicut & vnicã substãtiam deitatis est cõsiderare vt est patris, &
filr vt est filii: & aliqd aliter attribuit ei vt est patris, q̃ vt est filii:vt patet ex supius determi
natis.Et vtroq̃ mõ est pcessione illã cõsiderare duplr. Vno.s.mõ vt est terminata ad psonam

ſpiritus ſancti ſubſiſtentē ſcdm ſe.Alio modo vt quãdo vlterius pgredit & terminat ad pſonã in qua ſpūs ſanctus pducit.Et hoc ad modū quo gratiæ creatio in aīa conſiderat vno mō vt terminat ad ipſam gratiã de nō eſſe in eſſe pductã. Alio mō vt mediãte gratia p hoc φ pdu cit in aīa,terminatur quoquo mō in animã.Et primo mō pceſſio ſpūs ſancti cōſiderata pprie dicit pductio a liberali volūtate naturali:ſicut pductio gratiæ de nō eſſe in eſſe dicit creatio. Secūdo aūt mō cōſiderata pprie dicit datio ſiue donatio a volūtate liberali: ſicut creatio gra tiæ in aīa proprie dicit datio ſiue donatio. Et tã pductio ſpūs ſancti q̃ donatio cōiter dr pceſ ſio: ſicut tã creatio gratiæ q̃ eius donatio cōiter dicit pceſſio qua ſpūs ſanctus pcedit in dono ſuo in creaturã.Sed proceſſio ſpūs ſancti ſcdm ſeipm vtroq̃ illoꝝ modoꝝ æterna eſt,& vna & eadē actio ſm rē,differēs ſola rōne.Proceſſio aūt ei⁹ in dono ſuo vtroq̃ illoꝝ modoꝝ eſt tpalis. Differt aūt ſcdm rōne pceſſio ſpūs ſancti ſcdm ſeipſum vtroq̃ dictoꝝ modoꝝ tã ex pte termi noꝝ q̃ ex pte pcedētis.Primo em mō pceſſionis terminus eſt ipſe ſpūs ſanc⁹ pcedēs.Secundo aūt mō terminus eſt ille in q̃ pcedit.Itē primo mō pceſſionis pcedit ipſe ſpūs ſc̃tus proprie vt eſt ſpūs & pſona in ſe ſubſiſtēs.Secūdo aūt mō pprie pcedit vt eſt amor duos inter ſe cōne ctens.Pater em ſpirãdo ſpiritū ſanctū in filiū,dat ipm filio vt amore ſuū quo illū diligit:& hoc æternaliter eodē actu quo ipm ſpirat:tã in ordine ad illū q̃ ipm dat q̃ in ordine ad illū cui dat Ipſum em ſpm ſanctū dari filio nō eſt aliud q̃ ipm ſpirari in filiū:& ſilr patrē dare ſpiritū ſc̃m filio,nō eſt aliud q̃ ipm ſpirare i filiū:& differūt ſola rōne & ordine atq̃ relatione:quia ſpirare & ſpirari ſimplr ſolūmo dicūt ordinē realē & relationē inter ſpirātē & ſpiratū:& ſpirari in fi liū vel in patrē mediãte ſpirato, dicit ordinē rationis inter ſpirātē atq̃ dantē ſpiritū ſanctū:& illū in q̃ ſpirat,ſiue accipiēte cui dat : & ſilr inter ſpm ſanctū vt eſt donū,& illū q̃ illū dat: & ſilr cui dat.Et eſt vndiq̃ relatio rōnis: i quo differt iſta datio a datione q̃ dat vt donū a pa tre & filio creaturæ intellectuali tēporaliter. Illa.n.datio in ordine ad illū cui dat,vt eſt actiua in dãte,relationē iportat ſolūm ſcdm rōne:ſed æternā:& noua determinatione qñ ſcdm actū dat:vt eſt eadē ſcdm rē cū pceſſione æterna qua pcedit & ſpirat ille cui dat.Vt vero eſt illa da tio paſſiua & receptio q̃dã in eo cui dat,in ordine ad dãte tēporalis eſt:& ſcdm rē alia pceſſio ab illa qua pcedit æternaliter a dãte:& fundat in illa relatio realis q̃ eſt in recipiēte in ordine ad dãte,& ſilr in ordine ad ipm.Recipit em vera trãſmutatione reali recipiente a recipiente licet det abſq̃ omni trãſmutatione dãtis & doni.Et p hoc etiã ipſa pceſſio ſpūs ſancti in crea turã licet æterna ſit vt eſt pceſſio, & in ordine ad illos a qbus pcedit:temporalis tñ eſt vt eſt receptio & in ordine ad illud in q̃ pcedit:& fundat ſcdm eã relatio realis in eo i q̃ pcedit ad illos a qbus pcedit:& ſilr in ipſo dono ad illud in q̃ pcedit.Quæ tñ eſt æterna, licet noua recipiat denoīatiōe:ſicut & q̃libet relatio dei ad creaturã:ex pte dei ſm rationē eſt et æterna: & ſolūmo noua ſortit denoīatiōe:licet tñ ecōuerſo ex pte creaturæ ſit tpalis:& ſm rē:ſm φ hoc alibi latius declarauimus.Illa aūt datio q̃ ptinet ad datione ſpūs ſc̃ti creaturæ,inferius ex ponēda eſt:nec de ipſa aliq̃d ad ppoſitū.De iſta aūt datione qua dat filio a patre vel ecōuerſo quo ad relationes q̃ circa illū cōſiderant,eſt aduertēdū φ reſpectus & relatio in hoc cōueniūt & differūt,φ nō eſt reſpectus ſine relatione,nec ecōuerſo.Ois etiã relatio eſt reſpectus q̃dã:ſed nō ecōuerſo:puta dextrū in aīali relatio eſt ad ſiniſtrū in eodē,& reſpectus ad illud,ſiue reſpe ctū eſt habēs ad illud.Dextrū aūt in aīali reſpectū habet ad colūnā quæ ſita eſt a dextris ipſius aīalis:& p hoc eſt ſiniſtra aīali: & eſt ſiniſtrū in colūna relatio ſcdm rōne ad dextrū in aīali:& reſpectus ad illud ſcdm rōne fundat in relatione ſcdm rōne: cū ecōuerſo reſpectus in aīali ad columnã ſit reſpectus ſcdm rōne fundatus in relatione ſcdm rē q̃ eſt dextrū in aīali,quã habet non ad ſiniſtrū colūnæ, ad q̃d nō habet relationē neq̃ reſpectū niſi ſcdm rōne : ſed ad ſiniſtrū aīalis:ad q̃d etiã habet reſpectū ſcdm rem. Et ſcdm hoc ois relatio ſcdm rē eſt reſpectus ſcdm rē in ordine ad illud ad q̃d refert ſcdm rē,& ecōuerſo.Et ſilr ois relatio ſcdm rōne ſic eſt reſpe ctus ſm rōne ad illud ad q̃d refert ſcdm rōne,& ecōuerſo.Relatio etiã ſcdm rē bene habet i ſe reſpectū ſcdm rōne fundatū in illa in ordine ad illud ad q̃d refert ſcdm rōne:ppter.ſ.reſpectū ſcdm rōne fundatū in illa:vt in dextris aīalis fundat reſpec⁹ ſcdm rōne ad ſiniſtrū colūne p pter illū reſpectū.Et p hūc modū quo ois relatio inter animal & columnã ſcdm dextrū & ſini ſtrū ortū habet a dextro q̃d ſcdm rē eſt in aīali:quia.ſ.in dextro aīalis fundatur reſpec⁹ ſcdm rōne ad colūnã,per q̃d colūna ſcdm rōne eſt ſiniſtra aīali:Dico φ ois relatio inter donū q̃d eſt ſpūs ſc̃tus,& donātē,& illū cui donat,& illoꝝ p cōſeqūs inter ſe,ortū habet a relatione q̃ ſm ſe eſt in dono q̃d eſt ſpūs ſc̃tus:quia.ſ.in illa fundat reſpectus quo ſpūs ſc̃tus donū eſt,& reſpi cit donātē & illū cui donat:& eſt reſpectus ſm rōne,a quo habet ad illos relationē ſcdm rōne

& illi etiã inter se.& hoc siue consideretur vt donum datum creaturæ a diuinis personis, siue vni personæ diuinę ab alia.Et per hunc modum respectus verbi ad ea quæ dicuntur verbo, & similiter ad dicentem verbo,& dicentis verbo ad dictum verbo inter se scdm rationem fundã in relatione reali qua est verbum dictum a patre.Ex quo patet magna differentia inter verbũ & donũ.Verbum enim qđ est filius,eo cp est verbum respectum realem importat ad dicentem verbum:& respectum rationalem ad dicetes verbo: & similiter ad dicta verbo.Donũ enim qđ est spiritus sanctus,eo cp donũ est nullum respectum realem importat ad dantem ipsum: neqȝ ad illum vel illud cui datur:sed scdm rationem tñ: quæ tñ propria est spiritui sancto:sicut p prium est soli filio:non tñ cp sit verbũ qđ dicitur:sed etiam cp sit verbũ quo singula dicitur.

N
Ad primũ
princip.

CQđ arguitur primo contra iam determinata: cp spiritus sanctus non datur vt donũ a patre filio nec econuerso:quia tã filius cg pater habent spiritũ sanctum apud se in eo cp ab ipsis pcedit:Dico cp habes aliquid in se,siue apud se, vno modo bene etiã potest illud recipere & habere ab alio,alio modo,& sic recipit qđ habet:sed modo alio cg quo habet illud. sicut aliquis qui habet aliquid vno modo: sed nõ habet illud alio modo:puta qui habet alicuius rei possessionē:sed nõ pprietatē:potest illã dare quo ad possessionē:nequag aũt quo ad pprietatē. Vnde filius licet habeat spiritũ sanctũ eo cp ab ipso pcedit nõ recedendo, vt pcedit argumētũ quia tñ vt amor etiã pcedit a patre in filiũ scdm superius determinata:ideo vt pcedit a patre bene a patre datur filio:& filius eũ recipit a patre.Et sic eũ habet alio modo a patre cg a se:quia a se habet ipm per hoc cp a se procedit subsistens in eo.A patre aũt habet ipm per hoc cp a patre pcedit in ipm vt in amatũ ab codē pcedente.Et sic sicut nemo potest dare qđ nullo modo habet:bene tñ pot dare vno modo qđ nõ habet alio modo:sic nõ potest accipe ab alio id qđ habet a se scdm oēm modũ quo natũ est haberi: potest tñ bene accipere ab alio scdm vnũ modũ id qđ habet a se scdm aliũ modũ.Et sic filius spiritũ sanctũ quē habet ĩ se vt est psona subsistēs per hoc cp ab ipso pcedit: bene habet etiã a patre vt ille est amor connectens per hoc cp pcedit a patre scdm determinata.sic etiã ecõuerso cõtingit habere.cp.a se,& etiam a filio. CPer hoc patet responsio ad secundũ. Qđ dicit,id qđ dat alicui nõ habet ab illo cui dat si nõ det eidē &c. Dico cp verũ est si daret illi omni modo quo natũ est haberi:quia vt pcedit argumētũ vlteri9 de eo qđ habet cgs ex alteri9 dono,quo ad modũ quo habet illud ex dono:pot dici,Quid habes qđ non accepisti?Sed cgn aliquid dat tñ scdm modũ vnũ habendi, qđ etiã est haberi scdm aliũ modũ habēdi:bene potest illud ab aliquo haberi de seipso:& etiã ex alterius dono.vt cõtingit in voluntate scdm iam dicta de spiritu sancto : de quo verum est dicere tam ex parte filii cg ex parte patris, cp vtercȝ illog habet ab illo vno modo illum quē nõ accepit:sed ex se habuit alio modo.Sed secus est de diuina substãtia habita in filio a patre per generationē:& in spiritu sancto ab vtrocȝ p spiratione:qa filius scdm nullũ modũ habēdi quo diuina substãtia nata est haberi,aliunde ē cg a patre:similiter nec spiritus sanct9 aliũde cg a patre & filio.Propter qđ de diuina substãtia ex pte filii & spiritus sancti potest dici. Quid habes qđ nõ accepisti? quia nullo modo ex se habent diuinã substantiã:sed ab alio:nõ ex dono,sed ex naturali processione. CAd tertiũ:si spiritus sanctus det vt donũ filio a patre:aut ergo datur vt iam existēs aut vt nõ existens : Dico cp cũ ista interrogatio implicet ordinem quēdam existentię dati ad actum dationis:ordo iste potest intelligi fore durationis vel nature.Si primo modo,dico cp neutra pars iunctionis concedenda est:quia spiritus datur a patre filio aut econuerso necȝ vt iam existens priuscg detur:necȝ vt prius non existens.Non primo modo:quia & existit procedendo ab æterno a patre:& similiter datur filio & econuerso:& sic datur vt nuncg præexistes. Necȝ secundo modo:quia vt procedit argumentum,Spiritus sanctus nuncg fuit non existens:& sic nõ datur vt prius cg detur non existens,& simul cum eo qđ datur accipiēdo existere.Sed secũdo modo dico cp spiritus sanctus datur non vt iam in dando non existens:sed vt in dando existēs.ita cp simul duratione sint existere eius scdm esse personale & subsistētię a patre & filio:& datio eius filio a patre,& patri a filio.sed ordine quodam naturæ existentia illius est primũ:& dari eiusdem secũdũ. Et p hũc modum spiritus sanctus si debeat dari existit primo vt possit dari secũdo. CEt qđ tunc vlterius arguitur,cp si ita est,alia ergo est actio qua spiritus sanct9 datur mutuo filio a patre & econuerso:& qua procedit ab vtrocȝ:Dico cp scdm iã dicta spiritũ sanctum procedere a patre & filio vt est persona subsistens, reuera ordine quodã naturæ primũ est,& ipsum procedere in filium a patre vel econuerso vt donum qđ est dare ipsum,est secũdũ.Licet eñ eadem processio vtrobicȝ sit scdm rē,differt tamen scdm rationē:sicut differunt scdm ra

O
Ad secũdũ

P
Ad tertiũ.

Q
Ad quartũ

tione pductio spiritus sancti scdm se,& pductio eius i filio a patre vel ecouerso. Et est ordine
nature ratio pcessionis spus sancti prima respectu ronis pcessiois eiusde i alterutru illog.Spus
sctus em a patre pcedit quasi accipiedo esse: licet no pot no esse neq̃ duratione: neq̃ natura.
Ab eode aut pcedit quasi vlterius in filiu vt ia habes.Re vera ergo vt pcedit obiectio, alia est R
actio qua spus sanctus mutuo dat filio a patre: & qua pcedit ab vtroq̃: sed scdm ratione tm.
Propter qd no sequit vlterius ꝙ dare spiritu & spirare ipm sint due actiones notionales: non
scdm rationem tm: & similiter dari & spirari:qd nullu est incouenies: Queadmodu verbu &
filius sunt due relationes notionales differentes scdm rationem tm.

## ¶Art.LXII.De Relationibus communibus absolute.

Xpedito hucusq̃ a.liii.articulo de ptinetibus in diuinis ad
relationes pprias & notionales:qbus psone distinguunt, aut etia co
stituutur: sequit de illis q̃ ptinet in eisde ad relationes coes q̃ cose
quunt diuinas psonas distinctas,& i esse costitutas:cuiusmodi sunt
idetitas,equalitas,& sili̇tudo. Quaru cotraria sunt diuersitas,inequli
tas,& dissimilitudo,q̃ nequaq̃ in diuinis repiunt.Et qa pleruq̃ con
trariu iuxta cotrariu clari⁹ illucescit: & vt dicit Ricar.i.de tri.ca.x.
in natura creata legimus qd de natura increata pesare vel estimare
debemus : Ideo paulo altius proposito ordiendo materiam de rela
tionibus coibus q̃ sunt idetitas & diuersitas, æqualitas & inequlitas,

silitudo & dissimilitudo:in qbuscuq̃ inueniant:intetu nostru psequmur: principaliter tn quo
ad idetitate,æqualitate,& silitudine vt habet esse in diuinis:& ad ampliore intellectu illog vt
habet esse in diuinis specialiter,generaliter vt etia habet esse in creaturis.Et primo in generali
prout habet esse comuniter in deo & in creaturis: deinde specialiter prout habent esse in deo.
Et circa primu, Primo de ipsis generibus relationu comuniu ƒm se & absolute.Secudo de eis
dem in coparatione.Et circa primu istog,quatuor.
Primu est vtrum sint alique relationes comunes.
Secundum:vtrum sint plures scdm genera.
Tertium:vtrum sint tm tres.
Quartum:vtrum omnes sint relationes scdm rem:an scdm rationem.

Irca Primu arguit ꝙ non sit aliqua relatio cois,Primo sic generaliter ta in
diuinis q̃ in creaturis. Sicut no dicit relatio ppria nisi qa solu vni creatog̃
couenit:puta paternitas in diuinis soli patri,& filiatio soli filio, & vlr ille q̃
sunt in actiuis & passiuis: sic no dicit relatio cois nisi qa couenit vtriq̃ ex
tremog̃ relatorum inter se.Sed no est aliqua relatio talis neq̃ i diuinis neq̃
in creaturis:quia ta in his q̃ i illis relatiois esse est ad aliud se habere:nec est

relatio nisi inter relatiue opposita:Talia aut no sunt aliqbus coia: cotraria em & vlr opposita
no sunt simul in eisde.ergo &c.¶Secudo sic.cu opposita nata sint fieri circa ide: coe aut oppo
nit pprio: si ergo sint relationes coes in deo aut in creaturis : opponunt ppriis relationibus
in eisde.hoc aut falsum est:quia i diuinis relationes ppriе no opponunt nisi inter se tm.Silr i
creaturis no sunt rones pprie:sed q̃ sunt,no sunt nisi in actiuis & passiuis,& in mesuris:q̃ no
opponunt nisi inter se.ergo &c.¶Idem arguit tertio:sed specialiter in diuinis.Primo sic.scdm
Damasc.li.Sentetiaru suaru ca.ii.&.xi.Pater & filius & spus sanctus ƒm oia sunt vnu preter ge
neratione,ingeneratione,& pcessione.Sed relationes coes siꝙ sunt in diuinis sunt,pter genera
ratione & ingeneratione & pcessione:quia iste no sunt comunes sed pprie scdm ratione prin
cipii aut pricipiati:suntꝯ pter illa vnu:tu quia illud est substatia: & substatia non est relatio:
tu quia scdm relatione ipsa relata no sunt vnu:sed potius alia & alia.quia(vt ia dictu est )rela
tionis esse est ad aliud se habere.ergo &c. ¶Quarto sic.in dicto cap.xi.dicit Damasc.In oibus
creaturis coitas siue qd coe est:ratione considerat.in supsubstantiali aute trinitate econtrario
est.illic em coe & vnu re cosiderat.Sed relationes coes re no possunt cosiderari i diuinis:qa ƒ
diuinis nihil pot cosiderari re nisi substatia: q̃ est res vna absoluta & no relatio:sicut dictu est
& tres psone q̃ sunt tres res subsistetes relatiue:& ꝙtuor relatiōes reales: q̃ru nulla est cois tri
b⁹ psonis.ergo &c.¶Quinto sic.q̃libet relatio cois habet alia relatione comune sibi cotraria &
opposita:puta i creaturis idetitas diuersitate:eqlitas ineqlitate:silitudo dissilitudine.Nuc aut
ita est de oppositis & cotrariis ꝙ nata sunt ee circa ide, quare cu tales cotrarietates relationu

cõmuniũ nullo mõ natẽ fint effe circa deum: qa ĩ ipfo nulla cadit diuerfitas:nulla inẽqualitas

**In oppofit.** nulla diffilitudo:vt infra videbit.ergo &c.ⒸContrariũ arguit Primo cõiter tã in deo q̃ in crea
**Primo.** turis fic.Relatio q̃ eodẽ noie & eadẽ rõne denoiat vtrũq̃ relatoq̃:& cui fm idipm cõuenit effe
in illis:eft relatio cõis.In hoc eĩ cõfiftit ratio cõis.Talis relatio habet effe tã ĩ diuinis q̃ in cre
**2** aturis,vt infra patebit de idẽtitate,æqualitate,& filitudine.ergo &c. ⒸSecũdo arguit idẽ fpe=
cialiter in diuinis fic.fcdm phm.i.Ethi. quãto aliqd eft cõmunius tanto eft diuinius,nobilius,
atq̃ dignius:& ideo tanto etiã magis deo conuenit & eidẽ attribuendũ eft fcdm fuperius de=
terminata.quare cũ in diuinis fint relationes pprie quales inueniũtur in creaturis: multo for
tius ergo & in eis funt aliquẽ cõmunes.

**B**
**Refol.q̃.** ⒸHic oportet primo videre quare relatio dicitur cõmunis & q̃.Secũdo vnde ha
bet q̃ fit cõis.Tertio cõcludet intentũ.ⒸDe primo aduertẽdũ eft q̃ relatio dicit cõis q̃ fcdm
idẽ nome & eãdẽ rẽ & eadẽ rõne relatis p ipfam conuenit. & hec eft ratio quare dr cõis.Vnde
phs.v.meta.loquẽs de relationibus cõibus,dicit q̃ æquale fife & idẽ oĩa dicunt fcdm eũdẽ mo
dũ:qa referũt ad vnũ. Q̃d tã q̃ cãm dictoq̃ exponẽs Cõme.dicit ibidẽ fic.Propriũ eft iftis tri=
bus gñibus relatiuis: q̃ pportio in eis eft eadẽ in vtroq̃ extremo.Sifiũ eĩ vtrũq̃ fife:& filiter
æqualia.Et hoc itẽdebat cũ dixit:quia referũt ad vnũ.i.qa cõueniũt in aliquo. Et ecõtrario ĩ
aliis fpeciebus relationis.f.fcdm potẽrias & mefurationes. Et intellige de cõtrariis eoq̃ qd i=
ctũ eft de eodẽ equali & fifi:quia diuerfoq̃ vtrũq̃ diuerfum eft: & inæqualiũ vtrũq̃ eft inæqle
& diffifiũ vtrũq̃ diffife eft:quẽ funt tres cõtrarietates fcdm tria gña relationũ cõmuniũ,vt in
fra patebit.Et fumit hic Cõme.proportione eãdẽ p conformi & mutua habitudine extremoq̃
adinuice.Et hoc(vt dicit)intẽdebat Ariftotel. cũ dixit: Quia referũt ad vnũ.i.fcdm Cõmet.
quia cõueniũt in aliquo.Ecõtra in aliis fpebus relationis.Cõueniũt aũt in vno,& hoc vel ĩ fpe
ciali:vt vbi fub cõi habitudine & cõformi nulla continet habitudo difformis:vtputa fub idẽ
titate æqlitate & filitudine omnis habitudo cõtẽta eft cõformis. Qualis eĩ eft habitudo vni⁹
extremi ad alterũ:talis eft ecõuerfo. Vel in gñali:vt fi fub cõi habitudine cõformi cõtinent ha
bitudines difformes:prout fub inequalitate q̃ fub ratione & noie inæqualitatis eft relatio cõis
inæqualiũ:q̃ vtrũq̃ eft inequale:cõtinent habitudines fic difformes:vt.f.alteri⁹ modi fit habi
tudo vni⁹ extremoq̃ ad alterũ: alterius vero ecõuerfo.Cũ eĩ duo & quatuor funt iequalia
& vtrũq̃ eft & dicit æquale alteri:tñ qa fcdm phm.x.Met.inequale cõtinet maius & mi=
nus:vnũ eoq̃,puta quatuor,eft inequale duplum: alterum vero,puta duo, eft inæquale fub
duplũ.Et fic licet fit eadẽ habitudo inæqualitatis in gñali illoq̃ adinuice:tñ eft alia & alia ha
bitudo in fpeciali:qua vnũ dicit ad aliud habitudine dupli ad fubduplũ.Alterũ vero ecõuer
fo habitudine fubdupli ad duplũ.Dicunt tñ nihilominus oĩa hec:relatiua relatiõe cõi : & hoc
ppter cõem habitudine gñale fub noie ineqlis: fub quo ambo cõtinent:& dupli tã q̃ maius:&
fubduplũ tã q̃ minus:& fic de ceteris habitudinib⁹ diuerfis cõtẽris fub inequali:& fifr de cõte
ris fub diuerfo & diffifi.Et ppter talẽ cõformitatẽ relationũ cõmuniũ in noie:relationes cões
appellari poffunt relationes cõfifiũ noim:Et hoc ad differẽtiã relationũ ĩ actiuis & paffiuis at
q̃ in mefuris:q̃ femp funt cõfifiũ noim:licet nõ folũ ppter noim cõione dicant relationes cões
**C** fed potius ppter cõione rõnis & rei fup quã fundant,vt iã dicet.ⒸSed ifta cõio noim ĩ genere
taliũ relationũ femp inuenit:nõ aũt femp in fpecieb⁹: in quo aliqui errabãt dicentes q̃ duplũ
fubduplũ,multiplex fubmultiplex,& hmõi relationes nõ cõtinent fub genere relationũ comu
niũ:qa nõ funt eorũdẽ noim. Diftiguebat eĩ relationes oẽs ĩ relationes noim diffifiũ & noim
fifiũ: & dicebãt q̃ fcdm phm.v.Meta. relatiões diffifiũ noim ad tria gña relationũ reducunt
.f. ad relationes mõ numeri & fcdm potẽriã & fcdm mefurã:quia in iftis vtrũq̃ relatioq̃ nõ
fimplr induit idẽ nome.Nã mefura & mefuratũ:agens & actũ:duplũ & fubduplũ:nõ penitus
idẽ nome habet.Et(vt dicũt)fifr ad tria gña reducunt relatiua fifiũ noim.Nã(vt dicũt)talia
relatiua fcdm vnitatẽ accipiũt.Vnitas aũt tripliciter accipit.f.in fubftãria,in quãtitate,& in
qualitate.Et fcdm hoc tres funt relationes fifiũ noim.Quia fm phm.v.Meta.Vnũ in fubftãria
**D** facit idẽ: vnũ in quãtitate facit æquale:vnũ ĩ qualitate facit fife.ⒸSed nõ eft oĩno ita vt dicũt
nec intelligũt mẽtẽ Ariftotelis diftinguẽtis tres modos relationũ in.v.Meta. & fub vno illorũ
modoq̃ cõphẽdit idẽ,æquale, & fimile.V ñ dicit ibidẽ exprife.Aequale idẽ & fife dicunt fcdm
vnũ modũ. Et quia cõtraria funt fub eode gñie:fcdm eũdẽ phm.x.Meta. modi aũt relationũ vo
cant relationũ gña: fub eode ergo modo relationis cũ illis cõtinent eoq̃ contraria.f.diuerfum
ĩnæquale & diffimile.Et funt omnia hec relatiua fimiliũ nominũ:& relationes cõmunes:& fic
totũ genⁱ relationis eft rfonũ cõiũ fiue fifiũ noim:& nõ aliarũ.& eft oĩm taliũ cõtẽriũ. Et fi

relatiua cõmuniũ noim nõ ſolũ accipiunt ſcdm vnitatem ſiue ſcdm vnum, vt illi putant:ſed
etiã ſcdm multũ.Conſtat aũt ꝗ hoc nõ obſtãte duplũ & dimidiũ & cętera talia ꝗ dicunt mo
do numeri,cõtinent ſub æquali:qd eſt nomē vnũ cõe eis quo inuicē referãtur in genere: licet
ſub diuerſis noĩbus referãtur ĩ ſpeciebus. Et ſic ſub eodē mõ relationũ cõiũ & cõſimiliũ noim
cõtinētur idē & diuerſum:ſimile & diſſimile:æquale & inæquale. Nec faciũt relationes illę quę
ſunt diſſimiliũ rõnũ in ſuis ſpeciebus, vnũ modũ relationis p ſe:quia licet ſint diſſimiliũ noĩm
in ſuis ſpeciebus:ſunt tñ ſimiliũ noĩm in ſuo genere:& in noĩe ſui generis:ſicut duplũ & ſubduplũ ſub noĩe inæqualis,qd nõ cõtingit plus in inæꝗli ꝗ ĩ æꝗli: niſi ꝓpter maiorē diuerſitatē
quãtitatũ in ꝗbus fundaf inæqualitas:ꝗ ſit illoꝝ in ꝗbus fundaf æqualitas : aut etiã qualitatũ
in ꝗbus fundaf ſiſitudo & diſſimilitudo,& ſubſtãtiarũ in ꝗbus fundaf idē & diuerſum.Hic
ſup illud Boethii.i. de trini.ca.xiii. Oẽ æquale æquali æquale:& ſimile ſiſi ſiſe eſt.dicit Cõmẽt.
Quę videlicet eiuſdem noĩs ſunt relationes:ipſæ quoꝗ quãtitates & qualitates ſcdm quas ea
in ꝗbus ſunt æqualia ſunt atꝗ ſiſia:etſi illa ꝓprietate qua ſubiectoꝝ ſuoꝝ altera qdem huius
altera vero illius ꝓprie ſunt,diuerſę intelliguntnon tñ ideo diuerſę ſicut dupli & dimidii &
cęteroꝝ inæꝗliũ quãtitates. Et ita licet duplũ & ſubduplũ nõ ſunt eorũdē noĩm neꝗ habitudinũ in ſpeciali:ꝗa tñ ſunt eorũdē noĩm & earũdē habitudinũ in generali: & hoc qñ reducũt ad
inæquale:ideo oĩa illa ptinēt ad genus relationũ cõmuniũ:& diſtinguunt cõiter cõtra relationes in actiuis:& in mēſuris:ꝗ ſemp ſunt diuerſarũ habitudinũ & diuerſoꝝ noĩm: de quarũ di
ſtinctione erit ſermo inferius.ℂDe ſecũdo notãdũ eſt ꝗ ꝗcũꝗ habēt cõmunionē in aliquo vno
absoluto:ſiue re ſint diuerſa,ſiue rõne tñ,ſcdm rõnē cõmunicãdi illũ neceſſario habēt habitu
dinē cõmunē & cõformē inter ſe:puta quicũꝗ habēt cõmunionē in eadē mercatura,ſcdm cõmunionē cõicãdi illam habent ambo adinuicem habitudinem cõmunem & conformem mutuã qua dicunt ſocii: & ꝗ habēt cõionē in eadē volũtate concordi, ſcdm rõne cõicãdi illã ambo habent inuicē mutuo habitudinē cõmunē & cõformē qua dicunt amici: & ꝗ habēt cõionē
in cohabitãdo eũdē locũ cõmunē de ꝓpinquo, ſcdm rõne cõicãdi illũ ambo habēt adinuicem
mutuo habitudinē cõem & conformē qua dicunt vicini.Talis aũt habitudo cõis relatio cõis
eſt:quę in hoc ꝗ conformis eſt noĩe & rõne in vtroꝗ extremoꝝ:differt a relationibus in actiuis & paſſiuis.Dicēte Aug.x.de tri.ca.vi. Nõ ſic ad ſe dicunt pater & filius,quomõ amici aut
vicini.Relatiue quippe dicit amicus ad amicũ.Et ſi æqualiter ſe diligũt:eadē in vtroꝗ.ſ.æqua-
lis amicitia eſt.Et relatiue vicinus dicif ad vicinũ:& ꝗa æqualiter ſibi vicini ſunt (quantũ eĩ
iſte illi:intãtũ & ille huic vicinaf) eadē in vtroꝗ vicinitas.Ex dictis duob⁹ cõcludēs tertiũ &
intentũ,dico ꝗ poſtꝗ cõicare eodē aliquo abſoluto cõtingit & in diuinis & in creaturis,ꝓut
inferius declarabif,ponēdũ eſt ꝗ tã in deo ꝗ in creaturis ſit relatio cõis.ſ.cõmunicatib⁹ illã rē
ſcdm quã habet inter ſe hmõi relationes:ſcdm ꝗ ꝓceſſit penultima ratio,ꝗ concedēda eſt.Qd
& multũ cõgruit dignitati diuinarũ pſonarũ,vt inferius declarabif: ſcdm ꝗ proceſſit vltima
ratio:quæ idcirco etiam concedenda eſt.

F
Ad primũ
princip.

ℂAd primũ in oppoſitũ,ꝗ nulla eſt relatio cõmunis : quia non eſt relatio niſi ad
aliud & ad oppoſitũ:Dico ꝗ non dicit relatio cõis,quaſi cõis & eadē ſit numero,re,& rõne in
extremis relatiue oppoſitis:qm in extremis ſemp eſt alia & alia re vel rõne,vt infra declarabif:
ſicut eſt etiã ipſa res abſoluta ſuper quã fundaf relatio cõis:ꝗ eſt alia & alia re vel rõne,vt ſit
inferius declarabif: per qd cõtingit ꝗ relata habēt oppoſitionē inter ſe: ſed nihilominus dicit
relatio cõis:quia eſt diuerſoꝝ extremoꝝ relatorum mutuo inuicē ſcdm vnũ nome,& vnã rationē, & vnã rē ſup quã fundat. Vñ etſi ſit relatio aliqua diuerſoꝝ extremoꝝ ſcdm vnũ nome
& vnã rõne & vnã rē fundamēti : non tñ ex hoc dicit relatio cõis,niſi ſit mutuo adinuicē relatoꝝ ſcdm illud nome. Vt cũ in creaturis diuerſi ſint patres & diuerſi filii:& tã in creaturis
ꝗ in diuinis ſit identitas vniuſcuiuſꝗ ad ſeiſm:& cũ in diuinis ſpiratio actiua ſit cõis relatio
patris & filii:& ſint diuerſa relata ſcdm vnũ nomen & vnam rationem & vnã rem fundamēti
quia tñ nõ eſt relatio eoꝝ mutua adinuicē ſcdm illud nome:Non eĩ eſt pater ad patrem,aut
filius ad filiũ in creaturis,neꝗ aliquod eoꝝ quoꝗ quodlibet eſt idē ſibiipſi reciproce,eſt ad alterum mutuo retranſitiue: & hoc tali modo idētitatis quo ſingulũ eoꝝ eſt idem ſibi:neꝗ etiã
cõmuni ſpiratione dicit pater ad filiũ:Idcirco nõ eſt paternitas duoꝝ patrũ, neꝗ fraternitas
duoꝝ fratrum,aut identitas duorum reciproca, aut ſpiratio actiua, relatio communis: qualiter illa eſt communis de qua ad præſens loquimur. Similiter etiã licet oppoſitoꝝ ĩ quolibet
genere oppoſitionis ſub eodem nomine vtrũꝗ alteri dicitur oppoſitũ:quia tñ ſcdm alia & alia
ratiõe rei ſingulum dicitur oppoſitũ:non ꝓpter illam idētitatē noĩs dicitur oppoſitio relatiõ

cōmunis.Cū enim eſt oppoſitio cōtrarioꝝ:puta albi & nigri:vnũ eſt oppoſitum albedine:alterum vero nigredine.Similiter cū eſt oppoſitio priuatoꝝ,vnũ eſt oppoſitum habitu: alterũ vero carentia habitus.Similiter in cōtradictoriis vnũ eſt oppoſitũ affirmatione, alterũ negatione Et in relatiue oppoſitis vt ſunt pater & filius,vnũ eſt oppoſitũ paternitate:alterum filiatione: & oppoſitio in vno nō importat aliam relatiõe ſcdm rem ꝗ paternitatem : & in alio nō alia ꝗ filiationem.Ita ꝙ vniuerſaliter in relatione quę eſt oppoſitio , nihil eſt cōmune extremis oppoſitis in nomine oppoſitionis niſi vox ſola.Propter hoc relatio importata nomine oppoſitiõis non pertinet ad relationes cōmunes.◖Q d arguit ſecūdo:ꝙ cōmune nō opponitur niſi pprio:

**G**
**Ad ſecūdũ** Dico ꝙ verũ eſt quãdo oppoſitio alicuius conſiderat ad aliqd extra ſe:ſicut ſemp conſideratur in abſolutis.Nō aũt eſt verum quãdo conſiderat ad aliquid intra ſe.ſ.inter illa quæ ſub ipſa cō tinentur: quemadmodũ etiã relatio nō ſemp eſt ad aliquid extra ſe,vt patet in generaliſſimo relationis:ſed ſolũ ad intra ſe.ſ.inter illa quę ſub ipſa continetur.Et ſcdm hũc modũ relatio cō munis non habet oppoſitionẽ niſi illoꝝ quæ cōtinet intra ſe:vt ꝗlibet relatio cōmunis idētitatis,æqualitatis,& ſimilitudinis,continet plures idētitates,æqualitates,& ſimilitudines inter ſe oppoſitas ſcdm oppoſitiõe relatiuã.Scdm contrarietatẽ vero ad relationes cōmunes diuerſitatis inæqualitatis & diſſimilitudinis.Et ꝗlibet illarum continet oppoſita relatiue inter ſe: ſed ões ptinent ad relationes cōmunes vel in ſpecie vel in genere,ſicut dictũ eſt de duplo & dimidio reſpectu inæqualis.◖Ad tertiũ: ꝙ in diuinis omnia ſunt vnũ pręter generatiõe & ingene

**H**
**Ad tertiũ.** ratione & ſplratione:Dico ꝙ verũ eſt.Et qd aſſumitur ꝙ cōmunes relationes ſunt pręter iſta ſi ſunt in diuinis:Dico ꝙ ſimiliter verũ eſt.Sed qd aſſumitur ꝙ ſunt cōmune ſubſtantiã,qd eſt illud vnũ in diuinis:Dico ꝙ nō eſt verũ:quia ibi ſumit ſubſtantiã large, extẽdẽdo,ſ.illã ad omne id qd in diuinis cōuenit tribus cōmuniter pſonis ratione ſubſtantię:ſiue vt ſubſtãtia eſt ſiue vt quãtitas eſt:ſiue vt qualitas. Qꝛuis igit cōmunis relatio in diuinis nō ſit vnũ illud qd eſt ſubſtãtia:quia ſubſtãtia nō eſt relatio vt pcedit argumentũ: eſt tamẽ in pſonis in qbus ſub

**I**
**Ad quartũ** ſtantia eſt cōcomitata:& ratione ipſius p qd reducitur ad vnitatẽ ſubſtãtię.◖Per idẽ patet ad quartũ:dicẽdo ꝙ cōe in diuinis non conſideratur niſi re.Dico ꝙ verũ eſt:ſed hoc poteſt eſſe vel primo & principaliter:& ſic non cōſiderat re cōmune iu diuinis niſi ſubſtãtia abſoluta. vel ſecūdario & p reductiõe ad illud vnũ re:& ſic cōmune conſideratũ in diuinis eſt relatio cōmunis,de qua loquimur:quia ipſa ab illo cōmuni orit,licet nō ratione qua illud eſt vnũ re:ſed potius ratione qua eſt vnũ & vnũ,aliud.ſ.& aliud cōe,prout inferius declarabitur.◖Ad quintũ,

**K**
**Ad quintũ** ꝙ relationes cōmunes oppoſitę & contrarię nō poſſunt eſſe circa deũ: quare nec relatio cōmunis ſimpliciter:eo ꝙ cōtraria nata ſunt fieri circa idẽ:Dico ꝙ hoc vltimũ ſolũ verũ eſt niſi alterũ contrarioꝝ naturaliter inſit.Nũc aũt diuinis naturaliter inſunt idētitas,æqualitas, & ſimilitudo.Propter qd nō ſequit,licet oppoſita iſtoꝝ nō poſſunt ineſſe,ꝙ iſta nō iſint.Eſt tñ aduertẽdũ ꝙ aliter naturaliter inſunt diuinis illa tria:ꝗ alterũ cōtrarioꝝ naturaliter inſit i rebus naturalibus.In iſtis em naturalib⁹ ꝗa ſunt cōpoſita ex materia & forma, aliqd pōt eis naturaliter ineſſe rõne formę & nō ratione materię:puta igni calidi: ꝗa formã igneitatis naturaliter cōſequit caliditas,nec cōpatit ſecũ frigiditatẽ:quéadmodũ cōpatit frigiditatẽ forma aquę.Materia aũt ignis ſicut eſt i potẽtia ad formã aquę vel terrę:ſic eſt i potẽtia ad frigiditatẽ. Quę qdẽ potẽtia duo dicit.ſ.carentiã formę,& aptitudinẽ ad illã.In hoc.n.differt priuatio a negatione ſm pꝝm.iiii.Meta.ꝙ.ſ.priuatio ponit aptitudinẽ:& ẽ negatio nō ſimpltr:ſed circa ſubiectũ determinatũ.Negatio vero nō dicit aptitudinẽ:& eſt ſimpltr circa oia.Propter qd dicit.De quolibet aſfirmatio vel negatio dicit:non ſic aũt priuatio aut habit⁹.Nũc aũt in deo vbi eſt forma tñ qua naturaliter conſequit alterũ contrarioꝝ:ſic eſt carentia alterius cōtrarioꝝ ꝙ in ipſo nec eſt potentia nec aptitudo ad illud.Et ſic in deo priuatio alicuius eſt carẽtia illius: ꝗ pprie eſt negatio:non aũt priuatio.Propter qd bene pōt eſſe relatio aliqua cōis in diuinis licet cōtrariũ eius nō poſſit eſſe in illis.Immo ex hoc veriſſime ineſt deo:puta identitas,æqualitas,aut ſimilitudo quia contrarium eius puta diuerſitas,inæqualitas,aut diſſimilitudo,nullo modo pōt ei ineſſe vt inferius amplius declarabitur.

**L**
**Queſt.II,**
**Arg.1.** Irca Secundũ arguit ꝙ non ſit ponẽdum plures eſſe relationes cões nec in diuinis nec in creaturis,ſic. A cuius vnitate ſcdm numerum in aliquib⁹ aliqua dicunt idem ſimpliciter,ab eius vnitate ſcdm ſpeciem dicunt idẽ ſpecie, & ab eius vnitate ſcdm genus dicunt idẽ genere:vt patet in prædicamento ſubſtãtię,ſed ab vnitate numerali quãtitatis & qualitatis dicunt habentia illã inter ſe eſſe idem ſimpliciter:ſicut & ab vnitate numerali ſubſtantię.Cuius pbatio

est in diuinis.quia em̄ in illis tanta vnitas numeralis est in quātitate & qualitate: quāta est vni
tas numeralis in subftātia: ideo non scḋm rationē maioris vnitatis referri debēt inter se perso
nę diuinę scḋm substantiā q̄ scḋm quātitatē aut scḋm qualitatē. Nunc autem scḋm maiorē ra
tionē vnitatis referunt adinuicem quę referunt per idētitatem,q̄ quę referunt per æqualitatē,
aut per similitudinē.Maioris enim vnitatis est aliqua esse eadē,q̄ æqualia aut similia. quia æqua
lia aut similia bene negant esse eadē.prout Ioan.ix.dicebant quidā de cęco nato:nequaq̄ est hic
sed similis ei.sed nō econuerso. Quare cum diuinę psone dicātur eędem simpliciter scḋm sub
ftātiam numeralem siue singularē quę est in illis:cōsimiliter ergo debēt etiam dici eędem scḋm
quātitatem & qualitatē singularē quę est in eis.Confimiliter vlterius etiā in creaturis diuersis
in quib⁹ est eadē quātitas aut qualitas scḋm speciem,persone debēt dici scḋm illā eędem specie.
Sed idētitates specie & numero & genere ptinent ad vnum modum relationis cōmunis,quare
cū relatio cōmunis nō accipiatur nisi a substātia,quātitate,& qualitate,nō ē ergo nisi vn⁹ mo
dus relationis cōmunis in diuinis & in creaturis.⸿Specialiter autē q̄ non sit nisi vnus modus [2]
relationis cōmunis in diuinis, arguit sic. Non est relatio cōmunis in aliquibus, nisi scḋm vnū
cōmune absolutum existens in illis:vt iā tactum est supra,& amplius declarabē infra. In diui
nis aurē non est nisi vnum cōmune absolutum.s.substātia:quę sola cū tribus relatiuis pprieta
tibus cōstituit tres psonas scḋm superius determinata.Ab vno autē in substātia non sequit ni
si vna relatio cōmunis quę est idētitas:vt infra declarabit.ergo &c̄. ⸿Contrariū arguit Primo
in creaturis:quia scḋm dictū Phi.v.Metap.vt habitū est in quęstione pcedenti, relationes com
munes sunt idē,ęquale,& simile,& eorū cōtraria.Isti autē sunt plures modi & diuersi.ergo &c̄.
⸿Secundo arguit idem specialiter in diuinis sic.Quicquid est dignitatis simpliciter:diuinis p [2]
sonis attribuēdū est scḋm superius determinata.Sed dignitatis simpliciter est q̄ psona quęcūq̄
diuina sit eadem alteri persone diuine,non solum eadem:sed & similis & ęqualis, & tāto maio
ris dignitatis est hoc illi:quāto persona altera est dignior.Quare cū quælibet persona diuina sit
dignissima,cuilibet ergo persone diuinę tribuendum est q̄ sit ęqualis & similis,non solū eadem
cuilibet alteri persone diuinę.

⸿Dico iuxta dicta in pcedenti quęstione,q̄ cum cōmunicatio plurium in eodem
siue in aliquo vno absoluto sit ratio cōmunis habitudinis illorum adinuicē,in qua consistit ra
tio relationis cōmunis:plura autem sunt absoluta in quibus aliqui vel aliqua cōmunicare pos
sunt:immo in quibus cōmunicant,tam in diuinis q̄ in creaturis:quia in illis sunt rationes plu
rium psectionum,quę oēs in deo ad dignitatem ptinent:vt patet ex superius determinatis:& p
cōsequens cōmunicatio in illis: & similiter habitudines relationū illorum inter se quę fundant
in illis q̄ cōmunicant : Propterea igit necesse est ponere plures relatiōes cōmunes tā in diuinis
q̄ in creaturis.Et scḋm hoc pcessit vltima ratio specialiter in diuinis, & penultima cōmuniter
& in diuinis & in creaturis,quę secundum hoc concedendę sunt.

⸿Ad primū in oppositū:q̄ ab vnitate numerali quātitatis & qualitatis dicuntur
habentia illas,idem: ergo & similiter ab vnitate earundem scḋm speciem & scḋm genus:& sic
nō est nisi relatio cōmunis idētitatis scḋm illa &c̄. Dico q̄ quātitas & qualitas tam in diuinis
q̄ in creaturis dupliciter possunt cōsiderari. Vno modo cōparādo illas sibiipsis & eis quę sunt
sui generis:puta quātitatem quātitati,& qualitatē qualitati.Alio modo cōparādo illas ad sub
iecta in quibus sunt:non vt dantia illis esse simpliciter:sed ratione perfectionis in bene esse.Q d
dico ad differentiā substātię quę in nullo est sicut in subiecto:sed si est in aliquo vt aliquid illi⁹,
hoc est solūmodo sicut in constituto per illā,& vt recipiente esse simpliciter per illā.sed hoc in
quātū includit in se primo:prout infra declarabitur:sicut in creaturis recipit esse cōpositum
& in esse constituitur & a materia & a forma. Si primo modo,bene verū est q̄ ad illa consequit
idētitas:qua.s.quātitas aut qualitas vna,dicit eadem numero:& plures quantitates aut plures
qualitates dicunt eędē specie aut genere:prout tangit in argumeto:sed in ista cōparatione non
cōsiderant in ordine ad substātiam.Propter q̄d licet scḋm ista cōparationem idētitate denomi
nātur quātitates aut qualitates scḋm se:non sequitur tn̄ q̄ scḋm talem idētitatem denominēt
subiecta habentia illas in se.de quorum subiectorū habitudine per relationes cōmunes funda
tas in illis aut in eis quę habētur in illis:siue vt perficientia in esse:siue in bene esse , est hic ser
mo.Si ergo secūdo modo cōsideretur comparatio quātitatis & qualitatis.s.i ordine ad sua sub
iecta:dico q̄ ad cōmunionē quātitatis aut qualitatis siue scḋm numerū,fiue scḋm specie , siue
scḋm genus:nunq̄ sequitur habitudo idētitatis:sed solū modo ęqualitatis scḋm cōmunionem

quätitatis:quia propriú eius eſt,ſcäm eam equale vel inequale dici:& ſimilitudinis ſcäm com=
munione qualitatis:quia proprium eius eſt,ſcäm eam ſimile vel diſſimile dici:vt vult Pĥus in
prędicamétis.Et ideo ſicut a cõmunione ſubſtätię habetur vnus modus relatiõis cõmunis que
dicitur idétitas:ſic a cõmunione quantitatis habeť alius qui dicitur equalitas, & a cõmunione
qualitatis tertius:qui dicitur ſimilitudo.Et ſunt ad minus tres modi iſti relationú cõmunium
in illis in quibus habent eſſe: ſubſtantia quantitas & qualitas, ſiue in diuinis ſiue in creaturis.

P

Sed quod arguitur qᵱ ab vnitate numerali quantitatis aut qualitatis in diuinis nõ habeť niſi
idétitas:ergo nec in creaturis ab idétitate ſcäm ſpeciem,aut ſcäm genus : Dico qᵱ illud falſum
eſt in diuinis , & etiä falſum eſt hoc cõcluſum ex illo in creaturis:quia nec in deo nec in creatu
ris ſequitur idétitas aliqua ex quätitate aut qualitate inquätum habeť rationé quätitatis aut
qualitatis.Qd ergo ad probationé illius in diuinis dicíť:qᵱ tanta eſt vnitas numeralis quätita=
tis aut qualitatis in diuinis pſonis quäta eſt ſubſtätię:dico qᵱ verum eſt , & qᵱ cú hoc etiä verú
eſt qᵱ idcirco etiam nõ ſcäm rationé maioris vnitatis debeť referri inter ſe diuinę perſonę ſcäm

Q

ſubſtantiä q̄ ſcäm quätitatem aut ſcäm qualitaté.Qd auté aſſumitur vlterius,qᵱ ſcäm ratio
né maioris vnitatis referanť inter ſe quę referunť ſcäm idétitatem q̄ quę referuntur ſcäm equa
litatem aut ſimilitudiné:dico qᵱ non eſt verú quädo referuntur equalitas aut ſimilitudo a tan
ta vnitate in quätitate & qualitate,a quäta vnitate ſumitur idétitas: vt cõtingit in diuinis,in
quibus idétitas,equalitas,& ſimilitudo ſumuntur ab vnitate numerali ſubſtantię,quätitatis,&
qualitatis,& etiam in creaturis quo ad equalitaté & ſimilitudiné ſubſtantiales & idétitaté ſecú
do modo idétitatis inferius diſtinguędę . In diuinis enim in quibus ſumuntur idétitas,equali=
tas,& ſimilitudo ab vnitate numerali ſubſtätię quätitatis & qualitatis,non eſt maioris vnitatis
perſonas eſſe eaſdem q̄ ipſas eſſe equales aut ſimiles.Similiter in creaturis in quibus ſumiť idé=
titas ſecúdo modo dicta ab vnitate ſpeciei aut generis,& ſimiliter equalitas & ſimilitudo ſub=
ſtantiales:vt inferius declarabitur: non eſt maioris vnitatis aliqua eſſe eadem: puta Petrum &
Paulum in humanitate , q̄ eos eſſe in humanitate equales aut ſimiles: ſed tunc ſolummodo ve
rum eſt,qᵱ ſcäm rationem maioris vnitatis referuntur inter ſe quæ referuntur ſcäm idétita=
tem,q̄ q̄ referuťur ſcäm equalitaté aut ſimilitudinem:quoniä equalitas & ſimilitudo nõ ſumů
tur a tanta vnitate in quätitate & qualitate a quanta vnitate ſumitur idétitas:vt contingit in
creaturis quo ad equalitaté & ſimilitudiné ſiue ſubſtantiales ſiue accidétales,& idétitatem pri
mo modo dictam:in quibus equalitas aut ſimilitudo nunq̄ accipiunť ab vnitate numerali quä
titatis aut qualitatis.Immo ſicut equalia & ſimilia neceſſario ſunt diuerſa ſcäm rem:quia nihil
ſibiipſi eſt equale aut ſimile,ſicut infra patebit:ſic alia & alia quätitas eſt ſcäm quas dicuntur
equales,& alia & alia qualitas ſcäm quas dicuť ſimiles:prout ſimiliter infra declarabíť.Idétita
te auté primo modo idétitatis:qua,ſ.aliquid dicíť idem ſibiipſi:bene accidit ab vnitate ſubſtan
tię numerali in creaturis eſſe maioris vnitatis pſonas aliquas eſſe eaſdem q̄ equales aut ſimiles:
ſicut in exemplo de Io.ix.Illi enim qui demonſtrato cęco prius dicebant de illuminato,nequaq̄
eſt hic ſed ſimilis illi,intendebät per ſimilitudiné illam excludere idétitatem.quaſi diceret:ſimi
lis eſt illi , ſed nõ idem. Sed poſtq̄ ſcäm veritaté vna pſona erat prius cęca:& poſtea illuminata
nõ erat ſimilis ſed eadé,nõ ſolú in ſubſtätia:ſed etiä i pſonalitate. quo ad hoc eñ nulla eſt diffe
rétia in creaturis.Quęcúq̄ eñ pſona creata eſt eadé alteri i ſubſtätia,eſt eadé alteri in pſonalita
te:quia in creaturis idem numero nõ diuerſificatur niſi noie & definitiõe,pprio & accidéte:vt
dicitur in Topicis.& in ppoſito diuerſa erat ſolo accidéte perſona prius cęca & poſtea illumi=
nata:licet quo ad illud magna ſit differentia in diuinis:quia in diuinis vna pſona bene eſt eadé
alteri in ſubſtantia:& hoc ſecundo modo idétitatis, quo nõ eſt aliquis vel aliquid idem ſibiipſi
ſed alteri tm̄:licet nulla ſit eadem alteri in perſonalitate.Sic enim non eſt perſona eadem niſi ſi=
biipſi.& hoc primo modo idétitatis.Propter qd ſimilitudo in diuinis excludit idétitatem in p=
ſona:ſed non in ſubſtantia.Et iuxta aſſuetudinem noſtram circa creaturas in intelligendo eadé
equalia & ſimilia ſcäm rationem maioris & minoris vnitatis,non tanta occurrit prima fronte
animo noſtro vnitatis perceptio inter perſonas etiä diuinas quädo dicitur equales aut ſimiles,
ſicut quando dicuntur eſſe eędem.Et ſic non ſolum in creaturis ſed etiä in diuinis ſicut ab vni
tate ſubſtantię habetur idétitas,& non niſi idétitas:ſic ab vnitate quätitatis habetur equalitas
& non niſi equalitas:& ab vnitate qualitatis ſimilitudo & non niſi ſimilitudo , non obſtante qᵱ
tanta eſt vnitas numeralis in deo quantitatis & qualitatis,quanta eſt ſubſtantię: licet propter
hoc alio modo habeant eſſe & differenter idétitas, æqualitas,& ſimilitudo in deo & in creatu=
ris,ſicut infra patebit.Verútamen quia propter vniformé vnitatem in deo numeralem ſubſtä=

tiæ quantitatis & qualitatis tres perſonæ ſicut ſunt vnum in ſubſtantia & vna ſubſtantia: ſic ſunt vnum in quantitate & vna quantitas: puta magnitudo : & vnum in qualitate,
& vna qualitas: puta ſapientia. Et etiam quia vna res ſingularis ſunt in deo ſubſtantia, quan
titas, & qualitas : ideo aliqui putauerunt ɋ in deo idem penitus & eadem relatio eſſent idetitas, æqualitas, & ſimilitudo, aut omnino conformes: ita ɋ illud qđ de vna illarum dicitur
de aliis intelligatur. Propter qđ (vt putatur) Magiſter in ſentẽtiis, & Magiſtri in ſcriptis ſuis
diſputant aliqua de æqualitate : modicam autem aut nullam mentionem faciunt de idẽtitate aut ſimilitudine , dantes intelligi de idẽtitate & ſimilitudine illa quæ determinant de
æqualitate: licet magna diuerſitas ſit inter hoc tam in diuinis ɋ in creaturis, maxime idẽtitatis ad æqualitatem & ſimilitudinẽ: que magis inter ſe conueniunt tam in diuinis ɋ in crea
turis, ɋ identitas conueniat cum illis ambabus , vel cum altera illarum, ſecundum ɋ hæc
omnia patebunt inferius. Et ɋ tres perſona (vt dictũ eſt) ſicut ſunt vna ſubſtantia, & vnum
in ſubſtantia : ſic ſunt vnum in quantitate & qualitate , & vna quantitas atɋ vna qualitas:
hoc pertinet ad primam comparationem quantitatis & qualitatis prædictam. Vnde & propter hoc tres perſonæ bene dicuntur eſſe idem in quantitate & eadem quantitas, & idem in
qualitate ſicut & eadẽ qualitas: queadmodũ dicunt eſſe idem in ſubſtãtia & eadẽ ſubſtãtia.
Sed de hoc nihil ad æqualitatẽ & ſimilitudinẽ: ɋ ſcilicet in diuinis debeant eſſe eadem relatio communis cum identitate, & hoc ideo, quia ſequuntur quantitatem & qualitatem ſecun
dum aliã earum cõparationem : vt dictum eſt. De hoc etiam nihil ad propoſitum , ɋ ſcilicet
idem re ſint & vnum in diuinis ſubſtantia quantitas & qualitas . Hoc enim non facit niſi ad
hoc ɋ idẽtitas & æqualitas atɋ ſimilitudo differant in diuinis ſecundum rationem, cum ta
men in creaturis differant ſecundum rem: vt infra patebit. Sed nihil facit hoc ad differẽtiã
ſecundum formam & ſpeciem rationis inquãtum ſunt relationes ſecundum rationem, ſicut
in creaturis differunt ſecundum formam & ſpeciem rei: inquantum ſunt relationes ſecundũ
rem: ſcđm ɋ etiam infra patebit. ℂPer hoc patet ad ſecundum. Cum arguitur, non eſt cõmu
ne abſolutum in deo ſuper qđ fundetur communis relatio niſi ſubſtãtia: dico ɋ verum eſt ſe
cundum rem differens a ſubſtantia. Sunt tamen in ipſo quantitas & qualitas abſoluta quædam differentia a ſubſtantia ſcđm rationem, ſecundũ ſuperius determinata. Et ideo relationes communes fundatẹ ſuper illas ſunt diuerſẹ ſecundum rationem, ab illa quæ fundatur ſu
per ſubſtantiam: licet non ſecundũ rem ab illa differant: & licet ſolummodo differant per ra
tionem, nihil minus tamen differunt ſecundum formam & ſpeciem: vt iam dictum eſt.

R
Ad ſecũdũ

Irca tertium arguitur ɋ nõ ſunt neɋ in diuinis neɋ in creaturis tm tria
genera relationum cõmunium: ſed aut plura, aut pauciora, Primo ſic. Relationes cõmunes ſequuntur vnum & multa: quæ ſunt prima oppoſita di
uidentia ens & principia prima relationum cõmunium: vt infra declarabi
tur. Vnum autem inquantum vnum, non eſt principium niſi vnius: quare ad vnũ non ſequit niſi vnũ genus relationis cõmunis. Quare cum relatio quæ ſequitur multum opponit relationi quæ ſequitur vnum, & tantũ vnum vni opponit: tantum ergo vnum genus relationis ſequitur vnum : & tantũ vnum ſequitur multum.
Nõ ergo ſunt amplius ɋ duo genera relationũ cõmunium tam in diuinis ɋ in creaturis. aut
ſi duo vel tria aut plura talium relationum ſequuntur vnum , etiam totidem ſequunt multum: quia ad plurificationem vnius oppoſitorum ſequit plurificatio alterius. & ſic aut erunt
tm duo genera relationum communium, aut erunt plura tribus. ℂSecundo ſic. Cum relatio
nes communes ſequatur vnum & multum, & vnũ & multum quia diuidunt totum ens, inueniuntur in quolibet prẹdicamento: quare cum in creaturis ſint decem prẹdicamenta: in di
uinis autem duo ſecundum ſuperius determinata: in creaturis ergo erunt decem genera relationum communium ſequentium vnum & multum in decem prẹdicamentis: & in diuinis
duo tm ſequentium vnum in duobus prẹdicamentis. quare erunt plures numero modi ſiue
genera relationum communium ɋ tres in creaturis & in diuinis: aut tm duo : quorum vnũ
ſequitur vnum in ſubſtantia, & aliud multum in relatione: aut plura duobus: quia cum vnũ
ſit in relatione ſicut & in ſubſtantia, ſi tria genera relationum cõmunium ſequuntur vnum
in ſubſtantia: ad minus vnum genus relationum communium ſequetur vnum in relatione:
& aliud multum in relatione. cũ multẹ & diuerſe relationes ſint in diuinis: licet tm vna ſubſtantia. ℂTertio arguitur idem ſpecialiter in diuinis. ſic. Si eſſent in diuinis plures patres aut

S
Queſt. III.
Argu.

1

2

3

plures filii,patres illi paternitate essent æquales aut similes:& similiter filii illi filiatione. Sed qua ratione vnus pater esset tunc æqualis aut similis alteri,aut filius filio, eadē ratione nc̄ cum non est nisi vnus pater & vnus filius in diuinis:filius est inæqualis aut dissimilis patri. & sic in diuinis si ex parte substantię est tm̄ vnus modus relationis communis,cum similiter vnus sit ex parte relationis:tm̄ duo erunt.aut si pręter vnum scilicet modum idētitatis qui fundatur in substantia,sint alii duo,scilicet æqualitatis & similitudinis fundati in quantitate & qualitate,erunt plures q̄ tres. ☙Q̄z autem patres plures aut filii si essent in diuinis essent

**Probatio.** æquales: probatur per Augustinum.v.de trinitate in responsione ad questionem qua quæritur scd̄m quid sit æqualis filius patri,an scilicet secundum id q̄d ad se dicitur, an scd̄m id q̄d ad patrem dicitur.Sic enim dicit.Nō scd̄m id q̄d ad patrem dicitur:qm̄ ad patrem filius dicitur.Ille autem non est filius sed pater est,quia ergo filius non relatiue ad filium dicitur: sed ad patrem:non secundum hoc q̄d ad patrē dicitur,æqualis erit filius patri.per q̄d(vt videtur )innuit q̄ si duo essent in deitate filii,æqualis posset dici vnus alteri secundum q̄ ambo sunt filii,& eadem ratione similes:tum quia in diuinis non est æqualitas sine similitudine tum quia confimilis questio illi quam format de æqualitate, posset formari de similitudine.

**4** ☙Quarto sic.Vis spiratiua eadem & æqualis & similis est in patre & filio,quare ipsa est relatio communis,aut secundum illam pater & filius referentur inuicem relatione aliqua communi,sicut secundum substantiam,quantitatem,aut qualitatem referuntur relatione identitatis,æqualitatis,aut similitudinis:vt super illam fundetur relatio identitatis quia communis est duabus personis,sicut super substantiam,quantitatem, aut qualitatem quia communis est tribus personis.Iste autem modus est pręter illos tres qui in diuinis fundantur super

**5** substantiam quantitatem & qualitatē:ergo &c̄. ☙Quinto sic.q̄d est dignitatis simpliciter in creaturis,sentiendum est esse in diuinis:licet modo eminentiori secundū superius determinata.amicitia societatis & alię relationes cōsimiles sunt relationes communes in creaturis pręter dictas tres consuetas poni in illis,& sunt dignitatis simpliciter: ergo sentire debemus q̄

**In opposi.** inueniantur in diuinis,& sic sunt plures q̄ tres tam in diuinis q̄ in creaturis : vt prius. ☙In contrarium est q̄ relatio communis non fundatur nisi super prędicamenta absoluta communiter cōmunicata a relatis:quæ non sunt nisi tria,substantia,quantitas,& qualitas,secūdum iā dicta. super relationē em̄ non fundatur relatio:vt iam dicetur.secundū fundamēta autem distinguuntur relationes communes:vt infra dicetur:ergo &c̄.Hinc Philosophus loquēs de relationibus cōmunibus dicit in.v.Metaphysicę. Eadem sunt quorum substātia est vna& similia quorum qualitas est vna:& equalia quorum quantitas est vna.

**T** **Responsio.** ☙Dico secundū iam tacta in duabus questionibus pręcedentibus,q̄ cum communio pluriū in aliquo vno absoluto sit per se prima ratio cōmunis habitudinis siue relationis illorum adinuicem:plura autem absoluta nec in diuinis secundum rationem, nec in creaturis secundum rem possunt inueniri q̄ tria,scilicet substantia,quantitas,& qualitas:Idcirco simpliciter & breuiter dico q̄ nec in diuinis nec in creaturis possunt esse plures relatiōes cōmunes q̄ tres:& q̄ tot sunt in eis:& sic tm̄ tres:scilicet idētitas,equalitas,& similitudo.Quę dico comprehendendo cum illis contraria eorum:quæ sunt diuersitas,inequalitas,& dissimilitudo.Qualiter autem habent fundari relationes cōmunes in solis illis tribus prędicamētis & causari ab vno & multo:de hoc erit sermo inferius.Et secundū hoc ergo concedēda est vltima ratio ad istam partem adducta.

**V** **Ad primū in opposi.** ☙Ad primum in oppositum q̄ ad vnum quod est principium relationum cōmunium,non sequitur nisi vnum,neq̄ similiter ad eius oppositum quod est multum , & sic tm̄ duæ erunt relationes communes : Dico q̄ cum dicitur , ad vnum non sequitur nisi vnum,verum est inquātum est vnum.Vnde si res absoluta in diuinis esset vna ratione sicut est vna re:si ab illa procederet relatio aliqua,non procederet ab illa nisi vna relatio, & hoc in vno extremo relatorū,ita q̄ nulla esset in alio,q̄d tm̄ esset impossibile tū quia relatiōis esse est ad aliud se habere:tū quia non sequitur communis relatio ad vnum , nisi secundum q̄ illud vnum est plurium re vel ratione,secundum q̄ infra declarabitur.Nunc autem quia res ipsa absoluta super quā fundatur relatio cōmunis in diuinis,nō est vnica ratione licet sit vna re: sed plures est ratione,scilicet secundum rationem potentię actiuę & passiuę:& similiter scd̄m rationem substantię quantitatis & qualitatis: ideo inquātum plures est ratione secundū rationem potentię actiuę & passiuę:est origo plurium relationū notionalium personalium,quę

ſunt generare & generari:ſpirare & ſpirati:& inquantum eſt plures ratione ſcdm ratione ſubſtantię quątitatis & qualitatis,eſt origo pluriū relationū cōmuniū pſonarū, quę ſunt idétitas,
æqualitas,& ſimilitudo.In diuinis auté quia in abſoluto ſupra qd ſolū nata eſt fundari relatio
cōmunis, nec eſt multū nec multa ſcdm rem,ideo nulla relationū quę natę ſunt ſequi ex multo,inuenitur in diuinis : quia non ſequitur niſi ad multum ſcdm rem . In creaturis autem vbi
diuerſa ſunt re in diuerſis.ſ.ſubſtátia,quątitas,& qualitas,non eſt mirū ſi ad illa ſequunt ſcdm
ratione vnius relationes cōmunes diuerſę.ſ.idétitas,æqualitas,& ſimilitudo,& contraria illorū
ſcdm ratione multi.ſ.diuerſitas,inæqualitas,& diſſimilitudo,ſcdm modū inferius exponendū.
CQd vero implicatur in argumēto,cp ad plurificatióne vnius oppoſitorū ſequitur plurificatio
alterius:patet reſponſio ex dictis in pcedenti queſtione:quia hoc nō tenet in diuinis:quia in illis alterū oppoſitorū naturaliter ineſt. CAd ſecundū, cp relationes cōmunes ſequunt vnum &
multū,quę reperiunt in quolibet pdicamento:quorū noue inueniunt in creaturis,& duo tm in
diuinis:Dico cp hoc verū eſt ſcdm modū inferius exponendū.Et qd ex hoc cōcludendo ſubiun
git,quare in creaturis erūt relationes cōmunes ſequétes vnum & multū in quolibet pdicamē-
to:Dico cp verum eſt:non tm ex hoc ſequit cp ſint plures relatiōes cōmunes ſcdm genus cj res
in creaturis:quia ſup ſeptem pdicamenta accidentiū reſpectus importátia nō fundatur relatio
prout illa cōparant ad ſubiectū:qua quidé relatione ipſum ſubiectum relatū habeat referri: ſicut fundat relatio ſuper quantitaté & qualitaté prout cōparárur ad ſubiectū : qua quidé relatione ipſa ſubiecta qualia & quáta referunt inter ſe:ſed ſup illa ſeptē pdicamēta ſolūmodo fun
datur relatio ſcdm cp ea quę in illis pdicamentis ſunt,cōparant inter ſe. Et ſcdm talem cōpara
tione oia pdicamenta accidentiū habét rationé ſubſtátię:& ad vnū & multa in illis nō ſequunt
niſi idem & diuerſum:ſicut nō niſi illa ſequunt ad ea quę ſunt in pdicamēto ſubſtátię.Et ſic ne
quaq̈ ſcdm illa ſeptem pdicamēta diſtinguuntur relationes cōmunes: ſed ſolūmodo ſcdm tria
prędicamēta abſoluta, ſcdm cp omnia hæc declarabunt inferius.CQ, vero ſubditur cōcluden
do in diuinis:cp cū in diuinis ſint tm duo pdicamēta,ergo erūt tm duę relatiōes cōmunes:qua
tū vna ſequitur vnū in ſubſtátia,& alia ſequit vnū in relatione,& hoc ſi in diuinis relatio com
munis ſequitur tm ad vnū: Dico cp cj uis in diuinis ſit vnū ſubſtantię & vnū relatiōis: ad ſolū
tm vnū ſubſtátię,inquatum ratione quantitatis & qualitatis in ſe cōtinet v̄ dictum eſt,& amplius declarabit in ſequétibus,ſequunt relationes cōmunes:nō auté ad vnum relationis inquā
tum relatio eſt.quia(vt dictū eſt )ad vnū non ſequitur relatio cōmunis niſi vt illud eſt pluriū:
nulla auté relatio perſonę conſtitutiua,eſt plurium.Idcirco ergo patet cp ſcdm vnū in illa nul
la ſequit relatio cōmunis.Si ergo ſcdm aliqua relatione vnā notionalé ſequat relatio cōmunis:
hoc non eſt niſi ſcdm cōmune ſpiratióne actiuā,quę eſt relatio patris & filii:qd tągit quartū ar
gumentū:ſuper quá tm nulla fundari poteſt relatio cōmunis:quia illa cōmunis ſpiratio nec eſt
nec relatio eſt nec vna eſt niſi ex eo cp duorum eſt: vt ſupra declaratū eſt. & per hoc alio modo
in illa eſt cōmunio,cj i illo ſup quo debet fundari,aut ad qd debet ſequi cōmunis relatio.Id eñ
ſup qd fundatur cōmunis relatio,ſic debet eſſe vnū plurium:vt in ſingulo illo꜠ vt ſingulū eſt,
habeat eſſe,& eſſe vnū:quéadmodum ſubſtantia,quątitas, & qualitas habét eſſe in diuinis perſonis idem numero,& in diuerſis perſonis creatis eadé ſpecie.Non ſic auté habet eſſe relatio ſpi
rationis actiuę in patre & filio:ſed ſolūmodo in ambobus,& ambo ſunt vnū ſpirandi principiū
& vt in pari volūtate concordes ſunt,& ſunt duo ſpiratores,ſcdm cp ſupra eſt expoſitū,& amplius exponetur inferius.Propter qd licet ad vnū ſcdm ſubſtantiā.quątitatem,aut qualitatem
in tribus pſonis ſequat relatio cōmunis:nequaq̈ tm ad vnū ſin ſpiratione actiua cōmuni. & hoc
etiā ſi ipſa vis ſpirādi actiua eſt quid abſolutū,ſicut eſt ipſa volūtas concors.Sup tale eñ abſolutū poteſt fundari relatio illorū cuius eſt ſimul ad alterū ab ambobus:nequaq̈ tm ipſorū adin-
uicé.Quapropter cū huiuſmodi ſpiratio actiua ſit relatio quædā:multo miñ poteſt ſup ipſam
fundari relatio cōis: quia ſup relatione inquantū relatio eſt,nō pōt fundari alteri꜠ cj ſit illa,ſcdm cp inferi꜠ declarabit. CQd vero i argumēto tągit vltio de multo i diuinis, cp videlicet
ad ipm debet ſeq aliqua relatio cōis:Dico cp ex hoc nihil argui pōt niſi cp ſicut i diuinis ex vnitate ſubſtátię in trib꜠ pſonis ſequit idétitas,& ex vnitate quątitatis in eiſdem ſequitur æqualī-
tas , atq̈ ex vnitate qualitatis in eiſdem ſequit ſimilitudo, ſic a multo qd eſt in perſonis,ſequa-
tur vna relatio communis:puta qua vna perſona ſaltem dicatur altera ab altera . Sicut enim
quælibet illarum dicitur eadé æqualis & ſimilis alteri propter vnitaté ſubſtátię, quątitatis, &
qualitatis i eiſdé: ſic( vt videt )q̈libet illarū dicit altera ab altera ppter diuerſitaté ſeu alietaté
pſonaliū ppriꝓetatū,iuxta illud qd dicit i ſymbolo Athanaſii.Alia é pſona pris:aſia é filii pſona:

X
Ad ſecūdū

Y

alia eſt perſona ſpiritus ſanctí. Aliud autē relatiuum diuerſitatis eſt,quæ relatio cōmunis eſt. Et dico ad hoc : φ diuerſitas ſiue alietas quæ eſt vel poteſt eſſe in diuinis perſonis ex relatio= nibus propriis conſtitutiuis illarum perſonarum,non eſt relatio alia ſecundum ſpeciem aut ge nus rei vel rationis ab illis relationibus quibus conſtituuntur ipſę perſonæ. Alietas enim in di uinis qua pater eſt alius a filio , non eſt relatio alia q̃ ipſa paternitas eius, & econuerſo alietas qua filius eſt alíus a patre , non eſt aliud ſiue alia relatio q̃ ipſa filiatio eius. Et ſimiliter relatio ſecundum quā ambo ſunt aliæ perſonæ a ſpiritu ſancto,non eſt alia q̃ ſpiratio eorum actiua:& relatio qua ſpiritus ſanctus eſt alius ab ambobus:non eſt alia q̃ eius ſpiratio paſſiua.Vt ſecūdū hoc alteritas diuinarum perſonarum inter ſe:non ſit aliud q̃ diſtinctio earum ſuis proprietati= bus perſonalibus:qua contra Sabellianos tollit perſonarum confuſio ſecundum perſonalem idē titatem,ſicut econtra idétitas diuinarum perſonarum inter ſe non eſt aliud q̃ communio earū in ſubſtantiæ vnitate,qua contra Arrianos tollitur perſonarū diuiſio abinuicem ſecundū ſub= ſtantialem diuerſitatem.Et hoc contingit vniuerſaliter in relationibus fundatis ſuper relatio= nes,φ ſcilicet non differunt ſecundum genus & ſpeciem relationis ab illis ſuper quas fundan= tur:puta cum in diuinis inter patrem & filium ſit relatio oppoſitionis quæ fundatur ſuper pa ternitatem & filiationem:licet oppoſitio ſit relationis cōmunis ſecundū nomen:nō tamen ſecū dum rem aut nomen rationis differens ab illis ſuper quas fundatur:quia vt eſt patris ad filium non differt a paternitate:& vt eſt filii ad patrem,non differt a filiatione.Nunc autē relatio cō=

**Z**
**Ad tertiū.**
munis a ſuo fundamento debet differre in forma relationis,aut vt relatio vna ab alia relatione: aut vt relatio a nō relatiōe.⸿Ad tertiū φ ſi in diuinis eſſent plures patres,aut plures filii,eēnt æquales aut ſimiles per relationes huiuſmodi communes & conformes:quare pater & filius in ter ſe propter relationes difformes ſcdm illas ſunt inæquales aut diſſimiles: Dico ſecundum φ dicit Magiſter primo ſenten.diſtin.xxxi. Non ſecundū φ filius eſt genitus a patre, æqualis vel inæqualis eſt patri:nec ſimilis vel diſſimilis.& hoc quia ſecundum illam relationem non eſt na tus dici talis vel talis:ſicut lapis nec eſt vides nec cęcus:quia neutrum natus eſt eſſe.Sed ſi per impoſſibile ponantur eſſe plures patres aut plures filii in diuinis,ſicut ſunt in creaturis : puto eſſe diſtinguēdum. Quia ſi huiuſmodi relationes conſiderentur in ordine ad ſubiectū vel ſub= iecta in quibus ſunt & quæ referunt, ſic dico φ omnis relatio communis quæ poſſit poni fun= dari ſuper illas relationes,ſiue fuerit conformis,qualis eſſet duorum patrum inter ſe,aut duo= rum filiorum:ſiue difformis,qualis eſſet filii ad patrē:neceſſario eſſet in vtroqȝ extremo eiuſdē generis cum illis ſuper quas fundatur,differens ab illis ſola ratione:vt iam dictum eſt de alie= tate inter perſonas diuinas.Si vero conſiderentur in ordine quē habent inter ſe ſub genere re= lationis:tunc ſi idétitas,ęqualitas,& ſimilitudo, aut contraria horum intelligantur fundari ſu per hmōi relationes:hoc non eſſet niſi ſcdm modū quo ſingula in ſuis generibus habēt rationē ſubſtātię.Et ſic ſe habēt in creaturis inter ſe duę paternitates,& ſimiliter duę filiationes funda tę ſup potērias actiuas & paſſiuas in eadē ſpecie ſpecialiſſima,ſicut differētia numero ſub eadē ſpecie. Quęlibet eīm paternitas ſup potentiā actiuā fundat:& q̃libet filiatio ſup potētiā paſſiuā. quæ potentię ſub eadem ſpecie ſpecialiſſima ſubſtantiæ:puta hoſs,videntur plus differre q̃ di uerſę potentię ſecundum ſpecies ſpecialiſſimas in genere potentię,licet forte diuerſę ſint ſecun dum ſpeciem potentiæ actiuę & ſimiliter paſſiuę quæ ſunt in diuerſis ſpeciebus ſpecialiſſimis ſubſtantiæ:puta in homine,ęquo, & aſino.Et ſecūdum hoc diuerſę ſpecies etiam paternitatum & filiationum in illis & in eiſdem ſecundum ſpeciem ſpecialiſſimam ſunt diuerſæ paternita= tes predictę ſpeciei inter ſe,& ſimiliter diuerſæ filiationes.Et ſic quemadmodum duo homines ſunt iidem & æquales & ſimiles ſecundum ſpeciem humanam:ſic & duæ paternitates & duæ filiationes in hominibus.& ita ſicut homo & equus diuerſi,inæquales,aut diſſimiles ſecūdum ſpeciem,ſic & paternitas in homine & equo,& ſimiliter filiatio.Q̃d bene poſſibile eſt in creatu ris , eo φ in illis eſt ratio vniuerſalis & particularis , & ſub vno ſpecie plurificato per indiui= dua vt accipere vnum numero:ſed nequaq̃ poteſt poni in diuinis : quia in illis non inuenitur ratio particularis nec vniuerſalis.Propter quod ſi duæ eſſent filiationes in diuinis : non eſſent ęędem ſpecie,& per conſequēs nec genere,nec numero,nec etiam eſſent æquales nec ſimiles idē titate,æqualitate,& ſimilitudine,quæ nata eſt eſſe in eadē ſpecie.ſ.ſubſtātiali . Et ſimiliter cum modo ſunt in diuinis paternitas & filiatio,nec ſunt eędē numero,nec ſpecie,nec genere,nec di uerſę igir,nec aliquid ſecundū iſta diuerſum eſt ab altero numero,ſpecie,aut genere: licet ſint quaſi indiuidua diuerſarum ſpecierum: vt alias dixi . Et contingit illud : quia non ſunt nata

esse talia:nec aliqui vel aliqua nata sunt talia.f.eadem æqualia vel similia dici scdm illa:quia cu
inter se opponuntur,necessario est alietas inter patrem & filiu:similiter inter paternitatê & filia∘
tionem:& si essent in diuinis duo patres aut duo filii,esset inter illos alietas disparationis tm.
℺Qd arguitur ex dictis August.non secundu id qd ad patrem dicitur,filius est equalis patri:
quonia ad patrem filius dicitur:ille autê non filius est sed pater:ergo si pater esset filius,& eent

A
Ad prob.
August.

duo filii in deitate : æquales dicerentur in eo ɋ ambo essent filii & eadem ratione similes:Dico
ɋ conclusio bene sequeretur ex dicto Augustini,si tota causa quare filius non est æqualis patri
scdm id ɋ fili⁹ dicit ad patre:esset ɋ pater nõ est filius:sed pr tm.Si em ita esset,tuc bene seque
retur ɋ si pater esset filius, & essent duo filii in deitate,& vnus illoru esset simul pater & filius
ɋ filius esset æqualis patri ex hoc ɋ esset filius,sicut est pater:quia in eis quæ sunt per se,quoꝗ
vnum est tota causa alterius,si oppositum est causa oppositi,& propositum ꝓpositi.Et sic bene
verum est ɋ filius scdm ɋ dicitur ad patre,esset equalis patri,inquatum pater est filius:& eco∘
uerso esset inequalisilli secundu ɋ est pater.Sed illud nõ est tota causa illius:sed pars causæ tm.
Ad hoc em ɋ scdm aliquid fundamêtaliter sit côis relatio equalitatis aut silitudinis aut idêtita
tis diuersorum re aut supposito,causa est vna in oibus, & complexa ex duabus partib⁹. Quaru
vna est ɋ sit aliquid idem & vnu in amboꝛ⁹. Altera ɋ illud sit aliquid absolutum. Ergo ɋ fili⁹
non dicat equalis patri secundu ɋ ad patre dicit,quia pater non est filius: veru est:quia deficit
vna pars causæ quę requirit ad equalitatem:& vniuersaliter ad relationê cômune.f.ɋ nõ est ali∘
quid idem & vnu in ambobus.Sed si pater esset filius:tuc impleta esset ista pars causæ:esset em
filiatio vnum in illis:deficeret tamen alia:quia scilicet ille filiationes non possent esse fundamen
ta relationum cômunium,eo ɋ relationes sunt & non absoluta:vt dictum est.Et ideo August.
per hoc qd dicit in suo argumêto, bene innuit ɋ si pater esset filius,& duo essent in deitate filii:
magis accederent duo filii ad equalitatem ꝗ pater & filius:vt videlicet potius filius posset di∘
ci æqualis patri secundu id qd ad patrem dicitur si pater esset filius,ꝗ si alter illorum tm esset
filius.& hoc quia tunc saltem esset aliquid cômune ambobus inquatu essent filii , non sic autê
si pater non esset filius:quia equalitas requirit fundamentum cômune.Et sic pater & filius po∘
tius deberent dici equales scdm ɋ sunt duo filii,ꝗ scdm ɋ sunt pater & filius.Nequaꝗ autê in
sinuat per illud ɋ sint æquales nisi minus perfecte intelligentibus naturam æqualitatis. Et id∘
circo simpliciter tenendum est ɋ pater & filius fundamentaliter scdm paternitatê & filiatio
nem nequaꝗ sunt iidem nec equales nec similes:similiter nec duo filii aut duo patres tam in di
uinis ꝗ in creaturis.& hoc quia relationes cômunes non fundantur,nisi super vnum absolutu
existens in diuersis.Etiã scdm duas filiationes aut duas paternitates(si essent in illis)nõ iidem
dicerentur,aut similes,aut æquales:quia illis non referuntur inter se:vt dictum est supra.℺Et

P

tamen aduertendum est ɋ in diuinis relatio quæ est inter patrem & filiu, magis conformis est
relationi diuersitatis ꝗ idêtitatis: & etiã plus relationi diuersitatis & idêtitatis ꝗ inæqualita∘
tis aut dissimilitudinis:& plus relationi idêtitatis ꝗ æqualitatis aut similitudinis:& ɋ confor∘
mitas inter duos patres aut duos filios magis conformis est idêtitati aut diuersitati ꝗ inequali
ti aut æqualitati aut similitudini aut dissimilitudini.& hoc propter eandem causam.Quia em
relationes istæ fundantur super potentias actiuas & passiuas ꝗ super proxima sua princi∘
pia fundamentalia:potentia autem actiua & passiua in diuinis potius nominant sub ratione re
spectus cuiusdam naturam diuinam vt est substantia ꝗ vt quantitas aut qualitas:vt ideo sub∘
stantia sit poti⁹ fundamentum remotum dictarum relationum ꝗ quantitas aut qualitas:pro∘
pter quod licet ratione fundamêti remoti qd est substantia vna singularis,relationes paternita
tis & filiationis comparatæ inter se potius conformantur relationi idêtitatis,& est inter patrê
& filium quasi eiusdem ad seipsum relatio:vt dicit Boethius sicut exposuimus in.xiiii.Quoli∘
bet,in quæstione de relatione actiui ad passiuum in volûtate:Tamen ratione fundamentorum
proximorum quæ sunt potentiæ diuinæ: secundum rationem actiui & passiui potius confor∘
mantur relationi diuersitatis.Et est inter patrem & filium quasi relatio diuersi ad diuersum,ꝗ
diuersitas explicatur nomine alietatis:cum dicitur: alius pater , alius filius, eo ɋ non est pro∘
prie diuersitas sicut nec proprie idêtitas secundum illas relationes. Quia vero duę paternita∘
tes super potentias actiuas fundantur, & duæ filiationes super potentias passiuas , & potentia
actiua plus differt a potentia passiua ꝗ vna potentia passiua ab alia potentia passiua : aut vna
potentia actiua ab alia actiua:ideo maior est idêtitas in eadem substantia inter duos patres aut
duos filios habêdo aspectu ad fundamêta pxima,ꝗ inter patrê & filium.Et habêdo respêctu ad illa
inter duos patres aut duos filios est ꝗfi idêtitas fm specie,& diuersitas fm nûeru:licet i diuinis

ratione fundamēti remoti qd est substātia,esset idētitas scdm numerum.& ideo esset inter illos si essent in diuinis,plus relatio idētitatis q̄ diuersitatis,& plus q̄ æqualitatis aut similitudinis. vt scdm hoc pater & filius in diuinis potius dici deberēt scdm paternitatē & filiatione diuersē personę q̄ equales aut similes: & similiter duo patres aut duo filii scdm paternitates aut filiationes eędem psonę quasi sub eadem specie,q̄ equales aut similes in forma alicuius speciei.

**C**
**Ad quartū**

ⅭAd quartū q̄ vis spiratiua vna est ī patre & filio,quare est relatio cōmunis, aut scdm illā referunt pater & filius relatione cōmuni:Dico q̄ re vera spiratio actiua cōmunis est patri & filio scdm superius determinata,& infra amplius declarāda.Sed ad psens non dicit relatio cōmunis solū modo quia cōmuniter cōuenit pluribus:sed quia conuenit pluribus,& cū hoc relatis inter se per illā:vt tactum est supra in solutione primi argumēti primę questionis:neq̄ super spiratione cōmunem potest fundari cōmunis relatio:vt iam declaratū est in solutione secundi argumēti.

**Ad quitū.**

ⅭAd quintū de amicitia & societate & cęteris huiusmodi : Dico q̄ cū omnia talia fundātur in amore qui qualitas est in creaturis, & hoc vel scdm primā , vel scdm tertiā speciem qualitatis: qui etiā non nisi ratione qualitatis habet in diuinis:idcirco ois talis relatio refert ad genus relationis cōmunis quę est similitudo.Amici em̄ inquātum amici,similes sunt,& similiter socii: non ęquales,nisi prout in eis considerātur gradus conformes:queadmodum qui ęqualiter se diligūt,ęqualiter amici sunt:sicut qui ęqualiter calore participāt, ęqualiter calidi sunt.

**D**
**Quęst.IIII.**
**Argu.1.**

Irca quartū arguit q̄ relationes cōmunes in creaturis sunt relationes scdm ratione & non scdm rem,sic.Super illa quæ nō habent inter se habitudinem siue ordinem nisi attributalem,non fundātur relationes reales: quia relationes reales non sunt nisi habitudines essentiales relatorum,aut non sunt sine illis:vt patet in actiuis & passiuis,quę patenter adinuicē se habent per potentiam actiuā & passiuā essentialiter:& in mensurato, de quo patet q̄ essentialiter se habet ad mensurā.Vnde quia mensurę nullus est ordo essentialis siue habitudo ad mēsurā,sicut est econuerso:nec vniuersaliter dei ad creaturas,sicut est econuerso:idcirco nulla est relatio realis mensurę ad mensuratū: nec vniuersaliter dei ad creaturas. sed indiuidua sub eadem specie specialissima,substātię,s.quātitatis aut qualitatis,in quibus fundātur relationes cōmunes:puta hęc substātia & illa,in quibus fundātur idētitas aut diuersitas:hoc quātum & illud,in quibus fundat ęqualitas aut inęqualitas:hoc albū & illud,in quibus fundat similitudo & dissimilitudo:nullum ordinem neq̄ habitudinē habent inter se nisi accidētalem : quia inter illa quę sunt sub eadē specie,nulla est habitudo siue ordo essentialis,scdm Cōmen.ii.Metaph.&

**2** scdm ipsum Phm.v.eiusdem. ergo &c. ⅭQz autem relationes cōmunes in diuinis sint relationes scdm rem & non scdm rationem: arguit sic. Vnūquodq̄ verius habet esse vbi est scdm rē q̄ vbi est scdm rationem tm.Ens em̄ scdm rationē qd est ens scdm aiam,est ens diminutū scdm Phm.vi.Metaph.Ens vero scdm rem,est ens pfectum. sed relationes cōmunes pdictę verissime habēt esse in diuinis & pfectissime,quia in diuinis est verissima & pfectissima idētitas, similiter

**3** equalitas & similitudo:vt infra videbit.ergo &c.ⅭItem Grego.dicit in pfatione de trinitate.In essentia vnitas,in personis pprietas,& in maiestate adoretur ęqualitas,nihil est aut adorādū nisi

**4** sit res aut reale.ergo &c.ⅭItem relationes scdm rationem,cōueniunt deo de nouo & ex tēpore, sicut patet cum dicit dn̄s & creator.sed relationes cōmunes conueniunt deo & diuinis psonis ab ęterno,& non de nouo,& ex tempore.quia pater & filius sicut ab ęterno sunt & fuerūt pater

**5** & filius:sic ab ęterno sunt & fuerūt iidem, equales, & similes.ergo &c.ⅭItem relatio scdm rationem potest abesse illi cui inest absq̄ sui mutatione sicut potest adesse:puta sicut deus de nō dn̄o potest fieri non dn̄s absq̄ sui mutatiōe,sic de dn̄o potest fieri dominus sine sui mutatiōe. sed deus sine sui mutatione nō potest scdm relationem cōmune de eodem,ęquali,aut simili fieri non idē,non ęqualis,aut non similis.ergo &c. ⅭIn contrariū est Phus de creaturis.v.Metap.

**In opposi.**
**primum.**

vbi dicit.Omnia quę dicunt modo numeri & potentię,sunt relatiua,quia eorū essentia dicitur ad aliquid.i.scdm Cōmen.quia relatio est in substātia siue in essentia vtriusq̄. Talia autē sunt relationes scdm rem,& non scdm rationem tm.& intelligit per relationes modo numeri, rela-

**2** tiones cōes:quia oēs sequunt vnū & multum:vt infra videbit.ergo &c. ⅭIn cōtrariū est etiam de deo,q̄ in diuinis non sunt relationes reales nisi notiones sint & distinctiuę personarum:quales non sunt relationes cōmunes:quia sunt personarum iam distinctarum.ergo &c.

**E**
**Resolu.q.**

ⅭDico q̄ relationes duplicem ordinē habet . Vnū ad sua opposita relatiuē: puta paternitas ad filiationem & econuerso.Alium ad sua subiecta siue ad relata per ipsas, in quib

habent principia ſua cauſatiua & fundamétalia,de qbus eſt ſermo inferius.Secundum primum or
dinem relatio omnis habitudo quædã eſt relatorum alterius ad alterũ:quã dupliciter contingit eſ
ſe inter illa.Vno modo quia vtralibet earum eſt alterius ſimpliciter.Alio modo quia eſt alteri⁹ ſub
modo determinato.Et iſto ſecundo modo ſunt relatiua aliqua ſecundum dici tm̃:quę ſecũdum rẽ
ſunt in aliis pdicamentis.ſic enim caput dicit capitati caput:quia.ſ. eſt pars illius:& capitatum ca
pite capitatum:quia eſt totũ illius.Primo autem modo ſunt relatiua ſecundum eſſe: & iſto modo
relationis eſſe non eſt niſi ratio quædam qua (vt alias declarauimus)diſtinguit prædicamentũ re
lationis cõtra pdicamenta abſoluta.Et eſt iſta ratio eadé & vniuoca oĩbus contéris ſub pdicaméto
relationis ſeu pertinentibus ad illud & in deo & in creaturis:nec ex parte illi⁹ cadit aliqua diſtíctío
relationum aut ſecundum rẽ aut ſecundum rationé,neq ſecũdum gentis aut ſpeciem aut aliquo
alio modo.Secundũ ordinem quidé ſecundũ relationis eſſe eſt realitas quędam naturę aut rationis
qua habet ab alio eſſe:& ſecũdũ illud habet vlterius ad aliud eſſe:& hoc modo p ſe vel p accidés.ſe
cundum eñ q dicit Comẽ,ſup x.meta.relatiuum eſt duobus modis:quorum vnus eſt relatiuũ
p ſe,& ali⁹ p aliud.ſ.quia aliud cõparat ad ipſum.Senſatũ eñ & intellectus ſũt relatiua:quia intel
lectus & ſenſus ſunt relatiua.Sed realitas illa nõ eſt propria pdicaméto relationis:nec habet eã rela
tío a rõne ſui prædicamenti:ſed ſolummodo ab aliis pdicamentis,ſuper quę fundatur totum præ
dicamentum relationis,& a quibus oritur & cauſatur:& p quae etiã diſtinguit ſecũdũ gen⁹ & ſpe
ciem & numerum in contenta ſub ſe,vt ſimiliter alias declarauimus,& amplius declarabitur infe
rius.Ad quã diſtinctioné pertinet differentia inter relationes ſecũdũ rẽ & ſecũdũ rõné,q̃ ſunt rela
tiones p ſe.Appellantur eñ relationes ſecũdũ rem illę q̃ totaliter & cõpletiue habét eſſe & cauſari
ab aliquo qd naturaliter & realiter habet eẽ in ſubiecto ſiue relato ſup qd fundat in illo,vt paterni
tas in patre ſup potẽtiã actiuam eius,qd eſt formale in illo:& f.liatio in filio ſuper potentiam paſſi
uam,qd eſt materiale.in illo,vel quaſi materiale.Propter qd talis relatio dicitur realis realitate na
turę.Appellantur autem relationes ſecũdũ rõné illę quę totaliter aut ſaltem completiue habent
eſſe & cauſari a conſideratione rationis ſecundũ modũ iã exponendum:non aũt ab eo qd naturali
ter & realiter habet eſſe i ſubiecto relato.Propter qd talis relatio dicit rationalis:& nõ realis ſimplr̃
ſed re rationis tm̃.Et ſumitur differentia iſta ex dicto illo Philoſophi.v.metaphy.Omnia quę dicũ
tur modo numeri & potentię,ſunt relatiua:quia eſſentia eorum dicitur ad aliquid: & non qa aliđ
dicit ad illa.Et(vt dicit Cõmen.)intendebat qꝛ relatio duobus modis eſt:aut in ſubſtãtia vtriuſꝗ
relatiuorum:aut in ſubſtãtia alterius,& in alterum propter iſtud.ſ.in cuius ſubſtãtia eſt per ſe.Eſt
auté relatio in ſubſtãtia vtriuſꝗ relatiuorum quãdo relatiua habent in ſe realiter ſuper qd funda
tur relatio:& ex hoc eſſentia illorum dicit ad aliquid dici.Propter qd relatiua etiã dicuntur rea
liter referri adinuicem:& relationes eorum eſſe reales,vt contingit in actiuis & paſſiuis,& illis quę
ſunt modo numeri:aut in altero tm̃,vt in méſurato,qd realiter & relatiõe reali referẽt ad méſuram
& nõ méſura ad illud niſi quia illud refert ad méſurã.Non eñ in menſura eſt quo referat ad méſu
ratũ:ſed ſolummodo in conſideratione intellectus:qua méſura refert ad ipſum ſub rõne méſurati
cõſideratũ ecõuerſo id qd eſt méſura referri ad menſuratum ſub rõne menſuratis.¶Ad q̃ſtionem
igit deſcendendo dico qꝛ relationes cõmunes qñ fundant ex natura rei in ſubiectis & fundamentis
ſuis:tunc ſunt reales:vt cõtingit vl̃r in creaturis quo ad ęqualitaté & ſimilitudiné & quo ad iden
titatem ſpecie aut genere.Qñ autem non ſunt in ſubiectis completiue niſi ex conſideratione ratio
nis,vt contingit vniuerſaliter in diuinis quo ad omne genus relationis communis,& etiã in creatu
ris quo ad idétitatem numeralem,ſecundum qꝛ hæc omnia declarabuntur inferius in ſequentibus
tunc ſunt relationes rationales.Et ſecundum hoc cõcedédę ſunt duę vltimę rationes.

F

G
Reſponſio

¶Ad primũ in oppoſitũ,qꝛ indiuidua ſub eadé ſpecie in quibus fundant̃ idétitas
ęqualitas & ſimilitudo nõ hñt habitudiné neꝗ ordiné eſſentialé iter ſe:quare nec illę relatiões:Di
co qꝛ idiuidua ſub eadé ſpecie dupliciter comparant adinuicem.Vno modo vt ſimpliciter cõſiderã
tur ſecundũ ſe.Alio mõ vt cõtinent ſub cõi ſpecie:& i ſe illa ptitã cõtinent.Et primo mõ nullum in
ter ſe habent ordinem & habitudiné ſecundum Phos:nec fundantur ſup illa cõmunes reales rela
tiones dictę vt procedit obiectio.Secundo auté modo habent inter ſe habitudiné eſſentialem.ſ.per
habitudinem eſſentialem cõuenientiã quã habent ambo ad cõmune ſpecié in qua ſunt vnum ſpecie
qđ habét in ſe plurificatum ſecundũ numerũ.& hoc mõ bene in creaturis fundant ſup indiuidua
eiuſdé ſpeciei tales habitudines pdictę:& hoc quia omnes cauſant ab vno:non vt vnicũ ſiue gñe
ſiue ſpecie,ſiue numero:ſed vt vnum genere plurificatum eſt per vnum & vnũ ſecũdũ ſpeciem:vel
vt vnũ ſpecie plurificatũ eſt̃ p vnũ & vnũ ſecũdũ numerũ:vel vt vnũ numero ſcẽm rẽ plurificatũ
eſt p vnũ & vnũ ſecundum rõné,vt inferi⁹ exponet.Et p hunc modum relatiões cõmunes fundatę

H
Ad pri.
principale

in creaturis super vnum genere vel specie,bene possunt esse reales:licet fundatę super vnum nume
ro,semper sint rationales in creaturis sicut & in diuinis.Relationes autem dictis contrarię,s.diuer
sitatis inequalitatis & dissimilitudinis,quæ insolis creaturis inueniuntur,fundatę super multum:
quia ex natura ipsarum rerum semper fundantur in illis:semper sunt relationes secundū rem,secū
dum cp hęc iferius declarabūt.☙Sed cōtra hoc arguit ex eo qd dicit Porph.Gen⁹ad species habitu

**I**
**Obiectio.** diñe habet.Species autem ad idiuidua nullam. Dico cp verum est loquędo de habitudine artificia
li:quia descendentes a genere vsɋ ad idiuidua,iubet Plato quiescere:ea videlicet de causa: quia de
indiuiduis non est ars neɋ sciętia.Non aūt verum est de habitudine naturali,naturalem eñ habi

**K**
**Ad sodm.** tudinem habent indiuidua ad speciem:& sunt vera subiecta naturę:licet nō artis aut sciętię.☙Ad
secundum cp dictę relationes in diuinis sunt reales,quia verissime habent esse in illis:Dico cp rela
tionum secundum rationem quædam sunt oīno secūdū ratiōe & originaliter & cōpletiue:quędā
etiā originaliter habent esse a rebus & in rebus:sed completiue a ratione & in rōne.Eorum autem
quę omnino sunt secūdū rōne:quędā sunt secūdū ratiōe & quo ad ipsos respectus relationum:&
quo ad relata atɋ fundamenta relatiōnū in relatis.Quędā aūt nō quo ad relata aut fundamenta in
illis:sed solum quo ad respectus relatiōnū oppositarū:& hoc vľ quo ad respectus vtriusɋ relatiōnū
oppositarum seu in diuersis seu in eodem,vel alterius tñ.Primo modo secūdum rationem sunt re
lationes non entiū inter se:vel non entis ad ens.Quæ naturam habet entitatis secundo modo,sunt
relationes secundum rationem quo ad respectus vtriusɋ relatiōnū oppositarum,vel quo ad alterū
tñ,Primo mō relationes oppositę habet esse in diuersis, vt si aliɋs habeat vnam columnā a dextris
suis,& aliam a sinistris:comparando illas columnas inter se secundum ordinem quē habent ad de
xtrum & ad sinistrum in animali,vna dicetur dextra alteri respectu alterius:& altera econuerso si
nistra.In eodē aūt habent esse hmōi relationes dupliciter:vel in ordine ad eūdem:quemadmodum
imago hominis habet in se dextrum & sinistrum in ordine & consideratione ad dextrum & sini
strum in homine cuius est imago:vel in ordine ad diuersos:quęadmodum columna existens inter
duos homines dextra est in ordine ad vnum:& sinistra ad alium:& sic in se habet secundum ratio
nem & dextrum & sinistrum.Quo ad respectum alterius relationum oppositarum tñ,sunt relatio
nes omnino secundum rationem dupliciter.Quia quędā sunt secundum rationem ɋa relatione ad alterū est ad
cūdū rē:quęadmodū mensura dicitur relatiue ad mensuratū quia mensuratū dicit ad illā rē:&
ficut scibile ad scientiā quia scientia dicit ad scibile secūdū rē,Quædā vero sunt secūdū
ratiōe non ɋa alterum dicat ad ipsum secūdū rē:sed ɋa cōsiderat in ordine ad illud qd est secūdū
rē:quęadmodū columna ɋ est a dextris aīalis,dicit aīali sinistra,& dicitur relatiue ad dextrum aīa
lis:& ecōuerso animal dextro suo dicit secūdū rōne relatiue ad sinistrū columnę:quia illud secūdū
rōne dicit ad aīalis dextrū,qd relatiue dicit ad sinistrū in eodem secūdū rē.Et sunt omnes istę relatio
nes secūdū rōne totaliter:& verum est de omnibus istis cp nō habent nisi diminutā ratiōe esse siue
entis:sed de numero talium non sunt relationes cōmunes in deo:quia omnes originaliter hūt eē in
re ɋ est natura diuina:& ab ipsa:sed cōpletiue a rōne.Hoc eñ mō idem in deo originaliter fundat
sup naturam diuinam inquantum substantia habilis est & apta naturaliter vt circa ipsam cōside
ret psonarū idētitas:& similiter fundat in ipso equale sup quātitatem,simile sup qualitatē,siue sup
diuinā naturā inquātum est quātitas & ɋlitas.Propter qd tales relationes in deo licet habeāt eē dī
minutū quo ad suū esse cōpletū:ɋa hūt illud a rōne & in rōne tñ:tñ inquātum originaliter habet
esse suū a natura rei , verissime habet esse in deo:& verius,licet in eo sint tñ rationales , ɋ habeāt
esse in creaturis,in quibus sunt omnino reales:quanto verius in deo ɋ in creaturis habet esse natu
ra & vnitas ipsius naturę habes ratiōe substantiæ quantitatis & qualitatis,in qua originaliter fun
dant,& p hoc quoquo modo originaliter habet esse a natura rei,& quodāmō sunt relationes secun
dum rē:aut eis multū vicinant:& med ę sunt inter illas ɋ omnino sunt reales,& illas quæ oīno sūt
rationales: & quo ad hoc relationes cōmunes verissime habent esse in deo:& esset hęreticus censen
dus qui negaret identitatem,æqualitatem,aut similitudinem diuinarum personarum:sicut qui ne
garet eius substantiam magnitudinem aut bonitatem:licet completiue sint rationales : & quo ad
hoc verius habet esse in creaturis in quibus sunt reales,ɋ in deo.☙Per idem patet respōsio ad ter

**L**
**Ad tertiū** tium cp æqualitas est adoranda:& eadem ratione similitudo & identitas:quare sunt res aut reale
quid.Dicendum cp verum est inquantum ortum habent originaliter a re.Aliter autem non: quia
completiue sunt rationales,per qd distinguuntur cōtra omnino reales.Relationes enim secundum
rem & secundum rationem distinguimus secundum esse suū cōpletiuū.Propter cd relatiōes cōes i

**M**
**Ad ɋrtū.** diuinis non dicimus reales:quia completiue sunt a rōne.☙Ad quartum,cp relationes secūdum ra
tiōe non conueniunt deo nisi ex nouo & ex tempore:istę autem conueniunt ei ab æterno:Dico cp

omnes relationes quæ deo cōueniunt per ſe ſiue ſecundū rē ſiue ſecūdū rōne,ab ęterno ei conuene
runt.Sed in illis quæ ſunt in eo ſecundum ratiōe,bene cōtingit noua noiātio ex tpe iuxta realem
nouitatem in creatura, ſecūdum ꝙ hoc alias ſatis declarauimus.Et ſic non eſt verum ꝙ per iſtam
diſtinctionem ab æterno & ex tēpore ſiue de nouo diſtinguātur ſecundum rem & ſecūdū ratiōe.
⫶Per idē patet ad quintum, ꝙ dictæ relationes non poſſunt deo adeſſe & abeſſe ſicut poſſunt rela N
tiones ſecūdū ratiōe.Dicendū ꝙ nulla relationum adintra vnꝗ in deo potuit ei abeſſe:nec vnꝗ ei Ad qntū.
abfuit aliquā quā haberet adextra aut abeſſe potuit : ſed verū eſt ꝙ nominatio quā habet aut ha
buit poteſt & potuit ei abeſſe,& ſic neꝗ etiam penes talem diſtinctionem diſtinguuntur in deo re
lationes ſecundum rem & ſecundum rationem.

## Art.LXIII.de tribus generibꝰ relationū in compatiōe.

Equitur de tribus generibus relationum communium in
comparatione.Et primo in comparatione ad alia genera relationum
quæ ſunt in potentiis & in menſuris.Secundo in comparatione ipſarū
inter ſe.Tertio in comparatione ipſarum ad ſua principia.Circa pri
mum tria.Quorum Ar.LXIII

Primum eſt:vtrum habitudo relationum communiū differat ab aliis
in aliis duobus generibus relationum.

Secūdū:vtrū relationes cōes differāt ab illis ſecūdū rē aut ſecūdū rōne.

Tertium:vtrum ab illis diſtinguant ſecundum genus aut ſpeciem.

Irca primū arguit primo,ꝙ relationes cōes nō differant ab illis ꝗ ſunt in poten
tiis,ſic.in actiuis & paſſiuis ſecūdū potentiā actiuā & paſſiuā non referunt aliꝗ O
Queſt.
Arg.4.
inter ſe niſi quia forma & diſpoſitio agentis communicata eſt paſſo p actionem
vnius & paſſione alterius,puta calefaciens non refertur ad calefactum p potētiā
actiuam & paſſiuam niſi quia paſſo cōmunicata ſit forma caloris ꝗ fuit in agē
te:ſicut generans non refertur ad generatū niſi quia generato cōmunicata é for
ma generātis.ſed ex hoc ꝙ calefacto cōmunicata eſt forma caloris,non referunt
calefaciēs & calefactū niſi ſecūdū ſiſitudinē.ex hoc vero ꝙ genito cōicata é forma ſubſtātialis gñan
tis,nō reſert generans ad generatū niſi ſecūdū idétitaté aut ſimſlitudinē eſſentialē. nō eſt ergo aliꝺ
referri p potētias actiuas & paſſiuas ꝗ p idétitaté & ſimilitudinē.ergo &c.⫶Similiter ꝙ cōes rela 2
tiōes etiā nō differāt ab illis ꝗ ſūt in mēſuris,arguit ſic.relatio p actū mēſurādi nō é niſi iter mēſu
ra & mēſuratū:ſicut relatio nō eſt niſi inter calefaciēs & calefactū p actū calefaciēdi . ſed inter eadē
æqualia & ſimilia nō eſt relatio niſi p actū menſurādi:ꝗa non dicunt aliqua eadē niſi ꝗa mēſurātur
vno in ſubſtātia:nec æqualia niſi ꝗa mēſurantur vno in quātitate: nec ſimilia niſi quia menſurant
vno i qualitate.& ecōtrario nō dicunt aliꝗ diuerſa ſeꝗlia aut diſſimilia niſi ꝗa mēſurant multo,vt
infra videbitur.ergo &c.⫶In contrariū eſt Philoſophus in.v.metaphy,vt tactum eſt ſupra: & con In oppoſi.
ſequenter amplius exponetur.ergo &c.

⫶Suppoſito ex iam declaratis ꝙ ſint aliꝗe relationes cōmunes:& cū hoc etiā ſup P
Reſol.q.
poſito ꝙ ſint alię relationes nō cōes:dico ꝙ ex his duobꝰ ſequit ꝙ ſunt diuerſę inter ſe. Sūt em di
uerſe in eo ꝙ ſunt plures:quia ex quo ſunt plures,nō ſūt eędē:ꝗa idé ſequit ꝙ vnū,vt infra diceť.
Diuerſum aūt ſiue aliud & idé dicunt ſecūdū oppoſita in ſitu,vt dicit Phſ.x.meta.& hoc ideo vt
dicit Cōme.ibidē:ꝗa cū alterū ponit,aufert reliquū.Sed ꝗis ſūt diuerſę,ꝙ ſatis patet ex pluribus
pdicamētis:nec de hoc debet hic fieri ꝗſtio p ſe:ꝗa tn oēs cōueniūt in gñe relationis:ideo ſequit ar
ticulus iſte ad inueſtigādū quibꝰ & ꝗ quō ſub cōi gñe relationis ſunt diuerſę:ꝙ importat nomē dif
ferētię.Vt em dicit Phꝰ.x.meta.ꝙ differt ab aliquo p aliꝗd differt. & neceſſe eſt vt ſit aliquid idē
p ꝙ nō differāt.Diuerſum aūt non oportet ꝙ i aliquo cōueniat:ꝗa vt dicit ibidē exponēdo textū
Phi.Omne.Cōme.Ideſt oia dico entia:aut eſt diuerſum aut idé.Boethiꝰ tn extendit differētias ad
diuerſū,vbi dicit de trini.ca.x.Vbi nulla eſt differētia,nulla é oīno pluralitas.⫶Ad videndū aūt dif Q
ferētiā eē aliquā iter ſe triū generū relationū cōtinētiū oēs relatiōes,& p hoc relationū cōmuniū ab
aliis eſſe differētiā aliquā,& quā vel qualē:oportet prio videre ortū & originē generū taliū triū re
lationū a ſuis principiis cauſatiuis & fundamētis, & ordinē illorū inter ſe.Dico ergo ꝙ cū(vt iſte
rius declarabit)relatio nō ſit niſi reſpectꝰ quidā cū habitudine,vel habitudo cū reſpectu diuerſorū
relatoꝝ inter ſe:ꝗa eſſe relatiuorꝛ eſt ad aliud ſe habere:& ſic habitudo ſiue reſpectꝰ relatiōis nō eſt
niſi pluriū inter ſe relatoꝝ: ois aūt pluralitas ſiue multitudo pcedit ab vno:& ois pceſſio ab vno
ſiue vnius ſiue pluriū eſt illius vnius vt a quo , & alterius ſeu aliorum vt qui ab alio: Talis
aūt pceſſio neceſſario eſt ſecundum rōnem pducentis & pducti,ſiue productiui & pducibilis: Pri

mum ergo genus relationis necessario est secudū rōnē pducentis & pducti,siue secūdū rōnē pdu
ctiui & pducibilis.Qd quidē gen⁹ relatiōis est existēs in potētiis actiuis & passiuis:de qbus Phs di
stinguens tria genera relationum i exemplis dicit sic in.v.meta.Qddam dicitur sicut calefaciēs ad
calefactum, & abscindens ad abscissum,& omē agens ad patiens.& post pauca.Passiua autē & acti
ua per potentiam actiuam & passiuam:& actiones potentiarum : sicut calefaciens quod calefacit
quia potest:& eē calefaciens ad illud quod calefacit:& abscindēs ad illud qd abscindit.Cōmētator.
Idest qddā genus relatiuorum est in potentiis actiuis & passiuis,non enim acquirit calefaciēs hāc
dispositionem nisi respectu illi⁹ qd calefit.& infra.Relatiua autem collata in genere actionis & pas
sionis,sunt relatiua per passiones existentes in eis.Et sumit ibi Philosophus actiuum & passiuū lar
ge,vt iam dicetur:& quia modus iste relationis consistit in ordine principii ad principatū,ad ipm
pertinet omnis relatio notionalis in diuinis.In eis aūt quae se habent adinuicem sicut principium
ad principiatū,cū contingit ꝙ principatū in creaturis vlr deficiat naturaliter a pfectione formę
ꝗ est in ipso principio:nec possit illā attingere:sed ipsa est in principiato respectu esse illius qd habet
in principio p modum cuiusdam imitationis & gradus inferioris:ex hoc a primo genere relationis
qd.f.est in actiuis & passiuis, ꝛitur genus relationis secundū,qd consistit in mensūrātibus. de quo
dicit Philosophus ibidem. Et quoddam dicīt sicut mensuratum ad mensuram,& scitum ad sciētiā
& sensatum ad sensum. Et fundatur hoc gen⁹ relationis realiter in forma producti non ratione ꝗ
est forma simpliciter,& conformis formę sui principii:sed ratione gradus determinati in quo est p
ducta non secundum equalē:sed secundum inferiorem pfectionem.ꝗ sit in suo principio.Et secūdū
istum modum in pducto ponentem gradum, nulla est realis relatio in diuinis abintra:quia in illis
nulla est productio nisi per omnimodam equalitatem pducti ad producentem:licet aliqua sit in il
lis relatio secūdū rōnē mensurę & mēsurati,vt infra declarabit.Et quia creatura talē relationē secū
dum rem habet ad deū sicut mensuratum ad mensuram:ecōuerso deus habet relationē correspon
dentem ad creaturā secūdū rationem sicut mēsura ad mensuratum.Deus enim est mensura oīum
creaturarum,excedens:& hoc inquantum immēsa pfectio diuinę formę non est in creaturis nisi per
quādā participationem eius in gradu determinato. Et ad instar talis relationis inter deum & crea
turā est relatio talis inter diuersas creaturas secūdū diuersos gradus,in quibus vna alteri supemi
net.& supereminens semper ratione mensurę naturalis habet respectu illius cui supereminet:& hoc
absꝗ omni productione mensurati a mensura.Et in creaturis rationem talis mensurę primo & pri
cipaliter habet vnum respectu numeri:quia vt dicit Philosophus in.x.metaphy.ex hoc dicīt mēsu
ra in aliis rebus.Cōmē.Idest ex hoc vno numerali fuit transūmptū hoc nomen mensura ad quod
libet eorum quę dicunt mensurę:sed diuersimode.Vt eīm dicit in.v.eiusdē,nō vnū in omnib⁹ gni
bus est idem.In quibusdā eīm tonus est vnū:& in quibusdā vocale est vnum &c.Cōmentator.Idest
vnum in oībus generibus non est eiusdē naturę:sed in quolibet genere differt a se in alio.Et vt di
cit super.x non est semp vna mensura in quolibet genere:sed inuenīt in vno gne plus ꝗ vna men
sura:sed maior mensuratur p minorem.Et pter hmōi mensuram naturalem est ꝗdam alia mensu
ra artificialis p hominū institutionem.de qua dicit Cōmenta,prius in eodem.x.Cum homines vo
luerunt mensurare in istis rebus,posuerunt vnum p institutionem:& inspexerunt ꝙ esset valde si
mile vni numerali:& acceperunt illud qd non recipit maius & minus in sensu:sicut tecerunt in pō
deribus ꝗ fundantur super grana hordei:& in oībus accipiunt vnam mensuram indiuisibilē secū
dū sensum,simile mensurę naturali.f.vni numerali.Vnde patet ꝙ omnis mensura rationem vnita
tis & simplicitatis habet respectu mensurati:& mensuratū in se semper habet rationem alicuius cō
positionis & numeri respectu mensurę,sicut & omis creatura respectu dei.Et sic vniuersaliter iste
scds modus est inter mensurā & mensuratū sicut inter vnitatem & numerum.Omnis enim men
sura vnitatem & simplicitatem habet respectu mēsurati:& omne mēsuratū respectu mensurę cōpo
sitionē & numerū habet in se.Ab isto aūt modo secūdo relationis ꝗ cōsistit generaliter inter vnita
tē & numerū, & hoc quo ad substātia numeri, pcedit tertiū genus siue mod⁹ relationū:ꝗ cōsistit i
cōparationibus & accntib⁹ numeroꝝ:quęadmodū accidēs pcedit a substātia. Et cōtinet hoc tertiū
gen⁹ relationū oēs relationes cōes.de qbus dicit Phs.v.meta.Quędā dicīt relatiua sicut duplū ad
dimidiū &c. Et distinguēdo istos duos modos,f.secūdū & tertiū,subdit.Omīa ista dicunt relatiua
p nūerū & p accidētia nūeri.Cōmē.Idest oīa relatiua nūeri & vni⁹ sunt relatiua:aut qa sūt i substā
tia ipsi⁹ nūeri:aut qa sunt in accntib⁹ nūeri.Et accntia nūeri sunt min⁹,plus,addēs,& diminutū:ꝗt
le & inęqle & filia.Numeri aūt secundum substātiam sunt vnum,duo,tria,quatuor,quinꝗ,& dein
ceps.f.ꝗb gb⁹ comprehenditur vnitas.Propter quod enumeratis istis relationibus quæ sunt in acci
dentibus numeri,subdit.Et vnum est principium numerorum & mensura eorum,Commentator.

Ideſt, & vnū qd eſt pricipium numeroꝛ, & mēſura eoꝛ,cōcludit etiā in relatiuis q̄ ſunt in nūeroꝰ licet alio & alio mō nūerus & vl̄r menſuratū refert ad vnitatē & mēſurā:& ecōuerſo vnitas & vl̄r mēſura ad mēſuratū:qa.ſ.vnū & vl̄r mēſura dr̄ relatiue ſcōm rōne ad mēſuratū:qa mēſuratū ſiue numerus dicit relatiue ſecūdū rē ad illā. Vnde aſſignādo quo ad hoc differētiā aliarū relationū ad illā q̄ eſt mēſurꝭ ad mēſuratū,dicit.Omīa q̄ dicunt mō numeri &c.vt ſupra in pcedēti q̄ſtione.Eſt aūt hic aduertēdū ꝗ modus relationū cōmuniū quē nos iam poſuimus tertium,Pḥis.v.meta.ponit primum:ſed ipſe reſpicit ad facilitatē doctrinꝭ:quia enim nobis notior eſt relatio cōis q̄ illa q̄ eſt in actiuis aut in mēſuris:ideo illā ꝓpoſuit. Nos aūt aſpiciētes ad naturā rei ſecūdū ordinē ꝑdicēdi,præ ponimus relationem q̄ eſt in actiuis & paſſiuis:& ſic relatio in mēſuris ordine doctrinæ vltima eſt quia difficilior:& ordine naturæ media. Qđ dixerim ne aliqui eſtiment me cōtraria dixiſſe in eo ꝗ in queſtionibus de Quolibet ſequēdo ordinē doctrinæ ſecūdū ꝓceſſum Pḥi,dixi ꝗ primus modus relationis eſt ille qui eſt modo numeri,ſ.relationū cōmuniū.Nūc aūt dico ſequēdo naturā rei ꝗ il le vltimus eſt ſeu tertius.ꟁAd videndū aūt clarius quōa dicto. gn̄e ſecundo relationis deriuatur iſtud tertiū,aduertēda ſunt primo qdā de oppoſitione vnius & multi.Secūdo qualiter ab vno & multo q̄ ſunt ſecundo gn̄e relationis oppoſita relatiue:deriuant illa q̄ ſunt relatiua tertio gn̄e.Cir ca oppoſitionem igit vnius & multi ſciendum eſt:ꝗ vt dicit Philoſopḥus in.x.meta.vnū & multū opponuntur multis modis,vbi dicit Cōmen.Intendit ꝗ opponitur magis q̄ ſecundū vnum mo dum.Ad ſciendū autem diuerſos modos oppoſitionis vnius & multi:attēdēdum eſt ꝗ vnūm ſiue vnitas ſecūdum rationem ſui nois a negatione imponit:qa ſignificat rē ſub ratione idiuiſiōis.Mul tū aūt ecōtrario ſignificat rē ſub ratione diuiſionis,dicente Philoſopho in eodē.Qđ diuidit dicit multū,Illud aūt qđ non diuidit,dicit vnū ſecūdū ꝗ nō diuidit.Cōme.Vnū idiuiſibile:multū aūt eſt diuiſibile. Et ſecūdū rōnem huius diuiſionis & indiuiſionis vnū & multū opponunt:& hoc du plici oppoſitione.Vna.ſ.qua quæꝗ res i ſe vna exiſtēs diuidit ab alia re.Alia vero qua res aliqua ab alia diuiſa diuidit infra ſemetipſam.Prima quidē diuiſio eſt multoꝛ inquantū multa ſunt ſiue plu ra:quæ ad nullā vnitatem redacta ſunt inquātū hmōi:& hoc ſiue illa plura nata ſint in aliquā vni tatem numeralē naturalē redigi aut p ſe vt materia & forma in cōpoſito:& plures vnitates in nūe ro eodem naturali:aut p accidens:vt ſcientia & accidēs in cōpoſito ex vttoꝗ:aut plura accidentia in eodem ſubiecto:ſiue illa plura nō ſint nata reduci in vnitatē numeralem naturalem, vt de⁹ & crea tura,quæ nullo in vnitatē reducunt:aut duo angeli:qui tamē reducunt in vnitatē numeri eſſentia lis,q̄ numerus formalis dicit:licet non reducantur in vnitatē numeri naturalis,qui numerus ma terialis dicit.Quæ ſecūdū iſtā primā diuiſionem ſunt multa:nequaꝗ ſunt vnū aut ens indiuiſum: ſed eſt multum cōtinēs in ſe multa abinuicē diuiſa:q̄ ſunt multa vna, & multa ſiue plura entia ab inuicem diuiſa:nequaꝗ ſub aliqua indiuiſione contenta.Et multitudo inquantū continet ſic mul ta,non opponitur vni neꝗ enti alicui ſingulari:ſicut diuiſio indiuiſioni:quia omne vnum tale to to eo qđ eſt,eſt pars alicuius qđ taliter eſt vnum ſiue multitudo:pars autem id qđ pars toti nō opponitur.Sed tale multū ſiue multitudo,opponit priuatiue vni qđ conuertitur cum ente:qđ ſin gula entia continet ſub ratione illa qua quodlibet eorum eſt in ſe indiuiſum:licet adinuicē ſub nul la indiuiſione ſunt redacta:ſicut non ſunt deus & creatura.Et vtriuꝗ eorum vt vnū.ſ.& multa ſit oppoſita,circuit omne genus:& non eſt aliquo genere determinato.Sic em̄ in ſubſtantia materia ſe cundū ſe eſt vnum:& ſimiliter materia & compoſitum ex ambobus:& materia & forma ſecundum ſe ſunt multa:& compoſitum eſt vnum:Et iſto modo oppoſitiōis loquit Pḥis vbi dicit.x.meta.Vnū & multum opponunt multis modis:et vnus eorum eſt vnū et plura vt diuiſio et indiuiſio:vbi di cit Commen.Manifeſtum eſt ꝗ vnum opponitur pluri ſecundum habitum et priuationē,Indi uiſi bilitas em̄ eſt priuatio diuiſibilitatis.Vnde Philoſophus.v.meta.loquens de vno quod conuertit cū ente,dicit ſic.Prima genera ſunt vnum et ens, et oppoſitum vni eſt mltitudo:et vnum aut erit ne gatio aut priuatio.Commentator. Ideſt vnū et multum aut opponuntur ſecundū affirmationem aut ſecūdū habitū et priuationē,et intēdit ꝗ ſcām habitū et priuationē,ſicut determinat i.x.vt iā dictū eſt.ꟁScōa diuiſio ꝓtacta eſt nō inquantū ſunt mlta:ſed poti⁹ vt ſūt ad aliquā vnitatē redacta in eo,ſ.qđ eſt vnū,vel p accidēs:et propter hoc illa diuiſio nō eſt ꝓprie multoꝛ:ſed mlti: qđ quidē multum eſt aliquod vnum cōtentū ſub vno qđ conuertitur cum ente:et ſic diuiſiuum illius,ſicut ens diuidit in vnū et multū:ſic et vnū conuertitur cum ente.Et eſt multum om̄e illud oīm i quo eſt aliqs numerus:et vnū qđ cōdiuidit ens,et vnū qđ cōuertit eū ente cōtra multū,eſt vnū in quo nullus aut nō talis cadat numer⁹. Et tale vnū reſpectu numeri cuiuſcuꝗ eſt vnū qđ eſt principiū numeri materiale.Et tale multū eſt omnis numerus:qa in oī numero eſt vnitatū taliū pluritas ſub vnitate aliqua formali contenta:ſed deficiente a puritate et ſimplicitate formꝭ vni⁹ qđ eſt pricipiū ipſius numeri cū p ſe conſideratur.Propter qd vnum tale qd eſt principiū numeri vt ſecundū ſe e̅ cōſideratū,rōne ſuę formę eſt menſura omnium numeroꝝ ſequentium ipſum quo ad rationē for-mę vnitatis defectiue exiſtentis in quolibet numero,& opponit multo, qd eſt in numero tale:ſicut menſura menſurato.De qua oppoſitione loquit Philoſophus cum dicit.x.metaphyſicę.Et opponit vnū multitudini:ſicut cū aliquis dicit vnū & vna,album & alba:& menſurata in reſpectu menſu-rę:& menſura eſt vnū:& omne vnum eſt menſuratum ab vno. Commētator.Ideſt mod⁹ quo vnū opponit multitudini eſt modus quo vnū opponit multo qd eſt de ſpecie illius vnius:vt vnū albū opponitur pluribus albis,& iſta oppoſitio non eſt alia niſi menſurantis ad meſuratum:& numera-tis ad numeratum:omnis e̅m multitudo menſuratur per vnum.⊂De iſto vno & multo ſibi oppo ſito dupliciter:Sciendum eſt q̄ licet cū inter ſe comparantur vnū illorū formaliter eſt menſura:& alterū menſuratum:tn̅ quando cōparantur ad alia prædicamenta:& etiā ad alias quantitates: am bo ſe habent vt menſura reſpectu illorum:quia vnitas menſura eſt vnius ſubſtātię, vni⁹ magnitu dinis,vnius quantitatis:& ſimiliter denarius decem ex ſingulis talibus,puta dece̅ ſubſtantiarū,de cē magnitudinum,& dece̅ qualitatum.Et eſt iſte modus meſurandi alias res per vnitatem & nume rum:alius a modo menſurandi numerū per vnitatem.Menſura e̅m iſta numeri per vnitatē ſemper excedit menſuratū:quia perfectio qua meſura habet p eſſentiam:& ſecūdū q̄ eſt menſura: partici patur in menſurato vt forma vnitatis in binario,ternario,& cęteris,ſecūdū quā menſuratū eſt me ſuratum. Non e̅m ſub tanta indiuiſione qua vnitas eſt vna:eſt numerus vn⁹:quia ſemper ſub mi nori indiuiſione eſt vnus quilibet numerus q̄ ſit vnitas quæ eſt principium eius: & ſemper nume rus eſt ſub tanto minori indiuiſione: quanto magis elongatus eſt ab vnitate prima.Illa vero men ſura quæ eſt aliarum rerū per vnū & multum:ſemp equatur menſurato. Et ſe habent vnū & mul tū ad ſua menſurata nō relatiue ſecūdo genere relationis:ſed ſolummodo ſicut accidens ad ſubie-ctum. Et eſt meſura primo modo menſura eſſentialis rei menſuratę in ſuo participato.Secūda ve ro eſt omnino accidentalis.⊂De vno aūt & multo ſecūdū iſtū modū ītentū menſurādi alia,ad ſcie dū quomodo a ſecūdo modo relationis procedat tertius:oportet aduertere q̄ vnum & multum ſi ue numerus principaliter deſcendūt in tria pdicamenta abſoluta,ſub quibus continēt alia inquā tū menſurant vno & multo:q̄ ſunt ſubſtātia,quantitas,& qualitas.Quantitas e̅m tam cōtinua q̄ diſcreta non ſolū deſcēdit ſub rōnc menſurantis accidens in ſubſtantiā & in qualitatē:ſed etiā ī ſe ipſam:& maxime diſcreta:quę deſcēdit in continuā inquantū magnitudines numeri ſunt.vt dicit primo libro poſter.Primo e̅m vnitas & numerus deſcendunt in ſeipſos vt meſura accn̅talis menſu rans per adęquationem:dicendo vna vnitas,duę vnitates, & ſic deinceps:vnus binari⁹:duo binarii & deinceps:& ſic de ternario & quaternario & deinceps.Et ſecūdo in quantitate continuā: & hoc vel ſub ratione qua eſt cōtinua,vt pedale,bipedale,& deiceps:vel ſub rōne qua eſt diſcreta, vt vnū pedale duo pedalia:vnum bipedale duo bipedalia:& deiceps:& ſic de tripedali & quadripedali &c. Et tertio in ſubſtantiam & qualitate,vt vna,duę,tres ſubſtantię aut qualitates:& ſic deinceps.Qd intelligit Philoſophus cum dicit in.x.metaphyſicę.Prima menſura cuiuſlibet generis,quantitates diſcretę:& ex hoc in rebus aliis.Menſura enim eſt p qd cognoſcit quātitas:& quātitas cognoſcitur p hoc qd eſt quantitas aut per vnum aut per numerum: & omnes numeri cognoſcūtur p vnum & omnis quantitas ſecundum q̄ eſt quantitas cognoſcit per vnum:& ideo vnum eſt principium numeri:& ex hoc dicit menſura in aliis rebus:per quā ſcitur quælibet earum,& actio cuiuſlibet,q̄ eſt vna . Cōmē.i.neceſſe eſt in vnoqueꝗ genere vt vnū ſecūdū q̄ eſt indiuiſibile ſit prima menſu ra illorum quæ ſunt in illo genere.ſ.q̄ natura vnius eſt natura menſurę.& pcipue in generibus ha bentibus menſuram primo & eſſentialiter.ſ.in quantitate diſcreta. hoc enim in eis eſt prius aliis re bus qbus accidit meſura.Per hoc aūt q̄ vnū & multū q̄ ſe hn̅t adinuicē ſecdo modo relationis,com parant ad alia meſurata accn̅taliter.ſ.tria pdicamenta abſoluta,ad q̄ oīa alia reducunt inquātū ha bēt meſurꝝ ab vno & multo,ſecūdū q̄ infra videbit, cauſant in ſubſtantia ab vno & multo idem & diuerſum:in quantitate equale & inequale:in qualitate ſimile & diſſimile,dicente Philoſopho ī v.meta.Sūt eadē quoꝗ ſubſtātia eſt vna:& ſimilia quoꝗ qualitas eſt vna:& æqualia quoꝗ quanti tas eſt vna.Quę cū ſuis contrariis cōſideratę,quę ſunt diuerſum,inequalitas,& diſſimile,continent omnes relationes communes ſecundum tres contrarietates ad quas omnia cōtraria hn̅t reduci.di cente eodē.iiii.metaphy.Principia contrariorū ſunt vnū & multū.& Cōmē.eiuſdē.Prima cōtrario rū & eorū gn̅a ſunt vnū & mlt̅ū. Et quia relationes cōmunes ſecūdū hūc modū cauſant ab vno & multo.ſ.vt vnū & multū accidunt rebus:ideo relationes cōes dicunt eſſe in accidentibus numero rū:ſicut relatio ſecūdū meſurā & meſurꝥū dicit eſſe in ſubſtātia nūeroꝝ,& dicunt etiā oēs relatio nes eſſe relatiōes mō numeri:qa accidens tenet quedā modū ſubiecti ſui.Et p hūc modum ab vno

& multo q̃ ſe habent adinuicē ſecundo mõ relationis,inquãtū applicata ſunt ad alia vt menſurãtia **Y** illa,cauſant relationes cõmunes ſecūdo modo relationis cõis.ⓒEx quo patet qd dicēdū ſit ad q̃ſtio **Reſponſio** nem,videlicet q̃ relationes cões q̃plurimum differunt ab aliis duobus generib⁹ relationū:ſecūdū q̃ hoc clare patet ex ortu & origine adinuice ipſoꝝ p̃dictis.Q̃ eñ oriſ ab alio inquātum hmõi,dif ferentia aut diſtinctiõe neceſſario habet ab illo.Cęterum de eoꝝ vlteriori differentia,quo.ſ.& quõ differunt inter ſe,patebit in q̃ſtionibus duabus ſequētibus.Et ſic concedenda eſt vltima ratio.

ⓒAd primam in oppoſitum q̃ genus relationum cõmuniū nõ differt a genere re **Z** lationum in actiuis & paſſiuis:quia non referunt inter ſe actiuū & paſſiuū niſi quia forma vnius **Ad pri.** alteri cõicaꝝ:ſecūdū quã etiã dicunt iïdé,ęquales,& ſimiles,ergo &c.Dico q̃ licet in actiuis & paſſi **principa.** uis quę referuntur adinuicem,p eoꝝ actiõe & paſſiõe forma vnius alteri cõicetur,nõ tñ propter hmõi cõmunitatē adinuice referunt.Etem hmõi forma ſicut & ipſe motus p quē inducit̃ ab actiuo in paſſiuū:nõ eſt id p qd vt tanq̃ p fundamētū vnū eoꝝ reſeraꝰ ad alterū:ſed illud poti⁹ ſunt potentia actiua & paſſiua:q̃ ſunt principia ipſius motus & cõmunicationis formę actiui in paſſiuū Illa autē forma inquantum cõis eſt:eſt id p qd fundamentaliter referaꝰ adinuice ſecūdū relationes cõmunes:quia propter illius cõmunitatē ſūt relationes illę communes,ſecundū q̃ infra videbitur diſputando de relationibus cõmunibus in cõparatione ad earum fundamenta.ⓒAd ſecundum q̃ re **&** lationes cõmunes nõ differūt a relationib⁹ in menſuris:quia nõ dicūt aliqua eadē,ęqualia,aut ſimi **Ad ſcdm.** lia niſi p actum menſurãdi:Dico q̃ aliqua dicūtur relatiua p actum menſurandi dupliciter:& hoc tã ex parte mēſurę,q̃ ex pte mēſurati & ipſius relationis cõſequētis actum mēſurandi.Ex parte mē ſurę:quia vt iã dictū eſt,menſura q̃ menſurat in ſecūdo genere relationis,qua.ſ.in creaturis vnum menſurat numerum ſiue multū,eſt mēſura excedens mēſuratum eſſentialis mēſurę verę in ſubſtã tia ſua.Mēſura vero q̃ menſurat in tertio genere relationis,qua.ſ.vnū & multū mēſurãt ſubſtātiã quãtitatē aut qualitatē:eſt mēſura ęquata mēſurato accidētibus menſuris rei exterius:& eſt oïno extra mēſuratū.Illa vero quę eſt in ſecundo gñe relationis,eſt in ſuo mēſurato ſicut veritas in ſua effigie:ſed illa de tertio gñe eſt in mēſurato ſicut accidés in ſubiecto.Itē mēſuratū in ſecundo gñe mēſuraꝰ rõne gradus pfectionis qui eſt in ſua eſſentia.Mēſuratū vero in tertio genere mēſuraꝰ rõ ne ſuę eſſentię ſimpliciter.Item relatio in primo modo mēſurãdi eſt inter mēſurã & menſuratū In ſecundo vero eſt inter duo mēſurata.Licet ergo relationes in ſecūdo genere & tertio ſint ſecūdū actum menſurãdi:quia tñ hoc eſt multum diuerſimode:non oportet q̃ propter illud non diſtin guantur inter ſe:& ſic multum differenter per actum menſurãdi dicuntur relatiua ſecundo & ter tio modo:propter quod multum inter ſe differunt illi duo modi.

Irca ſecūdū arguit̃ q̃ genus relationis cõis nõ differat ab aliis duob⁹ gñib⁹ rela **A** tionū ſecūdū rē:ſed ſecūdū rõne tm̃:& hoc primo a relationib⁹ in actiuis,ſic.quę **Queſt.ii.** cūq̃ relationes diuerſę in eodē reſpectu eiuſdē ſecūdū rē differre nõ poſſunt:qa **Arg.i.** aliter,filius in diuinis vt eſt fili⁹,alia relatiõe reali referreꝰ ad patrē:& alia vt eſt imago:qd falſum eſt ſecūdū ſuperius determinata.quare cū relationibus cõibus q̃ ſunt idētitas,ęqualitas,& ſimilitudo referunt eędē pſonę inter ſe q̃ inuice refe rūt ſcdm relatiõe actiui & paſſiui.ergo.ⓒScdo q̃ nec a relationibus in mēſuris **ı** ſic.Relatio q̃ ſequit̃ mēſuratū inquātū mēſuratū,eſt de ſcdo gñe relationis:quia mēſuratū inquãtū mēſuratū,nõ referꝰ niſi ad mēſurã.relationes cões ſunt hmõi:quia idētitas eſt relatio q̃ ſequiꝰ vnū in ſubſtātia vt ab ipſo eſt mēſurata ſubſtātia,vt iã dictū eſt in q̃ſtione pcedēte:& ſimiliter ęqualitas vt ab vno eſt mēſurata quãtitas,& ſimilitudo vt ab vno eſt mēſurata qualitas.ergo &c.ⓒIn contra **In oppoſi** riū eſt q̃ tunc non eſſent relationes vnius modi diſtinctę ab aliis:qa relationes ſola ratione diſtinctę non conſtituunt diuerſos modos relationis:ſed ſub vno modo omnes continentur,vt puta omnes relationes quæ ſunt in filio in ordine ad patrem,ſecūdū ſuperius determinata,conſequens falſum ē q̃m relationes cõmunes conſtituūt vnū modū relationis alium ab illis q̃ ſunt in potentiis & q̃ ſunt in mēſuris,ſecūdū Phm̃.v.metaphy.vbi Cõmen.poſtq̃ Phs oēs illas relationes expoſuit,dicit eſſe il larum modos tres,vt iam habitum eſt ſupra.ergo &c.

ⓒDico q̃ ſuppoſito q̃ ſit differentia relationū cõiū ad alias q̃ non ſunt cões:quæ **B** ſtio iſta q̃rit quo & quõ differat.Queſtio eñ quõ aliq̃ differūt,pſupponit q̃ſtionē an differāt:& qa **Reſponſio** relationes dictę formę q̃dã ſunt eoꝝ quæ illis referunt,id ergo quo differūt pricipaliter,debet ſumi p rõne cauſę formalis in illis,nõ materialis,ſ.neq̃ penes relata:neq̃ penes fundamēta.Quo autē aliq̃d differt ab alio ſecūdū rõnem cauſæ formalis:aut eſt ipſa forma q̃ vt principio intra differūt forma liter:aut eſt agens quo effectiue vt principio extra hñt illa ea quibus formaliter differunt.Primo modo, scilicet a forma qua differt relatio a relatione, sumitur prima diuisio relationũ, qua relatio diuidit in relationẽ secũdũ esse, & in relationẽ secundum dici. Et dicuntur relatiua secundum dici quęcũꝗ sic se habent adinuicem ꝗ vnum est aliquid alteri⁹: & ꝑ hoc vnũ eorum respectum habet ad alterum: sicut se habent inter se pars & totum, accidẽs & subiectũ, inter quæ forma relationis in sola dictione vnius ad alterũ cõsistit: licet nunꝗ sit sine secũdo: cũ hoc ꝗ esse vtriusꝗ illorum est ab‑ solutum. Et respectus ille nequaꝗ est relatio: propter qd talis relatio non pertinet ad prędicamentũ relationis: licet secũdum eam dicat ꝗ caput est capitati caput: & ꝗ capitatũ est capite capitatum. Similiter dicit ꝗ color est colorati color: & coloratum colore coloratum. Dicũtur autẽ relatiua se‑ cundum esse, illa quę non solum secundum dictionem: sed etiam secundum hoc ipsum qd sunt, ad aliud dicuntur: & non solum dicũtur ad aliud, sed etiam ad aliud sunt: & hoc quia esse eorum non est solum cum respectu, sed est relatio ꝗdam & respectus: non quo aliquid dicitur tm ad aliud: sed quo ad hoc habet ad aliud esse. vnde & dicuntur relatiua secundum esse: & hoc largo modo sumẽ do esse ad esse quo aliquid habet esse pfectum extra animam: & quo aliquid habet esse diminutum

**C** in anima. Et secundum hoc subdistinguuntur relatiua secundum esse: & hoc vel penes ipsam for‑ mam essendi & psens agens: quia relatiuorum secundum esse, quædam sunt secundum rem: quæ‑ dam vero secũdũ relationẽ. Et dicitur secundum rem illa quæ vere & pfecte relatiua scdm eĕ di‑ cuntur, eo ꝗ esse suum relatiuum habent a natura rerum in quibus sunt extra animam. Dicũtur autem secundum rationem illa quæ non habent nisi esse relatiuum diminutum in anima: & nõ ni si ab animæ consideratione, secundum modum superius expositum. In quo differunt relationes se‑ cundum dici ab illis quæ sunt secundum rationem: quia licet relationes secundum dici, causari ha beant a consideratione rationis: & similiter illę quæ sunt secundum rationem: vt propterea ambæ possint dici relationes secundum rationem, s. quantum est ex parte agentis: illarum tamen ratio cõ sistit in rationis consideratione quo ad dictionem in voce exteriori tm. istarum autem ratio consi‑ stit in conceptu aliquo interiori conformi rebus quæ sunt extra: secundum ꝗ conforme est dextrũ in columna intellectui dextro existenti in animali extra: & hoc siue dextrum aut sinistrum conside retur in vna columna respectu dextri aut sinistri in vno animali tm: siue dextrum & sinistrum si‑ mul considerentur in vna columna posita inter duo animalia. s. respectu dextri in vno consideran‑ do sinistrũ columnę, & respectu sinistri in alio considerando dextrum columnę: siue dextrum & si‑ nistrum considerentur in diuersis columnis respectu dextri & sinistri vnius animalis positi in me‑ dio illorum: siue considerentur dextrum & sinistrum in eadem columna non nisi respectu dextri & sinistri in animali simpliciter: aut propter notam dextri & sinistri aut in imagine animalis quia ha bet figuram animalis, aut in cælo propter principiũ & terminũ motus conformes principio & ter mino motus in animali, vt secundum hoc relationes rationales qñꝗ considerantur in habitudine ad sibi correspondens in relationibus naturalibus, quandoꝗ in habitudine ad suum contrariũ. Pro pter qd istę illę ꝗ considerantur ad suũ cõtrarium, vere dicuntur secundum rationem: quia & a ra tione & a conceptu rationis existunt: in quo aliquod esse habent: secũdum ꝗ illa ad quę nata sunt dicunt relata adinuicem secundum rē: quale esse non habent illę quæ sunt secundum dici tm, sci

**D** licet ꝗ dicuntur relata non secundum esse: sed secundum dici tm. ¶ Ex quo patet quo & quomodo relationes existentes in illis tribus modis principalibus quæ sunt secundum rem, generaliter differunt ab illis quæ sunt proprie: & hoc siue in eodem modo seu in eodem genere siue in diuer sis generibus seu modis relationis communis. Illi enim tres modi relationis cõmunis continet sim pliciter solum relationes secundum esse: quia illę solę pertinent ad prædicamentum relationis: licet illæ quæ sunt secundum rē, cõtinentur sub illis principaliter: illæ vero quæ sunt secũdũ rem, continentur sub eisdem modis. Vnde & per differentiam illarum quæ sunt secundũ rē sub diuersis generibus inter se, patebit etiã differentia il larum quæ secundum rationem sunt sub eisdẽ inter se. Et semp illę quę sunt sub vno illoꝗ triũ ge nerum, siue sint secũdũ rē siue secũdũ rõne, differunt ab illis ꝗ sunt in aliis duobus differẽtia dispa rationis: sicut differunt inter se species quæ sunt sub diuersis generibus subalternis: secundum ꝗ pa tebit in sequenti ꝗstione. Et illarum ꝗ secũdũ rem veram relationes sub vno illorum trium modo‑ rum ab illis quæ sunt secundum rem relationes sub aliis duobus modis, intellectus siue ratio disti ctionem seu differentiã non operatur nec causat: sed eam sic factam a rerum natura inuenit: ꝗ eas operata est tales: & secundum eam, considerationem siue conceptum suum format: & sic illa diffe‑ rentia est causa considerationis in ratione non econuerso: & ita differentia illarum dicenda est esse secundum rem veram. Sed illarum ꝗ sunt secũdũ rē diminutã & rõnis relationes, solus intellect⁹ si ue ratio differẽtiã inter se & ab illis ꝗ sunt secũdũ rē verã, causat & operat vt omnino aut comple‑

tiue ſecundū prędeterminata.Quę poſtſg eas tales operata eſt in diuerſis generibus comparādo illas adinuicem:conſideratiōe ſiue conceptum ſuū format ſecundū illarū differētiam quā prius in
illis operata eſt.Et ſic iſta differentia quæ prius operata eſt ab intellectu in ratione, eſt cauſa conſiderationis ſui a ratione conuerſa ſuper illas quaſi quodā circulo.Illarum vero quæ ſunt relationes
ſecūdum rem veram ſub vno illorū generum,& illarū; quę ſecundū rationem & rem diminutā
ſunt ſub aliis generibus, intellectus cōſiderando illas inter ſe,conceptū differentię illarum format
ſecundū illa quæ prius operata eſt partim natura rerum,partim intellectus ipſe, & ſic differentia
illarum eſt cauſa conſiderationis ſiue conceptus differentię partim directe,partim circulo. De differentia autem relationum cōmunium inter ſe,patebit in ſequēti articulo.Quia ergo relationes in
ſingulis generibus quandoſg ſunt ſecundū rem,quandoſg ſecundū ratiōe,vt ſpecialiter patebit in-
ſerius de relationibus cōmunibus:ſed ſpecialiter in diuinis,de quibus ad pſens ſolummodo inten-
dimus:ideo relationes cōmunes ab aliis differunt quandoſg ſecundū rem,quādoſg ſecundū rationem tm,quandoſg vero mixtim. Idcirco ergo rationib⁹ ad vtrūſg partem reſpondendū eſt.

E
Adprimū
principale

❡Qd ergo arguitur primo,ſg relationes cōmunes non differunt ſecundum rem,
ſed ſolum ſecundū rationem ab illis quæ ſunt in potentiis,quia ſunt inter eadem reſpectu eiuſdē:
Dico ſg ratio iſta non arguit niſi in caſu quo relationes cōmunes inter eadem relata cōcurrunt cū
aliis.Et dicunt aliqui ſg in iſto caſu non diſtinguunt niſi ſecundū ratiōe tantū. Dicunt em generaliter ſg quandocūſg inter eadē relata concurrunt diuerſa genera relationum,omnes coincidunt
in vnam,puta in relationibus ſecundū potētiam actiuam & paſſiuam,& ſecundum menſuratis &
menſuratum:quæ in eſſe coincidunt cum eſt relatio inter deum & creaturam,quia deus eſt agēs
& meſura,& creatura eſt actum & meſuratū:vt vna ſit relatio dei ad creaturam inquātū ipſe eſt
agens & menſura,ſcilicet ſecundum rationem:vna creaturę ad deum inquantū ipſa eſt actum & mē
ſuratum,ſcilicet ſecundum rem. Et ſimiliter in relationib⁹ cōmunibus,puta idētitatis ęqualitatis
aut ſimilitudinis inter diuinas perſonas,vt illa tria vna ſint relatio inter illas etiam ſecundū rationem,ſcilicet idētitas:& tranſeunt ęqualitas & ſimilitudo in idētitatem,quia quantitas & qualitas
in diuinis ſuper quę fundat ęqualitas & ſimilitudo,tranſeunt in ſubſtātiā,ſuper quā fundatur idē
titas.Vt ideo etiam in diuinis perſonę dicant eſſe ſimiles & ęquales ſecundū ſubſtantiam ab Aug.
v.de Trini.cap.vi.& Magiſter ſententiarū diſt.xxxi.dicit ęqualitatem eſſe identitatē.Vnde & hanc
coincidentiam relationum ponunt cauſam quare in diuinis relatio ſecundum potentiam actiuam
ad creaturas non eſt ſecundum rem,ſicut eſt in creaturis,ſed ſecundū rationem tantū,quia ſcilicet
idem eſt iudicium in deo de menſura & de actione.& relatio menſurę in illo eſt ſecundū rationem
tantum:cū tn in creaturis relatio actionis ſit ſecundū rem.Et ſimiliter dicūt ſg idem eſt cauſa qua
re in diuinis relationes ęqualitatis & ſimilitudinis ſint relationes ſecundū rationem tantū,quia ſci
licet idem eſt iudicium de ęqualitate & ſimilitudine qd de idētitate:quæ in diuinis eſt ſecundum
rationem tantū,licet ſint in creaturis relationes ſecundū rem.Reuertēdo ergo vnde prius,dico ſg
dicta ratio non arguit ſg relationes cōmunes non diſtinguunt aliis,niſi in caſu,quo ſcilicet ſunt in
ter eadem,& in hoc coincidunt.Nunc aut queſtio noſtra generalis eſt de illis relationibus ſiue ſint
inter eadem,& quo ad hoc coincidunt,ſiue inter diuerſa,& nullo modo coincidunt.Et ita licet in
diuinis procederet argumentū in quibus coincidūt inter eaſdem perſonas relationes cōmunes cū
aliis,& ideo non diſtinguerent relationes communes ab aliis:in creaturis tn in quibus frequenter
non coincidunt,bene diſtingui poſſunt ſecundū rem.Sed tn nec in diuinis nec in creaturis verum
eſt ſg relationes cōmunes coincidunt in alias:nec econuerſo:quia cum relationes ſecundū potērias
inter diuinas perſonas ſint ſecundū rem,vt viſum eſt ſupra, & cōmunes ſint ſecūdū ratiōe tantū
vt videbitur infra:aut ergo cōmunes inciderent in illas,& ita ipſæ eſſent relationes ſecundū rem:
aut illę in iſtas,& ita illę eſſent ſecundū rationem:quorum vtrūſg falſum eſt.Manent em differentes illę quę ſunt in potentiis,& illę quę ſunt cōmunes.Manent ergo etiam differentes in diuinis cō
munes ab aliis & inter ſe:& ſimiliter illa quę eſt in potentia actiua,ab illa quæ eſt in menſura inter
ſe & ab aliis. Et ſic ſecūdū modū iam dictū relationes cōmunes inter eaſdem perſonas ab aliis
& inter ſe differunt quātūcūſg coincidant.Et ſimiliter in creaturis quando calefaciens refertur ad
calefactum ſecundū relationem actiui & paſſiui,& etiam ſecundū relationem ſimilitudinis,inquā-
tum vtrūſg illorū eſt calidum,quæ eſt relatio cōmunis,neutra illarum incidit in aliā,licet per hoc
ſg calefaciens generat calorem in calefacto,facit illud calidū: ad qd ſequitur ſg ſit ſimile calefaciēti
Qz ſi etiam contingeret ſg ordine natura calefactū non poſſet recipere calorem a calefaciēte niſi ſe
cundum gradum inferiorem,& ſic calefactum ratione gradus illius referretur vt menſuratum ad
calefaciētem ſicut ad menſuram, vt eſſet inter calefaciēs & calefactum relatio triplicis generis,ſci-

F

licet communis & in potentiis & in menſuris: nunquam tamen ſic coincideret in eiſdem quin maneret ſe
cundum rem diuerſe: vt alia relatio realis fundaretur ſuper potentiam paſſiuam calefacti contrariā
potentiæ actiuę calefacientis, ſuper quam in illo fundatur relatio realis oppoſita : & alia ſup calore
eiuſdem eūſde in ſpecie cum calore calefacientis, cū illa quæ fundatur ſuper illius colore : & ſic ſup
vtraque in vtroque fundetur relatio realis:& tertia ſuper gradum in calore calefacti reſpectu caloris
calefacientis:& ſuper calorem in calefacto fundetur relatio ſecundū re:& ſup calore in calefacto fundet
relatio ſecundum rationem.Conſimili ergo modo licet inter deum & creaturam cum relationibus
in potentiis actiuis coincidant relationes in menſuris:nihilominus diuerſe ſunt ſecundū re in crea
turis:& ſimiliter diuerſe in deo ſecūdum rationem:& hoc quia cum creatura ſe habeat ad deum
vt menſuratum : ſe habet eſſentia creaturæ vt effigies quædam naturaliter ad diuinam eſſentiam
inquantum ipſa diuina eſſentia ſupereminenter continet vnice in ſe omnes rationes perfectibiles:&
ſcipue illam quæ eſt eſſentiæ humanę. Et illa eadē eſſentia humana inquantum eſt exemplatū ſecū
dum rationem ideę ipſius diuinæ eſſentiæ:ſe habet ad deum ſicut actū & inſtitutum in eſſe eſſen
tiæ:& poſtmodum ab ipſo deo in eſſe exiſtentiæ eſt pductum:nō naturaliter a diuina eſſentia,ſecū
dum ꝙ poſuerunt Philoſophi:ſed liberaliter a diuina voluntate determinante ſemet ad creaturæ
productionem in eſſe exiſtentiæ.Propter ꝗd quia hęc productio ex determinatione ipſius diuinæ
voluntatis dependet:& illa iſtitutio eſt ſecūdū rōne ideę in diuino itellectu:ideo vtroque modo dicit
relatio actiui in deo ad creaturam,relatio ſecundū rationē:nō ꝗa coincidat in relationem ſecūdum
**G** meſuram.Et conſimiliter licet æqualitas & ſimilitudo coincidant cum identitate in eiſdem,non ex
hoc oportet ꝙ ſint eadem relatio,ſecundum ꝙ inferius latius declarabitur exponēdo dicta Augu
ſtini & Magiſtri tacta iam:& hoc non obſtante ꝙ potius æqualitas & ſimilitudo debent dici traſire
in identitatem ꝗ econuerſo:quia alia prædicamenta in diuinis tranſeunt in ſubſtantiam:& trahun
tur per hoc ad naturam illius:non autem econuerſo.Et etiā non obſtante ꝙ proprius modus iden
titatis verę eſt ꝙ fundetur tam in diuinis ꝗ in creaturis ſuper vnitatem ſubſtantiæ numeralis: cū
in creaturis æqualitas & ſimilitudo non fundentur niſi ſuper diuerſitatem quantitatis & qualita
tis : & in diuinis æqualitas fundetur in perſonis ſuper vnitatem quantitatis eandem numero:&
ſimiliter ſimilitudo ſuper eandem qualitatem numero:ſicut identitas ſuper eandem ſubſtantiā nu
mero.Tales enim cōgruentiæ valet in diuinis modicū ad oſtendendum ꝙ relationes communes
ſunt ſecundum rationem,in illas coincidūt quæ ſunt in eis ex natura rei:aut inter ſe: ſicut modi
cum valent ad pbandum ꝙ in ordine dei ad creaturam relatio actiui reducitur ad illam ꝗ eſt mē
ſuræ:& ꝙ ideo eſt ſecundum rationem.Propter talem enī reductionem non debet relatio actiui in
deo ad creaturas dici ſecundum rationem:ſed ſolum quia ineſt ex determinatione rationalis volū
tatis aut idealis intellectus.Nec ſimiliter identitas & ſimilitudo quę in creaturis ſunt relationes ſe
cundum rem,debent dici relationes ſecundum rationem in deo:quia reducuntur in illo ad identi
tatem:ſed alia de cauſa inferius aſſignanda.Ex tali enim dicto inſinuatur ꝙ ſi non eſſet in diuinis
relatio actiui ad illam relationem menſuræ reducta,ꝙ relatio actiui in deo ad creaturam eſſet ſecū
dum rem:& ſimiliter æqualitas & ſimilitudo pſonarum inter ſe,niſi reducerentur ad identitatem
ꝗd falſum eſt,vt aliquantulum tactum eſt ſupra in ſolutione primi argumenti ſecūdæ quæſtionis
præcedentis articuli.

**H** ¶Qd autem arguitur ꝙ in eodem ad idem relationes diuerſæ nō poſſunt differ
**Ad pri.** re plus ꝗ ſecundum rationem,vt patet in filio cum reſpectu patris dicit filius & imago:Dico ꝙ ve
**principale** rum eſt quando nec ſecundū eſſe formale:nec ſecundū ages diſtinguuntur:ſicut in filio non diſtin
guitur poſſe generari.generatum eſſe,filius,imago,verbum:quia hęc natura ponit in filio: & hūt
idem eſſe formale,ſ.eſſe ab alio generatione naturali.Non ſic autem eſt de relationibus cōmunibus
reſpectu aliarum,vt patet ex iam dictis.Et hoc dico omiſſa ad pſens alia differentia ex parte funda
menti ꝗd eſt potentia paſſiua in filio:in quo illa omnia eodem modo fundantur. Nō ſic aūt relatio
nes communes eodem modo fundantur in eodem cum aliis relationibus ,vt patebit inferius.¶Ad
**I**
**Ad ſcdm.** ſecundū ꝙ relationes cōmunes non differunt niſi ſecundum rationem ab illis quæ ſunt in menſu
ris:quia cauſantur ab vno vt eſt menſura:& ſequuntur menſuratum vt menſuratum eſt:Dico
verum eſt:ſed diuerſimode & diuerſo modo mēſurādi.Diuerſimode:quia in ſecundo modo relatio
nis relatio ſequitur menſuratum in habitudine ad menſuram: in relatione vero communi relatio
ſequitur menſuratum vnum in habitudine ad aliud menſuratum,ſicut dictum eſt iam ſupra. Et
ſic in ſecundo mō ſequitur menſuratū vt eſt ſimpliciter menſuratū:in relatione autem communi
non ſequitur vnum menſuratum niſi vt eſt conforme vel difforme alteri menſurato.Sequit etiam
ibi & hīc diuerſo modo mēſurādi:quia iuxta hoc ꝗd etiam iam dictum eſt ſupra, Vnitas ſiue vni

dupliciter habet conſiderari.vno modo ſecundũ ſe,abſtractione mathematica ratione ſuæ perfectio
nis & indiuiſionis, alio modo vt habet eſſe in aliis rebus,& eas ratione perfectionis & ſuæ indiuiſi
bilitatis determinat.Primo modo conſideratur vt ab eo procedit materialiter per eius replicatio
nem omnis numerus, & a perfectione formali quæ conſiſtit in ſua indiuiſibilitate deficit omnis nu
merus,& per hoc comparatur vt menſura ad numerum penes ſecundũ genus relationis. Secũdo
autem modo cõparatur vt deſcendit in omnia alia ſecundũ modum tactum ante finem pcedentis
queſtionis,& hoc non ſolum vt ipſum vnum ſecundũ rationem ſuę perfectionis completę in ſeipo
deſcendit in alia,denominans vnitate quodcũꝗ aliorũ, ſed etiam vt ipſum ſecundũ rationem ſuæ
perfectionis deficientis in numero ſiue multo deſcendit in eadem ſecundũ modum tactum,deno
minando alia dualitate,ternario,& ſic de cęteris:& hoc vt menſura qua res alterius generis habet
quantitatem.Et ſic ad hoc argumentum reſpondendum eſt ad modum quo reſponſum eſt ad ſecũ
dum argumentum queſtionis pręcedentis.

K
Queſt.iii.
Arg.i.

Irca tertium arguitur ꝗ relationes cõmunes ab aliis nõ diſtinguunt ſecundũ ge
nus aut ſpeciem,ſic.Diſtinctio rerum vnius generis per res alterius generis non
eſt ſecundum genus aut ſpeciem,quia eſt per accidens.Sic enim diſtinguunt inter ſe
indiuidua ſub vna ſpecie ſubſtantię,ſcilicet per albũ & nigrum,longum breue,&
huiuſmodi.Hoc autẽ modo ſolummodo diſtinguunt relationes cõmunes ab aliis
quia ſi ſubſtractis fundamentis quę ſunt res aliorum generum,conſiderentur: ni
hil manet in illis niſi pura ratio quę eſt ad aliud eſſe:ſub qua non diſtinguunt:im
mo ipſa vnitate quantũ eſt de ſe habet in omnibus,vt tactum eſt ſupra,ergo &c.ᴄSecundo ſic. ea ²
quę circ̃ueunt omne genus,a nullo diſtinguunt ſecundũ genus aut ſpecie,vt patet de ente & vno
ꝗd cum illo conuertitur.relationes cõmunes circ̃ueunt omne genus,ꝗn ſequuntur vnum & mul
tum,quę diuidunt totum ens.ergo &c.ᴄIn contrariũ eſt ꝗ relationes cõmunes differunt ab aliis In oppoſi.
ſecundũ dicta & iam declarata,& cõueniunt in generaliſſimo relationis.& conſtat ꝗ non differũt
ſolo numero:talia autem neceſſario differunt genere aut ſpecie.ergo &c.

L
Reſolu.q.

ᴄHic ad videndum diſtinctionẽ relationum cõmunium ab aliis ſecundũ genus
aut ſpeciem:oportet videre diſtinctionem prędicamenti relationis per dicta tria genera relationis.
Dico ergo ſecundum alias & iam ſupra declarata:ꝗ id ꝗd relatio proprium habet de ratione ſui
ꝓdicamenti,vt ipſum diſtinctũ eſt omnino a quolibet alio prędicamento,& nihil communitatis eſt
alicuius ꝗd eſt alterius ꝓdicamenti:non eſt niſi ratio quędã quæ eſt ad aliud eſſe: quemadmodum
ratio prędicamentorũ abſolutorũ cõmunis differens a ratione propria prędicamẽti relationis quæ
eſt ad aliud eſſe,eſt ad ſe ſiue ſecundũ ſe eſſe.Secundũ quẽ modũ in illa oĩo nõ cadit diſtinctio in ꝓ
dicamẽto relationis,neꝗ ſecundũ genera ſubalterna,neꝗ ſecundũ ſpecies,neꝗ ſecundũ indiuidua
ſicut neꝗ in prędicamento ſubſtantię cadit aliqua diſtinctio ſecundũ proprium modum illius qui
eſt ad ſe.Quia ad ſe & in ſe eſſe quidẽ eſt a prędicamentis abſolutis,quibus vnus modus cõmunis
eſt,ſcilicet in alio eſſe,ſub quo diſtinguũtur ꝓdicamenta quantitatis & qualitatis ſecũdũ duos pro
prios & diuerſos modos eſſendi in alio:ſed ſi aliqua diſtinctio cadit in illo prędicamento relationis
illa neceſſario ſumitur ſecundũ res aliorum ꝓdicamentorum.Vnde ſicut hoc eſt de ratione modo
rum prędicamentorũ abſolutorum,ꝗ vniformiter cõcomitantur ſingula quæ ſunt in aliis prędi
camentis,nec ſecundũ illos diſtinguitur aliqua contenta in aliis ꝓdicamentis, ſed ſolummodo per
res abſolutas illorum:ſic idem eſt de ratione propria prędicamento relationis quę eſt ad aliud eſſe,
ſcilicet ꝗ vniformiter deſcendit in ſingula contẽta in ꝓdicamento relationis,& ea comitatur.Et ſic
penes illum modum in illa poteſt omnino haberi diſtinctio cõtentorũ in prędicamento relationis.
Immo ſi relatio vt eſt nomen ꝓdicamenti,& vt dicit ſolũmodo rationem quę eſt ad aliud eſſe,de
beat diſtingui & diuidi per differentias quibus ad ſpecies contrahitur:oportet ꝗ illas ab aliis pręa
dicamentis contrahat,& per illarũ diſtinctionem diſtinguatur,inquantũ ſcilicet ſuper res illorum
fundatur.& hoc quemadmodũ paſſiones rerum mathematicarum contrahuntur vt ſint paſſiones
rerum naturalium,per ipſa ſubiecta naturalia in quibus ſunt.puta curuũ ꝗd eſt paſſio linę con
traria recto,contrahitur ad ſimitatem,& ipſum ꝗd eſt curuũ fit ſimum per ſubiectum naturale in
quo eſt,ſcilicet per naſum.Eſt enim ſimitas curuitas naſi ſiue in naſo. Sicut enim curuitas ſimpliciter
in definitione naſi eſt genus ſiue ratione generis habet,& rationem differentię importat ipſum ſub
iectum naturale,vt ex illis duobus conſtituatur ſimitas tanꝗ ſpecies paſſionis naturalis, & definia
tur per illa vt per genus & differentiã:Sic relatio ſimpliciter ratione modi qui eſt ad aliud eſſe vt
indiſtincte cõſiderata circa indiſtinctas res prędicamentorũ abſolutorũ aut prędicamenta relatio
num quæ ſunt ad aliud,ſiue relatiua,eſt genus & ratione generis habet.Et circa ipſam huiuſmodi

rationem vt differentiæ apponunt illi ipsa fundamenta relata distincta:q̃ sunt aliorum p̄dicameto
rum:super q̃ relatio siue respectus ad aliud fundatur:siue potius apponunt illi relata res contractę
ab illis p̄dicamentis,vt sic p realitatē fundamēti,aut quā a suo fundamēto contrahit relatio,cōtra
hatur ipsa relatio ad speciem:& per diuersa fundamenta a quibus diuersas realitates cōtrahit etiã
ad diuersas species contrahatur:& per illas realitates tanq̃ per differentias diuidatur : & ex singu
lis cum genere cōstituant singulę species,vt secundum hoc quemadmodum passio naturalis defi
niri dicit p additamentum rei alterius generis:cōsimiliter p̄dicamentum relationis dicatur diuidi

**M** p additamentum alterius generis rei, Et per hoc relatio vt est ratio & modus prædicamenti:licet ĩ
genere nullam realitatem propriam generis inquātum est genus importet:sed p̄cisum modum es
sendi ad aliud:tñ cum hmōi modo & ratione realitatem importat in speciebus suis:& in omnibus
contentis in prædicamento relationis p̄priam illis inquātū species sunt,& cōtenta sub genere rela
tionis,Et est solus ille modus p̄pria qditas relationi secudum genus & scdm q̃ relatio est:& p cōse
quens toti p̄dicamento illius inquantum distinguit a p̄dicamentis absolutis:nec aliam habet eē q̃

**N** quiditatis rōnē:licet etiam non habeat relatio rationem generis nisi vt ipsum abstractum a speciē
bus indefinite realitatem fundamenti in se includat,Propter quod bene & conuenienter dicitur q̃
a prædicamentis absolutis distinguitur ratione suæ quiditatis:cum tamen non distinguatur ab il
lis nisi illo modo siue etiam illa ratione, Ex quo etiam patet quō quiditas relatiua solummodo ac
cipitur in comparatione ad aliud:& etiam q̃ distinguere relationes ratione suæ quiditatis,est eas
distinguere in comparatione ad aliud:& hoc non nisi a prædicamentis absolutis quorum esse con
sistit in absoluto,Quia q̃ distinguūtur relationes inter se:hoc non est nisi penes diuersimode se ha
bere ad aliud : quod non conuenit eis nisi per sua fundamenta diuersa realia: & per realitates di
uersas quas ab illis trahunt:quæ eis non competunt ex seipsis vnde sunt relationes simpliciter : &
sic non ratione suę quiditatis proprię:sed solum secundum q̃ habent fundari in alio : & sic ratio
ne sui esse qd̃ habent in suo fundamento vt in subiecto,qd̃ per ipsam formaliter refert,inquantum
ipsa disponitur,Et ideo distinctio quæ relationi secundum hoc competit,cuiusmodi non est distin
ctio ab aliis generibus:sed infra se in suas species vsq̃ ad indiuidua propria inclusiue: est distinctio
eius non secundum rationem suæ quiditatis:sed potius secundum rationem sui esse : & sic nulla
distinctio ratione quiditatis suæ competit relationi vnde est relatio simpliciter:sed q̃ aliqua,hoc nō
est nisi ab aliis prædicamentis & contentis in illis:quia vnde est hęc vel illa secūdu speciem aut
secundum numerum infra suum prædicamentum:& sic solum ei competit ratione esse & realita
tis qd̃ contrahit a suo fundamento,& sic ratione quiditatis suę solum distinguitur prædicamentũ
relationis secundum rationem generalissimi a generalissimis prædicamentorum absolutorum:sed
qd̃libet contentum in prædicamento relationis etiam indiuidua illius adinuicem distinguuntur

**O** secundum esse qd̃ contrahunt a suis fundamentis,Et quia ista ratio relationis qua genus generalis
simum est,contrahitur per aliquas differentias proprias quę sunt de natura illius sicut in aliis præ
dicamentis absolutis res quæ est genus generalissimum contrahitur per proprias differentias quę
sunt de natura illius:multo igitur differēter est ratio generis in prædicamento relationis,& in prę
dicamentis absolutis:quia in illo ratio generis nullam propriam realitatem habet: sed incontracta
est ad id qd̃ est ei proprium: nec cōtrahitur nisi per additamentum alterius generis,In prędicamē
tis autem absolutis res generi p̄pria sub sua propria ratione significando contrahitur per sibi pro
pria:& sic alio modo in relatione genus est in potentia ad differentias & ad species.& in prędicamē
tis absolutis, Modus igitur siue ratio relationis secundum q̃ diuersimode realitatem contrahit ab
illis super quæ fundatur & in ordine quodam,secundum hoc descendit in species vsq̃ ad indiui
dua sub spęcie specialissima:quæ non nisi secundum vnū modum realitatem contrahunt a suis fun
damentis:eo q̃ secundum vnum & eundem modum fundantur in illis,sicut inferius declarabitur.
Dico autem non q̃ eādem realitatem contrahunt eo q̃ super idem fundantur:sed q̃ secundū vnū
modum:& etiam quia distinctio in prædicamento relationis non est tam propter diuersitatem il
lorum super quæ fundatur relatio , q̃ propter diuersum modum fundandi in illis,Super eadem
enim secundum diuersos modos fundandi bene fundantur diuersæ relationes reales secūdum ge
nus subalternum,vt tactum est supra:& amplius tangetur infra,Non enim fundantur relationes
super prædicamenta absoluta secundum q̃ res sunt simpliciter & absolute,puta substantia,quanti
tas,aut qualitas:sed secūdum q̃ in se habent modos reales generales quibus distinguuntur singu
la prædicamenta:quæ sunt potentia,actus,vnum,multum:quibus primo diuiditur ens:& qd̃libet
prædicamentum entis inquantum ens est,Res enim quęq̃ quia eo qd̃ est incompleta est: & actꝰ est
perfectionis susceptibilis:puta aqua caloris:ab eo q̃ secundum illam perfectionem est in actu:& hoc

vel virtute tantũ vt ſol calidus,vel virtute & forma ſimul,vt ignis calidus. Idcirco potentia quæ in diuiſione entis cadit cum actu, eſt potẽtia paſſiua,& actus ille includit potentiam actiuam: qui bus(ſcilicet potẽtia paſſiua & actiua)naturaliter ſeſe reſpiciunt in quolibet genere entis in quo nã ta ſunt eſſe actiui & paſſiui,ſiue ens in potentia,& ens ſecundum actum. Vnum etiam in vtroq̃ ge nere eſt primum in quo conſiſtit ratio illius generis perfectiſſime.Multum aũt eſt illud in quo per fectio illa aliquantulũ deficit,ſecundum prẽdicta.per q̃d naturaliter multum reſpicit vnum.Quia igitur omne q̃d ex ſe deficit a perfectione aliqua nihil habendo de illa, neceſſario vadit primo per actionem perfecti de potẽtia in actum imperfectum:& tunc demum per actum imperfectum quẽ habet,ordinatur ipſum perfectum:idcirco naturaliter(ſicut tactum eſt ſupra)relationis habitudo primo fundatur in rebus abſolutis ſecundum rationẽ potentiæ paſſiuæ,& actus.i.potentiæ actiuę qua exiſtens perfectum in actu,natum eſt imperfecto conferre perfectionem : quã tñ imperfectum non eſt natũ recipere,ideſt defectiue habet illam ſecundũ rationem menſurati & menſuræ:quæ ſe habent inter ſe ſecundũ rationem perfecti & imperfecti.Et ſecundum hoc diſtinctione prima & na turali relatio quę eſt generaliſſimum & nomen habitudinis non ſecundum ſe ad aliud exiſtentis, ſed ſolummodo inſuis contentis:diuiditur in duas primas habitudines duo prima genera ſubal terna conſtituentes,ſcilicet in relationem potentialẽ.i. quæ conſiſtit in potentiis, ſcilicet in actiuis & paſſiuis,& in relationem menſuralem,ideſt quæ conſiſtit in menſurationibus, ſcilicet in menſu ris & menſuratis:cõmuniter ſumendo menſuram ſecundum duos modos menſurandi ſupra expo ſitos.Relatio autem illa quæ fundata eſt in potentiis actiuis & paſſiuis,diuiditur per diuerſas ha bitudines ſecundum diuerſitatem potentiarum actiuarum correſpondentium ſibi mutuo in acti uis & paſſiuis diuerſorum generum & diuerſarum ſpecierum illorum prædicamentorum in qui bus menſuratur potentia actiua & paſſiua ſibi correſpondentium,& hoc vſq̃ ad indiuiduales ha bitudines inter agentia & patientia, puta quæ eſt huius hominis generantis ad hunc hominem generatum,& huius equi generantis ad hunc equum generatum,& huius calefacientis ad hoc ca lefactum,& ſic de ceteris,ita q̃ quodlibet genus & quælibet ſpecies & quodlibet indiuiduũ in prẽ dicamento relationis eſt habitudo continens duas relationes ſibi inuicem oppoſitas vel ſecundum genus vel ſecundum ſpecies vel ſecundũ numerum,& hoc nõ ſolum in actiuis & paſſiuis: ſed etiã in aliis.Relatio autem fundata in menſurationibus ſiue in vno & multo, ſiue perfecto & imperfe cto:diſtinguitur ſecundũ q̃ vnum & multum ordinatur dupliciter.Vno eñ modo ordinatur in ter ſe,vnum ſcilicet ad multum,& econtrario,& hoc vt vnum eorum menſuratur ab altero.Alio autem modo vt ambo ordinantur ad pdicamenta alia,& hoc vt illis ambobus, ſcilicet vno & mul to menſurantur,ſicut tactum eſt in fine precedentis quęſtionis. Et ſecundum hoc diſtinguitur ge nus ſubalternum relationis q̃d conſiſtit in menſurationibus generaliter dictis,in duas habitudines relationis,ſcilicet in relationem menſuralem,quę ſcilicet eſt in ſubſtantia numerorum inter vnita tem menſurantem numerum ſiue multum menſuratum,& continet tantũ ſecundum genus rela tionis,& in relationem cõmenſurabilem quę eſt in accidentibus numerorum cõſequentibus vnũ & multum, quæ eſt inter menſurata vno & multo,& continet tantum relationes communes.Et relatio menſurationis ſubdiuiditur per diuerſas habitudines ſecundum diuerſitatem vnitatũ mẽ ſurantium diuerſa multa,& ſpecierum contentarum ſub illis in ſingulis prędicamentis in quibus inueniuntur ratio menſurę ſecundum vnum menſurans,& multum menſuratum,& hoc vſq̃ ad indiuiduales habitudines inter vnitates & multitudines indiuiduales menſurantes & mẽſuratas. De diſtinctione autem relationum cõmunium erit ſermo inferius. ¶Breuiter ergo dico ad quæ ſtionem q̃ relationes cõmunes ſub generaliſſimo relationis diſtinguuntur ſecundũ genus ſubalter num ab aliis:in hoc videlicet q̃ primum genus relationis ſubalternum eſt:q̃d eſt in actiuis & paſſi uis:& ſecundũ condiuidens idem genus generaliſſimum contra illud primum diuiditur in duas ſpecies ſubalternas:quarum prima eſt in ſubſtantia numerorũ inter vnũ & multum : ſecũda inter accidẽtia numerorũ cauſata ab vno & multo:quę vlterius in ſpecies diſtinguũt, vt infra videbir. Et ſecundũ hoc cõcedenda eſt tertia ratio pro iſta parte adducta. ¶Sunt autẽ ex dictis hic aduertẽ da duo:quorum primum eſt,q̃ magis differunt ſecundũ genus relationũ & tertiũ a primo,q̃ ipſa ſcilicet ſecundũ genus relationum & tertium inter ſe.& hoc eo q̃ hęc duo ſub vna differentia ca dunt,q̃ etiã magis differunt inter ſe relatiua primo genere relationis q̃ ſecundo aut tertio, & hoc quia potentia & actus ſunt principaliores differentie entis q̃ vnum & multum.Propter q̃d compa rando in creaturis relatiua primo genere relationis & tertio inter ſe:dicit Boethius libr.d.Trini. cap.xiiii.Sciendum eſt non tale ſemper eſſe prędicationem relatiuam,vt ſemper ad differẽtias prę dicetur,ſicut ſeru⁹ eſt ad dñm.Cõmen.Hęc eñ noſa & res illę ſignificarę,ſcilicet ſeruit⁹ & dñium

**T**

& illa de quibus dicunť, differũt. Et poft pauca. Quantitates aũt & qualitãtes fecundum quas æq̄lia & confimilia dicuntur: non adeo diuerfæ funt ficut poteftas fecũdũ quã ille dominus ifte feruus dicunť: fed quodãmõ vnũ funt, non quidem ea quæ ex fingularitate eft vnitate: fed ea q̄ ex p̄portione comparatur vnitate. Etiã confimiliter dico φ comparando in creaturis relatiua primo genere relationis & tertio inter fe, vnum & multum in fubftantia numerorũ fecũdũ quę menfura & mefuratum dicuntur relatiua: nõ adeo diuerfa funt ficut actiuum & paffiuũ: fed quodãmodo vnũ funt non quidem ea quæ ex fingularitate eft vnitate, ficut cõtingit in idẽtitate nũerali: nec ea quæ comparatur ex vnione. f. in eodem fecũdũ fpeciem aut genus, ficut contingit in idẽtitate fpecie vel genere, & fpecialiter in æqualitate vel fimilitudine: fed (ficut dicit Commẽ. fuper finem tertii capituli de trini, Boethii) comparãdo deũ ad creaturas fecundũ rationem menfurę & menfurati quadam extra ab exemplari cõformatiua deductiõe: nõ quidẽ plena in tota fui fubftantia, aut in parte fubftantię fuæ femiplena fubftãtiali fimilitudine qua ęternis temporalia nequaq̄ conferri poffunt: fed quãdam extra fubftantiam imitatione ea vnitate quæ ex fola proportione comparatur, & imitatione fubftantiali fimilitudine. Nota φ dicit de fimilitudine inter deum & creaturam fecundum rationem menfurę & menfurati, φ non eft in tota fubftantia: aut in parte fubftantię: fed omino extra fubftãtiam. f. menfurę conformatiua deductione. quia comparando fecundum fimilitudinẽ iter creaturas fecundum rationem menfurę & menfurati: licet non fit in tota fubftantia: eft tñ in parte fubftãtiæ. f. femiplena. fubftãtiali tamen fimilitudine quadam: & conformatiua deductione qualis eft inter vnitatem & numerum conftitutum per vnitatum replicationem. In quolibet enim numero recipitur aliquid formę vnitatis, deficienter tñ a p̄fectione illa quã habet in fimplicitate vnitatis: fed hoc fecũdũ plus & minus: quia quanto numerus magis elongatur ab vnitate, tanto in illo plus deficit forma vnitatis. Vnde numerus nõ denoiať talis vel talis a pluralitate fuarum vnitatũ: quia illas materialiter continet: fed a forma vnitatis fub qua illas continet. Propter qd dicit Pḣs. vi. metaphy. φ numerus denarius non eft decies vnũ: fed femel decẽ. Et confimiliter comparãdo relatiua fecundo genere relationis & tertio: dico φ relatiua maxime relatione fundata fup vnũ in tertio genere relationis non adeo diuerfa funt ficut relatiua fecundo genere relationis. f. menfurationis: quia plus vnũ funt relata tertio genere relationis q̄ fecundo. Relata em̃ tertio genere relationis relatione fundata fup vnũ: funt vnũ aut ea quę ex fingularitate eft vnitate: aut ea q̄ cõparať ex vnione, fecũdũ φ inferius declarabiť. Illa autẽ q̄ funt relatiua fecundo genere relationis. f. ficut menfura & menfuratũ, funt vnum fola vnitate: & qd̄ minus eft, vnione quæ ex fola proportione & imitatione comparatur.

**V**

Ad pri.
principa.

**⸿ Ad primum** in oppofitum, φ relationes cõmunes non diftinguuntur ab aliis fecundum genus aut fpecie: q̄a diftinctio earum eft p accidens ab aliis fub genere relationis: quia p̄ res alterius generis: Dico φ aliquid diftinguiť p res alteri⁹ gñis ab alio dupliciter. Vno modo ficut fubiectũ illarũ retũ: vt hõ p hoiem albũ & hominẽ nigrũ, & ifta diftictio vt p̄cedit obiectio eft p accides. Alio mõ ficut cõfeques effentialiter ad fubiectũ p res illas alteri⁹ gñis: ficut in p̄pofito ad hũc hoiem albũ inquãtũ eft albus: & ad aliũ hoiem fimiliter albũ inquãtũ eft albus, fequiť fimile: fimiliter ad vnũ hoiem nigrũ & ad aliũ hoiem albũ fequiť diffimilitudo: & fic in cęteris cõtẽtis fub gña liffimo relationis ex pte relationũ cõmuniũ. & fic diftinguiť, effentialiter diftinguiť. Quia licet diftinctio cõis gñaliffimi in talib⁹ fit p additamẽtũ, vt dictũ eft: & quo ad hoc nõ intãtũ effentialiter fit diftinctio fecũdũ gña & fpecies in relationib⁹ iftis ficut in abfolutis: quia tñ ipfum fundamẽtũ p qd̄ fit additamẽtũ illi cõmuni quodãmõ fubintrat rõ̃e refpect⁹ in dãdo ei realitatem: quia fimilitudo fundata fupra q̄litate qualitas eft quoquo mõ, fecũdũ illd dictũ vfitatũ, Similitudo eft rerũ differẽtiũ eadẽ q̄litas: Idcirco ergo albo vni in ordine ad aliud albũ fiḿitudo eft effentialis quafi fecũdũ tertiũ modũ dicẽdi p fe. Et ficut hoc dico de fimilitudine, cõfimiliter & hoc dico de aliis relationibus omnibus cõib⁹ & p̄priis. Et p hũc modũ fi relatio q̄ eft p̄dicamẽtũ cõfiderereť vt vl̄e abftractũ a fuis fpecieb⁹ p̄ximis: ficut ille non folũ fignificat refpectũ fiue effe ad aliud fimpl̄r: fed realitatẽ cõtractã a fundamẽtis diuerfis: fic gen⁹ gñaliffimũ qd̄ eft relatio, nõ fignificat nudũ refpectũ fiue modũ q̄ eft ad aliud effe: fed etiã realitatẽ in vl̄i cõtractã a fundan ẽtis illis in fuis fpecieb⁹. Et licet a diuerfis gñib⁹ p̄dicamẽtoꝝ abfolutoꝝ cõtrahat ifta realitas, cõtrahiť tñ fecũdũ vnũ modũ generalẽ i potentiis quibufcũq̄, in menfuris quibufcũq̄, & in relationibus omnibus quibufcũq̄. Quẽadmodum enim ratione vnius fequiť æquale in magnitudine, fic ratione vnius fequitur fimile in qualitate. Et per hoc licet non in eodem vniuocentur quantitas & qualitas, vniuocantur tamẽ in eodem æqualitas & fimilitudo, vt inferius amplius patebit. ⸿ Per hoc patet ad fecundum: φ relationes cõmunes omne genus circũieunt: ergo a nullo fecundum genus aut fpeciem diftinguuntur. Dico ením

**X**

Ad fcdm.

ꝙ verum eſſet ſi non haberent vllo modo vnã & eandem rationem cauſandi illas in generaliſſimo
ſicut verum eſſet de relationibus cõmunibus ꝙ non continerẽt ſub vno genere cõmuni ſubalter
no ſi non haberent vnũ modũ cõmunem,licet minus generalẽ cauſandi omnes relationes cõmunes
in ſubalterno,ſed per vnũ & multum, vt ínfra patebit. Et ſic bene diſtinguunt ſecũdũ genus & ſpe
ciem ſubalternas relationes cõmunes:ꝗ ſecundũ fundamenta ſua ſequũt omne genus prędicamẽ
ti abſolutum ab illis,quę ſic etiã circũeunt omne genus quo ad fundamenta ſua,inquantũ ſcilicet
iſtę & ille ſub ratione vna generaliſſima cõmuni oĩbus continerẽt:ꝗ eſt ad aliud eſſe ſecundũ prę
dicta.Sicut & vna ratione magis ſpeciali fundatur relationes diuerſę ſuper diuerſa prędicamenta
quia ratione multi aut vnius relationes cõmunes,& ſimiliter relationes in potentiis vna alia ratio
ne ſpeciali,ſcilicet quia ratione actiui & paſſiui:& ſunt in menſuris, ſcilicet quia ratione perfecti &
diminuti,vt patet ex dictis.

Equitur Arti.LXIIII. de cõparatione relationũ cõmuniũ inter ſe, vbi
quęrenda ſunt quatuor.

Art.64.

Primum:vtrum inter ſe differant.

Secundũ:vtrum inter ſe differant ſcdm rem an ſcdm rationem.

Tertium:vtrum differant inter ſe ſecundũ genera an ſcdm ſpecies.

Quartũ:vtrũ illę ꝗ ſunt in eodẽ gñe ſcdm rẽ, ſcdm
tres modos relationũ cõmuniũ differant ſpecie aut
genere ab illis ꝗ ſunt in eiſdẽ ſcdm rationem.

Irca primum arguitur ꝙ tres modi relationum cõ
munium,ſcilicet identitas, ęqualitas,& ſimilitudo
non differunt neꝗ diſtinguunt inter ſe,nec in diui

A
Queſt.I.
Arg.i.

nis nec in creaturis,ſic.Cõmunes relationes non differunt neꝗ diſtinguuntur niſi ſecundũ illa in
quibus fundãtur,quia non niſi ſecundũ illa plurificantur,vt patet ex prędictis,& amplius patebit
in dicendis.ſed per illa nequaꝗ diſtinguuntur nec in diuinis nec in creaturis.Non in diuinis, quia
in diuinis identitas,equalitas,& ſimilitudo fundantur ſuper idem penitus.Tres cm perſonæ diui
næ ſunt idem in ſubſtantia,quia ſunt eadem ſubſtantia, & ſunt idem in quantitate, quia ſunt ea
dem quantitas,& ſunt idem in qualitate, quia ſunt eadem qualitas.Et ſubſtantia quantitas eſt &
qualitas:& econtrario.Similiter ſunt equales in ſubſtantia,quia oẽs pfectiones ſubſtãtiæ immẽſę,&
ſimiliter in quantitate & qualitate. Similiter ſimiles ſunt in ſubſtantia, eo ꝙ ſubſtantia diuina eſt
forma ſubſtantialis.Cõmunicantes autem eandem formam ſubſtantialẽ ſimiles dicuntur ſecundũ
illam,puta Petrus & Paulus ſecundum humanitatem. Sunt etiam ſimiles in quantitate,quia non
ẽſt magnitudo mole,& ſecundum Augu.de Trini.in iis quæ non ſunt mole magna: idem eſt ma
ius eſſe qd melius.Melius autem ſicut bonum non niſi in qualitate dicitur: magnitudo autem in
deo qualitas eſt.ſecundum qualitatem dicitur ſimile,ergo & in deo ſecundum magnitudinem di
citur ſimile.Similiter nec per fundamenta diſtinguuntur ſeu differunt identitas,equalitas,& ſimi
litudo in creaturis per eandem rationem: quia diuerſi ſecundum idem dicunt æquales, puta duo
homines.Similiter ſecundum quantitatem & qualitatem: quia habentes eandem quantitatem &
qualitatem idem ſunt,vt videtur in quantitate & qualitate:ſicut habentes eandem ſubſtantiam
dem ſunt in ſubſtantia.& ſimiliter ſecundũ quantitatem non ſolum dicuntur equales propter pa
ritatem quantitatum,ſed etiam ſimiles propter paritatem in gradu perfectionis.& etiam ſecundũ
qualitatem non ſolum dicuntur ſimiles propter qualitatem,ſed etiam equales propter paritatem
in gradu qualitatis quo dicuntur perfecte ſimiles. ℂPręterea ſi illę relationes cõmunes differrẽt ſe
cundum differentiam fundamentorum,cum illa in creaturis differant genere, ſcilicet ſubſtantia
quantitas & qualitas:ergo & ipſę relationes cõmunes differrent genere.qd falſum eſt:cum omnes
ad genus relationis pertineant ſecundũ prędicta etiam in creaturis,ſed maxime in deo.quia in deo
illa tria,ſcilicet ſubſtantia,quãtitas,& qualitas,nec genere,nec ſpecie,nec numero differunt: quare
& illę relationes cõmunes in deo,nec genere,nec ſpecie,nec numero differrent,& ſic in nullo differ
rent in deo omnino,nec idcirco eſſent plures relationes.conſequens falſum eſt ſecundũ prędicta.ẽt
ꝗo &c.ℂIdem arguitur ſpecialiter in diuinis ex eis quę reperiuntur in creaturis,ſic.Sicut in crea
uris qd eſt cõmune,ſecundum rationem eſt,ſic in deo qd eſt cõmune,ſecundũ rem eſt.ſecundum
Dam.lib.i.ca.xi.Sed idem ęquale & ſimile quæ in creaturis ſequuntur ad cõmune ſecundũ ratio
nem,inter ſe non differunt nec diſtinguuntur,puta cum in humanitate Petrus & Paulus dicũt
idem ęquale & ſimile,ergo conſimiliter idem æquale & ſimile quæ in diuinis ſequuntur cõmune

1

2

5

3

4

6

7

8

secundũ rem,puta cũ pater & filius & spíritus sanctus dicunt idem simile & æquale.ergo &c.Vnde
& Philosophus.v.meta.de relationibus cõmunibus idétitatis æqualitatis & similitudinis dícit sic.
**In opposi.** Omnia dicunt secũdũ vnũ modũ.ꝃContra est idꝙ Cõmentator sup illo verbo.v.meta.dicit,sic.i.
& propriũ est istis tribus generib⁹ relatiuorum &c.vt supra,articulo primo de relationib⁹ cõibus
in principio corporis solutiõis ad ꝙstione primã.Si em sunt tria gña relatiuoꝗ,necessario differũt.

**B**
**Responsio** ꝃDico secundum prætacta in corpore dictę solutionis,ꝙ postꝙ identitas equalitas & similitudo sint plures relationes communes,vt dictum est in secunda questione eiusdẽ articuli,necesse est ponere ꝙ sunt diuersę inter se.Vlterius aũt postꝙ cõuenĩut in genere relationis:ꝗa
omnes sunt relationes,& differunt ab aliis relationibus,vt declaratũ est p totũ illum articulum:ne
cesse est ponere ꝙ etiã inter se distinctę sunt & differentes:& secundum ꝙ tactũ est in secũda ꝙstio
ne articuli præcedentis de differentia relationum cõmunium ad relationes non communes.Diffe
rentia autem relationum cõmuniũ inter se ad psens debet sumi neꝗ penes relata:neꝗ penes fun
damenta: de quarum differentia secundũ illa erit sermo inferius:quę sunt quasi causa materialis
taliũ relationum:sed solummodo penes rationes causę formalis:aut penes agens hmõi formas:ꝗ
quidẽ formę sunt hmõi relationes aut respectus quibus relata referuntur.Et dico iuxta dicta in illa questione,ꝙ relationes communes differunt & distinguuntur secũdũ tria genera siue tres modos relationum differentes secundum formam.Diuersos em respec⁹ siue relationes importãt ge
nera relationum cõmunium diuersa,& qualiter hoc,declarabitur in ꝙstionibus sequentibus.Et se
cundum hoc concedenda est vltima ratio iam adducta.

**C**
**Ad prí.**
**princípa.** ꝃAd primum in oppositum,ꝙ relationes cõmunes non distinguuntur penes sua fun-
damenta:quare non distinguuntur omnino:quia non nisi penes illa multiplicantur,Dico ꝙ immo
p sua fundamenta distinguuntur:licet non formaliter:sed solum quia ab illis rationes suas formales trahunt originaliter & completiue,vt cõtigit in relationibus realibus:vel originaliter tm,& cõ
pletiue a ratione, vt cõtigit in relationibus secundum rationẽ,secundum dicta in secunda ꝙstione
articuli præcedentis.In quib⁹ respectus ꝗ originaliter habent esse in fundamẽtis,qñꝗ non habét eē
ex illis vt ex fundamentis,vt etiam ex eis habeant esse sicut ea quæ per eas referuntur : & sunt simul fundamenta & relata:sed quandoꝗ in eis nulla existit relatio secundum esse neꝗ rei neꝗ ra-
tionis:sed secundum dici tm:qualis est inter partem & totum,& inter subiectum & accidẽs,Quã
doꝗ vero existit in eis relatio secũdũ esse rationis tm,vt vniuersaliter contingit in relationib⁹ primo mõ identitatis:quandoꝗ vero respectus ꝗ habet esse ex fundamentis,sicut habent esse ex illisv
tñ nõ sint ex illis ꝗ per eas referũt ꝗ sunt aliꝗd ipsoꝗ relatoꝗ:vt cõtigit in secundo mõ idétitatis:
& vniuersaliter in similitudine & in equalitate eorũꝗ contrariis.Quãdoꝗ etiã nõ habét esse respe
ctus originaliter ab illisꝗ per eos referuntur:neꝗ ab illis ꝗ sunt aliquid illorum:sed solummõ ab il
lis siue ex illis ad quę referuntur:vt vniuersaliter contingit in relationib⁹ ꝗ sunt p accidens secũdũ
esse rationis,puta mẽsurę ad mẽsuratũ:& columnę ad aial secundum dextrũ & sinistrũ,secundum
ꝙ hęc amplius patent ex distinctione relationũ realiũ & rationalium supra de relationibus cõmunibus articulo primo ꝙstione quarta,& ꝙstione secunda articuli pcedentis.ꝃQd aũt arguiꜩ n⁹ i d
uinis relationes communes non differunt penes sua fundamẽta quia fundãt super idem penit⁹.
**D**
**Ad scdm.** eo ꝙ psonę tres sunt iidẽ equales & similes secũdũ substãtiã ꝗuãtitatẽ & qualitatẽ:Dico de identitate ꝙ multũ refert aliqua dicere eadẽ esse in substãtia ꝗuãtitate aut qualitate:& esse eadẽ secũdũ
hęc:ꝗa eadẽ possunt dici in aliquo quęcũꝗ cõe essentiale hñt vnũ aliquid,& sunt vnũ essentialiter
puta ꝗ hñt cõmune aliꝗd vnũ gñe aut specie aut numero:& sunt illud denoiatione essentiali,pu-
ta hõ & asinus in aiali sunt idẽ,Petrus & Paulus in hoie,& filr pater & fili⁹ in deitate.Qd cõtigit
solũmodo i substãtia circa creaturas: nequaꝗ aũt in ꝗuãtitate & ꝗlitate:ꝗa licet aliꝗd cõiter habeã
illa:nõ tñ habent aliꝗd illoꝗ vt cõmune illis essentiale,& vt illa ꝗ sunt illa essentialiter.Puta Petr
& Paulus habét iter se albedinem:nõ tñ hñt albedinẽ vt aliꝗd eis cõmune essentiale: nec ipsi sunt
albedo:licet sint albi denoiatione accidẽtali. de quibus nequaꝗ potest dici ꝙ sint idẽ in quantitate
aut qualitate:neꝗ ꝙ sint eadẽ quantitas aut qualitas.Circa diuinas autem personas illud indifferenter contingit in substantia ꝗuãtitate & qualitate:eo ꝙ in diuinis habens semper est id ꝙd habet
& ideo quicquid communiter habetur a diuinis psonis,est eis cõe secũdũ rem,& essentiale illis:&
ipsę sunt cõiter illud.Et ideo gñaliter verũ est in diuinis psonis ꝙ sunt eędem in substãtia i ꝗlitatẽ
& in ꝗuãtitate:ꝗa sunt eadẽ substãtia,eadẽ ꝗlitas,& ꝗuãtitas.Eadẽ aũt non possunt dici aliqua eē
secundum aliꝗd nisi illud sit substãtia ꝗ cõiter est substãtia,vt cõtigit i prio mõ idétitatis: aut ꝙ
essentialiter habita ab illis vt aliꝗd illoꝗ,vt cõtigit i scdo mõ idétitatis,scdm quẽ modũ dicũt ali

equalia ſcdm quantitate:quia ipſa cõmuniter eſt habita ab illis vt aliquid eorũ : & ſimiliter ſimilia ſcdm qualitate.ſecundũ ꝙ hæc patebunt loquendo de relationibus cõmunibus in cõparatiõe ad relata p illas.Vbi declarabit qualiter aliqd vnũ põt referri per idétitatem ad ſeipſum
ſcdm ſubſtãtiam,& etiã ad aliud,licet ſcdm diuerſos modos idétitatis.Nihil aũt poteſt referri
ad ſeipſum p æqualitate aut ſimilitudinẽ ſcdm quãtitatẽ aut qualitatẽ:ſed ſolũmodo ad aliud.
Et ſic neꝗ in diuinis neꝗ in creaturis aliqua dicunt eadem ſcdm quãtitate aut qualitate,neꝗ
in creaturis aliqua duo ſubieɔta ſunt eadẽ quantitas aut eadẽ qualitas.In diuinis aũte ipſe per-
ſonꝗ ſunt eadẽ ſubſtãtia,& ſunt eadẽ ſcdm ſubſtantiã:ſed non ex hoc ſunt eꝗdem ſcdm ſubſtan
tiã quia.ſ.ſunt eadẽ ſubſtãtia:ſed ſolũmodo quia ſubſtãtia illa eſt aliquid horũ,ſecundũ ꝙ infra
patebit:licet bene dicãtur eꝗdem in ſubſtãtia quia ſunt vna ſubſtãtia,ſicut iam dictũ eſt. Et ſic
quo ad idétitate falſa aſſumpta ſunt in argumẽto. ꝏꝢ arguit ꝙ tres pſonꝗ diuinꝗ ſunt æqua

**E**
**Ad tertiũ.**

les in ſubſtãtia,qualitate,& quãtitate,quia ſcdm illa ſunt immẽſꝗ:Dico ꝙ quãtitas large ſumi
tur cũ dicit ꝙ equale ſequit vnũ in quãtitate.ſ.ad quãtitate molis,& ad quãtitatẽ virtutis:vt
patebit infra diſputãdo de relationib⁹ cõmunib⁹ in cõparatiõe ad earũ fundamẽta.Et penes iſtã
quãtitatẽ virtutis in mẽſura & mẽſurato,ſumit ſcdm gen⁹ relatiõis inter mẽſurã & mẽſuratũ
vt habitũ eſt ſupra:& penes quãtitate i mẽſuratis,ſumit equale & inequale ptinẽs ad tertiũ ge
nus relatiõis,& hoc ſiue talis quãtitas ſiue molis,ſiue virtutis habeat eſſe in ſubſtantia,ſiue in
qualitate,ſiue in quocũꝗ alio pdicamẽto:licet diuerſimode ſcdm hãc quãtitate,& ſcdm quãtitatẽ molis,& hoc ſcdm modũ diuerſitatis illarũ,ſecundũ ꝙ hꝗc oĩa infra patebit.Et æqualitas
ſcdm vtrãꝗ quãtitate multũ differt ab idétitate & ſimilitudine: qm idétitas ſumit a ſubſtãtia
ſcdm id qd eſt,& ſimiliter ſimilitudo ſumit a qualitate ſcdm id qd eſt:ſed equalitas ſumit aut
ſcdm id qd eſt quãtitas differẽs a ſubſtãtia & qualitate,aut ſcdm gradus pfectiõis vl quaſi gra
dus in illis contẽtos:vt amplius patebit inferius. ꝏꝢ vero arguit ꝙ tres pſonꝗ ſunt ſimiles in

**F**
**Ad quartũ**

ſubſtãtia,quãtitate,& qualitate,Dico ꝙ nequaꝗ ſunt aliqua ſimilia in ſubſtãtia,etiã extẽſa ſimilitudine ad eſſentiale & accidẽtale,niſi in ſubſtãtia quꝗ eſt differẽtia & qualitas ſubſtãtialis,
quꝗ cõtinet ſub cõmuni noĩe qualitatis,quãdo dicit ſimile ſequi ad vnũ in qualitate,vt iſtra pa
tebit.Et ſcdm ꝙ aliquid eſt differẽtia & qualitas ſubſtãtialis,nõ habet ratiõe ſubſtantiꝗ vt ſe
cundũ ipſam dicat aliquid idem:ſed ſolũmodo ſcdm ſpeciem p differentiã cõſtitutã,habentem
ratiõe ſubſtãtiꝗ cõpoſitꝗ,dicunt indiuidua ſub illa cõtenta eſſe eadẽ. Vñ Petrus nõ dicit ſimi
lis ſimilitudine eſſentiali Paulo humanitate,niſi ratione rationalitatis quã cõtinet:ſed idem di
cit illi per ſe humanitate.Vnde cõtenta ſub generaliſſimo eadẽ dicunt ſcdm illud,& in illo,nõ
aũte ſimilia:quia generaliſſimũ non cõſtituit per differentiã aliquã niſi ens eſſet genus & deſcẽ
dat per differẽtias in generaliſſima. Et p eadẽ ratione diuinꝗ pſonꝗ neꝗ in ſubſtãtia,neꝗ ſcdm
ſubſtantiã dicunt eſſe ſimiles,quia ſubſtãtia nõ cõtrahit in illis ſicut gen⁹ per differẽtias.Licet
em pprietates relatiuꝗ reſpectu ſubſtãtiꝗ diuinꝗ ſint quaſi differẽtiꝗ cõſtitutiuꝗ perſonarũ,quæ
ſunt veluti indiuidua diuerſarũ ſpecierũ,non tñ contrahũt ſubſtãtia deitatis ſicut vniuerſale
ſiue genus,ad ſpecie:vt ſupra declaratũ eſt. ꝏ d aũte aſſumit in argumẽto,ꝙ in diuinis ſub-

**G**
**Ad quitũ.**

ſtãtia eſt quãtitas,& qualitas,& ecõuerſo:Dico ꝙ verũ eſt ſcdm rem.Et ideo ſcdm rem nõ differũt in deo illꝗ relationes tres.Differunt tñ ſcdm ratiõe:inquãtum ſubſtãtia,quãtitas,& qua
litas,in deo ſcdm ratione differũt:vt tactũ eſt ſuperius in ꝗſtione de pluralitate relationũ cõ
muniũ i diuinis,ſpecialiter articulo primo. ꝏꝢ aũt arguit ꝙ diuinꝗ pſonꝗ ſunt ſiꝗes ꝗ̃ quãti

**H**
**Ad ſextũ.**

tate:quia ibi quãtitas eſt qualitas,eo ꝙ in eis ꝗ̃ nõ ſunt mole magna,qualia ſunt oĩa ꝗ̃ ſunt i di
uinis,maius eſſe eſt meli⁹ eſſe:meli⁹ aũte ad qualitatẽ ptinet:Ad hoc reſpõdebit infra art.lxix.
queſt.i.in diſſolutione ꝗſtionis tertiꝗ.ꝏPer iã dicta de diuinis patet reſpoſio ad cõſimilẽ modũ
arguẽdi iã dicta i creaturis adductũ i argumẽto.ꝏAd ſecũdũ:ſi relatiões cõmunes diſtinguere

**I**
**Ad ſepti-**
**mum.**

tur ſcdm fundamẽta,differret genere pdicamẽti ſicut & illa:Dico ꝙ verũ eet ſi illis ſolis & p
ciſe diſtinguerẽt vt ſingulum ſecundũ ſe conſiderat,& ſic in ipſa fundarẽt:nec haberet ratiõe formalem differẽtem ſcdm habitudinẽ quꝗ eſt ad aliud eſſe:qua ad vnũ pdicamẽtũ aliud
ab illis fundamẽtis pertinet.Quꝗ quidé relatiões nõ ſunt niſi quꝗdã habitudines ſcdm illa fun
damenta illoꝛ quorũ ſunt:& fundant in illis ſingulis non ſcdm ſe:ſed in ordine quodã conſide
ratis ſcdm ratione vnius & multi:vt infra videbit.ꝏAd tertiũ:ꝙ idem,ꝗquale,& ſimile quꝗ ſe

**K**
**Ad octauũ**

quunt vnũ cõmune ſcdm ratiõe,non differunt in creaturis:ergo nec in deo cũ ſequunt in illo vnũ cõmune ſcdm rem:Dico ꝙ immo in creaturis differũt ſub genere relationũ cõmuniũ:
licet ſequunt vnũ cõmune ſcdm ratiõe,& hoc quia diuerſimode & ſcdm diuerſas ratiões il-
lud:quia idétitas ſequit illud ratiõe totius naturꝗ ſpeciei:æquale aũte ratione gradus pſectiõis

in illa:simile aute ratione differetiæ constitutiuæ speciei,secudū ꝙ iã supra dictū est. Et scdm eū dem modū differunt in deo idētitas,& æqualitas,quãdo æqualitas fundaf in deo sup quãtitatē perfectionis:sed alius est modus quãdo fundaf sup quantitatē attributalē in deo.Similitudo au tē scdm illum modū non est in deo:quia nõ est in illo nisi fundata sup qualitatē attributalem: eo ꝙ nõ est in deo ratiõe differetiæ in ipsa essentia deitatis , sicut est in hoïe in ipsa essentia hūa nitatis:ꝙa vt dictū est,deitas nõ contrahif ꝑ aliquã differentiã in patre & filio & spiritu sancto.

Irca secundū arguif ꝙ genera relationū cõmuniū differunt inter se scdm rē nõ scdm rationem tm̃,sic.relationes ꝙ inter se differunt absꝗ omni opere & cõsideratione rationis,differūt scdm rem,& nõ scdm rationem tm̃:quia dif ferētia scdm rationē nõ est absꝗ opere & cõsideratione ratiõis.tria genera re lationū cõmuniū sunt hmõi,tam in creaturis:in quib⁹ hoc manifestū est pro pter realem differentiã fundamentoꝗ suorum,ꝙ sunt substātia,quantitas,& qualitas:ꝙ in diuinis: quia ꝑsonæ diuinæ tres eædem sunt æquales & similes verius ꝙ aliqua in creaturis,sicut dictū est in parte supra,& amplius exponet infra.verius autē sunt eade, æqua lia,& similia,ꝙ sunt talia absꝗ rationis cõsideratiõe a natura rei ꝙ quæ ex ratiõis cõsideratiõe? ergo &c̃.Scdo arguif ꝙ nõ differūt inter se nisi scdm rationē tm̃,sic.differētia siue ꝙ differūt illis differūt quib⁹ habēt esse.Vñ illa differūt substātialiter ꝙ differūt illis quib⁹ habēt esse sub stātialiter,& illa differūt accidētaliter ꝙ differūt illis quib⁹ hñt esse accidētaliter.sed idē,æqua le,& simile licet habeāt esse a substātia,quātitate,& qualitate:hoc tñ nõ est immediate nisi ꝑ vnitatē:quia immediate habēt esse ab vnitate in substātia,quãtitate,& qualitate:vt iã tactū est in parte,& iã amplius declarabif inferius.sed ynitas nõ differt nisi scdm ratioñe vt est in sub stātia,quãtitate,& ꝗlitate etiã in creaturis:vbi substātia,quãtitas,qualitas,differūt ꝼm rē:sicut licet dece hoïes & dece equi sint diuersa dece, denarius tñ est idem & vnus dece hoïm,& dece equoꝗ,scdm Pḿm in fine quarti physi.ergo &c̃.Contrariū arguif sic.Relationes scdm rem ꝙ sunt ad diuersa,necessario differūt inter se scdm rem:& siʟr relationes scdm rationē tm̃ ad di uersa,necessario differūt inter se scdm rationē tm̃:quia ad destructionē cõsequentis sequif de structio antecedētis.quia relatiões ꝙ nõ differunt inter se scdm rem,nõ possunt esse scdm rem ad diuersa.Relatiões eñ ꝙ sunt scdm rem,& ad idem,nõ differūt nisi scdm ratioñe:puta in fi lio genitū esse verbū,esse imaginē,relationes sunt scdm rem,& ad idē.s.ad patrē:& inter se nõ differūt nisi scdm ratioñe:secundū ꝙ supra est determinatū . Et cõsiʟiter est,de relatiõibus ꝼm ratioñe:quia relatiões ꝙ nõ differunt inter se scdm ratioñe tm̃,sed ꝼm rem,nõ possunt esse scdm ratioñe tm̃ ad diuersa . Relatiões eñ ꝙ differunt inter se scdm rem, & sunt ad diuersa:necesse est esse ad diuersa scdm rem: puta in diuinis generatū esse & spiratū esse,ad generantē & spirã tes,& pater inquantum generat differes est a se ipsa re relationis inquantum spirans: ergo &c̃.

Dico secundū ꝙ tactum est in solutione secudæ questiõis articuli ꝓcedentis, ꝙ supposito ex ꝗstiõe proxima ꝓcedēte ꝙ sit differentia relationū cõmuniū inter se, questio ista ꝗ rit quo & quõ differūt.Et vt etiã tactū est in solutione ꝗstionis ꝓximæ ꝓcedentis, nõ ꝗrit ꝗstio ista nisi de differentia illarū scdm formã respectuū ,& scdm agens causans in illas hmõi diuer sitatē.Et patet ex dictis in dicta ꝗstione ꝓcedentis articuli , quomodo illæ relationes ꝙ in illis ge nerib⁹ sunt scdm rem,differūt ab illis ꝙ sunt sub eisdē scdm rationē tm̃:quia illas ꝙ sunt scdm rem,omnino operaf natura:illas vero ꝙ sunt scdm rationē,aut omnino,aut cõpletiue operatur ratio.& sic differūt ex ꝑte agētis.Formaliter autē semp illæ ꝙ sunt ab eodē genere,differūt diffe rētia disparationis inter se ab illis ꝙ sunt sub alio genere:vt patebit in sequēti ꝗstiõe. Et illæ ꝙ sunt sub vno horū generū,siue sint scdm rem,siue scdm rationē,differūt scdm gen⁹ causæ for malis ab illis ꝙ sunt sub alio genere scdm rē & scdm rationē,reddēdo singula singulis,scdm ꝙ expositū est de differētia relationū cõmuniū ad alias ꝙ ꝗstione scda ꝓcedentis articuli.Quare au rē & quõ semper in diuinis sola ratiõe dicti tres modi relationū cõmuniū inter se differãt,& in creaturis quandoꝗ scdm rem, quandoꝗ vero scdm rationem tm̃,patebit inferius.Et secundū hoc concedenda est ratio vltimo adducta.

Ad primum in oppositum ꝙ genera relationum communiū tam in deo ꝙ in creaturis differūt inter se absꝗ omni cõsideratiõe ratiõis : Dico ꝙ nõ est verū qñ fundantur in vno aꝓprietate vnitatis dicto.qd semp cõtigit i diuinis:vbi idē re singulari sunt substātia,quã titas,& qualitas i trib⁹ ꝑsonis:& ideo sola ratiõe differunt inter se:vt supra declaratū est circa distinctiõe diuinoꝗ attributoꝗ,& adhuc infra ampli⁹ declarabif. Cõtingit etiã semp in crea

turis qñ eſt relatio idétitatis alicuius ad ſeipm,ſiue ſit vnũ ꝫm rationé generis,ſiue ꝫm rationé
ſpeciei,ſiue ꝫm rationé indiuidui.& hoc qa ſola ratióe in tali relatióe differũt fundaméta relationũ & ipſa relata.Sed illud ſolúmodo verũ eſt in creaturis,qñ eſt realis differentia illoꝛ ſup q̃
fundãt.túc em intellect⁹ illa inuenit diſtiⁱcta. ¶Q̃ d auté arguiꝭ vlterius,ꝙ etiã in diuinis vbi ⟨O⟩
fundant in eodẽ ſingulari,ꝫm ré differãt abſꝗ ratióis cóſideratióe:quia verius habét eſſe i deo
q̃ i creaturis:Dico ꝙ bñ ſequerꝭ iſtud.ſ.idétitas,& ſiⁱlitudo veriſſime hñt eſſe i deo:ergo veriſſime & maxime differ ̃t:ſi differétia illoꝛ accipereꝭ ratióe illa qua habét veriſſime eé i deo.Cũ
em ea ratióe aliqua differũt qua habét eſſe illa q̃ verius habét eſſe & ꝑfectius:veri⁹ & ꝑfecti⁹ dif
ferũt.vt cótingit i illis quorũ eſſe differétia ſumiꝭ a formis abſolutis. In abſolutis em q̃ veri⁹ &
ꝑfectius exiſtũt:verius & ꝑfectius iter ſe differũt:queãdmodũ verius & ꝑfecti⁹ inter ſe differũt
& diſtinguunt ſuis formis abſolutis ſubſtátie ſpũales ſeparate,q̃ ſubſtátie corporales cóicãtes
in materia.Nũc aũt ſecus eſt i diuinis de relationib⁹ cóib⁹:qa in illis alia ratióe habét eſſe & veriſſime eſſe dicta genera relationũ cómuniũ: alia vero ratióe habét inter ſe diſtigui:qa alio ſũt,
alio vero diſtinguunt. Q̃z em ſunt aliqᷝ relatióes cóes:hoc habét ab vno & multo cóiter. Q̃z
vero differũt & diſtiguunt inter ſe:hoc habét a ſuis fundamétis:q̃ ſunt ſubſtátia,quátitas,qua
litas.Vñ ꝙ in diuinis veriſſime ſunt relatióes cóes:hoc nó cótingit niſi ex ſumma vnitate fun
damétoꝛ in relatis.Inter diuinas em ꝑſonas veriſſima eſt idétitas,quia maxima ſubſtátie vni-
tas:veriſſima equalitas,quia maxima quátitatis vnitas:veriſſima ſiⁱlitudo,quia maxima qualita
tis vnitas.Ex parte aũt talis vnius nec accipiꝭ differentia idétitatis ad idétitaté:nec ſiⁱlitudinis
ad ſiⁱlitudiné,ſecũdũ ꝙ inferius erit ſermo de hoc.Nec etiã accipiꝭ differétia idétitatis,equalita
tis,& ſiⁱlitudinis inter ſe:ſed ex parte fundamétoꝛ ꝓdictorũ a quibus originátur habét origina
liter ratióes diuerſoꝛ reſpectuũ formaliter ꝫm ꝓdeterminata:quos cópletiue habét a ratióis cóſi
deratióe:vt inferius declarabiꝭ.Propter ꝙ nó ſequiꝭ ꝙ in diuinis verius differãt & ꝑfecti⁹ illa ⟨P⟩
tria genera relationũ:licet verius & ꝑfectius habeãt eſſe in diuinis q̃ in creaturis. ¶Ad ſecũdũ  Ad ſecũdũ
ꝙ differétia differũt illis quib⁹ habét eſſe:Dico ꝙ aliquo differre eſt dupłr.ſ.aut formaliter,aut
cauſatiue.Formaliter differũt relatióes cóes ipſis reſpectib⁹ quos importãt:quib⁹ & formaliter
ſunt id ꝙ ſunt.& de tali differétia vera eſt maior:vt ꝑcedit eius ꝓbatio.De differétia aũt qua
aliqua differũt cauſatiue,nó eſt verũ niſi in illis q̃ ab eodé & eadé ratióe habét eſſe & differre,
ꝙ nó cótingit i relationib⁹ cóibus,ſicut iã expoſitũ eſt.Et de hac differétia ꝑcedit minor ꝓpo
ſitio aſſumés bñ & rationabiliter ꝙ relatióes cóes principaliter habét eſſe in creaturis ab vnita-
te:que tñ(vt dictũ eſt)ꝓincipaliter habét eſſe cauſatiue a differétia ſubſtátie quátitatis & qualitatis inter ſe,& nó ab vnitate:niſi quia ipſa vnitas differt in illis trib⁹. Vñ eſt illud aſſumptũ
ꝙ genera communium relationum non habent eſſe a ſubſtantia,quantitate,& qualitate,& hoc
neꝗ originaliter,neꝗ cópletiue,& immediate:ſed ſolúmodo mediate,& ab vnitate exiſtéte in il
lis immediate. Sed ꝙ vlterius adiũgiꝭ,ꝙ vnitas i ſubſtátia,quátitate,& qualitate nó differt ni
ſi ſcdm rationé:Dico ꝙ verũ eſt in deo.Propter ꝙ iſta tria genera relationũ cómuniũ in deo
nó differũt niſi ꝫm rationé,ſicut nó niſi ꝫm rationé differũt in illo ſubſtátia,quátitas,& quali-
tas.Sed nó eſt verũ in creaturis:imo i illis vnitas differt ꝫm ré nó ſolũ q̃ eſt i ſubſtátia ab illa q̃
eſt in quátitate:ſed etiã q̃ eſt i diuerſis ſubſtátiis vna ab alia eoꝛ q̃ inter ſe referunt idétitate:&
in diuerſis quátitatib⁹ & qualitatib⁹,eoꝛ q̃ referunt inter ſe æqualitate & ſiⁱlitudine. ¶Q̃z ar- ⟨Q⟩
guiꝭ in cótrariũ,ꝙ denarius eſt vn⁹ diuerſoꝛ decé:ergo & vnitas eſt vna diuerſoꝛ vnoꝛ,que  Ad arg. in oppoſitũ.
ſunt ſubſtátia,quátitas,& qualitas:Dico ꝙ denarius aut vnitas poſſunt intelligi aut quo ad eſ
ſe & cóſideratióe illorũ mathematice,aut quo ad eſſe & conſideratióe eoꝛ naturaliter.Si pri
mo ꝙ,cũ eſſe rei mathematice ſit abſtractũ ꝫm cóſideratióe a materia ſenſibili vt eſt ſenſibilis & i vniuerſali & in particulari,ſcdm tale eſſe & cóſideratióe nó eſt vnitas niſi vna numero
neꝗ denarius niſi vn⁹ numero pluriũ numeratoꝛ.& ſic loquiꝭ Phũs.iiii.phyſi.quia plurificari
nó habet niſi p eé ſuũ i materia aut i ſubiecto ab agéte. & nó habet eſſe tale niſi i cóſideratio-
ne qua applicaꝭ reb⁹ extra.iꝑas menſurádo & numerádo vt meſura extrinſeca.Sed hoc mó nó
loquiꝭ de denario in.iiii.phyſi.ſed ſecũdo modo.Cũ em eſſe naturale nó ſit niſi in re naturali,&
nó abſtractũ ab illa niſi abſtractióe logica.ſ.vniuerſalis a ꝑticulari,& hoc nó a materia ſenſibili
ſimplr:ſed a materia ſenſibili hac vel illa,ſecũdũ tale eé nó eſt denarius vn⁹ numero ,neꝗ vnitas vna numero niſi prout habet eſſe i re eadé numero : ſed eſt in diuerſis ſolúmodo vnus vel
vna ꝫm ſpeciem:quia ita vn⁹ denarius.x.hoim,& alter vnus denarius.x.equorũ.& ſiⁱr vna vni
tas i vno hoie,& altera i vno equo. Et ſcdm primũ modũ vnus numer⁹ numeraꝭ eſt pluriũ nu
meratoꝛ,& vna vnitas pluriũ vnoꝛ,& hoc in creaturis:ecótra illi ꝙ cótingit in diuinis,vbi

sunt tres vnitates relatiuę numerantes pprer tres personas,& vna numerata pprer vnitatē rei
absolutę.Propter qd in creaturis cōstituunt numerū verū:istę autē in deo nequaq̃,dicēte Boe

**R** thio de trini.c.iiii.Cū tertio repetit deus,cū pater & filius & spūs sanctus nuncupat: tres vnitates nō faciunt pluralem numerū in eo qd ipsę sunt si aduertamus ad res numerabiles, ac nō
ad ipsum numerū,Illic eñi vnitatū repetitio nō facit nūerū &c.vsq̃ ibi.Nō igit si de pre & filio
& spū sancto tertio pdicat de⁹:idcirco talis pdicatio numerū facit. Penes aut modū secūdū plurificat semper in creaturis numerus,& vnitas scdm numerū,manente tñ semp eadē vnitate ḟm
speciem.& est alius denarius in.x.hominib⁹ scdm numerū,& alius in.x.equis,& alia vnitas numero in vno hoie,& alia in vno equo:sed oēs specie conueniunt. Et per hoc bene scdm rem differt vnitas vt habet esse in substātia & in quātitate & in qualitate in creaturis . Et hoc intellexit Aristo.in eo qd dixit.iiii.physi.q̃ idem est denarius.x.hominū,&.x.equorū:licet.x.nō sit idē
neq̃ ipsa decē sint eadem.Qd claret ex hoc,qa ratione quare denarius est idem hoim & equorᷓ
dicit esse q̃ denarius quilibet sub vna & eadē differentia numeri cadit qñ numerus diuiditꝰ sicut genus in species p differētias in denariū & alias species nūeri ▪ Vt eñi dicit, idē dicit q̃ quodlibet alteri a quo nō differt differētia sub eodē genere:sed nō dicitur idem illi a quo differt dif-
ferētia:sed potius dicit diuersum ab illo.Qd declarat per exemplū clarius i figuris,dices q̃ hoc
cōtingit in denario.S.q̃ semp est idem alteri denario:sed differt ab aliis speciebus numerorū:vt
triangulus vnus scdm vnā speciem trianguli, puta ęquilaterus:& alius triangulus scdm aliā
speciem trianguli puta gradatus,nō sunt idē triangulus:quia sub triangulo simplr triangulus
differt a triangulo:puta ęquilaterus a gradato.Alterius eñim trianguli sunt cū figura eadem:
quia ambo trianguli sunt,& cadūt sub eadem differētia figurę quādo figura diuidiꝰ per angu-
latē & rotundā.In deo autē vnitas vt habet esse in substātia in quātitate & in qualitate nō differt nisi scdm rationem,sicut & illa non differunt nisi secundum rationem inter se.

**S**
Quęst.III.
Argu,1.

2

In opposi.

**T**
Responsio.

Irca tertiū arguit q̃ relatiōes cōmunes nō distinguunt inter se scdm genera aut species:Primo sic. Relationes communes non differunt penes substātiam,quātitatē,& qualitatē,nisi mediāte ratione vnitatis : vt iā tactū est in
questiōe pcedēti.Sed vt tactū est ibidē,vnitas specie nō differt nec genere vt
est in substātia,quātitate,& qualitate:quare nec relatiōes cōes fundatę in illis differūt genere aut specie.Secūdo sic.In relationib⁹ cōibus nō sunt nisi
duo,i.qd est in eis ex fundamēto,& qd est i eis ex vnitate mediāte qua fundaꝰ in illo,sed ratiōe
fundamentoᷓ nō distinguunt neq̃ scdm genera,neq̃ scdm species:quia illa sunt diuersoᷓ generū & nō subalternatim positoᷓ,& harū relationū distinctio debet esse sub eodē genere,ne ratione vnitatis in illis vt dictum est:quare neq̃ ab vtroq̃ scdm modum arguendi in sex princi-
piis.In contrarium est q̃ Cōmentator dicit esse tria genera relationum communium:vt habitum est in quęstione prącedente.

Dico q̃ relatiōes cōmunes sicut & alię necessario distinguuntꝰ scdm distinctione fundamentoᷓ & modos fundādi in illis,vt habitū est & expositū in tertia q̃stione articuli p-
cedentis.Quia igit oēs relationes cōmunes fundantꝰ in trib⁹ pdicamentis scdm vnā ratione cōmune vnitatis vt habitū est iā supra: idcirco dico q̃ rationes harū relationū scdm quas ad pręsens q̃rit illarum distinctio,a fundamentis suis trahunt.Secundū eñi q̃ diuersificant modi fundādi relationes cōmunes in illis pdicamētis,& modi illi distinguunt inter se:secundū hoc redū-
dat ab illis distinctio formalis in hmōi relationib⁹.Supposito ergo q̃ relationes oēs cōmunes
sub vna differētia generis subalterni cadūt, qua distinguuntꝰ a relationib⁹ mēsurationū q̃ sunt
in substātia numeroᷓ:vt dictū est in tertia quęstione articuli prꝰcedentis,& sic p illā differentiā cōtinet illas relatiōes cōmunes vna species subalterna,q̃ genus subalternū est respectu illoᷓ
q̃ cōtinet vt species:Genus autē omē p duas differētias imediatas diuidi debet scdm Boethiū
in libro diuisionū:igit assignādo distinctionē relationū cōmuniū fundatarū sup vnū: & p illā a
cōtrario supponēdo conforme distinctionē relationū cōmuniū fundatarū super multū,& scdm
Plm,qui bene definiunt cōtraria cōsignat:Dico q̃ quia(vt dictum est) substātia,quantitas,&
qualitas sunt principia distinctiua relationum cōmuniū tanq̃ illa a qbus procedunt differētiæ
earū:igitur scdm illa inter se relatiōes cōmunes genere & specie distinguunt.Quia aut fundātur super substantiam,& sic est genus primū relationū cōmunium qd est idētitas. Aut fundātur super dispositionē substantiæ,& hoc aut super dispositionē substantię quæ est quātitas,aut
super dispositionem substantiæ quæ est qualitas . Primo modo est æqualitas secundum genus

relationũ cõmuniũ.Scõo modò ſiſitudo eſt tertiũ genus relationũ cõmuniũ.Et cõtinent iſtud
tertium genus & ſecundum ſub vno genere ſubalterno diſtincto immediate vt vna ſpecies
ſubalterna cõtra relationé idétitatis.Idétitas aũt tã in diuinis q̃ in creaturis diuidit in idétita
té q̃ fundat ſupra ſubſtátiã quácũq̃ ſcdm ſe cõſideratã, & in idétitate fundatã ſup ſubſtátiam
vt eſt aliqd alicuius,prout iſterius determinabit.Et eſt prima idétitas cuiuſq̃ ad ſeipam,ſiue ſit
vnũ numero,ſiue vnũ ſpecie,ſiue vnũ gñe.Secũda nõ eſt niſi alteri⁹ ad alterũ eandé ſubſtantiã
cõem habétiũ,vel ſingularé vt diuinarũ pſonarũ:vel vniuerſalé gñis aut ſpeciei vt i creaturis:
prout inferi⁹ q̃ſtione.i.ſequétis articuli amplius patebit.Aequalitas aũt i creaturis diſtiguit in
equalitaté ſubſtátialé & accidétalé,& i diuinis i equalitaté ſubſtátialé & attributalé,ſecũdũ q̃
in ipſo eſt duplex magnitudo virtualis vt tactũ eſt ſupra i q̃ſtiõe.i.hui⁹ articuli,& declarabit in
fra loquédo de equalitate i diuinis ſpecialiter.Et tã i diuinis q̃ i creaturis q̃libet equalitatũ ſub
diuidit ſcdm ſubdiſtinctioné quátitatis.Siſitudo aũt i diuinis nõ ſubdiſtiguit ſicut nec quali
tas:ſed i creaturis ſubdiſtinguit,ſcdm q̃ in illis diſtiguit qualitas i qualitate ſubſtátialé & ac
cidétalé:& q̃libet illarũ vlterius ſubdiſtinguit ſcdm ſubdiſtiétioné ſcdm quam accipit ſimilitu
do:vt declarabitur in ſequentibus.Secundum hoc ergo concedenda eſt vltima ratio.

V
Ad primũ
prin.

❡Ad primũ in oppoſitũ q̃ idétitas ſimilitudo & equalitas nõ differũt ſcdm ſub=
ſtátiã quátitate & qualitate niſi mediate vnitate:q̃ nec ſpecie,nec genere differt vt habet eé in
illis trib⁹ pdicamentis: Dico q̃ vnitas tripl't habet cõſiderari.Primo mõ ſcdm eſſe abſtractum
mathematicũ,& ſic eſt ſemp eadé numero:vt eſt vni⁹ hois & vni⁹ equi,ſicut idé eſt denari⁹.x.
hoĩm,&.x.equorũ:vt dictũ eſt in pcedenti q̃ſtione.Secũdo aũt mõ habet cõſiderari ſcdm eé ma
thematicũ vt tñ eſt in rebus naturalibus. & ſic adhuc ſcdm plurificatione illorũ quorũ eſt nõ
plurificat ſm ſpecié:ſed ſm numerũ ſolũ,ſcdm q̃ pcedit argumétũ. Sed ſm iſtas cõſideratiões
vni⁹ ſup dicta pdicamenta nõ fundant relationes cões mediate vnitate. Tertio aũt mõ habet
cõſiderari vnitas ſcdm eſſe naturale,& vt eſt accidés naturale,& de cõſideratiõe naturalis phi.
Sic eñi ſapit naturã rei naturalis in qua eſt:& habet naturalitaté diuerſam ſm illoꝝ diuerſita
té,ſub vnica tñ ratiõe.ſ.vnitatis : ita q̃ ppter ratione vnitatis vniuocant & cõtinent oẽs rela=
tiões cões ſub vno gñe ſubalterno relatiõis:& habét vnã ratione comune eéndi ad aliud:& cõ
trahunt diuerſas realitates a reb⁹ pdicamentoꝝ in qbus fundant:ſcdm quas diſtinguunt inter
ſe ſcdm genera ſubalterna & ſpecies:ſcdm q̃ tactũ eſt ſupra in fine vltimẽ q̃ſtionis articuli pce
détis.Et ſic fundant relatiões cões ſup tria pdicaméta mediate vnitate non vt mediate princi=
pio diſtinguéte:ſed vt mediate principio dáte eſſe ſimpl't:propter qd pprie loquédo dicit prin
cipiũ cauſatiuũ,nõ fundamentale.❡Ad ſecundũ q̃ relatiões comunes nõ diſtinguunt ſcdm ge
nera aut ſpecies ratiõe fundamentoꝝ:quia illa ſunt diuerſorũ generũ, & diſtinctio harũ relatio
nũ debet eſſe ſub eodé genere:Dico q̃ licet illa fundaméta ratione ſui non ſint nata facere diſtin
ctione aliquorũ ſub eodé genere,ratiõe.ſ.eius q̃ ex ſe ſunt diuerſa genera, & eſt ſub eodé cõté=
ta:tñ ratiõe vnitatis cõiter exiſtétis in illis:p quã relatiões fundatẽ in illis reducunt ad idé ge
nus ſcdm pdicta inquantũ ſunt fundamenta relationũ mediate vno.& ſic quaſi infundũt rela=
tionibus fundatis in ſe ſuas realitates quib⁹ illẽ diſtinguunt in eſſe mediate vno: vt.ſ.quo reci
piũt eſſe ſcdm prẽexpoſita . Secũdũ hoc ergo bene ſcdm illa fundamenta poteſt ſumi diſtinctio
ſecundum genera & ſpecies harum relationum:prout prẽdictum eſt.

X
Ad ſecũdũ

Irca quartũ arguit q̃ relationes cõmunes ſcdm ratione exiſtétes ſub aliquo
horũ triũ generũ nõ differũt genere aut ſpecie ab illis q̃ ſunt relationes ſm
rem ſub eiſdem,Primo ſic.Magis cõueniunt ens ſcdm ratione exiſtés in in=
tellectu,& ens ſcdm rem exiſtens extra intellectu:q̃ ens ſcdm rem affirmatũ
& negatũ:quia affirmatio & negatio maxime diſtát.ſed ens ſcdm idem affir
matũ & negatũ ad idem pdicamentũ pertinet:dicente Auguſt.v.de trini.c.
vii.Negatiua pticula nõ id efficit:vt qd ſine illa relatiue dicit,eadé ppoſita ſubſtátialiter dicat
ſed id tñ negat qd ſine illa agebat . ſicut in cæteris pdicamentis,ſecundũ q̃ continue inducit.
& ſicut affirmatiuũ & negatiuũ pertinet ad idem pdicamentũ,ſic & ad idem genus ſubal=
ternum,aut ſpeciem ſubalternã,aut ſpecialiſſimam pertinet:ergo &c̃. ❡Secundo ſic.Perfectum
& diminutũ non diuerſificat genus ſcdm ſpeciem:ſicut neq̃ magis & minus.ſed relationes cõ=
munes ſub eodé genere relationũ cõmuniũ,quarũ vna eſt ſcdm ré,altera ſm ratione,puta ſiſi
tudo ſm ré,& ſiſitudo ſm ratione,nõ differũt inter ſe niſi ſm pfectũ & diminutũ:qa ens ſm ra
tiõe eſt ens diminutum reſpectu entis ſcdm rem:vt patet ſm Phm.vi.metaphyſice:ergo &c̃.

A
Queſt.IIII
Argu.i.

**In opposi.**

CContra.magis differunt adinuicem ens perfectum & ens diminutum:q̃ vnum ens perfectum ab alio ente perfecto. sed in genere relationis relationes scdm rationẽ inquantum huiusmodi, sunt ens diminutũ. relationes vero scdm rẽ,sunt ens pfectũ.ergo magis differũt sub eodẽ gene re relationũ cõmuniũ relatiões fm rationẽ ab illis q̃ sunt fm rẽ,q̃ illẽ q̃ sunt fm rẽ inter se. sed illẽ differũt inter se fm genus subalternũ:puta siĩitudo substãtialis,equalitas substãtialis hois ad hominem inquãtum homines sunt,a similitudine,& equalitate accidentalibus hominis ad hominem inquantum ambo sunt albi aut tricubiti:ergo &c̃.

**B**
**Responsio.**

CDico q̃ ista q̃stio nõ q̃rit nisi cũ sint tria genera relationũ cõmuniũ.s.idẽtitas,& siĩitudo,an qñ cõtingit q̃ sub aliquo illoꝝ,puta sub gñe idẽtitatis,equalitatis,& siĩitudinis cõ tinent idẽtitates, æqualitates,siĩitudines diuerse, aliqua.s.fm rem,& alia fm rationẽ,hec & il la iter se differunt sicut diuerse species inter se siue subalternẽ siue specialiĩĩme sub cõi genere equalitatis,& siĩitudinis,& idẽtitatis.Et est aduertendũ circa hãc q̃stionẽ ex dictis in q̃stione p cedẽte circa distinctiõe gñis relationũ cõmuniũ,q̃ oẽs relatiões cões q̃ sunt fm rationẽ,siue fuerit ĩ diuinis,siue ĩ creaturis,siue idẽtitatis,siue equalitatis,siue siĩitudinis,primo & pricipa liter causant ab vno dicto ab vnitate singularitatis realis plurificatẽ fm rationẽ tm ĩ relatis:& iuxta illud qd dicit ĩ diuinis Damasc.li.i.c.xi.in oĩbus talib⁹ relatiõib⁹ cõibus q̃ sunt fm ratio nẽ tm:idẽ & vnũ re cõsideraf.Cognitiõe vero est:qd fm diuisum.s.ĩ ipĩs relatis.Ecõtra aũt oẽs relatiões cões reales q̃ sunt idẽtitatis genere vel specie,causant ab vno dicto ab vnitate cõitatis ratiõis plurificatẽ fm re ĩ relatis.Et oẽs relatiões cões reales q̃ sunt equalitatis & siĩitudinis in creaturis,causant ab vno dicto nõ ab vnitate singularitatis:sed ab vnione diuersoꝝ singulariũ in vna cõitate generis aut speciei. Ita q̃ relatiões fm rationẽ causant ab vno fm rem diuiso in plura fm rationẽ.Relatiões vero fm rem causant ab vno vnione pluriũ ĩ vno fm rationẽ.iuxta illud qd dicit Damasc.in creaturis vbi supra.In oĩbus creaturis diuisio cõsideraf re: cõitas aũt & copulatio eoꝝ ratiõe & cognitiõe . Aspiciẽdo igif ad rõnẽ vni⁹ a quo causant relatiões cões tã ĩ deo q̃ ĩ creaturis:tã fm idẽtitatẽ q̃ fm equalitatẽ & siĩitudinẽ oẽs relatiões cões q̃ sunt fm rationẽ specie subalterna differũt sub genere relationũ cõmuniũ a relatiõib⁹ cõibus realib⁹ q̃ causant ab vno dicto ab vnione,q̃uis oẽs illẽ q̃ sunt fm rationẽ q̃ causant ab vno dicto ab vnita te singularitatis:distinguantur fm species subalternas ab illis q̃ causant ab vno dicto ab vnita te cõitatis generis aut speciei,secundũ q̃ hẽc patet ex distinctiõe generis relationũ cõmuniũ in pcedẽtib⁹.CSed ga(vt dictũ ẽ supra)vnitas est pricipiũ causatiuũ relationũ cõmuniũ nõ autẽ

**C**

distinctiuũ:sed potius substãtia,quãtitas, & qualitas, sup q̃ fundant relatiões cões:verius igif dicendũ est q̃ oẽs illẽ relatiões q̃ fundant sup substantiã,siue sint fm rẽ,siue scdm rationẽ: sint sub eodẽ genere subalterno relationũ cõmuniũ,& siĩr illẽ q̃ fundant sup quãtitatẽ:& siĩr illẽ q̃ fundant sup qualitatẽ,tanq̃ sup id qd est dispositio, subiectẽ sunt sub alio.qd si diuidat ĩ equa litatẽ cõtinẽtẽ oẽs eqlitates & fm rẽ & fm rõnẽ,& ĩ siĩitudinẽ cõtinẽtẽ in se siĩitudines fm rẽ,& scdm rationẽ:scdm hoc relatiões cões idẽtitatis quæ sunt in creaturis fm rem,non differũt ab illis q̃ sunt ĩ eisdẽ nisi fm agẽs qd est natura & ratio,& diuersum modũ substãtiẽ sup quã fun dant,ga illa q̃ fm rationẽ,fundat sup substãtia vt est aliqd scdm se vel singulare vel cõe: illa ve ro q̃ est fm rẽ, fundat sup substãtia cõem vt est aliqd pluriũ q̃ in ipõ vniunt . In creaturis aũt nulla est equalitas,aut siĩitudo fm rationẽ. Quẽcũq̃ aũt relatiões sunt in diuinis, nõ cõmuni cãt cum illis quæ sunt in creaturis tanq̃ genus,sicut substantia increata cum creatis.

**D**
**Ad primũ prin.**

CEt secundũ hoc in parte cõcedenda est prima ratio probãs q̃ relationes secundũ rationẽ nequaq̃ distingui debet specie,aut genere,aut numero ab illis q̃ sunt fm rem:ga magis cõueniũt ens fm rationẽ,& ens fm rem,q̃ ens fm rem affirmatũ & negatũ.Dico eñ q̃ dicendo ens fm rem affirmatũ & negatũ:duo dico.s.& ens ipm,& circa ipm affirmatiõe & negatiõe & q̃ habẽdo aspectũ ad affirmatiõe & negationem,verũ est q̃ affirmatio & negatio magis di stãt circa idẽ,q̃ ens scdm rem,& ens scdm rationẽ:quia ens scdm rationẽ ex eo q̃ tale aliquid ponit,negatiõe tm remouet. Habẽdo autem respectũ ad ipsam rem affirmatã & negatã: nõ est verũ,eo q̃ ipsa res affirmata & negata omnino eadẽ est per quã affirmatio & negatio ꝑti nẽt ad idem pdicamentũ:sicut res fundamẽtalis eadẽ est relatiõi scdm rem,& scdm rationem,

**E**

per quã similiter ad idem predicamentum pertinent . CQuod ergo assumitur vlterius q̃ ens affirmatum & negatum ad idem predicamentum secundũ genus & speciem ꝑtinet,bene ve rum est: sed hoc non ratione particulẽ siue notẽ affirmationis aut negationis:quia illa, scilicet notẽ affirmationis & negationis , accidunt rei cuiusq̃ predicamenti:immo cuicunq̃ siue enti ſiue non enti:quia de quolibet affirmatio vel negatio,& non ſimul ambo de eodē:ſed ſolůmodo ratione ipſius rei eiuſdē.Et conſimiliter relatio ſcdm rationē ad idem prædicamētum pertinet: cū illa q̃ eſt ſcdm rem,ratiõe.ſ.fundamēti ab eo q̃d cõpletiue habet ab actu ratiõis, ad nullū pdi camētū ptinet.⸿Argumētū ſecūdū,q̃ pfectū & diminutū nõ diuerſificāt ſpecię,deficit.Hoc em̄ videlicet q̃ pfectū & diminutū nõ diuerſificāt ſpecię, ſolū verū eſt qñ ens habet q̃ ſit diminu= tū ex ſolo defectu agētis : vt cōtingit in minus calido reſpectu magis calidi.Nõ eſt aūt verū qñ eſſe diminutū habet ex cõditione agētis, ſicut cõtingit in ppoſito de relatiohib⁹ cõmunib⁹ ſm rem & ſcdm ratiõe.Semp em̄ pfectius eſt opus nature in ipſa re:q̃ opus ratiõis circa rem ī cõ= ceptu intellect⁹,q̃ opus rationis circa rem natura: non eſt in genere omnino:vt iā diceť.⸿Ad tertiū q̃ relationes cõmunes ſm rationē,differūt ab illis q̃ ſunt ſcdm rē:vt diuerſę ſpecies ſub alternę immediate diuidentes genus relationum cõmuniū : quia ſe habent ſicut ens perfectū & ſicut ens diminutū,q̃ magis differūt q̃ duo entia pfecta q̃ tamen ſpecie differunt ſub relatio= ne cõi:Dico q̃ verū eſt cõſiderādo ens diminutū ratiõe diminuti eſſe:q̃a ratiõe illi⁹ nõ eſt ī ge= nere oīno:ſed diſtinguit contra ens q̃d eſt in genere tanq̃ cõtra ens pfectū,a Pho.vi.Metaph.Et ſic bene verum eſt q̃ relatiões rationales ratiõe ſui complemēti quod habet a ratiõe,& ſic per= tinet ad ens diminutū,nõ ſunt omnino in genere:licet hoc niteret pbare ſecūda ratio,ſed ſolū modo relatiões reales ī genere ſūt:queadmodū vnū genere nõ eſt ens diminutū:de quo loquit Phus.vi.Metaph.puta ens verū q̃d in cõpoſitiõe & diuiſione cõſiſtit,& hoc inquantū eſt opus aīę:licet ipſa incõplexa circa q̃ ſit cõpoſitio & diuiſio,in genere ſint.Sic relatio ſcdm rationē in genere nõ eſt,inquantū cõpletiue eſt opus ratiõis:licet fundamētū eius a quo habet eē origi= naliter,ſit ī genere. Et p hoc ipſa relatio ſcdm rationē inquantū originaliter habet eſſe a funda= daméto,quoquo modo eſt in genere:licet relatio q̃ omnino habet eſſe a ratione.ſ.& originaliter & cõpletiue,de qua ſermo habitus eſt ſupra,nullo modo ſit in genere.

Equitur Arti.LXV.de relationibus cõmunibus in cõpara= tione ad ſua principia:& primo in cõparatione ad ſua principia cau= ſatiua q̃ ſunt vnū & multū. Secūdo in cõparatione ad ſua principia fundamētalia,q̃ ſunt ſubſtātia,quātitas,& qualitas. Tertio in cõpara= tione ad ſua principia materialia,cuiuſmodi ſunt ipſa ſubiecta relata per huiuſmodi relationes cõmunes.⸿Circa primū iſtorū q̃runt tria. Quorū primū eſt:vtrū relatiões cõmunes cauſent ab vno & multo. Secundū:vtrum ille q̃ cauſant ab vno.ſ.idem, equale,& ſimile:vni formiter cauſentur ab vno,& contraria eorum ſcilicet diuerſum,in= æquale,& diſſimile a multo.

Tertium:vtrum idem,equale, & ſimile inter ſe comparata vniformi= ter cauſentur ab vno,& econtra ſua contraria a multo.

Irca primū arguit q̃ nulla relatio realis cauſať ab vno:quia ab vno inquan= tū vnū non pcedit niſi vnū.ſed vbi non eſt niſi vnū non eſt relatio : quia oīs relatio requirit correlatiõe,ſicut omne relatiuum requirit correlatiuū.ſecū dū definitiõe em̄ relatiuorum,ipſorum eſſe eſt ad aliud ſe habere.ergo &c. ⸿Q̃ aūt nulla relatio cõmunis cauſeť a multo,arguit eodem medio:quia multū inquantū multū,eſt vnū:eo q̃ eſt diuiſiuum entis,cū quo vnū cõuer= titur.quare cū ab vno inquantū vnū,non pcedit niſi vnū:ergo &c.⸿Item ſi a multo cauſeť re= latio cõmunis:tūc ſicut relatiua relatione cõmuni q̃ creať ab vno,in illo vno ſunt vnū vel per vnitatē,vel per vniõe:vt habitū eſt ſupra:ſic relatiua relatione cõmuni q̃ cauſať a multo,in il lo vno eſſent vnū quodāmodo aut vnita,conſequēs falſum eſt . Diuerſa em̄ ſunt abinuice dece pdicamenta,quę in nullo multo vniunt inquantū habēt in ſe relationem diuerſitatis.Similiter nec duo & quatuor inquantū ſunt inæqualia.Nõ em̄ ex hoc ſunt inæqualia q̃ vniunt in nume ro ſenario vt in quodā multo:quia tūc tria & tria quæ in eodē multo vniunt:eſſent inæqualia q̃d falſum eſt.Similiter albū & nigrū ſunt diſſimilia inter ſe, q̃ in nullo multo vniunt.Non em̄ in colore medio puta in viridi aut rubeo cõueniunt vt in multo:quia vt ſunt in illo,non ſunt in diuerſis ſubiectis quæ requirunt ad ſimilitudinē & diſſimilitudinē:vt infra videbitur.Nec etiā vt in multo cõueniunt in colore ſimpliciter:quia in illo cõueniūt vt in vno ſcdm genus q̃d non habet rationem multi.⸿In oppoſitū eſt Phus.v.&.x.Metap.vt patet ex pdeterminatis.

⸿Suppoſito ex prædeterminatis q̃ relationes cõmunes ſequantur vnum & mul=

tum,queſtio iſta quærit qualiter.An ſcilicet aliqua cauſalitate & quali ſequantur illa . Et dico
ex determinatis ſupra in.ii.quæſtione articuli.lxii. ꝗ cum vnum & multum ad quæ ſequuntur relationes cõmunes,inter ſe opponantur vno modo vt menſura ad menſuratum ſecundo
genere relationis: alio modo vt habitus & priuatio:non tamen cauſant relationes cõmunes ſe
cundum rationes quibus ſe habent adinuicem vt menſura & meſuratum:quia ſic relatiua ſtatim inter ſe opponuntur.Relatio autem nunꝗ eſt per ſe cauſa alicuius relatiõis. Et pręterea cū
multū vt menſuratū relatione reali referatur ad vnū vt ad menſurā,& vnū ecõuerſo referatur
relatione ſcdm rationem tm ad multum:tunc conformiter ad vnum nõ ſequerent niſi relationes ſcdm rationem:& ad multum non niſi relationes ſcdm rem:aut ſaltem veriores eſſent rela
tiones cõmunes ſequentes ad multū,ꝗ ſequentes vnū.Et iterū cum relata relationibus fundatis ſup mutuas relationes ſimiliter mutuo referātur ad inter ſe relata:rclationes ergo ſequētes
advnū relatiue ſe haberent ad relata ſcdm relationes ſequentes ad multū.qd totum falſum eſt.
Sequuntur ergo relationes cõmunes ad vnū & multum ſolūmodo vt opponuntur ſcdm priuationem & habitum.ſ.vt indiuiſio diuiſioni. Nunc autem ita eſt ꝗ cum pdicto duplici modo
vnū & multum opponitur,& oppoſitio illorū relatiua accipitur ſcdm rationes formales illoꝝ,
inquantū.ſ.perfectio formalis exiſtens in vno per defectū ſe habet in multo,ſecundū ꝗ tactū eſt
in dicta queſtione:Sic em quilibet numerus eſt multus,& quanto plus recedit ab vnitate,tan-
to magis diminuitur in eo ſpecies & forma vnius:Oppoſitio autē illoꝝ priuatiua accipit ſcdm
id qd re quaſi materialiter ſubeſt illis ratiõibus formalib[9] in vno & multo:i quo realiter habet
eſſe ipſa indiuiſio a qua imponitur nomen vnius,& ipa diuiſio a qua imponitur nomen multi:
igitur non ſcdm rationes formales vnius & multi vnū & multū ſunt cauſę relationum cõmu-
nium:ſed ſolūmodo ſcdm eorum rationes quaſi materiales in ipſis, circa quas eſſe habēt illę ra
tiones formales:inquantum tamen rationes materiales habent eſſe ſub forma vnius & ſub forma multi.Diſtinctio autem formalis & materialis in eodem,clara eſt in numeris:quia quilibet
numerus puta denarius eſt pluralitas vnitatum ſiue vna plura ſub aliqua tn vnitate ſicut diminuta redacta:quē denarium ſcdm ſpeciem diſtinguit forma denarietatis a quolibet alio numero,& eſt in denario materiale,ipſe.x.vnitates, quibus eſt decies vnum,formale autem dena-
rietas eſt,qua eſt ſolū decē,ſcdm Phm.v.Metaph.Secūdū hoc ergo dico ꝗ ratiõe eius qd in vno
eſt ſiue qd vni ſubeſt res indiuiſa,in multo vero eſt ſiue multo ſubeſt res diuiſa : vnū & multū
ſunt cauſę relationum communium.quæ etiam idcirco contrariæ ſunt immo oppoſitę verius

**k** ſcdm priuatiõe & habitū:vt infra patebit:ſicut & opponuntur vnum & multum. ⸿Aſſignan
do ergo modum cauſandi relationum cõmunium fundatarum ſuper vnum ab vno, & per illā
intelligendo conformē modum cauſandi a multo ipſarum relationum fundatarum ſupra mul
tum:quia qui bene definiunt contraria conſignant:Dico ꝗ vnum dupliciter dicitur,& ſecundum hoc relatio cõmunis dupliciter cauſatur ab vno.Vno enim modo dicitur vnum ab vni-
tate.Alio autem modo dicitur vnum ab vnione:prout iam inferius ex dictis Commenta.ſuper
Boethium declarabitur iſta diſtinctio.Vnum primo modo poteſt eſſe alicuius ſolius & õmino
ſimplicis.Vnum vero ſecūdo modo non eſt niſi aliquo modo plurium compoſitorum. Vt em
dicit Cõme.ſup.ix.regulam de Hebdo.Vnio ſemper illoꝝ eſt quæ diuiſa ſunt vtriuſꝗ nume-
ri.Ab vno dicto ab vnitate ſiue ab vnitatis proprietate cauſat omnis relatio cõmunis in diuinis,& ſimiliter in creaturis oñis relatio idētitatis alicuius ad ſeipſum.Quæ idcirco poteſt appellari relatio vnitatis:quia ſcilicet cauſat ab vno ſimplici exiſtente in relatis ambobus.Ab vno

**L** autem dicto ab vnione ſeu a proprietate vnionis cauſatur omnis relatio equalitatis & ſimilitu
dinis in creaturis.& ſimiliter illa quæ eſt idētitatis diuerſorum adinuicem,quæ idcirco poteſt
appellari relatio vnionis:quia ſcilicet cauſatur ab vnione relatorum in vno.⸿Relatio autē vni
tatis duplex eſt ſcdm ꝗ duplex eſt vnū a proprietate vnitatis dictū,a quo relatio talis cauſat.
Quoddā em eſt vnū ab vnitate ſingularitatis , quā ſingularis rei ꝓprietas facit, quod eſt vere
vnum.Aliud vero eſt vnū ab vnitate cõitatis,quā rei cõis ꝓprietas facit,qd non eſt vere vnū:
& cõtinet vnū ſpecie & vnū genere . Vnū aūt a proprietate ſingularitatis cauſat oēm relationē cõem in diuinis,ſcilicet idētitatem in ſubſtantia,& equalitatem in quantitate,& ſimilitudinem in qualitate.Cauſat etiā in creaturis idētitatē verā vnius ſcdm numerū ad ſeipm.Vnum
vero a proprietate cõitatis ſiue vnionis cauſat i creaturis tm relationē idētitatis ei[9] qd eſt vnū
ſpecie:puta hois,vel vnū genere:puta aialis ad ſeipm,& circuit omne genus. Vnde talis idētitas diſtinguitur ſcdm diſtinctionem ſingulorum prædicamentorū in genera & ſpecies vſꝗ ad
indiuidua , in quibus ſcilicet eſt identitas aliquorū ad ſeipſę cauſata ab vnitate ſingularitatis.

¶De qua vnitate adhuc aduertendū eſt,ꝙ diuerſimode cauſat identitatē in diuinis & in crea-
turis:quia talis vnitas ſingularitatis aut eſt in vno omnino indiſtincto ſcdm rē: aut eſt in plu
ribus ſcdm rem diſtinctis,Cum enim eſt in vno omnino indiſtincto ſcdm rem: in illo cauſat re
lationem identitatis ad ſeipſum:& hoc in quacꝙ re ſiue increata,ſiue creata:& eſt relatio ſm
rationem tm:quia ex ſola rationis cōſideratione diſtinguentis extrema relata.Et eſt prim⁹ mo
dus identitatis continens ſub ſe omnes habitudines idētitatū indiuidualiū diuerſarum ſcdm
diuerſitatē indiuiduoꝗ ſiue rerum ſingularium quæ ad ſeipſas identitate vera referuntur: ſimiliter identitatū rerum quarūcūꝗ ad ſeipſas. Tali eñ idētitate in diuinis deitas eſt eadē ſibi
& ſimiliter paternitas: & pater,& bonitas,& generaliter quecūꝗ ſunt in diuinis diſtincta ſiue
ſcdm rem ſiue ſcdm rationē.Tali etiā identitate in creaturis materia eſt eadē ſibi,& forma eſt
eadem ſibi.Similiter cōpoſitū ex vtraꝗ ſubſtantia,& genus generaliſſimū eſt eadem ſibi:ſimi-
liter quātitas,qualitas,quantū,quale:& vniuerſaliter quæcūꝗ habent eſſe in creaturis: in qui
bus idem tali identitate diſtinguiꝰ in idem nomine : qualiter ſunt idē Marcus Tullius: & oïa
ſynonyma:& in idē definitione:qualiter ſunt idē definitio & definitū,vt homo & animal ratio
nale:& in idem pprio & accidente : qualiter ſunt idē homo & homo riſibilis: vel homo & ho
mo albus:& vniuerſaliter quecūꝗ ſubſtantia vt eſt ſcdm ſe conſiderata, & vt eſt conſiderata
ſub ſuo proprio,aut ſub accidente ſuo . Cum vero dicta vnitas ſingularitatis eſt in pluribus
diſtinctis ſcdm rem:tunc cauſat relationē identitatis diſtincti ad diſtinctū . Et hoc dupliciter.
quia illa aut ſunt omnino diſtincta ſcdm rem:aut partim diſtincta:partim indiſtincta . Primo
modo in diuinis tm:In quibus vnū in ſubſtātia cauſat identitatē inter pſonas.Et cōſimili mo
do cū eſt in quātitate,cauſat inter illas æqualitatē.Et cū eſt in qualitate,cauſat inter illas ſimilitudinem,prout inferius declarabitur.Nec poteſt talis identitas,æqualitas,aut ſimilitudo eſſe
in creaturis:quia in creaturis vnū ſingulare non poteſt pluribus eſſe cōmune. In hoc enim eſt
differentia in diuinis & in creaturis,ſcdm Damaſ.li.i.ca.xi.ꝙ in diuinis eſt cōmune ſcdm rē
.ſ.ſingularē:in creaturis aūt ſcdm rationē tm.ſ.ſpeciei aut generis.Cū vero vnitas ſingularita
tis eſt in pluribus partim ſcdm rē diſtinctis,ptim indiſtinctis,hoc cōtingit tm̄modo in creatu
ris cōpoſitis ex diuerſis ptibus ſcdm rē abſolutā inter ſe differētibus:in quibus vnū cauſat idē
titatē inter id qd eſt totū,& id qd eſt pars: veluti cū homo ſit cōpoſitū ex anima & corpore:
ipſe & ſua anima ſunt idē & vnū non differens numero hominis & animæ : ſed numero hoïs
tm:inquantū,.ſ.in ipſo homine eſt numerus corporis & animæ.Nullus aūt numerus eſt in aïa
eius.Similiter ſunt idē & vnū homo & corpus ſuū,nō differens numero hoïs & corporis:ſed
numero hoïs ſolū.ſcdm ꝙ de idētitate hoïs & aïe,dicit Cōmē.ſuper.xiiii.cap.de trïni.Boethii.
Identitate vere & ꝗ eſt ex vnitatis ꝓprietate vbi non eſt vnio collationis,quādoꝙ fit ꝓdicatio
relatiua:vt idē ei qd eſt idē,ideſt vt aïa hoïs & ipſe homo:non vnione ſpeciei:ſed vnitatis pro
prietate ſunt vnum rationale.Et de identitate hominis & corporis,dicit idem Cōmen.ſup.xi.
regulā de Hebdom.Boethii ſic.Corpus hoïs & homo, non ꝗ hoïs & corporis ſed numero tm̄
hoïs differunt. Nō eñ eſt corpus nature ſuæ ꝓprietate aliud ꝗ homo: ſed ſed homo multarū na
turarū ſuarū ꝓprietatibus eſt vnū ꝗ hominis corpus.Vnde homo & corpus ex quo ipſe
conſtat:non ſibi vnita:ſed vere vnū atꝗ idem dicunꝰ.Nō tñ ꝙ corpus illud omnino ſit idē qd
homo:ſed ꝙ homo idē omnino eſt qd corpus illud.Licet eñ corpus nō ſit idem qd homo: pro
quāto,.ſ.i hoïe eſt alia pars ꝗ ſit corpus.ſ.aïa:& p illā homo eſt diuerſus a corpore: & ecōuerſo
licet aïa nō ſit idē qd homo,pro quanto,.ſ.in hoïe eſt alia pars ꝗ ſit aïa.ſ.corpus: quia vt dicit
Cōmē.ibidē,etſi nō alteriuſutri⁹ ſaltē alterius numero conſtat eſſe diuerſa.i. p illud homo eſt
diuerſus ab aïa:Homo tñ eſt idē qd corpus & aïa,inquātū ipm̄ totū eſt quicquid eſt quælibet
partiū:ſed non ecōuerſo. Et ſic generaliter eſt vbiꝗ de toto & pte cuiuſcūꝗ generis ſint totū
& pars:quia licet pars inquātū pars non ſit quicquid eſt totū:tñ totū inquātū eſt totū eſt ꝗc
quid eſt pars:& inquātū totū eſt quicqd eſt alterutra pars:totū eſt idē parti & econuerſo. In
quātū aūt pars diuerſa eſt a parte:totū etiā ē diuerſum a pte:& pars a toto. Et ſic totū & ps
inter ſe relatiue ſe habent partim idētitate,& ptim diuerſitate:& hoc aſpiciendo ad illa inquā
tum ſunt res & nature prime intētionis.Aſpiciendo aūt ad illa inquātū ſunt pars & inquātū
totū ſcdm rationes ſecundarū intentionū,ſe habet adinuicē vt relationes ſcdm dici tm:ꝗ fun
danꞇ a ratione ſup reſpectus naturales quos habent inter ſe ps & totū ſcdm rōnes primarū in
tentionū.Pars eñ eſt pars totius:& totū eſt totū pti,vt dictū eſt ſupra.Vnde poſtꝗ(vt iam
tactum eſt) dixit Cōmē.Identitate vere & quæ eſt ex vnitatis ꝓprietate &c,continuo adiūxit:
Cum tñ ptialitas & totalitas ſeſe adinuicem habent.Anima eñ eſt pars hominis,& homo to-

tum est animę:quis homo sit quicquid est anima.Nã etsi anima nõ omnino est id qd homo:ho
mo tamen est id qd anima.Et nota ꝙ quia id qd est homo est id qd est anima,& vnũ singula
ritate est homo & anima quo ad hoc & per hoc quia idẽ singularitate:& id qd est anima nõ est
omnino id qd homo propter aliam illius partem quæ diuersa est ab anima: ideo non sequitur
argumẽtum phi in primo Phy.Si vtraꝗ pars est toti vnum & idem:ꝙ inter se sint vnũ & idẽ:
sicut indiuisibile,per illam regulam. Quęcunꝗ vni & eidem sunt eadem:inter se sunt eadem
Et hoc quia neutra pars sic est eadem toti:quin sit etiam diuersa ab illo : & sic scdm aliud &
aliud alterutra est eadem & diuersa toti.Propter qd nõ sequitur ꝙ inter se sint eędem.Illa ẽ
maxima non tenet nisi in illis quæ scdm idem sunt eadem eidem:vt cõtingit in diuinis. Quia
enim i diuinis pater omnino est deitate idem:& similiter filius: sequitur ꝙ pater & filius sunt
idem indiuisibile inter se:scdm ꝙ de hoc erit sermo inferius.Et nota etiã ꝙ differt dicere totũ
& partem esse vnũ in forma partis & in forma totius:& scdm intẽtionẽ totius & partis.Scdm
enim primũ modum est inter partem & totũ relatio idẽtitatis & diuersitatis: & scdm rationẽ
nõ scdm dici tm,vt iam dictum est.Penes secũdũ aũt modum est inter partem & totũ relatio
scdm rationes partis & totius:& scdm dici tm.Sunt enim vnũ partes in forma totius: totum
enim vnit partes in forma sua.Et sic partes contentę sub vna forma totius inquantũ huiusmo
di:sunt vnũ inter se in illa:& vnũ toti ꝗ plures sunt scdm ꝓpriã formã inter se: & quo ad hoc
plura sunt & diuersa partes ipsæ simpliciter inter se:& similiter quęlibet partiũ: & totũ ratio
ne alterius partis.Et nõ sequitur ꝙ si isto modo partes sunt vnũ inter se & cũ toto: sint idem
inter se:quia identitas quæ est inter totum & partem,nõ fundaf nisi super vnũ dictũ ab vnita
te:ille aũt dicunf vnũ inter se nõ vnitate sed vnione in toto.Propter quã vnionem non sunt
diuisę:licet sint diuersę.Totũ enim est vnũ scdm hunc modũ cũ partibus : quia.s.est vnięs eas
in vnitate formę suæ:& partes sunt vnũ cum toto:quia sunt vnitę in forma illius:diuersa tñ
sunt & scdm rationem totius vt totum est:& partis vt pars est. Per quę patet responsio non
solum ad quęstionẽ quã ꝗrit phis.i.Phy. Vtrum vnũ an plura sint pars & totũ: & quomodo
vnũ,& quomodo plura:sed etiam ad aliã quæstionem quę ꝗri posset, vtrum idem sint an di
uersa pars & totũ:& quomodo idem,& quomodo diuersa:quæ multũ differũt,vt patet ex di
ctis.Talem aũt identitatẽ non cõtingit inueniri in diuinis:quia nõ sunt in illis pars & totum.
Et est in creaturis inter partem & totum quo ad id qd sunt,relatio scdm rationẽ tñ: quia ad
vnũ singulare qd est totius & partis inquãtũ illoꝝ est, sola ratione differt . Sed relatio diuer
sitatis inter totum & partem eo ꝙ partes inter se scdm rem differant:est scdm rem:quia non
est totũ diuersum ab alterutra partiũ nisi quia partes inter se sunt diuersę. Et ideo scdm mo
dum diuersitatis partis a pte:diuersum est totum a parte.Relatio autem vnionis quæ cau
satur ab vno dicto ab vnione quo diuersa re propter eoꝝ conformitatẽ vniũtur in vno ab vni
tate dicto,non inuenitur nisi in creaturis,in quibus diuersa numero conformitatem habẽt in
ter se,& vniũtur in vno vnitate cõmunitatis.Vt eni dicit Cõm.sup.ix.regula de Hebd. Vnio
est semper illorũ quæ diuersa sunt vtriusꝗ numero. Sed hoc multis modis ex diuersitate ra
tionũ in diuersis.Aliter nãꝗ sibi vnita dicuntur materia & forma vt subsistens sit:aliter pars
& pars,vt qd constat ex illis totum vnũ sit:aut lingue, aut ritus,aut legis,aut loci, aut affe
ctus vnius consortio dicantur multi vna gens:vnus populus:vnus conuentus:vnum cor: &
huiusmodi.de quibus omnibus nil ad presentem locum.Sed est quædam alterutrius numero
diuersorũ vnio,quã conformitatis ratio facit:quæ ad præsentem locum pertinet. Hæc autem
vnio diuersorum conformiũ aut est in vno cõmuni qd est substantia: aut in vno cõmuni qd
est quantitas:aut in vno cõmuni qd est qualitas:& vtrobiꝗ tam in qualitate ꝗ in quantitate
subdiuidendo:quia aut est in vno qd est quantitas substantialis: aut in vno qd est quantitas
accidentalis:similiter aut in vno qd est qualitas substantialis,aut qd est qualitas accidentalis.

Relationes aũt cõmunes causatę ab vno vnione in vno qd est substantia:est identitas qua di
uersa indiuidua dicuntur eadem speie:puta Petrus & Paulus in homine:aut diuersę species
in genere:puta homo & asinus in animali.Relationes vero cõmunes causatæ ab vno vnione
in vno qd est substantialis quantitas aut qualitas:vocantur substantiales æqualitates,& simi
litudines.Causatę vero ab vno ab vnione in vno qd est accidentalis quantitas,aut qualitas ac
cidentalis:vocantur accidentales æqualitates,& similitudines. Substantialis enim æqualitas
& similitudo:pertinent ad ea quæ sunt rei substantialia atꝗ essentialia : & respicit æqualitas
gradũ vniformem perfectionis in rei substãtia siue essentia. Similitudo aũt substãtialis duplex
est.Quędã vera,quæ est p diuersarũ naturarũ cõformitatẽ in substãtiali qualitate, quę est spe

cifica differentia.Alia vero imaginaria:quæ eſt per imitationē quādā vnius naturæ ad aliam.
Primo modo homo vnus dicitur ſimilis alteri.Secundo modo humana pictura dicitur ſimilis
homini.ſcđm ꝗ de his ſparſim dicit idem Cōme.ibidem continue ſubdens.Vnio vocatur ſimi
litudo:& eſt vel ſcđm naturā:vel ſcđm quedā intrinſeca ſcđm naturā:qualiter ſimilis eſt ho
mo homini:vel ſcđm extrinſeca:& vocat imaginaria ſimilitudo:qualiter humana pictura ve
ro homini dicitur ſimilis.Et tali imaginaria ſimilitudine dicitur homo ſimilis deo,quaſi ſimi
litudine defectiua.Et prima illarū ꝑtinet ad genus relationū cōmuniū. Secūda vero ꝑtinet ad
genus relationis qđ eſt in meſuris:quo homo eſt imago dei,& ita ſimilis ei:quia imago omnis
ſimilis eſt:licet nō ſit æqualis.dicente Auguſt.lxxxiii.q.q.lxxiiii.Vbi imago,continuo ſimilitu
do:non continuo æqualitas,vt in ſpeculo.Et hoc ideo quia æqualitas non poteſt eſſe niſi ſit pa
ritas quantitatis.Similitudo autē poteſt eſſe ſine paritate.Minus em̄ requirit vnitatis in qua
litate ſimilitudo:ꝗ æqualitas in quantitate.Propter qđ homo æque diſtans ſcđm qualitatem
ſubſtantiale & quātitatem a deo,dicī imitari eū ſimilitudine:nequaꝗ aūt æqualitate.Propter
qđ & imago eſt qualitas in quātitate ſcđm formā & figurā : & magis ꝑtinet ad qualitatem
ꝗ ad quātitatem.Idcirco etiā dicitur homo inquātum eſt imago dei,accedere ad deum:& eſſe
ad imaginē dei ſiſitudine magis ꝗ æqualitate.dicēte Auguſtino de hoíe.vii.de trini.ca.vltimo.
Homo imago dei non omnino æqualis ſiebat: tanꝗ nō ab illo nata:ſed ab illo creata.Huius rei
ſignandē cauſa ita imago eſt vt ad imaginem: ſit.i.non æquatur parilitate: ſed quadā ſimilitu
dine accedit:non quaſi ad ſilium dicitur:qui eſt imago æqualis ſolius patris:ſed ꝓpter ſimili
tudinem dictus eſt homo ad ſimilitudinē accedens quadā ſimilitudine,ſicut diſtātibus ſigniſi
catur quedam vicinitas nō loci:ſed cuiuſdam imitationis.de qua dicit Auguſt.lxxxiii.q.q.li.
Multis modis poſſunt res dici ſimiles deo.Aliæ ſcđm virtutē & ſapientiā: quia in ipſo eſt vir
tus & ſapientia.Aliæ inquantū viuūt:quia ille ſumme viuit.Aliæ inquātū ſunt:quia ille ſum
me eſt.ſed exigue ſunt ad ſimilitudinem eius . De tali autem ſimilitudine non eſt hic ſermo:
ſed ſolūmodo de illa quæ eſt ſcđm naturæ ſimilitudinem:quā neceſſario ſequiꝶ æqualitas ſub
ſtantialis:& circūeunt.x.prædicamenta:& diuidūtur ſcđm diuiſionem ſingulorum.x.generū
prædicamentorū in ſubalterna genera & ſꝑecies vſꝗ ad indiuidua. Vbi eſt aduertendū,ꝗ di-   **R**
uerſimode ſuper idem re fundatur relatio identitatis, æqualitatis,& ſimilitudinis. Homo
enim homini,puta Sortes Platoni ſubſtātialiter idem eſt vnione in tota ſꝑecie.Similis autē eſt
in differentia ſpecifica cōſtitutiua ſpeciei.Aequalis autem ex vnione in quātitate ꝑfectionali
paritate gradus.Sicut ergo vnū duplex eſt.ſ.vel dictū ab vnitate:qđ importat indiuiſionē vni
tatis:vel dictum ab vnione, qđ importat indiuiſionem vnius : & ſcđm hoc diuerſe relationes
cōmunes cauſantur ab vno,vt iam habitū eſt ſupra: ſic multū econtra duplex eſt:vel importans diuiſionē contrariā indiuiſioni vnitatis: vel contrariā indiuiſioni vnionis. Et hoc ſolum
modo in creaturis.Nequaꝗ enim in diuinis inuenit multū:ſed vnū tm̄.Et multū vtroꝗ modo non eſt multū niſi quia eſt contentiuū ꝑ ſola aggregationē plurium vnorū dictorum ab
vnitate,vel plurium vnorū dictoꝝ ab vnione.Non enim eſt multum niſi contineat plura vna
dicta ab vnitate:ad qđ ſequitur diuerſum,vel plura vna ab vnione dicta: ad qđ ſequiꝶ inæqua
le & diſſimile . Indiuiſioni enim vnitatis in creaturis quæ eſt cōmunitatis ad quā ſcđm prę
dicta ſequitur idē ſpecie vel genere:opponitur diuiſio multi ad quā ſequitur diuerſum ſpecie
& genere. Indiuiſioni autem vnitatis in creaturis quæ eſt ſingularitatis: ad quā ſequit identi
tas inter partē & totū,prout eſt contentiua illius partis,opponitur diuiſio multi:ad quā ſeq-
tur diuerſum inter totū & eādē partē:prout eſt contētiua alterius partis.Totū enī ſcđm hoc
eſt vnū & idem cū qualibet partiū.Alio aūt modo multū & diuerſum a qualibet:ſcđm ꝗ hæc
patent ex prædictis iam. Similiter indiuiſioni vnitatis quæ eſt ſingularitatis, ad quā ſequitur
identitas vnius ad ſeipſum: opponitur diuerſitas inter plura numero.Indiuiſioni autem vnio
nis ſiue vnitionis conformium in vno communitate ad quam ſequitur in creaturis æquale &
ſimile ſiue ſubſtātiale ſiue accidentale,opponitur diuiſio in multo ad quam ſequitur inæquale
& diſſimile.Scđm ꝗ hæc in parte patent ex prædictis,& iam amplius patebūt in dicendis.Sic
ergo concedendum eſt ꝗ vnum & multū circa contēta ſub forma vnius & multi materialiter vel quaſi:ſunt principia cauſatiua relationū communiū.Et ſcđm hoc concedenda eſt vlti
ma ratio ad hoc adducta.

℘ Ad primū in oppoſitū,ꝗ ab vno inquantum vnū non procedit niſi vnum &c.   **S**
Dico ſcđm iam dicta ꝗ in vno & multo eſt conſiderare formā vnitatis que ꝑfecte eſt in vno   **Ad primū**
& diminute in multo:& rem quaſi materialiter ſubiectā formę huic: circa quā (vt dictū eſt)   **princip.**

vnū & multum sunt principia causatiua relationū cōmuniū.Primo autē modo non est in illis nisi vnū. Secūdo autem modo sub illo vno scām formam considerantur plura scām materiā. Vnum enim dictum ab vnitate singularitatis in substātia consideratione rationis deriuatur scām eādem formam & sub eadem forma vnius in substantiam aliam & aliam ratione etsi nō re tam in diuinis q̄ in creaturis.Et scām hoc sequitur ad tale vnū in substantia relatio cōmu‑ nis identitatis simpliciter & scām rationem existēs relatio.Et similiter in diuinis vnū dictum ab vnitate singularitatis in quantitate & qualitate,scām eādem formam & sub eadem forma vnius deriuatur consideratione rationis in quantitatē aliam & aliam scām rationem:& scām hoc sequitur ad tale vnū relatio cōmunis æqualitatis & similitudinis existens scām rationem inter diuinas personas,prout inferius declarabitur. Vnū autē dictum ab vnitate cōmunitatis scām eādē formā & sub eadem forma vnius deriuat̄ p agens aut producēs in substātiā aliam & aliam re in creaturis,vt species in indiuidua.& scām hoc sequitur ad tale vnū in substantia relatio cōmunis identitatis specie aut genere scām rem existens relatio. In vnū autem dictum ab vnitate vnionis siue vnitionis vniūtur scām eādem formam & sub eadem forma vnius cō‑ formia scām quantitatem & qualitatem tam substātialem q̄ accidentalem in creaturis,differē‑ tia tn̄ re.Et scām hoc sequitur ad tale vnū equalitas & similitudo substantialis & accidentalis

**T** quæ sunt relationes scām rem.⹂Applicādo ergo ad hoc propositū:dico q̄ ad vnū sequi aliq̄d puta relationem cōmune,potest intelligi dupliciter.Vno modo semel accepto vno & formali‑ ter.Alio modo ipso vno accepto pluries & plurificato quasi materialiter: aut scām rē,aut sm̄ rationem.Primo modo accepto vno ad ipsum non sequitur vlla relatio cōmunis, vt procedit argumentum & bene.Ipso autē vno accepto secūdo modo,scām quem non procedit argumē‑ tum:ad ipsum sequūtur omnes relationes cōmunes æqualitatis,identitatis, & similitudinis, modo iam dicto.⹂Ad secūdum & tertium obiectum ex parte multi:Dico q̄ multum & illud ad quod sequitur diuersum in substantia scām eādem formam & sub eadem ratione multi cō‑

**V**
Ad secūdū
& tertiū.
tinet substantiam aliam & aliam scām rem.Puta diuersum q̄d est contrarium identitati cau‑ satæ ab vno in substantia dicto ab vnitate in alia singularitatis,est inter eadem indiuidua sub eadem specie specialissima vt sunt aggregata sub forma speciei: non vt vnita in illa.Diuersum vero contrarium identitati causatæ ab vno dicto ab vnitate cōmunitatis in forma speciei, est inter diuersas species vt sunt aggregatæ sub forma generis:non vt sunt vnitæ in substātia. Di uersum vero cōtrariū identitati causatæ ab vno dicto ab vnitate cōmunitatis in forma gene‑ ris,est inter diuersa prædicamenta : & quæcunq̄ non sunt sub eodem genere prædicamenti: cuiusmodi sunt substātia,quātitas:deus & creatura.Et hoc vt sunt aggregata in vnū collatio ne intellectus.Idem enim & diuersum vt generaliter accipiuntur circūeūt omnia entia:& ac‑ cidit diuersis inquantum diuersa sunt q̄ in aliquo vno scām genus aut speciem conueniunt q̄d tamen requiritur in differentibus.dicēte philosopho.x.Metaphysicę.Omne ens aut diuer‑ sum aut idem:q̄d autē differt ab aliquo,p aliq̄d differt:ergo necesse est vt aliq̄d sit per q̄d nō differant.& supple.Hoc autem non requirunt diuersa.Vnde Cōmentator.i.Diuersum q̄d op ponitur idem non est diuersum aliquo vt differens q̄d est differens & cōueniēs.Omnia enim duo entia aut sunt diuersa aut idem.Et sic duo indiuidua existentia sub eadem specie specialis fima quæ eadem sunt specie vt vnita in illa sub forma vnius,diuersa sunt numero vt congre gata sunt sub illa sub forma multi.Consimiliter duę species existentes sub eodem genere quæ eędem sunt genere vt vnitę sunt ī illo sub forma vnius,diuersę sunt specie vt aggregatæ sunt sub illa sub forma multi. Et duo differentia genere,puta quātitas & qualitas,aut vniuersali ter non existentia sub eodem genere:puta deus & creatura:quia sub nulla forma vnius vniū‑ tur: nullo modo sunt eadem:quia tamen sunt aggregata inter se sub forma multi,sunt diuer‑ sa.Multum autem ad q̄d sequitur inæquale in quantitate,scām eandem & sub eadem forma multi continet quantitatem aliam & aliam. Puta inæquale contrarium æqualitati causatę ab vno in quantitate est inter habentia inter se diuersas quantitates vt sunt aggregatæ : & hoc sub eadem specie quantitatis molis. Aequale enim & inæquale non sunt nisi scām quantita‑ tes diuersas sub eadem specie specialissima.puta linea est æqualis aut inæqualis lineæ:non au‑ tem superficiei aut corpori:neq̄ alteri quantitati:& quælibet plura tam sub eodem genere q̄ sub diuersis generibus inæqualia sunt: loquendo de quātitate substātiali perfectionis.Omnia enim entia creata inæqualia sunt inter se : siue sunt eiusdem generis siue diuersorum gene‑ rum:& sunt multum congregatione:& sub sola specie specialissima est æqualitas perfectio‑ nis:sicut & ī sola specie specialissima est vera vniuocatio. Vnde accidit inæqualibus scām pfe‑

ctionem ꝙ in aliquo vno ſcām genus conueniunt. ſicut hoc accidit diuerſis inquantum diuerſa ſunt ſcām iam dicta. Et quia numerorum multiplicatio procedens ab vno in infinitum ſic ſe habet ꝙ ſemper vnus alteri eſt inæqualis : licet ſcām ſpecies differens : oportet ſentire ꝙ inæqualitas non fundetur ſuper numeros diuerſos : neꝗ cauſetur ab ipſis ratione formarum quibus in ſpecie diſtinguuntur : ſed potius ratione vnitatum vt materiales ſunt in illis: & vt omnes numeri conueniūt in forma vnitatis: per quam non ſunt proprie niſi eiuſdem ſpeciei, differentes ſcām gradus pluralitatis in vnitatibus: & perfectionis in forma vnitatis. Et ſic inæqualia inquantum inæqualia ſemper ſunt vnum quadam aggregatione ipſorum inæqualium inter ſe, non ſub aliqua forma numeri vnius. Duo enim & quatuor ſunt inæqualia inæqualitate cauſata a multo plurium vnitatum exiſtente in illis, non vt concurrentibus in numero ſenario, ſed vt in aggregatis per intellectum ſeorſum : nec vt duo ſcām ꝙ eſt ſubduplum ad quatuor, & ſic inæquale illi, accipitur vt pars in illis quatuor: vel ſicut pars bis accipitur per intellectum: ſemel ſcilicet vt pars exiſtens in toto, & ſemel vt per ſe. Et primo modo eſt inter duo & quatuor relatio identitatis: qualis declarata eſt ſupra inter totū & partem. Secundo autem modo eſt inter duo & quatuor relatio inæqualitatis. Pars enim non habet relationem ad totum inquantum pars, niſi identitatis & diuerſitatis, vt ſuperius expoſitum eſt. Et ſic etiam ſemper ipſum inæquale in numeris continet maius & minus. Omnis enim numerus remotior ab vno, eſt maior : & propinquior eſt minor : & omnis numerus ad ſuperiores eſt minor, & ad inferiores vſꝗ ad vnitatem eſt maior. Sed maius in diſcretis proprie appellatur plus : & in continuis omne nomen quod eſt maius a proprietate ſeruatur. Maius autem in quantitate perfectionis ſiue virtutis proprie appellatur magis: ſed minus ſub eodem nomine in ſingulis inuenitur. Et inæquale in diſcretis excedens appellatur multum : & deficiens appellatur paucum. In continuis vero & in quantitatibus virtutis excedens appellatur magnum: & deficiens paruum. Et in quātitate perfectionis (in qualitate accidentali ſpecialiter) deficiens dicitur parū: vt parum calidum. Et recipit inæquale ſcām exceſſum in diſcretis comparationem ſic, multum plus plurimum : & in continuis ac quantis perfectione ſic, magnum maius maximum. Inæquale vero ſecundum defectum recipit comparationem ſic paruum ſiue parum ſiue paucum minus minimum. In continuis enim gradus poſitiuus eſt paruum : in diſcretis autem paucum: communiter autem in vtroꝗ parum. Comparatiuus autem gradus & ſimiliter ſuperlatiuus non mutantur. ¶Sed eſt aduertendum ꝙ multum in quantitate æquiuoce accipitur, prout idem eſt quod habens in ſe plura ſiue multitudinem: quemadmodum aliquid dicitur magnum quia habet in ſe magnitudinem : & ſic omnis numerus eſt multum: & ſic multum non opponitur niſi vni. Alio modo accipitur prout eſt habens in ſe plura excedenter ſiue multitudinem excedentem. & ſic opponitur pauco : nec ſic eſt omnis numerus multus: ſed aliquis eſt paucus. Tertio modo multum accipitur vt eſt in ſe aggregatione multi excedentis & pauci vt excedatur : & ſic ſolummodo ad ipſum inæquale qđ opponitur priuatiue æquali. Sed ſecundo modo, ſcilicet vt opponitur pauco, adhuc multum dupliciter conſideratur. Vno modo vt comparantur inter ſe præciſe. Alio modo vt comparantur inter ſe reſpectu tertii. Primo modo omnis numerus maior eſt multum reſpectu minoris: & omnis numerus eſt paucum reſpectu maioris: & vnum eſt paucum reſpectu cuiuſlibet numeri : & primum paucum ſimpliciter : binarius autem eſt primus numerus paucus. & dicuntur inter ſe relatiue multum & paucum : atꝗ continent ſub ſe omnes proportiones numerales quæ primo & per ſe ſunt in diſcretis. Secundo autem per diſcreta ſunt in continuis: inquantum ſcilicet diſcretum cadit in continuo: & magnitudines numeri ſunt ſcām philoſophum libro Poſteriorum. Et ſunt illæ proportiones aut ſcām rationem numerorum interminatam: ſicut ſunt multiplex, ſuperpartiens, ſuperparticularis: multiplex ſuperpartiens, multiplex ſuperparticularis, & eorum oppoſita: aut ſcām rationem numeri determinatam: vt ſunt duplum, triplum, quadruplum, & ſic de cæteris, & eorum oppoſita. Multum autem & paucū ſi conſiderata fuerint reſpectu tertii: aut conſideratur illorū comparatio inter ſe reſpectu tertii qđ vtriꝗ eorū opponitur: cuiuſmodi eſt æquale inquātū inæquale cōtinet multū & paucū. ſic multū & paucū opponitur inter ſe contrarie, ſicut abūdans & diminutū reſpectu æqualis cui opponitur ſub forma inequalis. Aut conſideratur illorū comparatio reſpectu tertii qđ neutri opponit: hoc modo multū dicitur relatiue ad paucum: quemadmodum multi dicitur eſſe in foro vno tempore reſpectu paucorū qui ſolent eſſe in illo alio tempore: & pauci dicuntur eſſe in ciuitate vno tempore reſpectu multorum qui ſolent eſſe in illa alio tempore.

X

Scdm quę modũ multum dicitur magnum : & mons paruus scdr̃ pl̃m in prædicamentis.
**Y** ⸿Multum autem ad qd̃ sequitur dissimile in qualitate,scd̃m eãdem & sub eadem forma multi
continet qualitatem aliam & aliam. Sed intellige illam formam multi non esse nisi aggregatio
nem diuersarum qualitatum : puta dissimile contrarium simili : quod simile causatum est ab
vno in qualitate dicto ab vnione:est inter habentia in se diuersas qualitates congregatas non
sub vna specie specialissima:vt contingit scd̃m iam dicta in quantitate molis:sed sub eodem ge
nere infimo,sub quo non continentur nisi species specialissimę : & hoc loquendo de dissimilitu
dine accidẽtali. Dissimilitudo autem nõ est nisi scd̃m qualitates specialissimas: cuiusmodi sunt
album & nigrũ:non scd̃m species subalternas,cuiusmodi sunt album & dulce.Loquendo autẽ
de dissimilitudine substantiali:illa non est proprie nisi inter diuersa in specie specialissima & eo
dem genere. & hoc inter quaslibet species econtrario diuisas sub eodem genere vsq̃ ad genera
lissimũ.Dissimile enim contrarium simili causato ab vno dicto ab vnione,cõmunicãs in forma
speciei specialissimę,est iter quaslibet diuersas species vt sunt aggregatę sub forma generis:nõ
dico vt sunt vnitę in illa.Circa illa autem quę sunt diuersorum generalissimoꝛ inter se cõpa
rata, nec dissimilitudo nec similitudo:sicut nec æqualitas nec inæqualitas,nata sunt fieri.Dissi
militudo tñ substantialis inter deum & creaturam potest dici fore.Et hoc licet sit creaturę ad
deum quędam similitudo imitationis,vt tactum est supra. Inæqualitas autem non potest dici
fore proprie creaturę ad deum propter magnitudinis dei infinitatem & creaturę finitatem.
**Z** Quia enim nõ est comparatio summi ad infimũ: nec æqualitas imitationis creaturæ ad deum
potest dici:sicut dicitur similitudo:propter rationem assignatam in præcedenti q̃stione. ⸿Ap
plicando ergo hoc ad mediũ argumentorũ quo ad multũ : Dico q̃ ad multum inquãtum est
vnũ scd̃m aliquã formã specificam numeri:puta denarius scd̃m formã denareitatis:nulla rela
tio omnino sequitur,sicut neq̃ ad vnũ semel acceptum & formaliter. Per quod patet respõsio
ad primũ obiectorũ de multo. Nec etiã ad multum pluries acceptum sequitur aliqua relatio
inquantum est multum & replicatum sub eadẽ forma: sicut sequitur ad vnũ pluries acceptũ
sub eadem forma,vt iam dictum est. Et hoc quia replicatio alicuius sub eadem forma non est
nisi replicatio materialiter illius inquantum est vnũ.Propter qd̃ ad multum replicatum non
sequitur relatio quia est multum:sed solũmodo quia est vnũ in forma multi.Et sic sequiꝓ non
relatio inæqualitatis sed æqualitatis tñ. Sicut enim vnitas in quantitate est æqualis vnitati
quia hæc & illa vnione sunt vnũ: sic dualitas dualitati est æqualis:quia hęc & illa vnione sunt
vnũ.Sicut enim hæc vnitas & illa vnitas in forma specifica vnitatis simpliciter vniũtur quia
quælibet vnitas est vna: sic dualitas hæc & dualitas illa in forma specifica dualitatis vniũtur
& in illa sunt vnum quia quælibet dualitas est dualitas: & sic de cæteris numeris . Sed q̃ ad
multum sequatur relatio contraria relationi quæ sequitur ad vnum:hoc non est nisi inquan
tum multum est vnum aggregatione tñ eorum quæ sunt materialia in illo. Et sic ad multũ
vt materialiter continet plura,& hoc non nisi in forma quantitatis aut qualitatis differentia,
sequunꝰ inæquale & dissimile scd̃m modum iam expositum. Et sic scd̃m q̃ procedit argumẽ
tum & bene:non sequitur inæquale ad duo & quatuor prout vniũtur in multo qd̃ est sena
rius:neq̃ dissimile ad album & nigrum prout vniuntur in colore:sed prout sbi duo & quatu
or se habent vt partes cuiusdam aggregati qd̃ est multum continens ambo aggregatim & nõ
formaliter . Et similiter hoc album & nigrum se habent vt partes cuiusdam aggregati qd̃ est
multum continens ambo,vt iam expositum est in tertio modo multi.⸿Ex quo patet respon
sio ad secundo obiectum de multo.

**A**
**Quest.II.**
**Arg.1.**

 Irca Secundũ arguitur q̃ non vniformiter idem æquale & simile causantur
ab vno:& diuersũ dissimile inęquale a multo,Primo sic.diuersum,inęquale,
& dissimile , causantur semper a multo ex natura ipsius multi absq̃ opera
tione intellectus.Propter qd̃ relationes cõmunes sequentes multũ sunt sem
per reales. Et hoc vel ex parte vtriusq̃ extremorum:vt quãdo est inter crea
turas:vel alterius tñ,vt quãdo est inter deum & creaturã.Idẽ autẽ æquale
& simile aliquãdo causãt ab vno ex natura ipsius vnius absq̃ opere intellectus:aliqñ autẽ nõ
absq̃ opere itellectus.Scd̃m hoc enim aliquãdo sunt relationes cõmunes scd̃m rem: aliquãdo
autẽ scd̃m rationem tñ,vt patet ex p̃determinatis.sed relationes quæ sunt scd̃m rem non vni
**2** formiter causantur cũ relationibus scd̃m rationẽ,vt patet ex p̃determinatis.ergo &c. ⸿Secũdo
sic.diuersum,inæquale,& dissimile causantur a multo vt continet actu relata per illa:quia nõ

eſt multũ niſi aggregatione illorũ.Idẽ aũt æquale & ſimile cauſantur ab vno,vt virtute conti=
net relata per illa:quia non eſt vnũ niſi vnitate rei indiuiſe ſub vna forma.ſed modus cauſandi
iſte & ille non ſunt vniformes.ergo &c. ℂIn cõtrariũ eſt ꝙ relationes quæ ſequuntur ad multũ,op
ponitur ſicut priuatio & habitus ad illas ꝗ ſequitur vnũ. Sed habitus & priuatio cauſant
vniformiter ab eadem cauſa ſubſtantiẹ,vt eſt defectu poſitiua in vno,& defectiua in alio: ſicut
idem eſt cauſa ſalutis & periculi nauis per ſuã pſentiã & ſuã abſentiã. Pro quanto enim poniẽ
cauſa per ſuam præſentiam:pro tãto cauſatur habitus:& pro quãto deficit per ſuam abſentiã
pro tanto cauſatur priuatio.ergo &c.

ℂDico ꝙ ſcẽm proceſſum vltimi argumenti vniformiter ſequuntur ad mu tum,
diuerſum,diſſimile,& inæquale:& ad vnũ,idem ſimile & æquale.Sed hoc vniformitate in op=
poſito:ſcẽm ꝙ ille relationes ſunt oppoſitẹ,& ab oppoſitis cauſis ſcẽm priuationẽ & habitũ
circa idem re cauſant. Relationes ẽm quẹ cauſant ab vno:cauſant ab illo ratione indiuiſionis
rei exiſtẽtis ſub forma vnius.Illẹ vero ꝗ ſequunt̃ multũ,cauſantur a multo ratione diuiſionis
oppoſitẹ,quẹ cõſiſtit in aggregatione plurium rerũ indiuiſarum ſub pluribus formis vnius:ſi
cut patet ex quæſtione pcedente ex modis diuerſitatis oppoſitis modis identitatis,& ex modis
diſſimilitudinis oppoſitis modis ſimilitudinis,& ex modis inæqualitatis oppoſitis modis ẹqua
litatis.Idem enim æquale & ſimile cauſantur ab vno in forma & ſpecie : vt tamen diſtinctum
eſt per vnum & vnum quæ ſunt formæ & ſpeciei eiuſdem: & per hoc vt diminuta ab illo vno
proprietate vnitatis:aut vnita in illo proprietate vnionis ſcẽm prædeterminata. Ex oppoſito
autem diuerſum inæquale & diſſimile cauſantur a multo aggregante in ſe vnum & vnum di
ſtincta vel in forma ſpeciei, vt patet in inæquali : ſcẽm ꝙ hæc patent ex dictis in præcedente
quæſtione.

ℂQ arguitur primo ꝙ relationes cõmunes prẹdictẹ nõ vniformiter cauſantur
ab vno & multo:quia cauſatẹ ab vno aliꝗ ſunt ſcẽm rem,aliquãdo ſcẽm rationem t̃m: quæ
vero cauſantur a multo,ſemper ſunt ſcẽm rem: Dico ꝙ hæc ratio probat bene ꝙ non cauſan=
tur vniformiter directe:ꝙ contingit quia non ſunt vniformia vnũ & multum ad quæ ſequũ
tur. Et hoc quia vnũ eſt indiuiſum ſcẽm formã & ſpeciem:multũ vero eſt ſcẽm formas & ſpe
cies diuiſum:& non niſi aggregatione vnũ. Nõ tamẽ probat ratio illa quin cauſentur ab illis
vniformiter ex oppoſito:ſicut & illa oppoſita ſunt:& cum hoc etiã vt iſta vniformitas non in
telligatur de eodem æquali & ſimili:niſi cauſatis ab vno ꝙ natum eſt habere multum ſibi cõ
trarium: cuiuſmodi eſt in creaturis : non autem in diuinis, in quibus idem æquale & ſimile
non habent oppoſita diuerſum,inæquale, & diſſimile.Et etiã ex hoc ꝙ illa cõformitas eſt ex op
poſito:cõtingit ꝙ in creaturis ab vno cauſatur relatio ſcẽm rationem t̃m: cum tamẽ diuerſi
tas illi oppoſita ſit ſcẽm rem t̃m,vt contingit in diuerſitate ſcẽm numerum; quæ opponitur
idẽtitati fundatẹ ſup vnũ dictũ ab vnitate ſingularitatis: ꝗ idẽtitas nõ eſt niſi ſcẽm rationem
tã in creaturis ꝗ i diuinis,vt patet ex ſupra determinatis.Si etiã velimus cõparare diuerſum
inæquale & diſſimile cauſata a multo in creaturis : ad idẽ æquale & ſimile cauſata ab vno iñ
diuinis:dico ꝙ vniformiter cauſantur ab vno & multo hincinde: ſed ex oppoſito non in eodẽ
ſiue in eadem natura:ſed in diuerſo:ſiue in alia natura:ſcẽm ꝙ alia eſt natura creata a natu=
ra increata . ℂPer idẽ patet ad ſecundum ex hoc ꝙ nõ niſi ex oppoſito prẹdicta cauſantur ab
vno & multo.A multo enim vt congregat plura in actu,cauſant diuerſum inæquale & diſſi=
mile : ab vno autẽ vt t̃m virtute continet plura,cauſantur idem æquale & ſimile: & ſic dire=
cte difformiter cauſantur ab illis:quia vt ab oppoſitis,cauſantur illẹ relationes ab vno & mul
to,vt pcedit iſta ratio:& vt relationes oppoſitẹ,ſcẽm ꝙ pcedit precedens ratio.

Irca tertium arguitur ꝙ idem æquale & ſimile non vniformiter cauſantur
ab vno.quia idẽ cauſatur ab vno in creaturis dicto ab vnitate: ꝙ diſtingui
tur in vnũ numero:vnũ ſpecie:vnũ genere.Sed in diuinis non eſt idem niſi
ab vno numero.Aequale autem & ſimile cauſantur ab vno dicto ab vnione
in creaturis:ꝙ nõ diſtinguitur ſic:quia ſimile & æquale nõ habent eſſe niſi
ab vno ſcẽm ſpecie in diuinis:& ſimile & equale non cauſantur niſi ab vno
numero t̃m dicto ab vnitate, ſcẽm ꝙ hæc omnia patent ex prædictis . In hoc autem eſt diſ=
formitas magna cauſandi illa ab vno.ergo &c. ℂQ neꝗ diuerſum inæquale & diſſimile vni=
formiter cauſent a multo, arguit.quia diuerſum cauſatur a multo numero,& a multo ſpecie,
& a multo genere:ſm ꝙ diuerſum diſtinguit in diuerſum nũero,& diuerſum ſpecie,& diuer=

In oppoſit.

B
Reſponſio.

C
Ad primũ
princip.

D
Ad ſecũdũ

E
Queſt.III.
Arg.1.

2

**In opposit.**

sum genere.Inæquale autem non causatur nisi a multo numero differenti in gradu eiusdem speciei . Dissimile autem non causatur nisi a multo specie inter illa quæ sunt vnū genere,talia autem non vniformiter causant.ergo &c.℘Contra est ꝗ a causis vniformibus causantur vniformiter effectus:quia non est difformitas in principiatis nisi a difformitate existēte in princi piis:sed vnū vniforme est in substantia,quantitate,& qualitate & econuerso:similiter multū: a quo causantur in eis diuersum,inæquale,& dissimile.ergo &c.

**F**
**Responsio.**

℘Dico ꝗ pro quanto ista comparatio tangit relationes causatas ab vno quæ cō muniter inueniuntur in deo & in creaturis : istam quæstionem possumus intelligere duobus modis: aut ex vniformitate causandi idē,æquale,& simile in diuinis scdm se,& in creaturis fm se:aut comparatiue in his & ī illis.Si primo modo,f.in diuinis scdm se:Dico ꝗ penitus vnifor miter causantur ab vno:quia non nisi ab vno dicto ab vnitate singularitatis,vt dictum est su pra,& amplius declarabitur infra.Si vero in creaturis scdm se,dico prout ꝑcedit prima obie ctio,ꝗ difformiter causantur ab vno:quia idem non causatur in creaturis nisi ab vno dicto ab vnitate:& hoc vel singularitatis vel cōmunitatis.Aequale autem & simile non causantur nisi ab vno dicto ab vnione:& hoc quia identitas non fundatur super vnum in re quacunꝗ creata neꝗ in increata nisi vt ipsa est bifurcata,vel plurificat in relatis.Et hoc vel scdm rationē vt in identitate scdm rationem:vel scdm rem:vt in idētitate scdm rem. Aequalitas autem & similitudo non fundantur super vnū in re creata nisi vt ipsa est plurificata scdm rē,& quasi cō furcata in seipsa.℘Si autem intelligamus secundo modo istam quęstionē.f.comparatiue in di uinis & in creaturis:Dico ꝗ hoc modo dupliciter adhuc potest intelligi ꝗstio. Vno modo,f. an sic causantur vniformiter ab vno idem,æquale,& simile inter se cōparata in creaturis:sicut causantur ab vno inter se causata in diuinis.Alio modo,an sicut causat idē in diuinis ab vno sic & in creaturis:& similiter de æꝗli & simili.Et simul respōdēdo ad vtrūꝗ modū:dico scdm ꝗ iam tactum est,& amplius declarabiꝯ inferius:ꝗ in diuinis fundāt & idētitas,& æqualitas & similitudo sup vnū dictū ab vnitate singularitatis,In creaturis etiā idētitas vera & simplici ter fundāt similiter sup vnū dictū ab vnitate singularitatis,quæ in creaturis deriuatur in comparata distincta scdm rationem tm,sicut & in diuinis. Sed hoc non in creaturis nisi quā do aliqua referuntur per idētitatem ad seipsa.Et sic quantum est ex parte vnitatis,vniformiter causatur identitas ab vno in diuinis,& in creaturis.In creaturis autē identitas specie aut gene re non habet modos identitatis respondētes in diuinis.Et scdm hoc difformiter causantur ab vno relationes cōmunes identitatis in deo & in creaturis:quia sola idētitas numero & ab vno numero est in diuinis: nequaꝗ autē identitas specie aut genere: quia in diuinis non sunt vnū specie & genere : sicut in creaturis non causatur similitudo ,aut æqualitas nisi ab vno scdm speciem:in diuinis autem non nisi ab vno scdm numerum , & hoc quia in diuinis nō nisi vna qualitas & quantīas numero sicut & substantia potest esse in diuinis personis.In creaturis au tem in diuersis suppositis non potest esse eadem qualitas aut quantitas scdm numerum : aut substantia eadem scdm numerum : sed scdm speciem aut genus tm: quæ non sunt nisi in di uersis.Et ideo in creaturis similitudo & æqualitas non est nisi scdm qualitatem & quantitatē existēte in diuersis,vt infra patebit.Et sic ꝑcedit prima ratio & bene: quæ scdm hoc concedē da est.Ratio autem quare distinctio identitatis est scdm vnū numero,specie, & genere in crea turis:non sic autem distinctio æqualitatis & similitudinis: est quia distinctio vnius scdm nu merum,speciē, & genus,conuenit solūmodo rei scdm ꝗ habet esse aliquid in suo prædicamēto per se:& sic vt habet rationē substātię:quā cōsequitur sola idētitas:non autē æqualitas & simi litudo:eo ꝗ hæc nō sequitur nisi qualitatē & quantitatē vt sunt aliquid in subiecto qd scdm illas res: & hoc nō nisi inquantū subiecta scdm illas relata sunt cōformia in qualitate & quan titate:aut inquantū qualitates aut quātitates diuersoꝗ subiectoꝗ sunt conformes inter se:nō autē inquātū sunt quātitates simpliciter:aut simpliciter qualitates existentes aliqd in genere suo.Conformia aūt in qualitate aut quantitate sic vt scdm illas dicātur subiecta æqualia vel similia,non sunt aliqua nisi scdm eandē speciē specialissimā.Et difformia scdm qualitatē sic vt scdm illā dicāt subiecta dissimilia:nō sunt aliqua nisi scdm diuersas species specialissimas sub eodē genere pximo qualitatis:quia solę illę in forma generis sunt conformes: & nullam habet inter se difformitatem.Sed quantitates eiusdem speciei specialissimę bene sunt inter se diffor mes scdm gradus:vt ideo scdm illas bene dicantur subiecta inæqualia:etiam quo difformiter fundantur sup multum,inæquale,& dissimile,& diuersum,vt ꝑcedit secūda obiectio & bene.

**G**

**Ad primū**
**princip.**

CAd tertium de equalitate & ſimilitudine:Dico concedendo ꝙ equalitas & ſimilitudo in diuinis
difformiter cauſant ab vno primo in hoc ꝗ̃ in diuinis cauſant ab vno dicto ab ynitate ſingulari= **Ad tertium**
tatis ꝗ̃ deriuat in plura ſecundū rationē in diuerſis perſonis:vt inferius declarabitur.In creaturis
autem cauſantur ab vno dicto ab vnione pluriū ſecundū rē in vno cōmuni.Et quo ad hoc magis
vniformiter identitas cauſatur ab vno in diuinis & creaturis,ꝗ̃ æqualitas & ſimilitudo:ꝗa vtrobi
ꝗ cauſatur identitas ab vno dicto ab vnitate:non ſic autē æqualitas & ſimilitudo.Pro quanto au=
tē propoſita queſtio tāgit relationes cauſatas a multo quæ ſolū ſunt in creaturis:Dico ꝙ quantū
eſt ex parte multi:omnino vniformiter cauſantur diuerſum, inequale,& diſſimile:quia vniformi=
ter multū in ſubſtātia,quātitate,& qualitate eſt vnum pluriū cōgregatiōe.Vnde in creaturis oēs
relationes cōmunes quodā modo cauſantur ab vno:quia ſecundū prędicta relatio identitatis cau=
ſatur ab vno dicto ab vnitate.Relationes vero equalitatis cauſant ab vno dicto ab vnione.Relatio
nes vero contrariꝗ̃ diuerſitatis inæqualitatis & diſſimilitudinis fundantur ſup vnū aggregatione
ꝗ̃ eſt vere multum.Et ſic magis vniformiter relationes cōmunes cauſantur a multo ꝗ̃ ab vno:&
eſt multū magis vniformiter cauſa relationū ſuarū ꝗ̃ vnū:licet neutrū ſit vniformiter cauſa omni
um illarum:ꝗ̃ tamen ponit illud tertium argumentum,& male.

Equitur Artic.LXVI.de relationibus cōmunibus in com= **Art.LXVI.**
paratione ad ſua prīcipia fundamētalia, cuiuſmodi ſunt ſubſtātia.quā
titas,& qualitas.Vbi quęruntur quinꝗ̃.Quorum
Primum eſt:vtrum in illis tribus prędicamentis habeat fundari omne
genus relationis cōmunis.
Secundum:vtrum diuerſa genera relationum cōmunium vniformi=
ter habeant fundari in illis.
Tertium:vtrum tm̄ in illis tribus generibus habeant fundari relatio=
nes cōmunes.
Quartum:vtrum ſingulum genus relationū cōmuniū in ſingulis di=
ctorum trium prędicamentorum habeat fundari.
Quintum:vtrum ſuper penitus idem numero poſſint fundari relationes cōmunes diuerſorum
generum relationum.

Irca primum arguitur ꝙ nullum genus relationum cōmuniū habet fundari in **1**
generibus prędicamentorū abſolutorū,Primo ſic.Prędicamentū habens ꝓpria **Queſt.i.**
realitatē non debet dici fundari ſuper rem alterius ꝑdicamēti.propter ꝗ̃ quā= **Arg.i.**
titas & qualitas non dicuntur fundari ſup rē ꝑdicamenti ſubſtātiæ:licet non
habeant eſſe niſi in illa.Prędicamentū relationis ꝓpria realitatem habet:quia nō
eſt prędicamentū niſi per aliꝗ̃d vniuoce ꝑ differētias cōtractū ad ſpecies:ꝗ̃d nō
poteſt eſſe purus modus eſſendi ad aliud:quia ſecundū prędicamenta ille ynicus & vniformis eſt
in omnibus contentis ſub ꝑdicamēto relationis non contractus,nec poteſt realitas ꝑdicamenti re=
lationis eſſe realitas contracta a tribus ꝑdicamentis abſolutis quꝗ̃ ſunt ſubſtantia quātitas & qua
litas:ꝗa res illorū in nullo vnico reali vniuocari poſſunt:ſed ſolūm analogāt in ente, & in re ge
neraliſſimi.in ꝑdicamento relationis vniuocant oīa cōtracta ſub ipſo:quia aliter non eſſet genus:
ſicut nec ens eſt genus.oportet ergo ꝙ illud ſit aliqua ꝓpria realitas ꝑdicamenti relationis:non er
go fundat ꝑdicamētū relationis ſuper rem alterius prędicamēti:quare neꝗ̃ etiā relatio cōmunis
contenta ſub relatione ſimpliciter.CSecundo ſic.dicit Boethi⁹ in cōmento ſuper ꝑdicamēta.Dece **2**
ꝑdicamenta ſunt dece principia,decē prima genera rerū ſignificātia.cū ergo relatio ſit vnū de nu
mero illorū.ꝗ̃d continet genus relationū cōmuniū:primo aūt nihil eſt prius:igitur rem relationis
nō precedit aliud genus,ſed fundamētū naturaliter ꝓcedit id ꝗ̃d ſup ipſum fundatur,& realitatē
quæ ab illo trahit inquātū hmōi.ergo &c.CItem decē ꝑdicamenta ſunt decē genera rerū:non aūt **3**
eſt aliquid primū genus rei niſi habēs realitatē a ſe:ꝗa in eo ꝙ eſt primū nō poteſt illā habere ab
alio.quare cū relatio ſit vnū illorū,propriā igitur habet realitatē,ſed tale non habet fundari ſuper
alio:quia non fundaret ſuper illo niſi vt ab illo realitatē traheret,ergo &c.CIn cōtrariū eſt Phs.v. **In oppoſitū.**
&.x.Metaph.vbi dicit ꝙ idē & diuerſum ſeꝗ̃untur vnum & multum in ſubſtantia:æquale & in
æquale vnū & multū in quātitate:ſimile & diſſimile vnum & multū in qualitate:ꝗ̃d non eſt niſi
quia in illis fundantur.

CDico extendendo materiā harum ꝗ̃ſtionum ad totum genus relationis:ꝙ ſecū= **K**
dum alias determinata in quadā ꝗ̃ſtione generali de ꝑdicamentis,eſſe ſiue ens prędicamētū nō no **Reſponſio.**

minat:sed pdicametu nominat potius aliquid cui couenit esse vt participatu ab illo:& hoc analo
gice:prout illud aliqd qd rem pdicameti nominat, diuersificat in diuersis pdicametis.Que res cu
hoc cp est diuersa & alia atcp alia in pdicametis realiter inter se distinctis: distinguit etia in diuer
sis pdicamentis penes diuersos modos reales,quibus siue secudu quos illis couenit esse: siue gbus
esse participant diuersimode.Qui quide modi reales sunt:quia ex natura ipsius rei pdicameti co
comitant: non aut ex consideratione intellectus siue rōnis:im̄mo ex illis consequunt diuersi modi
conceptuu formatoru de ipsis rebus.Illoru aut modoru duo sunt primi & principales:quoru Pri
mus est modus essendi secudu se & absolute.Secudus vero est modus essendi in ordine ad aliud,
Quoru primus couenit trib9 pdicametis absolutis:que sub tali modo essendi cōmuni ipsis in tria
genera triu reru absolutaru distinguit:que sunt substātia,quātitas,& qualitas:nec sunt plura ge
nera pdicamentoru que pprias realitates habent.Secudus aut modus essendi.f.ad aliud,conuenit
illis septe generibus pdicamentoru respectiuoru:que sub tali modo essendi cōmuni ipsis non ha
bēt res pprias quib9 inter se distinguitur: sed solumodo realitatē in modo suo cōi eis cōtrahunt
p hoc cp fundant sup res triu pdicamentoru absolutorꝫ:in hoc vcꝫ cp ex natura illaru reru modus
iste cōsequit:ppter qd respectus reales dicunt:secudu cp ex opposito respectus rōnales dicunt in g
bus modus essendi ad aliud non sequit natura rei ex se:sed solumodo cōsideratione intellect9 cir
ca rem:vt tactum est supra,Et distinguit vtercp illoru modoru realiu in duos,Modus ēm essendi
secudu se & absolute:aut est modus essendi secudu se & in se:& est modus pprius pdicamento
substantiē:aut est modus essendi secudu se sed in alio:& est modus pprius accidētis,q conuenit
duobus pdicametis absolutis accidētis,que sunt quātitas & qualitas,que distinguitur a pdicamē
to substātiē penes modu essendi in se & in alio:quoru prim9 trāsfert ad diuina:secudus aut nequa
q.Propter qd cu res quātitatis & qualitatis trāsferunt ad diuina:dicuntur trāsire in substantiam
quia.f.modu essendi in alio amittunt:& modu essendi in se assumunt. Ista aut duo predicamenta
in creaturis cōiter cu pdicamēto substātiē distinguunt contra alia septe, in hoc.f.cp illa tria habēt
esse secudu se:illa aut septe habēt esse ad aliud.Et trāsfert vtercp horu modoru ad diuina:& pe
nes illos in diuinis distinguitur duo modi pdicādi.f.ad se & ad aliud:quoru ille q est ad se, sequit
modu essendi in se & secudu se:& ideo idē est qd modus pdicādi substātialiter:ille vero q est ad ali
ud,sequit modu eēndi ad aliud: & est idem qd modus pdicādi relatiue. Nec est in diuinis modus
aliqs pdicādi accidentaliter:propter qd tm̄ sunt duo pdicameta in diuinis secundu superius expo
sita:ita cp scdm iā dicta tam in diuinis q in creaturis septe predicameta quorum esse & predicari est
ad aliud,nihil habet ppriu sui generis nisi modu essendi seu pdicādi ad aliud:in quo cōsistit ratio
predicamēti cōsequēs ex re pdicameti absoluti sup qd fundat:& p hoc ab illa suā realitatē trahit:
que cōsistit aut in hoc cp modus sequit ex natura rei: & per hoc est realis : aut in hoc cp continet
in se illā rē sup quā modus ille fundat:& ad quā sequit vt subintrāte ratione respectus:& per hoc
ipsa est diuersioru pdicamentoru.Queadmodum motus est de pdicamento actionis inquatum subin
trat ratione respectus.f.vt est ab agente:& est de pdicamento passionis inquatu subintrat rationem
respectus vt receptus est in passo:cu tamē secundu se cōsideratur sit in pdicamēto quātitatis.Et p
hunc modu dico cp ois relatio cōis habet fundari in rebus triu pdicametoꝫ absolutoru tā in diui
nis q in creaturis:& non solu genus relationis cōis:sed etiā totu genus relationis vniuersaliter: &
alia sex gña pdicamētoru respectus importātia. Sed aliter illa sex:aliter pdicamētu relatiōis: qm̄ il
la sex pdicamēta respectuu q non sunt relationes siue habitudines relatiuē:quib9.f.subiecta sua ha
bēt esse vel pdicari relatiue siue ad aliud:sed sunt respectus solu gbus subiecta sua ordinē habēt ad
aliud vt ad obiecta:ois ēm relatio siue habitudo relatiua respectus est,& non econuerso:Illa inquā
sex pdicamēta taliu respectuu,nō solu suis respectibus illa obiecta respiciūt,& ordinē habēt ad illa:
sed etiā ab illis causant quodā modo in suis subiectis,non solu a suis fundamētis quē habēt in ipsis
subiectis.Puta predicamētu qn, qd in re tēporali dicit respectū ad tēpus: a tēpore habet in re illa
causari:& hoc quia nō cōuenit ei predicamētu qn nisi ob hoc cp habet esse in tēpore. Similiter prē
dicamētum vbi:quod in locato dicit respectum ad locum simpliciter:a loco habet in illo causari:
& hoc quia non conuenit illi nisi ob hoc cp habet esse in loco.Et etiam pdicamentu situs,quod in
locato dicit respectum ad ordinem partium in loco:siue ad partes ordinatas in loco : a loco vt ip
se habet in se partes ordinatas habet causari in locato: quia non conuenit locato situs quod est or
do partium in toto respectu ad ordinem partium loci in loco: nisi ob hoc cp partes ordinatē loca
ti habent esse in partibus ordinatis loci.In hoc enim coniuncta predicamēta sunt vbi & situs.Prē
dicamentum etiam habitus quod in habente dicit respectum ad id quod habetur: ab eo quod ha
betur habet causari in habente: quia non conuenit habenti nisi ob hoc cp habens circūdat eo qd

habetur.Et ſic eſt etiam de actione & paſſione reſpectu agentis & patiētis:prout hęc latius ſupra in queſtione de prędicamētis decē in generali declarant.Prędicamētum aūt relationis continet ha bitudines quibus ſubiecta illarum habēt eſſe & dici relatiue ad aliud vt ad obiecta:& ſuis reſpecti bus quos importāt ſubiecta ſua quę eis referunt,ſubiecta ſua reſpiciūt: & ordinem habent ad illa in eſſe & referri ad illa abſq̃ hoc ꝗ cauſent ab illis. quia ſecūdū pm in pdicamētis:relatiua ſunt ſimul natura:& neutrū eorū eſt cauſa alteri vt ſit.Intelligo vt cauſa ꝓpter quā ſic: licet ſit cauſa illi⁹ ſine qua nō. Vnū eͬ relatiuorū eſt mutuo ꝑ alterū: vnde & in diuinis nō eſt pater niſi ꝑ fili um ſecundū Hilariū:vt habitū eſt ſupra.Propter qd̃ illa ſex quia cauſalitatē ſuā vt ſint in ſubie cto,ab extrinſeco habēt vt ab obiecto:ſicut a cauſa ꝓpter quā ſic:cū hoc ꝗ etiā cauſalitatē habēt a ſuis fundamentis:dicunt pdicamenta & accidentia extrinſecus aduenientia. Prędicamentū aūt re lationis quia cauſalitatem nō habet vt ſit in ſubiecto niſi ab eo qd̃ eſt in ipſo ſubiecto:ideo in crea turis dicitur eſſe vnum de pdicamentis accidentium intrinſecus aduenientiū.Propter qd̃ etiā re ſpectus quos importat pdicamentū relationis,dicunt reſpectus inſiſtentes:reſpectus aūt quos di cta ſex pdicamenta importāt,dicunt ꝓprie reſpectus aſſiſtentes.Sub pdicamento aūt relationis li cet ſecundū eundē modū generalē habeāt fundari relationes cōmunes & alię:in hoc.ſ. ꝗ non cau ſant in ſuis ſubiectis niſi a ſuis fundamentis:alie tn̄ relatiōes quę nō ſunt cōes immediate fundant in illis & cauſant ab eiſdem.Relationes aūt cōes licet immediate fundent in illis: nō tamē cauſan tur ab eiſdē niſi mediate vno & multo in eiſdē:vt habitū eſt ſupra:quę quidē vnū.ſ. & multū,ad pdicamētū quātitatis ptinet.Et ꝓterea relationes cōes fundant ſup res triū pdicamētorū abſoluto rū ratione illarū rerū ſimpliciter & abſolute abſq̃ omni ratione cauſę & effectus illarū inter ſe.Re lationes aūt alię non fundant ſuper res prędicamētorū abſolutorū niſi ꝑ rationes cauſę & effectus quas habēt inter ſe.Relationes enim quę ſunt in potētiis nō fundāt niſi ſup illas res abſolutas:quæ habent vim actiui & paſſiui:inquātum vna nata eſt agere & alia pati,& patiendo effectum agen tis in ſe recipere:& per hoc referunt inter ſubiecta illarum rerum:& hoc ſolum ſecundū habitum puta qn̄ potentię actiuę & paſſiuę non ſunt cōiunctę ſecundū actū:qualiter referunt inter ſe cale factiuum & calefactibile:vel ſecundū actū:puta qūdo potentię actiuę & paſſiuę ſunt cōiunctę ſe cundū actū,qualiter referunt inter ſe calefaciens & calefactum.Relationes vero quę ſunt in cōmē ſurationibus non fundant niſi ſup res abſolutas,quæ habent in ſe rōnes perfecti & deficientis a ꝑ fectione atq̃ tendētis ad illā adipiſcendā aut cōſeruādā prout poſſibile eſt illi ſecundū naturā.Et ꝑ hoc tales relationes nō ſunt niſi inter illa quę ſe habent inter ſe ſicut finis & id qd̃ eſt ad finē. Finis eͬ & pfectum idem ſunt:aut ipſa pfectio eſt propria cōditio finis:ſicut & imperfectio ꝓpria conditio eſt eius qd̃ eſt ad finem:& hoc in creaturis.Qualiter aūt relatio cōmenſurationis aliter habet eſſe in diuinis inter imaginē quę filius eſt & patrem cui⁹ eſt imago:videbitur inferius. Spe cialiter relationes cōmunes inter ſe comparatę aliter & aliter fundant ſup res abſolutas quātita tis & qualitatis & ſubſtantia:quia idētitas & diuerſitas fundant bene ſup rē ſubſtātię vt in ſeipſa eſt aliqd̃:æqualitas vero & ſiſitudo atq̃ eorū contraria nō fundātur ſup res qualitatis aut quātita tis niſi vt ſunt diſpoſitiones ſubſtātiæ ſeu ſubſiſtentes in eis:ſecundū ꝗ ia tactū eſt ſupra in fine p cedentis q̃ſtionis:& amplius in ſc̃da q̃ſtione articuli ſequētis inferius declarabitur.⫶Concedenda eſt ergo vltima ratio ex auctoritate phi probās ꝗ relationes cōes fundātur ſup res abſolutas triū pdicamentorū:qa.ſ.modus eſſendi ad aliud,in quo formalis ratio illarū cōſiſtit:conſequit res illas abſolutas:& per hoc qūdo reales ſunt realitatem ab illis trahunt:in qua cōſiſtit illarum ratio ſe cundum ſuperius expoſita.

M

N

O

P
Ad auctori ſa tatem phi.

⫶Ad illud qd̃ primo arguitur in oppoſitū:ꝗ pdicamētū relationis nō fundaͭ ſu per rē alterius pdicamenti:quia habet ꝓpriā realitatē:Dico ꝗ iſtud falſum eſt: qa nihil habet ſibi ꝓprium,vt dictum eſt:niſi primū modū eſſendi ad aliud:qui manet vnus & idē in omibus contē tis ſub pdicamēto relationis:nec contrahit aut diſtinguit in ſpeciebus relationis.Propter qd̃ ab il lius contractione aut diſtinctione ꝑ aliqd̃ qd̃ eſt ſuæ rōnis,non poteſt ſumi aliqua vniuocatio ge neris:vt pcedit obiecto: ſed ſolūmodo diſtinguit pdicamentū relationis ſub dicto modo cōmuni ꝑ res abſolutas ſubſtātię quātitatis & qualitatis indeterminate ſignificatas in generaliſſimo rela tionis abſtracto a ſuis ſpeciebus cōſtitutis & diſtinctis ſub dicto mō cōmuni ꝑ res abſolutas dicto rum triū pdicamētorū:a quib⁹ pdicamentū relationis ſuā trahit realitatē.⫶Et ꝗ arguitur ꝗ vni uocatio pdicamēti relationis non ſit ex parte realitatis ab aliis pdicamentis habitę:quia in nullo re ali vniuocātur ſubſtātia quātitas & qualitas:Dico ꝗ licet in nullo pdicamēto ſit vera & perfecta vniuocatio rōne rei ſignificatę in genere:ſed potius analogia aut ęquiuocatio ſemp latet in gene re:vt ſcribitͬ.vii.Phy.minor tn̄ eſt vniuocatio:& maior ęquiuocatio rei ſignificatę iͤ generaliſſimo

Q
Ad pri.prin.

R

relationis &.vi.pdicamētorum respectiuorū:q̄ in generalissimis aliorū predicamentorū: puta triū absolutorū:quāto ex se minus realitatis habet.Nihil eɱ realitatis habet pdicamētū relationis aut aliud pdicamētū respectiuū,nisi φ modus sibi proprius ex natura rei absolutæ habet esse tanɡ̄ cō sequẽs illā:qui & p hoc sup aliū fundat:vt dictum est. Propter qd distinctio specierū relationis: & similiter pdicamentorū respectiuorū sub modo cōmuni sibi,nō est nisi p additamēta rerū absolu taru:quibus determinatur dictus modus cōmunis:& similiter realitas significādi indeterminate sub cōmuni modo in quolibet generalissimo talis pdicamentoɡ.Et sic res diuersorū pdicamētoɡ absolutorū,siue realitates cōtractæ ab illis sub ynitate modi essendi ad aliud:licet non possint vni uocari ynivocatione q̄ sufficit ad ynitatem pdicamenti absoluti:vnivocāt tñ sufficiēter quātū re quirit pdicamētū respectiuū.Nec debet ver⁹ æstimator rerū in vnoquoq̄ plus aut minus require re q̄ conditio naturæ suæ exigit. Et consistit illa ynivocatio in dicto modo cōmuni nō cōtractiōe aut distinctione illius per aliquid qd est suæ rationis:sicut cōtrahit & distinguit cōe reale in pdi camēto absoluto:sed solūmodo illius determinatione p additamentū eius qd est alterius rationis.

**C** Ad secundū,φ.x.pdicamenta significāt prima genera rerū:ergo nullū eorū respicit rem alicui⁹ generis prioris super quā fundet:Dico φ hoc cōsequēs non sequit ex illo antecedēte nisi quodlibet pdicamentorū significaret rē propriā:vt.x.pdicamēta nō solū significarēt.x.prima genera rerū:sed etiam decem primas res.Qd nō est verū:quia non sunt nisi tres res, siue tres realitates in.x.predi camentis,quæ sunt de se absolutæ:ad quas res consequuntur modi essendi proprii diuersis pdicamē tis:qui nec res sunt nec reales possunt dici nisi rōne illarū rerū yt ex natura earū in ipsis fundan tur:& ad eas consequuntur:vt dictum est.Vnde licet sint prima genera rerū q̄ significāt.x.pdicamē ta:vt dicit Boethius & bene:non tñ sunt dictæ primæ res:nec hoc dicit vnɡ̄.Predicamenta eɱ sin gula sunt gña rerū:sed pdicamēta respectiua non sunt gña aliarū rerū quarū sunt pdicamēta ab soluta:licet sub alio & alio modo essendi.Predicamētū.n.significat aliqd cui contienit esse sub tali vel tali modo:a quo quidē modo circa id aliqd cui cōuenit esse principaliter, distinguitur pdica mēta maxie respectiua ab absolutis:qa respectiua nulla realitate ppria distinguit ab absolutis:qa nullā talē habent ex se:licet tria pdicamenta absoluta cū hoc φ inter se distinguunt p modos eēn di,etiā distinguunt p proprias res secundū predicta. **C** Ad tertium,φ nō est genus rei nisi habeat

propriā realitatē:Dico φ falsum est:quia sufficit ad rationē gñis generalissimi realis φ habeat p priū modū posteriorē qui consequit rē aliquā quæ ex se habet esse sub modo essendi alterius predi camēti prioris:qd cōtingit de pdicamētis respectiuis & absolutis.Prior eɱ naturaliter est modus essendi in re secundū se & absolute, q̄ in ordine ad aliud,per hoc.n.φ talē modū habet a re:ab ipsa realitate habet:quæ sufficit ad esse pdicamētū. Et φ arguit contra hoc: φ genus primū in eo φ est primū non potest suā realitatē habere ab alio:quia añ primū non est aliud precedens : Dico φ decē pdicamenta dicuntur dece gña pria non aspiciēdo ad ordinē eorū inter se:sed solūmodo aspicie do ad ordinē contentorū in qualibet linea pdicamentali inter se.Et est alius ordo iste & ille:qa iste qui est contentorū sub eādē linea,non solū est secūdū primū & secūdū:siue scdm prius & posteri⁹: sed etiā est secundū sub & supra.Et tali ordine nullū pdicamentū habet aliud pdicamentū prius: quia nullū eorū cōtinet sub alio:nec etiā aliqua duo illorū sub tertio:sed quodlibet illorū est eque primū.Ille vero qui est diuersorū pdicamentorum inter se:est non scdm sub & supra: sed solūmo do secundū prius & posterius,siue primū & secūdū.& hoc modo priora sunt predicamēta tria ab soluta q̄ septē respectiua:& iter absoluta primū est predicamētū substātiæ,secundū quātitatis,& ter tium qualitatis. Et propter istum ordinē predicamentorū absolutorū ad respectiua: bene possunt respectiua contrahere realitatem ab absolutis.

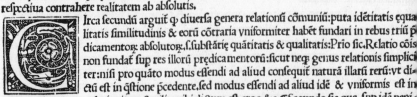

Irca secundū arguit φ diuersa genera relationū cōmuniū:puta idētitatis æqua litatis similitudinis & eorū cōtraria vniformiter habet fundari in rebus triū pdicamentoɡ absolutoɡ.f.substātiæ quātitatis & qualitatis:Prio sic.Relatio cōis non fundat sup res illorū predicamentorū:sicut neq̄ genus relationis simplici ter:nisi pro quāto modus essendi ad aliud consequit naturā illarū rerū:vt di ctū est in q̄stione pcedente.sed modus essendi ad aliud idē & vniformis in toto predicamento relationis,vt similiter ibi dictum est.ergo &c. **C** Secundo sic,quæ sup idē peni tus fundant:& sunt penitus vniformia inter se:vniformiter fundatur super illud sup qd fundāt. Si enim talia difformiter fundarent,super idem penitus fundari nō possent:qa idem penit⁹ nul lius difformitatis potest esse causa.Relationes cōmunes oim sunt vniformes inter se quātū ad ge nus relationis pertinet:quia non dicunt nisi esse ad aliud:sicut neq̄ relationes aliæ:& super idem penitus fundari possunt:quia homo homini est idem & æqualis & similis secundū vnum & idē

2

penitus:quia ſecundũ humanitatem.ergo &c.Cln cõtrarium eſt:quia ſimilitudo recipit magis & In oppoſitũ.
minus:nõ ſic aũt idétitas:& æqualitas & ſimilitudo aliquãdo eſt inæqualiũ,& æqualitas diſſimiliũ:
& hoc ex natura fundamétoꝝ: & fundatiõe relationũ ſup illa.talia aũt nõ ſunt cõformia.ergo &c.

C Dico ꝙ in fundatione relationum ſuper res ꝑdicamétorũ abſolutorum eſt tria B
conſiderare.ſ.relationes ꝙ fundant:& ipſas res ſup quas fundant:& accidentia ſeu ꝑprietates ſua- Reſponſio.
rũ rerũ.Ex parte aũt relationũ eſt attendendũ ꝙ non fundant ſup res alioꝝ predicamentorũ niſi
ratione modi illius qui ꝓprius eſt predicamento relationis.ſ.ad aliud eſſe:& hoc ꝑcipue quo ad re
lationes reales.Rationales.n.aliquæ ſup purũ conceptũ fundant.Ex eo em ꝙ illæ relatiões reales na
turas rerũ abſolutarũ conſequunt:& ab illis realitaté trahunt vt dicatur modus realis:relationes
reales dicunt fundari ſup dictas res.Ex eo vero ꝙ quedam relationes rationales non conſequũtur
vllo modo ex natura illarũ rerum:ſed ex ſola conſideratione intellectus circa illas:modus ille realitatem non cõtrahit:ſed eſt purus modus rationis ſiue rationalis circa ré:ex eo vero ꝙ ꝗdã relationes rationales partim cõſequunt ex natura rerũ: ſecũdũ hoc dicunt fundari ſup res abſolutas:
& ſecundũ ꝙ partim conſequunt ex conſideratiõe intellectus,ſunt aliꝗd rõnis: & ſic partim ſunt
reales:partim rationales.Aſpiciédo ergo ad primũ,ſ.ad ipſas relationes fundatas ſup res ꝑdicamétoꝝ abſolutorũ:Dico ꝙ omnino vniformiter fundant relationes cões ſup res triũ ꝑdicamétorum
abſolutas:ſecundũ ꝙ ꝓceſſit prima obiectio.Ex parte aũt ſecũdi & tertii bene cõtingit ꝙ difformi
ter fundent in dictis rebus:& hoc aut propter diuerſitaté illarũ rerum:aut ꝓpter diuerſitaté acci
dentiũ earundem.Difformiter em fundant relationes cões in ſubſtãtia ex vna parte:& in quãtita
te & qualitate ex alia:quia in ſubſtantia ex eo ꝙ eſt ens in ſe fundat bene idétitas vt eſt aliqd exiſtens in ſe:licet etiã fundet in ipſa vt eſt aliqd exiſtens in ſuppoſito:vt iã tactũ eſt in ꝗſtione pxi
ma ꝓcedente ante ſolutionem primi argumenti:& etiã in fine ꝓcedentis articuli:& ſecundũ ꝙ patebit inferius. Quãtitas vero & qualitas ſecũdũ ratione quãtitatis & qualitatis tã in diuinis ꝙ in
creaturis,quia non ſunt ens niſi in alio:in ipſis non fundant niſi vt ſunt entia in alio.Vt em conſi
derant ſecundum ſe,ratione habent:& non fundat in illis niſi idétitas.Quia ergo res in ſe conſide
rata in creaturis ſub quolibet ꝑdicamento,cenſet noíe ſubſtãtiæ inquãtũ ſic in ſe conſiderat:& di
ſtinguit ſub ratione vnius ſecundũ ratione indiuidui ſpeciei & generis:quia in quolibet ꝑdicamé
to eſt vnũ genere,vnũ ſpecie,vnũ numero:idcirco idétitas & ſui cõtrariũ ꝗd eſt diuerſitas,ſequit
tur quodlibet genus ꝑdicaméti ſecundũ ratione indiuidui ſpeciei & generis:licet modo cõtrario
vt dictum eſt ſupra in ꝗſtione prima articuli ꝓcedétis.Res aũt conſiderata vt exiſtés in alio nõ ſic C
diſtinguit:ſed ſolũmodo diſtinguit vt eſt exiſtens in alio & in alio p conformitate aut difformita
tem.Per cõformitaté em ad vnũ in diuinis pſonis ſequunt idé & æquale atꝗ ſimile:& æquale & ſi
mile in creaturis:licet diuerſimode in deo & in creaturis quãtũ eſt ex parte vnius: vt dictũ eſt in
tertia ꝗſtione articuli præcedétis. Et ecõtra,ſ.p difformitaté ad multum:nõ ſequunt niſi inæquale & diſſimile.In ſolis em creaturis(vt dictum eſt prima ꝗſtione articuli illius:& vt iã amplius ex
ponc)propter diuerſitatem accidentiũ tribus rebus triũ predicamentorũ abſolutoꝝ difformiter
fundant in illis relationes cões:& hoc vel ꝓpter diuerſitaté accidentiũ cõmuniũ illorũ vel ꝓprio-
rum.Sunt aũt accidétia cõiter illis cõuenientia vnũ & multũ,ꝗ deſcendunt in illis vt mēſurẽ illo
rum ſecundũ ꝑdeterminata.Et ſecũdũ diuerſitaté taliũ accidétiũ.ſ.vnius & multi inter ſe,diffor
miter fundant ſup dictas res relationes cões quæ ſequunt ad vnũ:& contrariæ illarũ,illæ,ſ.quæ ſe
quunt ad multũ.conformiter tamen in cõtrario ſiue in oppoſito:vt tactũ eſt in ſecũda ꝗſtione articuli precedétis.Et ſimr ſecundũ diuerſitaté vni⁹ in ſubſtãtia ad ꝙ ſequit idé:& vnius in quãtitate
ad ꝙ ſequit æquale:& vnius in qualitate ad ꝙ ſequit ſimile:ꝗ́nꝗ difformiter fundant idé in ſub
ſtantia:æquale in quãtitate:& ſile in qualitate:& ꝗ́nꝗ vniformiter fundant in illis, prout expoſitũ
eſt in tertia ꝗſtione articuli ꝓcedentis.Et hoc cõparãdo relationes cões inter ſe tripliciter.Vno mo
do idé æquale & ſile vt ſunt in diuinis tm̃:in quibus oíno vniformiter habet fundari quãtũ eſt ex
rõne vnius.Et alio modo comparãdo illa vt ſunt in creaturis tm̃:in quibus vniformiter æquale &
ſile habet fundari quãtũ eſt ex ratione vnius:ſed difformiter illis idé ſiue relatio idétitatis habet
fundari in ſubſtãtia.Tertio aũt modo cõparãdo illas tres relationes vt ſunt in diuinis ex vna par
te:& in creaturis ex alia:idétitas eiuſdé ad ſe vniformiter ſequit vnũ in diuinis & in creaturis.Idé
titas aũt diſtincti ad diſtinctũ in ſolis diuinis habet eſſe:nõ autem in creaturis.Aequale autē & ſi
mile in creaturis difformiter ſequitur vnum:& idétitas tã in diuinis ꝙ in creaturis,& ſimiliter
æquale & ſimile in creaturis,omnino difformiter ſequuntur vnum:& æquale & ſimile in diuinis:
ſecundum ꝙ hæc omnia patent ex tactis in prædicta queſtione.Sunt autem accidentia ꝓpria illis D

prędicamentis,videlicet ꝗ substątię & qualitati ex vna parte nõ conuenit inquãrum sunt substã
tia aut qualitas,habere partes in natura & essentia sua: sicut hoc conuenit quãtitati. Propter qđ
difformiter fundant in quãtitatibus diuersis relationes cões ex parte quãtitatũ:nõ aũt in substan
tiis aut qualitatibus ex parte ipsarum:sed aliter ex parte quãtitatis molis:aliter vero ex parte quã
titatis virtutis.Quãtitas eĩ molis eadem numero habet partẽ extra partem, & gradus secũdum
illas:& dicitur quædã linea pedalis,ꝙdã bipedalis,ꝙdã tripedalis:& sic de ceteris gradibus secũdũ
rationes numerorũ:& similiter de supficie & corpore.Et secundũ hoc accidũt lineę longum & bre
ue,latum & strictum,& corpori spissum & tenue secundũ pfundũ:quę sequunt ex vna linea cõ
parata alteri secundũ longũ & breue:& similiter supficies superficiei secundũ latũ & strictũ:& cor
pus corpori secundũ hæc eadę,ꝗa in se continet lineã & superficiẽ: aut secundũ spissum & tenue:
quia cõtinet & se & esse corporis:aut est maior,aut minor,aut ęqualis.Et opponunt maius & mi
nus æquali secundũ priuationẽ & habitũ:cũ nõ sunt nata fieri nisi circa idẽ in forma & specie: &
sumit ęquale ab vno qđ est in eodẽ gradu diuersarũ quãtitatũ nũero:& inęquale & multũ ab vno
qđ est in diuersis gradibus sišt diuersarũ quãtitatũ nũero:sed earũdẽ specie. Requirit,n.æqualitas
solã graduũ conformitatẽ:& inęqualitas solã graduũ difformitatẽ:& hoc vtrobiꝗ in eadẽ specie
quãtitatis ꝓpter oppositionẽ secundum habitum & priuationem,quę non sunt nata fieri nisi cir
ca idem in specie & forma:& diuersa genere tm̃.Et sicut hoc est in magnitudine cõtinua pmanen
ti in magnitudine:sic est & in tempore qđ est quãtitas cõtinua non pmanens:cui ad modum lineę
accidit lõgũ & breue:sic etiã & in loco,cui ad modũ supficiei accidit latũ & strictum.Et sicut est
hoc in quãtitate cõtinua:sic & in quãtitate discreta accidit idem:puta in numero cui p suas par
tes & gradus in illis accidũt multũ & paucũ:& similiter in oratione,cui ad modũ numeri accidit
multũ & paucũ inquãtũ habet rationẽ discreti:& longũ & breue ad modũ tẽporis inquãtũ habet
rationẽ continui.Nec est in hoc differẽtia ex parte cõtinui & discreti nisi in hoc ꝗ in eodẽ singu
lari continuo:puta linea,supficie,corpore,tẽpore,aut loco,aut oratione inquãtum habet rationem
continui,sunt secundũ illa,š.longũ & breue &c.in virtute omnes gradus & pfectiões quę possunt
cadere inter diuersa continua cõparata inter se:& hoc semp parte existẽte extra partẽ in eodẽ sin
gulari cõtinuo:licet non distincta ab alia aut diuisione aut signatione:sed distinguibili solũmodo
vel diuisione cõtinui in duo,vel signatione pũcti vnius inter duas partes eiusdẽ lineę,vel insta
tis vnius inter duas partes vnius tẽporis cõtinui. Et hoc cõtingit ꝗa continuũ om̃e diuisibile est
in infinitũ:& in tot ptes est diuisibile minimũ cõtinuũ in quot maximũ:licet non in ęqles.In eodẽ
aũt singulari discreto puta denario non est nisi certus numerus partiũ & ꝓportionũ secundũ il
las:& hoc parte existente actu extra partẽ propter actualẽ distinctionem & diuisionẽ rõne discre
tionis partiũ inter se.Vnde cõsiderãdo diuisionẽ numeri diuersimode per qnꝗ.š.& qnꝗ,& p.vi.&
quatuor,& per tria &.vii.& p.viii.& duo.& per.ix.&.i.semp sunt alię & alię ꝓportiones:& hoc tã
cẽ vero & qnꝗ est ꝓportio dupli ad subduplum:& sic de cæteris.Et sic considerãdo totũ & quãli
bet partẽ secundũ gradus illorũ semp est in illis relatio cõis penes inęqualitatẽ:cũ tamẽ considerã
do illa secundũ suã substãtiã sit inter illa relatio idẽtitatis & diuersitatis mixtim: vt supra exposi
tum est.Sic ergo vniformiter fundant ęquale & sišt in eisdẽ specie:difformiter inęquale & dissimi
le:quia inęquale non est nisi in eisdem specie:sicut neꝗ ęquale,Dissimile aũt non est nisi in diuer
sis specie:& sišt non est nisi in eisdẽ specie.Quãtitas vero virtutis nõ habet eadẽ numero partem
extra partem:neꝗ gradus secundũ partes:sed quęlibet illarũ maior habet in se in natura simplici
vnite omnes partes quę natę sunt in aliis & aliis minoribus existere seorsum & separate. Sed hoc
dupliciter:quia quãdoꝗ in natura simplici habent vnite & inuariabiliter:ꝗnꝗ vero vnite & vari
abiliter.Primo modo est quãtitas virtutis in substãtiis.Om̃ia eĩ contenta in prędicamẽto substã
tiæ:vt species specialissimę diuersæ:diuersos & certos gradus pfectionum important: nec est vna
& eadẽ variabilis ab vno gradu in alterum: sed semp vna est in superiori gradu quãtitatis pfectio
nalis ꝗ altera:& continet semp supiori virtute oẽm quãtitatẽ ois pfectionis & aliꝗd finitũ ampli⁹:
sicut deitas cõtinet oẽm quãtitatẽ pfectionale cuiuscuꝗ creaturę & amplius in infinitum.Secun
do aũt modo est quãtitas virtutis in qualitatibus recipiẽtibus magis & minus:& hoc non secũ
dum ꝗ considerant secundum se vt sunt aliꝗd in suo ꝑdicamento per essentiã:aut vt ponunt se
paratę p existentiã:sicut ideę Platonicę,sic eĩ semp nominãt rẽ in summo secundũ gradũ ꝗ cõpe
tit suæ speciei,secundũ ꝗ exposuimus alias in quãdã ꝗstione Quolibet.xiiii, & sic habent rõnem
substantiæ:vt in proxima sequẽte quæstione declarabimus: sed solũmodo secundum ꝗ habẽt esse
in subiecto & in materia:vbi per trãsmutationem naturalẽ eadẽ qualitas susceptibilis est ei⁹ qđ est

maius & minus in ſua eſſentia.Puta albedo & calor nata ſunt fieri in eodē ſingulari:maior de minori:& minor de maiori:& ſecundum hoc denominare habēt ſubiectū albū vel calidum ſecundum magis & minus:ſecundū cp alias in quadā queſtione de eo qd eſt magis & minus ſatis decla
rauimus.Et ſic ſecundū quātitatē virtutis perfectionalis primo modo non eſt inter diuerſa entia
niſi inequalitas,preterq̃ dūtaxat inter ſubſtātias cōtentas ſub eadē ſpecie ſpecialiſſima: quæ equales ſemp ſunt quātitate pfectionis.Et quo ad hoc cōformis eſt iſta eq̃litas pfectionis equalitati quā
titatis molis.Non eſt em vtraq̃ niſi inter differētia ſolo numero. Sed inequalitas pfectionalis non
eſt conformis inequalitati in quantitate molis:neq̃ diſſimilitudini:ſed ſolūmodo diuerſitati:quia
q̃cūq̃ diuerſa ſpecie aut gn̄e ſunt inequalia quātitate pfectiōis.Inequalia aūt quātitate molis:non
ſunt niſi differentia numero:& diſſimilia non niſi differētia ſpecie ſpecialiſſima. Secundū quātita
tē aut virtutis pfectionalis ſecundo modo:que̗.ſ.eſt in accidente ſuſceptibili magis & min⁹ in ſub
iecto:non eſt equalitas aut inequalitas niſi inter eadē ſpecie:ſicut neq̃ in quātitate molis. Et ſicut
in illis quātitatibus molis poteſt eſſe equalitas & inequalitas partium inter ſe : & ad totū in eodē
tēpore:ſic in iſtis qualitatibus quo ad quātitates virtutis poteſt eſſe inequalitas & æqualitas eiuſ
dē ad ſeipſum p alio & alio tēpore:ſecundū cp minus calidū in vno tēpore poteſt eſſe magis calidum in alio tēpore,vel eque calidum.Ex quibus patet cp equalitas & inequalitas fundate̗ in quan
titate molis,aut in quātitate virtutis in qualitate inquātū ipſa recipit magis & minus:quia ſe ha
bent ſecundū priuationē & habitū:neceſſario ſunt circa eadē in forma & ſpecie.Siſitudo aūt & diſſi
militudo fundate̗ in qualitate ſimpliciter quia ſe habet ſicut cōtraria: neceſſario ſiſitudo eſt inter
eadē ſpecie & forma: diſſimilitudo vero neceſſario eſt inter diuerſa atq̃ inter contraria forma &
ſpecie:& non inter alia.Idētitas aūt & diuerſitas & equalitas atq̃ inequalitas fundate̗ in ſubſtan
tia quia ſe habet ſicut contradictoria:eo cp quælibet duo entia ſubſtātialia aut modū ſubſtātie̗ ha
bētia aut ſunt eadē aut diuerſa:aut equalia aut inequalia:idcirco licet idētitas ſit ſolūmō eorūdē
numero ſpecie aut gn̄e:& æqualitas ſiue molis ſiue virtutis in ſubſtātia aut qualitate:& ſili̗r inæ
qualitas molis nō eſt niſi eorūdē ſpecie ſpecialiſſima:Diuerſitas tn̄ & inequalitas ſubſtātialis quo
rūcūq̃ duoq̃ entiū ſeſe habet penes gradus, & differētiæ entiū ſecundū gradus & differētias nu
merorū.Sicut em numeri pueniūt ab vnitate ſecundū quādā participationē forme̗ illius; & propterea oēs numeri quodāmodo ſunt eiuſdē ſpeciei:vt tactum eſt ſupra: ſic oēs creaturæ pcedunt
a deo ſecundū quādā participationē forme̗ illius.Et propterea oēs creature̗ quodāmō ſunt reſpectu dei eiuſdē forme̗ ſiue ſpeciei:q̃ nō ſunt niſi quedā participatio forme̗ diuinæ.Et p hoc inquā
tū omnes numeri ſunt quodāmodo vnius ſpeciei:& ſimiliter omēs creaturæ inter ſe:vniuerſaliter
equale & inequale non ſunt niſi in eadē forma & ſpecie.Quo ad hoc em̄ ſe habet ſecundū diuerſos
gradus ſuos:quibus inequales dicunt inter ſe diuerſi numeri & diuerſarū ſpecierum creature:ſi-
cut ſe habet diuerſe̗ qualitates ſub eadē ſpecie:puta caloris aut albedinis ſecundū diuerſos gradus
quibus dicunt inequales inter ſe duo calores aut albedines due̗ : q̃bus ſubiecta etiā dicunt calida
ſeu alba:& ſecundū magis & minus inęq̃liter calida aut inequaliter alba. Et ſic inequalia ſecundū
quātitatē virtutis:ſicut etiā aliq̃ aliqua ſunt inequalia ſecundū quātitatē molis:licet rōne quali
tatis,puta caloris aut albedinis,ſimpliciter ſunt ſilia:aliq̃dū ſecundū quātitatē molis aut virtu
tis ſunt etiā inequalia:& ecōtra diſſimilia ſunt æqualia.Et quo ad hoc bn̄ difformiter fundant re
lationes cōes ſup quātitatē & qualitatē vt pcedit tertia obiectio:q̃ difformitas a fundamētis orī
ſed in ſubiectis fundamētoꝝ exiſtit:q̃ difformiter ab ipſis denoiant:in hoc.ſ.cp ſiſitudo eſt inequa-
liū.Et etiā in hoc eſt difformitas,cp ſiſitudo magis & minus recipit:nō aūt idētitas aut equalitas.
Siſitudo em̄ magis & minus recipit ppter diuerſos gradus in quātitate virtutis qualitatis eiuſdē
ſecundū ſpecie.Dicit em̄ ſiſitudo iter hęc duo alba maior q̃ iter alia duo alba:& hoc albū dicit ma
gis ſile illi albo q̃ aliud:& hoc eo cp maior ſiſitudo fundatur ſup qualitates magis ad æqualitatem
appropiq̃ntes,& ſecundū hoc etiā dicūt ſubiecta magis ſilia.Et ſic cp ſiſitudo recipit magis aut mi
nus:hoc non contingit niſi q̃ inequalitas virtualis magis & minus recipit:& ſemp maius & minus in ipſis relationibus,& magis & minus in ipſis relatis,potius ſequunt quātitates virtuales in
relatis q̃ ipſas relationes.Nō ſic aūt æq̃litas recipit magis & minus ſicut ſiſitudo: & hoc q̃ æqua
litas non cōſiſtit niſi in graduū cōformitate:ſicut neq̃ idētitas maxime numeralis:q̃ non fundat
niſi ſup vno dicto ab vnitate,in qua nō eſt difformitas.

¶ Ex dictis etiā patet reſponſio ad obiectū ſecundū:cp bene verum eſt cp relatióes
cōmunes non fundant difformiter quātū eſt ex rōne reſpectus qui eſt ad aliud eſſe:neq̃ quātum
eſt ex rōne fundamentorum quādo fundant ſup idē,tunc em̄ tria ex vna parte.ſ.idē ęquale & ſile
& tria ex alia.ſ.diuerſum inequale & diſſimile vniformiter ſe habent,& cōuerſim cōſequuntur ſe:

vt si aliquid est idē:est ęquale & sile & ecōuerso:& quātū est idē,tātū est ęquale & sile & ecōuerso
Et non sunt ista æqualitas & similitudo nisi substātiales:sicut & idētitas:quę idētitas multum diffor
miter siue aliter fundaf in substātia vel in re alia vt habet rationē substātiæ:ꝗ ęqualitas & similitu
do in rebus quę sunt accidētia,& habentia rationē accidētiū in subiecto:& silr eorū contraria.Si
cut em æqualitas & similitudo consequunt idētitate & ecōuerso:sic & eorū contraria sese conse
quunt.Quādo autē fundant sup diuersa:non oportet ꝗ tantā vniformitatē habeāt secundū fun
damenta:vt patet ex dictis.Et secūdū hoc ꝓcedit vltimū obiectū.ⅭEt est vniuersaliter sentiēdū ꝗ
tanto verius & conformius habent rationes cōmunes esse in aliquibus:quanto verius & cōformi
us habēt esse in illis illarum fundamēta. Quæ quia cōformius habēt esse in diuinis ꝗ in creaturis
& verius:idcirco relationes cōmunes quæ habēt esse in diuinis & in creaturis: verius & cōformi⁹
habēt esse in diuinis ꝗ in creaturis.Propter qd̄ etiam quo ad hoc difformiter relationes cōmunes
habent esse in diuinis & in creaturis:secundum ꝗ hęc quo ad diuina clarius patebūt inferius.

**K**
**Ad secundū**

**L**
**Quæst.III.**
**Arg.i.**

Irca tertiū arguit ꝗ relationes cōmunes non tm̄ habet fundari in tribus gene
ribus.s.substātia quātitate & qualitate:sed etiā in quolibet alio.Primo sic.in ꝗ
buscūꝗ est reperire causas & principia aliquorū,& illa similiter:quia principia
tum & causatū sequunt causas & principia,quare cum vnum & multum quę
sunt causę relationū cōmuniū secūdū superius determinata reperianf in quoli
bet pꝛedicamento: in quolibet ergo ꝓdicamento habēt reperiri & fundari sup
vnū & multū relationes cōmunes. ⅭSecūdo sic.sicut substātia ꝓdicat in eo qd̄ qd̄:& quātitas i eo

**2**

qd̄ quātū:& qualitas in eo qd̄ quale:sic & alia ꝓdicamenta ꝓdicant in eo qd̄ est quodā modo se ha
bere.ꝗre sicut secūdū substātia aliqua dicunt eadē aut diuersa,ꝗa vna substātia aut plures ꝓdican
tur de illis in eo qd̄ qd̄:& secundū quātitate aliqua dicunf ęqualia aut inęqualia,ꝗa vna quātitas
aut plures ꝓdicant de illis in eo qd̄ quātū:& secūdū qualitate aliqua dicunt silia aut dissimilia:ꝗa
vna qualitas vel plures ꝓdicant de illis in eo qd̄ quale: secūdū ꝗ hęc patet ex ꝓdeterminatis: ergo
consilr ꝗa vna actio aut plures ꝓdicant de aliqbus:& silr vna passio,vnū qñ,vnū vbi,aut plura:&
sic de cęteris ꝓdicamentis ꝓdicant de aliqb⁹in quodā mo se habere:ergo illa debēt dici seu denoia
ri secūdū illa ꝓdicamēta aliꝗ relatione cōi:& sic sup alia ꝓdicamēta debēt fundari relationes cōes
sicut sup substātia quātitate aut qualitate, vt sicut est relatio cōis aliquorū inter se ꝗa vniformi
ter se habet ad qualitatē:& vniformiter sunt quales:puta albi:& dicunt siles:sic debet esse relatio
cōis aliquorū inter se quia vniformiter se habet ad actione: puta vt a qb⁹ ꝓcedit sicut ab agētib⁹:
seu ad passionē:vt i qb⁹recipit sicut i passiuis.& sic duo agētia,puta duo calefaciētia debēt ex hoc
habere aliquā relatione iter se ꝗ vniformiter se habet ad calefactionē: sicut duo alba habēt relatio
nē silitudinis iter se ꝗa vniformiter se habet ad albedinē:& silr alia duo ad passionē:& alia ad qñ:
& sic ad cętera ꝓdicamēta.ⅭTertio sic.sicut calefaciēs & calefactū diuersimode se habet ad motū

**3**

calefactiōis:sic duo calefaciētia vniformiter se habet ad motū eūdē:& silr duo calefacta iter se.ꝗre
cū ꝓpter hoc ꝗ calefactū & calefaciēs diuersimode se habet ad motū,ipsa relatiua sūt iter se diuer
sis relationib⁹ ꝓpriis: sic ergo duo calefaciētia inter se:& silr duo calefacta inter se:ꝗa vniformiter

**In oppositū.**
se habet ad motū,relatiua debēt esse inter se relationib⁹ cōib⁹.ⅭIn oppositū est phs:qui.v.&.x.Me
taphy.non posuit relationes cōes fundari nisi sup substātia quātitate & qualitate:vt patet ex pꝛe
determinatis.& supponit ꝗ in hoc nō est insufficienter locutus.

**M**
**Responsio.**

ⅭDico secundū ꝓdicta ꝗ in relatione licet respectus dicat modū ꝓpriū essendi.s.
ad aliud,diuersum a modo essendi secundū se:nullam tm̄ realitatē oīno ꝓpriā habet aut sibi deter
minat:sed solūmo realitatē habet ex hoc ꝗ fundat sup rē cuius ꝓprius est hic modus essendi secū
dū se:ita ꝗ respectus ipse nihil esset oīno pꝛterꝗ secundū aīam,nisi sup illā rē fundaret siue a rōne
siue a natura rei.Propter qd̄ respec⁹ vnus qcq̄ realitatis naturę habēs siue originaliter & cōpleti
ue:siue originaliter tm̄:sup aliū respectū ex eo ꝗ ipse pur⁹ respect⁹ est: nullo mō fundari pōt: sed
si respect⁹ hmōi sup respectū fundet:hoc non est nisi inquātū ille fundat in re absoluta:& sic rōne
rei absolutę fundat in illo:& sic poti⁹ fundat in illa re absoluta originaliter,ꝗ in ipso respectu fūda
to smediate in illa.Propter qd̄ cū ab vna & eadē re absoluta nō trahat nisi vna realitas: ꝗa ab vno
& eodē inquātū hmōi nō ꝓcedit nisi vnū & idē:respec⁹ igit fūdat⁹sup respectū nō pōt esse ali⁹ re
aliter ab illo rōne fūdamēti:nec etiā rōne obiecti siue oppositi ad qd̄ ē: ꝗa respec⁹ fūdat⁹ sup respe
ctū:necessario est ad idē cū illo sup quę fundat.Quare cū relatio nō distinguat a relatiōe nisi in or
dine ad fundamētū vel obiectū: oportet igit ꝗ sit vna relatio vtraꝗ & vn⁹ respect⁹ secūdū rē:& si
sit ali⁹ & ali⁹:oportet ꝗ ali⁹ sit sola rōne vni⁹ ab altero:& idē secūdū modū seu scdm gen⁹ relatio
nis.Vt si supra paternitate ꝗ est pꝛis ad filiū,quæ est ꝓpria relatio pꝛis,fundetur oppositio patris

ad filium:illa oppoſitio vt eſt in patre,eſt eadē relatio ſecundū rē cū paternitate,differens ſola rōne
ab illa.& eſt realis in ordine ad filiationem:& relatio ppria:ſicut eſt etiā ipſa paternitas.Licet enim
cōmuni noie dicaſ oppoſitio vt eſt in patre & vt eſt in filio,nō ppter hoc ē relatio cōmunis vt ha
bitum eſt ſupra.Et per eundē modū dico ꝙ ſuper nullum ꝑdicamentū reſpectus pōt fundari rela
tio cōmunis:ꝗa reſpectus cuiuſlibet preꝺicamēti reſpectiui pprius eſt illi:& ex propria cauſa in il
lo cui iheſt:puta qn in exiſtēte in tēpore:& vbi in exiſtēte in loco:& ſic de ceteris,Propter ꝙ in il
lis nō ſolum non poteſt fundari relatio ſiue reſpectus alius re vel genere ab illis:ſed nec in illis po
teſt fundari oino aliquis reſpectus qui ptinet ad relationē cōmunem: quia illa neceſſario requirit
cauſam cōmunē in relatis:vt patet ex ꝑdeterminatis.Et ſic dico abſolute ꝙ relatio cōmunis non
poteſt fundari niſi ſuper illa tria ꝑdicamenta abſoluta.Et cōcedenda eſt ſuper hoc auctoritas phi
loſophi tacta in vltima ratione.

ꝃAd primū in oppoſitū ꝙ vnū & multū que ſunt principia ſiue cauſe relationū
cōmuniū reperiuntur in quolibet aliorū ꝑdicamentorꝯ ſicut in illis tribus: Dico ꝙ cum fundamē
ta relationū cōmunium diſtinguatur ſcdm tria preꝺicamenta abſoluta,que ſunt ſubſtantia,quā
titas & qualitas:ibi quantitas & qualitas que ſunt preꝺicamēta accidentium aliter conſiderātur
ꝗ conſiderētur quādo in libro preꝺicamentorum diſtinguuntur contra ſubſtantiam & cōtra.vii.
reſpectiua preꝺicamēta.Ibi enim conſiderātur ſcdm ſe & ſcdm id ꝙ ſunt aliquid ſecūdum rem &
eſſentiam ſuam abſtracta a ſubiectis in quibus ſunt:& ſecundū ꝙ preꝺicant ſuperiora de inferio
ribus ſecundū quid.Hic vero conſiderantur ſcdm ꝙ ordinem habent ad ſubiecta in quibus ſunt
& ſecundum ꝙ concreta ſunt illis & ipſa denomināt,& dicūtur ab eis qualia aut quāta:& preꝺi
cantur de illis in eo ꝙ quale aut quantum.Et quia preꝺicatio in eo ꝙ quid eſt, eſt ppria ſubſtan
tie:ꝗa in ſolo preꝺicamēto ſubſtātie eſt quid ꝓprie: idcirco quantitas & qualitas primo modo cō
ſiderata: & ſimiliter ꝙlibet eorꝯ preꝺicamentorū ꝗ rōnem ſubſtātie habent:& extēſo noie ſubſtā
tie oia ꝑdicamēta:ſubſtātie dicūtur.Et ſic dico ꝙ cū fundamēta relationū cōium diſtinguūtur in
ſubſtātiam quātitatē aut qualitate:ibi ſumiſ ſubſtantia large pro quolibet gñe preꝺicamēti vt ſecū
dum ſe & abſolute cōſideraſ.Et illo modo cōſiderādi ſolūmodo cōſequiſ preꝺicamēta illorꝯ diſtin
ctio ſcdm gen⁹ & ſpecie & indiuiduū:& ſimiliter vnū & multū gñe & ſpecie & nūero:a quibus in
quātū hmōi nō cauſant niſi idē & diuerſum in quocūꝗ ꝑdicamēto reperiant.Et ſic ſuper ꝙlibet
gen⁹ ꝑdicamēti ſcdm ſe cōſideratū fundaſ relatio cōis: & cauſaſ ab vno & multo,ſed hoc nō niſi
vt ꝙlibet ꝑdicamētū ptinet ad ſubſtantia ſiue ad ꝑdicamētū ſubſtātie large acceptę,Sed ſuper
quantitatē & qualitatē ſi fundēſ ꝓprie relationes cōes alię ab illa ꝗ fundatur ſuper ſubſtantiā,
hoc non eſt cōſiderādo illa preꝺicamēta iſto modo:ſed ſolūmodo cōſiderando illa ſcdo modo,ſci
licet in ordine ad ſua ſubiecta vt ipſam ſubſtantiā determinant:& ꝓpria ſubiecta relata,que ſunt
materialis cauſa illarū relationum.Nō ſunt enim ſimilia aut diſſimilia niſi equalia: neꝙ equalia aut
inęqualia niſi quāta.Sed ſecūdum iſtam cōſiderationē ſuper.vii.preꝺicamēta reſpectuū nullę rela
tiones cōmunes fundari poſſunt propter cauſam iam dicta in corpore ſolutionis. ꝃAd ſecundū
ꝙ ſecundū preꝺicationē in eo ꝙ quid & ꝙ quātū & ꝙ quale fundātur relatiōes cōes in ſubſtātia
quātitate & qualitate: ergo ſcdm ꝑdicatione in eo ꝙ eſt aliquo mō ſe habere:ſimiliter debet fun
dari relationes cōes ſup.vii.ꝑdicamēta reſpectuū:Dico ꝙ reſpectꝯ quia nihil rei addit ſuper ſuū
fundamentū,ideo vt cōparaſ ad fundamentū aut ad ſubiectū in quo eſt ipſum fundamentū: in
cidit ī fundamētū:& nihil ponit preter fundamētū:propter ꝙ ſuper reſpectū vt cōſideraſ ī ordi
ne ad ſuū fundamētum,aut ad ſubiectū illiꝯ,nullus alius reſpectus fundari poteſt:quia in hoc or
dine nihil ꝑter fundamētū eſt:& ſuper nihilo nō habet aliquid fundari.Sed ꝙ reſpectꝯ eſt aliquid
puta modus quidā ꝑter ipm fundamētū,hoc nō eſt niſi in ordine ad obiectū: & ſic ſi reſpectus ali
quis fundari debeat ſuper illū:hoc eſt vt cōſideratur in ordine ad obiectū. In ordine aūt ad obie
ctum nō poteſt fundari reſpectꝯ alius ab illo ſuper quē fundaſ niſi ſcdm rōnem tantum:vt iam
dictum eſt:qualis nō poteſt eſſe reſpectus relationis cōmunis reſpectu reſpectuū pprioꝝ exiſten
tiū in ſingulis ꝑdicamētis:ꝗa ſcdm rem diſtinguiſ genus relationū cōium a relationibus ꝓpriis ꝗ
ſunt in actionibus & menſurationibus:ſicut ſupra dictū eſt.& ex hoc etiā ſcilicet:quia ſi ita eſſeſ:
eadem ratione ſuper relationem cōmunem fundareſ relatio alia cōmunis:& eſſet pceſſus in infi
nitum.Cum eñ duo alba ſint ſimilia:& ſimiliter duo nigra:hęc duo alba illis duobus nigris con
formia ſunt in ſimilitudine:& ſic inter illa eſſet alia relatio communis:& ſic deinceps in infinitū
Qꝙ ergo ſecundum aliquod aliorum,vii.predicamentorū predicet aliquid cōiter de aliquibus,
ſcdm id tamē nulla pcedit relatio cōis in illis:ꝗa nō eſt nata pcedere ſcdm illud,quēadmodū duo
patres aut duo filii in creaturis nullā omnino cōmunem relationem habent inter ſe: ſed duo filii

N
Ad pri.prin.

O
Ad ſecundū

P
Ad tertium

ad duos patres:aut duo patres ad duos filios solummodo relationes proprias sibi paternitatis aut filiationis:quia super illas nulla omnino potest fundari relatio.CAd tertium q̃ sicut calefaciés & calefactum quia difformiter se habent ad motum,habét inter se relationibus ꝓpriis correlatione, sic duo calefacientia aut duo calefacta quia cõformiter se habent ad motum: debent habere inter se correlatione relatione aliqua cõi:Dico q̃ re vera calefaciens & calefactũ correlationem habent inter se propriis relationibus:sed hoc non tam quia difformiter se habét ad motum eundé:q̃ quia alterutrum eorum q̃ se habet suo modo ad motum,hoc non est nisi in ordine ad aliud se habens ad motum secundũ aliũ modum se habendi ad illum.Sed q̃ duo calefacientia vel duo calefacta conformiter se habent ad motum:hoc est absq̃ omni ordine alterutrius ad alterum:quia duo ca‑ lefacientia vniformiter nullum ordinem habent inter se,similiter nec duo calefacta.Propter q̃d li cet illa difformitas se habendi ad motum inter calefaciens & calefactum non sit sine relationibus propriis:ista tamen conformitas se habendi ad motum duorum calefacientium vel duorum ca‑ lefactorũ est sine omni relatione cõmuni iter calefaciétia aut inter calefacta:quia ex conformitate inter duo non est nata sequi relatio cõmunis:nisi sit illa conformitas in aliquo absoluto.Cum ve‑ ro est in relatiuo,qualis est cõformitas inter duo calefaciétia:in eo scilicet q̃ vniformiter se habét ad calefacta,aut econuerso:secũdum illam nulla omnino nata est sequi relatio cõmunis : quia non est nata fundari super relationem,vt dictum est.

Q
Quest.IIII.
Arg.i.

Irca quartum arguitur q̃ nõ singulum genus relationum cõmunium in sin gulo dictorũ triũ generum ꝑdicamétoꝝ habeat fundari: sed potius singulum in quolibet,primo sic.In illis habent fundari relatiões cões scdm quę relata a re latione cõmuni denoiantur : puta identitas habet fundari in illis scdm q̃ ali‑ qua dicitur eadé:ꝙqualitas in illis scdm quę dicuntur ꝙqualia: similitudo in il lis scdm quę dicunt similia. Sed scdm singula gñia ꝑdicamentorũ aliqua de noiantur eadem ꝙqualia & similia.in quolibet em genere sunt aliqua eadem numero specie & ge nere.sunt etiam ꝙqualia in quolibet genere illa quę sunt sub eadê specie specialissima:quę etiã sunt

2

similia scdm superius determinata.ergo &c.CSecũdo sic.relationes quæ sequũtur differentias & cõuenientias oim generũ entis,in oĩbus gñib⁹ fundant:ꝗa nõ sequũtur illa nisi ex fundatiõe sua in illis.singula dicta gñia relationũ cõium cõsequunt differétias & cõueniétias oim gñm entis:ꝗa q̃dlibet duoꝝ entiũ vnũ est idé alteri:aut diuersum ab eodé scdm ꝑdicta:aut etiam quęlibet duo entia aut ꝙqualia sunt in gradu entis aut inꝙqualia, & quęcũq̃ sunt sub eodé gñie,aut cadũt sub eadé differétia gñis,aut sub alia & alia:& ideo aut similia aut dissimilia.ergo &c.CIn contrarium est philosophus,qui nõ ponit idem & diuersum nisi in substátia:ꝙquale & inꝙquale nisi in quanti tate:simile autem & dissimile non nisi in qualitate.

R
Responsio.

CDico q̃ singulum triũ prędicamétorum,substátię scilicet,quátitatis,& qualitatis aut large accipit,aut stricte.Substátia em stricte accepta noiat solumõ ré absolutã scdm se & in se existenté:q̃ est ꝓprie de ꝑdicaméto substátię.Sustátia aũt large accepta noiat quácũq̃ ré ꝙput ha‑ bet modũ substátię.s.ꝑdicádi de se vel de alio in eo q̃d q̃d,vt tactũ est in q̃stione ꝓcedéte.Quátitas aũt stricte accepta noiat solumodo ré absolutã de ꝑdicaméto quátitatis.Quátitas vero large acce pta noiat quácũq̃ ré ꝙput h̃3 modũ quátitatis: in ꝑdicádo.s.de aliquo subiecto in eo q̃d quáti.& hoc siue in eo q̃d quantũ quátitate molis:qualiter ꝑdicant illa q̃ ꝑtinét ꝓprie ad ꝑdicamẽrũ quáti tatis:siue in eo quod quantum quantitate perfectionis essentialis aut virtualis:qualiter prædican tur illa quę communiter sunt quátitates.Qualitas etiam stricte accepta noiat solumodo rem abso lutam de prędicaméto qualitatis:qualitas vero large accepta nominat quácũq̃ ré h̃ñté in ꝑdican do modũ qualitatis: in prędicádo.s.in eo q̃d quale, & hoc siue in eo q̃d quale qualitate accidentali qualiter ꝑdicant de suis illa q̃ sunt ꝓprie de ꝑdicaméto qualitatis:siue i eo q̃d quale qualitate sub státiali,qualiter ꝑdicat differétia cõstitutiua i quolibet ꝑdicaméto de specie quá cõstituit.Stricte aũt sumédo substátiá quátitaté aut qualitaté:Dico q̃ singulũ gñis relationũ cõiũ i singulo triũ

S

ꝑdicamétoꝝ absolutorum habet fundari.Quia in substátia stricte accepta cuiusmodi sunt indi‑ uidua species & gñia in ꝑdicaméto substátię,nõ habet fundari nisi idem & diuersum.In quátitate vero stricte accepta vt comparatur ad subiectum,non nisi ꝙquale & inꝙquale:in qualitate vero stricte accepta,non nisi simile & dissimile:secundum q̃ procedit vltima ratio.Large autem sumé‑ do substátiam quátitatem & qualitatem, Dico q̃ singulum genus relationum communium fun datur in quolibet trium generum prędicamentorum prędictorum,vt procedunt,duæ primæ ra tiones. Idem enim & diuersum non solum fundantur super res existentes in prædicamento sub‑

ſtantiȩ,ſed etiã fundãtur ſuper res exiſtȇtes in aliis prȩdicamȇtis:& dicȗtur eadȇvel diuerſa inter
ſe,exiſtȇtia in quocȗqͣ prȩdicamȇto alio vt expoſitȗ eſt ſuperius.Similiter ȩquale & inȩquale non
ſolum fundãtur ſup res exiſtentes in prȩdicamȇto quãtitatis:nec ſolȗ ȩqualia vel inȩqualia dicȗ
tur inter ſe,vel alia ſcȇm illa quȩ ſunt exiſtȇtia in prȩdicamȇto quãtitatis,ſed etiã fundãtur ſup
res exiſtȇtes in aliis prȩdicamȇtis:vt habȇt in ſe rȏnem quãtitatis determinatȩ ſcȇm gradu perfe
ctionis:& dicȗt ipſa ȩqualia vel inȩqualia inter ſe,vel aliqua ſcȇm illa.Et eſt ſpeciale i inȩquali ſe
quente ad quantitatȩ perfectionis,qͣ vniformiter cȏſequiͭ diuerſum ſcȇm ſpȇm & ſecȗdum ge
nus.Quȩcȗqͣ eͥm ſunt diuerſa ſpecie ſpecialiſſima:ſiue ſint eadem genere ſiue diuerſa:ſemp ſunt
inȩqualia ſcȇm gradum pſectionis naturalis:& tamȇ inȩquale ſicut & ȩquale qd̄ ſequiͭ quãtitatȇ
molis:ſolȗmodo cȏſequiͭ diuerſum ſcȇm numerȗ ſub eadȇ ſpecie ſpecialiſſima.Inȩquali aȗt qd̄ ſe
quiͭ quãtitatem pſectionis,ſpeciale eſt qͣ vniformiter cȏſequiͭ idem ſcȇm ſpeciȇ diuerſum tñ nu
mero.Quȩcȗqͣ eͥm ſunt eadȇ ſpecie ſpecialiſſima:& differentia numero ſolo:ſunt ȩqualia quan
titate pſectionis eſſentialis.Licet eͥm ſint formȩ quȩdã ad quas ſub eadȇ ſpecie ſpecialiſſima in ſub
iecto conſequiͭ magis & minus & ȩquale:& exiſtentia in eodȇ gradu intenſionis,puta caloris vel
frigoris:aut alicuius hmȏi:dicȗtur ȩqualia ſcȇm illas quãtitates perfectionis virtualis propter
participationȇ formȩ a ſubiectis ȩqualiter:& ſimiliter ipſȩ formȩ inter ſe ȩquales dicȗtur:exiſtȇ
tia aȗt in diuerſis gradibus dicȗtur inȩqualia ſecundum illas quantitate perfectionis virtualis
propter participationem illius formȩ a ſubiecto ſecȗdȗ magis & minus:& ſimiliter ipſȩ formȩ in
ter ſe inȩquales dicȗtur propter eſſe ipſarum in ſubiecto ſcȇm maius & minus:ſcȇm enim Aug.
de trini.lib.vii.cap.viii.in eis quȩ non ſunt mole magna:idem eſt maius eſſe qd̄ eſt melius eſſe:bo
nitate ſcilicet perfectionis eſſentialis aut virtualis:tamen eȩdem formȩ ſub ratione ſuȩ eſſentiȩ
ſecundum ſe conſideratȩ vt eſſentia quȩdam:ſicut indiuidua ſub ſpecie ſpecialiſſima:ȩquales iter
ſe ſunt quantitate perfectionis eſſentialis.Vnde & ſi eſſent ſeparatȩ:eſſent ambȩ ȩquales & in ſum
mo gradu perfectionis quȩ ſpeciei ſuȩ nata eſt cȏuenire.Vna enim albedo ſeparata:nec magis al
bedo,nec maior albedo eſt q̄ alia,prout alias determinauimus in noſtro.xiiii.Quolibet.¶Eſt autȇ
vlterius aduertendum qͣ ſecundum tales formas vt ſimpliciter accipiuntur: ſubiecta illarum ſe
cundum ipſas ſimpliciter denominantur eſſe ſimilia:ſiue in ȩquali ſiue in inȩquali gradu fuerint.
Et cum ſunt in gradu ȩquali,tunc ſecundȗ illas dicȗtur perfecte ſimilia:cum vero ſunt in gradu
inȩquali:tȗc reſpectu illorum quȩ ſunt perfecte ſimilia in gradu ȩquali : ſubiecta illarum ſecun
dum illas dicuntur ſimilia ſecundum magis & minus, ſecundȗ qͣ magis & minus accedunt ad
ȩquale.Et reſpȏdent iſti gradus perfectionis in quantitate virtutis:gradibus exiſtentibus in quã
titate molis:quȩ eſt in continuis & diſcretis:licet in diſcretis non dicatur eſſe quantitas molis pro
prie,nec etiam in aliis continuis a corporalibus:in quibus gradus ſumuntur in eis quȩ ſunt eiuſ
dem ſpeciei ſecundum accidentia continua,quȩ ſunt longum breue,latum ſtrictȗ,ſpiſſum & te
nue:ſecundum qͣ in numeris & diſcretis quȩ ſecȗdum prȩdicta ſunt proprie eiuſdem ſpeciei ſpe
cialiſſimȩ,ſumuntur gradus ſecundum plus & minus:& dicunͭ ȩqualia quȩ ſunt in eodem gͭa
du,puta vnum & vnum,duo & duo,tria & tria:& ſic deinceps:& inȩqualia quȩ ſunt in diuer
ſis:puta vnum ad duo:tria & deinceps,ſcilicet duo ad triȩ quatuor & deinceps.Et ſecundum qͣ
gradus inter ſe diſtant ſecundum magis & minus:puta duo & tria minus diſtant q̄ duo & qua
tuor aut quinqͣ & deinceps:ſimiliter duo & quatuor minus diſtant q̄ duo & quinqͣ & deinceps:
ſecundum hoc dicuntur inȩqualia ſecundum magis & minus in quantitatibus eiuſdem ſpeciei
quales ſunt quoquo modo omnes numeri ſecundȗ ſuperius expoſita:ſicut & dicuntur ſimilia ſe
cundum magis & minus in qualitatibus eiuſdem ſpeciei.¶Simile etiam & diſſimile non ſolȗ fun
dantur ſuper res exiſtentes in prȩdicamento qualitatis:nec ſolum ſimilia aut diſſimilia dicuntur
inter ſe aliqua exiſtentia in prȩdicamento qualitatis:aut ſubiecta ſecundum illa: ſed etiam fundã
tur ſuper res exiſtentes in aliis prȩdicamentis vt habent in ſe rationȇ qualitatis:ſicut habent dif
ferentiȩ diuiſiuȩ generum & conſtitutiuȩ ſpecierum. Dicȗtur enim illa quorum ſunt ſimilia vel
diſſimilia ſecundum illa:licet non illa inter ſe.In hoc enim eſt differentia quo ad idem & diuer
ſum in ſubſtantia,ȩquale & inȩquale in quantitate,ad ſimile & diſſimile in qualitate,qͣ idȇ & di
uerſum non ſolum dicuntur aliqua ſecundum ſubſtantiam quȩ eſt aliquid illorum : ſed etiam
ipſȩ ſubſtantiȩ inter ſe dicuntur idem & diuerſum ſecundum ſe: & ſimiliter ȩquale & inȩqua
le non ſolum dicuntur aliqua ſecundum quantitatem quȩ eſt aliquid illorum : ſed etiam ipſȩ
quantitates inter ſe dicuntur ȩquale vel inȩquale ſecundum ſe. Simile autem & diſſimile nullȩ
qualitates dicuntur inter ſe ſecundum ſe:ſed ſolummodo ſecundum qualitates dicuntur ſimilia
aut diſſimilia inter ſe ; habentia illas in ſe. Et eſt ſpeciale in diſſimili tam ſecundum qualitatem

T

V

stricte,q̄ secundum qualitatem cōmuniter acceptam:q̄ solummodo secundum ipſam conſequitur diuerſum ſecundū ſpeciem ſpecialiſſimā. Quæcūq̄ eñ qualitates ſunt diuerſę genere:puta co
lor & ſapor,ſecundum illas non dicūtur aliqua diſſimilia:ſicut neq̄ ſimilia:ſapor enīm colori,aut
ſaporabile colorato nec ſimile nec diſſimile dicitur. Similiter rationale & irrationale nec ſimilia
nec diſſimilia dicūtur inter ſe:nec ſubiecta quę habent illa,ſecundum illa ſimilia aut diſſimilia dicūtur,quia nec talia nec talia nata ſunt dici ſecundum illa.Et cōmune eſt etiam ſimili cum æqua
li,q̄ ſolummodo cōſequuñt idem ſpecie & diuerſum numero. Quæcūq̄ eñ habent eaſdem qualita
tes ſpecie,differentes ſolo numero,ſunt ſimilia:puta duo alba, aut duo rationalia. Qz enīm vnus
homo dicitur ſimilis alteri ſubſtātialiter,nō eſt niſi ſecundū differentiam rōnalitatis: non autem
ſcdm genus aīalitatis,neq̄ ſecundū totalitatem ipſius ſpeciei ſpecialiſſimę:cuius pars formalis eſt
rationalitas.Similiter q̄ vnus homo dicitur ſimilis alteri accidentaliter:non eſt niſi ſecundū qua
litatē accidentalem ſpecificā:puta albedinē aut nigredinē:non autem ſecūdum qualitatem cōem
genere:puta colorē aut ſaporē.ſicut q̄ aliqua dicuñt æqualia ſiue mole ſiue perfectione,nō eſt niſi
ſcdm quantitates eaſdē ſpecie:diffetētes ſolum numero,quia in ſolis illis eſt vera cōformitas qua
vere cōcurrūt per vnionē in vnū:q̄ nō eſt in eiſdē genere differētibus ſpecie ſpecialiſſima,eo q̄ dif
ſerunt formis quę ſunt differētię ſpecificę:ſub quib9 etiā diuerſificat ratio & natura generis.Pro-
pter qd̄ latent equiuocationis in genere,vt dicit̄,vii.phyſico,& nō eſt pura vniuocatio niſi in ſpe
cie:vt dicit̄ ibidem. Eſt autem ṗpriū diſſimili in quo differt ab inæquali quātitate molis aut virtutis ſiue perfectionis virtualis,q̄ diſſimile non eſt aliquid alteri niſi ſecundū qualitates ſubſtātia
les aut accidētales,differentes ſola ſpecie ſpecialiſſima:puta ſecundū rationale & irrationale,ſcdm
album & nigrū.Nō eñ ſcdm qualitates eiuſdē ſpeciei ſpecialiſſimę dicūtur niſi ſimilia.& ſecūdū
qualitates differētes genere:puta ſcdm albedinem & ſaporē: aut ſcdm rōnale & inaiaītū : neq̄ ſimilia dicūtur neq̄ diſſimilia. Eſt aūt aliquid alteri inæquale quātitate molis aut virtutis nō nī
ſi ſcdm quātitatē eandē ſpecie ſpecialiſſima:puta linea eſt lineæ inæqualis ſcdm alium & aliū gra
dum longitudinis,& albū albo inæqualiter eſt albū ſcdm gradū alium & aliū albedinis.Quę vero
ſunt quātitatiue diuerſarū ſpecierū,ſcdm illas neq̄ dicūt æqualia neq̄ inæqualia.Nō eñ linea dī
citur æqualis vel inæqualis ſuperficiei aut albū nigro:quia in ſolis illis quæ ſunt eiuſdē ſpeciei eſt
vera ſecundū gradū eundem cōformitas molis aut virtutis: & difformitas ſcdm gradus diuer-
ſos:licet ſcdm quātitatem perfectionis eſſentialis inæqualitas cōſequitur in omnibus diuerſitatē
quęcūq̄ eñ ſunt diuerſa ſpecie aut genere,ſunt inæqualia perfectione eſſentiali ſicut dictū eſt.
Sumēdo autem ſubſtantiā quātitatem aut qualitatē ſtricte:ſic non habet eſſe in diuinis:ſed ſolummodo vt large accipiūtur ad omne ſe habēs mō ſubſtātię quātitatis aut qualitatis in creaturis exiſtentis.Deitas enim in diuinis ſe habet modo ſubſtantię quę nominat qd̄:perſona autem ſe
habet per modum ſubſtantię quę noīat quem.& reſpondetur deitas vel deus ad interrogationem
factā in diuinis per quid,pater aut filius aut ſpūs ſanctus per interrogationē factā quis p̄ quis: & in
diuinis non fundat̄ ſuper hoc niſi identitas.Bonitas aūt ſapientia & hmōi in diuinis ſe habet mo
do qualitatis:& reſpondētur in diuinis ad interrogationē factam per quale. Magnitudo aūt æternitas infinitas immēſitas & hmōi in diuinis ſe habent modo quantitatis. Reſpōdēt eñ ad inter
rogationē factā per quantū.Et in diuinis ſuper hmōi qualitates & quātitates ſcdm q̄ conſideran
tur ſcdm ſe:bene fundat̄ identitas,ſicut in creaturis fundat̄ ſup res ſingulorū prędicamentoz vt
ſcdm ſe cōſiderātur & in ordine ad illa quę ſunt ſui generis. Scdm autē q̄ quātitas aut qualitas
hmōi cōſiderāt in diuinis in ordine ad id qd̄ in diuinis dicit̄ quid aut quis: cuius ſunt ſicut diſ
poſitiones:ſuper qualitatē nō fundat̄ niſi ſimilitudo,& ſup quātitatē nō niſi æqualitas,etiā cum
hmōi quātitas incidit in qualitatē:dicendo q̄ ſapiētia dei aut bonitas eſt magna æterna ſiue infi-
nita.Sic eñ bonitate aut ſapia pſonę dicūtur inter ſe æquales. Ex dictis patēt argumēta ad vtrā
q̄ parte adducta:ex qbus etiā in magna pte patet qualiter vniformiter vel difformiter relationes
cōes hñt fundari in dictis t rib9:de quo ſermo habit9 eſt in ſcda q̄ſtiōe pcedenti hui9 articuli.

X

Y

Z

&
Ad argumē
ta.
A
Queſt. V.
Arg.i.

Irca quintū arguitur q̄ ſuper idem penit9 nō habent fundari relatiōes cōmunes reales diuerſę:Primo ſic,Relationes reales nō ſunt diuerſę niſi diuerſa rea
litate:diuerſam autē realitatem cōtrahere non poſſunt ab eodem reali funda-
mēto:quia non poteſt trahi ab aliquo quod non eſt in illo,& in eodem penitus
reali non ſunt realitates diuerſę:nec habent relationes aliquam realitatem nī-
ſi a fundamento:vt alias declarauimus:ergo ſuper idem reale penitus fundari nō poſſunt.Secundo ſic. Relationes diuerſæ non ſunt niſi aut adinuicem oppoſitę aut diſpa-
ratę.Sed relationes communes reales oppoſitę fundari nō poſſunt ſuper idem:quia relatio realis

cōmunis non eſt niſi in creaturis ſecundum idem & diuerſum in genere & ſpecie:& ſcdm æqua
le & inequale,ſimile & diſſimile,in quibus relationes contratiẹ nō fundantur niſi ſuper re diuer
ſa.ſimiliter nec relationes cōmunes diſparatẹ fundari poſſunt ſuper idem penitus: quia tales non
ſunt niſi idem equale ſimile inter ſe:atẹ eorū contraria,quẹ non diſtinguūtur realiter niſi ſecū
dum diſtinctionem prẹdicametorū in quibus fundantur .ergo &c.◦In cōtrarium eſt q̄ ſuper idē
reale fundatur in creaturis ſimile & diſſimile,quia idē albū eadem albedine ſimile eſt alteri albo,
& diſſimile nigro.Similiter idem homo eadem humanitate eſt alteri homini idem equalis & ſiſis.

◦Dico q̄ relationes cōmunes reales diuerſẹ poſſunt imaginari & ſuper idē fun
dari tripliciter.ſcilicet aut in cōpatione ad vnū & idem correlatiuū:aut in cōparatiōe illarū in
ter ſe:aut illarū ad diuerſa.Primo modo eſt oīno impoſſibile, quia ad vnū non eſt relatiuū pluſq̄
vnū vnica relatione:vt ad vnum filium nō eſt relatiuus niſi vnus pater,& vnica ſola paternitate,
licet vnū vnica relatione poſſit referri ad plura:& illa econuerſo pluribus relationibus ad vnū: vt
vnus pater ad plures filios vnica paternitate,& plures filii pluribus filiationibus ad vnum patrẽ.
Secūdū ſimiliter eſt impoſſibile in relationibus cōmunibus realibus:licet ſit poſſibile in relationi
bus rōnalibus,vt in identitate numerali in creaturis:& in omnibus relationibus cōibus in diui
nis:& etiam in relationibus propriis in diuinis in quibus omnes relationes fundatur ſuper idem:&
abſq̄ quocūq̄ extraneo:& ſimiliter in creaturis in relationibus actiuorum & paſſiuorum mediā
te aliquo extraneo:vt cōtingit circa voluntatẹ,in qua motiuum & motū habent oppoſitas rela
tiones inter ſe fundatas ſup idẽ.ſcdm q̄ declarauimus in quadā queſt.xiiii. Quolibet ſup hoc mo
ta.Tertium autem eſt poſſibile,vt procedit vltima obiectio,& bene.ſic eñ duo eſt equale duobus
& maius vno,& minus tribus,& ad illa tria tribus relationibus realibus diuerſis fundatis ſuper
idem & vnum re abſoluta refertur.

◦Quod ergo arguitur primo cōtra hoc q̄ relationes reales non ſunt diuerſẹ niſi
diuerſa realitate:Dico q̄ hoc nō eſt verum niſi de illis quẹ ſunt fundatẹ in diuerſis ſcdm rem.Si
enim in eodem ſcdm rem ſunt fundatẹ:licet ſint inter ſe oppoſitẹ,nō oportet q̄ ſi ſunt reales,ſint
diuerſẹ diuerſa realitate,vt ſcdm iam dicta cōtingit de omnibus relationibus realibus in diuinis,
& in mouẽte & moto circa voluntatem in creaturis. De relationibus autem diſparatis non inter
ſe oppoſitis relatiue,ſed ad alia diuerſa:ſimiliter non eſt verum vt in propoſitis. Eſt ergo ſciendū
q̄ relatio primo ab alio habet q̄ ſit relatio:& ſcdo ab alio h3 q̄ vna ſit diuerſa ab alia: & tertio h3
ab alio q̄ ſit realis:& quarto habet ab alio q̄ nūero ſit diuerſa ab alia diuerſa realitate. Habet eñ
relatio q̄ ſit realis a fundamēto reali tatū:& a fundamēto diuerſo reali habet q̄ ſit diuerſa ab alia
diuerſa realitate:& ecōtra ab vnitate fundamẽti realis habet q̄ ſit alia & alia realis vna realitate.
Habet aūt q̄ ſit relatio ſimpliciter:quia eſt ad aliud ſimpliciter,vt ad oppoſitum: qd eſt ſibi pro
prium ex ratione ſui prẹdicamẽti Propter qd dicunt aliqui q̄ in hoc conſiſtit eſſe quiditatiuum
relationis:licet non dicat niſi modum purum.Habet autem vna relatio q̄ ſit diuerſa ab alia: quia
vna eſt ad aliud q̄ ſit alia.Intelligo autem hoc de diuerſitate relationum ſecūdum formam & ſpẹ
ciem.Sic enim non ſunt diuerſẹ niſi quia ſunt ad diuerſa ſecūdum formā & ſpeciem.Puta ſimili
tudo & diſſimilitudo fundatẹ in vna albedine nō ſunt diuerſẹ relationes ſcdm ſpecie: niſi qa ſunt
ad alia & alia ſcdm ſpeciem:puta ad ſimilitudinem fundatā in alio albo,& ad diſſimilitudinẽ fun
datam in cōtrario nigro.Loquendo aūt de diuerſitate ſcdm numerum:hāc non habent relatiōes
diuerſẹ niſi quia ſunt in diuerſis:puta diuerſẹ filiatiōes in diuerſis filiis:quẹ ſunt ad eandẽ pater
nitatem in eodem patre. Et de diuerſitate tali relationū, ſcilicet ſcdm numerū: bene verum eſt q̄
nō ſunt relationes reales diuerſẹ inter ſe niſi diuerſa realitate:quia ab eiſdem ſcilicet a fundamen
tis diuerſis,habent q̄ ſunt reales,& q̄ ſunt diuerſẹ.Vnde relationes reales diuerſẹ ſcdm numerū
ſolum,nequaq̄ poſſunt fundari in vno abſoluto ſcdm rem.Vnde & in diuinis diuerſẹ paternita
tes aut filiationes eſſe non poſſunt:niſi in eodem numero fundarentur,& ſolo numero differrent
Propter qd & filiatio quẹ eſt in homine & in aſino:quia nō fundatur in differentibus ſolo nume
ro,neceſſario differunt ſpecie.◦Quod aſſumit vlterius in argumẽto,q̄ relatio diuerſam realitatẽ
cōtrahere non poteſt ab eodem reali fundamento.&c.Dico q̄ bene verum eſt loquendo de eodẽ
fundamēto pximo.vnde ſimilitudo & diſſimilitudo fundatæ in eadẽ albedine reſpectu diuerſorū
ſunt diuerſẹ relatiōes reales ſiue ſcdm rẽ diuerſẹ:Dico ſpecie:ſed tñ vnica realitate ſcdm numerū
Nō aūt eſt verū loquẽdo de eodẽ fundamento remoto . vnde paternitas & filiatio ī diuinis reali
tate diuerſa ſunt diuerſẹ relationes.qa pñitas fundat in ſubſtātia deitatis rōne illa qua ipſa eſt res
ſiue potẽtia actiua,filiatio vero fundatur in eadem ſubſtātia ratione illa qua eſt vis ſiue potentia

passiua.Et similiter in voluntate relatio motiui & moti sunt diuersa realitate diuerse: pro quáto illa fundatur in volútate róne potentie actiue: ista vero ratione potentie passiue.Et secúdum hoc diximus supra ꝙ distinctio predicamenti relationis intra se secundum genus specie & numerum non est penes realitates diuersas quas contrahunt relationes suis fundamétis.Quia tamé potétia actiua & passiua penitus in eadem re simplici absoluta non differunt neꝗ diuerse sunt:propter il lorum igitur diuersitatem non possunt proprie dici relationes fundate in eodem diuerse diuersa realitate,neꝗ etiam quecúꝗ alie relationes fundate in eodem simplici secúdum rem.Et sic relatio nes ille comparate ad fundamentum inter se non differunt nisi ratione tantum, licet comparate ad obiecta:sint diuerse & reales,sed non reales nisi vnica realitate:sic ꝙ non intelligantur esse di uerse res.Relatióes em nó sunt res nisi realitate quá a suis fundamétis extrahút. Et sicut in crea turis diuerse relationes fundatæ super idem,nequaꝗ sunt diuersæ res eo modo quo res dici pos sunt:nisi diuersas realitates a diuersis fundamentis secundum rem contrahunt:ex hoc scilicet ꝙ super illa diuersa fundantur:sic in diuinis relationes quantucúꝗ sint diuerse & reales nó rationa les:nequaꝗ tamé proprie possunt dici diuerse res seu diuerse secúdú rem:licet sint diuerse & rea les. Vt ideo in diuinis non sit ponenda nisi vna res essentie seu existentie: a qua tres relationes ille dicuntur reales:vnica tamé realitate,& tres res subsistentie secundú tres personas: que non oíno dicuntur proprie & simpliciter tres res,sed solummodo cum determinatione dicunt tres res rela tiue.⸿Ad secúdú cum dicitur ꝙ relationes diuerse non sunt nisi aut opposite aut disparate:hoc bene verum est.Quod auté assumitur,ꝙ relationes cómunes opposite non possunt fundari super idem,nec etiam disparate:Dico ꝙ verum est solummodo de disparatis differentibus numero: vt cótingit quando duo alba per similitudinem comparantur ad tertium.De differentibus auté spe cie distinguendum:quia aut differunt solúmodo quia sunt ad diuersa,& talia bene fundatur su p idé:vt iá dictú est de similitudine & dissimilitudine:aut differunt simul.s.& ꝗa ad diuersa sunt, & quia a diuersis causantur:& ille non fundatur super idem re,sed differunt re:vt cótingit de si militudinibus duabus:quarum vna est inter duo alba,& alia inter duo nigra:neꝗ super idem ra tione inquantú differunt ratione:vt contingit in identitate & equalitate & similitudine:que nú ꝗ fundantur super idem re,differunt tamé re:nec super idem ratione,cum differant ratione. Vn de super substantiam stricte acceptam non fundatur nisi idem:& super quantitatem stricte acce ptam non fundat nisi equale:& super qualitatem stricte acceptam non fundatur nisi simile,vt ha bitum est supra.Sumendo tamen large substantiam & qualitatem:seu sumendo stri cte substátiam,& large quáritatem:bene fundant super idem dicte tres relatióes có munes.Due enim quáritates,aut duæ qualitates eiusdem speciei sunt idem ratióe speciei,& equa les ratione gradus in specie,& similes ratione differentie constitutiue speciei.Similiter due substá tie:puta duo homines eiusdem speciei,sunt idem ratione totalitatis speciei,& equales ratióe gra dus in specie,& similes ratione differentie cóstitutiue speciei:vt procedit obiectio.

Equitur Arti.LXVII.de habitudínibus relationum com munium in comparatione ad subiecta relata pet illas,vbi quæruntur quatuor.Quorum duo de ipsis relatis:& duo de ipsorú relationibus. Quorum primum est, vtrum relata relatióe communi sint semp alia & alia.

Secundum vtrum vniformiter sint alia & alia in singulis rebus:& in singulis relationum generibus.

Tertium:vtrum in qualibet habitudine relationum cómunium rela tiones extreme sint aliæ abinuicem.

Quartum: vtrum vniformiter sint alia abinuicem in singulis rebus & in singulis relationum cómunium generibus.

Irca primú arguitur ꝙ non oportet ꝙ relata relatione cómuni sint alia & alia inter se.Primo sic.omnes relationes cómunes secundum superius determina ta causantur in relatis ab vno & multo:puta idem equale & simile ab vno:& contraria illorum a multo. Multum autem causatur ab vno: quare & omnis relatio cóis originaliter causatur ab vno.quia qcquid est causa causæ est causa causati.Sed vnum non requirit ea in quibus est:cuiusmodi sunt ipsa relata re latióe có eé alia abinuicé:quare nec relatióes ab vno cause regrunt relata p illas eé abinuicé alia.

[2] ⸿Scdo sic.Si in oí relatióe có relata essent alia iter se abinuicé, túc nihil oíno referret relatióe có

muni ad ſeipſum:quia ipſum & aliud ex oppoſito diſtinguitur.conſequens falſum eſt. ergo &c. Cln cõtrarium eſt:q̃ in omni relatione ſunt relatum & id ad quod relatum eſt, q̃d ſimiliter vice verſa eſt relatum ad id q̃d per ipm̃ relatum eſt. q̃d autem refertur & id ad q̃d refertur neceſſario ſunt aliud & aliud,iuxta definitionem relatiuorum: quæ dicit q̃ relatiuorũ eſſe eſt ad aliud ſe habere.ergo &c. In oppoſitũ.

CDico q̃ prout procedit vltima ratio,& vt amplius eſt explicatum ſupra in prima quæſtione de relationibus cõmunibus in comparatione ad ſua principia cauſatiua,in omni relatione & cõmuni & propria neceſſario ſunt alia & alia: ſed hoc vel ſcdm̃ rem vel ſecundũ rõne, quiaquę neutro modo ſunt alia inter ſe:nequaq̃ ſunt relata inter ſe,aut plura omnino. Si em̃ aliquid ſit relatum,oportet q̃ ad aliquid ſit relatum,& q̃ ſit relatio qua refertur.Si aũt q̃d eſt,tantũ vnum omnino eſt:& pręter ipſum nõ ſit aliud re & ratione:non eſt omnino ad q̃d refertur: quia ſaltę alia eſt ratio relati & eius ad q̃d refertur.& ſi nõ eſt id ad q̃d refertur:& ipſum nõ eſt relatũ. ſicut ſi non ſit,nec natũ ſit eſſe aliquid pciabile,nec numm⁹ eſt aut natus eſt eſſe precium:& ſi nõ eſt relatum non eſt relatio,quia non eſt relatio niſi referat. H Reſponſio.

CAd primum in oppoſitum q̃ omnis relatio cõmunis cauſatur ab vno q̃d nõ requirit alia eſſe abinuicem ea in quibus eſt : cuiuſmodi ſunt ipſa relata: Dico ſecundũ q̃ tactum eſt in quęſtione prędicta,hoc verum eſſe de vno ſemel accepto & exiſtente ſingulari ſeu hoc aliq̃d Sed ab vno tali ſic accepto nulla cauſatur relatio cõmunis omnino.Nõ eſt autem verum de vno pluries accepto & replicato q̃ eſt vnum cõmune ad plura vna ſingularia cõtẽta ſub illo vno cõi. Dico aũt plura vel ſcdm̃ rẽ,vel ſcdm̃ rõne,put iã inferius amplius declarabif.Et de tali vno ſolũ modo verum eſt q̃ ad ipſum ſequuntur relationes cõmunes:vt idem ęquale & ſimile immediate diuerſum inęquale & diſſimile mediate multo ſcdm̃ ſuperius determinata:inquãtũ ſcilicet multum procedit ab vno ſingulari replicato, vt procedit obiectio. Et quia tale vnum poſtq̃ replicatũ eſt neceſſario habet eſſe in multis:eo q̃ eſt vniuerſale & cõmune : q̃d non habet eſſe in ſe: ſed ſolũmodo iu ſingularibus cõtentis ſub illo: & ideo neceſſario relatio cõmunis requirit relata per illam eſſe plura & alia abinuicem.CAd ſecundũ ſi relata relatione cõmuni eſſent alia abinutice,tũc nihil omnino referetur ad ſeipſum. &c.Dico q̃ verũ eſt ſi eſſent ſolũmodo alia abinuicem ſcdm̃ rem:q̃d non eſt verum poſtq̃ relationi cõmuni ſufficit alietas relatorum ſcdm̃ ratione.Poteſt em̃ aliquid a ſeipſo diſtingui ſecundũ rationem,& bis accipi:& per hoc referri ad ſeipſum ſemel acceptum vt relatum: & ſemel vt ad q̃d refertur. I Ad pri.prin.

Ad ſecundũ

Irca ſecũdum arguitur q̃ relata vniformiter ſunt abinuicem alia in ſingulis rebus & generibus relationum cõmuniũ,Primo ſic. Relata non requiruntur eſſe alia & alia in relatione cõmuni niſi ratione vnius ſuper q̃d fundantur, q̃d requirit pluriſicari in relatis,vt iam tactum eſt in diſſolutione primi argumenti quæſtionis præcedentis.Sed vnum vniformiter pluriſicatur in ſingulis rebus, ſecundum ſingula genera relationum cõmuniũ:quia vbiq̃ pluriſicatur : ſicut commune in ſingularia.ergo.&c. CSecundo ſic.relata relatione cõmuni in ſingulis rebus & relationibus communibus non differunt niſi aut ſecundum rem,aut ſecundum rationem.Sic autem inueniũtur differre in ſingulis rebus & generibus communium relationum, quia in deo in quolibet genere relationis cõmunis aliquando differunt ſecũdum rem:puta quãdo perſonæ referuntur inter ſe ſecundum identitatem qualitatem aut ſimilitudinem. Similiter & in creaturis:puta quando Petrus dicitur idem Paulo æqualis aut ſimilis. Aliquando aũtẽ differunt ſecundum rationem tantum:puta ſecundum relationem identitatis quando in diuinis vna perſona aut aliquid eorum quæ ſunt in diuinis ſiue fuerit ſubſtantia, ſiue relatio,dicitur eadem aut idem ſibi,& in creaturis vnum indiuiduum vel aliquid eorum quę ſunt in illo,dicitur idem ſibi.Similiter ſecundum relationem ęqualitatis & ſimilitudinis, quando vnum ſuppoſitum ſiue in diuinis ſiue in creaturis dicitur æquale aut ſimile ſibi. Q̃ em̃ aliquid poſſit dici ęquale aut ſimile ſibi ſicut & idem,arguitur ex hoc.q̃ ſicut ſuppoſitũ q̃dlibet dei aut creaturę habet in ſe rationem ſubſtãtię inquantum eſt natura & quiditas aliqua in qua nata eſt fundari idẽtitas: & propter hoc dicitur idem ſibi:ſic habet in ſe rationem quantitatis inquantũ eſt immenſum vel determinatum ſecundum gradum molis aut perfectionis in qua nata eſt fundari ęqualitas:propter q̃d cõſimiliter debet dici æquale ſibi.habet etiã in ſe rõne qualitatis inquãtũ habet in ſe aliquid quo formaliter exiſtit id q̃d eſt in eẽntia & natura in qua nata eſt fundari ſimilitudo:prpter q̃d debet dici ſimile ſibi. Vñ & Boet,li.de tri.loquẽs de deo dicit ſic.Illi nihil ſimile eſt pter ſeipm̃,ergo &c. K Queſt.II. Arg.i.

2

3 ¶Tertio ad principale sic.Damas.dicit lib.i.capit.xi. Hypostaseon vnumqdq̃ se habet ad alterum non minus q̃ ad seipsum. quare neq̃ magis. quod patet ex causa dicti sui quam continuo adiungit subdens.Quoniã secundum omnia sunt vnum pater & filius & spiritus sanctus præter ingenerationem,generationem,& processionem.Sicut autem ppter vnum qd sunt hypostaseon vnuquodq̃ se habet ad alterum nõ minus q̃ ad seipsum,sic nec magis,quia sicut vnum aliquid quod sunt:non est minus in vno illorum q̃ in altero:sic nec magis sunt tres hypostases vnum communiter,q̃ vnũiquodq̃ illorum per se,quare cum quęlibet diuinarum personarum ad alterũ vniformiter se habet secundum identitatem & similitudinem:quia quęlibet diuinarum personarũ vni formiter alteri est eadem,æqualis, & similis: ergo & secũdum easdem relationes ad seipsam se habet vniformiter,vt vniformiter dicatur idẽ equalis & similis sibi.Sed secundũ relationes dictas nõ se habet nisi ad alium vel ad se,ergo relata non vniformiter se habent ad minus in diuinis in dictis relationibus.

¶In contrarium est q̃ in diuinis relata non plus differunt realiter q̃ re relatiõis, quæ in diuinis differunt re simpliciter & absolute. & in relationibus ęqualitatis & similitudinis & identitatis,nunq̃ differunt relata rõne tantũ,quia non est relatio æqualitatis aut similitudinis eiusdem ad seipsum. Scdm Magistrũ eñ sententiarũ dist.xxxi.nihil est simile sibi: aut ęquale sibi ipsi.Similitudo eñ(vt ait Hilarius lib.iii.de tri.parum ante finem)sibiipsi non est. In hoc aũt est magna diuersitas in diuersis rebus:& in diuersis relationum generibus,ergo &c.

¶Dico q̃ in singulis rebus & diuinis scilicet & creatis,relata vniformiter sunt alia abinuicem in hoc q̃ & in illis & in istis est reperire relata diuersa re & diuersa ratione:præter hoc q̃ aliter est talis differentia relatorum in diuinis & in creaturis: quo ad hoc scilicet q̃ in diuinis nõ est differẽtia relatoꝝ nisi re relationis:in creaturis aũt est re absoluta,vt tangit in vlti mõ obiecto,in quo difformitas est. Quo ad diuersitatem vero secundum rationem non est vniformitas in diuinis & in creaturis in relatione identitatis aut in relatiõe ęqualitis aut similitudinis. Aliquid enim sibi nõ est idem:puta in diuinis deitas deitati,paternitas paternitati:pater sibi:filiꝰ sibi:spiritus sanctus sibi:& in creaturis materia sibi,& forma sibi,& compositũ quodlibet sibi.Nihil enim tam in diuinis q̃ in creaturis est sibiipsi æquale aut simile. Et in hoc est magna difformi tas relatorum secundum rationem in diuersis generibus relationum : vt ostendit vltima ratio in hoc articulo : q̃ in relatione identitatis relata quandoq̃ differunt secundum rationem tantum: quãdoq̃ autem secundũ rem:in relatione vero æqualitatis & similitudinis semp differunt secũdum rem tantũ,licet aliter in diuinis,& aliter in creaturis sumatur ista realis differentia relatoꝝ,sicut dictũ est.In identitate autem relata differunt secũdum rem,vt quando in diuinis psona dicitur eadem personæ:sicut pater filio:& quãdo in creaturis suppositum dicitur idem supposito specie aut genere.Identitate autem numerali in creaturis nunq̃ relata differunt plusq̃ secundum rationem. Nec in diuinis aũt nec in creaturis dicitur quicq̃ equale aut simile sibi: cuiꝰ ratio est(prout tactũ est in secunda quęstione articuli pręcedentis) ex parte identitatis:q̃ relatio identitatis fundatur in substãtia:immo scdm prędicta in quacũq̃ re,secundũ q̃ habet rõne substantiæ.Scdm rationem autem substãtię res habere potest duplicem considerationem.Vnam scilicet secundũ q̃ est aliquod ens in se & scdm se.& sic super substantiam fundatur identitas qua vnũiquodq̃ scdm q̃ cõsideratur scdm se,& scdm id qd est,& vt existens vna siue gencre vna,siue specie vna,siue numero,dicitur idem sibi scdm totum qd est. Et sunt in hac relatione idẽ secũdũ rem relatum & ad qd est relatio & ipsum fundamentum relationis:diuersa autem secundũ ratio nem.Aliam vero considerationem habet res etiã secundũ rationem substantię considerata,vt scilicet est aliquid existens in supposito,seu suppositi: & sic super ipsam fundatur identitas qua habẽ tes seu habentia in se vnam substantiam dicuntur eadem sibi: & hoc in creaturis,siue habeant in se substantiam tantũ genere vnam,secundum q̃ homo & asinus dicuntur idem aĩal siue in aĩali,siue tantũ specie vnã,secundum q̃ Petrus & Paulus dicũtur idem homo,vel idẽ in homine: inquã tum scdm Porphyriũ,participatiõe speciei plures homines sunt vnus homo, & eadẽ ratione par ticipatiõe generis plura animalia sunt idem animal.Et dicuntur supposita sub eodem genere aut specie inter se idem identitate fundata super essentiam genẽris & speciei:vt est aliquid existens in suppositis & habitum ab illis:& ipsum suppositum habens in se illud,est totum qddam compo situm ex essentia spcĩei aut generis & ratione suppositi. de qua compositione in creaturis habi tum est longe superius.In diuinis autem secundũ hunc modum cõsiderationis substantięsuper substantiam deitatis quæ tantum vnica & singularis est:fundatur identitas qua diuinę personæ habentes illam in se vt aliquid sui,dicuntur eędem sibi.Et est quælibet personarũ diuinarũ quasi

totum reſpɔctu diuinæ ſubſtantiæ quã in ſe continet:eo ꝗ cũ illa ſubſtantia cõtinet in ſe ꝓprietatẽ
relatiuam:licet abſꝗ vlla compoſitione,vt ſupra ſimiliter expoſitũ eſt.Et ſic in iſta relatiõe relata
ſemper differunt ſecundũ idem inter ſe:licet aliter in diuinis:aliter in creaturis : ſicut dictum eſt.
& ipſum fundamentũ ſe habet ad ipſa relata,vt pars vel quaſi pars ad totum.Et ſic ſecũdũ primũ
modum identitatis nihil refertur ad alterum re:ſed ſolum idem ad ſeipſum.Penes autem ſecundũ
nihil refertur ad ſeipſum:ſed ſolummodo ad alterum re.Ex parte autem æqualitatis & ſimilitudinis ꝗ relata ſemper differunt ſecundũ rem:& nihil refert æqualitate aut ſimilitudine ad ſeipſum
aut in diuinis aut in creaturis:ratio eſt ꝗ relatio æqualitatis & ſimilitudinis fundatur inquantita
te & qualitate:immo ſecũdum ꝓdicta in quacunꝗ re ſecundum ꝗ habet rationem quantitatis aut
qualitatis:non autem ſecũdũ ꝗ habet rationem ſubſtantiæ.Secundũ ratiõe autẽ quantitatis aut
qualitatis non habet res quæcunꝗ aliam conſiderationem ꝗ̃ qua conſideratur vt eſt aliquid exiſtens in alio vt in ſuppoſito:& vt eſt aliꝗd illius.Inquantum enim ſecundum ſe conſideratur:& vt
eſt aliquid in ſuo genere:non habet niſi ratiõe ſubſtantiæ vt dictum eſt.Et ſic ſuper quantitatem
& qualitatem non fundantur relationes æqualitatis & ſimilitudinis niſi vt quantitas & qualitas
ſunt aliquid alicuius:& etiam non niſi vt illę relationes quibus habentes in ſe quãtitatem aut qua
litatem illam ęquales dicuntur eſſe aut ſimiles inter ſe.eo eñ qd eſt aliquid alicuius,non refert id
cuius eſt ad ſe:ſed ad aliud tñ.puta ſi ſubſtantia vt fundamẽto refertur aliquid ad ſeipſum & ad
aliud,hoc tamen non eſt niſi ſecundum rationem ſubſtantiæ vt ipſa eſt aliquid alicuius:& id cui⁹
eſt non refertur illa vt fundamento ſecundũ identitatem niſi ad aliud.Si enim ſubſtantia aliqua re
fertur ſecundum ſubſtantiã,ſiue ſubſtantia vt fundamento refertur identitate ad ſeipſam:hoc qd
refertur eſt ſubſtantia,quæ eſt aliquid ſecundum ſe:& ratione totalitatis:ſicut patet ex iam dictis.
Vnde ſi quãtitate aut qualitate vt fundamẽto aliquid dicatur ad ſe & etiam ad aliud æquale aut
ſimile , oportet ꝗ hoc ſit ſecundum aliam & aliam rationem ſiue cõſiderationem quantitatis aut
qualitatis:vt ſcilicet prout eſt aliquid alicuius,ſecundum ipſam dicatur ęquale aut ſimile alteri:vt
vero eſt aliquid ſecundũ ſe:dicatur ſecundum ipſam aliquid æquale aut ſimile ſibi.Quare cũ quan
titas aut qualitas ſecundum ꝗ quantitas aut qualitas non habeat huiuſmodi duplicem conſidera
tionem ſicut habet ſubſtantia:ſed illam quæ eſt aliquid alicuius tñ:non autem illam qua eſt aliꝗd
ſecundũ ſe:quia in iſta conſideratione habet ſubſtantiæ rationem non quantitatis aut qualitatis:ſi
cut patet ex dictis:licet ergo ſecundum ſubſtãtia aliꝗd dicat̃ idem ſibi & alteri:quia ſubſtantia du
plicem conſideratiõe habet:ſecũdũ quantitatem & qualitatem tamen nihil dicit̃ æquale aut ſimi
le ſibi:quia quantitas rationem quantitatis non habet ſecũdũ quã aliquid dicit̃ æquale:neꝗ quali
tas ratiõe qualitatis ſecũdũ quã aliquid dicitur ſimile,niſi ſecũdũ cõſiderationem eius vnica,qua
.ſ.eſt aliquid alicuius,ſecũdũ quã ſolũmodo aliquid dicitur æquale aut ſimile alteri,nihil aũt ſibi.
꘎Sic ergo patet ꝗ duplex eſt modus identitatis tam ĩ diuinis ꝗ̃ in creaturis. Quorum primus eſt
quo aliquid refertur ad ſeipſum tñ:in quo relata differunt ſecũdum rationem tñ. & hoc ideo qa
in iſto modo relata referuntur ſecũdũ ſubſtãtiã:quę ſecũdũ totũ eſt ipſa relata:& re eadẽ ipſis.Se
cũdũ ſubſtãtiã autem quæ ſecũdum totum eſt ipſa relata,nihil poteſt referri ad aliquid diuerſum
aut diſtinctum ab illo:quia relata debent illam communicare ſecũdũ totum:& ſecundum totũ nihil communicatur a diuerſo aut diſtincto a ſe.Si ergo ſecundum ſubſtantiam quæ eſt ipſum ſecũ
dum totum,aliꝗd referretur ad aliquid aliud vel diſtinctũ ab illo,ipſum ſecũdũ totũ eſſet cõmuni
catum illi:& ſecundum totum eſſet illud:& ſic non poſſet eſſe aliud aut diſtinctum ab illo:qualis
modus non poteſt eſſe in æqualitate aut ſimilitudine:quia quantitas aut qualitas vt rationem to
talitatis habet:non habet rationem ſubſtãtiæ.qd tactum eſt ante ſolutionem argumentorum ĩ pri
ma quæſtione articuli præcedentis:& ſimiliter in fine quæſtionis præcedentis illam . Secundus au
tem modus identitatis eſt quo aliquid refertur ad aliud ſiue diſtinctum ad diſtinctum:ſicut & vni
uerſaliter refertur in relatione æqualitatis & ſimilitudinis,in quibus relata ſemper differunt re ſe
cundum prædicta:& hoc ideo quia in iſto modo identitatis relata referuntur non ſecundum ſub
ſtantiam quæ ſecundum totum eſt ipſa relata : & eadem omnino re cum ipſis: ſed potius ſecundum ſubſtantiam quę eſt aliquid ipſorũ:ſicut relatione æqualitatis & ſimilitudinis referuntur relata ſecundũ quantitatem & qualitatem quę eſt aliquid ipſorum.In diuinis autẽ ſubſtantia quãti
tas & qualitas habita ab vna perſona vt aliquid exiſtens in illa,cõſimiliter eſt habita a qualibet alia.
Et ſic diuinę perſonę ſecundũ ſubſtantiam vnam ſingularę referunt inter ſe identitate,& ſecundũ
quantitatem vnam ſingularem referuntur inter ſe ęqualitate:& ſecundum qualitatem vnam ſin
gularem referuntur inter ſe ſimilitudine.Sed in creaturis perſonę diuerſę ſiue diuerſa ſuppoſita
nunꝗ referuntur inter ſe identitate æqualitate aut ſimilitudine ſecũdum vnam ſubſtantiã quãti

tatem aut qualitatem fingularem: fed folummodo fecundum plures:& hoc ideo quia in diuerfis
fuppofitis creaturarum impoffibile eft vnum aliqd fingulare. Propter qd licet in diuinis diuerfarum perfonarum identitas fundetur fuper vnum fingularitate:& fimiliter æqualitas & fimilitudo
in creaturis tamen diuerforum fuppofitorum identitas non fundatur nifi fuper vnum fpecie aut
genere:neq̈ æqualitas aut fimilitudo nifi fup̈r vnum fpecie , fecundum q̈ hæc patent clarius ex

P  fupra determinatis. ¶Ex prædictis patet ratio quare fecundum identitatem aliquid dicitur ad fe-
ipfum:non autem fecundum equalitatem aut fimilitudinem:quia fcilicet ad feipfum nihil dicitur
nifi feipfo:vt fint totaliter & qd refert,& fecundum qd refertur,idipfum fecundum rem. Secundū
feipfum autem vnumquodq̈ confideratum trīmodo rationem fubftantiæ habet. Propter quod in
his relatio non eft nifi fecundum fubftantiam:& fic identitatis folius. Quātitas enim & qualitas in
quantum huiufmodi:hoc eft fecundum rationem quantitatis aut qualitatis : femper fe habent
vt aliquid alicuius,non autem vt aliquod totum. Propter quod fecundum quantitatem aut qualitatem nihil ad feipfum referri poteft: fed folummodo ad aliud aut diftinctum a fe:in quo eft eadem quantitas & qualitas vel fecundum numerum, vt in diuinis:vel fecūdum fpeciem,vt in crea
turis. Et fic ficut relatum fecundum fubftantiam totalem quæ eft ipfum relatum:non poteft refer
ri nifi ad feipfum:fic relatum fecundum quantitatem aut qualitatem aut etiam fecundum fubftā
tiam quæ eft aliquid eius qd refertur:non poteft referri nifi ad aliud aut ad diftinctum ab ipfo. Sicut enim fi fecundum fubftantiam totalem referretur ad aliud vel diftinctū:neceffe effet q̈ illi fub
ftantia illa totalis communicaretur,& effet idem totale plurificatum:vt fi pater fecundum totum
qd eft pater,referretur ad filium:neceffe effet q̈ filius effet pater:qd eft impoffibile: fic fi fecundum
quantitatem aut qualitatem aut fubftantiam quæ eft aliquid eius referretur ad feipfum:neceffe ef
fet q̈ in illo fubftantia illa aut quātitas aut qualitas plurificaretur:& effet in eodem duplex qualitas aut quantitas aut fubftātia eiufdem naturæ:qd fimiliter eft impoffibile,æqualitas enim & fimi
litudo non eft nifi per conformitatem quantitatum & qualitatum exiftentium in relatis:quæ con
formitas neceffario requirit pluralitatē:aut ex parte relatorum tm,vt quando eft conformitas in
eodem fingulari fecundum q̈ fit relatio:ficut contingit de æqualitate & fimilitudine perfonarum
in diuinis:aut ex parte vtriufq̈.f.& relatorum & eius in quo eft conformitas:& fecūdum q̈ fit relatio,vt quando eft conformitas in eadem fpecie : ficut contingit de æqualitate & fimilitudine in
creaturis:aut etiam in eodem genere: ficut contingit de idētitate in genere diuerforum fpecie. Me
dium autem eft impoffibile,fcilicet q̈ fit conformitas ex pluralitate ex parte illius in quo eft cōfor
mitas tm:quia effet illius plurificatio in eodem:qd eft impoffibile ficut dictum eft. Ex quib⁹ patet
q̈ magna contingit difformitas in relationibus communibus  & in diuinis & in creaturis ac ipfa

Q  relata. ¶Secundum dicta igitur concedenda eft vltima ratio præpofita,probans q̈ relata non funt
vniformiter diuerfa nec in rebus diuerfis nec in diuerfis generibus relationis communis.

R
Ad pri.
principale
¶Ad primum in contrarium,q̈ in omnibus & in quolibet genere relationis communis relata funt vniformiter alia & alia:quia non requiruntur effe alia & alia nifi ratione vnius
qd oportet plurificari in illis:Dico q̈ hoc verū eft. Sed affumitur,q̈ vnum vniformiter plurificatur in fingulis rebus & fingulis generibus relationis communis:quia communicatur ficut commune in fingularia,dico q̈ reuera plurificatur ficut commune in fingularia:fed illa fingularia nō
fumuntur vno & eodē modo in fingulis:quia in diuinis & in identitate & in æqualitate & in fimi
litudine & in creaturis in identitate numerali non fumuntur illa fingularia fub vno fimpliciter
nifi fecundum rationem tm,puta fubftantia qua pater eft idem filio,plurificat in illis fecundū rationem tm.inquantum alia eft ratio diuinitatis vt eft in patre:alia vt eft in filio : fiue inquantum
fecundum aliam rationem habet effe in patre:& fecundum aliam in filio.fimiliter & de quantitate
qua eft pater æqualis filio:& qualitate qua eft fimilis filio. Et fimiliter de fubftantia totali qua qd
cunq̈ ens eft idem fibi. In creaturis afit in identitate fpecie & genere & in æqualitate & fimilitudine fingularia illa fumuntur fub vno communi fecundum rem differentia, inquantum alia humanitas eft in Petro & alia in Paulo,quibus dicuntur idem inter fe fpecie. Similiter alia quantitas

S  & alia qualitas,quibus dicuntur æquales & fimiles. ¶Ad fecundum q̈ in fingulis rebus &  in fin-
Ad fcdm.  gulis generibus relationum communium relata aliquando differunt re:aliquando ratione tm:Di
co q̈ verum eft de fingulis rebus: quia & in creaturis & in diuinis relatiua quandoq̈ differunt
re , qñq̈ ratione tm,vt procedit obiectio & bene. Non afit verū eft de fingulis gñib⁹ relatiōis cōis.
Nam in equalitate & fimilitudine fiue in diuinis fiue i creaturis femp relata fcdm æqualitatē & fili

T  tudinē diuerfa funt aut diftincta re:fcdm m̈odū p̈expofiti. ¶Qd arguit cōtra hoc p rōne  p̈batē q̈ aliq̈d poteſt dici ęquale aut ſimile ſibi ſicut idem:quia ſicut quodlibet ſuppoſitum habet in ſe ſubſtantiam qua dicitur idem ſibi,ſic habet in ſe quantitatem qua poteſt dici ęquale ſibi:& qualitatem qua poſſit dici ſimile ſibi.Dico q̈ neq̈ ſecundum ſubſtantiā quā habet ſuppoſitum in ſe vt aliquid ſui,dicit idem ſibi:ſicut neq̈ ſecūdu quantitatem aut qualitatem quā habet in ſe vt aliquid ſui,dicitur aliquid æquale aut ſimile ſibi.Immo ſi ſecundum talem ſubſtantiam diceretur idem ſibi:& ſimiliter ſecundum quantitatem & qualitatem poſſet dici æquale & ſimile ſibi.ſecundum q̈ procedit argumentum & bene.Sed q̈ ſecundum ſubſtantiam aliquid dicitur idem ſibi,hoc ſecūdū iam dicta non eſt ſecundum ſubſtantiam quę eſt aliquid ſui:ſed ſecundum totalitatem ſubſtantiæ quæ eſt ipſum.Nunc autem quantitas & qualitas non conſiderant ſecundum aliquam rationem totalitatis qua ſunt aliquid ſecundum ſe,niſi conſiderentur ſecundum rationem ſubſtantiæ:qa ſecundum rationem quantitatis & qualitatis:non conſiderantur niſi ſecundum q̈ ſunt aliq̈d alicuius,illud,ſ.menſurans aut efficiens,aut ſiquo alio modo diſponens. Propter q̃d licet ſecundū ſubſtantiam poſſit accipi vnus modus identitatis quo aliquid refertur ad ſeipſum:nequaq̈ tamē ſecū dum quantitatem aut qualitatem,ſecundum q̈ hæc omnia patent ex prædictis.¶Q̃d vero arguitur ad idē ex dicto Boethii:q̈ loquens de deo dicit ſic,Illi nihil ſimile eſt p̃ter ipſum:Dico q̈ eſt em phatica locutio,qua ex vno dicto non intento datur intelligi aliud intentum. Vnde Commentator exponens illud verbum dicit ſic,Illi primo bono nihil eſt ſimile ſubſtantiali ſimilitudine pręter ipſum.Q̃d non ideo addit q̈ velit intelligi ipſum primū ſibi aliqua ratione ſimile eſſe:in nullo enim rerū genere aliquid ſibi ſimile dicitur:omne nanq̈ ſimile,alii a ſe ſimile dicitur:nec inde diuerſa ſolum ſunt quę ſunt ſimilia:ſed hic eſt vſus loquendi vt dicamus ſummo bono nihil eſſe ſimile præter ipſum,volentes intelligi nihil omnino ſibi ſimile eſſe:velut ſi abſente domino domus dicat quis non eſt hic intus dominus pręter me. Qui em hoc dicit:non vult intelligi ſe dominum eſſe dom⁹ ſed tm̃modo eum qui domin⁹ eſt abeſſe.Sic & iſte dicens:nihil ſimile eſt primo bono præter ſeipm̃ non vult intelligi q̈ ipſum ſibi ſimile ſit:ſed q̈ illi ſimilitudine ſubſtantiali nihil poſſit conferri:ſed potius ſiquid illi forte ſubſtantialiter ſimile videtur : ſit non eſſentiæ proprietate quod ipſum eſt: ſed q̃d ei cōformitate diuerſę eſſentię comparetur.Et propterea non eſt vere ſimile,dicente Hila.li.bro.iii.de trini.Deo ſimile eſſe aliquid q̃d ex ipſo nō fuerit non poteſt.Quare cum ſecundū ſuperi⁹ determinata q̃d in diuinis eſt ex alio,quodammodo id eſt ex quo eſt:Pater enim generando filium quodammodo ſeipſum genuit:ex hoc facilius & clarius poteſt exponi illud dictum Boethii,dicendo q̈ non eſt ſimile præter ſcipſum:hoc eſt præter illum qui eſt ex ipo,vel ex quo eſt ipſe,cum quo eſt idipſum.& hoc mō maxime creatura q̈ ad imaginē dei creata,ſimilis deo dicitur quadā imitatione ſecundum intrinſeca naturę,non perfectione naturę:nec ſecundum aliquid extrinſecum. Per fectione enim naturę ſolummodo diuinę perſonę ſibi ſimiles ſunt:& hoc ſimilitudine ſubſtantiali. Imitatione naturę & ſecundum intrinſeca naturę ſimilis eſt deo creatura facta ad imaginem: quæ etiam ſecundum extrinſeca ſimilis deo eſt inquantū ei conformatur ſecundū actū volūtatis & intellectus. Hāc enim triplicem ſimilitudinem equalitatis ad deum diſtinguit Commentator ſuper ix.regulam de hebdom̃,vbi dicit Boethius.Omis diuerſitas diſcors:ſimilitudo vero appetēda eſt. ſic em ait Commen.Eſt q̈dam alterutrius numero diuerſorum vnio:quā conformitatis ratio facit Hęc vnio ſimilitudo vocatur:& eſt vel ſecūdū naturā vel ſecundū extrinſeca.Secūdū naturā vero dupliciter.Aut enim eſt ſecūdū propoſitę naturę plenitudinem:& dicitur ſubſtantialis ſimilitudo. qualiter album albo ſimile eſt & homo homini.Aut ſecūdum ppoſitę naturę partes aliquas: & vocatur imaginaria ſimilitudo.qualiter humana pictura dicitur homini ſimilis.Illa vero quę eſt ſecū dum intrinſeca,dicitur vnitio,qualiter artifex alii artifici vel homo deo iuxta voluntatem eius aliquid faciendo dicitur ſimilis.De hac ſimilitudine ad deum aut illa quę eſt per imaginē,non eſt hic ſermo:quia non pertinet ad relationem communem.licet enim creatura dicitur ſimilis deo:non tamen econuerſo deus dicitur ſimilis creaturæ.niſi forte per accidens:quia ſcilicet creatura eſt ſimilis illi:ſicut menſura refertur per accidens ad menſuratum:quia ſcilicet menſuratum refertur ad ipſam per ſe. Et ſic iſta ſimilitudo potius pertinet ad relationem menſuræ q̈ ad relationem cōmunem:q̈ pertinet ad imaginem. Vnde de hac ſimilitudine imitatiõis dicit Auguſt.vii.de trinitate. Ita homo imago eſt vt ad imaginē ſit.i.nō equatur parilitate:ſed accedit ſimilitudie.ſicut in diſtā tibus ſignatur quædam vicinitas non loci:ſed cuiuſdam imitationis,ſecundum q̈ hoc expreſſius declarat.lxxiii.q.q.li.¶Ad tertium q̈ hypoſtaſeon vnumquodq̈ &c.Dico q̈ litera illa Damaſce. non habet hypoſtaſeon vnumquodq̈ & cętera:ſed premiſſis multis quę communiter ſunt trium hypoſtaſeon,adiūgit. Vnumquodq̈ enim eorum &c.vt relatio illius q̃d eſt eorum,poſſit eſſe equiuoca : quia poteſt referre ly hypoſtaſeon quod immediate præcedit : vel alia quæ prænarra =

V

X

Y

Ad tertiū

uir;Et communiter côueniút vnicuiqz trium hypostaseon.Et primo modo procedit argumentum
acsi ly eorum referret ly hypostaseon qđ immediate precedit.Sic enim illa est falsa quæ assumpta
est in argumēto:Vnúquodq̨ hypostaseon ad alterum non magis se habet q̃ ad seipsum.Hęc autē
falsa est in hoc videlicet q̃ vnúquoq̨ hypostaseon ad alterum dicitur triplici modo relationis cō-
munis:ad seipsum autem non dicitur nisi primo modo identitatis:& sic se habet ad alterum:ĩ hoc
q̨ pluribus modis relationum se habet ad alterum q̃ ad seipsum.Sed secũdo modo intelligit Dam,
q̃,f.ly eorum referat illa quæ prænarrauerat ipse immediate, quando loquens de diuinis dixit sic.
Illic commune & vnũ re côsideratur propter identitatem substantiæ,& operationis,& voluntatis,
& potestatis,& virtutis,& bonitatis.Nõ dixi similitudinem:sed identitatē,vna ẽm substantia,vna
bonitas,vna virtus,vna voluntas,vna operatio,vna potestas,vna & eadē,non tres similes adinuicē
trium hypostaseon.Et tũc sequitur assumptum in argumento.Vnúquodq̨ enim eorum habet se
ad alterum non minus q̃ ad seipsum:hoc est qm secũdũ omnia &c.vt tactum est in argumento.Et
ideo sic expone dictum illius.Vnúquodq̨ ẽm eorum,.f.pdictorum, puta substantię,operationis,vo-
luntatis,& cęterorum attributorum essentialiũ quæ sunt aliquid ipsorum hypostaseon,Non autē
sic vt sumit argumetũ:eorum,.f.hypostaseon,nõ minus se habet ad alterum q̃ ad seipsum.Qđ spe
cialiter intelligit Boethius de habere se ad alterũ p identitatem:non autē p similitudinē aut æqua
litatem.Vnde immediate de similitudine pmisit dicens.Non dixi similitudinē:sed identitatē.Vna
est enim substantia &c.Non tres similes substantię,.f.sunt,aut tres operationes,& cętera huiusmo
di quæ sunt adinuicē trium hypostaseon.Qđ reuera dixit propter Semiarrianos:qui vnitatem sin
gularitatis substantiæ negabant in patre & filio:sed conformitatem substātiæ communis asserebāt
vt infra in dissolutione rõnis secundæ questionis sequentis exponeť.Qui etiam p eũdem modum
asserebant in cæteris attributis substantialibus diuinarum personarum non vnitatem singularita
tis:sed conformitatē solummodo alicuius communis.Vnde expone qđ dixit Boethi⁹,Vnúquodq̨
eorum non minus se habet ad alterum q̃ ad seipsum,sic.Ad alterum,puta substantia ad operationem & ad quodcunq̨ cæterorum:aut econuerso:q̃ ad seipsum,puta substantia ad substātiam:ope
ratio ad operationem:& sic de cęteris.Quátum ẽm in diuinis substātia eadē est substātię,.f.vnitate
singularitatis:non conformitate alicuius cõmunis:similiter & operatio opationi:& sic de cæteris:
tantũ substantia eadem est operationi,& cæterorum vnicuiq̨:& econuerso quodlibet illorum cui
libet alteri:& substantia quę est in vna parte,non minus sed equaliter est eadem substantię quæ est
in altera,q̃ ipsa sibi vt est in vna personarum,& sic de operatione,voluntate,& cęteris substantiali
bus seu essentialibus attributis:secundum q̃ dicit litera sequens assumpta in argumento ad pba
tionem illius,Hoc est qm secũdum omnia sunt vnum &c.Per qđ bene pbaƒ q̃ vnũqđq̨ taliũ nõ
solum minus se habet ad alterũ secũdũ idētitatē q̃ ad seipsum:nec etiam magis:sed omnino vnifor
miter atq̨ equaliter.Et secundũ hunc modum intelligit illud dictũ suum Boethius.Hypostaseon
se habet ad alterũ non minus q̃ ad seipsum. Et verum est etiã q̃ nec magis,secundum q̃ pcedit p
batio sua & bene.Secũdũ pdictum autem primum modum non intelligit illud:nec secũdum illũ
pcedit aut procedere potest probatio.Licet ẽm quia pater & filius & spiritus sanctus secundũ oĩa
substantialia sunt vnũ:& ideo nõ minus vnũqđq̨ illorũ se habet ad alterum per identitatē de qua
loquitur,nec magis q̃ ad seipsum:sed vniformiter secũdũ rē:tñ bene se habet vnaquæq̨ personarũ
secundum relationes cõmunes æqualitatis & similitudinis minus ad alterã q̃ ad seipsam:in hoc vi
delicet q̃ ad alteram dicitur quęlibet illarum similis & æqualis:nulla autem ad seipsam,vt patet ex
iam determinatis.

A
Quest.iii.
Arg.i.

Irca tertium arguitur q̃ nõ in qualibet habitudine relationum communium
relationes extremę sint aliæ & alię abinuicem,Primo cõmuniter in diuinis & in
creaturis,sic.Si relationes communes in extremis suis essent aliæ abinuicem:pu
ta vt similitudo in vno similium esset alia a similitudine ĩ alio similium:hoc nõ
esset nisi ad alietatem relatorum sequeretur alietas relationum in ipsis existētiũ
hoc autem falsum est:quia tunc secundum modum alietatis relatorum eēt alie
ras relationum in ipsis:sicut secũdum modum alietatis hominum est alietas ri
sibilitatum in ipsis,qđ similiter falsum est:quia relata secundo modo identitatis & æqualitate & si
militudine semper re distinguuņ:non sic autem relationes existentes in illis,vt patet in æqualitate
& similitudine & identitate diuinarum personarum ínter se:in quibus quia sunt relationes secun
dum rationem tm:non sunt extrema nisi secundum rationē:& tñ personæ relatę sunt aliæ abinuí
z cē secũdũ rē,ergo &c.¶Secundo sic,vbi nõ est distinctio fundamentoɽ nec relationũ funda tarũ in

illis.Relationes em cõmunes nõ plurificant niſi ſecũdum plurificationem fundamentorum:ſicut
nec relationes aliæ conſimiles.puta in vno non eſt niſi vna paternitas:licet ad plures filios: & ſimi
le non eſt ſimile niſi vna ſimilitudine ad plures quibus eſt ſimilis: & hoc propter vnum funda
mentum talium relationum. Quare cum ſubſtantia ſuper quam fundatur identitas in illis
quæ ſunt eadem, non diſtinguatur omnino, nec ſimiliter quantitas ſuper quam fundatur æqua
litas in æqualibus:nec ſimiliter qualitas ſuper quã fundat ſimilitudo in ſimilibus,quia ſuper ſubſtã
tiam fundatur identitas ratione qua eſt ſubſtantia ſimpliciter:non autē ratione qua eſt hæc vel illa:
nec ratione qua eſt in hoc vel in illo:& ſimiliter æqualitas ſuper quantitatem:& ſimilitudo ſup qua
litatem,quia proprium eſt ſubſtantiæ ſecundum eam dici idem & diuerſum:& quantitati ſecũdũ
eam dici æquale & inæquale:& qualitati ſecundum eam dici ſimile & diſſimile.Subſtãtia aũt ſecũ
dũ ꝙ eſt ſubſtãtia ſimpliciter, nullo modo diſtinguitur etiã in diuerſis.Similiter nec quantitas nec
qualitas.ſicut figura inquantum eſt figura ſimpliciter,non diſtinguitur omnino in Iſoſcele & Sca
leno:quia ſecũdum Philoſophũ.iiii.phyſico,ſunt eadem figura:licet non ſint idem triangulus.ergo
&c.⟨Ex eodem medio arguit idem ſpecialiter in diuinis,quia cum in deo in tribus perſonis ſit vna **2**
ſubſtantia,vna quantitas,vna qualitas,ſuper quas fundant relationes cõmunes,ſ.identitatis,æqua
litatis,& ſimilitudinis trium perſonarum inter ſe:eſt ergo vna idētitas triũ perſonarum ſicut vna
ſubſtantia,vna æqualitas ſicut vna quantitas,vna ſimilitudo ſicut vna qualitas.ergo &c.⟨Qd in cõ **Conſir.**
firmatur per hoc ꝙ de patre & filio dicit Hila.iiii.de trini.Eandem in vtroꝗ & virtutis ſimilitudi
nem & diuinitatis plenitudinem profitemur.Omnia enim accipit filius a patre,vult ergo ꝗ a patre
accipiat illam ſimilitudinem virtutis quæ eſt patris ad filium:& ſimiliter eadem plenitudinem di
uinitatis:quæ quidem plenitudo ad æqualitatem quantitatis pertinet. ⟨Tertio ad idem ſic.Quæ **3**
minus ſunt diſtinguibilia minus ſunt plurificabilia:quia non eſt plurificatio niſi per diſtinctionem
qua plura habent eſſe plura,ſed minus ſunt diſtinguibiles relationes propriè in diuinis,puta pater
nitas & filiatio,ꝗ communes,puta identitas,æqualitas,aut ſimilitudo:quia illæ ſunt aliorum diſtin
ctiuæ,ſ.perſonarum,vt habitum eſt ſupra:non autem iſtæ,vt declarabitur infra.Magis autē ſunt
diſtinguibilia inter ſe aliorum diſtinctiua ꝗ non diſtinctiua,quare cum relationes propriè & ſimi
les plurificari non poſſunt in diuinis : non enim poſſunt in illis eſſe plures paternitates aut plures
filiationes : ergo nec relationes communes ſimiles:cuiuſmodi ſunt identitas,æqualitas,& ſimilitu
do,in diuinis plurificari poſſunt.⟨Quarto ſic.inter ſe minus diſtinguuntur relationes ſub eodem **4**
genere exiſtētes ꝗ diuerſa genera relationum.Puta ſimilitudo in diuinis perſonis diuerſis,ꝗ æqua
litas & ſimilitudo,ſed æqualitas & ſimilitudo & identitas in diuinis non diſtinguuntur inter ſe nĩ
ſi ratione tm̃,vt habitum eſt ſupra.Similitudo ergo,aut identitas,aut æqualitas,vt ſũt in diuerſis
perſonis,minus diſtinguuntur ꝗ ſecundum rationem.ſed minor diſtinctio ꝗ ſecundum rationem
nulla eſt omnino,ergo &c.⟨In contrarium arguitur primo ſic.ſuper.xiiii.cap.Boethii de trini.Cõ **In oppo.1**
mentator dicit ſic.Sicut ipſa quæ ſunt ſimilia:ſic & illa ſecundum quæ ſunt ſimilia, neceſſe eſt eſ
ſe diuerſa,ſed ipſa quæ ſunt ſimilia ſemper ſunt diuerſa & alia & alia,vt patet ex duabus queſtio
nibus præcedentibus,illa autem ſecundum quæ ſimilia ſunt ſimilia,ſunt extrema ſimilitudinis in
ſimilibus,illa ergo extrema neceſſe eſt eſſe diuerſa:ſicut & relata per illa:& ſic oportet ꝗ ſint diuer
ſa & alia atꝗ alia. Et ſicut hoc arguitur de extremis ſimilitudinis , ſic argui pot de extremis iden
titatis & æqualitatis quia qua ratione verum eſt illud dictum Commētatoris:Sicut ipſa quæ ſunt
ſimilia &c.eadem ratione verum eſt dicere:ſicut ipſa quæ ſunt eadem & æqualia:ſic & illa ſecun
dum quæ ſunt eadē & æqualia:neceſſe eſt eſſe diuerſa.⟨Secundo ſic.ꝗ requirit diſtinctionem eo **2**
rum in quibus exiſtit:neceſſario habet eſſe diſtinctum in illis:quia indiſtinctum natum eſt eſſe in ĩ
diſtincto ſicut diſtinctum in diſtincto,ſed relationes communes æqualitatis & ſimilitudinis requi
runt diſtinctionem illorum in quibus ſunt:& hoc ſecundum rem:quia ſimilitudo non eſt ſuiipſius
nec æqualitas.Nõ eſt em aliquid æquale aut ſimile ſibi,vt iã habitũ eſt ſupra.Relatio ſimiliter idē
titatis etiam requirit diſtinctionem & differentiam relatorum in quibus eſt,vt etiam habitum eſt
ſupra.ergo &c.⟨Et hoc eſt ꝗ tertio arguitur ſic.ꝗ ee relatiuorum vel ipſorum relatorum eſt ad **3**
aliud ſe habere ſecundum modum iam ſupra expoſitum:hoc contingit quia per ſe relationi com
petit ꝗ eſſe ſuum accipiatur in comparatiõe ad aliud eſſe:ꝗ ſcilicet competit alteri relationi ſibi
correſpondenti:ꝗ nõ eſt ſine ipſarum relationum diſtinctione in ipſis relatis.ergo &c. ⟨Quarto **4**
ſic.ſecundum Auguſt.v.de trini.cap.viii.tres perſonæ nõ ſunt tres magni ſed vnus magnus:quia
vna eſt magnitudo trium,ergo a contrario cum tres perſonæ ſiue diuinæ ſiue creatæ ſint tres æꝗ
les,tres ſimiles,tres iidem:hoc non contingit niſi quia ſunt ibi tres æqualitates,tres ſimilitudines,
& tres identitates.ergo &c.

**B**
Responfio
quorůdá.

¶Dicunt aliqui q̃ ficut in rebus abfolutis duplex inuenitur diftinctio earum:vna fecundum rationé quiditatis earůdem:quæ eft inter res diuerforum generum aut fpecierum tm̃: alia fecundů effe, q̃ eft folummodo inter res differentes numeto tm̃ fub eadem fpecie fpecialiff ma quia indiuidua nihil quiditatiuum aut rei addunt fupra quiditatem aut rem fpeciei:fed folummo do determinationem illius:fic & duplex diftinctio inuenit in relationibus:vna fecundum rationé quiditatis earum:alia vero fecůdú effe earůdem.Quarů prima( vt dicunt) cõpetit relationi vñ re latio eft:quia relationis vnde relatio eft,propriů eft ad aliud fe habere.Et tali modo diftinguuntur relationes diuerfæ fecundú fpecié:cuiufmodi funt oẽs relationes oppofitę diffimiles vt paternitas & filiatio:& tria genera relationum cõmuniů inter fe comparata:de quarum differentia habitum eft fupra.Sed nõ fic diftinguuntur relationes cõmunes fimiles, quę.f.funt fimilium nominů i ytro q̃ relatorů,eo q̃ non funt nifi eiufdem fpeciei fpecialiffimę quandofundantut fuper vnů fpecie, vt eft fimilitudo in duobus fimilibus:& æqualitas in duobus ęqualibus:& identitas in duobus eifdě de quibus propofita eft pſens queftio,an.f.in fimilibus aut ęqualibus aut eifdě fit diuerfa & alia at q̃ alia fimilitudo & æqualitas & identitas.Vnde dicunt q̃ relationes cõmunes fimiles nõ diftin guuntur nifi fecundum effe:quæ diftinctio( vt dicůt)non competit relationi vñ relatio eft:fed fo lummodo ratione fui fundamenti, quæ eft res alterius prędicamenti.Nam relationi non reſpõdet pprium effe vnde relatio eft:fed folummodo effe fui fundamenti.Talis ergo( vt dicunt ) diftictio eft per fundamentů.Vbi ergo non plurificat fundamétum:relationes cõmunes fimiles( vt dicůt)plu rificari non poffunt:vt cõtingit in diuinis vlr,& in creaturis quo ad idẽ numero:& vbi fundamen tum plurificat,ibi plurificantur & ipſę,vt cõtingit in creaturis vlr in æqualitate & fimilitudine & identitate fpecie aut genere. Et ideo dicunt q̃ in diuinis non funt in tribus pſonis plures ęqualita tes:fed tm̃ vnica:quia nõ nifi vnica magnitudo eft in eis:fimiliter non eft nifi vnica fimilitudo: et vnica identitas:quia nõ eft nifi vnica fubftátia & vnica qualitas in eifdem:licet in creaturis diuer fis ęqualibus fimilibus aut eifdem fint diuerfę fimilitudines ęqualitates & identitates,fecůdú q̃ i eis funt diuerfę quantitates,diuerfę qualitates,& diuerfę fubftantiæ fuper quas fundantur:& fic p accidens funt relationes illę diuerfæ,f.quia fundamentum eft aliud & aliud.¶Q d dicunt quafi re

**C**
latio cõmunis femper quantum eft de fe fub eadem fpecie fit eadem numero in relatis: & q̃ nõ eft alia & alia nifi quia in relatis fundamétu eft aliud & aliud:quéadmodum in abfolutis formis quan tum eft de fe fic eft quælibet earů eadem numero ficut eft eadem fpecie nifi fit p materiam aliã & aliam fecundum aliquos, aut per agens fecundum alios.Q: enim aliquid fit quid p fe formaliter: & q̃ fecundum rationem quiditatis differat ab alio:hoc non cõuenit ei nifi ſecůdú rationem aliã & aliam generis aut fpeciei:quia q̃ fit quid fecundum rationem indiuidui:& q̃ fecůdú illam ratio nem differat ab alio:hoc non cõuenit ei nifi quia in fe habet formam fpeciei determinatam:& hoc aut per agens tm̃,vt quandohabet formam determinatam,in fe & non in alio exiftens,vt cõtingit in angelis vnius fpeciei:aut fimul per agens & per materiam fiue fubiectů aliud & aliud,vt contin git in formis materialib⁹ fiue eductis de potétia materię,cuiufmodi funt formę pure naturales dif ferentes folo numero:& in formis materialibus non eductis de potentia materię:fed in materia tm̃ Cuiufmodi funt animæ rationales:quarum differétia dicitur effe fecundum effe & non fecundum ratione fuæ quiditatis.quia licet in fe habeant quiditates fpeciei eiufdem differentes numero:illa differentia non contingit ex ratione quiditatis:fed folummodo ex ratione detractionis illius quã ha bet ab agente fiue p materiam & fubiectum,fiue fine materia & fubiecto.Vnde etfi vtraq̃ differé tia ponatur dici fore fecundum effe:prima tamen differentia dr fecundum effe p fe q̃ dicit effe gdi tatiuum.Secúda vero dicit fecundum effe acquifitů fiue p accidés:q̃ cõmuni noie dicit effe abfo lutum fiue effe fimpliciter & abfq̃ determinatione. ¶Q d dicůt ifti de diftinctione.f.q̃ duplex eft:

**D**
& fecůdú rationem fuę quiditatis,& fecůdú effe:bene verů eft:& habet locú tã in pdicamétis abfo lutis q̃ in relationib⁹.femp eñ differentia fpecie diftinguunt fecúdú rõne fuę gditatis.Differentia

**E**
aůt numero:fecůdú effe tm̃.Sed q̃ dicunt q̃ diftinctio fecůdú rõne fuæ gditatis cõpetit relationi vñ relatio eft:hoc non eft verum nifi gditas relationis appellet modus effendi ad aliud purus: qui folus pprius eft relationi rõne fui pdicaméti fecůdú pdeterminata.Q d nõ poteft poni:qa ců mod⁹ ille quantů eft de fe non diftinguat vt eft fupra expofitů: fecůdú hoc ergo effe gditatiuú non effet nifi vnů & idẽ in toto prædicamento relationis:nec fecundů ipſm effet illa diftictio eoꝗ q̃ funt fub pdicaméto relatiõis:fecůdú q̃ etiã hoc fupi⁹ eft declaratů.Quare ců diftictio eoꝗ q̃ hñt illů modú cõmunem fub pdicaméto relationis,fecůdú pdeterminata nõ fit nifi p fundaméta:fi diftictio dicta cadat in pdicaméto relationis.f.fcõm rõne gditat( & fcõm eẽ,mõ q̃ gditas & eẽ hñt eẽ i pdicaméto relationis,ambę diftinctiones erůt per fundamenta,Q d verů eft hoc mõ,videlicet q̃ a fundamétis

diuerſorum modorum & rationum diſtinguentibus relationes ſecundum genera & ſpecies,dicantur diſtingui relationes ſecundum rationem quidditatiuam,& ſecundum eſſe quidditatiuum ſpecificum,qd a talibus fundamentis cotrahunt.Et ſic ſumitur differentia relationu communium differentium genere aut ſpecie inter ſe:& hoc penes differentiam formalem ſecundum genera & ſpecies illorum ſuper quæ fundantur.Propter qd etiam formaliter ſecundum genus & ſpeciem differunt relationes fundatæ ſuper illa fundamenta:licet quandoqȝ ſecundum rem:quandoqȝ ſecundu rationem tm:prout rationes fundamentorum quandoqȝ differunt ſecundum rem,vt contingit in ſubſtatia vera,& quantitate & qualitate accidentalibus ſubſtantiæ:qnqȝ ſecundu ratione tm,vt contingit ſ ſubſtantia vel habente rationem ſubſtantiæ:& in quantitate perfectionis:& in qualitate ſubſtantia li exiſtentibus in ſubſtatia. Secundu qp in diuinis loques de ſubſtatia & ſubſtatialibus attributis l bro primo cap.xi.Dam.dicit ſic.Secundum omnia ſunt vnum pater & filius & ſpiritus ſanctus pater ingenerationem,gnatione,& pceſſione,cogitatione vero ſecundum diuerſum.i.licet omnia illa ſint idem re in tribus perſonis:ratione tamen diſtinguuntur ſingula a ſingulis & a ſeipſis.A fundamentis vero vnius modi & rationis vnius diſtinguentibus relationes ſecundum numerum tm dicunt diſtingui tm ſecundu eſſe: & ſic ſumit differetia relationu comuniu differentiu nuero ſolo .ſ.penes differentia numerale vel quaſi:licet qnqȝ differant ſecundum re,qnqȝ aute ſecudu rone tm. Primo em modo genus relationis comunis diſtinguit ſicut p primas differentias tractas a ſuis fundametis in relatione ſubſtantialem continete ideratitatem & diuerſitate,q ſequunt vnu & multum in ſubſtatia:& in relationem accidentalem,q ſequit vnu & multu in duobus pdicamentis accidentis abſolutis . Quæ cotinet ſub ſe duas ſpecies:quaru vna ſequit vnu & multu in quatitate:& dicit æqualitas et inæqualitas.Altera vero ſequit vnu & multu in qualitate:& dicit ſimilitudo & diſſimilitudo.Quæ vlteri⁹ deſcendunt in ſpecies ſecudu ſpecies quatitatis et qualitatis vſqȝ ad ſpecies ſpecialiſſimas pdicamentoru abſolutoru:q ſpecies ſpecialiſſime relationu no diuidunt niſi p differetia numero tm,ſecundu differetia numerale fundametoȝ.Et quis talis diſtictio relationu ſit p aliud,eſt tm eſſentialis pdicamento relationis:eo qp eſſe et realitate ſeu qditate no eſt natu habere niſi p alid.Relationi em vn relatioe:nec ppriu eſſe nec ppria qditas reſpodet:ſed ſolumo eſſe et qditas ſui fu damenti.Et ideo bene verum eſt qp vbi ſub relationibus coib⁹eiuſdem ſpeciei ſpecialiſſime relatiois non plurificat realiter fundamentum:nec ſimiliter relationes fundatæ ſuper illud realiter plurificatur,vt contingit in diuinis ſicut dictu eſt.Nihilominus tm licet non diſtinguant ſcdm re:diſtinguut tm ſecundu rone ſalte.Impoſſibile eſt em qp relata ſint diuerſa ſiue ſecudu re ſiue ſcdm rone qn relationes qbus referunt ſint diuerſe ſalte ſecudu rone.Quare cu in oi habitudine relationu neceſſe ſit relata eſſe diuerſa vel re vel rone,vt in duabus queſtionibus pcedentibus eſt expoſitum:neceſſe eſt etia in oi habitudine relationi ipſas relationes i extremis eë diuerſas vel ſecundu re vel ſcdm rone. Secundu re em ſemp ſunt diuerſe relationes extreme cuiuſlibet habitudinis relationu comuniu i creaturis,pręterq in relatioe ſecundu ideritate numerale,in q ſunt diuerſe ſecundu rone tm: & hoc vniformiter ipſis relatis.In diuinis aut nunq ſunt diuerſe ſecundu re:ſed ſemp ſecundu rone tm:& hoc vel vniformiter ipſis relatis:ſicut cotingit ſolumo in prio modo ideritatis:vl difformiter illis,ſicut vlr cotingit in ſecudo mo ideritatis,& in æqualitate & ſimilitudine,in quib⁹ relata ſunt pſone diui nę diſtinctę ſecundu re:cu tm relationes qb⁹ referunt,diſtinctę ſint ſolumo ſecundu rone,vt ampli⁹ declarabit in ſequeti qſtione.◉Sed eſt hic aduertedu ad dictorum ampliorem intellectum , qp inter ſe differunt ſi proprie accipiantur iſta tria ſcilicet reſpectus, relatio,& habitudo : quia omnis relatio eſt habitudo & reſpectus, ſed non econuerſo:& ois relatio eſt reſpectus:ſed non econuerſo.Cu iuſlibet enim accidentis eſt reſpectus ad ſuum ſubiectum vt ad id cui natu eſt ieſſe:nulla tm eſt relatio accidentis ad ſuu ſubiectu aut habitudo.Eſt em relatio reſpect⁹ q eſt mod⁹ eſſendi quo id cui⁹ eſt,ad alid dicit. Et cu pprie accipit relatio,ipſa no noiat niſi extrema habitudinis,de qb⁹ ppoſita ë pnis queſtio,quib⁹ relata adinuice referunt.Eſt em habitudo pprie dicta quaſi mediu interuallu cotines ſicut extrema duas relationes oppoſitas:ppter qd & ipſa habitudo df relatio et induit nome & rationem vtriuſqȝ extremorum reſpectu vtriuſqȝ:queadmodu ſpatium interuallu inter ſurſum et deorſum reſpectu ſurſum dicitur deorſum:et reſpectu deorſum dicit ſurſum. Et loquedo de re latione quę eſt habitudo duorum extremoȝ,ideitas et æqualitas et ſimilitudo ſunt tres relatioes .i.tria genera habitudinum:de quarum differentia habitus eſt ſermo ſuperius.Loquedo autem de relatione quæ eſt extremum habitudinis,eſt ſermo de differetia relationu in hac qſtioe. Et ſunt in qualibet dictarum trium habitudinum duę relationescoſimiliu nominu cu ipſa habitudine.In qua libet enim habitudine identitatis ſunt duę identitates:q ſunt relationes diuerſæ in diuerſis relatis ſecundum identitatem : et ſimiliter in habitudine æqualitatis ſunt duę æqualitates.quibus mu

E

tuo inter se referuntur æqualia:& similiter in habitudine similitudinis duæ sunt similitudines qui
bus inter se referuntur similia.Qui eñ negat hanc alietatem in extremis cuiusqʒ habitudinis: ne
cessario negat habitudinem & omnem respectum & relationem relatorum inter se,secudum ꝙ pꝛ

**F**
**Opinio**
**quorūdã.**

cedunt,& bene,quatuor vltimę rationes:quæ idcirco concedendę sunt.CQuidam tamen dicunt ꝙ
ad plurificationem relationum communium non sufficit plurificari supposita relata,nisi cum hoc
plurificentur supposita in relatis.Qd proculdubio verum est de plurificatione relationum secun=
dum rem:sed non est verum loquendo de plurificatione secūdum ratione.Impossibile est enim re=
lata plurificari maxime secundum rē vt diuersa supposita,quin fundamentum relationis cꝰ est
vnum in illis secundū rem,plurificetur secundum rationem:quia secundū vna rationem necessa=
rio habet esse in vno:& secundū aliam in alio:vt diuinitas i patre & filio.Et per hoc etiam necessa=
rio relatio vna secundum rem iuxta vnitatem realem fundameti,necessario plurificaꝛ secundum ra
tionem iuxta plurificationem fundamenti secundū rationem.Vnde relatio cuæ est habitudo duo
rum relatorum inter se:nullo modo fundatur in vno & eodem re & ratione simul.Ad semel enim
vnum qd est vnum re & ratione simul:non sequitur idem nec æquale nec simile nec habitudo ali
qua omnino:quia nulla est habitudo sine omni diuersitate extremorum suorum:quæ diuersitas
extremorum habitudinis non est sine diuersitate aliqua fundamenti:sicut non sunt diuersæ habi
tudines fundatæ in eadem re singulari sine omni diuersitate secundum rationem in illa.Puta i di
uina natura non fundātur tres habitudines ꝗ sunt identitas,æqualitas,& sillitudo,nisi habeat tres
rationes in se:trium,s.prædicamentorum,quæ sunt substantia,quantitas,& qualitas:& hoc quoli
bet illorum distincto & accepto secundum rationem bis ad minus.ꝗa non ad vnum semel acceptū
sed plurificatum solummodo sequiꞇ relatio cōmunis,vt habitum est supra.Et sic sicut in diuinis
oportet concedere ꝙ super idem re fundāt tres habitudines relationum communiū sola ratione
diuersæ secundum supra determinata,quæ sunt idētitas,æqualitas,& similitudo secūdū diuersas
rationes.s.substantiæ,quantitatis,& qualitatis in illo:sic oportet concedere ꝙ super idem re funda
tur in qualibet habitudine duæ relationes secūdum diuersas rationes eius,s.vnius & vnius in di
uersis relatis:quemadmodum & in creaturis sup substantiā,quātitatē,& qualitatē quę sunt re di
uersa,fundāt identitas,æqualitas,& similitudo,quæ sunt habitudines re diuersæ:& super diuer=
sas substantias numero aut specie in diuersis relatis fundāt diuersæ identitates ꝗ sunt relationes
re differentes:& similiter super diuersas quantitates & diuersas qualitates fundāt diuersæ simili
tudines & diuersę equalitates re differentes.Et ita sicut non sequiꞇ in diuinis si vnum sunt secūdū
rem substantia,quantitas,& qualitas:ꝙ identitas,æqualitas,& similitudo in diuinis non sint diuer=
sæ relationes cōmunes ratione differentes:sic non sequiꞇ si vna sit substātia,vna quātitas,vna qua
litas in diuinis secundū rem,ꝙ identitas,æqualitas,& similitudo fundata in illa vt est in diuersis
psonis,non diuersificeꞇ secūdū rationem,neqʒ plurificeꞇ in singulis psonis:vt secundum hoc alia sit
identitas qua pater est idem filio:& alia econuerso qua filius idem patri:& sic de equalitate & simi
litudine:vt sic diuersitati rerum in personis creatis,respondeat diuersitas rationum in personis di
uinis.Et quemadmodum in creaturis plus differunt secundum rem substantia,quantitas,& quali
tas inter se:& similiter relationes fundatę in illis inter se:ꝗ differant duæ substantiæ aut duę quan
titates aut duę qualitates:& similiter duę relationes fundatæ in illis:sic in deo plus differunt secū
dum rationem substantia,quantitas,& qualitas:& similiter relationes fundatę in illis inter se:quæ
sunt identitas,æqualitas,& similitudo:ꝗ differat secundum rationem substantia vt est in diuersis
personis:similiter quantitas aut qualitas:aut relationes fundatę in illis,puta similitudo patris ad
filium a similitudine filii ad patrem:licet quandoqʒ in creaturis differant re extrema vnius habitu
dinis:cum tamen genera habitudinum differant inter se ratione:puta identitas,æqualitas,
& similitudo hominis ad hominem in humanitate,in qua idem sunt.Nam substantia,quantitas,&
qualitas substantiales,ꝗuis inter se sola ratione differant:extrema tñ cuiuslibet illarum habitudi
num inter se differunt secūdum rem:quia alia est humanitas vnius & alterius,in qua differūt rea
liter substantia vnius & substantia alterius:& similiter quantitas & qualitas substantiales.Et sic cū
tres personæ diuinæ sint eędē æquales & similes inter se secundum rationem,sunt tres diuersę idē
titates & similitudines earundem.Propter qd in plurali dicitur ꝙ sunt tres eędē non vnus:& hoc
sumendo esse masculine,sunt tres equales non vnus æqualis:& tres similes nõ vnus similis,vt pro
cedit & bene vltima ratio:ꝗuis sit in tribus vna substantia:vna magnitudo:vna qualitas.& hoc ꝗa
non fundantur dictę relationes in illis nisi vt secundum rationem habent diuersificari in personis:
sicut nec simpliciter equalitas aut similitudo fundatur in quantitate aut qualitatę nisi prout ha
bent esse in personis diuersis.Si enim esset magnitudo in deo aut qualitas absqʒ personarum distin

etione,nullo modo ſuper illam fundaretur equalitas aut ſimilitudo.Propter ꝙ etiã nequaꝗ poteſt
dici ſubſtantiue ꝙ tres perſone ſint vnus idem equalis aut ſimilis:ſicut dicitur ꝙ ſunt vnus deus
vnus magnus,aut vnus eternus:quia ſcilicet non eſt denominatio ab equalitate aut ſimilitudine
aut identitate in diuinis,niſi propter ſubſtantiã magnitudinẽ aut qualitatem ratione diuerſam in
perſonis.Eſt autẽ denominatio a magnitudine in diuinis,non propter aliquã diuerſitatem eius ſe
cundũ rationem,ſed ſolummodo propter ipſam ſimpliciter.Eſſet em̄ in deo magnitudo & denomi
natio ab illa,etſi in illo nulla eſſet diſtinctio perſonarũ(ſi tñ eſſet abſꝗ illa) non tñ eſſet in eo equa
litas aut ſimilitudo,neꝗ denominatio ab illa. Et ſimiliter eſſet de denominatiõe a ſubſtãtia & qua
litate.Et ſecundũ hoc diſtinctio identitatũ equalitatum & ſimilitudinũ plurium in diuinis,licet
ſit ſecundũ rationẽ:nõ tñ ſine adminiculo diſtinctionis realis perſonarũ. Propter ꝗd idẽtitas equa
litas & ſimilitudo perſonarũ diuinarũ inter ſe,magis accedunt ad rationem relationum realium ꝗ
identitas alicuius ad ſeipſum,& maior eſt diſtinctio ſecundũ rationem identitatũ æqualitatũ aut
ſimilitudinũ quibus eædem perſonę dicuntur eædem equales aut ſimiles inter ſe,ꝗ ſit identitatum
quibus idem ſecundũ rationem diuerſificatum refertur ad ſeipſum.Relationes em̄ ſecundũ rationem gradus habẽt:& quædã minus appropinquant relationibus realibus,& magis ſunt ſecundũ
rationẽ,vt contingit in primo modo identitatis.Quædã vero magis appropinquant relationib⁹ rea
libus,& ſecundũ hoc ſunt minus ſecundũ rationẽ,vt contingit in ſecundo modo identitatis.Re
lationes etiam diuerſificantur ſecundũ diuerſitatem fundamentorum,non ſolum realiter vt contingit in creaturis,ſed etiam rationaliter,& hoc dupliciter. Vno modo ſecũdum modum eundem
fundandi,& ſecundũ vniformẽ rationẽ fundamẽti,ſicut fundant diuerſę equalitates ſuper magnitudinem vnam in diuerſis perſonis,& diuerſę ſimilitudines ſuper vnam qualitatem,& diuerſę idẽ
titates ſuper vnam ſubſtantiã.Alio modo ſecundũ alium & alium modũ fundandi,& ſecundum
difformem rationẽ fundamẽti,ſicut fundatur diuerſę relationes notionales in diuinis ſuper eſſen
tiam diuinitatis,puta paternitas vt eſt illa potentia actiua,& ratio qua vt ratione actiua aliquis ꝑ
ducat,& filiatio vt eſt potentia paſſiua,& ratio qua quis de ipſa producatur,vt tactum eſt & expo
ſitum in ſupra determinatis,ſicut etiam fundantur diuerſæ relationes reales ſuper idem re cum
voluntas mouet ſeipſam,licet mediante extraneo,vt determinauimus in quadam quæſtione de
Quolibet.

⸿Qd̄ ergo arguitur primo cõtra iam dicta,ſi extrema relationis cõmunis eſſent
alia abinuicem,hoc nõ eſſet niſi propter pluralitatẽ relatorum:Dico ꝙ verũ eſt,non tamẽ propter
eam vt propter quã principaliter,ſed ſolummodo vt propter quã adminiculatiue & ſine qua nõ
Quia ſi non eſſet diuerſitas relatorum ſecundũ rẽ in creaturis,nõ eſſet diuerſitas vnitatum ſubſtã
tiæ quantitatis aut qualitatis ſecundũ rem,ad quas in illis ſequunt identitas ſimilitudo & æqualitas realiter diuerſę,vt ad cauſam ꝓpter quã ſic.Similiter ſi nõ eſſet diuerſitas in pſonis in diuinis
non eſſet diuerſitas rationum in quantitate aut qualitate aut ſubſtantia diuina ad quas ſequuntur
equalitas aut ſimilitudo & identitas ſecũdo modo identitatis,vt ad cauſam ꝓpter quã ſic origina
liter:que tñ vt ad cauſam propter quã ſic,ſequuntur completiue ex conſideratione rationis.Aliter
em̄ non eſſent relationes ſecundũ rationem.Ita ꝙ cauſa alietatis talium relationũ in diuinis admi
niculatiua & ſine qua nõ,eſt perſonarũ diſtinctio.Cauſa vero ꝓpter quã ſic originaliter,eſt diuerſi
tas ſecundũ rationem vnitatum ſubſtantie,quãtitatis,& qualitatis in illis.Cauſa vero propter quã
ſic cõpletiuũ,eſt itellectus ſiue ratio ſine fundamẽtali cauſa adminiculatiua.Ex ſola rationis cõſide
ratione bene cauſatur relatio identitatis ſecũdum primum modum tam in diuinis ꝗ in creaturis.

⸿Qd̄ arguitur vlterius,ꝙ propter alietatem relatorũ non ſunt alia inter ſe extrema in eadem ha
bitudine relationis cõmunis,quia tunc illa eſſent alia inter ſe ſecundũ rem,ſicut inter ſe alia ſunt
ipſa relata:Dico ꝙ verum eſt ſi ipſa relatorum alietas eſſet per ſe cauſa alietatis dictarum relationum propter quã ſic.Nunc autẽ non eſt ſic nec in creaturis nec in diuinis,vt dictum eſt. Propter
ꝗd licet relata ſint alia in diuinis ſecundũ rẽ:tñ relationes cões exiſtentes in illis non ſunt aliæ inter
ſe niſi ſecundũ rationem,ſicut nec ſua fundamenta.Et quia hoc modo tales relationes communes
perſonarum cauſantur ab ipſarũ perſonarũ diſtinctione:idcirco licet nõ ſint diſtinctiue pſonę,ſunt
tñ demonſtratiuę diſtinctionis earũ ſicut ſignum cauſę ſuæ.Vnde ad talem differentiam extremo
rum relationis diuerſitate relatorum ſecundũ rem:reſpexit Cõmen.quando dixit.Omne ſimile alii
a ſe ſimile dicitur,nec tamen diuerſa ſolum ſunt quæ ſunt ſimilia,ſed etiam ſecundũ quæ ſunt ſimilia,vt ſupra in fine queſtionis precedentis,licet maiori diuerſitate in diuinis differunt ſimilia ꝗ
illa ſecundũ quæ ſunt ſimilia.⸿Sed cõtra hoc directe videtur illud dictum eiuſdem Cõmen.in pri
ma ratione ad oppoſitum,ybi dixit.Sicut ipſaquæ ſunt ſimilia,ſic & illa ſecũdũ quæ ſunt ſimilia

G
Ad primũ
principale

H

I

necesse est esse diuersa. Et est dicendum pro solutione ad hominem, ꝙ non omne simile currit ad
quatuor pedes. Aliquando enim simile est in omnibus simile: aliquando in aliquo tm̃. Vnde verum
est ꝙ si similia sunt diuersa, ꝙ necesse est vt etiã illa secũdũ q̃ sunt similia, sint diuersa: vt fundamẽ
ta & relationes secundũ quas referunt: & hoc quo ad generalem differentiam: quia. s. sicut ipsa quę
sunt similia sunt diuersa: sic necesse est & illa secundum quæ sunt similia, esse diuersa. Nõ tñ opor
tet ꝙ sint diuersa semper eodem modo diuersitatis: immo aliquando sunt similia diuersa secũdum
rem: cum tñ ea secundũ q̃ sunt similia, vt sunt relationes quibus referuntur, & fundamẽta illarum
in relatis, diuersa sunt secundum rationem tm̃, sicut dictum est in diuinis. Pro solutione aũt ad rẽ:
Dicendum est ꝙ est quędam similitudo fundata in similibus super vnitatem singularitatis fundamenti: vt est similitudo personarum ĩ diuinis. Est autẽ alia fundata super vnitatem conformitatis,
vt est diuersorum suppositorum in creaturis. & in hac similitudine secunda loquit̃ Cõmẽtator: &
verum est dictum suum: non aũt in similitudine prima: & de illa non est verum. Vnde ad literam
loquitur contra illos qui ponebant vnitatem substantiæ secundum speciem esse in patre & filio: &
eos secundum illam esse similes: sicut sunt duo homines. ait enim sic. Semiarriani filium & patrem
esse vnius substantiæ secundum quidem vnius essentiæ singularitatem negant: sed secundum diuersarum essentiarum conformitatem affirmant. Substantiam patris & filii vnam quę singularita
te intelligitur, quodãmodo disiungunt & separant: licet vnitate similitudinis vnã ponũt. Et sumit
ibi similitudinem pro conformitate, & tunc sequitur immediate assumptum in argumento: Sicut
enim ipsa quæ sunt similia: sic & illa secũdũ quæ sunt similia necesse est esse diuersa. Qđ vt ex serie
literę patet non dicit nisi ad ꝓbandũ ꝙ dicti Semiarriani substantiam diuinam in patre & filio exi
stentem distinguunt & separant per hoc ꝙ ponunt eam vnã conformitate: & ꝑ hoc illos similes: &
K negant eam vnam esse singularitate: & similes illos esse secundum illam. ¶Ad secundum, vbi non
Ad scdm. est distinctio fundamentorum, neq; relationum fundatarum in illis: Dico ꝙ verũ est vbi nõ est fun
damentorum distinctio neq; secundum rem neq; secũdum rationem. illic em̃ non est fundatio ali-
L cuius relationis omnino sicut dictum est, & sicut tangit argumentum. ¶Qđ assumit̃, ꝙ substantia
quantitas & qualitas non distinguuntur omnino in illis quæ eis referũtur: Dico ꝙ falsum est. In re
lationibus em̃ realibus distinguuntur secundũ rem, & in rationalibus distinguuntur secundum ra
M tionem, vt patet ex dictis. ¶Qz aũt assumit̃ ad illius ꝓbationem, ꝙ super substantiam ratione qua
est substantia simpliciter fundat̃ identitas: & similiter ęqualitas sup quantitatẽ: & similitudo super
qualitatem: quia proprium est substantiæ secũdũ eam dici idem & diuersum &c. & secũdum ꝙ hu
iusmodi non distinguuntur omnino: Dico ꝙ illud non dicit̃ proprium illis quia illud cõuenit sub
stantiæ simpliciter & quantitati & qualitati. s. ratione generis, & speciebus illarum per genus: sicut
relatio conuenit medicinę per suum genus, qđ est scientia, cui ꝑ se simpliciter & primo cõuenit: sed
illud dicitur quia identitas non inuenitur nisi in substantia aut habente rationem substantiæ: similiter neq; æqualitas & inæqualitas nisi in quantitate aut habente rationem quantitatis: neq; similitudo nisi in qualitate aut habente rationem qualitatis. Et sic proprium est quantitati secundũ
eã æquale vel inæquale dici: & qualitati secundũ eam simile vel dissimile dici: & substantiæ secũdũ
eã idem vel diuersum dici: licet hoc non conueniat illis nisi vt sunt vnum & vnum, diuersa secundum rem vel secundum rationem: & hoc in diuersis relatis secũdũ rẽ aut secundum rationẽ, secũdum ꝙ iam supra expositum est: qđ non esset si proprium esset illis ratione generis, vt ꝓcedit argu
N mentum. ¶Qđ arguit̃ specialiter ex eodem medio in diuinis, ꝙ in tribus personis non est nisi vna
substãtia, vna quãtitas, vna qualitas: ergo nec nisi vna identitas, vna ęq̃litas, vna similitudo: Dico ꝙ
verum est secundum rem. Nõ autem verum est ꝙ sit tm̃ vna secũdũ rationem: sicut nec fundamẽ
ta sunt in ꝑsonis vnum secundum rationem. Qz si essent vnũ secundum rationẽ, sicut & sunt vnũ
secundum rem: tunc solum diuersę relationes secundum rationem non fundarentur super illa: sed
O nec relatio aliqua omnino, vt patet ex dictis. ¶Ad dictum Hilarii quo medium videtur confirma-
Ad cõfir. ri: Dico ꝙ dictum Hilarii non potest habere veritatem nisi de identitate similitudinis in virtute &
plenitudinis in deitate secundum rem: quia illam accipit a patre in accipiendo fundamentum idẽ
secundum rem similitudinis & æqualitatis: & sic accipit illam identitatem similitudinis & ęqualitatis a patre in sua radice etsi nõ in sua forma, nec secũdũ illã rationem qua est ĩ patre ad filiũ. Tũc
enim ordine quodã naturę esset illa similitudo primo in patre & secundo in filio: qđ est cõtra natu
ram relationum, quia debent esse simul natura. Vnde non habet a patre esse similitudo aut ęqualitas in filio nisi per hoc ꝙ illarum æqualitas habetur in filio a p̃re: & tunc per hoc ꝙ illud est duo-
P rum, habent æque primo similitudo & ęqualitas esse in patre & filio: non autem a patre in filio nisi
Ad tertiũ radicaliter (vt dictũ est) per suum fundamentum. ¶Ad tertium ꝙ relationes distinctiuę persona-

rum plures propriæ & similes non possunt esse in diuinis,quare multo minus possunt esse plures
cõmunes similes non distinctiue:Dico ꝙ relationes non distinctiue personarũ & cõmunes ac similes magis sunt distinguibiles inter se in diuinis ꝙ distinctiue personarum & propriæ,eo ꝙ distincti
ue personarum eo ꝙ reales sunt,nec habent fundamentum cõmunicabile pluribus,prout superius
est declaratum loquendo de propriis personarũ,nullo modo plurificari possunt re aut ratione. Nõ
distinctiue autẽ personarũ & cõmunes,eo ꝙ consequunt personas distinctas,& sunt secundũ ratio
nem,& habent fundamentum cõmunicabile pluribus,plurificari possunt secundũ rationem in plu
ribus.Nec est verum ꝙ supponitur,ꝙ relationes nõ distinctiuæ aliorum min⁹ sunt distinguibiles
inter se,immo cõtrariũ est verũ,scilicet ꝙ nõ distinctiue aliorum,eo ꝙ sunt essentiales, & p hoc cõ
munes sicut & sua fundamẽta,magis sunt inter se distinguibiles.Quia distinctiue aliorũ nõ distin
guũt illa sua propria distinctione:tunc eĩ essent magis distinguibiles ꝗ aliæ,sicut ponit argumen
tum:sed solummodo distinguuntur illa per comparatione ad sua opposita:quæ ꝓterea singulis di
stinctis sunt propria.⸿Ad quartum ꝙ extrema relationis cõmunis minus distinguunt ꝗ relationũ
communiũ genera, quæ non distinguuntur nisi secundũ rationem,quare & illa extrema minus di
stinguuntur ꝗ ratione, & sic nullo modo:Dico ꝙ hoc non sequitur nisi supposito ꝙ differentia se
cũdum rationem non suscipiat gradus secundũ magis & minus:ꝙ non est verũ:immo vt dictum
est,gradus recipit:sicut & differentia secundũ rem gradus recipit. Quando eĩ ambo,scilicet rela
tionum cõmunium genera & similiter extrema,inter se differũt secundũ rem vt in creaturis: tũc
magis differunt secundũ rem genera ꝗ extrema,vt æqualitas & similitudo ꝗ duæ similitudines in
ter mutuo relata,sicut magis differunt quantitas & qualitas ꝗ duæ qualitates aut duæ quãtitates
Quãdo etiã ambo differunt secundũ ratione tantũ,vt in diuinis,magis secundũ ratione differunt
genera ꝗ extrema.Sed quando genera differunt secundũ rationem tantũ,& extrema secundũ rem
vt contingit in identitate & substantiali æqualitate ac similitudine:tunc magis differunt extrema
ꝗ genera:sicut magis differt similitudo vnius hominis a similitudine alterius,quibus similes sunt
inquantũ homines sunt:ꝗ differant similitudo & æqualitas quibus inter se sunt similes & æquales.
Quartus modus contrarius huic est impossibilis,scilicet ꝙ genera magis differãt ꝗ extrema: quia
impossibile est ꝙ genera diuersa relationũ inter se differant secundũ rem,& extrema vnius habitu
dinis illarum differant inter se secundũ rationem tantũ.

Q
Ad ꝗrtũ.

Irca quartum arguitur ꝙ extrema habitudinum relationũ cõmunium vniformi
ter sunt abinuicem alia in singulis rebus & generib⁹ relationum cõmunium,pri
mo sic. Extrema dicta in singulis dictis sunt alia abinuicem oppositione relatiua.
Oppositio autẽ relatiua vniformis est in singulis dictis,ergo &c.⸿Secundo sic.Ex
trema dicta in singulis sic se habent ꝙ si vnum illorũ est relatio secundũ rem, &
aliud.& si vnum eorũ ab altero est aliud secundum rem,& ecõtrario.& si vnum
secundũ rationem tantũ,& aliud.& si vnum eorũ ab altero est aliud secundũ ra
tionem,& econtrario.in quo est omnino vniformitas,ergo &c.⸿In contrariũ est ꝙ in aliquibus re
bus & in aliquibus generibus sunt alia abinuicem secundũ rem:in aliquibus autẽ secundũ ratio
nem tantũ,in quo est magna difformitas,ergo &c.

R
Quest.iiii.
Arg.i.
z

In oppost.

⸿Dico ꝙ differt quærere vtrum dicta extrema vniformiter sint alia abinuicem
absolute,& vtrum sint alia abinuicẽ in singulis rebus & generibus relationũ cõmuniũ. Primo mo
do quæreret quęstio vtrum sicut primũ illorũ est aliud a secundo,sic secundũ eorum est aliud a pri
mo.Et esset respondendũ ꝙ immo:quia si primũ illorũ est aliud a secundo secundũ rem,& secũ
dum est aliud a primo similiter secundũ rem:& si est aliud ab illo secundũ rationem tantũ, & reli
quum econuerso est aliud ab illo secundum ratione tantũ,vt ꝓcedit secũda ratio.quia in eadẽ ha
bitudine relationis non potest in vno extremorũ esse relatio secundum rem,& in alio secundũ ra
tionem.Secundo antẽ modo proposita est quæstio presens,vtrum scilicet eo modo quo differunt di
cta extrema in vna re,puta in diuinis,eodem modo differũt in alia,puta in creaturis. & quomodo
differunt in vno genere relationum cõmunium,sic & in alio.⸿Et est dicendũ ꝙ nõ sic sunt vnifor
miter & alia abinuicem,ꝙ in singulis rebus sint quędam alia abinuicẽ secundũ rem, & alia secun
dum rationem:sicut hoc contingit de alietate relatorum relationibus cõmunibus, vt expositũ est
in penultima quęstione ꝓcedente.In diuinis eĩ nulla extrema relationũ cõmuniũ sunt in vllo ge
nere alia abinuicem secundũ rem,sed omnia in qualibet habitudinũ sunt alia abinuicem secundũ
rationem tantũ.In creaturis vero in primo modo identitatis sunt alia abinũice secundũ rationem
tantũ.In secundo autẽ modo & in duobus aliis generib⁹ relationũ cõmunium,scilicet æqualitatis
& similitudinis,sunt alia abinuicẽ secundũ rem tantũ,& nequaꝗ secundũ rationem,in quo est ma⸗

S
Responsio

T

V gna difformitas alietatis extremorum, vt procedit vltima ratio. Est autem propria difformitas in diuinis, ꝙ minor est alietas secundum rationem extremorum in primo modo identitatis ꝗ in secū do, & in æqualitate & similitudine, vt tactum est in quæstione præcedente. Alias autē nulla est disformitas alietatis inter dicta extrema.

X

Ad pri. principa.

¶Ad primum in oppositum ꝙ in singulis rebus & generibus est omnino vniformitas alietatis dictorum extremorum: quia oppositio relatiua: Dico ꝙ secundum sepius tacta superius, & in ꝗstionibus de Quolibet, in relationibus est duo cōsiderare: aliquid qd est in eis ex ratione sui generis: & est modus purus essendi ad aliud: & aliꝗd qd est in eis ex ratione sui fundamenti: & est id qd realitatis habent. Et ex parte primi in relationibus nulla est differentia aut difformitas omnino: quia in nullo modus ille diuersus est in vna relatione & in alia: & ex parte illius contingit oppositio relatiua extremorum relationis inter se: quia ratione illius modi relationis esse est ad aliud se habere. Propter qd omnino vniformis est in extremis cuiusꝗ habitudinis alietas oppositionis relatiuę: ꝙ.s. vnum extremorum non sit omnino id qd relatum re & ratione: quæ oppositio necessario cōtingit inter omnia extrema relationis, vt habitum est in quæstione præcedente. Ex parte autē secundi est difformitas in extremis, de qua procedit ista quęstio: quia ex ratione fundamenti procedit ꝙ quædam extrema differunt secundum rem: & quædam secundum rationem: secundum modum quo contingit ꝙ quædam sūnt relationes secundum rem, quædam vero secundum rationem tm̄, secundum ꝙ superius est expositum, & sic nihil ad propositā quæstionem de vniformitate oppositionis relatiuę.

Y

### Articu. LXVIII. De relationibus communibus vt habent esse specialiter in deo: idꝙ in generali quo ad tria genera relationum.

Articulus LXVIII.

Iso de relationibus cōmunibus in generali prout habent es se communiter tam in deo ꝗ in creaturis: sequitur de eisdem put specialiter habēt esse in deo. Et primo cōmuniter siue in generali quo ad tria genera relationum communium, quæ sunt identitas, æqualitas, & similitudo. Secundo singulariter siue in speciali quo ad vnūqꝙꝗ illoꝝ. Circa primum istorum quæruntur quinꝗ. Quorum

Primum est: vtrum illa tria genera relationum communiū vniformitatem habeant inter se vt sunt in deo.

Secundum est: vtrum vniformiter se habeant ad tres psonas diuinas.

Tertium: vtrum sint distinctiuę diuinarum personarum.

Quartum: vtrum dicantur in deo siue in personis diuinis secūdum substātiā, an secūdū relatione.

Quintum: vtrum distinctio & differentia illorum in deo cōsideretur ex comparatione ad illa eadē vt habent esse in creaturis.

A

Quęst. i. Arg. i.

Irca primum arguit ꝙ dicta tria genera relationū cōmuniū nō se habēt vniformiter inter se in diuinis, Primo sic. Sic se habent inter se fundamenta relationū sicut & ipsę relationes: quia secundum fundamenta habent relationes cōmunes esse & realitatē & pluralitatē & distinctionē, vt patet ex supra determinatis. Fūdamenta autem illorum, quæ sunt substantia, quantitas, & qualitas, non se hn̄t vniformiter in diuinis: quia in diuinis quantitas & qualitas incidunt in substantiam: & nō econuerso substantia in illa, vt supra declaratū est loquendo de attri

2 butis in deo. ergo &c. ¶Secundo sic. plurificabile & nō plurificabile non se habent vniformiter inter se. sed in diuinis identitas plurificatur secundum duos modos: quorum vnus est quo aliquid dicitur idem sibi: alius quo aliquid dicitur idem alteri. non sic autem plurificat æqualitas & similitudo: quia nihil est equale sibi: sed solūmodo alterum alteri, vt patet ex supra determinatis. ergo &c.

In opposi.

¶In contrariū est. ꝙ illa tria genera relationum communium in diuinis sequunt vnum, patet ex ꝑ determinatis. vbi est ergo summa vnitatis vniformitas, & illorum generū summa vniformitas est. sed in personis diuinis summa vnitatis vniformitas est: quia in illis est vnitas in qua nulla cadit diuersitas neꝗ multitudo, dicente Boethio de tri. ca. 4. Nulla est in deo diuersitas: nulla ex diuersitate pluralitas. quare nec numerus sed vnitas tm̄. Propter qd etiā in diuinis nulla cadit relatio communis cōsequens multū. s. neꝗ diuersitas neꝗ inequalitas neꝗ dissimilitudo, vt patet ex prædeterminatis. Non est autē difformitas nisi ex diuersitate & pluralitate. ergo &c.

B

¶Dico iuxta iā dicta in fine præcedentis quæstionis, ꝙ in relatione qualibet duo

Responsio est cōsiderare: vnū qd habet ex rōne sui generis, s. modū ꝗ est ad aliud se habere: & alterū qd habet ex suo fundamento.L esse suum & quiditaté.Et quo ad primũ nõ solum relationes cõmunes in deo sed etiã queccũ relationes etiã in creaturis vniformitaté habent inter se,quia,s.omnis relatio in eo cþ est ad aliud simpliciter, vniformiter est ad aliud,sicut patet ex determinatis.Quo ad secundum auté est considerare relationes dictas in ordine ad duplex fundamẽti.s.pximũ, qd est vnum: qd in premissis pprie loquendo appellauimus principiũ causatium relationũ cõmuniũ:& primũ,qd est substantia,quãtitas,& qualitas: qd proprie loquendo appellauimus principiũ fundamentale, sicut patet ex pdeterminatis & est primũ formale respectu secũdi.Et quantũ est ex parte primi fundamenti omnino vniformitaté habent inter se dicta tria genera relationũ communium in diuinis, quia omnia sequunt vnum dictum ab vnitate singularitatis,vt patet ex praedeterminatis.Et consistit vniformitas inter illa tria genera in tribus:quæ sunt cõsequentia,cõuersio,& æqualitas:quia quantũ est ex parte vnitatis,si est aliquid in diuinis idem alicui,est equale & simile eidẽ,& ecõuerso si est alicui equale aut simile,est idem illi,& si est equale est simile & econuerso:& quantũ est idẽ, tantũ est æquale & simile,& econuerso:& quantũ est equale,tantũ est simile & ecõuerso.& sic procedit bene vltimũ argumentum.Vnde si in aliquo deficiat vniformitas in deo quo ad dicta tria genera relationi cõmuniũ:hoc solũ cõtingit ex parte fundamẽti primi qd est substãtia, quãtitas, aut qualitas:ex parte quorũ etiã sumitur distinctio generũ relationũ cõmuniũ,vt habitũ est supra.Dico ergo cþ ex diuersitate fundamentorũ in deo cõtingit cþ non sit oĩno vniformitas dictorũ generũ inter se in deo.Primo quo ad hoc cþ in deo incidit equalitas & similitudo in identitaté & nõ econuerso,& similitudo in equalitaté & nõ ecõuerso.& hoc ad modũ incidentiæ in diuinis quantitatis & qualitatis in substãtia,& nõ econuerso,& qualitatis in quantitate & non econuerso,secundũ cþ procedit primũ argumentũ.Secundo quo ad hoc cþ ppter duplicé modum cõsiderandi substantiã & vnũ modũ cõsiderãdi quãtitaté & qualitaté:duplex est in diuinis sicut & i creaturis modus idẽ titatis:cũ tñ non sit nisi vnicus equalitatis & similitudinis,prout superius est expositũ,sicut procedit secundũ argumentũ.In diuinis aũt quantitas & qualitas incidunt in substantiã,quia ipsa natura siue essentia diuina ex se habet rationé substãtie & nõ ex consideratione intellectus.Cuius consideratio nisi in ipsa diuina substãtia attendat rationé quãtitatis & qualitatis:quãtitas & qualitas omnino sunt ipsa res cþ est substãtia,& nullatenus differunt ab illa: intantũ cþ nec etiã ratione ab illa differũt.Quare differẽtia quãtitatis & qualitatis inter se & amborũ a substantia,non existit nisi in cõsideratione intellectus,vt supra expositũ est loquendo de differẽtia attributorũ:& in quinta cþ stione sequente amplius exponet.Vnde qd dicit Aug.de Trini.Deus est sine quantitate magnus, sine qualitate bonus:hoc nõ dicit quia quãtitas & qualitas scdm quasdã suas species habeant trãsferri ad diuina:non aũt secundũ rationes suorũ generũ: qd superius loquendo de attributis improbauimus:sed quia quantitas & qualitas trãslata ad diuina pprias rationes suorũ generũ nõ habet extra cõsideratione intellectus,vt dictũ est ibidẽ.Et per hunc modũ quantitas & qualitas incidunt in substantiã,& vnitas quãtitatis & qualitatis in vnitate substãtie,& per cõsequẽs equalitas & similitudo in idétitate.Propter qd similitudo in diuinis nõ solũ excludit dissimilitudinẽ sibi oppositam sed etiã diuersitatem oppositã identitati.dicente Hil.iiii.de Trini.Non aliunde est qd in oĩbus simile est,necþ diuersitaté duobus admisceri alterius ad alterũ similitudo permittit.In diuinis etiã qualitas incidit in quantitaté,eo cþ sicut qualitas materialis inest substantie materiali mediãte quantitate molis:sic & qualitas cþ est in diuinis inest substãtie spirituali mediante quãtitate virtutis siue pfectionis.Bonitas eĩ & sapientia cþ in deo sunt qualitates, & cæteræ rationes attributorũ cþ aliqd dignitatis important simpliciter in creaturis,sub ratione qualitatis in substãtia diuina nõ cõcipiunt intellectu nisi in ratione immẽsitatis & magnitudinis dei perfectionalis aut virtualis in illa. Ex eo eĩ cþ deus est immẽsus,quecũcþ sunt dignitatis simpliciter,secundũ quantitaté ei attribuunt, & sicut qualitas incidit in quantitaté sic & vnitas qualitatis in vnitate quantitatis,& per consequens similitudo in equalitaté.CArgumenta vtriuscþ partis patent ex dictis.

C

Ad argu,
Quest.ii,
Arg.i.

D

Irca secundum arguitur cþ dicta tria genera relationum cõmunium non vniformiter se habent ad tres diuinas personas,Primo sic.Augusti.dicit.i.de Trini.cap. iiii.In patre est vnitas,in filio æqualitas,in spiritu sancto vnitatis equalitariscþ cõcordia. hoc autem non esset si omnino vniformiter æqualitas esset in patre & filio,ergo &c.CSecundo sic.Ad imaginem pertinet æqualitas in diuinis. Dicit eĩ Augusti.vi.de Trini.cap.vlti.Imago si perfecte implet illud cuius est imago,ipsa adæquatur ei.quicquid autẽ pertinet ad imaginem in diuinis proprium est filio, quia ipse proprie est imago,vt habitum est supra.in eo autem qd est propriũ vni non est vniformitas cũ altero,ergo &c.CTertio sic.Dionysius dicit de di.no.cap.ix.In causis & causatis non recipi· 3

2

mus conuersionem similitudinis & æqualitatis.sed secundum Dam̃.lib.i.cap.xi.Pater est causa filii,ergo inter patrem & filium non recipitur conuersio similitudinis & æqualitatis.Hoc autem nõ

4   esset si omnino vniformiter haberent esse in patre & filio.ergo &c.⸿Quarto sic.filius dicitur æqualis aut similis patri:ꝗ dicitur ei adæquatus aut assimilatus, non dicitur autem pater sic æqualis
aut similis filio ꝗ dicatur ei æquat⁹ aut assimilat⁹.hoc aũt nõ esset si vniformiter essent in vtroꝗ.

5   ergo &c.⸿Quinto sic.pater & filius & spiritus sanctus identitate dicunt idē in numero singulari.
Nõ dicunt autem similitudine & æqualitate nisi similes & æquales in plurali:ꝗ nõ esset si vnifor

6   miter identitas cum æqualitate & similitudine essent in deo.ergo &c.⸿Sexto sic.Hil.dicit.iiii.libro
de trini.Deo simile esse aliquid ꝗ ex ipso non fuerit non pōt.sed ex deo filio aut ex deo spiritu san
cto non est deus pater:nec ex deo spiritu sancto est deus filius.ergo deo filio aut deo spiritu sancto
non est similis deus pater:nec deo spiritu sancto est similis deus filius:& tñ deo patri sunt similes
deus filius & deus spūs sanctus:& deo filio est similis deus spiritus sanctus:quia ex patre sunt filius

7   & spiritus sanctus:& ex filio est spiritus sanctus.ergo &c. ⸿Septimo sic.sicut fundamēta relationũ
se habent ad diuinas personas:sic & relationes fundatę se habent ad illis.sed fundamenta non se habent vniformiter ad personas diuinas:quia sunt in patre ex se:in filio autem a patre:in spiritu sancto a patre

& filio.ergo &c.⸿Contra.in quibus vniformiter sunt fundamenta,& fundata in illis.fundamēta di
ctarum relationum omnino vniformiter sunt in illis:quia sunt penitus vnum in illis.ergo & dictæ

2   relationes in illis fundatę.⸿Item relationes illę sunt equiparantię:ꝗ nõ esset nisi vniformiter cēnt
in illis.ergo &c.

E
⸿Dico ꝗ quęlibet diuinarum personarum dupliciter potest considerari.Vno mo
do in se.Alio modo in habitudine ad alias.Et secundum hoc duplicē intellectũ potest habere ꝗstio
Vnũ:vtrũ tria genera relationum cõmunium vniformiter se habeant ad singulas diuinas psonas
secundum se. Alium,vtrum vniformiter se habeant ad singulam personarum in habitudine ad al
teram.Si primo modo,dico ꝗ non vniformiter se habent ad singulas personas:quia secundum pri
mum modum identitatis quælibet diuinarum personarum dicitur eadem sibi,nulla tamē earum
dicitur æqualis aut similis sibi,vt expositum est supra quæstione secunda articuli præcedentis. Si
secundo modo,qui proprie pertinet ad quęstionem præsentem:Dico ꝗ relationes illę vno mõ possunt considerari vt sunt in radice sui fundamenti.Alio mõ vt sunt in forma propria.Et adhuc pri
mo istorum modorum non vniformiter se habent ad personas diuinas:quia fundamentum earum
in patre habet esse ex se:in filio autem a patre:in spiritu sancto vero a patre & filio,prout tactũ est
iam in septimo argumento:& expositum supra in dissolutione secundæ rationis quęstionis tertiæ

F   articuli precedentis ad confirmationem ex dictis beati Hilarii.Secũdo autem modo proprie intelli
gitur quæstio.Quęrit enim non solum an identitas sit in trib⁹ personis diuinis vniformiter equalitati & similitudini:sed etiam an singulæ relationum illarum vniformiter se habeant ad singulas
personas diuinas,puta identitas ad patrem & filium & spiritum sanctum.& sic de æqualitate & similitudine.Et dico ꝗ vtroꝗ modo vniformiter habent esse in tribus personis,& hoc comparando
singularum relationum genera singulis personis diuinis & secundum se consideratis & adinuicem comparatis.Comparando enim genera singularum relationum singulis diuinis personis secũ
dum se vt habent esse in suis fundamentis sicut in radice:bene dicitur ex parte substantiæ hic pater,hic filius,hic spiritus sanctus:& ex parte quantitatis:quantus pater:quantus filius:quantus spi
ritus sanctus:& etiã ex parte qualitatis:qualis pater,qualis filius,qualis spiritus sanctus. Similiter
comparatis diuinis personis inter se ex parte fundamentorum , bene dicit: ꝗ pater hoc filius,hoc
spiritus sanctus,& ecõuerso: ꝗ vnus,hoc duo,hoc tres,& ecõuerso:& hoc ex parte fundamēti ꝗ
est substantia.Similiter quantus pater,tantus filius,tantus spiritus sanctus,& econuerso: quantus
vnus tanti duo,tanti tres,& ecõuerso:& hoc ex parte fundamenti ꝗ est quantitas. Similiter qualis pater,talis filius,talis spiritus sanctus:& econuerso:qualis vnus,tales duo,tales tres,& econuerso:& hoc ex parte fundamenti ꝗ est qualitas.Similiter comparando genera singularum relationũ
singulis psonis consideratis secũdũ se vt illa habent esse in forma relationis:bene dicit:Idem pater,
idem filius,idem spiritus sanctus:æqualis pater,æqualis filius,æqualis spiritus sanctus: Similis pater,similis filius,similis spiritus sanctus.Similiter comparatis diuinis psonis inter se,bene dicit: idē
pater filio & spiritui sancto:idem filius patri & spiritui sancto:idem spirit⁹ sanctus patri & filio.&
similiter equalis & similis.Similiter bene dicit personis tñ comparatis cum singulis relationibus:si
cut idē pater:sic idem filius:sic idem spiritus sanctus:& econuerso,sic & de æquali & de simili:quã
tum idem pater,tãtũ idem fili⁹,tãtũ idem spiritus sanct⁹:& econuerso.Similiter bene dicit cõparatis & personis inter se:& relationibus inter se:sicut idem æqualis & similis est pater filio & spiritui

sancto,& filius spiritui sancto,sic ecouerso. Et quantu ide equalis & similis est pater filio,& fili⁹ spi
ritui sancto,tantu econuerso.Rationes ad vtrãqȝ parte adductȝ indigent responsionibus.

¶Qd ergo in argumeto primo dicit ɋ in filio est æqualitas:dico ɋ si illd dixisset **G**
Adprimu
principale
Augu.per proprietate:tunc procederet argumentu:probando videlicet ɋ equalitas non esset vni
formiter in patre aut spiritu sancto & in filio: quia nõ esset oino in patre aut spiritu sancto, sed in
solo filio.Nunc aute non dixit illud nisi per quandã appropriatione.propter couenientia em equa
litatis ɋ est cõmunis relatio ad propriu filii: filio attribuit æqualitate,non ppter aliquid quo aliter
aut verius coueniat filio ɋ aliis psonis diuinis. Quia ei pater prima psoua est: vnitas aut principiu
& primu in numeris:ideo in psonis diuinis patri appropriat vnitas.Solet em vnu quia est principiu
in numeris,poni p primo,scdm illud Mat.xvi.Et valde mane vna sabbatoru veniut ad monumetu
Vna.i.prima:ɋ scdm Christianos est dies dnica. Vnitas aut primo est in substatia, ad quã p se seq
tur identitas.Idcirco ergo per hoc ɋ dicit In patre vnitas,intedit patri appropriari idetitate. Quia
aute filius in diuinis secunda persona,in qua primo habet dualitas: dualitas aute per se & primo
est in quantitate numerali,ad quã per se sequit equalitas:idcirco equalitate appropriat filio.Et po
tuisset etiam appropriãdo dixisse in filio dualitas,sicut dixit in patre vnitas,& per dualitatem in
tellexisse equalitatem, sicut per vnitatem intellexit identitatem:quæ bene est alicuius ad seipsum,
æqualitas aute non est nisi ad alteru. Quia aut spiritus sanctus nexus est patris & filii,vt habitum
est supra loquendo de proprietatibus spiritus sancti,& cocordia necti solet diuersa & distincta:ideo
spiritui sancto appropriatur concordia:concordia aute sequitur similitudinem: similitudo autem
cocors est,vt infra declarabitur loquendo specialiter de similitudine.Idcirco ergo nomine cocordię
intellexit Augu.spiritui sancto appropriari similitudine,vt secundu hoc dicta appropriatio Aug.
respiciat tria genera relationu cõmuni,& sic non ppter aliquã prerogatiuã equalitatis aut diffor
mitatem eius in filio & in aliis personis,sed propter sola appropriatione dixit Aug. equalitas in fi
lio.¶Ad secundum,ɋ scdm Augu.ad imaginem quę propria est filio pertinet æqualitas,ergo &c. **H**
Ad scdm
Dico ɋ licet loquedo de equalitate ɋ ad imagine ptinet,& ppria est filio sicut imago, bñ pcedit ar
gumetu:de hoc tñ nihil ad equalitate ɋ est relatio cõmunis,de qua est sermo:quia equiuocat æqua
litas.¶Ad cuius intellectum & ad maiorem expositione eorum quæ circa imagine supposita sunt **I**
in precedentibus:Sciendu ɋ scdm superius exposita filius quia principaliter per modu naturę & se
cundu principaliorem modu naturæ procedit,cuius est simile ex simili producere, & productum
assimilare produceti:idcirco similitudo non tã appropriata ɋ propria est filio,& est in ipso secundu
qualitate ɋ cõsistit in quãtitate pfectionali siue virtuali,quã in se habet sicut ɋlibet res naturalis,&
hoc cõmensurante secundu æqualitate illi cuius est similitudo. Similitudo aute pcedens a natura
assimilante si est coæquata secundum quantitatem illi a quo existit, imago est. Ad imaginis enim
ratione non nisi tria concurrunt,scilicet ɋ sit ab altero expressa,& secundu quantitate illi cõmen
surata,& secundum qualitatem conformata.Vnde si remoues esse ab altero,quantucuqȝ sit æqua
le aliqd & simile alteri non est illius imago,dicente Hil.lib.de Syn.Neqȝ quisɋ ipe sibi imago,sed eu
cuius imago est,necesse est vt imago demõstret.& lib.iii.de Trini.dicit.Imago sola non est.Quantu
cuqȝ etiam sit ab altero & simile illi sic ɋ sit similitudo illius,si tñ non sit illi commensuratum non
est eius imago perfecta.Quia vt dicit Augusti.vi.de Trini.cap.x. imago si perfecte implet illud cu
ius est imago,ipsa coæquatur ei. Quantucuqȝ etiam sit ab altero & illi commensuratum, si non sit
conformatum & simile illi,non est eius imago.dicente Aug.lxxxiii.q.q.xviii. Omnis imago similis
est,ɋuis non omne simile sit imago. Vnde illa tria simul explicat Hil.de Syn.dicens. Imago est rei **K**
ad rem coæquata & discreta similitudo.Et sunt cõmensuratio secundum quantitatem, & conforma
tio secundum qualitatem abintra integrantes essentiam imaginis: ab alio aute esse,est ordo quidam
ipsius.Et comprehendit illa duo Hil.sub nomine speciei quando dicit specie esse in imagine.& quã
do dicit in lib.de Syno.Imago est eius ad quê imaginatur species indifferens. Vnde ideo Aug.exponen
do quid appellauit nomine speciei,dicit vbi supra.In imagine specie appellauit credo propter pul
chritudinem,vbi est prima equalitas & prima similitudo,nulla in re differens,& nulla ex parte dis
similis,sed ad identitatem respondens ei cuius est imago.Et apparent dicta tria clarius in imagine
corporali quæ continet in se similitudinem fundatam in qualitate existente in quantitate,quæ dici
tur forma vel existens figura:continet etiam in se quantitatem commensuratam illi quantitati cu
ius est imago.In imagine em corporali oportet ɋ totum corpus eius secundum superficiem & li
neamenta sit æquale corpori eius cuius est imago,& hoc secundum quantitatem est.Oportet etiã
ɋ sit eadem forma superficiei secundum concauum & conuexum,siue secundum depressum & ele

uatum:& eadem figura lineamentoꝝ circa superficiem:& hoc secundum qualitatem in quantitate,Quę etsi assunt:tamen si id in quo sunt non sit ad alterius imitationem productum siue ab illo
siue ab alio:non dicitur esse eius imago quantucunꝗ sit illi simile & æquale similitudine & æqualitate quæ sunt relationes communes.Similiter si sit ad alterius imitationem productum,& nõ est
simile aut æquale:non est imago:aut si in aliquo deficiat a similitudine aut æqualitate non est perfecta imago.Vlterius etiam si sit omnino æquale aut simile:& ad alterius imitationem productum
ab alio aut etiam ab eodem:sed non materialiter,secundum ꝗ imaginarius in ligno facit imaginẽ
sui,ex modo productionis non dicitur similitudo eius cuius est imago:quia solius naturæ ex modo productionis suæ est sibi in natura sua productum assimilare:& tunc solummodo quando pro
ductum est simile producenti in natura sua,sicut est proles parenti,dicitur similitudo illius: & eadem ratione æqualitas.qm similitudo substantialis & æqualitas perfectionalis semper vniformiter
sese consequuntur,vt habitum est supra.Propter cꝗ dicit August.vi.de trinit.cap.x.de filio.In ipo
est prima æqualitas & prima similitudo.Prima dicit ad differentiam secundę:quia hæc æqualitas
& similitudo ad proprietatem pertinet:ꝗ est constitutiua personæ filii. Aequalitas aūt & similitudo cõmunes cõsequuntur tres personas constitutas:quæ idcirco æqualitas secunda & similitudo
secunda dici possunt.Sed ista similitudo & ista æqualitas propter identitatem numeralem naturę
in parente & ꝓle in diuinis dicit nulla i re dissidens:ga est equalitas:& nulla ex parte dissimilis:ga
est similitudo:& ad identitatem tm illius est imago:quia est eiusdem naturæ singularis in illo.Sed
in creaturis propter diuersitatem naturæ numeralem imago in prole in multo dissidens est & dissimilis:& ad diuersitatem illius cuius est imago.Et quia talis similitudo & æqualitas est in producto ex modo productionis naturalis:igitur sunt relationes proprię in solo producto:& non sunt relationes communes producenti & producto:sed proprie producto:quibus ad omnimodam æqualitatem & conformitatem producens sibi productum commensurat.Propter qꝗ relatio imaginis ad
rationem mensurati & mensuræ pertinet,ꝗuis mensura in diuinis non sit mensura secundum gradum determinatum:sed secundum immensitatem solum. Quæ immēsitas licet in se sit verissime
posiciuum quid,tamen respectu intelligentiæ nostræ a negatione mēsurę gradualis imponitur.Vt
enim dicit Ricar.ii.de trinita.cap.vi.Immensum dicitur qꝗ nulla mensura comprehenditur. & ibidem,Immensum dicitur qꝗ nulli mēsuræ æquale vel æquabile inuenitur.Et ideo sicut genitum &
ingenitum eandem relationem important licet differēter secundum affirmationem & negationẽ,
secundum August.de trini.v.cap.vii.sic eandem relationem important mensum & immensum si-
ue actiue siue passiue dicantur.Mensum enim siue mensuratum nõ est proprie nisi finitum:neꝗ similiter mensura nisi finiti mensurati,siue ipsa mensura sit finita siue infinita.Immensum autē siue
actiue sumatur siue passiue,semper infinitum est:& non nisi infiniti.Et ideo dicitur imago relatio
ne reali sicut mensuratum ad imaginatum siue in diuinis siue in creaturis:& econuerso imaginatum inquantum huiusmodi,relatione tm secundum rationem ad imaginem : quia,si,imago dicitur ad ipsum:qꝗ secundũ rationẽ qua imago est naturaliter producta ab imaginato,est inter ipsos
**L** relatio realis in vtroꝗ ptinens ad primũ genᵍ relationis,qꝗ est in actiuis & passiuis.CQꝗ ergo dicit
in argumẽto:ęꝗlitas ptinet ad imaginẽ &c.Dico ꝗ verũ ē de ęꝗlitate ꝓpria, de ꝗ ꝓcedit argumẽtũ
& ꝗ ptinet ad secundum genus relationis.Nõ est aūt verũ de equalitate ptinēte ad tertiũ genᵍ relationis de qua est hic sermo.& sic argumẽtũ hoc ꝓcedit in equiuoco sicut & argumẽtũ ꝓcedens.

**M** CAd tertiũ secundũ Dionysiũ ꝗ i causis & causatis nõ recipimᵍ cõuersionẽ siꝉitudinis & ęꝗlitatis:
**Ad tertiũ** Dico in principio ꝗ rõ ista dupliciẽ pōt habere intellectũ.Vnũ.ſ.ꝗ nõ recipimᵍ cõuersionẽ ęꝗlitatis
& siꝉitudinis iter relata vt semp & mutuo & vniformiter mõ denoient ab equalitate & mõ a siꝉitu-
dine.Aliũ.ſ.ꝗ non recipimus cõuersionẽ equalitatis & siꝉitudinis inter se vt semp vniformiter cõsequunt sese equalitas & similitudo secundũ tres modos tactos in prima ꝗstione hui⁹ articuli.Rñde
dũ est ergo primo secundũ primũ intellectũ:deinde secundũ aliũ.Dico ergo ꝓsequedo primũ intellectũ
distinguendo qnꝗ distictionibᵍ ꝓcipalibᵍ,ꝗ duplex est cõuersio in relatiuis.Quęda ꝓprie dicta:ꝗ
est cõuersio secundũ idẽ nomẽ oino & secundũ idẽ nois significatũ:ꝗ fit & cõtingit solũmõ i relatiuis
relatiõe cõi.ſ.idẽtitatis ęꝗlitatis & siꝉitudinis:vbi vtruꝗ eorundẽ ęꝗliũ & siꝉiũ mutuo df idẽ æꝗle &
sile alteri.Quędã vero alia ē cõuersio i relatiuis cõiter dicta:ꝗ nec ē secundũ idẽ nomẽ penit⁹:nec secũdũ idẽ nois significatũ:ꝗ cõtingit i primis duobᵍ gñibᵍ relationũ.In prio em gñe vniᵍrelatiõis nomen iponit ab actione,& alteri⁹ a passiõe:& i sco vniᵍ nomẽ imponit a rõne mēsurati, & alteri⁹ a
rõne mēsurę.Et sumēdo cõiter cõuersionẽ ad vtruꝗ modũ cõuersiõis,i oibus relatiuis secundũ tria
gña relationũ & secundũ oēs modos illorum recipimus cõuersionẽ: & hoc tã in diuinis ꝗ in creatu
ris,prout dicit Philosophus in ꝓdicamētis, Oĩa relatiua ad cõuertẽtiam dicunt.accipiendo.ſ.cõ-

uertentiam pro conuerſione dicta comuniter ad vtrũꝗ dictoꝛ modoꝛ.& hoc ſiue ſcdm eoſdẽ
caſus ſiue ſcdm diuerſos. Dicitur em calefactũ a calefaciente calefactum:& calefaciens calefa=
ctum calefaciens: & ſimiliter pater filii pater:& filius patris filius.& hoc ſcdm primum genus
relationis.Dicitur etiã menſuratũ menſura menſuratũ:& menſura menſurati menſura: & ſi=
militer dicim⁹ imago imaginati imago: & imaginatũ imagine imaginati.& hoc penes ſecũdũ
genus relationis.Dicimus etiã idem eidẽ idẽ:æquale æquali æquale:ſimile ſimili ſimile:& hoc
ſcdm tertiũ genus relationis.¶Loquendo aũt de cõuerſione primo modo.ſ.pprie dicta:diſtin
guendũ eſt de cauſa & cauſato:quia accipiũtur aliꝗ̃do pprie,prout cauſa deſcribitur ꝙ eſt
id ad cuius eſſe ſeꝗ̃t aliud. & ſemp differũt re abſoluta cauſa & cauſatũ. Aliꝗ̃do aũt acci=
piũtur cõmuniter p principio & principiato:prout in diuinis Damaſc.accipit cauſam p prin
cipio:& cauſatũ p principiato,vt tangit in argumẽto.Et ſecũdo modo ſumẽdo cauſam & cau
ſatũ:diſtinguendũ eſt de æqualitate & ſimilitudine prout ptinent ad imaginẽ & ad ſecũdum
genus relationis:& prout ptinẽt ad tertiũ genus.ſ.relationũ cõmuniũ. Secũdũ em ꝙ ptinent
ad ſecũdũ genus:nõ recipimus in ipſis conuerſionẽ ꝗ̃ eſt primo modo.ſ.ſcdm idẽ nomen &
idẽ nois ſignificatũ.Non em ſicut dicitur æquale æquali æquale:aut ſimile ſimili ſimile:ſic di
citur imago imagini imago:nec vniuerſaliter menſuratũ menſurati mẽſuratũ. Recipimus tñ
in ipſis conuerſionẽ ſecũdo modo.ſ.ſcdm aliud nomen & aliud nois ſignificatũ in ipſis relatio
nibus,vt dictũ eſt iam.Secũdũ vero ꝙ ptinent ad tertiũ genus relationis, bene recipimus con
uerſionẽ in ipſis & in diuinis & in creaturis,ſicut dictũ eſt. Sumendo cauſam & cauſatũ pri
mo modo.ſ.proprie,diſtinguendũ eſt de pductione cauſati a cauſa.Aut em eſt vniuoca & na=
turalis.ſ.ſcdm eãdem naturã in cauſa & cauſato: & æqualem in forma & ſpecie in ambobus.
Aut eſt æquiuoca,& ſcdm aliã & alia naturã in eiſdem:& inæqualẽ in forma & ſpecie:ꝗ̃ ple
na & perfecta & ſcdm veritatem eſt in vno eoꝛ:in altero aũt per imitationẽ & participationẽ
quãdã.Si primo modo: aut ergo nomen æqualitatis & ſimilitudinis imponitur principaliter
a relatione:aut imponit principaliter ab actione aut paſſione,quibus natura cõmunicatur:ad
quã ſequit relatio.Primo modo imponũtur hæc nomina æqualitas & ſimilitudo: ſiue æquale
& ſimile.Secũdo modo imponũtur hęc noſa æquãs æquatum:ſimilans ſimilatum. Et primo
modo bene adhuc recipimus conuerſionẽ pprie dictã æqualitatis & ſimilitudinis in relatiuis
tã in diuinis ꝗ̃ in creaturis.Sicut em propter naturę vnitatẽ vnũ eoꝛ æquale aut ſimile eſt al
teri:ſic & econuerſo:vt Petrus Paulo ſcdm humanitatẽ:& pater filio ſcdm deitatem. Secũdo
aũt modo in cauſis & cauſatis nõ recipimus conuerſionẽ pprie dictã ſcdm æqualitatẽ & ſimi
litudinẽ neꝗ in diuinis,neꝗ in creaturis,vt pcedit quartũ argumentũ. Non em ſicut dicim⁹
cauſatum æquatũ cauſę aut ſimilatũ:ſic dicimus econuerſo cauſam æquatam aut ſimilatam
cauſato. Aequari em & ſimilari ſup eſſe æquale aut ſimile ponit quendã acceſſum ad vnitatẽ
perfectã in quãtitate & qualitate:& p hoc ad æqualitatẽ & ſimilitudinẽ:& æquatũ & ſimilatũ
eſſe ponit acceptionem æqualitatis & ſimilitudinis ſup eſſe ſimile & æquale: a quo nomẽ eius
principaliter imponitur.Quę.ſ.acceſſus & acceptio,nõ ponũt aliꝗd in cauſa, ſed i cauſato tñ.
Propter ꝙ licet accepta æqualitate aut ſimilitudine in cauſato a cauſa ambo dicũt æqualia
& ſimilia:cauſatũ tñ tm dicit æquatũ & ſimilatũ : nõ aũt cauſa:ſed ipſa cauſa potius dicitur
æquans & ſimilans.Et ſic recipimus conuerſionẽ inter cauſam & cauſatũ æqualitatis & ſimi=
litudinis ſecũdo modo cõuerſionis: & vlt inter relatiua primo genere relationis:ꝙ cõſiſtit in
actiuis & paſſiuis.Sicut em dicũt inter ſe calefaciens & calefactum:ſic æquans & æquatũ:ſi=
milans & ſimilatũ.pręter hoc ꝙ calefactũ nõ dicit niſi ad calefaciẽtẽ:æquatum aũt & ſimi=
latũ nõ ſolũ dicunt ad æquatẽ & ſimilantẽ,qui.ſ.cauſat æqualitate & ſilitudine in alio:ſed etiã
ad illud ſcdm ꝙ æquat & ſimilat. Eſt em æquatũ aut ſimilatũ id ꝙ accipit formã æqualita=
tis aut ſilitudinis ab alio: & hoc ad imitationẽ alterius:ſiue illud alterũ fuerit ipſum æquans
aut ſimilans:ſiue aliquid aliud. Vñ ſi ꝗs ad imaginẽ primo factã aliã faceret æquale & ſimile
illi & ad illius imitationẽ, ſecũda diceret adæquata & aſſimilata primę,& nõ ecõuerſo.Et hoc
penes ſecũdũ genus relationis,ꝙ conſiſtit in cõmẽſurationib⁹:licet mutuo vtraꝗ diceret eſſe
ſilis aut æqualis alteri ſcdm tertiũ genus relationis: & æquatũ & ſimilatum diceret relatiue
ad æquatẽ & ſimilatẽ ſcdm primum genus relationis. Vñ ſi aliꝗs ſit æquãs & ſimilans aliꝗd
ad imitationẽ ſuiipſius:tũc æquatũ & aſſimilatũ inquãtũ hmõi referunt ad æquantẽ & ſimi=
lantẽ,inquãtũ eſt æquans & ſimilãs primo genere relationis.Inquãtũ vero ad imitationẽ eius
æquat & ſimilat:referunt ad eũdẽ ſecũdo genere relationis. Inquãtũ vero æquatũ & ſimilatũ
facta ſunt ęqualia & ſimilia:referũtur ad eũdẽ conuerſum tertio genere relationis. Et hoc vni

formiter in diuinis & in creaturis: preter hoc ꝙ in creaturis sit adæquatū & similatū accessu
ad vnitatē quātitatis & qualitatis p̃ motū alterationis aut augmēti & diminutionē.Qui mo⸗
tus per se sit in quātitatē aut qualitatē:& p̃ accidens in relationē æqualitatis & similitudinis.
Et cum sit in quātitatē aut qualitatē:dicitur augmēti & diminutionis aut alterationis:cum
vero sit in relationē:dicitur æquationis aut similationis,licet sit vnus & idē scḋm rem. In di⸗
uinis autē sit assimilatū vel æquatū nō accessu ad vnitatē quātitatis aut qualitatis per aliquē
motum mediū inter p̃ducentem & p̃ductū:qui dicitur actio vt est ab agente & p̃ducente:&
passio vt recipitur in passum & p̃ductū:sicut hoc contingit in creaturis:in quibus nō solum
est habitudo inter p̃ducētem & p̃ductum:sed etiā inter vtrūꝗ eoꝗ & motum mediū:inquan⸗
tum habet esse a p̃ducente & recipi in subiectū, de quo p̃ductum p̃ducitur mediante motu.
In diuinis aūt ablato motu omnino aufertur omnis habitudo ad motū: in quo consistit reali⸗
ter actionis substātia atꝗ passionis:& remanet tm̄modo de ratione actionis & passionis habi⸗
tudo inter p̃ducētem & p̃ductū scḋm duos terminos.s.a quo,& qui ab.Vt in diuinis nō sit
aliud æquatio & similatio ꝗ acceptio a producente in p̃ductū absꝗ omni successiua accessio⸗
ne eiusdem quātitatis & qualitatis:ad quē sequitur in eis æqualitas & similitudo:& productū

**Q**  similatū p̃ducenti: & non econuerso . Si autem productio causati a causa sit æquiuoca cum
alià & alià naturà inæqualem forma & specie in p̃ducente & p̃ducto:quę perfecte & p̃ essentià
est in p̃ducente, & per quādā p̃ticipationē in p̃ducto:vt contingit in homine vero p̃ducēte,&
in homine picto:in talibus p̃ductum dicitur simile & similatum illi ad cuius imitationem p̃
ductum est:& non ecōuerso.Vnde in talibus causis & causatis nequaꝗ recipimus cōuersionē
similitudinis:sicut neꝗ æqualitatis,dicente Augustino.vi.de Trini.vt supra.Imago si perfecte
implet id cuius est imago:ipsa coæquatur ei:nō illud imagini suę. Et sumit ibi coæquari non
pro æqualitate mutua:sed p̃ adæquari:& hoc siue idē fuerit producens,& ad cuius imitationē
producit:siue aliud & aliud. Sed ad p̃ducentē inquātū est p̃ducens refertur sicut p̃ductū pri
mo genere relationis:& hoc scḋm ratione causę agentis:ad id vero qḋ imitat̄ inquātū huius⸗
modi:secūdo genere: & scḋm ratione causæ formalis exēplaris : per quē modū quælibet crea⸗
tura refert ad deū inquātū est imago aut vestigium illius : & hoc nō p̃ aliquā æqualitatem
quæ nulla potest esse in talibus: sed solūmodo per quādā longinquā similitudinē, vt expositū

**R**  est in fine secūdę q̄stionis p̃cedentis articuli.CSic ergo ad dicta conuersione differenter se ha⸗
bent similitudo,æqualitas,& æquatio,aut similatio:quia in aliꝗbus recipimus conuersionem
similitudinis.s.quādo est scḋm eādē formā naturę:& in aliquibus non.s.quādo est scḋm formā
participatā tm̄.In omnibus autem recipimus conuersionē æqualitatis : & hoc quia nō est nisi
scḋm eādē.In nullo aūt recipimus conuersionē quę est scḋm æquationē & similationem:quia
includit imitationē & formę receptionē p̃ passionē:quę non possunt esse in eo qḋ imitat̄ : neꝗ
in eo a quo recipit: quia cōtraria essent in eode,& esset idem causa & causatū respectu eiusdē.

**S**  CProseꝗndo aūt intellectū secūdū dicti Dionysii:Dico vtendo distinctione secūda principali p̃
posita,ꝙ in causis & causatis p̃prie acceptis nequaꝗ recipimus vniuersaliter cōuersionē æqua
litatis & similitudinis:quia in creaturis in ꝗbus p̃prie sunt causa & causatū:loquēdo de æqua
litate,quātitate molis, & de similitudine, aliquādo est æqualitas sine similitudine iter aliqua:
& aliquādo similitudo sine æqualitate:& aliquādo nō tāta est similitudo quāta est æqualitas.
Et prima duo mēbra contingūt ex p̃te similitudinis scḋm omnē modū qualitatis & substātia⸗
lis & accidētalis. Vñ scḋm quādā speciē qualitatis de qua minus apparet:figurę angulares.s.
triangulus & quadrangulus dicunt̄ similes in habendo angulos & latera p̃portionalia: sed di⸗
cūtur inæquales inæqualia spatia continēdo inter latera:& ecōtra dicunt̄ dissimiles in habēdo
angulos & latera nō p̃portionalia: sed æquales æqualia spatia continēdo . Vnde & in talibus
potest fieri augmentū scḋm quātitatē absꝗ alteratione scḋm qualitatē:quia quadratū addito
gnomone creuit:sed nō alteratū est.Tertiū aūt mēbrū nō cōtingit nisi ex p̃te sil̃itudinis scḋm
qualitatē recipiētē magis & minus.Propter qḋ scḋm illā cōtingit esse sil̃itudinē maiorē & mi
norē:perfectā.s. & impfectā:Et pfecta ponit æqualitatē:impfecta vero inæqualitatē. Quartum
aūt mēbrū est impossibile:ꝙ.s.non sit tāta æqualitas quāta est sil̃itudo:si tñ sit æqualitas: quia
æqualitas nō recipit magis & minus:sicut neꝗ quātitas.Similiter loquēdo de æqualitate,quā
titate pfectionis seu virtutis,& sil̃itudine,licet possit aliquādo esse sil̃itudo absꝗ æqualitate,vt
in qualitatibus accidētalibus recipiētibus magis & minus:nunꝗ tñ potest esse æqualitas absꝗ
sil̃itudine,scḋm quācūꝗ qualitatē sil̃itudo fuerit.Aeque em̄ calidū & nō eque calidū bene est
simile.Vñ in talibus ista tria se habēt p̃ ordinē,similitudo,& æqualitas,& adæquatio:& vnum

eorum se habet ad alterū per additionē.Nā æquale præsupponit simile,& addit paritatem in
qualitate.Similia enim sunt quæcūq̃ participātia eādē qualitatē specificā,etiā impariter & in
æqualiter:sed nō sunt æqualia nisi pariter & æqualiter participēt illā. Adæquatio aūt semp
supponit æqualitatem super quācūq̃ quātitatem fuerit fundata: & addit pductū esse ad imi=
tationem alicuius.Non enim ex hoc q̃ aliquid est alteri æquale, est ei æquatū, nisi sit ad illius
imitationem productū.In causis & causatis cōmuniter acceptis,s.in diuinis: tm̃modo recipi=
mus conuersionem æqualitatis & similitudinis scdm vtrūq̃ modū conuersionis in prima di=
stinctione principali: dum tamē nomen æqualitatis & similitudinis principaliter imponatur
a relatione,vt dicit membrum primū quintæ distinctionis: & relatio æqualitatis & similitudi=
nis sit relatio cōmunis, non autē ppria filio pertinens ad imaginem,vt tactum est in tertia di=
stinctione principali precedente.Si enim nomen æqualitatis aut similitudinis imponatur prin
cipaliter ab imitatione:vt dicitur æquatum & similatum:aut pertinet ad imaginem: tunc in
diuinis non recipitur conuersio:sicut nec in creaturis,vt dictum est.Cęterum autem recipit̃:
& hoc quia in diuinis idem est fundamētum dictarum relationū in tribus personis.Ex illo eñ
sequitur etiam q̃ vna persona mutua sit eadem æqualis & similis alteri scdm primū modum
intelligendi dictum Dionysii:& q̃ quælibet psonarū quantū est eadē alteri tātū sit æqualis &
similis mutuo,& ecōuerso.CBreuiter ergo recolligendo iam dicta pertinentia ad dissolutionē

T
Ad quartū

tertię & quartę rationis simul:Dico q̃ in casibus in quibus non recipimus conuersionē æqua=
litatis aut similitudinis neq̃ scdm primū intellectum dicti beati Dionysii, neq̃ penes secūdū
vt qñ est similitudo imitationis tm̃ in creaturis: aut nominis impositio est ab actu imitandi:
aut re atio nō est cōmunis pertinens ad tertium genus relationis,sed potius ad secūdū siue in
diuinis siue in creaturis:aut qñ est relatio cōmunis.Sed cū recipimus cōuersionē patris scdm
intellectū dicti beati Dionysii: q̃d contingit in creaturis tm̃:non habēt dictę relationes vnifor
miter esse in relatis p ipsas:quia ipsa relatio est in vno eoᵣ tm̃:non aūt in alio.In casibus vero
in quibus recipimus cōuersionē æqualitatis:vt in creaturis qñ est relatio cōmunis significata
principaliter noīe æqualitatis & silitudinis:habēt dictę relationes esse vniformiter in relatis p
ipsas semp,scdm primū itellectū dicti Dionysii:& quādoq̃ scdm secūdū:qñq̃ vero nō. In diui
nis vero qñ est relatio cōmunis significata noīe ęqualitatis & similitudinis principaliter,semp
habēt dictę relationes esse in relatis p illas:& scdm primū intellectū,& scdm secūdū.Et sic vni
uersaliter q̃cūq̃ relationes vere cōmunes sunt diuinis psonis:oīo vniformiter habēt esse in il
lis psonis . Et qñ cōuersionē earū in illis recipimus: sic q̃ mutua relatione idētitatis,æquali=
tatis,& silitudinis inter se referunt̃:aut nō sunt de tertio genere relationis cōes relationes:
sed sunt de primo genere aut de secūdo: aut nō est impositio noīs principaliter a tali relatiōe
sed ab actu imitādi:scdm q̃ hęc oīa patent ex iā dictis.Et ppter istā vniformitatē & conuersio

V

nem mutuā dictarū relationū in psonis diuinis:dicit Augu.xv.de Trini.ca.xiiii.Pater genuit
filiū p oīa sibi simile & æquale.Non aūt dicit eūdē: quia aliqua est identitas sui ad seipm quæ
non est filii ad patrē,vt infra patebit,& supra tactū est in pte. Genuit aūt pater filium sic per
omnia sibi æqualē & similem atq̃ eūdē scdm modū identitatis quę in diuinis est personę ad p
sonam:q̃ nec est nec esse potest omnino vna illarum alteri difformis in æqualitate,similitudi=
ne,& idētitate.Et hoc quia sunt eędem similes & æquales propter vnā & eādem numero quā
titatem,qualitatē,& substātiā in tribus personis absq̃ susceptibilitate eius q̃d est maius & mi
nus:& eius q̃d est magis & minus.Et dato p impossibile q̃ quātitas in diuinis augeret̃ aut di
minueretur: & similiter qualitas aut substātia: cū tamē tres personę sint vna essentia,vna ma
gnitudo,vna bonitas,vt dicit Augustinus.vi.de Trini.ca.ii. semper singula diuinarū persona
rū aliis maneret æqualis similis & eadem qualitercūq̃ fieret trāsmutatio scdm maius aut mi
nus siue scdm magis & minus: sic q̃ impossibile sit saltem scdm intellectum imaginari vnā
alteri inæqualem aut dissimilem ī aliquo:aut nō eādē secūdo modo idētitatis superius tacto.
Propter q̃d etiā in diuinis nō est æquale priuatio eius q̃d est maius aut minus: nec simile pri
uatio eius q̃d est magis & minus:sicut sunt in creaturis ppter priuationē annexā illis.Sed in
diuinis sunt purę positiones siue affirmationes quib⁹ nō sunt annexę priuationes,hoc est pos
sibilitates aut habilitates ad contraria,sed negationes purę illoᵣ.CAd quintū:q̃ pater & fili⁹

X
Ad quintū

singulariter dicunt idē:non aūt singulariter dicunt similis aut æqualis:sed pluraliter tm̃ si=
miles aut æquales:ergo &c.Dico ad huius intellectū:q̃ quia scdm pdicta,idētitas,æqualitas,
aut silitudo,nō causant̃ a substātia quātitate & qualitate de pximo ratione substātię quātita=
tis & qualitatis inquātū hmōi:sed potius ratione vnius in quolibet illoᵣ: & hoc nō solūmodo

semel accepti sed pluries scdm pluralitatę relatoꝗ scdm illa:& hoc scdm rē vel scdm rationē:
Idcirco in quolibet modo relationū cōmuniū dictarū relatio est alia & alia vel scdm rē vel ſm
rationē in diuerſis relatis scdm illas:vt alia ſit idētitas patris ſiue in patre ad filiū,alia ecōuer
ſo filii ſiue in filio ad patrē: & ſimiliter qualitas alia:& ſiſitudo alia. Propter qđ cū accipiunt
scdm ſe licet adiectiue in pdicationibus,neceſſario pluriſicant scdm pluriſicatiōe ſuppoſitoꝗ
& ſolū pluraliter pdicant de relatis:cū tñ alia noīa ſiue ſubſtātiua ſiue adiectiua abſoluta ſub
ſtātię quātitatis & qualitatis,& etiā relatiua ad extrinſecū,quę ab vno & eode penitus.ſ.& ſm
rē & scdm rōnē vt eſt in diuerſis pſonis cauſant : nequaꝗ in plurali pdicant:etiā cū adiectiue
accipiunt ſm ſe. Vt eccleſia catholica pſitēdo fidē ſuā circa abſoluta ſiue ſubſtātiue ſiue adie
ctiue accepta:quę ſunt noīa ſubſtātię,quātitatis,& qualitatis:dicit.Pater deus eſt:filius deus
eſt:ſpūs ſanctus deus eſt.Pater immēſus eſt:filius imēſus eſt:ſpūs ſanct⁹ imēſus eſt.Pater bon⁹
eſt:filius bonus eſt:ſpūs ſanct⁹ bonus eſt.Et tñ nō tres dii,ſed vnus eſt deus: ſicut nec tres im
menſi,nec tres boni:ſed vnus immēſus & vnus bonus.Et ſiſt circa relatiua ad extrinſecū ſiue
ſubſtātiue ſiue adiectiue accepta dicit.Pater oīpotēs eſt:filius oīpotēs eſt:ſpūs ſanctus oīpotēs
eſt: & tñ nō tres oīpotētes,ſed vnus oīpotēs. Ita pater dñs eſt:filius dñs eſt:ſpūs ſanctus dñs
eſt: & tñ nō tres dñi,ſed vnus eſt dñs.Siſt creator pater eſt:creator filius eſt:creator ſpūs ſan
ctus eſt,non tñ tres creatores,ſed vnus creator. Et hoc licet illa ꝗ adiectiue ſigniſicant cū ſup
poſitis pluraliter expſſis:pluraliter pdicant de plurib⁹:dicēdo Pater bonus eſt: filius bon⁹ eſt:
ſpūs ſanct⁹ bonus eſt:& ſunt tres bonę pſonę.Sed hoc nō cōtingit ꝓpter aliquā pluriſicationē
circa rē ſigniſicatā vel re vel ratione: ſed ſolūmo ꝓpter modū ſigniſicādi adiectiue: qui regrit
ꝗ adiectiuū cōformet ſuo ſubſtātiuo in gñe,numero,& caſu.Sed circa noīa relatiua relatione
cōmuni adiectiue accepta dicit.Idē pater ſibi eſt & filio & ſpiritui ſancto.Idē filius ſibi eſt & pa
tri & ſpiritui ſancto.Idē ſpūs ſanctus ſibi eſt & filio & patri : & hoc scdm diuerſos modos idē
titatis:& tñ nō vnus idē:ſed tres iidē ſunt.Siſt æqualis pater eſt filio & ſpūi ſctō:æqualis fili⁹
eſt patri & ſpūi ſctō:æqualis ſpūs ſctus eſt patri & filio: & tñ nō vnus æqualis,ſed tres æqua
les ſunt.Siſis eſt pater filio & ſpūi ſctō: ſiſis eſt filius patri & ſpūi ſctō:ſpūs ſctus ſiſis eſt patri
& filio: & tñ nō vnus ſiſis,ſed tres ſimiles.Et hoc ꝓpter idētitatū,æqualitatū,& ſimilitudinū
pluralitatē in relatis scdm rationē,ad diuerſitatē fundamētoꝗ ſcdm ratione in illis.Et quēad
modū dicimus pater ſpirator eſt,filius ſpirator eſt:ſed tñ nō vnus ſpirator,ſed duo ſpiratores
& hoc ꝓpter vim ſpiratiuā:ꝗ nō eſt niſi volūtas vt eſt duoꝗ: & ſic ſcdm rationē bifurcata,vt
habitū eſt ſupra,& amplius declarabit infra. ⸿ Q đ ergo arguit ꝗ tres pſonę dicunt idē ſingu
lariter,nō aūt ſiſis aut equalis,ergo &c. Dico ꝗ falſum eſt:immo ſicut nō dicunt ſingulariter
ſiſis aut æqualis:ſic nec idē.Et ſicut nō dicunt niſi pluraliter ſiſes aut æquales,ſic nec iidē. Et
ſicut ſingulariter dicunt idē:ſic & ſimile & æquale:quia qđlibet eoꝗ in neutro gñe ſubſtāti
uatū dicit ſingulariter de tribus:& reſoluitur idē ſiſe & æquale neutraliter accepta, in adie
ctiuū maſculine,& in ſubſtātiuū ſuū ſigniſicās eſſentiā & ſupponens diuinas pſonas indefinite
dicendo,Pater & filius & ſpirit⁹ ſanctus ſunt idē æquale & ſimile.Pater ille,puta deus:qui eſt
idē æqualis & ſiſis:in diuerſis tñ pſonis : quia nihil eſt æquale aut ſimile aut idē ſibi ſecundo
modo idētitatis,vt habitū eſt ſupra. Vnde ꝗ tres pſonę ſint idē maſculine p vnū i,literā ſcri
ptū ſine expreſſione ſubſtātiui:nō recipit:ſicut non recipit ꝗ ſunt æquales aut ſimilis:licet qđ
libet eoꝗ recipiat expreſſione ſubſtātiui : dicendo maſculine ꝗ ſunt idem æqualis aut ſimilis
deus,ſicut dictū eſt.Et ſic recipit ꝗ ſunt idem neutraliter per vnū i,literam,ſicut ꝗ ſimiliter
ęquale & ſimile. Sed eſt equiuocatio in eo qđ eſt idem ſingulariter ſcriptū per vnū i,ad maſcu
linū & neutrum:non ſic autem ex parte æqualis & ſimilis. Vnde ꝗ tres perſonę dicatur iidē
in plurali maſculine ſicut & æquales & ſimiles, hoc non eſt niſi ſcribendo iidem per duo ii,li
teras:licet in prolatione modicum diſtet idem prolatum per vnum i,& per ii,duplex.Et no
ta ꝗ licet non bene dicatur pater & filius & ſpiritus ſanctus ſingulariter & maſculine ſunt
idem æqualis & ſimilis,ſicut dictum eſt : & hoc quia ſingulum eorū,ſcilicet identitas,æqua
litas,& ſimilitudo in tali prædicatione reſpicit tres perſonas vt relata tria per ſingulum,in
quæ neceſſario pluriſicantur ſaltem ſcdm rationem ſcdm ſuperius determinata : Bene ta
men dicitur ſingulariter & maſculine ꝗ pater eſt idem æqualis & ſimilis filio & ſpiritui
ſancto, & econuerſo:eo ꝗ in tali prædicatione ſingulariter ſingulas perſonas reſpiciunt vt re
lata per illa : & vt in ſingulis fundatur ſuper rationem vnius in ſubſtantia, quantitate,
aut qualitate ſemel accepti . Sic ergo iuxta primum intellectum dicti Dionyſii ſuperius
expoſitum omnino ſe habent ſingula genera relationum communim vniformiter ad ſin

gulas pſonas diuinas: quia vniformiter idem pater:idẽ filius:idẽ ſpiritus ſanctus. Et hoc etiã
ſibi quo ad primũ modũ idẽtitatis: & cuilibet alioꝝ quo ad ſecũdũ modũ idẽtitatis. Aequalis
pater:æqualis filius:æqualis ſpiritus ſanctus:Similis pater:ſimilis filius:ſimilis ſpiritus ſanctꝰ.
Et hoc non ſibi:ſed cuilibet aliorum tm̃. Et ſcdm hoc pcedũt duo argumenta in oppoſitum.
Et ſimiliter iuxta ſcdm intellectũ dicti Dionyſii, vniformiter ſe habent ſingulę relationes triũ
generum ad tres perſonas: quia vniformiter idem pater,æqualis pater,ſimilis pater.Idẽ filius,
æqualis filius,ſimilis filius.Idem ſpiritus ſanctus,æqualis ſpiritus ſanctus, ſimilis ſpiritus ſan-
ctus.Sed hoc nõ niſi cuilibet aliorũ,& penes ſecundũ modũ identitatis:quia penes primũ modum identitatis non vniformiter idem eſt pater,& æqualis,& ſimilis. Et ſic de filio & ſpiritu
ſancto: quia ſcdm primũ modum identitatis quilibet eorum ſibiipſi eſt idem: ſed nullus eorũ
ſibiipſi eſt æqualis aut ſimilis, vt patet ex predeterminatis . Ex quibus patet ꝙ non æqualiter
quęlibet hypoſtaſeon ſe habet ad alteram & ad ſeipſam,nec vniformiter: ſed potius ſubſtãtia
& quodlibet ſubſtãtiale attributum exiſtens in quolibet ſuppoſitoꝝ,æqualiter & vniformiter
per idẽtitatem ſe habet ſiue refertur ad alterũ,& ad ſeipſum:licet inter illa attributa ſit differentia ſcdm rationẽ:& quo ad hoc differt ſcdm rationẽ identitatis cuiuſlibet eoꝝ ad alterũ &
ad ſeipſum:& quo ad hoc nõ vniformiter ſe habet ad alterũ & ad ſeipm̃: & minus ſe habet ad
alterũ q̃ ad ſeipm̃,vt inferius amplius declarabitur. ꝅ Q̃ d arguitur ſexto ex illo dicto Hilarii
Deo ſimile eſſe aliquid ꝗ ex ipſo nõ fuerit,nõ poteſt: Dico ꝙ dictum illud intelligit de ſimili
tudine vera & perfecta,qua creatura ſimilis deo eſſe non poteſt: quæ ſolũmodo deo ſimilis eſſe
poteſt quadã ſimilitudine imaginaria imꝑfecta,vt tactũ eſt articulo precedente queſtione.ii.
in fine.Vnde & dictũ illud non intelligit niſi de illis quę habent eſſe a deo vt a principio pdu
ctiuo cõparatis per ſimilitudinẽ ad deum pducentẽ. Ex quibus deo vt principio productiuo
nihil ſimile eſſe poteſt vera ſiſitudine & pſecta:ꝗ nõ fuerit ex ipſo vt ex cuius ſubſtãtia ſicut
ex principio quaſi materiali pducat : quẽadmodũ filius pducit a patre & ex patre:& ſpiritus
ſanctus a patre & filio:& ex ipſis:quia i vnitate ſubſtãtię ſingularis a patre pducit,& a patre
& filio ſpiritus ſanctus.Nũc aũt ſic pducit creatura a deo trinitate:ꝙ licet pducat ab illo: nõ
tñ ex ipſo in vnitate ſubſtãtię ſingularis:ſed in diuerſitate maxima.Et ideo nõ producit a deo
vt ſimile vera & pſecta ſiſitudine:ſed ſolũo vt ſimile imaginaria & impſecta ſiſitudine,vt expoſitũ eſt ſupra.Ex eo aũt ꝙ deo pducẽti nihil eſt ſimile ſiſitudine vera & pſecta niſi dicto mo
do fuerit ex ipſo:nequaꝗ ſequit ſeu excludit quin deo pducto puta filio & ſpiritu ſancto: ſimi
le poſſit eſſe dicto modo Deus pducẽs,vt filio deus pater,& ſpiritui ſancto deus pater & deus
filius.ꝅ Q̃ d vero arguit ſeptimo & vltimo,ꝙ fundamẽta tria triũ relationũ cõmuniũ nõ ſe ha
bẽt vniformiter ad tres pſonas diuinas:quare nec ipſę relatiões:Dico ꝙ verũ eſt ſcdm iã dicta
prout habet eſſe in illis vt in radice ſuoꝝ fundamẽtoꝝ exiſtẽtiũ in illis.Sic em̃ idẽtitas,æqua-
litas,& ſiſitudo, quẽadmodũ ſm̃ fundamẽta in patre habet eſſe ex ſe: in filio aũt & ſpũ ſancto
a patre:& etiã in ſpũ ſcõ a filio.Prout vero habet eſſe in pſonis in pꝓpria forma relationis cõis:
vniformiter habet eẽ in pſonis:nec aliquo mõ exiſtũt i vna pſonarũ ex alia vel aliis:nec aliquo
ordine naturę exiſtũt primo in vna q̃ in aliis aut in alia : licet fundamẽtaliter ordine naturæ
fundamẽta earũ primo ſint i vno,& ſecũdo in aliis:qa a prima pſona eſt i ſecũda & tertia.Et ſic
in prima pſona ſunt relationes illę cões primo radicaliter:& ſecũdo i ſcda pſona,& tertio i ter
tia.Licet etiã formaliter nõ ſtatim exiſtẽte prima exiſtũt in illa idẽtitas,æꝗlitas,& ſiſitudo eius
ad alias ex eo ꝙ eſt prima:ſed ſolũo exiſtẽte pſona ſcda: & ex eo ꝙ eſt ſcda,vt iã dictũ eſt ſu-
pra:non tñ aliquo mõ eſt idẽritas,ꝗqualitas, aut ſiſitudo primo in ſcda pſona, & ſcdo i prima
ab vtraꝗ aliquo ordine naturę:aut aliter in ſcda q̃ in prima:ſed ſimul & vniformiter i vtraꝗ
Et ſic de tertia reſpectu primę & ſecũde.Licet em̃(vt dictũ eſt)radicaliter ꝓpter ſudamẽta nõ
habeãt eſſe vniformiter in tribꝰ pſonis:ſed a pſona prima in ſcda: & ab vtraꝗ i tertia:& ſic oꝛ
dine quodã naturę penes primũ & ſecũdũ habet eſſe i pſonis:ſicut & illarũ ſudamẽta: relationes tñ dictę fundatę in illis vt geminatis ſcdm rõne:ſcdm eſſe ſuũ cõpletũ & formale cõſide-
ratę nõ habet eſſe ordine naturę primo i vna,& ſcdo i aliis:nec ab vna primo,& deĩde ab aliis
ſicut nec ipſa dualitas aut trinitas pſonarũ. Et ſic qꝗ ſcdm dicta aſpiciẽdo ad dictũ ordinẽ na
turalē quo prima pſona habet in ſe ex ſe illud vnũ a quo cauſant dictę relatiões idẽritas,æꝗli-
tas,& ſiſitudo:& alię pſonę habet illud a prima,quoquo mõ dictę relatiões nõ ſint vniformiter
in pſonis diuinis:vt ꝓpterea pria pſona ſimpłr poſſit dici eadẽ æꝗlis & ſiſis ſcdę pſonę & tertię
& pſona ſcda & tertia quoquo mõ nõ ſimpłr dicant eędẽ æꝗles & ſiſes primę : ſed potiꝰ coęꝗ-
dẽ coęquales & cõſimiles:vt quaſi p quãdã imitationẽ idẽtitatis,æqualitatis, & ſimilitudinis

Z
Ad ſextũ.

&
Ad.VIII

FF iii

existentiũ in prima persona intelligitur identitas,æqualitas,& similitudo esse in aliis: tñ aspi
ciendo ad complemẽtũ formale dictarum relationũ:nulla difformitate aut ordine naturæ ha=
bent esse in tribus personis diuinis:quia quo ad huiusmodi cõplemẽtũ:nequaq̃ habet esse vna
dictarum relationũ aliter ĩ prima psona q̃ in aliis. Quo ad hoc eñ relatiua sunt simul natura:
& neutrũ est causa alterius vt sit,sicut dicit phs in Predicamentis.Et sic simile est quodãmodo
de esse vniformi talium relationũ in diuinis psonis & æternitatis atq̃ aliorum attributorum.
Aeternitas enim licet eque primo & omnino vniformiter conueniat tribus psonis:per quãdã
tñ appropriatione simpliciter dicitur esse in solo patre: coæternitas vero & quasi nõ simplici
ter æternitas in filio & spiritu sancto:& sic de ceteris q̃ cõmuniter dicunt in tribus psonis.Vñ
9    Augustinus.vi.de Trini.ca. vlti. exponens illud Hilarii.ii.de Trini. Aeternitas in patre,dicit
sic.Nonne esse consecutũ arbitror in æternitatis vocabulo:si q̃ pater nõn habet patrẽ de quo
sit: filius autẽ a patre est q̃ sit:atq̃ coæternus sit.Qd̃ dicit insinuãdo q̃ filius quia per gene
rationem a patre accipit q̃ sit æternus: idcirco nõ simpliciter æternus:sed coæternus illi dici
debet:& pater non coæternus:quia æternitatem a nullo accipit:sed simpliciter æternus.Et p
eũdem modũ Pater simpliciter idẽ æqualis & similis filio & spiritui sancto debet dici: nõ autẽ
coidẽ coæqualis & cõsimilis,& ecõuerso filius & spiritus sanctus nõ simpliciter idẽ æqualis &
similis patri:sed coidẽ coæqualis & consimilis illi. q̃q̃ ad excludendam omnem difformitatem
dictarum relationũ cõmuniũ in diuinis personis dicit Athanasius in Symbolo suo de singulis
diuinis personis. In hac trinitate nihil prius aut posterius: nihil magis aut minus: sed totæ
tres personæ coæternę sibi sunt & coæquales.Intellige & easdem & consimiles: quasi non solũ
filius & spiritus sanctus possint dici coequales,coidem,& consimiles patri:sed etiam pater co=
æqualis illis,& coidem,& consimilis.

A
Quest. III.
Arg.1.

2
Irca Tertiũ arguitur q̃ relationes cõmunes in diuinis sint distinctiuę perso
narũ diuinarũ,Primo sic.Hilari9.iiii.de Trini.vbi dicit,Similitudo sui nõ est
per similitudinẽ personarũ:probat distinctionẽ psonarũ:qd̃ nõ esset possibile
nisi essent personarũ distinctiuę.ergo &c.¶Secũdo sic.non est relatiua oppo
sitio nisi distinguat relata.aliter eñ nõ esset oppositio:qa oppositoꝝ natura
est q̃ non sunt simul in eodẽ. Sed relationes cõmunes inter psonas diuinas
relatiuã oppositionẽ importãt:quia non est relatio nisi sit ad aliud vt ad oppositum. ergo &c.
In opposit.
¶Contra.nihil cõmune tribus est distictiuũ psonarũ:qa psonę ĩ distinctiuis earũ nõ cõueniũt:
quia in cõibus sunt vnũ:& vnitas repugnat distinctioni.ergo &c.

B
Responsio.
¶Quia scdm prędeterminata relationes communes in diuinis causantur ab vno
in substantia,quãtitate,& qualitate:& sequútur istud in personis:& in ipso tres personę cõmu
nicat absq̃ omni differentia nisi fuerit rationis tñ : distinctiua autem personarũ plus debent
differre q̃ ratione tñ: aliter eñ differẽtia per illa non esset realis:qualis debet esse differentia
diuinarum personarum:Idcirco dico prout procedit vltima ratio:q̃ relationes cõmunes nullo
modo sunt distinctiuę personarum diuinarũ. Distinctiua enim debet esse propria distictis. Vñ
Damascenus assignans differentiam inter distinctiua & non distinctiua, dicit q̃ pater,filius,&
spiritus sanctus in omnibus sunt vnum præter ingenerationem quæ propria est patri: & ge=
nerationem passiuam quæ propria est filio:& processionem passiuam quæ propria est spiritui
C
sancto.Quia tñ scdm prędeterminata supra articulo.lxvii.questione.iii.in solutione primi ar=
gumenti, relationes cõmunes personarũ inter se nõ causantur ab vno in substãtia,quãtitate,
& qualitate,nisi vt ẽ pluriũ distinctoꝝ.scdm rẽ: nõ scdm ratione solũ: & pluralitas illa perso=
narũ licet non sit causa pricipalis diuersitatis relationũ cõmuniũ psonarũ vt propter quã sic:
est tñ causa earũ adminiculatiua vt sine qua nõ : Idcirco vlteri9 dico q̃ licet relationes illę nõ
sint distinctiuę psonarũ siue causatiuę distinctionis earũ:sed potius psupponãt distinctionẽ il=
larũ:ipsam tñ a posteriori sicut effectus causam notificãt & declarãt. propter qd̃ dicuntur esse
signa q̃dã distinctionis illarũ:ipsam ostendẽtia sicut signũ signati: teste Hilario,qui dicit,Fa=
ciamus hominẽ ad imaginem & similitudinem nostrã.Inuicẽ sui esse similes in eo q̃ dicit simi
litudinem nostrã:ostẽdit.Inuicem dixit, tãq̃ alius & alius abinuicem in eo q̃ similes sunt:fore
ostendãtur.Et hoc non per distinctionem illoꝝ trium modoꝝ relationũ cõmuniũ inter se:quę
sunt identitas,æqualitas,& similitudo: sed per distinctionem extremorum cuiuslibet habitu=
dinis dictarũ relationũ abinuicẽ in personis.Pro quãto tamen dicti tres modi relationum com
muniũ habent causari a personarum distinctione,quam necessario præsupponunt relationes

cõmunes in diuinis perſonis,diſtinctione quãdã diuinarũ perſonarũ oſtendũt:aliam vero cauſant . Oſtendũt eñ diſtinctionem pſonarũ realem & eſſentialẽ quæ eſt ſcdm relationes ꝓprias & diſſimiles,& quaſi indiuiduoꝗ diuerſarũ ſpecierũ quaſi p diuerſas differẽtias ſpecificas cõſti tutarũ,quæ ſunt paternitas,filiatio,& ſpiratio:ſub qbus in tribus pſonis ad modum generis ſe habẽs cõmune eſt diuina eſſentía : præter hoc ꝗ cõe in creaturis qd eſt genus, in diuerſis ſpe ciebus eſt vnũ ſcdm rationẽ tñ:& diuerſum ſcdm rẽ.Ecõtra aũt in diuinis cõe qd eſt eſſentia eſt vnũ ſingulare ſcdm rẽ in pſonis diuerſis:& diuerſum ſcdm rationẽ tñ.Et ꝓpterea in diui nis vnitate cõmunis ſunt perſonæ plures ſimplʳ vnum.In creaturis aũt vnitate cõis non ſunt plura ſuppoſita ſimplʳ vnũ:ſed ſolũ cũ determinatione generis aut ſpeciei. dicẽte Augu.v.de Trini.ca.iii.Cũ dicit vnũ vt nõ addat quid vnũ: cũ plura vnũ dicunt,eadẽ natura atꝗ eſſen tia nõ diſſidẽs ſignificat.Cauſant aũt dictæ relationes cõmunes in diuinis pſonis diſtinctionẽ perſonarũ ſcdm rationẽ quaſi accidentalem:& eſt quaſi diuerſoꝗ indiuiduoꝗ ſub diuerſis ſpe ciebus:& diſtinguitur ſolũ p materiã in qua recipiunt ſpecies diuerſæ.Identitas eñ æqualitas & ſimilitudo eſt alia & alia:quia eſt in alia pſona & alia.Sicut eñ albedo eſt alia & alia i Petro & Brunello ſcdm rem:ſic æqualitas eſt alia ſcdm rationẽ in patre ad filiũ:& alia in filio ad pa trem. Et ſic de identitate & ſimilitudine.

¶Qd ergo arguitur primo ꝙ relationes cõmunes ſunt cauſaliter diſtinctiuæ perſonarũ:quia Hilarius per illas ꝑbat diſtinctionẽ pſonarũ:Dico ꝙ verum eſt ſi ꝑbaret p diſtinctionẽ illarũ in diuinis pſonis diſtinctionẽ pſonarũ ſicut effectum p cauſam. Nunc aũt non eſt ita:immo ſolũmodo ꝑbat vnã p alterã,ſicut cauſam p effectum,ſicut dictũ eſt.¶Ad ſecũdũ,ꝙ non eſt relatio niſi diſtinguat:Dico ꝙ verũ eſt vel eſſentialiter,vel quaſi accidẽtaliter.Nũc aũt cões relationes(vt dictũ eſt)nõ diſtinguũt diuerſas pſonas eſſentialiter.Propter qd nõ dicunt diſtinctiuæ illarũ.Diſtinguũt tñ illas quaſi accidentaliter,vt dictũ eſt.

Irca Quartũ arguitur ꝙ tres modi relationũ cõmuniũ in deo dicunt ſcdm relationẽ nõ ſubſtãtia, Primo ſic. imago i eo ꝙ imago ſimilis eſt & æqualis. Nã dicit Aug.lxxxiii.q. q.xlviii. Omnis imago eſt ſimilis: ſed non oẽ ſimile eſt imago.Et.q.lxxiiii.dicit de filio reſpectu patris.Imago eius eſt,quia de il lo eſt,& ſimilitudo quia imago eſt.Et.vi.de Trini.ca.vlti. Imago ſi perfecte imitatur id cuius eſt imago:ipſa coæquat ei.Si aũt coæquetur, ergo eſt coæqualis:ſed imago ſcdm ꝙ imago relatiue dicit.Nã dicit Auguſtinᵘ ꝙ filius eo eſt imago quo filius:quo aũt filius eſt,relatiue dicit.ergo &c.¶Secudo ſic.Auguſtinus.v.de Trini.ca. vi. inꝗ rit ſcdm quid filius ſit ſeu dicaꞇ æqualis patri,dices.Quia filius nõ ad filiũ dicit relatiue: ſed ad patrẽ:non ſcdm hoc ꝙ ad patrẽ,æqualis eſt filius patri.per qd innuit (vt videꞇ)ꝙ ſi in deitate duo eſſent filii,æqualis diceret vnus alteri ſñ ꝙ ambo eſſent filii.& eadẽ rõne ſimi lis.Sed ſi in diuinis eſſet alius filius,ſicut tũc vnus filius ad aliũ cõparareꞇ ſcdm æqualitatem aut ſimilitudinẽ propter conformitatẽ filiationũ: ſic ecõtra modo cum vnus filius cõparatur ad patrẽ qui nõ eſt filius ſcdm id qd eſt ad patrẽ,propter difformitatẽ paternitatis ad filiatio nem filius debet dici inæqualis aut diſſimilis patri.id aũt ſcdm qd ad patrẽ dicit filius,eſt rela tio:ſcdm relationẽ ergo fili⁹ debet dici patri æꝗlis.& hoc alia relatione ꝗ ꝑnitate & filiatione fundata ſup illas relationes ꝗ ſunt paternitas & filiatio.¶Tertio ſic.ſic ſe habet relatio ad rela tionẽ:ſicut ſe habet ſubſtãtia ad ſubſtãtiã:ergo ꝑmutatim ſicut ſe habet ſubſtãtia ad relationẽ ſic ſe habet relatio ad ſubſtãtiã.Sed ſubſtãtia nũꝗ dicit ſcdm relationẽ:ergo nec relatio vnꝗ dꝛ ſcdm ſubſtãtiã,quare cũ idẽtitas,æqualitas,& ſiꝗtudo in diuinis relationes ſint:nõ dicunt ſm ſubſtãtiã.Quare cũ ſcdm Aug. quæcũꝗ ſunt in diuinis aut ſcdm ſubſtãtiã dicunt aut ſcdm relationẽ:quia nihil in illis dicit ſcdm accidẽs:dicunt ergo in diuinis ſm relationẽ.¶Quarto ſic.ſcdm Aug.v.de trini.ca.vii.ſcdm ſubſtãtiã dici,eſt dici ad ſe. ſed nulla relatio dicit ad ſe: immo relatio dicit ad aliud ſm ꝓdicta.ergo &c.¶In cõtrariũ eſt Aug.v.de trini.ca.vi.Qui ꝑ ſcrutando ſcdm quid filius nõ dicit æqualis patri.ſ.ꝙ nõ ſcdm relationẽ qua dicit ad patrẽ:ſic cõcludit dices.Reſtat igiꞇ vt ſcdm ſubſtãtiã ſit æqualis,quare vlterius cõcludo,nõ ſm relatio nẽ:cũ ſint duo modi ꝓdicãdi ſeu dicẽdi ex oppoſito diſtincti in diuinis. ¶Præterea ea ꝗ conue niũt pſonis diuinis,ſcdm id qd eſt in eis ſimplʳ vnũ,cõueniũt eis:quia i quo diuinæ ꝑſonæ ſunt vnũ:nõ eſt niſi ipſa diuina ſubſtãtia,vt ſubſtãtia eſt.Sed relationes cões intrinſecæ tribus pſo nis (de qbus ad pſens eſt ſermo:de cõib⁹ aũt ad extrinſecũ debet eſſe ſermo loquendo de deo in cõparatione ad creaturas) cõueniũt diuinis pſonis ſcdm id i quo ſunt vnũ:quia ſup vnita tem omnes fundantur,vt habitum eſt ſupra.ergo &c.

**H**
**Responsio.**

℃Dico ad intellectũ queſtionis & ad eius diſſolutionem,q̃ cum duo p̃dicamenta ſolũmodo ſunt in diuinis.ſ.ſubſtantia & relatio:quicquid ergo eſt in diuinis,ad alterum illoꝝ pertinet:& eſt aut ſubſtãtia aut relatio,vt longe ſuperius declaratum eſt.Et ſiſ̃ omnis modus eſſendi,p̃dicãdi,ſeu dicẽdi,aut ad modũ eſſendi,p̃dicandi,ſeu dicẽdi ſubſtãtiẽ,aut relationis pertinet.Quẽ qdem ſubſtãtia & relatio in diuinis ſunt idipſum re, inquantum ſcḋm ſuperius determinata,relatio in diuinis incidit in ſubſtantiã : & ideo in diuinis diſtinctio ſubſtantiæ & relationis inter ſe nõ poteſt eſſe ſcḋm rem.Diſtinctio igit̃ ipſoꝝ.ſ.ſubſtantiẽ & relationis in diuinis inter ſe non eſt niſi ſcḋm ꝓprias rationes & modos eſſendi,p̃dicãdi,ſeu dicẽdi. Eſt aũt proprius ſubſtãtiæ modus & ratio,eſſe & p̃dicari & dici ſcḋm ſe & abſolute . Modus aũt proprius & ratio relationis eſt eſſe,p̃dicari,& dici in ordine ad aliud.Vnde vna & eadẽ res in diuinis quæ eſt ipſa natura diuina,vt eſt,p̃dicat̃,& dicitur abſolute & ſcḋm ſe:ſubſtãria eſt:& ſubſtantia dicit̃:& ſubſtãtialiter prædicat̃:Vt vero eſt p̃dicat̃ & dr̃ í ordine ad aliud: relatio eſt & dr̃, & relatiue p̃dicat̃.Et appellat Auguſtin⁹ modũ eſſendi & p̃dicãdi & dicẽdi abſolute qui eſt ſubſtãtiẽ:modũ eſſendi,p̃dicãdi,& dicendi ad ſe.Modũ vero eſſendi,p̃dicãdi,ſeu dicendi relationis:appellat modũ eſſendi,p̃dicandi,ſeu dicendi ad aliud . Qui modus qui ex pte ſubſtantiẽ dicit̃ ad ſe:non ſic debet intelligi,vt ſubſtãtia intelligat̃ eſſe p̃dicari aut dici ad ſe, vtendo illa determinatione p ſe,ad aliquid ponendũ circa eſſe p̃dicari aut dici ipſius ſubſtan tiẽ,acſi ipſa ſubſtãtia eſſet aliqd relatũ ad ſeipſam:aut forma relatiua qua aliqd refertur ad ſe ipm.Sed ſic debet intelligi,vt videlicet ſubſtantia intelligat̃ eſſe p̃dicari & dici ad ſe:vtẽdo illa determinatione ad ſe:ad aliqd remouendũ circa eſſe p̃dicari & dici ſubſtantiẽ,ſ.abnegando ab ea eſſe p̃dicari & dici ad aliud: & p hoc cointelligendo circa ipſam modũ p̃dicandi,eſſendi,& dicẽdi aliũ nobilioꝛẽ,qui eſt eſſe p̃dicari & dici ſcḋm ſe & abſolute.Et ſunt idem inter ſe iſta duo,dici ad ſe, & dici ſubſtãtialiter ex parte ſubſtãtiẽ.Et ſimiliter ex pte relationis iſta duo:dici ad aliud:& dici relatiue.dicente Auguſtino.v.de trinitate cap.viii.Illud p̃cipue teneamus, quicqd ad ſe dicit̃ preſtãtiſſima illa diuinitatis trinitas, ſubſtãtialiter dici: quicquid aũt ad aliud,non ſimiliter:ſed relatiue.℃Eſt etiã aduertendũ ꝗ eſſe p̃dicari & dici ſcḋm ſubſtãtiã aut ſcḋm relationẽ dupliciter poteſt intelligi.Vno modo formaliter:Alio modo quaſi materia liter.ſ.fundamentaliter. Primo modo idem eſt ſcḋm ſubſtãtiã dici qḋ ſubſtãtialiter ſiue ad ſe, ſiue ſm̃ ſe & abſolute dici:& ſimiliter idẽ ſcḋm relationẽ dici:qḋ relatiue ſiue ad aliud dici.Et hoc modo dici ſcḋm ſubſtantiã:opponit̃ ei qḋ eſt dici relatiue ſiue ad aliud.Et ſcḋm hoc pōt formari q̃ſtio de omni eo qḋ inuenit̃ in diuinis:Vt̃ꝛ.ſ.dicat̃ ſcḋm ſubſtantiã, an ſcḋm relatio nem,i.ſubſtantialiter, an relatiue:ſcḋm ꝗ formauit quæſtionem de æqualitate Magiſter Sen tentiaꝝ,i.li,Sentẽtiaꝝ.diſt.xxxi.in principio dices ſic.Conſiderari oportet cũ tres pſone æqua les ſibi ſint:vtrũ relatiue hoc dicant:vel ſcḋm ſubſtãtiã.Qḋ bene declarat cũ reſpõdet ſubdes Ad qḋ dicimus:quia ſicut ſimile nihil ſibi eſt : Similitudo em̃ (vt dicit Hilarius) ſibi ipſi non eſt:ita & æquale aliqd ſibi non dicit.Dicit̃ ergo relatiue filius æqualis patri: & vterꝗ ſpiritui ſancto.Secudo aũt modo idẽ eſt ſcḋm ſubſtãtiã dici qḋ a ſubſtãtia fundamẽtaliter denominari & ſiſ̃iter idẽ eſt ſcḋm relationẽ dici,qḋ relatiue fundamẽtaliter denominari.Et ſcḋm hoc ibidẽ. Magiſter ſecũda q̃ſtionẽ format de equalitate,preſuppoſita reſponſione ad q̃ſtionẽ prima iam dictã,dicens.Et ſi relatiue,ſupple dicit̃ æquale & non ſubſtãtialiter ſcḋm primũ modũ p̃dicẽt iam q̃ſtio ſecuda ẽ penes ſecũdũ modũ dicẽdi ſcḋm ſubſtãtiã, vel ſcḋm relationẽ.ſ.vtrũ ſcḋm relationẽ an ſcḋm eſſentiã conſiderãda ſit æqualitas. Qḋ bene declarat ex ſua reſpõſione qua dicit.Dicit̃ relatiue filius ad patrem & vtriꝗ ſpirit⁹ ſanct⁹,cũ æqualis patri filius,& vtriꝗ ſpi ritus ſanctus propter ſummã ſimplicitatẽ eſſentiẽ & vnitatem.Aequalis eſt igitur filius patri ſcḋm ſubſtãtiã:non ſcḋm relationẽ.Vbi dicendo ſcḋm ſubſtãtiã bene declarat ꝗ prius ſtatim accepit eſſentiã pro ſubſtãtia.Cũ em̃ duo habeat in ſe filius:ſubſtantiã.ſ.& relationẽ: quẽ am bo ſunt de conſtitutione perſonẽ in diuinis: & ſcḋm ſubſtantiã ſuã dicat̃ ad ſe : & ſcḋm rela tionem dicat̃ ad aliud: quẽrit Auguſtin⁹ eãdem q̃ſtionem per alia verba:& eã pertractat.v.de Trinitate.ca.vi.vñ aſſumptũ eſt ſcḋm argumentũ.Alloquẽdo em̃ hereticos dicit ſic.Cogunt̃ dicere ſcḋm quid filius ſit æqualis patri:vtrũ ſcḋm id qḋ ad ſe dicit̃, an ſcḋm id quod ad pa trem dicit̃: quoniã ad patrem filius dicit̃:ille aũt non eſt filius,ſed pater.& ſupple ſi eſſet fili⁹ æqualis patri ſcḋm id qḋ eſt filius: & ſcḋm id qḋ ad patrẽ dicitur, oporteret ꝗ ſimiliter pa ter eſſet filius:quia æqualitas non fundat̃ niſi ſuper id in quo ambo æqualia conueniũt . Nũc aũt pater & filius non referũtur inter ſe relationib⁹ cõuenientib⁹ ſiue ſimilib⁹:ſed potius diſſi milibus & diſconueniẽtibus,Et hoc eſt qḋ Auguſtin⁹ ſubdit dicens,Quia nõ ſic ad ſe dicit̃

pater & filius quo amicus.Relatioe quippe dicit amicus ad amicu: & si equaliter se diligut,ea
dem in vtroq̃ amicitia est. Que quidem dilectio comunis in vtroq̃ est fundametu amicitie co
munis:quæ ob hoc eade est.i.equalis.Et post pauca interposita concludit dicens.Quia vero fili⁹
no ad filium relatiue dicit sed ad patrem,no aut scdm hoc qd dicit ad patrĕ, equalis est fili⁹ pa
tri:restat vt secundu id æqualis sit qd ad se dicit.Quicquid autem ad se dicit scdm substantiā
dicit,restat igit vt scdm substātiā sit æqualis.CHis plibatis patet ꝗ questio valde in equiuoco
pposita est.Si em ly scdm positū in quæstione intelligamus dicere circustantiam cause forma=
lis iuxta primū membrū distinctionis pposite,tunc ꝗstio ipsa secu responsionem suā importat.
In eo enim ꝗ querit de relationibus an dicant scdm substantiā an scdm relationem , manifestū
est ꝗ no dicutur nisi relatiue & ad aliud,& ita no nisi ꝗm relatione formaliter loquēdo,secudū
ꝗ procellerut duo media obiecta.Ista em,pater est idem æqualis aut similis filio scdm relatio=
nĕ:puta scdm idētitatĕ,æqualitatĕ,aut similitudinĕ,est per se quarto modi dicendi per se,sicut
illa,interfectū interiit scdm interfectione.Si vero ly scdm intell'⟨ ⟩tur dicere circustantiā qua=
si cause materialis & fundametalis iuxta scdm mēbrum distinctiois:in quo ꝗstio aliquā habet
dubitatione:Dico generaliter ꝗ omnis relatio dicit scdm substantiā,& similiter quæcuꝗ dici
tur relatiua scdm substantiā dicutur relatiua.Et sic sumendo substātiam large,prout in diui
nis distinguitur cōtra relationem:quia nec in diuinis sicut nec in creaturis fundari pot super
relatiōne:quia esset pcedere in infinitū relatione fundādo super relatione. Quia qua ratiōe su
per vnā illarum puta primā fundaretur alia.s.secuda,etiam eade ratione super illā aliam.s.secu
dā fundaretur tertia:qd est incōueniens:immo omnis relatio fundatur sup absolutum.Speciali
ter autem relationes comunes nec in diuinis nec in creaturis fundari possunt super relationes
alias ꝗ sunt no comunes:puta relatio comunis inter patrĕ & filiū super paternitatĕ & filiatio=
nem:quia secundu predeterminata , relationes comunes no fundant nisi super aliquod vnum
existes in ambobus relatis,precipue in diuinis:quia in illis illud vnū debet esse vnū singularita
te.Paternitas autĕ & filiatio que sunt relatiua inter se,nunꝗ sunt vnu:quia sunt opposita: nec
est in talibus etiā nata fundari relatio similitudinis aut dissimilitudinis,idētitatis aut diuersi=
tatis,æqualitatis aut inæqualitatis,sicut neꝗ cecitas,neꝗ visio in lapide. Vn nec duo filii,nec
duo patres in creaturis,aut in diuinis si essent in illis, ex eo ꝗ ambo sunt patres aut filii, simi=
les,æquales,aut iidem vllo modo dicuntur. Et scdm hec concedēda sunt duo vltima obiecta.

L

CAd primū in oppositū ꝗ super rationem imaginis fundatur equalitas & simili=
tudo,& imago relatio est:Dico ꝗ super imaginĕ non fuudatur relatio equalitatis aut similitu=
dinis:sed sunt æqualitas,& similitudo de essentia imaginis,& eadem relatio est in illis quæ est
in ratione imaginis,non que est comunis pertinens ad tertium genus relationū:sed quæ est pro
pria pertinens ad secundū genus,secudū superius determinata.Et sic etiā obiectio de ista æqua
litate & similitudine nihil facit ad ppositū,vbi est questio de relatione comuni. CAd secundu
ꝗ filius no est equalis patri secundu hoc qd ad patrĕ dicitur:s.scdm filiatione: quia filius filia=
tione no ad filium dicit sed ad patrem: Dico ꝗ verū est:quia id secudum qd aliquis dicit alteri
æqualis fundamētaliter,regrit.s.& ꝗ sit vnū in ambobus vt dictū est supra,& ꝗ sit absolutū vt
dictū est iam.Ita ꝗ si alterū horū deficiat,scdm illud no potest dici aliquid alteri æquale.Filia=
tio ergo scdm quā filius dicit ad patrem,cū non est vnū aliquid in filio & in patre: quia pater
in eo ꝗ est pater no est filius:idcirco quia in diuinis filius no ad filium dicitur:sed ad patrem:
bene arguit Augustinus ꝗ no secudū id qd ad patrĕ dicit est æqualis patri,& hoc tanꝗ ex vna
causa,qua deficiente in aliquo secundu illud nihil pot dici altcri æquale.Ex quo no sequitur ꝗ
illa existente & in illo deficiente alia causa,secundu illud possit dici æquale:quia hoc solūmodo
tūc sequeret si altera illarū causarū sufficeret.Qd si ita eēt,tūc Augustin⁹ dicēdo ꝗ fili⁹ no di=
citur equalis patri secundū ꝗ dicit ad patrem:quia filius no dicit relatiue ad filiū:sed ad patrĕ
innueret bene sequi ꝗ filius secundum ꝗ ad patrĕ dicit,esset æqualis illi si relatiue diceret ad
filiū:qd esset si pater esset filius:sic ꝗ idem esset patrĕ esse & filium esse,quia no essent idem li
cet idem eēt filius & pater. Filius tamen no diceretur filius relatiue ad filiū:nisi per accidēs.s.
si idem esset filius vnius & pater alterius:quia filius no dicitur p se nisi ad patrĕ . Sed etiam si
per accidēs filius diceretur ad filiū:tamen filius secundū id qd est ad filiū non esset æqualis pa=
tri secundū id ꝗ ille pater est:sed potius scdm ꝗ filius est.Si vero no accidat ꝗ aliquis sit fili⁹
vnius & pater alterius:sed filii duo sint duorum diuersorū patrum,tunc neuter relatiue dici=
tur ad alterū,secundū ꝗ ambo sunt filii,nec p se,nec per accidēs. Qui licet coueniāt in filiatiōe

M
Ad primū
prin.

N
Ad secūdū

& habeant cõmune & vnũ ꝗ ambo funt filii:fcdm hoc ergo nec iídem,nec æquales,nec fimiles dicunt,nec eſt filiatio exiſtens in ambobus relatio cõis:vt dictũ eſt ſupra,articu.i.queſt.i.de relationibus cõibus.Nũc aũt in diuinis nõ eſt ita,ꝗ.ſ.idẽ ſit pater & filius,neꝗ reſpectu vni⁹,neꝗ reſpectu diuerſorum,niſi fcdm Sabellium,qui ponit perſonarum confuſionem in diuinis.

O
Queſt.V.
Argu.I.

Irca quintũ arguitur ꝗ diſtinctio & differẽtia relationũ cõmuniũ in dẽo cõ parat ex cõparatione ad eaſdẽ vt habent eſſe in creaturis,Primo fic. Diuina eſſentia ſiue deus & quicquid eſt in eo, vnũ eſt & idipſum re & ratione ſibi propria,& hoc abſꝗ omni pluralitate & diſtinctione.ſed tale cũ ſecũdũ ſe cũ ratione ſibi propria abſꝗ cõparatione ſiue habitudine ad aliud extra apprehendit qd eſt differens re:abſꝗ omni pluralitate & diſtinctiõe apprehendit. ergo diuina eſſentia ſiue deus cũ apprehendit abſꝗ cõparatione & habitudine ad aliud extra differens re:abſꝗ omni pluralitate & diſtinctione apprehendit.Si aũt abſꝗ omni pluralitate & diſtinctione:ergo & abſꝗ pluralitate & diſtinctione attributorũ eſſentialium & relationũ com muniũ:quia illarũ diſtinctio & pluralitas apprehendi nõ poteſt ſine diſtinctione & pluralitate

2 inter ſubſtãtiam,qualitatẽ,& quãtitatem:vt patet ex ſupra determinatis. ¶Secũdo fic.Si circa eſſentiam diuinã apprehendãtur plura diſtincta,hoc nõ poteſt eſſe niſi tripliciter:quia aut apprehendit illa diſtincta fcdm ſe & ſimpliciter:aut per cõparationẽ eorũ adinuicem, aut per cõparationem ad ſimilia re diſtincta in creaturis.Non primo modo,quia tũc per intellectum non eſſet taliũ diſtinctio:ſed magis illa circa diuinã eſſentiã diſtincta inueniret,qd nullus concedit. Non ſecũdo modo:quia cõparabilia debent pcedere cõparationem,& actus cõparationis ſemp preſupponit diſtinctiõe comparatorum.Relinquit ergo modus tertius vt neceſſarius.¶Contra,vbi poteſt eẽ maior diſtinctio, & minor. maior eſt diſtinctio diuinarum perſonarum ꝗ attributorum aut relationum communium conſequentium illa:quare cum illa poteſt eſſe in diuinis abſꝗ habitudine ad aliquid extra,& iſta.

In oppoſi.

P
Reſolu.q.

¶Ad queſtionis huius diſſolutionẽ circa relationes cõmunes fundatas ſuper diuinã eſſentiam & attributa eſſentialia quę ſunt quãtitas & qualitas,quã ſupra determinauimus circa ſubſtantiam diuinam & eius attributa generaliter,& etiã ad ampliorem declarationẽ eorum quę tacta ſunt ibi circa diſtinctionem attributorũ & ſubſtantiẽ ſeu eſſentiẽ in deo,eſt hic aduertendũ, ꝗ ex omnibus quę per proprietatem de deo dicuntur,non eſt niſi vnicũ.ſ.eſſe ens,a quo deus ipſe dicitur & denominatur eſſentia,qd omnino proprie de ipſo dicit, & eſt prima & principalis ratio pfectionalis in deo exiſtens,& ad dignitatẽ pertinens.Subſtantia eni nõ ita proprie de deo dicit.dicẽte Auguſt.vii.de trini.ca.iiii.in fine.Sicut ab eo qd eſt eſſe appellaf eſſentia:ita etiã ab eo qd eſt ſubſiſtere ſubſtãtiã dicimus,ſi tamen dignũ eſt vt deus dicaf ſubſiſtere. Et pbato ꝗ hoc nõ ſit dignũ, ſubdit in fine quinti capituli dicens.Et tñ ſiue eſſentia di catur,qd proprie dicitur,ſiue ſubſtãtia,qd abuſiue,vtrũꝗ ad ſe dicitur,nõ relatiue.Intellige ꝗ vtrũꝗ eorũ ſic ad ſe.i.abſolute dicit,ꝗ neutrũ eorum relatiõe aliquã aut reſpectũ ex ſuo ſigni ficato importat,ſicut nec aliquod aliorũ abſolutorũ eſſentialium in diuinis preter eſſentiã ſim pliciſſimũ conceptũ importat,qui primo aſpectu de deo concipit fcdm ſe & abſolute:cetera ve ro importãt conceptũ eſſentiẽ ſub aliqua ratione determinata cõcepta circa eſſentiã ex habitu dine ad aliquid aliud.Aſpiciẽdo eni ad ipoſitionẽ nominis ſubſtãtia i diuinis,ſup ratione eſſen tiẽ quę abſolutiſſima eſt ratione determinatã importat ſumptã per intellectũ ex reſpectu quẽ habet eſſentia ad cetera quę in diuinis cõcipiunt:reſpectu quorũ ſe habet eſſentia ſicut ſubie ctũ & fundamẽtũ. Dicitur eni eſſentia ſubſtãtia a ſubſiſtendo quodãmodo rationib⁹ attributa libus,idealibus,perfectionalibus,& relationibus,inter quẽ ppria ratio ſoli deo cõueniens perfe ctionalis cõſequens ordine rationis eſſentiã dei,eſt diuina immẽſitas:quẽ eſt quedã diuina quã titas:vt infra declarabit.Cetera vero diuina.ſ.& attributa & fundata in illis,nec nõ & aliẽ ra tiones pfectionales exiſtentes in diuina eſſentia:ordine quodã rationis in diuina ſubſtantia ſe qunt eius immẽſitatẽ,ſicut quodãmodo in corporalibus ad materia immediate conſequitur

Q
quãtitas molis,& mediate illa cetera oia.¶De ceteris autẽ conſideratis in immẽſitate diuinẽ ſubſtãtiẽ aduertendũ eſt ꝗ illa ſunt rationes ideales,& attributales,& pfectionales:quẽ in hoc differũt ꝗ ratiões attributales ſunt ratiões ꝗdã pfectionales ſecũdariẽ quaſi diuinẽ naturẽ ſiue eſſentiẽ ſupadditẽ,& hoc in diuina eſſentia exiſtẽtes vnitẽ,& in diuina notitia ſiue intelligen tia exiſtẽtes diſtinctẽ & plurificatẽ.Sũt autẽ rationes perfectionales primariẽ quaſi diuinẽ eſſen tiẽ primo naturaliter inditẽ,in duplici genere.Quædã enim ſunt omnino abſolutẽ & genera

les,cuiuſmodi eſt viuere ſiue vita,ſub quo continêtur intelligens & volens: ſiue intelligêtia &
voluntas.Quædam vero ſunt omnino reſpectiuę & ſpeciales,cuiuſmodi ſunt rationes ideales:q̃
non ſunt niſi imitabilitates quædam diuinæ eſſentię a creaturarum eſſentiis ſcdm gradus di
uerſos in naturalibus perfectionibus earûdem : quibus eſſentiæ creaturarum per ſe referuntur
ad diuinam eſſentiam vt menſurata ad menſuram ſecundo genere relationis.Et ſunt eędem ra
tiones iſtę ideales & perfectionales:vt cõmuniter diſtinguuntur contra attributales:licet inter
ſe propriis rationibus diſtinguantur.Dicuntur enim ipſę rationes ideales, rationes perfectiona **R**
les inquâtum continêtur vnitę in diuina perfectione,ſiue in diuina eſſentia vt ipſa perfecta eſt.
Et per illas ipſa diuina eſſentia perfecta vt menſura:refertur ad eſſentias creaturarum : ſed per
accidens:quia ſcilicet ipſę eſſentię creaturarum per ſe referuntur ad diuinam eſſentiam ſcdm
ſuas perfectiones vt mêſurata ab illa ſcdm rationes perfectionales exiſtentes in illa. Ipſę autem
eędem rationes perfectionales dicuntur rationes ideales inquâtum continêtur quaſi ſegregatę
& diſtinctę in diuina notitia ſiue intelligêtia,& hoc in ordine ſiue habitudine ad eſſentias crea
turarum,& ſcdm rationem formæ exemplaris,in cognoſcendo ſcilicet per illas creaturarum eſ
ſentias,& ſcdm rationem efficientis in inſtituendo illas vt ſint aliquid ſecundum eſſe eſſentiæ
ſub determinato gradu perfectionis in ipſa earum eſſentia.Omnes enim rationes perfectionales
quibus diuerſi gradus perfectionum reſpondêt in creaturis vt perfectionales ſunt in perfectio
ne diuinę eſſentię virtute,& vt in vno ſimplici indiuiſo atq̃ indiuiſibili cõtinête eas vnitę:quê
admodû in calore ſi eſſet ſeparatus,in vno ſimplici virtute continerêtur oês gradus omniû ca
lorum exiſtentium & natorum exiſtere in materia.pręter hoc q̃ in calore ſeparato contineren
tur virtute omnes gradus calorum in vno ſimplici finito & in gradu finitę perfectionis exiſtê
te.In diuina vero eſſentia continerêtur virtute in vno ſimplici infinito & perfectionis infinitæ
abſq̃ omni gradu,ſecundû q̃ alias expoſuimus in queſtione ſecûda.xiiii. Quodlibet. Eędem ve **S**
ro rationes quę vt in diuinę eſſentię perfectione ſunt vnitę:ſunt rationes perfectionales & prin
cipia formalia in mêſurâdo perfectiones creaturarum:vt autê actione ſunt in diuina notitia vt
in apprehendête & diſtinguête eas & plurificâte,ſunt rationes ideales, & principia exemplaria
in inſtituendo pſectiones creaturarum in eſſe eſſentię,& hoc priuſq̃ ſcdm rationes illas fiât ipſ
eſſentię creaturarû in eſſe actuali.Quarû diſtinctionê re vera nec intellectus diuinus circa per
fectionem diuinę eſſentię apprehenderet vt plures ſcdm rationê,niſi in habitudine ipſius diui
nę eſſentiæ ad diſtinctionê realem ipſorû creabiliû imitâtium ſcdm diuerſos gradus perfectio
nis ſuæ perfectionê diuinæ eſſentię. Non q̃ idea ſcdm diuinâ conſiderationem aut noſtrã,limi
tationê aliquã importet,etiam per comparationê ad verã limitationê exiſtentê ſcdm gradus in
eſſentia creaturæ,ſecundû quã quęlibet creatura ſuã ideam exiſtêtem in deo imitatur:licet ali
qui hoc dicât: immo tota perfectio diuinę eſſentię infinita includitur in ratiõe cuiuſlibet ideę,
& tota perfectio diuinę eſſentię eſt idea cuiuſlibet creaturę:licet non niſi ratione illa qua conti
net virtute pſectionem quæ propria eſt cuiq̃ creaturę,& quæ cõſiderant in ipſa perfectione di
uinę eſſentię in habitudine ad quãcûq̃ creaturam.Aliter em falſus eſſet omnis intellectus idea
rû, & ſimiliter omnis ſermo de ideis:quia omnis ſermo & intellectus cõprehendens in deo ali
quid limitatû,falſus eſt.Vnde & quęlibet eſſentia creaturę perfectionê diuinę eſſentię imitatur
ſcdm modum ſuum diuerſimode,nõ propter aliquã diuerſitatem ex parte dei,neq̃ ſcdm rem,
neq̃ ſcdm ratione conſiderationis dei aut noſtri:ſed ſolûmodo propter diuerſitatem realem ex
parte eſſentię ipſius creaturę.& hoc quêadmodum etiam in producêdo creaturas,& in guber
nando productas,deus ſe habet ad illas ſcdm vnam diſpoſitionem:licet illę ad deum non ſe ha
beant ſcdm vnã diſpoſitionê:ſed ſcdm diuerſas,vt dicit.x.Propoſitio de cauſis. Et ſic idea neq̃
ſcdm conſiderationê noſtram,ſicut neq̃ ſcdm conſiderationem dei,aliquã limitationê impor
tat,etiã in comparatione ad veram limitationê in creaturis:licet ipſa nominet reſpectum ad li
mitatû.Vnde non dicitur q̃ in deo alia ſit idea equi,alia hominis,neq̃ ſcdm aliã rationem idea
lem dicitur homo factus,& ſcdm aliã equus:niſi quia eſſentia diuina continens virtute omnes
rationes perfectionales creaturæ,alio reſpectu comparatur ad eſſentiã hominis,alio vero ad eſ
ſentiam equi,& hoc ex eo ſolo q̃ comparatur ad aliud & aliud:ſed hoc non habendo in ſe illos
reſpectus abextra:ſed ſolûmodo adextra: vt videlicet nõ qa eſſentiæ creaturę extra ſunt alię &
alię,ideo ideę in deo ſint alię & alię, quaſi alietas eſſentiarum creaturæ extra,ſit cauſa alieta
tis idearum in deo: ſed potius econuerſo eſſentię creaturarum extra ſunt alię & alię:quia ideę
earum quas imitantur ſunt alię & alię:licet alietas idearum non accipiatur per intellectû etiã
diuinum niſi in ordine ad alietatem eſſentiæ creaturæ.Imitantur dico non tam in eſſendo q̃ in

T cognoſcędo.In eſſendo:quia eſſentia creaturę ex hoc eſt eſſentia ꝙ eſt ideatũ : quęadmodũ per imitatione diuinę eſſentię & illud qꝑ non eſt tale.ſ.ꝙ non habet diuinã eſſentiam vt ideam ſibi reſpondentę,quã imitatur vt formã exęplarem & rationę perfectionalem , purum nihil eſt & non intelligibile,nec res alicuius prędicamenti.In cognoſcendo autem,quia creaturę nõ cognoſcütur a deo niſi quia cognoſcit ſe imitabilem ab illis:nec potęſt ſe intelligere imitabilem ab illis niſi ſimul cointelligendo illas:non in ſeipſis:vt obiecta cauſantia in deo ſuã notitiam: ſed in ſua imitabilitate exiſtęre in deo:vt illa quę ſunt creata a notitia quã deus habet de ipſis.Notitia enim dei de creaturis non eſt cauſata ab illis:ſed potius cauſatiua illarum,dicente Auicen. lib.viii.metaph.c.xlvii.Ipſe intelligit res ſimul vt nõ per eas multiplicetur:ſed ꝙ fluunt formę earum ab eo intellectę.Vt ſcias ꝙ intentio intellecta aliquando accipitur de re quę eſt:ſicut cõtingit cũ nos ſentimus de cęlo per conſiderationem & ſenſum formam eius intellectam. Et aliquando forma intellecta non ſumitur de his quę ſunt:ſed econuerſo:ſicut omnes intelligimus formam artificis quã adinuenimus,& deinde forma intellecta mouet ad hoc vt ſit in opere.Igiꝉ non quia fuit ipſa,deinde intelligimus eam:ſed quia intelligimus ſit ipſa. Talis ergo eſt comparatio qꝺ eſt ad primũ qui eſt neceſſe eſſe:quia ipſe intelligit ſuã eſſentiam:& quicquid facit debere eſſe ſua eſſentia . Sequitur ergo formã ſuam intellectam formę ſecũdum ꝙ ſunt:& ab iſta ſcientia fluit eſſe ſcꝺm ordinem quę intelligit.&.c.xlviii.Nemo autem putet ꝙ intellecta apud eũ habent formas & multitudínem,ideo multitudo formarum quas intelligit ſit pars eſſentię ſuę.Hoc ergo qꝺ intelligit ſuã eſſentiã,cauſa eſt intelligendi illud qꝺ eſt poſt ſuam eſſentiam. Suũ ergo intelligere eius qꝺ eſt poſt ſuam eſſentiam,cauſatum eſt eius qꝺ eſt intelligere ſuam eſſentiam . Et non eſt relatio alicuius eorum ad ipſum niſi ſecundũ ꝙ ex rebus eſt nõ in eo:ſed hoc quo ad cauſalitatem notitię,non autem quo ad eſſe eſſentię earum,in quibus in diuina cognitione conſtituitur mũdus archetypus ab ęterno in mente fluens per diuinam notitiam de perfectione diuinę notitię : qui ex tępore fluxit ſcꝺm diſpoſitionę diuinę voluntatis in eſſe exiſtentię.Licet philoſophi ponentes mundum fuiſſe ab ęterno,dixerunt ipſum fluxum eius in eſſe exiſtentię proceſſiſſe ex ſola diuina notitia neceſſitate naturę & perfectionis illius aſſiſtente beneplacito voluntatis eius,& hoc ſcꝺm modum quo ponimus illum fluxiſſe ab illo in eſſe eſſentię.dicente Auicen.lib.ix.metaph.c.xxxvi.Omne autem eſſe qꝺ eſt ab eo, nõ eſt ſcꝺm viam naturę ad hoc vt eſſe omnium ſit ab eo non niſi per cognitionem:nec per beneplacitum cũ ſit pura intelligentia quę intelligit ſeipſam vt eſſe omnium ſequitur ab eo, eo ꝙ euętus omnium ſit ab eo,ſic ꝙ ſua eſſentia eſt ſciens ꝙ ſua perfectio & ſua excellentia eſt vt fluat ab eo bonitas. & hoc eſt de concomitantibus ſuam gloriam.Omnis autem ſcientia quę ſcit qꝺ prouenit ex ea niſi admiſcetur ei impedimętum aliquod:placet ei id qꝺ prouenit ex ea: & ex hoc qꝺ intelligit ſequitur ordo bonitatis in eſſe:& intelligit qualiter eſt poſſibile, & qualiter eſt elegãtius prouenire eſſe totius ſcꝺm iudicium ſui intellectus . Quia igitur ideę in deo cauſalitatę omnimodã habent ſuper res quarum ſunt formę in conſtituendo illas in eſſe eſſentię & exiſtentię, & hoc ſcꝺm rationę cauſę formalis exęplaris:idcirco reſpect⁹ ideę ad ideata nõ eſt penes gen⁹ relatiõis qꝺ eſt inter menſuram & męſuratũ: ſed potius penes primũ qꝺ eſt inter producętem & productum. Non eĩ idea męſura eſt ideati inquãtum eſt idea diſtincte exiſtens in intellectu diuino: ſed potius eſt principium productiuum illius:& męſura illius eſt inquãtum eſt ratio perfectionalis vnite exiſtens in eſſentia diuina. Sedenim ex perfectione diuina prouenit ꝙ a ratione ideali in deo fluit in eſſe eſſentię primo eſſentia creaturę,& ſecũdo mediante diſpoſitione diuinę voluntatis in eſſe exiſtentię,& vtrobiꝙ ſcꝺm determinatum & limitatum gradum perfectionis. Et quia Peripatetici non diſtinguũt fluxũ creaturatũ in eſſe exiſtentię ab illo qui eſt in eſſe eſſentię,ideo etiã quia ille qui eſt in eſſe eſſentię eſt ab ęterno : poſuerunt etiam illum qui eſt in eſſe exiſtentię , proceſſiſſe a deo ab ęterno,& ſolo ordine naturę diuinam perfectionem preceſſiſſe exiſtentiam creaturę ſicut preceſſit & eius eſſentiam.dicęte Auicę.vbi iã ſupra. Sed Stoici in hoc verius ſentientes diſtinguunt vnum fluxum ab altero,ponętes vnum fuiſſe ab ęterno & alterum ex tempore, & ſecũdũ a primo ſicut exemplatũ ab exemplari, ſiue ab exemplo,dicęte Platone in primo Timęi.Perſpicuũ eſt ꝙ iuxta ſyncerę & incõmutabilis proprietatis exęplar mũdi ſit inſtituta molitio:imago eſt vt opinor alterius. Et quomodo hoc,clare explicat in principio ſecũdi dicens.Mens cuius viſus contęplatioꝗ intellectus eſt:idearum genera contemplatur intelligibili mundo:quæ ideę ſicut ibi ſunt aĩalia,ſic deus in hoc opere ſuo ſenſibili diuerſa animalium genera ſtatuit eſſe debere.Boethius autę imitator Platonis lib.i.de conſo.de eodem in metro ſuo ſic ait,Forma boni liuore carens tu cuncta ſuperno Ducis ab exemplo:pulchrum pulcherrimus ipſe Mūdum mente gerēs,ſimiliℓ imagine formās,Perfectaſℓ iubes perfecta abſoluere partes,& lib.i.de trini.c.iii.dicit.Ex his formis quæ præter materiam ſunt ideę æternæ iſtę formę veniunt quæ ſunt in materia & corpus efficiunt.& hoc vt ibidem dicit Cōmen.qua dā exēpli ab exemplari conformatiua deductione.Nā formis quę in corporibus ſunt, abutimur formas vocantes dū imagines ſunt.Aſſimilantur enim formis his quæ non ſunt in materia cōſtitutę.Appellāt autē Plato & Boethius ideas rerum eſſentias in diuina notitia vt quædā obiecta cognita comprehēſas, ǧ ſcdm rem ſunt aliæ a diuina natura,& hoc aliter ǧ nos iam locuti ſumus de ideis:appellando ſcilicet ideas rationes cognoſcendi illas quæ ſcdm rem ſunt eędē cū natura diuina.Et ſunt duo modi rationū in arte diuina. Quarum vna eſt ratio cognoſcēdi illa quæ ſunt extra,& non obiectum cognitum,aut in eſſe inſtitutum.de qua plane loquit Augu.vi.de trini.c.vlti.loquēs de verbo ſic inquiēs. Ars ǧdā eſt oīpotentis atℓ ſapientis dei plena omnium rationū viuētiū incōmutabiliū:& oēs vnū in ea,ſicut & ipſa vnū de vno,cū quo vnū. Alia vero eſt ratio cognoſcendi & eſſendi illorum quæ ſunt extra,& obiectum cognitum atℓ in eſſe eſſentię inſtitutum.de qua dicit ſuper Ioan.ſermone primo ſic. Faber ǧ facit arcā primo in arte arcā habet.Si enim in arte arcam non haberet:vnde illam fabricando proferret!& infra. Sic fratres chariſſimi ſapientia dei per quā facta ſunt omnia,ſcdm artem continet omnia anteǧ fabricaret omnia.Conſtat autē ℓ ratio quę eſt arca in arte, eſt quoddam obiectum cognitū inſtitutum ab arte.Cōſtat etiā ℓ rationes illę quę ſunt vnum in arte ſicut & ipſa ars cū eo cuius eſt:eſt ratio cognoſcendi & eſſendi tm.Et(vt dicūt aliqui)in hoc conueniunt rationes attributales cum idealibus & perfectionalibus:quia.ſ.non diſtinguuntur rationes attributales ſiue diuina attributa,puta bonitas & ſapientia ſcdm intellectum creatum & increatū,a diuina eſſentia,aut inter ſe,niſi conſiderata ſint in cōparatione ad illa quæ eis reſpondēt in creaturis extra vt ſunt creaturæ,eſſentia,bonitas,& ſapiētia,ſicut nec ideę ſiue rationes ideales aut pfectionales quæ incidunt cū ideis,licet quoquo modo aliter & aliter.Quia(vt dicūt)ideę nō conſiderātur,vt tactum eſt iam ſcdm intellectum creatum aut increatū,ex ordine ſiue in ordine & comparacione ad illa quæ eis per conformitatē reſpondēt in creaturis vt exemplata exemplari, niſi ſcdm rationem cuiuſdam limitationis , eo ℓ in aīali(vt dicūt) non reſponderet quælibet idea ideato ſicut propriū exēplar proprio exemplato.Attributa vero nō conſiderātur ſcdm intellectum creatū & increatum ſimiliter ex ordine ſiue in ordine & cōparatione ad illa quæ eis per conformitatē reſpondēt in creaturis:ſed conſiderātur abſℓ omnis limitationis ratiōe:quia oēs perfectiones quę in ipſis creaturis ſup ipſarū creaturarum eſſentias conſideratę pertinēt ad dignitatē ſimpliciter:deo attribuuntur per quādā eminētiā:vt ſcdm beatū Dionyſiū,Deus nō ſolū ſit dicēdus bonus & ſapiens: ſed ſuperbonus. & ſupſapiēs & cętera hmōi. Propter ǧd etiā (vt dicūt)non ſunt in deo attributa ſub ratione exemplaritatis aut alicuius cauſalitatis reſpectu illorū quę eis reſpondent in creaturis:ſicut ſunt ideę ſcdm pręactum modum. Dicitur enim deus bonus & ſapiens & cętera huiuſmodi abſℓ eo ℓ ſit aut intelligatur vllo modo cauſa in creaturis taliū ſibi reſpondentium:cuiuſmodi ſunt bonitas,& ſapientia in creaturis.Et tamen vt dicunt taliū perfectionū diſtinctio in diuinis inter ſe aut ab eſſentia , aut pluralitas eorūdem,aut omnino eſſe eorum in diuinis ſuper eſſentiam aut pręter eſſentiam non poteſt accipi in deo per intellectum circa diuinam eſſentiam,niſi apprehendendo eas circa diuinam eſſentiam in habitudine ſeu comparatione & ordine ad conſimilia eis reſpondentia, quæ in creaturis differunt ſecundum rem & inter ſe & a creaturarum eſſentia.Quia vt dicunt, & ſecūdum ℓ tactum eſt in argumentis : non poteſt intellectus quicunℓ circa vnum & idem re plures rationes quaſcunℓ concipere, aut illud ſub pluribus rationibus apprehendere niſi per habitudinem & comparationem ad aliqua illis correſpondentia plura & diſtincta ſecundum rem. Vt tamen vnum & idem ſint re verum & bonum in eodem, nunℓ intellectus comprehenderet aliam eſſe rationem veri & aliam boni : niſi ex habitudine & comparatione illius vnius ad diuerſas potentias animę re diſtinctas,habentes actus re diuerſos & diſtinctos, quarum ſunt per ſe obiecta . Et ſic ſecundum iſtos in diuinis ſubſtantia , quantitas , & qualitas, non poſſunt apprehendi vt plura & diuerſa inter ſe ſecundum rationem niſi in habitudine ad ſubſtantiam,quantitatem, & qualitatem, quæ ſunt re plura & diuerſa in creaturis. Et eadem ratione vlterius identitas,æqualitas,& ſimilitudo fundatę ſuper ſubſtantiam, quantitatem,& qualitatem in diuinis nequaℓ poſſunt apprehendi vt plura & diuerſa inter ſe ſecūdum rationem niſi in habitudine ad idētitatem,æqualitatem,& ſimilitudinem, quæ ſunt re

plura & diuerſa,fundatę ſuper ſubſtantiam,quantitatem,& qualitatē re plura & diuerſa exiſtētes in creaturis. ¶Dico autem partim concordando cum prædictis, & partim diſcordando ab

**X**
**Reſponſio.** eiſdem,ꝙ quandocuꝯ in eodem ꝙ non eſt niſi vnū , & idipſum re, quando ad ſe dicitur, & ab
ſolute & ſecundum ſe conſideratur,eſt aliqua pluralitas & diſtinctio ſiue diuerſitas vel ſecūdū
rem vel ſcdm rationem,illa non eſt niſi in habitudine & comparatione quadam illorum pluriū
ſed non eſt in habitudine ad diuerſa ſcdm rem extra illis reſpondentia:ſed ſufficit ꝙ ſit in habitudine vel ipſorum inter ſe,vel ipſorum ad aliqua alia plura & diuerſa ſcdm rem,ſiue intra,
ſiue extra . Puta cum natura deitatis ſit vnum & idipſum abſolutum dictum ad ſe , in ipſa eſt
pluralitas & diſtinctio perſonarum ſcdm rem ex habitudine & comparatione illarum inter ſe:
non autē ad aliqua diſtincta diuerſa ſcdm rem illis correſpondentia.Pater enim & filius ſunt in
diuinis ex natura rei,non autem ex aliqua conſideratione rationis aut intellectus,& hoc ex ſola mutua habitudine eorum adinuicem diſtincti,nō autem ex aliqua habitudine ad patrem &
filium qui ſunt in creaturis vt aliqua alia diuerſa ſcdm rem exiſtentia in creaturis.In ipſa etiā
diuina eſſentia eſt pluralitas & diſtinctio idearum ſcdm rationem ex habitudine ſola ad correſpondentia eis in creaturis extra.In ipſa etiam eſt pluralitas attributorum atꝗ diſtinctio,nec
non & relationum cōmunium,de quibus eſt quæſtio.Quorum pluralitas & diſtinctio ſi nō eſſet niſi ex habitudine ad correſpondentia eis in creaturis,tunc non eſſet omnino alius modus
diſtinctionis illorū & idearū,nec eſſet alia bonitas in deo ꝙ idea bonitatis exiſtētis in creaturis,
etiam ſi ideꝗ conſiderarentur ſcdm rationem cuiuſdam limitationis: non ſic autem attributa,
non obſtante ratione quæ iam contra hoc adducta eſt ſcdm prędictos:ꝙ ſcilicet rationes attributorum exceſſiue & per modum cuiuſdam ſupereminentię ſunt in deo.Eſſe enim bonitatem
per ſupereminentiam in deo reſpectu ipſius ꝙ ei reſpondet in creaturis,non repugnat rationi
exemplaritatis.Bonitas enim & ſapientia quæ ſunt in creaturis imitantur quadam peregrina
ſimilitudine bonitatem & ſapientiam exiſtentes in deo , ſicut eſſentiam dei quadam peregrina
ſimilitudine imitantur eſſentię creaturarum:licet quædam ſimilitudine maiori & quædā mi-
nori:prout dicit Augu.lxxxiii.q.q.li.Multis modis dici poſſunt res ſimiles deo. Aliæ ſcdm vir
tutem & ſapientiam factę:quia in ipſo eſt virtus & ſapientia non facta.Alię inquantum ſolum
viuunt:quia ille ſumme & primit⁹ viuit.Alię inquantū ſunt:quia ille ſumme ac primitus eſt.
Et ideo quæ tm̄modo ſunt: nec tamen viuunt aut ſapiunt: non perfecte ſed exigue ſunt ad ſi
militudinem eius.Omnia aūt quæ viuunt & non ſapiunt, paulo amplius participāt ſimilitudi-
nem.Iam porro quæ ſapiunt,illa ſimilitudine proxima ſunt:vt in creaturis nihil ſit ꝑpinqui⁹.
Et ſic ſicut deus nō dicitur idea niſi ex habitudine ſicut cauſa exēplaris ad ideatum in cognoſcendo & ꝑduc̄ēdo ideatū ſcdm ꝓdictū modū: ſic non eſt dicendus bonus aut ſapies niſi ex habitudine ſicut cauſa exemplaris & idealis ad bonitatem aut ſapiētiam quæ eſt in creaturis. ꝙ
falſum eſt.Falſa eſt etiā differentia quā quo ad hoc nitunt aſſignare inter rationem idealem &
attributalē,ſiue inter ideam & attributum:videlicet ꝙ idea in deo non conſideratur niſi ſcdm
rationem cuiuſdam limitationis, non ſic autem attributum. qm in deo nulla limitatio omnino conſiderari poteſt niſi intellectu falſo & erroneo: ſicut iam dictum eſt ſupra. Et ꝙ dicūt ꝙ
immo:quia aliter non reſponderet propria idea proprio ideato:vt ſcilicet in deo alia ſit idea ho
minis,alia equi:hoc falſum eſt. Abſꝗ eꝥ omni limitatione in ratione ideę in deo reſpondet pro
pria idea proprio ideato,& alia eſt idea hominis & alia equi . Quia ꝙ propria idea reſpondeat
proprio ideato , & alia ſit idea vnius ideati & alia alterius,hoc non eſt quia aliæ & aliæ limitationi in eſſentia creaturarum reſpondeat alia & alia limitatio in ideis:Tunc enim gradus eſſet
ponere ex parte dei in perfectione idearū,ſicut ſunt gradus perfectionis in eſſentiis creaturarū:
quod erroneū eſt dicere: ſed hoc eſt idcirco ꝙ idea non eſt omnino in deo niſi ex habitudine ad
eſſentiam creaturarum:& ſolūmodo in deo eſt alia & alia idea alterius & alterius , quia alia &
alia eſt pfectio in eſſentia vnius creaturę & alterius,reſpectu cuius idea habet ratione idealem.
Per hoc enim ratio perfectionalis vna & eade in perfectione eſſentię deitatis eſt. Ex hoc aūt eſt
alia & alia idea ī diuina notitia : ꝙ eſt ad aliā & aliā perfectionē exiſtentem in alia & alia eſſentia creaturę.ita ꝙ ſi amoueas aliū & aliū gradum perfectionis in creaturis:vt cōtingit plærūꝗ
in illis quæ ſunt ſub eadem ſpecie ſpecialiſſima: creaturis diuerſis non reſpondent diuerſę ideę
in deo.Licet enim ſecundum aliam ideam factus ſit homo & ſecundum aliam equus : non tamen ſcdm aliam & aliā ideam factus eſt vnus equus & alius,ſecundum ꝙ hoc alias declaraui-

**Y** mus in quadam queſtione de Quolibet. ¶Dico ergo ꝙ poſtꝗ ita eſt ꝙ diſtinctio attributorum
ſi non accipiatur niſi in habitudine ad reſpondentia eis in creaturis, ſicut accipitur diſtinctio

idearum, ipſa attributa ſunt ideę quædam,eo ꝗ non poteſt dící ꝗ differunt ſicut limitatū &
illimitatum,nec occurrit alía differentia inter illa aſſignanda, niſi forte illa quæ iam inferíus
aſſignabitur. & hoc clare falſum eſt. Neceſſe eſt ergo ponere attributa eſſe ín deo:& diſtinguí
abinuicem abſꝗ omni habitudine ad alíqua eis reſpondentia in creaturis:prout ſuperius de-
termínauimus loquédo de attributis. Et per eundem modū dicendū eſt in deo poni relationes
cōmunes:& diſtinguí inter ſe abſꝗ omni habitudine ad illa quę reſpondent eis in creaturis,de
quo quęrit quęſtío ꝓpoſita.꧁ꝗ́ vídetur ſentire Auguſt.vbí docet ꝗ intellígímus deū eſſe ve Z
rū,bonū,& cętera talium, nō reflectendo aciem mētis ad illa quę correſpondēt eis in creaturis,
ſícut ad nebulam phātaſmatis:ſed potíus abſtranédo illa ab eis. Octauo eīm de trini.ca.iiii.dicit
ſíc.Eſt trínítas de⁹ vnus,ſolus,magnus,verus,veritas:quē ſi cogitare conamur,nullus cogitet
per locoꝝ ſpatia contactus aut cōplexus:ſed quicquid tale occurrerit ſíne vlla dubitatione re-
ſpuatur.Ita eīm reſpuetur omne corporeū.In ſpíritualibus autē omne mutabile qd occurrerit:
non putetur deus. Vbí paucis interpoſitis quę inferíus iā apponętur, ſequitur. Ecce,víde ſi po
tes,de⁹ veritas eſt,noli quęrere quíd ſit veritas.Statim eīm occurrent caligines imagínū & nebula phātaſmatū,& perturbabunt ſerenitaté quę primo ictu defluxit cū dicere̅tur veritas. Ecce in ipſo primo íctu quo velut coruſcatione pſtringerís cum dicítur veritas , mane ſi potes: ſi
nō potes relaberis in iſta ſolíta atꝗ terrena.& ſequitur.c.iiii.Ecce verū:víde ſi potes:non amas
certe niſí bonū. Et poſt pauca enumeratis pluríb⁹ bonis particularibus pertínētibus tā ad mores ꝗ ad naturam & vſum rerū naturalíū,in ſumma recollígēs oīa:ſubdit dicens. Quid plura:
bonum hoc & bonū íllud, víde ipſum bonū ſi potes:ita deū vídebis non alío bono bonū: ſed bo
nū omnís boni.& infra ſequitur.Cū ítaꝗ audís bonū hoc & bonū íllud, quæ poſſunt alías dící
etiā non bona : ſi poteris ſine illis quæ participatione boni bona ſunt proſpicere ipſum bonum
cuius participatíone bona ſunt.Simul eīm & ipm intellígis cum audis hoc aut íllud bonū.Si er
go poteris illis detractis per ſe ipſum ꝑſpicere bonū,proſpexeris deū.Sicut autē hoc dícit de ve
ro & bono,ſi̅t ítellíge & de cęteris attributis:atꝗ aduerte qd dícit. Si ergo poteris illis ſubtra
ctis per ſe ipm ꝑſpicere bonū:proſpexeris deū.Et víde an verū eſſe poterit ꝗ de deo ꝗ verus ſit
bonus,ſapíens,aut alíquod alioꝝ huiuſmodi, non ꝑſpicít in ipſo niſi ex habitudíne ad ſimílía
illis correſpṓdētia in creaturis.Certe nequaꝗ:imo habitudo ad illa impedit(vt dicit) ne ſere-
ne in deo cōſpici poſſint. Q꜃ ſi i deo cōſpici poterūt abſꝗ dicta habítudine:poterit ergo ſímílí
ter conſpici & illorum diſtínctio abinuicē & ab eſſentia:atꝗ eorū pluralítas abſꝗ omni habitu
dine dicta.Dico quátum eſt ex parte illorum vt cognoſcibilia ſunt in deo & de deo,& quátum A
eſt ex parte intellectus diuíni:licet forte non quátum eſt parte intellectus noſtrí nō ſimplíciter
ſed ſolūmodo pro ſtatu cōmuni vitę pſentis,in quo intellectus noſter ſe habet ad manifeſtíſſí-
ma naturę,cuiuſmodi ſunt illa cognoſcibilia de deo quátū eſt ex parte illoꝝ,ſicut ſe habet ocu
lus veſpertilíonis ad lucē ſolis:vt dícitur i ſecūdo Metaph. Forte eīm nihil qd deí eſt,ſiue eſſen
tia,ſiue vita,ſiue bonitas,ſiue ſapiētia,ſiue intellect⁹,ſiue volūtas,ſiue gñatio,ſiue ſpíratio, ſiue
paternítas,ſíue filiatio,ſíue quodcūꝗ alíud abſolutū aut relatiuū ꝓ ſtatu cōī vítę pſentis pōt
intelligi ab intellectu noſtro etiā ſub ratione attributi generalíſſimi niſi in habitudine ad ſibi
correſpondens in creaturis : quēadmodum ab inítio nullum illorum apprehendere poteſt de
deo niſi quadam manuductíone a ſímilibus íllís correſpondentibus in creaturis.Et ſic a differétia reali iu creaturís pcedit differētia ratióis in attributis:ecōtrario illi qd dictū eſt iā ſupra
de differentia ideorū & ideatorū. Nec eſt in hoc vlla differētia in apprehenſione illorū ꝗ ſunt
abſoluta & eēntialia,& eoꝝ ꝗ ſunt relatiua & pſonalia:quia quo ad oīa hęc i creata natura cō
ſpicim⁹ quíd de increata ſentire debeam⁹:vt dicit Ricar.i.de trini.c.iii.Eſt tñ ad hoc ſígnū no- B
tiſſimum,ꝗ omnia illa quátum eſt de ſe abſꝗ dicta habítudíne ab intellectu noſtro ſunt cogno
ſcíbilia quantum eſt ex parte naturę ipſíus : hoc videlicet , ꝗ quanto ea quæ ſimpliciter dignitatis ſunt in creaturis,maiori abſtractione & ſeparatione ab eiſdem intellígimus : táto magis ſynceręcognitioni diuinorū appropinquamus. Quáto etiam intellectum noſtrum a ſenſibus & ſenſibilibus abſtrahimus amplius,& a nebulís phantaſmatū & affectione ſeu amore cor
poralium ſequeſtramus ſeu depuramus:aptior ſit ad intelligendum diuina. dicente Auguſtino de Ioanne euangeliſta in exponédo illud,In principio erat verbum,in principio ſuper Ioan.
Niſi tranſcenderet omnia quæ creata ſunt,non peruenīret ad eum per quē facta ſunt omnia.
Debet autem abſtractío diuinorum intelligibilium quæ ex creaturis cognoſcuntur, & ſimíli-
ter ipſíus intellectus debētis illa intellígere, fore táta:vt ſint abſꝗ oī habitudine ad creata.Nō
ſolū eīm debet a conditionibus creaturarum ſequeſtrari:ſed per abnegatíoné ſe habere ad íllas.

Non enim sola sequestratio dictorū sufficit,sub quali intellectus noster intelligit vniuersale per abstractione conditionum particulariū a rebus intellectualibus,& etiā a seipso,intelligēdo.s.bo num simpliciter nō cointelligendo hoc vel illud:sed etiā requiritur abnegatio omniū eorȝ quæ sunt in creaturis ab ipso qd intelligendū est de deo,intelligēdo.s.bonū simpliciter,nō solū omit tendo per intellectum hoc & illud:sed abnegando etiam,& dicēdo ȹ non est hoc nec illud,nec simpliciter aliquid eorum quæ sunt in creaturis.Vnde de tali abnegatione dictū est iam scdm Augustinū.Est trinitas vnus deus &c.vbi sequiȓ continue interpositum quod iā omissum est. Nō em paruæ notitiæ pars est cū de profundo isto in illam summitatē respiramus,si anteȹ scire possimus quid sit deus,possimus iam scire quid nō sit.Non em est certe nec terra nec cælū,nec quasi terra aut cælū:nec tale aliquid quale videmus in cęlo,nec quicȹ quale nō videmus,& est forte in cælo,nec si augemus imaginatione cognitiōis luce solis quātum potest,siue quo sit ma ior siue quo sit clarior millesies tm aut innumerabiliter:neȹ hoc deus est.Nec sicut cogitātur angeli mūdi spūs cęlestia corpora inspirātes,atqȝ ad arbitrium qui seruiunt deo mutantes atqȝ versantes,nec si oēs cum sint milia miliū in vnū collocati vnus fiant,nec tale quid de⁹ est. Nec si eosdē spūs sine corporibus cogites,qd quidem carnali cogitatione difficillimū est. Si autē ali quis tali abnegatione facta conatur omne qd creatū est transcēdendo,aliquid eorū quę ipse de⁹ est cōprehendere: hoc nō potest fortasse vllo modo intellectu cōiuncto corpori qd corruptibili & aggrauat aīam adhuc pro statu vitę psentis,nisi in habitudine ad aliquid simile illi correspō dēs et ī creaturis:a quo attributa dicunt quasi a creaturis deo tributa.Qd tn proculdubio po test intellectu separato a tali corpore,& depurato ab omi affectiōe carnali & nebula phārasma tis:& hoc vel per mortē vel per auersiōe omnimodā a sensib⁹ corporis:vt cōtingit in ecstasi. Aliter em sine intellectu & notitia creaturę nō posset esse beatus,cū nihil intelligatur ex habi tudine ad creaturam nisi cointelligēdo ipsam creaturā.Istud autem falsum est,dicēte August. v.confes.c.iiii.Infelix ille homo qui scit illa omnia,te autē nescit. Beatus autē qui te scit etiā

C   illa nescit.De vtroqȝ autē modo separationis intellectus a corpore in diuina visiōe loquiȓ Au gust.lib.de vidēdo deū exponēs illud Exod.xxxiii. Nō videbit me homo & viuet & illud Apłi ii.Corin.xii.Scio hominē raptum &c.dices.Beatus est qui audiuit ineffabilia verba quæ nō li cet homini loqui:vbi adeo facta est ab huius vitæ sensib⁹ ȹdā intentionis auersio,vt siue in cor pore siue extra corp⁹ fuerit.i.vtrū in vehemētiori ecstasi mēs ab vita ī aliā vitā fuerit alienata manente corporis vinculo : an omnino fuerit resoluta:vt in plena morte cōtingit:nescire se di ceret:quia necesse est abstrahi ab hac vita mente:quādo in illius ineffabilitate assumitur. Et nō sit incredibile quibusdā sanctis nondū ita defunctis vt sepelienda cadauera remanerent,etiam istā excellentiam reuelationis fuisse concessam.De tali ergo intellectu humano sic auerso,& si militer de quolibet intellectu humano plene beato & pcipue diuino:Dico ȹ attributorȝ distin ctiōe & per consequēs relationum cōmuniū distinctiōe fundatarū in illis ī diuina essentia in telligere potest absȹ omni habitudine ad consimilia illis correspōdentia in creaturis. Pertinet em omniū illorum notitia ad visiōe beatam essentialem. In quo omnino differūt rationes at tributales a rationibus idealibus:quæ a nullo intellectu omnino & in nullo statu intelligi pos sunt absȹ habitudine ad correspondentia illis in creaturis.

D   ⟨Q⟩d ergo arguunt primo in contrarium,ȹ prędictorum esse aut eorum pluralí
Ad primū  tas seu distinctio in deo accipi nō possunt per intellectum siue creatū siue increatū circa diuinā
prin.   essentiā nisi apprehendendo illa in habitudine ad consimilia respondētia illis in creaturis,quę in illis sunt re differentia:quia essentia dei siue ipse deus & quicquid in ipso est,vnum est & id ipsum re simplici & ratione ȹ propria est ei ex se absȹ omni distinctiōe & pluralitate: & ideo cū absȹ habitudine ad alia apprehendiȓ,sub illa sola ratiōe apprehendiȓ:& ideo absȹ omi plu ralitate & distinctiōe:Dico ȹ verū est si absȹ omni habitudine omnino ad aliud apprehende reȓ.In deo em propter suā simplicitatem nihil pure & omnimode absolutū absȹ omni habitu dine ad aliud potest plurificari aut distingui,aut esse plurificatū aut distinctū: sed si in ipo sit plurificatio aut distinctio aliqua,illa necessario sit nō absȹ habitudine ad aliud, vel scdm rem vel ꝑm ratione,vel qd est extra in creaturis,vel qd est intra in diuinis:vt iam dictū est & expo sitū supra loquendo de attributis.Vnde dico ȹ esse attributorū & relationū cōmunium in di uinis & pluralitas atqȝ distinctio est scdm ratiōe per habitudinem ad aliud:& hoc non neces sario ad correspondentia illis extra:vt quidā dicunt:sed potest fieri ex habitudine eorū ȹ sunt intra in diuinis,cōparatorum inter se vel ad personarū emanationes.Attributa em solā diuinā

essentiã nominãt.Sub quibus rationibus determinatis substãtiç quãtitatis & qualitatis.f.magnitu
dinis bonitatis & sapiétiç & hmõi,q circa essentiã cõcipiũt,nõ nisi ex qdã habitudine illoꝝ ad qdã
alia,& secũdũ diuersitatē hmõi rõnũ,nõ secũdũ aliquã diuersitatē absolutã in essentia diuina q est
alioꝝ fundamētũ,habēt esse,plurificari,atꝗ distingui attributa,Nec oportet ꝗ concipiant in habi
tudine ad extra differens secũdũ rē:immo sufficit ꝗ concipiant in habitudine adintra:et ad indiffe
rens secũdũ rē,differēs vero sola rõne.Est erm in diuinis(vt dictũ est)vnicũ tm mere absolutũ rõ
ne significati & nois significatis cõceptũ absꝗ omni habitudine secũdũ eē siue essentiã.Substãtia erm
licet rõne significati sit mere absolutũ:rõne tm impositionis ipsi9 nois importat habitudinē ad illa
quibus subsistit,vt iam dictum est supra:et significat essentiã sub rõne ꝓpria substãtiç quç est fm
se existere:accepta ex habitudine eius ad attributa existétia in illa:et ad omnes rõnes perfectionales
atꝗ ideales vt est subsistens illis,a qua & denoiat substãtia.Inter quç considerata in diuina substã
tia primum est quãtitas siue magnitudo q inest substãtiç:& mediante illa cætera omnia secundum
iã superius dicta.Diuinç erm substãtiç rõne qua est icreata,cõuenit ꝗ sit imésç magnitudinis: & rõ
ne qua est immésç magnitudinis cõueniũt ei ꝗcũꝗ sunt dignitatis & perfectionis simpliciter,siue I
ueniantur in creaturis siue non. Et sic in propriis suis cõceptis ex habitudine seu comparatione eo
rum per intellectum inter se distinguuntur substantia et quantitas:inquãtũ substantia quantitati
subsistit:& quantitas substãtiç insistit:et ꝑ eũdē modum distinguũt a substãtia et quãtitate çtera
diuina in diuinis cõsiderata:et hoc rõne vna illis cõi,inquãtũ substãtia mediãte quãtitate illis sub
sistit:et illa eidē insistit:quç propriis rõnibus ex habitudine eorum inter se distinguũt absꝗ oñi
habitudine adextra. Deitas erm sub rõne scientiç notitiç aut sapientiç concipitur ab intellectu i ha
bitudine ad seipsam conceptam sub ratione scibilis aut scientis:et econuerso:sicut eadem deitas cõ
cipitur ab intellectu sub ratione paternitatis in habitudine ad seipsam conceptam sub ratione filia
tionis et econuerso:licet in hoc sit differentia duplex.Prima,ꝗ relationes sunt illç habitudines: nõ          **E**
sic autem relationes çterorum quç sunt in diuinis absoluta.Secunda,ꝗ in diuinis paternitas et fi
liatio sicut pater et filius:et vniuersaliter relationes ac habitudines notionales habent esse & distin
guia natura rei,non autem a consideratione intellectus, a qua in diuinis habent solummodo esse
et distingui rationes cæterorum.Et sic intellectus concipit in diuinis diuersos respect9 relationum
notionalium ex habitudine illarum inter se:quarum distinctionem inuenit operatã a natura rei:
sed non operat.Concipit aũt diuersas rõnes attributales ex habitudine illorum inter se:quorum di
stinctionem non inuenit operatã a natura:sed ipse illã opatur:et hoc quéadmodũ ipse operat rela
tiones respectuũ alicui9 ad seipsum secũdũ primũ modũ idétitatis:et hoc absꝗ oñi habitudine ad
aliquid extra:quéadmodũ etiã cõcipit respect9 diuersos relationũ cõmuniũ inter duas ꝑsonas,puta
idétitatũ,equalitatũ,et similitudinũ mutuarũ inter patrē et filiũ,Non enim identitatem, æqualita
tem,et similitudinem quibus pr est idem æqualis et similis filio et ecõuerso:oportet apꝓhédere i ha
bitudine ad aliquã idétitatē,equalitatē,et similitudinē qb9 aliquç creaturç sibi sunt eçdē eçles et si
miles:maxime qa nõ est inuenire relationes cões siɫes et correspõdétes in creaturis:quia sup idē nu
mero in creaturis nõ fundãt plures identitates aut equalitates aut similitudines iter diuersa sup
posita,sicut fundantur in diuinis inter distinctas personas per earum habitudinem mutuam secun
dum superius determinata.Et secundũ hunc modum distinguit itellectus in diuina essentia ratio
nem boni:et concipit eam ex habitudine illius ad rõnē voluntatis in eadē:et ecõuerso: & similiter          **F**
rõne veri ex habitudine illi9 ad rõnē intellect9:et ecõuerso.Et ex hoc vlteri9 cũ i deo vnũ et idē re
sint verum et bonum,itellectus circa diuinã essentiã apꝓhédit aliam rationem veri et aliam rõnē
boni,non necessario ex habitudine,& cõparatione illi9 vni9 ad diuersas potentias animæ re distin
ctas habentes actus re diuersos et distinctos quorum sunt per se obiecta : nec ex comparatione ad
bonum et verum quæ in creaturis sunt diuersa secundum rem:sed sufficienter comprehendit il
las diuersas et distinctas ex habitudine ad diuersas rationes intellectus et voluntatis: et sic ad di
uersas rationes dissimiles omnino:quemadmodum et in diuinis sumitur omnis distinctio attribu
torum:nequaꝗ autem ad rationes similes:quemadmodum a rõnibus similibus deo attribuũtur
a creaturɨ:puta bonitas a bonitate:veritas a veritate: pulchritudo a pulchritudie:et sic de çteris.
Et sic per distinctionem rationum siue habitudinum quas important attributa vt opposita:quæ
in diuinis considerantur ex parte intellectus inter se vt opposita inter se ex vna parte et ex alia
parte,voluntas distinguit inter se illa quæ sunt ex vna parte quadam diuersitate respectuum si
bi inuicem oppositorum:quo facto comparat illa quæ sunt ex parte intellectus ad illa quæ sunt
ex parte voluntatis:et vniuersaliter illa quæ non distinguit secundũ respectus oppositos iter se,cõ
parat inter se secũdũ quãdã oppositionem disparatiõis:qd sufficit ad plurificationē et distictionem

GG

G attributoℊ in diuinis:nec plus requiritur.Et per hunc modũ diſtinguunt inter ſe tres modi rela
tionum communium in diuinis,prout ſupra expoſitũ eſt.Qđ ergo dicunt,ꝙ circa vnũ & idẽ re &
ſubiecto intellec⁹ nunꝗ apꝑhẽderet aliã rõne veri & alia rõne boni niſi ex habitudine illi⁹ vni⁹ ad
diuerſas aie potẽtias re diſtinctas:quarũ actus realiter ſunt diſtincti:per hoc intendendo ꝙ cũ ĩ deo
totũ quod eſt,vnum & idẽ re eſt & ſubiecto: intellec⁹ idcirco nunꝗ apꝑhẽdit alia & alia ratiõ di
uerſoℊ attributoℊ niſi in habitudine illi⁹ vni⁹ ad diuerſa realiter diſtincta illis reſpondentia:Dico
ꝙ hoc falſum eſt & in deo & in creaturis.Ponendo eñ potẽtias anime nõ eẽ aliud re a ſubiecto ei⁹
(ſecũdũ ꝙ alias declarauim⁹ in quadã ꝗſtiõe de Quolibet )idẽ & vnũ re & ſubiecto ſunt verum &
bonum ſicut intellec⁹ & volũtas:& intellec⁹ in ſubſtãtia apꝑhẽdit rõnem veri ex habitudie & cõ
paratione illi⁹ vni⁹ ad ſeipſum ſub rõne intellec⁹:& ſimiliter rõne boni ex habitudine ſui ad ſeipſm
ſub rõne volũtatis abſꝗ omni diſtinctiõe ſecũdũ rẽ inter intellectũ & volũtatẽ.Q₂ ſi actus intelligendi & cognoſcendi in aia ſint diuerſi ſecundum rem:illa diuerſitas omnino accidit dictorũ diſtinctioni ſecũdũ rationẽ.Ex tali enim habitudine veri & boni ad intellectũ & volũtatẽ nihil minus
diſtinguerent in aia verum & bonũ etiã ſi eſſent vnũ & idẽ ſecũdũ rẽ in ſubſtãtia aie act⁹ volũtatis
& intellectus,ſicut ſunt ipſe intellec⁹ & voluntas:quẽadmodũ hoc cõtingit in deo.Dictũ ergo illo
rũ nõ ꝓcedit niſi ſuppoẽdo potẽtias aie differre ſcdm rẽ inter ſe.Qđ etſi ita eẽt,iſta tñ diuerſitas
inter voluntatẽ & intellectũ accideret diſtinctioni veri & boni in habitudine ad illos:ſicut iam ſupra dictũ eſt de diſtinctiõe actuũ eorum.Et ſic oĩno accidit diſtinctioni attributorum in deo habi
tudo ad diuerſa ſecũdũ rẽ illis reſpõdẽtia,ſiue ſecũdũ idẽ nomen & eandẽ rõne,ſicut bono vero pul
chro ĩ diuinis reſpõdẽt verũ bonũ & pulchrũ in creaturis,a ꝗb⁹ etiã a nobis attribuunt deo:ſiue ſe
cundũ aliud nomen & alia rõne,ſicut bono & vero in deo reſpõdẽt voluntas & intellectus in crea
turis.¶ Q₂ aũt ſecũdo p rõne diuiſiuã id ꝙ videt eſſe oĩno contrarium dictis,arguunt ſic:ſi intel

H lectus aliquis etiam diuinus circa ſuam eſſentiam apꝑhẽdat aliqua plura & diſtincta:hoc non pot
Ad ſcđm. eſſe niſi tripliciter &c.Dico ꝙ non apꝑhẽdit illa diſticta ſecũdũ ſe & ſimpliciter:quia vt ꝓcedit pri
mum membrum argumenti, intellectus tũc nõ operaret talẽ diſtinctiõe:ſed eam operatã inueniret:& hoc non niſi ex natura rei:ſicut in abſolutis inuenit diſtinctiõe ſuppoſitorum ſubſtantiã in
creaturis:& in relatiuis diſtictionem ſuppoſitorum in diuinis:ꝙ falſum eſt in propoſitis ſecũdũ di
cta.Similiter dico ꝙ non neceſſario apꝑhendit illa plura & diſtincta p cõparatione & ĩ habitudine
ad ſimilia correſpõdẽtia in creaturis:ꝙ itẽdit cõcludere tertiũ mẽbrũ:ſed dico ꝙ ĩtellec⁹ & creat⁹
& increatus illa apꝑhẽdere pot vt plura & diſtincta abſꝗ omni cõparatiõe ad re differentia extra

I in creaturis:ſed ſolũmõ p cõparatione eoℊ mutuã inter ſe,& ſic ſola rõne differentia ſunt in diuinis & intra,vt patet ex dictis.Et ꝙ arguit cõtra hoc,ꝙ ſi intellectus apꝑhenderet diſtinctionem &
pluralitatẽ illoℊ p cõparatione & habitudine illoℊ adinuice ſiue iter ſe:tũc cõpabilia neceſſario ꝓ
cederent cõparatione:& actus cõparandi neceſſario pſupponeret diſtinctionem cõparatorũ ſiue cõ
parabiliũ:qa cõparabilia ſemp ꝓcedũt cõparatione:& act⁹ cõparãdi aliꝗ ſemp pſupponit eoℊ diſtin
ctione:& ſic apꝑhẽſio intellec⁹ p cõparatione nõ cauſaret dictoℊ diſtinctionem,vt dictum eſt: Di
co ꝙ cum apꝑhẽſa ab intellectu ſunt res nature:ipſe & earum diſtinctio naturaliter apprehendũt
apꝑhenſionem intellectus qua illas & earum diſtinctionem apꝑhendit:& ſimiliter comparationem
per quã apꝑhẽdit illas & illarum diſtinctionem.Et tũc vł̃r verũ eſt ꝙ cõparabilia precedunt cõpara
tionem:& hoc illam quã operatur intellectus circa cõparabilia:licet non illã quã circa illa operatur
natura,puta circa diuinas perſonas inter ſe cõparatas habitudine relatiua. Cum vero apprehenſa
ab intellectu ſint res rationis:inquantum hmõi & ipſe & earũ diſtinctio cauſant ab intellectu apꝑ
hendente illas per cõparationẽ quã operatur comparãdo illas iter ſe. Et ideo ipſe res hmõi inquãtũ
ſunt res rõnis & earum diſtinctio naturaliter ſequunt apꝑhẽſionẽ intellec⁹ qua illas & earũ diſtin
ctionem apꝑhendit:& apprehendẽdo eadẽ operat:& ſimiliter cõparatione p quã apꝑhẽdit illas & il
larum diſtinctione.Ipſa eñ apꝑhẽſio & cõparatio ſic apꝑhẽſoℊ naturaliter ſunt ſimul:quia non eſt
comparatio niſi p apꝑhẽſionẽ,nec apprehenſio niſi per comparationem,qua ſingulum comparoℊ
intelligitur in habitudine ſiue in ordine ad alterũ,ſicut vł̃r vnũ relatiuoℊ apprehendit per intelle

K ctum in habitudine ſiue in ordine ad alterũ:& idea in deo in ordine ad ideatũ : licet idea ſit cauſa
ideati.Dico ergo ꝙ attributa diuina inquãtũ attributa ſunt,& ſignificãt diuinã eſſentiã ſub ratio
ne reſpectuum determinatorum qui ſunt res rõnis:intellectus nõ apꝑhẽdit illa & illoℊ diſtinctio
nem per eorum comparationem inter ſe,quaſi ipſa & eorum diſtinctio ꝓcedat & illorum & diſtin
ctionis corũdẽ intellectũ atꝗ cõparatione inter ſe,vt ipſe intellectus illa vt prius exiſtentia atꝗ di
ſtincta abſꝗ operatione intellectus ex comparatione quam operatur illorum inter ſe , & illorum
diſtinctionem apprehendat ſicut apprehendit omnino abſoluta atꝗ diuinas perſonas : & eorum

diſtinctionem,ſecudū ꝙ nitiť pcedere argumētū cōtra illud ſecūdū mēbrū,ſecūdū quē modū ꜧque
bñ pcederet cōtra tertiū mēbrū.Sicut em̄ arguit ꝙ nō apphēdit ittellectus attributa diſtincta p cō
paratiōe eoꝝ adinuicē:ꝗa cōparabilia & eoꝝ diſtictio debēt pcedere cōparatiōe illoꝝ inter ſe:ſic
pōt argui ꝙ nō apphēdat intellectus attributa diſtincta p cōparatiōe ad ſibi ſimilia in creaturis
re diſtincta:ꝗa conſimiliter comparabilia & eoꝝ diſtinctio debēt pcedere cōparatiōe illoꝝ ad ſi
bi ſimilia in creaturis.Sed dico ꝙ intellectus apphendit attributa diuina & eorum diſtinctiōe per
eorum comparationem inter ſe:ꝗa.ſ.comparando illa ea apphēdit & diſtinguit:& apprehendēdo
illa comparat & diſtinguit.Et operatur intellectus iſta tria ſimul tpe:licet apphēſio & cōpatio etiā
ſint ſimul natura,& pcedant natura ipſam diſtinctiōe:ſicut apphēſio & cōpatio ideaꝝ ad ideata
pcedit natura ipſa ideata,& diſtictiōe ideaꝝ inter ſe atꝗ ideatoꝝ inter ſe,vt iā tactū eſt.Et habēt
eſſe ideꜳ a tali apphēſione & cōpatiōe id ꝙ ſunt ſecūdū rōne, & ab ipſis ideis ipſa ideata id ꝙ ſūt
ſcdm rē,vt iā dictū eſt.Aliter em̄ attributa & eoꝝ diſtictio pcederēt illoꝝ apphēſiōe:& cauſarēt il
lā:& ſimiliter apphēſio cōparatiōe:& coincideret ſecūdū & tertiū mēbrū diſtinctionis in primū,ſi
cut apparet conſideranti.  ◐Si aūt diſtinctio aliqua attributorū & p conſequens relatiōnū cōmu
niū accipiatur in diuinis in habitudine ad illa ꝗ inueniuntur reſpondentia ſn creaturis,hoc nō cō
tingit niſi ex parte intellectus noſtri ſecūdū ſtatum vitꜳ pſentis cōmune:ſi tñ hoc ſit neceſſariū:ꝙ
non aſſero.Dico ergo ꝙ intellectus non apphendit circa diuinā eſſentiā pdicta diſtincta & plura ſe
cūdū ſe:& ſimpliciter & abſolute:ſed operat illoꝝ diſtinctionem apphēdēdo illa in comparatiōe eo
rum adinuicem:nec apphendit illorum diſtinctiōe p cōparatiōe & habitudinem eorum ad cōſi
milia & correſpondētia eis in creaturis.Et ſic in hac diuiſione primū mēbrū & tertium interimen
da ſunt:& ſecundum ſimpliciter eſt concedendū.  ◐Aut ſi velimus & debemus omnino ponere ꝙ ſ
eo ꝙ eſt vnum & idipſum re & rōne quantū eſt de ſe,nō poteſt cadere diſtinctio aut pluralitas ali
qua etiā ſecundū rōne niſi ex ordine & habitudine ad aliqua diſtincta ſecūdū rē:dico ꝙ adhuc ipſa
diſtinctio & plurificatio talium in diuinis ſit adintra:ꝗa( vt ſupra declaraui )om̄ia attributa eſ
ſentialia in deo pertinent ad voluntatem & intellectum:& quꜳ pertinent ad intellectum ordinan
tur ad emanationem realem quꜳ eſt modo intellectus:& quꜳ pertinent ad voluntatem ordinātur
ad emanationem realem quꜳ eſt modo voluntatis:quꜳ realiter in diuinis oppoſitiōe diſparatiōis
diſtinguūt,vt ſupi⁹ declaratū eſt.Et p hūc modū circa diuinā eſſentiā apprehenduntur attributa
diſtincta ex habitudine eorum ad correſpondentia eis intra diuinam eſſentiā,diſtincta non re abſo
luta & ſecundum eſſe exiſtentiꜳ:ſed re relatiua:& ſecundum eſſe ſubſiſtētiꜳ:qualiter diſtinguūt p
ſonꜳ diuinas:quarum vna pcedit modo naturꜳ de intellectu:alia vero modo libertatis de volunta
te,ſecundū modū ſuperi⁹ expoſitum.Per hunc ergo modū & maior & minor diſtinctio ſunt in deo
abſꝗ omni cōparatione adextra: licet diuerſimode ſecūdū dictū modū.  ◐Et bñ tenet forma vltimi
argumenti in diuinis:ſi maior diſtinctio in illis poſſit eſſe ſ.pſonarū inter ſe abſꝗ omī comparatiōe
adextra:quare multo forti⁹ & minor:& hoc ꝗa ipſa minor ordinat ad maiorem, & maior reſoluit
ſiue reducitur in minorem. Et eſt diuina eſſentia quodāmo fundamentum relationum notionaliū
mediantibus rationibus attributalibus:quia ordine quodam rationis prior eſt diſtinctio attributo
rum ꝗ emanatio pſonarū:& ſimiliter diſtinctio perſonarum ꝗ diſtinctio relationum communium
inter ſe,vt ſunt perſonarum:quia nec eſſe habent niſi per perſonas diſtinctas quarum ſunt. Ratio eı
non diſtinguit inter identitatem ꜳqualitatem & ſimilitudinem perſonarum inter ſe, prout nomi
nant tres habitudines comparatas inter ſe,niſi per diſtinctionem inter ſubſtantiam quantitatem &
qualitatem:prout habent eſſe in perſonis diſtinctis ſecūdum rem,Neꝗ etiam diſtiguit inter extre
ma cuiuſlibet habitudinis niſi per diſtinctionem ſubſtantiꜳ quantitatis & qualitatis ſecundum
rationem,prout habent eſſe in perſonis diſtinctis ſecundum rem ſimiliter.Super ſubſtantiam enim
alia & alia ratione exiſtentem in alia & alia perſona,fundatur alia & alia identitas:& ſimiliter ſuper
quantitatem alia & alia ꜳqualitas:& ſuper qualitatem alia & alia ſimilitudo. Vt ſicut ad apprehē
dendum identitatem ꜳqualitatem & ſimilitudinem inter diuinas perſonas,non oportet intellige
re hꜳc in habitudine ad identitatem,ꜳqualitatem,& ſimilitudinem ſuppoſitorū in creaturis:ſed
ſola habitudine perſonarum inter ſe:ſic neꝗ ad apphēdēdū in perſonis diuinis eſſe alia & alia iter
ſe identitatem,ꜳqualitatem,& ſimilitudinem ſecundum rationem, & ſimiliter diſtinctionem ſecū
dū rōne ſubſtātiꜳ quātitatis & qualitatis:non oportet apphēdere in habitudine ad eoꝝ ſimilia di
uerſa re in creaturis:neꝗ omnino diſtinctione quorūcūꝗ diuinoꝝ attributoꝝ ab eſſentia & ab aliis
attributis:ꝗa relationes cōmunes nec eſſe nec diſtinctiōe habere poſſunt ſine eꜳ & diſtinctiōe ſuo
rum fundamētorum . Quare cū erronei ſit dicere diuinas pſonas inter ſe non habere identitatem
ꜳqualitatem,& ſimilitudinem ſecundum rationem diuerſoꝝ niſi in habitudine ad idētitatē ꜳqua

litaté & fimilitudiné fecúdú ré in creaturis: fimiliter erronei eft dicere in illis nõ efle fubftantiam quantitatem & qualitatem fecundum rões diuerfas,nifi in habitudine ad cõfimilia illis re diuer fa in creaturis:maxime cum fit aliquod attributum cui nullum fimile refpondet fecundum fpecié in creaturis:cuiufmodi eft diuina immenfitas fiue infinitas.

**Articulus LXIX.**

Equitur Arti.LXIX.de vnoquoq; genere relatíonum com muniũ prout habet efle in diuinis in fpeciali.Et primo de identitate.Se cundo de æqualitate.Tertio de fimilitudine.CCirca Primum aũt que runtur tría.Quorum

Primum eft:vtrum fit ponere identitatem in diuinis.

Secundum:vtrum modus identitatis fecundũ for mam & fpeciem fit tm vnus in diuinis.

Tertium:vtrum perfonarum diuinarum iter fe fit plena & perfecta identitas.

**A Quæft.I. Arg.I.**

Irca primum arguit q̃ non fit ponere idétitaté i di uinis,fic.Nõ eft idétitas nifi alicuius ad feipfum vel ad alterũ,fed neutro mõ habet efle idétitas in diuinis,ergo &c.Probatio affumptẽ eft prio de idéti tate alicuius ad feipm duplici medio,Primo fic,ois idétitas eft fecundũ vnitatẽ fubftátiẽ cõis illis q̃ ea referunt.Eadẽ.n.funt fcdm Pĥm.v.meta.quorum fubftátia eft vna.fed nulla fubftátia vna cõis eft in diuinis ipfis relatis:tũ qa oẽ relatũ in diuinis eft fubftátia:& fic fubftátiẽ eflet fubftátia:tũ qa fubftátiẽ q̃ relatiue dicit eẽt fubftátia alia fcdm quã relatiue dicit cõis cũ illo ad qd relatiue dicit. cõfequés falfũ eft pcipue in diuinis:qa nõ eft aliq̃ fubftátia i diuinis nifi vnica fingularis, qd etiã fi poneret,de illa poflet formari eadẽ q̃ftio.f.an eflet eadẽ fibi,& eflet pceflus in ifinitũ & impoffibile,

2 ergo &c.CSecundo fic,fi fubftátia diuinitatis eflet eadẽ fibi:aut ergo feipa eft eadẽ fibi:aut aliquo fibi addito . nõ feipfa:qa cũ idétitas fit relatio:tũc eẽtia eflet relatio,ex quo feq̃ret error.f.q̃ eẽtia nõ fit eẽtia fed relatio,dicéte Aug.ibidẽ.Si fili9 ponat eflentia relatiue dici ad patrẽ,cõficit iopina tiffimus fenfus, vt ipfa eflentia non fit eflentia:vel certe cum dicitur eflentia , non eflentia fed re latiuum dicatur.& fequitur poft pauca.Si eflentia ipfa relatiue dicit eflentia,eflentia ipfa nõ eft ef fentia.Et hoc quia in diuinis eflentia diftinguit contra relationẽ.Si aũt fubftátia deitatis fit eadem fibiipfi aliquo addito,hoc additũ non poteft efle nifi id quo relatiue dicitur. qd non eft nifi fubftan tia:& hoc eft impoffibile:quia in diuinis non eft nifi vnica fubftátia,ergo &c. CQ̃ autem non fit i diuinis idétitas alicuius ad alterum puta patris ad filiũ:arguit fimiliter duplici medio,Primo fic. omnis alteritas eft propter diuerfitatẽ.Non eft enim alteritas nifi vbi eft fubftátiẽ diuerfitas:quæ qdẽ diuerfitas ẽ cõtraria idétitati,quare fi aliqd eẽt idẽ alteri,eẽt fimul idẽ & diuerfũ:& eẽt cõtra

3 ría in eodẽ, qd eft ipoffibile,ergo &c.CScdo fic,quecuq̃ funt altera abinuicẽ quãtucuq̃ habeãt i fe aliqd vnũ,fubftátialiter differũt,puta i creaturis idiuidua fub eadẽ fpecie,& i diuinis ipẽ pfonẽ.fed talia potius funt diuerfa q̃ eadẽ,ergo &c.CIn cõtrariũ eft,q̃ idẽ & diuerfũ diuidũt totũ ens fecundũ Pĥm.ix.meta.& habitũ eft. fed in diuinis nulla cadit diuerfitas,fm Boeth.de trini.cap.iii.ergo &c.

**B Refponfio**

CDico q̃ cum fecundũ fuperius determinata identitas fequat vnitatem in fubftá tia:& in diuinis in fubftátia eft fumma vnitas:qa nõ eft in illis nifi vna fubftantia fingularis, q̃ ca dit in fignificatione oĩm q̃ funt in diuinis:Nomen eĩm eflentiẽ cuiufmodi eft deus aut deitas,vt cõ fiderat in ordine ad alia q̃ funt in diuinis fecundũ pdeterminata in pxima q̃ftione pcedẽte,a fola eẽn tia fub rõne fubftátiẽ imponit ad fignificãdũ:Noĩa autẽ attributor; & a fubftátia & ab eflentia ipo nunt ad fignificãdũ:fed fub abfoluta rõne determinata pter rõne fubftátiẽ aut eflentiẽ fecu )dũ fu perius determinata:Noĩa vero relationũ vt fũt paternitas,filiatio,idétitas,equalitas, & fimilitudo fimiliter ad fignificãdã fubftátiá fiue eflentiã imponũt:fed fub rõnc refpect9 q̃ eft relatio:Noĩa ve ro pfonarũ cuiufmodi funt pf & fili9 & fpũs fanct9:iponunt ad fignificãdũ eẽntiã cũ refpectu q̃ eft relatio:fm q̃ abo cadũt i fignificatiõe pfonẽ,vt determinatũ eft fupi9.Idcirco ergo i diuinis ẽ fũma idétitas quãtũ eft ex pte fubftátiẽ feu eẽntiẽ fingularis fignificatẽ i oĩb9 q̃ funt i diuinis:licet diuer fimode,vt dictũ eft. Verũtamen cũ dicit Pĥs q̃ idẽ fequit vnũ in fubftátia,itelligẽdũ ẽ q̃ ibi fumit fubftátia cõiffime ad tres modos fubftátiẽ.Vno.n.mõ fubftátia ẽ natura & eẽntia fubftátialis de p dicamẽto fubftátiẽ:q̃ i diuinis ẽ fola deitas:& fe habet ad modũ fẽbẽ fecũdẽ i pdicamẽto fẽbẽ,i eo vi delicet q̃ cõis & cõicabilis e pluríb9 diuinis fuppofit.Alio aũt mõ fuba ẽ fuppofitũ hñs i fe fubam & naturã primo mõ dictã:& fe habet i diuinis ad modũ fubẽ primẽ i pdicamẽto fubẽ:qualis fuba i diuinis eft q̃libet pfona diuina.Tertio mõ eft fuba largiffime accipiẽdo fubam omne qd cõfidera

tur p modum substantię,sicut est cuiusq; pdicamēti vt cōsiderat scdm id qd est aliqd in se:& exīs
in pdicamēto suo.Et ad vnum in substantia quolibet horū modorum ē identitas sui ad seipsum.
Et ideo loquendo de identitate alicuius ad seipsum:identitas omne ens consequif tā existens in di
uinis q̄ ī creaturis.Est eñ deitas idē sibi:similiter bonitas,veritas,& quodlibet significās attributū
aliqd in diuinis idem est sibi.Similiter paternitas est eadē sibi & filiatio:& q̄dlibet significans rela=
tionem.Similiter pater est idem sibi:similiter filius sibi:& spiritus sanctus sibi.Et hoc secundum
primum modū identitatis superi⁹ tactū.Sed loquēdo de substātia primo mō specialiter,a qua ipo=
nitur ad significādū nomen pure absolute absq; omni rōne respectus determinati,& q̄ est fundamē
tū primū omniū determinatarū rōnū & absolutoq; & respectuū ī diuinis:Sciēdū q̄ ipsa dupliciter
habet cōsiderari.Vno mō vt est aliquid ī seipsa & secūdū seipsam,puta deitas vt est deitas simpli
citer.Alio aūt modo vt est aliquid alicuius.Et primo modo ad seipsam sequif sola identitas secūdū
primum modum identitatis.s.sui ad seipsam,qua ipsa dicitur eadē sib secundū seipsam.Secūdo au
tē modo ad ipsam sequif idētitas penes secūdū modū idētitatis.s.alicuius ad alterum,qua quęcūq;
q̄ sunt in diuinis diuersa seu distincta ratione,vt sunt attributa & relatiões oēs:aut diuersa seu di
stincta secūdū rem,vt sunt personæ:dicunt ēsse eadem inter se.Secundum hunc eñ modū dicimus
q̄ in diuinis bonitas est eadem veritati & ecōuerso:q̄a vna substantia diuinitatis significata ī vtro
q̄,licet secundū aliā rationem & sub alio respectu.Et secūdū hūc modū dictum est supra q̄ vnum
q̄dq; eorum.s.diuinoq; attributorum non minus est idē alteri q̄ sibi.Secūdū hūc etiā modū ī diui
nis paternitas est eadem filiationi & non ecōuerso:quia vna substantia diuinitatis significat ī vtro
q̄:licet sub rōne alterius respectus.Et secūdū hūc modū etiā vnaquęq; relationū in diuinis rō mi
nus est eadē alteri q̄ sibi.Secundū hūc etiā modū pater est idē filio & econuerso:quia.s.vna singula
ris deitas est in vtroq;.Et secundū hunc etiā modum vnaquęq; diuinarum p̄sonarū nō minus est
eadem alteri q̄ sibi.immo isto modo,quo,s.aliqd dicit idē substātia vt ipsa est aliquid sui,nihil dici
tur sibi idē:sed alteri tm̄,vt habitum supra.Et vt generaliter loquar,isto modo eadē sunt inuicem
singula q̄ sunt in diuinis singulis,puta bonitas,sapiētia,pfnitas,filiatio,pater,fili⁹,& sic de cæteris.
Et secundū hoc aduertēdū,q̄ cū substantia q̄ deitas est in diuinis dicat ēsse aliqd alicuius,substā
tia largissime accipitur.s.& prout alicuius dicitur substātia deitatis quia cum aliquo alio cadit in
significato alicui⁹ qd quasi integrat ex vtroq; illorum:quēadmodū in persona cadūt substantia &
relatio psonæ cōstitutiua:& prout substātia deitatis cadit in significato alicuius sub rōne absoluta
sed accepta ex habitudine seu respectu & cōparatione ad aliud,vt ī attributis:vel qui est relatio,vt
in nominibus relationum.Et secundū hoc concedenda est vltima ratio p ista parte adducta.

D
Ad pri.
pricipale.

¶ Ad primā in oppositum quę probat q̄ in diuinis non est idētitas,quia identitas
est secundū vnitatē substātię cōis illis q̄ sunt eadē:qualis nō potest esse ī diuinis:ga substātię relatæ
& substātię ad quā refert cēt substātia aliq̄ cōis secundū quā referret vnū eoq; ad alterū:Dico q̄ ve
rū est,ga sicut secundū August.vii.de trini.ca.primo,oīnis essentia q̄ relatiue dicit est aliqd excepto
relatiuo:vt necesse sit differre relatū & relatione secundū quā formaliter referf:sic cm̄e relatum
est aliqd excepto eo secundū qd referf fundamētaliter,& sic idētitate substātia refert secundū substā
tiā vnam cōmune relatis:sed tn̄ substātia q̄ referf:& substātia ad quā referf:& substātia secundum
quā referf:aliter non est nisi penit⁹ vna & eadē substāti´a:puta q̄ est relatio idētitatis alicuius ad
seipsum:& hoc siue in diuinis siue ī creaturis.Eadē.n.substātia ē vtriusq; extremoq; relatoq;:q̄ secū
dū rōne differt vt illa est vnū extremoq;:& vt est alterū:& vt est substātia secūdū quā referunt,quę
inquatū hm̄oi cōis est illis secūdū rōne,nō vt aliqd illoq;,sicut cōis est substātia eadē nūero in diui
nis in relatis idētitate secundo mō vt in patre & filio:neq; vt cōtracta in illis,sicut cōis est eadē sub
stātia specie aut gñe in creaturis relatis identitate.forma eñ speciei aut gñis est aliquid cōe suppo
sitis q̄ illa referunt.puta humanitas Petro & Paulo cum dicunt idē hō secundū specie:vel aīalitas
Petro & Brunello cū dicunt idē aīal secundum genus.Cōtinet eñ q̄dlibet suppositoq; substantiæ
creatę in se substātia q̄ est forma speciei vel generis cum ratione determinante essentiam commu=
nem in supposito:sicut quodlibet suppositum diuinum continet in se substātia deitatis cum rela=
tione determinante suppositum continens essentiam communem.Sed substātia secundum quam
referunt relata prio mō idētitatis,est totū qd sunt illa q̄ referunt.Quę eñ referūt prio mō idētita
tis,referunt inter se scdm substātia:q̄ est totū id qd sunt relata.Referūt eñ iter se rōne totalitatis
suę.Pf eñ ī diuinis est idē pf siue sibiipsi scdm totū qd est pf.cōtinens.s.essentiā cū pptietate relati
ua.Nō sic aūt referūt inter se illa q̄ referunt scdo mō idētitat):sed referūt inter se secūdū substātiā
q̄ est aliqd eoq; q̄ referūt,vel saltē aliqd alteri⁹ eoq;.Nō aūt referūt scdm substātiā q̄ est totū qd sūt
ambo.Persona eñ vna ē eadē alteri psonę,& relatio relatiōi,& attributū attributo,& singla singulis

in diuinis,vt dictum est.Quæ omnia differunt inter se secudū rōnes vel respect⁹ diuersos in relatis: & cum ratione vel respectu continēt in suo significato cōmunē essentiā.Quādo vero est cōparatio secudū identitatē inter diuinā essentiā & psonā aut attributū aut aliquā relationē:tūc est relatio se cūdū substantiā quę est aliquid alteri⁹ relatoₓ tm̄.essentia em̄ est aliqd psonę & cęteroₓ:sed nō est aliquid sui:sed est totū qd est ipsa.Qd ergo dicit in argumēto,qp in diuinis nō est aliqua substātia communis alicui cum alio:Dico qp verum est substantia quę est re differens ab illis. Est tn̄ bn̄ cōis

E   substātia differens ratione a relatis secudū illam,vt dictum est.CEt qp arguit cōtra hoc:qp tūc de illa substantia cōmuni eadē q̄stio formaretur,an eēt eadē sibi secudū substātiā:& dicēdū esset qp sic: semp em̄ eadem est sibi secudū substātiā:alia tn̄ secudū rationē modo iā dicto: Et qd addit qp tunc pcessus iret in infinitū,Dico qp verum est:& hoc bn̄ possibile est i illis q̄ solū hn̄t esse secudū rōne:

F   licęt nō sit possibile in illis q̄ habent esse secudū rē & naturā.CAd secūdū,si substātia deitatis esset
Ad scdm.   eadē sibi:aut ergo seipsa.i.substātia q̄ ipsa est:aut est aliquo alio:Dico secundū superius determinata i quarta q̄stione articuli pcedentis qp aliquo siue secudū aliqd referri aliqua relatione quacūq̄ potest intelligi dupliciter,vel materialiter siue fundamētaliter,vel formaliter.Et dico qp substātia deitatis est eadē sibi seipsa nō alio fundamentaliter loquēdo.Diuersa tn̄ secudū rōne sicut dictū est. Forma liter aūt loquēdo est eadē sibi alio q̄ substātia.s.relatione q̄ est idētitas:q̄ est alia & alia secundū rō

G   né in vtroq̄ extremorū,vt patet ex pdeterminatis:& etiā alia a substātia relata sola rōne.Error aūt qui concluditur sequi secundum Aug.non sequit nisi ponendo qp secūdū substātiā aut essentiam ponat aliqd referri formaliter.Et qd arguit i fine,si aliquo alio dicit diuia essentia eadē sibi q̄ seipsa hoc nō potest esse nisi illud sit id qd relatiue dicit:Dico qp verū est formaliter:& tunc falsum est qp istud nō est nisi substantia.qm̄ id quo aliqd relatiue dicitur,formaliter nō est substātia:sed relatio q̄ est aliqd pter substātiā q̄ relatiue dicit:& pter substātiā scdm quā relatiue dicit:sicut substātia ē aliqd pter illā.Sed ois ista diuersitas in relatione idētitatis primo modo est secūdū rōne tm̄. In rela tione aūt identitatis secundo mō substātia secūdū quā relatiue dicit, puta qua pater idē filio dicit est aliud a relatione alietate q̄ est inter deitatē siue eēntiā q̄ est in patre & filio cōmunis secūdū rē & relationem siue idētitatē q̄ est aliqd cōmune in illis secūdū rōne.Substātia vero q̄ relatiue dicit: est aliud a relatione alietate q̄ est inter diuinū suppositū qd dicit aliqd secūdū rē : & idētitatē in illa q̄ nō est aliqd nisi secūdū rōne.Vn̄ dictum August.vii.de tri.Omis eēntia q̄ relatiue dicit est aliqd excepto relatiuo:aliter itelligit in diuinis psonis quo ad tertiū modum relationis: & aliter & in di uinis & in creaturis quo ad primū modum relationis.In diuinis em̄ personis essentia quæ relatiue dicit tertio genere relationis:est suppositū reale & relatiuū:& relatio ipsa qua eēntia relatiue dicit, est aliqd secūdū rōne tm̄.Essentia vero q̄ dicit relatiue prio gn̄e relationis,& ipsa relatio scdm quā relatiue dicit:ambo sunt secūdū rē. Sed differūt i diuis & creatur[:qa i diuinis eēntia q̄ relatiue di cit est ipsum suppositum.Relatio vero qua dicit relatiue,puta pater ad filiū,est aliqd suppositi illi⁹ & de constitutione illius,puta paternitas in patre.In creaturis vero essentia q̄ relatiue dr est suppo situ.Relatio vero est aliqd extra siue pter cōstitutionē suppositi.prout August.continue declarat exemplariter dicēs.Sicut hō dñs, & hō seruus.Homo & homo ad se dicunt:Dominus vero & ser uus ad aliquid relatiue. Sed si nō esset homo.i.aliqua substantia,nō esset qui relatiue dominus di ceret:sed ecōuerso si nō esset dñs aūt seruus:esset homo qui diceret.In diuinis autē cum relatiue dicitur deus pater & de⁹ filius,deus & deus ad se dicunt.Pater vero & filius ad aliqd relatiue dicū tur:& si nō esset de⁹.i.aliqua substātia,nō esset q relatiue diceret pater aut filius:& ecōuerso si nō esset pater aut fili⁹:non esset qui deus diceret:quia non esset deus nisi subsistens in supposito relati uo secundū superius declarata,& sic dictū August.pcise intellectum in solis creaturis veritatē ha

H   bet.CAd primum vero eoₓ quæ pbant qp in diuinis nihil est idē alteri a se:quia alteritas ponit di
Ad tertiū   uersitatē:& ita eēt simul idem & diuersum:Dico qp quātūcūq̄ sint aliqua abinuicem altera : dum tn̄ eorum sit substantia vna,secundum illam habent idētitatem inter se. Sed hoc quo ad vnitatem substantiæ numeralem est impossibile contingere in aliis q̄ in illis solis quæ altera sunt solis respecti bus aut relationibus,vt contingit in solis diuinis. Altera enim aliquibus absolutis vt sunt supposi ta in creaturis,impossibile est habere eandem substantiam numeralem:sed solummodo eandem spe cie aut genere.Et ideo in diuinis in quibus est alteritas secundum relationes & respect⁹ solummo

I   bene potest esse idētitas alicuius ad alterū a se qd non differt ab ipso re absoluta.CEt qp assumit qp tunc aliquid alteri simul esset idem & diuersum:quia alteritas ponit diuersitatem:Dico qp nō que libet alteritas ponit diuersitatem:sed solummodo illa quæ est ex absoluto . Illa vero quæ est ex respectiuo , nullam omnino ponit diuersitatem , nisi extendendo nomen diuersitatis : quia se cundum respectum non sunt nata dici aliqua eadem vel diuersa , vt habitum est supra.

¶Per hoc patet ad secundum,dicendo ꝙ licet altera abinuicem semper formaliter differant : si tñ **K** illud formale sit respectiuum:secundum illud nequaꝗ dicuntur diuersa:sed solummodo dicuntur **Ad ꝗtũ.** eadem secundum substantiam absolutam quá habent cõmunem vel simpliciter, vt in diuinis,vbi est alterorũ eadé substátia numero,vel cũ determinatione secundum speciem vel secũdũ gen⁹,vt 1 creaturis,vbi eadé est alterorꝗ substátia secũdũ speciê aut secũdũ genus tñ. Sicut em secũdũ Aug. v.de trini.ca.iiii.cum dicit vnũ, vt non addat secundum quid vnum,cum plura vnum dicuntur,ea- dem natura non dissidens significat:sic dicit idem,& non additur secundum quid idem:cũ plu- ra dicuntur idem,identitas simpliciter in eadem natura non dissidente intelligitur.

Irca secundum arguitur ꝙ in diuinis sit tñ vnus modus identitatis secũdum **L** formam & speciem,Primo sic.Distinctio relationum communium secundũ for- **Quęst.ii.** mam & speciem non est nisi secundum formalem & specificam distictionem suo- **Arg.1.** rum fundamentorum,vt patet ex supra determinatis.quare cum ex parte fun- damenti identitatis in diuinis nulla omnino cadat distinctio: quia non est in di- uinis nisi vnica & singularis substátia:nulla ergo confimiliter distinctio secũdũ formam & speciem potest esse in diuinis ex parte identitatis.¶Secundo sic.diffe **2** rentia secundũ materiam tñ non diuersificat formam & speciem alicuius existentis in differenti- bus secundum materiam solum,sed identitas in diuiuis non diuersificatur nisi secundũ materiam tñ:quia secundũ relata quæ sunt idipsum oĩno in primo mõ identitatis,& alterum & alterũ in se cundo,vt patet ex prædeterminatis.ergo &c.¶In contrariũ est.quia si modi identitatis ad se & ad **In oppoſi.** aliũ non differunt nisi secundũ materiá.ſ.secundum relata quæ sunt materia & subiectum solũ & non secundum formalem rationem fundamentorum,tunc secundum idem fundamentum omi- no posset aliꝗd idétitate referri ad seipsum & ad alium:cũ eadé substátia ꝗ est in diuinis in vno ali quo,sit in quolibet alió.cõsequés falsum est:ꝗa eadé rõne posset aliꝗd equalitate & similitudine re- ferri ad seipsum & ad aliũ:cũ eadé quátitas & qualitas ꝗ est i vno aliquo:sit etiã in quolibet sicut & eadem,illud tamen falsum est secundum prædeterminata.ergo &c.

¶Dico ꝙ in relationib⁹ cõibus distinctio secundũ formã & speciê non accipiť se **M** cũdũ ré fundamétorũ:sed solũmõ secundũ formales rõnes ipsoꝗ.Res em fundaméti oim relationũ ꝗ **Responſio** sunt in diuinis & ꝑpriarũ & cõmuniũ vna est singularis ꝗ differt secundũ formales rõnes substátię quátitatis & ꝗlitatis importatiũ quo ad aliꝗs species suas in creaturis aliꝗd pfectionis simpľr:ꝗ id- circo a creaturis transferunt ad diuina:secundũ sup⁹ determinata : & hoc manéte in consideratione rõnis,rõne substátiæ quátitatis & ꝗlitatis:& secundũ ré rõnes quátitatis & qualitatis icidũt in rõne substátiæ.Nõ em approbamus dictũ aliquoꝗ: dicériũ ꝙ res pdicamétoꝗ quátitatis & ꝗlitatis trásse runt a creaturis ad diuiña nõ secundũ rõne gñis:quemadmodũ trásferť res substátiæ:sed secũdũ rõ- ne aliquarũ specierũ tñ,prout sup⁹ determinauimus.Et ꝓpter dictã distinctionê secundũ rõnes for- males in diuinis substátiæ quátitatis & ꝗlitatis,dicunt distingui formaliter & secundũ formã ac spe ciem rõnis tria genera relationũ cõmuniũ,ꝗ sunt idétitas,equalitas,& similitudo.Et cõsimiliter di co ex pte modoꝗ idétitatis:ꝙ ꝗa ipsi accipiũt nõ secundũ ré & naturã fundaméti:sed secundũ forma- les rõnes in illa,secundũ formã & speciê differunt atꝗ distinguunt. Quia sicut illa tria gñia relatio- **N** nũ cõmuniũ distinguunt secundũ tres formales rõnes.ſ.substátiæ quátitatis & ꝗlitatis:sic duo modi idétitatis distinguunt secundũ duas formales rõnes substátiæ.quorũ vnus est quo pcise & pprie ap pellať substátia aliꝗd qd est absolutũ & essentiale distinctũ contra notionale & respectiuum:qd qde essentiale est in eo cuius est cũ eius notionali siue respectiuo:& p hoc est in eo vt aliꝗd eius. Ali⁹ ve ro est quo cõiter appellať substátia omne qd habet rõne substátiæ:cuiusmodi est qcqd est in diuinis & in creaturis cõsideratũ vt est aliquid in rerũ natura,& res alieu⁹ pdicaméti. Super substátiã pri- mo mõ dictã fundat secundus modus identitatis quo aliquid dicit idé alteri a se secundũ rõne eius ꝙ est aliꝗd sui & similiter alteri⁹ inquãtũ hmõi.Super substátiã vero secido mõ dictã fundat pri- mus modus identitatis quo aliꝗd dicit idé sibi secundũ rõne.ſ.totalitatis suę,vt pater sibiipſ secũdũ rationem totalitatis suę,qui cõstitutus est ex substátia cum proprietate:& similiter filiatio sibiipſ: & deitas atꝗ bonitas:& vniuersaliter quicquid é in diuinis & in creaturis ratione totalitatis eius qua est aliquid,vt tactum est in questione præcedenti.Et est ratio totalitatis in relatis rõ vna for- malis:ꝗuis naturaliter differant relata in isto modo identitatis,puta pater,paternitas,deitas,boni- tas,& huiuſmodi in diuinis.Et ideo est identitas in omnibus his secundum formam & speciem ra- tionis,differens solum secundum naturam relatorum.Et similiter in alio modo identitatis rõ par- tialitatis vel quasi partialitatis qua aliꝗd est aliquid alicuius,est formalis ratio in relatis vna, ꝗ- uis naturaliter differant relata : puta pater & filius a bonitate & veritate . Et ideo iden-

**GG iiii**

titas patris & filii.Et similiter bonitatis & veritatis est eadem secundū formā & speciem rōnis:q̄uis naturaliter differūt relata.Sed differt relatio idētitatis & materialiter & formaliter simul:cum dicitur secdm secūdū modū,pf est idē filio:aut bonitas est eadē sapiētie:& cū dicit secūdū primū modum identitatis,Deitas est eadem deitati siue sibiipsi:aut deitas patris est eadem deitati filii:quia ibi relata sunt alia & alia secūdū alios & alios respectꝰ:aut alias rōnes,Persone ēm differūt respectibus:& attributa rationibꝰ secūdū pdeterminata. Et est ibi relatio secūdū id q̄d est aliquid relatoꝝ in ambobus eisdē secundū substātiā eādē numero:quae etiā est aliqd vtriusꝗ. Hic vero sunt relata eadē:& est relatio secūdū id q̄d est habēs totalitatē relatorū. Et sic licet idem sit i re id quo pater est idem filio:& quo deitas est eadē sibi.s.vna substantia numeralis:differt tamē relatio identitatis in illis secūdū relationes formales totalitatis & partialitatis fundamenti.Ibi ēm substātia est relationis fundamentū vt est aliqd relati & propria pars:hic vero vt est totalitas relati:licet non differat dicere,deitas est eadē deitati aut sibiipsi:& deitas patris est eadē deitati filii:quia vna & eadem est deitas vtriusꝗ:nisi in eo q̄ cum dicic deitas esse eadē sibi,differētia eiꝰ secuidum q̄ sit relatio in relatis,est a rōne sola.Cū vero dicic deitas patris eadē deitati filii,similiter est differētia illiꝰ a sola rōne:sed est adminiculo relatoꝝ differentia eius validior & apparentior:licet non minor, vt patet ex pdictis.Nō tamen pater dicitur idem filio quia substantia vtriusꝗ est vna:& hoc quia ynitas illius realis est:& ex natura rei:idētitas autem illa rationalis est & a rōne.Et fundamentū relationis est tale absolutū,siue sit illa relatio secūdū rem siue secūdū rationem:nō aūt relatio siue realis siue rōnalis.Et sic omnino secūdū aliā rationē substantiæ pater est idem filio & sibiipsi.Est enim substātia qua pater est idē sibi,quasi totū ad substantiam qua est idē filio,illa enim continet essentiā & relationē:ista vero essentiā tm̄. Et similiter substātia qua pater est idē sibi,quasi totum est ad substātiā qua deitas est eadē sibi:sed secūdū eādem rōnē substātiæ:quia ratione substantiæ quæ est totalitas relatoꝝ.Et secundū dicta concedenda est vltima ratio eadem concludens.

O
Ad pri.
principa.
❡Ad primam in oppositum,q̄ ex parte substantiæ in diuinis nulla cadit omnino distinctio:Dico q̄ verum est:substātia in diuinis stricte sumendo,s,pro essentia absꝗ omni ratione respectus & relationis.Accipiendo tñ large substātiā sicut sumit quando dicit Philosophus q̄ vnū in substantia sequitur idem,bene cadit in substantia distinctio,vt iam dictū est:& expositū est superius. Et sic large accepta substantia ipsa bñ distinguit secundū duas formales rationes & in diuinis & in creaturis:secundū quas sunt duo modi identitatis & in diuinis & in creaturis,vt dictū est.❡Ad secundū q̄ in diuinis idētitas distiguit secūdū materiā tm̄,s.secūdū relata,ergo &c. Dico q̄ falsum est,immo cū hoc q̄ differētia est secūdū relata qñ aliquid refertur ad se & ad alterum:est etiam differentia secundū rationes formales substātiæ i his relatis & in illis,vt patet ex iam dictis.

P
Ad secdm.

Q
Quest.iii.
Arg.i.
❡Irca tertium arguitur q̄ trium psonarū inter se in diuinis non sit plena & perfecta identitas,Primo sic.illa sola est plena & pfecta identitas qua nulla alia est maior.sed maior est identitas patris ad seipsum vel essentie ad essentiam vel vtriusꝗ inter se:q̄ sit patris ad filium:tum quia ad seipsum est identitas absꝗ omi differentia reali relatorum : ad filium autem cum hoc q̄ est identitas relatorum in substantia,est & aliqua differentia illoꝝ in proprietatibꝰ relatiuis realibus : tū quia ad seipsum est identitas secūdū totū q̄d est vtrunꝗ relatorum: relatio autem patris ad filium est identitas secūdū aliquid eius.Maior autem est identitas quæ est secundum totum:q̄ quæ est secundū aliqd sui.ergo &c.❡Secundo sic.quorum est plena & perfecta identitas: vnum eorum de altero vere prædicatur:quia secundū Boeth.nulla ppositio verior est illa in q̄ idē pdicac de se.sed pater nō vere predicatur de filio:nec ecōuerso.Non ēm vere dicic q̄ pate. est filiꝰ aut ecōuerso.ergo &c.❡Contra.tanta est idētitas patris & filii:quanta est ynitas substantie eius cum filio cōmunis,secundū quā sunt idē.sed plena & summa est ynitas substantiæ secundū quā pater est idem filio & ecōuerso.ergo &c.

2

In opposi.

R
Responsio
❡Dico q̄ illorum est plena & perfecta identitas quorum nulla potest esse omnino diuersitas cōtraria idētitati:nec vlterius ex diuersitate pl̄alitas. Quia siqua est talis pluralitas,q̄.s. non est ex diuersitate,illa est absꝗ omni admixtione cōtrarii:& ppterea necessario illa identitas est in termino in quo nō potest esse in aliquo defectu p sui cōtrarii admixtionē:& in non habentibꝰ cōtrarium nihil est nisi in termino:& absꝗ receptione eius q̄d est magis aut minus,In patre autē ad filium nulla pōt esse diuersitas cōtraria identitati:quia pater consideratꝰ in ordine ad filium : non habet in se nisi essentiam cōmunem cum filio:& proprietatem qua distinguitur a filio. Ex parte au

tem essentię,quia vna est & cõmunis patri & filio,non est nisi plena & perfecta idētitas absq omni diuersitate contraria.Ex parte autem proprietatis,quia relatiua est:non est villa identitas patris ad filium,nec etiã contraria diuersitas,quia secundũ relationẽ vt relatio est,& vt per ipsam sit compa ratio ad oppositũ:nullum relatiuorum natũ est dici alteri idẽ aut diuersum,sicut neq æquale aut inęquale.Vnde sicut pater secũdũ ꝙ est ad filiũ.i. relatiua proprietate sua qua habet esse ad filium non dicit equalis vel inequalis filio:sic nec filius secundũ ꝙ est ad patrem,dicit equalis aut inequa lis filio,vt habitum est supra.Sed ambo mutuo dicunt equales secundũ substantiam solam,inquã tum nomine substãtię includit quantitas,secundũ superius exposita.Sic ergo pater secundũ ꝙ est ad filium non dicit idem nec diuersum filio,nec econuerso,sed ambo mutuo sibi dicunt idem secũ dum substantiã solummodo.Quare cũ vt procedit vltima ratio,& bene, plena & perfecta sit vni tas substantię cõmunis secundũ quã sunt idem inter se tres pſonę diuinę,& tam plena & perfecta sit vnitas illius substantię,vt secundũ eam sint idem inter se duę vel tres personę: ꝗ vt secundũ eã ipsa diuina essentia est eadem sibi:& plena aũt & perfecta omnino sit identitas qua deitas est idem sibi:plena igitur & perfecta dicenda est esse identitas qua pater est idem filio,& tam plena & perfe cta ꝗ plena & perfecta est identitas qua diuina essentia est eadem sibi, de qua constat ꝙ omnino & simpliciter plena & perfecta est.Idcirco igitur simpliciter cõcedendũ est ꝙ plena & perfectissima in termino est identitas inter patrẽ & filium.Etsi em in patre considerato in ordine naturę ad filium sit aliquid plus ꝗ in deitate considerata in ordine rationis ad seipsam, puta proprietas relatiua quę est paternitas,de ea nihil plus ad identitatem ꝗ si non esset omnino,& hoc quemadmodum si sint duo quadrata absq gnomone circũscripto similia,& alteri eorũ circumscribatur gnomo: per hoc quadratum habens gnomonẽ circũscriptum non minus est simile non habenti gnomonẽ ꝗ prius immo equaliter,quia ſa similitudine vel dissimilitudine nihil ad gnomonẽ,licet de æqualitate aut inequalitate aliquid sit ad gnomonẽ.Quia habes gnomonẽ non habenti per gnomonẽ additum est inequalis:& si non habẽti addatur gnomo,sit iterum equalis.Quadratũ em addito gnomone cre uit,alteratũ autẽ non est,vt dicit in pdicamentis.Sed de identitate aut diuersitate,æqualitate aut inequalitate,similitudine aut dissimilitudine patris ad filiũ,nihil omnino ad proprietatẽ relatiuã quæ in patre est alia ꝗ in filio,licet patre considerato in ordine rationis ad seipsum, de idẽtitate pa tris ad seipsum,multum ad proprietatẽ patris.Quia secundũ relationẽ vt substãtia est,& non fit p ipsam comparatio ad oppositum,nec persona cuius est cõparatur per illã ad oppositum,sed ad se ipsam:bene natum est vtrũq relatiuorum dici idẽ sibiipsi sicut & secundũ substãtiam:quia(vt di ctum est in pcedenti questione)talis identitas est secundũ rationẽ totalitatis eius qd comparatur. Et sic pater cõparatus ad seipsum proprietate sua qua habet esse,& etiam substãtia sua absoluta di citur idem sibi,licet comparatus ad filiũ illa proprietate siue secundũ illam,nec idem nec diuersus dicit filio,sicut nec æqualis nec inęqualis,nec similis nec dissimilis,vt dictũ est.Et similiter econuer so filius relatiua proprietate sua qua habet esse ad patrem,dicit idem sibi licet non patri,sicut nec illa siue secundũ illã dicit equalis vel similis patri,vt habitum est supra.Et sic in primo modo iden titatis quęlibet persona dicit eadem sibi proprietate propria ei secundũ quã est ad alterã.In secũdo autem nulla personarũ proprietate sua dicit eadem alteri,sicut nec equalis aut similis.Vnde si quę Questio.1.
ratur an filius secundũ ꝙ dicitur ad patrẽ sit idem patri:cõsimiliter questioni Aug.superius tactę an scilicet filius secundũ ꝙ cõparatur ad patrẽ sit equalis patri:Et iterum si quęratur an filius secũ Questio.2.
dum ꝙ cõparatur ad patrẽ sit idem sibiipsi:istis duabus questionib9 contrario modo debet respon deri,vt patet ex dictis.¶Verũtamen aduertendũ est ꝙ in vtraq dictarum questionum latet equi uocatio ex parte illius qd est secundũ qd est.quia ly secundũ qd est,potest esse vna dictio.ſ. coniun ctio causalis significans idem qd prout siue inquãtũ:vel potest esse duę partes,vt ly secundũ sit ad uerbium,& ly qd nomen.Et si primo modo,respondendũ est ad primam questionẽ ꝙ sic: filius em Ad pri.q.
secundũ ꝙ.i.prout vel inquantũ dicit ad patrẽ,est idem patri. Non em est idem equalis aut simi lis patri,nisi inquantũ dicitur hoc est cõparatur ad patrẽ.quia inquantũ secundũ se consideratur aut inquantũ siue prout cõparatur ad seipsum,nõ est nisi idem sibi.sed tunc relatio nõ habet ratio nem relationis,sed potius substantię,secundũ predicta.Ad secundam autem questionem responde Ad sec.q.
dum est ꝙ non.filius em secundũ ꝙ.i.prout vel inquantũ dicitur ad patrem,non est idem sibi,sed solummodo patri,& solummodo est idem sibi prout dicit hoc est cõparatur ad seipsum. Si vero se cundo modo,scilicet ly secundũ qd,est duę partes:respondendũ est ad primam questionẽ ꝙ non.fi lius em secundũ qd.i.secundũ id quo dicitur ad patrẽ,scilicet secundũ filiationem,nec est idem nec equalis nec similis patri,sed est idem illi substantia siue essentia,equalis quantitate,similis qualitate vt iam & similiter superius expositũ est.Ad secundam vero questionem respondendũ est ꝙ sic.fi

lius enim secundum qd,i.secundum id quod dicitur ad patrem.f.secundum filiationem:est idem sibi ipi
sicut secundum substantiá:sed hoc prout ambo integrát rationem suppositi,vt iam expositum est.
Et isto secundo modo intellectus eius qd est secundú qd,intelligit Augustinus & prosequitur suá
questionem,vt patet inspicienti dicta & intentionem illius.

**Ad pri. principale** (Y) ℂ Qd arguitur primo contra iam dicta,qp non est plena & perfecta identitas pa‐
tris ad filium:quia maior est eius idétitas alicuius vt patris ad seipsum:Dico qp falsum est. Licet ei
secundum plura sit identitas patris ad se qad filium:pater em est idem sibi & secundum substátiá
& secundum paternitatis pprietatem:est aut idem filio secundú substantiam trimodo,vt patet ex
dictis:& hoc sicut secundum plura,hoc est secundú plures vnitates,quaternarius est æqualis qua‐
ternario q̄ binarius binario:non tamen maior est æqualitas patris ad seipsum q̄ ad filium:sicut nõ
est maior æqualitas quaternarii ad quaternarium:q̄ binarii ad binariú:neqp similiter maior est idé‐
titas essentię ad essentiá q̄ patris ad filium:quia vtraqp est secundum idem: & nihil de identitate
vel diuersitate ad paternitatem & filiatioñe,sicut dictum est. ℂ Qd arguit primo pro syllogizádo
(Z) qp maior est identitas patris ad seipsum vel essentię ad essentiam q̄ patris ad filium : quia patris ad
seipsum vel essentiæ ad essentiam est identitas absqp differentia relatorum reali:non sic patris ad fi
lium:quia realiter differunt.f.relatiuis proprietatibus:Dico qp si sumatur differentia proprie,quæ
non est nisi ex absolutis,illa ponit diuersitatem pprie dictam:quæ contrariatur identitati & dimi‐
nuit eam cum secundú partem incidit in eodem cum identitate.Sed talis differentia non est in di
uinis:sed solummodo contraria communiter accepta pro distinctione quæ est ex relatiuis:quæ non
ponit diuersitatem nisi cõmuniter acceptam:& quæ non contrariatur identitati nec diminuit eá
omnino cum est incidés in eodé cum idétitate,vt dictú est. ℂ Qd arguit secundo p syllogizádo qp
(&) maior est identitas patris ad se q̄ ad filium:quia ad se est idem secundum totum:ad filium aut est
idem secundum aliquid sui:& ita quasi secundum partem:& maior est identitas secúdum totum
q̄ secundum aliquid sui vel secundum partem:Dico qp hoc vltimum verum est i illis solummodo
quæ vere sunt pars & totum:vt in compositis ex materia & forma.In illis enim maior est identitas
inter illa quę sunt eadem secundum totú.f.& secundum materiam & secúdú formam,q̄ inter illa q̄
sunt eadé secundú alterum eorum solum:qualiter non est ponere totum & partem in diuinis pro‐
pter naturę siue essentiæ diuinæ simplicitate.Suppositum em licet cõtineat essentiam cum proprie
tate relatiua secundum modú superius determinatú, non tamen est proprie totum ad vtrunqp illo
rum. Nec illa sunt partes suppositi : quia relatio non distinguit suppositum subsistens in essentia
nisi ab opposito: seipsam etiam non distinguit nisi a relatione sibi opposita: non autem ab essentia
considerata in supposito vno in ordine ad essentiam eandem existentem in supposito alio:sed ratio
sola illa abinuicem distinguit.Et sic essentia est aliquid suppositi vt in quo subsistit quasi materiali
ter:Relatio vero est aliquid suppositi quo subsistit quasi formaliter,& distiguit ab opposito.Et hoc
modo licet diuersimode totalitas suppositi vtruqp illorum contineat,est tamé improprie totalitas i
continente vtrunqp:& contenta improprie habent rõne partialitatis. Et in talibus nõ est maior idé
titas illa quæ est secundú totum q̄ illa q̄ est secundum partem:& hoc quia tales.f.partes,nullam cõ
positionem ponunt in tali toto:& quia identitas non sequit vnum in substantia vt solummodo no
minat essentiam quæ est vere substantia:neqp vt solummodo nominat substantiam quæ est suppo
situm:sed etiam vt nominat qdcunqp consideratum secundum rationem substantiæ:siue sit essen‐
tia quæ est vere substantia:siue sit suppositum:siue fuerit quodcunqp reale aut qualecunqp realita
tem habens,& hęc est per se ratio communis substantiæ ad quá sequit idétitas.Vnde quia eadem ra
tione omnimode & secúdú totum & secundum aliqd sui dicitur pater idem sibi secundum totú,&
filio secundum aliquid sui:idcirco nequaq̄ maiori idétitate dicitur pater idem sibi q̄ filio:licet quo
quo modo secundum plura vt dictum est:etsi de identitate patris ad seipsum aliquid ad relatio‐
nem ptinet quæ est paternitas:nihil autem ad ipsam de identitate patris ad filium, secundum pre
dicta. Vel potest dici qp vna harum idétitatum non potest dici maior alia quia non penitus vniuo
ce dicitur pater idem sibi primo modo identitatis,& idem filio secundo modo,propter prædictam
distinctionem illorum duorum modorum:& in solis vniuocis habet locum comparatio secúdum
magis & minus.Licet enim sit album in voce & album in colore secundum Philosophum in Top.
non tamen dicit vox albior colore propter non vniuoce dici album de vtroqp. ℂ Qd arguit secúdo

**Ad scdm.** (9) principaliter:si plene & pfecte pater esset idem filio:vere posset vnú pdicari de altero:& dici qp pa‐
ter est filius & ecõuerso:Dico qp hoc secundú Boethiú nõ habet veritatem nisi de illis quæ sunt idé
primo modo identitatis.Nec est vera illa propositio, Nulla propositio verior est illa in qua idé pre
dicatur de eodem.nisi intelligendo de eodem primo modo identitatis. Vnde non dicit Boethius

nulla in qua idem prędicat de eodē, sed in qua prędicatur idem de se. De illa em in qua prędicatur idem de eodē secundo modo identitatis, simpliciter falsa est. Licet em nihil ad relationem de identi tate aut diuersitate patris ad filiū: quia vt pater comparatur ad filiū, relatio habet rationē relatio nis & non substantię, scdm quā rationē substātię identitas aut diuersitas sequit rē quācūcp quā se quitur, vt dictum est: multum tñ ad relationē de veritate & falsitate pdicationis patris de filio, aut econuerso: quia nõ ab eo qd est res vel non est, simpliciter dicit oratio vera vel falsa: vera ab eo qd est: falsa ab eo qd non est: sed solummodo dicit oratio vera vel falsa ab eo qd res est vel nõ est prout exprimit p sermonē. Vnde etsi cursus insit homini simpliciter: nõ tñ hęc est vera, homo currit be ne, nisi insit illi sub tali modo. Cõsimiliter etsi pater simpliciter est in filio & econuerso, & sunt vnū & idem, secundū cp dicit Christus dei fili⁹ Io.x. Ego & pater vnū sumus, per qd etiā sunt idem: nõ tñ hęc est vera, pater est filius, aut econuerso, nisi pater insit filio aut econuerso, sub tali modo, vt.s. patri formaliter conueniret filiatio sicut & paternitas, & filio paternitas sicut filiatio, qd falsum est & impossibile, nisi ponatur personarum confusio secundū Sabellium.

Equitur Art.LXX.de æqualitate. circa quā quærunt duo. Ar.LXX.
Quorū primū est vtrū sit ponere equalitatem in diuinis.
Secundū vero est vtrum plenam, perfectā, & omnimodā æqualitatem.

Irca primū arguitur cp in diuinis nõ sit equalitas, Pri mo sic. æqualitas sequitur quantitatē secundū superi⁹ determinata. sed in diuinis non est quantitas, quia nec numerus nec magnitudo, in quę diuiditur quantitas & ad quas oēs alię quantitates habent reduci, vt ora tio ad numerū, tempus & locus ad magnitudinē, non est autē in diuinis numerus, quia secundū Boethium de Trini.cap.iiii. in deo nullus est numerus. & si nõ numer⁹, nec magni tudo: quia magnitudo se habet per additionē ad numerum, sicut punctus ad vnitatē, secundū Phi losophū.iiii.phy. ergo &c. ¶Dicet aliquis, cp licet quantitas secundū genus nõ habeat esse in deo, nec transferri a creaturis ad diuina: aliquæ tñ species quantitatis secundū proprias rationes specierum a creaturis habent transferri ad diuina, & sic esse in deo, licet non secundū illum modum quo sunt in creaturis. de quibus etiā secundū illum modum bene procedit argumentū, vt non intelligatur dicere. Aug.cp deus est sine quantitate magnus. Et sic licet in deo non sit equalitas quę consequa tur quantitatē simpliciter, est tñ in eo equalitas quę consequit aliquā vel aliquas species ei⁹. ¶Sed contra hoc est secundū cp dicit Philosophus in pdicamentis, cp propriū est quātitati secundū eam equale vel inequale dici. vt ideo non videatur hoc competere alicui speciei quantitatis nisi ratione ipsius genetis. Nunc autē ita est cp qñ aliquid competit generi per se & speciei ratione generis, si in aliquo ponatur species esse & non genus, in illo nõ cõpetit ei illud qd cõpetit ei ratione generis. pu ta cum secundū Philosophū aliqua dicunt relatiue secundū genera eorū quę per se non dicuntur relatiue: vt medicina, quia est sciētia, & scientia per se relatiue dicit: si medicina in aliquo ponatur esse abscp genere suo qd est sciētia, in illo non conuenit ei referri ad aliud. Quare cū non conueniat speciei quātitatis secundū eam dici esse nisi ratione generis cuius est propriū: cum in deo sit species quantitatis sine genere: quādo deus est sine quātitate magnus: secundū illā ergo nequacp habet esse equalitas in deo. ¶Si forte ad hoc dicat secundū cp tactum est superius, cp non dicit propriū quan titati secundū eam equale vel inequale dici, quasi hoc cõueniat speciebus quātitatis nõ nisi per ge nus earum, sicut nõ conuenit medicinę relatio nisi per scientiā quæ est genus suum vt procedit ob iectio: sed illud dicit, quia speciebus solius quantitatis cõuenit cp secundū eas dicatur equale vel in equale, non autē secundū species alicuius prędicamenti: Contra hoc est ars illa Philosophi in lib. po steriorum.s.cp qñ aliquid cõuenit pluribus, illud necessario cõuenit eis per aliquod cõmune in eis cui cõuenit primo & per se. Et dat exemplum de cõmutata pportione quę cõuenit numeris & ma gnitudinibus, & ideo oportet cp eis cõueniat per aliquod cõmune existēs in eis, cui conuenit primo & per se, & est propriū subiectum eius de quo demõstrat. Quare cum speciebus oībus quantitatis cõueniat secundū eas equale vel inequale dici, hoc necessario cõuenit per aliquid cõmune existens in illis cūi illud conuenit primo & per se, illud autē non est nisi quātitas, ergo &c. Quare (vt supra) si in deo est magnitudo secundū aliquā speciem quantitatis sine quantitate, secundū illam nequacp potest dici equalitas esse in deo: & eadem ratione necp secundū illam speciem. quia sicut species quā titatis quæ est magnitudo est in deo sine quantitate, eadem ratione & quęlibet alia species quanti tatis quā cõtingit esse in deo. ¶Secūdo sic. secundū Aug.vi. de Trini.ca.vii. & xv. lib.c.x. in diuinis

A Quęst.i. Arg.i.

omne abfolutū fiue qd ad fe dicitur,fiue qd fecundum fubftantiā dicitur,& fubftantiam fignificat
trāfitg in fubftantiam.quantitas quæcung eft in diuinis,abfolutum eft & ad fe dicitur:ga & Au
guft.dicit.v.de trini.cap.viii.In deo nõ dicimus tres effentias:nec tres magnitudines:fed vnā effen
tiam:vnam magnitudinem.Item ibidem cap.vi.Acqualitas fecūdum fubftātiam dicitur.ergo &c.

3 ¶Tertio fic.fi in deo eft quantitas,illa non eft nifi bonitatis & virtutis,quia fecundū Auguft.in fpi
ritualibus idem eft maius effe qd melius effe.quare idem eft magnū effe & bonum effe.quia fi ma
gis ad magis,& fimpfr ad fimpliciter.fed bonitas & virt9 in deo ficut & i creaturis ālitates potius
funt q quantitates.fed fecundum qualitates æquale non dicitur fed fimile.ergo &c.Sed non eft eq
litas fine quantitate:quia fecundum Philofophum,v.meta.vnum in quantitate facit æquale.ergo

4 &c.¶Quarto fic.æqualitas non eft alicuius nifi aut ad feipfum:aut ad aliū.fed neutro modo eft in
diuinis:quia æqualitas dicit cōmenfurationem æqualium in quantitate.fed in deo nulla eft omni
no cōmenfuratio in quantitate:neg alicuius ad feipfum:neg eius ad alium:quia quicgd eft in deo
immenfum eft & infinitum:& in infinito nulla cadit omnino commenfuratio:quare neg compara
tio fecundum magis aut minus aut æquale fecundum Philofophum primo cæ.& mun.ergo &c.

5 ¶Quinto fic.nulla priuatio eft in diuinis,cum fit fumme ens quicquid eft in diuinis.dicente Au
guft.v.de trini.ca.ii.Quis magis eft q ille qui dicit famulo fuo Moyfi,Ego fum qui fum?& cū i eo
nulla fit materia:non eft autem priuatio nifi defectus in ente confequens materiā : æqualitas aūt
priuationem dicit fecundum Magiftrum primo Sententiarum dift.xxxi.& fecundum Philofophū
v.&.x.meta.æquale opponitur priuatiue maiori & minori : vnde æquale definitur p abnegationē

6 vtriufg cum dicitur q æquale eft qd neg maius neg minus eft.ergo &c ¶Sexto fic.fecūdū Apo
ftolum primę Corinth.i.Chriftus eft dei virtus & dei fapientia.non aūt nifi dei patris, Virtus aūt
in diuinis fi eft quātitas eft.nihil aūt eft æquale fine quātitate.fed per ipfam aliquid eft æquale alte
ri:quia vtrūg æqualiū oportet effe quantitatem vel habere quantitatem.ergo Chriftus filius pa
tris non ē æqualis patri.quare nec alia aliqua funt æqualia i diuinis:quia fi nõ eft æqualitas in illis:

In oppofi. nec in aliis.ergo &c.¶In cōtrariū eft illud qd dicit Athanafi9 in fymbolo. Totæ tres perfonę cœter
næ fibi funt & coæquales.fi coæquales,ergo æquales.ficut fequitur fi funt cœternæ,ergo funt ęter
næ:& hoc quo ad ęqualitatem alicuius ad alterū. Q2 vero in deo fit ęqualitas alicuius ad fcipfum
ficut & idētitas:arguitur primo fic.æquale vt dictum eft fumitur per abnegationem eius qd ē ma
gis fiue maius & minus.fed qdcūg in diuinis ficut eft idē fibi:fic nec eft maius nec minus fibi.er

2 go eft æquale fibi.¶Secundo fic.ficut fe habet fubftātia ad identitatem:fic fe habet quantitas ad
æqualitatem.fed ratione vnius fubftantiæ dicic aliquid idem fibi & alteri:& etiā alterū alteri. pu
ta deitate dicic deitas eadē fibi & patri:& etiā dicic pater idem filio:quia deitas conuenit ei cōmu
niter cum patre.ergo ratione qualitatis vni9 dicic aliquid æquale fibi & alteri:& etiā alterū alteri.

B ¶Dico q clarum eft inæqualitatem quæ eft fecundum magis feu maius & min9
Refponfio in quantitate,nullo modo poffe poni effe in diuinis.& hoc ga fi in diuinis eft quātitas,in eis nõ eft
nifi vna quantitas numero in pluribus:& hoc fiue fecūdū rē fiue fecūdū rōne illa fint plura:& qua
lifcūq fuerit illa quātitas.& hoc quia quātitas ācung in diuinis eft id qd eft ipfa diuina effentia.
dicente Aug.v.de trini.cap.x.De9 eft magnus magnitudine q ipfe eft.&.xi.de trini.dicit Deū effe
magnum & ipfam magnitudinem.Effentia autem diuina non nifi vnica numero fingularitatis po
teft effe in diuinis. Inæquale aūt fecūdū magis feu maius & minus non poteft effe vbi eft tātū vna
quātitas numero,ficut nec nifi vna deitas,Hinc em dicit Boethius de trini.cap.i.Eos differētia cō
comitac qui eam vel augent vel minuūt:vt Arriani,qui gradib9 trinitatem variantes diftrahūt at
q in pluralitatem deducunt.Commen.i.non modo perfonalium proprietatum verum etiā natura
rum numero diftinguunt.dicētes folum patrem veritate effentię deum:filium vcro creaturam: &
fpiritum fanctū creaturam creaturæ. Sed etfi nõ fit poffibilis inæqualitas in diuinis:non tamen ex
hoc ftatim fequif q in eis æqualitas:quia forte neutrum illog diuinis natum eft ineffe:ficut lapidi
nec vifio nec priuatio eius quæ eft cæcitas. Sed fi alterū eorum in diuinis natum effet ineffe,feque
ret necefario:fi non inc inæqualitas,ergo ieft equalitas.& hoc de neceffitate:fic q non poteft non
ineffe:fuper quo eft ąftio:an.ſæqualitas fit in diuinis poft quā nullo modo poffit diuinis ineffe in
C æqualitas.Et dico q cū fcdm fuperius determinata ęqualitas per fe fequæ vnitatē in quātitate:nec
eft æqualitas eiufdem ad fc:fed folummodo ad alterum fecundum determinata : in quacunq em
natura fiue creata fiue increata eft reperire vnam quantitatem in pluribus diuerfis re aut ratione
in illa natura necefarium eft reperire æqualitatem vel materiali vel fundamentali definitione: cą
litas eft differentium numero vna quantitas: & in pluribus aliquo modo diuerfis ad vnum i quā

titate quomodocūcⱥ fuerit vnum:necessario sequitur æquale,puta siue plura seu diuersa sint natu
ra agente & re absoluta,sicut vnum specie,sicut sunt diuersa indiuidua specie sub eadem specie,
aut sicut essent in diuinis si deitas in pluribus personis non esset vna singularitate,sed sola consor
mitate,vt dixerunt Semiarriani,vt habitum est supra:siue plura & diuersa sint re relatiua,vt mo
do sunt tres personæ in diuinis,siue fuerint diuersa absoluta agente ratione,& hoc aut diuersita
te existente in vtroꝗ,vt contingit in diuersis attributis,aut in altero tantū,vt contingit in aliquo
attributorum comparato essentiæ diuinæ.Petrus enim in diuersitate substantiæ secundum rem
æqualis est Paulo in humanitate,& similiter secundum Semiarrianos pater filio:secundum catholicos autem filius est æqualis patri in vnitate substantiæ secundum diuersitatem relationum.Simi
liter in diuinis æqualia sunt bonitas & veritas,quæ sunt attributa diuersa ratione,& agente ratio
ne in vtroꝗ extremorum.Et etiam equalia sunt deitas & bonitas,in quibus diuersitas causata a ra
tione est in bonitate,non autem in deitate.Super deitatem enim bonitas addit rationem,deitas au
tem est nomen fundamentalis essentiæ. Quantus enim est Petrus in forma speciei,tantus est &
Paulus:quantus est secundum Semiarrianos pater,tantus est filius:& similiter secundum catholicos licet diuersimode.Et quanta est in diuinis bonitas,tanta est veritas:& quanta est deitas,tanta
est bonitas.Quantitas enim omnium quæ sunt in diuinis,non est nisi ynica,scilicet immēsitas:pro
pter qd in omnibus illis non est nisi æqualitas,Sic ergo breuiter concedendū est ꝗ in diuinis est po
nere æqualitatem in diuersis,secundum dictos modos.

**D**

⟨C⟩Qz ergo primo arguitur,ꝗ in diuinis nō sit omnino ponere æqualitatem,quia
in eis non est ponere quantitatem:Dico contra negantes esse quantitatem in diuinis,ꝗ incōueniēs
est illud qd dicere conantur secundum modum ab eis tactum iam supra in dissolutione primi argumenti,scilicet ꝗ species quantitatis aliquę secundum rationem speciei sint in deo,non autem se
cundum rationem generis,quia non est species in qua non saluetur ratio generis,nec transfertur
species ad diuina secundum rationem speciei,quin etiam simul transferatur secundum rationē ge
neris,vt expositum est superius.⟨C⟩Et verum est qd dicitur in argumēto contra illud adducto,scili
cet ꝗ per se quantitati ratione illa qua est quantitas conuenit æquale vel inæquale dici,& non spe
ciei nisi ratione generis existentis in illa,ita ꝗ si species quantitatis esset in aliquo sine ratione gene
ris,secundum illam non diceretur equale vel inequale,sicut contingit cū species secundū se non di
citur relatione,licet secundum genus suum dicatur relatiue,vt contingit in scientia & medicina,
sicut dicitur in argumento.Si igitur magnitudo species quantitatis in diuinis amittit rationē ge
neris,vt non mereatur dici quantitas simpliciter,nequaꝗ dicetur aliquid secundū illā æquale aut
inæquale.⟨C⟩Nec valet solutio ad argumentum adducta:scilicet ꝗ non dicitur proprium quantita
ti secundum eam equale vel inequale dici,nisi quia non inuenitur nisi in speciebus quātitatis:qua
si primo & per se consequatur rationes specierum diuersarum,& non rationem generis:qd est impossibile,vt bene probat argumentum in contrariū. Immo neꝗ in diuinis neꝗ in creaturis est inæquale ratione alicuius speciei quantitatis,quin hoc sit per se & primo ratione generis existentis in
illa:quæ ratio generis si absolueretur a specie,nequaꝗ secūdum eam ratione sua propria diceretur
inæaliter omnino : sicut cōtingit in medicina,quę secundū ratione propriā nequaꝗ dicit relatiue si
cut dicit scientia,nisi vt dicit Cōmen,scientia diceret relatiue ad scientē,qd non est verū,quia scie
tia secundū ratione scientię non dicit nisi ad scibile.Medicina aūt secundū propria rationem speciei
ꝗ est medicina,dicit ad scientē.s.ad medicū,non ad scibile. Sed ꝗ dicit medicina relatiue ad medicinale siue medicabile sicut ad scibile suum,hoc est solummodo secundū rationem generis sui qd est
scientia,existentis in ea:ꝗ dicit relatiue ad scibile simpliciter,ita ꝗ si a medicina absolueret omnino
ratio generis sui.s.scientię,nequaꝗ diceret relatiue ad scibile suum,sed ad scientē tantū.s.medicum
Ratione eᷝ generis sui qd est scientia,medicina de vniuersalibꝰ est & acceptis ab experientia parti
culariū & causata ab illis,& ideo refert ad scibile vt mensurata ab illo.Ratione aūt sibi ꝑpria ex na
tura speciei de vniuersalibus est ꝑ naturalē ratione media applicatis ad particularia,& directiua est
operum particulariū extra. Et ideo vt sic est applicatiua taliū & directiua,refert ad medicū vt mē
surata ab illo.Et quia talis directio particulariū cōtingit in sola scientia practica:idcirco in sola scie
tia practica cōtingit ꝗ species secundū ratione generis dicit relatiue ad aliꝗ vnum,& secundū ꝑ
priam rationē speciei ad aliud,nequaꝗ aūt in scientia speculatiua.Scientia eᷝ physica non dicit ad
aliud ꝗ ad scibile metaphysicū:nec mathematica nisi ad scibile mathematicū.Sic scientia simpliciter
non dicitur nisi ad scibile simpliciter,vt omnino ad idem dicatur species ratione generis & ratione
propria differens solum secundum rationem generis & speciei.Metaphysica eᷝ non est nisi scibilis
& ratione qua est scientia simpliciter & ratione qua est metaphysica.Sed ratione qua est scientia sim

**E**
**Ad primū**
**principale**

**F**

**G**

pliciter,eſt ſcibilis ſimpliciter:ratione vero qua e metaphyſica,eſt ſcibilis metaphyſici tm:ſicut hoc
cõtingit in relationibus pportionũ:quia,ſ.& ſecundũ rõne gñis:& ſecũdũ rõne ſpeciei referunt ad
idem.Sicut em multiplex qd eſt genus,dicit ad multiplex: ſic duplum qd eſt ſpecies multiplicis,di
cit ad dimidiũ qd eſt ſpecies ſubmultiplicis. Medicina em ratione ſua ſiue ſpeciei ſuę nõ eſt niſi me
dici:ſed ratione ſui generis qd eſt ſcientia,non eſt niſi ſcibilis.Ratione enim ſpeciei medicina dr me
dici medicina & non ſcibilis.Ratione autem generis dicitur medicina ſcibilis ſcientia: & non medi
ci:niſi relatiue diceretur ad ſcientem ſicut dicitur medicina ad medicum,vt vult Commetator ſu
per.v.meta. ¶Dico ergo cõtraria dictis illorum:videlicet ɋ ſecundum eundem modum genus & ſpe

H

I

Aliter re-
ſpondetur
ad primũ.

cies ſecũdũ rõnem ſpeciei habet eſſe in diuiuis,& transferri in eis a creaturis.Conſimiliter habet eſ
ſe in diuinis & genus ſecundum rõne generis:& transferri a creaturis ad diuina.¶Aliter enim ad
primum argumetum reſpondendũ eſt ɋ iam reſponſum ſit. Cum enim dicitur in argumento ɋ i
diuinis non eſt quãtitas,quare nec æqualitas,quæ non conſequitur niſi quãtitatem:hic diſtinguen
dum eſt de quantitate ſecundum rationem generis,ad modum quo illi diſtinguunt de ſpecie eius
quæ eſt magnitudo,dupliciter.ſ.ratione ſpeciei.Eſt em magnitudo duplex extendendo nomen ma
gnitudinis ad pprie vſitatam magnitudinem,vbi eſt aggregatio plurium partium quãtitatiuarũ
& ad omne habes aliquã rationem magnitudinis,vbi eſt,ſ.aliqua pluralitas perfectionũ virtualiter
aggregatarum.Quedã em eſt magnitudo molis ſiue dimenſiua,ɋ eſt in ſolis corporalibus,& reci
pit maius & minus atɋ ęquale: quæ eſt quantitas continua corporaliter extenſiua ſubſtantiæ cor
poralis vt partem extra parte habeat & repleat ſpatium.Quæ dupliciter cõſideraf.Vno mõ vt op
ponitur paruitati relatiue:ſicut multitudo opponit paucitati:& non nominat magnitudinem ſim
pliciter:ſed magnitudinem excedentem:ſicut ſecundum Philoſophum,x.meta.multum ſibi corre
ſpondens nominat non multitudine ſimpliciter:ſed ſolummodo multitudinem excedetem,ɋuis cõ
trario mõ.Quia em multitudo in exceſſu non habet ſtatũ:ſed tm in deſcenſu: ideo non eſt in mul
titudine tam multum quin reſpectu pluris ſit paucum:eſt tm ita paucum ɋ non eſt reſpectu alicu
ius multum.Magnitudo enim extra quia in deſcenſu non habet ſtatum:ſed ſolum in exceſſu: ideo
eſt in magnitudine tam magnum quo non eſt maius,non eſt tm ita paruum quin reſpectu mino

K

ris ſit magnum,ſecundum determinationem Philoſophi in.iii. Phyſico.Alio aũt modo conſideraf
magnitudo corporalis vt opponit priuatiue puncto:ſicut multitudo ſiue numerus vnitati:& diui
ſibile ſimplici & indiuiſibili,nõ aũt relatiue:licet ſic mltitudo relatiue opponaf vnitati ſicut meſu
ratum menſurę.Et hoc ideo ɋ multitudo componitur ex vnitatibus:non ſic magnitudo ex pun

L

ctis:& ſic nominat magnitudinem ſimpliciter & abſolute . Alia vero eſt magnitudo virtutis ſiue
perfectionis quæ eſt in ſpiritualibus:& non in ſolis ſpiritualibus,immo & in corporalibus circuit oe
genus:eo ɋ omnis forma entis creati continet aliquem modum & gradum determinatũ atɋ fini
tum perfectionis ſeu virtutis. Simpliciter em & abſolute ome ens poteſt dici aliquo modo magnũ
& magnitudinem habens,ſicut ome multum ſimpliciter & abſolute poteſt dici multitudinem ha
bens.ſecundum ɋ de tali magnitudine in ſpiritualibus dicit Auguſt.vi.de trini.ca.viii. In his quæ
non ſunt mole magna,hoc eſt maius eſſe qd meli⁹ eſſe.ſ.bonitate naturę:qd ide eſt qd pfectius i na
tura & eſſentia ſua.Conſimiliter autem magnitudini eſt quędam quantitas molis in ſolis corpora

M

libus:& quædam quãtitas virtutis ſiue pfectionis tam in corporalibus ɋ in ſpiritualibus.Si autẽ ɋ
raf vtrũ in deo ſit quantitas:reſpõdedu eſt ſicut & de magnitudine:Dicendo ɋ non, loquendo de
quãtitate & magnitudine molis,de ɋb⁹ pcedit obiectio prima.Sola em quantitas molis p additio
ne ſe habet ad niſerũ ſicut punctus ad vnitate vt vnitas cõmuniter accipif.ſ.& in ſpiritualibus i ɋ
bus eſt abſɋ omi poſitione:& in corporalibus in ɋbus non eſt ſine ſitu & poſitione.Et ſicut nequa
ɋ habent eſſe in deo quantitas talis aut magnitudo:ſic neɋ etiam numerus ex talibus vnitatibus
progrediens.Per additione em ſe habet punctus ad talem vnitatem,inquantũ ſecundũ Philoſophũ i
libro Poſter.punctus eſt vnitas poſita. Et ſimiliter magnitudo p additionem ſe habet ad talem nue
rum:quia prout dicitur in eodem libro,diſcretum cadit in continuum inquantum magnitudines
numeri ſunt.de quo etiã numero procedit obiectio: & dicit Boethius ɋ non eſt in deo:& ille e nu
merus qui non habet diuiſionem vnitatum ſuarum ſecundum actũ niſi per diuiſionem continui:
ſecundum modum quo diſcretũ in corporalibus procedit ex continuo.Loquendo aũt de quãtitate
& magnitudine virtutis ſiue pfectionis,reſpondendum eſt ɋ illa eſt in deo, & p quandã Antono

N

maſiã in ſolo deo,vt ipſe ſolus quodammodo dicendus ſit eſſe magnus,ſicut etiam bonus & ſapies
& cætera huiuſmodi.¶Tripliciter enim quid dicitur magnum in ſpiritualibus. Primo modo ſim
pliciter & abſolute & abſɋ omni comparatione:& ſic omne ens ratione ſuæ perfectionis ſecundum
formam dicitur magnum,ideſt magnitudinem aliquam habens: ſicut & magnitudine molis ome

corporeum dicitur magnum magnitudine oppoſita puncto,ſicut diuiſibile indiuiſibili priuatione
Secundo modo dicitur magnum ſimpliciter non abſolute,ſed in comparatione,& ſic creature ſpi
rituales dicuntur magnę ſimpliciter reſpectu corporaliſi. Tertio modo dicit magni ſimpliciter &
abſolute,& abſcp omni coparatione,& abſcp coparabilitate:& ſic ſoli ens increatu dicitur,& hoc in
quantu magnitudinis eius proprietas quędā eſt infinitas ſiue immenſitas,cui nulla magnum mo
le reſpondet:quia nulla magnitudo molis infinita eſſe poteſt,licet duobus primis magnis in ſpiri
tualibus reſpondeant duo magna molis in corporalibus.De iſta ūt immenſitate magnitudinis in
diuinis loquitur Auguſti.de fide ad Petrum.c.ix.Firmiſſime tene,& nullatenus dubita trinitatem
deum immenſum eſſe virtute non mole.Et conſiſtit illa quantitas virtutis ſiue perfectionis in qua
dam extenſione non materiali partium extra partes,quia necp conſiſtit per materiale conexionem
partiu,vt contingit in quantitatibus continuis:necp per quandā materialem accumulationem par
tium,vt cotingit in quātitatibus diſcretis:ſed conſiſtit in quadā extenſione ſpirituali per ſpirituale
connexionem & accumulationem partium ſiue viriu ſiue perfectionum in vna & eādē
ſimplici pfectione ſiue virtute:quēadmodū calidū inteſum in ſummo,in vna pfectione ſiue virtute
ſimplici caloris cotinet oēs perfectiones ſiue virtutes quæ in diuerſis gradibus caloru ſeorſum natę
ſunt exiſtere.Sed talis vis ſiue perfectio in creaturis nunq eſt ita in ſummo,quin ſit menſa.i.gradu
aliquo certē menſurę contenta.Eſt aute in ſummo ita cp ſit immenſa.i.nullo gradu menſuræ conte
ta,in ſolo deo:propter qd quātitas eius non eſt niſi immenſitas quædā virtualis vel perfectionis co
tinens in vno ſimplici gradus perfectionu ſiue virtutum quæ in perfectionibus diuerſaru creatu
rarum natę ſunt ſparſim & ſeorſum exiſtere.Vnde Aug.exponens illud qd dixit,Virtute nõ mole
immediate ſubdit.Quia omnē creaturam ſpirituale atcp corporalem virtute continet.Et aſſimilat
iſta quantitas ſpiritualis tam in deo q̃ in creaturis tā quantitati molis quæ eſt in continuis,q̃ illi q̃
eſt in diſcretis,eo cp non continet partes diſtinctas abinuicem,ſed vnitas,licet in eodem ſimplici.
Propter qd potius dicitur magnitudo a quantitate cotinua,q̃ numerus a quantitate diſcreta,licet
in hoc differat ab vtracp illarum,quia illæ cotinent plura re diuerſa & ſub ratione plurium:iſta ve
ro continet plura ſola ratione diuerſa & ſub ratione vnius. Ex quo contingit cp quando aliqua ma
gnitudo maior corporalis continet in ſe plurium minorum exiſtentium ſeorſum & extra magni
tudines:eſt aſſignare cuilibet minori gradum ſibi correſpondentem & commenſuratum in maio
ri,puta pedalem,bipedalem,tripedalem,& ſic de cæteris.Quando vero magnitudo minor ſpiritua
lis continet in ſe plurium minorum quæ ſeorſum ſunt & extra,magnitudines:non eſt aſſignare mi
nori gradum ſibi correſpondentem & commenſuratum in maiori,ne deus in creaturis & creatu
rę in deo mutuo ponantur eſſe ſecundum æquale ſibi correſpondens,qd eſt impoſſibile.dicente de
deo Auguſt.de fide ad Petrum.Nec aliqua molis quantitate terminatur,quia nulla concluditur:
necp per mundi partes ſuis partibus ipſe diffuſus eſt,vt maiores mundi partes ſuis maioribus im
pleat,& minores minoribus,cui nullus latus nec anguſtus locus eſt:quia nec minus in anguſtis q̃
in latis totus eſt.Et ſecundum hoc determinauimus ſuperius cp idea in deo nullam omnino ratio
nem limitationis importat. Ex quo etiam contingit cp ſi magnitudo aliqua corporalis ſiue cor
pus aliquod eſſet infinitum,& ſecum compateretur omnia corpora mundi finita corporaliter,illa
magnitudo infinita contingeret omnia illa finita & illorum ſingulum,& contineret ambiendo nõ
ſecundum totum ipſius corporis infiniti,ſed ſecundū parte æquale cuilibet illorum.Nunc autem
cum magnitudo aliqua ſpiritualis in deo ſit infinita,quæ ſecum compatitur omnia entia finita,il
la ſpiritualiter attingit omnia entia & ſingulum eorum,ſecundum totum ipſius contingendo il
lud & in eſſe conſeruando.quia de ſapientia increata & immenſa atcp infinita ſcriptum eſt cp attin
git a fine vſcp ad finem fortiter,& diſponit omnia ſuauiter.Nihil ergo eſt dicere cp in deo non eſt
quantitas ſecundum communem rationem generis:eſt tamen in ipſo ſecundum propriias rationes
aliquarum ſpecierum,licet non ſecundū modum illum quo ſunt in creaturis.Immo ſecundū oēm
modum quo ratio ſpeciei eſt in diuinis:ſimiliter & ratio generis ſicut dictū eſt,& ſecundum illam
equalitas dicitur eſſe in diuinis,Et ſic quantitas de qua dicitur cp propriū eſt ſecundū eam æquale
vel inequale dici:largiſſime accipitur,pro quantitate ſcilicet quæ directe eſt in ſolis creaturis,& di
recte in prædicamento quantitatis,quæ ſolum eſt in corporalibus, & pro quantitate virtutis,quæ
eſt etiam in ſpiritualibus omnibus.CQ̃ ergo dicit Augu.cp deus eſt ſine quantitate magnus: di
cunt aliqui cp hoc intelligitur de qualitate molis,& quę reperitur in corporalibus.Sed tunc eadem
ratione poſſet dici cp eſt ſine magnitudine magnus,quia ſine magnitudine corporali magnus eſt.
Ideo dicendum aliter:cp nihil per ſe de creaturis transfertur ad diuina niſi perfectionis ſimpliciter
rationem importet ſecundum ſuperius determinata. Nunc autem magnitudo in eo cp magnitu

do eſt, rationem perfectionis ſimpliciter importat:non ſic autem in eo ꝙ eſt quantitas ſimpliciter. Idcirco ergo deus magnus dicitur:ſed non abſꝗ magnitudine:quia magnitudo eſt per ſe ratio dignitatis quæ per ſe competit deo vt ſecundum eam per ſe denominetur deus magn⁹,tamen ſine quã titate:quia ratio quantitatis non eſt per ſe aliqua ratio dignitatis quæ per ſe competat deo vt ſecundum eam per ſe denominetur. Quæ tamen quia non dicit per ſe rationé indignitatis,quæ per ſe repugnat deo:idcirco ſecundum eam deus per accidens poteſt denominari quantus,ſcilicet quia cõtinetur in ſpecie a qua denominatur per ſe:vt non dicatur deus quantus niſi quia eſt magnus:aut aliquid ſecundum aliam ſpeciem quantitatis pertinens ad dignitatem ſimpliciter. Vere tamé dicédus eſt eſſe quantus ſecundum quantitatem & æqualis:ratione generis quãtitatis primo & per ſe & non ratione ſpeciei,niſi vt in ipſa eſt contracta ratio ipſius generis. Aliter enim in creaturis non eſſet idem modus æqualitatis qua vnum magnum dicitur æquale alteri ſecundum generis rationem & ſecundú rõné ſpeciei:ſicut non eſt idem modus relationis qua medicina ſecundum rationé generis ſui ꝗd eſt ſcientia,refertur ad ſcibile medicinale,& ſecundum rationem propriam ſuæ ſpeciei refertur ad medicum ſecundum prædicta. Eſt autem alia expoſitio dicti preſentis Auguſtini:ꝗ ponitur infra in prima quæſtione de ſimilitudine in ſolutione ſecundi arguméti. Vnde ꝙ dicitur in argumento ꝙ in deo non eſt magnitudo:quia in ipſo non eſt numerus:eo ꝙ magnitudo ſe habet per additionem ad numerum:& nec iſte nec præcedens:Nõ procedit obiectio:quia licet in deo non ſit numerus ad quem ſe habeat magnitudo corporalis per additionem:non ſequitur ex hoc ꞯ ſit in eo aliquis alius numerus & magnitudo ſe hñs per additionem ad illum. Præter numerum enim manentem in rebus corporalibus qui eſt numerus mathematicus,eſt duplex numerus nūeratus:quidam materialis ex ratione materię quã ſequitur continuũ ꝑueniens:qui eſt in ſolis corporalibus. Alius formalis prouenies ex ratione formę:& eſt triplex. Quidam prouenies ex pluralitate formarum naturalium abſolutarum exiſtentium in rebus creatis tã corporalibus ꝗ ſpiritualib⁹:ꝗ nõ habet eſſe in deo:ſicut nec materia nec formarū abſolutarum pluralitas:ſecundum ꝙ de vtroꝗ il lorum intelligitur illud dictum aſſumptum in argumento,quo dicitur ꝙ in deo nullus eſt numerus. De quo etiã dicit Dionyſi⁹.ix.cap.de di.no. Eſt ſine quantitate,ſine numero. Alius vero eſt nūerus formalis in diuinis attributis prouenies ex pluralitate rationum:quæ ſunt rationes formales diſtinctiue attributoꝛ. Tertius vero eſt numerus formalis ratione formarum relatiuarum:qui eſt in perſonis diuinis:& ſic quãtitas & ſecundum rationem numeri & ſecundum rationem magnitudinis habet eſſe in diuinis , aliter tamen ꝗ in creaturis:& etiã magnitudo ſe habens ꝑ additioné ad talem numerum,inquantum infinitas eſt ratio conſequens omnem talem numerum in diuinis.

R\
Ad ſcdm principale

⟨C⟩Ad ſecundum ꝙ in diuinis numerus dicitur ſecundum ſubſtantiam,& ſubſtantiam ſignificat:ergo ſecundum ipſam non dicitur æquale,ſed idem:Dico ꝙ quantitas in diuinis ſicut & alia attributa licet ſubſtantiam ſignificent quo ad rem ſignificatam:ſignificant tamen eam ſub ratione determinata quæ quantitati eſt propria,& accepta in ordine ad ſubſtãtiam ſubiectã & in ordine ad alia attributa :quæ(vt dictũ eſt) habent ſe ad ſubſtantiam mediante quantitate,vt expoſitum eſt in ꝑcedenti queſtione. Et idcirco ipſa ſubſtantia ſub tali rõne ſignificata comparata ad ſeipam vt menſura intrinſeca ad menſuratum,comparatur etiam ad omnia alia quæ ſunt in diuinis inquantũ in ſunt ſubſtantię ſimpliciter mediante quantitate vt menſurata per ipſam:& hoc quéadmodũ quan titas molis quæ eſt magnitudo,menſura eſt ſubſtantię etiã corporeę in qua eſt:& etiã omniũ accidétium corporalium quę inſunt ſubſtantię corporeę mediante magnitudine. Et per hunc modũ licet in diuinis quantitas ſecundum rem ſit ſubſtantia,& ſubſtantiã ſignificat,& ſecũdú ſubſtantiã dicit & incidit in ſubſtãtiã:& propterea dicit Aug.ꝙ æqualitas dicaꞇ ſecũdũ ſubſtantiam:tamen ſecũdũ ipſam vt in ſubſtãtia eſt nõ ꝓprie dr ęꝗlis ꞯ diuinis ſed idé:& ſimiliter ſecũdũ ipſam vt é quãtitas nõ ꝓprie dr idé ſed equale. ⟨C⟩Ad tertiũ:ꝙ ſi in deo ſit quãtitas illa nõ eſt niſi virtutis,ꝗ quãtitas eſt ſe cũdũ quã dicit ſimile nõ equale:Dico ꝙ duplex eſt virt⁹,moralis & naturalis. De prima verũ eſt ꝙ ſit qualitas de prima ſpecie qualitatis:& talis virtus non dicitur eſſe quantitas ſed ꝗlitas. Eſt tñ ſpiritualis quantitas virtus ſecundo modo dicta,ſ.naturalis:ꝗ cõſiſtit in cõplemēto naturalis ꝑfectiõis cuiuſꝗ rei:& eſt bonitas rei nõ moralis ſed naturalis. Et de eo ꝗd ſic eſt melius,dicit Auguſt.ꝙ eſt maius:& hoc quia eſt perfecti⁹.Et de tali virtute dicit Pʰus primo cę.& mū.ꝙ cõſiſtit in vltio: ꝗ virt⁹ eſt vltimũ de potétia. Qꝺ dicit nõ tã de potétia ꝗ reſpicit actũ ſecũdũ qui eſt operari,ꝗ de potentia ꝗ reſpicit actum primũ qui eſt eſſe. Sed in hoc eſt differétia: ꝙ virt⁹ ꝗ conſiſtit in cõpleméto formę cuiuſꝗ rei,inquantũ reſpicit actum qui eſt eſſe,proprio nomine dicit quantitas perfectionalis:inquantum vero reſpicit actum qui eſt operari,retinet cõmune nomen:ſed appropriate dicitur quantitas virtualis. Et ideo queꝗꝗ pluta ſiue ſecundũ ré ſiue ſecundũ rõné vnũ & idé cõplemétũ

Q

S\
Ad tertiũ

in perfectione ex actu naturalis bonitatis formæ cuiuſlibet attingunt vel obtinent ſiue in creaturis ſiue in diuinis,in illis æqualitas eſt fundata ſup illud vnu.Et i illis q̃ in creaturis vnu co-
plementum dicto modo non attingunt in forma ſua:ſed aliud & aliud ſecudum gradus exiſte-
tes in eſſentiis formarum ſuarum,licet ſuper illud vnum qd eſt in eis quo ad eſſentiam formæ
poſſit fundari in illis idem aut ſimile,tamen ſuper multum qd eſt in completione ſiue comple-
meto ſiue perfectione formarum,qd alterius gradus eſt in vno & alterius in altero,fundatur in
æquale.Propter qd quæcunq̃ ſcdm magnitudinem ſpiritualem ſunt æqualia in complemento
definitione ſpecifica,& hoc æqualitate quæ eſt qualitas ſubſtantialis,ſunt ſimilia quo ad eſſentiam naturæ in qua eſt complementum,& non econuerſo.Quia ſicut quantitas talis includit
qualitatem ſubſtatialem ſiue eſſentialem rei & plus,ſcilicet gradu in illa:ſic equalitas includit
ſimilitudinem,& plus,ſcilicet carentiam ſcdm magis & minus ſiue ſcdm maius & minus in il
la ſimilitudine.Quæcuq̃ enim cõmunicat vnam formam,poſſunt dici eadem aut ſimilia ſcdm
illam,etiam ſi inæqualiter illam participent:ſed non poſſunt dici æqualia ſcdm illam ſi alterum
illoꝝ perfectius illam participet q̃ reliquum.Hinc de tali æqualitate & ſimilitudine in tali qua
litate & tali quátitate dicit Ricar.iii.de trini.c.vii.Per omnia æquales oportet vt ſint per omia
ſimiles. Nam ſimilitudo poteſt haberi ſine æqualitate: æqualitas autem nunq̃ ſine mutua ſimi
litudine.Et ſic patet q̃ argumetu illud peccat ſcdm fallaciam æquiuocationis.Virtus enim ſicut & bonitas equiuoce dicitur de virtute morali & naturali.Similiter forma rei naturalis exiſtens in ſuo complemento,in quo potentia ad illud vltimatur & perficitur,bonum naturæ eſt.
Q̃ diu enim aliquid eſt in potentia ad illud inquantum huiuſmodi,imperfectum ſiue incom-
pletum eſt:& quátum eſt in re de potentia diſtante ab illo actu & complemento,tantum eſt ei
admixtum de malo:& quátum de actu & complemento,tátum habet de bono,& hoc ſecundum
plus & minus. Et ſecúdu q̃ plus & minus habet de cõplemento,ſecundu hoc etiam plus & mi
nus habet de ſpirituali magnitudine quæ conſiſtit in tali complemento.Et differt complementum a quantitate ſola ratione:quia complemetum vt ſimpliciter accipitur,nominat rem & na
turam cuius eſt illud complemetum.Vt determinat gradum perfectionis in illa natura,vel vt
exceſſum omnis gradus importat,notat quátitatem illius ſpiritualem,& nomine virtutis appellatur ſicut & ipſum complemetu. Quæ cum eſt nomen complementi ſimpliciter accepti:ſi
illud eſt ſcientia tm,ſcdm illã dicitur habens illã in illa idem alteri vel diuerſum ab illo.Si vero illud eſt qualitas ſiue accidentalis,ſiue ſubſtantialis:vt differentia ſpecifica in creaturis tm:
In deo em non eſt cõplementu habens ratione differentie:quia in illo non eſt cõpoſitio ex gene
re & differentia:tunc ſcdm illam dicitur habens illam in ſe ſimile vel diſſimile alteri.Cum vero eſt nomen quátitatis,tunc ſcdm illam dicitur habens illam in ſe æqualis vel inæqualis alteri.¶Ad quartum,q̃ æqualitas dicit cõmenſurationem æqualium in quantitate: ſed in deo nul
la eſt omnino in quátitate cõmenſuratio,neq̃ alicuius ad ſeipſum,neq̃ ipſius ad aliu: Dico ſecundu ſuperius determinata,q̃ differut vnitas ſingularitatis & conformitatis in hoc q̃ vnitas
ſingularitatis non eſt niſi in vno ſcdm numeru : vnitas vero conformitatis non eſt niſi in vno
ſcdm ſpeciem aut genus.Et ad vnum vtroq̃ modo ſi fuerit ſubſtantia,ſequitur idetitas:ſed nõ
ſimpliciter idetitas:niſi fuerit vnum in ſingularitate. Si vero fuerit quantitas,ad ipſam ſequitur æqualitas.Si autem fuerit qualitas,ad ipſam ſequitur ſimilitudo. Sed in diuinis ſolumodo
ſequitur hoc ad vnum ſingularitate,& prout habet eſſe in diuerſis perſonis ſpecialiter æqualitas,& ſimilitudo:vt habitum eſt ſupra.Nunc aute conformitas vt eſt in quantitate,ſpecialiter
idem eſt qd cõmeſuratio,ſicut curuitas vt eſt in naſo eſt ſimitas.Propter qd proprie loquendo
de cõmenſuratione,ipſa non cadit in diuinis:ſicut neq̃ aliqua vnitas conformitatis:quæ requi
rit in diuerſis diuerſas vnitates ſingularitatis, quæ in diuinis non ſunt in aliquo abſoluto qd
ſit fundamentum relationum.¶Q̃ d ergo dicitur,q̃ æqualitas dicit cõmenſurationem in quan-
titate:Dico q̃ hoc non eſt vniuerſaliter veru:ſed ſolumodo habet veritatem de æqualitate quę
fundatur ſuper vnu conformitate quantitatu quæ eſt in ſolis creaturis,ſicut & in ſolis creaturis æqualitas nominat proportionem æqualium. Quia ergo vnitas conformitatis quantitatu non eſt in deo,nec inter aliqua quæ ſunt in deo,quia in illis non eſt niſi vnitas ſingularitatis
eiuſdem quantitatis ſcdm numerum:hæc eſt ergo cauſa & ratio per ſe quare æqualitas in deo
eſt abſq̃ omni cõmenſuratione,eſt tamen vera æqualitas:quia cõmenſuratio non ſequit æqua
litatem ſimpliciter,nec cauſatur ab ea:ſed ſolumodo conſequitur æqualitatem quæ fundatur
ſuper vnitatem conformitatis in quantitate & cauſatur ab illa , quæ non eſt niſi in quantitatibus diuerſis ſecundum re,Et ſic conformitas accidit æqualitati ſimpliciter:quæ aliquando ſun

X datur super vnum singularitate in quantitate: aliquando vero super vnum conformitate. ¶ Q̃ autem aliqui assignant pro causa, q̃ commensuratio non vadit in diuinis, quæ ponit mensuratio-nem: & mensuratio dicitur a mensura: mensura autem ponit finitatem in quantitate: quæ non est in deo sed in solis creaturis: quia diuina perfectio non est mensurabilis aut mensurata, nec a se nec ab alio, eo q̃ terminū non habet nec extra nec intra: sed (vt procedit argumētū) omnino infinita est & immensa: ad quā reducitur omnis mensura & omne mensuratum vt ad mensu-ram primam non mensuratam: sicut omne mouens & motum reducitur ad primam mouens non motum: Hoc nequaq̃ est per se ratio illius: quia si sicut secundum Semiarrianos poni-tur deitas in patre & filio non esset vna singularitate sed conformitate tm̃: in illis deitas esset alia & alia singularitate, & in vtroq̃ esset infinita & immensa, & esset æqualitas personarum per commensurationem earum scd̃m illas deitates & earum quātitates diuersas ex eo q̃ essent cō-formes sicut dictum est: & poneret hæc commensurationem mensurationem scd̃m quantitates per-sonarum diuinarum non passiuam a mensura mensurata, quasi conformiter sint mensuratæ: sed actiuam a mensura mensurante, quasi conformiter sint mensuræ aliorum. Ex eo autem q̃ ali-quid est mensura mensurans: nulla omnino in illis ponitur finitas omnino: sed illa sola mensu-ra ponit finitatem quæ est mensurata & mensura mensurati non adæquati illi a quo mensura-tur. Et sic vt æquales essent personæ dictæ per cōmensurationem, non requiritur q̃ habeāt quā-titates mensuratas: sed sufficit istas in hoc esse conformes q̃ vniformiter sunt mensuræ aliorū, & q̃ neutra illarum excedit alteram in maius, aut exceditur ab altera in minus. Similiter ad æqualitatem quæ modo est in personis diuinis, nulla requiritur commensuratio: sed sufficit q̃ neutra excedat alteram, non propter vnitatem conformitatis alicuius: sed solummodo propter vnitatem singularitatis in quantitate. Vnde non valet qd̃ inducitur vlterius in argumento ad probandum q̃ in diuinis non cadit commensuratio: quia quantitas in diuinis est infinita, & in infinito non est cōmensuratio scd̃m maius aut minus aut æquale. Dico enim q̃ hoc verum nō est de infinito comparato ad infinitum: sed solummodo de infinito comparato ad finitum. Aut si loquatur de infinito comparato ad infinitum: illud non est verum nisi de infinito magnitu-dine corporali, & hoc ideo quia non est natum esse aliquod infinitum in specie quantitatis mo-lis, & comparatio scd̃m æqualitatem non est nisi in illis quantitatibus quæ sunt eiusdem spe-ciei quantitatis: vt habigum est supra. Nunc autem est simpliciter, immo necesse est esse aliquid infinitum in quantitate virtutis: & ideo eo modo quo ponitur alia & alia quantitas virtutis in finita in diuersis personis, scilicet per impossibile, & scd̃m semiarrianos tāti, necesse est consimi-liter ponere comparationem scd̃m æqualitatem inter illa: licet non inter duas magnitudines infinitas mole, etiam si ponantur esse non solum per impossibile: sed etiam per incompossibile. Nec valet etiam aliquid ad propositum qd̃ dicunt alii: videlicet q̃ diuinæ personæ sint com-mensurabiles inter se stante immensitate & infinitate quātitatis perfectionalis in illis: ex hoc scilicet q̃ vna aliam mutuo comprehendit, & neutra alteram mutuo exedit: quia hoc non fit per aliquam commensurationem actiuam aut passiuam, nec per aliquā conformitatem in quan-titate, quorum alterum sequitur ad cōmensurationem sicut dictum est: sed solum fit per cōn-sistentiam quātā: vt patet ex diu supra determinatis de modo essendi vnam diuinam personam in alia. ¶ Ad quintum q̃ æqualitas dicit priuationem, quæ non est in diuinis: ergo &c. Dicunt aliqui q̃ quia æqualitas sequitur ad vnitatem in magnitudine per remotionem maioris & mi-noris, & propterea scd̃m Philosophum quinto & decimo metaphysicæ, æquale priuatiue op-ponitur maiori & minori: Vnde ibidem in decimo probat æqualitatem per priuationem excel-sus in maius & minus: Secundum hoc ergo (vt dicūt) ratione sui fundamenti æqualitas priua-tionem importat sicut & vnitas super quam fundatur, & si quid positiue importatur nomine æqualitatis illud tantum est relatio secundum rationem. Et quia sic (vt dicunt) æqualitas sim-pliciter importat priuatiuum, & secundum quid positiuum: scilicet ratione relationis, quæ re-latio quæ in creaturis est secundum rem: in deo est secundum rationem: ideo vt dicunt æqua-litas in diuinis secundum rem solam priuationem importat, & positionē secundum rationem. In creaturis vero & priuationem siue remotionem atq̃ positionem secundum rem. Propter qd̃ (vt dicit) ait Magister textus sententiarum distinctione trigesimaprima. Secundum substātiā filius est æqualis patri, & vtroq̃ spiritui sancto: & appellatio tātū relatiua est. Æqualitas ergo patris & filii non est relatio vel notio: sed propter vnitatem naturæ indisparitas. Et consimi-lia dicit de similitudine consequenter subdens communiter de vtroq̃. Vnde quibusdam non indocte videtur nomine æqualitatis aut similitudinis non aliquid poni sed remoueri: vt ea

ratione dicatur filius æqualis patri:quia neↄ maior eſt eo neↄ minor,& hoc propter vnita=
tem eſſentiæ.Dicunt tamen ↄ æqualitas non importat priuationem quæ ſonet in defectum
& non entitatem,ſicut dicit argumētum,& bene:vt propter hoc Magiſter ſignáter dicat no
mine æqualitatis aliquid remoueri ſed non priuari.Large tamen loquendo de priuatione ta=
lis remotio priuatio dici poteſt,quæ potius eſt negatio . eo ↄ ſcdm Philoſophum.iiii.Meta
phyſice,in hoc differūt priuatio & negatio,ↄ priuatio dicit in ſubiecto aptitudinem ad pri=
uatum cum eius remotione,negatio vero non:ſed dicit remotionem abſolutam vtriuſↄ ſi=
mul vel alterius tm̄.Propter quod inæquale qd̄ proprie eſt priuatio,nō dicit omnem modum
priuationis:ſicut poteſt dicere negatio.& bene ſequitur negatio ad priuationem: vt ſi eſt in=
æquale,ergo eſt non æquale: ſed non econuerſo,ſi eſt non æquale,ergo eſt inæquale. In diui=
nis autem eſt æqualitas ſine aptitudine ad maius & minus:quæ æqualitas priuat:quia æqua
le in diuinis ita eſt æquale ↄ nullo modo poteſt eſſe inæquale.Propter quod ſecundum præ=
dicta verius eſt æquale in diuinis q̄ in creaturis,in quibus inæquale poteſt eſſe non æquale.
Quáto enim æqualitas eſt maior,tanto magis recedit & elongat a ſuo oppoſito. Qd̄ contin=
git tum propter vnitatem quantitatis ſingularitatis in æqualibus: quæ idcirco ſiue illa vni=
tas augeretur ſiue diminueretur,nihil minus maneret æqualitas:ſicut & quadratum ſiue ap
ponatur Gnomon,ſiue amoueatur,ſemper eſt eodem modo quadratum:tum propter impoſ=
ſibilitatem augmenti aut diminutionis in diuina quantitate . In creaturis autem in quibus
æqualitas fundatur ſuper diuerſas quantitates,alterata aucta aut diminuta ſtatim facta eſt in
æqualitas.⫷Sed ex hoc in dicto iſtorum ſtatim apparet contrarietas.Si enim verius eſt æqua   **Z**
le qd̄ nullo modo poteſt eſſe inæquale : quia aptitudo nominat defectum entitatis quæ nata
eſt ineſſe, & pro tanto priuatio eſt ſpecies non entis,quā non nominat negatio:ſed potius no
minat entitatis defectus importatę per maius & minus remotionem:quæ in deo nullam im=
perfectionem importat:quia non eſt negatio niſi entitatis defectiuę : propter quod per ipſam
negationem tale inſinuatur affirmatio veriſſimi entis poſitiua:& eſt negatio importata in di
uinis nomine æqualitatis negatio negationis duplicis,quarum vna importatur nomine po=
tentiæ ad maius , alia vero nomine potentię ad minus: Dico ergo ↄ æqualitas in diuinis di=
cit priuationem non habitus aut alicuius poſitiui,quæ nequaq̄ eſt in diuinis:vt procedit ar=
gumētū: ſed defectus & priuatiui,qui veriſſimam entitatem ponit in diuinis, & hoc ratione
ſui fundamēti,qd̄ eſt vnitas quátitatis ſup quá fundatur,qd̄ reſpōdet ei in re . Propter quod
ita hęreticus eſſet qui negaret æqualitatem eſſe in deo,ſicut qui negaret deum eſſe : quia ad
vnum ſequitur alterum:licet æqualitas in deo ſit relatio ſecundum rationem tm̄. ⫷Et dicūt   **A**
aduerſantes adhuc,ↄ magnitudo non eſt fundamentum equalitatis niſi quia non eſt vna : vnum
autem reſpectu multorum priuatiue dicitur, non poſitiue:ſicut indiuiſio reſpectu diuiſionis
ſecundum Philoſophum quarto Metaphyſicę. Ad quod dico ↄ in vnitate conſiſtit totum   **B**
qd̄ eſt formale in multitudine:& in creaturis per materialem replicationem vnitatis ſuper ſe
ipſam cauſatur multitudo,& hoc per defectum formæ vnitatis in illa.Ita ↄ diuiſio in multi=
tudine licet ſecundum rationem nominis poſitionē dicat:ſecundum tamen rationem rei di=
cit veram priuationem eius qd̄ eſt formale,& non poſitionē:nec eius qd̄ eſt materiale:& econ
uerſo indiuiſio in vnitate:licet ſecundum rationem rei dicat verá poſitionem eius qd̄ eſt for
male:& non priuationē niſi eius qd̄ eſt materiale.Nunc autem in formali conſiſtit vere eſſe,
& poſitiuum quid,non autem in materiali.Et dicit ſecundum rem vnum poſitionem,& mul
tum priuationem:licet ſecundum rationem nominis contingat contrarium: cuius ratio eſt
quia ratio nominis ſequitur intellectum noſtrum,cuius eſt nomina imponere rebus ſecundū
modum quo intelliguntur ſub intellectu.Quia ſcdm Philoſophum in libro peri hermenías,
Voces ſunt ſigna ſiue notę intellectuum,& intellectus ſunt ſigna rerum. Nunc autem pro=
pter debilitatē noſtri intellectus materialia magis nota ſunt nobis q̄ formalia. ſcdm ↄ idcir=
co dicit Philoſophus decimo Metaphyſicę,ↄ multitudo nobis magis nota eſt q̄ vnitas.Ei au
tem qd̄ eſt magis notum nobis poſitiue,magis poſitiue poſſumus nomen imponere: & pro=
pterea frequenter quæ ſecundum rem ſunt magis poſitiua,ſignificamus priuatiue:& ecōuer
ſo quę ſunt magis priuatiua ſecundum rem,ſignificamus poſitiue:vt patet de mortali & im
mortali,corruptibili & incorruptibili , corporali & incorporali . ⫷Sed dicunt adhuc ↄ in di   **C**
uinis non eſt vnitas poſitionī,cum non ſit in eis vnum qd̄ eſt principium numeri:qd̄ maxi=
me videtur aliquid poſitiue dicere. Dicet forte aliquis ad hoc, ↄ ſi non eſt in diuinis vnum
qd̄ eſt principiū numeri,tunc vnum qd̄ eſt in illis ſuper qd̄ fundatur equalitas,eſt vnum qd̄

cõuertit̃ cũ ente.de quo cõstat ꝙ nõ dicit priuatiõe:sed verã positiõe sicut & ens:& si di=
cat negatiõe q̃ importat noie indiuisiõis:ꝗa vnũ est ens indiuisum:illa t̃n negatio e negatio

**D** negatiõis,quia diuisio ƃm rẽ negatio e. ⸿Sed nec illud verũ est:ꝗa vnũ sup ꝙ fundat̃ relatio
cõis idẽtitatis,æqualitatis,& silitudinis,nõ est nisi vnũ oppositũ multo:sup ꝙ fundant̃ rela
tiões cõtrarię.ſ.diuersum,inæquale,dissimile,licet i diuinis alterũ naturaliter insit̃,& reliquũ
impossibile est iesse.In diuinis e̅m̃ sunt vnũ & relatiões fundatę sup illud.:Vñ verũ est ꝙ i di
uinis nõ est vnũ ꝙ est principiũ n̅u̅eri,qui quasi p materialė replicatiõe vnitatũ sup se i ea
dė natura cõstituat numerũ absolutoꝝ,sicut cõtingeret si ƃm Semiarrianos deitas plurifica
ret̃ i patre & filio. Ex taliũ e̅m̃ vnitatũ replicatiõe n̅u̅erus cõstitutus appellat̃ numerus mate
rialis:ꝗ est impossibilis in diuinis.Et ideo nõ est in diuinis vnũ ꝙ est principiũ n̅u̅eri.Est t̃n in
diuinis vnũ ꝙ est principiũ n̅u̅eri formalis p replicatiõne vnitatũ relatiuarũ sup se in eadem
natura deitatis,cũ tres personæ numerant̃ in diuinis ad modũ differentium specie, scd̃m prę
dicta,vel in diuersis naturis,sicut contingit cum deus cõnumeratur creaturæ , & dicitur ꝙ
deus & creatura sunt duo,in quibus & deus est vnum, & creatura est vnum. Sed nec super
illud vnum in tribus personis plurificatum formaliter & relatiue fundantur in deo idẽtitas,
æqualitas,& silitudo:quia tale vnũ nõ cõuenit plurib⁹, quale scd̃m p̃determinata debet esse
vnũ sup ꝙ fundat̃ relatio cõis:sed fundatur sup vnũ ꝙ cõuertit̃ cũ ente increato ꝙ est di
uina essentia,ꝙ est cõe trib⁹ psonis,sicut est ipsa diuina essentia cõsiderata sub ratiõe substã
tiæ,quãtitatis,& qualitatis,cui nõ respõdet multũ in diuinis:quia multũ in psonis est ex al=
teri⁹ generis vnitatib⁹. Vñ nec huic vnitati opponit̃:sed opponit ei multũ ꝙ est in creatu=
ris nõ priuatiue sed vt est,& tale vnũ verissime positiui est . Sup illud aũt multũ ꝙ est de⁹

**E** & creatura,fundant̃ diuersum inæquale & dissimile. ⸿Q₂ aũt arguit per Magistrũ Sẽtẽtia=
rum,ꝙ æqualitas dicit priuatiõe:quia(vt dicit) non est relatio vel notio.i.relatio realis vel
rationalis:vt etiam(secũdum ꝙ dicit)quibusdam non indocte videatur nomine æqualitatis
non poni aliquid,sed remoueri:Dico ꝙ re vera æqualitas non est relatio realis, sed rationalis
& quo ad hoc non est nisi appellatio relatiua.Nihil t̃n positiui habet in rerum natura,quãtũ
relatio realis & rationalis. Quia t̃n habet sibi aliquid respondens in re super ꝙ fundatur,&
quo ad hoc non est pure rationalis,sed completiue t̃n scd̃m superius determinata,& quo ad
hoc habet aliquid positiui in rerum natura: sed ratione sui fundamenti,ratione cuius nõ di
cit remotiõe sed positionem t̃n:ratione etiã eius ꝙ cõpletiue est a ratione,nõ dicit remoti

**F** ue sed t̃n positiue:licet non nisi id ꝙ est aliquid scd̃m rationem . ⸿Ad intelligendum ergo
quomõ dicat Magister nomine æqualitatis nõ aliquid poni sed remoueri,sciendũ ꝙ nomine
æqualitatis tria est cõsiderare.ſ.significatũ , & ratiõe intelligẽdi,& vsum ipsius nominis. Si
ergo aspiciamus ad nominis significatum: dico secundum iam dicta ꝙ aliquid ponit & nihil
remouet.Si autem aspiciamus ad rationem nostram & modum intelligendi significatum il=
lud:dico ꝙ non ponit aliquid,sed remouet t̃n:quia æqualitatem non intelligimus sicut nec
definimus(vt tangitur in argumento secundum Philosophum)nisi per abnegationem eius
ꝙ est maius & minus:sicut etiam nõ intelligimus nec definimus vnũ nisi per abnegatiõe
diuisionis: inquãtũ definitio vnius est ꝙ est ens indiuisum.Si vero aspiciam⁹ ad vsum:sic in
telligit magister noie ęqualitatis nõ poni aliꝙ sed remoueri:ꝗa nõ vtimur pricipaliter noie
ęqualitatis in diuinis ad ponẽdũ aliquid p illud sup illa q̃ sunt relata ęqualitate:& dicunt̃ fo
re æqualia:sed poti⁹ ad remouẽdũ ab eisdẽ cõparatis inter se maius & min⁹,& hoc ꝓpter hę
reticoꝝ ꝑtinaciã,ꝓcipue Arrianoꝝ,dicebãt q̃ patrẽ eē maiorẽ quo ad deitatẽ, & siliũ minorẽ
licet i rei veritate p illã remotiõne intelligit vera positio i relatiõne ęqualitatis,& õne funda
mẽti illi⁹,& rõne ei⁹ ꝙ habet a rõne sicut iã dictũ est.Propter ꝙ ad isinuandũ ꝙ null⁹ esset
ꝓpter negatiõne quã ęqualitas iportat defect⁹ in deo itelligẽd⁹,sed positio t̃n:nõ dixit magi
ster noie ęqualitat̃ aliꝙ priuari sed remoueri.Priuari e̅m̃ nõ dicit nisi carẽtiã ei⁹ ꝙ nõ inest
natũ t̃n est iesse:ꝙ vere est defect⁹.Remoueri aũt dicit exclusiõne ei⁹ꝙ est extra,ꝙ nequaꝙ
natũ est inesse.ꝙ re vera nullũ ponit defect⁹.Et hoc quẽadmodũ cũ i verbis psonalib⁹ prime
& secũde psonę itelligit noiatiu⁹ definit⁹ ego vel tu:dicendo curro curris,noiatiu⁹ ille expres
sus nõ apponit ad aliꝙ ponẽdũ ꝙ pri⁹nõ erat itellectũ:sed solũmodo ad aliꝙ
remouẽdũ:quia scd̃m Prisciã nõ apponitur nisi ad significãtiã discretiõis faciẽdã, dicen
do,ego curro vel tu curris,ac si diceret̃ nullus alius præter me vel præter te currit: seu nul=
lus alius ita bene. Et cũ secundum eundem in singulari numero intelligit vnus:dicendo ho
mo vel equus,vnus non apponit̃ ad aliquid ponẽdũ:sed potius ad remouẽdũ:dicendo vnus

homo vel vnus equus currit,ad ſignificandum ꝙ non plures cuttrunt:quemadmodũ etiam di=
cimus ꝙ deus eſt vnus,ad excludendum ſiue remouendum non eſſe plures deos.Hoc etiã mo=
do vtimur nominibus numeralibus in diuinis ꞇ dicendo ꝙ ſunt tres perſonę,ad exclu dendum
ſiue remouendum ꝙ non ſunt plures nec pauciores.Ex quali vſu talium nominum,ſcilicet nõ
ad ponendum aliquid,ſed potius remouẽdum:nequaꝗ argui poteſt ꝙ quãtum eſt ex parte ſui
ſignificati nihil omnino ponãt in diuinis niſi priuationẽ:& non aliquid poſitiue: ſicut nec poſ
ſumus dicere ꝙ illa pronomina ego,tu,cum exprimuntur cum verbis prime & ſecundę perſo=
nę,nihil omnino de ſuo ſignificato ponunt niſi aliquid priuatiue. ⸿Ad ſextum,ꝙ filius eſt vir= | G
tus patris,quæ quantitas eſt in diuinis,nihil autem eſt æquale ſuę quantitati:ergo &c̄. Dico ꝙ | Ad ſextũ.
illud dictũ eſt per appropriationem,non autem per proprietatem.Pater enim & filius ſunt vna
virtus. Vnde Auguſtinus.vii.de trinitate.capitu.iiii.exponens quomodo Chriſtus eſt dei vir=
tus & dei ſapientia,& reſpondens rationi hęreticorum quã tetigit in principio ſexti libri,dicit
ſic.Ipſe Chriſtus virtus eſt & ſapientia dei,quia eſt de deo virtute & ſapientia.Ipſe virtus & ſa
pientia dei eſt,ſicut lumen de lumine.Argumentum vero procedit ac ſi pater non eſſet virtus
aut ſapiens ex ſe.

⸿Q̃d autem arguitur ad oppoſitũ primo ꝙ in diuinis ſit æqualitas ad minus ad | H
ſeipſum,qd̃ eſt contra ſuperius dicta:quia.ſ.vnũquodꝗ in diuinis ſicut eſt idem ſibi,ſic eſt nec | Ad primũ
minus nec maius ſeipſo:ergo eſt æquale ſibi:Dico ꝙ non ſequitur: quia magis & minus etiam | in oppoſi.
continentur ſub inæquali:& æquale & inæquale non diuidunt immediate totũ ens. In hoc eĩ
differunt oppoſita ſicut affirmatio & negatio,& oppoſita ſicut habitus & priuatio,ꝙ affirma=
tio aut negatio de quolibet dicitur,& per immediationem diuidũt totum ens. De quolibet eĩ
verum eſt affirmare aut negare quodcunꝗ.Priuatio autem & habitus non ſic:ſed habent ſolũ
modo eſſe circa determinatum ſubiectum,& determinato tempore , & circa illud ſolummodo
per immediationem ſe habent vt alterum eorum inſit: circa alia autem ſubiecta nõ ſic:quia po
teſt neutrum illorum illis ineſſe:& ſic contingit in propoſito. Aequalitas enim aut inæquali=
tas non ſunt nata eſſe niſi inter diuerſa, non autem ſunt eiuſdem ad ſeipſum. Et ideo licet in
diuinis nihil ſit ſeipſo maius aut minus: nihil tamen cum hoc eſt in illis ſibi æqule. ⸿Ad ſe= |
quens,qd̃ directe videtur eſſe contra hoc.ſ.ꝙ ratione vnius ſubſtãtiæ qua in diuinis dicitur ali | Ad ſecũdũ
quid idem ſibi,dicitur etiam idem alteri:ergo & ratione vnius quãtitatis aliquid dicitur æqua
le alteri & ſibi:Dico ꝙ bene ſequeretur hoc ſi quãtitas æque eodem modo ſe haberet ad cauſan
dum æquale,ſicut ſubſtantia ad cauſandũ idem.Sed non eſt ita:quia ſubſtantia ſub ratione ſub
ſtãtiæ manens duplicem patitur conſiderationem. Vnã.ſ.vt eſt aliquid ſcd̃m ſe conſideratum.
Altera,vt eſt aliquid alterius.Nõ ſic autem quantitas:quia ſi non conſideretur quãtitas vt eſt
aliquid ſcd̃m ſe conſideratum,ſtatim induit rationem ſubſtantię,& amittit rationem quantita
tis,niſi conſideretur vt eſt aliquid alterius.Propter quod licet ſuper ſubſtantiam vt ſcd̃m ſe cõ
ſideratur,fundetur idẽtitas qua dicitur idem ſibi:puta deitas deitati,& non penes primũ mo
dũ idẽtitatis:& vt conſideratur ſicut aliquid alterius,ſuper illam etiam fundetur idẽtitas qua
ipſa dicitur idem illi cuius eſt aliquid:puta deitas ipſi patri,& qua illi quorum ipſa eſt aliquid,
cõmuniter dicuntur idem ſibi:puta pater filio:tñ ſuper quantitatem vt ſecundũ ſe conſidera=
tur,non fundatur æqualitas,ſed idẽtitas:qua ipſa dicitur eadem ſibi: ſed ſolũmodo vt conſide=
ratur ſicut aliquid alterius,ſuper ipſam fundatur æqualitas,& hoc non ſui ad illud cui⁹ eſt:ſed
ſolũmodo illorum duorum quorum eſt aliquid inter ſe.Non enim magnitudo dicitur æqualis
ſibi vel habenti magnitudinem in ſe, ſed ſolũmodo æqualia dicũtur habentia cõmuniter in ſe
eandẽ magnitudinem numero,qd̃ contingit in ſolis diuinis:aut ſpecie,qd̃ contingit in creatu=
ris.Et ſic vnum & idem qd̃ eſt ſubſtantia aliqua,habens in ſe aliquam quãtitatem:licet ratione
ſubſtantiæ dicatur idem ſibi,ratione tamen quantitatis illius non dicitur æquale ſibi,ſed alte=
rí tñ. Et ſic res ꝗlibet per hoc qd̃ ipſa eſt bene cõparat ſibiipſi, & hoc nõ niſi primo modo idẽ=
titatis:per ſe aũt qd̃ eſt aliquid ſui inquantũ huiuſmodi, nullo modo ſibiipſi cõparat,ſed alteri
tñ:licet aliter & aliter cũ illud ſit ſubſtãtia,& cũ ſit quantitas aut qualitas.Quia cũ eſt ſubſtã
tia,habens illam comparatur bene per idẽtitatem ad ipſam ſubſtantiam habitam:dicendo pater
eſt idẽ deitati.Deitate eĩ deitas eſt eadẽ ſibi,& cuilibet pſonę habẽti eã,& ſimiliter quælibet p
ſona alteri. Cũ vero eſt quãtitas aut qualitas,hñs illã nõ cõparat quãtitati p æqualitate:ſed ſo
lũmodo alteri habẽti illã,neꝗ conparat qualitati per ſimilitudinem , ſed ſolummodo habẽti il=
lã. ⸿Ex quo patet ꝙ æqualitas & ſimilitudo neceſſario preſupponunt æqualia & ſimilia prius | K

natura esse aliquo modo diuersa seu distincta,q̃ inter se referantur æqualitate aut similitudi-
ne:licet idẽtitas primo modo nullam distinctionem relatorum presupponit:sed solummodo re
ferendo ratio illa distinguit.Patet etiã q̃ æqualitas & similitudo requirunt q̃ quãtitas & qualitas sint aliquid illorum quæ secundum illas referuntur : licet non requirat dicta identitas q̃
substantia secundum quã referuntur eadem,sit aliquid illorum.Etenim cum in creaturis quã
titates diuersæ comparentur inter se secundum æqualitatem: dicimus enim lineam esse æqua
lem linę:hoc non contingit nisi quantitas quælibet non solum sit mensura alterius:sed etiam
suiipsius,& semetipsam denominet:vt mensura mensuratum. Dicimus enim nõ solum q̃ lignĩ
est quantum,sed etiam q̃ quantitas est quanta,& ipsa inquantum est mensura,est quantitas,&
aliquid suiipsius inquantum est quantum denominatum pro mensuratiuo.& per hoc vna quã
titas vt ipsa est quantum quoddam & mensuratum , æqualis est sibi vt ipsa est mensura , &
hoc in solis creaturis:in quibus sunt diuersæ quantitates specie aut genere : non autem in di-
uinis:quia in illis non est nisi vna quantitas numeralis,quæ plurium est.Propter quod licet di
camus in diuinis q̃ immensitas est immensa:non tamen dicimus q̃ immensitas est æqualis im
mensitati,nec dicimus q̃ immensitas patris est æqualis immensitati filii:licet dicamus q̃ pater
immensitate est æqualis filio , & econuerso : & q̃ veritas est æqualis immensitate bonitati &
econuerso,& sic de cæteris.secundum q̃ hæc magis clarent ex supra determinatis.

L
Quest.II.
Argu.1.

Irca secundum arguitur q̃ non sit in diuinis plena & perfecta & omnimoda
æqualitas,Primo sic.Perfecta æqualitas nata est esse non solum secundum ma
gnitudinem:sed etiam secundum numerum siue secundum quantitatem.sed
si in diuinis non essent secundum magnitudinem tãtũ duȩ personæ quãtum
tres:non esset in illis perfecta æqualitas secundum Augustinum sexto de trinitate,vt dicetur respondendo.Quare cum in diuinis non sunt secundum nu
merum tot duæ personæ quot sunt tres : non est ergo in illis perfecta æqualitas.⸿Secundo sic.Plena & perfecta æqualitas in aliquo : non est sine æqualitate omnium quæ
sunt in illo.Aliquorum enim inæqualitas repugnaret perfectȩ æqualitati.sed non est ȩqualitas
omnium eorum quæ sunt in deo:quia non est in deo æqualitas idẽtitatis & similitudinis:quia
non est in eo tanta similitudo quanta est in ipso identitas,eo q̃ in ipso est identitas alicuius ad
seipsum,non est autem in ipso similitudo nisi alicuius ad alium. & sic maior est illa identitas q̃
ista similitudo : ergo &c̃.⸿Tertio sic. Non est plena & perfecta æqualitas nisi sit secundum
omnia secundum quæ nata est esse æqualitas in quibuscunq̃ : quia sicut in plene perfecto
sunt omnes rationes omnium perfectionũ:sic in plena & perfecta æqualitate sunt omnes æqua
litatum omnium rationes.consequens falsum est: quia secundum omnem modum & speciem
quãtitatis nata sunt aliqua esse æqualia:quia per se conuenit quantitati secundum eam æqua
le vel inæquale dici , quare & secundum omnes species eius hoc conuenit ei . sed non secun
dum omnem modum & speciem quantitatis est æqualitas in deo : quia nec omnis modus &
species quantitatis est in deo:ergo &c̃. ⸿Quarto sic.Quicquid habet rationem perfectionis sim
pliciter in creaturis,ponendum est in deo:cum omnes rationes perfectionum sint in ipso secun
dum superius determinata. sed inæqualitas est de ratione perfectionis creaturarum:quia secũ
dum Augustinum.lxxxiii.q.q.xliiii.si essent omnia æqualia:non essent omnia. qd̃ dicit respondendo ad quæstionem quare deus non fecit omnia æqualia.vt igitur essent omnia: non sunt fa
cta omnia æqualia:sed inæqualia facta sunt aliqua.Q̧ autem sint omnia:hoc pertinet ad perfectionem. Oportet ergo q̃ sit aliqua inæqualitas in deo . sed vbi est aliqua inæqualitas,non est
plena & perfecta atq̃ omnimoda æqualitas:ergo &c̃. ⸿Quinto sic.Primum principale & secũ
dum non principale in quocunq̃ non sunt plene & perfecte aut omnino æqualia: quia nõ sunt
plene , perfecte, aut omnino in quantitate virtutis conformia . in diuinis autem sunt primum
principale & secundum non principale:In producendo aliquid interius: quia secundum Au
gustinum de trinitate,Pater est principium totius diuinitatis.Et secundum Dionysium de di
uinis nominibus, Pater est fontana deitas: filius autem & spiritus sanctus sunt pullulationes.
Et similiter in producendo aliquid exterius . quia pater vt principale agens dicitur omnia facere per filium:quia omnia per ipsum facta sunt.Ioannis primo.Per quem fecit & secula.Hebr.
primo.ergo &c̃. Hinc est (vt videtur) q̃ filius dicit Ioan.xiiii. Pater maior me est. Et Apostolus primæ ad Corinthios decimoquinto . Ipse filius subiectus erit illi qui ei subiecit omnia.
⸿Sexto sic.Ille personȩ non sunt æquales omnimode,quarum vna alteram superat potestate.Pa

ter superat filium potestate,& pater & filius spiritum sanctum,Pater enim potest generare nõ filius,pater & filius possunt spirare,non ecõuerso spiritus sanctus,Econtra autem filius potest generari:non pater,spiritus sanctus potest spirari:non sic filius neq; pater:ergo &c̃.¶Septimo sic.Illa non sunt æqualia omnino,quorum vnum habet aliquid ad dignitatem pertinens qd̃ nõ habet alterum:quia vnũ illorum dignius est altero . sed quælibet diuina persona habet aliquid ad dignitatem pertinens,s.suam notionem personalem secundũ superius determinata : qd̃ non habet altera:ergo &c̃.¶Octauo sic.In diuinis numerus est trium personarum, & quinq; notio- **7** num.Inter quẽlibet autem numerũ & quãlibet partium eius siue fuerit aliquota siue non , ali- **8** quota est proportio inæqualitatis:puta vnitatis & dualitatis ad ternarium & quinarium. Vbi autẽ est aliqua inæqualitas,non est plena & perfecta siue omnimoda æqualitas:ergo &c̃.¶In cõ- trarium est August.vi.de trini.c.vlti, in trinitate esse primã æqualitatem,& primam similitu- dinem:nullo modo inæqualem,nullo modo dissimilem.& lib.xv.c.xiii.dicit.Sicut per omnẽ mo dum filius est æqualis patri:sic etiam per omnem modum pater est æqualis filio.

¶Dico q̃ illa plene seu perfecte & omnimode sunt æqualia quæ sunt equalia quo ad omnia existentia & nata existere in eis,quæ quidem in illis nata sunt esse æqualia , & secun- dum quæ nata sunt aliqua dici æqualia.Quare cum secundũ iam determinata,quecunq; sunt æqualia aut nata sunt existere æqualia,scdm quãtitatem existentẽ in eis, & solum scdm quãti- tatem sunt æqualia : quæcũq; autem sunt in diuinis scdm omnem rationem quãtitatis quæ est in diuinis aut nata est esse,sunt æqualia : neccessarium est igitur ponere q̃ in diuinis est perfecta plena & omnimoda æqualitas,& idco equalitas summa.Cuius causa & ratio est vna quantitas singularis in omnibus.Vnde August.in fine.vi.de trini.istam æqualitatẽ cõmendans quo ad di uinas personas,dicit sic.In illa summa trinitate tantũ est vna persona quãtum tres simul:tantũ duę quãtum & vna.Et similiter tãta est vna quanta altera.Et idem dicendum est de substãtia & de attributis comparatis inter se & ad personas.Tanta eĩ est substãtia quanta bonitas,veri- tas,& sic de cæteris,& econuerso. Et vt dicit August.singula sunt in singulis, & omnia in sin- gulis,& singula in omnibus,& omnia vnum.¶Ad quorum intellectum aduertendũ est q̃ cum scdm prędeterminata in deo non sit quãtitas nisi perfectiõis seu virtutis,quę scdm Philosophũ est perfectio rei ad optimũ,qd̃ est vltimũ,in quo actus perficitur, & absorbetur omnis potentia vt prędictum est:scdm diuersitatem ergo actus rei in se diuersificatur virtus rei in qua est ille actus,& in qua virtute consistit eius quãtitas.Est autem duplex actus rei in se præter actũ qui dicitur operari actione manente intra aut transeunte extra. Quorum vnus cõsistit in cõplemẽ to esse essentiæ & naturæ rei scdm formam suam.Alius vero consistit in perfectione existentiæ actualis illius:qui respectu actus qui est operari potest dici primus,& respectu actus formæ & es sentię potest dici secũdus. Virtus ergo in deo in qua consistit sua quãtitas, duplex est:siue du- pliciter potest accipi scdm rationem duorum actuum iam dictorũ in deo:qui licet non differãt inter se nec ab essentia scdm rem,differunt tñ saltem scdm ratione,Cõpetit enim deo q̃ sit na tura siue essentia,& q̃ habeat esse tam essenriæ q̃ existentiæ:qui sunt actus a quibus in deo nec differt nec distat potẽtia ad illos.Competunt etiã hi duo actus omni ei q̃ est in ipso deo.Secũ dũ enim rationem actus naturę siue essentię respondet ei virtus quæ est magnitudo:& hoc (se cundũ modum superius expositum ) tanq; mẽsura eius in spirituali extensione.Secũdum vero ratione actus qui est existere,respondet ei virtus quæ est æternitas tanq; mẽsura eius in dura- tione.Et istę sunt duę ratiões quãtitatum siue duę quantitates virtuales in diuinis. Quarum prima in vno simplici immenso continet omnium aliorum perfectiones.Secunda vero continet in vno simplici fixo & stanti omniũ aliorũ durationes trãseuntes.Alii autem modi continuarũ quãtitatum,s.locus & tempus,& discretarũ,s.numerus & oratio,in solis creaturis scipue cor poralibus habent inueniri:præter hoc q̃ numerus quoquo modo reperitur in diuinis:vt pręha bitũ.Et sunt illę duę quãtitates virtuales mẽsurę quo ad eorũ esse essentię & existentię oĩm illo rũ quę sunt in diuinis: que oĩa scdm vtrãq;, æqualitatẽ omnimodã habet inter se:quia vna sin gularis magnitudo,& vna singularis eternitas est mẽsura oĩm illoq; quib⁹ magna siue immẽsa dicuntur & æterna.& etiam sibi inuicem sunt mensuræ & æquales sibi inuicem inquantũ ma gnitudo est æterna,& æternitas est magna atq; immẽsa:& tãta est magnitudo quãta est ætex nitas,& econuerso.& sic de cæteris inter se comparatis.Sed aliter & aliter magnitudo habet es se mensura essentiæ siue substantiæ diuinæ:& illorũ quę habet esse in illa quasi mediãte magni tudine spirituali:sicut in corporalibus cætera accidẽtia habet esse in subiecto mediãte magni tudine corporali. Est enim magnitudo diuina per se essentiæ mensura siue substantiæ diuinæ: cæterorū autem quia sunt per magnitudinē in substantia,siue magnitudo corporalis, est mensura per se substātiæ corporeę.Cęterorum aūt quia sunt in illa mediāte quātitate:& ita per accidēs.Vnde dicimus non solum ꝗ deitas est immēsa & ęterna:sed etiā bonitas & veritas,sapiē tia,paternitas,filiatio,pater & filius,& cætera omnia tam absoluta ꝗ relata:vt sunt aliquid i se & omnia equalia sunt magnitudine siue immenfitate & æternitate.Non eĩ ꝑcedit aliquod illorū alterum æternitate, aut excedit magnitudine,nec vna ꝑersona alterā pręcedit æternitāte aut excedit magnitudine pꝼectionis,aut in substātia,aut in bonitate,aut in sapientia, aut in po tētia,aut in aliquo cæteroꝗ.Vnde August.in lib.de fide ad Petrū, breuiter aperiens quomodo

**P** tres ꝑsonę intelligātur esse æquales,dicit sic.Nullus horū alium ꝑcedit æternitate,aut excedit magnitudine,aut superat potestate.Aduerte ꝗ dícēdo tria hęc,ęternitate,magnitudine,& po testate, quidā notant per hoc poni tres modos quātitatis in diuinis.f.æternitate,quę in corpo ralibus respondet tēpori:quia æternitas est mēsura esse æternorū,sicut tēpus tēporaliū:magni tudinē perfectionis,quę in corporalibus respondet magnitudíni in cōtinuis:potestatē,ꝗ respon det numero in discretis,eo ꝗ respicit effectus varios a diuina potētia procedētes. Sed nō ē ita: quia potestas inquātum importat rationē respectus per comparationē ad effectūs & operationē nequaꝗ potest habere rationē quātitatis supra quā fundet æqualitas:quia quātitas ꝑdicamen tū omnino absolutum quid est,sicut substātia & qualitas:nec fundaꝛ per se relatio cōmunis ni si sup absolutum:vt habitum est in ꝑmissis.Si ergo potestas siue potētia habeat rationē quāti tatis in deo,hoc nō est nisi inquātum habet rationē absoluti & magnitudinis spūalis,quæ in ꝑ fectione diuinę naturę confistit:quia ratio perfectionis diuinę est ratio elicitiua prima oīm ope rum diuinorū & perfectionum tā intra se ꝗ extra.Et sic potētia nequaꝗ est quātitas in deo alia

**Q** a magnitudine dei quæ est virtus eius,in qua vltimarūi actus essentię diuinę & potētia ad illū: ꝗ omnino idē in deo cum tali actu,& distare non possunt.Quę tñ virtus dupliciter pōt consi derari,& per hoc dupliciter pōt considerari diuina magnitudo:quia virtus illa est diuina ma gnitudo vt continet spirituale extensionē absꝗ gradualitate in omnia attingēdo,& omnia cō tinēdo scdm modū determinatū in solutione secūdę rationis questionis ꝑcedētis. Et primo mo do consideratur vt est vltimū de potētia ad esse essentię vel existētię,& tenet se virtus ex parte actus,in quo consummatur seu completur potentia,quasi interim distinguendo scdm rationē inter potētiam & actum.Secundo autem modo consideratur vt est vltimum de potētia ad ope rari siue intra siue extra,& tenet se virtus ex parte potentię in vltimo sui qd est ei quasi termi nus intra:quēadmodum cum aliquis potest ferre centum,potentia qua potest ferre nonaginta nouem,non est virtus illius ad portādum:quia non est vltimum potētiæ:sed illa.qua potest fer re centum & non plus.Vnde in actu vltimato qui est esse essentię & existētię,confistit ipsa po tentia quæ est virtus ordinata ad operari primo modo,& est ipsa magnitudo diuinæ essentię si ue naturæ considerata penitus absolute,vt est vltimum de potentia primo modo.Considera tur autem sub ratione respectus ad actum qui est operari:vt est vltimum de potentia secundo modo.& sic significaꝛ virtus quæ est diuina magnitudo, nomine potentię ordinatæ ad actum qui est operari.Actus autem consummatus in esse essentiæ est potētia quæ est virtus ad elicien dum actum qui est operari.Et non addit nomen potentiæ nisi rationem respectus super nomen magnitudinis:secundum quā(vt dictum est)non potest habere rationē quātitatis.Vt idcirco nomine magnitudinis & nomine potentiæ nequaꝗ intelligit Augustinus diuersas quātitates in deo:aliā scilicet nomine potentiæ ab illa quā intelligit nomine magnitudinis:imo vnā so lā quātitatē quæ est diuina magnitudo per illā differentem solūmodo scdm rationes diuersas alicuius.Quæ habet dupliciter cōsiderari.Vno modo secundum se & absolute,& alio modo in ordine ad aliud.Ex quo aduertēdum est ꝗ ista quatuor essentia,magnitudo,virtus, potētia,

**R** in spiritualibus idem dicunt scdm rem:quia essentia nominat naturā simpliciter, magnitudo nominat quantitatem illius simpliciter:virtus vero nominat quantitatem illius vltimatā ab solute:potentia vero nominat magnitudinem simpliciter in ordine ad actum operandi:quæ cum intelligitur significari in nomine virtutis,tunc virtus nominat magnitudinem vltimatā in ordine ad actum operandi vltimate.Ex quo vlterius aduertenda est differentia quædā in ter magnitudinem molis & virtutis:quia magnitudo molis inquantum est magnitudo, etiā si ponatur esse infinita,omnia attingit corporalia & in se continet illa : sed tamen non est princi piū operādi aliquid inquātū est magnitudo molis.Magnitudo autē virtutis inquātū est magni tudo oīa attingit & oīa in se cōtinet scdm modū expositū supra in solutiōe primę ratiōis ꝗstio

nis precedentis:& inquantũ eſt virtutis,eſt potentia & principiũ operãdi vltimate. CQz ergo    **S**
Auguſtinus illa tria quaſi de pari annumerat in exponẽdo quomodo tres perſonę ſint equales
hoc nõ facit quia poteſtas ſit in deo quãtitas quedã diſtincta cõtra magnitudinẽ: ſed quia ma
gnitudo & potentia licet in deo ſint eadem quãtitas, differũt tñ ſcdm rationẽ modo iã dicto.
Vnde cõſiderãdo potentiã ſcdm rationẽ ‚ppriã potẽtię vt diſtinguit contra rationẽ magnitudinis,ſicut dicit Auguſtinus,Nullus horẓ aliũ ſuperat poteſtate: ſic potuiſſet dixiſſe: Nullus
horẓ aliũ ſupat deitate,aut bonitate,aut veritate,& ſic de cęteris.Et ſemp intelligẽdũ eſt ſcdm
illa duo ỹ ſunt magnitudo & ęternitas,quę vniformiter cõſequũtur oĩa ỹ ſunt in diuinis.Dei
tas eĩ magna eſt & æterna:ſicut & poteſtas.Similiter bonitas,veritas,& ſic de cęteris.CConce   **T**
cedendũ eſt igitur ſimpliciter & abſolute ợ in diuinis quo ad omnia quæ inter ſe aliquam ha
bent diſtinctionẽ vel ſcdm rem,vel ſcdm rationem, eſt plena perfecta & omnimoda æqualitas.
Et ſcdm hoc concedenda eſt vltima ratio hoc probans.Nec reſtat reſpondere niſi ad difficultates in contrarium adductas in argumentis.

CQz ergo arguebatur Primo in contrarium , ợ non eſt in deo plena & perfecta    **V**
& oĩmoda ſiue in oĩbus & per oĩa æqualitas:quia nõ eſt in deo equalitas ſcdm multitudinẽ.ſ.  **Ad primũ**
ſcdm numerũ,ſicut eſt ſcdm magnitudinẽ:Dico ợ multũ refert de magnitudine & multitu- **princip.**
dine ſiue numero reſpectu æqualitatis:& eſt magna differentia inter illa.CAd cuius intellectũ   **X**
ſex ſunt conſiderãda circa quantũ & tãtũ in magnitudine,& circa quot & tot in multitudine **Primũ no.**
ſiue numero.Quorũ primũ eſt ợ quantũ & tantũ cum ſint notę cõparationis inter ſuppoſita
diuerſa ſcdm magnitudinẽ,aut inter ipſas magnitudines:ſicut quot & tot ſunt notæ cõparationis inter illa ſcdm multitudinẽ ſiue ſcdm numerũ: aut inter pares numeros: quantum tamen & tantum vno modo ſunt nomina, & dicunt denominationem ſuppoſitorum a magnitudine,dicendo de tribus ſuppoſitis ợ tãtum eſt vnum eorum quãta ſunt duo: & quãta ſunt
tria:& econuerſo ợ tanta ſunt duo quanta ſunt tria,& econuerſo, ſub hoc ſenſu.ſ.tantum eſt
vnum ſcdm magnitudinem : aut habet tantam magnitudinem quanta ſunt duo : & quanta ſunt tria ſcdm magnitudinẽ, aut quãtam magnitudinẽ habent,& econuerſo: & tanta ſunt
duo ſcdm magnitudinẽ:aut habent tantã magnitudinẽ: aut quantã magnitudinem habet,&
econuerſo.Alio autem modo ſunt aduerbia:& dicunt denominationem magnitudinũ a ſeipſis:
vt dicendo de tribus ſuppoſitis ợ tãtũ eſt vnũ eorẓ quãtum ſunt duo:& quãtum ſunt tria:&
ợ tãtũ ſunt duo eorũ,quantũ ſunt tria,& ecõuerſo:ſub hoc ſenſu ſ.tãta eſt magnitudo vnius
quãta eſt magnitudo duorũ,& quãta eſt magnitudo triũ,& ecõuerſo : & tãta eſt magnitudo
duorũ quãta eſt magnitudo trium,& econuerſo:& ſunt ambo idem ſcdm rem. Quot vero &
tot ſunt ſemp aduerbia dicendo tot ſunt duo ſuppoſita quot tria:& ſolum dicũt denominatio
nem multitudinũ a ſeipſis,ſub hoc ſenſu.ſ.tot numero ſunt duo ſuppoſita quot tria. CSecũdũ  **Y**
vero qd hic notandũ eſt:eſt iſtud, videlicet ợ tãtũ & quãtum,tot & quot ſemp nominãt com **Secũdũ no.**
parationem ſcdm æqualitatẽ,excludendo ab vtroẓ cõparatoẓ reſpectu alterius plus & min⁹
ſcdm magnitudinẽ quo ad tãtũ & quãtum: & ſcdm multitudinẽ ſiue numerum quo ad tot
& quot. CTertium vero eſt,ợ plus tripliciter accipitur:& econuerſo minus ſibi contrarium  **Z**
tripliciter dicitur correſpondenter.ſ.extenſiue,intenſiue,& diſcretiue. Et primis duobus mo- **Tertiũ no.**
dis plus & minus nominãt abundans & diminutũ in magnitudĩibus.Tertio autẽ modo nominant abundans & diminutum in multitudinibus ſiue in numeris:& plus extẽſiue dictũ
denominat ſuppoſitum ợ ſit maius:& magnitudinem ợ ſit maior:& contrariũ illius denomi
nat ſuppoſitum ợ ſit minus:& magnitudinem ợ ſit minor . & hoc quo ad quantitatem molis,vel quo ad quantitatem perfectionis.Plus vero intẽſiue dictum denominat ſuppoſitum tñ
modo ợ ſit magis: & contrarium illius denominat ſuppoſitũ ợ ſit minus: & hoc quo ad quã
titatẽ ſiue magnitudinẽ virtutis tñ. CQuartũ vero qd hic notãdũ eſt:eſt ợ in diuinis tantũ  **A**
eſt vnũ ſuppoſitũ extenſiue & intenſiue quantũ ſunt duo & quãta ſunt duo:& quãtum ſunt **Quar. no.**
tria ſiue quãta ſunt tria,& econuerſo: & tanta ſiue tãtũ ſunt duo ſuppoſita:quãta ſiue quãtũ
ſunt tria,& econuerſo.Et hoc ſcdm omnimodam æqualitatem,excludendo omnem maiorita
tem quo ad maius, & omnem minoritatem quo ad minus. Et hoc tam a ſuppoſito ỹ a magnitu
dine:eo ợ in diuinis non eſt niſi vnica magnitudo numeralis non ſuſcipiens magis & minus.
Similiter in ſuppoſitis creaturę ſub eadem ſpecie ſpecialiſſima:& in formis recipientibus magis & minus cum ſunt in eodem gradu intenſionis,tãtũ eſt vnũ ſuppoſitum magnitudine p̃-
fectionis quantum vel quanta ſunt duo vel tria : & tantum vel tanta ſunt duo,quantum vel

quanta funt tria:& econuerfo. Et hoc per omnimodam æqualitatem vt prius: eo ꝙ plurificatio formarum fub eadem fpecie non recipientium magis aut minus, nõ auget magnitudinem perfectionis debitam fpeciei.Neꝗ fimiliter plurificatio formarum recipientium magis & minus fub eadem fpecie,fi funt in eodem gradu fibi appofitę,augêt intenfionem fcdm magnitudinem perfectionis aut virtutis. & hoc quemadmodum punctum additum puncto nihil auget.Et ideo tantum eft vnum punctum:quantum duo & tria: & tantum duo quantum tria: aut infinita. In creaturis autem quantum quantitate fiue magnitudine molis, puta in tribus idolis factis ex eadem maffa æris,non eft tantum vnum illorum quanta vel quantum duo aut tria,nec econuerfo : nec tantum aut tanta funt duo quantum vel quanta funt tria,nec econuerfo: fed fe habent per omnimodam inæqualitatem quo ad plus & minus extenfiue : eo ꝙ in illis quæ funt mole magna,quantum additũ vni quanto femper auget. ⦿Quintum quod hic eft aduertendum,eft ꝙ plus difcretiue dictum non confideratur nifi in difcretis quantitatibus, puta in numeris:& in diuinis dicit pluralitatem fuppofitorum vel attributorum abfꝗ omni pluralitate magnitudinis perfectionalis fiue virtualis in illis.In creaturis vero dicit femper cum plurificatione fuppofitorum plurificationem magnitudinum in illis. Et ideo fcdm Boethium de Trinitate,cap.iiii.cum dicitur:Pater eft deus:filius eft deus:fpiritus fanctus eft deus:ibi eft numerus numerans perfonas.Nullus tamen eft ibi numerus numeratus deitatis: & per confequens nec magnitudinis. Et quantum eft ex parte deitatis:& vniuerfaliter omniũ abfolutorum in diuinis quafi idem repetitur: ac fi diceretur:Deus,deus,deus,ficut & idem repetitur cũ in fynonymis dicit:enfis,mucro,gladius.Et hoc ideo quia numerus numerans diuinas perfonas eft relationũ:& numerus numeratus eft relatiuoꝗ perfonarum.Et fic omnino eft numerus ifte numeratus relatiuus: & alterius modi ꝗ fit ille qui eft in creaturis: fiue fit molis fiue perfectionis aut virtutis: & abfꝗ omni pluralitate in re diuina abfoluta eft ille numerus:vt in diuinis non fit numerus numeratus:fed numerus numerans tm : in creaturis autê eft numerus & pluralitas vtroꝗ modo.Et fimiliter cum dicitur in diuinis,Sapientia eft deus, aut magna bonitas deus eft, aut magna veritas , & fic de cæteris attributis, & vlr abfolutis in diuinis:licet ibi fit numerus numerans attributa : nullus tamen eft ibi numerus numeratus deitatis,aut magnitudinis:fed eiufdem trina repetitio.Et ideo vt defcendamus ad propofitum, cum dicimus in diuinis perfonis ꝙ non eft tot vna perfona quot duæ aut tres:nec tot duæ quot tres:ita ꝙ plus funt tres pfonæ ꝗ duæ,& duæ ꝗ vna,quafi minus eft vna perfona ꝗ duę:& duæ ꝗ tres.⦿Sextum hic confiderãdum eft ꝙ ly plus,& contrarium eius quod eft minus,nullam æqualitatem a diuinis excludunt, nullamꝗ inæqualitatem includunt : eo ꝙ illa plus & minus non funt circa aliquid abfolutum reale,fed funt in perfonis circa relatiua & relationes : & in attributis circa rationes & mentis conceptus fiue habitudines & relationes, vt fuperius eft expofitum: fuper relationes autem relatio cõmunis non fundatur,vt habitum eft fupra : neꝗ fuper id quod rationis eft in attributis:quia non confideratur nifi ex relatione & habitudine:dicitur folummodo fuper abfolutum reale qd eft fubftantia,quantitas,& qualitas:licet vt folum rationibus diftinguuntur. Sed tunc folummodo dicta plus & minus a diuinis aliquam pluralitatem excluderent:& aliquam inæqualitatem includerent fcdm plus & minus.In attributis enim perfonis ponerent plus & minus difcretiue in attributis: vt effent plures magnitudines in pluribus perfonis aut attributis: ficut funt in pluribus fuppofitis in creaturis:puta tres magnitudines molis in tribus idolis æris: & plures magnitudines pfectionis & virtutis in pluribus indiuiduis fub quacunꝗ vna fpecie fpecialiffima in creaturis:vt idcirco in tribus idolis æqualibus magnitudine molis non fit perfecta æqualitas : quia non tot eft vnum quot duo & tria:nec tot duo quot tria:non folum numero numerante: fed numero numerato fuppofitorum & magnitudinum in illis. ⦿His prælibatis patet plane refponfio ad obiectum primum.Cum enim dicitur,perfecta æqualitas nata eft effe non folum fcdm magnitudinem:fed etiam fcdm numerum:Dico ꝙ verum eft:quia fcdm prædicta æquale & inæqualitas per fe & primo dicuntur fcdm quantitatem fimpliciter : & ideo fcdm quãlibet fpeciem eius:& fpecies quantitatis ita principaliter eft numerus vt magnitudo: fi tamen numerus fit abfolutus quia in abfolutis:ficut eft magnitudo:quia æquale & inæquale non dicuntur fcdm quantitatem nifi ficut fecundum fundamentum:& fecũdum prædicta non habent per fe fundari nifi fuper abfolutum.Sed fi numerus fit relatiuus & in relatiuis tm: & fic numerus numerans tm:non autem numerus numeratus,vt contingit in perfonis diuinis:non eft æqualitas nata effe fcdm numerum ficut fcdm magnitudinem:quia magnitudo in diuinis omnino

**B**
**Quint.no.**

**C**
**Sextũ no.**

**D**

absoluta eſt:non ſic numerus.C Qñ ergo aſſumitur in argumento:Si in diuinis non eſſet ſe=
cundum magnitudinem tantum duæ perſonæ quantum tres:non eſſet in illis perfecta æqua=
litas: Dico ꝙ bene verum eſt:quia ſecundum magnitudinem in diuinis nata eſt dici æquali=
tas:ſecundum numerum autem relatiuum non eſt nata dici omnino æqualitas aut inæquali
tas.Propter quod non ſequitur vlterius concluſum: Quare cum in diuinis non ſunt tot ſecū
dum numerum duæ perſonæ quot tres:non eſt ergo in illis perfecta æqualitas. Hoc enim nul
lo modo ſequi poſſet niſi numerus diuinorum in abſolutis conſiſteret:ſicut & quātitas. Q₂ ſi
ita eſſet:non eſſet omnino perfecta æqualitas trinitatis perſonarum inter ſe,ſicut non eſt per=
fecta æqualitas trium idolorum : licet ſint æqualia ſecundum magnitudinem : eo ꝙ non ſunt
æqualia omnia & ſecundum omnem combinationem quo ad numerum qui in illis conſiſtit
in abſolutis : ſecundum quem nata eſt eſſe æqualitas aut inæqualitas inter quæcunꝙ diuer=
ſa abſoluta. Vnde ſi trinitas diuina eſſet trium perſonarum abſolutarum trium deitatum: ſi=
cut poſuerunt Semiarriani : quia tunc ſecundum numerum qui conſiſtit in abſolutis non eſ=
ſent tot duæ perſonæ quot tres: non eſſet etiam perfecta & omnimoda æqualitas in trinitate
diuinarum perſonarum:quia eſſet in illis inæqualitas ſecundum aliquid.Et ſic nunc ſecūdum
catholicos propter numerum qui eſt in relatiuis,& magnitudinem vnicam ſingularem & ab=
ſolutam trium perſonarum diuinarum,perfecta & omnimoda æqualitas perſonarum eſt in di=
uinis.Si enim magnitudo eſſet numerata in perſonis,cum tunc eſſet omnino abſoluta:neceſſa=
rio numerus perſonarum eſſet abſolutus:& ſecundum illum eſſet in trinitate perſonarum in=
æqualitas ſecundum magnitudinem:nec eſſet in illis perfecta & omnimoda æqualitas ſcdm p̄
dicta.C Ad ſecundum,ꝙ in diuinis non eſt perfecta & omnimoda æqualitas:quia non eſt in eis
perfecta æqualitas identitatis & ſimilitudinis, eo ꝙ non eſt in illis ſimilitudo alicuius ad ſe
ipſum,ſicut eſt identitas alicuius ad ſeipſum:& ſic non eſt in diuinis tanta ſimilitudo,quan=
ta eſt identitas: Dico ꝙ falſum eſt : quia tanta eſt ſimilitudo in diuinis quanta eſt identitas
comparando identitatem ad ſimilitudinem : modo quo illa quæ ſunt diuerſarum ſpecierum
poſſunt ſecundum æqualitatem comparari : vt ſi aliqui ſunt æquales quantitate molis: & alii
in eodem gradu albedinis: & ita ſimiles & æquales: poſſumus dicere ꝙ quantum ſunt æqua=
les mole, tantum ſunt ſimiles & æquales albedine. Et ſi ſint in eodem gradu albedinis,& ſi=
militer in eodem gradu ſapientiæ,poſſumus dicere quantum ſunt ſimiles & æquales in
albedine tantum ſunt ſimiles & æquales in ſapientia : & ſic in eis eſt æqualitas ſimilitudi=
nis & æqualitatis,& ſimilitudinis atꝗ ſimilitudinis. Eſt autem in deo tanta ſimilitudo alicu=
ius ad alterum : quanta eſt identitas alicuius ad ſeipſum. Et hoc quia quanta eſt in deo vni=
tas ſubſtantiæ ſecundum quā eſt aliquid in deo idem ſibi:tanta eſt in eo vnitas qualitatis ſecū
dum quā aliquid eſt ſimile alteri.Licet enim maior ſit diſtinctio extremorum relatorum in ſi=
militudine q̄ in dicta identitate, de hoc nihil ad maioritatem vel minoritatem inter illam
identitatem & ſimilitudinem, poſtꝗ tanta eſt vnitas in fundamento vnius quanta eſt in fun=
damento alterius.C Ad tertium,ꝙ in deo non eſt omnimoda æqualitas:quia non eſt ſecūdum
omnia ſecundum quæ nata eſt eſſe æqualitas: Dico ꝙ licet non ſecundum omnia ſecundum
quæ nata eſt eſſe æqualitas ſimpliciter in aliis,eſt æqualitas in deo: quia non ſecundū omnem
ſpeciem qualitatis, vt procedit argumentum : tamen ſecundum omnia,ſecundum omnem
quantitatem quæ nata eſt eſſe in deo, videlicet ſecundum æternitatem & magnitudinem ſe=
cundum iam dicta, nata eſt eſſe æqualitas omnimoda in ipſo:& hoc ſufficit ad hoc ꝙ dicatur
eſſe in aliquo omnimoda æqualitas omniū quæ ſunt in eo . Sed ſi deficeret in eo inter aliqua
æqualitas ſecundum aliquam quantitatem quæ nata eſt eſſe in eo,tunc primo non eſſet in eo
omnimoda æqualitas : puta ſi non eſſet deus tantus in ſapientia quantus eſt in bonitate : non
eſſet in eo æqualitas: ſicut non eſt omnimoda æqualitas molis inter ea corporalia quæ ſunt
æqualia ſecundum longum & latum:ſed non ſecundum ſpiſſum & profundum . C Ad quar=
tum:ꝙ non eſt omnimoda æqualitas in deo: quia in ipſo eſt aliqua inæqualitas : Dico ꝙ fal=
ſum eſt.Ad probationem eius ꝙ inæqualitas habet rationem perfectionis in creaturis ſimpli=
citer:dico ꝙ ſimiliter falſum eſt. Ad probationem illius ꝙ ſi non eſſet inæqualitas in creatu=
ris:non eſſet perfectio vniuerſi:Dico ꝙ verum eſt.Sed ex hoc non ſequitur ꝙ inæqualitas ha=
bet rationem perfectionis ſimpliciter: quia ꝙ ſine aliquo non eſt perfectio in alio,hoc poteſt cō
tingere duplici de cauſa. Vna ſcilicet, ꝙ aliquid requirit res illa propter ſuam perfectionem
puta ꝙ in homine non eſt perfectio ſecundum animam rationalem ſine corporis organiza=
tione,& hoc proculdubio habet rationem perfectionis.Alia, quia aliquid requirit res illa pro=

B

F
Ad ſecūdū
princip.

G

H
Ad tertiū.

I
Ad quartū

pter suam imperfectionem, vt contingit in proposito. & hoc etiam quemadmodum contingit de iustitia:quæ quia non perfecte contineri potest in iustitia retributiua præmiorum pro bonis:necesse erat ad perfectionem vniuersi secundum omnes partes iustitiæ vt esset iustitia retributiua suppliciorum pro malis: & ita est infernus suppliciorum cum suis contentis pertinens ad perfectionem & decorem vniuersi:sicut & paradisus præmiorum cum suis contentis.

**k** Quia enim in proposito vna creatura secundum speciem quæ haberet æqualitatem in suis suppositis, totam perfectionem quæ nata est esse in toto genere creaturarum capere non posset : ideo ad perfectionem vniuersi ex creaturis constituti species diuersas diuersorum graduum creaturarum secundum perfectiones plures & inæquales in eo necesse fuit aggregari: ita cp perfectio vnius non totaliter contineatur in alia : neq; secundum eandem rationem qua perfectio aliqua est in vna creaturarum,ipsa sit etiam in alia. Nūc autem quælibet diuina persona & quicquid est in diuinis ab alio distinctum qualicunq; distinctione, totam perfectionem quæ nata est esse & modo quo nata est esse in diuina natura capere potest. Ideo enim ad perfectionem eorum quæ sunt in diuinis pertinet,cp per omnimodam æqualitatem absq; omni inæqualitate tota perfectio diuina sit in quolibet qd est in diuinis,non vna pars in vno,& alia in alio: ne aliquid illorum sit pars deitatis: sed tota deitas: & plenus ac perfectus ac vnus deus simplex sit:non ex pluribus partibus collectus. dicente Augustino contra Maximinū negantem pluralitatem personarum in diuina essentia.Times ne pater sit pars vnius dei?noli hoc timere. Nulla enim sit partium in deitatis vnitate diuisio : nec vnius trinitatis tertia pars est vnus:nec maius aliquid duo q̃ vnus est ibi:nec minus aliquid sunt omnes q̃ singuli: quia spiritualis non corporalis est magnitudo. Et sicut hęc vere dicuntur de distinctis tribus perso-

**L** nis comparatis inter se: sic & vere dicuntur de singulis aliis distinctis qualitercunq; in diuinis inter se comparatis. Vnde idem inquit in eodem. Cum dicis: Deus genuit deum: sapiens sapientem:clemens clementem : si dixeris partes sunt : simplex ergo virtus ex partibus constat:& simplex hęc virtus te definiente est vnus deus: ergo deum ex partibus dicis esse compositum.Non dico inquis:non sunt ergo partes. Si ergo in vna persona patris & illa inuenis quæ plura videntur, & partes non inuenis, quanto magis pater & filius & spiritus sanctus partes vnius dei non sunt?Et hoc nec vt subiectiuę: neq; vt integrales.Nō vt subiectiuę: quia neq; vt species sub eodem genere.dicente Augustino septimo libro de Trinitate.Si essentia genus est,species autem persona, vt nonnulli sentiunt : oportet appellari tres substantias vt appellentur tres personæ, sicut cum sit animal genus , & equus species, appellantur tres equi tria animalia. Non enim species pluraliter dicitur: & genus singulariter. Neq; vt indiuidua sub eadem specie. Sicut enim Habraam,Isaac, & Iacob tria indiuidua sunt : ita tres homines & tria animalia . Sed vt dicit ibidem, vna essentia non habet species nec indiuidua, sicut vnum animal vnius essentiæ.Diuina ergo essentia genus non est neq; species,& personæ indiuidua:sicut homo est species:indiuidua autem Habraam,Isaac, & Iacob. Nec etiam sunt partes vnius dei vt integrales.dicente Augustino in eodem.Non sic tres personas dicimus vnam essentiam & vnum deum tanq̃ ex materia vna tria quædam subsistant.In statuis enim æqualibus plus auri est tres simul q̃ singulę.In illa vero essentia trinitatis nullo modo ita est : neq; sicut dicimus tres homines eiusdem contemperationis . Nam in his non tantum est vnus quantū duo.Sed nec est contrarium qd dicit Damascenus.Omne substantia est:pticulare vero hypostasis. quia non dicit hoc nisi propter vniformem modum prædicandi essentiam de qualibet hypostasi,& vniuersale de suppositis.Licet in hoc sit differētia,cp (vt dicit) ĩ diuinis quod est commune est idem re & differt ratione tantū in suppositis.In creaturis autem commune est idem ratione tantū: & differt re in suppositis. Et quia hæc difficilia sunt intellectui carnali,dicit Augustinus ibidem. Qui potest capere capiat: qui autem non potest, credat & oret vt intelligat. ¶Ad quintum:cp in diuinis in agendo seu producendo aliquid tā interius

**M**
Ad quintū q̃ exterius est primum & principale, atq; secundum & non principale,quæ non sunt æqualia:Dico cp primum & principale atq; secūdum & non principale in agendo seu producendo possunt accipi inter aliqua dupliciter . Vno modo ex ratione respectus & originis qua vnum eorum habet esse ab altero siue produci ab illo.Alio modo ex ratione absolutæ virtutis quā illa habent in se ad producendum aliquid aliud . Et primo istorum modorum accipiuntur in diuinis solummodo primum & principale,& secundum & non principale . Non autem secundo modo: secundum cp satis declaratum est in quæstionibus de communi productione spiritus sancti a patre & filio. Argumentum autem procedit ac si in diuinis essent

ſecundo modo:quod non eſt verum. Cum enim dicitur pater aliquid agere per filium: puta in productione ſpiritus ſancti, & cuiuſcunq̃ circa creaturas:illic intelligitur mediatio quo ad ipſas perſonas agentes:quia ſcilicet ſecunda qua mediate agit prima,eſt a prima, & virtutem agendi habet a prima.Propter hoc enim ſolum prima dicitur agere mediante ſecunda. Nõ au tem intelligitur illic mediatio quo ad virtutem qua procedit actio:quia virtus vnius ſit prin cipalis & maior,quæ per aliam mediam agit vt per minorem & inſtrumentalem:quæ in agen do efficaciam accipit a virtute maiori & principali: vt ſcdm hoc pater intelligatur agere per filium ſicut rex per Ballíuum.Talis enim mediatio in agendo neceſſario poneret agentium in æqualitatem ſecundum gradus, vel in diuerſis naturis ſcdm ſpeciem:vt poſuerunt plene Ar riani in diuinis,dicentes filium & ſpiritum ſanctum eſſe cum creaturis:vel ſcdm numerũ tm̃, vt poſuerunt Semiarriani:qui poſuerunt diuinam naturam perfectius eſſe in vna diuinarum perſonarum q̃ in alia . Quoniam autem, vt dicit Ambroſius in libro de Trinitate, diuini= tas gradum neſcit,nullum diſcrimen habet vnitatis. Inæqualitas enim ſcdm gradus non eſt niſi in agentibus eſſentialiter ordinatis ad eundem actum:quæ neceſſario differunt ſcdm gra dus perfectionum ſubſtantialium.& hoc ſiue ſecudum ſit a primo ſiue non. Vnde de talibus dicit Proclus in propoſitione ſua.vii. Omne p̃ductiuũ alterius melius eſt q̃ id qd̃ p̃ducitur. Aliter enim omnia entia eſſent æqualia. & hoc quia vnum eſt primum productiuum omniũ aliorum immediate: & conſtat ꝙ productum non poteſt eſſe maius producente. Aut ſi ponã tur omnia produci ordinatim a ſibi proximo & immediate : & ſic ſit ordo productionis in entibus:idem contingit.Nam qua ratione primum productum eſſet æquale ſuo productiuo: eadem ratione & ſecundum ſuo,& ſic deinceps : & ſic non eſſet in entibus niſi ordo originis: ſicut non eſt alius ordo realis in diuinis,in quibus productum eſt æquale producenti neceſſa= rio. et hoc propter vnitatem ſubſtantiæ ſingularis in illis:in quibus rationes philoſophorum de inæqualitate perfectionis inter producentem & productum non valet omnino:quia non ha bent efficaciam niſi in illis quæ ſcdm diuerſitatem ſpecificam eſſentiæ inter productum & pro ducentem producuntur.Vnde & in generatione vniuoca abinuicem eorum quæ ſunt ſub ea dem ſpecie ſpecialiſſima,p̃ductum neceſſario eſt æquale in productione ſcdm formam produ centi:puta ignis generans igni generato:aut equus equo.In quibus ſi aliqua contingit inæqua litas aut diſſimilitudo, illa eſt per accidens:& accidit eſſentiæ:& eſt in accidentalibus tm̃:q̃ ne quaq̃ poteſt contingere in diuinis,propter identitatem ſubſtantiæ ſingularis:& omniũ abſolu torum in ſingulis perſonis.Hoc enim eſt generale,ꝙ ſemper generatum per generationem na turalem pertingit ad perfectionem naturæ quæ eſt in generante:præter hoc ꝙ in creaturis quia eſt generatio cum quadam tranſmutatione de potentia in actum : non ſtatim a principio ge nitum eſt in accidentalibus æquale generanti:ſed per incrementum & teporis ſucceſſum niſi aſſit impedimentum,ad æqualitatem omnimodam perducetur. Vnde Hilarius lib.de Synod. ait.Tolle corporum infirmitates,tolle conceptus initium: omnis filius ſcdm naturalem nati= uitate æqualis eſt patri:quia eſt eius ſimilitudo naturę.Q̃z igit (vt dictũ eſt) in diuinis prin cipale,non principale,primũ & ſecudũ,non pertinent ad virtutes agentiũ:ſed ſolũmodo ꝑti= nent ad rationem originis producti a p̃ducente:idcirco de hoc nihil ad æqualitate,quę ſequit̃ quantitatem non relationem,ſcdm ſuperius determinata . Propter qd̃ dicit Auguſtinus con tra Maximinũ.Originis eſt ꝙ quid de quo ſit:æqualitatis autem quantũ ſit. ℂQ̃z autem ad iungitur in argumento de Ioã.xiiii.vbi dicit filius,Pater maior me eſt: non ergo æqualis eſt: Reſpõdetur ſcdm Athanaſiũ ꝙ illud intelligit̃ dictũ de Chriſto ſcdm eius humanitate: & de patre ſcdm eius diuinitate:quia filius in aſſumpta humanitate eſt minor patre:licet in diuini tate ſit æqualis. Iuxta illud qd̃ dicit in Symbolo ſuo:Aequalis patri ſcdm diuinitatem:minor patre ſcdm humanitate.Et ſi ille minor,ergo & pater eſt maior. Et p eũdé modũ intelligi po teſt qd̃ dicit ſcdm Apoſtolũ Filius ſubiect⁹ patri.Et bene verũ eſt ꝙ loquédo de maioritate & minoritate quę conſiſtit in abſolutis & gradibus diuerſarũ naturarũ, diuinę.ſ.& humanę,pa ter in omnib⁹ maior eſt filio,& filius minor.Hilarius autẽ exponit illud de patre & filio ſcdm ambox̃ diuinitate.non dico ſcdm ſubſtantiã deitatis. Quia vt dicit Damaſcenus lib.i.cap.lx. Sancti ſicut negant in filio minoritatẽ ex parte deitatis:ſic & negant in patre maioritatem.Et Ambroſius libro primo de Trinitate.Per naturam hominis dixit illud,Vado ad patrem:quo= niã pater maior me eſt.Nam quomodo poteſt minor eſſe deus,cũ deus perfectus & plenus ſitʒ ſed minor eſt in natura hois.Et ſequit̃ poſt pauca.Nõ eſt ergo ſcdm diuinitate minor,qui ple nitudinẽ habet deitatis & glorię.Maior em̃ & minor in his q̃ corporalia ſunt,diſtingui ſolent.

Dico ergo ꝗ verbum dictum exponit Hilarius non secundum substantiam deitatis patris &
filii : secundum illam enim semper sunt æquales: vt patet ex dictis Athanasii, Damasceni, &
Ambrosii: sed solummodo secundum patris & filii proprietates: secundum quas subtiliter val
de Hilarius ponit in patre maioritatem respectu filii : negat tamen minoritatem in filio respe
ctu patris: cum dicitur libro. ix. de Trinitate, cap. xxviii. Maior pater est: sed filius minor non
est. Et constat ꝗ minoritas non potest abnegari filio respectu patris secundum humanitatem.
Semper enim minor est secundum illam. Dico ergo secundum Hilarium ꝗ pater est maior fi
lio: sed filius non est minor patre. Sed ista maioritas in patre non procedit ex aliqua magnitu
dine, aut ex aliquo absoluto, quia eandem magnitudinem habent pater & filius qua pater est
æqualis filio non maior: sed consistit in relatione: & est conditio quædam circa relationem pa
ternam. Eo enim pater est maior quo pater est, secundum Augustinum in Sermone quodam
de Trinitate. Pater est principale nomen deitatis: & hoc quia pater principalitatem & aucto
ritatem quandam habet super filium: in eo videlicet ꝗ ab ipso habet filius esse: & quicquid in
se habet . Vnde Hilarius exponens dictum suum præmissum ibidem dicit sic . Patrem maio
rem in glorificandi auctoritate cognosce: glorificatum filium . Maior est pater sed glorifica
tus a patre filius minor non est. Et loquitur de glorificatione æterna claritate quã habuit fi
lius a patre priusꝗ mundus fieret: vt ipse filius dicit Ioannis. xvii. Maior est ergo pater au
ctoritate glorificantis: sed minor non est filius glorificatus: quia tantam gloriam glorificatus
a glorificante recepit, quantam ipse glorificans in se habuit: immo eandem. dicente Hilario
ibidem. cap. xxvii. Donantis auctoritate pater maior est: maior donans est qui tantum donat
esse quantus ipse est: sed minor non est cui vnum esse donatur: immo propter illud vnum esse
æqualis est illi. Et bene verum est ꝗ minoritate quæ pertinet ad relationem communem in
æqualitatis: & est opposita æqualitati ex vnitate magnitudinis ipsius esse eiusdem in patre &
filio : nequaꝗ filius minor est patre : sed nec econuerso maioritate quæ cum minoritate di
cta pertinet ad relationem communem inæqualitatis: & opponitur dictæ æqualitati: pater est
maior filio : quia hæc maioritas non esset in patre super filium nisi ex magnitudine absoluta
non existente tanta in filio quanta est in patre: qua filius necessario diceretur minor: & sic esset
inæqualitas inter patrem & filium ex multo in magnitudine continente maius & minus:
quæ sigillatim accepta sunt contraria inter se: & ambo simul sunt opposita priuatiue æquali
contingente ex vno in magnitudine. Vnde sicut impossibile est talem minoritatem quæ perti
net ad relationem communem fundatam super quantitatem esse in filio: sic impossibile est ta
lem maioritatem esse in patre: immo opposita æqualitas necessario & naturaliter inest eis . Si
ergo concedendum est secundum Hilarium ꝗ pater sit maior filio : illa maioritas est alterius
generis ꝗ sit ista quæ pertinet ad relationem communem. Quod verum est: quia non fundatur
in quantitate communi patri & filio vt relatio per se: sed potius fundatur in relatione pater
nitatis vt illius conditio quæ est primitas & principalitas quædam in patre respectu filii: in
quantum scilicet ab ipso habet esse filius, & non econuerso pater habet esse a filio . Quam
principalitatem seu primitatem intelligit Hilarius in dictis suis nomine auctoritatis: quã in
cludi significat siue importat nomen maioritatis . Vnde maioritate qua pater dicitur maior
filio non ponitur aliquis gradus superior magnitudinis in patre super gradum magnitudi
nis quæ est in filio: sed tantummodo ordo auctoritatis in producendo . Hinc dicit Damasce
nus libro primo cap. ix. Cum audimus maiorem filio patrem, causam intelligamus . Et sumit
causam pro principio originis: vt seipsum quo ad hoc exponit parum ante, sic dicens . Non
enim secundum aliud nisi secundum causam: hoc est quia filius ex patre genitus est: & non
pater ex filio: & quoniam pater est causa filii naturaliter. Et sic est ista maioritas relatio pro
pria patri, sicut est paternitas: non autem communis patri & filio : eo ꝗ auctoritas principali
tatis siue primitatis vel principii filio non communicatur a patre: licet natura eadem vel ma
gnitudo illi communicantur: sicut nec paternitas: immo per illam pater a filio distinguitur:
sicut & per paternitatem: nec propria est patri vt pertinens est ad inæqualitatem: quia non ha
bet in filio aliquam minoritatem pertinentem ad inæqualitatem sibi respondentem: sed est pro
pria patri, pertinens ad rationem originandi actiue in ipso : sicut est imago aut æqua
tum & similatum esse, pertinens proprie ad rationem originandi passiuam existentem in fi
lio : secundum superius exposita . Dico autem ꝗ ista maioritas in patre non habet ali
quam minoritatem sibi oppositam & correspondentem in filio : quia neꝗ habet ipsam
procedentem ex magnitudine minori existente in filio ꝗ in patre: cum illa necessario sit

eadem & æqualis in vtroq, ſicut dictum eſt: neq, procedentem ex auctoritate minori exiſtente in filio q̃ in patre reſpectu alicuius tertii: puta reſpectu alterius filii aut ſpiritus ſancti
aut creaturæ: vt ideo dici poſſet q̃ magis produceret pater ſpiritum ſanctum aut creaturam
q̃ filius: & non eſſet æqualis potentia cum hoc in patre & filio: nec pater & filius eſſent æquales ſcdm huiuſmodi potentiam. Et ſic licet pater dicatur maior filio: non tamen filius dicitur R
minor patre: non ſolum quia pater donat tantum eſſe quantus ipſe eſt, vt ex magnitudine
quam recipit a patre non poſſit habere aliquam minoritatem filius reſpectu maioritatis ipſius patris: qd Hilarius aſſignat pro cauſa: ſed etiam quia pater nullo modo dat filio ſubau-
ctoritatem aliquam ſeu partem aliquam auctoritatis ſuæ ſuper aliquam filium producendum
eum quia illam non poſſet filius habere niſi ſuper ſeipſum filium: nec ad alium filium habet
eam pater: quia non habent eſſe auctoritas & ſubauctoritas reſpectu eiuſdem. Sic ergo licet
pater dicatur maior auctoritate: filius tamen nunq̃ dicitur minor auctoritate. Et ſimiliter reſpectu ſpiritus ſancti pater & filius poſſunt dici communiter maiores & æqualiter maiores ſpi
ritu ſancto: licet ſpiritus ſanctus non dicatur minor: ſcdm eundem modum quo pater dicit
maior filio: licet filius non dicatur minor auctoritate: aut filius nec æqualis, nec minor, nec
maior dicit patre: quia nullum iſtorum natum eſt eſſe circa filium reſpectu patris: ſed tm negatio omnium illorum. Et per hunc modum licet in patre dicatur auctoritas eſſe: in filio tamen nullo modo dicenda eſt eſſe ſubauctoritas: quia auctoritas quæcunq, aut nullo modo S
eſt in filio: aut æqualis eſt in patre & filio. ¶ Sed contra hoc qd dicit Hilarius de Trinitate: q̃
ſecundum deitatem pater eſt maior filio: ſed non eſt filius minor: videtur eſſe illud quod dicit in libro de Synod. exponendo verbum Apoſtoli aſſumptum in argumento ſic inquiens.
Subiectio filii naturæ pietas eſt. Subiectio autem cæterorum: creationis infirmitas eſt. Conſtat
autem q̃ Chriſtus dei filius ſecundum humanitatem aſſumptam de numero cæterorum eſt:
& ad creationis infirmitatem pertinet. Subiectionem ergo illam filii quæ (vt dicit) eſt naturæ pietas, ſecundum deitatis proprietatem intelligit. Non eſt autem ſubiectio niſi minoritas
quædam aut procedens ex minoritate: ergo & pater eſt maior filio ; & filius eſt minor patre ſecundum id quod eſt in deitate. ¶ Dico q̃ maius & minus in patre & filio, dupliciter T
poſſunt intelligi. Vno modo vt relatiua inter ſe, ſcilicet vt pater ſecundum q̃ eſt maior
dicatur relatiue ad filium ſecundum q̃ ipſe eſt minor: & econuerſo filius ſecundum q̃ ipſe
eſt minor, dicatur relatiue ad patrem ſecundum q̃ ille eſt maior: & neuter dicatur ad
alterum maior aut minor ſecundum q̃ ipſe eſt pater aut filius. Quemadmodum vnum
milii granum magnum dicitur relatiue ad illud paruum, & non econuerſo: non ſecundum q̃ vtrunq, eſt milium: ſed ſolum ſecundum q̃ hoc eſt maius, illud vero minus.
Alio vero modo vt neutrum dicatur relatiue ad alterum, ſcilicet vt nec pater dicatur
relatiue ad filium nec econuerſo ſecundum q̃ ille eſt maior & iſte minor: ſed pater ſecun-
dum q̃ ipſe eſt maior dicatur relatiue ad filium ſecundum q̃ ipſe filius eſt: & non ſecun-
dum q̃ ipſe eſt minor: & filius ſecundum q̃ ipſe eſt minor, dicatur relatiue ad patrem ſecun-
dum q̃ etiam ipſe eſt pater: & non ſecundum q̃ ipſe eſt maior. Si primo modo, tunc eſſent ma V
ius & minus relationes communes & partes inæqualitatis: ſed ſic nec aliquo modo pater dicitur maior reſpectu filii: nec filius minor reſpectu patris: vt patet ex iam dictis. Et hoc quia
fundarentur ſuper vnam magnitudinem ſingularem illis communem : eo q̃ non fundantur
niſi ſuper magnitudinem exiſtentem in illis: non eſt autem in illis magnitudo illis vna . Qz
autem ſuper vnam magnitudinem exiſtentem in illis fundentur: hoc eſt impoſſibile. dicente
Ambroſio de Trinitate. Quod vnum eſt diuiſibile non eſt. Inter maiorem autem minoremq,
diſcretio eſt. Ergo nec pater minorem habet: nec minor eſt dei filius: cum in patre & filio nulla diſcretio deitatis ſit : ſed vna maieſtas . Secundo autem modo ſunt maius & minus non
principales relationes: ſed principalium relationum mutuarum non mutuæ occaſiones: paternitatis ſcilicet & filiationis. Maius enim conditio eſt auctoritatis circa relationem quæ eſt paternitas : quæ auctoritas nequaq̃ a patre communicatur filio : nec in toto nec in parte.
Minus vero ſubiectionis conditio eſt circa relationem filiationis: quæ ſubiectio nullo modo conuenit patri . Et ſicut maioritas auctoritatis nominat in ſolo patre reſpectu filii vt filius eſt facultatem naturalis potentiæ ad communicandum ei omnia ſua præter ingenerationem & generationem actiuam: quemadmodum maioritas auctoritatis in prælatis nominat reſpectu ſubditorum facultatem potentiæ liberalis ad conferendum illis dona aliqua : ſic etiam minoritas nominat in ſolo filio reſpectu patris pietatem naturalis reuerentiæ

quasi in gratiarum actionem pro sibi cōmunicatis a patre. Quemadmodum minoritas subiectionis in subditis nominat respectu prælati pietatem liberalis reuerentiæ ad regratiandū prælato pro bonis receptis, præter hoc ꝙ nominat in illis gradus inferioritatem : qualis non est in filio dei respectu patris. Quæ quidē subiectio minoritatis infirmitas est in creaturis: sed illa in filio dei respectu patris non est nisi naturæ pietas scdm Hilariū. Et ideo in creaturis subiectio & minoritas omnino indignitatis sunt atꝗ indigentiæ: & dicitur in respectu ad maioritatem in prælato, & econuerso. In filio autem dei respectu patris omnino sunt dignitatis atꝗ perfectionis: & non dicuntur nec sunt in respectu ad maioritatem quæ est in patre, nec econuerso. Vt scdm hoc sicut dicitur pater maior filio vno modo, scilicet maioritate auctoritatis : non tamen filius dicitur minor patre, scilicet paruitate auctoritatis: quæ non esset nisi subauctoritas quædam dicta in respectu auctoritatis patris : & hoc in ordine ad aliud tertium : sicut sub auctoritas Balliui dicitur in respectu ad auctoritatem regis in iustitiando seu iudicando ciuē: quæ est in patre respectu filii: & diceretur non nisi in respectu minoris reuerentiæ quæ esset in filio respectu patris: sicut si in hominibus pater maiorem reuerentiam exhiberet filio suo, & ecōuerso filius minorem filio suo, prout loquitur in libro suo de trinitate Hilarius: sic filius vno modo potest dici minor patre, scilicet minoritate reuerentiæ vel pietatis qua filius in se naturaliter recognoscit bona paternæ auctoritatis, & qua illam reueretur : licet pater non dicatur maior filio, scilicet maioritate reuerentialis pietatis, prout loquitur Hilar. in libro de Synod. Si tamen vllo modo scdm filiationem in filio recipi posset minoritas aut subiectio respectu patris: sicut in patre scdm dictum modum recipitur maioritas & auctoritas respectu filii. Q₂ si sic: tunc scdm Hilarium, Pater dicitur maior filio: non tamen filius minor patre. Et scdm eundem in libro de Synod. sic filius dicitur minor patre: ꝙ tamen pater non dicatur maior filio. Dico maioritate & minoritate hincinde sibi correspondentibus vniuoce. Q₂ enim pater dicitur maior, & filius minor: maioritas & minoritas non correspondent sibi nisi per quandā æquiuocationem. ⸿Ad Sextum, ꝙ vna persona superat alteram potestate: Dico ꝙ nomine potentiæ siue potestatis duo importantur, scilicet essentia & respectus. Attamen non dico significātur: sed potius intelliguntur. Significat enim essentiam solam: sed solum sub ratione respectus: siue substantiam contractam ad relationem, scdm ꝙ superius est declaratum. Nūc autem scdm relationem (vt iam supra tactum est) nihil dicitur alteri æquale aut inæquale : sed solummodo scdm quantitatem siue scdm substantiam vel scdm substantiale attributum aliquod vt habet rationem quanti absoluti. Propter quod scdm potentiam vt habet vel importat rationem respectus, non sumitur æquale vel inæquale: sed solummodo scdm ꝙ habet rationem absoluti qd est per se principium elicitiuum actionis. Nunc autem vt habet rationem absoluti, vna & eadem singularis potentia est in tribus personis: sicut vna & eadem substantia aut bonitas. Et ideo tres personæ æquales sunt scdm potentiam prout ipsa nominat substantiam : nec pater superat filium potestate: sed neꝗ æquales neꝗ inæquales sunt scdm potentiam prout nominat relationem: & hoc siue illam nominet in ordine ad actum notionalem: siue in ordine ad actum essentialem. Non tn dicuntur æquales personæ ratione potētiæ vt ipsa nominat respectum: & est potentia ordinata ad actum essentialem : licet in illa vna persona aliam non superat : quia tali potentia æque omnipotens sunt tres personæ. Et hoc non nisi propter vnitatem substantiæ: quæ elicitiua est talium actuum. Ita ꝙ si respectu talium actuum nihil minus posset vna persona ꝗ altera: hoc necessario argueret in eis diuersitatem. Ideo Augustinus contra Maximinū, qui dicebat patrem esse potentiorem filio, dicit sic. Nihil minus patre habere potest ille qui dicit: Omnia quæ habet pater mea sunt. Nam si minus habet in potestate aliquid ꝗ pater : non sunt ipsius omnia quæ habet pater. Secundum doctrinam tuam potens potentem potuit gignere: sed non omnipotens omnipotentem. Habet ergo pater omnipotentiam quam non habet filius : & sic hoc falsum est qd ait filius: Omnia quæ habet pater mea sunt. Non etiam dicuntur personæ diuinæ inæquales ratione potentiæ vt nominat respectum: & est potentia ordinata ad actum notionalem: licet in illa vna aliam quoquo modo superet. Tali enim potentia non sunt æque potentes tres personæ : sed pater potestate actiua superat filium : & ambo spiritum sanctum : & econtra spiritus sanctus superat filium : & ambo patrem potentia passiua : prout procedit argumentum. Et hoc quia substantia diuina non secundum ꝙ est substantia simpliciter, est principium talium actuum: sed solum modo vt quasi determinata est sub proprietate personali secundum superius determinata. Et ideo ꝙ respectu talis actus vna persona aliam in potentia superat : nequaꝗ arguit in

X
Ad sextū
princip.

eis diuerſitatem ſubſtantiæ:ſed proprietatum ſolummodo.Nec omnino arguit aliquam inæqua=
litatem in eis : quia inæqualitas non eſt niſi ſecundum pluralitatem abſolutorum tantummodo.
Et ſecundum hoc licet aſpiciendo ad potentiam ratione potentiæ ſimpliciter quæ eſt principium
actiuum, quæcunq potentia eſt in vna perſonarum, eſt & in aliis, licet ad alium actum : & ſub
alio reſpectu:aſpiciendo tamen ad reſpectum ſiue ordinem ad actum,potentia quæ eſt in vna per
ſona non eſt in alia:& aliqua potentia pertinet ad omnipotentiā patris quæ non pertinet ad omni
potentiam filii:prout hæc latius ſupra tractauimus. Vnde dicit Auguſtinus contra Maximinū.
Forte dices,eo ipſo pater maior eſt filio:quia de nullo genitus genuerit.Ad qd cito reſpōdendū,
immo ideo non eſt maior pater filio quia æqualem genuerit. Vbi cōtinuo innuit diſtinctionē iam
dictā de potentia,& reſpōſionē iam datam ad argumētū, ſubdēs.Originis queſtio hec eſt, quis de
quo:æqualitatis aūt qualis aut quantus ſit:nec cum dicitur filius a patre genitus, oſtenditur inæ
qualitas ſubſtantiæ,ſed ordo naturæ,non quo alter prior eſt altero:ſed quo alter eſt ex altero.Nō
ergo ſecundum hoc q pater genuerit & filius non:ſed tantum genitus eſt:& ſpiritus ſanctus p
cedit ab vtroq & nō econuerſo:æqualitas vel inæqualitas ibi exiſtit : quia nōſecūdū hoc aliqua
perſona alii æqualis vel inæqualis dicitur aut nata eſt dici: licet pater dicatur ſecundum hoc ali
quam potentiā habere quā non habet filius:& ambo aliquam quā non habet ſpiritus ſanctus:cū
tamen non dicatur pater habere aliquam magnitudinem aut ſubſtātiam quā nō habet quælibet
aliarum diuinarum perſonarum. Cuius ratio eſt q ſubſtantia & magnitudo quæ omnino abſo=
lutum quid dicit,in diuinis plurificari non poteſt.Potentia autem non ſignificat niſi ſubſtātiam:
licet non niſi ſub ratione reſpectus : & illum formaliter importat.Propter quod ſecundum illius
plurificationem dicuntur potentiæ plurificari & diſtingui:& hoc ſecundum plurificationem &
diſtinctionem actuum ad quos ſunt : licet potentiæ omnes in radice ſubſtantiæ diuinæ vna & ea
dem potentia ſunt Et ideo tali potentia non eſt inconuenicns vnam diuinam perſonam dici po
tentiorem eſſe altera:& hoc non niſi quia in ſe habet diuinam ſubſtantiam ſub aliqua determina
ta proprietate ordinata ad aliquem actum notionalem : non ſic autē perſona alia:puta pater ſub
proprietate primitatis aut paternitatis ad actum generandi filium,vt propterea propter idem &
eadem de cauſa dicatur pater maior filio:licet filius non dicatur minor patre:& pater dicatur po
tentior filio(potentia dico actiua)licet non dicatur filius impotentior patre ſiue minus potens q
pater:quia potentiam ad illum actum nullo modo habet.Qd tamē non eſt impotentia in illo,ſed
conditio qua non eſt natus illam habere,ſecundum q de hoc ſatis habitum eſt ſupra. Et ſic ſecū
dum Hilariū cum pater dicatur maior filio:maioritas illa includit maioritatem & auctoritatem
& poteſtatem.Et ſic illa poteſtas in qua eſt maior pater,pertinet ad omnipotentiam illam quæ eſt
ſolius patris,vt ſuperius determinatum eſt:quæ ſcilicet includit omnipotentiam quā habet filius
cū potentia ad actum generandi,in qua filius cum patre non communicat.Propter quod magis
pprie dicitur q illa potentia pertinet ad omnipotentiam vt quæ eſt ſolius patris: q dicatur q p
tinet ad omnipotentiam quæ eſt ſolius patris,ne intelligatur poni q alia ſit omnipotentia patris
q filii.Vnde licet vt iam dictum eſt ſecundum Auguſtinū,Pater non habet omnipotentiam quā
non habet filius:aliquam tamen potentiam habet pater contentam in omnipotentia vt omnipo=
tētia ſua eſt, quā nō habet filius in illa vt ſua eſt. Vnde quod dicit filius,Omnia quæ habet pater
mea ſunt:hoc ſolummodo intelligitur de illis quæ inſunt deo ratione ſubſtantiæ ſimpliciter:&
quæ pater gignendo dedit filio:puta ſubſtantialia:ſed non ſuam proprietatem generandi aut ali=
quid ſibi proprium notionale. Hinc dicit Auguſti. contra Maximinum. Fateamur & nos filium
accepiſſe poteſtatem ab illo de quo natus eſt:patri vero potētiā nullus dedit:quia nullus eum ge=
nuit:& gignendo dedit potentiam filio:ſicut omnia quæ habet in ſubſtantia ſua gignendo dedit
ei quem genuit de ſubſtantia ſua.Qd dicit Sicut omnia quæ habet in ſubſtātia ſua, intellige ſub
ſtantialiter:quia pater relatiue habet & fundamentaliter in ſubſtantia ſua proprietatem generā
di actiue,quā nullus ei dedit ſicut nec aliquod ſubſtantialium,& quam etiā nec gignendo filio de
dit. Vnde potentia quā dedit filio non eſt niſi potentia cōmunis notionalis,ſcilicet ſpirādi actiue
aut potentia eſſentialis aliqua.℟Ad ſeptimum q nulla perſonarum diuinarum ſit æqualis alteri:
quia quælibet illarum habet proprietatem pertinentem ad dignitatem quā non habet altera: Di
co q dignitas ſubſtātiale quid & abſolutum eſt in diuinis:& pertinet ad eſſentiā diuinam:& non
ad relationem:ſicut nec æqualitas niſi quatenus fundatur in eſſentia : & realitatem eſſentiæ in ſe
continet.Quæ quia vnica eſt,& vnicam realitatem ab illa ſortiuntur omes relationes quæ ſunt in
diuinis:idcirco omnes ſunt vna dignitas licet ſint plures relatiōes. Et ſic illa eadem dignitas quæ
in patre eſt paternitas:in filio eſt filiatio,propter quod gcqd dignitatis habet pater,habet filius:&

Y
Ad ſeptimū

sunt eque digni:nō per recōpensatiōe dicendo ꝙ etsi pater habet dignitatē ꝗ est paternitas quā non habet filius,filius tñ equalē dignitatē habet quę est filiatio quā nō habet pater:quasi alia esset dignitas in patre paternitas,& alia in filio filiatio: sed eque digni sunt pater & filius & etiā spiritus sc̄tus cum illis,per eiusdem scilicet dignitatis impartibilis cōmunionem.Sic ergo quicquid dignitatis habet pater in paternitate, habet & filius in filiatione.Et si forte aliquid dignitatis pertinet ad relationem vnde relatio est:illam equalem habent:& secundum illam æquales sunt per recompensationem.tantūdem enim dignitatis habet filiatio vnde relatio est,quantum habet paternitas vnde etiā similiter relatio est.Et propterea licet relatio vnde relatio,aliquid dignitatis ꝓportaret in vna persona qđ non esset in alia:de hoc nihil ad equalitatem vel inequalitatē: quia vt dictum est,non sunt natę in relatione fundari.CAd octauū,ꝗ in diuinis sunt proportiōes inequalitatis inter quinꝗ notiones & tres ꝓsonas:ergo nō omnimoda equalitas:Dico ꝗ numerus in diuinis atꝗ vnitates ex quibus constituitur, ad quāritatem absolutam scđm prędicta non pertinēt eo ꝗ numerus ille non est nisi relatio tanti & relatorum secundū relationes:quantitas autem ad quam sequitur equale aut inæquale secundū prędicta nō est nisi de absolutis.Et sic sicut secundū relationes relata in diuinis non dicūtur æqualia aut inæqualia,vt dictum est: sic nec ipsę relatiōes vt relationes sunt inter se cōparatę,æquales aut inæquales dici possunt:quia non sunt aliquid magnum etiam virtute proportionale quantitati continuę secundū modum superius expositū: neꝗ etiam quid multum etiam virtute in diuinis proportionale quantitati discretę:quæ in creaturis est multum quid consistens in absolutis:quæ non cadit oīno in diuinis.Quia quantum non est nisi collectum ex pluribus absolutis vnitatibus plus aliquid absoluti continens in toto ꝗ in parte:siue fuerit numerus Mathematicus:quia ille non abstrahit a materia intelligibilis: siue fuerit naturalis:quia ille procedit non nisi ex diuisione continui:siue Metaphysicus, qui est formarum substātialium,& omniū entium in eo ꝗ sunt entia aliqua in suo genere : & sic habet ratiōe substantię:licet non sint veræ substantię.Vnde sicut vna relatio non est maius aut minus ꝗ alia aut equale illi per priuationem eius qđ est maius aut minus,nec oēs sunt maius aut minus ꝗ vna aut æquale illi: sic nec vna relatio est plus aut minus ꝗ altera : aut æquale illi per priuationem eius qđ est plus & minus:nec omnes relationes simul sunt plus aut minus ꝗ vna:aut ęquale illi.Dico prout plus & minus aut æquale eis oppositum sunt accidentia numeri proprie dicti: qui semper aliquid re absolutum ponit in suis vnitatibus.Sed si dicatur esse plus & minus in relationib⁹ aut relatis secundum rationes:hoc est equiuoce cum illis plus & minus quę sunt in vere numeris:sicut numerus dicitur equiuoce de numero in relationibus: & de vero numero. Vnde si dicamus ꝗ in diuinis quinꝗ notiones sunt plus ꝗ tres ꝑsonæ: & ita inæquales illis: & ꝗ tres proprietates personales sunt æquales tribus personis:equiuocantur inæqualitas & ęqualitas respectu ęqualitatis & inęqualitatis de quibus est questio:& quę sunt relationes communes.Et sic quātitas spiritualis in diuinis super quā fundatur aut nata est fundari aliqua relatio communis,solummodo accipitur proportionaliter duabus quantitatibus continuis in creaturis:quę sunt magnitudo & tempus:vt sunt immensitas & ęternitas in diuinis,sicut superius expositum est.

**Z**
**Ad octauū.**

**Ar.LXXI.**

Equitur Artic.LXXI.de similitudine.Circa quam quęruntur quatuor.

Quorum primum est:vtrum similitudo sit in diuinis.

Secundum:vtrum plena perfecta & omnimoda similitudo sit in diuinis.

Tertium est:vtrum similitudo & æqualitas vniformiter habeant esse in diuinis.

Quartum: vtrum similitudo vniformiter habeat esse in diuinis personis.

**A**
**Quest.I.**
**Arg.i.**

Irca primum arguitur ꝗ non sit ponendum similitudinem esse in diuinis,primo sic.relatio propria vni personæ in diuinis non potest esse communis: quia proprium & commune semper ex opposito distinguuntur.Similitudo est relatio propria personę filii ad patrem:quia secundum Hilari,in precedenti quęstione,filius est patris similitudo: & secundum Augu.lxxxiii.questio.q.lxxviii. Filius imago patris est:quia illo & similitudo de eo quo imago est.& quęsti.li. dicit.Imago & similitudo filius dicitur,ad imaginem & similitudinem hominem factum accipi

mus.Conſtat autem ſecundum prędeterminata,ꝗ imago eſt relatio propria ſilio.ergo &c. ⸿Secū 2
do ſic,ſimilitudo ſequitur qualitatem ſecundum ſuperius determinata.ſed in diuinis non eſt qua
litas:quia non ſubſtantialis qualitas:quia nulla eſt qualitas ſubſtantialis niſi differentia ſubſtātia
lis.ratio autem differentię ſubſtantialis non eſt in deo:quia illa non eſt ſine ratione generis: & il
lud in deo ſimul eſſe non poteſt:quia neceſſario ponit aliquam compoſitionem:quę nō poteſt eſſe
in deo ſecundum ſuperius determinata.Si autem ſubſtantialis differentia aut ratio eius non ha 3
beat eſſe in deo,multo ergo minus in deo habet eſſe differentialis accidentalis aut ratio eius:quia p
dicamentum ſubſtantię verius habet eſſe in diuinis ꝗ aliquod aliorum.quia in diuinis omnia inci
dunt in prædicamentū ſubſtantię ſecundum ſuperius determinata: & non eſt qualitas aut ratio
qualitatis niſi ſubſtantialis aut accidentalis.ergo &c. ⸿Sed dicet aliquis: ꝗ licet qualitas ſecundū
rationem generis non ſit in deo &c. ſecundum modum quo argutum & reſponſum eſt ſupra in
primo argumento primæ quæſtionis de æqualitate. Poteſt & hic adduci ad quæſtionem iſtam
de ſimilitudine tertium argumentum adductum ſupra ad primam quæſtionem de equalitate:&
ſimiliter.vi. Et eodem modo ſoluenda ſunt ex parte qualitatis,quo ibi ſoluta ſunt ex parte quan
titatis . ⸿Contra eſt illud in Symbolo Athanaſii.Qualis Pater,talis Filius,talis Spiritus ſanctus.  In oppoſitū.
Sed non ſunt tale & quale ſine ſimilitudine.ergo &c.

⸿Dico iuxta illa quæ  dicta ſunt ſupra de æqualitate , ſcilicet in quæſtione an ſit   B
in diuinis æqualitas: ꝗ clarum eſt diſſimilitudinem quæ eſt ſecundum magis & minus in quali   Reſponſio.
tate,nullo modo poſſe eſſe in diuinis:& hoc ideo,quia ſcilicet in diuinis non eſt niſi vna æquali
tas numero in pluribus perſonis,quę eſt ſecundum ipſa diuina eſſentia.Deus enim non eſt bonus
niſi bonitate quæ ipſe eſt:quia ipſe eſt ſua bonitas.Diſſimile autem ſecundum magis & minus nō
poteſt eſſe vbi eſt tantum vna qualitas numero, ſicut neꝗ inæquale ſecundum maius & minus:
quia non eſt magis & minus in quali ſine maius & minus in ipſa qualitate,prout alias determina
uimus in quadam quæſtione de Quolibet, de cauſa ſuſcipiendi magis & minus . Propter quod
etiam relatio communis diſſimilitudinis vniformiter ſe habet in accidentibus recipientibus ma
gis & minus in creaturis cum relatione communi inæqualitatis ſecundum quantitatem virtu
tis:& ſimilitudo cum æqualitate:& non poteſt eſſe æquale quantitatis ſecundum qualita
tis eſſentiam,quin ſit ſimile in participatione eius in ſubiecto:licet non econuerſo. Licet enim qua
le eſſe ſimile quali, cum tamen non ſit qualitas æqualis qualitati: & vnum quale æquale alteri in
eſſentia qualitatis.Et hoc quia in creaturis participantia eandem quantitatem in diuerſis gradi
bus,ſunt ſimilia,non autem æqualia. In diuinis autem vbi non eſt niſi vna qualitas in tribus per
ſonis,ipſa nequaꝗ poteſt eſſe inæqualis ſibi in vna perſona, ſecundū eā quantitate virtutis poteſt
eſſe inæqualis alteri. Sed etſi non ſit diſſimilitudo in diuinis:non ex hoc ſtatim ſequitur ꝗ in il
lis ſit ſimilitudo,ſi forte neutrum illorum natum eſſet ineſſe:alias autem ſequitur neceſſario ſi nō
inſit diſſimilitudo ꝗ inſit ſimilitudo,ſic ꝗ non poſſit non ineſſe.Quare cum ſecundum ſuperius
determinata,ſimilitudo per ſe ſequatur vnitatem in qualitate,non eſt autē maior vnitas in qua   C
litate,ꝗ ſit in illa quę eſt vna & ſingularis:igitur poſtꝗ non eſt ſimilitudo alicuius ad ſeipſum,ſed
ſolūmodo alicuius ad alterum ſecundum prædeterminata:in quacunꝗ igitur natura ſiue creata
ſiue increata eſt reperire vnam qualitatē ſingularē numero in diuerſis( Dico autē diuerſis non ſe
cundum rationem tantum: ſed ſecundū rem )in illa eſt neceſſarium reperire ſimilitudinem.Ma
teriali enim definitione ſimilitudo eſt rerum differentium eadem qualitas: in pluribus autem diſ
ferentiis non quocunꝗ modo ſed tantummodo ſecundum rem ad vnum in qualitate neceſſario
ſequitur ſimile,puta in creaturis in diuerſis re abſoluta,in diuinis autem in diuerſis re relationis
perſonalis.In quo difformiter ſunt in diuinis & æqualitas & ſimilitudo:quia æqualitas eſt inter
perſonas:& inter attributa ſibi inuicem comparata vt tactum eſt ſuperius.Similitudo autem nō
eſt niſi inter diuinas perſonas:ſimiles enim ſunt pater & filius & ſpiritus ſanctus,vt probat vlti
ma ratio.Non autem ſimilis eſt deitas deitati,aut bonitas veritati,nec quodcunꝗ aliorum alteri,
vt patebit ex infra declarandis quæſtione tertia ſequente.Sic ergo concedendum eſt ꝗ ſimilitudo
ponenda eſt in diuinis.

⸿Quod ergo arguitur primo in contrarium,ꝗ in diuinis non eſt ponenda ſimi   D
litudo , quæ eſt relatio communis:quia ipſa eſt propria vni perſonæ: Dico ꝗ non eſt verum niſi   Ad pri.prin.

æquiuoce sumendo similitudinem:quia similitudo vt est propria filio ad imaginem pertinet: & ad secundũ genus relatiõis:ita ꝙ si in filio sit similitudo quæ est relatio propria:& quę est relatio communis simul, hoc est multum diuersimode,sicut patet ex supra declaratis. ⸿Ad secundum

**E**
**Ad secundũ**

ꝙ in diuinis non est similitudo:quia non est in eis qualitas: respondendum est secundum modũ quo responsum est superius in solutione primi argumenti primę quæstionis de æqualitate : & ad argumenta.Sed distinguendum est hic respondendo ad argumentum principale hic inductum de qualitate secundum rationem generis,& secũdum rationem speciei.Est enim qualitas simplex scilicet essentialis & spiritualis,extendendo nomen qualitatis ad proprie vsitatam qualitatem in creaturis:vbi est forma vere afficiens subiectum corporaliter:& ad omne habes rationem formæ afficiens subiectũ etiam spiritualiter:sicut extenditur quantitas ad quantitatem vsitatam in crea turis,vbi est quantitas mensurans extensione molis:& ad omne habens rationem mensurę exten dentis:licet spiritualiter.Loquendo ergo de qualitate corporali dico ꝙ nulla est in diuinis secun dum aliquam quatuor specierum qualitatis.Loquendo autem de qualitate spirituali illa bene est in diuinis.Secundum primam enim speciem qualitatis deus dicitur bonus,sapiens: penes quartã dicitur pulcher,speciosus, decorus:penes secundam autem & tertiam speciem qualitatis nulla ō mnino reperitur denominatio in deo. ⸿Quod ergo subditur in argumento ad probandum ꝙ in

**F**
**Ad tertium**

diuinis non sit qualitas:quia nec substantialis,nec rationem illius habens: quare multo forti⁹ nec accidentalis:aut habens rationem illius:Dico ꝙ re vera qualitas substantialis aut habens ratione illius non est in diuinis:quia vt procedit argumentum,qualitas substantialis non est nisi differē tia quæ coniungitur generi ad constitutioné speciei.Propter qđ respectu indiuidui qđ est hoc ali quid,species dicitur quale quid.Quid enim dicitur propter genus qđ prædicatur in eo qđ quid: Quale autē propter differētiã quę prędicatur in eo qđ quale:super quã fundatur similitudo sub stantialis indiuiduorum sub eadem specie. Quæ cum eadem dicuntur & similia:Petrus enim est idem Paulo & similis:idem tamē dicitur ratiõe totius formę speciei vt est aliquid indiuidui: simi lis autem dicitur non nisi ratione differentiæ quæ aliquid est ipsius speciei . Differentia autem ratione differentiæ nequaꝗ potest cadere in diuinis:quia differentia non dicit nisi rationem for mæ contingentis in composito: & quæ est aliquid compositi:& vt aliquid compositi est,Deo au tem omnis ratio compositi & compositionis repugnat. Per quem etiam modum ei repugnat ra tio generis in quocunꝗ prædicamento.Propter qđ licet supposita creata secundum eandem spe ciei formam dicantur eadem & similia: sed diuersimode,vt iam dictum est : tamen supposita di uina secundum eandem deitatis formam solum dicuntur eadem: nequaꝗ autem dicuntur simi lia:quia forma deitatis nequaꝗ habet rationem qualitatis neꝗ substantialis,neꝗ accidentalis, ꝗa non includit in se rationem differentie:sicut includit humanitas. ⸿Est ergo aduertendum ꝙ ge nus respectu speciei duplicem habet considerationem.Vnam,vt est totum respectu ipsius:& con tinet in se omnes differentias substantiales quibus diuidi potest virtute,licet actu nullam,vt dicit Porphyrius.Aliã vero vt est pars constitutiua ipsius cũ differentia: & distinguit ex opposito cõ tra differentiam:& differentia est omnino extra significationem generis & econuerso: & idcirco nec genus prędicatur de differentia nec econuerso,quia si genus secundũ talem considerationem prędicaretur de differētia,vnus homo esset plura animalia:vt dicit philosophus. Cõsiderãdo aũt genus secundum talem modum, dico ꝙ nec ratio generis sicut nec ratio differentię transfertur ad diuina omnino.Et secundum hoc potest intelligi dictũ illud Aug.Deus est sine quantitate ma gnus,sine qualitate bonus.Et confimili modo pōt dici ꝙ est sine substātia deus.Cõsiderando autē genus primo modo dixi supra ꝙ in deo non cadit ratio speciei alicuius prædicamenti absꝗ ratio ne generis: licet alia expositio illius dicti August.assignata sit supra quæstione prima de equalita te in fine solutionis primi argumenti.Qualitas autem accidentalis licet nulla sit in diuinis : quia in deo nullum cadit accidens omnino:eo ꝙ ratio accidentis vt accidens est simpliciter magnã im perfectionem importat:quę secundum superius determinata omnino a diuinis remouēda est: est tamen in diuinis ratio qualitatis accidentalis nõ qua est accidens simpliciter:quia illa vt dictũ est omnino repugnat deo:sed qua est tale accidens,scilicet secundum propriam rationem speciei ta lis accidentis:& hoc ideo:quia ratio speciei in quibusdam speciebus prędicamentorum accidentis importat rationem perfectionis simpliciter,quæ necessario in deo inuenitur,& ad diuina transfe renda est vt superius est determinatum . ⸿Quod autem arguitur contra hoc:ꝙ multo fortius in deo recipitur ratio substantię ꝗ accidentis: Dico ꝙ verum est quo ad rationem generis prędi

**G**

camenti ſubſtantiæ & accidentis: prout procedit argumentum. Tamen quo ad rationem contentorum ſub prædicamento ſubſtantiæ & accidentis multo magis recipitur in diuinis ratio accidentis q̃ ſubſtantię: puta ratio magnitudinis & bonitatis quæ a ſpeciebus prædicamentorū accidentis tracta ſunt: q̃ ratio alicuius ſpeciei de prędicamento ſubſtantiæ. Et per hunc modum ratio qualitatis accidentalis bene habet recipi & eſſe in diuinis: licet non ratio qualitatis ſubſtantialis. Et ſic patet q̃ contrario modo ſit tranſlatio ad diuina ex prædicamētis accidentium, & ex prę
dicamento ſubſtantię. Quia ex prædicamentis accidentium ſit tranſlatio per ſe ratione ſpecierum
non generum. Propter qd dicit Augu. deum eſſe ſine quantitate magnum, ſine qualitate bonū.
Ex prędicamento autem ſubſtantię ſit tranſlatio ratione generis, & nequaq̃ ratione alicuius ſpecierum illius. vt propter hoc bene poſſimus dicere q̃ deus eſt ſine humanitate ſubſtantia, ecōtrario eius qd dicimus q̃ eſt ſine qualitate bonus. Vnde bonitas & virtus ſecundum q̃ deus dicitur
bonus & virtuoſus, eſt bonitas accepta a ratiōe bonitatis & virtutis moralis: non autem a ratiōe
bonitatis & virtutis naturalis, quæ conſiſtit in ſubſtantiali ſiue eſſentiali perfectione cuiuſq̃ rei:
prout eſt expoſitum in ſolutione tertii argumenti in prima queſtione de ęqualitate.

Irea ſecundum arguitur q̃ in diuinis non ſit plena perfecta & omnimoda ſimilitudo: Primo ſic. Non eſt plena perfecta & omnimoda ſimilitudo in aliquibus niſi ſit in omnibus illis comparatis inter ſe: puta in.x.hominibus niſi ſit in
ſingulis comparatis ad ſingulos. ſed non eſt ſimilitudo in omnibus quę ſunt in
diuinis comparatis inter ſe. Non enim eſt ſimilitudo deitatis ad bonitatem: ne-
q̃ bonitatis ad veritatem: neq̃ paternitatis ad filiationem: & ſic de ceteris talibus, ergo &c. ꝰSecundo ſic. Non eſt plena perfecta & omnimoda ſimilitudo in aliquibus qua aliqua maior eſt in aliis: aut nata eſt eſſe. Sed maior eſt aut nata eſt eſſe ſimilitudo in perſonis creatis comparatis inter ſe q̃ in perſonis diuinis. ſed perſonę create ſemper ſimiles ſunt ſecundum rationem formę ſubſtantialis: & ſunt aut natę ſunt eſſe ſimiles ſecundum rationem formæ accidentalis: puta Petrus & Paulus ſunt ſimiles ſecundum humanitatem: & ſimiles nati ſunt eſſe ſecundum bonitatem & ſapientiam. perſonę autem diuinę puta pater & filius ſolummodo ſunt & natę ſunt eſſe ſimiles ſecundum rationem formæ accidentalis: non autē ſecundum rationem formę
ſubſtantialis. Non enim dicimus q̃ ſunt ſimiles deitate: ſed ſolummodo bonitate: ſapientia: & huiuſmodi: ergo &c. ꝰAd idē tertio poſſet adduci ratio quarta adducta in ſecunda queſtiōe de ęqua
litate, conſimilis iſti queſtioni, ſicut enim inæqualitas eſt de ratione perfectionis creaturę: ſic & diſ
ſimilitudo. ꝰIn contrarium eſt argumentum adductum ad contrariam partem in dicta quæſtione. ꝰPręterea ſimilitudo ſecundum eandem qualitatem numero neceſſario eſt omnimode plena
& perfecta: quia nullo modo & in nullo poteſt habere defectum ſimilitudinis, ſimilitudo in diuinis eſt huiuſmodi: ſecundum prędeterminata, ergo &c.

ꝰDico iuxta dicta in principio ſolutionis ſecundę queſtionis de æqualitate prę
miſſę: q̃ illa plene perfecte & omnimode ſunt ſimilia quę ſunt ſimilia quo ad omnia exiſtentia &
nata exiſtere ſimilia in eis: & ſimiliter ſecundum omnia exiſtentia & nata exiſtere ſimilia in eis ſecundum quę nata ſunt exiſtentia in eis eſſe ſimilia: & ſecundum quę tantum ſunt ſimilia quę eis
nata ſunt eſſe ſimilia, quātum ſecundum illa nata ſunt aliqua eſſe ſimilia. Quare cū ſecundū ſuperius determinata, quęcunq̃ ſunt ſimilia ſolum ſunt ſimilia ſecundum qualitatem exiſtentem
in eis: ſecundū omnem autem qualitatem exiſtentem in diuinis quęcūq̃ in diuinis nata ſunt eſſe
ſimilia ſecundum illa ſunt ſimilia, & tantū ſimilia quātum ſecūdum qualitatem aliqua nata ſunt
eſſe ſimilia: neceſſarium eſt igitur ponere q̃ in diuinis ſit pfecta plena & omnimoda & ſic ſumma
ſimilitudo. vt declarat dictum Aug. inductum in primo argumento propoſito ad hoc ex queſtio
ne ſecunda de ęqualitate. Cuius cauſa & ratio eſt eadem qualitas ſingularis in ſimilibus, vt procedit argumentum ſecundum.

ꝰQuod arguitur primo in contrarium, q̃ non eſt plena perfecta & omnimoda
ſimilitudo in diuinis: quia nō eſt ſimilitudo in omnibus quæ ſunt in diuinis comparatis inter ſe:
Dico q̃ omnino ſimilitudo eſt in omnibus exiſtentibus vel natis exiſtere in diuinis in quibus nata eſt exiſtere ſimilitudo: quę ſunt illa ſolummodo in quibus nata eſt exiſtere qualitas ſpiritualis,
ſecundū quā nata eſt exiſtere ſimilitudo in diuinis: cuiuſmodi ſunt pſonę tantummodo. Bonitas ẽ
& ſapientia, fortitudo, poteſtas, pulchritudo, & decor, & huiuſmodi quæ ſunt diuinæ qualitates,

solummodo habent esse in personis ipsas denominando quales:quęlibet enim diuinarum persona
rum bona est & sapiens & cętera hmōi:non autem in eis quę sunt aliquid personę vel personarū
Nō ei̅ dicimus ꝓprie ꝗ̕ deitas,paternitas,filiatio & cęteroꝗ aliꝗ̕ est sapiens:fortis, & cętera hu
iusmodi:nec ꝗ̕ sapientia est bona, fortis & caetera hmōi,& sic de cęteris talibus. Dico autē ꝗ̕ nō
proprie dicimus in diuinis ꝗ̕ sapientia est bona aut magnitudo aut aliquod taliū: & hoc inquan
tum illa bonitas nominat qualitatem.Sed bonitas inquātum nominat id qd̕ pertinet ad rationē
perfectionalem in essentia deitatis, nominat omnia quę sunt in diuinis,scilicet ꝓut bonitas est no
men bonitatis naturæ non moris.Dicitur enim bene ꝗ̕ deitas est bona:ꝗ̕ sapientia est bona:& sic
de omnibus quę sunt in diuinis:sicut dicitur de omnibus quę sunt ens bonum, cum verū & ens
in vnoquoꝗ̕ conuertuntur:non sic autem bonum qd̕ habet rationem moris,dicitur de omnibus
quæ sunt in diuinis.Similiter verum & ens & bonum conuertuntur:non autem verum quod ha
bet rationem moris,& sic de pulchro,& cęteris huiusmodi : siquæ sunt in diuinis alia,secundum
ci similia alio modo.Licet ergo non sit similitudo in talibus attributis comparatis inter se postꝗ̕
non est nata inesse illis qualitas,secundū quam solam nata sunt dici similia quęcunꝗ̕ sunt similia,
aut nata sunt esse similia in diuinis, hoc in nullo impedit perfectā similitudinem esse in diuinis:
postꝗ̕ perfecta similitudo in diuinis est in illis quibus inest qualitas: secundū quam nata sunt ali
qua dici similia in diuinis:vt sunt solę personę,prout declarabitur in quarta quęstione sequenti.

**L**
**Ad secundū** ⸿Ad secūdum ꝗ̕ nō est plena perfecta & omnimoda similitudo in diuinis ; ꝗa maior nata est esse
similitudo in personis creatis inter se ꝗ̕ in diuinis:dico ꝗ̕ falsum est & impossibile, quia in ꝑso
nis creatis diuersis nullo modo possibile est esse eandem qualitatem numero: sicut est in personis
diuinis:& quanto est maior ynitas in eo secundum ꝗ̕ est similitudo ęqualitas aut identitas,tāto
similitudo ęqualitas aut idētitas est maior. Pōt tñ esse verū ꝗ̕ scd̕m plura sunt similes ꝑsonę crea
tę ꝗ̕ increatę, vt ꝓcedit vlterius obiectio.Personę ei̅ diuinę secūdū rationē formę substātialis,pu
ta deitatis,non dicuntur similes:sed solummodo secundum rationem formę quasi accidētalis:pu
ta bonitatis,sapientię,& huiusmodi.Personę vero creatę secūdum rationem vtriusꝗ̕ formę dicū
tur similes propter causam iam dictam in solutione secundi argumenti quęstionis præcedentis.
Sed non sequitur,si aliqua secundum plura sunt similia ꝗ̕ alia,quę quidem similia non sunt nata
esse similia secundum tot:tamen eo vno quo sunt similia perfectius sunt similia, ꝗ̕ alia aliqua eo
rum quibus similantur,sunt similia: ꝗ̕ illa quæ secūdum plura sunt similia magis sunt similia ꝗ̕
illa sunt similia quæ similia sunt secundum vnicum tantum . ⸿Ad tertium ꝗ̕ non est omnimo

**M**
**Ad tertium** da similitudo in diuinis, quia in ipsis est aliqua dissimilitudo : dico ꝗ̕ falsum est . Ad probatio
nem autem eius ꝗ̕ dissimilitudo est de ratione perfectionis simpliciter in creaturis:Dico ꝗ̕ hoc si
militer falsum est.Ad probationem autem illius ꝗ̕ si non esset dissimilitudo in creaturis nō esset
perfectio in illis: Dico ꝗ̕ etsi hoc verū sit:tamen non sequitur ex hoc ꝗ̕ dissimilitudo habeat ra
tionem perfectionis simpliciter : quia hoc in creaturis contingit propter creaturæ imperfectio
nem:vt dictum est supra de inæqualitate.Quia ei̅ vna creatura secūdum speciem quæ omnimo
dam similitudinem haberet in suis suppositis,capere non potest totam perfectionem quę nata est
esse in toto genere creaturarum,ideo oportuit ad perfectionem vniuersi ex creaturis cōstituti dis
similes secundum qualitates rationales & accidentales institui creaturas quę in se habere possent
diuersos gradus perfectionum.Nunc autem quęlibet diuina persona totam perfectionem quę na
ta est esse in diuinis,in se capere potest. Propter qd̕ ad perfectionē diuinarum personarum perti
net ꝗ̕ in eis sit perfecta similitudo absꝗ̕ omni dissimilitudine.

**N**
**Quęst.III.**
**Arg.i.** ⸿Irca tertium arguitur ꝗ̕ similitudo & æqualitas vniformiter penitus habent
esse in diuinis , primo sic . Sicut se habent in diuinis fundamenta inter se,
sic & relationes fundatæ in illis.quia quicquid cōuenit relationibus trahitur a
fundamentis.fundamenta relationum quæ sunt æqualitas & similitudo, sci
licet quantitas & qualitas , vniformiter habent esse in diuinis : quia ambo
sunt attributa essentialia solummodo propriis rationibus inter se & ab aliis
2 distincta secundum superius determinata.ergo &c.⸿Secundo sic.sicut se habent quantū & qua
le in denominando secundum se & absolute illa quorum sunt quantitas & qualitas: sic se habent
æqualitas & similitudo in denominando eadem in ordine siue respectu & comparatiōe ad aliud:
quia secundum eadem,scilicet secundum quantitatem & qualitatem,denominantur primo quā

ta & qualia:secundo æqualia & similia.Sed quantum & quale vniformiter denominant in diui‑
nis illa quorum sunt quantitas & qualitas:ga sicut a quantitate denominatur aliquid quantum
sic & a qualitate quale.ergo &c.¶In contrarium est gp æqualitas consequitur omnia quæ sunt in **In oppositl.**
diuinis.quælibet em duo existetia in diuinis siue sint absoluta siue respectiua siue differat re siue
sola ratione:æqualia dicuntur.Similitudo autem in diuinis non sequitur nisi personas, sole enim
personæ diuinę inter se similes dicuntur,secundum gp patet ex iam supra dictis.ergo &c.

¶Dico gp quęstio ista si intelligatur de ęqualitate & similitudine vt comparatur **O**
secundum vniformitatem inter se:non in ordine ad fundamenta relata:sic determinata est supra **Responsio.**
in quęstione prima de relationibus cõmunibus vt habet esse in diuinis in generali.Si aute vt cõ‑
parantur ad fundamenta:sic determinata est supra in quæstione secunda de relationibus commu‑
nibus in comparatione ad sua principia fundamentalia.Si autem intelligatur quæstio vt æquali‑
tas & similitudo comparantur ad diuinas personas relatas per illas specialiter:sic determinata est
supra in quæstione secunda de relationibus communibus vt habent esse in diuinis in generali.
Vnde nullo dictorum trium modorum quæstio proposita intelligenda est. Sed intelligeda est ge‑
neraliter in similitudine & æqualitate vt comparantur generaliter ad relata per illas:siue sint per‑
sonæ diuinæ:siue quælibet alia existentia in diuinis.Et cum vt patet ex dictis in præcedenti quę‑
stione,æqualia dicuntur quęcunqp sunt in diuinis siue personę siue relationes siue attributa siue
existentia comparata inter se:non autem similia dicitur nisi sole personę:idcirco licet quo ad plu‑
rima in diuinis æqualitas & similitudo conformitatem habeant,vt quæ dicuntur de vno confor‑
miter intelligi possint de altero:vt etiam propterea doctores gplurima loquatur de equalitate in
diuinis, & perpauca de similitudine,dantes illa quæ dicuntur de æqualitate conformiter intel‑
ligi & de similitudine: tamen difformitatem habent quo ad hoc gp plura in diuinis dicunt equa
lia quæ non dicitur esse similia:sed quæcunqp dicuntur esse similia,etiam dicuntur equalia.Cau
sa autem & ratio huius difformitatis quo ad relata inter æqualitatem & similitudinem ex parte
æqualitatis,est gp quantitas illa supra qua fundatur æqualitas, puta magnitudo , per se & primo
est mensura substantię siue essentię rei:& immediate insistens eidem:& secundo est mensura oim
quæ insunt illi mediate substantia:vt patet in magnitudine corporali, quæ non solum est mensu
ra substantię primo & per se denominans substantiam qualem, seu suppositum habens in se hu‑
iusmodi substantiam extensam corporaliter, sed etiam omnium accidentium essentialiter existe‑
tium in illa seu in illo:puta coloris & etiam suiipsius.Non solum enim corporali magnitudine di
citur corpus seu suppositum corporeum magnum & extensum corporaliter in longum aut la‑
tum: sed etiam color & ipsa magnitudo:& vlterius per consequens non solum corpus dicit cor‑
poraliter magnitudine molis æquale alteri : sed etiam albedo existens in vno corpore etiam di‑
citur æqualis albedini existenti in alio corpore:& vna magnitudo dicitur æqualis alteri. Sic igi‑
tur & in spiritualibus magnitudo spiritualis non solum est mensura denominans substantia spi
ritualem seu suppositum habens in se huiusmodi substantiam extensam spiritualiter primo & p
se: sed etiam omnium aliorum quasi accidentium spiritualium existentium in illa seu in illo. Nõ
solum enim spirituali magnitudine dicitur deitas magna seu immensa & extensa spiritualiter,seu
suppositum habens illam in se dicitur magnum & immensum & extensum spiritualiter:sed etia
bonitas sapientia veritas & cætera in eo existentia,vt dictum est:& ipsa magnitudo siue immen‑
sitas. Et per consequens etiam vlterius non solum dicitur vnum suppositum in deitate subsistens **P**
esse æquale alteri:aut secundum Semiarrianos deitas vna alteri deitati: sed & bonitas dicit equa
lis deitati & sapientię & veritati,& cętera omnia cæteris.Sed vna magnitudo spiritualis in crea‑
turis dicitur æqualis alteri non autem in diuinis:& hoc quia in eis non est nisi vna magnitudo.
Causa autem & ratio huius difformitatis quo ad relata inter æqualitatem & similitudinem ex
parte qualitatis est gp qualitas supra qua in diuinis fundatur similitudo:puta bonitas,nõ est vllo
modo forma aliquid afficiens in diuinis,aut denominans aliud gp suppositum cuius est primo per
se:non per aliquid existens in illo nisi per intellectum & voluntatem quo ad bonitatem & sapien‑
tiam. Solum em in diuinis dicitur suppositum bonum aut sapiens aut aliquid huiusmodi: puta
pater filius & spiritus sanctus ; non autem deitas,sapientia, paternitas, filiatio aut aliud aliquid
talium . Et per consequens in diuinis solum suppositum dicitur simile supposito:non autem ali‑
quid aliud alteri : puta sapientia potentiæ, aut paternitas filiationi: licet in creaturis aliquando
afficit forma totum per partem,& illud denominat:puta gp homo est bonus quia bona est anima

II iiii

eius:& albus quia corpus eius est album,& corpus album dicitur quia superficies est alba.Et per consequens vlterius non solum dicitur in creaturis totum simile toti, sed etiam pars parti:quod nequaq̃ contingit in diuinis nisi quo ad intellectum & voluntatem respectu sapientie & bonitatis. Non solum enim dicimus de qualibet diuina persona ꝙ est sapiens & bona,& ꝙ ex hoc sunt similes:sed etiam dicimus ꝙ intellectus illarum est sapiens:& voluntas illarum est bona. Sed non ex hoc dicimus intellectum vnius personæ aut voluntatem similem esse intellectui aut voluntati alterius:quia non est nisi vnus intellectus & vna voluntas trium personarum. Et secundũ predicta nihil est simile sibiipsi.Nisi forte dici possit ꝙ intellectus inquãtum est vnius personæ alius est secundum rationem:& inquantum est alterius.Et quo ad hoc posset dici ꝙ intellectus vnius personæ diuinæ similis est in sapientia intellectui alterius:& similiter in bonitate similis est voluntas vnius personæ voluntati alterius. Sic ergo causa & ratio dictæ difformitatis similitudinis & æqualitatis consistit in hoc videlicet ꝙ attributa qualitatis in diuinis,puta bonitas,pietas, sapientia veritas & cætera huiusmodi,secundum rationem inter se penitus & ab aliis attributis sunt distincta:in eo videlicet ꝙ non sunt alicuius denominatiua secundum qualem aut similem nisi ei⁹ in quo sunt quasi in subiecto vt est persona secundum intellectum & voluntatem,in quibus sunt quasi habitus in prima specie qualitatis,& quales esse ac similes denominant personas & intellectum atꝗ voluntatem illarum quasi potentias quasdam existẽtes in personis.Attributa aũt qualitatis quæ sunt magnitudo & æternitas,non sic sunt penitus secundum rationem abinuicem & ab aliis attributis distincta:quia non sunt solum aliquid illius in quo sunt quasi in subiecto primo & per se:& denominatio illius vt in persona:sed etiam sunt aliquid cuiuslibet qd pertinet ad perfectionem illius vt ipsius essentie & cuiuslibet attributorum eius.Omnibus ẽ illis inest magnitudinis immensitas ratione perfectionis suæ in esse essentiæ suæ, & etiam immensitas æternitatis ratione perfectionis in esse existentiæ:licet immensitas magnitudinis & æternitatis in attributis consequantur ex imensitate magnitudinis & æternitatis essentie,& sint in deo simpliciter, & cuilibet psone diuinæ ex immensitate magnitudinis essentie illius cõtingit ꝙ esse qd in creaturis inuenitur esse dignitatis simpliciter eidem attribuendum est. & per hoc magnitudo quæ est mensura diuinæ essentie,& deriuatur in singula attributa,& etiam est mensura illorum secundũ superius determinata,& denominat illa : & similiter æternitas:& per consequens singula eorum inter se per magnitudinem & æternitatem denominantur esse æqualia & similia : & ipsa etiam inuicem se denominant: dicendo ꝙ bonitas est magna immensa & æterna: & similiter sapientia & cætera talia.Similiter magnitudo diuina est eterna,& æternitas diuina est magna & immensa Et idcirco etiam secundum magnitudinem & æternitatem singula in diuinis æqualia dicuntur inter se,licet non dicantur inter se similia:nisi tantummodo personæ diuinæ intellectus atꝗ volũtas eorum in quibus sunt habitus,qui soli sunt qualitates diuinæ vt dictum est.Ex quo plane patet differentia magnitudinis spiritualis & molis: quia magnitudo molis est in corporalibus accidens omnino diuersum a qualibet qualitate:& per quantitatem insunt illis qualitates corporales. Vnde & denominant etiam quantitatem molis:non autem subiectum illius:dicitur enim superficies alba & colorata. Vnde & duæ superficies bene dicuntur similes.In spiritualibus autem non sic:immo spiritualis magnitudo est aliquid in perfectiõe cuiusꝗ rei.Propter qd quælibet illarum denominatur a magnitudine:licet non econuerso.Et secundum hoc concedenda est vltima ratio quæ ad hoc processit.

R
Ad pri,prin.

C Ad primum in oppositũ:ꝙ in diuinis vniformiter se habent fundamenta equalitatis & similitudinis,scilicet quantitas & qualitas:ergo & æqualitas & similitudo:Dico ꝙ quãtitas & qualitas in diuinis dupliciter cõsiderari habet. Vno mõ sẽdm se & absolute. Et sic vt procedit argumentum & bene,vniformiter habent esse in diuinis,& sic secundum superius determinata habet rationem substantie:& nõ fundatur super ipsa nisi identitas.Alio modo in diuinis cõsiderantur quantitas & qualitas in ordine ad sua subiecta : & vt sunt aliquid alterius : & sic habent rationem quantitatis & qualitatis: & fundantur super ea æqualitas & similitudo. Et quia non se habent vniformiter ad sua subiecta,quia(vt dictum est)quicquid est in diuinis est aliquo modo subiectum quantitatis:non autem qualitatis:idcirco quia secundum hanc rationem consequitur illa æqualitas & similitudo : ipsa omnino difformiter se habent in diuinis : & hoc non ex aliquo defectu: sed ex conditione & natura rei . C Ad secundum,ꝙ quantum & quale vniformiter denominant in diuinis ea quorum sunt : ergo & similiter æqualitas & si-

S
Ad secundũ

similitudo: Dico ꝙ verum est quo ad hoc ꝙ quæcunꝗ in diuinis sunt vniformiter qualia & quanta,vniformiter sunt equalia & similia.Sed tamen non sequit ex hoc:quęcunꝗ in diuinis sunt æqualia,sunt similia.Immo plura sunt æqualia quæ non sunt similia:vt dictum est.Et quo ad hoc non habet esse vniformiter in diuinis æqualitas & similitudo,& quale & quātum:quia in diuinis habent esse quanta siue denominantur a quantitate magna & eterna,quæ nullo modo denomi-nant a qualitate qualia:vt patet ex dictis.

Irca quartum arguit ꝙ similitudo nō habet esse vniformiter in psonis diuinis, Primo sic.pater & filius sic sunt similes inter se secundū qualitatē quę sapientia est,ꝙ ambo sunt sapiētia.Est enim filius sapiētia de sapientia,secudū superius determinata,non sic aūt similis est patet aut filius aut spūs sanctus:quia spiri-tus sanctus non est filis illis secundū sapientiā quę est ipe:in quo est magna dif-formitas.ergo &c. **Secundo** sic.filius & spūs sanctus sunt æqles: puta sapiētes bonī & huiusmodi:& per consequens sifes inter se sapientia & bonitate & huiusmodi,quā habent a patre.Filius enī & spūs sanctus a patre habet sapientiam & bonitatem & oēm rōnē alia qualitatis. non sic aūt silis filii aut spūs sanctꝰ patri.Pater enī nihil omīno habet b alio:sed oia a seipso:in quo magna est difformitas.ergo &c. **Tertio** sic.pater & filius sic sunt similes spirituī sancto, ꝙ ambo sunt a quo alius.Filius etiā & spūs sanctꝰ sic sifes sunt ꝙ ambo sunt qui ab alio,non sic aūt pater & spūs sanctꝰ.Pater enī nō est ab alio:& ab ipso est alius.Spūs sanctꝰ vero est ab alio:& ab ipso nō est alius:in quo est magna difformitas.ergo &c. **Quarto** sic,non vniformiter similitudo est in il-lis quorum vnus habet eā a se:alii aūt non nisi receptam ab illo qd habet eam a se.Receptum enī ab alio non videtur esse in recipiente in tanta plenitudine in quanta est in illo a quo recipitur: si-cut lumen non in tanta plenitudine & pfectiōe est in aere in quanta est in sole,pater similitudinem habet a se ad filium & ad spiritum sanctum:quia a se habet qualitatem super quā fundatur.Filius autem & spiritus sanctus non sic habent similitudinem ad patrem aut inter se : quia non a se,sed a patre habent qualitatem super quā fundatur.ergo &c. **Quinto** sic,in illis non habet esse vni-formiter similitudo quorum vnus non solum est similis similitudine:sed etiam est ipsa similitudo: alii autem solum sunt similitudine similes:& non sunt ipsa similitudo.Filius autem est ita simili-tudine similis ꝙ est ipsa similitudo,secundum tacta superius:non sic autem pater aut spiritus san-ctus:quia non sunt similitudines:sed solummodo similes similitudine.ergo &c. **Sexto** sic. In il-lis non est vniformis similitudo quorum vnus est vis assimilatiua aliorum sibi:sed alii non sic.spi-ritus sanctus amor est,qui est vis assimilatiua amantis ad amatum: & per hoc conuersiua aman-tis in amatum secundum Dionysium.non sic autem pater aut filius,secundum superius determi-nata.ergo &c. **Contra**, in illis necessario est vniformis similitudo in quibus est vniformis quali-tas super quam fundatur:quia ratio relationum communium sequitur rationem fundamētorum secundum prędicta,sed qualitas super quā fundatur similitudo in diuinis,necessario vniformiter habet esse in tribus personis diuinis:etiam si in seipsa esset variabilis vllo modo,quia non est nisi vnica & singularis in tribus, ergo &c.

**Dico ꝙ quæstio ista est pars quæstionis secundę precedentis.** Illa enim quærit de singulis quæ sunt in diuinis:an scilicet sit in eis plena perfecta & omnimoda similitudo.Ista au-tem quærit idem de diuinis personis tm:supponendo ex dictis in illa secunda quæstione ꝙ in so-lis personis diuinis comparatis inter se nata est esse similitudo:non autem in aliis:& ꝙ non in diui-nis est perfecta plena & omnimoda similitudo:si talis similitudo sit in ipsis personis diuinis. vnde quæstio ista est declaratio supposito in quæstione illa. Et posset consimilis quæstio fieri de æqualita-te : quæ tn facta non est superius de æqualitate sicut hic facta est de similitudine:quia ex eius de-terminatione quo ad similitudinem,patebit eius derminatio quo ad equalitatē. Dico igit ꝙ silitu-do habet esse vniformiter in diuinis psonis:qa plena pfecta & oīmoda silitudo habet eē i illis:& hoc dupliciter.Vno mō cōparādo singulas diuinas psonas inter se secundum similitudines existentes in illis quæ sunt extrema habitudinum . Alio modo comparando inter se ipsas similitudines quæ sunt habitudines inter singulas duas personas.Tres enī persone in diuinis comparate inter se secū-dum similitudinem aut equalitatē,sunt sicut tres anguli figurę triangularis:& habitudines equa-litatis & similitudinis inter illas,sunt sicut lineę tres contentę inter puncta angulorum : quarum

Y quęlibet habent duo extrema.Cum primo modo comparatur singulę personæ inter se: puta cum quæritur an in patre & filio similitudo quæ est in patre ad filium sit vniformis similitudini quæ est in filio ad patrem:& sic sit plena perfecta & omnimoda similitudo in patre & filio siue inter patrem & filium:& sil't de filio & spiritu sancto:& de patre & spiritu sancto.Et dico cp sicut secundũ istam comparationem vniformiter est similitudo in singulis duabus diuinis personis comparatis inter se similitudine:sic & plena & perfecta & omnimoda similitudo quæ est in vna illarum vt in vno extremo,est conformis similitudini quę est in altera vt in altero extremo.Et per hoc personæ ipsę relatę talibus similitudinibus vniformiter & pfecta & plena siue omnimoda similitudine sunt similes:quemadmodum supra in quæstione secunda de æqualitate declaratum est de ipsis diuinis personis:quæ sunt plene perfecte & omnimode & per hoc vniformiter æquales. Sicut enim nulla earum excedit aliam magnitudine secundũ quantitatem: sic nulla earum excedit aliam sapientia aut bonitate secundum qualitatem:in quo consistit perfecta similitudo in diuinis,quæ est propter vnitatem singularitatis in qualitate:quæ nullam omnino compatitur difformitatem:sicut in creaturis consistit perfecta similitudo propter vnitatem cõformitatis qualitatum:quarum vna aliam non excedit: sed ambæ sunt eiusdem gradus. Diuersitas enim qualitatum secundum gradus diuersos facit cp in creaturis etsi aliquando sit similitudo aliqua , tamen est imperfecta & difformis similitudo,quæ est propter vnitatem formę specificę.Imperfecta vero & difformis propter diuersitatem graduum:puta quando est inter minus album & magis album:& hoc quia in parte aliqua virtuali albedinis magis altera excedit minus.Non est enim subiectum magis album nisi quia albedo illius in essentia sua virtualiter est in alia:vt declarauimus alias in quęstione de magis & minus.Sed sicut cp in diuinis nulla sit partium diuisio in deitatis vnitate:vt dicit Aug.est manifestũ sic nec in magnitudine nec in qualitatis vnitate.Et vt dicit Ambrosius,q̃d vnum est:dissimile nõ est.Inter maius autem & minus semper discretio est.Propter quod in diuinis sicut non potest esse dissimilitudo siue difformitas dissimilitudinis secundum diuersitatem formarum secundum speciem:sic nec difformitas in similitudine secundum diuersitatem graduum in eadem specie qualitatis : sicut nec difformitas æqualitatis propter diuersitatem graduum in eadem specie quantitatis:licet in creaturis sit difformitas dissimilitudinis propter diuersitatem formarum secundum speciem:& difformitas dissimilitudinis sicut & difformitas inæqualitatis propter diuersitate graduum in eadem specie qualitatis & quãtitatis:q̃uis in æqualitate & in perfecta similitudine in creaturis nulla cadit omnino diuersitas vel difformitas propter vnitatem speciei & gradus simul: licet comparatione æqualitatis & similitudinis quæ sunt in diuinis: æqualitas & perfecta similitudo in creaturis difformitatem habeant propter diuersitatem secundum numerum eiusdem formę secundum speciem quantitatis & qualitatis in creaturis diuersis relatis. Et est in creaturis ad

Z uertedum cp licet propter magis & minus in equalitate difformitas est in similitudine inter magis album & minus album : ideo.s.cp similitudo existens in vno illorum non est omnino conformis similitudini existenti in alio:non tamen propter hoc vnum illorum est magis simile alteri q̃ econuerso:vt similitudo existens in illis recipiat magis & minus:sicut nec inequalitas inter maius & minus recipit magis & minus vt vnum eorum dicatur magis inequale alteri q̃ econtrario.Oĩa enim relata inter se relatione communi inæqualitatis & æqualitatis similitudinis & dissimilitudinis absq̃ omni difformitate in inequalitate & equalitate,dissimilitudine aut similitudine referunt adinuicem.Non eĩ vnũ inequalium relatorum inter se est magis inequale: & alterum minus:sicut neq̃ duorũ æqualiũ vnũ est aut magis aut min⁹ æquale q̃ alterũ:neq̃ vnũ dissimiliũ inter se relatorũ est magis dissimile & alterũ minus:nec etiã vnum similiũ est magis sil̃e & alterum min⁹ Q̃d contingit in equalitate & pfecta sil̃itudine propter vnitatẽ gradus: in inequalitate aũt & dissimilitudine & sil̃itudine imperfecta propter vniformitatẽ secundũ excessum & defectũ in diuersis gradibus:quanto eĩ magis aut minus excedit ipsum minus:tãto ipsum min⁹ deficit ab eo q̃d est magis aut maius.Ob hoc eĩ duorum inequalium vnũ equaliter est inequale alteri: & sil̃t duorũ dissimiliũ vnum equaliter est dissimile alteri: & etiam duorum similiũ imperfecta similitudine vnũ alteri equaliter simile est. Cum secundo autem modo comparationis prædictę comparantur singulæ habitudines inter duas personas inter se: puta cum habitudo similitudinis quæ est inter patrem & spiritum sanctum & quę est inter filium & spiritum sanctum: est quæstio an.s.similitudo quę est inter patrem & filium sit vniformis similitudini quæ est inter patrem & spiritum sanctum : aut inter filium & spiritum sanctum & econuerso:& sic sit plena & perfecta & omnimoda similitudo in diuinis personis inter ipsas similitudines non re sed ratione tm̃ differentes.Et dico ꝗ secundum istam comparationem vniformiter habet esse similitudo in diuinis personis,scilicet comparatis similibus qua̧ sunt in illis inter se. Sic ꝗ plene perfecte & omnimode similitudo qua̧ est inter patrem & filium,est vniformis similitudini qua̧ est inter patrem & spiritum sanctum: & qua̧ est inter filium & spiritum sanctum,& econuerso.Sicut etiam plene perfecte & omnimode a̧qualitas quȩ est inter patrem & filium,vniformis siue conformis est a̧qualitati qua̧ est inter patrem & spiritum sanctum:& inter filium & spiritum sanctum,& ecouerso. Et hoc quia scilicet di̧cte tres habitudines qua̧ sunt tres secundum rationem,sunt vna secudum rem: sicut a̧qualitas & qua̧titas in qua vel supra quã fundatur,est vna singularis secundum rem:a cuius vnitate in diui nis procedit vniformitas similitudinis in diuinis personis & etiam a̧qualitatis: prout procedit ob iectio vltima:qua̧ vniformiter habet locu̧ in similitudine & a̧qualitate qua̧ sunt in diuinis perso nis:sicut & vniformiter in vtrisꝗ locum possunt habere quȩdam argumenta adducta in opposi tum:quia confimilis quȩstio propositȩ hic de similitudine in diuinis personis,posset quȩri de equa litate existente in illis.Et eadem responsio adhibenda est in diuinis:licet in creaturis cõtingat quo ad illa diuersitas inter similitudinem & a̧qualitatem:vt iam declaratum est secundum primam cõ parationem pra̧dictam:& patet etiam secundum istam comparationem secundam. Diuersȩ enim habitudines a̧qualitatis & similitudinis vniformiter sunt in creaturis:in hoc ꝗ neutra est maior alia.Aequaliter enim binarius est a̧qualis binario:& ternarius ternario.Diuersȩ autem habitudi nes imperfectȩ similitudinis bene difformiter sunt in creaturis:& differunt secundũ magis & mi nus,siue secundum maius & minus:& similiter diuersȩ habitudines dissimilitudinis & inȩquali tatis.Aliqua enim duo alba possunt esse magis similia ꝗ alia duo alba:aut aliqua duo nigra:& ma ior est similitudo inter illa ꝗ inter ista:prout illa magis accedunt ad gradum dissimilitudinis per fectȩ:& similiter aliqua duo inȩqualia aut dissimilia possunt esse magis inȩqualia aut magis dissi milia ꝗ alia duo:& maior esse ina̧qualitas & dissimilitudo inter illa ꝗ inter ista : prout illa magis recedunt a gradu a̧qualitatis alicuius similitudinis pfectȩ.Et prima tria argumenta procedunt de similitudine penes secundam comparationem. Alia vero procedunt de similitudine penes pri mã comparationem. Primũ enim probat ꝗ maior est similitudo inter patrem & filium ꝗ inter ambos & spiritum sanctum.Secudum probat ꝗ maior est similitudo inter filium & spiritũ san ctum,ꝗ inter ambos & patrem.Tertium probat ꝗ maior est similitudo inter patrem & spiritũ sanctum,ꝗ inter patrem & filium ac spiritum sanctum.Quartum vero probat ꝗ maior est simi litudo inter patrẽ ad filium & spiritum sanctum ꝗ ecouerso: aut ꝗ filii ad spiritum sanctũ & ecõ uerso.Quintum probat ꝗ maior est similitudo in filio ad patrem & spiritum sanctum ꝗ econ uerso:aut ꝗ patris ad spiritum sanctum & econuerso.Sextũ vero probat ꝗ maior est similitudo spiritus sancti ad patrem & filium ꝗ econuerso:aut ꝗ filii ad patrem & econuerso.

**A**

Ad arg.

Primum.
2
3
4.
5
6

Qꝫ ergo arguitur primo ꝗ maior est similitudo inter patrẽ & filiũ ꝗ inter am bos & spiritum sanctum:quia pater & filius sunt similes sapientia qua̧ ipsi sunt:non sic autem pa ter & filius spiritus sanctus:quia non est similis illis sapientia qua̧ ipse est:Dico ꝗ quantum est de ratione eius de singularitate rei cõmune est personis cõstitutis in esse per propria in diuinis ꝗ vna & eadem sapientia singulari similes sunt omnes persona̧ diuina̧:& ideo vniformiter:vt dictũ est:nec quo ad hoc pater potius est sapientia aut filius ꝗ spiritus sanctus:vt secundum eam poti⁹ dicatur similes inter se pater & filius:ꝗ spiritus sanctus ad vtrunꝗ illorũ.Sed ꝗ pater & filius di cuntur similes sapientia qua̧ ipsi sunt:non sic autem spiritus sanctus alicui illorum: hoc non dici tur nisi per quandam appropriationem eius qd̃ commune est,propter conuenientiam communis cũ proprio eius cui appropriatur:vt declarabitur in proximo articulo sequenti:& sic non nisi per quandam contractionem communis ad propriũ.De eis autem qua̧ pertinent ad propria:nihil ad relatiõe communem:vt dictum est supra in fine qua̧stionis vltimȩ de a̧qualitate.Ad secũdum ꝗ maior est similitudo inter filium & spiritum sanctum ꝗ inter ambos & patrem: quia ãbo sũt similes secundum id qd̃ habent aliquid ab alio:non sic autem filius aut spiritus sanctus ad patrẽ: quia pater non habet aliquid ab alio:Dico secundum superius dicta ibidem:quis de quo aliqd̃ ha bet vel non habet,originis qua̧stio est:de quo nihil ad qua̧stionem de relatione cõmuni plus ꝗ ꝗ vnum & idem sit qd̃ habetur ad quod sequitur communis relatio. Et ideo propter diuersitatem in modo habendi illud in illa,diuersitas aut difformitas oritur in ipsa relatione communi funda ta sup illud.Ad tertium ꝗ minor est si̧litudo inter patrẽ & spm̃ sctm̃,ꝗ inter patrẽ & filiũ ac spm̃ sctm̃:ꝗa pr̃ & fili⁹ sunt a quo ali⁹: filius aut & spũs sctũs sũt ꝗ ab alio:Pr̃ aũt est qui nõ ab alio:&

**B**

Ad pri.prin.

**C**

Ad secundũ

**D**

Ad tertium

a quo alius:spiritus sanctus est a quo non alius:& qui est ab alio:Dico vt prius,ꝗ quæstio quis a quo,ad originem pertinet:non autē ad relationem communem:& sic nihil ad propositum de hoc. ⸿Ad quartum,ꝗ maior est similitudo in patre ad filium ꝗ econuerso:aut ꝗ eiusdem ad spiritum sanctum aut econuerso:quia pater a se habet id quo est similis:non autem filius aut spūs sanctus: & receptum verius est in eo a quo recipitur,ꝗ in recipiente : Dico ad hoc vltimum ꝗ receptum tam vere habet esse semper in eo quod recipit,ꝗ in eo a quo recipitur,nisi sit defectus ex parte agē tis & diffundentis receptum in recipiente:quia scilicet non habet perfectam virtutem transfundē di illud:puta color secundum actum lucidi non sufficit se transfundere in medium sub tanta per fectione quanta est in corpore colorato:aut ex parte recipientis:quia scilicet non sufficit recipere il lud in tanta pfectione in quanta est in sole trāsfundente illud:vel si sol sufficeret illud in tanta per fectione transfundere.Quare cū in diuinis nō sit defectus talis diffusionis ex parte diffundentis: quia diffundens est infinitus vigore in agendo:nec ex parte recipientis:quia ipsum est infinitum vigore in patiendo:idcirco in diuinis illud nequaꝗ habet veritatem,multo fortius ꝗ non habet ve ritatem in naturalibus in quibus est generatio vnica:puta cum homo generatur ab homine: aut ignis ab igne:secundum ꝗ hęc omnia patent ex dictis in solutione quarti & quinti argumēti quæ stionis secundę pcedentis de æqualitate. ⸿Ad quintum,ꝗ maior est similitudo in filio ad patrem & spiritum sanctum ꝗ econuerso:aut patris ad spiritum sanctum ꝗ econuerso:quia filius non so lum est similis patri & spiritui sancto:sed est similitudo:pater autē & spūs sanctus nullius sunt si militudo:Dico ꝗ argumentum hoc aliquē vigorem habere posset si filius esset similitudo eadem similitudine qua est similis patri aut spiritui sancto, quæ scilicet pertinet ad relationem cōmunē: & pater atꝗ spiritus sanctus solū essent similes tali similitudine : non autē essent ipsa similitudo. Nunc aūt non est ita:quia ꝗ filius dicitur similitudo:hoc non est illa relatione qua dicitur similis relatione pertinente ad relationem cōmunē quā continet tertium genus relationis:sed dicitur si militudo similitudine pertinente ad secundum genus relationis:qua non ad spm sanctum:sed so lūmodo ad patrem dicitur relatiue:secundum ꝗ hoc expositum est supra de equalitate:quę simi liter equiuoce dicitur vt est propria filio & pertinet ad secundum genus relationis:& vt est rela tio cōmunis pertinens ad tertium genus relationis.⸿Ad sextum,ꝗ maior est similitudo in spiri tu sancto ad patrem & filium ꝗ econuerso:aut ꝗ in patre ad filiū & econuerso:quia spiritus san ctus est vis assimilatiua:non sic aūt pater aut filius:Dico ꝗ reuera spiritus sanctus eo ꝗ amor,est vis assimilatiua assimilans amantem amato:qd tamen nō prouenit nisi ex aliqua similitudine prę cedente inter amantem & amatum.dicente Boethio in.ix.regula de hebdo. Qd appetit aliud ta le,ipsum esse naturaliter ostenditur quale hoc ipsum qd appetit.Et Ecclesia.xiii.dicitur. Oīe ani mal diligit simile sibi.⸿Est igitur sciendum ꝗ amor est vis similitiua:non de omnino dissimili fa ciendo simile:sed perficiendo in amāte similitudinem, quam quasi incompletam habet in se amās ad amatum:qd facit amatum trāsformando in se amantem prout possibile est:aut saltem amantē sibi connectendo seu coniungendo intimando.Vt enim dicit Cōmēt.super dicto verbo,fugit vnū qdꝗ qcquid in genere suo dissimile est,& a se diuersum: accedit vero ad id qd qualicūꝗ similitu dine sibi conforme est,iuxta illud Eccli.xiii.Omnis caro ad sibi simile coniungetur:& oīs homo sibi simili sociabitur.Et ibidem.xvii.Volatilia ad sibi similia coniunguntur. Assimilat aūt coniun gendo amantem amato amor, nō tali similitudine qualem supponit in amato ad amantem.Illa.n. similitudo præcedens & excitatiua amoris in amante: vt transferat amantem in amatum: consi stit in dispositionibus naturalibus amantis & amati.Sed ꝗ amor assimilat amantem amato : hoc est sil̄itudine appetitus:quā amor sicut forma appetitus in amante operatur ad instar formę ama ti.Qua similitudine amans dicitur simile amato per se:sed non econuerso amatum dicitur simile amanti,nisi per accidens:ꝗ scilicet amans est simile illi:& hoc iuxta modum quo superius diximꝰ creaturam esse similem deo, licet non econuerso. Et pertinet ista similitudo ad secundum genus relatiōis.Amor enim similitudine quadam quę consistit in affectione quadam seu dispositiōe ap petitus erga amatum:amantem mensurat amari:vt sic per huiusmodi assimilationem amans sit quasi ipsum amatū. Propter quod dicit Augustinus super Ioannem. Qualia amas,talis es: deum amas,ergo deus es:terram amas,terra es.Vnde propter huiusmodi assimilationem ex amore pro cedentem dicitur Prouerb.xiii.Amicus stultorum efficietur similis. Amicus autē ab amore.Vn de Philosophus.viii.Ethico. modos amicitię distinguit secundum modos amoris siue amationis: & etiā dicit ꝗ amicus amico est alter ipse.Amicus ergo stultorū efficit sil̄is:ꝗa amādo stultos gsꝗ stultꝰ efficit: & ecōtra amādo sapiētes sapiēs efficitur. Vnde verbo pdicto immediate præmitti

E

Ad quartū.

F

Ad quintū.

G

Ad sextum.

H

I

tur.Qui cum ſapientibus graditur ſapiens erit. Graditur dico non paſſibus pedum: ſed paſſibus
voluntatū. Hinc etiam dicit Auguſtinus de libero arbitrio: ꝗ amans bonum ſtatim bonus eſt.Et
viii.de trini. dicit ꝗ amans iuſtitiam iuſtus eſt:ſaltem quadam aſſimilatione affeꝰ, Q̃ ſi amans
iuſtitiam adhuc iniuſtus eſt ſecundum habitū:hoc contingit ſecundum Aug.ibidem,ꝗa non tm̃
amat iuſtitiam vt mereatur fieri iuſtus,ſ.ſecundum habitum. Et ſimiliter ſi amans bonum aut ſa
pientiam aut quécunꝗ alium habitum virtutis adhuc eſt in contrario habitu:hoc non contingit
niſi quia nō tātū amat huiuſmodi habitum vt mereatur fieri in actum ſecundum illum: quia ſci
licet nō tātū amat illum vt ſtudeat ſe exercere in actibus quibus acquiritur, ſi ſit habitus exiſtẽs
in voluntate acquirendus per ſe actibus voluntatis:vel vt ſtudeat imperare intellectui ꝗ ſe exer
ceat in actibus quibus acquiritur,ſi ſit habitus exiſtens in intellectu acquirẽdus actibus intellectꝰ.
Et ſic amor ſiue voluntas eſt vis aſſimilatiua per ſe & immediate ſecundum affectum ſaltẽ quod
cunꝗ fuerit amatum:vel ſecundum habitum mediáte exercitio actuum, ſi amatum fuerit bonus
habitus virtutis aut rei cuiuſꝗ,ratione talis habitus.Et per hunc modum quo ſcilicet amor aſſi
milat ſecundum affectum,ſpiritus ſanctꝰ eſt amor & vis aſſimilatiua in patre & filio mutuo ſeſe
amantibus:& per hoc nexus eſt amborum ſecundum modum ſuperius expoſitum. Vis dico aſſi
milatiua non formaliter:quia non eſt ipſa ſimilitudo qua amans ſimilatur amato:ſed effectiue tm̃.
Simile autẽ formaliter aliquibus ex hoc ꝗ eſt effectiui ſimilitudinis etiã iſtius ſecundũ quã ſunt
ſimiles:non oportet ꝗ ſit magis ſimile:aut ꝗ habeat in ſe maiorem ſimilitudinem ad illos ꝗ econ
uerſo:quod neceſſario oporteret ſi ipſum ſimile formaliter aliquibus eſſet vis aſſimilatiua forma
liter:quia tunc nō ſolum eſſet ſimile illis:ſed etiam ipſa ſimilitudo qua ſunt ſimiles.qd̃ nequaꝗ ve
rum eſt de amore qui eſt ſpiritus ſanctus:aut de quocunꝗ alio amore.Breuiter ergo dico ad for
mam argumenti. Cum dicitur, in illis non eſt vniformiter ſimilitudo quorum vnum eſt vis aſ
ſimilatiua aliorum:ſed non econuerſo:Dico ꝗ verum eẽt ſi eſſet vis aſſimilatiua formaliter:ſic ꝗ
non ſolum eſſet ſimile:ſed ipſa ſimilitudo qua ſimiles ſunt ſimiles.Non autem verum eſt cum eſt
vis aſſimilatiua effectiue tm̃.Et qd̃ aſſumitur:ſpiritus ſanctus amor eſt & vis aſſimilatiua : Dico
ꝗ verum eſt effectiue,non formaliter: & ideo cum modo contrario maior & minor ſunt vere &
falſe:nequaꝗ ſequitur concluſio.

K

## Articu.LXXII.de communium tam relatiuorum ꝗ abſolutorum appropriatorum ad propria relatiua, appropriatione,& modo appropriandi ea ad ipſa propria.

Iſo de relatiuis & communibus tam relatiuis ꝗ abſolutis in
diuinis:& hoc ab articulo.xxi.& deinceps: ſequitur videre de commu
nibus tam relatiuis ꝗ abſolutis appropriatis ad ꝓpria relatiua : & hoc
quo ad illorum communium appropriationem & modum approprian
di ad propria.Circa quã quęruntur quinꝗ.Quorum
Primum eſt:vtrum in diuinis cõmunium appropriatio ſit poſſibilis.
Secundum:vtrum communium appropriatio ſit naturalis an volun
taria.
Tertium:vtrum omnia communia in diuinis ſint appropriabilia.
Quartum:vtrum plura communia poſſint appropriari vni.
Quintum:vtrum vnum poſſit appropriari pluribus.

Ar. LXXII.

Irca primũ arguitur ꝗ appropriatio nō ſit poſſibilis in diuinis,Primo ſic.Quę
cunꝗ equaliter & vniformiter cõmunia ſunt pluribus: nullum eorum poſſibi
le eſt alicui ipſorum appropriari ſine iniuria alterius.Omne commune in diui
nis equaliter & vniformiter cõmune eſt tribus perſonis:quia ſingulum eorum
non magis conuenit vni perſonæ ꝗ alteri::nec aliquod illorum magis conuenit
vni perſonæ ꝗ aliud : nec poſſibile eſt in diuinis alicui perſonæ fieri iniuriam,

L
Quæſt.I.
Arg.i.

ergo &c. ¶Secundo ſic. ſicut ſe habet commune ad proprium, ſic ſe habet econuerſo proprium 2
ad commune.ſed proprium impoſſibile eſt pluribus communicari: ergo impoſſibile eſt commune
alicui appropriari, ¶Cõfirmando rationem iſtam per locum a maiori negatiue,arguitur ad idem 3

tertio fic.magis nata eft conuenire deo ratio primi q̃ econuerfo:quia primum femper eft principi
um & origo fecundi quoquo modo:& principiatum natum eft magis tenere in fe rationem prin
cipii q̃ econuerfo.In diuinis autem communia prima funt refpectu propriorum:& fecundum ra
tionem intelligendi funt priora illis.communicari autem eft ratio communis: appropriari autem
eft ratio proprii:quia a proprio dicitur appropriari: & a cõmuni dicitur cõmunicari. Magis ergo
proprium natum eft communicari & trahi ad commune:q̃ commune appropriari & trahi ad p̃
prium.quare cum impoffibile fit proprium communicari:multo ergo eft impoffibilius commu
ne appropriari.Et hoc eft q̃d quarto oftenfiue concluditur fic.Omne appropriatum fecundũ ra
tionem fuam prefupponit proprium,fed in diuinis nullum commune poteft prefupponere pro
prium:fed magis econuerfo.ergo &c.Quinto fic.q̃d eft occafio errandi impoffibile eft in diuinis
quia error in diuinis maximum eft inconueniens.Et fecũdum Anfel.minimũ inconueniens in di
uinis maximum eft impoffibile.Appropriatio cõmunium in diuinis perfonis eft occafio errandi:
quia ex illa poteft intelligi q̃ appropriatum illi foli conueniat cui appropriatur : aut q̃ magis &
verius ac perfecti⁹ ei cõueniat q̃ alteri:& ita q̃ gradus funt in diuinis:q̃d erroneum eft, ergo &c.

**In oppofitũ.** In contrarium eft Auguftinus:qui libro primo de doctrina chriftiana,appropriat vnitatem pa
tri:equalitatem filio:& concordiam fpiritui fancto.Et Hila.qui appropriat eternitatem patri: fpe
ciem filio:vfum fpiritui fancto:vt habitum eft fupra articulo.lxviii.quefti.ii. & Apoftolus cum.i.
Corinthi.i.dicit Chriftum dei virtutem & dei fapientiam,appropriando filio virtutẽ & fapiẽtiã.

**M**
**Refponfio.**

**N**

**O**

**P**

Dico ad intellectum fequentium q̃ inter ifta fex que funt commune,proprium,
appropriatũ,cõmuniter,proprie,& appropriate,differẽtia eft:q̃ prima tria funt fignificatiua refpe
ctus: alia autem tria funt fignificatiua modorum dicẽdi.Sicut enim dicit Prifci.de nominis qua
litate appellatiua & propria:ipfe in hoc differunt,q̃ commune eft illud q̃d pluribus conuenit per
appellationem:& pluribus appellatis fiue fuppofitis.Proprium autem eft q̃d vni foli cenuenit per
appellationem,ideft vnico appellato fiue fuppofito tm̃. Sed vtrunq̃ ipforum dicitur dupliciter.
Commune enim aliquid dicitur vno modo vniuerfalitate : alio modo communione. Et commu
ne primo modo eft quodcunq̃ vniuerfale:large fumendo vniuerfale ad vniuocum,analogum,&
equiuocum:& proprium ei refpondẽs eft quodcunq̃ fingulare fub vniuerfali.hoc enĩ modo ho
mo eft commune:Petrus autem & Paulus funt propria.Commune vero fecundo modo in diui
nis eft quodcunq̃ effentiale: & proprium ei refpondens eft vnaquaq̃ trium perfonarum: & hoc
communiter loquendo de proprio : prout proprium dicitur quodcunq̃ fuppofitum fingula
re refpectu alicuius communis q̃d conuenit pluribus fuppofitis.Proprie autem loquendo de pro
prio,non dicitur proprium in diuinis nifi proprietas que vnico fuppofito fingulari conuenit : &
que in creaturis conuenit foli alicui fpeciei & fuppofitis eius:vt rifibile homini.Proprium autem
& appropriatum in hoc differunt tam in diuinis q̃ in creaturis:aut q̃ in diuinis conuenit vni fo
li fingulari perfone,aut in creaturis vni fpeciei ficut dictum eft.Appropriatum eft autẽ commu
ne aliquod pluribus vni illorum afcriptũ fingulariter vt pro illo fingulariter fupponat: & hoc p̃
pter aliquid in illo quo fingulariter illud refpicit:vt iam amplius exponetur.Dici afit communi
ter & proprie vno modo refpondent illis duobus que funt proprium & commune:vt nõ dicatur
communiter dici nifi commune, neq̃ proprie nifi proprium: & omne commune dicatur commu
niter dici de illis quibus eft commune : & omne proprium dicatur dici proprie quia de feipfo fo
lum.& hoc quemadmodum omne appropriatum dicitur dici appropriate de eo cui eft appropria
tum.Et p̃prie dici hoc modo opponitur ei q̃d eft communiter dici,fiue diftinguitur contra ipm̃
ficut diftinguitur proprium contra commune.Alio autem modo communiter & proprie non re
fpondẽt illis duobus q̃ funt cõmune & proprium:vt fcilicet non dicatur communiter nifi cõmu
ne:nec proprie nifi proprium:ficut refpondet appropriate ei q̃d eft appropriatum:quia non dici
tur appropriate quicq̃ de alio:nifi communiter de illo cui eft appropriatum. Sed communiter &
proprie ifto fecundo modo nõ dicitur nifi id q̃d eft commune pluribus:q̃d cum hoc q̃ communi
ter dicitur de illis fecundũ primum modum dicendi communiter iam dictum:de illorum aliquo
dicitur proprie,dicitur & pricipaliter:de aliis autem vel de alio dicitur quoquo modo improprie
& non principaliter:quod appellatur dici communiter fecundo modo: & opponitur ficut dici im
proprie ei q̃d eft dici p̃prie.Et tale cõmune non eft nifi illud q̃d analogice dicitur de pluribus:q̃d
cõmuniter & improprie dicitur de illo cui nomen cõuenit pofterius:& p̃prie cui conuenit prius.

Verbi gratia:ens ꝓprie dicitur ſubſtātia ſola:quia ꝓprie loquēdo ſcdm pl̄m.viii. Metaph.accidēs non eſt ens ſed entis.Communiter autem etiā accidēs dicit ens.Et cōmuniter dicit lex de toto ve teri teſtamento,& de vna parte eius proprie:vt de ſolis libris Moyſi: & communiter & improprie ſiue minus ꝓprie de aliis libris veteris teſtamenti.Et ſimiliter communiter dicitur prophetia de li bro pſalmorum Dauid: & de libris aliorum prophetarum:quia de libro Pſalmorum dicitur com muniter & minus proprie:proprie autem de libris aliorum ꝑphetarum.Appropriate autem non dicit niſi id qd̄ eſt cōmune pluribus:& vniuoce dicit de illis:quod cum hoc ꝗ cōmuniter dicitur de illis ſecundū primū modū dicēdi cōiter,de quolibet aliorum dicit ꝓprie: ſed de aliquo illorum tm̄ dicitur appropriate: vt in creaturis vrbs de aliis ciuitatibus dicit cōiter & ꝓprie:appropriate aūt de Roma:& apl̄s cōiter dicit de aliis apl̄s,& ſolū appropriate de Paulo.Et in diuinis oīa eſſen tialia dicunt cōiter de illis quibus nō appropriant. Appropriate aūt ſolūmodo de illis quibus ap propriantur. Et ſic omne qd̄ in diuinis dicit appropriate de aliquo,etiā dicit ꝓprie de illo,ſed non econuerſo:ens em̄ proprie dicit ſubſtātia,ſed non appropriate.Vnde Aug.ꝗſtionē de appro priatis & appropriatione ꝑtractās,xv.de tri.cap.xvii. oſtendit appropriationē cōmunium fore in diuinis per hoc ꝗ ea que cōmunia ſunt pluribus,& cōmuniter dicuntur de illis,etiam de aliqui bus perſonis dicunt proprie:ſumens ibi proprie ꝑ appropriate.Et ꝗ aliquid dicitur cōmuniter & ꝓprie declarat ibidem in nomine legis(vt dictū eſt)& nomine prophetie:per hæc duo exempla quaſi per ſimilia concludens ꝗ vnum & idem poteſt ſumi cōmuniter & ꝓprie:& arguens ꝗ ea ꝗ in diuinis ſunt cōmunia:& dicunt cōmuniter de tribus:poſſunt dici ꝓprie & appropriate de ali quo illorum:puta cum ſapientia ſit cōmunis omnibus diuinis perſonis i appropriate tamen dici tur de filio,cum ait Apoſtolus.Predicamus Chriſtum dei virtutem,& dei ſapientiam.Et ſimiliter de illis quæ ponuntur in appropriationibus Auguſt.& Hila.Reuera bene Auguſti.arguit ꝗ ali quid quandoꝗ poteſt dici cōmuniter:quandoꝗ autē proprie: & hoc in diuinis ſicut & in creatu ris.Sed ex illis duobus exemplis in quibus bene declarat aliquid dici cōmuniter & proprie,nō po teſt concludere ꝗ in diuinis aliquid poſſit dici cōmuniter & ꝓprie:ſumendo proprie ꝑ appropria te:quia illa duo ſimilia quæ inducit Auguſtinus,non ſunt omnino ſimilia:vbi lex & ꝓphetę omī no vniuoce dicunt de prędictis:qm̄ appropriatio vere non habet locum niſi in cōmuni vniuoco, qd̄ cōmuniter dicitur de pluribus:eꝗ tamen ꝓprie loquendo de proprie qd̄ opponitur ei qd̄ eſt improprie:puta cum vniuoce dicitur de pluribus cōmuniter ciuitas,& ſic Apoſtolus,ſignificādo idem cōmune quod proprie dicitur de vno,vt Ciuitas de Roma,& Apoſtolus de Paulo.Et ſimili ter cum ſapientia dicitur vniuoce de tribus perſonis diuinis:ſignificando idem ſingulare qd̄ pro prie dicitur de filio.ibi enim proprie idē eſt qd̄ appropriate. Sed cū ens equiuoce ſiue analogice di citur de ſubſtantia & accidente:nec eſt aliquid vnum ſignificatum nomine entis vniuoce ad ſub ſtantiam & accidens:licet ens proprie dicatur de ſubſtantia:non tamen dicitur de ſubſtātia appro priate:ſed potius propriate:quia appropriatio aliquid apponit ſuꝑ propriatione: vt itelligamus appropriationē fieri nō ſolum ſecundū nomen ei cui conuenit proprie:ſicut ens ſi diceretur appro priari ſubſtātię:quia nihil omnino cōmune ad ſubſtantiā & accidens ſignificatum eſt nomine ſub ſtantiæ:ſed etiam ſecundum rationem eius qd̄ ſignificatum eſt ipſo nomine:ſicut Ciuitas appro priatur Romę,& Apoſtolus Paulo,& ſapientia filio dei.C Ad hoc ergo qd̄ querit:Vtrum in diui nis ſit poſſibilis appropriatio communis ad proprium: Dico ꝗ ſic:quia in diuinis eſt reperire ali quid commune vniuocum.ſ.ſecundum idem nomen,& idem nominis ſignificatum cōmune plu ribus,qd̄ alicui illorum conuenit proprie:vt ſapientia filio:& ſecundum ꝗ dicit Ioan. in canonica ſua,Charitas ex deo eſt.qd̄ appropriate dicitur de ſpiritu ſancto:& hoc prout arguit Augu.ex di cto Ioannis vbi ſupra:quia in deo manemus,& ipſe eſt in nobis:quoniam de ſpiritu ſuo dedit no bis.Idē etiam dicit Ioā.ꝗ charitas deus eſt:qd̄ cōmuniter dicitur de trib9 perſonis.Sed hæc appro priatio qualiter & qua de cauſa fiat,in ſequentibus quæſtionibus amplius declarabitur.Quātum tamen ad preſentem quæſtionem pertinet,ſciendum ꝗ ſecundum iam pratacta aliquid cōmune vniuocum dupl’ eſt:vel ſignificando vnum commune vniuerſalitate: vel ſignificando vnū com mune communione.Et ſic eſt dupl’ appropriatio,ſiue duplex modus appropriationis: quorū pri mus eſt per excellentiam eius cui cōmune appropriatur ſuꝑ alia quibus communiter conuenit. Alius per correſpondentiam communis qd̄ appropriatur ad propriū illius cui appropriatur: qd̄ proprium eſt proprietas:& proprium proprie dictū in diuinis ei9 qd̄ eſt proprium & pſona ſingu laris.De appropriatiōe prio mō dico ꝗ nullo mō poſſibilis eſt i diuinis. In tali.n.nō appropriatio nis appropriatū qd̄ eſt,& veri9 & pſectu9 couenit illi cui appropriat ꝗ alteri.Quēadmodū nomē ci uitatis appropriat Romæ:& nomē Apl̄i Paulo appropriatur:ꝗa.ſ.Roma excel’ere ſolebat cæteras

# Summe

ciuitates dignitate imperatoria:quando talis appropriatio facta est illi: & Paulus cæteros apostolos tempore suo excellebat in prædicatione veritatis euangelicę.Quæ appropriatio impossibilis est
in diuinis:quia in illis in nullo verius aut perfectius cōmune appropriādum potest cōuenire vni
persone ꝙ alteri:sed si in diuinis aliqua fieret appropriatio per excellentiam,illa faciēda esset soli pa
tri propter auctoritatem ex suo pprio:vt infra videbitur.Appropriatio aūt quæ cadit in diuinis
non est nisi appropriatio secūdo modo:in qua(prout in sequētib⁹ questionibus declarabitur) vni
& idem cōmune pluribus propter correspōndentiā secūdum similitudnem ad aliquod pprıū alicui illorū illi appropriat.De qua appropriatione bene pcedit vltima ratio.

**S**
**Ad pri.prin.**

❡Ad primum in oppositum:ꝙ cōmune pluribus non potest alicui illorum appro
priari sine alterius eorum iniuria &c. Dico ꝙ cōmune appropriari non potest ad proprium sine
prerogatiua aliqua quā habet pprıū sup illud cōmune:quę est causa seu ratio illius appropriatio-
nis:sed talis prerogatiua aut est sup ipsum cōmune:aut sup aliqd coniunctum ei.Si primo modo
verum est ꝙ cōmune pluribus nō pōt vni appropriari sine aliorū prejudicio:quia talis appropria
tio non esset nisi p hoc ꝙ cōmune illud magis conueniret vel principalius illi cui appropriaret ꝙ
aliis:qd impossibile est in diuinis:quia in diuinis omne cōmune equaliter & vniformiter conuenit
illi cui appropriat & aliis:nec magis illi ꝙ aliis:vt assumit in argumēto.Si secundo modo,hoc con
tingit dupliciter:quia illa prerogatiua aut est in aliquo absoluto:aut in aliquo relatiuo. Si primo
modo,sic cōmune pluribus bene potest appropriari vni illorum sine piudicio aut iniuria aliorum
sed non sine inequalitate illius ad alia in cōmunicatione illius absoluti.Quēadmodū Vrbs appro
priatur Romę propter prerogatiuā in dignitate imperii & regis: & nomē Apostoli appropriatur
Paulo propter prerogatiuā in executione officii apostolatus.Sed nec isto modo possibile est fieri ap
propriationem aliquā alicuius cōmunis in diuinis:quia nullum absolutum seu coıunctum absoluto inequaliter diuinę personę cōmunicat.Si secundo modo,sic cōmune in diuinis pluribus psonis appropriatur vni illarū absꝗ omni iniuria aliarum: quia sit ex ratione correspōdentię eius qd
appropriatur,ad proprium relatiuum eius cui appropriatur:vt iam dictum est:& inferius declarabitur iā in corpore questionis sequentis.❡Ad secundum,ꝙ impossibile est in diuinis proprium

**T**
**Ad secundū**

pluribus cōmunicari: ergo similiter impossibile est commune vni appropriari: Dico ꝙ bene con-
cluderet & sequeretur si diceretur, ergo impossibile est commune appropriari & fieri proprium.
Se habet enim communicari ad propriari: sicut commune ad proprium : & tenet in eis commu-
tata proportio. Si proprium non potest communicari:nec etiam commune potest propriari.Cui
proportioni innititur argumentum:sed non bene concludit virtute commutatæ pportionis : ergo commune non potest appropriari. Non enim se habet communicari ad appropriari: sicut cōmune ad proprium:quia communicari & appropriari non distinguitur ex opposito sicut distinguitur cōmune & proprium.Est tamen bene possibile idem communicari & appropriari. multū
eim differunt propriari & appropriari.Cōmune eim nō propriat nisi fiat pprıū,qd est impossibi-
le:appropriatur aūt pprıō manens cōmune,qd est bene possibile:vt dictum est. ❡Q₂ confirmādo

**V**
**Ad tertium.**

dictā rationem arguit tertio ad idem ꝙ proprium in diuinis est secundū respectu cōmunis:& ra
tio primi magis nata est conuenire secundo ꝙ econuerso:ergo proprium magis natum est cōmunicari ꝙ cōmune appropriari:Dico ꝙ & in cōmuni & in proprio circa diuina est considerare duplicem rationem & duplicem ordinem penes primum & secundum:sed modo contrario: sicut &
de vniuersali & particulari siue singulari circa creaturas.Est enim in vniuersali & singulari circa
creaturas primo considerare rationem vniuersalitatis & singularitatis,quę sunt intētiones secūdę
circa rem substratā:quę vna est & eadem sub ratione vniuersalitatis & singularitatis,neutram illarum sibi determinās:sed possibilis & quasi materialis est ad vtrāꝗ:puta ratione speciei circa ho
minem & asinum:siue circa humanitatē & asinitatem:& rationem singularitatis siue ratione indiuidui circa singularia illorum.Homo enim siue humanitas secūdū se & ex se nec est vniuersa
lis nec singularis,sed humanitas tm̄:vt dicit Auicen.Et secundū pm̄ non est differētia inter dice
re homo iste & homo: ita ꝙ non sit alia res significata per id qd est vniuersale:& p id qd est singu
lare:sed omnino differēs rōne tm̄:vt.s.est susceptibilis vniuersalitatis & singularitatis,Vnde est etiā
cōsiderare circa easdem creaturas in vniuersali & singulari ratione rei secundum se,quę substra
ta est illis intentionibus: puta rationem humanitatis & asinitatis simpliciter, & hmōi humanita
tis & asinitatis.Cōsimiliter etiam circa diuina in cōmuni & proprio est considerare ratione com
munitatis & proprietatis quę sunt tanꝗ secundæ intentiones circa rem substratā: quæ vna est &
eadem sub ratione cōmunitatis,& sub ratione proprietatis:neutrā illarū sibi determinās:sed pos
sibilis existens:quasi materialis atꝗ indifferens ad vtrāꝗ . Puta circa deitatem simpliciter est cō-

fiderare rōne cōitatį:& circa pſonas rōne ppꝛietatis.De⁹ eñ ſiue deitas ſecūdū ſe & ex ſe nec cōis ɇ
nec ppꝛia:ſed eſt deitas tm̄:& nō eſt differētia inter dicere deus iſte & de⁹ ſimpliciter:ita cp non ſit
alia res ſignificata pid qd̄ in diuinis eſt cōe qd̄ eſt de⁹:& p id qd̄ eſt ppꝛiū qd̄ eſt iſte q eſt deus:ſed
eadē ōino,differens rōne tm̄ & vt eſt ſuſceptibilis cōitatis ppꝛietatis.Vſi circa diuiua eſt etiā cōſide
rare rōne rei ſodm̄ ſe q̃ ſubſtrata eſt illis itētiōib⁹,puta rōne deitatį ſimpliciter:& ratione ei⁹ rei vt
eſt huius & illius perſonæ.Aſpiciendo autem ad rationes rei iſto ſecundo modo,dico cp cōmune ſe
cundū iſtā rōnem cōis primū eſt,& propꝛium eſt ſecūdū in diuinis:ſicut & in creaturis vſe pꝛi⁹eſt
particulari ſiue ſingulari.Sicut enim in creaturis res vna pluriſicat ſecundū rē,& deriuat in plura
ſingularia:& qd̄ vnū eſt ſecūdū ſe & in eſſe exiſtētię & in cōſideratiōe intellectus,pluriſicatur i plu
ra ſingularia in eē exiſtentię,puta humanitas ſimpliciter in hūanitate huius & illi⁹:& ſicut illd̄ qd̄
eſt vniuerſale,primum & principiū eſt reſpectu pluriū ſingulariū:ſic & in diuinis res vna.ſ.deitas
quaſi deriuat & pluriſicatur ſecūdū rōne in plura ſuppoſita:& qd̄ vnū eſt ſecūdū ſe i eſſe ſimplici
ter & in cōſideratione intellectus,quaſi pluriſicat in ſuppoſitis ſecūdū eſſe exiſtētiæ in illis:& ſic id
qd̄ eſt cōe primū & pꝛicipiū eſt reſpectu pluriū ſuppoſitoꝛ.Pꝛeter hoc cp id qd̄ eſt vlc̄ i creaturis,
vt dicit Dam.vnum eſt rōne:qd̄ vero eſt in ſingularib⁹,pluriſicatū eſt ſecūdū rē,ſm cp alia ſecūdū
rē eſt humanitas in Sorte:& alia in Platone.Id vero qd̄ eſt cōe in diuinis,vnum eſt ſecūdū rem:qd̄
vero in ſuppoſitis,eſt pluriſicatū ſecūdū rōne tm̄.ſecundum cp alia rō eſt exiſtendi deitatē magni
tudinē & cętera attributa in vna pſona & in altera:ſed eſt res eadē.Et ſecūdū hāc conſiderationem
id qd̄ eſt vlſe in creaturis:& ſimiliter id qd̄ eſt cōe in diuinis,eſt vnū i mltis:nō dices rōne vlſs aut
cōmunis:qd̄ dicit rationem ſecūdę intētionis nō primæ.Et ſecūdū iſtā etiā rōnem ppꝛii & cōis.ſ.cō
ſiderando id qd̄ eſt ppꝛiū & id qd̄ eſt cōmune pciſe:ppꝛio potius cōuenit rō cōis q̃ ecōuerſo:ſicut
in creaturis rō rei primæ intentionis q̃ eſt id qd̄ eſt vlſe inquātū ei nata eſt cōuenire rō vlſitatis intē
tionis ſecūdę,potius nata eſt cōuenire ſingulari & illi attribui p pꝛædicationem q̃ ecōuerſo:& hoc
quia ſingulare( vt dictū eſt) p deriuatiōne quādā ab eo qd̄ eſt re vlſe vel cōe,trahit quicquid rei in
ſe habet:& p hoc id qd̄ eſt cōe in diuinis,appropꝛiat quodāmō ſecūdū ſe rōni reſpec⁹ quo ppꝛii ɇ
diuinis formaliter eſt ppꝛium:& ſicut vlſe in creaturis pticulat & indiuiduat in pticularia ſeu
ſingularia:& aliqd aſſumptū abſolute ſiue poſitiuū ſiue pꝛiuatiuū ſiue ſaltem p agens,ſecundum cp
alibi expoſuimus.Vnde ſingulare & ppꝛium potius aſſumunt denominationem ab vniuerſali &
cōmuni:ſicut dicit Petrus aut Paulus eſt homo,pater aut filius eſt de⁹:q̃ ecōuerſo.Aſpiciendo au
tē ad rōnes vlſs & cōmunis ſingularis & ppꝛii primo modo dictorum:Dico cp in diuinis ſecūdum
illas rationes commune ſecundum eſt,& ppꝛium primū:ſicut & in creaturis ſingulare ſiue parti
culare prius eſt vniuerſali.Sicut eñ in creaturis id qd̄ eſt ſecundum rem in ſingularibus ſiue parti
cularibus pluriſicatum,p rationem & intellectū ab illis abſtrahit & ad vnitatem in conſideratione
redigitur:& ſic vniuerſale eſt vnum a multis:qd̄ poſtq̃ ſic abſtractum fuerit, ad illa a quib⁹ abſtra
ctū eſt p pꝛædicationē iplicat:& eſt vnū de multis:atq̃ per hoc aſſumit ſibi rōne vniuerſalitatis.
Sic in diuinis id quod eſt ſecundum rationem in propꝛiis pluriſicatū, per rationem & intellectum
ab illis abſtrahitur:& ad vnam rationem in conſideratione rationis redigitur:& ſic abſtractum ad
illud idem vt eſt ſecundum rationem pluriſicatum,ibi eidem pluriſicato per pꝛedicationem impli
catur : per quod aſſumit ſibi rationem communis.Et ſecundum iſtam conſiderationem propꝛii
& communis,cōſiderando.ſ.id qd̄ eſt propꝛiū & id qd̄ eſt commune ſub ratione ptopꝛii & cōmu
nis,quæ ſunt quaſi intentiones ſecundæ in diuinis:cōmuni tamen ſecundo potius cōuenit rō pro
prii tanq̃ primæ q̃ econuerſo.Sicut in creaturis vniuerſali ſub ratione vniuerſalis:quia ſecundum
Pm̄ aut nihil eſt,aut poſterius eſt:poti⁹ nata eſt cōuenire ratio pticularis inquātū particulare eſt:
q̃ eſt rō pticularitatis,q̃ ecōuerſo.Et ſic vlſe & cōmune potius ſibi aſſumunt denominatiōe a par
ticulari & ppꝛio,cū vlſe vl̄ cōmune dicitur appropꝛiari, q̃ ecōuerſo.Appropꝛiatio eñ dicit a ppꝛio
quod in creaturis eſt particulare ſiue ſingulare.Et hoc quemadmodū ecōuerſo id qd̄ eſt in diuinis
re commune ſecundum pꝛecedentem conſiderationem potius dicitur propꝛiari q̃ proprium cōica
ri:& in creaturis id qd̄ eſt re vniuerſale potius dicit indiuiduū ſiue pticulare,q̃ ſingulare ſiue par
ticulare dicaſ vniuerſale.Et ſic patet quomodo eidem re in diuinis conueniunt ſubiectiue iſta tria
.ſ.ppꝛiari communicari & appropꝛiari. Dicitur eñ propꝛiari inquantum id qd̄ eſt re pꝛæciſe ſub
propꝛietate relatiua alia & alia in alia & alia perſona eſt aliud & aliud ſecūdū rationē.Dicitur autē
communicari inquantum ſub ratione communis propꝛiis pluribus applicatur per pꝛædicationem
Dicit aūt appropꝛiari inquantū p ſpecialem correſpōdētiā ad aliqd pꝛtiū(de qua ſermo eꝛit i ſeqn
ti quæſtione)illi ſingulariter aſcribitur cum per ſe ponitur. ⁋Per pꝛædicta iam patet reſponſio ad
quartam,cum dicitur cp appropꝛiatum pꝛæſupponit ppꝛii: cōmune aūt nō pſupponit ppꝛiū.ſed Ad artū,

ecõuerso.ergo cõe nõ põt esse appropriatũ.Dicẽdũ est eم ợ ĩ cõi duo cõsiderant̃.f.id qđ est cõe,&
id qđ est quasi prima ĩtẽtio in diuinis:& cõe sub rõne cõis qđ est quasi secũdẽ ĩtẽtiõis. Et cõe pri
mo mõ nõ supponit ᵱpriũ:sed ᵱpriũ potius supponit illud cõe tãợ primũ & principiũ illi⁹. Sup
ponit etiã illud cõe appropriatum:& ideo cõe sub tali rõne nõ appropriaৎ:sed poti⁹ ᵱpriaৎ secũdũ
iam dicta.Cõmune aũt secũdo mõ supponit ᵱpriũ tanợ primum & secundum rõnem intellectus
nostri pcedẽs:quia ( vt dictũ est )id qđ est cõe ᵱ abstractiõe a proprio assumit ĩtẽtiõe cõis:& ᵱ
priũ non supponit illd̃:sed appropriatũ supponit illud:ợa nihil appropriaৎ nisi cõe:& vt est sub rõ
ne cõis,& sic in argumentoợquiuocaৎ rõ cõis.¶Ad quintũ ợ illud qđ est occasio errãdi ĩpossibile

est ĩ diuinis:Dico ợ verũ est vt pcedit obiectio de eo qđ est occasio errãdi data. Nõ aũt verum est
de eo qđ est errãdi occasio accepta.Nũc aũt appropriatio in diuinis nulli est occasio errãdi data ex
actu appropriãdi:ợa talis occasio faceret errare:sicut scãdalũ actiuũ qđ est occasio scãdalizãdi data
facit vt aliợs scãdalizeৎ:sed appropriatio est poti⁹ occasio data dirigẽdi ĩ credẽdis circa ᵱpria:quia
appropriata sunt declaratiua ᵱprioৎ & manuductiua in cognitiõe ᵱprioᵲ tanợ minus notorũ
ᵱ magis nota.Magis aũt nota nobis sunt cõia essentialia ợ ᵱpria ᵱsonalia:quẽadmodũ in naturali
bus nobis primũ manifesta & certa sunt cõfusa magis:posterius aũt ex his fiũt nota elemẽta . Vñ
ex vniuersalib⁹ in singularia oportet deuenire,vt dicit in principio Physi.Et cõtingit hoc nobis de
cõibus & ᵱpriis in diuinis:sicut illud cõtingit de vſibus & singularibus in creaturis:ợa sicut in il
lis vſe nobis notius est:ợa notũ qđdã & cõfusũ est respectu singulariũ:& confusa magis nota nobis
sunt secũdũ sensum,vt dicit ibidẽ:& omnis nostra cognitio naturalis a sensu ortũ capit,vt diciৎ in
principio & in fine libri posteriorũ:sic in istis cõe nobis notius est ᵱprio:ợa cõia diuina ợ in creatu
ris ad dignitatẽ ᵱtinẽt simpliciter,magis nota nobis sunt secũdũ intellectũ ợ ᵱpria illorũ:& ex illis
cõibus in creaturis reptis deuenire possum⁹ ductu naturalis rõnis ᵱ certitudinẽ in cognitiõe cõ
muniũ essentialiũ diuinoᵲ:non sic aũt ex aliợbus ợ cognoscim⁹ in creaturis,possumus deuenire ᵱ
certitudinẽ in aliợã cognitiõe illoᵲ ợ sunt ᵱpria ĩ diuinis,secũdũ ợ hẽc patet ex supra determi
natis.Sũt aũt cõia essentialia declaratiua nobis ᵱprioᵲ in diuinis,tanợ manuductiua in cognitio
nẽ illoᵲ:& hoc vel ᵱ modũ similitudinis vel modũ dissimilitudinis.Per modũ similitudinis,ad mo
dũ quo similitudinẽ imaginis vel vestigii in creaturis inuẽta manuducimur ĩ cognitiõe ᵱpriorũ
in diuis,vt cũ ᵱ gñatiõe quã videm⁹ in creaturis manifestam⁹ gñatiõe diuinã:& ᵱ cõceptũ verbi
nostri manifestam⁹ cõceptũ verbi diuini:& ᵱ pcessũ amoris nſi pcessũ amorẽ diuini.Per modũ dissi

militudinis,ᵱut declarabiৎ ĩ sequẽti ợstiõe. Fit aũt appropriatio cõmuniũ ĩ diuis ᵱ quãdã corrñtiã
cõmuniũ ad ᵱpria:& hoc vel ᵱ viã similitudinis vel ᵱ viã dissimilitudinis.Per viã similitudinis &
cognitiõe veritatis.Per viã aũt dissimilitudinis ad remotionem erroris,vt patebit in sequẽti ợstio
ne.Quẽ correspondentia pcepta in appropriatione multũ valet ad ᵱcipiendum propria per cõmu
nia,vt declarabiৎ ibidem.¶Qđ aũt assumitur in argumento,ợ appropriatio est occasio errãdi
in diuinis:quia ex illa põt intelligi ợ appropriatũm illi soli cõueniat cui appropriaৎ,aut ợ ma
gis ei conueniat &c.Dico ợ non est verum quãtum est ex parte siue ex rõne appropriationis:sed si
illud contingat,hoc solum puenit ex puerso intellectu illius:non ex eo ợ dicitur aliợd appropriari
quãtũ em est de significato appropriatiõis & rõne,bñ ĩtelligẽti illã ĩsinuaৎ ợ appropriatũ sit pluri
bus cõe:quia vt dictũ est non appropriaৎ nisi cõe inquãtũ est cõe.Sed si quis ex appropriatione in
telligat ợ appropriatũ vni soli cõueniat:hoc cõtingit illi ex hoc solũmõ.f.ợa nõ ĩtelligit quid signi
ficeৎ noĩe appropriationis:sed noĩe appropriationis ĩtelligit ᵱpriatiõe:in ợ ᵱprietas dৎ ᵱpriari ᵱ
prio ᵱsonẽ alicuius,puta paternitas patri,quẽ est cõstitutiua ei⁹ vt ᵱprii:& nõ est nata alteri cõue
nire.Intelligit aũt ille dicto modo noĩe appropriationis ᵱpriatiõe:eo ợ appropriatio videৎ eẽ ợdã
rõ ᵱprii:sicut cõicatio ẽ ợdã rõ cõis,vt tactũ est ĩ tertio argumẽto pcedẽte.Sed nõ ĩtelligiৎ noĩe ap
propriatiõis ᵱpriatio mõ quo ᵱprietas dৎ ᵱpriari:ợa sit ita esset:tũc rõ qua vnũ cõe distinguiৎ ab
alio,non solum haberet maiorem cõueniẽtiã cũ vno ᵱprio ợ cum altero:propter quã appropriare
tur:sed eẽt oĩno ᵱpria,ita cõueniens vni ợ nõ alteri.Qđ excludit Aug.vi.de trini.ostendẽs ợ sapiẽ
tia appropriata filio non est propria illi ᵱ hoc ợ pater non est sapiens sapientia quã genuit:ợi solus
filius sit sapientia & non pater nisi per filium:sed vterợ ᵱ se est sapientia:& ambo simul sunt vna
sapientia:ợ est ipsoᵲ vna essentia. Nec etiã appropriatio est ợdã rõ ᵱprii : sicut cõicatio est quẽdã
ratio cõmunis:quia cõmunicatio est ợdã rõ cõis subiectiue vt eius qđ cõmunicaৎ: sed appropria
tio est ợdã rõ ᵱprii nõ subiectiue sed obiectiue vt ei⁹ cui appropriaৎ:sicut & ᵱpriatio est ợdã rõ ᵱ
prii:& hoc vſ obiectiue vt ei⁹ qđ ợdãmõ sit ᵱpriũ:cuiusmodi ĩ diuis ẽ ᵱsona cõstituta ĩ eẽ ᵱsonali
ex eẽntia & ᵱprietate ẞm supi⁹determiata:vſ obiectiue vt ei⁹ cui aliợd ᵱpriaৎ:& hoc vſ vt cõstitu
tiuũ ᵱprii:sicut ᵱprietas ᵱpriaৎ ᵱprio puta ᵱsonẽ:vſ vt tractũ ad quãdã rõne ᵱprii:sicut cõe rea

le:qd iquātū qd reale est ppriaf:inquātū vero cōe est intētionale appropriaf,sicut dictū est.in qua ꝗ
dem propriatione proprietas & commune.Ceſſentia ppriantur ſubiectiue.

Irca ſecundū arguit ꝗ cōmuniū appropriatio in diuinis ſit naturalis nō volūta- **C**
ria,Primo ſic.Ricar.dicit.vi.de trini.ca.i.In diuina natura nihil pōt eſſe ex opante **Quæſt.II.**
gfa:ſȝ tm̄ iuxta ꝓprietatē exigētis nature. Qd aūt ſit volūtarie ſit opante gfa:ꝗa **Arg.i.**
cū volūtas ſit libera,qd agit gratioſe agit.ꝗre cū cōmuniū appropriatio ſit in ipſa
diuina natura:ꝗa nō eſt ſolūmō ex pte noſtra & in conceptu nſo.ergo &c. CScdo **2**
ſic.ſi appropriatio eēt in diuinis volūtaria & nō naturalis,nullū cōe plus eēt appropriabile vni pſonę ꝗ alteri:ꝗa pura volūtas ex ſe eſt ad vtrūlibet.cōſequens fal
ſum eſt,vt patet ex dictis,& amplius declarabit in dicēdis.ergo &c. CIn cōtrarium eſt ꝗ appropria **In oppoſi.**
tio ſacta eſt a doctoribus ſacris:& potuit nō fuiſſe ſacta,qd aūt eſt naturale & non voluntarium nō
potuit non fuiſſe ſactum.ergo &c.

CDico ꝗ cum voluntas & natura ſint duo generalia principia agentia in reb9,oē **D**
qd ſit aut ſit ab altero illorū tm̄ & p ſeiaut ab vtroꝗ ſimul : cū etiā cōmune appropriandū nō ap **Reſponſio**
propriaf illi cui eſt appropriandum,niſi ppter correſpōdētiā aliquā ad ꝓpriū illi9 maiorē ꝗ ad p-
priū alteri9.Secūdū igif ꝗ multipliciter & ex cōtrariis cauſis ſolet aſſignari ꝓpriatio:ſecūdū hoc dupliciter & ex cōtrariis cauſis ſolet aſſignari ꝓpriatio, & iudicari fore naturalis vel volūtaria.Eſt em̄
ꝓprium qddā naturale qd a natura tribuif ei cui9 eſt: & naturale illi,puta patri ꝗ ſit primū &
principiū toti9 diuinitatis,& filio ꝗ ſit verbū ꝓcedēs p modū intellectus & notitiæ.Aliud vero eſt
ꝓprium innaturale:imo cōtra naturā illi9 cui tribuif: & illi cui tribuif nō tribuif niſi ab intellectu
erroneo:puta patri infirmitas & impotētia,quia apud nos patres ppe ſenectutem exiſtentes infirmi
ſolēt eſſe & impotētes:& filio inſipiētia,ꝗa filii apud nos in infantia inſipiētes ſolēt eſſe. CAlii ergo **E**
aſpiciētes ad ꝓpriū ſecūdo mō cām appropriationis aſſignant p viam diſſimilitudinis & correſpon
dētię in cōtrario cōis ad ꝓpriū illi9 cui ſit appropriatio,dicētes ꝗ patri appropriaf poteſtas ne creda
tur fore infirm9 & impotēs:filio vero ſapientia ne credaf fore iſipiēs.Et ſic ſit talis appropriatio cā
remouēdi ab illo cui ſit appropriatio ꝓprium p errorē tributum ei:& ſic cā vitādi erroris.Et ꝗa talis appropriatio nullā habet cām naturalē ex pte rei in appropriando cōe:ſed ſolū ex pte erronei in
tellectus:ideo talis appropriatio eſſet volūtaria & nullo mō naturalis,& potuit oīno nō fuiſſe ſacta
nec facienda,niſi intellec9 erroneus ꝓceſſiſſet,vt tangit vltima obiectio.Et videf mihi ꝗ iſta cā appropriandi eſt incōueniēs:ꝗa ſi ppter iſtā cām ſecūdū Hila.appropriaret patri ętetnitas,fm̄ eādem
cām & multo magis poſſet appropriari & filio,Fili9 em̄ a mltis hereticis credit9 eſt eē tꝑalis nō ęter
nus,a qb9 pf credit9 ęter9.Ad hoc ergo remouēdū deberet ęternitas poti9 appropriari filio:qd falſū
eſt:ꝗa vnū cōe nō eſt p ſe appropriabile niſi vni pſonę,vt in ſequentibus declarabit.Preterea ſicut pa
tres ppe ſenectutē ſolet eſſe infirmi & impotētes:ſic ſolet eē deſipiētes:& filii ecōtra in iuuentute ſolēt eē corporaliter potētes & i ſapiētia pficiētes.Patri igif ſecūdū dictā appropriationē poſſet appro
priari ſapiētia ne credaf inſipiēs, & filio potētia ne credaf ipotēs,ſicut ecōuerſo:qd eſt cōtra modū
appropriandi ſanctoꝝ.Alii ergo meli9 aſpiciētes ad ꝓpriū primo mō,cām aſſignant appropriatiōis **F**
p viā ſilitudinis & correſpōdētię ſiue cōgruētię cōis ad ꝓpriū illi9 cui ſit appropriatio:& hoc aut
p viā ſilitudinis:aut p viā excellētię,vt i ſequēti q̄ſtiōe declarabit.Dicūt ei ꝗ cōia oia ꝗ ptinēt ad i
tellectū,p viā ſimilitudinis appropriant filio,ꝗa ipſe ꝓcedit p viā intellec9:illa vero ꝗ ptinēt ad volūtatē,appropriant ſpūi ſancto:ꝗa ipſe ꝓcedit p modū volūtatis:& illa ꝗ ptinēt cōiter ad vtrunꝗ vt
origo & primū ſiue principiū reſpectu illoꝝ,appropriant patri:ꝗa ipſe eſt origo aliorum,vt i ſequēti
q̄ſtione declarabit.Et ſit talis appropriatio & ad veritatẜ declarationē & ad erroris vitationē.Nā p
hmōi appropriationē manuducimur ad cognitionem ꝓpriorum i illis qb9 appropriant cōia:& hoc
rōne ſilitudinis & cōformitatis quā illa cōia hn̄t ad ꝓpria.Poſtꝗ em̄ de oibus notū eſt ꝗ ſint cōia,
& ipſa appropriant vni poti9 ꝗ alteri,& appropriatio df a rōne ꝓprii,intelligif ꝗ ſit aliqd ꝓpriū illi
cui appropriaf.Ex quo vlterius p hmōi appropriationē vitaf error latētior poti9 ꝗ p appropriationē ꝓcedētē:quia cm̄ nō appropriaf niſi qd eſt cōe:& nō eſt appropriatio niſi qdā tractus ſiue determinatio cōis ad ꝓpriū,p appropriationē intelligunt illi cui ſit appropriatio ineē & aliqd cōe illi cū
aliis & aliqd ꝓpriū illi ꝓter alios.Et ſecūdū ꝗ ex hoc appropriata cognoſcūt eē vere cōia,vitaf error
Arrianoꝝ : ꝗ cū ſepauerit pſonas p ſubſtātiarū diuerſitatē:nihil ſecūdū veritatē potuerūt ponere
cōe trib9pſonis,ſecūdū vero ꝗ ex hoc appropriata p appropriationē cognoſcūt trahi ad ꝓpria,vitaf
error Sabellianoꝝ:ꝗ cū cōfudiſſent pſonas p ꝓprietatū idētitatē,nihil ſecūdū veritatē alicui perſonę
ꝓprium potuerunt aſcribere:cū p ꝓpria ſit pſonarum vera & realis diſtinctio.Et ſic eccleſia ponen
do i diuinis appropriata,mediā viā tenet iter duos cōtrarios errores,vitādo Scyllā & Charybdim.

Et quia talis appropriatio habet ex pte eius qd appropriat & eius cui appropriat causam naturalé dictá.s.coueniétiá cómunis ad ppriú illius cui sit appropriatio:ex hoc aliq credidere cp appropria tio esset omnino & pure naturalis & non voluntaria.Sed non est ita:quia cá appropriationis nó tá est dicta conuenientia,q̃ dicta declaratio veritatis,& erroris vitatio:que sunt tanq̃ causa finalis mo tiua vt fieret ab appropriáte talis appropriatio,sine qua nulla eét appropriádi necessitas: etsi ppter primá cám esset appropriádi pluralitas.Que qdé cá motiua non tá est nature q̃ hois ad talé appro priationé faciédá:ita cp nó tá ppter naturá necesse fuit talé fieri appropriationé,q̃ ppter hois istru ctionem in cognitione veritatis,& cautelá in vitatióe erroris.

G
Responsio

¶Dico ergo breuiter ad qstioné cp ap propriatio in diuinis nó est totaliter naturalis,vt pcedit vltima obiectio:nec totaliter volútaria,vt pcedút due prime obiectiones:sed ptim naturalis & ptim volútaria est:& plus volútaria q̃ natu ralis:qa cá siue ró materialis q̃ possibile é fieri talé appropriationé,est naturalis: puta dicta similitudo cóis ad ppriú illi9 cui é appropriádu.Cá vero siue ró pricipalis & finalis ppter quá necesse fuit sie ri talé appropriationé,erat volútaria,puta dicta istructio,& erroris vitatio.Et sic ichoatiue siue ori ginaliter est naturalis & a natura.Cópletiue aút est volútaria & a volútate:& hoc quodámmó ad modú quo Plis in secundo moral'.determinat de virtute morali cp ptim est a natura,ptim ab assue tudine. Sicut eni dicit ibidé de virtutib9,Neq̃ natura neq̃ pter naturá insunt virtutes:sed inatis qdé nobis suscipe eas:perfectis aút p assuetudiné:possum9 hic dicere de appropriatióe:neq̃ natura neq̃ pter naturá inest appropriatio:sed innatis qdé cóibus suscipe eá:perfectis aút in ea p volútate.

H
Ad pri.
principale

¶Ad argumenta vtriusq̃ ptis est respódédu. Qd ergo arguit primo cp in diuina natura nihil pót eé iuxta exigétis nature pprietaté: Dico hic iuxta idé qd iá dixi ad pricipalé qstio né.Qd eni totaliter est i diuina natura,nó est in illa nisi iuxta exigétis nature pprietaté,quale est il lud in quo Ricar.declarat dictú suú subdés cótinue.Sicut eni inascibili naturale est ab alio nó pce dere:sic ei naturale est de seipso pcedété habere.Sed taliter nó est appropriatio i diuina natura:qa necessario esset tm a natura absq̃ oi opatione volútatis p liberú arbitriú,vt pcedit argumétu & bñ: sed ipsa est ptim in diuina natura:ptim in conceptu appropriantis:& plus in conceptu approprian= tis:q̃ in diuina natura.Est eni in diuia natura solummodo,qa in illa sunt appropriationis materia lia.s.quod appropriat,& cui sit appropriatio,& róne cuius sit appropriatio.Est eni i cóceptu appro priátis:qa in illo est appropriatio formaliter:& quod formale est in illa:& etiá cá finalis prædicta, propter quá sit appropriatio.Et sic i diuina natura bñ pót eé ptim iuxta exigétis nature pprietaté: & partim iuxta voluntatis exigétis libertaté.

I
Ad sedm.

¶Qd arguit secudo,si appropriatio eét volútaria nul lum cómune esset plus appropriabile vni psone q̃ alteri:Dico cp verú est si eét pure voluntaria hñs nullá róne appropriádi a natura aliqd cóe plus vni psone q̃ alteri.Tunc eni volútas rónalis eét ad vtrúlibet,in appropriádo,s.illud vni & alteri vt pcedit obiectio.Postq̃ tñ nó est ita volútaria qn ha beat in natura & ex natura róne appropriádi secudú pdicta,bñ cú hoc cp appropriatio é volútaria: & volútas est adhuc ad vtrúlibet.s.in appropriando & nó appropriádo cóe illi cui est appropriabile secúdú naturá,etiá est quodámodo naturalis:qa róne illa q̃ liberú arbitriú volútatis ducit a natura ad appropriádu appropriabile,bñ é vnú cóe plus appropriabile vni psone q̃ alteri:& quo ad hoc ap propriatio é naturalis,sicut dictú é.

K
Ad tertiú

¶Per hoc patet cp tertiú argumétu bñ cócludit cp appropriatio aliq̃ mó est volútaria,nequaq̃ tñ pót cócludere cp ita sit volútaria:qn cú hoc aliquo mó sit natural'.

L
Que.III.
Arg.I.

Irca tertiú arguit cp nó oía cóia i diuinis sint appropriábilia,Prio sic.Appropria tú p se positú dat intelligere ppriú cui est appropriatú,& supponit p illo solo,vt vrbs p Roma,sicut dictú est supra.Quare si oía cóia in diuinis eént appropria bilia,qdlibet illoq̃ p se positú daret itelligere ppriú cui eét appropriatú:& suppo neret p illo solo,cóseques falsum est:qa é aliqd primú & cóissimú in diuinis p se positú qd nullú ppriú dat itelligere aut supponit p illo,vt cú dr Exo.3.Ego sú q sú,eé supponit ibi cóiter p tota trinitate,non p aliq̃ psona singulari.& sicut hoc

2 cótingit de eé:sic de plurib9 aliis cóib9 i diuinis,ergo &c.¶Sedo sic.appropriatio sit ppter cóueniē tiá & similitudiné ad ppria illoq̃ qbus appropriant maiore q̃ ad ppria alioq̃ secúdú iá determiata sed est cóe in diuinis aliqd puta deitas,a qua q̃libet psonarú denoiat de9,qd nó maiore similitudiné ha bet ad ppriú vni9 psone q̃ alterius:eo cp quasi materialis & fundamétalis est ad oía ppria : & sic q̃si in potétia & p indifferétiá se habet ad oía ppria sicut materia ad oés formas, ad quas equaliter est

In opposi.

in potétia,& qd tale est nullá maiore similitudiné habet ad vnú illoq̃ q̃ ad aliud,ergo &c. ¶Cótra maiore cóueniétiá hñt in diuinis cú ppriis quecúq̃ cóia quae proprie sunt i diuinis,puta potestas, sapiétia,bonitas & cetera hmói,q̃ qdcúq̃ cómune eorum quae traslatiue habent esse in illis:puta lux,dulcedo,& hmói:quia illa verius hñt esse in diuinis q̃ ista,quare cum aliqua istorum habent appropriari tranflata ad diuina:multo fortius & quodlibet illorum.

⹂Dico ex determinatis in præcedenti quæftione, ꝙ in appropriatione eft duo cō M
fiderare.f.approptiatiōis originem ex parte naturę & pluralitatis appropriandi, & appropriatiōis Refponfio
complementum ex pte voluntatis & actus appropriādi. Afpiciēdo fiquidem ad fecūdū.f.ad appro
priationis actū & cōplementū,qui procedit ab vfu & volūtate appropriātium:fi eēt ꝗftio de appro
priatione quo ad actum appropriādi,an.f.oīa cōmunia ī diuinis effent appropriabilia, vere puto ꝙ
nequaꝗ:immo ꝙ funt plurima quoꝝ adhuc appropriatio nō eft vfitata nec in facra fcriptura nec
in dictis fanctoꝝ nec in obferuātia ecclefię, Sed illoꝝ folūmodo appropriatio eft vfitata,quoꝝ ē eui
dens fimilitudo ad ꝓpria:alioꝛū aūt nequaꝗ,Vñ fi iā funt aliꝗ vfitate appropriata patri:hoc eft ꝓ
pter cōgruētiā fpecialem & euidētē ad primitatē in ipfo,ꝙ in ipo eft ꝓprietas cōtinēs & rōne inafci
bilitatis in carendo principio alio,& rōne gnatiōis in pricipiādo alia,Propter ꝙ ęternitas ei appro
priāt propter cōgruentiā ad primitatem fuā in carēdo alio principio:ga ęternitas de rōne fua dicit carentiā principii in durādo.Vnde Auguft.de appropriatione ęternitatis patris fcdm Hila.nō
arbittatur Hila.ꝑ hmōi appropriationem dare intelligere nifi ꝙ pater non habet patrē de quo fit, N
vt dicit.vii.de trini.ca.vlti.Eft etiam alius modus appropriādi patri ęternitatē.f.ꝓpter cōgruentiā
ad primitatē patris.f.in principiādo alia.Quia eñ ęternitas eft ꝓria mēfura durādi:ga ab æternita
te fluit ꝙuum ficut ab ꝗuo tempus,fecūdū illud Boeth.Tēpus ab ꝗuo Ire iubes : & patri cōpetit rō
principiādo oīa alia:ideo etiā patri appropriāt ęternitas. Similiter appropriata eft patri poteftas vfi
tate,Similiter etiā aliqua funt appropriata filio,puta veritas fapiētia lux & hmōi:& fimiliter fpūi
fancto bonitas,pietas,dulcedo & hmōi.& hoc euenit ga euidētē fifitudinē & cōgtuētiā hñt ad ꝓ
pria illoꝝ.Quā appropriationē beat9 Bernard9 fup Cātica explicās dicit.O beata trinitas,veritas,
bonitas,ęternitas,Vñ & aliqua ꝗ nunꝗ patri fuerunt appropriata,bñ de nouo incipiunt appropria
ri:ficut ante tēpus Hila, forte fpecies nō fuit appropriata filio: nec vfus fpūi fancto:ga non fuit eui
dens appropriādi rō:ꝗ euidens incepit fieri ꝑ expofitionē Auguft.Nec tñ eā plene euidētem fecit:
nec quo ad fpeciē nec quo ad vfū. Quo ad fpeciē,ī eo ꝙ dicit,In imagine fpeciē nominauit credo
ꝓpter pulchritudinem,Species eñ equiuocū eft,& fimiliter pulchritudo,Vno eñ modo fpecies ap
pellāt forma ꝗ dat effe inquātum dat effe fimpliciter:cui adeft modus inquātū dat determinatū ef
fe:& ordo inquātū alteri cōgruit vt fini ad quē eft. Et cōfiftūt ifta tria in fimplici effentia cuiufꝗ
formę createe:& funt tres partes veftigii in quacūꝗ natura.f.fpecies,modus,& ordo:& fic forma eft
qua res confiftit,qua difcerniſ,qua cōgruit,fecūdū ꝙ de fpecie modo & ordine dicit Aug.de natu
ra boni.ca.v.Vbi aliꝗs modus aliqua fpecies & aliꝗs ordo eft,aliꝙ bonū eft:aliꝙ natura eft:vbi nul
lus modus nulla fpecies nullus ordo eft,nullum boni eft:nulla natura eft. Et fic iuenīt in forma oī
no fimplici,creata tñ, Quia etfi in diuinis effentia penit9 abfoluta fit fpeciesꝗa ipa fpecies eft ficut
eft forma qua deus eft:nō tñ fpecies eft ficut in creaturis:quia in illis non eft forma fpecies nifi opa
tione cōtinges. Modus etiā in illa nō eft fcdm ꝙ eft in creaturis:ga in creaturis modus determina
tione & limitationem fecūdū mēfura dicit,& mediū mēfura & modicū,dicēte Aug.de natura
boni cap.vi.Parua ac exigua cōmuni vfu loquēdi modica dicunſ:quia modus aliꝗs i creaturis: fi
ne quo ia nō modica fed oīno nulla effent,Illa aūt nō ꝓpter nimiū ꝑgreffum dicunſ modica,quę ni
mietate culpanſ.De9 aūt nec ĩmoderat9 dicēdus eft,a quo modus oibus rebus tribuiſ vt aliquo mo
do effe poffint.Eft tñ ei9 modus eius immēfitas:in quo licet nō fit finis cōfumens:eft tñ in eo finis O
cōfummās.Ordo etiā in illo nō eft qualis eft in creaturis,f.alicui9 ad aliꝙ aliud vt ad finē:fed ali
cuius ad aliꝙ aliud vt ad illud ꝙ eft ratio quędā eius ꝙ eft oīm finis.Ordo autē in creaturis eft
eoꝝ ꝗ funt ad finē inter fe:& cū hoc oīm alioꝝ fimul ad ipm finē,Hīc dicit Aug.de natura boni:ꝙ
deus fup oēm creaturę modum eft:fup oēm fpeciē:fup oēm ordinē:nec fpatiis locorum fupra eft:
fed inæftimabili & fingulari potentia,a qua ois modus,omnis fpecies,omnis ordo.Et fic in deo fpe
cies nō cōfiftit nifi in fimplici natura:nata tñ cū alio componi:nec modus nifi in ĩmēfo:nec ordo ni
fi in pluribus:quæ quidē plura funt rōnes oīm cōmuniū in deo īter fe ordinatoꝝ:& fic ꝓpriorum
inter fe:& etiam communium ad propria.Qui quidem ordo nō eft nifi ad inftar pluriū quæ inter
fe ordinantur in eodem toto abfꝗ vlteriori ordine eorum ad aliud in ratione finis. In quolibet cñ
illorum quæ in deo funt diftincta fiue fecundum rationem vt communia,fiue fecundum rem vt
propria,& fimplex eft fpecies cuiufꝗ illorum:& modus ĩmenfus:& ordo cōgruus fingulorum ad
fingula:ficut plura ꝗ ordinanſ inter fe ī creaturis,aliꝗę ptes funt eiufdē toti9:& cuiuflibet illorū
ē fpecies cōpofitiōe cōtigēs:& mod9 mēfurat9 & finit9 fiue determinat9:& ordo cōgru9. Et ꝓpter
pluralitatē diftinguiſ in eis ternarius aliter ꝗ in fpeciem modū & ordinē.f.in nūerī mēfurā & pō
dus,Et funt idem menfura & modus:fimiliter ordo & pondus:pręter hoc ꝙ pondus dicit habilita

kk iii

tem tēdēdi ad fitū:& ordo quietē in fitu.Eadē autē eſt ratio tēdēdi ad fitū & cõſiſtēdi in fitu. Pro
ſpecie aūt ponit numerus:quia in iſto ordine ſpecies ſecundū rē ſiue ſecūdū rōne plurificat in di
uerſis:quoꝗ qᵈlibet habet ī creaturis ꝓpriam mēſurā:& in diuinis quotquot ſunt plura non hn̄t
mēſurā niſi vnica.ſ.imēſitatis. Et inuenit iſte ternari⁹ correſpōdēter ī deo & in creaturis.In creatu
ris quidē ſiue diſtihetis abinuicem:ſicut ſunt diuerſa tota ſiue diuerſe partes in eodē toto. De quo
dicit Auguſt.quo ad diſtinctionem ptiū in toto,de Gen̄,cōtra Manicheos ca.xvii.Nō alicuius aia
lis corpus & membra cõſidero,vbi nō mēſurā & numerū & ordinē inueniam ad vnitatē cōcordiæ
ptinere:quæ omnia vnde veniant nō intelligo niſi a ſumma menſura & numero & ordine,ꝗ in ipſa
dei ſublimitate incōmutabili ac æterna conſiſtūt.Et extendendo iſta tria etiā ad ptes vniuerſi diſti
ctas abinuicem ſicut diuerſa tota, ſubdit dicēs.In omnibus mēſuras numeros & ordinem vides:ar
tificem ꝗre : nec alium inuenies niſi vbi ſumma menſura & ſummus numerus & ordo eſt
.i.deum.Inuenit autē dictus ternarius in deo,& inter diſtinctos realiter,vt inter perſonas ꝗ inter ſe
habent numerum,& diſtinctæ ſunt ſuis formis ſiue ſpeciebus,puta ꝓprietatibus relatiuis:& habent
mēſurā vni⁹ immenſitatis,& ordinē naturæ inter ſe,de quo habitū eſt ſupra.Sūt etiā inter cōmu
nia pſonarū ꝗ inter ſe hn̄t numerū ſuarū formarū ſiue ſpecierū.ſ.rationes ꝓprias & mēſurā immen
ſitatis & ordinē naturæ inter ſe,de quo etiā habitū eſt ſupra.Et ſunt numerus iſte mēſura & ordo
cōmunes trib⁹ diuinis pſonis ſicut & ipſa abſoluta quoꝗ ſūt primo & ꝑ ſe. Sed numer⁹ appropria
tur patri primo qa ī ipſo eſt pluralitas ꝓprietatū.ſ.ingeneratio & generatio actiue.Filio aūt appro
priat mēſura:qa eſt imago pcedēs ſub rōne mēſurarū.Spiritui ſancto aūt ordo:quia ipſe in finē ꝑ
amorē dirigit.Ad ordinē aūt quorūcūꝗ diſtinctoꝛ iter ſe,ſeꝗ cōgruētia & pulchritudo ī eis,dicē
te Auguſt.lib.i.de ordine ca.xiii.Ordo atꝗ diſpoſitio qa vniuerſi cōgruentiā ipſa diſtinctione cu
ſtodit,ex cōtrariis oīm rerū ſimul pulchritudo figurat.Et iſta pulchritudo diuerſat ſecundū diuerſi
tatē ordinatoꝛ:qa in diuinis eſt qᵈā pulchritudo ꝓpriorū.ſ.diuinarū pſonarū inter ſe:quædā ve
ro ex ordie cōmuniū in trib⁹ pſonis exiſtētiū.Et prima iſtarū ꝓpria eſt ordinatis,ſecūdū ꝗ ipſa ordi
nata ꝓpria ſunt:& ordo illoꝛ ꝓprius eſt illis.Secunda vero eſt cōis ꝓpriis ſecūdū ꝗ ipſa ordinata
cōia ſunt:& ordo illorū cōis eſt illis.Et iterū ꝓpria iſtarū duplex eſt,ſecūdū ꝗ duplex ē ordo ī ꝓpriis.
Eſt eñ qᵈā ordo in ſingulis exiſtēs,& mutuus eoꝛ adinuice.Eſt aūt ali⁹ ordo in vno illoꝛ ad vnū
nō mutuus.Et primo iſtoꝛ duoꝛ modoꝛ,eſt ordo triū pſonarū diuinarū mutuus inter ſe.ſ.patris
ad filiū & eōuerſo:& vtriuſꝗ ad ſpūm ſanctū & eōuerſo:de quo habitū eſt ſuperi⁹.Scᵈo vero mō
eſt ordo ſoli⁹ filii vt eſt imago ſub rōne imaginis ad patrē ꝑ ſe: nō aūt eōuerſo patris vt imagina
ti ad filiū imaginē niſi ꝑ accidēs:qa fili⁹ vt imago,ꝑ ſe habet ordinē ad patrē vt ad imaginatū . Ad
modū quo ſcᵈo gñe relationis filius vt imago & mēſuratū ꝑ ſe ad patrē refert vt ad imaginatū: Pr
aūt eōuerſo ad filiū vt ad imaginē nō refert vt imaginatū & mēſura niſi ꝑ accidēs,ſecundum ſu
peri⁹ determinata.Et pulchritudo in ordinatis primo iſtorū modorum ſicut & ordo,eſt propria in
ſingulis ordinatis perſonis:quia propria eſt patri vt conſiſtit in ordine ꝗ eſt patris ad filiū:& ecō
uerſo propria eſt filio vt conſiſtit in ordine qui eſt filii ad patrē:& ſimiliter vt eſt in ſpiritu ſancto
reſpectu vtriuſꝗ:ſed eſt cōmunis ī ſolis patre & filio reſpectu ſpūs ſancti.Et ideo talis pulchritudo
qa eſt ꝓpria ſingulis vel duobus nulli pōt eſſe appropriata:quia in diuinis non eſt ꝓpriatū niſi cōe
trib⁹,vt ſupra determinatū eſt.Pulchritudo etiā in ordinatis ſecūdo iſtoꝛ modoꝛ ſicut & ordo ipſe
in vnica pſona eſt tm̄,puta in filio vt eſt imago:& hoc in ordine quē habet ad patrē tm̄.& ideo iſta
pulchritudo in imagine nō eſt appropriata:qa eſt ꝓpria,& eſt in illa iquātū plene & pfectē repñtat
id cuius eſt imago. De qua peſſime aliꝗ itelligūt loꝗ Aug.qn̄ exponēdo Hila.dicit.In imagine ſpe
ciē noīauit credo ꝓpter pulchritudinē.Poſtꝗ eñ iſta pulchritudo ſit ꝓpria,nō pōt appropriari : vt
vt dictū eſt,nihil eſt appropriabile niſi cōe. Pulchritudo aūt in diuinis ex ordine oīm inter ſe cōis
eſt tribus pſonis:ſicut & ipſa ordinata inueniūt cōiter in trib⁹ pſonis.Et de iſta pulchritudie itel
ligit Aug.ꝗ eſt appropriata imagini,& itellecta ab Hila,noie ſpeciei.Et hoc ꝓpter ſimilitudinē ad
ꝓpriū imaginis,qᵈ cōſiſtit in cōgruētia equalitate & ſilitudie imaginis vt eſt imago ad imaginatū,
ꝗ eꝗlitas & ſimilitudo ꝑtinēt ad ſcᵈm gen⁹relatiōis,vt habitū ē ſupra. Vñ poſtꝗ dixit Aug.In ima
gine ſpeciē noīauit credo ꝓpter pulchritudinē.cōtinue ſubiūxit. Vbi eſt iā tāta cōgruentia & ꝓria
equalitas & ꝓria ſimilitudo nulla in re diſſidēs,& nullo mō ineꝗlis & nulla ex pte diſſimilis:ſed ad
idētitatē reſpōdēs ei cui⁹ eſt imago.Et vbi ē ꝓria & ſūma vita &c.ꝗ. Vñ
iſta pulchritudo ē imagis vt ē ipſa aliqd ī ſe.ſ.ſūma vita ſūma ſapia ſūma bonitas & cetera cōia ī di
uinis,In imagine.n.duplex pulchritudo cōſiderat:vna vt eſt repſentatiua ei⁹ cui⁹ eſt imago:alia vt
eſt res qᵈā ī ſe.Et ꝓria pulchritudo cōſiderat ī imagine vt pfectē imitat illd cui⁹ eſt imago,& ē reꝑ
ſentatiua pfectē illi⁹:& cōſiſtit in numero ꝓprioꝛ.ſ.pſonarū & pſonaliū:& hoc ſecūdū cōmēſuratio

né in equalitate quátitatis,& ſcdm cóformationé in ſimilitudíe ꝗlitatis ipſi⁹ imaginis ad id cui⁹ eſt & nó ecóuerſo.Scda vero pulchritudo cóſiderat in imagíne & eo cuius eſt imago ſicut & in cæte ris reb⁹:& cóſiſtit í numero cómuniú ſcdm cómeſuratione mutuá eorúde í equalitate quátitatis: & ſecúdú cóformatione in ſimilitudine ꝗlitatis:ad modú quo in corpe eſt pulchritudo cú eſt multi tudo mébroꝝ pfecta in quátitate & ꝗlitate,ꝗ cógrue & ꝓportionalꝛ ſunt diſpoſita & ordinata.ſm ꝗ ꝓpter hác ꝓportioné & diſpoſitioné dicit Aug.Vbi iá eſt táta congruétia &c.Propter pfectioné aút in quátitate ad quá ſequit ſumma eꝗlitas,ſubdit.Vbi eſt pria & ſúma vita &c.Propter pfectio né aút in ꝗlitate ad quá ſequit ſumma ſimilitudo,addit.Táꝗ verbú pfectú &c.Sút em verbú & ars tanꝗ lux & ſplédor ſiue ꝗlitas intellect⁹.Et ꝑtinet iſta equalitas & iſta ſimilitudo ad tertiú gen⁹ re lationis.Quo ad vſum aút filꝛ nó planá aut euidéte fecit Aug.appropriatione Hila.in eo qd dicit. Dilectio,delectatio,felicitas,vel beatitudo vſus appellat⁹ eſt.Vſus em equocú eſt ad vſum ꝓprie di ctum:& ad vſum cómuniter acceptú qui cótinet í ſe ipſum frui.Vſus em ꝓprie acceptus diſtigui tur contra frui,ſecúdú ꝗ definiédo vti & frui dicit Auguſt.primo de doct.chriſtiana ca.viii.Frui é amore alicui rei iheꝛere ꝓpter ſeipſam. Vti vero eſt id qd in vſum venit referre ad obtinédú illud quo fruédú eſt.Et vſus ab vti tali modo accepto nequaꝗ appropriari ꝓt ſpiritui ſancto:ꝗa vſus ta lis nó eſt niſi eoꝝ ꝗ ſunt ad finé.Fine aút nó eſt vtédú ſed fruédú tm. Spirit⁹ ſanctus aút nó eſt res ꝗ ſit ad finé & qua vtédú eſt neꝗ ꝓprie neꝗ appropriate:ſed ſolúmodo qua fruédú eſt vt ſine com muniter cú patre & filio.dicente Aug.vbi ſupra cap.vii.Res illę ꝗbus fruédú eſt nos beatos faciút: illę ꝗbus vtédú,tédētes ad beatitudiné adiuuát.&.c.ix.Res ergo ꝗbus fruédú eſt ſút pater & filiⁱ⁹ & ſpús ſanctus eade trinitas:quędá res ſumma cómunis oíbus fruentib⁹ ea:vtédú eſt hoc mundo.De vſu vero cómuniter accepto dicit Aug.x.de trini.ca.xi.Vti eſt aſſumere aliꝗd in facultaté volúta tis:ideoꝗ oís ꝗ fruit vtit.Aſſumit em aliꝗd in facultaté volútatis cú fine delectationis.Et hoc mo do vſus appropriat ſpiritui ſancto tanꝗ cóueniés cú ꝓprio illi⁹:quia,ſ.ꝑcedit vt amor:qui ſuauis é: & omnia delectat,& fini in ꝗ eſt vltima beatitudo cóiúgit:& ita patré & filiú.Qd exponit Aug.in expoᷤédo cám dicte appropriationis dices.Vſus appellatus eſt ſpús ſanct⁹ genitoris genitiꝗ ſuauí tas,í geníti largitate atꝗ vbertate pfundés oés creaturas ꝑ captu earum vt ordinem ſuú teneant & locis ſuis acquieſcant.Sic ergo loquédo de appropriatione quo ad actú & cóplemétú ei⁹ : nequaꝗ omnia cómunia ſunt appropriata:nec de hoc ꝗrit ꝗſtio.Loquédo aút de aptitudine ſeu habilitate ad appropriatione ꝓut ꝓpoſita eſt ꝗſtio in diuinis:dicút aliꝗ ꝗ nó oía cómunia in diuinis ſunt ap propriabilia,puta eſſentia,eſſe,vita,viuere & cetera hmói:ꝗ.ſ.in róne ſuę cómunitatis nullá ſiꝛitu diné aut cógruétiá habét cú ꝓprio alicui⁹ pſonę magis ꝗ cú ꝓprio alteri⁹.Et reuera ſi ita eſſet,ꝗcú ꝗ iá talia in diuinis eént,nequaꝗ appropriabilia eſſent deficiéte cá appropriatióis ſm pdetermina ta,ſed hoc é ipoſſibile:ꝗa.ſ.pſonę diuinę ſút ordiatę penes primú ſecúdú & tertiú róne ſuoꝝ ꝓprioꝝ. Siꝛ cóia ꝗ ſunt í ꝓpriis ordinata ſút penes primú ſecúdú & tertiú ſuⁱ. Sꝫ ipoſſibile é ꝗ primú í ordinatⁱ í vera coordinatione penes primú ſecúdú & tertiú,nó magis cóuenſat cú prío í ordinatis í alia coordinatione ꝗ cú ſcdo aut tertio etiá aliis eiſdé retétis,& ſiꝛ é de ſcdo í vna coordinatióe cú ſcdo í alia:& ſiꝛ de tertio cú tertio.Impoſſibile é ergo eé aliꝗ cóia í diuinisꝗn ſint appropriabilia ali cui pſonę poti⁹ ꝗ alteri:& hoc ꝓpter maioré cóueniétiá ad ꝓpriú illi⁹ ꝗ ad ꝓpriú alteri⁹.Qd puto eé verú de oíb⁹ cóib⁹ ſiue ſint abſoluta ſiue relatiua. Vñ dico ꝗ ſicut í diuinis oía cóia ꝗ ꝑtinet ad volútaté:ꝗa ſút í tertia differétia ordis ad illa ꝗ ꝑtinet ad itellectú:& ad illa ꝗ idifferéter ſe hñt ad í tellectú & volútaté:appropriat ſpiritui ſancto ꝗ eſt tertia pſona in diuinis:ſimilⁱꝛ cóia illa ꝗ perti nét ad itellectú:ꝗa ſunt í ſecúda differentia ordinis:appropriat filio ꝗ eſt ſecúda pſona in diuinis: ſic illa ꝗ indifferenter ſe hñt ad vtrúꝗ,ꝗa ſunt in pria differétia ordinis:ſunt gñaliter & appropriá tur patri ꝗ eſt prima pſona í diuinis:& hoc etiá ſi nulla alia ſpecialior eſt appropriationis ró cómu niú in diuinis faciéda patri aut filio aut ſpúi ſancto. Et ſic illa ꝗ idifferéter ſe hñt ad itellectú & vo lútaté,ſunt quaſi ꝑtinétia ad memoriá:ꝗ patri appropriáda eſt cú oíbus ꝑtinétib⁹ ad illá:ſimiliter fi lio itelligétia cú oíbus ꝑtinétib⁹ ad illá:& ſpiritui ſancto volútas cú oíb⁹ ꝑtinétib⁹ ad illá. Dico er go ꝗ eſſe & eſſentia viuere & vita deitas & de⁹ appropriabilia ſunt patri poti⁹ ꝗ filio & ſpúi ſan cto:ſed ſecúdú actú & vſum ſanctoꝝ appropriata nó ſunt:& hoc ꝗa ſpeciales rónes appropriádi ꝑa ter róne primi ad aliꝗd ꝓpriú patris in illis nó ſunt inuentæ,ſicut inuentæ ſunt ſuꝑ generalem ra tionem ſecúdi in illis quæ iam appropriata ſunt filio:& ſicut inuentæ ſunt ſuper generalem rónc in illis quæ iam appropriata ſunt ſpiritui ſancto.

⸿Argumentum primum in oppoſitum bene probat ꝗ nullum talium per ſe ad huc eſt appropriatum alicui pſonę:qui tñ ſit qdlibet illoꝝ appropriabile,nequaꝗ probat.Quid au tem ſentiendum eſt de eſſe in illo dicto,Ego ſum qui ſum:patebit in ſeꝗtibus . ⸿Ad ſecundum

Q

R

S
Ad pri.
principale
T
Ad ſcdm.

specialiter inductum de deitate,ꝙ non sit appropriabilis:ga per indifferentiam se habet ad propria trium personarum:Dico ꝙ verum est ꝙ deitas non est appropriabilis quátum est ex speciali ratio ne appropriandi.Quátum tñ est de generali rõne appropriádi,videlicet quia deitas est primum & principium quoddam respectu omnium propriorum & proprietatum & communium quæ perti nent ad voluntatem & intellectum:in hoc cõuenit magis cũ ꝓprio patris ꝗ filii aut spiritus sancti in eo videlicet ꝙ pater est primum & principium respectu aliarum personarum,ideo potius est pa tri appropriabile ꝗ filio aut spiritui sancto.

**V**

**Ad tertiũ**

Ad tertium in oppositum:quia non bene concludit in tentum:ꝙ.s.translatiue dicta de deo appropriabilia sunt:quare multo fortius quæcũꝗ propria:Di co ꝙ verum esset si ratio eius ꝙ est proprie aut trãslatiue dici,esset ratio seu causa appropriatiõis aut res ipsa significata hincinde.Nunc autem non est ita:sed in trãslatis cã appropriationis est con ditio rei significatę hincinde.Quia eñ lux corporalis ē motiua virtutis cognitiuę,ideo ipsa trãsla ta ad diuina appropriabilis est:sicut & alia quæ pertinent in deo ad virtutem cognitiuam quæ ad intellectus:& hoc ꝓcipue quia reꝓsentat lucem spũalem, quæ pertinet ad intellectum.Non sic aũt deitas conditiõe aliquam specialem importat propter quã alicui determinate poterit appropria

**X**

ri:& ideo nec appropriatum est nomen deitatis in diuinis:sicut appropriatum est nomē lucis.Vn de & propter istam indifferentiam nomen dei triplicem deriuationem habet a nominibus græcis: & secundum vnam appropriat̃ patri:secũdum aliam filio:secundum tertiam spiritui sancto. Deus enim vno modo dicitur a theon ꝙ est fouere siue fouens,& appropriatur patri:quia ab ipso omnia habent fomentum, in eo ꝙ est primum principium dandi omnibus esse.Alio autem modo dicit̃ a theos ꝙ est videre siue vidēs,ꝙ appropriatur filio:quia per modum visus & cognitiõis procedit Tertio deus dicitur ab ęthin ꝙ est ardere siue ardens,quod appropriatur spiritui sancto:quia iꝑe procedit vt ardor aut flamma.

**A**

**Quę.IIII.**

**Arg.1.**

Irca quartum arguitur ꝙ non possunt vni appropriari plura communia ĩ di uinis,Primo sic.cõmunium appropriatio attestatiua & declaratiua est proprii in eo cui appropriatur secũdũ superius determinata,sed plurium appropriatio vni non est declaratiua proprii in illo:quia appropriatio non est declaratiua ꝓ prii nisi inquantum sapit rationem ꝓprii,vt etiã determinatum est supra,Plu rium aũt appropriatio vni non sapit rationem ꝓprii sed communis:eo ꝙ com munis est ipsis pluribus appropriatio,ergo &c.Secundo sic.si hæc est per se:appropriatio est atte

**2**

statiua & declaratiua ꝓprii ĩ eo cui sit appropriatio:ergo vna appropriatio est attestatiua & decla ratiua vnius ꝓprii in illo:& plures appropriationes sunt attestatiuę & declaratiuæ plurium ꝓprio rum in eodem:quia si hęc est ꝑ se,homo est animal:vn⁹ homo est vnum animal:& plures homines sunt plura animalia:& hæc est ꝑ se,appropriatio est declaratiua siue attestatiua ꝓprii:quia eius ra tionem includit in suo significato.Aut ergo non sunt plurium plures appropriationes in diuinis: aut tot sunt ꝓpria illi cui sit appropriatio,quot sunt appropriationes,& quot cõmunia illi appro priantur.consęquēs falsum est:ga tũc si tria cõmunia vel plura in diuinis vni appropriarent̃: opor

**In oppo.1.**

teret in eo tot esse ꝓpria:ꝙ falsum est.ergo &c.In contrarium est ꝙ si omnia communia sint ap propriabilia secundum determinata,cũ non sint nisi quatuor ꝓpria tribus psonis secũdum ꝓdeter minata:& multo plura sunt communia.necesse ergo est ꝙ plura vni sint appropriabilia .Qꝙ etiã patet ex diuersis appropriationib⁹ a diuersis doctoribusfactis tribus psonis:quia patri secundum Hila.appropriatur æternitas,filio species,spiritui sancto vsus:secundum modum iam supra exposi tum. Et secundum August. in de doc.christia.patri appropriatur vnitas:filio æqualitas : spiritui sancto concordia,vt supra expositum est loquendo de relationibus communibus.Item patri appro priatur potentia:filio sapientia:spiritui sancto bonit as.Item secundum August.lib.de trini.nõ cõ fuse accipiendum est ꝙ ait Apostolus,Ex ipso,ꝑ ipsum,& in ipso sunt omnia.Ex ipo ꝓpter patrē:ꝑ

**3**

ipsum ꝓpter filium:in ipso ꝓpter spiritum sanctum. Q₂ etiam omnia communia sint appropriã da vni vt patri,arguitur sic,illud quod commune est multis,& vni illorum sic commune est ꝙ il lud habet ex se, & alii ab illo,magis est illi vni appropriabile ꝗ alicui aliorum:quia ꝙ cõuenit ali cui ex se,inquantum hmõi magis natum est esse proprium illi ꝗ ꝙ conueniat ei ab alio.omnia cõ munia in diuinis patri conueniũt ex se:filio & spiritui sancto a patre,secundũ superius determina ta,ergo &c.Q₂ etiã omnia cõmunia sunt appropriãda filio arguitur.quæcũꝗ ad intellectũ pti

**4**

nent in diuinis,appropriãda sunt filio:quia ipse pcedit ꝑ modum intellectus secundum ꝓdetermi nata.oĩa cõmunia inquātũ cõmunia sunt ꝑtinent ad intellectũ:ga cõmune & ꝓprium sunt ꝗdã secũ dę intētiones circa rē eãdem in diuinis:& nihil est appropriabile nisi cõmune inquãtũ cõmune est etiã secundũ ꝓdeterminata,ergo &c.Q₂ etiã oĩa cõmunia appropriãda sunt spiritui sancto,ar

guitur ſic.cõmune diciť aliquid,quia pluribus eſt cõmunicatũ ſiue cõmunicabile.Ratio autẽ com
municabilis per ſe cõuenit ſpiritui ſancto,quia ipſe pcedit per modũ amoris,qui eſt virtus cõmuni
candi.& Aug.dicit.vi.de Tri.c.v.Spiritus ſanctus cõmune aliqd eſt patris & filii quicqd illud eſt,
aut ipſa cõicatio cõſubſtátialis & æterna.Quæ ſi amicitia cõueniéter dici poſſit dicať,ſed aptius dici
põt charitas,& hęc quocp ſubſtátia:quia deus ſubſtátia eſt, & de⁹ charitas eſt. Appropriatio aũt ſe
cundum pdicta fit p cõuenientiã ſiue ſimilitudinẽ cõmunis ad ppriũ.ergo &c.

⸿Dico ſecundũ cp dicũt mediæ rationes inductę,cp in diuinis plura cõmunia vni **B**
perſonę bene eſt poſſibile appropriari,ſicut ex illis aliqua iam ſunt etiam appropriata,& hoc ppter **Reſponſio**
pluriũ cõmunium maiorem conuenientiã & ſimilitudinẽ quã poſſunt habere cum pprio vnius p
ſonę,cq̃ cum pprio alterius,ſed diuerſimode & quo ad diuerſas coordinationes appropriatorũ trib⁹
perſonis diuinis,& quo ad diuerſa omnia appropriata.Omnia em appropriata p cõuenientiã ad p
pria appropriať.& hoc diuerſimode:quia vel per cõuenientiã ad diuerſa ppria, vel p cõuenientiã
ad diuerſas rationes eiuſdẽ pprii.Et ſic ſecundũ cp ppria aut rationes ppriorũ ſunt diuerſa, & ſecũ
da quantũ ad ordinem intellectus noſtri ſe habentia,ſecundũ hoc diuerſa ſunt appropriata, & di
uerſę etiam ſunt coordinationes illorum.In patre aũt duo ſunt ppria.ſ.innaſcibilitas, ſecundũ quã
nõ habet eſſe ab alio,& generare,ſecundũ qd alius habet eſſe ab ipſo:quæ ambo cõnectunt in ratio
ne primitatis ſecundũ duas rationes primi.Secundũ em cp primum eſt ante qd nõ eſt aliud, primi
tas continet innaſcibilitatẽ:ſecundũ vero cp primum eſt poſt qd aliud: primitas continet in ſe gene
ratiõe.Et ſic patris primitas quia nõ ab alio eſt,ſed a quo ali⁹, in diuinis tenet rationem ei⁹ qd in
creaturis eſt ante & poſt,& ſic eſt inaſcibilitas pprietas prima in patre,& generate ſecũda.Aeterni
tas ergo quia ſecundũ rationem ſuam caret principio,& in hoc aſſimilatur innaſcibilitati,& appro
priatur patri ſecundũ pdicta:ideo æternitas eſt primũ appropriatũ patri, & ſimpliciter omniũ ap
propriatorum primũ.In filio aũt licet non ſit niſi vnum pprium.ſ.generari ſiue dici,ſecundũ qd
habet ab alio eſſe:quia tñ procedit per modum naturę intellectualis:ratione naturę ſimpliciter di
citur generari:ratione vero naturę intellectualis dicit dici:& inquantũ generatur diciť imago, in
quantũ vero dicitur,verbum.Et ſunt generari & imago,rationes primi,dici vero & verbum ratio
nes ſecundi.Et inquantũ eſt imago ſimpliciter, ei appropriať ſpecies ſiue pulchritudo cõmunis tri
bus perſonis,quę eſt in illis ex ordine cõmunium inter ſe ppter ſimilitudinem illius ad pulchritu
dinem quę eſt ppria imagini vt eſt repſentatiua eius cuius eſt,vt dictum eſt in pcedenti queſtione.
Et ſimiliter ęqualitas quæ eſt cõmunis tribus perſonis pertinens ad tertium genus relationis,ei ap
propriatur inquantum eſt imago perfecte imitans & implens illud cuius eſt imago, ppter ſimilitu
dinem ad ęqualitatẽ quę eſt ppria imagini pertinens ad ſecundũ genus relationis. de qua ęquali
tate habitum eſt ſupra in relationibus cõmunib⁹.Et ſicut prior eſt ratio imaginis ſimpliciter q̃ ra
tio imaginis perfecte imitantis,ſic prior eſt ratio ſpeciei q̃ ęqualitatis in illa, & primum appropria
tum filio eſt ſpecies,ſecundũ ęqualitas.Similiter in ſpiritu ſancto licet non ſit niſi vna pprietas quę
eſt ſpirari,ſecundũ quã habet eſſe ab alio modo amoris,quia tñ amor duo facit: Primo em delectat
amantem in amato:ſecundo delectatione eos nectit inter ſe,& ſic in fine quod eſt bonum:ideo pri
mum appropriatũ ſpiritui ſancto eſt vſus:quia primo cõuenit cum pprio illius, vt expoſitum eſt
in pcedenti queſtione:ſecundum vero dicitur cõcordia.Idcirco ergo prima coordinatio appropria
torum perſonis trinitatis eſt ſecundũ Hil.æternitatis in patre,ſpeciei in filio,vſus in ſpiritu ſancto,
quę ſunt prima illis appropriata. Item generare qd eſt ſecunda pprietas in patre,quia dicit a quo **C**
eſt aliud pductiue,in quo eſt duo conſiderare.ſ.& rationé eius a quo aliud ſimpliciter,quę eſt pri
ma,& rationem eius qd eſt a quo aliud pductiue,quę eſt ſecuda,quia per determinationé ſe habet:
vnitas ergo quia eſt a qua ſimpliciter omnis multitudo materialiter,quia nõ eſt multitudo niſi re
plicatio vnitatum:& etiã eſt omnis multitudo formaliter,quia non eſt multũ necp multitudo quæ
eſt ſine aliqua ratione & forma vnitatis:quia omnis multitudo aliqua vnitate pticipat,& in hoc aſ
ſimilatur ei qd eſt generare ſimpliciter: vnitas ergo appropriatũ eſt patri p ſimilitudinẽ ad ppriã
eius qd eſt generare,& ſecundũ poſt æternitatem.& ſic eſt ſecunda coordinatio apptopriatorũ ſecũ
dum Aug.ſ.vnitatis in patre,æqualitatis in filio,cõcordie in ſpiritu ſancto. Et iuxta hoc etiã dicit
Aug.Tria hęc vnum ſunt ppter patrem,æqualia ppter filium, cõnexa ppter ſpiritũ ſanctum. Sũt
em vnum cõmuniter ppter vnum cõmune qd eſt appropriatum patri,& æqualia ſunt cõmuniter
ppter ęqualitatem cõmunem quæ appropriatur filio,& connexa ſiue concordantia ſunt cõmuni
ter ppter concordiã ſiue connexioné commune appropriatam ſpiritui ſancto. Et ſic ſunt vnum p
pter patrem,quia ppter vnitatem quę appropriate eſt patris, & æqualia ppter filium, quia ppter
æqualitatem quę appropriate eſt filii,& connexa ppter ſpiritum ſanctum,quia ppter connexionem

quę appropriate est spiritus sancti.Et hoc non quia ab aliquo qd est ꝓprium vni persone,altera de
nominet formaliter:nec quia a patre habeat esse vnitas in filio & spu sancto:Sic enim omnia cõmu
nia alia in illis sunt a patre:nec (vt aliqui dicunt)qa vnitas non supponit secum aliud:& ideo pri
mo est in patre:qui non est ab alio:nec quia æqualitas importat vnionem cum alio:& primo est in
ter duo:& ideo quoquo modo primo est in filio:quia habito filio primo habet dualitas in personis
diuinis:nec quia cõnexio importat vnionẽ duorum a tertio:& ideo quoquo modo primo est in spi
ritu sancto:quia ipso habito primo habet ternarius in psonis diuinis:per quẽ modum ista tria dicũ

D    tur appropriari diuinis psonis ab aliquib⁹,vt tetigimus superius de equalitate.Potẽtia autẽ actiua
est rõ qua aliud ꝓducir a ꝓducẽte:q assimilat ei qd est obiectiue gnare iquatũ dicit a quo est aliud
ꝓductiue.Potẽtia ergo ẽ appropriata patri p similitudinẽ ad ꝓpriũ ei⁹qd est gnare:& tertiũ appro
priatoꝝ post ęternitatẽ & vnitatẽ.Filio aũt inquatũ est verbũ procedens mõ intellectualis operatio
nis per actum dicendi per similitudinem ad tale ꝓprium eius,appropriantur omnia communia pti
nentia ad intellectum:siue vt habitus:siue vt actus:siue vt obiectum:siue quocuq alio modo,& sic
tertio post speciem & æqualitatem appropriatur ei sapientia.Spiritui sancto autem quia connectit
patrem & filium in fine q est bonitas siue beatitudo, & ꝑcedit vt nexus talis, ei appropriatur bo
nitas ꝓpter correspondentiam eius ad tale proprium : & est tertium appropriatum spiritus sancti
post vsum & concordiam.Vnde est tertia coordinatio appropriatorum,potentiæ in patre:sapiẽtiẹ
in filio:& bonitatis in spiritu sancto. Et sumũtur istę tres coordinationes appropriatorum ex com
paratione diuinarum psonarum inter se absq respectu ad creaturas:& sequunt aliæ ex comparatio

E    ne dei ad creaturas & effectus ei⁹ in creaturis.De⁹ aũt ad creaturas & effect⁹ ei⁹ in ipsis in ꝓducẽ
do illas,duplr̄ cõpat.Vno mõ in ꝓducẽdo id qd sunt secũdũ rẽ simplr̄. Alio mõ in ꝓducẽdo id qd
sunt sub certis cõditionib⁹ congruis naturę cuiusq.Et prio mõ sumit vna appropriatio secũdũ tri
plex gen⁹ causæ quo deus se habet ad creata.f.efficientem formalem & finalem:& est coordinatio
appropriatorum q̃rta: videlicet ex quo oĩa patri:& hoc secũdũ genus causæ efficientis:per quẽ oĩa
filio,secundum genus causæ formalis,artis,f.& potentiæ operatiue:sic enim arte & sapientia patris
ꝓcedente ab ipso pater oĩa operat per filium:ex quo omnia spiritui sancto,secũdũ genus causę fi
nalis.Et appropriatur ly ex ipso patri sicut potẽtia:per ipsum, filio sicut sapiẽtia:in ipo,spiritui san

F    cto sicut bonitas.Secundo modo sumit appropriatio secundum partes imaginis,& secũdũ ptes ve
stigii in creaturis.Vnde secundũ correspõdentiam partiũ imaginis in creatura intelligenda est co
ordinatio appropriatorum quinta.f.memoriæ patri,intelligentiẹ filio,bonitatis spiritui sancto: vel
alio modo mens patri:intelligentia filio:& amor spiritui sancto.Secundum vero correspondentiam
partium vestigii est coordinatio appropriatorum sexta.f.modi speciei & ordinis:siue numeri mẽ
suræ & ponderis,iuxta illud qd expositum est in ꝓcedenti quæstione,vt modus & mensura appro
prientur patri,species & numerus filio,ordo & pondus spiritui sancto. Vltimo sumit septima co
ordinatio ꝑut deus cõparat specialiter ad creaturas intellectuales,ad se illas reducẽdo.Quã tangit
August.viii.de ciui.dei.vbi dicit ꝗ deus est omnibus causa subsistendi:& hoc appropriate quo ad
patrem:& ratio intelligendi:& hoc quo ad filium:& ordo viuendi:& hoc quo ad spiritum sanctũ.

G    ⸿Qd ergo arguit primo:ꝗ in diuinis nõ possunt plura appropriari vni:qa pluriũ
Ad pri.   appropriatio vni non est declaratiua ꝓprii in illo:Dico ꝗ falsum est:immo quanto plura vni artifi
principale cialiter appropriantur,tanto magis sunt declaratiua proprii illius:& hoc ꝓpter similitudinem cu
iusq illorum ad istud in quo sapit naturam ꝓprii illius cui appropriantur . Et ꝗ arguitur contra
hoc ꝗ appropriatio plurium facta vni non sapit naturam ꝓprii sed communis: Dico ꝗ in appro
priatione est considerare duo.f.ipsius appropriationis formam & appropriandi rationem. Et quan
tum ad primum istorum appropriatio plurium non sapit rationem ꝓprii:sed communis,quia quã
to appropriatio est plurium,& quanto plura sunt illa quæ appropriantur:tanto appropriatio quæ
eis communiter cõuenit magis cõmunis est.Quantum vero ad secundum,semper sapit rationem
ꝓprii apud intelligentem quid sit appropriatio:& quanto appropriatio est plurium tanto magis
sapit rationem ꝓprii:quia tanto ex pluribus animaduertitur aliquid ꝓprii habere id cui appro
priat commune:& p appropriationem sibi assumit apud intelligentem aliquam rationem proprii.

H    ⸿Ad secundum ꝗ appropriatio est declaratiua ꝓprii , ergo plurium appropriatio est declaratiua
Ad scdm. plurium propriorum:Dico ꝗ reuera hæc est per se : appropriatio est declaratiua proprii , iuxta
secundum modum dicendi per se:quia in subiecto includitur causa & ratio prædicati: sed non se
quitur ex hoc ꝗ plurium appropriatio necessario sit declaratiua plurium ꝓpriorum:sed solummo
do ꝗ sint plures declarationes,sicut si equus est creatura dei,ergo plures equi sunt plures creatu
ræ dei:sed non sequitur ꝗ sunt plurium deorum:quia ratio ipsi⁹ p se est inter ꝑdicatum qd ꝓdica

tur in recto & ipm subiectum, puta inter appropriationem & declarationem : ficut inter equum & creaturam.Et in talibus ad plurificationem vnius bene fequit plurificatio alterius.Non autē eſt ratio ipſius per fe inter id qd eſt in obliquo determinatio pdicati & ipm ſubiectum,puta inter appropriationem & pprium,ſicut nec inter deum & equum:immo accidit ꝙ hec determinatio pdicati principalis plurificet:vt in ppoſito ꝙ pluriũ appropriatio ꝗ ponit plures appropriationes, & p cõſeques eſt cauſa pluriũ declarationũ,ſit vni⁹ pprii vel ppriorũ pluriũ.Si em ſit appropriatio pluriũ ſcdm vnũ modũ ſimilitudinis appropriati ad pprium:tũc eſt declaratiua vni⁹ pprii,qualis eſt appropriatio eorum ꝗ in diuinis ptinent ad intellectum,filio,ꝗuis in talibus appropriationibus ſit ordo rationis ſecudũ diſtinctionē, que ſecundũ rationē cadit in pprio filii, prout iam declaratum eſt. Si vero ſit appropriatio secundũ plures modos ſimilitudinis appropriati ad pprium ei⁹ cui appropriatur:tunc eſt declaratiua pluriũ ppriorum,vel in diuerſis perſonis vel in eadem perſona.ſ. vt ſimiliter claret ex iam determinatis.CQ d arguitur ꝙ oia & ſingula communia appropriāda ſunt vnicuiꝗ diuine perſone,ita ꝙ omnibus perſonis diuinis & ſingulis:Dico ꝙ hoc falſum eſt,& impoſſibile eſſet ſic eē niſi qdlibet cõmuniũ in diuinis haberet in ſe tres rōnes diuerſas,& p vnā illarũ pl⁹ aſſimilaretur pprio vnius perſone,& per aliam plus pprio alterius perſone,& p tertiam plus tertiæ perſone,Nunc autē ſingulum omniũ cõmunium que ſunt in diuinis,non habet niſi vnicam & ſimplicē rationē qua diſtinguit cõtra omnia alia cõmunia.Per vnā aũt & eandē ſimplicem rationē nõ poteſt plus appropriari ppriis pluribus pſonis,ita ꝙ plus aſſimiletur patri pprio ꝗ aliorum, & ſic pprio filii ꝗ aliorũ, & ſic pprio ſpiritus ſancti ꝗ aliorum.Quia qd p ſupabundantiā dicitur, vni ſoli cõuenit:& non eſt appropriatio ſecundũ pdicta,niſi ſecundum maiorem conuenientiā cõmunis ad pprium illius cui appropriatur ꝗ ad pprium alterius.CQ d ergo arguitur primo: ꝙ omnia cõmunia in diuinis debet appropriari patri,quia ipſe ſolus habet omnia illa ex ſe non ab alio:filius aũt & ſpũs ſctũs nõ habet illa niſi a patre:Dico ꝙ hoc nõ arguit aliquā appropriationē cõmuniũ patri reſpectu aliarum pſonarum,ſed ſolummodo arguit principalitatem in patre, in habendo illa in ſe reſpectu aliarum pſonarum.Pater cm ex eo ꝙ habet omnia cõmunia ex ſe,alię autē pſonæ non niſi a patre:ipſe principaliter habet in ſe illa:aliæ autē perſonæ non principaliter. Quēadmodũ & pater dicitur principaliter ſpirare ſpiritum ſanctũ,quia habet vim ſpiratiuam ex ſe:filius autē nõ principaliter,quia nõ habet vim ſpiratiuā niſi a patre,vt ſupra determinatũ eſt. Quemadmodum etiam deus principaliter dicitur eſſe,quia eſt p eſſentiam,& eſt ipm eſſe:creaturę autē non principaliter, quia non ſunt p eſſentiam ipm eſſe,ſed p hoc ſolummodo ꝙ habent in ſe quandā participationem ipſius eſſe,& ſic ſecundũ rationem cauſę formalis ab illius eſſe, cuius eſſe quoquo modo eſt omniũ eſſe.Nunc aũt nõ ſunt idem principalitas & appropriatio ꝗ pprie cadit in diuinis, que.ſ.non ſit niſi p aſſimilationem cõmunis cum pprio illius cui appropriat,ſecudum iam determinatum modũ.Principalitas em reſpicit duo tantũ.ſ.id in quo conſiſtit principalitas,& habentē illud. Appropriatio autē reſpicit quatuor.ſ.cõmune qd appropriat,pſonam cui appropriatur,& pprium illius pſonæ,& aſſimilationem cõmunis ad illud pprium. Sed ſi loquamur de appropriatione que eſt p excellentiam,& ſit pprie in creaturis comparatis inter ſe, vt tactum eſt ſupra in prima ꝗ̃ſtione hui⁹ articuli,& in deo comparato ad creaturas,& hoc ppter excellentiā alicuius abſoluti qd eſt in vno ſup abſoluta conformia quæ ſunt in aliis:quemadmodũ dictum eſt in dicta queſtione ꝙ nomē Vrbs appropriat Rome,& nomē apoſtoli Paulo:de iſta appropriatione verum eſt qd eſt idem ꝙ principalitas & ecõtrario.Roma em appropriate & principalitr dicta eſt vrbs, & ſimiliter Paulus apoſtolus.Et ppter eandem rationē,& tali modo ſicut deus dicit principaliter eſſe,ſic dicit appropriate eſſe.Sed talis appropriatio non poteſt pprie cadere in diuinis conſideratis ſecundũ ſe, quia in illis non eſt aliqd cõe qd verius aut pfectius repiatur in vna pſona ꝗ in alia.& ſic a nulla poteſt haberi excellentius ꝗ ab altera.Si autem appropriatio p excellentiā aliquo modo recipienda ſit in diuinis ſecundũ ſe conſideratis:illa eſt min⁹ pprie in illis. Quia minus pprie in diuinis recipitur excellentia vnius pſone ſup alteram,ſi tñ recipiatur,quia illa non conſiſtit niſi in pprietate pſone relatiua qua alię ſunt ab vna,& p hoc in illa eſt auctoritas ſup alias,vt in patre ſup filium & ſpiritum ſanctum:quia ſunt a patre,vt ſecundum hoc pater dicat reſpectu filii & ſpiritus ſancti principalis, ſicut ſecundũ ſuperius determinata dicit maior,& principaliter dicat habere in ſe oia cõmunia,ꝗa a ſe,reſpectu filii & ſpiritus ſancti qui non habent illa niſi a patre : & ſic eo modo quo principaliter dicit ea habere, dicatur ea habere & appropriate.Et ſic loquendo de tali appropriatione p talem excellentiam,poteſt concedi ꝙ omnia cõmunia appropriant ſoli patri: ſed de tali appropriatione nõ eſt hic ſermo,quia non eſt declaratiua niſi pprii ſolius patris:ſed ſolum eſt hic ſermo de illa que eſt declaratiua ppriorum ſingularum pſonarum,qualis eſt iam determinata.Et eſt adhuc alius mod⁹

I
Ad prima
in oppoſi.

k
Ad ſcdm.

præter illos duos appropriandi aliqua communia soli patri non omnia. Quia enim pater nõ habet principium a quo est: sed omnis alius & omne aliud sunt ab ipso vt a principio: aliqui autẽ alii etsi sint principium aliorum, vt filius & spiritus sanctus creaturę: & hoc cũ patre: & filius ipsius spirit⁹ sancti: sed hoc cũ patre: quia tñ filius & spiritus sanctus sunt a principio alio vt a patre: & nõ sunt omnium principium: quia filius non est principium patris: nec spiritus sanctus filii: ideo nomẽ principii principaliter cõuenit patri: & p eundem modum p quandam excellentiam potest dici appropriari patri. Vt propter hoc itelligamus Aug. dicere ꝙ pater est principium totius deitatis. Ex hoc etiam patri appropriãt p cõsequens omnia quæ in diuinis important rationem principii: & præcipue hoc nomen potentia: & hoc ppter quandam excellentiam patris sup filium & spiritum sanctũ in potentia: in hoc videlicet ꝙ solus habet potentiam pducendi omnem & omẽ. Sed de hoc modo appropriandi adhuc non est sermo hic: sed solum de alio de quo determinatũ est: secundum quẽ dicimus principium qd est commune tribus personis appropriari patri: quia. s. cõuenit cum suo proprio qd est primitas. Inquantum cm primitas dicit rationem qua a patre est aliud simpliciter, prici pium similat primitati: quia principium habet rationem primi a quo aliud. Principium cm & primum idem sunt secundum Philosophum. Et secundum eundẽ modum supra diximus potentiam appropriari patri: quia. s. similis est pprio patris: qa potentia est ratio qua aliquid pducit. ¶Q₂ arguitur secundo, ꝙ omnia cõmunia in diuinis debent appropriari filio: quia ipse pcedit p modũ intellectus: & cõmune habet rationem communis ab intellectu: Dico ꝙ cõmune duo dicit. s. rem sub intentione, quæ quidem intentio ratio est: & ratione circa rem, vt supra expositum est. Quę quidẽ ratio nõ appropriat sed manet circa rem cum ratione appropriatiõis in appropriato: sed qd appropriatur est ipsa res quæ est existens sub rõne cõmunis. Licet ergo cõmune secũdum rationem intentionis plus cõueniat cũ pprio filii q̃ cum pprio alicuius alterius: qa tñ secũdũ rationem rei quę sub est illi intentioni, habet speciales rationes. s. potentiæ, sapientiæ, bonitatis, & hmõi, magis põt conuenire cũ pprio alterius psonę q̃ cum pprio filii. Et ideo quia non secundũ primã rationẽ sit appropriatio, sed penes secundam tm: non sequit ꝙ omnia cõmunia filio sint appropriãda. ¶Qd ergo arguitur tertio, ꝙ omnia sunt appropriãda spiritui sancto: quia cõmune cõuenit plus cum proprio spiritus sancti, in eo ꝙ inquantum cõmune est cõmunicabile quid est: Dico ꝙ verum est. Vt enim res deitatis est, sub ratione cõmunis tang sub quadam ratione generali habet rationẽ cõmunicabilis: & ex hoc plus cõueniet cum proprio spiritus sancti: & si secundum istã rõne cõuenientiæ precise fieret appropriatio: omne cõmune spiritui sancto appropriaret vt pcedit obiectio: licet secundum istam rõne non præcise sit appropriatio cõmunis: sed potius vt cum hoc ꝙ est cõmune sub ista ratione generali, est sub alia ratione minus generali, puta potentiæ, sapientię, bonitatis & hmõi. secundum istam cm rationem pcise sit appropriatio: sed vt etiã cum hoc est sub ratiõe communis. Et qa secundum talem rationem specialem non omne commune conuenit plus cum proprio spirit⁹ sancti q̃ alterius personæ: sed plura plus conueniunt cum pprio alterius personæ: idcirco communia non solum spiritui sancto sed etiam aliis personis appropriantur.

**N**
**Quest. v.**
**Arg. i.**

Irca quintum arguitur ꝙ vnum & idem cõmune potest pluribus personis appropriari, Primo sic. sicut de ratione æternitatis est ꝙ caret principio: ita de rõne eius est ꝙ caret termino. sed quantum conuenit cum pprio patris inquantũ ipse caret prîcipio: quia non est ab alio pater: tantũ cõuenit cum spiritu sancto inquantum ipse caret termino, quia in diuinis a spiritu sancto non est ali⁹. æternitas ergo nõ est plus appropriãda patri q̃ spiritui sancto: & sic aut neutri aut ambobus. non neutri, quia vt dictum est secundum Hila. æternitas appropriat patri. ergo &c. ¶Secundo sic. Augustinus dicit. vi. de trini. ca. v. Spiritus sanctus siue sit vnitas amborum, siue sanctitas, siue charitas, siue ideo vnitas quia charitas, & ideo charitas quia sanctitas, manifestum est ꝙ nõ aliquis duoꝝ est. igitur secũdũ Aug. Spiritus sanctus aut est vnitas quæ est ratio distincta contra charitatem: aut ipsa charitas est: & vtroꝗ modo sequit ꝙ spiritus sanctus vnitas sit: & hoc non nisi appropriate: quæ etiã appropriat patri. ergo &c. ¶Tertio sic. pprietas cõmunis patris & filii est cordi volũtate spirare spũm sanctũ, vt habitum est supra. cui summe assimilat pax siue concordia q̃ est communis personis diuinis. quare pax & concordia cõmuniter patri & filio appropriant respectu spirit⁹ sancti. & tñ spiritus sanctus appropriat secundum August. in pcedenti q̃stione. ergo &c.

**In oppoſi.**

¶Cõtra, secũdum pdicta non est appropriatio cõmunis nisi ppter maiorem similitudinem eius ad pprium eius cui appropriat q̃ ad pprium alterius. sed pprium cuiuslibet cõmunis cũ sit simplex & vnica, nõ potest secundum magis similitudinem habere ad plura diuersimode: eo ꝙ nihil diuersimode potest vno modo maiorem similitudinem habere vicissim modo cum vno modo cum alio, nisi sit i ipfa multiplex ratio,ergo &c.

¶Dico q̃ idem pluribus appropriari poteſt intelligi dupliciter.Vno modo inquã
tum plures,& omnino fecundũ propria diſtincti funt. Alio modo inquantũ in vno communi con
currunt,quemadmodũ pater & filius concurrunt in vna vi fpiratiua,& funt vnum principiũ fpi
ritus fancti.Et fecundum primum modum intelligendi queſtionẽ,queſtio proprie habet locũ,non
autem penes fecundum.Non enim folet appellari appropriatio in diuinis nifi quæ fit vni foli per
fonẽ refpectu aliarum duarum:non autem quæ fit duabus refpectu tertiæ. Nullum em video incõ
ueniens fi propter maiorem fimilitudinem ad proprium cõmune( vt ita loquar) duobus, fcilicet
patri & filio refpectu fpiritus fancti, q̃ ad proprium qd conuenit foli patri,aut foli filio,aut foli fpi
ritui fancto:aliqd commune tribus perfonis approprietur patri & filio communiter, puta concor
dia paſſiue dicta,quæ idem eſt qd pax & tranquillitas inter fe concordantium,quæ cõmunis eſt tri
bus perfonis diuinis.Quelibet enim illarum pacem & concordiam habet fummã cum vtraq̃ alia
rum,fed appropriatur cõmuniter patri & filio refpectu fpiritus fancti, quia aſſimilatur communi
proprio illorum,vt procedit tertia obiectio:quæ fecundum hoc concedenda eſt. Concordia autem
actiue dicta qua quelibet perfonarum alteram fingulam fibi cõcordat, appropriatur fpiritui fancto
quia fimilatur proprio fpiritus fancti,quo ex ratione modi procedendi fui proprium eſt ei q̃ fit ne
xus,fecundum fuperius determinata.Et quia maxima eſt fimilitudo inter nexum & talem concor
diam,aliquando nexus licet fit proprium, fumitur pro concordia quæ eſt appropriata fpiritui fan
cto.vt vbi dicit Augu.i.de doc.Chriſtiana.cap.iiii. In patre vnitas,in filio æqualitas,in fpiritu fan
cto vnitatis æqualitatifq̃ concordia.Et fequitur continuo.Tria hec vnum omnia propter patrem,
æqualia oia propter filiũ,connexa omnia propter fpiritũ fancti. qd expofitum eſt in pcedenti quæ
ſtione.¶Secundum primum ergo & principalẽ modum intelligendi quæſtionem refpondens dico
q̃ duplex eſt appropriatio:vna pprie,alia improprie. Proprie aũt eſt appropriatio quando aliqd cõ
mune ex fe abfq̃ omni adiuncto ad fupponendum determinate pro aliqua trium perfonarum de
terminatur in aliqua locutiõe,ita q̃ pro nulla aliarum,puta cum dicitur Apoſtolus dixit,hic intel
ligitur Paulus.Improprie autẽ eſt appropriatio quando aliqd cõmune nõ ex fe,fed ex adiuncto ad
fupponendum determinate pro aliqua perfonarũ in aliqua locutione determinatur,ita q̃ pro nul
la aliarũ.Qd fit quadrupliciter:aut per determinationẽ,aut per prædicationẽ,aut per conſtructio
nem,aut per ordinem.Per determinationem,contrahentem fcilicet cõmune ad proprium, vt cum
dicitur fapientia ingenita,ly fapientia non proprie appropriatur patri per adiunctum qd eſt inge
nita:fed potius appropriatur,quia vna perfona proprietate diſtincta per illa duo circumloquitur.
Per prædicationẽ,fcilicet per prædicatũ qd vni foli perfonæ afcribitur, vt cum dicitur Deus eſt in
carnatus,intelligitur deus filius,quia incarnatio conuenit foli filio. Et per hunc modum cum di
citur:Moyfes dixit Exo.iii.Sic dices filiis Ifrael, qui eſt mifit me ad vos, quia miſſio prophetarum
ficut & legis datio intelligitur facta fuiſſe a filio,per ly qui eſt,intelligitur filius loqui. Si enim præ
dicaretur verbum indifferens ad quanlibet trium perfonarum:nulli appropriaret fed fupponeret
pro tota trinitate, dicendo fic. Sic dices filiis Ifrael. Qui creauit omnia mifit me ad vos. Per con
ſtructionem vcro fit appropriatio, vt cum dicitur virtus dei. Licet enim virtus fiue potentia per
fe pofita approprietur patri,vt cum dicitur Luc.i.Fecit mihi magna qui potens eſt, ideſt deus pa
ter,tamen in conſtructione paſſiua cum illo genitiuo dei fupponit pro folo filio, & ly dei pro folo
patre.Et fuper illud Genef.xlix.Sedit in forti arcus eius,Glof.In patre:cuius virtute omnis nequi
tia occiditur.Et fuper illo qd ſtatim fequitur.Per manũ potentis Iacob,Glof.Dei patris, in quẽ cre
didit Iacob.Quandoq̃ tamen talia dicta gloſſe appropriant filio ex aliquibus circunſtantiis litere.
Vnde fup illud Sedit in forti,alia gloſſa,Ideſt in Chriſto.Et fuper illud Qui potes eſt,gloſſa. Qui
in me carnem fumpfit.Vtroq̃ enim modo ex adiuncto,fcilicet conſtructione & prædicatione vir
tus fiue potentia appropriatur fpiritui fancto.vt Luc.i. Virtus altiſſimi obumbrabit tibi.Licet em
virtus per fe pofitum approprietur patri foli,& cum genitiuo dei foli filio:tamẽ ex adiuncto cum
genitiuo prædicto qd foli fpiritui fancto afcribitur,qd eſt obumbrabit,appropriatur fpiritui fancto
Vnde gloſſa ibidẽ.Spiritus nominatur virtus altiſſimi. Et communiter ly altiſſimi appropriatur
patri & filio,& fupponit pro ipfis,quia fpiritus fanctus eſt virtus communiter procedens ex ipfis.
Per ordinem autem fit appropriatio,vt cum dicitur in Pfal.lxvi.Benedicat nos deus deus noſter:
benedicat nos deus.Ratione enim ordinis primum deus fupponit pro patre,& illi apptopriatur:fe
cundum pro filio:tertium pro fpiritu fancto,& appropriatur eifdem.Hinc dicit Gloſſa fuper illud
verbũ.Benedicat nos deus,Pater,Deus noſter,filius,Benedicat nos deus,fpiritus fanctus, Per hoc

enim ꝙ ter dicit deus,notatur trinitas personarum.Ex ordinatione vero & prædicatione simul fit appropriatio duabus psonis cum dicitur in Psal.cix.Dixit dominus domino meo &c. Glos.Domi

**S** nus,pater. Dixit dño meo,s.filio.Sede &c.Hic humanitatis idicium est. ¶Dico ergo distinguendo appropriationē in illam quæ est proprie dicta,& in illam quæ est improprie dicta,ꝙ loquēdo de appropriatione proprie dicta,nunꝗ idem commune pluribus appropriari potest, vt probat bene vltima ratio:& causam illi 9 explicat.Sed si ꝙ vni psonę est appropriabile ꝓpria appropriatiōe & ex se & secundum se,approprietur alteri:hoc non est nisi ex appropriatiōe improprie dicta:quę est ex aliquo adiuncto aliquo dictoꝗ modoꝗ quatuor,diuisim vel coniunctim:inter quos illa appropriatio ꝗ est p determinationem cōtrahentem commune ad propriū,maxime improprie est appropriatio:quia in illo mō cōe nō manet cōmune sicut manet in aliis modis:sed fit ꝓpriū amissa ratione cōis.

**T**
**Ad pri.**
**principale** ¶Qꝛ arguitur primo in contrarium de æternitate, ꝙ sit appropriabilis spūi sancto:quia non habet terminū alicuius pductionis a se pcedentis:sicut nec æternitas habet terminū durationis:quēadmodum appropriatur patri quia non habet principium a quo,sicut æternitas nō habet durationis initium:Dico ꝙ nō est ita:nec est simile:quia commune appropriabile non est secundum dicta,nisi per similitudinem eius ad proprium illius cui debet appropriari.Nūc aūt ad ꝓprium & ad notionem ptinentem ad dignitatem pertinet ꝙ pater non est ab alio principio.Ad dignitatem autem spiritus sancti non pertinet ꝙ ab ipso non sit alius,vt superius determinatum est. Propter quod per similitudinem ad non habere terminum in spiritu sancto, illi non potest appropriari æternitas : sicut appropriatur patri per similitudinem ad non habere principium in patre.

**V**
**Ad scdm.**
**X** ¶Ad secundum ꝙ vnitas quę appropriatur patri etiā appropriatur spiritui sancto:Dico ꝙ falsum est. Ad pbationem ei 9,ꝙ secundum August,spiritus sanct 9 appropriate vnitas est:Dico ꝙ verum est:sed in alia significatione vnitatis.Est enim quædam vnitas singularitatis qua secundum supius de relationibus communib 9 determinata itelligitur vnum qd simpliciter & absolute dicitur vnū. Et consistit hæc vnitas in simplici & omīno absoluto:& ista est quæ in diuinis communis est:& appropriatur soli patri secundum dictum modum.Alia vero est vnitas vnionis quæ consistit in quadam vnione plurium inter se:quæ etiam est communis in diuinis:& appropriatur spiritui sancto:sicut & concordia. Vnde post posita in argumento cōtinue adiungit Augustinus,vt repetendo finem illius dicamus secundum ipsum. Manifestum est ꝙ non est aliquis duorum(scilicet pater aut filius) id quo vterꝗ coniungitur : quo genitus a gignente diligitur, genitoremꝗ suum diligit:suntꝗ non participatione sed essentia sua,neꝗ dono superioris alicuius sed suo proprio seruantes vnitatem spiritus in vinculo pacis:qd imitari p gratiam:& ad deum & ad nos ipsos nitemur,& infra post modicum.Spiritus ergo sanctus commune aliquid est patris & filii:&c. vt supra in vltimo argumento quæstionis immediate præcedentis.

Articulus.LXXIII.Quomodo intellecta de deo sint proferenda quo ad eorum significationem seu nominationem per nomina incomplexa.

**Articulus**
**LXXIII.**  Iso a.XXI.articulo hucusꝗ quæ & qualia de deo in se & absolute sunt intelligenda: sequitur vltimo in hac parte nostrę disputationis ordinarię quomodo intellecta de eo sunt proferenda.Et prio quo ad illorum significationem siue nominationem per nomina incomplexa.Secundo quo ad illorum prædicationem per propositiōes complexas. Circa primum quæruntur vndecim.

Primum est:vtrum deus & quæ in ipso & de ipso intelliguntur, significari possint nomine vocali.

Secundum est:vtrum significari possint noibus impositis creaturis.

Tertiū:vtrū noia significātia deū & creaturas,vniuoce significēt illos.

Quartū:vtrū noia significātia deū & creaturas cōmuniter,significēt illos pure æquiuoce.

Quintum:vtrum per prius significet deum ꝗ creaturas,an conuerso.

Sextum:vtrum nomina significantia deum & quæ sunt in eo,possint illa significare indifferenter in abstracto & in concreto.

Septimum:vtrum congruentius significēt illa in abstractione ꝗ in concretione.

Octauum:vtrum deus aliquo nomine proprie nominari possit.

Nonum:vtrum possit esse aliqd nomen proprium deo quo significari aut nominari possit.

Decimum:vtrum verius deus intelligatur ꝗ significetur aut nominetur.

Vndecimum:vtrum nomina de deo aliquid de ipso significent priuatiue, an positiue.

Irca primum arguitur ⍰ deus & quę in ipso sunt nullo nomine vocali significa **A** ri possunt,Primo sic.secudū Aug.de verb.do.ser.xxxiiii.quicgd potest fari nõ est **Quest.i.** ineffabile.ineffabilis autem deus,ergo deus fari non potest. & sicut hoc verum **Arg.i.** est de deo,sic etiã verum est de omni illo qd est in eo. sed qd non potest fari non potest sermone vocali significari,quia econtra omne qd potest sermone vocali si gnificari potest fari,eo ⍰ omnis sermo fabilis est,idest dicibilis:quia omnis sermo vocalis incomplexus dictio est:omnis autem sermo vocalis complexus ex dictio nibus compositus est.non est autem dictio nisi quia est dicibilis.Maior quam ponit Augusti. ma nifesta est:quia posse fari & esse fabile conuertuntur.Esse autem fabile & ineffabile opponũtur pri uatiue:priuatio autem vere remouetur ab eo cui conuenit habitus,quare similiter & ab eo quod conuertitur cum habitu.Minorem etiam quam pũnit Augusti.ipse probat per hoc quod post præ dicta continue subdit dicens.Si em raptum se dicit vsg ad tertium cœlum beatissimus apostolus Paulus,& dicit se audisse ineffabilia verba,quanto magis ipse ineffabilis est qui talia de me quę fa ri non possit tibi demonstrata sunt:CSecundo sic.Hil.iii.de Trini.cap.ix.loquens de dei operibus oc **2** cultis dicit sic.Cedit ad hoc & sensus & sermo:extra rationẽ humanã est veritas facti.& infra. No li nescire quia sensum & sermonẽ humanę naturę virtus generationis excedat.Et Augu.super Io. ser.xix.exponens illud Io.v.Non potest filius facere quicg nisi quod viderit patrem facientem.dicit sic.Quid sit videre verbi,demonstrari verbo non potest.Et loquitur ad literam de verbo sermonis vocalis,vnde præmittit.Aliquãdo sermo deficit &c.vt infra patebit.Sed si operationi dei cedat sen sus & sermo:& operatio ipsa excedit sensum & sermonem:& verbo demonstrari non potest : mul to fortius naturæ & essentiæ dei de qua principaliter est sermo,cedit sensus & sermo, & ipsa exce dit sensum & sermonem,& verbo demonstrari nõ potest.Sed qd tale est sermone significari nõ po test:quia vt dicit Augusti.Ench.cap.xiii.Verba sunt instituta per quæ in alterius quisg notitiam cogitationes proferret,ergo &c.CIn contrarium est Augusti.dicens contra Adimantium cap.xiiii. **In opposi.** Illa sublimitas ineffabilis vt hominibus congruat humanis sonis significãda est. soni autem illi nõ sunt nisi sermonis,ergo &c.

**B**

CDico ⍰ cum sermo vocalis significatiuus de quo quęrit quęstio, verbum sit nõ **Resolu.** mentale quo sibi inuicem loquuntur angeli,vt alias in quadã quæstione de Quolibet exposuimus: sed vocale : tria præambula ad intentum sunt consideranda de verbo vocali. Primum de eius de finitione.Secundum de cius origine.Tertium de eius vi siue virtute. Verbum quidem vocale Au gusti.definiens in libro de Magistro ca.vi.dicit sic. Verbum sit qd cum aliquo significato articula ta voce profertur. Et hoc cum aliquo significato intelligo tang signato per vocem vt per signum illius,iuxta illud qd dicit in Dialectica sua ad Deodatum de verbo quo ad voce. Verbũ est vnius cuiusg rei signum.& hoc secundũ definitionem signi quã ponit ibidẽ dicens.Signum est qd & se ipsum sensui & præter se aliquid animo ostendit.& libro.ii.de doctrina Christiana.Signum est qd pręter speciem quã ingerit sensibus aliquid aliud facit in cognitionem venire,Vnde vt dicit Aug. vbi supra,loqui est articulata voce signum dare. Articulatam autem dico quæ literis potest com prehendi.omne autem verbum sonat.Cum enim est in scripto, non verbum sed verbi signum est quippe inspectis a legente literis occurrit aĩo:quia ⍰ voce prorũpat res ipsa quę iam verbũ non est neg verbi in mente conceptio,nihil aliud g res vocatur.CDe secundo est aduertendum ⍰ secun **C** dum Augustinum ibidem cap.v.de origine verbi quęritur cum quæritur vnde ita dicatur. Talis autem origo verborum duplex consueuit assignari,quædam naturalis,quædam voluntaria.Origi nem naturalem posuerunt stoici.dicente Augustino vbi supra cap.vi.Stoici autumant,quos Cice ro in hac re irridet, nullum esse verbum cuius nõn recta ratio explicari possit.scilicet proxima quare sub tali voce tali rei imponitur:sic ⍰ si illa ratio non sit prima, quia scilicet verbum non est primitiuę speciei,sed deriuatiuæ,eo ⍰ vox sua a voce alterius verbi alteri rei primo impositæ deri uatur:tunc reduceretur origo & ratio originis vnius verbi vni rei impositę ad originem & ratio nem originis alterius verbi alteri rei impositæ, cum quo in voce quo ad aliquid coincidat, & hoc per multa media si oportet donec perueniatur ad verbum primitiuum cuius ratio & origo origi nis proxima sit essentia omnino prima.Et sic oportet cõtinue discurrere ( vt aliquibus interpositis Augu.subdit) donec perueniat eo vt res cũ sono verbi aliqua similitudine concinat, vt cũ dicim⁹ æris tinnitum,equorum hinnitum, ouium balatum, tubarum clangorem, stridorem catenarum. Prospicis enim hæc verba sonare vt ipsę res quæ his verbis significantur.Sed quia sunt res quę nõ sonant,in his similitudine tactus valere:vt si leniter aut aspere sensum tangunt,lenitas aut asperitas literarum ita tangat auditu. Sic ipsum lene cum dicimus,leniter sonat:asperum est cum dicitur crux.Itaq; res ipsae afficiunt sicut sentiuntur verba:lana & vepres vt audiuntur verba,sic illa tanguntur : sed quasi tintinnabula verborum crediderunt vbi sensus rerum cum sonorum sensu concordabant . Hinc ab ipsarum rerum similitudine processisse licentiam, vt crura non propter asperitatem doloris , sed qp longitudine atq; duritia inter caetera membra sint similiora.Inde ad abusionem ventum est , vt vsurpetur nomen non rei similis : sed quasi vicinae , cum piscina videtur a piscibus dicta propter aquam vbi piscibus vita est . Hinc facta est processio ad contrarium, nam lucus eo dictum putatur qp minime luceat . Quid vltra prouehar:quicquid annumerari potest,aut similitudine rerum & sonorum,aut similitudine rerum ipsarum,aut vicinitate , aut contrario contineri videbis originem verbi . Nota qp in hoc vltimo dicto tanguntur quatuor modi originis verborum secundum quadruplex genus causae siue rationis quare scilicet talis vox tali rei imponatur ad significandum eam . Quorum primus est similitudo respectu auditus & tactus rerum significatarum & sonorum significantium : & est principalis: quem tangit cum dicit , Donec perueniatur eo vt res cum sono verbi aliqua similitudine concinnat & caetera . Post quem sequuntur alii , puta secundus, qui est similitudine significatorum per voces inter se:quem tangit ibi . Hinc ab ipsarum & caetera . Tertius est vicinitate inter se earundem rerum:quem tangit ibi.Inde ad abusionem &c.Quartus vero est ipsarum rerum contrarietate inter se:quem tangit ibi,Hinc facta est &c.¶Primus autem istorum distinguitur in duos:quia aut est per similitudinem rerum & sonorum in seipsis,aut in ipsorum proprietatibus. Primo modo est similitudo inter sensibilia sensus auditus solummodo.De quibus solummodo exemplificat cum dicit. Vt cu aeris &c.Est enim talis similitudo inter sonum qui est signum & rem quae est sonus , vt inter sonum aeris qui est res significada,& inter tinnitum qui est sonus significans illam . Sonus enim aeris vocatur tinnitus:quia sonus aeris est tinnitus. Et sic res quae est sonus aeris cum sono qui procedit ab aere qui est tinnitus concinit siue concinnat & similitudinem habet . & sic ista similitudo est prima origo huius verbi tinnitus : & causa qp illi rei imponatur . Secundo autem modo est similitudo bene inter alia q inter sensibilia sensus auditus : & est duplex : quia aut est sonorum & rerum in suis proprietatibus in se consideratis:aut in comparatione ad diuersas virtutes cognitiuas . Primo modo est similitudo in illis de quibus exemplificat in sequentibus:puta inter sonum qui est vis : & rem significatam hoc verbo vis . Sonus enim illius literae quae est u , quando est consonans proprietatem habet qp sit validus: & valide facit sonare syllabam in qua ponitur. Proprietas etiam rei significatae per sonum verbi in quo ponitur, est qp sit valida : & sic proprietas rei cum sono concinnat : & sic ista similitudo est prima origo impositionis huius verbi vis ad significandam rem cui imponitur.dicente Augustino in Dialectica sua capitulo septimo.Nemo ambigit syllabas in quibus u litera locum obtinet consonantis, vt sunt in his verbis primae syllabae velum, vinum,vomis,vulnus,crassum & quasi validum sonum edere.Qd approbat etia loquendi consuetudo cum quibusdam verbis quam subtrahimus ne onerent aurem.Nam inde est qp amastis dicimus libentius pro amauistis,& abiit non abiuit,& in hunc modum innumerabilia.Per quae intelligit talia verba ex proprietate sua congruere & quodammodo assimilari rebus validis vt per illa conuenienter significentur: inter quae verba praecipuum & primum est hoc verbum siue vox huius verbi vis:qd propter huiusmodi similitudinem significat in generali quicquid in se validum est . Quae vox tali rei sic in generali primo imposita ab illa vlterius est origo imponendi eam per deriuationem aliis:puta a vi per vicinitatem ad illos in quibus est vis quam inferunt aliis,dicuntur vincula : & vimen quo aliquid violenter viminatur:& hoc iuxta tertium modum principalem originis verbi praedictum : & vlterius a vinculis aut vimine vitis propter similitudinem iuxta secundum modum originis praedictum : quia sicut vincula vel vimen vinciunt ea quae circundant : sic & suis recuruis tenaculis palmites vitis. dicente Augustino ibi.Ergo cum in vi sonus verbi( vt dictu est )quasi validus congruit rei quam significat,iam ex illa vicinitate per hoc qp vinciunt,hoc est qp violenta sunt, dicta vincula possunt videri,& vimen quo aliquid viminatur . Vnde vitis a similitudine qp vinciat ea quae apprehendit . Et vlterius a vite per quandam vicinitatem dicitur vinum , quia procedit a vite: & etia per quandam similitudinem quia vincit & ligat potantem.Vnde si in omnibus istis de origine verbi quaeritur vnde ita dicatur,respondebitur qp a vi. Cuius origo cum quaeritur,respon-

D

E

debitur ꝙ robuſto & valido ſonus verbi congruit.dicente Auguſtino ibidem.Scrutetur vinci
re vnde dictū ſit:dicemus a vi.Quare ſic appellaꝷ require:reddatur ratio ꝙ robuſto & quaſi
valido ipſo ſono verbum rei quã ſignificat congruit:vltra qd̃ requirat non habet.Et per hanc
viam vniuerſaliter a dicto primo modo originis verbi ſemper oriũtur alii tres. Si autem origo **F**
verbi fuerit ꝑ ſimilitudinẽ rerum & ſonorũ in ſuis ꝓprietatibus & in comparatione ad diuer
ſas virtutes cognitiuas: dico ꝙ iſte adhuc habet contingere in creaturis,vel in comparatione
rerum ad diuerſas virtutes ſenſitiuas:vel in cõparatione ad diuerſas virtutes.ſ.ſenſitiuã vnã
& intellectiuam aliã.Quia vt dicit Auguſtinus ibidem,Res eſt quicquid intelligitur vel ſen
titur vel latet:qd̃ dicitur, intelligibile eſt vel ſenſibile.& hoc ſiue fuerit res naturæ tm̃,vt eſt
quodlibet ens in genere extra naturã:ſiue fuerit res partim naturæ,partim rationis:vt eſt qd̃
libet ens ſub ratiõe vniuerſalis ſeu cõmunis:quæ vocatur res primæ intentionis:& ſiue fuerit
res rationis tm̃,pertinens ad artem grãmaticẽ vel logicẽ:vt ſunt omnes intẽtiones ſecũdæ:vel
circa res primo & ſecũdo modo dictas:vt ſunt vniuerſale,particulare,& huiuſmodi: vel circa
voces rerũ illarũ ſignificatiuas,vt ſunt dictio, nomẽ,verbũ,pnomen,& huiuſmodi incõplexa.
Nã ꝓpoſitio,ſyllogiſm⁹,enthymema,& huiuſmodi,ꝗ vocanꝷ noĩa nominũ,ſignificãt ꝓprieta
tes vocũ ſignificatiuarũ rerũ primo vel ſecũdo modo. Scdm̃ primũ modum eſt ſimilitudo in
ter ſenſibilia diuerſoꝝ ſenſuũ:de quibus Auguſtinus loquiꝷ cũ dicit ſupra. Sed quia ſunt res **G**
quæ non ſonãt &c.Si eĩ ſcdm̃ Stoicos res leniter ſenſum tactus tãgit:vox ei impoſita eſt quæ
proportionali lenitate tangit auditum: vt rei quæ leniter mouet tactum, puta pili in vellere
ouis,vox lenis imponitur,cuiuſmodi eſt lana.Penes ſecũdũ modũ eſt ſimilitudo inter audibile
& intelligibile:quẽ non tangit Auguſtinus:de quo poſſet ipſe,ſi vellet,dicere quo ad intelligi
bilia,& exemplificare de illis ſicut exemplificauit & dixit de rebus ſenſibilibus aliis ab audibi
libus,ſic. Sed quia ſunt res quæ non ſentiũtur,in his ſimilitudinem intellectus valere:vt ſi leni
ter vel aſpere intellectũ tangũt:lenitas vel aſperitas literarum in verbo ita tãgat auditum.Cũ
enim dicimus oculus,leniter ſonat:cum dicimus veretrum,aſperum eſt:itaꝗ res illæ afficiunt
intellectum ſicut ſentiuntur verba.Hinc dicit Auguſtinus de Dialectica,ca.viii. Non offendi
tur aurium caſtitas cum audit, manu,pede.Offendiꝷ autẽſi obſcœna pars corporis ſordido
ac vulgari nomine appellaretur.Et ibi accipitur ly aurium pro aure corporis & mentis ſimul.
Secũdum hunc enim modum eſt origo verbi ſcdm̃ modum quo intelligi nata eſt res: quia.ſ. **H**
ſcdm̃ ꝙ ipſa nata eſt mouere intellectum qui eſt auris mentis,imponitur vox: quæ proportio
naliter nata eſt mouere aurem corporis ſiue auditum.Sed eſt ſciendum ꝙ licet ars Stoicorum
aliquid valeat de ſimilitudine rerũ & ſonoꝝ vbi res ipſæ ſunt ſenſibilia auditus: in aliis tamẽ
rebus quæ non ſunt audibilia,modicum videtur etiam in creaturis valere : quia ſic aſſignare
rationẽ originis verbi,ſcdm̃ Auguſtinũ nimis curioſa res eſt,& minus neceſſaria. Qz ſi omni
no multum iuuaret explicare originem verbi, ineptum eſſet aggredi qd̃ proſequi infinitũ eſt.
Quis enim reperire poſſet quicquid dictũ fuerit vnde ita dictũ ſit:Huic accedit ꝙ vt ſomnio
rum interpretatio:ita verborum origo pro cuiuſꝗ ingenio prædicatur. Vnde originem verbo
rum voluntariam poſuerunt Peripatetici:qui omnia verba ad placitum rebus imponi poſue
runt:eaſꝗ ad placitũ ſignificare. Quos imitatus eſt Cicero,Stoicos irridens,vt dictum eſt.Et
ſimiliter Auguſtinus in eo qd̃ dicit ibidem ca.v.Res nimis curioſa & minus neceſſaria,& cæ
tera vt ſupra.Neꝗ hic mihi placet dicere, ꝙ ſic Ciceroni quoꝗ idem videtur: ꝗuis nec quis
egeat auctoritate in re tam perſpicua.Et cap. vi. Innumerabilia ſunt enim verba quorum ra
tio aut non eſt vt ego arbitror,aut latet vt Stoici contendunt . Omnibus tamen dictis modis
originis verborum Papias,Iſidorus,& Hugutio,cæteriꝗ oẽs tractantes grammaticam impoſi **I**
tiuam vtuntur in deriuationibus ſuis,vt patere poteſt inſpicieti eis. ⸿De tertio ſupra princi
paliter propoſito, ſcilicet de vi verbi,eſt aduertẽdum ꝙ ſcdm̃ Auguſtinum in Dialectica ſua
dicta cap.viii.Vis verbi eſt qua agitur quantum valet. Valet autem tantum quantum audiẽ
tem mouere poteſt.Porro mouet audiẽtem aut ſcdm̃ ſe,aut ſcdm̃ id qd̃ ſignificat.Cum ſcdm̃
ſe mouet,ad ſenſum pertinet, in eo ꝙ offenditur ſi quis nominat Artaxerxem regem . Scien
tiam vero non ſcdm̃ ſe:ſed ſcdm̃ id qd̃ ſignificat,verbum mouet:quando per verbum accepto
ſigno animus nihil aliud ꝗ rem ipſam intuetur:cuius iſtud ſignum eſt:vt cum Auguſtino no
minato nihil aliud ꝗ ego ipſe cogitor ab eo cui notus ſum.De ſola autem vi verbi in iſto mo **K**
do mouendi ad præſens intendimus.de qua Auguſtinus dicit libro de Magiſtro.cap.xvii.Au
ditis verbis ad ea refertur animus quorum iſta ſunt ſigna.ſed non animus cuiuſꝗ: ſed ſolũ
illius qui nouit verbum ſub ratione ſigni:qd̃ noſſe ſic non poteſt, niſi cognoſcendo rem cuius

est fignū:& cum hoc etiam fignū ipfum ad illam fignificandam fore inftitutum.Aliter enim
fola voce fcdm fenfum mouetur.dicente Auguft.x. de Trini.ca.i.Signū fiquis audiat incogni
tum veluti alicuius fonti,quo quid fignificetur ignorans, fcire cupit quidnā fit.i.fonus ille cui
rei commemorandȩ inftitutus fit.Iam itaqȝ oportet vt nouerit fignū effe.i.non inanem illā vo
cem:fed quid fignificari. Si enim trīmodo effe iftam vocem noffet: eāqȝ alicuius rei fignū effe
non noffet:nihil omnino quȩreret:quia vero nō folum effe vocem:fed etiam fignū effe iam po
nit:perfecte id noffe vult:neqȝ vllum perfecte fignū nofcit:nifi cuius rei fignū fit cognofcat.&
tunc primo tale quid fignū eft qd̄ ab audiente poffit intelligi ftatim cum de proferente fuerit
prolatum.Propter qd̄ poftqȝ Auguftinus dixit vbi fupra, Verbū eft vniufcuiufqȝ rei fignū:cō
tinuo adiunxit: Qd̄ ab audiente poffit intelligi a loquēte prolatum.Et tūc primo verbum eft
dicente eodem de Magiftro cap.vii. Omnia quȩ voce articulata cum aliquo fignificato profe
runtur:verba appellari fcio.Et.c.ix. Verbum cum dicimus: omne qd̄ articulata voce cum ali
quo fignificato profertur fignificamus.Et fic large fumit hic verbum: fcdm qȝ large fumit rē
vt dictum eft. Qd̄ Auguftinus explicat in Dialectica fua.dicens.Verba dicitur omnia quib9
loquimur:fi tamen verba proprie nominata funt quȩ per modos & tempora declinātur.Et fic
verbum large accipit pro quocunqȝ fermone incomplexo: pro quo poteft accipi nomen large
fumptum:vt fic idem fint nomen & verbum: & omne verbum fit nomen,& econuerfo. Sicut
enim dicit Auguftin9, Verba dicitur &c.fic nos dicere poffumus: noia dicuntur omnia qui
L bus loquimur:fi tn̄ proprie noia vocata funt quȩ per cafus deflectuntur. De quibus verbis &
nominibus large acceptis dicit Philofophus.iiii.Metaph.Neceffe eft vt fermo loquentis fit fi
gnū de aliquo apud ipfum qui loquitur,& apud illum cum quo loquitur. & per hoc verbum
eft fymbolum quoddā inter verunqȝ. Vnde Cōmentator ibidem.i.neceffe eft credere qȝ loquela
fignificat id qd̄ eft in animo apud ipm loquentem:& apud ipfum cum quo loquitur:fiue,no
men large acceptū eft aliquod intelligibile . qȝ fi id qd̄ dicit non fuerit intelligibile apud ipm
& apud audientem,nō fit difputatio.Intellige neqȝ fermo aliquis vniuerfaliter nifi alicuius ad
feipfum:qui poteft fieri folo verbo interiori:cuius fignū eft verbū exterius: qd̄ nō nifi propter
fermonem ad alium ad quem debet fieri intelligibile. Hinc dicit Auguftinus fuper Ioannem
Sermo.xliiii. Quādo concipis verbum,fi proferas rem vis dicere: & ipfa cogitatio in corde tuo
verbum eft.Attendas cum quo loquaris:fi latinus eft,vocem latinā quȩris: pro diuerfitate au
ditorum in diuerfas linguas exhibes vt proferas verbum conceptum.Illud autem qd̄ in cor
de cōceperas nulla lingua tenebat.Verbi autem qd̄ fic fymbolum eft tota vis confiftit in attin
gendo id cuius caufa loquimur,quȩ duplex eft,docendi & cōmemorandi.dicente Auguftino
de Magiftro,cap.xiiii.Recordor aliquādiu nos quȩfiffe ob quam caufam loquamur: inuentiqȝ
effe docendi commemorandive caufa nos loqui. Sed hȩc duo non agit locutio ȩqualiter: fed
commemorari facit eius qd̄ fignificatum eft per fe.reuocando. f.ad intelligentiam de memoria
verbum mentale.dicente Auguftino de Magiftro ca.ii. Credo te animaduertere q̄uis nullum
edamus fonum, tamen intus apud animum loqui: ficqȝ locutionem nihil aliud agere q̄ com
memorari: cum memoria cui verba inhȩrent ea reuoluendo facit venire in mentem ipfas res
M quarum funt verba figna.Per fe autem nihil docet homo:& hoc fcdm fe: neqȝ fcdm id qd̄ fi
gnificat. dicente eodem ibidem cap.xxiiii. Nihil inuenies quod per fola figna difcatur . Cum
enim mihi datur fignum, fi nefcientem me inuenerit cuius rei fignum fit,docere me nihil po
teft.Si vero fcientem aliquid,difco per fignum.quafi dicat,nihil per fe, per accidēs autem folū
modo docet.Et hoc non fcdm fe:fed fcdm id qd̄ fignificat. & hoc duo. Docet enim rem,& na
turam eius qd̄ per verbum fignificatur,vt fequitur ibidem poft pauca interpofita.Id tibi ma
gis perfuadere nitor: per ea figna quȩ verba appellantur, nos nihil difcere . Potius enim vim
verbi & fignificationem quȩ latet in fono re ipfa quȩ fignificatur cognita difcimus : quibus
vt plurimū tibi dicam, mouet tn̄ vt quȩratur res:non exhibet vt nouerimus.Quȩ etiam ex
hibita non per fe docet: fed de ipfa nos docet interna veritas menti rationali prȩfidens,vt fe
quitur ibidem cap.xxvi.De vniuerfis autem quȩ fcimus non loquentem qui perfonat foras:
fed intus ipfi menti prȩfidentem confulimus,fcilicet verbis admoniti.& hoc nō nifi artificiali
ordine verboȝ in propofitione:& propofitionū in argumentatione . Docet etiam quid in ani
mo loquentis contineatur per hoc qȝ memorando facit vt fimile in animo audientis formetur
De commemoratione dicit Auguftinus.ii.de Trinitate,ca.vii.Cum ad alios loquimur:verbo
intus manenti minifteriū vocis exhibem9:vt p quandā memorationem fenfibilem tale aliquid
fiat etiam in animo audientis quale de loquentis animo non recedit.De notitia autem ex hoc

apud audientem generata, videlicet eorum quæ inueniuntur in intellectu & voluntate loquentis:ad quã principaliter verba sermonis siue vocis sunt instituta: dicit Augustinus lib.ii. de Ordine,cap.xxvii.Illud qd in nobis est rationale: quia naturali quodam vinculo in eorum societate astringitur cum quibus illi erat ratio communis:nec homo homini firmissime sociari posset nisi colloquerentur,atcp sibi mentes suas cogitationescp refunderent:vidit esse imponenda rebus vocabula.i.significantes quosdã sonos: vt quoniam sentire animos suos non poterant,ad eos sibi copuládos sensu quasi interprete vterentur.De quo etiã dicit Plato in sectido Timei. Eadem quocp vocis & auditus ratio est ad eosdem vsus atcp ad plenam vitæ homini instructionem datorũ.Siquidem propterea sermonis est ordinata cõmunio vt presto fiant mutue voluntatis indicia . ¶His prælibatis cum queritur vtrum deus & quæ in eo sunt, aliquo proprio sermone vocali significari possunt:Dico cp sermone siue verbo vocali non significatur aliquid nisi cui vox imposita est ad significandum: nec potest significari nisi cui vox ad significandum potest imponi. & hoc scdm beneplacitum voluntatis . Siue enim origo impositionis verbi sit naturalis siue voluntaria scdm duos modos iam supra expositos impositionis verbi: semper tñ complementum impositionis eius voluntarium est & ad placitum.Licet enim verbi origo esset naturalis,vt Stoici putabant:in hoc scilicet cp naturalis congruentia esset ratione vocis in hoc verbo cp tali rei potius imponatur q̃ alteri:tamen scdm actum non est ei impositum nisi ad beneplacitum liberæ voluntatis:vt scdm hoc impositio talis verbi ad significã dum rem talem partim esset naturalis,scilicet originaliter,& partim voluntaria,scilicet completiue.Si vero verbi origo sit voluntaria,vt docuerunt Peripatetici: in hoc scilicet cp nõ maiorem habet congruentiam vox verbi vt vni rei imponatur q̃ alteri:tunc impositio eius omnino est ad placitum & voluntaria.¶Et est aduertendum priusq̃ descendamus ad propositum, cp licet istæ duæ impositiones differrent in verbi origine:in aliis tamen duobus conuenirẽt.Primo in hoc cp complementum vtriuscp est voluntarium siue ad placitum,vt dictum est.Secũdo in hoc scdm prædicta, cp qui imponit vocem ad significandum rem quãcticp:necesse est vt illam prius cognoscat quid sit quoquo modo:quia scdm iam dicta sicut nullus noscit signum scilicet inquantum est signum, nisi cognoscat cuius rei sit signum:& ideo cum hoc cp cognoscit voce necesse est cp cognoscat rem significatam per vocem:sic nullus imponit vocẽ ad significandum rem aliquam nisi cognoscat illam.dicente Philosopho.vii.Metaphysicæ.Qui nõ definit & discernit aliquid,non potest ei nomen imponere.Cõmentator.i.Qui nescit rem,non ponit ei nomen.Nullus enim ponit nomen rei quã nescit. Sed aliter oportet scire rem imponentem ei nomen ad significandum si origo verbi sit ad placitum,q̃ si sit naturalis. Si enim origo sit ad placitum,sufficit cp cognoscat rem in generali confuse & indistincte q̃si sub ratione definiti.s. cp aliquid sit, eo cp a solo placito imponentis dependet talis impositio verbi: nec aliqua congruentia requiritur inter vocem & rem cui imponitur.Si vero origo verbi sit naturalis,requiritur cp cognoscat rem in speciali determinate & distincte.s.in definitiua ratione si definibilis sit:vel quasi,si non sit definibilis : eo cp talis impositionis origo dependet a notitia similitudinis siue congruentiæ inter rem & vocem quæ ad significandum illam imponẽda est:& nõ potest cognosci congruentia quam habet res ad vocem,nisi complete perspecta natura rei in se ipsa,& in distinctione illius a qualibet alia: eo cp scdm istam impositionem singulis rebus determinatis singulæ voces determinatæ imponi debent. Et ideo non est cuiuslibet, sed sapientis tñ taliter verba ad significandum imponere . ¶Si sectido origo sit voluntaria & ad placitum omnino:sicut posuerunt Peripatetici:Dico ad quæstionem cp deo & omni ei qd in illo est,verbum potest imponi & vox ad significandum, & ita sermone vocali significari potest. & hoc a quocuncp qui quoquo modo cognoscit cp aliquid sit deus: saltem in generali attributo:aut in aliquo alio qd ex creaturis de deo coniicitur certitudinaliter cp sit aliquid: licet certitudinaliter non possit coniicere de illo quid sit,vt amplius declarabitur in tertia quęstione sequenti. Et scdm hoc concedenda est vltima ratio.¶Si vero origo verbi sit naturalis vt posuerũt Stoici, & hoc specialiter in primo modo originis verbi pdicto,in quo scdm illos est prima origo verbi:quia verbum sic impositum est origo verbi scdm alios tres modos originis verbi supra tactos.Ille autem primus modus originis scdm Stoicos( vt iã dicti est) est per similitudinem rerum quibus verba sunt imponenda & sonorum,& pertinet principaliter ad præsentem quęstionem.Alii vero tres pertinent principaliter ad quæstionem sequentem, vt videbitur ibidẽ. Iste autem primus modus originis(vt iam supra dictum est)diuiditur in duos modos, quorum quilibet subdiuidit̃ in duos: & sic in se cõtinet quatuor modos.Quocp primus est per si

N
Responsio.

O

P

militudinem rerum & fonorum in feipfis: qualis eft inter fonum æris & tinnitum . Secundus eft in fuis proprietatibus fcdm fe confideratis: qualis eft inter validum & vim. Tertius eft eorum in fuis proprietatibus comparatis ad diuerfas vires cognitiuas fenfitiuas : qualis eft inter pilos ouis refpectu tactus, & vocem quæ eft lana refpectu auditus . Quartus eft fimiliter eorum in fuis proprietatibus comparatis ad vim intellectiuam quo ad proprietatem rei, & ad vim fenfitiuam auditus quo ad proprietatem vocis:qualis eft inter rem quę afpere tangit intellectum,vt eft virga virilis,& vocem eius quæ afpere tangit fenfum auditus, cuiufmodi eft veretrum. Et ꝙ primo quęritur,an nec deo nec alicui ꝗd eft in eo vox aliqua verbi imponi poteft : quia non eft in eo aliquid fenfibile fenfu auditus: nec eadem ratione tertio modo: quia non eft in eo fenfibile aliquo fenfu omnino. Secudo autem modo vox deo imponi nõ poteft nifi fub ratione alicuius generalis attributi: quia ꝓprietati quę eft in creatura,nõ refpondet aliꝗd in deo fcdm fimilitudinẽ fiue congruentiã nifi fcdm rationẽ attributi. Et hoc nõ fcdm æqualitatẽ: fed folũmodo fcdm rationẽ cuiufdã imitationis. Et fic ifto modo imponi verbum vocis deo ꝑ æqualitatis fimilitudinẽ,nõ eft omnino impoffibile tã ab intellectu creato ꝗ ab intellectu increato. Poffibile tñ eft etiã ab intellectu creato viatoris per fimilitudinẽ imitationis, vt deo quia validiffimus eft,vox verbi validiffima in fono imponat ad ipm fignificandum . Et fimiliter ꝑ fimilitudinẽ quarto modo impoffibile eft deo imponi verbi voce ꝑ fifitudinẽ ęqualitatis. Poffibile eft tñ ꝑ fifitudinẽ imitationis:& hoc veritati diuinę effentiæ fub propria ratione quã habet in fe abfꞯ cõparatione ad creaturas:fed hoc non ab intellectu creato viatoris:quia non fic ipfam attingit ꝑ cognitiõe:ficut nec cęcus natus attingit intelligentiam ꝗ fignificat noïe coloris. Per fifitudinẽ aũt æqualitatis eft oïno impoffibile:quia impoffibile eft ꝙ tanta lenitate feu fuauitate tãgat vox aliqua fenfum auditus:quãta lenitate feu fuauitate tangit veritas diuinæ effentiæ nude cognita intellectum beatũ. Et tñ fcdm iftum quartũ modũ originis verbi naturalis fuit impofitio verbi (fi tñ fuit naturalis)qua Adam noïa impofuit rebus Ge.ii. Poft ꝗ em dixit dñs Gen.i. Non eft bonũ effe hominẽ folũ:faciamus ei adiutoriũ fimile fibi : continue fequitur. Formatis igitur dominus deus de humo cũctis animãtibꝰ, adduxit ea ad Adam vt videret ꝗd vocaret ea. Qd re vera (vt æftimo) fecit dominus vt ꝑ noïa eis impofita iuxta congruentiam rerum declararetur Adę ꝙ non effet in illis fimilis ei: fcdm ꝗ huic facto adiũgit dicens: Adę vero non inueniebatur adiutor fimilis ei: Et vlterius ex hoc dominus oftenderet ei neceffitatem faciendi mulierẽ. Talis ergo impofitio quia eft fcdm proprietatẽ effentiæ & naturæ rei congruentẽ proprietati in cõparatione ad vires cognitiuas fenfus & intellectus verbi: tali modo verbum aut nomen imponere rei non eft nifi fapientis & perfecte cognofcentis naturam & ꝓprietatem cuiufꞯ rei:quã Adam in ftatu innocentię diuina fapiẽtia pręditus perfecte cognofcere potuit tãꝗ rem naturali intellectui fuo fubiectam. Vnde ꝙ quiditas & effentia per fe refpondeat fpeciei:& fcdm diuerfitatem fpecierũ fpecialiffimarum diuerfificentur quiditates & effentię rerũ ꝗ in genere plerifꞯ cõueniũt:& fub qualibet fpecie eędẽ funt in fingulis indiuiduis:ideo tali impofitione nõ imponit nomẽ nifi fpeciebus fpecialiffimis:non autẽ fingularibus.dicẽte Pfio.vii.Metaphyficę. Noïa impofita funt cõmunia oïbus rebus. Particularia em nõ habet nomen ꝓpriũ. Si ergo genera & indiuidua habẽt noïa,illa nõ funt nifi pure ad placitũ. Nifi forte imponat correfpondẽs ꝓprietati & mori alicuius indiuidui:puta hoc nomen Artoxerxes:ꝗd afpere fonat apud fenfum:quia ille erat afperrimus:& memoriã eius afperrime recipit fingulorꝰ intellectus. Vnde etiã quia poft ftatũ innocentię nullus hominũ perfecte noffe potuit quiditatẽ cuiufꞯ rei etiã fenfibilis fubftãtię vel accidẽtis : ex tali origine ab hoïe nomen nulli fpeciei poteft ïponi. Propter ꝙd oẽ nomẽ ab hoïe ad placitũ eft impofitũ:licet quã tũ eft ex natura rei & vocis poffet eẽ ipofitio ex origine naturali. De tali noïs ipofitiõe dico ꝙ dictis duobꝰ deus eft fabilis verbo naturaliter originato ꝑ fifitudinẽ imitationis:fed verbo originato ꝑ fifitudinẽ ęqualitatis oïno ineffabilis eft omni creaturę. Et hoc nõ tñ verbo exteriori fed interiori:quia ficut ꝑ fifitudinẽ æqualitatis nullũ verbũ creaturę exterius ei congruit: fic nec vllũ interiꝰ. Quia vt dicit Hil.verborꝰ fignificãtiã rei natura cõfumit. Et hoc ꝗa ꝗcꝗd in vocibꝰ verborꝰ & in ipfis verbis creatis,diminutũ eft ꝗa finitũ,refpectu pfectionis ꝗ eft infinitas diuina. Hinc dicit.xxi.propofitio de caufis. Caufa prima eft fup oẽ nome quo noïat:qm nõ ptinet ei diminutio. Et de ifto mõ ineffabilitatis loquit.vi.ꝓpofitio de caufis,fic dicens. Caufa prima fupior eft oï narratione:etiã nõ deficiũt linguę a narratione eiꝰ,nifi ꝓpter narratione eẽ ipfius. Cõm. Qd eft quia narratio non fit nifi ꝑ loquelã,& loquela per intelligẽtiã. Et caufa prima eft fuper res intelligibiles,quapropter nõ cadit fuper eã intelligentia. Vnde fi verbo mẽtis

deus effabilis eſt aut narrabilis,hoc eſt ſolummodo ſibi,& ſolo verbo ſuo non creato ſed geni=
to,dicente Auguſtino in Epiſtola ad Madaurenſes. Eſt quiddam inuiſibile ſummũ æternũ &
incommutabile : & nulli effabile niſi tm̃ ſibi.Eſt quiddam quo ipſa ſummitas maieſtatis nar=
ratur non impar gignenti atq̃ narranti verbum,per quod narratur illud principium q̃d dicẽ
do dicere conatus ſum, & dicendo non dixi. Tertio autem modo,nec deo nec alicui in eo po=
teſt imponi nomen:quia ex ratione talis originis non imponitur nomen niſi rei ſenſibili:qua=
lis deus non eſt . Quarto autem modo impoſitio verbi deo & eis quæ ſunt in ipſo ex tali ori=
gine omnino eſt impoſſibilis: etſi ſit poſſibilis circa creaturam:quoniam nulla eſt omnino p=
portio inter tactum quo deus aut aliquid eoꝝ quæ in illo ſunt , tangit intellectum ſiue crea=
tum ſiue increatum,& quo ſonus tangit auditum:& præcipue quo tactus vnius ſoni magis
ſit illi proportionalis q̃ alterius . Sic ergo breuiter recolligẽdo prædicta: dico q̃ etſi creaturis
verba eſſent imponenda vel poſſibilia imponi ſecundum modum originis naturalis : nullo ta=
men modo deo aut alicui q̃d eſt in eo.Reſtat ergo q̃ verbum vocis ei imponibile eſt ad pla=
citum tm̃: & q̃ ad placitum ſermone ſiue verbo vocali ſignificari aut nominari poteſt.Et con
cedenda eſt ſcdm hoc vltima ratio quæ hoc concludit.

R
Ad primũ
princip.

❡Ad primum in oppoſitum, q̃ deus eſt ineffabilis: ergo non poteſt fari nec no
minari,nec ſermone proferri: Dico q̃ ſuper hoc tãgit Auguſtinus Brigam quandã vbi dicit
primo de doctrina Chriſtiana.cap.iiii. Deus ineffabilis eſt.q̃d autem a me dictum eſt, ſi ineffa
bile eſſet, dictum non eſſet: ac per hoc non ineffabilis quidem dicendus eſt deus : quia & hoc
cum dicitur, aliquid dicitur : & ſit neſcio quæ pugna verborum : quoniam ſi illud eſt ineſ=
fabile q̃d dici non poteſt:non eſt ineffabile q̃d dici poteſt.Et dico q̃ effabile non ſolum dicit fa
bile:ſed perfecte fabile:illa ſignificatione complente ſignificatum verbi cui componitur.Illa au
tem præpoſitio in,adueniens non priuat ſiue negat fabilitatem ex parte fabilitatis ſimplici=
ter:ſed ratione plenitudinis ſolum:quia nulli plene fabile niſi ſibi tm̃. Et hoc non aliquo ver=
bo vocali:ſed mentali ſibi coæterno,vt iam dictum eſt. Et ſic ineffabile licet non poſſit ab ali=
qua creatura effari:poteſt tamen fari:& ſic ceſſat omnis pugna verborum. Hinc dicit Augu=
ſtinus ſuper Ioannem Sermo.xxxiiii.Extendat anima cupiditatẽ ſuam: et ſinu capaciore quæ
rat apprehendere q̃d oculus non vidit,nec auris audiuit,nec in cor hominis aſcendit: deſide=
rari poteſt,concupiſci poteſt, ſuſpicari poteſt, digne cogitari aut verbis explicari non poteſt.
Et de Trinitate libro.vii.cap.iiii. Loquendi cauſa de ineffabilibus, vt fari aliquo modo poſſe=
mus q̃d effari nullo modo poſſumus,dictum eſt. Vnde fando de deo propter minimũ q̃d ſcin
tillamus fando,& quaſi totum omittimus, dicit Auguſtinus.i.conf.cap.v. Loquentes de re
muti ſunt.❡Ad ſecundũ patet per idem:quia perfectæ explicationi ſicut ſunt in ſe cedunt ſen
ſus & ſermo:quia demonſtrari verbo non poſſunt:non ſolum verbo incomplexo quo rememo
ratur notitia ſimplicium:ſed nec verborum complexione in propoſitione aut argumentatione
quibus explicatur notitia habitudinum ſimplicium inter ſe : nec ſic cedunt ſenſus & ſermo
quin aliquo modo verbis incomplexis diuina poſſint quoquo modo percipi:& verborum com
plexione aliqua occulta in eis inueſtigari.Sed quia idipſum modicum eſt reſpectu eius q̃d re=
ſtat : & cum hoc periculoſum ne explicare volens occulta,incidat in errorem: ideo de talibus
tutius eſt ſilere q̃ aliquid loquendo & inueſtigando explicare. dicente Auguſtino de verbis
domini,Sermo.xxxviii. Fratres,melius eſſet ſi poſſemus tacere, & dicere: hoc habet ſides : ſic
credimus,non potes capere,paruulus es:homo non poteſt dicere q̃d non etiam ſentire poſſit:
forſitan ſilendo aliquid dignum de re ineffabili cogitaretur.Et Hilarius.vii.de Trinitate, ca.
xxii.Non relictus eſt homini tm̃ eloquentis de dei rebus alius præterq̃ dei ſermo:omnia reli=
qua & arcta & confuſa & concluſa & impedimenta ſunt obſcura. Siquis aliis verbis demon=
ſtrare hoc q̃ quibus dictum eſt a deo,volet,aut ipſe non intelligit: aut legentibus non intelli=
gendum relinquit.Cui vt dicit Auguſtinus contra Adimantium cap.vii. honorificum ſilen=
tium potius q̃ vlla vox competeret.Et Hilarius.ii.de Trinita.cap.iiii. Immenſum eſt q̃d exigi=
tur:incomprehenſibile q̃d audetur:vt vltra præfinitionẽ dei ſermo de deo ſit.Extra ſignifican
tiam ſermonis eſt,extra ſenſus intentionem, extra intelligentiæ conceptionem ꝗcquid vltra
quæritur,non enunciatur:non attingitur:non tenetur.Verboꝝ ſignificatiã rei ipſius natura
conſumit. Sed vt dicit ibidem cap.i.compellimur hæreticorum & blaſphemantium vitiis il=
licita agere:ardua ſcandere:ineffabilia loqui:inconceſſa præſumere:& cũ ſola ſide expleri quæ
præcepta ſunt oporteret: cogimur ſermonis noſtri humilitatẽ ad ea quæ inenarrabilia ſunt ex

S
Ad ſecundũ

tendere:& in vitiũ vitio coarctamur alieno: vt quæ contineri religione mentium oportuisset: nunc in periculum humani eloquii proferantur.

**A**
**Quest. II.**
**Arg. i.**

Irca Secũdum arguitur ꝙ deus non potest significari nominibus seu verbis impositis creaturis, Primo sic. ꝙ est causa seductionis, in diuinis esse non potest quantum est ex parte ipsorum: quia ꝙ est causa seductionis ducit in errorem: quia non est seductio nisi in errorem . In diuinis autem quantum est ex parte ipsorum error esse non potest. sed significare deum nominibus siue verbis impositis creaturis est causa seductionis: quia vt dicit Augustinus de verbis domini contra Arrianos. xxxviii. Sermo. Carnalia transferre ad spiritualia cupiunt: & intentione carnalium facilius seducuntur. Quęcunꝗ autem sunt in creatu

2 ris, carnalia sunt respectu spiritualium diuinorum. ergo &c. ¶Secundo sic. Dicit Boethius. iiii. de Trinitate. In diuinis intellectualiter versari oportet: neꝗ deduci ad imagines. Sed nominibus impositis creaturis significare deum est deduci ad imagines: quia omnis creatura est imago vel habens aliquam rationem imaginis dei in vestigio. ergo &c. ¶In contrarium arguitur Primo sic. Dionysius cap. i. de diui. nominib. loquens de deo & creaturis, dicit sic. Ex omnibus quæ sunt laudatur & nominatur, non nominatur autem ex illis nisi ipsum significãdo verbis

**In opposit.**
**primo.**

2 siue nominibus illis impositis. ergo &c. ¶Secundo sic. modo quo res cognoscitur, potest significari nomine: & non aliter. Sed scdm dicta in præcedenti quæstione, nullus ponit nomen rei quã nescit. Et scdm ꝙ dicit Augustinus Sermo. xxxviii. super Ioãne, Homo non potest dicere ꝙ non potest etiam sentire. Sed scdm Dionysium cap. ii. de diui. nomi. omnia diuina quęcũꝗ nobis manifestantur, in participiis solis cognoscimus: ergo & in solis participiis significari nominibus possunt. Sed hoc non est nisi significare diuina nominibꝰ impositis creaturis: quia de numero participantiũ sunt omnes creaturę & solę creaturę. ergo &c.

**B**
**Responsio.**

¶Dico ꝙ postꝗ significari nomine siue nominis impositione necessario sequitur cognitionem rei quæ significatur, & cui nomen imponitur, aut possibile est imponi: ita ꝙ nõ nisi cognito: & non nisi scdm ꝙ cognitum est posset rei nomen imponi aut res significari nomine: Diuina autem non cognoscitur a nobis viatoribus, nec possunt cognosci nisi in aliis: & hoc vt in obiectis cognitis: & ꝙ non nisi in alio cognosci potest, non nisi in alio & nomine alterius significari potest: quia nisi ita significaretur, aliter significaretur ꝗ cognosceretur: Igitur quęcunꝗ diuina quia a nobis non nisi in creaturis cognoscuntur: non nisi nomine creaturarum significari nobis aut a nobis possunt. Quare cũ possibile sit illa a nobis significari: qa nihil possumꝰ intelligere nisi illud possimus significare quoquo modo: licet nõ ita cõplete, vt

**C**

infra videbitur: & intelligere non possumus plura diuina & in deo existentia: puta esse, viuere, sapere, intelligere, & cætera huiusmodi: Dico ergo ꝙ plurima quæ sunt in deo, nominibus impositis creaturis significari possunt. Quæcũꝗ autem in deo sunt, deus est: ergo & deus ipse nominibus impositis creaturis significari potest. Et hoc non quibusdam communibus creaturarum: & quibusdam non: sed omnibus nominibus omniũ creaturarũ: & omniũ quæ in creaturis sunt. Sed diuersimode, prout diuersimode quęlibet res, & per consequẽs nomen eius deo attribui potest, vt supra determinatũ est de attributis articulo. xxxii. quæstione. ii. Prout enim ibi determinatum est, quędam deo attribuĩtur per proprietatem, vt scdm Ambrosium. ii. lib. de Trinitate, illa quorum nomina euidenter diuinitatis proprietatem ostendunt, vt sunt sapiẽtia, bonitas, potestas, & huiusmodi: & vniuersaliter illa quę aliquid perfectionis simpliciter nominant in creaturis, vt declaratũ est in eodem, quęstione prima. Quædam autem alia eidẽ attribuĩtur per translationem: vt sunt illa qͤorũ res nominibus significantes aliꝗd correspondens diuinæ proprietati in se continent . Et vtroꝗ modo nomina attributorum deo ab illis quæ sunt in creaturis, originem trahunt ab illis scdm aliquem trium modorum originis verbi non principalium, videlicet vel rerum similitudine, vel rerum proprietate, vel rerũ contrarietate: mixta tamen cum similitudine. Similitudine rerum nominatur deus leo: & nominatur atꝗ significatur nomine animalis sic nominati: & ab ipso nomen tale ei deriuatur: & hoc propter similitudinẽ quã habent in fortitudine. Ouis vero deus confimiliter nominatur propter similitudinem in mansuetudine quam habet deus cum oue, quæ est animal mansuetum. Vicinitate rerum nominatarum nominatur notitia dei, sapientia, & significatur nomine sapientiæ, quo significata est notitia intellectus creaturæ: & ab illa nomen tale deriuatur cum diuinis tribuit. Vicina enim est sapientia dei sapientiæ creaturę: nõ situ loci, sed dignitate na

turæ: & similiter beniuolentia,& econuerso bonitas eorundem, & cætera quæ deo attribuí=
tur propter proprietatem.Et hoc aduertendum quo ad illa que accidunt circa res prius q̃ no
mina eis imponantur : vel posterius aduentura sunt nomina illis per se quæ imponuntur: vt
quo ad hoc Moyses quia ipse ab aquis assumptus fuit a filia Pharaonis: & ipsum nomen eius
interpretatur.Aliq̃n ante, vt Iacob q̃ supplantaturus erat fratré suú Elau.Mixtim autem cō
rrarietate & similitudine rerum,cum zelus nominatur & significatur dei dilectio custoditiua
castitatis animæ sanctæ.Vt enim dicit Augustinus contra Adimantiú cap.xi.Zelum dei non
cruciatum animi quo maritus aduersus vxorem, vel vxor aduersus maritú nominare solent:
sed tranquillitas synceríssimaq̃ iustitia qua nulla anima beata esse sinit falsis opinionibus pra=
uisq̃ cupiditatibus corrupta & quodammodo grauidata. Quero zelum hominis: & inuenio
perturbationem cruciantem cor.Cum quero causam,nihil aliud inuenio nisi quia non patere
tur coniugis adulterium.Et ibidem cap.iiii. Tolle de zelo dolorem,quid remanebit aliud nisi
voluntas castitatem custodiens : In eo ergo q̃ zelus s in deo dicit tranquillitatem voluntatis,
quæ contraria est perturbationi quæ est in zelo hominis, deriuatur ab hominis zelo zelus
in deo per rerum contrarietatem: sicut lucus dicitur nemus a luce quia minime lucet . In eo
autem q̃ vtrobiq̃ dicit voluntatem custodiendi castitatem: deriuatur zelus dei a zelo homi=
nis per rerum similitudinem:sicut ab eo qd̃ est crux deriuatur crus,vt dictum est in precedéti
questione.Et sic licet non sit verbum impositú ad significandú deú sc̃m primú & principale
modum originis verbi:sunt tamen verba plurima imposita ad significádum deum penes alios
tres modos originis verbi,ad quos ptinent oĩa noĩa attributa deo a creaturis siue proprie siue
translatiue. Est tñ aduertendú,q̃ sc̃m illos tres modos aliter noĩa translata a creaturis ad si
gnificandú diuina oriunt a creaturis q̃ oriant ab vna creatura & deriuent ad alterá. Quia in
creaturis ab vna creatura deriuant ad alterá ƒm aliquá vocis variatione:vt p vicinitaté rerú
a capite capillus:p ƒilitudiné rerú a cruce crus:p cōtrarietaté rerú a luce lucus.In deo aũt de=
riuatur a creatura per omnimodam vocis identitatem,sc̃m q̃ ab aĩali qd̃ est leo dicitur deus
leo propter similitudinem:a notitia creaturæ quæ est sapientia, dei notitia dicitur sapientia
per rerum vicinitatem. Mixtim autem per rerum similitudinem & earundem contrarietatem
simul ab amore hominis qui est zelus,amor dei zelus dicitur,vt dictum est.Pure etiam sc̃m
aliquos per rerum contrarietatem a notitia quæ est sapientia in homine, deriuatur ad dcum
nomen sapientiæ: & dicitur deus sapiens per contrarium:non quia minime sapiat? sed potius
ne credatur ei inesse contrarium,scilicet q̃ sit insipiés. Et sic sc̃m dictas tres origines verbi a
creaturis verba originantur quibus significatur siue nominatur deus & illa quæ in eo sunt:
sed aliud & aliud significant in deo & in creaturis sub eodem nomine non variato. Sed deri=
uatione nominis a contrario pure non credimus nomen in diuinis a creaturis deriuari:sicut
nec ponimus a contrario aliquam appropriationem fieri in diuinis, vt patet ex determinatis
in præcedenti articulo.

**¶Q**d̃ ergo arguitur **Primo** q̃ deus non potest significari nominibus siue verbis
impositis creaturis:quia hoc esset causa seductionis & erroris: Dico q̃ verum est si eandem si
gnificationem rei eiusdem modi & naturæ intelligantur significare in diuinis & in creaturis
& sic sc̃m idem significatum a creaturis nomina transferantur ad diuina: qualitet intellige=
bant heretici nomina deriuari siue transferri ad diuina a creaturis:puta natiuitatem filii. De
qua ibidem Augustinus ad literam loquitur dicens sic.Quando carnalibus ista spiritualia in=
timabimus homini assueto natiuitate terrena: & videntibus creaturæ ordinem vbi successus
& decessus gignentes &'genitos ætate distinguit:Post patrem enim nascitur filius patri mor
tuo successurus.Hanc consuetudinem videndi carnalia transferre illi ad spiritualia cupiunt:
& intentione carnalium facile seducuntur.Idem exponens illud Nō potest filius facere quicq̃
nisi quæ viderit patrem facientem.dicit super Ioã.Sermo.xxx.Quæ si intelligantur sc̃m hu
manum sensum: nihil aliud nobis facit anima plena phantasmatibus nisi quasdam imagines
velut duoq̃ hominú patris & filii,vnius ostédétis,alterius vidétis, q̃ omnia idola cordis sunt
Quæ si iam deiecta sunt de templis suis,quáto magis deiicienda sunt de cordibus Christianis:
Et quid faciem? nos:silebimus:vtinã liceret.quid illi:cõtra si haberet qd̃ diceret,diceret. Vict?
est qui respōdere nō vult.Ille cui hoc dicit si nō respódeat:etsi in seipo victus nō est, vincit tñ
in titubátibus fratribus: & forsitan verú putát nō esse.Igit vt dicit Hil. cōpellimur heretico q̃
&c,vt supra in fine q̃st.pcedétis.Hoc igit q̃ ƒm idé significatú nitur heretici verba trãsferre a

creaturis ad diuina: caūsa seductionis & erroris ipsoꝶ est in ipsis solūmodo: non autē in aliis. Qd tamē nō est ita vt putāt,dicente Cōmē.sup illud Boethii de Trini.ca.v.Substātia non est in illo vere substātia:sed vltra substātiā.Idē qualitas &c.Cōm.Quasi vere quę de deo pdicant nō sunt qd nominant.Nā quia nō est tāta dictionū copia vt quęcūqꝫ suis possint noībus desi gnari,humanę locutionis vsus maxime a naturalibus ex aliqua rationis pportione noīa transfert:vt sicut dicimus corpus albū magnū,corpus substātia,albū qualitate,magnū quantitate, ita dicimus Deus iustus maximus:quasi dictū sit deus substantia:iustus qualitate:maximus quātitate:cum tn nihil hoꝶ rerū aut generis ꝑprietate:sed tn ꝑportionali transactione dicamus.Et Hil.li.iiii.de Trini.in principio.Nō ignoramus ad res diuinas explicādas neqꝫ homī nis elocutionē neqꝫ naturę humanę cōpositione posse sufficere:qd.n.inenarrabile est,id signi ficatiē alicuius finē & modū nō habet.Cū tn de naturis cęlestibus sermo est:illa ipa quę sensu mentiū continent,vsui cōmuni & naturę & sermonis sunt eloquęda: non vtiqꝫ dignitati dei cōgrua:sed ingenii nostri imbecillitati necessaria:rebꝰ.s.& verbis nostris ea q̄ & sentimꝰ & in telligimus locuturi.Vn ad ꝑcauęda ꝑdicta q̄ cōtingūt hęreticis,dicit Aug.de Trini.ix.ca.i. Nō aliqd de trinitate dicamus qd nō creatori sed creaturę potiꝰ cōueniat aut inani cogitatio ne figatur.Et li.vii.ca.iiii.Quisqꝫ deū cogitat,& nondū pōt oīno inuenire quid sit,pie tamen caueat quantū potest de illo sentire qd nō sit.Si em verba a creaturis trāslata ad diuina qd aliam significatione rei.s.eminentioris intelligāt in illis q̄ in creaturis, non sunt causa sedu ctionis, sed potius elucidationis veritatis: scdm q̄ supra articulo.xx.q̄stione.i.&.ii.de modo locutionis sacrę scripturę expositū est.scdm q̄ etiā docet Hil.dicens.ii.de Trini.cap.ii.Quia malignitas instinctu diabolicę fraudulentię excecata veritatem rerū per naturæ nomina elu dit:nos naturas nominibus ꝑferamꝰ:non frustrent naturæ ꝑprictatibus nominū:sed iuxta na turę significationē noīa coarctent.Dns baptizans gētes in noīe patris & filii & spiritus sancti, posuit naturę noīa.Vnde talis translatio seu deriuatio nominū a creaturis ad diuina est quasi quędā nominū ad significandū ipositio.¶Ad secūdū,q̄ in diuinis oportet non deduci ad ima

gines:Dico q̄ ad imagines contingit deduci dupliciter.Vno modo sentiędo esse in diuinis qd percipitur esse in imaginibus.sic deduci imagines & nominibus impositis creaturis significare deum,est causa erroris & seductionis,vt dictū est.Alio modo sentiendo ꝑ similitudinē & vici nitatē esse eminenter tale qd in diuinis quale percipit esse in creaturis siue in imaginibꝰ.sic de duci ad imagines,& noībus impositis creaturis significare deum,vt sil̄r dictū est: nequaq̄ est causa seductionis & erroris:sed potiꝰ directionis i cognitione veritatis circa diuina.¶Et scdm hoc concedēda sunt duo argumenta in cōtrariū: præter hoc q̄ secūdū nititur probare q̄ solis

nominibus impositis creaturis deus significari possit:qd nō est verū.Licet em significare aliqd de deo non possumus in speciali qd ꝑtineat ad pfectionē naturę eius:cuiusmodi est sapiētia, bonitas,potestas,& huiusmodi:nisi nominibus sumptis ex creaturis:& hoc(sicut iam dictum est)ꝑ vicinitatē perfectionū consimiliū in creaturis:ita q̄ non possimus significare nomine ali cuius in creaturis veritatem pfectionis diuinę essentię:quia non respondet ei ꝑ completā vici nitatem aliqd in creatura: nec possumus illi nomē imponere ex notitia qua cognoscitur de re quid sit:quia(vt dictū est)perfectione virtutis diuinæ essentię solus deus comphensione po test cognoscere:possumus tn illi nomē imponere ex notitia qua ꝑ creaturas possumus cogno scere an sit & quid sit saltē in generali attributo,vt dictū est supra.Et sic nominamus ipm hoc nomine deus,nō ex aliqua naturali cōgruentia huius vocis deus, quę est quatuor literarum: quia nulla potest esse scdm ꝑdicta:sed solūmodo ad placitū. Aut si vox aliqua naturaliter i se vel in aliqua ꝑprietate sua cōuenire posset diuinę essentię aut alicui ꝑprietati eius: aut solus deus nomen illud vocis congruens pfectioni sue essentię imponere posset:vt dicit supra de at tributis articulo.xxxii.q̄stione.iiii.aut intellectus beatus quicūqꝫ:& si tale nomen deo naturali origine ꝑ similitudinē vocis ad rem significatā iam sit impositū:puto q̄ sit illud qd dicit Rabi Moyses fore nomē Tetragrāmaton deo appropriatū.de quo dictū est satis scdm Rabi Moysen in dicta questione:& amplius declarabitur in sequenti articulo q̄stione.ix.

Irca Tertium arguitur q̄ nomina significātia deum & creaturas nō signi ficant illa vniuoce,Primo sic.In omni genere & ordine rerum vnū est ante multa.iuxta illud Dio.ca.iiii.de diuinis no.Dyas nō principiū.Monas autē totius dyadis principiū.In ordine aūt pducentiū & pductorum productio æquoce ponit omnimodā pluralitatem iter pducente & pductū ꝓpter dissi militudinē pducentis ad pductū.Sol em non calore generat calorē.Produ

ctio autē vniuoca semper ponit vnitatē inter productū & producentem:quia est per similitudi
nem producētis ad productū.Ignis enim calore generat caloré. Primi ergo agentis ad suū pro
ductū debet esse vniuocatio,& illa est principium primū ad productionem æquiuocā,& debet
equiuoca ad vniuocā reduci.sed nomina ā creaturis deo attribuunt,& a creaturis ad signifi
candū deum & quæ sunt in illo trāsferuntur,transferútur ad illū vt ad causam primā ab effe
ctu,vt declaratū est supra loquendo de attributis.Transferútur ergo ad ipsum significandū vt
causam vniuocā ab effectu vniuoco.sed talia nomina dicuntur vniuoce de causa & de effectu:
puta calor de calore in igne,& de calore in ignito:ergo &c.☞Scdo sic,Quæ dicitur de aliqui
bus cōuenientia nominis & rei,dicitur vniuoce de illis per definitionē vniuocorum.sic dicūt
de deo & creaturis nomina quæ deū & creaturam significat:vt cū demonstrata notitia dei di
citur,hec est sapientia,& similiter notitia creaturæ.Aliter enim cū sapientia dei non plus con
ueniret sapientia creaturæ ā creaturæ bonitas:quia tātū differret sapiētia dei a sapientia crea
turæ:quantum differt a bonitate illius.qd falsum est:quia si homo sit nō bonus,& sapiens:cō
municat cū deo inquatum ille est sapiens.sed licet esset bonus & nō sapiens,in nullo cōmunica
ret deo inquātum ille est sapiens:ergo &c.☞In contrariū est ꝙ minus diuersa magis nata sunt
vniuoce eodē nomine significari ā magis diuersa:quia illa sunt propinquiora vnitati & cōue
nientię ā ista.Sed substātia & accidens in creaturis minus diuersa sunt iuter se ꝙ id qd nomi
natur nomine sapientię in deo, & id qd nominat nomine sapientię in creatura:quia substantia
& accidēs ambo sunt creaturæ.sed substātia & accidens eodem nomine vniuoce significari nō
possunt:quia scdm Porph.si quisꝗ oīa entia vocet, equiuoce nūcupabit. Non videntur autem
substantia & accidens magis vniuocari ā in ente.ergo &c.

☞Dico ꝙ in esse tota actualitas rei cōsistit siue quo ad essentiā siue quo ad existē
tiam.Qẓdiu enim res aliqua non est nisi in potentia tm:non est siue non habet esse inquantum
huiusmodi. Ipsum etiam esse circuit intima & minima vniuscuiusꝗ rei. Nihil eī est in re qua
cūꝗ cui esse non cōueniat.Propter qd nihil est latius ente. Et est ipm esse diuersum atꝗ aliud
& aliud in reb⁹ scdm diuersitatem eius qd pertinet proprie ad quiditatem cuiusꝗ,& similiter
est ipsum esse vnū & idem in vnoquoꝗ scdm vnitatē quiditatis suæ. Quæcūꝗ ergo in aliquo
quantucūꝗ minimo in ratione vnitatis vniuocari possunt: vt nomē aliquod scdm illud de eis
dici possit vniuoce,& illa vniuoce significare per illud:necesse est ꝙ illa possint saltem vniuoca
ri in esse. Quare cū vt supra determinatū est loquēdo de esse dei:deus & creatura in nullo esse
vniuocari possunt:multo minus ā substātia & accidens:ergo nec in aliquo alio. Sed nō signifi
cant vniuoce eodem nomine nisi per aliquid eis vniuoce cōueniens,qd primo & per se signifi
catur illo nomine.Dico igit simpliciter ꝙ non idem in re,sed re omnino aliud,significat idem no
men de deo & de creaturis,dicēte Boethio de trini.c.v. Decē prędicaměta quæ de rebus omi
bus vniuersaliter pdicantur,talia sunt qualia subiecta pmiserunt. Nam eorū pars in reliquotū
pdicatiōe substātia est:pars in accidērium numero est:atꝗ cū hæc in diuinā prędicatione quis
vertit,cuncta mutātur quę prędicari possunt.Cōmentator.I.cū de deo prędicari dicentur siue
substātia siue quātitates &c.cūcta mutātur.i.ꝗuis de deo prędicat nomine substātia,vel quali
tas,vel quātitas,vel aliquod naturaliū nomine appelletur,non tamen est qd dicitur:sed aliqua
rationis proportione ita nominat.Propter qd subdit Boethius dicēs. Nam substātia in illo nō
est vere substātia sed vltra substātiam.Idem qualitas &c.Cōmen.Quasi vere quę de deo prædi
cant non sunt qd nominant,non quia nō est tanta &c.vt supra questione proxima præcedente.
☞Est autē aduertendū ꝙ interponit Commen.Quasi,excipiendo illud qd dicit Boethius,Quę
possunt prędicari,& hoc propter relationem quā excipit. Vñ exponēdo se subdit.Relatio vero
omnino non prędicari potest.& hoc vt subdit in.c.ix.neꝗ de deo neꝗ de cæteris. Commenta.
Vera essendi ratione.Per qd intelligit ꝙ tria pdicaměta absoluta.s.substantia,quantitas, & qua
litas aliquid sunt in se,& similiter scdm ipsa sunt aliquid subiecta de quibus prędicant. Nō sic
autē.vii.prędicaměta relatiua. Vñ de trib⁹ primis dicit Boethius.c.viii. Hæc pdicaměta talia
sunt,vt in quo sunt ipsum esse faciunt quod dicit.De aliis dicit.c.ix.Talia sunt vt nō quasi ipsa
sit res id qd pdicatur de qua dicit.i.scdm Cōmen.ꝗuis in pdicamento de substātia relatio nō
dicat est:vt deus est pater vel homo est pater:non tamen ita dicitur quasi ipsa res de qua dicit
sit id.i.habeat esse aliquod eo qd prędicat.Nam est quicquid pater est: sed illud qd est esse pa
trē nō est esse,quomodo qd est quale vel quātū est,& esse quale vel quātū est esse: vt homo qui
est albus vel longus est,& eū esse album vel longum est esse:sed esse patrē non est esse: ꝗuis qui

pater est vere sit,& hoc quia nõ est aliquis pater ex aliqua proprietate qua possit scdm se designari,& sine ad aliud extra se facta sui collatione demonstrari,sicut absq̃ sui ad alterum cõpositiõe per se designat homo esse homo forma humana,qualitate esse alb⁹,quãtitate longus. Vbi pro voce quã Boethius & Cõmen.ponit posui patrẽ,& hoc propter clariorẽ intellectum illius vniuersaliter dicti de relatiõib⁹.Et nota q̃ nõ est ista differẽtia iter tria p̃dicamẽta absoluta & p̃dicamẽta relatiua,nisi q̃ de ratione sui predicamẽti illa relatiua non dicũt nisi rationẽ essendi ad aliud,non autẽ aliqua propriã realitatẽ,qualem dicũt absoluta.Propter qd̃ cũ mutatio p̃dicamẽtorũ quãdo trãsferũt ad diuina nõ sit nisi scdm res signifiatas,vt dictũ est,ideo alia quia,s̃.proprias res dicũt,mutari possunt.Relationes autẽ nequaq̃:quia proprias res nõ dicũt: sed manent scdm rationẽ illã in diuinis quã tenuerũt in creaturis.Et ideo quo ad id qd̃ de proprio habẽt relationes in sua significatione,vniuoce significãt in diuinis & in creaturis,nõ sic p̃dicamẽta absoluta. Sed aspiciẽdo ad realitatẽ quã relationes cõtrahũt in suo significato ex predicamẽtis sup quẽ fundant,bene mutãtur relationes trãslatẽ ad diuina sicut & alia: & sicut in diuinis substantia nõ est substãtia,s̃.talis qualis est in creaturis:sed supersubstantia:sic in diuinis paternitas non est paternitas,talis,s̃.qualis est in creaturis:sed suppaternitas. Et hoc modo nomina relationũ equiuoce dicũt & significant in diuinis & in creaturis,sicut & noĩa p̃dicamẽtorũ absolutorũ.CEt secundũ hoc dico generaliter q̃ nomen significãs cõmuniter deũ & creaturã aut aliquid qd̃ est in deo & in creatura,necessario significat illa equiuoce & nõ vniuoce.Et secundum hoc concedenda est vltima ratio.

M

N
Ad primũ
prĩn.

CAd primã in oppositum q̃ primi producẽtis ad p̃ductũ suum debet esse vniuocatio:quia vniuoca productio prior est p̃ductione quẽ est equiuoca: Dico q̃ verũ est de agente primo ad suũ primũ p̃ductũ:quia productio illius necessario est vniuoca,eo q̃ est prima: quia equiuoca nõ potest esse prima:sicut nec multũ potest p̃cedere vnum:vt tangit in argumẽto,& bene.Nõ autẽ est verũ semper de agẽte primo ad secundũ p̃ductum ab eo,quia agens primũ & vniuocũ respectu vnius p̃ducti bene potest esse agens primũ & equiuocũ respectu alterius p̃ducti:sed ordine quodã:quia actio p̃ducentis equiuoci necessario est secũda,& secũdi a secũdo producti:& p̃supponit actionẽ p̃ducentis vniuoci quã est prima,& primi atq̃ primo p̃ducti,ad quã reducit secũda.Dico ergo q̃ sicut deus & creatura in nullo vniuocãtur, sic nõ est vniuoca sed equiuoca p̃ductio qua p̃ducit creaturã:& necessario p̃supponit vniuocã:sed nõ totius trinitatis p̃ducentis creaturã:sed primẽ p̃sonẽ in trinitate,qua,s̃.pater p̃ducit filiũ:& etiam qua ambo producũt spiritũ sanctũ:secundũ q̃ specialius debet declarari in sequẽti parte hui⁹ disputationis ordinari.Et scdm istas duas p̃ductiones duplex est assimilatio p̃ducentis ad p̃ductũ.dicẽte Ambrosio in lib.de incarnatione verbi.Alia est similitudo scdm imitationẽ,alia scdm naturã.Secundũ imitationẽ eĩ est similitudo creaturẽ ad deũ,secundũ naturã autẽ filii ad patrẽ,& vtriusq̃ illorũ simul ad spiritũ sanctũ,secundũ q̃ hoc clarius patet ex supra determinatis circa relationẽ similitudinis diuinarũ personarũ inter se.CAd secundũ q̃ noĩa quẽ significãt deũ & creaturã dicunt de illis cõuenientia rei & nominis &c̃. Dico q̃ sicut scdm Ambro.est similitudo scdm imitationẽ & scdm naturã,sic & cõuenientia.Et bene verũ est q̃ inter deũ & creaturã est cõuenientia imitatiõis,nulla tñ naturẽ,quia,s̃.eandẽ naturã singulare cõiciẽt,sicut diuinẽ p̃sonẽ cõiciẽt eadẽ diuinã essentiã,vel vniuersalẽ sicut species essentiã generis. Nũc autẽ vniuocatione nõ operat cõuenientia nisi sit s̃m naturã,qualis nõ est inter deũ & creaturã:nec maior inter sapientiã dei & sapientiã creaturẽ:q̃ inter sapientiã dei & bonitatẽ creaturẽ:licet inter sapientiã dei inquatum sapientia,& sapientiã creaturẽ maior sit cõuenientia imitationis q̃ inter sapientiã & bonitatẽ creaturẽ vt tãgit obiectio. Nec est maior cõuenietia scdm naturam ad deũ illorum in creaturis,quorum nomina˜trãsferunt ad significandũ deũ per proprietatẽ q̃ quorum noĩa transferuntur ad significandum deum per similitudinem:licet sit maior conuenientia scdm imitationem.Propter quod scdm diuersam rationem originis verbi transferũtur nomina illorum & istorum ad diuina:vt habitum est in precedenti quẽstione.

O
Ad secũdũ

P
Quest.IIII
Argu.1.

Irca quartum arguitur q̃ nomina significãtia deũ & creaturam significãt illos pure equiuoce,Primo sic. Quẽ maiorẽ diuersitatẽ habent inter se,magis habent equiuoce significari eode noĩe q̃ quẽ minore:quia equiuocatio est secundũ significatog diuersitatẽ,vt patet ex definitione equiuocorũ . maiorẽ autẽ diuersitatem habent inter se deus & creatura,q̃ diuersa indiuidua sub eadem specie:quia illa in aliquo reali cõicant:licet vniuersali:Deus autem &

creatura nequaq̄,ſed diuerſa indiuidua eiuſdē ſpeciei pure equiuoce ſignificant eodē noīe: vt duo Alexandri ſcdm Boethiū ſuper prędicamēta Ariſto.ergo &c̄.ꝰSecundo ſic.Nomen ſigni‐ ficās plura abſq̄ omni illorū vniuocatione neceſſario ſignificat illa pure equiuoce: quia equiuo‐ ca & vniuoca ex oppoſito diſtinguunt ſub vnitate vocis.ſed nomen ſignificās deū & creaturā ſignificat illos abſq̄ omni vniuocatione:quia dei & creaturę nulla omnino eſt ratio ſubſtantiæ eadē:qd requirunt vniuoca ſcdm illog̃ definitionē:ergo &c̄.ꝰIn contrariū eſt q̄ illa quę cōmu‐ nicat idem nomen nō abſq̄ ordine quo nomen nō cōuenit vni per prius & alteri per poſterius, illo noīe nō ſignificant pure equiuoce:quia nō equaliter ſunt ſub voce ſignificata.deꝰ & crea‐ tura ſunt huiuſmodi:quia in nullo equari poſſunt:ergo &c̄.

ꝆDico q̄ licet omne nomen equiuocū ſignificet plura nō ſub vna ratione rei:quia nihil ſignificat cōmune reale,ſiue ſingulare,ſiue vniuerſale ad illa: quale ē oīe nomen vniuocū illa tn̄ plura nō ſemp vniformiter ſe habet ad rationē ſecundū quā nomē rei imponit.In impo‐ ſitione em̄ nois rei cui imponit cōſideranda eſt ratio rei ſecundū quā nomē illi imponit:quia res eadē aliqn̄ habet plures ratiōes:& licet ipſa ſit vna & eadē,tn̄ voce bene imponit ſcdm rationē vnā & ſcdm aliā:puta eadē res ſignificat noīe ſubſtantię aut accidentis,aut noīe entis:ſed ſcdm aliā & alia rationē:quia ſub noīe entis ſcdm rationē actualitatis ſimplr̄:ſub noīe ſubſtantię ſcdm rationē actualis exiſtētis in ſeipſo,nō autē ī alio:ſub noīe accidētis ſm̄ rōne actualis exiſtētis nō niſi ī alio. Quę quidē ratio eſt alia & alia:ſcdm modū quo cōceptꝰ ab iponēte circa r̄ē eſt aliꝰ & aliꝰ.Diſtinguendū igit eſt de rebꝰ equiuoce ſignificatis ſub eodē noīe.Aut em̄ aliquā habitudi‐ ne habet propter quā vox illis cōiter imponit,aut nullā.Si nullam,tūc eſt pura equiuocatio:& eſt illorū quę vocant equiuoca caſu,quibus idem nomē eque primo & principaliter imponit: vt duo viri ſub hoc noīe Alexander.Si vero aliquā habet habitudinē propter quā vox illis cōiter imponit,tunc nō eſt pura equiuocatio,& eſt illog̃ q̄ vocant equiuoca habitudine,& hoc vel ha‐ bitudine illog̃ quā habet inter ſe ex rationibꝰ īequalibꝰ: propter quā vnꝰ illog̃ mutuat nomē ab altero,vel amborū ad tertium inequaliter: propter quā ambo ab illo nomē mutuāt inequa‐ liter.Et cōtinet iſta equiuocatio q̄ eſt habitudine,quatuor modos,& p̄cedēs vnū.Boethius em̄ in cōmento libri p̄dicamētorū Ariſt.ſup capitulū de equiuocis diſtinguit quinq̄ modos equi‐ uocatiōis de rebꝰ q̄ ſignificant equiuoce ſub eadē voce.Sūt em̄ vt dicit equiuoca caſu: vt duo Alexādri.Proportiōe,vt principiū dicunt vnitas & pūctus.Relatiōe,vt ſalutaris dicit vectio & eſca.Similitudine:vt hō verus & pictus. Deſcēſu:vt aīal dicit ſanū & vrina.Caſu ſub hoc noīe Alexāder duo viri nūcupant:quia abſq̄ cauſa & ratione ad hoc inducēte ex natura rerū ſigni‐ ficatarū,eo q̄ nullā habitudinē habet neq̄ inter ſe neq̄ ad tertiū propter quā vnū nomen ha‐ beant.Proportione aūt equiuocant ſub hoc noīe principiū vnitas & pūctus:quia licet vnitas & pūctus inter ſe habeant habitudinē in hoc cōuenientię & mō ſimilitudinis:quia vnitas eſt a qua numerus p̄cedit:& pūctus a quo linea: & ſcdm hāc habitudinē cōmune ſit eis impoſitio huiꝰ nois principiū:tn̄ iſta pportione ſe habet vnitas ad numerū in principiādo ipm̄,& pūctus ad li‐ neam:quia vnitas principiat numerū vt pars ſuī totū: punctus aūt nō ſic linea : ſed ſolūmodo vt terminus terminatū:& ſic pfectius r̄ē principiādo cōuenit vnitati q̄ puncto.propter qd etiā cōuenit primo nomē principii vnitati: ſecūdo aūt pūcto per trāſumptionē ab vnitate.Relatiōe aūt ad idē.ſ.ad ſanitate aīalis cuiꝰ ſunt cauſatiua aut cōſeruatiua,dicit ſalutaris.i.ſanatiua ve‐ ctio,& ſilr̄ eſca:ſed eſca primo & principaliter,& vectio ſecūdo,& hoc quia vectio nō eſt ſanati‐ ua niſi quia cōfert ad digeſtionē eſcę q̄ eſt per ſe ſanatiua.& ſic pfectius ſanādi cōuenit eſcę q̄ vectioni.Propter qd etiā prī cōuenit eſcę nomē ſanitatis:ſecūdario aūt cōuenit vectioni.Silr̄ tudine aūt ad verū hoīem dicit pictura vel imag hois homo,& ſic pfectius eſt ratio hois q̄ ho mine vero q̄ in eius pictura.Propter qd nomen cōuenit primo hoi,& ſecūdario picturę.Deſcē‐ ſu vero quo effectus & qd eſt in eo deſcendit in ſua cauſa:quia.ſ.impreſſiones q̄ ſunt ſigna ſani‐ tatis q̄ eſt in animali,vrina recipit a ſanitate aīalis . & ſic pfectius eſt ratio ſanitatis in aīali q̄ in vrina.Propter qd aīali primo & per ſe cōuenit nomē ſanitatis , & vrinę ſecūdo,& hoc per quā dā tranſumptionē nominis a cauſa ad cauſatū.Et vocāt talis equiuocatio quæ eſt in iſtis qua‐ tuor modis,proprie anologia:quia nomen per prius & poſterius dicit de pluribus,& per prius & poſterius ſignificat illa.Et per talem habitudinē quodammodo iſta ręquiuocatio declinat a pura equiuocatione ad vniuocationē,ſecūdū quā equiuocationē ſcdm aliquē dictorū quatuor modorū equiuocę dicunt de deo & creatura nomina quæ ſignificāt vtrūq̄:& tali equiuocatio‐ ne equiuoce ſignificant illa.Semper enim nomen tale prius conuenit vni illorum q̄ alii,& nūq̄

eque primo & principaliter,ficut côuenit vbi eft pura equiuocatio.Et fcdm hoc côcedenda eft
vltima obiectio.Cui autê illorum,deo.f.an creaturæ conueniat prius & principalius nome cô=
mune eis,& cui non,videbitur in fequenti quæftione.

S
Ad primũ
prin.

¶Ad primũ in oppofitum cp maiorem diuerfitatem habent inter fe deus & crea=
tura ̃q diuerfa indiuidua eiufdem fpeciei fpecialiffimẽ,quæ non continentur ab eodem nomine
nifi equiuoce:quare nec deus & creatura:Dico cp verũ effet fi propter diuerfitatem rerũ quæ
equiuocãtur diceretur pura equiuocatio. Nunc autem ex diuerfitate rerum diuerfarum defi=
nitionum fignificatarum fub eodem nomine contingit æquiuocatio fimpliciter fcdm eius de=
finitionem:fed cp fit pura & mera equiuocatio non declinans in alíquo ad vniuocationem,hoc
folũmodo ideo côtingit,cp illa fcilicet diuerfa non habêt alíquã habitudinem inter fe vel ad ter
tium:propter quã vox illa cõmuniter eis conuenit, qualem habent deus & creatura quando=
cũq̃ fub eodem nomine equiuocantur:vt patebit in fequenti quæftione.Propter iftam enim ha
bitudinem ex eodemfonte nomen deriuatur pluribus : ex diuerfis autem cum defuit talis ha=
bitudo. fecundũ cp Auguftinus diftingués equiuocationê in Dialectica fua.c.x.dicit fic.Duas
habet formas.Nam funt ex eadem origine aut ex diuerfis.Et exponendo feipfum côtinue fub=
dit.Ex eadê origine appello quæ ̃quis vno nomine at nõ fub vna definitione teneãtur , vno ta=
men quafi fonte manant:vt eft illud cp Tullius & homo,& ftatua,& codex,& cadauer intelligi
poteft.Non poffunt quidem ifta vna definitione concludi, fed tñ habent vnumfontem verum
fcilicet hominê,cuius & illa ftatua,& ille liber,& illud cadauer eft.Ex diuerfa origine:cum ne=
pos longe ex diuerfa filium filii & luxuriofum fignificet.Et fic ex diuerfo fonte procedere intel
git æquiuoca cafu fcdm primũ modum equiuocationis.Ex eodem vero fonte procedere intelli
git æquiuoca fcdm alios quatuor modos, & hoc diuerfimode , videlicet aut quia vnum illorũ
fcilicet cui nomen primo conuenit,eft fons alterius cui nomen fecũdo conuenit:vt côtingit in
æquiuocis proportione & fimilitudine & defcenfu:fed diuerfimode . Punctus enim eft princi=
pium per vnitatem:inquãtum vnitas defcendit in punctum,& numerus in magnitudinem:&
pictura eft homo per hoc cp homini vero affimilatur,& vrina eft fana quia defcendit a fanitate
animalis,fecundũ cp patet ex prædictis. Aut quia plurium quib⁹ nomê côuenit fecũdo,eft fons
vnus cui nomen conuenit primo:vt côtingit in æquiuocis relatione.Sed hoc dupliciter ex par
te illorũ quib⁹ côuenit nomen fecũdo:quia aut gradatim defcêdũt a fonte primo:vt côtingit
in exemplo Boethii de vectione & efca refpectu fanitatis animalis. Propter qd non folũ primo
côuenit nomen fanitati aialis ̃q eft fons, ̃q efcæ aut vectioni:fed etiã primo conuenit efcæ,& per
illã vectioni vt dictũ eft.Aut defcêdũt imediate a fonte primo, ficut côtingit i exemplo Phi.v.
Meta.de noie natura.qd prio dicif de forma, & fecũdo de aliis:fed nõ côuenit vni palterũ,fecũ
dũ eñ cp dicit Côme.ibidê,Natura primo dicif de forma,& fecũdo de aliis vt de materia:quia
recipit in fe ifta naturã que eft forma.Nec dicif nomen naturæ de motu:nifi quia eft via ad il=
lã naturã.Et fub ifto modo æquiuocationis continêf oîa nomina ̃q Phus diftinguit in.v.Me=
taphy.quia illorũ diftinctio eft in plura fub eodê nomine per attributionê & habitudinê aliorũ
ad vnũ cui nomen dignius &verius côuenit.Propter qd illis côuenit primo,& aliis fecũdario,
ficut etiã contingit in exêplo Auguftini de hoc noie Tullius, cp Tullius dicif hõ,rhetor & fta
tua illi⁹,& liber quê côpofuit, & eius cadauer:fed hoc vbicp p trãflationê a vicinitate:prout fe
cundũ Auguft.vbi fupra,Tullius,& ille in quo magna eloquentia fuit & ftatua eius,dicif ex fi
militudine.Ex toto vero pars nominaf:vt cũ cadauer illud Tullius dici poffit. Ex parte aũt to
tũ:vt cũ tectũ dicif tota domus:aut a genere fpecies:aut a fpecie genus:aut ab efficiente effe=
ctũ:vt Cicero eft liber Ciceronis:aut ab effectu efficiens:vt terror qui terrorê facit:aut a côti
nête qd côtinef,vt domus & qui in domo funt dicuf,aut conuerfa vice,vt caftanea & arbor
dicif in qua nõ eft,vel fi quid aliud inueniri poteft qd ex eodem ordine quafi transferendo co
gnominef.Vnde dicit ibidê cap.vi. Vicinitas late patet:& p multas partes fecaf:aut p efficien
tiã:aut p effectũ:vt puteus ei⁹ effectus potatio eft:aut p id qd continet:vt vrbê ab vrbo ap=
pellariuolût:aut p id qd côtinet: vt fi qs hordeũ mutata ab hordeo lfa dicat noîatũ:vel a par=
te totũ:vt cũ Mucronis nomine que fumma pars gladii eft,totũ gladiũ vocant:vel a toto pars
vt capillus quafi capitis pilus.In quibus vt fubdit ca.vii.quot modis origo verbi corruptione
vocum varietur,ineptum eft profequi & nimis longum. ¶Nota cp Auguftinus hic & iam fu=
pra: vt habitum eft in quæftione prima , originê verbi æquiuocat.Hic enim vbi appellat fon=
tem:originem vocat rem cui primo conuenit nomen a quo transfertur ad aliud. Vbi autê ori

V

T

giné vocat,modos origínádí vocú ímpoſitiones:vt patet ínſpicienti dícta hic & ibi.Et ſimilitet
æquiuocatur ſimilitudo quando primum modum orígínís dicit eſſe per ſimilitudínem rerum
& vocum,& quádo ſecúdú dicit per ſimilitudinem rerum,& quádo dicit hic ſtatuam homínís
per ſimilitudínem dici homínem,cum tamen pertineat ad modum orígínandi ſcdm vícíníta=
té,ſecundú ꝗ hæc patét ex prędíctis.⟨Ad ſecundú,ꝗ dei & creaturæ nulla eſt ratio ſubſtantíę
eadem,ergo pura æquiuocatio eorum ſub eodem nomíne:Dico ſecundú iam dícta ꝗ medíú il=
lud nó probat niſi ꝗ ſit æquiuocatio ſimpľr:nó ꝗ pura ſit æguocatio : ꝗa huí⁹ eſt altera cauſa
vt díctú eſt,quæ non concurrit cú eodem noíe ſignificátur deus & creatura, vt patet ex dictis.

X
Ad ſecúdú

Irca quintum arguitur ꝗ nomina ſignificantia cómuniter deum & creatu=
ram,per prius ſignificant deum & qd eſt in eo ꝗ creaturam,Primo ſic. Quá
do eodem nomíne ſignificatur dígnius & minus dígnum : nomen per prius
conuenit dígniori:vt patet in nomine entis qd ſignificat ſubſtantíam & accí
dens,& per prius ſubſtantiam propter eius dígnitatcm ſuper accídens. qua=
re cum deus íncóparabiliter dígnior ſit creatura,per prius ergo nomen có
mune ei cum creatura:conuenit ei.⟨Secundo ſic. Tranſlatio ſiue tráſmutatío nomínis a crea=
turis ad díuína vel per rerum ſignificatarum ſimilitudíné,vel per earum vícínítaté ſcdm quá
ídem nomen ſignificat deum & creaturam,non eſt niſi propter conuenientía ín aliquo creatu=
rę ad deum:vel in proprietatibus rerú quæ ſignificantur:vt contíngit cú nomen creaturæ có
uenit deo per ſimilitudínem,ſicut cum dicitur leo propter fortitudíné:vel in ipſis rebus quę ſi
gnificantur:vt cum dicitur ſapiens per vícínítatem,vt patet ex ſupra determinatis.Sed quádo
ꝗꝗ nomen ídem conuenit pluribus propter cóuenientíam in aliquo,illi per prius cóuenit cui
principalíus & prius cóuenit id in quo eſt conuenientía:quia príncipalitas cauſę neceſſario po
nit príncipalítaté effectus. Deo aút illud in quo cómunicát ipſe & creatura ſemper principalí⁹
& prius conuenit:puta fortitudo,propter qd dicitur leo, eo ꝗ vterꝗ fortis eſt , & notítia quæ
nominatur ſapientia in deo & in creatura:ergo &c.⟨In contrarium eſt ꝗ ſicut príncipale ſem
per prius eſt tranſumpto:quia tranſumptum non eſt niſi a principali qd pręſupponitur:ſic no=
men prius ſignificat id qd eſt príncipale,a quo tráſumitur ad ſignificandú aliud, ꝗ id ad quod
tranſumitur.quare cum omne nomen cómuniter ſignificás deum & creaturam,ſiue qd cómu
niter dicitur de vtroꝗ(Hęcꝗ duo pro eodé reputo)ab eo qd ſignificat in creatura tráſumí=
tur ad ſignificandum deum vel id quod eſt in eo:vt patet ex díctis:ergo &c.

A
Queſt.V.
Argu,,

2

Aſſumptú

In oppoſi.

⟨Dico ꝗ tripliciter ſiue triplíci de cauſa nomen alíquibus cóuenit ſecundú príus
& poſterius.ſ.impoſitione,famoſitate,& dígnitate.Impoſitione quidé nomé ſemp prius conue=
nit illi cui primo ímpoſitú eſt,ſecundú ꝗ nomen cauſę primo ſignificat materíá. Quía em prí=
ma víſa eſt & cognita a ſapientibus ínueſtígantibus cauſas eorú quæ fiunt in reb⁹ naturalíbus
nomen cauſę propterea primo ei ímpoſitú fuit.dícéte Philoſopho in primo Metaph.Plures prí
morú philoſophantíú in materíę ſpecie ſolum omnium príncipium opinati ſunt. Vbi declara=
to quomodo díuerſimode hoc poſuerút,ſubdit dicens.Ex his ergo ſolú cauſam in materíę ſpe=
cie dictum eſſe íntelligit.Et ſcdm hunc modú nomina tranſlata a creaturis per prius ſignificát
creaturas aut aliquid in ipſis ꝗ deú aut aliquid in ipſo,cuiuſmodi ſunt noía pertinétia ad diuí
nas operatióes & ꝑprietates. Et ecóuerſo noía tranſlata ad creaturas a deo cui primo ſunt ím
poſita(ſiqua ſunt)ꝓ prius ſignificant deú aut aliꝗd in ipſo,ꝗ creatura aut aliꝗd in ipſa.cuiuſmo
di eſt hoc nomé de⁹ ꝑtínés ad díuíná eſſentía,a quo ꝓ quádá tráſlatione hoíes dicunt dii.Famo
ſitate aút nomé ſemp ꝓ prius cóuenit illi rei ad quá ſignificádá magis vſitatú eſt. Dígnitate ve
ro nomé ſemp ꝓ prí⁹cóuenit illi rei cui pfectí⁹cóuenit ró ſcdm quá nomé ad ſignificádú íponít
ſcdm ꝗ nomé cauſę famoſitate prio & ꝓ prius ſignificat efficiété cauſam,& ſecudario oés alias
quia efficiés realr mouet materíá,& inducit ꝓ motú formá,& ꝓ hoc conſequit fíné, & ꝓ hoc eſt
cauſa cauſarú efficiés. Tñ ꝗa nó mouet realiter niſi prius mot⁹ metaphorice a fine,ſecudú hoc
primo & ꝓ prius ſignificat cauſam fínalé vt cauſam aliarú cauſarú.Et ideo ꝗa oía noía tráſlata
a,creaturis ad deú aut ecóuerſo vſitatí⁹ dát ítelligere ré a qua tráſlata ſunt ꝗ alíá:idcirco dico
ꝗ ꝓ prí⁹ ſignificát creaturas & ꝓ poſteri⁹ deú,& ecóuerſo noía tráſlata a deo ad creaturas per
prí⁹ ſignificant deú ꝗ creaturas:licet dígnitate nomé ſemp ꝓ prius ſignificat illud cui dígnius
& pfectíus cóuenit ró ſcdm quá nomé ad ſignificádú íponít,ſecudú ꝗ ens ꝓ prí⁹ ſignificat ſub
ſtantíam,& per poſterius accídés,quia ratio actualitatis ſecundum quam ens imponitur ſub=
ſtantíæ & accidentí:dígnius conuenit ſubſtantíæ ꝗ accidentí:quia ſubſtátía ex ſeipſo cóuenit:
accídéti aút per ſubſtátía:quia,ſ.eſt aliquid ſubſtátíæ. Vnde & ſcdm Pĥm accídés non proprie

B
Reſponſío.

dicitur ens ſed entis.Et propterea iſto modo cõtrarie nomen conuenit ſcdm prius & poſterius
deo & creaturis in nominibus tranſlatis a creaturis ad deum per ſimilitudinem & p ppriſta‑
C tem.Quæ enim trãſferũtur ad deũ a creaturis per ſimilitudinẽ rerũ quæ ſunt deus & creatu‑
ra in aliqua pprietate exiſtẽte in vtroꝗ ſcdm modũ illoꝛ:puta cũ deus dicit leo p ſimilitudi‑
nẽ in fortitudine,dignitate per prius dicunt de creaturis a quib⁹ trãſferunt,ꝗ de deo ad quem
trãſferũtur,& hoc quia ratio ſimilitudinis ſcdm quã trãſferunt,& ſcdm quã nomen vnũ com‑
muniter vtrũꝗ ſignificat,dignius & verius habet eſſe in creaturis ꝗ in deo: quia creatura per
talẽ pprietatẽ potius dicit ſimilis deo in fortitudine ꝗ ecõuerſo.Licet em fortitudo digni⁹ cõ‑
uenit deo ꝗ creaturę:ſiſitudo tñ cõſiderata in illa inter deũ & creaturã,digni⁹ cõuenit creatu
rę ꝗ deo.Creatura em ſimplr & p ſe eſt ſimilis deo. De⁹ aũt nõ eſt ſiſis creaturę niſi p accidẽs.ſ.
quia creatura eſt ſiſis illi.Quę tñ dignitas creaturę i ſiſitudine,nullã ponit in deo indignitate,
eo ꝙ talis ſiſitudo ptinet ad relationẽ mẽſurę,& eſt ſolũ in re mẽſurata,ſcdm quã dicit creatu
ra ſiſis deo & nõ ecõuerſo:vt patet ex ſupra determinatis de ſiſitudine in diuinis pſonis.Vñ &
equiuocatio nominũ trãſlatoꝛ a creaturis ad deũ p ſiſitudinẽ,ptinet ad ſecũdũ genus equiuo‑
coꝛ,ꝙ eſt pportiõe,ꝗ digni⁹ eſt i vno ſignificatoꝛ ꝗ in alio,ſecũdũ ꝙ dignior eſt pportio iter
vnitatẽ & pũctũ vt cõuenit vnitati i pricipiando nũerũ,ꝗ vt cõuenit pũcto i pricipiãdo lineã.
D vt iã dictũ ẽ.Quæ vero trãſferunt a creaturis ad deũ p vicinitatẽ & p neceſſitatẽ ſcdm pdicta,
ecõtra p pri⁹ dicunt dignitate de deo ad quẽ trãſferunt ꝗ de creaturis a qb⁹ trãſferunt.& hoc
ga ratio habitudinis ꝗ de⁹ & creatura vicinant,& ſecũdũ quã noſa ab vno illoꝛ ad alterũ trãſ‑
ferunt,& ſecundũ quã nome vnũ ꝙ cõiter vtrũꝗ ſignificat,dignius cõuenit deo ꝗ creaturis
quia habitudo qua vicinant de⁹ & creatura,ꝑ quã nome creaturę vt eſt ſapientia,bonitas,
ſubſtãtia & eſſentia,& cætera hmõi quæ aliquid dignitatis importãt ſimplr,a creaturis trãſ‑
fert ad diuina:eſt habitudo inter effectũ & cauſam:& trãſfertur nome effectus ad cauſam . Sa‑
pientia em creaturę eſt quædã emanatio a diuina ſapiẽtia:& ſiſt de bonitate & cęteris hmõi.Et
equiuoce ſignificant ſapientia creata & increata ſub vno noſe ſapiẽtię penes quartũ & quintum
modũ equiuocationis ptactos:quia quo ad quartũ qui eſt ſiſitudine,ſcdm genus formę:quo ad
quintũ qui eſt deſcẽſu,ſcdm genus cauſę efficientis.Q d patet de primo ſic.Licet em ꝗlibet crea
tura aliquo modo ſit ad ſiſitudinẽ dei,eo ꝙ oẽs rationes pfectionales oĩm creaturarũ vſꝗ ad in‑
fimas & vſꝗ ad minima ꝗ ſunt in illis,ſunt in deo:vt habitũ eſt ſupra:& amplius debet exponi
loquẽdo de deo in cõparatione ad creaturas,non tñ id ꝙ pfectionis eſt in creatura quacuꝗ ra‑
tione qua abſolute eſt eſſentia & natura aliqua,plus vicinat ſcdm naturã ad id ꝙ ſibi vt ratio
pfectionalis reſpõdet in deo,ꝗ accedat homo pictus ad veritatẽ hoĩs viui. Eſt em quicquid pfe
ctionis eſt in creatura quo aliquo modo deo aſſimilat reſpectu pfectionis ſibi reſpõdẽtis in deo,
ſicut pictura reſpectu ei⁹ cui aſſimilat in homine viuo:vt reſpectu eſſe dei eſſe creaturę verius
ſit nõ eſſe,ſiue defectus ab illi⁹ eſſe ꝗ verũ eſſe,quaſi ſolus de⁹ poſſit quodãmodo dici eſſe.Et ſi‑
militer de ſapiẽtia creaturę reſpectu ſapiẽtię dei,& bonitate reſpectu bonitatis,& ſic de cæteris.
Vt ꝓpter hoc Chriſtus intelligat dixiſſe.Luc.xviii.Nemo bonus niſi ſolus deus. Gloſ. Qꝗlibet
ſanctũ hoĩem cõparatione dei dicit non eſſe bonũ.Idcirco ergo quicquid a creatura perfectiori
deo attribuitur,equiuoce dicitur de eo & de creatura:ſicut homo de viuo homine, & de eius
E pictura.Refert tamen quo ad hoc:ꝗ id ꝙ pfectionis in creatura eſt,non ſolum eſt vt pictura
eius ꝙ eſt in deo reſpiciendo ipſum in genere cauſę formalis,ſecundũ quã eſt quo ad ſuã eſſen
tiam,quin etiã ipſum reſpiciat ſicut effectus ſuã cauſam efficientem a qua eſt: & hoc non ſolũ
procedendo ab eo vt pictura ſcdm figuram artis: ſed vt genitura ſcdm ſimilitudinem verita‑
tis naturæ:ſaltem per imitationem:quia non poteſt creatura eſſe productum adæquatum vir
tuti agentis & perfectioni eius:ſed neceſſe eſt ẽã ab illa deficere,& recipere perfectionem in gra‑
du naturæ inferiori. Et quo ad hoc non ſolũ illa quæ cõmuniter dicunt de deo & de creatura
equiuocãtur ſub eiſdem per ſimilitudinem ſecundũ quartum modũ equiuocationis:ſed etiam
ſcdm quintum,qui eſt per deſcẽſum . Quia ergo huiuſmodi nomina transferuntur a creatura
ad deum per vicinitatem & habitudinem effectus ad cauſam:& quicquid eſt per correſponden
tiã ſe habens in cauſa maxime æquiuoce agente & in ſuo effectu:ſemper perfectius & dignius
habet eſſe in cauſa ꝗ in effectu : Idcirco dico ꝙ loquendo de attributione nominis ſignificatis
ſuis ſcdm prius & poſterius:omnia huiuſmodi nomina per prius ſignificant deum & ꝙ in ip‑
ſo eſt:& dicitur de ipſo:ꝗ creaturã aut ꝙ in ipſa eſt:aut dicantur de illa.Hinc dicit,Boethius
de deo.c.ii.de trinĩ.Sed vere forma ẽ nõ imago ꝗ eſſe ipm eſt & qua eẽ eſt. vbi dicit Cõmẽ.Mul
ta ſunt ꝗ vocant formę vt corpoꝛ figurę.Alia ꝗ in ſubſiſtẽtib⁹ creatiõe aut cõcreatione ſunt.

Sed hæc omnia scdm se habēt sua ex quib⁹ ducunt:ideoq mutuata ab alio nūcupatiōe potius
q̄ rationis veritate formę nominant.Essentia vero quæ princīpiū est , omnia creata pcedit, illis
omnibus vt esse dicātur imparties,& a nullo alio vt ipsa sit sumens,ideoq nomine forma non
imago est,& tn de ea quis loquēs dicit,essentia est ipsum esse.i.quæ non ab alio mutuat hāc di=
ctiōe ex qua est esse.i.quæ cæteris oibus eandē quasi extrīseca participatiōe cōmunicat : &
deniq ad omnia quę de ipsis vere dicunt,qm̄ ex ea tanq̄ ex princīpio sunt, dictio ista trāsmuta
tur:vt de vnaquaq diuinę formę participatiōe recte dicat est.Et sicut est de his dictiōnib⁹ fi=
ue nominibus forma,esse,essentia, sic est de oībus aliis quæ ad dignitatē ptinēt.Omnia cm̄ licet
quo ad impositiōe aut famositatē nominis trāslata sunt a creaturis ad diuina:tn̄ quo ad digni
tatē naturæ omnia ecōtra debet intelligi scdm veritatē & scdm natura rei esse translata a diui
nis ad creaturas.Et scdm hoc bene processit prima obiectio de illis quę deū & creaturā aut ali=
qua in eis significat per pprietatē,siue sint a creaturis trāslata ad diuina:vt sunt pcīpue nomi=
na sumpta ab operib⁹,& quę respiciunt opus,siue sint a diuinis trāslata ad creaturā:vt hoc no
men deus,& siqua essent alia essentia absolutā significantia. **⟨Ad secundū,** q si idē nomen con

F

G
Ad secūdū

uenit deo & creaturæ,hoc est propter cōuenietiā aliquā:illud autē in quo est cōueniētia,prius
& principalius conuenit deo:puta fortitudo in deo & leone:propter quā per similitudine rerū
hoc nomen leo trāsfertur ad deū,& similiter ratio quæ est sapiētia:propter quā per proprietatē
nomen sapientię trāsfertur a creatura ad deū:Dico q re vera ois translatio nominū est propter
cōueniētiā illorū quorū sunt nomina, nisi sit trāslatio a cōtrario:quæ vt pure est a cōtrario,nō
habet locū in pposito:sed solūmodo prout est mixta:vt dictū est supra. Et tunc etiā princīpa=
lius est trāslatio propter cōuenientiā q̄ propter cōtrariū : secundū q hoc nomen zelus trāsfer=
tur a creatura ad deū,nō ppter contrarietatē quā zelus dicit in creatura.s.turbatiōe,& ī deo
scilicet trāquillitatē:sed potius propter immēsum actū amoris vtrobiq.Et est aduertendum q
ppter conuenientia sit trāslatio dupliciter.Vno modo ppter conuenientiā aliquorū in tertio:
puta dei & leonis in fortitudine.Alio modo ppter conuenientiā aliquorū ínter se:puta fortitu
dinis dei & fortitudinis leonis.Et est cōuenientia primo modo vera similitudo,eo q est alicui⁹
per id qd est sui aliquid.Secūdo autē modo cōuenientia nō pprie est similitudo:quia est rei ad
rem ratione suę totalitatis,secundū q hæc patet ex determinatis circa relationes cōmunes. Et
ppterea prima trāslatio pprie pōt dici ppter siue p similitudinē,nō autē secūda: sed si volum⁹
specificare cōuenientiā:dicēda est pprie ppter cōuenientiā in vicinitate:& cū vicinitas est sectū
dū plures modos,ipsa in pposito est solū scdm pfectiōe in natura,qua p quādā imitatiōe effe
ctus ad causāyt fortitudo vel sapiētia & qcquid ptinēs ad dignitatē simpl'r est ī creatura,trāsferetur ad deū.Propter qd sicut in trāslatione nois p similitudinē illud cui magis cōuenit ratio
silitudinis & verius:& ideo verius & potius cōuenit ei id in quo est cōueniētia vt est causans
similitudinē,est creatura,cui⁹ nomē debet trāsferri ad deū:vt habitū est supra:Sic in trāslatiōe
nois p vicinitatē illud cui magis cōuenit pfectio qua vicinaꞇ ei, & veri⁹ cōuenit id ī quo est cō
ueniētia vt est causās vicinitatē,est de⁹, ad quē debet nomē trāsferri a creatura. **⟨Qd aūt assu**

H
Ad assum=
ptum,

mit ī argumēto,q veri⁹ cōuenit deo id ī quo e cōueniētia cū nomē leonis trāsfertꞇ ad deū,s.for
titudo &c.Dico q fortitudo dupl'r cōsiderat.Vno mō vt est ratio pfectiōis in quocūq est.Alio
mō vt ad ipsam seu ab ipsa cōsequiꞇ ratio silitudinis in eo ī quo est ad aliud.Et primo mō forti
tudo magis cōuenit deo q̄ leoni:quia ratio pfectiōis ī illa magis cōuenit deo q̄ leoni,licet equi=
uoce:quia incōparabiliter pfectior est fortitudo dei q̄ leonis.Sed scdm istā consideratiōe non
fit trāslatio nois illius cuius est fortitudo ad aliud:puta leonis ad deū:sed potius trāsfertur ad
nomen impositum fortitudini ynius ad significādū fortitudinē alteri⁹:puta nomē fortitudinis
impositū rei sub aliquo gradu pfectiōis ī leone,au significandū rē imēsam correspondētē in deo
a quo ylterius denoꞇat deū fortē.per quē modū sunt trāslata a creaturis cūcta q̄ in illis signifi=
cāt aliqd pfectiōis simpl'r.Secūdo aūt mō fortitudo magis cōuenit leoni:quia ratio silitudinis
ex illa re cōuenit leoni & nō deo,quia ppter cōuenientiā fortitudinis leo dicit sil'is deo, nequa
q̄ aūt de⁹ sil'is leoni:vt patet ex supra determinatis. Et scdm istā cōsideratiōe sit trāslatio no=
minis illius cuius aliquid est fortitudo a qua denoꞇat sil'c ad aliud, puta leonis ad deū. per quē
modū sunt trāslata a creaturis ad deū nomina q̄ nō significant aliquid pfectiōis & dignitatis
simpliciter:sed potius aliquid determinatū & limitatū in gradu : vt sunt nomina propria spe=
cierum:vt leo,bos,ouis,& huiusmodi:aut aliquid pertinens ad indignitatem: vt sunt nomina
passionum,ira,furor,zelus,& huiusmodi.Et sic patet q bene procedit argumentum de nomi=
nibus trāslatis ad deum per proprietatem: nō autem de translatis ad illum per similitudinem.

**I**
Ad argu.
in oppoſi.

CArgumentū in oppoſitum procedit de eo qđ eſt per prius nominis impoſitiõe,& bene.Sic eͫ nomen per prius ſemper cõuenit principali cui primo eſt impoſitum q̃ cui per trãſumptionem. Non ſic autem de per prius famoſitate & dignitate:vt prius dictum eſt.

**K**
Queſt.VI.
Argu,1.

Irca ſextum arguitur primo q̃ nomina deĩ vel quæ in ipſo ſunt ſignificantia non poſſunt ſignificare illa in altero illoꝗ duoꝗ̃ modorum tm̃.ſ. vel in abſtra cto vel in cõcreto, nec indifferẽter in vtroꝗ:ſic.ſignificatio nominis debet cõ uenire & reſpondere rei ſignificatę ſicut ſignũ ſignato,ad qđ ſe habet ſicut ſi gnũ & ſignatũ.ſed de⁹ p ſe idipm̃ eſt & ſummũ vnũ,& hoc quo ad rẽ, & quo ad modũ rei , & ſir quicquid eſt in eo , ſcđm ſuperius determinata de vnita te dei.Cũ ergo nomen ſignificans ipſum idipſum per ſe debet eſſe & quo ad rẽ & quo ad modũ nominis:ſed nõ eſt idẽ modus nominis ſignificare in cõcreto & in abſtracto:er go aut alterũ modum tm̃ debet habere nomen ſignificãs deĩ aut aliquid qđ eſt in diuinis: aut neutrũ,quia non poteſt habere vtroꝗ.ſed nõ neutrum:quia aliquem debet habere,& non ſunt plures.ergo tm̃ alterum illorum habere debet. CSecũdo arguit ex eodem medio q̃ nõ poſſunt ſignificare illa niſi in abſtractiõe tm̃,ſic.Significatio nominis debet cõuenire & reſpõdere rei ſig nificatę.ſed deus & quicquid eſt in eo ſimpliciſſimũ aliquid eſt. ſolum ergo modo ſimpliciſſi mo ſignificari debet per nomen.ſed talis nõ eſt niſi modus ille qui eſt in abſtractione,eo q̃ ſigni ficat ſimpliciter rem ipſam:puta deitas.Nomen autẽ in cõcretione ſignificat habentę illã:puta deus. Nõ eſt eͫ deus niſi quia habet in ſe deitatẽ.ſimplicior aũt eſt ratio deitatis vt deitas illã q̃ habes eã vt habes eſt:qa ratio hęc cõtinet duo,ſ.habere & habitũ, illa aũt nõ niſi vnicũ. ergo &c̃. CIn cõtrariũ eſt vſus, qui rẽ quãcũꝗ & in diuinis & in creaturis noĩat vtroꝗ mõ.ſ.& in abſtractione & in cõcretiõe, dicẽdo deitas de⁹,paternitas pater, ſapiẽtia ſapiẽs.& ſic de cęteris.

In oppoſi.

**L**
Reſponſio.

CDico q̃ licet ſecũdum Auguſti.vii.de trinitate loquentem de nominibus deum ſignificãtibus,excedit ſupereminẽtia diuinitatis vſitati eloquii facultatem(verius eͫ eſt q̃ co gitaꝰ:qđ debet declarari loquẽdo de cognitiõe deĩ a creatura ĩtellectuali,& ideo ſicut nullavox poteſt habere naturalẽ congruentiã perfectã:vt ſimilitudo vocis & rei poſſit eſſe originalis cau ſa ſiue ratio ſignificandi deũ:vt habitũ eſt ſupra: ſic nullus eſt modus ſignificandi eius , qui ei perfecte congruat)quia tm̃ deum quoquo modo cõcipimus & cogitamus,& ſimiliter ea quę in ipſo ſunt. Aliter eͫ eũ nequaꝗ diligere & per fidẽ colere poſſemus. Secundũ Philoſophum au tẽ in libro peri herme. Voces ſunt notę intellectuum, & earũ paſſionum quæ de rebus ſunt in anima,quę ſunt cõceptus:& verba mẽtalia nullius linguæ ſunt:& notę rerũ proximę & imme diate:quę ſi de re in mente nõ eſſent,notas rei vocales ad ſignificãdum res quærere non poſſe mus.Propter qđ conceptus mẽtales medii ſunt inter verba vocalia & res ſignificatas per ipſas. Non dico media in ſignificãdo,quaſi verba vocalia nõ ſignificẽt res niſi mediãte ſignificatione dictorum conceptuum,ſic q̃ immediate ſignificẽt dictos conceptus:quia verba vocalia imme diate ſunt ſigna rerũ quãdo proferſitur ad docẽdũ ea quæ ſunt in rebus nobis latẽtia,ſicut im mediate ſunt ſigna cõceptuum quãdo proferſitur ad indicãdum cõceptuum loquẽtis occulta. In quibus duobus conſiſtit vſus verborũ:quia ſolũmodo propter alterum illorũ requirunt. Et ſcđm q̃ dicit Augu,in Dialectica.c.xiiii. Vſum appello illum propter quẽ verba agnoſcimus. Quis eͫ verba propter verba conquirit!Quia igitur cõceptus neceſſario ſunt medii in quærẽ do verba vocalia inter res & verba illas ſignificãtia , neceſſario igiꝰ ſm̃ modũ cõceptuũ forma torũ de rebus habet verba in ſua inſtitutione formari:vt modus verborũ reſpondeat modo cõ ceptuum.Qui enim pfectius & expreſſius rem cõcipit,perfectius & expreſſius eã verbis expri

**M**

mere poteſt.Si igitur diuina verbis vocalib⁹ ſunt exprimenda,ſcđm illũ modũ ergo neceſſe eſt illa exprimi ſcđm quẽ concipiuntur,ita q̃ ſi quis cõcipiat illa modo illo cui ſolũ cõgruunt abſ tracta,tũc ſolũmodo illa vel ab illo verbis abſtractis ſunt ſignificãda:vt forte ſoli deo aut deo& angelis & intellectib⁹ beatis.Si vero aliqs cõcipiat illa modo illo cui ſoli congruunt concreta,

**N**

ſolũmodo illa vel ab illo verbis cõcretis ſunt ſignificãda:vt contingit in homine viatore.Quia eͫ vt ſuperius declaratũ eſt,pro ſtatu vitę pſentis diuinoꝗ notitiã nõ niſi ex creaturis conci pit:ſecundum modum ergo quo in creaturis concipit ſignificãda per nomina transferenda ad diuina ſcđm illum modum oportet illa per vocẽ exprimat ĩ diuinis . Quia ergo homo cõcipit in creaturis diuina & modo abſtracto & modo cõcreto:puta deitatẽ & deũ, iuſtitiam & iuſtũ, & ſic de cęteris:igitur & modo concreto ſiue in concretione,& modo abſtracto ſiue in abſtra ctione indifferẽter ſunt ab homine diuina verbo ſiue nomine vocali exprimẽda.Et ſic cum ver ba vocalia non funt proprie nifi hominum: dico φ nomina fiue verba vocalia deum vel quæ i deo funt fignificantia poffunt illa fignificare indifferenter & in abftractione & in concretione:φ & fic continet vfus, vt procedit vltimum argumentum φd fecúdum hoc concedendum eft.

℃Ad primú in oppofitú,φ de⁹ & quicquid eft in eo idipfum eft quo ad modum **O**
rei:ergo vnus & idem debet effe modus nominis fignificans φdcunφ illorum:Dico φ verum effet **Ad pri.**
fi nominis impofitio immediate fequeretur modum rei vt eft in feipfa.Nunc autem nó eft ita:fed **principale**
potius confequitur modum rei vt concipitur per intellectum,vt dictum eft.Quia ergo modo có
gruenti & abftractioni & concretioni concipitur ab intellectu humano,cuius eft principaliter vti
nominibus, & ipfa imponere rebus ad placitum : idcirco vnam & eádem rem in diuinis immo ré
deitatis fub ratione cuiufcunφ attributi poteft fignificare indifferenter nomine abftracto & con=
creto.℃Per idem patet ad fecundum:quod ex eodem medio procedit, vt patet intuenti. **P**

**Ad fcdm.**
**Q**
℃Irca feptimum arguitur φ nomina deum & quæ funt in eo fignificantia con= **Quæ.vii.**
gruentius fignificant illa in concretione q̃ in abftractione , Primo fic.nomina q̃ **Arg.i.**
fignificant diuina ficuti habent effe, congruentius illa fignificant q̃ quæ fignifi
cant illa ficuti hñt intelligi:quia nomina principalius imponuñt ad fignificádú
res vt funt in fe q̃ vt funt in intellectu:licet vtroφ modo imponantur , vt pa=
tet ex præcedenti queftione.& res ipfa principalius effe fuum habet in fe q̃ in in=
tellectu:& res diuinæ in fe funt concretæ & non abftractæ:quia aut fubfiftunt vt perfonæ funt
in fubfiftente,vt propria & communia attributa perfonarum.Subfiftens autem inquantum fubfi=
ftens concretum eft:& fimiliter exiftens in fubfiftente inquantum huiufmodi ſimiliter concretum
eft:eo φ perfona quæ fubfiftit,hoc φ fubfiftit debet fubftantiæ in qua fubfiftit:& proprietati relati
uæ qua fubfiftit:& id φd eft in pſona fubfiftente,hoc φ fubfiftit debet pſonæ in qua fubfiftit.Abftra
ctú aũt inquantú abftractú nulli debet effe fuí,dicente Cómen.ſup illo capituli.ii.de trini. Cú tres
fint fpeculatiuæ partes,naturalis inabftracta eft,fic. Materia hyle,& primariæ formæ.i.ideæ fimpli=
ces funt & abftractæ,non enim vel illa formis,vel iftæ materiis debent φ funt.ſ.quo ad effe effentias
eorum,hoc eñ debent foli formæ exéplari.& etiam quo ad effe exiftétiæ:hoc eñ debent foli efficié
ti.ergo &c.℃Secundo fic.modus fignificandi verbi debet refpondere modo effendi ipfius rei ficut **2**
fignum fignato:vt perfectior modus fignificandi conueniat verbo fignificanti rem quæ habet per=
fectiorem modú effendi.& fi modus effendi abftracte eft pfectior:& modus fignificádi abftracte eft
perfectior:& fi modus effendi concrete eft pfectior,& modus fignificandi cócrete eft perfectior.fed
modus effendi concrete perfectior eft modo effendi abftracte:quia ille eft rei vt fecundum fe ē fub
fiftens in fe,vt hominis vel albi. Alter aũte.ſ.modus effendi abftracte eft rei vt eft in intellectu aut
in fubfiftente vt denominans ipfum,vt humanitatis vel albedinis.Perfectior aũte eft modus effen=
di rem vt eft in fe q̃ vt eft in alio.modus aũte effendi perfectior conuenit rei diuinæ : quia ipfa eft **In oppoſi.**
perfectiffima,ergo &c.℃In contrariú arguitur quafi ex eodem medio fic.fecundú modú quo res in
fe exiftit debet fignificari,fed res diuina in fe eft abftracta,dicente Boethio vbi fupra.Res theologi
ca eft,ergo &c. **R**

**Refponfio**
℃Dico φ ille mod⁹ fignificádi qui magis congruit noi vt eft fignificás,magis có
gruit rei fignificatæ per ipfum inquantum fignificata eft.Igitur quia fecundum dicta in præcedé=
re queftione,nomina notæ funt non folum rerum immediate:fed etiam intellectuum & rerum me
diantibus iftis:& fic funt fignificatiua rerum non folum immediate:fed etiam mediantibus conce
ptibus & intellectibus:& conceptibus intellectus de ipfis:modus fignificandi dupliciter,magis con
gruit nomini. Vno modo vt eft fignificatiuú rei immediate. Alio modo vt eft fignificatiuum rei
mediante conceptu intellectus.Secúdo quide modo dico φ modus fignificandi magis congruit rei
qñ cógruit ei fecúdú modú quo nata eft cócipi ab intellectu igit ga res diuina ab intellectu naturali
creato nó eft nata cócipi nifi fub iuolucro creaturæ:cui⁹cognitio fecúdú iá dicta nó ē nifi fub rõne
concreti refpectu abftractionis realis,quátúcúφ abftrahat fecundú rõne. Propterea dico φ mod⁹ fi
gnificandi concretiue magis cógruit nominibus fignificantibus diuina inquantum funt obiecta i=
tellectus creaturæ.Primo autem modo qui eft modus fignificandi rem principalior,vt tactum eft i
primo argumento:dico iuxta medium vltimo inductum,φ ille modus fignificandi diuina magis **S**
cógruit diuinis noibus qui magis cógruit modo exiftendi rerum diuinarum in feipfis:& per con=
fequés ille magis congruit eis vt natæ funt concipi ab ipfo intellectu diuino:quia ille cognofcit res
maxime diuinas fecundum φ habent effe in feipfis . Nunc autem modus fignificandi abſc

tracte rationem simplicitatis iportat:modus aũt significandi concrete modũ cõpofitionis importat
alicuius cũ alio:ficut modus effendi cõcrete eft i cõpofito fiue in cõpofitione cũ alio exiftere:fic ꝗ
effe ꝗd habet in tali cõpofito aut cõpofitione,ꝑ fe feparatim fecundũ rem habere nõ poffit,ctfi mẽ
tis cõfideratiõe illud poffit habere . Vñ fup illo Boethii ꝑ ꝗd ꝓbat ꝗ naturalis ꝓhia eft inabftracta,dicens. Confiderat eī corporeas formas cũ materia,dicit Commenta.Cui infunt:atꝗ ex hoc
fubfiftentium omnium concretio dicitur. Vnde cõcretio dicitur quafi cõcreatio,fecundum ꝗ Cõ
mentator continue fubdit,dicens.Creatio nanꝗ fubftantiam ineffe facit: vt cui ineft ab ea aliquid
fit.Concretio vero eidé fubfiftentiæ naturas pofteriores rationis accommodat:vt cui tñ illa infunt
fimplex nõ fit.Quæ qm ineffe non poffunt nifi fic fubfiftentibus infint vt eorum fubfiftentiis af-
fint,inabftractæ dicuntur. Nota ꝗ in eo ꝗd dicit Cõcretio vero eidem fubfiftentiæ &c.non exprimit nifi vnum modum concretionis,qui eft formarum accidentalium cõfequentium,fubfiftés fub
ftãtialiter ex materia & forma:quarum concretio eft in compofitione earum cum tali fubfiftente
quæ ꝑer fe confiderat naturalis philofophia,& vt dicit Boethi⁹,quæ a corporibus feparari nõ poffunt,.f.fecundum rem:licet fcdm intellectũ. Vñ exponens dicit Cõmẽ.Quę pofterioris rationis for
mæ a corporibus non poffunt feparari:nõ dico difciplinali ratione,fed actu.i.vt ꝗd funt dũ concre
tę funt retincant feparatę.Præter illum autem eft alius modus qui eft in quolibet compofito quocunꝗ modo compofitionis:& confiftit in vnione compofitorum inter fe in tali compofito,fiue fit
materię & formę fubftãtialis in fubfiftéte fubftãtialiter,fiue generis & differétię in fpecie,fiue eius
ꝗd eft & quo eft,fiue effentię & ratione fuppofiti fecundum diuerfos modos compofitionis fupi⁹
remotos a fimplicitate dei.Et in vtroꝗ modo concretionis compofita fiue componentia(vt dicit
ftatim Commen.)effe non poffunt,nifi fic fubfiftentibus infunt vt earum fubfiftétiis affint:fed ali
ter in prio modo concretionis:aliter vero in fecundo.Quia in primo affunt fubfiftentiis vt quibus componuntur iam præexiftenti:& faciunt cum illo vnum compofitum accidentale.In fecũdo
vero modo affunt fubfiftentiis quia in illis componuntur.i.fimul ponuntur:& conftituunt ipfum
fubfiftens vt vnum compofitum fubftantiale.Sicut ergo modus fignificandi concrete fiue accidé
taliter vt cum dicitur album fapiens,fiue fubftãtialiter vt cum dicitur deus homo,modum cõpo
fitionis importat:& in hoc conformis eft concreto fiue rei concretę,cuiufmodi eft omne compofi-
tum:modus autem fignificandi abftracte modum fimplicitatis importat:ficut modus effendi abf
tracte eft in fimplicitate:fic ꝗ effe ꝗd habet feparate,in compofito habere non poffit:puta naturalia in intellectu abftractione logica:& mathematica fimiliter in intellectu abftractione mathemati
ca : & diuina fiue theologica abftractione reali in ipfa ꝛ extra intellectum : fic modus fignifican-
candi abftracte fiue accidentaliter vt albedo fapientia,fiue fubftantialiter vt deitas humanitas,mo
dum fimplicitatis importat:& in hoc eft conformis abftracto fiue rei abftractę:cuiufmodi nõ funt
nifi res diuinæ,Deus fcilicet & quę in eo funt : & hoc propter eorum inconcretionem & carentiã
omnis compofitionis vel ex aliis & diuerfis:vel aliorum cum ipfo,dicente Boethio,Res theologica
abftracta eft:nam dei fubftantia materia caret,fcilicet ex qua fit:& quæ fubiectum alterius fit,dicé
te ibidem Commétatore.i.nec de⁹ nec eius effentia poteft effe materia. Et rationem huius quo ad
vtrunꝗ modum materię addit fubdens.Neꝗ enim ea quę ipfe effentia poteft effe non fimpliciter.
& hoc quo ad primum modum materiæ & compofitionis.Neꝗ in eo eidem effentiæ adeffe aliud
aliquid poteft quo ipfe fit.& hoc quo ad fecundum modum materię & compofitionis.Vnde quo
ad vtrunꝗ communiter fubdit.Neꝗ enim deus fimplex effet fi vel eius effentia conftaret ex mul
tis:nec eidem adeffent formę in illo:quia vel ipfe deus vere effet vel eius effentia diceretur materia fubiecta.Dico ꝗ propter huiufmodi dei fimplicitatem & abftractionem magis congruunt ei &
magis proprie conueniunt nomina abftracta ꝗ concreta:vt magis proprie fignificét deum in abftractione prolata ꝗ in cõcretione.Quem modum tenet beatus Dionyfius,deum potius nominans
iuftitiam,fapientiam,bonitatem & huiufmodi,ꝗ iuftum fapientem bonum & huiufmodi . Vnde
omnia alia a deo magis congrue & magis proprie nominantur nominibus concretis ꝗ abftractis.
Et fic diuerfitas ifta nominum fignificantium penes cõcretum & abftractum ex ipfarum rerũ quę
nominantur diuerfitate procedit:ficut ex diuerfitate rerum quæ fpeculantur:diuerfitas fpeculatio
num procedit,De qua dicit Boethius,In naturalibus rationabiliter,in diuinis intellectualiter opor
tet verfari:neꝗ deduci ad imagines:fed potius ipfam infpicere formam quæ vere forma nõ imago eft:ꝗ effe ipm eft:& qua effe eft.In naturalibus dicit Commẽ quę ficut funt.f.cõcreta & i abftra
cta:fic pcipi debet.f.cõcrete & inabftracte. Et cõfiſt dico,quæ ficut funt.f.cõcreta & inabftracta:fic
nominari debent,fcilicet concrete & inabftracte. Rationabiliter dicit Comentator,vt.f.pofito noie

quo & id quod est & id quo est significatur ea vi qua concreta reri debet, diligenter attendat quid proprie sibi vel quod est vel quo est concretionis consortio exigat. Quod intelligo sic & quo ad nominationem:sicut & ad speculationem,de qua ipse intendit subdens.Et quid cęterarum speculationum locis communicet.In diuinis(dicit Cōmentator) quæ non in disciplina etiam re ipsa abstracta sunt intellectualiter oportet versari,i.ex propriis theologorum rationibus illa concipere:& non ex naturaliter concretorum proprietatibus iudicare.Et ego dico iuxta hoc ad propositū nostrum,intellectualiter oportet conuersari,i.propriis theologorum rationibus illa nominare: non nominibus concretorum,scilicet abstractis non concretis.vnde sequitur.Neqȝ oportet deduci.Cōmen.Quę vere existentiū sunt.Ad imagines,idest ad aliqua concreta: sed potius inspicere ex suis rationibus formam.Et ego iuxta hoc dico,ex propriis & suis nominib9.Sequitur.Quæ vere forma non imago est quæ esse ipsum est,ex qua esse est.vbi dicit Commētator.Multa sunt quæ formæ vocantur,vt supra in quæstione penultima præcedente.Sic ergo quia modus significandi diuina prout habent esse in seipsis est secundum prædicta principalior modus significandi illa: & sic significatur modo abstracto congruentius:Dico igitur qȝ simpliciter congruentius & magis proprie nomina diuina significant illa in abstractione q̄ in cōcretione:prout procedit vltimum argumētum:qd secundum hoc concedendum est.

¶Ad primum in oppositum,qȝ res diuinæ in se sunt concretę:quia aut sunt subsistens aut in subsistente:& talia inquantum huiusmodi sunt concreta : Dico qȝ falsum est nisi ipsa sint composita:& ea quæ sunt in illis habeant esse in eis per aliquam compositionem. Diuina autē omnia siue sint supposita siue existentia in supposito propter summam simplicitatem eorū abstracta sunt.Vnde non est verum in diuinisqȝ subsistes aut existens in subsistente inquantum huiusmodi,concretum sit:quia in diuinis habens est id qd habetur:& vnum eoȝ vt habetur in subsistente secundum rem est aliud:puta substantia est relatio & econuerso,vt deitas & paternitas:& econuerso.Propter qd licet in talibus sit aliquid habens modum subsistentis,& aliquid modum informantis:nihil tamen in illis habet modum inhærentis:neqȝ substantialiter:neqȝ accidētaliter:qualem modum habent circa creaturas illa quæ subsistentibus insunt. Propter qd in illis solū est vera concretio.¶Ad secundum , qȝ res diuina quia habet modum essendi perfectiorem,debet verbo suo significari modo significandi perfectiori: Dico qȝ verum est. Et cum assumitur qȝ ille est significari concreto:Dico qȝ falsum est secundum prædicta.Et qd arguitur qȝ immo:quia modus essendi concrete cui respondet modus significandi concrete,est perfectior:Dico qȝ verum est,qȝ scilicet modus significandi concrete,respondet per congruentiam & proprie magis modo essendi concrete, q̄ modus significandi abstracte.Sed qd dicit , qȝ.s.modus essendi concrete sit perfectior: Dico qȝ hoc falsum est.Et qȝ ad hoc arguitur qȝ immo:quia est rei vt est in se subsistens:non sic modus essendi abstracte: quia ille est rei vt existens est in alio:& nobilior est modus essendi rem vt est in se q̄ vt est in alio:Dico qȝ non solus modus essendi concrete est modus essendi rei vt est in se subsistens:sed etiā modus essendi abstracte:nec modus essendi concrete est solius rei vt est subsistens:sed etiam est rei vt est per inhærentiam subsistenti insistens.¶Ad cuius intellectum est aduertendum , qȝ differunt modus essendi & modus significandi:quia modus significandi est ex parte nominis significantis: & habet solūmo vnā diuisionē:qȝ oīs mod9 significādi noīs aut est abstracte p talia noīa hō,albus: aut cōcrete p talia noīa hūanitas,albedo.Mod9 aūt essendi ē ex pte rei significatæ:& habet duas diuisiōes:quia aut est abstracte & cōcrete:aut est subsistenter & insistenter:& hoc siue ipm insistēter sumatur per inhęrētiam siue absqȝ inhęrentia.Et est modus essendi abstracte duplex:vel abstractione rei,quæ est solum in diuinis omnino simplicibus:siue ipsa existant subsistenter & in se vt persoę:siue insistenter existant & absqȝ inhęrētia,vt quæ sunt in personis:vel abstractione rationis,quæ est solum in rebus creatis naturalibus & mathematicis,de quo nihil ad præsens.Modus autem essendi concrete est solummodo in creaturis compositis siue existant subsistēter & per compositionē ex aliis,siue existant insistenter & per inhærētiam & compositionem cum aliis.Dico ergo ad assumptum,qȝ si solus modus essendi concrete esset solius rei subsistentis & existentis in se siue vt talis ē: & non esset res insistens per inhærentiam:nec modus essendi abstracte esset alicuius rei subsistentis & existentis in se siue vt est talis : sed esset solius rei insistentis per inhærentiam: tunc bene verum esset qȝ modus essendi concrete esset perfectior q̄ modus essendi abstracte.Sed non est ita, vt dictum est . Et qȝ arguitur qȝ immo,quia modus essendi abstracte non est rei nisi vt est in intellectu:aut vt in subsistente vt denominans ipsum,puta humanitas aut albedo , hominem:

Dico ⊕ in huiufmodi nominibus fignificantibus res:qualia funt humanitas,albedo:eſt confidera
re duplicem modum.ſ.modum eſſendi rei: & modum fignificandi nominis.Quorum primus du
plex eſt. Vnus ex ipfa re:alius vero rei ex intellectu apprehendente illam. Et primus iſtorum eſt
eſſe abſtractione rei: & eſt in folis diuinis:quia quicquid eſt in eis, fimplex eſt omnino.In o
mnibus autem creaturis eſt eſſe concrete:quia non eſt res in creaturis quin concreta fit vel
per compoſitionem qua eſt compoſita ex aliis, vel qua eſt compoſita alii. Et fic modus eſſen
di rei fignificatæ iſtis nominibus humanitas, albedo, eſt eſſe concrete ficut modus eſſendi rei fi
gnificatæ iſtis nominibus homo album. Homo enim fignificat compoſitum ex animali & ratio
nali:& humanitas fignificat compoſitum ex animalitate & rationalitate:quia ficut homo eſt aial
rationale,fic humanitas eſt animalitas etiā rationabilitas:licet homo cum hoc ⊕ fignificat compo
fitum ex animali & rationali:etiam fignificet fuppoſitum fubfiſtens in fe compoſitum ex eſſentia fi
gnificata nomine humanitatis quę eſt ipfum qd eſt,& ratione fubfiſtēdi quę eſt ipfum quo eſt.Et
fic humanitas fignificat fuppoſitum non in fe fubfiſtens:fed folum eſſentiam quę eſt aliquid in cō
poſito fiue conſtitutione fubfiſtentis:& fic per modum informantis:& per hoc in alio exiſtētis. Al
bum enim fignificat qualitatem inhærentem fubiecto,& fic cōcretam illi. Albedo fimiliter licet dif
ferenter in modo fignificandi,fignificat.Secundus autem modus eſſendi rei,ſ,ex intellectu,eſt eſſe
abſtracte abſtractione intellectus:& eſt tam in diuinis q̄ in creaturis:inquantum intellectus cōpre
hendit fecundū fe formā q̄ eſt in fuppoſito fubfiſtente vt informans illud. Et mod⁹ eſſendi rei abſ
tracte eſt modus rei fignificatæ hoc nomine humanitas vel albedo:quæ tamen ex fe non habet nifi
modum eſſendi concrete,vt dictum eſt.Similiter & modus eſſendi rei fignificatæ hoc nomine dei
tas vel paternitas eſt eſſe abſtracte.ſ.abſtractione intellectus:quæ cum hoc ex fe habet modum eſ
fendi abſtracte abſtractione rei ex fe.Quo modo eſſendi abſtracte:de quo pcedit medium:licet no
bilior eſſet modus eſſendi concrete:in hoc ⊕ modus eſſendi concrete eſt fubfiſtentis in fe:licet non
folius fubfiſtentis:nec ipfe folus eſt fubfiſtetis:ficut dictum eſt:modus autem eſſendi abſtracte abſ
tractione fcilicet intellectus, eſt modus eſſendi in alio,ſ.& in fubfiſtente vt informato:& in intelle
ctu vt apprehendente:Non tamē ex hoc fequitur ⊕ modo eſſendi abſtracte ex ipfa natura rei fit no
bilior modus eſſendi concrete,qui non eſt in aliqua re nifi ex natura ipfius rei. Aliter enim modus
eſſendi concrete rei create,quē habet in compoſitione quadam ex propria natura ipfius rei creatæ,
eſſet nobilior modo eſſendi abſtracte rei diuinæ:quē habet in fimplicitate fua ex propria natura ip
fius rei diuinę:qd falfum eſt & impoſſibile:quia aliter res creata eſſet nobilior re diuina:quia rei no
bilioris nobilior eſt ille modus eſſendi quē habet ex fe q̄ fit ille modus eſſendi quem habet ex fe res
minor.eo ⊕ ficut fe habet res ad rem:fic fe habet talis modus ad talem modum. vnde procedit il
lud medium ī equiuoco de modo eſſendi abſtracte.Quia igitur fimpliciter nobilior fiue perfectior
eſt modo eſſendi concrete modus eſſendi rei diuinæ abſtracte quem habet ex fe:de quo folummo
do ad pfens intendimus:fiue fit fubfiſtentis fiue exiſtentis in fubfiſtente:modus aūt eēndi abſtracte
magis congruus eſt & proprius modo fignificandi abſtracte: Idcirco fimpliciter ſtat determinatio
prædicta ⊕ res quæcunq̄ diuinę magis congrue fiue magis proprie fignificant nominibus abſtra
ctis fignificantibus modo abſtracto,cuiufmodi funt deitas,eſſentia,fapientia,q̄ nominibus concre
tis fignificantibus modo concreto: cuiufmodi funt deus,ens,fapiens, & huiufmodi:licet forte fe
cus fit de prædicationibus:⊕ fcilicet magis proprie de fubiectis modo concreto fignificatis prædi
cantur prædicata fignificata modo concretionis q̄ modo abſtractionis,vt magis proprie dicaſ,de⁹
eſt bonus q̄ deus eſt bonitas.Sed de hoc fermo eſt inferius loquendo de diuinis prædicationibus.

A
Quę. viii.
Arg.1.

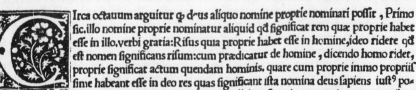

IRca octauum arguitur ⊕ d–us aliquo nomine proprie nominari poſſit , Primo
fic.illo nomine proprie nominatur aliquid qd fignificat rem quæ proprie habet
eſſe in illo.verbi gratia:Rifus quia proprie habet eſſe in homine,ideo ridere qd
eſt nomen fignificans rifum:cum prædicatur de homine , dicendo homo ridet,
proprie fignificat actum quendam hominis. quare cum proprie immo propriiſ
fime habeant eſſe in deo res quas fignificant iſta nomina deus fapiens iuſt⁹ po
tens & cætera huiufmodi:quæ aliquid dignitatis fimpliciter funt in creaturis: ergo omnibus
iſtis noibus proprie nominaſ id qd eſt in deo. Quicquid autem eſt in deo eſt deus.ergo & cætera.

2 ꝅSecundo fic.illo nomine qd fignificat rem quæ eſt in folo deo,proprie nominatur deus : quia res
non dicitur nominari aliquo nomine improprie nifi quia illud nomen proprie fignificat aligd qd
eſt in alio.puta florere prati non nominatur proprie ridere nifi quia ridere fignificat id quod

proprie eft in homine,fed hoc nomen deus fignificat rem quæ eft in folo deo,dicente Auguft.i.de do
ctrina Chriftiana.Omnes linguæ latinæ fcios cum aures eorum fonus ifte tetigerit,mouet ad co
gitandum excellentiffimam quandam immortalemq; naturam vt aliquid quo nihil fit melius:atq;
fublimius illa cogitatio conatur attingere.& conftat cp tale quid in folo deo eft.ergo &c. ¶ Tertio,
fic iuxta idem medium, illo nomine qd fignificat rem quæ eft in folo deo,nõ folum pprie fed etiã
propriiffime nominatur deus,fed hoc nomen effe vel effentia quod dicitur ab ipfo effe,propriiffi
me fignificat rem quæ eft in deo:quia deus propriiffime eft,fecundum fuperius determinata,ergo
&c. ¶ In cõtrarium eft qd dicit Auguft.libro contra Adimátium ca.vii.In illa maieftate quicquid In oppofi.
dictum fuerit incongrue dicitur:quoniam omnes appellationes linguarum oim ineffabiliter fubli
mitate præcedit,& cap.xi.loqués de his verbis iræ & zelo in deo,dicit fic.Licet verba horrefcãt qui
nondum viderunt ineffabili maieftati nulla verba congruere.Spiritus autem infinuans intelligen
tibus q ineffabilia funt diuina,his vti voluit quæ apud homines in vitio folent poni,vt inde admo
nerentur & illa quæ cum aliqua dignitate dei fe putant dicere,indigna effe maieftati.& cap.xii.
Quia nihil dignum de deo dici poteft,propterea ad ifta verba peruentum,quæ cum homines indi
gna effe putauerint,cogitarent etiam verba illa quæ conueniéter de ineffabili diuina effentia fe di
cere æftimant,indigna effe maieftati.Si autem nihil de deo congrue digne aut conuenienter dici po
teft:quia quicquid congruenter digne aut conuenienter dicitur,proprie dicitur.ergo &c.

B
Responfio
¶ Dico fecundum fuperius expofita de appropriatis,cp proprie dicitur tripliciter
aliquid de aliquo.Primo quia folitarie,fic commune proprium proprie dicitur de eo cuius eft pro
prium:ficut ome cõmune dicitur cõmuniter de eo cui é commune.Secũdo modo quia appropria
te,fic commune in diuinis proprie dicitur de illo cuius proprio affimilatur.Tertio modo quia præ
rogatiue,fic commune proprie dicitur de illo cui conuenit excellenter. Loquédo de proprie primo
modo,dico cp loquendo de origine impofitionis verbi fiue nominis ad placitum,hoc nomen deus
conuenit deo proprie:vt procedit fecunda obiectio.Loquendo autem de origine impofitionis verbi
naturali & principali.f.per fimilitudinem rei fignificatæ & vocis vel in feipfis vel in fuis proprieta C
tibus fecundum modum expofitum fupra in quæftione prima huius articuli: dico cp deus nomi
ne nullo proprie nominari poteft.Loquendo etiam de origine verbi naturali non principali,fcilicet
per fimilitudinem rerum fignificatarum, aut per vicinitatem, aut per contrarietatem:dico cp talis
impofitio nominis & origo aut intelligitur fieri per deriuationem nominis a nomine fecundũ aliã
vocis terminationem,vt a capite capillus:a luce lucus:a cruce crus: aut per tranflationem eiufde
nominis a creaturis quibus primo effet impofitum,ad deum:queadmodum inferens terrorem dici
tur terror.Primo modo dico cp deus nullo nomine proprie nominari poteft:quia nomen illud deri
uaretur a nomine primo impofito vel per contrarium:ficut nemus dicitur lucus per contrarium
a luce:quia vmbrofum eft,& minime lucet.Nunc autem nullum nomen deriuari poteft deo a crea
turis per contrarium propter infinitam diftantiam ab illis:& contraria debent effe conuenientia ĩ
genere.Vel per vicinitaté effectus fcilicet ad caufam,fecundum cp capillus dicitur a capite.Vel p
fimilitudinem rerum,ficut crus a cruce.qd fimiliter non poteft fieri naturaliter propter eãdem in
finitam diftantiam.Secundo autem modo dico cp deus nominatur omnibus nominibus fumptis a
creaturis & omnibus nominibus creaturarum:fecundum modum quo omnes res omniũ prædica
mentorum deo poffunt attribui.prout determinatum eft fupra articulo.xxxii.præcipue quæftio
ne.ii.fed hoc tranfumptiue:& ideo nullo modo proprie,fed omino improprie:& hoc improprieta
te tranflationis:qua exigente nomen tráflatum ad deum a creaturis non fignificat ipfum deũ mo
do quo eft in feipfo:fed modo quo p fimilitudiné & vicinitatem ad rem a qua eft tranflatũ,conci
pit ipfum intellectus ex notitia qua de illa re eft informatus. & adhuc minus perfecte fignificat q
cõcipit,vt declarabitur in.x.quæftione fequéte.Vnde fi aliquo nomine proprie nominaretur,opor
teret cp illud nomen fignificaret eum ficut eft in feipfo:qd eft impoffibile de alio nomine q de illo
qd eft verbũ diuinũ perfonale increatum:quia nullũ aliud nomé qd deus eft in fe fiue nomen illud
fit verbũ vocis fiue mentis,cõprehendere poteft vt fignificatiuũ illi⁹:fed trimodo aliqd eius. Pro
pter qd nihil pprie & vere pfecte de deo fignificaf cũ fignificatũ p talia noĩa de deo pdicaf.dicente
de diuina natura Diony.ca.ii.cœl'.Hierar.Nõ effe fecũdũ qd eorum q eũ vere deũ &c.vt infra in fi
ne q̃ftiõis fecũdæ articuli fequétis.Et fic talia noĩa iproprie fignificãt deũ improprietate tranflatio
nis.Qd dico ppter alios tres modos dicédi aliqd iproprie.Prio.f.qa incongruenter illi de quo dicif:
queadmodũ diceremus iproprie in diuinis log illũ q diceret cp pr̃ eft cã filii:qa cã nõ dicif pprie ni
fi in creaturis:fed pprie diceret log qui diceret,Pater eft principiũ filii:& tamen principium in di
uinis non oĩno proprie:fed tráflatiue,& ita iproprie dicif.Scdo qa inufitate:queadmodũ i atte log.

ca siquis omissis verbis vsitatis in illa vteretur verbis in illa non vsitatis:sed in alia.Puta qui in logica subiectum & prædicatum nominaret suppositum & appositum:quæ verba non in logica:sed in grammatica sunt vsitata:improprie diceretur loqui. Tertio:ga nõ principaliter:quęadmodũ accidens dicitur improprie ens respectu substãtię:& creatura respectu dei.Et hoc modo sicut substantia dicitur ens proprie respectu accidētis:sic deus posset dici ens pprie respectu creaturæ:prout pcedit tertiũ argumentũ.Et hoc mõ dicit Cõmētator sup.xii.metaphy.ꝗ vita & sciētia pprie diciꞇ de deo.Sed hoc nõ ptinet ad noīs significatiõe,sed poti9 ad quandã noīs cõis appropriatione,de ꝗ habitũ est supra loꝗndo de appropriatis:sumēdo,s.pprie p appropriate p progatiua. Sumēdo aũt pprie pappropriate per siłitudine ad ꝓpriũ ei9 cui appropriaꞇ,qd pprie diciꞇ appropriate: dico ꝗ nullo modo nomen aliꝗd potest dici proprie de deo:nec deum pprie,i.appropriate significare:ga ta le appropriatũ non esset nisi cõmune deo cum creaturis.Tale aũt cõmune prout cõuenit creaturæ propter infinitam distãtiã illius a deo,nullo modo habere posset conuenientē similitudinē ad proprium dei.Propter qd nulla appropriatio eius qd cõuenit deo & creaturis,inquãtũ cõuenit creaturis deo sit per similitudinem,sed per excellentiam tm̄.

**D**
**Ad pri.**
**principale**

℃Qd ergo arguiꞇ primo ꝗ res significatæ per nomina diuina proprie immo propriissime habent esse in deo:immo pprie imo ppriissime nominant illas:Dico secũdũ dicta in ꝗstione quinta præcedente, ꝗ bene verũ est aspiciēdo ad significatũ dignius sub nomine.Aspiciendo tñ ad id qd famosius significatur ipso noīe,& ad primã nominis impositionē:nõ est ita.Et quo ad hoc attendiꞇ principalis improprietas iu nominib9 diuinis,s.quia primo imposita sunt rebus creatis & illis quæ sunt in creaturis:quæ idcirco famosius p huiusmodi noīa ab audientibus concipiunt quãdo proferunꞇ:& ab illis sunt translata ad significandũ in diuinis correspondentia:ꝗ vt sunt in diuinis,ex se & in se nobis nõ sunt cognita,sed solummõ cognita ex illis & in illis quibus correspondent in creaturis:ad quę primo & immediate mens nostra se conuertit intelligendo aliquid statim cum nomina proferunꞇ.Et ideo ipsa per aliquã improprietatem translationis diuina significaꞇ.Sicut cũ ridere trãsferꞇ ad significãdu floritionē prati,dicēdo pratum ridet . Aut p aliquã similitudinē rerũ significatarũ,vt cum diciꞇ vox alba per aliquam similitudinē vocis in mouendo auditum,& coloris albi in mouēdo visum.Aut per vicinitatem causæ ad effectũ,qd magis valet ad propositum. Quēadmodum eīm diciꞇ terror a quo terror pcedit in hominib9:sic sapientia diciꞇ notitia dei,a qua procedit sapientia in hominibus:& bonitas dei a qua pcedit in hominibus bonitas. Sed est aduertē dũ ꝗ translatio ista nominũ a creaturis ad deum sit tripliciter.Primo per cõtrarietatē:licet mixtim per aliquam similitudinem,vt dictum est supra de zelo cum diciꞇ deus zelans.Secundo p similitudinē:vt cũ dicitur deus leo.Tertio per vicinitatem:vt cum dicitur deus sapiēs. Et est prima trãslatio summe impropria,inquantum fit per contrarium.propter contrarium enim eius qd illa nomina inquãtũ transferuntur per contrarium ad diuina significant in creaturis,maxima improprietate transferunꞇ noīa p cõtrariũ a creaturis ad diuina. Quibus scripturæ tñ vtitur loquendo de deo & de diuinis:& hoc non tã ad significandũ aliquid qd est in deo correspõdēs illi qd significaꞇ ī creaturis inquantum per similitudinem transfertur ad deum:ꝗ ad indicandum per id quo per contrarium transferuntur ad deum. Qꜩ manifestum est talia non significare aliquid proprie in deo auꞇ de deo:ꝗ nec aliꝗd aliorum diuinorũ noīm pprie de deo diciꞇ:aut ipsum significat,vt prædictũ est secundũ August.contra Adimantiũ in vltimo argumento.Secũdũ illud etiã qd dicit Diony.ii.ca. cęł.Hierar.Obscuritatis arcanoꝛ magis apta est p dissimiles formationes manifestatio.Secunda autem translatio quæ est per solam similitudinē,est minus impropria ꝗ prima:ga minus est repugnãs & absurda deo creaturæ substãtia ꝗ morum ipsorum peruersitas.Tertia autē translatio quæ est p vicinitatem,minus improprietatis habet:quia istꝫ est p conuenientiã inter se eius a quo nomē trãsferꞇ ad id ad qd trãsferꞇur.Illa vero est non p cõuenietiã illoꝛ inter se,sed in aliquo qd quadã cõitate cõuenit ambob9.Et quia ista tertia sit p maiore cõuenietiã,ideo respectu secundę vocaꞇ p pprie tatē:quia,s.est p minore improprietatē.Sed adhuc minor est iproprietas in hoc noīe ꝗ:in hoc ꝗ si gnificat absꝗ omī trãslatione vocis,vt iã diceꞇ.Sed & noīa illa ꝗ maxime improprie dicunt quo ad noīs translatiõe,alia ratione propriissime dicuntur de deo,vt infra articulo sequenti ꝗstione scda & tertia patebit. ℃Ad secũdũ ꝗ deus noīaꞇ pprie noīe illo qd significat rem ꝗ soli deo cõuenit,cu iusmodi est hoc nomen deus secũdũ Aug. Dico secundũ iã dicta ꝗ i noibus cõibus deo & creaturis deus improprie significaꞇ ꝓpter noīs trãslationē ad significãdũ illud qd est i deo ab eo qd est i creaturis:cui pprie & principaliter est impositũ vt signum illius:& hoc non absꝗ notitia rei illius aliqua præcedente in imponente:qua postꝗ illud imposuit ad significandum illam rem,illo nomine proposuit vti in loquendo vt signo ad indicandum alteri cum quo loquendum esset rem

**E**
**Ad scdm.**

illam cui ad significandum eam illud imposuit: vt sic quia res quas ostendere possemus vel
indicando illas nutu vel signo digiti vt parietem, vel seipsas vt si a te quærerem quid sit ambu=
lare:surgensᶐ id ageres:non semper præsentes habemus:nominibus siue verbis vteremur pro re=
bus,prout determinat Philosophus in principio libri Elenchorum. Quæ quidem nomina alteri cũ
quo loquendum esset signa esse non possent secundum superius determinata,nisi ipse similiter pri=
us rem significatam cognosceret quoquo modo:& nisi esset prius ei indicatum quoquo modo : &
tale nomen talis rei signum indicatiuum esset:& sic per consuetudinem quasi ex pactione inter se
omnium qui sunt eiusdem linguę talis vox talem rem significaret,Et per hoc talis vox talem rem
proprie significat:& illa est propria eius significatio:quæ si propter vocabulorum penuriam alteri
rei consimiliter cognitę imponeretur:& sic fieret æquiuoca(Eo enim ᵱ plures sunt res ᵹ noia opor
tuit eandem vocem plura significare vt dicitur in pricipio Elen.)tunc illa vox plura significaret ę=
que proprie , & esset æquiuoca casu secundum prædeterminata,Ex hoc ergo dicitur nomen pro=
prie rem significare,ᵱ ipsi vt cognitæ in seipsa principaliter iponat:& per impositionē signũ reme
moratiuum existat ei qui talem rem prius in seipsa cognoscit:& cum hoc etiam ᵱ tale nomen ad
significandum eam impositum fuit.Et econtra nomen dicit aliquam rem significare improprie eo
ᵱ ipsi non imponitur principaliter priuʒ cognitę in seipsa:sed per similitudinem rei alterius aut vi
cinitatem aliquam ab illam rem nomen ab illa transfertur ad illam indicandam vt incognitam in
seipsa:& solummõ cognita in alia ex similitudine aut vicinitate ad illam.& per hoc solũ signum reme=
moratiuum illius rei existit ei qui talem rem hoc modo in alio nouit:& non in seipsa . Qʒ si forte
nouit eam in seipsa : hoc accidit tali significationi per translationem . verbi gratia,quidam actus
hominis proprius & cognitus proprie significatur secundum dictum modum per hoc nomen ri=
dere: quod secundum dictum modum etiam est rememoratiuum illius.A quo tamen per simili=
tudinem aut vicinitatem nomen illud ridere transfertur ad indicandum actum proprium prati
cum abundat floribus , vt incognitum in seipso : sed solum cognitum per similitudinem aut vi=
cinitatem in illo actu qui est proprius hominis . Et hoc modo cum transfertur ad commemoran=
dum illum actum prati sic & non aliter cognitum: tunc illud nomen ridere improprie dicitur si=
gnificare actum prati aut esse signum rememoratiuum illius : & hoc quia indicando & rememo=
rando solum insinuat aut rememoratur actum similem aut vicinum actui hominis inesse pra=
to:nullam autem propriam notitiam de veritate illius rememorando per auditum ad mētem per=
ducit,Et si perducit,hoc accidit quia scilicet illum actum floritionis prati in seipso prius nouit:pu
ta videndo pratum abundare floribus : ex qua notitia potuit illi primo nomen illud imponere
quod est florere : quod idcirco illum actum prati proprie significat:& est signum rememorati=
uum eius quem improprie significat illud nomē ridere:& improprie est signum rememoratiuum
eius secundum dictum modum.Et est iste modus improprie significandi diuina in omnibus nomi
nibus translatis a creaturis ad deum:licet secundum plus & minus,vt dictum est supra. Et habet
ista impropria significatio duo in se.Quorũ primum est ᵱ nomen transfertur ab illo qd proprie si
gnificat ad illud qd improprie significat.Secundũ vero est ᵱ nomen qd per rememorationem pri=
mo perducit audientem ad concipiendum notitiam claram rei quã proprie significat: etiã secũdo
perducit p rememoratione audientē non ad pcipiendũ clarã notitiam rei i seipa quã proprie signi=
ficat:sed solũmõ ad pcipiēdũ notitiã ei⁹ obscurã:& hoc p similitudinē aut vicinitate ipsi⁹ ad rē quã p
prie significat id ad cui⁹ notitiã clarã i seipa rememorãdo pducit.& hoc ᵹa hoc nomē qd pri⁹ signi
ficabat vnũ proprie:quia est.s.vt signũ qd primo ad rei clarã notitiam p seipsam & in seipsa reme
morando perducit:postmodũ significat illud improprie:quia,s.vt signum qd secũdo ad obscuram
notitiam illius p aliud & in alio rememorãdo pduсit,Et est determinatio horũ nominum in significa
do modo ad illa ᵹ significat pprie,modo ad illa ᵹ significat improprie,p subiecta de quib⁹ talia no=
mina pdicantur,secundũ ᵱ dicit Boethius de trini.ca.v.& eius cõme.Dece pdicamēta ᵹ de reb⁹ oi
bus &c.vt supra in tertia ᵹstione pcedēte huius articuli.⸿Primũ autē istorum duorum non habe
tur in significatione huius nois deus:quia est nomen supremæ maiestati primo & principaliter i=
positũ,non ab alio trãslatum.Nec etiã secũdũ: & hoc ᵱpter idē quo ad hoc ᵱ nõ primo pducit ad
rememorationem audientem ad pcipiēdũ clarã notitiam alicuius rei quã proprie significat:& secũ
do ad pcipiēdũ p rememoratione obscuram notitiam eius qd improprie significat:ᵹa nulli alii i
positũ est ad ipm prio significãdũ & pprie,Sed illud secũdũ habet in significatione huius nois de⁹
quo ad hoc ᵱ pducit ad cõmemoratione audiētē ad pcipiēdũ obscurã notitiã summæ maiestatis
& hoc per similitudinem aut vicinitatem ipsius ad res,non quas significat vllo modo , scilicet
primo aut secũdo proprie aut ipproprie:aut ad quorum notitiam aliquo modo perducit:sed quoᵹ

F

notitiam intellectus humanus per rememorationem ductus aliorum nominum proprie illas figni
ficantium,in creaturis percepit:& hoc fiue nominum mentalium folummodo ductu naturalis ra
tionis:fiue mentalium & vocalium ductu difciplinæ.Intellectus enim humanus ex ordine caufarũ
& caufatorum percipiens ꝗ fit vnum principium primum & caufa omnium cæterorum:& ꝗ ge
quid dignitatis & nobilitatis eft in caufatis, fupereminentius eft in omniũ caufa:& ꝗ quicquid eft
defectus in illis, nequaꝗ eft in illa:per fimilitudinem & vicinitatem caufæ oim ad caufata fua per
cipit licet notitia obfcura & quafi generali attributo, non vnico, fed omnibus fimul quafi in vno
aggregatis,ꝗ caufa omnium omnibus caufatis fupereminet in omnibus illis quæ ad dignitatẽ fim
pliciter pertinent.Vnde ficut illa quæ ad dignitatem fimpliciter pertinent in creaturis figillatim
quo ad fingula fignificantur iftis noibus fapiens bonus iuftus & aliis nominib⁹ in creaturis:quæ ꝗ
dem nomina per fimilitudinem & vicinitatem transferuntur ad fignificandum diuina illis corre
fpondentia tranflata fecundario ab illis quæ fignificat in creaturis prio:fic illa quo ad omnia fimul
fignificant hoc nomine deus:& hoc nomen deus primo imponitur ad fignificadũ rem continentẽ
in fe omnia illa in fumma & euidenter.Et fic quia per fimilitudinem & vicinitatem a fignificatis ꝗ
ad perfectionem fimpliciter pertinent fignificatis diuerfis nominibus in creaturis hoc nomen deus
imponitur ad fignificandũ illa in fumma & eminentia licet in obfcuritate quadam:& fic per qua
lécunꝗ tranflationem fecundum rem licet non fecundum nomen : idcirco etiam hoc nomen deus
per aliquam improprietatem deum fignificat:licet per minorem ꝗ nomina tranflata a creaturis ad
deum quafi pticulariter.Propter quod Auguftinus coparans improprietatem nominum trãflato
rum a creaturis in fignificando diuina:& huius nominis deus,infinuando minorem improprieta
tem in illo,dicit primo de doct.Chriftia.ca.4.Eft trinitas vna fumma res:& ideo rerũ omnium cau
fa:fi tamen & caufa.Non enim facile nomen qd tantæ excellentiæ conueniat poteft inueniri:nifi ꝗ
melius ita dicitur vnus deus.Ecce ꝗ melius dicit trinitas eft deus ꝗ res aut caufa : & hoc non nifi
propter minorem improprietatem in fignificãdo fummam maieftatem hoc nomine deus qd e im
mediate illi impofitum,ꝗ hoc nomine res aut caufa,quæ funt tranflata a creaturis.Et quia hoc no
mine deus nihil fignificatur de fumma maieftate nifi in fumma & obfcure & per quandam fimili
tudinem aut vicinitatem rerum,licet eminenter:& non abfꝗ omni nominis tranflatione:& tamen
ficut volũtatis humanę eft perfecta notitia & clara pcipere de fumma maieftate quid eft fi poffet:
fic etiam humanæ voluntatis eft ipfam perfecte & clare exprimere alteri p nomen fi poffet:qd etiã
nititur quantum poteft hoc nomine deus:Ideo prædictis addit Auguft.dicens.Diximus ne aliqd
& fonuimus aliquid digne deo:q.d.nihil.fecundum illud qd dicit contra Adim.ca.4.Non pot ali
quid de deo digne dici:ꝗ ideo iam indignius eft ꝗ potuit dici. Et hoc quia non nifi improprie &
obfcure & in generali aliquid de deo diximus & fonuimus: quĕadmodum obfcure & in generali
naturali noie deum cognofcimus:qd non eft dignum deo: quia non digne deus dicitur nifi verbo
quo clare & in fpeciali fignificetur & intelligatur:qd intẽdit ille qui dicit,trinitas eft deus.Propter
qd continue fequitur:Immo verome aliud ꝗ dicere voluiffem dixiffe fentio.Si autem dixi(fupple
aliquid) fegtur:non eft qd dicere volui:quia.f.obfcurum & generale dixi:& clarum & fpeciale dice
re volui.vnde fequitur cõtinue. Vnde fcio quia deus ineffabilis eft:qd autem a me dictum eft fi in
effabile effet,dictum non effet:ac p hoc nec ineffabilis quidem dicendus eft deus:quia & hoc cum
dicitur,aliqd dr. Fit nanꝗ quędam pugna verboꝝ,de qua pugna oftenfum eft fupra ꝗ non eft pu
gna.Et continue reuertitur declarans quomodo hoc nomen deus fignificat aliquid de fumma ma
ieftate:licet obfcure:fubdens,Et tamen de⁹ cũ de illo nihil digne dici poffit,admifit humanæ vocis
obfequium:& verbis noftris in laude fua gaudere nos voluit,nam inde eft & ꝗ dicitur deus,Non
enim in ftrepitu iftarum duarum fyllabarum ipfam cognofcimus.f.perfecte in fignificato aliquo
de fumma maieftate hoc nomine deus:aut p aliquam fimilitudinem aut p vicinitatem ad creatu
ram:aut p aliquam fimilitudinem ipfius maieftatis fummę ad hanc vocem deus:fed tamẽ (vt feg
tur continue)omnes latinę linguę fcios &c.vt dicitur in argumento.Sed tamen in hoc cognofcẽ
do & cogitando de deo.f.ꝗ eft quo nihil melius & fublimius:nihil de deo nifi imperfecte obfcure
& in generali & improprie aut p fimilitudinem aut vicinitatem cognofcimus: & hoc a creaturis
via remotionis & eminentiæ,prout expofitum eft fupra de diuinis attributis.Et hoc eft qd Augu
ftinus fubdit dicens.Illi autem qui per intelligentiam pergunt videre qd de⁹ eft, omnibus eum na
turis non folum vifibilibus & corporalibus:fed etiã intelligibilibus & fpiritualibus oĩbufꝗ mu
tabilibus præferunt: omnes certatim pro excellentia dei dimicant : nec quifꝗ inueniri poteft qui
hoc deum credat effe quo eft aliqd melius.Itaꝗ omnes deum effe confentiunt qd rebus cęteris añ
ponunt.Et qm omnes ꝗ de deo cogitant,vnum aliqd cogitant:illi foli poffunt fe abfurda & idigna

G

eſtimare de deo qui ipſam vitam cogitant,& viuentē non viuenti anteponunt.Deinde vitā ipſam
pergunt inſpicere,& ſi eam ſine ſenſu vegetantē inueniunt,qualis eſt arborū, prꝫponunt ſenrientē
qualis eſt pecorū,& huic rurſus intelligentē qualis eſt hoīm:quā cū mutabilem viderint,etiā huic
aliquam immutabilem coguntur anteponere. Quod ergo dicit in argumento ꝙ illo nomine qd̄           **H**
ſignificat id qd̄ eſt in ſolo deo,proprie nominatur,cuiuſmodi eſt deus:Dico ꝙ verum eſt ſumendo
proprie a proprio,vt tactum ſupra.Sed ſic non ſumitur hic ſignificare proprie, ſed ſignificare rem
nomine primo & principaliter ei impoſito non per vicinitatē aut ſimilitudinem ad rem aliam ſiue
eodē nomine ſiue alio ſignificatā per ſe.Tali autē modo hoc nomen deus ſignificat improprie deū
quantū eſt ex parte rei ſignificatꝫ & conceptꝫ,quia per tranſlationem intellectus in impoſitione hu
ius nominis deus,ꝑergit a re cognita in creaturis clare & in ſpeciali,ad rem per ſimilitudinē & vicinitatem cognitā in deo obſcure & in vniuerſali,licet non quantū eſt ex parte nominis vocalis hoc
nomen deus a re illa tranſlatum eſt,quia illā non ſignificabat prius.Vnde non eſt generaliter verū
illud aſſumptum in argumento.ſ.ꝙ res non dicit nominari aliquo nomine improprie, niſi quia illud nomen ſignificat proprie aliqd̄ qd̄ eſt in alio.Et non eſt differentia de ſignificatione huius noīs
deus in ſignificando deū ſub ratione qua eſt prꝫminens omnibus in oībus quꝫ dignitatis ſunt ſim
pliciter,& in ſignificando deū aliquo nomine qd̄ ſignificaret eum prꝫminentē ſapientia:qd̄ nomen
eſſet aliud ab hoc noīe ſapientia,qd̄ per tranſlationē ſignificat eum ſapientem ſimpliciter:niſi ꝙ ſor
te illud nomen quo nominaretur ſupſapiens ſapiētia aut bonitate aut aliquo talium compoſitum
eſſet ex nomine impoſito ſimpliciter creaturꝫ,& aliquo qd̄ eſſet nota prꝫminētiꝫ. Tunc eī quo ad
alterum componentiū aut etiā quo ad vtrūꝙ imponeret deo per ſimilitudinem aut vicinitatē prꝫ
minentem ſolūmodo a ſapientia ſignificante nomen ſapientiꝫ in creaturis ſimpliciter cum nota ꝓ
minentiꝫ quā importat hꝫc prꝫpoſitio ſuper in noībus quibus vtitur Dionyſius cum dicit ꝙ deus
non eſt ſapiens ſed ſuperſapiens,non bonus ſed ſuperbonus. Hoc autē nomen deus imponitur deo
per ſimilitudinē aut vicinitatē prꝫminētē in ſapiētia aut bonitate aut in pulchritudine & in omni
bus ſimul q̄ ſunt aliquid dignitatis ſimpliciter. ¶Ad tertiū ꝙ hoc nomen eſſe vel eſſentia ꝓprie di      **I**
citur de deo,quia res ſignificata propriiſſime eſt in deo:Dico ꝙ verū eſt ſumendo proprie pro ap      Ad tertiū
propriꝫte.Eſſe eī cōmuniter conuenit deo & creaturꝫ:appropriꝫte per principalitatē conuenit ſo
li deo,dicente ſup illud Exo.iii.Ego ſum q̄ ſum.gloſ.interli.Nemo alius. & gloſ.marginali.Hierony
mus ſcribēs ad Marcellū de.x.dei nominib⁹ ſexto loco ponit vere qd̄ in Exodo legit,Qui eſt. Deus
eī ſolus qui exordium non habet:vere eſſentiꝫ nomen retinuit,quia in eius comparatione qui ve
re eſt,quia immutabilis eſt,quaſi nō ſunt q̄ mutabilia ſunt. Et per eundem modum nomē eius eſt
dn̄s in Pſal.lxxxii.Et cognoſcāt quia nomen tibi dn̄s.Aug. Tanꝙ non vero nec ſuo nomine nun-
cupent quicūꝙ alii dn̄i nominant,quia ſeruiliter dominant, & vero dn̄o cōparati nec dn̄i ſunt,ſi
cut dictum eſt Ego ſum qui ſum.Sed de hac proprietate non eſt hic ſermo:ſed ſolum de alia:quan
do ſ.res ſignificata per nomen de deo non eſt in notitia accepta per ſimilitudinē aut vicinitatē a re
exiſtente in creatura,ſiue ſignificetur noīe vocali ſiue nō,ſed ſolummodo nomine mentali,qd̄ etiā
in mentis conceptu,ſecundū ꝙ nullius linguꝫ:ſed eſt accepta in notitia immediate a re qd̄ de⁹,ſi
ue quꝫ ſoli deo cōuenit,& ſimiliter vox ipſam ſignificās,qualis forte eſt vox nominis tetragramma
ton.Et talis res diuina non ſignificat nomine eſſe vel eſſentiꝫ de deo,quia p tranſlationē ab illo qd̄
pri⁹ ſignificat in creaturis,ſimilitudine aut vicinitate ſignificat in generali & obſcure qd̄ eſt in deo
ſicut ſignificant hoc nomen ſapientia & hoc nomen bonitas,& cꝫtera hm̄ōi,licet hoc nomen eſſe in
ter alia trāſlata ſecundū vocem ſit principalius,quia inquantū ſignificat pꝫlagus quoddam infini
tum diuinꝫ ſubſtātiꝫ(vt dicit Dam.)cōprehendit quaſi indefinite illud qd̄ ſignificat illud nomen
deus,inquantū dicit ſummā eorū quꝫ ſunt dignitatis ſimpliciter. Vnde & ſecundū Diony.eſſe eſt
dignior diuinarū participationum,prout expoſitum eſt ſupra loquendo de attributis.Vnde aſpiciendo ad dictā improprietatē ſiue ſub noīe trāſlato,ſiue ſub noīe nō trāſlato nullū nomē impoſitū
ab hoīe viatore ſignificat deū aut aliqd̄ qd̄ eſt in ipſo cōgrue & digne, aut ꝓprie ipſm aut aliqd̄ qd̄
eſt in ipſo ſignificat ſeu dicit de illo: vt procedit & benꝫ ex dictis Aug.vltimum argumentum:qd̄
ideo concedendum eſt.

Irca nonum arguitur ꝙ non ſit propriū nomen quo deus nominari poſſit, Pri-      **k**
mo ſic.Notus in Iudꝫa deus,in Iſrael magnum nomen eius,vt dicit in Pſal. Sed    Queſt.ix.
magnum nomen eius vt videt non dicit niſi proprium nomen aliqd̄ reſpectu il-    Arg.i.
lorum quꝫ ſunt cōmunia ei & creaturis, ergo &c. ¶Secundo ſic. Rabi Moyſes
dicit ſic.Omnia nomina creatoris ſunt ab operibus ſumpta,prꝫter vnum nomē
appropriatum,& idcirco vocatur nomē ſeparatum,quia ſignificat ſubſtantiam

creatoris significatione propria:in qua non est participatio.Alia vero nomina significant eã cũ participatione:quia sumpta sunt ab operibus.Nomen aũt appropriatũ est qd scribitur & nõ legit nisi in sanctuario a sacerdotibus sanctis trĩmodo in benedictione sacerdotali,& a maiori sacerdote in die ieiunii.Et fortasse significat secundũ idioma de quo habemus parũ apud nos,substãtiã creatoris:ĩ qua significatione non participat cũ aliquo suorũ creatorũ &c.vt supra articulo.xxxi.quęstione.4.

3 tale autem non est proprium deo.ergo &c.¶Tertio sic.Illud nomen est pprium deo qd ei soli cõuenit & omni qd est in eo & semper,secundũ definitionẽ pprii,tale est hoc nomen deus,vt patet.

4 ergo &c.¶Quarto sic.Illud nomen est proprium qd tm vni natum est conuenire nisi equiuoce,vt sunt Petrus & Paulus & huiusmodi cętera.oĩa enim noĩa pluribus possunt conuenire vniuoce,vt sunt nomina specierũ aut generĩ.tale est nomen deus:quia siqd illorũ alii a deo conueniat,ſ.creatu-

In opposi. rę,hoc non est nisi æquiuoce,secũdũ superius determinata.ergo &c.¶In cõtrarium est illud qd dĩcit Augustinus in vltimo argumento quæstionis pcedentis contra Adĩ.Nulla verba digne deo congruunt.Sed si deo esset aliquod nomen pprium,illud digne deo congrueret:quia non est pro-prium nisi digne congruat illi cui est pprium.ergo &c.

L
Responsio ¶Dico ꝗ nomen vocale de quo est sermo ad præsens,si sit proprium alicui : aut hoc contingit naturaliter & ex naturali origine:aut voluntarie & ex origine beneplaciti.Ex natura-li origine,puta ex similitudine vocis ad rẽ significatã secũdũ modũ supra expositũ de tali noĩe:di-co ꝗ deus non põt habere nomen sibi pprĩũ ppter aliquam conuenientiã ad sonũ noĩs,vt supra ex positum est generaliter de noĩe quocũꝗ sibi attribuẽdo:etsi forte creaturis possent secundũ ratio-nem illius originis esse nomina pprĩa,singulis secũdũ rõnem suæ speciei:qualia forte Adam impo-suit animalibus,vt superius tactum est.Vnde si deus habet nomen propriũ ex origine naturali:il-lud est verbum psonale in diuinis quo cognoscuntur notitia declarandi a singulis psonis vniucrsa: & illud solum nomen perfecte congruit diuinæ dignitati:& nullum aliud:quia nullũ verbũ men-tale de deo conceptũ a beatis qd est nomen mentis de deo,in mentibus eorum explicat pfecte deũ. Loquendo autem de origine verbi voluntaria & ad placitũ,dico ꝗ loquendo de noĩe sic proprio ꝗ nulli alii posset imponi,qd dicitur proprium quasi propriatum,deo nullum potest esse nomen pro-prium,sicut nec vlli creaturę. Quia postꝗ nomen imponitur ad placitũ solũ,& quãtum est ex par te imponentis,& quantum est ex parte rei cui imponitur:quodlibet nomen cuilibet rei posset im-poni:licet si quodlibet nomen cuilibct rei esset impositum,vsus verborum frustrareſ,sic ꝗ non poſ set aliquod verbum esse instrumentum locutionis ad exprimendũ conceptus loquentis,quia nihil determinate significaret nec ex se nec ex adiuncto. Propter quod oportet nomina & verba habere significationes determinatas secũdũ Philosophũ.4.metaphy. Et sic oportet nomina plurima singu la sic imponi & deputari singulis significatis,ꝗ non sint imposita aut deputata alteri.Et sic necesſ se est nomina esse propria rebus,sed hoc per quandam appropriationem propter vsum verborũ:li-cet contingat vnum nomen plura significare propter nominum ipsorum penuria,vt prędictũ est.

M ¶Dico ergo ꝗ loquendo de nomine imposito ad explicandã vt signum veritatẽ diuinæ naturę in se ipsa,vt scilicet in seipsa est & cognoscitur ab ipso deo,nullum nomen potest esse proprium deo: ne ꝗ etiã appropriatũ.Quia nomẽ siue verbũ vocis vniuersaliter debet eẽ symbolũ inter duo.ſ.iter lo quentẽ & illũ cui loquitur:sic vt res significata modo quo imponunt noĩa ad significandũ,sit in se nota vtriꝗ: & ꝗ nomen ad significãdũ ipsam rẽ vt talis est,sit institutũ.Quia ergo veritas diuinæ naturæ nota est soli deo quo ad rõnem imẽsitatis suæ:& sic ipse quãtũ est in se,sibi nomen vocale poſ set appropriare,& ad suũ placitũ facere sibi pprĩũ:quia tñ veritas ipsius diuinæ naturę nulli crea-turæ nota potest esse quo ad rõnem imẽsitatis sue,ideo nullius creaturæ põt esse nomen proprium diuinæ imẽsitati:quia non posset ei esse notamẽ p aliquã.ſ.rememorationem ad diuinę immen-sitatis notitiã perducens.Ad significandũ tñ naturã diuinã p mensura qua a creatura intellectua-li cognosci põt,põt habere nomẽ pprĩũ p appropriationem sibi factam ab ĩtellectu creato siue ĩcrea-to:quo vt signo possent sancti in patria loquẽdo conceptus suos p quandã quasi recordationẽ indi-care sibi de veritate diuinæ naturę cognitę ab eis:& secundũ modũ quo cognita est ab eis.Sed hoĩ-bus viatoribus non esset illud nomen:quia non posset eis esse cõmune symbolum cum beatis:quia veritas diuinę naturę secundũ modũ quo beati eã cognoscũt,nullo modo est eis nota.Propter quod per rememoratione vt signũ nõ posset eos pducere ad aliquã notitiã de veritate diuinæ essentię:si cut nec cęcus nat9 posset pduci ad notitiã colorũ p verba qb9 vidẽtes & cognoscẽtes colorẽ p reme moratione ꝗsi perducũt seſe ad colorũ notitiã. Sed hoĩbus viatoribus verbum vocale aliquod po-tcst esse proprium deo per appropriationẽ ad placitum illorum sibi factam,pro quãto habent de deo notitiã:sed nullum tale potest esse translatum a creaturis:quia quodlibet tale est etiam cõmu-

ne creaturis,& primo illis impositum est:sed debet ei primo & principaliter esse impositū:pro tan
tillo tamen qd de eo ex creaturis potest cognosci.Vt quia hoc nomē deus ex impositione sua ꝙ est
simpliciter perfectus significat quasi in summa & generali,translatione facta ab eis quę sunt dignitatis & perfectionis simpliciter in rebus,licet non a nominibus,neꝗ correspōdenter perfectioni ve
ritatis dei:idcirco dico ꝙ inter oīa latina nomina nomē ꝓptiū deo & appropriatū illi est hoc nomē
deus,& hoc quia magis ei propriū respectu alioꝝ est ꝗ quasi particulariter exprimūt aliꝗd qd ratio
nem dignitatis habet in deo,vt sunt sapiens,bonus,& vniuersaliter ꝗcūꝗ noīa ex operibus dignita
tis ad ipm trāsferūt,vt sunt iudex rector & cętera hmōi.etiā si nō cōueniāt creaturis,sicut hoc no
mē creator:cū tn̄ hoc nomē de⁹ deo primo impositū trāsfertur ad significandū creaturā,vbi Moyses dictus est deus Pharaonis. Et sic sicut hoc nomē deus est propriū in lingua latina,sic proprium
est θεὸς in lingua grœca: & sic de cœteris in cœteris linguis quotquot sunt vel esse possunt genera
linguarū.Et sic procedit tertia ratio & bene.

℃ Qd arguitur primo ꝙ deus nomē propriū habet,quia scribitur in Psal.Magnū
nomen eius:Dico ꝙ re vera magnū est nomen dn̄i qd est ei proprium,quia appropriatū.secundū
ꝙ dicit de illo Rabi Moyses in secundo argumēto,ꝗ ibidē de eodē noīe loquitur dicens. Alia nomi
na significant actiones quę faciunt ascēdere in cor ꝙ sunt agnitiones adiunctę creatori, hoc est vir
tutes perfectionis:quę sunt virtutes inuentę in eo.Nullū autē nomen apud nos est qd non sit sum
ptū ab opere nisi nomē tetragrāmaton:qd est quatuor literarū,quę sunt iod,heth,vau,he. Ex quorum coniunctione nihil colligit significatū,sed ex doctrina.Sunt autē illę quatuor literę hebreę idē
elementū cū istę⁓ quatuor latinis i,e,v,h.ex quibus coniunctis quasi in vna syllaba aut dictione sit
ieuh.Re vera nihil significatū colligitur,& sicut non in lingua latina ex talib⁹ literis latinis:sic nec
in aliqua alia lingua ex literis illius linguę istis equiualentib⁹.& hoc quia nunꝗ vlli rei vox illarum
literarū ad significandū imposita fuit,licet postea cuidā regi Israel impositum fuit nomen dictarū
quatuor literarū qd erat tetragrammaton,sicut & magistri nomē dei,puta hieu:prœter hoc ꝙ vlti
ma litera noīs dei facta est prima in noīe illius regis. Et ꝙ talib⁹ characteribus deus nomen suū scri
bendum insinuauit:hoc non facit nisi ad significandū ꝙ diuina essentia secundū rationem suę im
mēsitatis incognoscibilis est,& propter hoc innominabilis ab omni creatura.Vt mirabile sit quœre
re de noīe proprio dci qd significat essentiam suam significatione pura,in qua non sit participatio
cū creatura aliqua,ꝓpter quā conueniat ei illud nomen,vt hoc nomen ei cōuenit sapiētia aut boni
tas &c.quœ significant virtutes perfectionis in deo,in quib⁹ est quędā participatio creaturę. Esset
em̄ nomen illud significans diuinā essentiā ratione suę immensitatis,qua est cognoscibilis a seipsa
sola.Propter qd dicit dn̄s Moysi Exo.xxxi.Quid quęris nomen meū qd est ineffabile.Glos. interli.
Quia incōprehēsibilis est deus.Ex doctrina autē interpretationis istarū literarū significaf & intelligit quid deus vult p ei⁹ nomē (qd a notamine dicit) nos intelligere. Vt ei dicit Hiero.in epistola
ad Marcellā de interpretatione hebrearū literarū,Iod interpretaf principiū,heth vita,vau passio,
he ista.Quę si coniungant,sensus est,principiū passionis iste.Et si quœratur quis est iste.Re vera ille
de quo dicit Exo.xv.Iste deus meus,& glorificabo eū. Deus ergo ab homine tēpore legis intelligi
voluit nomine sibi proprio:de quo populus nꝯuit ꝙ quatuor literarū erat,& ideo tetragrammatō
magistri nomen dei appellant:sed quę erant illę literę,ignorauit,quia hoc scire non nisi perfectos li
cuit qui mysterium aduertere possent in interpretatiōe dictarū literarū.Et in dicto prœsagio signi
ficauit ꝙ ipse esset hoībus principiū vitę sua passione quā gustaturus erat in hoīe assumendo,& ꝙ
nihil vlterius de ipso cognoscendū homo quœreret,aut putaret se scire,iuxta illud.i.Corinth.ii.Nō
iudicaui me scire aliꝗd inter vos nisi Iesum Christū,& hunc crucifixum.glos. Nisi hoc ꝙ Christus
est saluator noster,& hoc per crucifixionē. In crucifixo em̄ vetus homo crucifixus est vt non seruia
mus vltra peccato.Et quia mysterium huius interpretationis tēpore legis Moysi occultandū erat:
obseruatum tēpore illo erat de dicti noīs doctrina illud qd dicit Rabi Moy.Mandatum accepimus
ꝙ benedictio sacerdotis fieret cū hoc noīe qd est separatum, non sciebat homo quomodo loqueret
in eo,vel qualiter deberet proferri quęlibet literarū ipsius. Sapientes autē recipiēbant ynus ab alio
modum doctrinę,& quomodo loquerent in eo,nec docebant illud aliquē nisi discipulū idoneum &
hoc semel in.vii.annis,& non amplius. Vnde quia circa tēpora Christi cum cessare deberet legale
sacerdotium,nullus inueniebatur discipulus idoneus aut dignus ad capiendum doctrinam illius
nominis,videlicet quomodo loqueretur in eo quo ad accentum,scilicet grauem,acutum, aut cir-
cūflexum,vel qualiter deberet proferri quęlibet literarū ipsius.f.separatim ab alia an cōiunctim cū
alia,ꝙ de hoc dn̄s ipse p se vel ꝓphetas p quos dn̄s hēc illis indicauit nihil publico scripto,sed solū
priuatim reuelauit sapientib⁹:idcirco ergo in vna syllaba an in pluribus sapientes fideles ab istius

N
Ad primū
principale
O
Ad scd̄m.

P

Q

R doctrina ceſſabát:& nomen illud atq̃ eius interpretatio a notítia Iudeoꝝ receſſerunt. Si ergo hoc nomen tetragrámaton Ieuh,díctum a tetras qđ eſt quatuor,& gramma qđ eſt litera:quia eſt quatuor literarū,vt díctum eſt, eſt nomẽ ſeparatú ſignificás ſubſtátiã creatoris ſignificatione pura,vt díctú eſt:hoc non eſt poſitiue dádo aliqđ intelligere nobis de ſubſtátia dei vt eſt iméſa:ſed pot⁹ negatiue ſignificádo nobis ꝗ vt eſt talis omnino nobis eſt inintelligibilis : & ꝗ ſufficere nobis debet ſcire nomen eius ab operatione,qua a nobis credi debet principiú vitẽ merito paſſionis ſuẽ: & nihil vlterius quẽrere. Et etiã dicit interpretatio quatuor literarū ꝑpoſita,ſ.Pricipiú vitẽ paſſióis iſte.Et ſumit ly paſſionis genítiuus ꝓ ablatiuo,ſ.paſſione:& ly iſte demóſtrat ꝑſonã filii:ꝗ ſingulariter merito paſſionis ſuẽ in natura humana aſſumpta principiú vitẽ ſalutaris erat hoíbus poſt mortẽ pecati.Ante eī dictú verbú,Iſte deus meus:& glorificabo eú:ꝓmittit immediate Laus mea dñs:& factus eſt mihi in ſalutẽ:per qđ determinatur ſequens.Hinc Hiero,in alia quadã epiſtola ad Marcellã de.x.diuinis nominib⁹ & eoꝝ interpratíonibus dicit ſic.Primú nomen eſt EI, qđ Aquila forte in terpret.Deinde & Eloim & Eloe:qđ deus dicit.Quartú Sabaoth:qđ.lxx.virtutú,Aquila exercitú interpret.Quintú Elíon:qđ nos excelſum dicimus.Sextú Eſer cheie:qđ in exodo legit q̃ eſt.Septimú adonai:qđ nos domini gñaliter appellam⁹. Octauú Ia:qđ ī deo tm̃ ponit:& in allelu ia extrema ſyllaba ſonat.Nonú tetragrámató,qđ ανενꝗϕωνκꝓρ,i.ieffabile putát: & his lr̃is ſcribit Iod,heth, vau,he,Decímú ẽ Saddai:qđ in Ezechiele iterꝓtatú ponitur.Ecce ſingula díctoꝛ decẽ nominú prẽ ter ſecúdú & tertiú nomen ſignificant virtutes ꝓfectionis & actionis in deo:de qualibet beatus Dionyſius tractat in libro de diuinis noíbus:a quibus & liber ille nomen accepit:& ſignificant poſitiue ſingulas ꝓfectiones diuinas intellectas ex creaturis,quarum ſummã ſignificabat hoc nomen de⁹: & generale ſignificat hoc nomẽ Qui eſt.Nomen tetragrammaton nõ niſi ꝑ interpretationem nobis intelligibile ſignificauit:quẽ quidẽ interpretatio non niſi mediatorem exprimit:per quẽ ad videndum deitatem prout humanẽ naturẽ cõgruit,nos ꝑducit:per quẽ modú ſecúdú illa ꝗ erant in ſe ī telligenda,occultari debuerunt.Sicut & illud qđ ſcriptú fuiſſe dicit in porta vrbis Romanẽ ab antiquo literis aureis ſub talibus characteribus,RRR.FFF,ex qbus ſingulis ſimul cõiúctis literis nec vox vna nec ſignificatú aliqđ colligit:tres eī cõſonátes ſine vocali nihil ſonant nec ſignificát.Inſinuatum tamen fuit ꝑcipere potentibus qđ non ex interꝓtatione literarú ſicut in ꝓdicto noíe Ieuh: ſed ex mentis induſtria percipiendú,aut potius ex diuina reuelatione talibus characteribus ſic ordinatis a deo ſignificatum fuit . Quos Beda presbyter venerabilis cum Romam intrans videret exponendo quid illis ſignificatum fuit,dixiſſe dicit verſiculum húc.Regna ruent Romẽ ferroq̃ ſococp̃ fameq̃.ſignificás ſingulis literis díctis ſingula horú vocabuloꝛ:explicás illis literis deſtructionem Romani imperii ſignificandã fuiſſe & occultádã:ſicut & Apoſtolus verbis ſignificatis ſignificauit & occultauit eádem aliis:Niſi diſſenſio venerit primú &c.Et hoc eadem de cauſa quã Hieronymus in epiſtola.xi.q̃ſtionú ad Algaſiam queſtione.xi.exprimit dicés.Nec vult apte dicere Romanú imperiú deſtruendú,qđ ipſi qui ſperát ẽternum putant. Vñ ſecúdú apocalypſim Ioannis,in frõte purpuratẽ meretricis ſcriptum eſt nomen blaſphemiẽ.i.Romẽ ẽternẽ.Si eī apte audacterq̃ dixiſſet:non veniet Antichriſtus niſi prius Romanú deleat imperiú, iuſta cauſa ꝑſecutionis in oriente eccleſiã túc exurgere videbat. Beda autem tempore ſuo deſtructionem imperii expoſuit ſolis literarum díctarum characteribus ꝓſignatam,cum dixit.Regna ruent Romẽ ferroq̃ ſococp̃ fameq̃. Quã per aduerſarios ſuos,prẽcipue per ſucceſſores Mahometi:ꝓtim Chriſtianoꝛ violentia:qđ appellat ferro:partim ignis incẽdio,qđ appellat foco:ꝓtim famis afflictione,qđ appellat fame,iã deſtructam videmus in deſtructione totius eccleſiẽ orientalis:cuius exemplo multum timendum eſt de futura per eoſdem deſtructione eccleſiẽ occidentalis.⸿Ad tertium ꝗ nullum nomen diuinum natum eſt conuenire alteri ꝗ̃ deo:ergo eſt proprium quodlibet illorum:Dico ꝗ verum eſt ſub illa ratione qua ſignificat aliquid quod eſt in deo excellentius ꝗ̃ ſit in creaturis ſecundum ſimile aut vicinum:& ſic per quandam appropriationem. quẽ cú ſignificat in aliis nominibus,non eſt proprie appropriata reſpectu illius quẽ eſt in hoc nomine deus:eo ꝗ hoc nomen deus ſignificat ſummam illarum perfectionú ſimul,quã ſignificant ſingula ſigillatim,vt díctum eſt ſupra.Et ſic inter omnia diuina nomina vſitata proprie proprium nomen diuinum eſt hoc nomen deus,⸿Ad vltimú ꝗ nõ eſt nomen deo proprium qđ non digne congruat deo:& nullú deo digne cõgruit: Dico ꝗ verum eſt ſimpliciter & ſecundum ſe:& ſic vt díctum eſt,nullú nomen ei reſꝑdet.Quãtum tñ ad poſſibilitatem noſtri intellectus proprie inter omnia congruit deo hoc nomen deus:& ſecundum hoc eſt proprium nomen eius,vt díctum eſt.

Left margin letters: S, T, V, X, Ad tertiú, Y, Ad ꝗrtú.

Irca decimum arguitur ꝙ deus non verius intelligitur ꝗ nominetur aut signi= **A**
ficetur.Primo sic.Intellectus imponentis nomen mensurat nominationem aut si **Quest.x.**
gnificationem,secundum ꝙ rem significatam intelligit.quia qui verius & perfe **Arg.i.**
ctius rem intelligit,verius & perfectius eam noiat aut significat:& qui minus ve
re & perfecte rem intelligit,minus vere & perfecte eam nominat & significat.
Sed illa æqualia sunt quorum vnum habet esse ad mensuram alterius,ergo &c.
¶Secundo sic.Quicunꝗ vno & eodem significant aliquid & nominant,æquali= **2**
ter significant & nominant illud,quia non nominant aut significant nisi secundum exigentiam si
gni quo omnes eiusdem linguæ rem eandem eodem nomine nominant & signif.cant. non omnes
tamen æqualiter eam intelligunt.Hoc autem non esset nisi minus intelligens rem verius significa **Assūptū.**
ret ꝗ intelligeret:quia verius intelligens rem,verius nominat & significat eam ꝗ eam intelligit mi
nus vere intelligens eam.ergo &c.¶In contrarium est Augustinus.vii.de Trinita.ca.iiii.vbi dicit, **In opposi.**
Excedit supereminentia dcitatis vsitati eloquii facultatem. verius etenim cogitatur deus ꝗ dici=
tur,& verius est ꝗ cogitatur.

¶Dico ꝙ significare & nominare rem intellectui circa diuina contingit duplici **B**
ter.Vno modo significando & nominando illam aut per verba de nouo a nominante & significan **Respōsio.**
te formata & iposita secūdū possibilitatē intelligētiæ illius,aut p verba prius ab aliis iposita æquali
ter & intellectui significantis & nominantis rem illam,& similiter intellectui primo imponētis no
men correspondentia.Alio modo significando & nominando illam per verba siue nomina prius a
perfectius intelligente imposita secundum possibilitatem intelligentiæ illius.Et isto secundo modo
bene contingit ꝙ deus ab aliquo verius nominetur siue significetur ab aliquo hoc minus intelligē
te:ꝗ ab eodem intelligatur,prout in parte procedit secunda obiectio. Tali enim nomine æqualiter
significant & nominant rem eandem minus intelligēs & magis intelligens illam.Et si magis intel=
ligens non desiit sequi rationem sui intellectus:aliquando verius nominat & significat rem minus
intelligens ꝗ magis intelligens illam.puta minus intelligens pluralitatem diuinarum personarum
si dicat illas esse plures per distinctionem, æque perfecte illam significat illi qui intelligit eam ma=
gis si eodem nomine exprimat illam, & perfectius illam significat & nominat minus intelligens si
illam velit exprimere magis intelligens,dicendo ꝙ sunt plures per diuersitatem aut differentiam.
Si primo modo,subdistinguo cum queritur vtrum deus verius intelligatur ꝗ significetur aut no **C**
minetur:quia quæstio ista potest intelligi dupliciter.Vno modo circa vnum & eundem intelligen
tem & significantem siue nominantem rem eandem. Alio modo circa vnum in comparatione ad
alium etiam ad intelligentem & significantem siue nominantem rem eandē. Et isto secundo mo=
do quanto vnus rem aliquā verius & perfectius intelligit in vno tēpore ꝗ in alio aut ꝗ alius:tanto
verius & perfectius significat illam,æqualiter tamē proportione arithmetica, licet inæqualiter pro
portione geometrica.Si em vnus & idē in vno tēpore duplo perfectius intelligit rem ꝗ in alio,aut
ꝗ alter,duplo perfectius significat & nominat eam:& si triplo,triplo,& sic de cęteris pportionibus
& hoc tā in intelligēdo ꝗ significādo aliꝗd sub ratione incōplexi ratione definitiua ipsi⁹ intellecti, **D**
ꝗ sub ratione cōplexi intellectui sub ratione syllogistica.Primo aūt horū modorū principaliter intel
ligit ꝗstio,& est simpliciter cōcedendū ꝙ deus & qꝺlibet diuinorū veri⁹ & pfecti⁹ intelligit ꝗ noia
tur aut significat,& hoc ꝗa voces magis materiales sunt ꝗ acumē rationis,& ideo nō pōt tantū in
tellectus in significādo quantū ratio pōt illa penetrare in intelligēdo.Et nō solū verū est hoc in di
uinis,de ꝗbus loquif Aug.in vltimo argumēto,ꝗd secūdū hoc cōcedēdū est,sed etiā in creaturis,&
hoc pcipue in exprimēdo siue significādo per nomina siue verba vocalia illa quę sunt cognita de te
intellecta,aut intelligentia collatiua siue ratiocinꝗiua rei sub ratione cōplexi,aut intelligentia di
uisiua & compositiua rei sub ratione incomplexi & definiti:quę est cognitio determinata & distin
cta respectu cognitionis confusæ quæ est definibilis, in qua per verba communiter imposita po
test minus intelligens defacili æque perfecte exprimere conceptum suum vt magis intelligens.
Vnde de cognitione determinata & distincta rei intellectę via definitiua & argumentatiua præci **E**
pue verum est ꝙ deus & quicquid in eo est verius intelligitur ꝗ nominatur aut significatur.Quo
ad talem em notitiam deus & quę in eo sunt propter suam & illotū immensitatem excedit super
eminentia dcitatis vsitati eloquii facultatem.Et non solum deus verius est ꝗ cogitatur,secundū ꝙ
dicit Augu.de verbis dūi ser.xxxviii.Ante omnia seruate hoc,quicquid de creatura potuerim⁹ col
ligere aut sensu corpis aut cogitatione animi,inenarrabiliter trāscēdere creatorē:sed etiā verius in
telligitur & cogitatur ꝗ dicatur siue nominetur aut significetur.& hoc pcipue intelligentia defi
nitiua aut syllogistica.de qua dicit Aug.super Io.ser.xix.Aliꝗādo sermo deficit vbi intellectus p

ficit:quanto magis sermo patitur defectionem qñ intellectus nõ habet pfectionem?Proficit quidem intellectus in cognitione diuinorum per lumen gratiæ & fidei inuestigatione rationis in cognosce-do illa quæ potest attingere circa diuinorum notitiã:nec potest cognita sermone vt intellecta sunt exprimere circa perfectionem diuinæ immensitatis:nam circa illã intellectus creatus quicunq; non habet perfectionem:& ideo sermo ad illam exprimendam omnimode patiē defectionem. Vt enim dicit in dicto ser.de verbis domini,Homo non potest dicere qd etiam non sentire potest:potest etiã sentire qd nõ potest dicere. Dico aūt pcipue intelligētia determinata definitiua aut syllogistica:qa ad illam requirunt verba propria & limitata:& hoc respectu intelligentiæ confusæ rei sub rõne de finitiua,ad quã exprimendam non requiruntur nisi verba communia.

**F**
**Ad pri.**
**principale**
⟨C⟩ Qd ergo arguitur primo q̃ intellectus mensurat nominationem siue significa-tionem:Dico q̃ verũ est secundum iam dicta,pportione arithmetica,quæ non est nisi secudũ eãdē pportionem.de qua sequitur in argumento q̃ qui verius & pfectius &c.Qd aūt assumit,q̃ illa eq̃ lia sunt quorum vnum est mensura alterius:Dico q̃ non est verum nisi de illis quorum vnum est mensura geometrica,quæ semper est secundum eãdem quantitate:quali modo non est intellectus mensura significationis:sed potius mensura geometrica.quilibet em quãtũ est ex se proportionali ter suæ intelligentię format verba de intellectis:sed tamen non significãtia æqualiter intellectioni, vt patet ex dictis.

**G**
**Ad scdm.**
⟨C⟩ Ad secundũ,q̃ qui eodem nomine suos intellectus significant,æqualiter illos si gnificant:Dico secundũ pdicta q̃ verum est:sed ex hoc non sequitur quin si non essent nomina com muniter imposita rebus,illis qui sunt eiusdem linguæ:vnus intellectũ suũ verius & perfectius ex primeret q̃ alius.Etiã non sequitur ex hoc quin verba imposita congruentius & congruētiora pos set vnus addducere ad intellectum suum approbandũ secundũ illam quã intellexit in rebus & in verbis q̃ alter.

**H**
**Ad assum**
**ptum.**
⟨C⟩ Qd ergo assumitur q̃ illud non esset nisi aliquis verius significaret q̃ intelligeret: Dico q̃ verum est secundũ dictũ modũ:sed hoc non est ex arte & ratione intellectus:sed potius ex vsu & casu:qui tñ significãdo pluralitatē psonarum non potius dicit ipsas esse diuersas aut differē tes q̃ distinctas:qd facit ex arte & ratione intellectus ille qui verius rem itelligit.Et de tali significa catione intellectorum,non autem de casuali,intelligitur questio,& itelliguntur dicta Aug.ad illã.

**I**
**Quæst.xi.**
**Arg.i.**
⟨C⟩ Irca vndecimum arguitur q̃ nomina diuina nihil significant positiue,Prio sic. super illo Boeth.v.cap.de trinita.Decem prædicamenta quæ de omnibus prędi cantur.dicit Commen.Q̃uis de deo pdicatur substantia,quantitas,qualitas,vl aliquod naturalium appellet:non tñ est qd dicit.sed si non sunt illud,multo mi nus sunt quodlibet aliud:& si non est illud,nõ significat illud positiue.ergo &c.

**2**
⟨C⟩ Secundo sic,vnitas verissime videt competere deitati propter simplicitatem. sed ipsa in diuinis nihil dicit positiue:sed solummodo priuatiue. dicente Ambro.lib.i.de trini.cap. ii.Cum vnum dicim9 deum,vnitas excludit numerum deorum:sicut cum dicitur vnus est pater, vel vnus est filius.Ratio dicti hęc est:non sunt multi patres vel multi filii. Q̃ si vnitas nihil ponit in diuinis,ergo multo fortius nec aliquid aliorum:cum omnia alia per additionem se habent ad vnitatem:sicut & ad entitatem:& maxime numerus,cũ p aliquam compositionem vnitatũ ab vni tate procedit.

**3**
**In opposi.**
⟨C⟩ Item dist.xxiiii.sentētiarum dicit Magister.Cum dicimus plures esse personas,sin gularitatem atq̃ solitudinem excludimus.⟨C⟩In cõtrarium est q̃ illud qd nihil positiue dicit in ali quo,nihil ponit dignitatis in illo:quia nihil est dignitatis in aliquo nisi positiuum.sed nomina dicta de deo omnia ponunt aliquid dignitatis in deo:siue per similitudinem dicantur,siue per proprie tatem,vt patet ex prædictis.ergo &c.

**K**
**Responsio**
⟨C⟩ Dico q̃ significatio nominis positiuã in diuinis potest intelligi vel ex parte no minis significantis vel ex parte rei significatæ.Si primo modo,dico q̃ plura nomina diuina signifi cant priuatiue: vt immensum infinitum & alia huiusmodi:de quibus superius tactum est loquen do de dei infinitate q̃ licet quantum ad modum nominis a priuatione imponantur, pure tamen rem positiuam significant:quia sunt negationes defectuum importatorum per nomina habituum illis contraria in creaturis.Attendendo ergo significationem nominum ex parte rei:dico q̃ omnia nomina a creaturis translata ad diuina,aliud significant cum nominant deum aut aliquid in eo: & aliud cum nominant creaturam aut aliquid in ea a quo nomen est translatum ad significãdum aliquid qd est in deo.Qd intellexit Boethius quando dixit.Cum quis dece prædicamenta in diui nam vertit prædicationem,cuncta mutãtur.Nam substantia cum translatum est nomen eius ad diuina,nõ est per nomen eius significata vere substantia illa quã ante translationē significabat in

creatura,ſed q̃ eſt vltra,& extra omnē gradū ſubſtantię creatę,& ſimiliter qualitas & quātitas,& cętera oīa.Si ergo qd̃ ſignificat de diuinis,eſt vltra id qd̃ ſignificat in creaturis, & qd̃ in creaturis a quo transfert nomen quo ſignificant ſemp eſt aliqd poſitiuū,quia nullū nomen pure p contrariā a creaturis ad diuina eſt translatū ſcdm̄ pdicta:conſtat etiā ꝗ hoc nomen deus perfectius qd̃ ſigni ficat ſecundū rationē noſtram intelligendi q̃ aliqd̃ aliorum, vt etiā patet ex predictis : ſuppoſitis igit̄ illis q̃ de hac materia tractata ſunt ſupra de ſignificatione attributorū ſub ratione attributi articulo.xxxii.queſt.iiii.dico ſimpliciter ꝗ oīa noīa diuina proprie dici poſſunt poſitiue ſignificare ratione rei ſignificatę,& nullū priuatiue,quia id qd̃ ſignificat eſt aliqd qd̃ in deo eſt,ſicut dictū eſt. In deo autem nulla priuatio eſt. Et ſecundū hoc concedenda eſt vltima ratio.

¶Ad primū in oppoſitū: q̃uis deus aliquid appellet, non tamen qd̃ dicitur: Dico ꝗ verū eſt ꝗ non eſt qd̃ dicit quādo proprie ſignificat.ſ.aliqd in creaturis,quia eſt aliquid extra il lud,& ideo ex illo non ſequit ꝗ ſit nihil,immo cū illo ſtat ꝗ ſit veriſſimum quid. ¶Ad ſecundum ꝗ vnū in deo non ſignificat poſitiue ſed priuatiue,& per cōſequens numerus & oīa noīa numera lia:dico ꝗ falſum eſt.Vt em̄ dictū eſt ſupra loquēdo de vnitate dei,licet vnum ratione nominis ſignificet priuationē:illa tamē priuatio eſt negatio negationis ſiue priuationis, & ponit veriſſimā poſitionem.Et ſimiliter dico de nominibus numeralibus,quæ ſunt duo,tres,& de numero vniuer ſaliter,ꝗ nihil dicunt in diuinis niſi quid poſitiuū non materialiter,ſicut dicit numerus in natu ralibus & mathematicis,qui formaliter importat defectū formę vnitatis,inquantū materialiter na tus eſt contineri totus in ratione vnitatis vnius continui,per cuius diuiſionē omnis numerus ge neratur a prima vnitate,ſecundū modū ſuperius & in quæſtionibus de quolibet declaratum. Sed numerus in diuinis dicit quid poſitiue formaliter,ſicut dicit numerus ſubſtātialis formarū ſubſtā tialiū ſpecie differentiū:qui nō importat defectū formę vnitatis inquantū ipſe non deſcendit p quā cūq̃ diuiſione ab aliqua vnitate vna,ſed ſuam formam habet in diſtinctione ſuatū vnitatum inter ſe,non abſolutorū ſed relatorū.Et ſicut hoc dico de hoc nomine vnus & de nominib⁹ numeralib⁹, ſic eadē dico de noīb⁹ deriuatis ab illis:cuiuſmodi ſunt trin⁹ & trinitas.Vt em̄ dicit Hug. tris grę ce latine dicitur tres vel tria.Vnde trinus trina trinū.Vel componitur ab vnus quaſi trinuus,vn de trinitas quaſi triunitas,quia ſit vnū totum in tribus. Sed melius eſt dicere ꝗ trinus ſit ſimplū & deriuatū a tris.Aliter em̄ in diuinis ſignificaret ꝗ tres eſſent vnus maſculine,& etiā aliter vnus eſſet de ſignificato ei⁹ qd̃ eſt trinus,& ita non bene caderet copula inter trinus & vn⁹ in pdicando ambo de deo.Cū tñ Ambro.in Hymno de vno confeſſore dicit de deo.Totius mundi machinā gu bernans trinus & vnus,vt ſic deus dicat trinus propter perſonas tres ſolummodo,ſicut dicit vnus propter ſubſtantiā vnicam.Vnde & dicit trinū de illis quę non ſunt in aliquo vnum. Dicit em̄ ꝗ monitio trina debet pcedere vindictā,& ꝗ trina actio inducit conſuetudinē. Et in talibus ſucceſſi uis dicitur trinū in ſingulari de aliquo indefinito ad tria ſolo numero differentia.Sed in permanē tibus diſtinctis ſolo numero non dicitur niſi in plurali,vt de tribus hoībus ꝗ ſint trini,ſicut & de duobus ꝗ ſunt bini.Et in iſtis bene poſſet concedi ꝗ trinus compoſitū eſſet ab vnus quaſi triunus vel triuni,ſed hoc mediate,quia a tres qd̃ idē eſt qd̃ tris deriuatur ter, & inde trinus trina trinum qd̃ idē eſt qd̃ trin⁹ cōpoſitū ab vnus.Et dicit trinus vel ternus quaſi ter vnus,In permanētibus aut tribus diſtinctis ſpecie vel quaſi ſpecie ſub aliqua vnitate cōtētis dicit trinū in ſingulari de illo qd̃ eſt triū illorū cōtētiū,queadmodū machina rerū mundialiū dicit trina.ſ.cœleſtiū,terreſtriū, & in fernorū.Et dici potuit trina ſtatua Nabuchodonoſor,quia in parte fuit ærea,& in parte plūbea,& in parte lutea,& potio cōmixta ex aqua melle & vino poteſt dici trina.Et iuxta hunc modū de⁹ di citur trinus a ternario pſonarū quas cōtinet in vnitate eſſentię.Et quia continent̄ in illa ſine omni cōpoſitione:deus licet dicit̄ trinus,non tñ poteſt dici triplex,cū tñ in cęteris dictis qd̃ dicit trinum ppter triū cōpoſitionē,poteſt dici triplū vel triplex. Et in oībus dictis per modū quo dicit̄ aliquid trinū,dicit etiā trinitas a trino per deriuationē. Et ſi dicat̄ per cōpoſitionē ab vnitate & ab eo qd̃ eſt tres,& dicat̄ a tres nominatiui caſus,tunc deus dicit trinitas quia eſt tres perſonę,& vnitas eſ ſentię.Si autē dicat̄ a tris genitiui caſus,tūc deus dicit trinitas quia eſt triū perſonarū vnitas,q̃ eſt deitas a qua ſumitur nomen deus,& ſic dicit trinitas quaſi triū vnitas. Et vtroq̃ modo quātū eſt ex ratione rei ſignificatę poſitiue ſignificat quicquid ſignificat. Sed quia non qualeſcunꝗ tres ad trinitatē cōcurrūt,ſed ſolūmodo tres ſpecie vel quaſi ſpecie differentes q cōſtruūt trinū,ſi trinitas non ſit ſimplex deriuatū a trino, ſed ſit compoſitum ab vnitate, potius debet dici componi a ter no ſiue in nominatiuo ſiue in genitiuo,q̃ a tris qd̃ eſt tres,& vnitate,vt dicat̄ deus trinitas & vni tas,ſicut poteſt dici triunus ꝗ eſt trinus & vnus.Et quia veriſſime eſt vn⁹ ſiue vnitas, idcirco ve

L
Ad primū
principale
M
Ad ſcdm̄.

N

O

riſſime dicitur trinitas ſiue triunus.& eſt vtrunqʒ nomen compoſitũ ex perſonali & eſſentiali.CEt
qʒ arguitur ſecundum Ambro.cum vnum deũ dicimus, vnitas excludit numerum deorum:ſimi
liter cum dicitur vnus pater vel vnus filius excludit pluralitatem patrum vel filiorum:Dico qʒ ſe
cus eſt de prædicatione & de ſignificatione nominis:quia ſignificatio non eſt niſi ad vnum.ſ.ad rẽ
ſignificatam indicandum illi in quẽ dirigit ſermo. Prædicatio autẽ non ſolum eſt ad rem prædica
tam indicandum fore circa ſubiectum:ſed etiam ad definiendũ aliquid circa idem.Propter qd que
ad ſecundum bene poteſt nomen prædicari priuatiue:licet non ſignificet niſi poſitiue.ſecundũ qʒ
hoc declarabitur in ſequenti articulo de diuinis prædicationibus queſtione quinta in fine. Ambro.
tñ loquit de vno & noĩbus numeralibus quo ad actũ pdicandi & diſcernẽdi: nõ aũt quo ad actum
ſignificãdi aliqd in pdicato, aut indicãdi circa inhærẽtiã pdicati ad ſubiectũ,vt ibidem declarabit.

Equitur Art.LXXIIII.de modo proferendi diuina quo ad
illorum prædicationem p propoſitiones complexas:& primo in genera
li.Secundo in ſpeciali.De primo ſeptẽ ſunt inquirenda.Quorum
Primum eſt:vtrum in diuinis poſſit eſſe aliqua pdicatio.
Secundum:vtrum deo magis congruit prædicatio affirmatiua q̃ ne
gatiua:an econuerſo.
Tertium:vtrum aliquid poſſit prædicari proprie in diuinis.
Quartũ:vtrũ in eis veri⁹ pdicent ſeu magis pprie abſtracta q̃ cõcreta.
Quintum:vtrum in diuinis poſſit eſſe aliqua pdicatio priuatiua.
Sextũ:vtrum prædicatiões priuatiuę magis cõgruant diuinis explicã
dis q̃ poſitiuæ. Septimum:vtrum in diuinis omnis propo
ſitio in qua ſubiicitur vel prędicatur nomen tranſlatum a creaturis ſit multiplex ſiue æquiuoca.

Irca primum arguitur qʒ in diuinis non poſſit eſſe aliqua prædicatio,Primo ſic.
Non poteſt eſſe ſignum vbi non poteſt eſſe res ſignata ſibi correſpondens:quia ſi
gnum & ſignatũ ſunt correlatiua,quæ ſecundũ Philoſophum poſita ſe ponunt,
& perempta ſe perimunt.In diuinis autem non poteſt eſſe res reſpondens ſigno
cõplexo p prędicationem alicuius de aliquo:quia ſicut nomen eſt ſignũ reſpõdes
rei incõplexę:ſic ppoſitio in qua eſt pdicatio alicui⁹ de aliquo q̃ p hoc eſt ſignũ

cõplexũ,reſpõdet rei cõplexę.ſicut igit ſignũ cõplexũ qd eſt ppoſitio ſine q̃ nul
la eſt pdicatio,componitur ex noĩbus qʒ ſunt ſigna icõplexa:ſic res ſignata ſigno cõplexo debet eſſe
cõpoſitũ ex rebus ſignatis ſignis incõplexis q̃ ſunt nomina.In diuinis autẽ nulla eſt rerũ cõpoſitio
aut cõplexio ſecundũ ſuperi⁹ determiata,ergo &c.CScõo ſic.ſecũdũ Phm i lib.peri her.ab eo qd vere
eſt vel nõ eſt.ſ.put exponit p orationem:oratio dicit vera vel falſa.qa ſi vera eſt res vt exprimitur
oratio vera eſt:ſi vero nõ eſt vera,ſed ois ppoſitio cõſtat ex pdicato & ſubiecto exprimẽs rem
de re p cõpoſitioné:quia nõ eſt oratio niſi p poſitionem prædicati cum ſubiecto,quare cũ non ſit
ſic res cõpoſita in diuinis:qa vt pri⁹ omnis res in diuinis ſimplex eſt & vnica:omnis ergo oratio &
p cõſequens pdicatio in diuinis falſa eſſet.ſed i diuinis nulla põt eſſe falſitas:neqʒ admitti.ergo &c.
CTertio ſic.ois pdicatio aut eſt affirmatiua aut negatiua.neutra põt eſſe in diuinis.nõ negatiua:
quia cũ quicquid eſt i diuinis ſit idipſum re,idẽ ergo negaret de ſe: qd neceſſario ponit falſum & i

poſſibile in deo:qd nullo modo poteſt eſſe in ipſo.Nõ affirmatiua:qa ſecundũ Dionyſium affirma
tiones de deo ſunt incõpactę.Nõ autẽ eſt affirmatiua ppoſitio niſi p compactioné & cohęrentiã p
dicati cũ ſubiecto.ergo &c.CIn cõtrariũ eſt:qʒ ſi nulla in diuinis eſſet pdicatio,tum de hoc nulla

eis poſſet fieri inſtructio vel doctrina:quia illa nõ fit niſi pdicatione.dicente Commenta.tertio me
taphy.& loquẽte de diuinis pdicationibus,in qbⁱ prædicatio enunciat vt diſpoſitio q̃dã ſubiecti
ſic.Si intellect⁹ nõ accepiſſet in iſtis diſpoſitioné & diſpoſitũ,nõ poſſet intelligere naturas earũ,neqʒ
determinare eas,quare cũ ſit inſtructio & doctrina de diuinis:ſcipue in ppoſitionibus & prædica
tionibus contentis in ſacra ſcriptura de illis.ergo &c.

CDico qʒ in hac q̃ſtione nihil inducit dubitationé niſi diuina ſimplicitas,qa i deo
oĩa ſunt idipſm,& intelligẽtia ſimplici cõcipiunt abſqʒ aſſertione & cõpoſitione. Et ideo nec eſt in il
la veritas aut falſitas ex ipſo actu intelligendi ſignificato,licet id quod eſt in deo,in rei veritate ſit
apprehenſum ſicuti eſt.Prædicatio autem non niſi diuerſorum quocũqʒ modo fuerit:q̃ non conci
piuntur niſi p intellectum componentem & diuidẽte ſimplicia:q̃ primo intelligunt:in qua neceſſa
rio eſt veritas aut falſitas.qa ſi cõpoſitio fuerit cõueniẽs rei enti i ſe,qd & Philoſophus appellat ab
eo quod res eſt, tunc erit vera.Sin autem, quod appellat Philoſophus ab eo quod res non eſt:

eſt falſa.Vnde vt dicunt Pĥus in tertio de anima,& Cõmen.ibidem,iſta actio intellectus eſt eí
ſimilis qđ Empedo.dicit de actione amicitiæ in entia:ꝗ multa capita erant ſeparata a collis: de
inde congregauit ea amicitia:& poſuit ſimile cum ſimili.Ita ꝗ intellecta primo extiterunt diuí
ſa in intellectu,deinde compoſuit ea.Si igitur compoſuit ſcđm ens,verum:ſi non,falſum.Quia
igitur in deo videtur nulla eſſe ſimplicium diuerſitas aut pluralitas,nulla vidеť per conſequẽs
in ipſo poſſibilis compoſitio aut prędicatio ſiue negatiua ſiue affirmatiua,ſiue vera,ſiue falſa:
licet omnia alia vere de ipſo abnegаnť,& nullũ illorum vere affirmať de ipſo,eo ꝗ cuiuſlibet
de quolibet vera ē affirmatio ſeu negatio,& nõ ambo ſimul de eodē.ſm Pĥm.iiii.Metaph. **C**Eſt **C**
igitur intelligēdum ꝗ licet in deo propter eius ſummã vnitatem & ſimplicitatem re,nulla ſit
pluralitas aut diuerſitas ſiue diſtinctio plurium ſcđm rem abſolutam:bene tamen in eo eſt plu
ralitas plurium diſtinctorũ ſcđm rem relatiuam,& hoc ex natura productionum quæ naturali
ter ſunt in diuinis:prout ſuperius eſt declaratum & determinatũ,& ſimiliter plurium diſtin‐
ctorum ſcđm rationem,ſecundũ ꝗ expoſitũ eſt ſupra.Et etiam dicit Cõmen.loquens de deo.xi.
Metaph.Cum dicimus eum non eſſe viuũ & habentem vitam,dicimus idē in ſubiecto,& hoc
ſecundũ modũ,non quo ſignificat idem oĩbus modis,ſicut ſignificant noĩa ſynonyma.Neꝗ eĩ
idem ſignificant in oĩbus principale & ſumptum,quia ſumptũ ſignificat illud qđ principale
& magis.Vita autē ſignificat aliquid nõ in ſubiecto.Viuũ autē ſignificat aliquid in ſubiecto.ſ.
formã in materia & habitũ in ſubiecto.Sed ſupple ſcđm modũ qui cõponit ſimplicib⁹ abſtra
ctis ſcđm rem de materia.Et exponens clarius quis ſit modus in vtriſꝗ,primo in eis quę ſunt
forma in materia,dicit ſubdens.In eis enim quę ſunt formę rerũ in materia,diſpoſitio & diſpo
ſitũ reducitur ad vnũ in eſſe in cõſideratione,quãdo intellectus diuiſit alterũ ab altero.Intel‐
lectus eĩ innatus eſt diuidere adunata in eſſe in ea ex quibus componuntur,q̃uis non diuí‐
dátur in eſſe,ſicut diuidit materiam a forma & formã a compoſito ex materia & forma,& hoc
in rebus compoſitis ex materia & forma,cũ diſpoſuit compoſita per formam,aut habentē for
mam per formã.Intelligit enim vtrũꝗ admixta aliqua materia & compoſito ſuo modo.Verbi
gratia,cum diſpoſuit hominem per rationabilitatem.Intelligit eĩ ſubiectũ rationabilitatis &
rationabilitatē ſimiliter ĩ adunatione:& intelligit ꝗ deſerẽs de eis eſt aliud a deſerto.Exponẽs
autē quis ſit modus non exiſtentium in materia,ſubdit dicens.Quãdo autem fuerint conſide‐
rata diſpoſitum & diſpoſitio in eis quæ non ſunt in materia:tunc reducuntur ad vnã intẽtio‐
nem omnibus modis:& nullus modus erit quo prędicatum diſtinguetur a ſubiecto & diſpoſi‐
to extra intellectum.Dico ergo ꝗ non obſtãte diuina ſimplicitate qua intellectorum ſimplicíã **D**
ſiue ſint perſonę,ſiue attributa,ſiue quæcũꝗ alia formalia,nulla eſt diuerſitas abſolutorum ſe‐
cundũ rem in ipſa diuina eſſentia.Eſt tamen in illa aliqua alia diuerſitas,ſcilicet inter perſonas
inter ſe,& ad abſoluta eſſentialia:ſimiliter inter attributa inter ſe,& ad eſſentiam & perſonas,&
hoc nõ in ſolo nomine ſicut diuerſa ſunt ſynonyma,neꝗ ſicut diuerſa ſunt principale & ſum‐
ptum in materialibus,quæ ſunt diuerſa ſcđm intellectum,per hoc ꝗ principale ſignificat aliqđ
intellectum ſecundum ſe:ſumptũ aũt ſignificat rem vt exiſtẽs in alio,ſcilicet rem ſicut in ſub‐
iecto,a quo non poteſt diuidi aut ſeparari ſcđm rem aut ſecũdũ eſſe:ſed eſt illa pluralitas & dí
uerſitas in diuinis ſolummodo ſcđm intellectum & rationem,aut ſcđm materiam & rem de‐
terminatam,quæ ſunt diuerſa abſꝗ eo ꝗ alterum eorum conſideratur in alio eſſe,vt in ſubie‐
cto a quo differt ſcđm eſſentiam.Et iſta differentia ſufficit vt intellectus poſtꝗ ſic diuerſa con‐
cepit,per prędicationem in propoſitione illa cõponat aut diuidat vel ſicut duo principalia per
identitatem,dicendo deitas eſt veritas,vel ſicut ſumptum cũ ſumpto,dicendo deus eſt verus,
vel ſumptũ cũ principali,dicēdo veritas eſt vera,vel deus eſt veritas,vel qđ amplius eſt,idem
bis accipiendo ſecundum rationem,& dicendo deitas eſt deitas,deus eſt deus,& ſic de cæteris
in deo exiſtentibus pluribus ſecundum rem relatiuam vel ſcđm rationem tm̃.Si vero intelle‐
ctus noſter ea quæ ſimplicia ſunt in eſſentia vna enunciat modo compoſitionis,poſtꝗ ſingulũ
eorum vt ſimplex ſecundum ſe intellexit,hoc non eſt niſi per quandam ſimilitudinem ad com
poſitionem quã operatur in rebus materialibus,quas pri⁹ ſingulariũ ſimplici intelligentia in‐
tellexit & diuiſit abinuicem:licet in eſſe non erant diuiſa,ſicut & per quandam ſimilitudinem
nomina rerum naturalium transfert ad diuina Cõme.cõtinue poſt p̃dicta.Cũ intellectus com‐
ponit aliquam propoſitionem ex diſpoſitione & diſpoſito in talibus rebus,tunc non intelligun
tur ex eis nomina ſynonyma,ita ꝗ propoſitio ſit ſcđm nomen nõ ſcđm intentionem:ſed intel‐
git ex eſſe diuino ſcđm aſſimilationem.Secundũ ꝗ in talibus accipit duo:quorũ proportio ad‐
inuicem alterius ad alterũ eſt ſicut proportio prędicati ad ſubiectum,& ex eis cõponit pro‐

positionem categoricā. Et nullam differētiam intelligit inter ea esse nisi scdm acceptionem.s.
quia idem accipit vt dispositum & disponens.Intellectus enim potest intelligere ex his ambob⁹
scdm similitudinem ad propositionem categoricā in rebus compositis sicut intelligit nullum
simile nisi similitudine.Et si intellectus non accepisset in illis dispositionem & dispositum, non
posset intelligere naturas earum neqʒ determinare eas.Et magna differētia est inter ea quę dif=
ferunt in esse & intellectu,& quę differunt in intellectu tm.Multiplicitas ergo in deo nō est nī
si in intellectu tm non in esse.Et intellige etiam qʒ ista pluralitas siue multiplicitas eorum quæ
concipiuntur ex diuersis scdm rem,quorum vnum non existit sine alio vt materia & forma in
cōposito,ex illis est non tm differentia in intellectu:sed etiam in esse.Secūdum prędicta ergo cō
cedendum est vltimum argumentum.

**E**
Ad primū
prin.
**F**
Ad proba=
tionem.

❡Ad primū in oppositum qʒ non potest esse signū vbi non potest esse res signata
ergo &c.Dico qʒ verū est si nullo modo potest esse ibi:sed sic non est in proposito vt visum est.
Et qd assumitur,qʒ in diuinis non potest esse res respondens signo cōplexo pʒr prędicationem:
Dico scdm iam dicta qʒ etiam hoc falsum est.❡Qd arguitur ad huius probationem,qʒ sicut nī
hil est signum respondens rei incomplexæ,sic propositio quæ consistit in prędicatione est signū
rei complexæ &c.Dico qʒ verū est.Sed sicut nomē aliquando est signū rei incōplexæ,quæ tamen
habet in se realem compositionem ex pluribus,nec est omnino simplex & indiuisibile : vt patet
de composito ex materia & forma:sic propositio aliquando est signū rei complexæ non in esse &
scdm rem absolutam:sed in intellectu & scdm rationē aut scdm rem relatiuam: qd sufficit ad
prędicationem sicut dictum est. ❡Ad secūdum,qʒ ab eo qd res est vel nō est,prout exprimitur
per orationem,est oratio vera vel falsa:Et qʒ assumitur qʒ omnis propositio exprimit rē
de re pʒr compositionem: in diuinis autem nulla res habet esse pʒr compositionem:ergo in ora
tione pʒr prędicationem in diuinis non exprimitur sicut est in re:Dico qʒ immo:quia in ipsa re
diuina sic est actione & absqʒ consideratiōe intellectus quo ad plura & distincta re relatiua,si=
cut per orationē exprimitur. Sūt enim plura distincta re relatiua & scdm rem in diuinis quæ
componuntur compositione rationis in propositione,& se habent inter se sicut per orationem
exprimuntur compositione rationis licet non compositione rei. Sic etiam in diuinis est actione
sed non absqʒ consideratione intellectus,& quo ad plura & distincta scdm rationem tm absqʒ
etiā consideratione intellectus:sicut est in essentia diuina virtute:quia in ipsa virtute & vnite
sunt ex se quæ circa illam potest intellectus distinguere scdm rationem,& quæ post eorum di=
stinctionem in intellectu sunt in actu.Sunt etiam in ipsa diuina essentia vnite & ex se,quę circa
illā pōt opus naturę distinguere scdm rem,quorū distinctiōe intellect⁹ accipit in actu:sed nō
operat illā.& hoc sufficit ad verā pdicatione formādā scdm dicta . ❡Ad tertiū qʒ nec pdicatio
affirmatiua nec negatiua pōt esse in diuinis:Dico qʒ falsum est:imo vtraqʒ pōt eē.Qd arguiť,
quia nō negatiua,quia idē negaret de se:Dico qʒ verū est quo ad simplicitatē rei:sed sic negati
ua est falsa & impossibilis,& contraria affirmatiua vera & necessaria.sed illa falsitas aut impos=
sibilitas non est in ipsa re nisi vt est cōcepta in intellectu. & sic per se est in intellectu,qd nō est
inconueniēs. Quo enim ad rationes diuersas ab intellectu distinctas & conceptas de illa re dif=
ferentes inter se sola ratione,an negatiua sit vera qua vnum conceptorum remouetur ab alte
ro:dicendo in diuinis qʒ sapientia nō est bonitas,de hoc erit sermo in sequēti articulo:sed quin
negatiua sit vera quo ad distincta re relatiua:quando vnum eorum remouetur ab alio: dicen
do pater non est filius:nulla est dubitatio.Quo ad diuersos quidē respectus reales distinctiuos
personarum ex natura rei,non ex conceptione & operatione intellectus puri existentis in diui=
na natura an vere negatur vnus de altero dicendo paternitas non est filiatio,de hoc erit sermo

**I**

inferius.Distinctionem autem personarū per tales proprietates non vidit Auerrois Cōmenta=
tor Phī:sed solum vidit distinctiōe in diuina essentia scdm ratiōes attributales vitę & sapiē=
riæ & huiusmodi,credens qʒ scdm tales rationes Christiani ponerent trinitatē personarū in di=
uinis:in quo reprehendit eos non intelligēdo quid de hoc Christiani sentiunt,& falsum eis im
poniŧ,dicēs sic parum ante preassumpta verba.Vita & scientia proprie dicitur de deo.Est igiť
deus viuens & sapiēs,& hoc putauerūt antiqui trinitatē esse in deo in substātia, & volunt eua
dere per hoc & dicere quia sit tres & vnus de⁹,& nesciūt euadere, quia cū substātia fuerit nu
merata,aggregatū erit vnū per vnā intentionē additā congregato.Et hoc similiter ait loquen=
tib⁹ in lege Maurorū pōnētibus has dispositiones additas essentiæ . Quapropter contingit eis
sicut per primū pʒr vnā intentionē additam essentiæ & dispositionibus,& vnicuiqʒ opinioni in

ducebatur accidere compofitio.Et male imponit Chriftianis ꝗ ſcᵈm primã opinionem poſuerunt Deum trinum & vnum numerãdo ſubftãtiã,ſecundum ꝗ poſuerũt Semiarriani ſecũdũ
ſuperius determinata,& hoc ſcᵈm numerationé deitatis vitæ & ſapientiæ. Si eᵐ ita eſſet,bene
arguit ille,videlicet ꝗ ſi eſſent tres , non tᵐ eſſent vnus deus niſi ꝑ aliquã intentíonem tribus additam qua fierent vnũ.Nunc autẽ Chriftiani nec ponũt ſubftãtiam deitatis omnino nu
merari in illis pluribus quos dicunt ꝗ ſunt vnus deus,nec ꝓpter illa tría abſoluta ponũt ꝗ ꝗ
ſunt deitas,vita,& ſapientia:aut aliqua alia abſoluta,ſunt tres & deus:ſed ſolũ propter tria relata relatiuis ꝓprietatibus & diſtincta ſcᵈm ſuperius determinata,quarũ trium proprietatum
diſtinctione poſſunt dici tres abſꝗ ſubftãriæ numeratione:licet forte triũ abſolutorũ diſtinctione nullo modo poſſint dici tres abſꝗ ſubftãtiæ numeratione,qua poſita nõ poſſent dici tres eſ
ſe vnus deus niſi ꝑ compofitione,qua ſub vna ratione aggregarentur tres,ſicut arguit Commen.& bene: ſed falſa ſuppofitione quã imponit Chriftianis falſo: & ſic nihil arguit cõtra ipſos.
Pofito enim ſcᵈm verã fidem ꝗ dícũtur tres trium relatiõũ diſtinctiõe:poſſunt dici tres abſꝗ
ſubftãtiæ numeratione,& dici vnus deus abſꝗ omni cõpofitione & aggregatione triũ ſub vna
ratione,quæ alia eſt ab illa ſubftãtia vna,& etiam a qualibet illarũ trium ꝓprietatũ. Ponere au
tẽ ſicut imponit Mauris , trinitatem in tribus diſpofitionibus additis vni eſſentiæ , ſecundum
ꝗ etiam Porretani poſuerunt proprietates conſtitutiuas perſonarum eſſe aſſiſtentes,& non in-
ſiftétes(vt habitũ eſt ſupra)erroneum eſt.Et cõtra illos bene arguit ꝗ non poſſent tres ex illis
diſpofitionibus cũ eſſentia eſſe vnus deus,eo ꝗ vnũ illorũ non incidit in aliud. & ídeo vno nõ
poſſunt denominari niſi ꝑ quãdam illorũ quatuor,ſcilicet eſſentiæ & triũ diſpofitionũ aggre-
gationem,quod non poſſet fíeri niſi ꝑ compofitionem ſub vna diſpofitione addita illis , & ſic
non niſi ꝑ vnã intentiõe additã eſſentiæ & diſpofitionibus.Idem autẽ nequaꝗ poſſet induce
re cõtra Chriftianos ponentes ꝓprietates eſſentiæ inſiftétes & addentes in eſſentia conſtituere
tres pſonas. Et ſic quia ipſa vna eſſentia cõis eſt, eſt ſufficiés cauſa quare tres ſunt vnus deus,
ſicut tres ꝓprietates ſunt ſufficiens cauſa quare vnᵍ deᵍ ſunt tres pſonæ,& hoc abſꝗ omni alio
addito.Qᵈ aſſumiꝗ in argumẽto ꝗ ꝓpofitio affirmatiua nõ poteſt eſſe in diuinis: quia ſcᵈm
Dionyſium affirmationes de deo ſunt incompacte: Dico ꝗ illud nõ dicit:quia.ſ.nulla affirmatiua habeat cohærentiam ſufficientem prædicati ad ſubiectum vt ex illis conſtituatur propofi
tio.Non:ſed quia nõ eſt tanta cohærentia iſtarum:vt perfecta veritas per illam exprimat:prout
declarabitur in proxima quæftione ſequente.

Irca ſecundũ arguitur ꝗ ꝓdicatio affirmatiua magis cõgrua eſt deo ꝗ negatí
ua,Primo ſic. Illud qᵈ eſt dignius deo,magis congruit ei. Propter hoc eᵐ illa
que dignitatis ſunt ſimpliciter in creaturis,potius deo attribuunꝗ ꝗ alia:ſecũ
dum ſuperius determinata. ſed dignius eſt deo prædicare de ipſo quod eſt, qᵈ
ſit prædicatione affirmatiua:ꝗ remouere ab eo quod eſt,quod ſit prædicatione
negatiua . Modicum enim dignitatis eſt ei dicere ꝗ non ſit lapis , aut aſinus,
aut mendax,aut falſus:ſed magnæ dignitatis eſt ei dicere.ꝗ ſit ſuperſapiés , ſu
perbonus,& cætera huiuſmodi:ergo &c̄.Secũdo ſic.Illi qui eſt in ſe ſumme pofitiuum,magis
cõgruit pofitiuum ꝗ priuatiuum,propter maiorem cõuenientiã pofitiui cum pofitiuo.Magis
eᵐ congruit conueniens conuenienti ꝗ diſconueniens diſconuenienti. deus in ſe maxime pofi-
tiuᵍ eſt. Prædicatio autẽ affirmatiua,pofitiua eſt,negatiua autẽ remotiua,& in hoc priuatiua:er
go &c̄.In cõtrariũ eſt illud qᵈ dicit Dionyſᵍ loqués de deitate.c.ii.cꝑˡ.Hiera. Ab eloquiis ſu
permundane laudaꝗ,ex quibᵍ nõ qᵈ eſt ſed qᵈ non eſt ſignificaꝗ.Hoc eᵐ vt eſtimo potétius eſt
in ipſo,vbi dicit Hugo.Potentius eſt.i.efficacius eſt & magis expreſſiuum & excellétius quãꝗ
ad veritatis expreſſioné dicere qᵈ non eſt deᵍ ꝗ qᵈ eſt.ſed qᵈ eſt efficacius,magis ꝓpriũ & excellétius ad veritatis expreſſioné,magis cõgruit Deo. Prædicatione autẽ affirmatiua ſignificaꝗ
quid eſt deus.Prædicatione vero negatiua ſignificatur quid non eſt.Secundũ enim ꝗ dicit ibidem Ioannes Scotus, Duplex diuinæ ſignificatiõis eſt ratio. Aut eᵐ affirmatiue ſignificaꝗ.Ver
bi gratia,dum de ipſo ꝓdicatur eſſentia eſt, ſeu bonitas eſt,ſeu vita,ſeu ſapientia,ſeu veritas,&
cætera ſimiliũ virtutũ noĩa,& que diuinæ auctoritati aut ſubſiſtétiæ conuenientiſſima eſſe víde
tur.Aut negatiue:vt cũ dicit immẽſus infinitus incõprehenſibilis:cæteraꝗ ꝗ de ipſo per ı ega
tione ꝓnunciãt.ergo &c̄.Vnde ibidé. Aeſtimo hanc dictioné quæ eſt negatiua,potétioré & cõ
uenientiorem in ipſo,hoc eſt in ipſius ſummæ deitatis ſignificatiõe. Validius quippe & ꝓpinꝗ
quius veritas ineffabilis & diuina exiſtentia negatiue ꝗ affirmatiue inſinuatur.
Dico ꝗ omnes ꝓdicationes quæ fiunt de deo,ſunt ad exprimendũ eius præmi-

nentes dignitates quibus colitur & amatur, & hoc ad eius laudem & gloriam extollendam.
Sed laus & gloria dei per prædicationem aliquam in propositione affirmatiua aut negatiua, po
teſt extolli dupliciter: vel ſignificando illa per verba in prædicatione prolata, vel inſinuando per
eadem. Proprie autem per prædicationem ſignificatur id quod ex ſignificationis verborum
virtute datur intelligi, & non amplius. Inſinuatur autem etiam id quod ille qui loquitur per
prædicationem ſignificare non ſufficit. Sed hoc dupliciter poteſt contingere. Vno modo per mi
nus ſignificatum in prædicatione intelligendo qd plus eſt, ſecundum qd aliquando de enunciā
te dicitur qd minus dicit & plus ſignificat. Iuxta illud qd Grego. exponédo illud Iob. xxxii. Nu
merus annorum eius ineſtimabilis. dicit ſic. Dicere vtciſcſ æternitatem voluit: & ipſam æterni
tatis longitudinem annos nominauit. Quia enim amplum quid dicere voluit: ſed quid diceret
latius non inuenit: ideo annos ſine æſtimatione numeri multiplicauit: vt dum ea quæ apud ſe
prolixa multiplicat: æternitatis longitudiné ſe intueri nõ poſſe infirmitas humana cognoſcat.
ſed de iſto modo nihil ad propoſitum. Alio autem modo illud qd loquens per prædicationem
affirmatiuam ſignificare non ſufficit, inſinuando per negatiuam illi contrariam. Iuxta illud
quod dicens poſt prædicta Ioannes Scotus ait. Plus intelligo deum cum audio de ipſo prædi
cantem, eſſentia non eſt, bonitas non eſt: quoniam ſuperſubſtantialis eſt & ſuperbonus: q̃ cũ au
dio, eſſentia eſt, bonitas eſt. Primo modo dico qd prædicatio affirmatiua magis cõgruit deo, di

**O** cendo eſt bonus, q̃ negatiua dicendo, deus non eſt bonus: quia affirmatiua ſignificando aliquid
dignum de deo explicat, & hoc ſaltem locutione tranſumpta: licet non propria quo ad id quod
ſignificatur in prædicato. Negatiua autem ſignificando ſolum de deo remouet id qd affirmati
ua aſſerebat. Et ideo ſicut affirmatiua eſt vera ſumendo ly bonus in ſignificatione tranſumpta:
ſic negatiua eſt falſa ſumendo ipſum in eadem ſignificatione. Sicut & econuerſo ſumédo ipſum
in ſignificatione propria: affirmatiua eſt falſa: ſic negatiua eſt vera. ſed nihil poſitiuum de deo
prædicat: & non quid eſt: ſed quid non eſt ſignificat. Secundo autem modo determinat Diony
ſius. c. ii. cæ̃. Hier. vt obiectum eſt, dicés qd per propoſitiones negatiuas ex quibus deus nõ quid
eſt ſed quid nõ eſt ſignificatur, potius exprimenda q̃ per earum contraria ſeu oppoſita, ſcilicet
per propoſitiones negatiuas. Et propterea forte omnia dicta ſanctorum in hanc partem inclinā
& hoc quia quátũcũcſ de deo etiam a ſummo angelo beato cognoſcitur: plus de deo cognoſcé
dum latet illi q̃ ab eo cognoſcatur. Vnde poſtq̃ dictum eſt Iob. xxvi. Omnes homines vident eũ,
& exponendo ſubiunctum eſt, Vnuſquiſcſ intuebitur eum procul, addit. Magnus eſt vincens
ſcientiam noſtram, vbi dicit Grego. Omnis homo ex eo qd rationalis eſt conditus: debet ex ra
tione colligere eum qui ſe condidit deum eſſe. Quem nimirum iam videre eſt dominationem
illius ratiocinando conſpicere. Procul eum videre eſt non iam illum per ſpeciem cernere: ſed
adhuc ex ſola operum ſuorum admiratione penſare. Videre eſt tranſcendentem omnia ex ra
tione colligere. Non autem vincere eum noſtram ſcientiam narrat, qué videri ab omnibus di
xerat: quia ſic ex ratione conſpicitur: vt magnitudo illius nulla noſtri ſenſus perſpicacitate pe
netretur. Quicquid nãcſ de claritate eius magnitudinis ſcimus infra ipſam, immo ſic infra qd
infinite plus eſt in ipſo ſupra q̃ cognitum eſt, q̃ ſit ipſum cognitum etiam a ſupremo angelo
beato. Et propterea quod affirmationibus & poſitionibus ſignificare non poteſt: negationibus
& priuationibus homo inſinuat: vt amplius in proxima & in quæſtionibus ſequentibus de
clarabit. Primo modo procedunt & bene, prima duo obiecta. Iſto auté ſecundo modo procedit
obiectum in contrarium, & bene ſimiliter. Licet enim dicere quid non eſt deus ſit potentius, ma
gis proprium & magis expreſſiuum & excellentius, quátum ad veritatis expreſſionem, q̃ dice
re quid eſt de⁹: hoc non eſt niſi inſinuando quéadmodum potentius, magis proprie, expreſſius
& excellentius inſinuatur per ſpecies diſſimiles & diſconuenientes q̃ per ſpecies ſimiles & con
uenientes. dicente Ioanne Scoto. Sicut negatio affirmationi præponitur in ſignificationibus: ita
inconuenientes atcſ deformes ſpecies formoſis cõuenientibuſcſ præponimus, & hoc vt dixi nõ
niſi inſinuando, non autem proprie ſignificando. Et hoc eſt qd expreſſe declarat Ioannes Sco
tus in dicto argumento. Aeſtimo hanc rationem & c̃. vbi in fine explicat hoc verbum inſinua

**P** tur. Declarat etiam ipſemet Dionyſius quando per hoc concludit qd diſſimiles ſpecies aptius
manifeſtant diuina q̃ alia, ſubdens. Qz igitur negationes in diuinis verę ſunt, affirmationes
vero incompactę: obſcuritati arcanorum magis apta eſt per diſſimiles formationes manifeſta
tio. Negatiões verę ſunt: quia totũ de deo iſinuat qd de eo ſtelligédũ eſt. Cum⁹ aliqd affirmatio

**Q** nes & nõ totũ ſignificat. Qd inſinuat Dionyſi⁹ per hoc qd præmiſit loqués de diuina eſſentia.
Nõ eſſe: ſed quid eorz quæ ſunt: ea vere dicim⁹. Quod exponés Ioannes Saracenus dicit. j. tunc

verum est qd de diuina natura dicimus,quando asserimus eam esse hoc qd ipsa est,non secundum aliquid eorum quae sunt.Et Hugo loquens de diuina essentia addit dicens. Qd enim vere est:secundum aliquid eorum quae sunt totum dici non potest. Et ideo cum eam secundum ista quae sunt aliquid esse dicimus:nondū qd vere est per expressionē manifestamus,Qd em est infinitū ab humana scientia aestimari nō potest:quia qd ineffabile est non dicitur:& quia super essentiale est,non apprehenditur.De ipso ergo mens humana aliquid capere potest,ipsum autem non potest:& lingua humana de ipso aliquid dicere potest, ipsum non potest. Nec idcirco tamen falsum est aestimandū qd de ipso dicitur,qm de ipso tantū est & non ipse qd dicitur,neqz totū qd de ipso cogitatur,qm de ipso tm est & nō hoc qd cogitatur, quoniā verū dicitur & veritas cogitat.Propter qd de negationibus dicit Dionysius simpliciter qp sint verae : de affirmationibus autē non dicit qp sint falsae:sed qp sint incōpactae,quasi non tam praedicatum sit par cū subiecto vt expressam & perfectam veritatem de ipso possit explicare:quantū in nostra praedicatum intēriōe est compactū a subiecto vt expressam & perfectā veritatem de ipso possit exprimere,& hoc quēadmodum quoquo modo genus pdicatum affirmatiue de specie, non tā perfectam veritatē eius explicat:vt explicat tota definitio,quae vniuersaliter exprimit omne pdicatū de eade.Hinc dicit Ioannes Saracenus. Affirmationes in deo incōpactae sunt,i.resilientes non adhaeretes:vtpote metientes.inter has em est vt supersubstātialis.Et Ioannes Scotus ibidē exponit dices,Et vt plenius dicā,plus intelligo deū &c.vt supra.Et sic secundū dictū modū exponendi dicitur affirmationes incōpactae:aspiciendo.f.ad id qd dictiōes trāslatae a creaturis significāt de deo.Aspiciendo autē ad id qd significāt de creaturis, aliter exponit Hugo dices. Manifestū est in diuinis & his quae de deo dicunt & deo attribuunt,negatiōes esse veras.i.pprias.Affirmatiōes vero incōpactas,i.improprias & nō cohaeretes : qm dissimilia iungere conātur.f.deū,& id qd est i creatura.Qd etiā intellexit Ioannes Scotus:qui post qp dixit,Plus intelligo deū &c.adiūxit.Hoc enim deū inter omnia cōnumerat: illud autē inter oīa ipsum exaltat. Qd solūmodo verum est scdm illos qui nō transferunt dictiōes ad significādū aliud ab eo ad qd institutae sunt ab initio:quib9 propterea affirmatiue magis sunt causa erroris qp negatiue,sicut & similes species magis qp dissimiles.Dicēte Ioanne Scoto super idem verbū. Dum in sanctis visionibus sanctorū pphetarū ego humanā effigiē inuenerim absolutā,omnibusqp modis naturalē,in significatione ipsius qui sup omnē & formā & figurā in seipso absqp forma subsistit & figura:plus possum decipi vt aestimem deū ipsum incircūscriptum humana effigie circūscribi. Dū in eisdem visionib9 pēnati hominis ac volātis imaginē inuenio,in significatione caelestiū virtutū seu ipsi9 diuinitatis nō facile fallor:qm in natura rerū visibilium pennatū hominē & volitantē nec vidi rec legi,nec audiui.Est em monstruosum,& omnino a natura humana alienū. Nam & poetica figmēta in falsissima fabula de volatu non sua sunt fingere plumas & alas de corpore ipsius hois naturaliter creuisse.Incredibile enim esset.Et per hoc citius adducor tali imagine omnino diuinas virtutes,ipsumqp deū circūscribi, ac deformiter formari: omne siquidē qd cōtra naturam est,turpe atqp deforme est:qp ad sequendū tales formas naturaliter inesse caelestibus,& continuo nullo more interstitio perspicio imagines illas diuinae scripturae significatiuas esse natura liū rerum atqp simpliciū, & omni forma atqp figura sensibili circūscriptaqp carentiū : non autē illas naturas quae illis significationibus ad purgandas nostras terrenas cogitationes intimanē. & infra.Et qd de effigie volātis hominis diximus,ipm de leone,vitulo pennoso,ideqp de aquila humano vultu configurata,caeterisqp cōfusis figuris,seu in genere superfluis:vt animalia senas alas habentia,est intelligēdū.Qd potest esse alia causa dicēdi negatiuas praedicationes magis cōgruere deo qp affirmatiuas:sed hoc est verius causa dicēdi negatiuas & dissimiles species magis cōgruere nobis qp affirmatiuas & similes species.Et sic intelligendo ppositiones dictas affirmatiuas scdm sensum suū proprium falsae sunt:quia in veris affirmatiuis debet similia adiūgi similibus:secundum qp multis capitibus separatis a collis amicitia scdm Empedo. posuit simile cū simili:vt vnūquodqp intraret suam coniuncturā, & collo suo cōiungeret,non autē dissimile cū dissimili,ne iuncturā intrare nō potens totum maneret incōpactum.secundū qp de positione similis cū simili scdm Empedo.habitum est in pcedenti quaestione.Sed Hugo non dicit iungūt: sed iungere conātur,& hoc in hoc qp secundū propriam significationem dissimilia iungi praetendūt . Et per hoc deum quodāmodo scdm Ioannem inter omnia connumerant:sed secundū transumptum re vera similia iungunt,& per hoc deum super omnia exaltant:licet non tā plene & expresse quātum in se est exaltatus.Propter qd nec plene similia iungunt:& ideo etiā incōpactae dicuntur:verae tamen,licet non sic veritatem explicent vt est in re.

Marginal notes:
R
S
T
Scotus.
V
X

A
Queſt.III.
Argu.i.

Irca tertium arguitur ꝙ nihil poteſt proprie prędicari in diuinis, Primo ſic. Qđ non ſignificat aliquid proprie, non poteſt de aliquo ꝓprie ꝑdicari: quia ꝑdicatum nō prędicat de ſubiecto niſi id qđ ſignificat. ſed in diuinis nullum eſt ꝑdicabile qđ aliquid proprie ſignificat: quia i deo nihil eſt prędicabile niſi tranſlatum a creaturis tranſlatione rei & nominis: vt in illis quæ principali= ter exprimunt quæ ſunt dignitatis ſimpliciter: vt in talib⁹ nominibus bon⁹, & ſapiens: vel tranſlatione rei tm̄: vt in hoc nomine deus: vt habitum eſt ſu=

2 pra queſtione.ix.articuli pręcedentis in corpore ſolutionis in fine,ergo &c̄. ¶Secūdo ſic.Augu. dicit contra Adiman. indigna eſſe diuinę maieſtati,quæ homines cum aliqua dignitate putāt dicere: vt habitū eſt ſupra queſtione.viii.articuli pręcedētis in quarto argumēto.ſed ſi iſta non ſunt digna diuinę maieſtati,multo fortius ergo nec aliqua alia.ſed quæ non ſunt digna diuinæ maieſtati,in diuinis proprie prędicari non poſſunt: ergo &c̄. ¶In contrariū eſt ꝙ illa quæ ſe ha=

In oppoſi.

bent ſicut forma ad ſubiectum,proprie prędicari poſſunt de illo.In diuinis plura ſunt quæ ha= bent aliquid exiſtens in deo ſe habens ad aliud ſicut forma ad ſubiectum: vt bonitas & ſapiētia quæ ſunt ſicut qualitas,magnitudo,& æternitas,quæ ſunt ſicut quantitates reſpectu diuinę eſ ſentię & ꝑſonarū: in quib⁹ ſicut formę etiā ſunt paternitas & filiatio,ꝗ ſunt relatiões: ergo &c̄.

B
Reſponſio.

¶Dico ꝙ queſtio de proprie vel improprie prędicari non habet locum in diui= nis nec in aliis de prędicationibus quæ fiunt ꝑ identitatem,in quibus idem prędicatur de ſe ipſo: vt deus eſt deus,deitas eſt deitas: quia talis ꝑdicatio non poteſt eſſe niſi propria: ſed ſolum in illis in quibus ꝑdicatur diſtinctum de diſtincto: vt attributum de attributo: vel de natura, vel de ꝑſona,vel econuerſo quodcūꝗ illorum de alio: ꝗ ꝑ informationē.In qua prędicatione dico ꝙ proprie aut improprie ꝑdicari puenit ex parte illius qđ prędicatur. & hoc dupliciter. Vno modo ex parte nominis ſignificantis.Alio modo ex parte ipſius rei ſignificatę.Primo mo= do prouenit ex modo ſignificādi nominis: quia vbi eſt informatio aliqua vel ꝓpoſitio i ꝓprie, ſubiectum eo ꝙ ſe habet in ratione materię debet ſignificare ꝑ modum ſubſiſtentis, & prę= dicatum eo ꝙ ſe habet in ratione formę debet ſignificare ꝑ modum informantis,vel formali= ter ad modum quo partes definitionis ſunt formę & definiti: vt animal & rationale hominis, vel ad modum quo accidens eſt forma ſubiecti: vt albedo hominis.Idcirco dico ꝙ ad hoc ꝙ ali= quid in diuinis proprie prędicetur de alio vt diſtinctum de diſtincto,ſiue ſecundum rem, ſiue ſecundum rationem,debet ſignificari ꝑ modum formę exiſtentis in ſuppoſito aut in ſubiecto & ecōuerſo: ſed qđ proprie debet ſubiici,debet ſignificari ꝑ modum ſubſiſtentis,Et hoc modo proprietatis nihil poteſt proprie prędicari neꝗ in diuinis: neꝗ in aliis,niſi modo concreto: licet ſubiectum vtroꝗ modo bene ſubiiciatur: vt dicitur,deus eſt bonus,vel deitas eſt bona. Abſtra= cta autem omnia prędicant improprie,ſiue de abſtracto,ſiue de concreto,dicendo deus vel dei= tas eſt bonitas,& ſecundum hoc illud,trinitas,compoſitum ex duplici nomine , vno concreto, alio abſtracto,partim proprie,partim improprie prędicatur . Secundo modo,ſcilicet ex parte rei ſignificatę proprie aut improprie prędicari prouenit duobus modis ſecundum duplicem comparationem rei ſignificatę in prędicato : quia comparatur ad vocem ſiue ad nomen ſi=

C

gnificans ipſam,& comparatur ad ſubiectum de quo in nomine enunciatur.Primo modo pro= uenit ꝓprie ꝑdicari in ꝓpoſitione ex hoc ꝙ nomē ſignificat rem proprie,& econtra improprie= tas ex hoc ꝙ nomē ſignificat rem tranſlatiue,& hoc ſiue tranſlatione rei & nominis ſimul : vt vniuerſaliter contingit quādo eodem nomine ſignificatur qđ eſt in diuinis, & qđ eſt in creatu ris,ſiue tranſlatione ſolius rei: vt contingit in hoc nomine deus: cuius ſignificatum eſt ſumma illorum de deo per ſupereminentiam quæ de creaturis ſignificant aliquid dignitatis ſimplici= ter: cui nomen deus primo & principaliter eſt impoſitum,non tranſlatum : quia non erat prius alicui in creaturis impoſitum: ſicut erant nomina quæ in creaturis ſignificāt aliquid dignita= tis vel pertinens ad dignitatem ſimpliciter ſcilicet particulariter: vt hæc nomina,ſapientia,bo= nitas,aut tranſlata ad diuina ſignificant non eſſe ſed ſimile ſupereminenter.Cum dicitur deus eſt bonus,nō eſt qđ dicitur rationis aut generis proprietate: ſed tantummodo rationis propor tione ſeu proportionali tranſumptione,ſcilicet rei ſupereminentis in deo: quæ ſimpliciter eſt in creatura,& hoc trāſumptione rei,cui ſic tranſumpto,ſi nihil aliud imponeretur ꝗ impoſitum ſit in creaturis,eſſet tranſumptio ſolius rei abſꝗ tranſumptione nominis,ſicut cōtingit in hoc nomine deus. Et propter talem tranſumptionem rei dicit Boethius ꝙ cuncta quæ prędicari poſſunt cum quis ea in diuinam vertit prędicationem,cūcta mutātur,& ſunt talia qualia fore permiserunt subiecta.Puta si subiectum sit deus,significant aliquid supereminens translatu per intellectum.Si vero subiectum sit creatura,significant aliquid simpliciter,prout expositum est supra quæstione.ii.articuli pcedentis.Quia igit quicquid significatu est per nomen quodcunq̃ ab homine viatore aut intellectu de diuinis,sic translatiue de deo significamus & cognoscimus scdm Dionysiu enim de deo nihil nisi in particlpib⁹ cognoscimus : dico φ isto modo primo se cundi modi principalis ppríetatis,nihil omnino pprie pdicari poteſt in diuinis, neq̃ negatiue ficut neq̃ affirmatiue.Secudo modo huius secudi modi principalis.s.ex parte rei tignificatę in pdicato vt ipsa cõparat ad subiectum, pprie & improprie pdicari puenit ex eo φ pdicatu rem explicat quã significat nome tãta perfectione & tãta integritate quanta eſt in deo quãtu ad se ipm:vel minore.Si em nome qd pdicat explicat rem significatã in tãta perfectiõe & integritate quãta eſt in deo scdm se:tunc pdicatur pprie.Sin autē,tunc dicitur pdicari improprie.Sed ex plicare noie qd eſt in diuinis,cõtingit dupliciter,vel significãdo,vel insinuando,sicut in pcedē ti quæſtione expositu eſt.Quia igitur nullum nomen in creatura eſt qd de deo in tanta pfectio ne & integritate aliquid qd eſt i ipso exprimit significãdo, in quãta eſt in eo:quia nõ explicat ré significãdo per nomen nisi prout intellectus creatus eã intelligit:& adhuc minus, vt in penulti ma quæſtione articuli pcedentis expositu eſt:Idcirco dico φ vt prius adhuc nihil omnino pro prie pdicari poteſt in diuinis significãdo,neq̃ in affirmatiua neq̃ in negatiua ppositione : quia termini idem significãt in ppositiõe negatiua qd in affirmatiua.Poteſt tamen aliquid pprie p dicari in diuinis insinuando affirmatiõe nõ verã:sed metaphoricam,& hoc multo melius per propositiones negatiuas q̃ per affirmatiuas.Eo φ tales propositiones negatiuę nihil explicant significãdo de deo,nec ab ipso remouendo qd clare abſurdu eſt ei nõ ineſſe:vt quãdo remouẽt a deo illa quę ex se sunt aliquid dignitatis simpliciter:vt cum dicitur:deus nõ eſt sapiens,deus nõ eſt bonus,aut remouẽdo ab ipso,quod clare abſurdu eſt ei ineſſe scdm aliquẽ modu:vt quã do remouent ab eo illa quæ ex se sunt aliquid indignitatis simpliciter:vt cũ dicit Deus non eſt mortalis,deus nõ eſt finitus: vel aliquid qd eſt indignitatis scdm aliquẽ ordinẽ:vt cũ dicitur: deus nõ eſt viſibilis,deus nõ eſt cõprehensibilis.Licet em eſſe viſibile & cõprehēsibile sit digni tatis simpliciter in se & absolute : aliter em eſſe viſibile aut cõprehēsibile nullo modo attribue retur deo:eſſe tamẽ viſibile vel cõprehensibile a creatura,non eſt dignitatis simpliciter. & hoc modo vere remouẽt & clare a deo.Propositiones vero affirmatiuę nihil explicant significando de deo nisi tribuendo ei qd claru eſt ei in eſſe: vt quãdo tribuunt deo illa quæ sunt alicuius di gnitatis simpliciter,quales affirmatiuę sunt illę quibus Dionysius pręfert negatiuas sibi cõtra rias,& non alię.Propter qd audiendo dictas ppositiones negatiuas bene percipit intellectus φ nullus sanę mentis proferret illas intendẽdo significare id qd propositiones ptendunt. Percipit etiã audiendo affirmatiuas φ quilibet sanę mentis intẽdit significare id qd ppositiones pręten dũt.Et idcirco auditis ppositiõibus negatiuis,cogitur audiens sanę mẽtis ad aliũ intellectum se diuertere:& aduertere φ aliud pferens intendit q̃ verba pretendant:& φ affirmatiue & per antiphrasim loquat̃ , pferẽdo.s.oppositu eius qd intendit.& hoc quẽadmodu sacra scriptura cũ literaliter ptendit sensum abſurdu:cogit quęrere sensum spiritualem.Nequaq̃ autẽ sic cogitur ad aliũ intellectũ se diuertere aut aduertere auditis ppositionibus affirmatiuis, φ.s. proferens aliud intendat q̃ verba ptendunt:sed potius suadetur stare in sensu verboru.& hoc quẽadmo dum sacra scriptura cũ literaliter ptendit sensum verum,nõ cogit alium quærere : sed suadet illum seruare & tenere.Et propterea negatiuę aptiores sunt ad insinuãdum oppositum eius qd verba pretendunt,q̃ affirmatiuę. Et quia sic per negatiuas insinuatur tãta perfectio in deo quã ta in ipso eſt:non sic autem per affirmatiuas:sed solũmodo significatur perfectio quæ in ipso eſt sed non tanta:idcirco secundum φ expositum eſt in quæſtione pręcedente, negatiuę tales sunt proprię,& affirmatiuę improprię.Sunt etiam Ægatiuę verę simpliciter:quia perfecte insinuant id qd in re eſt,& ficut eſt in re.& per hoc sunt compactę in insinuando, & similia similibus iun gunt:licet in significando nõ solũ nõ sunt compactę sed diſſutę:& ideo falſę. Affirmatiuę vero licet sint verę:quia non significant de deo nisi qd ipse eſt,non tamen sunt simpliciter verę:quia non significant de eo totum qd ipse eſt,hoc eſt sub ratione tantę perfectionis quanta in se eſt:vt iam dictum eſt in pręcedente queſtione scdm Hugonẽ.Et per hoc affirmatiuę sunt incompactę & mentientes, & hoc (quia vt dicit Hugo ibidem loquens de deitate) nulla rerum creata rum ſpecies ita in eius similitudinem approximat : vt id qd vere in ipsa eſt,expreſſe,& sic pro prietatem oſtendat. Et Ioannes Saracenus . Nobis in hac vita positis nequaq̃ se diuinitas sicut eſt insinuat : sed parum de se aliquid sensibus noſtris aperit . Ideoq̃ etiam dicit Dionysius,

**G** Ignoramus superessentialem & inuisibilé infinabilitatem . Et sunt dicto modo negatiuę aptio=
res ad explicandum diuina q̃ affirmatiuę: quemadmodum dissimiles & viles species aptiores
sunt q̃ similes & dignę.Propter idem Dionysius ex vno concludit alterum dicens.Si igitur nega
tiones in diuinis verę sunt:affirmationes vero incompactę: obscuritati arcanorum magis apta
est per dissimiles formationes manifestatio.Q̃d exponens Ioannes Scotus dicit.Si vera est nega
tio in diuinis rebus,non autē vera sed metaphorica affirmatio:Vere ẽm dicit deus inuisibilis,
non autē visibilis vere & pprie dicitur: similiter infinitus & incõprehensibilis vere de eo pdi
cat:finitus vero & cõprehensibilis nõ pprie:quid mirū si naturalibus simplicibusq̃ formis lon
ge dissimiles mixtęq̃ confuse deformesq̃ plus ad diuina & ineffabilia valeant significãda, dum
in sanctis visionib⁹ sanctorū pphetarū lego humanā effigiem &c.vt supra q̃stione pcedēti pro=
xima in fine.& sequit.Sicut itaq̃ negatio affirmationi pręponit in significationib⁹,ita incõue=
nientes & deformes species formosis conuenientibusq̃ pręponuntur.

**H**
**Ad primī**
**prin.**

❡Q̃d ergo arguit primo,q̃d nihil significat pprie nõ potest de aliquo pprie pre=
dicari:Dico q̃ verū est comparãdo rem pdicatã ad nomē ipsam significãs:aut ad ipm subiectū
significãdo aliquid de ipso affirmatiue. Bene tñ põt pprie pdicari aspiciendo ad modū signifi
candi noĩs,& similiter cõparando rem pdicatam ad ipm subiectum,insinuãdo aliquid de ipso
negatiuc:sicut patet ex iã expositis.❡Ad secundū,q̃ illa sunt indigna deo quę hoĩes cū aliqua

**I**
**Ad secūdū**

dignitate putãt dicere:Dico q̃ verū est significãdo aliquid de ipso affirmatiue:quia nihil signi
ficãt nisi diminute.Q̃d autē ex illo cõcludit:ergo nec alia sunt digna deo: & ideo nec pprie di
cunt de ipso:Dico q̃ verū est qñ accipiunt affirmatiue aliqd significãdo de deo.qñ tñ accipiunt
negatiue aliquid insinuando de ipso:magis sunt digna deo propter affirmatiuā metaphoricam
insinuatā per oppositū,in qua id q̃d est dignū deo insinuatur remoto omni modo quo ex crea=
turis cognoscitur,aut etiã potest cognosci a creaturis:vt dictū est. ❡Ad tertiū,q̃d est in cõtra=

**K**
**Ad tertiū.**

riū:q̃d se habet sicut forma ad subiectū pprie prædicat de illo:Dico q̃ verū est in primo mo=
do accipiendi pprie,& hoc propter pędicari improprie aliis modis:vt patet ex dictis.

**L**
**Quęst. IIII**
**Argu. 1.**
**2**

Irca quartū arguit q̃ in diuinis verius & magis proprie pdicatur abstracta q̃
cõcreta,Primo sic.Quę vere & magis significãt diuina,verius & magis pprie
pdicãt in diuinis.Abstracta verius & magis pprie significãt diuina q̃ cõcre
ta:qa magis cõgruit deo,vt supra q̃stio.vii.arti.pcedētis,ergo &c. ❡Scdo sic.
Illa verius & magis pprie pdicãt in diuinis, quorū pdicatio est magis ppria
diuinis,& minus cõis cū creaturis : quia magis ppriū magis pprie pdicat de
subiecto,sicut magis cõmune magis cõiter pdicatur de illo.sed abstracta pre=
dicatio magis ppria est diuinis,& minus cõmunis illis cū creaturis:quia in pdicationibus cõ
cretorū cõmunicant dicēdo deus est bonus,homo est bonus,nõ autē in pdicatione abstractorū.

**In opposi.**

Non ẽm dicitur homo est bonitas,sicut dicit deus est bonitas:ergo &c.❡In contrariū est q̃ illa
pdicatio est magis ppręę quę est ratione formę q̃ quę est ratione materię,pdicatio cõcre=
torū est ratione formę & modi pdicandi:quia vera est in omni materia,diuina,s.& creata. pdi
catio abstractorū nõ est nisi ratione materię,eo q̃ non est nisi in diuinis:vt dictū est: ergo &c.

**M**
**Responsio.**

❡Dico q̃ de secundo modo principali pdicandi pprie aut improprie,qui in duos
subdiuiditur(vt visum est in pcedenti q̃stione)nihil ad ppositam q̃stione quo ad secundū mo=
dū subdiuisionis illi⁹.s.de pprie aut improprie pdicari ex pte rei significatę in comparatiõe ad
subiectū:quia ęque pfecte explicat rem significatā de subiecto cõcretū & abstractū.Sed si in hoc
inter cõcretū & abstractū aliqua cõtingat differētia , hoc nõ ẽ nisi penes differētiā affirmatiõis
& negatiõis,& hoc nõ tm ĩ significãdo sed etiã ĩ insinuãdo.Tūc em q̃d pdicat ĩ negatiua,magi
pprie pdicat q̃ q̃d pdicat in affirmatiua,siue fuerit abstractiua pdicatio ĩ affirmatiua,& cõcre
tiua in negatiua,siue ecõuerso.Sed ad istā q̃stione solū ptinet de mõ prio principali , & de primo
modo subdiuisionis sectdi mēbri principalis.Quia cõparãdo rē significatā ad vocē significātē
eā simpliciter,non magis pprie significat per abstractū q̃ per concretū:sed ęque improprie.Cõ
parãdo aũt rē significatā ad vocē significãte illā in materia diuina:sic solūmodo magis pprie
significat & pdicatur in abstracto q̃ in concreto:quia abstracta magis pprie significant diuina
& congruunt illis q̃ cõcreta,vt procedit prima ratio.Quia tamen modus concretionis magis

**N**
**Ad primū**
**prin.**
**O**

congruit cum ratione pdicati q̃ modus abstractionis,eo q̃ prædicatum habet rationem quia
si informantis subiectū: vt dictū est in primo modo principali dicto in quæstione præcedenti,
quo ad hoc magis proprie prædicatur concretum q̃ abstractū in omni materia.Et quia modus

ste principalis est prędicationis:& omnē materiā circuit:& sic ratione formę cōuenit pdicato
& nō ratione materię:& talis modus est absolute principalis: idcirco dico ꝙ tēmota omni di=
stinctione verius & magis pprie pdicant in diuinis cōcreta ꝗ abstracta. Si tn abstracta aliquo
modo possunt dici pprie pdicari. Et scdm hoc pcessit Tertiū argumentū in oppositum.

P
Quest. V.
Arg.1.

Irca Quintū arguitur ꝙ in diuinis nō possit esse prędicatio priuatiua. Primo
sic. Scdm Pm in.iiii.Metaph. hęc est differētia inter priuationē & negatio=
nē,ꝙ priuatio determinat sibi subiectū in quo natus est esse habitus. vn pri=
uatio est negatio nō nisi in subiecto determinato.s.in quo natus est esse habi=
tus qui priuat. Negatio aūt nō determinat sibi subiectū. Propter ꝙ de quo=
libet affirmatio vel negatio: non aūt de quolibet habitus vel priuatio. & ad
priuationē sequit negatio:vt est iniustus, ergo nō est iustus, & nō ecōuerso
nō est iustus:ergo est iniustus. Sed i deo nō pōt cadere priuatio alicui⁹ habitus existētis in eo
aut nati existere.ergo &c.❡Secūdo sic.sicut se habet affirmatio ad affirmatū:sic se habet priua
tio ad priuari. Sed non est in diuinis pdicatio affirmatiua aliqua nisi affirmatiua in esse sit in
diuinis:quare cū priuatū in pdicationibus priuatiuis:puta cū dicit deus isinitus aut imorta
lis:finitas aut mortalitas ꝗ priuat non est in deo:sed in creaturis.ergo &c.❡In contrariū est ꝙ
prędicatio ꝗ non est nisi ad aliquid excludendū a subiecto,priuatiua est. talis est prędicatio de
diuinis vnitatis & terminoꝝ numeraliū,vt tactū est supra,quęstione vltima articuli pcedētis
in argumento secūdo.ergo &c.❡Iterū.nō plus repugnat diuinis prędicatio priuatiua ꝗ nomi=
natio priuatiua:quia nomē rei prędicabile est.sed deo nō repugnat nominatio priuatiua:ꝗa in
diuinis sunt noīa priuatiua,vt habitū est supra,ꝗstione vltima articuli pręcedentis.ergo &c.

In opposit.
primo.

z

❡Dico iuxta id ꝙ tangitur in secundo argumento,ꝙ sicut non dicitur proprie
prędicatio affirmatiua siue affirmatio aliqua esse in diuinis nisi illa ꝗ est indicatiua de deo ei⁹
ꝙ est intra: Sic nec priuatiua prędicatio siue priuatio est pprie in deo nisi sit eius ꝙ est in=
tra ipsum. Quia igit in deo nulla potest cadere priuatio alicuius ꝙ est in eo: dico ꝙ in deo
nulla omnino potest esse pdicatio priuatiua, vt videlicet prędicatū ab aliqua priuatione eius
ꝙ est in deo,imponat: & p hoc pdicatione priuatiua de deo prędicet. Sed siꝙ prędicatū pri
uatiuū de deo pdicat:oportet ꝙ illa priuatio sit eius ꝙ est extra:& necesse est ꝙ illud ꝙ pri
uatur sit indignitatis circa creaturas: & hoc vel simpliciter & absolute, vt sunt finitū,corru
ptibile,mortale,& huiusmodi:aut respectu alicuius,vt visibile,comphensibile: a visu.s.& noti
tia creaturę:quę cū appositione priuatiuę particulę ad diuina transferūtur: & hoc nō vt stet
in remotione eius ꝙ impfectionis est in creaturis:sed vt per tale priuationē & remotionē in=
sinuetur verissimū positiuū,ꝙ pdicatione talis priuationis insinuat prędicari de subiecto,per
illam.s.predicationē de priuato pdicato insinuando affirmatiuū de pdicato verissime positiuo
Et hoc quēadmodū p negatiuas insinuant affirmatiuę metaphorice, vt dictū est in secūda ꝗ
stione pcedente:licet multū diuersimode,vt patebit in ꝗstione sequēte.Et hoc quia sic p priua
tiuas sicut & p negatiuas non ꝙ deus est:sed solūmodo ꝙ nō est significatur.Dicente Ioāne
Scoto sup cap.ii.Cęlest.Hierar.Dū inuisibilis & infinita & incomphēsibilis cogitat:nō ꝙ ipsa
est significat:Non eni inuisibilitas & infinitas & incōphensibilitas essentia ipsa est: sed ꝙ non
est ostendit.s.significando ꝙ re vera non ignoramus,sed scimus. Et sic diuinam infinitatem
inuisibilitatē,incomprehensibilitatē quo ad id ꝙ nomen significat scimus quidē & non ignora=
mus: sed quid ꝙ insinuat quo ad positiuū ꝙ est ipsa diuina substantia, pęnitus ignoramus:
quia non est scdm aliquid eoꝝ quę sunt in creaturis: & ideo ex illis non potest plene sciri nec
exprimi per affirmationes & positiones:quę non nisi in ratione generalis attributi significant
& hoc quo ad aliquid eius: non quo ad totū,ꝗt dictū est supra in ꝗstione secūda huius arti
culi, ab Hugone. Et quia ꝙ sic insinuat priuatio,nobis ignotū est:Vt enim dicit Dionysius,
Ignoramus aūt superessentialem,& inuisibilē, & ineffabilē infinalitatē: Scimus ergo diuinam
infinalitatem,& eādem ignoramus.Scimus.s.quo ad id ꝙ non est ꝙ significat.Ignoramus au
tem quo ad id ꝙ est ꝙ insinuat. Et quia non est proprie prędicatio priuatiua in aliqua natu
ra nisi pdicando priuetur ꝙ inest vel natū sit inesse subiecto: concedendū igit ꝙ in diuinis
non est pprie pdicatio priuatiua:vt ostendūt duo prima obiecta. Est tn in illis quoquo modo
vt ostendunt duo obiecta in contrarium.

Q
Responsio.

❡Q ergo primo arguitur,ꝙ in deo non potest esse priuatio : quia nec negatio
alicuius habitus qui est in ipso:Dico ꝙ verū est scdm tacta: ꝙ non est ista priuatio eius ꝙ est

R
Ad primā
princip


NN v

in deo, vel natũ est esse in eo:sed solũmodo eius qd est defectus in alio.Per cuius priuationem a contrario insinuat positio supeminẽs:vt in sequẽti q̃stione declarabitur.Qualẽ positionẽ nec significare posset nec insinuare circa subiectũ in quo est positiuũ:quia illa priuatio circa illud subiectũ aut est pura priuatio,& nullo modo cõtrariũ:quia habitũ cõtrariũ non ponit: vt est cecitas in oculo,aut priuatio cõtraria:quia priuado vnũ habitũ,cõtrariũ ponit: non cõtrariũ simpliciter:sicut albũ est cõtrariũ nigro:sed defectiuũ:sicut iniustũ est cõtrariũ iusto.Et de ta libus priuationibus loquitur plͤs quãdo dicit q̃ priuatio est negatio in subiecto determinato: quare nulla põt esse in deo:quare nec nomen significãs eã:nec p̃dicatio eã de subiecto enũciãs Est tñ in eo & significãdo & p̃dicãdo priuatio cõmuniter dicta.s.priuans qd est diminutũ po sitiuũ in alio,vt dictũ est. & p hoc illa priuatio in deo quodãmodo est priuatio priuationis:& sic nõ est simpliciter priuatio.℄Ad secũdũ q̃ aliqd priuatũ priuatione nõ põt esse in diuinis: quare nec p̃dicatio positiua põt esse in diuinis:Dico q̃ verũ est loquẽdo de priuatione dicta p prie,sicut tactũ est. Vñ q̃ dicit in diuinis esse nomen priuatiuũ aut p̃dicatio priuatiua : hoc nõ est nisi quia nomẽ priuatiuũ aut p̃dicatũ priuatiuũ diuinis applicat ad insinuandũ eminẽs positiuũ, a quõ deficit positiuũ in creaturis qd nõie p̃dicati a deo priuatur: non ad significan dũ qd quid ẽ aliquid existens in eo:sicut significat de creaturis priuationes:quẽ idcirco p̃prie dicunt esse in creaturis.Loquẽdo tñ de priuatione cõmuniter dicta:illa bene est in diuinis, vt dictũ est.℄Ad primũ in oppositũ q̃ vnũ & numeralia noĩa p̃dicant in diuinis non nisi ad ali quid remouendũ:ergo p̃dicationes in qbus p̃dicatur sunt predicationes priuatiue:Dico q̃ in nomine aliqd significare est duo considerate.s.ipm significatũ quo ad actũ significandi ipsum per nomen:& quo ad vsum eius.Primo modo considerando vnũ & nomina numeralia:dico q̃ sicut quod significant, positiue significant circa deum: & nequaq̃ priuatiue: sic predicantur in diuinis predicatione positiua:& ad significandum qd est vere in deo. Vnũ enim in deo si gnificat ens siue esse dei sub ratione simplicis.Et quia simplex non capimus nec intelligimus nisi sub ratione priuationis diuisionis plurium quẽ sunt in esse multitudinis siue multi: ideo dicimus q̃ vnũ imponit a ratione priuationis.s.diuisionis:& definientes vnũ dicim⁹ q̃ est ens indiuisum:quẽ quidẽ priuatio non est nisi vere priuationis.Diuisio ẽ est vera priuatio sim plicitatis:quã insinuamus cũ dicimus q̃ vnũ est ens indiuisum:& quã vnũ realiter significat præcipue in deo:quia est summe vnus:in eo q̃ est summe simplex p carentiã omnis cõpositio nis,quẽ nõ est nisi plurium.Numerus aũt vt cadit in diuinis non significat nisi talis vnius re plicationẽ per defectum formẽ vnitatis alicuius a qua pcedit numerus per illius diuisionem. Inde est q̃ de vna vnitate fiunt plures,vt contingit in numero qui est accidens & quantitas: sed per solam replicationẽ vnius vnitatis simplicis & indiuisibilis diuinæ essentiẽ in pluribus relatis p̃prietatibus & rationibus attributalibus.Vnde est alius numerus in diuinis ab illo q est quantitas molis in cõtinuis: & ab illo qui est quãtitas virtutis in formis substãtialibus ab solutis.Secũdo aũt modo considerãdo vnũ & noĩa numeralia: Dico q̃ licet nõ signifcãt nisi positione eius qd vere est positiue in deo:& illud nõ nisi p̃dicatione positiua p̃dicat: vt imut tñ eis ad remouendũ in predicando.Licet enim significatio termini nõ sit nisi ad vnũ in signi ficando.s.ad indicandũ alteri rem quã significat: vsus tñ termini in p̃dicado est ad duo.Quo rum vnũ est indicare subiecto inesse rem quã significat p̃dicatũ.Alterũ ad discretiõẽ aliquã circa ipm subiectũ faciendam:& hoc in remouendo suũ oppositũ a subiecto.Et est duplex op positum:quia vnũ opponit multo qd ponit plurium compositione inter se: & opponit multis siue multitudini quæ ponit plurium diuisionem abinuicem:quia ambobus.s.multo & multis opponit simplicitas:quã in suo significato circa ens includit vnitas. Et primo modo discrete dicitur deus vnus:quia non est multus p aliquã cõpositione ex plurib⁹ in sua essentia : & etiã quia non sunt dii multi per deitatis in plures deos diuisione: sicut posuerũt Semiarriani. Et econuerso in deo est vsus termini numeralis ad excludendũ suũ contrarium.Pluralitati enim quã significat opponit solitudo.Et ideo ad illã excludendã a subiecto est vsus eius in p̃dicãdo cum dicitur q̃ tres sunt persone: ad excludendũ.s.q̃ non sit vnica tñ & solitaria. Et confide ratur illa duo.s.significatio & vsus circa illud nomen vnus quodãmodo sicut & circa hoc p̃ nomen ego:qd respondetur ad significandum rem quã demonstrat:cum quesito quis currit, respondetur,ego.Exprimitur aũt ad discretionem faciendã circa id qd demonstrat: remouen do.s.actum vel modum actus ab aliis a demonstrato: dicendo ego curro:insinuando q̃ nullus alius currit:vel nullus alius ita bene.Non enim esset necessitas exprimẽdi tale pronomẽ cũ verbo prime persone:nisi esset necessitas faciẽdi talem discretionem.Scdm quẽ modũ potius

tacendum esset q̃ exprimendum multa q̃ dicimus & prædicamus de deo:nisi necessitatis coge
ret:vt supra,q̃stione prima articuli p̃cedentis i fine q̃stionis. Scd̃m quē etiā modum multa ex
primũt in p̃dicationibus circa deum non ad significãdũ aliquid:sed solũmodo ad vsum exclu
dendi aliquid qd̃ hæretici incõuenienter æstimabant de deo.Sic enim ad excludendũ deoꝝ plu
ralitatē dictũ est,vnus deus:& ad excludendũ diuinę personę solitudinē:dictũ est,personę plu
res:vt scd̃m hoc sit vsus horũ terminoꝝ priuatiuus siue exclusiuus:non aũt significatio eoꝝ.
Qd̃ multi nõ discernētes,vsum credentes fuisse significationē:dixerũt & male vnitatem & ter
minos numerales in diuinis nihil significare positiue:sed tñ priuatiue.Scd̃m qd̃ idem dixerũt
de æqualitate in diuinis:cuius vsus est ad excludendũ a diuinis personis maius siue magis &
minus: licet hoc non sit significatio illius,vt supra declarauimus,loquēdo de relationibus cõ
munibus. Et ideo dico ꝗ dicta Ambrosii assumpta in argumento explicant vsum vnitatis &
numeraliũ terminoꝝ: nõ aũt significationē.Vnde Magister Sētētiarũ lib.i.dist.xxiiii.postꝗ q̃
siuit in cap.i. cũ in trinitate nõ sit diuersitas vel singularitas:nec multiplicitas, nec solitudo,
quid significet istis noĩbus:vnus vna: duo vel duę:consequenter respondet in cap.ii.dicens.Si
diligenter p̃missis auctoritatũ verbis intendamus:vt dictoꝝ intelligentiā capiamus. quibus,s.
ostenditur ꝗ sancti necessitate coacti multa dixerunt de diuinis:alias celanda,vt.xxiii.dist.ca.
Qua necessitate. & cap.Iam sufficienter.magis videt̃ horũ verboꝝ vsus introductus ratione re
mouendi atꝗ excludendi a simplicitate deitatis quę ibi nõ sunt,q̃ ponendi aliqua. Et verũ di̅
xit:Tamen multi male eũ intelligentes imponũt ei ibi vnũ errorem, ꝗ videlicet intendat po
nere ꝗ dicta nomina nihil in diuinis positiue significent:cũ tñ hoc non dicat: sed solũmodo ꝗ
vsus illoꝝ a sanctis contra hęreticos est remouendi & excludendi gratia:non aũt ponendi ali
quid.Et hũc vsum probat p dicta Ambrosii in argumēto dicto & alioꝝ i sequētibus capitulis
Vnde male secuti sunt talē regulā Magistri non attendētes verbis auctoritatũ sanctoꝝ & di̅
cti sui,vt ex eis caperēt dictoꝝ intelligētiā. ¶Ad vltimũ ꝗ deo non repugnat noĩatio priuati̅ Z
Ad secũdũ
ua:quare nec p̃dicatio:Dico ꝗ verũ est vtrobiꝗ loquendo de priuatione scd̃m quid : quæ aut
est priuatio priuationis,qualis priuatio significat̃ hoc noĩe vnus scd̃m p̃dicta : aut est priuatio
eius qd̃ est positiuũ alicuius in alio habens rationē diminuti & defectiui & per hoc priuatiui,
ratione cuius priuatio eius recipit̃ in deo:qualis significat̃ his noĩbus, immortalis, inuisibilis,
infinitus,scd̃m p̃dicta.Et sic priuatio in deo siue nominationis,siue prędicationis per hęc noĩa
nõ est nisi priuatio priuationis:per quā intendit & circũloquit̃ verissima positio excedēs con̅
ceptus intellectus creati.Loquēdo aũt vtrobiꝗ de priuatione vera & simpliciter, q̃ circa subiē
ctũ non priuat nisi id qd̃ est vere positiuũ in ipso, nõ est verũ. Immo oĩs talis priuatio siue in
noĩe siue in p̃dicatione repugnat deo,vt dictũ est iā in hac q̃stione de p̃dicatione priuatoria:&
dictũ est supra q̃stione vltima articuli p̃cedētis de noĩatione priuatoria, quę est causa p̃dicatio
nis priuatorię:vt vna & eadē difficultas sit in vtraꝗ questione.

Irca Sextum arguitur ꝗ prædicatio positiua magis congruit diuinis expli A
Quęst.VI.
Arg.i.
candis q̃ priuatiua, Primo sic. verius explicantur diuina per illa quæ sunt
in diuinis q̃ per illa quę sunt in creaturis:quia vnũquodꝗ magis natum est
cognosci ex propriis q̃ ex alienis.Ex propriis enim cognoscitur quoquo mo
do quid sit: ex alienis autem non nisi quid non sit.& maior est notitia de re
quid est q̃ quid non est. Sed positiua prædicatione explicantur per propria
quæ sunt in deo:cuiusmodi sunt sapientia,bonitas,potentia, & huiusmodi.
Priuatiua autem prædicatione explicantur per aliena:quia non nisi ex alieno priuantur in p̃
dicando:dicendo,Deus est infinitus,incognoscibilis,& huiusmodi. Illa autem quibus verius
explicantur:magis congruũt ipsis explicandis. ergo &c.¶Secũdo sic.negatiua prædicatio non
magis congruit diuinis explicandis q̃ affirmatiua : nisi ꝗ remouet a deo quod absurdum est
ei non inesse, dicendo non est iustus:non est bonus, vt supra habitum est in tertia quæstione
huius articuli.Sed non ob aliud priuatiuę prędicationes preferũtur affirmatiuis nisi quia cõ
ueniũt cum negatiuis.Vnde Ioannes Scotus sup capitulũ secũdũ Cęle.Hierar.reducit priua
tiuas ad negatiuas dicens.Dũ summā deitatem inuisibilem,& infinitā,& incomp̃hensibile di
uina vocat scriptura: non quid ipsa est significat: nõ enim inuisibilitas & infinitas & incõp̃
hensibilitas essentia ipsius est:sed quid non est ostendit: non enim est visibilis neꝗ finita neꝗ
comp̃hensibilis.& dicit ibidem Ioannes Saracenus. Maiorē vim habet negatio quę dicit,deus
non moritur vel deus est immortalis,q̃ affirmatio quę dicit,deus est vita.Sed priuatio nõ pri
uat qd̃ absurdũ est deo nõ inesse:sed potius qd̃ absurdũ est deo inesse:puta visibilitatem,fini

3 tatem,& cōphensibilitatem.quare cū deficiente causa deficit effectus.ergo &c.⫶Tertio sic.si
prędicationes negatiuę magis congruūt diuinis quia absurdū est deo nō inesse qd negāt,di=
cendo Deus non est bonus:deus nō est sapiens:sicut econtra dissimiles formę magis cōgruūt
diuinis quia qd absurdū est asserūt de ipso,vt habitū est supra qstione.ii.&.iii.huius articuli,
vt ideo priuationes magis congruāt diuinis cū dicit:Deus est infinitus,inuisibilis,incōphē=
sibilis:q affirmationes cū dicit,est bonus,sapiens,iustus,quia conueniūt in hoc cū negationib⁹.
quare cū istę priuationes,iniustus,iniquus,infelix,magis conueniāt cū illis absurdis negationi
bus de deo:dicendo,Deus non est felix:non est iustus:non est equus:q ille,inuisibilis,infinitus,
incōphensibilis:quia si ille priuatiuę ꝑdicationes:Deus est inuisibilis,incōphensibilis,infini
tus,sunt magis exprssiuę diuinoꝛ q ille affirmationes:Deus est bonus,sapiens,& iustus:multo
magis istę priuatiuę ꝑdicationes:Deus est infelix,iniustus,iniquus:magis sunt expressiuę diui

4 norū q ille affirmatiuę.consequēs falsum est,quia istę nō recipiūtur omnino.ergo &c. ⫶Quar
to sic.si ille priuatiuę:Deus est inuisibilis,aut incōphēsibilis,magis congruūt diuinis q dictę
affirmatiuę:& hoc non est nisi ratione defectus quā priuat:videlicet ratione visibilitatis a cre
aturis:aut cōphēsibilitatis:qa hoc solū indignitatis importat illis nominibus visibile,cōp=
hensibile,vt dictū est supra:quare cū iustū,sapiēs,& cętera huiusmodi quę ex se sunt dignita=
tis simpliciter,etiā ratione indignitatis & defectus importāt,vt sunt in creaturis:quia impfe=
cta & limitata sunt,quę quidē defectū & impfectionē aut indignitatē possunt ęqualiter priua=
re illa noīa insipiens,iniustū,& cętera hmōi:sicut illa infinitus,incōphensibilis,& cętera hu=
iusmodi:quare vt prius istę priuatiuę ꝑdicationes:Deus est iniustus,nō bonus,iniquus,& cę=
terę hmōi,magis congruūt deo q istę positiones,Deus est bonus,iustus,& equus.cōsequēs fal=

sum est.ergo &c. ⫶In cōtrariū videlicet ꝗ priuatiuę ꝑdicatiōes magis cōgruūt diuinis q posi
tiuę seu affirmatiuę:est Dionysius & sui Cōmētatores ꝑdicti:qui oēs in hoc cōcordāt: ꝗ sicut
dissimiles species & viles magis diuinis cōgruūt q similes & nobiles: sic & negatiuę ac priuati
uę ꝑdicationes:qꝰ in hoc nequaq discrepent priuatiuę a negatiuis.Vñ priuatiuas ꝑdicatio=
nes cōparas vilibus speciebus Dionysius loqēs de diuina natura dicit sic.Aliquādo dissimili
bus manifestationibus ab ipsis eloquiis suꝑmūdane laudat eā inuisibilē,& infinitā,& incōp=
hēsam vocātibus.Ex qbus nō qd est,sed qd nō est significat.Hoc em(vt ęstimo)potētius est in
ipsa.qd exponūt Ioannes Scotus,& Ioānes Sarracenus,vt iā supra in secūda qstione.Cōparans
aūt Dionysius vilibus speciebus ꝑdicationes negatiuas:dicit sic. Si igit negationes in diuinis
&c.questione tertia huius articuli in fine.

⫶Dico ꝗ re vera tam negatiuę q priuatiuę prędicationes cōmuniter ꝑferende
sunt affirmatiuis in expressione diuinoꝛ:sicut & viles species formosis & verius & magis p=
prie atꝗ ꝑfectius sunt expressiuę illoꝛ: & ptim ex eādē causa seu cōsimili: partim vero ex
causa diuersa & dissimili.Cōmunis qdē & eādē causa est in illis ꝗ nō significādo sed insinuā
do illud faciūt & negatiuę & priuatiuę ꝑdicationes atꝗ viles species,scdm modū expositū de
negatiuis i tertia qstione pcedēte.Nullū em eoꝛ significat de deo qd est:sed solūmō qd nō est.
Est aūt diuersa causa in negatiuis ꝑdicationibus & vilibus speciebus respectu priuatiuaꝛ ꝑdi
cationū.In hoc.s.ꝗ negatiuę ꝑdicationes & viles species illud faciūt p nimiā distātiā & repu=
gnātiā siue quasi cōtrarietatē ad diuina.Prędicationes vero priuatiuę p priuatiōe impfectio=
nis & defectus quos iportabāt simplicia positiua in creaturis.Propter nimiā em distātiā & cō
trarietatē dictarū negationū & viliū specierū ad deū:mens rationalis illas horrescit de deo : &
propterea refugit assentire dictis negationib⁹:& p hoc cōuertit se ad sentiēdū & asserēdū de
deo eminētius quiddā q sit illud negatiuū de deo.Et hoc tā in significatione illa qua illud cō
uenit creaturis,puta sapiētia,bonitas,& hmōꝫ,q in illa significatione qua trāslato noīe & trās
lata significatione cōuenit soli deo.Ita ꝗ cū dicit:Deus essentia nō est,bonitas nō est: plus in=
telligo de deo q cū dicit,essentia est,bonitas est.Licet etiā in talib⁹ ꝑdicationib⁹ talia sunt ꝑdi
cata qualia pmiserūt subiecta:& ꝑdicant de subiectis mutata significatione illā quā habebāt in
creaturis cū ꝑdicarent de illis,scdm Boethiū. Et contingit illud:qn deus suꝑsubstantialis &
plusꝗ bonus est:& intelligit in metaphora p negatiuā de deo ꝗ plus est essentia & plus est bo=
nitas cū dicit de deo ꝗ nō est essentia,nō est bonitas,q intelligebatur p affirmatiuā dicendo,
Deus est essentia,deus est bonitas:quia illa negatiua insinuat ꝗ sit suꝑessentia,& suꝑbonitas.
Et est illa affirmatiua intellecta metaphorice cōpacta respectu affirmatiuę purę q est incōpa=

C cta:& plus veritatis de deo enūciat illa q ista.Silr & de vilibus speciebꝰ attributis deo respectu
nobiliū.Quia tñ mens rationalis illas horrescit,vt supra,qstione.vii.in principio. Et ꝑpterea

refugit illas sentire inesse deo: propter hoc diuertit se ad sentiendu illi inesse supereminentius
quid q̃ sit quodcũq; p translatione nobiliũ specierũ qd ei possit attribui.Et hoc prout viles spe
cies ei itelligunt attribui atq; trãsferri ad ipm ratione suę vilitatis: & quasi p cõtrariũ ducũt
in diuinoꝝ nobiliũ cognitione.Nobiles vero species prout intelligũt deo attribui, atq; ad ipm
transferri ratione similitudinis in aliqua ꝓprietate:puta species leonis ratione fortitudinis: &
species aquilę ratione acuminis visus:transferũtur ad deũ nõ ratione vilitatis:sed ratione nobi
litatis:& nõ ratione cõtrarietatis,sed ratione similitudinis.Et hoc modo.s.ratione siītudinis,
& in significato species nobiles q̃ p ꝓprietatē deo attribuũtur,magis cõueniũt expssioni diuino
rũ q̃ viles q̃ attribuũtur deo ratione cõtrarietatis & in insinuãdo.prout superius tactũ est,
declarando cp viles species p maiore iproprietatē transferũtur ad diuina q̃ nobiles . ¶Propter **D**
priuatione aũt defectũ & impsectionũ eoꝝ q̃ ꝑdicant de deo ꝑdicatione priuatiua, mens refu
git ad contrariũ eminens positiuũ qd dictis priuationibus significari intelligit:& ad qd signi
ficãdũ principaliter imponũtur noīa sub voce priuatiua: & etiã exprimũtur p priuatiuã ꝓpo
sitione indicantę qd nõ est deus.quia tales priuatiuę habet vim negatiuaꝝ,vt dictũ est in op
ponēdo:& habet eãdę vim negatiuę in quas resoluũtur priuatiuę,quã ipsę priuatiuę.Propter
qd dicit Ioānes Sarracęnus,& habitũ est supra,argumēto.ii.Maiorē vim habet negatio q̃ dicit
Deus nõ morię,vel deus est immortalis,q̃ affirmatio q̃ dicit,Deus vita est. Et sequit̃ cõtinuę.
Et validior negatio est qua deus dicit,Nõ mutor:affirmatione qua testat̃ , Pœnitet me fecisse
hominē.Qd verũ est de pœnitere inquãtũ trãsfert̃ ad diuina p siītudinē:Sed si considerēt vt
trãsfert̃ ad diuina sicut viles species dicto modo.s.per cõtrariũ: ęqualem vim habet ista affir=
matiua & ista negatiua. Et sic alio & alio modo illa negatiua Deus nõ est vita:validior est ista
affirmatiua:Deus est vita: & alio mõ ista negatiua Deus nõ est mortalis:validior est ista affir
matiua Deus est vita.Et sic ęqualiter validę sunt illę duę negatiuę Deus non est vita: Deus
nõ morię:licet alio & alio modo,vt dictũ est.Scẩm dicta ergo concedenda est vltima ratio.

¶Ad primũ in contrarium, cp diuina verius explicantur per illa quę sunt in eis q̃ **E**
per illa quę sunt in creaturis:Dico cp verũ est significãdo & stãdo in illis q̃ sunt in creaturis. **Ad primũ**
Diuertēdo tñ mēte ab illis ad alia psectiora: bene possunt verius diuina p ea q̃ sunt ī creaturis **princip.**
significata noībus & ꝑdicationibus priuatiuis aut negatiuis explicari,q̃ p ea q̃ sunt in diuinis
significata noīb⁹ & ꝑdicationib⁹ positiuis & affirmatiuis. & hoc nõ significãdo: qa nõ signifi=
cãt de deo nisi qd nõ est: sed insinuãdo: qa metaphoricæ positiones aut affirmationes q̃s insi=
nuãt significãt de deo verius qd est q̃ dictę positiuę & affirmatiuę locutiones verę,vt patet ex
dictis.¶Ad secũdũ,cp nõ ob aliud cõueniũt priuatiuę ꝑdicationes plus diuinis: nisi qa magis **F**
cõueniũt cũ negatiuis:Dico cp verũ est quo ad hoc cp ambo nõ significãt nisi qd nõ est deus. **Ad secũdũ**
Et ideo nõ significãdo sed insinuãdo scẩm expositũ modũ magis cõgruũt diuinoꝝ expssioni
q̃ positiuę aut affirmatiuę.Specialiter tñ diuersis modis insinuãdi differũt inter se: vt siīr ex
positũ est.Et ideo licet priuatiua ꝑdicatio nõ valet plus q̃ positiua in explicandis diuinis,insi=
nuãdo.s.p absurditatē asserēdi de deo illud qd in ipsa priuat̃:sicut plus valet negatiua q̃ affir=
matiua.s.per absurditatem eius qd in negatiua ab illo remouet̃ : valet tñ plus alio modo insi=
nuãdi,vt dictũ est.¶Ad tertiũ,cp si priuatiuę ꝑdicationes plus explicãt diuina quia plus con= **G**
ueniũt cũ negatiuis & speciebus absurdis:tũc istę ꝑdicationes,Deus est iniustus: deus est ini= **Ad tertiũ.**
quus:deus est infelix:plus explicarēt diuina q̃ illę, Deus est immortalis,infinitus,impassibilis
quia magis absurdũ est priuare de deo esse iustũ,ęquũ,felicę:sicut absurdũ est negare hoc de
ipso:q̃ priuare de ipso esse finitũ,visibilę,& cętera hmõi:in istis eīm priuatiuis nulla est absur=
ditas oīno:Dico cp vera sunt hęc conclusa si eõde modo omnino dictę negatiuę & istę priuati
uę ac negatiuę q̃ ex illis priuatiuis sequuntur explicarent magis diuina q̃ dictę affirmatiuę &
positiuę.sed non est ita vt visum est.Vñ illa negatiua Deus nõ est iustus: nõ plus explicat di
uinã veritatē,q̃ illa affirmatiua: Deus est iustus,inquantũ sequitur ex illa priuatiua Deus est
iniustus:sequitur eīm, si aliqd est iniustũ:ergo nõ est iustũ: sed solũmõ vt est negatiua absolu=
ta.Et habet duas causas veritatis.Aliqd eīm est iustũ aut qa est neq; iustũ neq; iniustum vt
lapis:quia neutrũ natus est esse: aut quia est iniustũ vt homo vel angelus: quia natus est esse
iustus. Vñ qa illa negatiua,Deus nõ est iustus absurda est p vtroq; sensu:Absurdum enīm est
dicere,Deus est & neq; iustus neq; iniustus:sic vt nõ sit aptus esse iustus aut iniustus.Absur=
dũ est etiã dicere:Deus est iniustus:Idcirco dico cp ista priuatiua Deus est iīustus,aut iniq⁹,
aut infelix,plus est expssiua diuinoꝝ,q̃ ista positiua De⁹ est iust⁹:de⁹ est ęquus: deus est felix,

Et hoc scđm modũ quo pure negatiuę sunt plus expressiuę q̃ pure affirmatiuę,per absurdita-
tem.s.Et sic sunt accipiendę per metaphorã quę dicitur antiphrasis, illæ:Deus est iniustus,ini
quus,infelix,scđm illũ modum quo illæ negatiuę absolutę,Deus non est iustus,non est equus,
non est felix: licet nõ scđm modũ p̃dictũ quo priuatiuę p̃dictę Deus est infinitus,immortalis,
inuisibilis.Ille eñ priuant quę absurdũ est priuare a deo:istę autẽ priuant illa quæ iustum est
priuare a deo.Eo q̃ ille de se ex sua ratione priuant qđ est dignitatis simpliciter: & qđ in vno
quoq̃ est melius esse q̃ non esse.Istę vero de se ex sua ratione priuant qđ est idignitatis simpli
citer,& qđ in vnoquoq̃ est melius non esse q̃ esse dignitatis simpliciter: & in vnoquoq̃ eã me
lius esset non esse q̃ esse.¶Ad quartum:qđ videtur esse cõtra iam dicta:q̃ inuisibile priuatiue
**H**
**Ad quartũ** dictum non est plus expressiuũ diuinorum q̃ ille affirmatiuę Deus est bonitas: deus est vita:
hoc non est nisi quia esse visibile defectum importat respectu creature: cuius est videre:qa esse
visibile a creatura defectus est:quare cum esse iustum iustitia quæ competit creaturæ similiter
defectiuũ est:iniustu ergo qđ est priuatiue dictum,dicendo Deus est iniustus,plus est expressi
uũ diuinorũ q̃ dictę affirmatiuę,qđ falsum est:Dico q̃ visibile & sibi similia in hoc differunt a
iusto & sibi similibus: & p cõseqũs iniustũ & inuisibile & eis cõsimilia cõsimiliter differũt in
ter se:quia iustũ & sibi silia nõ significat nisi ratione dispositionis in ordine ad subiectũ cui in
est:sicut id qđ i illo est aliqđ dignitatis simpliciter: scđm modũ quo solet appellari dignitatis
simpl̃r illa quoq̃ meli⁹ vnũqdq̃ esse q̃ nõ esse.Propter qđ iiustũ p̃dicatũ de aliquo subiecto nõ
priuat nisi iustũ qđ natũ est inesse illi subiecto de quo p̃dicat iniustũ.Iustũ aũt qđ natũ est deo
inesse, nullo modo ab ipso priuari potest.Idcirco igitur ista:Deus est iniustus,aut aliqua cõ
similis in diuinis nullo modo recipiẽda est tã q expssiua veritatis diuinoq̃ . Inuisibile aũt & ei
silia nõ solũ significat ratione dispositionis in ordine ad subiectũ cui inest,ut recipienti illam:
sed etiã significat ratione obiecti in ordine ad motũ ad qđ est vt ad vidente illud.Propter qđ
**I** inuisibile p̃dicatũ de aliquo subiecto aliquãdo priuat de subiecto id qđ inest vel natũ est inesse
subiecto:puta ratione visibilis qua aliqđ natũ est videri simpl̃r.Aliqñ aũt priuat id qđ nec inest,nec natũ est inesse moto ab ipso subiecto:puta ratione visibilis qua aliqđ natũ est videri ab
aliquo determinato. Inuisibili igit accepto primo modo: ista,deus est inuisibilis, aut aliqua ei
cõsimilis,nõ est recipiẽda in diuinis tã q expressiua veritatis diuinoq̃:& hoc eadẽ de causa qua
nec illa,deus est iniustus.Dispositio eñ qua deus simpliciter visibilis est & videri potest simpli
citer,nullo modo vere ab ipso priuari potest:sicut nec dispositio qua est iustus:quia vtraq̃ est
aliqđ dignitatis simpliciter in deo:qualẽ ratione visibilis priuat inuisibile dictũ de tenebra:qa
nõ est nata videri omnino seu mouere visum aliquẽ corporalẽ: qđ est indignitatis simpliciter
Inuisibili aũt accepto secũdo modo.s.ab aliquo vidẽte determinato,deus licet in se sit summe
visibilis visione intellectuali tã q clarissimus & notissimus in natura sua: est tñ vere inuisibilis
quia.s.ab aliquo determinato,puta a creatura,aut nõ est natus videri omnino, aut imperfecte
videri: sed hoc non propter aliquem defectum visibilitatis in ipso qua caret: & cuius defectus
vel priuatio per se significatur nomine inuisibilis:sed solũmodo propter defectũ visibilitatis in
alio qua illud caret: & significatur per accidẽs nomine inuisibilis prædicati de deo.Deus enim
dicitur inuisibilis:quia a nulla creatura potest videri naturaliter:neq̃ etiã a creatura itellectu
ali:quia ab illa solũ est visibilis p gratiã: a qua etiã p gratiã cõsummatã in gloria nõ est pfecte
visibilis sed a seipso solo. & hoc nõ qa ipse quãtũ de se est primo & p se nõ sit aptus videri intellectualiter a creatura intellectuali:sed potius quia illa nõ est nata eũ videre naturaliter siue
ex puris naturalibus:neq̃ etiã pfecte p gratiã: & hoc ex naturali defectu illius . Et sic qa nomine
istis modis dicit inuisibilis:hoc nõ ponit aliquẽ defectũ in eo aut priuationẽ alicuius digni ab
ipso:sed solũmõ ponit defectũ in creatura & ꝑrentiã psectionis , quẽ tñ non est nata ei inesse.
Propter quẽ defectũ visibilitatis modo actiuo significatę:qua.s.aliqđ natũ est videre,deus dici
tur inuisibilis p accidens: & inuisibile significat defectũ visibilitatis significatæ modo passiuo:
qua.s.aliqđ natũ est videri : quæ est circa deũ per accidens:sicut relatio mensurę ad creaturam
per accidẽs est circa ipm:quia.s.relatione mensurati creatura per se refert ad illũ.Et sic deus di
**k** citur inuisibilis naturaliter creaturę,quẽadmodũ sol dicit esse inuisibilis lapidi:& etiã creaturę intellectuali p gratiã aut gloriã, quẽadmodũ sol dicit inuisibilis oculo vespertilionis. Propter quod dicit ꝑhus.ii.Metaph. q̃ intellectus noster se habet ad manifestissima naturæ sicut
oculus vespertilionis ad lucẽ solis.& hoc qa scđm Cõm. illa sunt difficilis cognitionis nõ ꝓpter
se:sed ꝓpter nos.Ecõtra illi qđ cõtingit i materialib⁹:q̃ sunt difficilis cognitiõis nõ ꝓpter nos
sed ꝓpter se.Vñ esse defectũ visibile a creatura naturaliter aut pfecte,magnũ defectũ poneret

in deo: quemadmodū ponere folem effe perfecte vifibilem a vespertilione,magnū defectū lumi
nis poneret in illo:quia nihil fufficit perfecte videre & fine vifus sui læfione nifi qd est luminis
diminuti.Et si deus sic esset vifibilis a creatura.s. perfecte:tunc esset cōphensibilis ab illa: licet
magna differentia est inter vifibile & cōphensibile,& per consequēs inter illoꝝ opposita:quę
sunt inuifibile & incōphensibile.Quia esse vifibile est simpliciter dignitatis & respectu subie
cti & respectu videntis:nec ponit esse inuifibile creaturę aliquid indignitatis circa deum,vt di
ctū est.Esse autē cōphensibile ponit aliqd indignitatis in subiecto creato cōphensibili: & si
militer in quolibet cōphensibili ab intellectu creato:quia vtrobiꝗ includit rationē finiti siue
finis consumentis & sic diminuti:qd priuat in deo noie incōphēsibilis tāꝗ defectū qui non
est natus esse i illo. Esse aūt icōphēsibile habet rationē dignitatis & respectu subiecti infiniti
increati:& respectu talis apphendentis: respectu quoꝗ esse cōphēsibile esset magnę indigni
tatis circa deū.CQ d ergo assumit in argumēto: ꝗ si illę priuationes,deus est inuifibilis,deus
est incōphēsibilis,magis essent expssiuę veritatis in diuinis ꝗ oppositę positiuę,deus est vi
fibilis:deus est cōphensibilis:ratione defectus quē importāt vifibile & cōphēsibile a creatu
ris,quę priuant inuifibile & incōphēsibile:tūc illa,deus est iniustus,magis esset expssiua ve
ritatis ꝗ illa,deus est iustus:quia iustū in creaturis defectū importat:quē priuare potest iniu
stū pdicatū de deo:Dico ꝗ nō sequit:quia scdm iā dicta nō est simile de iniusto & de inuifibili
quia,n.iustū nō dicit nisi dispositionē absolutā nō habētē ordinē nisi ad subiectū i quo est:ideo
priuatio ei adueniēs non priuat circa subiectū nisi iustitiā ꝗ nata est illi inesse: ꝗ a deo priuari
nō potest.Propter qd pdicatio iniusti de deo nō potest esse expssiua veritatis.Sed vifibile quia
nō solū dicit dispositionē ad subiectū sed etiā ad vidētē:licet nō possit vere priuari a deo sicut
nec vifuū vt solū habet ordinē ad subiectū:nec sic pdicatio inuifibilis de deo potest esse expssi
ua veritatis:tn vt habet ordinē ad vidente potest priuari a deo:& hoc p accidēs scdm modū
iam expositū.Et sic est expressiua veritatis illa, deus est inuifibilis,magis ꝗ illa, deus est vifibi
lis:sicut & negatiua deus nō est vifibilis,ꝗ affirmatiua deus est vifibilis.Ambę em.s.& negati
ua & priuatiua isinuāt affirmatiuā qua dicit ꝗ deus est supuifibilis.i.sup vifibilitatē qua ali
qd est vifibile a creatura:aut ꝗ est nō creatura:sed aliter & aliter. Quia primo modo insinuat
illa affirmatiua p priuatiuā:& sir p negatiuā inquantū sequit ad priuatiuā:& hoc per priua
tionē defectus vifibilitatis in illo qd a creatura videtur: aut inquātū vifibile est qd est vifibile
ab illa,qui quidē defectus nō est in deo:sed in creatura tm,scdm expositū modū. Secūdo autē
modo insinuat p purā negatiuā,& nō p priuatiuā ꝗ priuat qd est p se in subiecto:sicut est iu
stitia in iusto: et ponit in subiecto p se defectū illi contrariū : sed solū p priuatiuā ꝗ priuat qd
est p se in alio:sicut est defectus vifibilitatis pdicatę de deo cū dicitur inuifibilis. Ex quo patet
ꝗ aliqua priuatiua est expressiua, & aliqua non:& qualiter diuersimode est expressiua verita
tis priuatiua & pure negatiua.

Irca Septimū arguitur ꝗ omnis propositio in diuinis in qua prędicatur no
men translatum a creaturis,sit multiplex scdm æquiuocationem,Primo sic.
multiplicitas propositionis scdm æquiuocationem est propter multiplicita
tem termini siue nominis plura significantis in illa æquiuoce. In hoc enim
multiplicitas æquiuocationis differt a multiplicitate amphibologię . quare
cum scdm prædeterminata omnis terminus siue nomen in diuinis transla
tus a creaturis æquiuoce significat plura.s.& rem quę est in diuinis: & rem
quę est in creaturis.ergo &c.CSecūdo sic.illa pdicatio est multiplex scdm æquiuocationem ꝗ
affirmatiuā & negatiuam eiusdem prędicati & subiecti singularis potest habere simul veras:
quia hæc maxima,& primū principium omniū scientiarum.scdm phm.iiii. De quolibet vno
& eodem eiusdem affirmatio vel negatio vere:& non simul ambo. de deo autem qui est vnus
& singularis ambo.s.affirmatio & negatio eiusdem sunt simul verę:puta ista,deus non est bo
nus:Deus est bonus:quia scdm determinata ambę sunt expressiuę veritatis diuinorum, licet
vna magis ꝗ altera,vt patet ex prædeterminatis. non est autem expressiua veritatis ꝓpositio
circa aliquid nisi ipsa sit vera:quia verū non cognoscitur nisi vero.ergo &c.CIn contrariū est
illud ꝗd dicit Boethius de rebus decē prędicamētoꝝ quę sub eodē noie pdicatur de deo & de
creaturis.de Trini.cap.v.Hæc talia sunt qualia subiecta permiserunt. Sed in diuinis subiecta
non pmittūt quātū in se est illa aliud significare ꝗ subiectis diuinis congruit.illis autē non cō
gruit id qd significat in creaturis.dicete Boethio ibidem . Nam pars eorum in reliquarum
rerum prędicatione substantia est.Attamen cū in diuinā vertit quis prędicationem, cuncta

mutantur.Nam substantia in illo nõ est vere substãtia:sed vltra substantiã:idem qualitas &c.
Nomina ergo translata a creaturis ad diuina in prędicationibus diuinis non significat nisi id
qd̃ diuinis congruit.Illud autem nõ est nisi vnũ.dicēte Boethio ibidem de deo. Neq; aliud est
quod est,neq; aliud est qd̃ iustus:sed idem est esse deo qd̃ iusto, idē est esse deo qd̃ magno.Sed
non est ppositio multiplex scdm æquiuocationem propter prędicatũ,in qua terminus siue nõ
men qd̃ prędicatur non significat nisi vnũ & idem.ergo &c.

N
Responsio.

℄ Dico q; non est multiplex in oratione nisi propter ambiguũ impediens iudiciũ
veritatis, quod in ea est ad plures sensus quos per indifferentiam continet. & hoc siue ipsum
multiplex sit in oratione p se:vt multiplex amphibologicũ,siue p ptē eius, vt multiplex æqui
uocũ.Ex indifferētia ẽ orationis ad duos sensus causatur in ea ambiguũ:& ex ambiguo mul
tiplex.Vñ ista interrogatio,est ne verũ canem pane comedere an nõ:est multiplex scdm am=
phibologiã:quia ex ordine illorų duorų accusatiuorų.s.canē & panē ante illud verbũ comede=
re ambigua est oratio dicta:& p indifferentiã se habet ad duos sensus:quorũ vnus est sub tali
ordine verborų, canē comedere panē: & est verus:alter autem sub tali ordine verborų:Panem
comedere canē,& est falsus. Vñ respondendũ est ad illã interrogationē quia multiplex est plu
ribus responsionibus,distinguendo & dicendo q; verũ est scdm primũ sensum,& falsum scdm
secũdũ.Si ẽ vnica responsione & sine distinctione respõderet scdm primũ sensum dicēdo q;
esset verũ: argueret ex secũdo sic:Verũ est canē pane comedere:turtellus est panis:ergo verũ
est turtellũ comedere canē,qd̃ tñ aperte falsum est: falsum est ergo & cõcessum. Si etiã vnica
respõsione responderetur scdm secundũ sensum:dicendo q; non esset verũ:argueret ex primo
sensu sic:Non est verũ canem pane comedere:latrabile est canis:ergo non est verum latrabile
comedere panē:qd̃ tamen falsum est:falsum est ergo & concessum.Et sic vtroq; modo respon
dens apparēter saltē esset redargutus.Similiter ista interrogatio, est ne verũ omnē canem esse
animal an non: est multiplex scdm æquiuocationē:quia ex æquiuocatione huius nominis ca
nis qd̃ plura significat:ambigua est oratio dicta:& p indifferentiã se habet ad duos sensus:quo
rum vn⁹ est,quadrupes quoddã esse animal,& est verus: alter aũt, signũ cęleste esse animal:&
est falsus.Vnde ad illã orationē quia multiplex est, respondēdũ est pluribus respõsionibus,di=
stinguēdo & dicēdo q; verũ est scdm primũ sensum: & falsum scdm secũdũ. Si ẽ simpliciter
vnica responsione & sine distinctione responderet scdm primũ sensum,dicendo q; esset verũ:
argueretur ex secũdo sic.Omnis canis est animal: Sydus cęleste est canis:ergo sydus cęleste est
animal:qd̃ tñ aperte falsum est:falsum est ergo & cõcessum.Similiter si vnica respõsione respõ
deret scdm secũdũ sensum, dicendo q; non est verũ: argueretur ex sensu primo sic: Nullus ca
nis est animal latrabile:quadrupes est canis:ergo non est animal: qd̃ tamen falsum est : falsum
est ergo & concessum.Et sic etiã vtroq; modo respondēs esset apparenter redargutus.Vnde si
oratio talis qualis est aliqua dictarum interrogationũ determinatiõe aliquã haberet per quã
nõ ad vtrũq; sensum p indifferentiã se haberet,sed determinate,qd̃ ambiguũ tolleret,nec ipc̃
diret iudicium veritatis:nequaq̃ esset multiplex iudicanda:& vnica responsione secure posset
ad ipsam respõderi:vt si quęreretur sub tali ordine verborum: est ne verum canem comedere
panē! dicēdo q; sic:& si sub tali ordine verborum q̃reretur:est ne verum panē comedere canē:
dicendo q; non:Et si argueretur contra vtrãq; responsionem vt prius, respondēdũ esset vt ap
pareat responsiones esse bonas & absq; redargutione,distinguendo maiorem vt prius:quia si
cut multiplex fuit interrogatio,multiplex est & propositio. Et hoc contingit vniuersaliter in
ambiguo & multiplici scdm amphibologiam: & non sic in ambiguo & multiplici scdm æqui
uocationē:quia etsi interrogatio sit multiplex, & æquiuoca est & ambigua atq; indetermina
ta ad duos sensus:non ideo ppositio formata ex interrogatione sit multiplex & ambigua atq;
indeterminata ad duos sensus scdm se considerata. Nõ enim licet ista interrogatio sit indeter
minata atq; ambigua:et ideo multiplex:est ne omnis canis animal an nullus : quia est sub di=
stinctione:ideo oportet q; ista propositio omnis canis est animal, scdm se considerata sit inde
terminata siue ambigua & multiplex:quia prædicatum licet non restringat subiectum : bene
tamen determinat subiectum ad supponendũ determinate reddendo locutionem verã modo
pro forma : vt cũ dicitur homo est species: modo p supposito,vt cũ dicit homo currit:modo
pro significato deteriorato.s.p latrabili tm̃,vt cũ dicit Canis est aĩal:modo p psentibus:vt cũ di
homo currit:modo p pteritis:vt cũ dicit homo cucurrit:modo p futuris,vt cum dicit homo
curret, Nihilominus tñ talis propositio posita in syllõ in quo medius terminus est ille qui de

se est equiuocus,in ordine ad alteram simplex est & distingueda: & vice versa propositio altera similiter:vt si absq̃ vlla interrogatione præfacta arguat sic.Omnis canis est animal:sydus est canis: ergo sydus est animal.Qz̃ em illa maior,omnis canis est animal,ex determinatione subiecti a prædicato nec ambigua esset,nec multiplex,nec distinguenda:propter tamẽ equiuocationẽ termini medii verificantis vnam propositionẽ pro vno significato,& aliã pro alio:singula illarũ in ordine ad alteram distinguenda esset vt multiplex.Sicut autem in propositione seu enunciatione accepta secundum se prædicatum determinat subiectũ ad supponẽdũ pro forma vel pro supposito: vel pro aliquo significato,vel pro suppositis alicuius determinati temporis: sic etiam subiectum determinat prædicatũ ad supponendũ pro aliquo significato determinato:licet aliis modis non determinet istud:prout de p̃dicatis dicit Boethi⁹:& tactum est in vltimo argumento:Talia sunt p̃dicata qualia permiserunt subiecta.Quia igit in diuinis in omni propositiõe in qua p̃dicat nomen translatũ a creaturis ad vnum significatũ determinatur p̃dicatum a subiecto: dico q̃ nulla illarũ secundum se accepta vt est enunciatio,multiplex est aut distinguenda: sed determinate aut vera est aut falsa.Si tñ accipiatur vt p̃positio in syllogismo in ordine ad alterã:& nomen illud translatum sit medium in vtraq̃ ex ordine mutuo inter se: propter acceptionem medii termini in alia significatione in vna illarum & in altera:bene vtraq̃ illarum multiplex est & distinguenda:vt in tali paralogismo:omne iustũ iustificari potest adhuc:deus est iustus:ergo iustificari potest adhuc.Falsa.n.est conclusio:& vtraq̃ propositionũ distinguenda est:& cõtrariis sensibus maior & minor sunt veræ. Si em ly iustum significat iustũ per essentiã qd̃ est superiustũ, maior est falsa & minor vera. Si autem significat iustum per participationem, maior est vera & minor falsa: quæ tamen propter determinationem prædicati a subiecto,secundum se simpliciter vera est nec multiplex nec ambigua nec distinguenda.Secundum hoc ergo concedenda est vltima ratio.

P

❡Quod arguitur primo in oppositum,q̃ immo multiplex est secundũ equiuocationem:quia in ipsa est terminus equiuocus:Dico q̃ verum esset p̃positiõe accepta secundũ se in forma enũciationis nisi equiuocatio esset in p̃dicato determinata per subiectũ:non dico restricta:sicut cũ dicit canis latrabilis,restricta est equiuocatio illius termini canis.Nõ aũt quia determinata est per subiectũ,p̃pterea amittit multiplicationẽ: si accipiat.f.forma propositionis in syllogismo in ordine ad alterã propositionẽ,in qua terminus equiuocus est mediũ:sicut dictũ est.❡Ad secundũ q̃ in diuinis p̃dicatio affirmatiua & negatiua de eodem p̃dicato & subiecto singulari non sunt simul veræ:ergo est multiplex vtraq̃:Dico q̃ secundum iam dicta verum est vnam considerando in comparatione alterius:quia secundum prædicta affirmatiua supponit aut pro eo qd̃ est dignitatis in creaturis:& vt in creaturis est:aut supponit in quadam generalitate attributi pro eo qd̃ dignitatis in diuinis & vt in diuinis est:qd̃ facit affirmatiuam incompactã & mendacẽ: vt dictum est supra:& negatiuam quoquo modo veram.Negatiua em aut negatio illud qd̃ affirmat contraria affirmatiua supponit in affirmatiua metaphorica i particulari,id quod simpliciter dignitatis est in deo:vt patet ex prædeterminatis. Cõsiderando autem vtrãq̃ secũdum se:neutra illarũ multiplex est:& affirmatiua est vera proprie:& prædicatur prædicatum de deo per proprietatem:negatiua autem est vera metaphorice:secundum prædicta.

Q<br>Ad pri.p̃in.

R<br>Ad secundũ

Equitur Articu.LXXV.de diuinis prædicationibus in speciali,vbi quæruntur sex.Quorum

Primum:vtrum singula quæ sunt in diuinis de quolibet alio similiter existente in diuinis possint prædicari.

Secundum:vtrum singula illorum possint mutuo prædicari de singulis prædicatione affirmatiua.

Tertium:vtrum prædicatio vnius illorum de pluribus personis resoluenda sit in vnam singularem:an in vnam pluralem: dicẽdo pater est æternus,filius est æternus,spiritus sanctus est æternus : & sunt vnus æternus:an & sunt tres æterni.& sic de cæteris.

Quartum:vtrum econtra,prædicatio plurium personarum de vna illarum siue essentiali siue personali resoluenda sit in vnam singularem an in vnam pluralẽ: dicendo deus vel æternus est pater,deus vel æternus est filius,deus vel eternus est spiritus sanct⁹ & est vnus aliquis: an tres aliqui.

Quintum:vtrũ dictio exclusiua addita vni eorũ quæ sunt in diuinis ex parte subiecti aut ex parte prædicati excludat aliquid aliorum respectu subiecti aut respectu prædicati, dicendo solus aut

Ar.LXXV.

tm̄ pater est immortalis:non ergo filius aut spiritus sanctus est immortalis:aut dicendo pater est
tm̄ vel solum sapiens:non ergo est bonus.

Sextum:vtrum dictio exceptiua prēter aut prēterq̄ aut nisi possit excipere aliquid eorū̄ quę sunt
in diuinis ab aliis respectu predicati,aut respectu subiecti:dicendo nullus generat p̄ter patrē aut
p̄terq̄ seu nisi pater:pater nullum generat prēterq̄ seu nisi filium.

Irca primum arguitur q̄ aliqua sunt in diuinis quæ de nullo alio existēte in di
uinis possunt predicari,Primo sic.Boethi⁹ de trini.dicit sic.Ad aliquid omnino
predicari non pōt.& infra dicit de.vii.p̄dicamentis relatiuis.Reliqua vero neq̄
de deo neq̄ de cæteris predicantur,sed tamē ad aliquid siue relatio est aliquid
q̄d vere est in diuinis secūdum superius determinata.ergo &c. ꞇSecundo sic.
indiuidua substantię aut accidentis de nullo predicant secundū phm̄ in p̄dica
mentis,sed si non p̄dicant in creaturis vbi habent esse per compositionē realē:multo minus in di
uinis predicant illa quę ratione illorum habēt:cuiusmodi sunt substātia,quātitas, qualitas, indiui
duales,quare cū in diuinis non sit nisi vna singularis substantia:vna singularis qualitas : vna sin
gularis quantitas trium personarum.ergo &c. ꞇContra.quicquid est in diuinis aut est substantia
aut attributa,aut relationes,aut personę constitutę ex essentia & relatione,sed omnia ista predican
tur:quia de p̄sonis p̄dicant alia omnia.pater em̄ est deus secundum substantiā:magnus secūdum
quantitatem:bonus secundum qualitatem:similis secundum relationem.persona etiam prædica
tur de nomine substantię:dicendo deus est pater.ergo &c.

ꞇDico q̄ quęcunq̄ sunt in diuinis p̄dicari possunt,& per compositionem alteri
applicari vt predicatum subiecto secundū modū supra expositō in prima quęstione articuli pręce
dētis.Nec est hęc quęstio hic introducta nisi ad declarandum dictū̄ Boethii in primo argumēto.
Ad cuius intellectum sciendum q̄ super primo verbo assumpto in argumento,dicit Cōment.ex
ponendo illud sic,Ad aliq̄d.i.relatio nequaq̄ sicut id quo deus est,potest de ipso prædicari. Et hoc
vera essendi p̄dicatione:vt dicit sup secūdo verbo,Non ergo relationem dicit omnino non posse p̄
dicari de deo:sed non sic sicut alia p̄dicata absoluta predicāt de illo,videlicet sicut id quo de⁹ est
vera essendi p̄dicatione.& hoc(vt dicit Cōmēt.ibidē)quasi ex proprietate aliqua qua possit secun
dum se designari:siue ad aliud extra se facta sui collatione.sicut per se absq̄ sui comparatione ad
alterum homo designatur esse forma humana homo,qualitate corporis albus, quātitate eiusdem
corporis longus:vt qua ipsum subsistens est aliquid vera essendi ratione.De predicatione aūt rela
tionum dicit Boethius ibidē.Hęc omnis p̄dicatio exterioribus datur. Et post aliqua interposita
hanc differentiā magis explicans subdit dicens,Iam ne patet quę sit differētia p̄dicationum:q̄ alię q̄
dem quasi rē monstrāt:alię vero quasi circūstātias rei.Et iterum post aliqua interposita de relatio
nibus propriē dictis subdit.Maxime enim hęc non vident secundum se facere predicationem,quę
p̄spicue ex alieno aduētu cōstare p̄spiciunt,Cōmēt.Recte aūt & ex alieno & constare. nā̄ vera defi
nitione non secundum sed potius aliorū non modo dicuntur sed etiam sunt q̄ciūq̄ ad aliq̄d sunt.
Sed quid est hoc! nunquid deus sicut est deitate deus:sic est & paternitate pater!re vera nequaq̄.
ꞇAd cuius intellectū sciēda sunt quinq̄. Primo enim sciēdu est q̄ licet in creaturisnihil subsistat
nisi absolute:nec imponit secūdū nomen suū̄ nisi ab absoluto q̄d subsistit: & hoc siue significet in
definite:vt in creaturis homo magnus bonusq̄ue dicūt quale quid,& hoc sub ratiōe suppositi in
definiti idefinite significati:& rōne rei cōmunis vniuersalitate: siue significet definite : vt in cre
aturis id q̄d est homo.f.Petrus,Paulus,Andreas:quę sunt hoc aliquid rōne rei singularis quæ est
alia in vno supposito singulari & alia in alio:Dicitur em̄ aliquid quasi aliud quid:Sūt etiā hic ali
quis rōne suppositi & rei singularis & singulariter significatorum:In diuinis tn̄ indefinite signifi
cant idem vt deus magnus,bonus:quę etiā dicunt quale quid rōne suppositi indefiniti indefinite
significati,& etiā ratione rei cōis cōmunitate cōmunionis non vniuersalitatis . Definite aūt , vt
is qui est deus siue iste deus.f.pater & filius aut spiritus sanctus.Dico autem iste deus ad differen
tiam dei simpliciter dicti:non quomodo dicit propheta: iste deus meus & glorificabo eum: q̄a hic
dico iste deus ratione suppositi definiti definite significati:q̄d demōstrat ly iste principaliter:& ra
tione rei singularis simul,q̄d demōstrat in supposito tali.Ibi aūt propheta dicit iste deus rōne rei
singularis tm̄:rōne cuius demonstrat suppositū ly iste:non aūt rōne suppositi q̄d est ibi indefinitū̄
& indefinite significatum.Et supponit simul pro tribus licet indefinite.f.& pro patre & pro filio &
p̄ spiritu sancto:quorū quilibet est deus.Vnde stat ibi discretiue ad excludendū̄ deos putatiuos q̄
non sunt vere deus,aut vere dii.Vnde dicit propheta,Iste deus: ac si diceret adiūgēdo & nō ali⁹.

Hic aũt in noſtro propoſito nõ dicitur iſte deus de aliqua triũ perſonarũ diſcretiue quaſi non ſit
alius qui eſt deus:ſed diſcretiue quaſi quilibet illorũ eſt is qui eſt deus & non alius illorũ qui etiã
eſt deus.Pater eĩ ita eſt deus cp etiã alius eſt deus:puta filius & ſpiritus ſanctus:ſed pater ita eſt
pater cp nullus alius eſt pater:puta nec filius nec ſpirit⁹ ſanct⁹: & cp non ſit alius qui etiã eſt deus
puta nec filius nec ſpũs ſanct⁹. Vnde ibi ſit diſcretio tõne eſſentiæ:hic ratĩe pſone:& quęlibet ha
rũ triũ pſonarũ.ſ.pater,filius,& ſpũs ſanct⁹,hic aliqs:& hoc tõne pſonalitatis ſingularis quę eſt alia
in vna pſona ſingulari & alia in alia.dicit enim aliqs quaſi alius quis.Nõ aũt eſt aliqua illarũ reſpe
ctu alterius earũ hoc aliqd quaſi aliud qd.quia res ſingularis eadé eſt in tribus pſonis diuinis:licet
quælibet illarũ ſit hoc aliquid,& oẽs tres vnũ hoc aliqd reſpectu creature:& hoc tõne vni⁹ eſſen
tiæ ſingularis deitatis quę eſt in trib⁹ & communis illis. ¶Secũdo autem ſciendũ eſt cp cum in
definite dicit homo,deus,magnus,bonus,& definite Petrus,Paulus,Andreas,pater,filius,&ſpũs ſan
ctus,cp quilibet iſtorum eſt aut dicitur eſſe homo: & quilibet illorum eſt & dicitur eſſe deus, hoc
(vt dicit Boethius)refert ad ſubſtãtia qua eſt aliqd.i.homo vel deus:Q₂ aũt qlibet iſtorũ & illoꝝ
ſit & dicatur eſſe magnus:hoc refertur ad quãtitate qua eſt aliqd vt magn⁹.Q₂ vero quilibet illo
rum eſt & dicit eſſe iuſtus: hoc refertur ad qualitate qua eſt aliqd vt iuſtus.Deitate enim quę eſt
ſubſtãtia,aut humanitate,dicit quilibet illorũ deus aut homo.Magnitudĩe aũt quæ eſt quãtitas
dicit qlibet illorum magn⁹.Bonitate aũt quę eſt qualitas dicit qlibet illorum bonus. ¶Tertio ſcie
dũ eſt:cp in quolibet illorũ indefinite ſignificato.ſ.deus,homo,magnus,bonus: quorum quodlibet
ſignificat ſubſiſtens:eſt quatuor conſiderare.Primũ.ſ.cp ipſum ſubſiſtens eſt aliqd.Secũdũ, cp ſubſi
ſtens non eſt quo ipſum eſt id qd eſt.Tertiũ,cp nec eſt id quo aliqd eſt id qd eſt . Homine eĩ non
eſt homo homo:nec ſiſr aliqs illorũ q eſt homo:puta Petrus,Paulus,& qolibet ſingulariũ:nec qd
cunq aliud:nec deo deus eſt deus:nec ſiſr aliqs illorũ q eſt deus,nec quodcunq aliud. Nihil enim
ſubſiſtente eſt aliquid:ſed ipſum ſubſiſtens tãtũmodo eſt aliquid. Quartũ cp ſubſiſtens aliquo
ſubſiſtit qd eſt forma qua ſubſiſtit:vt deus deitate:homo humanitate:magnus magnitudine:bo
nus bonitate.In qua quidé qua aliqd ſubſiſtit ſiſr quatuor ſunt aduertenda.Primũ cp ipſa eſt aliqd
ſecundũ ſe.Secundũ cp ipſa nõ eſt ſeipſa: vt quo eſt aliqd.Tertiũ eſt cp nec eſt aliquo alio id qd eſt
Deitas eĩ non eſt deitate deitas:nec humanitate humanitas eſt humanitas:nec aliquo alio. Non
eĩ eſt aliquid cui forma innitit qua aliqd ſit:ſed ipſa eſt qua ſolũ ſubſiſtens innitit:& qua ipſum
eſt aliqd.puta qua ſubſiſtens vt homo vel deus vel quodlibet,contentũ ſub ipſis:puta Petr⁹,Pau
lus,Andreas,pater,filius,vel ſpũs ſanctus,eſt homo vel eſt deus,vel qua magnus eſt quicunq eſt
magnus,& ſimiliter bonus quicunq eſt bonus,& ſic de cęteris:qd eſt quartum. ¶Quarto ſciendũ
eſt cp in quolibet illorũ definite ſignificatorũ in creaturis q ſunt Petr⁹,Paulus,& Andreas: quorũ
quilibet eſt hoc aliqd & etiã iſte vel hic aliquis ſecundũ pꝛedictũ modũ,& ſignificat ſubſiſtens,eſt
ſiſr quatuor conſiderare vt prius.ſ.cp ipſa nec ipſm nec aliud ſubſiſtit : ſed ipſum tãtũmo eſt aliqd
& aliquo ſubſiſtit vt ſua forma,quę eſt hęc humanitas:& q in Sorte appellaret ſocratitas:& in Pla
tone platonitas:& ſic in cęteris ad placitum fingendo noĩa.In qua ſiſr eſt quatuor cõſiderare ſicut
prius:quia nec ipſa nec aliud aliqd eſt quo ipſa eſt aliqd:ſed ipſa ſolũ ſecundũ ſe eſt aliquid:& q ſub
ſiſtens eſt aliqd.Et ſic vltra in creaturis ſubſiſtens nõ eſt aliqd niſi qa forma qua ſubſiſtit eſt ſecundũ ſe
aliqd:nec etiã ipſum ſubſiſtens eſt aliqd:licet ecõuerſo forma non ſit hoc niſi qa eſt hui⁹.ſ.ſubſiſten
tis:& ſemp ſubſiſtens ſecundũ ſe eſt hoc.Qd cõtingit:qa eſſe ſimpliciter aliqd cõuenit rei tõne qua
eſt natura & eſſentia:& a deo exemplata.Ratio aũt eſſentię principaliter cõuenit formę:& nõ ſup
poſito niſi p formã.Eſſe aũt hoc vel hoc non cõuenit rei niſi tõne qua exiſtit:& eſt a deo facta.Ra
tio aũt factionis principaliter conuenit ſuppoſito:ſicut & ratio gñati,& non formę : niſi prout eſt
in ſuppoſito.Ex hoc etiã cõtingit cp ſecundũ pꝛ m.vii. Metaph. nomẽ qd eſt ſermo qditatis & eſ
ſentię,primo ſignificat formã:ſecundo aggregatum. Econuerſo aũt primo & principaliter genera
tur aggregatũ:ſecũdo aũt forma. ¶Quinto qd principaliter pertinet ad propoſitum ſciendum eſt
cp in quolibet illorum definite ſignificatorum quæ ſunt pater & filius & ſpiritus ſanctus:quorum
quilibet eſt iſte vel hic aliqs:licet non hoc aliqd ſicut dictum eſt:& ſignificat quodlibet illorũ ſubſi
ſtens:eſt etiam quatuor conſiderare:& quo ad duo illorum conſiſt:videlicet cp ipſo nec ipſum nec
aliud ſubſiſtit:ſed multũ diſſimiliter quo ad alia duo:quia ipſum modo aliquo ſubſiſtit: puta pa
ter paternitate vt ſua forma:ſed non eſt aliqd ipſa ſiue per ipſam:ſimiliter ipſa non eſt aliquid ſeip
ſa nec aliquo alio:quia ipſa non eſt aliqd ſecundum ſe:& ideo etiã nec ipſa ſiue pꝛ ipſam eſt aliqd,
ſcilicet quo ipſa ſiue p ipſam ſubſiſtit vt pater:ſed ſi ipſe pater eſt aliquid,hoc non eſt paternitate,
nec etiã inquantum pater eſt: ſed deitate & inquantum deus eſt: quia inquantum pater eſt: non
eſt aliquid:ſed ad aliquid:inquantũ vero deus eſt,aliquid eſt,non autem ad aliqd. Et ideo cum re

latiua prędicatione dicit,iste est pater:q̃uis in prędicato dicat est:non tamen ita dicit quasi id de
quo dicit sit id de quo prędicatur:aut aliquid eo:quia non posset esse aliq̃d eo nisi ipsum esset se
cundū se aliq̃d.Nā etsi quicquid aut q̃squis est pater,est:tamē non quo q̃d est quale vel quantum
est.Et sic esse patrē est esse:sed nō quomodo esse quale vel quantū est esse. Nā homo qui est albus
vel longus,est aliquid in eo q̃ est albus vel longus: quia albedo vel longitudo est aliquid : & pro
pterea etiā eū esse album vel longum,est eum esse aliquid. Sed qui est pater, non est aliquid in eo
q̃ est pater:quia paternitas secundum se nō est aliquid:& eum esse patrem non est eum esse aliq̃d
q̃a nec q̃ est pater aut est simpl̃r aut est aliq̃d in eo q̃ est pater: q̃uis ipse q̃a est pater vere sit & ve
re aliquid sit : quia pater deitatis essentia vere & simpliciter est : sumendo ly est vt est primo ad
iacens.Deitate aūt est aliquid sumendo ly est secundo adiacens.Pater vero paternitate non est ali
quid:sumendo ly est vt est secundo adiacēs,copulans rem quæ est vere aliquid subsistenti : nec
etiam paternitate est sumendo ly est primo adiacens,q̃d copulat subsistenti esse simpliciter q̃d ve
re aliquid est:sed solūmodo sumendo ly est secundo adiacēs q̃d copulat subsistenti non esse simpli
citer,nec aliq̃d esse,q̃d est res:sed esse ad aliquid solū,q̃d est circunstantia rei:sicut nec alia sex præ
dicamenta quę in diuinis secundum superius determinata reducunt ad prædicamentū relationis
significant siue in deo siue in creaturis esse simpliciter : aut aliquid quod est res vera: sed solum
modo esse ad aliquid, q̃d est circūstātia rei.secundū q̃ Boethius inducit per singula: vbi dicit de
trini.cap.ix.Nā vbi de deo vel de hoīe p̃dicari potest:de homine vt in foro:de deo vt vbiq̃:sed ita
vt non quasi ipsa sit res id q̃d p̃dicat:id q̃d &c.vt in.x.xi.xii.capitulis seq̃tib9.Q̃ d etiam speciali
ter declarat de relatione proprie dicta in cap.xiiii.de quibus accepimus p̃dicta de relationibus pro
prie dictis mixtim:partim.s.ex textu:partim ex cōmēto:addendo etiam aliqua verba ad declaratio
ne maiorē.Et possunt illa eadē applicari ad p̃dicatione aliorū sex p̃dicamentorum: vnde supra di
ctum verbū de vbi: Sed ita vt nō quasi &c.dicit Cōmēt.i.sed ita dicit eē vel homo in foro,vel de9
vbiq̃:vt q̃uis in prædicando ea dicitur est:non tamen ita dicat quasi ipsa res de qua dicit sit id.i.
habeat esse eo q̃d prædicatur.Nā est quidē quicquid in loco est:sed tamen illud esse in loco nō est
esse quomodo quale aut quantū est:& esse quale aut quantū est esse:vt homo qui est albus vel lon
gus est:& eū esse album vel longum est esse.Sed esse in foro non est esse,q̃uis qui in foro est vere sit
Nā esse in foro intelligitur circūfusus & determinatus:q̃d intelligitur non ex proprietate aliqua
qua possit secundum se designari.i.sine exeunte ad aliud extra se facta sui collatione monstrari: &
sic de cęteris:licet aliter de deo q̃ de creaturis:vt planius prosequitur Boethius & Cōmēt.ei9.Et
hoc totum contingit:quia relatio non dicit esse simpliciter & secundū se:sed solūmo ad aliud esse,
Et ideo cum dicitur de aliquo habente in se deitatem aut magnitudinē, aut bonitatem, q̃ est de9
magnus aut bonus:dicit q̃ prædicatur de illo.Cum vero dicit de aliquo habēte in se relatiōe:pu
ta paternitatem:aut esse in loco:aut aliquid cæterarum relationū:dicit Boethius q̃ prędicari non
potest neq̃ de deo,neq̃ de cæteris sicut cætera.Et intelligit(vt dicit Cōmēt.)vera p̃dicatione es
sendi:q̃ ipso p̃dicato cōuenit subiecto esse aliq̃d secundū se,non solū esse ad aliud aliq̃d.q̃d sit qua
dā collatione.Et sic nequaq̃ deus est paternitate pater:sicut est deitate deus:quia deitate sic est de9
vt deitate sit aliquid secundū se:& quo subsistit secundū se:q̃ etiam secūdū se est aliquid.Paterni
tate aūt est pater vt paternitate non sit aliquid secundū se:& quo subsistit secundum se:quia nec
ipsa est aliquid secundum se:quia ipsius relationis esse nō est esse aliquid: sed solūmodo esse ad ali
ud.Et ideo subsistēs relatione relatiue subsistit,& ad aliud subsistit,sicut etiam est ad aliud.In quo
est magna differentia inter absoluta quæ subsistunt absolute in creaturis:& inter relatiua quæ re
latiue subsistunt in diuinis.In creaturis ēm quę absolute subsistunt:puta homo aut iste hō:omne
q̃d subsistit est aliquid:& subsistens habet illo esse aliquid:& est oīe q̃d pertinet ad suam essentiā
tanq̃ forma abstracta a subsistente & supposito:vt ab homine humanitas, ab hoc homine hęc hūa
nitas,& qcq̃d continet in illa vt p̃tes ei9 essentiales exp̃sę in sua definitione:cuiusmodi sunt in hu
manitate animalitas & rationalitas:& in hac humanitate hæc animalitas: hæc rationalitas.Sicut
ēm homo est animal rationale,sic humanitas est animalitas rationalitas:& subsistit homo vt toto
quo subsistit,humanitate:& est humanitas aliq̃d,& ipsa homo est aliquid.subsistit etiā inquātū est
animal animalitate:sicut etiam animal inquantū est subsistens quoddam indefinitum & indefini
te subsistit animalitate:& est animalitas aliquid secundum se: & animal & etiam homo inquan
tum est animal:aliquid est animalitate. & eodem modo quo ad omnia superiora quæ intelligunt
in animalitate:videlicet sensibilitas,vegetabilitas,corporeitas,substātialitas,entitas.Homo ēm sub
sistit entitate inquantū ipse est ens:substantialitate inquantum est substantia : & sic de cæteris:&
singula sunt aliq̃d:& homo per illa habet esse aliquid.Subsistit nihilominus homo inquātum est

rationalis rationalitate:ſicut & rationale inquantum ſecundum ɋ ſupponit pro ſuppoſito eſt ſub
ſiſtens quoddã indefinitum & indefinite,ſubſiſtit rationalitate: & eſt rationalitas aliquid ſecundũ
ſe:& ſunt homo inquantum eſt rationalis & ipſum rationale ſtans pro ſuppoſito,aliquid rationali
tate.In diuinis autem in quibus aliqua abſolute ſubſiſtunt non ſignificando ſuppoſitũ ſubſiſtens:
ſed ſolummodo ſupponendo pro illo,vt ſunt oĩa ſubſtantialia concretiue ſignificata: puta ens, vi
uens,deus,intellectus,voles,magnus,bonus & cetera huiuſmodi:ipſum eſſe qd ſic ſubſiſtit eſt ali
qd:& quo ſubſiſtit ſubſiſtens,etiam eſt aliqd. Et eſt quo ſubſiſtit omne illud a quo nomen concre
tum imponitur tanɋ a forma:vt ab eſſentia ſeu eĩtate ens:a vita viuens:a deitate deus:ab intelle
ctu intellectus:a volũtate voles:a magnitudine magnus:a bonitate bonus. Eſt etiam quo ſubſiſtit
concretum:omne illud qd ſignificatur in abſtracto a quo nomen eius imponitur: puta in intelle
ctu ſignificatur vita entitas ſiue eſſentia: quia intelligens in eo ɋ eſt intelligens eſt viuens & ens:
ſicut quodãmodo homo in eo ɋ eſt animal,eſt corpus animatum,ſubſtantia, & ens. In diuinis ve
ro in quibus etiam aliqua ſubſiſtunt relatiue ſignificando ſuppoſitum ſubſiſtens: vt ſunt nomina
perſonarum pater,filius,ſpũs ſanctus:omne qd ſic ſubſiſtit eſt aliquid. Quo eĩ ſubſiſtit eſt oẽ qd
pertinet ad ſuam perſonalitatem:& eſt quaſi de integritate ipſius:& quaſi de eſſentia eiꝰ:ſicut par
tes definitiõis in creaturis ſunt de eſſentia definiti,& ſunt duo,ſcilicet eſſentia deitatis ſeu ipſa dei
tas cõmuniter in tribus perſonis:& ipſa perſonalis proprietas propria in qualibet pſona:puta pa
ternitas in patre cum eſſentia:filiatio in filio:actiua proceſſio in ſpiritu ſancto.Ita ɋ licet nomẽ pa
tris(& ſic de nomine filii & ſpũs ſancti)imponatur ſecundum voce a proprietate:ſecundũ rem tñ
nominis ſignificant eſſentiam cum proprietate,prout ſuperius aliquãdo declarauimus.Ita ɋ ſi pa
tri eſſet nomen impoſitum non plus ſecundũ vocem a deitate ɋ a paternitate:ſicut hoc nomẽ ho
mo qd ſignificat animal rationale:non plus impoſitum eſt a rationalitate ɋ ab animalitate:ſed ab
humanitate ſignificãte animalitatem rationalitate: vtputa ſi ſit nomen patris parens:tunc quodã
modo ſicut definitiue dicitur ɋ homo eſt animal rationale : & ɋ humanitas eſt animalitas ratio
nalitas: ſic definitiue diceretur ɋ parens eſt deus pater : ſumendo ly pater pro ſignificato & pro
concreto huius abſtracti paternitas:ſicut rõnale eſt cõcretũ huius abſtracti rationalitas. Sicut eĩ
parens eſt deus pater ſicut & paternitas eſt deitas paternitas:& ſicut dicitur homo ſubſiſtere hu
manitate:& omni eo qd in ſuo ſignificato includitur,ſcilicet rationalitate & animalitate:& etiam
omni eo qd in animalitate includitur:vt iam dictum eſt:ſic diceretur pares ſubſiſtere parentitate
& deitate,atɋ omni eo qd includitur in ſignificato deitatis:cuiuſmodi ſunt vita & eſſentia.Sed pa
rens inquantũ ſubſiſtit paternitate:quia paternitas eo ɋ eſt relatio non eſt aliquid : ſed ad aliqd ſe
cundum predicta,quo ſubſiſtit non eſt aliquid:nec etiam ipſum ſubſiſtens eſt illo aliquid.Inquantũ
vero ſubſiſtit deitate: quia deitas eo ɋ eſt abſolutum eſſentiale eſt aliquid:ideo & quo ſubſiſtit eſt
aliquid:& etiam ipſum ſubſiſtens eſt illo aliquid.Et ſic pater inquantũ ſubſiſtit eſt aliquid: & etiã
quo ſubſiſtit eſt aliquid:inquantum vero ſubſiſtit paternitate : nec ſubſiſtens eſt aliquid: nec quo
ſubſiſtit eſt aliqd: vtrũɋ. Et ſicut hoc dico de patre:ſic dico de filio & de ſpiritu ſancto.Et per huc
modum oẽ qd relatiue dicitur:eſt aliquid excepto relatiuo,ſecundum Aug.vii.de trini.cap.i. Qd
totum prouenit ex propria ratione relationis ſecundum ſuum genus:qua nihil realitatis in eſſen
do habet ex ſe: ſed ſolummodo eſſendi modũ:cum tamen predicamenta tria abſoluta ex ratione
ſui generis aliquid realitatis in eſſendo important.Vt propterea Boethius comparando ſepte pre
dicamenta relationis ad tria predicamenta abſoluta,dicat de tribus,Cum aliquis in diuinam pre
dicationem verterit,commutantur,puta ſubſtantia in ſuperſubſtantiam,& eſſentia in ſupereſſen=
tiam,& cetera hmõi:ſecudũ modum ſupra determinatum:& prout dicit ipſemet.Nam ſubſtãtia
in illo non eſt vere ſubſtantia:ſed vltra ſubſtan⸗iam.Item qualitas &c.quæ vocat illa quę predica
ri poſſunt.De aliis aũt.vii.dicit.Ad aliquid vero omnino non poteſt predicari neɋ de deo,neɋ de
creaturis.& per hoc nequaɋ mutantur a predicatione quã habent in creaturis:quia idem eſſe ad
aliud quod dicunt in relatione vnius creaturæ ad aliam:hoc dicunt in relatione vnius perſonę di
uinæ ad aliam. Sed ſi conſiderentur prout characterizatione quadam contrahunt realitatem a ſu
is fundamentis,ratione illius realitatis bene predicari poſſunt:& dicere de ſubiecto non ſolum ad
aliud eſſe:ſed etiam eſſe aliquid.Et cuncta relatiua ſicut & abſoluta mutantur cum quis illa in di
uinam verterit predicationem:nam ſicut in deo ſubſtantia non eſt vere ſubſtantia , ſcilicet talis
qualis eſt in creaturis:ſed aliquid vltra illam ſubſtantiam cum nomine ſubſtantiæ predicatur de
deo : ſic in deo paternitas non eſt vere paternitas , ſcilicet talis qualis eſt in creaturis: ſed aliquid
vltra illam paternitatem cum nomine paternitatis predicatur de deo:dicendo deus eſt pater. Sed

sorte de ista realitate aliter est in diuinis,aliter in creaturis:puta φ in creaturis ex characterizatio
ne relationes contrahunt aliā realitatem quoquo modo ĝ sit realitas fundamentorum: vt propter
ea non possit dici φ similitudo sit albedo,In diuinis autē ex characterizatione non contrahunt aliā
realitatem ĝ sit realitas fundamenti:vt propterea bene dicatur φ paternitas sit deitas.

**M**
**Ad pri.prin.**

CEx quibus patet responsio ad dicta in primo argumento:& quomodo concedē
dum est vltimum argumentum.CQd vero dicitur in secundo argumento : nihil in deo est nisi
**N**
**Ad secundũ.**
singulare,qd de nullo predicatur:Dico φ illud intelligitur de nullo sibi subiecto in linea predica
mentali:in qua sub singulari nihil potest cōtineri,Potest singulare cum se habet in forma subsistē
tis & singulariter,bene predicari de illo cuius est forma, & quo habet esse aliquid secundũ dictũ
modum:quemadmodum etiam accidens singulare pdicatur de suo subiecto singulari.

**O**
**Quæst.ii.**
**Arg.i.**

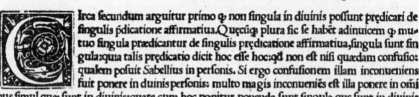

Irca secundum arguitur primo φ non singula in diuinis possunt predicari de
singulis pdicatione affirmatiua,Quecũq plura sic se habet adinuicem φ mu
tuo singula predicantur de singulis predicatione affirmatiua,singula sunt sin
gula:quia talis predicatio dicit hoc esse hoc:qd non est nisi quædam confusio:
qualem posuit Sabellius in personis. Si ergo confusionem illam inconueniens
fuit ponere in duinis personis: multo magis inconueniēs est illa ponere in omni
bus simul quæ sunt in diuinis:quare cum hoc ponitur,ponenda sunt singula quę sunt in diuinis
**2** predicari de singulis:hoc ergo ponere est inconueniens.CSecundo sic, cum in diuinis non sint ni
si essentialia & personalia:sed essentialia non possunt predicari de personalibus:nec econuerso:nec
personalia abinuicem: nec essentialia abinuicem: nec vna cōmuni ratione:sic quacunq formalib9
rationibus abinuicem distinguuntur,& ratione materiali conueniunt: abinuicem mutuo predi
cari non possunt:puta homo de asino,licet conueniant in animali:& vniuersaliter differentia secũ
dum formam,licet conueniant in materia.Sed quæcunq sunt, rationibus formalibus abinuicem
differunt:vt essentialia a personalibus:sicut absoluta essentialia a relatiuis personalibus:& diuersa
absoluta inter se diuersis rationibus ex diuersis respectibus rationalibus conceptis,& diuersa rela
tiua secundum diuersos respectus reales,secundum φ hæc patet ex supra determinatis. ergo &c.
Q2 essentialia non possint predicari de personalibus arguitur:quia nec in abstractione,dicedo de9
est deitas,bonitas,aut aliquid cæterorum:nec in concretione,dicendo pater est deus,bonus,aut alī
**3** quid cæterorum.ergo &c. CQ2 non in abstractiōe arguitur tertio sic. Si pater est deitas,bonitas,
aut aliquid cæterorum:cum quodlibet illorum huiusmodi sit aliquid,immo hoc aliqd
in diuinis secundum tacta in precedenti quastione:pater ergo in eo φ pater,esset aliquid: immo
**4** hoc aliquid.consequens falsum est secundum tacta ibidem,ergo &c.CQuarto sic.si pater esset dei
tas,eadem ratione & filius & spiritus sanctus.quare cum non sit nisi vna singularis deitas:& quæ
**5** vni & eidem numero sunt eadem,inter se sunt eadem,ergo &c.CQ2 non in concretione arguitur
quinto sic.si pater est deus,bonus,aut aliquid cęterorum:cum quodlibet illorum est quale quid se
cundum predicta:patet ergo esset quale quid.consequens falsum est secundum predicta. ergo &
antecedens.& si non possint illa essentialia predicari de patre,ergo eadem ratione nec de filio : nec
**6** de spiritu sancto:& multo fortius nec de ipsis relationibus,quę sunt paternitas & filiatio & huius
modi.CQd etiam specialiter arguitur sexto sic.si paternitas, filiatio,aut aliquid cæterorum esset
deitas aut deus bonitas aut bonus aut aliquid cæterorum:cum hęc sint absoluta,illa essent abso
**7** luta,consequens falsum est,ergo &c.Confimili ratione nec personalia predicantur vllo modo de
essentialibus.CSeptimo sic,si de deo,aut de deitate,aut de aliquo cæterorum absolutorum dicere
**8** tur φ esset pater aut aliquid cæterorum:cum pater & paternitas & cætera talrū dicunt relatiuē
omnia illa dicerentur relatiue,consequens falsum est.ergo &c.COctauo sic specialiter de personis.
**9** predicatum se habet in ratione formę & inhęrentis respectu subiecti:non sic autem se habent per
sonalia ad essentialia : sed potius econuerso,ergo &c. CNono sic. magis commune per se natum
est predicari de minus communi & non econuerso:vt homo de Sorte:& non Sortes de homine.
**10** quare cum essentialia communia sint respectu personalium,ergo &c. CDecimo sic,si persona prę
dicaretur de essentia:cum persona sit per se subsistens:quare & essentia. consequens falsum est.er
**11** go &c CVndecimo sic.essentia non est distincta:persona est distincta.Affirmatio autem & nega
tio eiusdem prædicamenti in eodem subiecto nunĝ concurrunt.ergo &c.Cldem arguitur speciali
**12** ter de diuinis prædicationibus duodecimo sic.Qd est proprium solius personæ,nec de essentialib9
nec de relationibus prædicari potest:quia illa non sunt personæ:omnes actiones & passiones diui

ne,puta gñare generari:spirare spirari,sunt ppria psonis diuinis:ga nihil nisi persona generat aut generat:spirat aut spiratur:vt determinatum est supra,ergo &c. Qz si essentia nõ generat:multo minus essentia aut aliquid cæterorum est generatio aut econuerso. CQz autem personæ aut per- **13** sonalia non possunt ptædicari adinuicem, arguitur.xiii.sic. cuncta personalia aut sunt disparata: sicut generare & spirare,aut relatiue opposita.sed talium vnum de altero non potest prædicari:ga aliter pater esset filius aut econuerso,& si pater esset filius:arguẽdo per locum a coniugatis. ergo paternitas esset filiatio:& sic de cæteris.consequens falsum est.ergo &c. CQz etiam essentialia nõ **14** possunt prædicari adinuicem.xiiii.arguitur sic.essentialia in diuinis sunt voluntatis & intellect⁹, quæ nequaq̃ adinuicem possunt prædicari:quia tunc sicut voluntas vult,sic intellectus vellet : & econtra sicut intelligit,& voluntas intelligeret . consequens falsum est. ergo &c. CQz etiam nec **15** idẽ essentiale in abstracto possit prædicari de seipso concreto aut ecõuerso, arguitur.xv.sic. Si dei tas esset deus,cum deus generet,& deitas generaret:& econuerso si deitas esset deus, cum deitas non generet,deus non generaret.consequentia falsa sunt,ergo &c. CIn contrarium primo arguitur **In oppositũ** q̃ singula in diuinis possunt prædicari de singulis,sic.quecunq̃ sunt idem numero, adinuicẽ pos- **primo.** sunt prædicari:quia secundum Boethium nulla est verior illa in qua idem prædicatur de se . sed quecunq̃ sunt in diuinis,sunt idem numero:quia in diuinis non est nisi vna res singularis, ergo &c.CPræterea arguitur q̃ essentialia possunt prædicari de personis & econuerso,sic.in diuinis idẽ **2** est qd est & quo est,secundum Boethium. & talia adinuicem bene prædicantur. qd est,essentiale est:quo est,personale.ergo &c. CTertio arguitur q̃ essentialia prædicantur de personalibus,sic.in **3** essentialibus & per se prædicationibus si concretum de concreto : & abstractum de abstracto.Ista autem prædicatio essentialis est & per se in concretis,pater est deus:quia prædicatum est de ratio ne subiecti.ergo & ista in abstractis,paternitas est deitas. CQuarto q̃ econuerso relationes prædicã **4** tur de essentialibus,arguitur sic.deitas est illud quo pater generat . Ipsa enim secundum superius determinata,est principium omnium diuinarum actionum.sed generat paternitate:quia pater ge nerat inquantum pater est:est autẽ pater paternitate,ergo &c. CQuinto q̃ personæ nõ possunt ab **5** inuicem separari arguitur sic.Pater generando filium genuit deum,nõ autem alium a se,ergo ge- nuit deum qui est ipse:ipse autem est pater,ergo filius est pater:& eadem ratione pater est filius,er go &c. CSexto q̃ essentialia possunt prædicari adinuicem:dicendo deus est bonus:bonus est ma **6** gnus:arguitur. quia tales prædicationes recipiuntur in creaturis eorũ quæ magis abinuicem differunt.q̃ si concretum de concreto prædicatur : multo fortius abstractum de abstracto. deitas est bonitas : bonitas est magnitudo: quia abstractio magis congruit diuinis q̃ concretio:vt habi- rum est supra.CSeptimo q̃ essentiale abstractum nõ possit prædicari de concreto,arguitur sic.Si **7** deus est bonitas (idem est iudicium de vno & de altero )ergo bonitas est deus,sicut ergo deus est bonus bonitate,sic est bonus deo,sed non est bonus deitate: bonitate autem deus est bonus . deus ergo non est bonus,qd est contra pdicta.Itẽ econuerso:si deus vel deitas esset bonus:cum bonitate sit bonus:ergo deitate esset bonus: qd falsum est secundum prædicta,ergo &c.

**P**
CDico q̃ ista quęstio vniuersalis est,contingens modos prædicationis in abstra- **Responsio.** ctione & concretione:& quoscunq̃ alios plures in diuinis.Tãgit etiam ea quæ in diuinis prædica ri possunt:vt sunt essentialia & personalia,siue fuerint personæ,siue proprietates personarum. & hoc mediante hoc verbo est : vt est secundo adiacens . Et quia prædicatio principaliter tangit ea quæ prædicantur:idcirco prosequenda est quæstio hæc generaliter & communiter de essentiali- bus & personalibus quo ad illorum prædicationem. Secundo specialiter de essentialibus quo ad prædicationem diuersorum essentialium vnius de altero,& cuiuslibet de seipso.Tertio specialiter de personalibus quo ad illorum prædicationem diuersorum vnius de altero : & cuiuslibet illo- rum de seipso,Quarto de essentialibus comparatis ad personalia quo ad prædicationem essentia- lium de personalibus & econuerso,De quibus possent fieri plutes quæstiones:sed clarius simul de **Q** terminabuntur.CCirca primum primo distinguendum puto ex parte eorum quæ prædicantur: & deinde immiscendum distinctionem modorum:dicendo q̃ ea quæ prædicantur aut sunt possi bilia prædicari in diuinis & de diuinis mediante hoc verbo est:aut prædicantur per se,aut per ali ud.Isto secundo modo dicitur q̃ in diuinis est quædam prædicatio per identitatem:talis scilicet, q̃ quicquid est in diuinis:quia idipsum est & vna res singularis absoluta plurificata solũmodo se cundum rationem absolutam aut respectiuam,abstractam, & concretam in diuinis : siue fuerint

plura essentialia,siue fuerint plura personalia:vt personæ plures , aut vt proprietates plures, siue
fuerint essentiale & persona,siue essentiale & proprietas,siue persona & proprietas,siue in abstracto,siue in concreto significetur.Idcirco singula illorum de singulis prædicari possunt & in abstra
ctione,& in concretione per identitatem quæ fundatur super illud vnum:eius tamen plurificatione secundum rationem:prout superius est expositum de relationibus cõmunibus:dicendo ꝙ hoc
est hoc:quia est idem illi in substantia vnius rei singularis. secundum ꝙ ꝓcessit prima obiectio ad
secundam partem.℟Sed si per talem identitatem in vno secundum substantiam quęcunꝗ diuersa
siue distincta re aut ratione in diuinis possent mutuo de se inuicem prædicari absoluta prędicatio
ne secundũ modum quo sunt distincta: tunc postꝗ talia diuersa in diuinis sunt eadem secũdum
substantiam:quia sunt vnum in substantia:cũ sint etiam equalia secundum quantitatẽ: quia sunt
vnum in quantitate:licet non similiter sint similia:quia non sunt vnũ in qualitate:sed tantũmodo
personę inter se sunt similes:vt habitum est supra,loquẽdo de relationibus cõmunibus:Eadem ergo ratione per talem æqualitatem in vno secundum quantitatem quæcunꝗ diuersa seu distincta
sunt in diuinis re aut ratione,possent mutuo deinuicem prędicari,& dici singula de singulis præ
dicari secundũ æqualitatẽ:sicut & secundũ idẽtitatem: ꝙ tamẽ non est consuetum.Nec iterũ est
modus conueniens dicere ꝙ per talem identitatem aliqua possunt dici prædicari de inuicem præ
dicatione absoluta:quia genus & differentia licet vnam & eandem rem singularem in indiuiduo
hominis significent:vt hoc animal,& hoc rationale in Petro:sicut & animal simpliciter & rationa
le simpliciter in homine:tamẽ secundum philosophum genus de differentia prædicari non potest:
vt animal de rationali:quia vt dicit,vnus homo esset plura animalia.Preterea si propter talem idẽ
titatem singula possent prædicari de singulis,cum in diuinis tanta sit identitas personarũ, & etiã
singularum personalium proprietatum in vnitate substantię singularis quanta & quorũlibet alio
rum,Si ergo aliqua aliorum per dictam idẽtitatem deinuicem possent prædicari:dicendo deus est
bonus, vel deitas est bonitas : eadem ratione & vna persona posset prædicari eodem modo de al-
ra:dicendo pater est filius & econuerso: & vna proprietas de alia dicendo paternitas est filiatio &
econuerso.Cõsequens falsum est,quoniam illa distinguit relationis oppositio: propter quam non
sic sunt vnum inter se : sicut & inter se vnum sunt essentialia. iuxta illud quod excipiendo dicit
Ioannes Damascenus. In diuinis omnia sunt vnum præter ingenerationem generationem, &
spirationem . Quare etsi essentialia per dictam identitatem adinuicem prædicari possent:non tamen personę vel proprietates personales,Et sic saltem: illud dictum per exceptionem verificari deberet vt essentialia dicerentur prædicari adinuicem per identitatem : non autem personalia. Sed
nec sic possunt dici prædicari absoluta prędicatione adinuicem etiam essentialia.licet enim hęc sit
vera,bonitas in diuinis est idem magnitudini:ex hoc tamen non sequitur ꝙ bonitas est magnitu
do:sicut non sequitur,pater est idem filio,ergo pater est filius: aut differẽtia est idem generi,ergo
differentia est genus.Mihi igitur videtur ꝙ dicta identitas eorum quæ sunt in diuinis,nõ sit suf
ficiens causa aut ratio prædicandi adinuicem aliqua quæ sunt in diuinis.Dico prædicatione abso
luta absꝗ expositione & speciali intellectu alio ꝗ termini prætẽdũt.Nec tamẽ propter talem expo
sitionem quælibet prædicatio in diuinis est recipienda:vt iam declarabitur. Vnde respondendum
est ad dictam rationem probantem ꝙ in diuinis singula deinuicem possunt prędicari : quia sunt
idem vt dictum est:& secũdum Boethium nulla propositio verior est illa in qua idem prędicatur
de se:dicendo ꝙ verum est inquantum est idem & prædicando & explicando identitatẽ in recto:
& id cui subiectum est idem in obiecto:dicendo pater est idem filio:& sic de cęteris:vel sic,magni
tudo est bonitas:& id ꝙ est magnitudo est id ꝙ est bonitas.Sed ex hoc nõ sequitur ꝙ ꝓdicatio
ne absoluta vnum illorum per seipsum possit prædicari de altero:vt patet in genere & differẽtia,
& animali & rationali.Eo eı̃ ꝙ animal tanꝗ genus significat de homine,ꝙ est:rationale vero tã
ꝗ differentia contrahens & determinans genus, quo est:licet homo est ꝙ animal:animal tamẽ tã
ꝗ materiale in significato hominis non est hoc.f.homo:nisi quo vt formali,f.rationali: & est homo
compositus ex genere & differẽtia:sicut ex eo ꝙ est & quo est ipse homo. Et ideo nequaꝗ potest
animal prædicari de rationali:quia vt dicit philosophus,vnus homo esset plura animalia : & hoc
per hunc modum:quia cum differẽtia prædicatur de specie:puta de homine rationale:vt quo est
aliꝙ secundũ prædicta:si genus puta animal ꝓdicareſ de rationali:aial includereſ in significato ra
tionis:& sic hõ ex eo ꝙ rõnale esset animal. Differẽtia aũt est extra rõnẽ generis: & sic hõ eẽt aial
ꝑter hoc ꝙ est rõnale:esset ergo aial ꝑter rõnale: & cum hoc esset etiam animal ex eo ꝙ est rationale,& sic necessario vnus homo esset plura animalia.Patet etiã in proposito in patre & filio. Eo

enim cp relatiue opponuntur : & sic non sunt idem, sed diuersa, immo potius distincta, nequacp vnum illorum prædicari possit de alio:& per idem nec vna proprietatum relatiuatum de altera dicendo paternitas est filiatio: quia sunt quo personæ referuntur & distinguntur abinuicem. Et secundum hoc concedenda est prima ratio ad primam partem inducta:super quã tamē reuertemur. ¶Ad maiorem autem declarationem dictorum:ne omnino videamur reprobare prædicationem per identitatem:est aduertendum cp secundũ superius determinata de relationibus communibus:duplex est modus identitatis. Vnus quo aliquid dicitur idem sibi : qui est ratione totalitatis eorum quæ sunt eadem, & ideo in nullo modo debet esse eorum differentia aliqua . Sic enim nihil dicitur idem alicui per hoc cp aliqua substantia vna est amborum. Vnde tali identitate est quidlibet sibi preciso idem in diuinis vt pater patri, paternitas paternitati, bonitas bonitati, & cætera huiusmodi:siue sumantur ambo in abstracto:siue ambo in concreto. Et est talis prædicatio per idētitatem, qua scilicet prædicatur siue dicitur hoc scilicet subiectum, esse idem quod hoc scilicet prædicatum, & hoc in recto. Alius autem est modus identitatis quo aliquid dicitur idem alteri:qui est ratione partialitatis vel quasi: seu alicuius qd est aliquid vtriuscp eorum quæ sunt eadem:& ideo non potest esse nisi differentium:quorum vtrunque habet aliquid sibi proprium & aliquid commune cum altero,& tali identitate sibi inuicem eadem sunt quæcunque sunt in diuinis. Et sic de tali prædicatione per identitatem bene procedit prima obiectio ad secundam partem:& secundum eam pater est idem filio:& paternitas filiationi:& deitas bonitati:& sic de cæteris. Et tali prædicatione per identitatem prædicatur siue dicitur hoc, scilicet subiectum, non esse idem qd hoc, scilicet prædicatum:& hoc in recto:sed solum dicitur in obliquo cp est idem huic. Ex tali autem prædicatione per identitatem non sequitur prædicatio absoluta de quo est : dicendo hoc est hoc, prout iam declarauimus:& hoc quia talis prædicatio sicut confunderet personas:dicendo pater est filius & econuerso, sic confunderet proprietates:dicendo paternitas est filiatio & econuerso, confunderet etiam attributa & omnia essentialia:dicendo bonitas est veritas & econuerso. Quod quia non est ponendũ in diuinis:ideo talis prædicatio per identitatem omnino neganda est in diuinis vt procedit prima obiectio ad primam partem, & bene, quæ secundum hoc concedi tur. Secundum hoc etiã bene procedit secunda ratio ad eandem partem etiam concedenda, quæ exprimit causam quare non est concedēda:scilicet propter propria quibus quędã in diuinis distinguunt abinuicē vt attributa suis rationibus, & propria suis proprietatibus, & proprietates seipsis. super illas tamen rationes iam reuertemur. ¶Circa secundum propositorum est aduertendum cp in diuinis essentialibus sunt aliqua rationibus diuersis distincta:quarũ vna includit aliam:& talia bene prædicantur inuicem & omnino proprie & per se:si illud cuius ratio tanq cõmunior includitur in ratione alterius,de illo prædicat in cuius rōne sua ratio includit:puta in ratione deitatis includitur ratio entitatis:& ideo bene dicitur deitas est entitas, & omnino proprie & per se,& ecõuerso entitas est deitas: sed non ita proprie: quia quodãmodo per accidens:scdm cp per accidens de magis communi dicit prædicari minus commune vt homo de animali dicendo animal est hõ. Sic etiã entitas prædicatur de quolibet diuino attributo:dicendo bonitas, veritas,& sic de cæteris est entitas.sed nõ ita proprie dicitur econuerso:entitas est bonitas aut veritas. Et per hũc etiam modum attributum cuius ratio est cõmunior prædicat proprie de alio in cuius ratiõe sua ratio includit: sicut cũ dicitur intellectus est vita,aut voluntas est vita:& econuerso:vita est intellectus aut voluntas : sed minus proprie. ¶Quę vero sunt in diuinis distincta rationibus quarum vna non includit aliam,illa tali modo inuicē non possunt prædicari:dicēdo bonitas est veritas,aut ecõuerso:& hoc loquēdo de prædicatiõe abstracti de abstracto . Per hũc etiã modum non dicitur deitas est bonitas:veritas,aut aliqd cæterorũ.Deus eñ siue deitatis nomē imponit essentię non sub ratione essentię vt est aliquid simpliciter:sed potius sub ratione substantię, vt videlicet nata est subiici dignitatibus attributalibus:modo quodã quo in creaturis aliquid subiicit accidentibus:quod tamē nõ est proprie subiici siue subsistere in diuinis,propter qd non est oĩno simile.dicente Augvii.de tri.ca.v.Omnis res ad seipsam subsistit:quanto magis deus!si tamen dignũ est:vt deus dicatur subsistere . De iis enim rebus recte intelligitur in quibus subiectis sunt ea quæ in aliquo subiecto esse dicitur:sicut color aut forma in corpore.Corpus eñ subsistit,& ideo substantia est, illa vero in subsistente aut in subiecto corpore,quę non substantię sunt sed in substantia: & ideo si esse desinat vel ille color,vel illa forma, non adimit corpori esse : quia non hoc est ei esse,quod illam vel illam formam coloremve retinere.Res ergo mutabiles non simplices dicuntur substantiæ.Deus autem non subsistit vt substantia proprie dici possit:& esse in eo pprie aliquid tanq in

ſubiecto:& non ſit ſimpliciter cui hoc ſit eſſe,quod eſt illi quicquid aliud de illo dicitur:ſicut ma
gnus omnipotens bonus:& ſi quid de eo non incongrue dicitur.Nefas eſt em̄ dicere vt ſubſiſtat
& ſubſtet deus bonitati ſuæ : atq̃ illa bonitas non ſubſtantia ſit vel potius eſſentia, neq̃ ipſe deus ſit bonitas:ſed bonitas ſit in illo ſic tanq̃ in ſubiecto. Vnde manifeſtum eſt deum abuſiue ſub
ſtantiam vocari:vt nomine vſitatiore intelligatur eſſentia,q̃ vere ſic proprie dicitur : ita vt fortaſſe ſolum deum dici oportet eſſentiam. Eſt enim vere ſolus quia incommutabilis eſt,idq̃ ſuum
nomen famulo ſuo Moyſi enarrauit cū ait.Ego ſum qui ſum:& dices ad eos , qui eſt miſit me ad
vos.Reuera deus nō vere ſubſtantia dicitur:vt ſub vera rōne ſubſtantię hoc nomen deus impoſi
tum ſit in diuinis eſſentię ſub ratione ſubſtantię:& hoc quia illa quæ ei inſunt , non vere inſunt
vt accidentia.Aliquē tamen habent modum eſſendi in:vt diſpoſitiones quędam:quæ quaſi acci
dentia diuina ſunt:& quaſi quantitates aut quaſi actiones, & cætera huiuſmodi,dicente eodem
libro decimoquinto.Si immortalis dicimus,æternus,incommutabilis,viuus,ſapiens,potens,ſpecio
ſus,iuſtus,bonus,beatus,ſpiritus,horum omnium nouiſſimum qđ poſui quaſi tantummodo videtur ſignificare ſubſtantiam:cętera vero huius ſubſtantię qualitates.Et ſumit ibi qualitates pro
diſpoſitionibus.Aeternus etiam potius quātitatem q̃ qualitatem quæ diſtinguitur contra quan-
**Z** titatem,nominat.Sic ergo hoc nomen deus imponitur a ratione ſubſtantię diſtincta contra ratio
nes attributorum:quemadmodum ratio verę ſubſtantiæ in creaturis diſtinguitur contra rationes verorū accidentium. Et ſic ratio dei ſiue deitatis qua imponitur nomen eius eſſentię ſub ratione ſubſtantiæ,ex oppoſito diſtinguitur contra rationes attributorum,nec ratio attributi includit rationem deitatis:nec econuerſo:ſed ambæ includunt in ſe rationem eſſentiæ ſiue entita-
tis.Et propter dignitatem iſtarum rationum diuinarū q̃ eſt ratio eſſentię vel entitatis & eſſe ſiue
qui eſt,eſt nomen dignius q̃ hoc nomen deus:licet quo ad translationē huius nominis eſſe a crea
turis ad diuina,dignius nomen eſt deus:eo q̃ non eſt translatum, ſecundum ſuperius determinata de diuinis nominibus.Licet etiam hoc nomen deus ſit ſimpliciter dignius q̃ aliquod
attributorum:eo q̃ ſingulum illorum imponitur a ratione pertinente ad ſingulam dignitatem
ſimpliciter:nomen autem dei imponitur a ratione ſubſtantię vt eſt ſubiectum omnium illorum
quæ pertinent ad dignitatem ſimpliciter:& hoc ſub ratione excellentię & pręminentię.Vt enim
dicit Auguſtinus primo de doctrina Chriſtiana,omnes latinæ linguæ ſcios cum aures eorum te-
tigerit:mouet ad cogitandum excellentiſſimam quandam immortalemq̃ naturam. non q̃ im-
mortalitas,impaſſibilitas,& cætera quæ ad dignitatem ſimpliciter pertinent,ſignificentur hoc no
mine deus vel ſimpliciter,vel ſub ratione excellentiæ:ſed q̃ ſignificat eſſentiam ſub ratione ſubſtantię,non vt ſubiectum eſt eorum,vel eorum in ſe ſimpliciter receptiuum, ſed vt eſt ſubiectum
& illorum ſuſceptibile ſub ratione excellentię ſiue præminentiæ.Quod intelligo per hoc quod di
**A** xi ſupra de diuinis nominibus,q̃ ſignificat quaſi ſummam diuinorum attributorum . ¶Loquen-
do autem de prædicatione concreti de concreto eorum quæ in diuinis diſtincta ſunt rationibus:
quarum vna non includit aliam:ſingula eſſentialium in diuinis bene prędicantur de ſingulis,di
cendo deus eſt bonus,& econuerſo:magnus eſt bonus,& econuerſo:ſed aliter & aliter.& hoc quia
ęque proprie in illis quorum vnum non includit rationem alterius:nec eſt per ſe:& primum ſub
iectum illius vt in attributis.Sicut enim quaſi per accidens dicitur bonus eſt magnus:ſic ecōuerſo quaſi per accidens dicitur magnus eſt bonus: quia non niſi quia eidem conuenit eſſe bonum
vt magnum quaſi ſubiecto,vt diuinę ſubſtantię in deo:licet quodammodo illa magis ſit quaſi per
accidens,bonus eſt magnus:q̃ illa,magnus eſt bonus:eo q̃ qualitas in diuinis ineſt quodammo
do illis mediante quantitate:ſicut & in creaturis.vt habitum eſt ſupra loquendo de relationibus
communibus.Sed in illis quorum vnum includit rationem alterius,magis proprie prædicatur il
lud cuius communior eſt ratio de altero q̃ ſubiiciatur . Vnde hæc eſt magis propria , bonus eſt
ens:q̃ conuerſa,ens eſt bonus:ſicut iſta magis eſt propria homo eſt animal, q̃ iſta,animal eſt ho-
mo.Et ſimiliter iſta,deus eſt ens,magis eſt propria q̃ iſta ,ens eſt deus.Ens enim inquantum dici
tur ab eſſentia,non habet rationem ſubiecti:ſed ſolūmodo rationem communis.In illis vero quorum neutrū in ſua ratione includit rationem alterius:ſed vnum eſt alterius quaſi ſubiectum,ma
gis proprie ſubiicitur illud qđ habet rōnem ſubiecti. Hæc enim eſt magis ꝓpria:deus eſt bonus:
quia deus a ratione ſubſtantiæ imponitur:quæ habet rationem ſubiecti: & bonus a ratione qualitatis,quæ habet rationem inhęrentis ſubiecto:q̃ illa,bonus eſt deus:ſicut iſta magis eſt propria:
homo eſt albus: q̃ illa,albus ſiue album eſt homo : quia vna eſt ſecundum ſe:altera vero ſecun-

dum accidés.Sic ergo per prædicationem se habét inter se essentialia diuersa comparata inter se, ¶Sed est aduertendum ꝙ in primo modo,quo scilicet vnum includit rationem alterius,& est p̃ dicatio omnino propria,quando cõmunius cuius ratio includitur in ratione alterius prędicatur, est duplex modus predicandi.Vnus scilicet de quo est per identitatem:modo quo pars & totum sunt idem secundum primum modum prędictum identitatis:& exponitur superius in relationi bus communibus de toto & parte.Alter vero de quo est per informationem specialem:quia prę dicatum denominando subiectum est quo ipsum aliquid est substantialiter.& ideo ad prędicatio nem concreti de concreto sequitur prędicatio abstracti de abstracto in talibus:& hoc propter prę dicationem per identitatem:quia tales propositiones sunt per se.Si enim in diuinis deus vel bo nus est ens:deitas & similiter bonitas est entitas siue essentia:sicut in creaturis: vt si homo est ani mal:humanitas est animalitas.In allis vero duobus modis quo neutrius ratio includit ratione al terius,siue vnum habeat per se rationem subiecti respectu alterius siue non,est modus prædicá di nõ de subiecto per identitaté primo modo dicta secundu prędicta,sed solúmodo de quo est per informationem quasi accidentalem:quia sic prædicatum denominando subiectum est quo ipsum est aliquid quasi accidentaliter: & ideo ad prędicationem concreti de cõcreto non sequitur prædi catio abstracti de abstracto.Licet enim in diuinis deus sit bonus,vel magnum sit bonum,non ta men deitas aut magnitudo est bonitas:sicut licet homo sit albus:nõ tamé sequitur ꝙ humanitas sit albedo:quia abstractum non habet rationem informantis.¶Comparando autem idem essentia le ad seipsum,si fiat comparatio secundum rationem subiiciendi & prędicandi vtrobiꝗ in abstra ctione,aut vtrobiꝗ in concretione,semper vera est prędicatio per identitatem primo modo dicta & propria:dicendo deitas est deitas:deus est deus:bonitas est bonitas:bon⁹ est bonus,& sic de cæ teris.Si vero fiat comparatio subiecto existente concreto & prędicato abstracto aut econtra: neu tro modo puto prędicationem esse suscipiendam absolute:dicendo deus est deitas, aut econuerso deitas est deus,bonum est bonitas,aut econuerso bonitas est bonum: sicut nec aliqua istarum est recipienda,homo est humanitas,humanitas est homo,album est albedo, albedo est album. Vnde illam pręcipue non puto esse recipiendam absolute,deitas est deus,bonitas est bona : sicut nec il là humanitas est homo,albedo est album:quia in talibus prædicationibus de prędicato concreto: prędicatum postꝗ prędicatur cõcrete, & denominat subiectum,& est absolutum seipso,debet esse aliquid,& subiectum debet esse aliquid etiam illo ꝙ prędicatur de subiecto. Vt enim dictum est in pręcedenti quęstione in secũdo notando,cum aliquid dicitur esse deus:hoc refertur ad substan tiam qua aliquid est,vt deus cum dicitur magnus, hoc refertur ad quantitatem qua aliquid est vt magnus:cum dicitur iustus,hoc refertur ad qualitatem qua aliquid est vt iustus.Si ergo hæc esset absolute recipienda deitas est deus : debet concedi hæc,scilicet ꝙ deitas in substantia deita te sit aliquid.Si enim deitas dicatur esse deus: aut ly deus prædicatur de deitate per identitatem primo modo dictam prędicatione qꝺ est:aut per informationem prędicatione quo aliquid est. Si primo modo,argueretur ergo sic.si deitas & deus sunt idem omnino:& deus deitate est deus: er go & deitas deitate est deitas:quia eidem inquãtum idem semper natum est incidere idem,conse qués falsum est:nõ em deitas deitate est deitas,vt in pcedenti ꝗstione in tertio notãdo.Si secundo modo,hoc est impossibile:quia forma non recipit informationem:sed tantum suppositum cuius est aliquid id quo informatur,aut substátiale vt homo animalitate vel rationalitate:aut acciden tale vt homo albedine.Q₂ si hęc nõ est recipienda deitas est deus,nec hęc,deus est deitas,quia nõ plus potest prędicari per primũ modũ identitatis abstractum de concreto:ꝗ econuerso:& per in formationem non prædicatur forma absoluta nisi vt qua subiectum habet aliquid esse:& hoc nõ est nisi per concretioné,& eisde rationibus nec a²liqꝺ aliorum essentiale prędicatur de seipso con cretum de abstracto aut econuerso.Et qꝺ amplius est,cõcreta nata sunt magis prędicari ꝗ abstra cta,vt in articulo pręcedente quęstione quarta.Quare si non est recipienda prędicatio concreti de abstracto in isto membro,multo minus est recipienda prędicatio abstracti de concreto in membro pręcedenti.Et sic econtrario est de nominatione diuina & prędicatione:quia nominatio magis cõ gruit diuinis in abstracto : prędicatio autem econuerso in concreto. Secundum hunc ergo mo dum se habent essentialia diuina per prædicationem inter se vnum de altero vel singulum de se ipso,siue in concretione siue in abstractione.¶Circa tertium propositorum est aduertédum ꝙ in diuinis personalibus econtra iam dicto de essentialibus oía sic sunt diuersis rationibus distincta ꝙ nullũ illorũ includit alterũ:& sic nullũ illoꝛ ꝗ psonalia sunt in diuinis, potest prędicari de alte ro,mõ quo essentiale cõius pdicat de minus cõi cõcludente sub sua rõne rõné illius,& hoc ꝗa oía

B

C

D

E

F

personalia se habent quodāmodo per relatiuam oppositionem adinuicem:non sic aūt essentialia
quia ipsa & eorum rationes sunt absoluta:licet ex respectibus quibusdam considerentur secundū
superius determinata:& hoc siue loquamur de prædicatione in abstractione siue in concretione.
Sed cū vt dictū est personalium quædam sunt personæ que referuntur:quædam sunt proprieta=
tes quibus referuntur,& de predicationibus personarū inuicem,& de predicationibus proprieta=
tum inuicem:& de prædicationibus proprietatum de personis & econuerso,aduertendū est. ¶De
personis igitur sciendum ꝗ nullo modo vna de altera prædicari potest quocunꝗ nomine signi=
ficetur:siue nomine imposito a proprietate solum:sicut est hoc nomen pater:siue nomine continē
te in se essentiam & proprietatem:puta hoc nomē parens secundum prædicta:& similiter hoc no
men proles pro nomine filii:quia nec in concretione nec in abstractione possent deinuicem præ=
dicari:dicendo pater est filius:aut ecōuerso:vel paternitas est prolitas nec econuerso. Est eī incō
ueniens maximum in prædicationibus omnibus que possent formari in diuinis,personam predi=
cari de persona propter oppositionem relatiuam.Si enim aliquis est pater:est pater filii.In diuinis
autem nō potest esse nisi vnicus filius,secundū supra determinata.Sequeretur ergo si pater esset
filius ꝗ esset filius suiipsius:& seipsum generaret:qđ est summum inconueniens:aut essent pate t
& filius solo nomine:qualem trinitatem posuit Sabellius confundendo personas: non ponendo p
prietates naturæ respondere nominibus.Contra quæ dicit Hilarius libro secūdo capit.ii.Homi=
nes mente peruersi omnia confundunt.Afferunt doctrinas nouas,& hūana cōmenta,vt Sabellius
extendat patrem in filium,idꝗ nominibus potius confitendum putet ꝗ rebus,& capit.tertio. Ue
ritatem rerum per naturæ,nomina eludit:nos naturas nominum proferamus:non frustentur na
turæ proprietatibus nomina:sed intra naturæ significationem nominibus coarctentur.Propter di
uersas igitur proprietates naturæ in personis existentes & in nominibus personarum significatis
nomine personæ,nequaꝗ deinuicē possunt predicari nec in concretione nec in abstractione.¶De
proprietatibus etiam quibus personē distinguuntur,idem sentiendū:ꝗ propter relationes opposi
tas quas reportant:licet non ipsē:sed personæ per ipsas inuicem referantur:inuicem nec in abstra
ctione,nec in cōcretione predicari possunt.Nō est enim paternitas filiatio,nec ecōuerso:nec gene=
rare generari, nec spirare spirari, nec generatio continens actiuam & passiuam est spiratio conti=
nēs similiter actiuā & passiuā,sed minor est eoꝗsicut & min⁹ distat innascibilitas a gñari ꝗ gña
re a generari:sed non tanta est propinquitas ꝗ alterum de altero prædicari posset. ¶De personis
& proprietatibus comparatis inter se per predicationem:hoc sentiendum:ꝗ proprietas quæcun=
ꝗ de persona sua predicari potest in concretione:sicut & differentia de specie in creaturis: modo
tamen quo relatio secundum exposita in precedenti questione,predicari potest: & econuerso. Ma
gis tamen propria est predicatio proprietatis de persona:eo ꝗ prædicatum ratiōe subiecti habet
rationem formæ:& proprietas formalis est in persona secundum prædicta.In abstractione autem
vno ipsorum existente vel ambobus,non video quomodo predicari possit(Predicatiōe dico abso=
luta absꝗ expositione)vnum de altero:& multo minus ꝗ ꝗ deitas in abstractione possit prædica
ri de deo existente in concretione aut econuerso.Quia persona aliquid preter proprietatem conti=
net,scilicet essentiam:deitas autem nihil aliud continet ꝗ deus:& solummodo in modo significā
di differunt.Vnde nec isto modo video quō persona vel proprietas possit prædicatione absoluta
prædicari de seipsa differente predicato a subiecto secundū ratiōe abstracti & concreti.Proprie=
tatem autem vnius personæ de alia predicari predicatione absoluta quocunꝗ modo:adhuc mul
to remotius esset a veritate.¶Sequitur quartum principale superius propositum:videlicet de pre
dicatione mutua adinuicem essentialium & personaliū.Et quia essentialia per ipsam essentiā sunt
in personis,quin omnia predicentur prædicatiorn simpliciter absoluta de personis in concretione
ambobus existentibus & econuerso:dubium non est.Sed magis proprie predicatur essentialia de
personis ꝗ econuerso:quia omnia quæ sunt in diuinis se habent respectu personæ vt personalia for
malia quibus personæ habent esse aliquid vel ad aliquid secundum predicta. De predicatione autē
eorum in abstractione,persona existente in cōcretione:vt pater est deitas vel bonitas vel cęterorū
aliquid,breuiter non video quomodo prædicatione absoluta vnum illorum de altero possit predi
cari:aut quomodo predicatione absoluta possit vniuersaliter concretum in diuinis predicari de
abstracto,non video:quod tamen multi concedunt propter indifferentiam naturæ & suppositi:
se forte in hoc negando posset latere periculum. Quia in talibus secundum Hierony. ex verbis
inordinate prolatis oritur hæresis.Potius etiam mihi videtur esse concedenda hęc,pater est dei=
tas,ꝗ illa,bonitas est deitas : quia in persona includitur essentia sub ratione substantiæ & subiecti

attributalium proprietatum : non ſic autem in attributo: ſed eſſentia ſub alia ratione & diſpoſitione cadit in ſignificatione attributorum q̃ in ſignificatione ſubſtantiæ,ſecundum prædicta. Sumendo tamē nomen perſonę in abſtractione vt in ſuo ſignificato includit eſſentiam cum pprietate:& proprietas & eſſentia de perſona in abſtractione prędicant:ſicut animalitas & rationalitas de humaniſate,prout tactum eſt ſupra. Eſſentialia autem prędicari prędicatione abſoluta de pprietatibus altero vel ambobus exiſtente in abſtractione non video.Aut etiam q̃ eſſentiale poſſit prędicari de proprietate ambobus etiam exiſtētibus in concretione: vt q̃ paternitas ſit deus aut deitas,niſi forte ratiōe realitatis:quã proprietas tanq̃ relatio cōtrahit a ſuo fundamēto. Aliter eñ relatio nec ſecundum ſe eſt aliquid,nec ipſa ſuppoſitum habet eſſe aliquid, ſed tantũ ad aliquid, ſed econuerſo proprietas bene poteſt prędicari de eſſentia,ſupponente tamen pro perſonatũ etiã perſona poſſit prędicari de eſſentiali:dicendo deus eſt pater, bonus,magnus,& cetera huiuſmodi:q̃uis conuerſe magis ſint propriæ:quia omnia eſſentialia ſe habent vt formę reſpectu perſonarum,ſecundum prędicta.

L
Ad pri.prin.

¶ Tranſcurrendo igitur argumenta:Dico q̃ primum concedendum eſt, probás q̃ non ſingula prędicātur de ſingulis,propter confuſionem quę contingeret tam in perſonis q̃ in proprietatibus,q̃ in eſſentialibus,ſi prædicatione abſoluta de qd̃ eſt:qua dicitur hoc eſt hoc: quę eſt de eſſe:qd̃libet eorum quæ ſunt in diuinis prędicaretur de quolibet affirmatiue & vere:ſecundum q̃ intelligitur quæſtio. Quia talis prædicatio non intelligitur prec"e verificari ex parte rei ſignificatę vt eſt ſimpliciter in ſubiecto & prędicato ſignificato : ſed etiam ex parte modi ſignificandi:videlicet vt eſt ſignificata in ſubiecto & prędicato ſub modo tali & tali:quia non ſolum ab eo qd̃ res eſt ſimpliciter,dicitur oratio vera:ſed ab eo q̃ ſic eſt:ideſt ſicut per orationem exprimitur.Propter qd̃ licet in omnibus diuinis prædicationibus res eadem ſingularis ſit in ſubiecto & in prædicato:non tamen ex hoc eſt vera prędicatio abſoluta de hoc eſſe hoc,niſi eodem modo exprimatur per ſermonem in prædicato & in ſubiecto . Vnde ſi in ſubiecto ſignificatur ſub ratione quantitatis,& in prædicato ſub ratione qualitatis vel econuerſo, vel vniuerſaliter diuerſimode:ſecundum quencũq̃ modum ſignificandi:& etiam ſolum differunt ſecundum rationem abſtracti & concreti:nō ideo poteſt dici vera,& propria prędicatiōe abſoluta q̃ hoc eſt hoc. Licet eñ res q̃ eſt ſignificata in ſubiecto,ſit ſignificata in pdicato:vt tñ eſt ſignificata in ſubiecto,non ſic eſt ſignificata in prædicato . Quia igitur res ſubiecta in hoc nomine magnitudo non eſt magnitudo vt eſt res ſimpliciter:ſed ſolum vt eſt ſub tali ratione:neq̃ res ſignificata hoc nomine bonitas eſt bonitas,niſi vt eſt ſignificata ſub tali modo:modus autē vnus non eſt alter:ſiue ratio vna non eſt altera,& non prædicatur tali propoſitione res de re ſimpliciter:ſed res quę eſt bonitas,& vt illa res quæ ſecundũ ſe eſt & ſimpliciter res q̃ eſt bonitas de re quę eſt magnitudo:& vt eſt magnitudo:Idcirco dico q̃ non video quomodo hæc poteſt eſſe vera prædicatione abſoluta de eſſe:magnitudo eſt bonitas.Ita q̃ ſi talium aliqua concedi poſſit: hoc non eſt prædicatione abſoluta:ſed ſolummodo per expoſitionem dicendo magnitudo eſt bonitas,ideſt ea res quæ eſt magnitudo eſt ipſa bonitas . Res enim eadem ſingularis in diuinis ſub vna ratione eſt magnitudo:& ſub alia bonitas,& ſub vna eſt deitas,& ſub alia paternitas:& ſub alia filiatio: & ſub alia pater : & ſic de ceteris:niſi ſic ſint diuerſe rationes q̃ vna includit aliam,ſicut ratio viuere rationem eſſe : & ratio eius quod eſt intelligere, rationem eius quod eſt viuere,& in illo rationem eius quod eſt eſſe. Propter quod talia abinuicem poſſunt prædicari prædicatione de quod eſt : ſiue de hoc eſſe hoc ſecundum prædicta.Sic ergo dico illam,magnitudo eſt bonitas,eſſe recipiendam per dictam expoſitionem:ſic & ſingulas alias quę inueniuntur in ſcripturis ſanctis & ſanctorum:de quibus Magiſter tractat primo libro ſententiarum pro magna parte cōcedendo eas eſſe veras:cuiuſmodi ſunt illę in quibus non eſt periculum aut occaſio errandi: qualis eſt illa quã ponit Augu.vi.de trinita. vt iam habitum eſt,dicēs. Nefas eſt dicere vt deus ſubſiſtat & ſubſit bonitati ſuę:atq̃ illa nō ſubſtantia ſit aut potius eſſentia:neq̃ ipſe deus ſit bonitas:ſed bonitas in illo ſit tanq̃ in ſubiecto,Ecce vult q̃ nefas ſit q̃ deus non ſit bonitas:hæc eſt ergo vera & recipienda,deus eſt bonitas.Et dico q̃ verum eſt per expoſitionem talem,ideſt ea res quæ eſt deus ipſa eſt bonitas . Non enim deus ſub ratione qua eſt deus eſt bonitas:vt dictum eſt.Et q̃ Auguſti.intelligat dictum ſuum non ſimpliciter:ſed ſolummodo ſecundum dictam expoſitionem,manifeſtat litera circũſtans præcedens & ſequens.Bene enim verum eſt q̃ nefas eſt dicere q̃ deus ipſe nō ſit bonitas: vt nefas ſit q̃ hęc negatiua intelligatur eſſe vera:eo ſcilicet q̃ bonitas ſit in illo tanq̃ in ſubiecto:& ipſe de⁹ ſub ſit bonitati ſuę:ſic q̃ illa intelligat̃ non eſſe ſubſtantia:ſed potius eſſentia del.Si eñ ſic eſſet in illo

M

N

tunc nec secundum dictam expositionę posset vere dici ꝗ deus est sua bonitas. Nõ em̃ plus verũ esset dicere ꝗ esset sua bonitas,ꝗ verũ est dicere ꝗ corpus est suus color:qd re vera non est id ꝗ suus color, nec id ꝗ est corpus est id ꝗ est color. Sic ergo vult ꝗ illa sit vera deus est sua boni-tas:quia scilicet ipsa est sua substãtia siue sua essentia,quę est esse id ꝗ est.Et signãter postꝗ dixit Aug.Atꝗ illa nõ substãtia sit:statim addidit quasi corrigendo se:Vel potius essentia:quia in hoc secundum iam dicta magna est differentia : quia deitas diuinã essentia significat sub ratione sub-stantię,quę est alia ratio a ratione quantitatis qualitatis aut relationis:& non est inclusa in ratio-nibus illorum.Essentia aũt significat diuinã naturã sub ratione ꝗ cõmuniter in aliis rationib⁹ in-cluditur.Propter qd licet esset nefas dicere predicatione absoluta & absꝗ expositiõe ꝗ deus sub-sit bonitati suę,atꝗ illa nõ sit essentia:quia si non esset essentia dei sub ratione essentię,non esset id ꝗ est deus,sicut color non est id ꝗ est corpus:quia non est essentia corporis:Non tamen esset nefas dicere predicatione absoluta & absꝗ expositione ꝗ deus subsit bonitati suę,ꝗ illa non est substantia:vt sub esse large ista possit esse vera si predicatio intelligatur esse absoluta absꝗ exposi-tione,bonitas nõ est substantia dei:quia alia est ratio bonitatis:alia substantię: nec vna inclusa est in alia,licet illa non possit esse vera,bonitas non est essentia dei:quia ratio essentię includitur in ra-tione bonitatis & omniũ quę sunt in diuinis.Ista enim,bonitas non est essentia,falsa est absꝗ expo-sitione:sicut & sua contraria est absolute vera absꝗ omni expositione.Illa autem,bonitas non est substantia:est vera absoluta predicatione:sicut & sua contraria falsa est predicatione absoluta.Et cum dicta expositione illa est falsa: & sua contraria est vera.Vnde & propositiones verę per talẽ expositionem,licet non sint verę absoluta predicatione,simpliciter secundum cõmune vsum sunt cõcedendę:quando in illis concedendis nõ solum non est aliquod periculum vel occasio erroris: sed ex illis concessis euitatur occasio erroris qui accideret si negarentur: videlicet quo posset cre-di ꝗ predicatum remouetur a subiecto,quia non est essentia eius idipsum re cũ ipso: puta si di-ceretur bonitas non est deitas aut veritas aut aliquid taliũ,sicut contingit in creaturis.& sic cre-di posset ꝗ nec verificari posset per expositionem:quod falsum est. Et propositiões tales veras per talem expositionem cõsuetum est apud doctores veras esse per identitatem.Et bene verum est ꝗ verę sunt per identitatem,sed non absolute,sicut illę sunt verę in quibus idẽ predicatur de seipso, vt Deus est deus,deitas est deitas:sed solũmodo per expositionẽ,sicut dictũ est . & sic illæ in qui-bus predicatur idem de se sunt verę primo modo identitatis,illæ autem exponendę non nisi se-cundo modo identitatis.Et loquendo de tali modo veritatis concedo simpliciter & absolute ꝗ o-mnes tales propositiones in diuinis ex quibus non accidit periculum seu occasio erroris : sed po-tius euitatur:secundum dictum modum,verę sunt & concedendę:non tamẽ concedendo ꝗ verę & concedendę sint simpliciter & absꝗ expositione aut aliter ꝗ per identitatem:qua scilicet vna & eadem res singularis est subiecti & predicati: qua predicatum & subiectum habendo in se illam eandem rem sub diuersis rationibus sunt idem penes secundum modum identitatis:sicut cũ pre-dicatur aliquid de seipso secundum eandem rem & secundum rationem eandem. Vt cũ dicitur deitas est deitas,predicatũ & subiectum sunt idem secũdum primum modum identitatis.Omñes autem propositiones illę diuinarum predicationum in quibus periculosum esset & erroris occa-sio ipsas concedere esse veras absoluta predicatione: etsi verificari possent per expositionem dicto modo,simpliciter sunt negandę,vt sunt illę in quibus persona affirmatur de persona, vt pater est filius.Licet enim verificari posset per expositionẽ,scilicet quia pater est id ꝗ est filius:& id ꝗ pa-ter est filius est,sicut neganda est, id ꝗ est bonitas, & id ꝗ est magnitudo,est id ꝗ est bonitas: ꝓpter tamẽ periculum erroris & occasionem quæ daretur in illam concedendo,ideo sicut absolu-ta predicatione est falsa sic est simpliciter negandæ): & non propter verificationẽ per expositionem est concedenda:cum tamen ista,magnitudo est bonitas,licet absoluta predicatione sit falsa,nõ ta-men simpliciter est neganda: sed quia per expositionem verificari potest,simpliciter est conceden-da propter occasionem vitandi erroris quæ ex hoc datur vt dictum est.Hoc igitur modo ponen-do huiusmodi propositiones veras esse & concedendas,respondendum est ad tria media inducta in principio corporis solutionis.⸿Ad primum igitur qd dicit:si propositiões aliquę dicerẽtur ve-rę per identitatem:sic possent dici verę per ęqualitatem:quia sicut in diuinis est idẽtitas inter sub iectum & predicatum semper:sic & ęqualitas: Dico ꝗ non dicitur dictæ propositiones veræ per identitatem qua prædicatum est idem subiecto secundo modo identitatis prout procedit obie-ctio: sed propter identitatẽ primo modo identitatis,qua vna & eadẽ est res singularis in ꝑdicato & subiecto,ꝗ est eadẽ sibi nõ equalis.licet ad hãc identitatẽ qua res ꝑdicati & subiecti est eadẽ sibi sequat̃ alia qua ꝑdicatũ est idẽ subiecto & econuerso.⸿Ad scdm de genere & differentia:Dico ꝗ

O

P

Q
Ad primũ
medium.

R
Ad secundũ

non est simile:eo ϙ licet idem significent & genus & differentia,significant tamen diuersa intentione,que compositionem quandam faciût in specie:quæ diuersitas illam prædicationem impedit
sic ϙ nec per expositionem debet recipi.In diuinis autem essentialia significant idem re solis ratio
nibus diuersum:que non tantû repugnant,quantum diuersæ intentiones:propter qd istæ propter
verificationem ipsarum per expositionem simpliciter concedendæ sunt,licet non illæ.ℂPer idê pa
tet ad tertium de personis:dicendo ϙ illarum prædicatio (vt dictû est)non est recipiêda per expo
sitionem propter diuersitatê relationum oppositarum:que tantû distinguût personas quantû genus & differentiâ dictæ intentiones:præter hoc ϙ intentionû diuersitas ponit in re compositione:
non autem diuersitas relationum.Et sic re vera non est vniuersaliter verum ϙ per identitatê rei
eiusdê singularis pdicati & subiecti ppositio pôt dici vera & per expositionê verificâda, sed hoc so
lummodo verû est quando per taliû propositionû côcessionê non datur occasio errandi:sed poti⁹
errorem vitandi.Et ideo dico sicut dixi supra,ϙ in diuinis non valet hæc forma argumentandi:p
dicatum est idem subiecto in eo ϙ est eadê res singularis vtrobiꝗ : ergo concedenda est tanꝗ ve-
ra.Hoc enim verum est in omnib⁹ prædicationibus inter terminos diuinos, ϙ prædicatum est idê
subiecto in eo ϙ eadem est res singularis vtrobiꝗ.ergo & in hac,pater est filius:sicut in hac,pater
est deus aut magnitudo est bonitas.Iterum illa pater est filius & sibi consimiles non sunt concedê
dæ tanꝗ veræ etiam per expositionem: cum tamê sint plures aliæ illo modo concedendæ.ℂAd se
cundum principale ad quæstionem:ϙ quæcunꝗ sunt in diuinis inter se differunt formalibus ra-
tionibus:ergo abinuicem prædicari non possunt:Dico ϙ verum est pdicatione absoluta de qd est,
qua dicitur hoc est hoc:in abstractione vtroꝗ vel altero existête:licet possint aliqua & aliqua non
possint prædicari sic abinuicem per expositionem secundû modum iam expositum. Prædicatione
tamê non de qd est,& de esse qua hoc dicitur esse hoc simpliciter & omnino:sed pdicatiône de quo
est & de inesse:qua hoc scilicet dicitur inesse per quandam informationem vel quasi in subiecto
qd ex hoc illo est aliquid vel ad aliquid secundum pexpositû modum:bene possunt concreta prædicari de côcretis:& hoc singula de singulis,illis dûtaxat exceptis in quibus occurrit relatiua oppositio siue per contrarietatem,vt in personis & in relatiuis proprietatibus personarû: quibus inter se ex opposito referuntur: siue per disparationem vt in spiratione actiua ad generare & ge-
nerari.Propter qd hæc nec in côcretione deinuicem possunt prædicari:cetera autem omnino,pu
ta essentialia, in concretione deinuicem & de personis prædicari possunt:non autem de proprieta
tibus personarum vt supponunt pro eo qd significant: quia prædicata essentialia secudum se sunt
aliquid:& subiecta sua de quibus prædicantur côcretiue ipsis habent esse aliquid.Proprietates au
tem personarum eo ϙ relationes,inquâtum sunt relationes puræ,nec secûdum se sunt aliquid, vt
habitum est supra:nec aliquo possunt esse aliquid:sed solummodo sunt ad aliquid.Vnde rationê
subiecti informati aliquo substantiali habere non possunt: nisi ratione suppositi quando supponunt non pro significato,sed pro supposito:aut forte realitatis contractæ: & tunc solum essentialia de illis pdicari possunt in côcretione:& econuerso psonalia de essentialib⁹ similiter in côcretio
ne.ℂAd tertium probans ϙ essentialia non possunt prædicari de personalibus in abstractione acce
ptis essentialibus : Dico ϙ verum est nisi secundum iam expositum modum in solutione primi
argumenti,scilicet per expositionem,siue personalia accipiantur in abstractione siue in concretio
ne.ℂEt qd arguitur etiam contra hoc ϙ tunc personale subiectum secundum se esset aliquid,ϙ
prædicatum secundû se aliquid est,puta deitas vel bonitas:Dico ϙ verum est ϙ subiectû persona
le secûdum se est aliquid quâdo prædicatur essentiale de personali qd persona est:quia persona est
aliquid secûdum se rône essentiæ quâ in suo significato includit:& per hoc est id qd est prædica-
tum.Sed dico ϙ non est verum quando essentiale prædicatur de personali qd est proprietas supponens pro significato:quia ipsa proprietas pro significato supponens non est aliquid secundum
se:& propter hoc non est id qd est,id qd est pdicatû.Et sic bene verum est ϙ nec per identitatem
siue per expositionem,potest in abstracto prædicari essentiale de personali,siue abstracto,siue con
creto:quia prædicato existente in abstracto non est prædicatio de quod est per identitatê aut pri
mo aut secundo modo identitatis:nisi forte considerando relationem quâ importat pprietas ra
tione realitatis contractæ a suo fundamêto,que in diuinis non potest esse alia a realitate fundamê
ti: etsi forte in creaturis esset alia res ipsa characterizatio a fundamento in relatione ꝗ sit res fun
damenti.Rône autem illius realitatis contractæ in relatione bene prædicaretur essentiale de pro
prietate existente & in abstractione per expositionem & prædicatione de esse primo modo identi
tatis,& in concretiône p informatione pdicatiône de inesse.Sed essentiale pdicat de psonali qd est p
prietas supponês:p quâ etiâ bene verû est ϙ subiectû qd est proprietas ratione psonæ p quâ sup-

S

Ad tertium

T

Ad secundû
prin.

V

Ad tertium

X

ponit,est aliquid:quia ipsa persona secundum se est aliquid:& propter hoc ratione personæ est id quod prędicatur.Et sic etiam bene verum est ꝗ per identitatem & expositionem poteſt essentiale exiſtens in abſtracto prædicari de personali,& exiſtens in concreto per informationem:sed vtrobiꝗ personali in ſubiecto non nisi exiſtente concreto:quia personale quod eſt proprietas,non poteſt ſupponere pro personali qd̄ eſt persona,nisi proprietate exiſtente in concreto.Et ꝗ assumit ꝗ nec ſubiectũ eſt aliquid quando ſubiectũ eſt persona:quia pater eſt persona : sed in eo ꝗ pater eſt non eſt aliquid,sed ad aliquid:Dico ꝗ pater licet nomen eius secundũ prędicta imponatur a proprietate si sit nomē personę,sicut parens,in eo ꝗ pater,eſt aliquid secundũ se, & non eſt aliquid secundum se:quia inquantum in ſuo significato includit essentiam eſt aliquid:inquantum vero in ſuo significato includit proprietatem non eſt aliquid.Sed homo inquantum homo eſt aliquid dupliciter:& inquantũ includit in ſuo significato aīal:& inquantũ includit rationale in eodem.Si vero pater sit nomen proprietatis,tunc reuera non eſt aliquid nisi ex contracta realitate: nec poteſt de patre prędicari essentiale in abſtracto,secundũ ꝗ iam dictũ eſt. ⸿Ad quartũ,qd̄ eſt ad idē:si quęlibet personarum eſt deitas,cũ illa nō sit nisi vna numero:& illę essent idē numero,quare & inter se,Dico ꝗ quęlibet personarum eſt eadem deitati modo quo totum vel quasi totũ eſt idem cũ eo qd̄ eſt pars siue aliquid sui,seu quasi alqd̄ sui:nō autē modo quo aliqua secundũ totalitatem ſunt eadem alicui secundũ totalitatem illius. Nũc autem illa maxima,Quęcũꝗ vni & eidem ſunt eadē inter se ſunt eadē:non intelligitur nisi de illis quę ſunt eadem secundũ vtriusꝗ totalitatē. Vnde in creaturis partes quę ſunt eędē toti nō ratione ſuę totalitatis,nō oportet ꝗ sint eędem inter se. Propter qd̄ non sequitur:si pſonę diuerſę ſunt idem in deitate,quę eadem numero prędicatur de singulis in abſtractione per identitatem primo modo identitatis quæ eſt inter quanlibet partē & totum:ꝗ sint eędem inter se.De differentia autem identitatis totius ad totum & partis ad totũ, habitum eſt satis ſupra in de relationibus cōmunibus. ⸿Ad quintum,probans ꝗ personalia non poſſunt prędicari de in concretione acceptis essentialibus:quia cum essentiale concretum sit quale quid & cōmune plurib[9],ergo & persona ſubiecta esset quale quid & cōmune,qd̄ falsum eſt:ga persona in diuinis non eſt nisi iſte aliquis:Dico ꝗ verum esset si prędicaretur essentiale concretũ de persona prędicatione absoluta de qd̄ eſt,dicente hoc eſt hoc.Sed nō eſt ita secundũ pdicta:immo non sic prædicatur nisi prędicatione de quo eſt,dicente hoc ineſſe huic. Tali enim prędicatione esset in argumento fallacia accidentis:sicut si per inhęrentiam diceretur Petrus eſt homo:homo eſt quale siue ſpecies aut vniuersale:ergo Petrus eſt quale quid siue ſpecies aut vniuersale. Et hoc licet in diuinis cōmune non sit cōmune per vniuersalitatem,qd̄ non ineſt ſupposito singulari nisi per ſuā determinatiōe vt animal in homine:sed sit cōmune per cōmunione,qd̄ ineſt cuilibet ſupposito singulari abſꝗ ſua determinatione.In creaturis enim commune vniuersale non deſcendit in singulare nisi per determinationem suam : sed aliter genus in ſpeciem, & aliter ſpecies in indiuidua:quia genus non deſcendit vt animal in hoc animal qd̄ eſt homo:nisi aliquo formaliter determinante animal:quo etiam homo poteſt eſſe aliquid sicut animal:puta rationali. Et ideo non ſunt ambo simul in homine nisi per compositionem ex quod eſt & quo eſt:sicut ex genere & differentia.Homo autem eſt iſte homo puta Petrus,non aliquo determinãte formaliter hominē quo Petrus habet eſſe aliquid,sed aliquo agente & producente humanitatem,quæ de se vniuerſale eſt & aliquid per essentiam solum in exiſtentia.Et ideo non eſt in Petro cōpositio ex indetermināte & determinante sicut eſt in homine:sed si eſt aliqua superaddita in indiuiduo super compositionem illam quę eſt in ſpecie, illa eſt ex essentia quę eſt humanitas , comprehendens animalitatem & rationalitatem in se significata nomine hominis:& modo ſubsiſtendi in se & secundũ se quę eſt compositio ex essentia & ratione,rōne ſꝫppositi.Sed neutro modo essentia deitatis deſcendit in personas.Deus enim significans rem singularem a qua imponitur nomē, & ſupponēs inde finite ꝓ pluribus ſuppositis:vt hic eſt deus:puta pater:nō aliquo determināte formaliter deũ vel deitatem vt sit hic deus:& quo habet eſſe aliquid hic deus pręter deitatem: sicut rationale determinat animal vt sit hoc animal qd̄ eſt homo:& quo homo habet eſſe aliquid pręter animalitatē: nec etiam aliquo determinante effectiue:vt deus similiter sit hic deus quomodo producēs hominem in eſſe exiſtentię determinat eum vt sit hic homo:& hoc quia in diuinis nō eſt ratio vniuerſalis:nec deus eſt nomen ſuppositi cōmunis cōmunitate vniuersalis in significando aliquid vnũ cōmune vniuerſalitate ad patrem filium & spiritũ ſanctũ:sicut significat homo ad Petrum Paulum & Andream.Sed deus eſt nomen cōmune cōmunitate cōmunicabilis in significando aliquid vnum singulare qd̄ eſt cōmuniter in patre filio & ſpiritu ſancto:sed in ſupponendo eſt nomē cōmune ad patrem & filium & ſpiritum ſanctũ:sicut homo ad Petrum Paulum & Ioannē,Et nihil

**Y**
**Ad quartũ.**

**Z**
**Ad quintũ.**

**A**

eſt aliud cõmune ad diuina ſuppoſita in ſignificãdo niſi nomen ſecundæ intentionis vt eſt hoc nomen perſona:ſicut ad Petrum Paulum & Ioannem commune eſt hoc nomen indiuiduum, prout ſuperius determinauimus.Et licet in diuinis ꝗ deus ſit iſte deus nõ eſt per aliquam determinationem deitatis:eſt tamen per aliquem modum eſſendi & habendi ſingularem deitatem:nõ abſolutum,qualis eſt in creaturis:ſed reſpectiuum: qui licet nõ determinet eſſentiam,determinat tamẽ eſſentiam & modum habendi ipſam eſſentiam in perſona.Et ſic eſſentiale ſiue ſit eſſentia ſiue deitas ſiue attributum vt magnitudo vel bonitas:licet ſit propter ſuam communitatem quale quid: aliter tamen hoc eſt in diuinis ꝗ in creaturis:& aliter dicit quale quid ad perſonas eſſentia,ꝗ deus & deus ꝗ aliquod attributum:ſecundum ꝙ quantum eſt ex ratione ſignificati,magis proprie diuinæ perſonæ dicuntur eſſentia ꝗ deus,quod eſt nomẽ ſubſtantiæ:& magis proprie deus ꝗ magnus bonus aut aliquid huiuſmodi:quæ ſunt nomina quaſi diſpoſitionum ſubſtantiæ. **C**Q̨ arguitur ſexto ſpecialiter de proprietatibus,ꝙ eſſentiale non prædicatur de illis:quia ſi proprietas eſſet aliquod eſſentialium ſiue in abſtracto ſiue in concreto,cum eſſentialia omnia ſint abſoluta,ergo & pꝛ prietas eſſet abſolutum,qᵭ falſum eſt,Dico ꝙ hic plane eſt fallacia accidentis ex variatione medii:ſicut ibi.Si Petrus eſt homo:homo autem eſt ſpecies:ergo Petrus eſt ſpecies. **C**Per idem & eodẽ modo reſpondendum ad ſeptimum ꝙ nullum perſonale poteſt prædicari de eſſentiali:quia cum õne perſonale ſit relatiuum,ergo & eſſentiale eſſet relatiuum:Dicendo ꝙ in forma argumenti eſt fallacia accidentis ſicut & in præcedenti,niſi perſonale ſit proprietas:& prædicetur in abſtractione abſꝗ realitate contracta.Tũc enim cum in abſtracto non poſſet ſupponere pro ſuppoſito, mediũ non poteſt variari vt in maiori ſtet pro eo quod eſt aliquid,& in minori pro eo quod eſt ad aliquid: ſed vtrunꝗ ſtat ſolum pro eo quod eſt ad aliꝗd.Et eſſet maior propoſitio falſa ſic arguendo:deitas eſt paternitas:paternitas eſt relatio:ergo deitas eſt relatio.Reuera ſi paternitas non diceret niſi reſpectum ad alium,dicẽdo deitas eſt paternitas,dicit ꝙ deitas eſt relatio:qᵭ falſum eſt:ꝗa proprietas in abſtractione abſꝗ ratione realitatis contractę nullo modo de eſſentiali prædicari poteſt : ſed ratione realitatis poteſt de eſſentiali prædicari in abſtractione per identitatem : & in concretione tam ratione contractę realitatis per identitatem,ꝗ ſupponendo pro ſuppoſito per inhęrentiam, vt iam dictum eſt ſupra in ſolutione ſecundi argumenti. Quomodo autem poteſt & quomodo non poteſt eſſentiale prædicari de perſonali, pro magna parte iam dictum eſt declarando quomodo econuerſo pſonale poteſt prædicari de eſſentiali:præcipue aũt in ſolutione ſecundi argumenti. **C**Ad octauum ꝙ ſpecialiter perſona non poteſt prædicari de eſſentiali:quia prædicatio habet rationem formę:& perſona non eſt formale reſpectu eſſentialis ſed ecõuerſo: Dico ꝙ hoc non arguit perſonam non poſſe prædicari de eſſentiali:ſed ſolummodo ꝙ non eſt propria illa prędicatio ſicut conuerſa eſſentialis de perſona:immo illa eſt accidentalis reſpectu iſtius,vt tactum eſt ſupra. **C**Per idem patet ad nonum,dicendo ꝙ licet quantum eſt de proprietate prædicationis magis commune potius habet prædicari de minus communi ꝗ econuerſo:quaſi tamen per accidens & minus pꝛ prie bene poteſt eſſe prædicatio conuerſa. **C**Ad decimum reſpondendum eſt ſicut iam reſponſum eſt ad ſextum & ſeptimum. **C**Ad vndecimum probans ꝙ nec eſſentiale poteſt prædicari de perſona nec econuerſo:quia vnum eorum eſt diſtinctum & alterum non: & affirmatio & negatio non ſimul in eodem concurrunt:dico ꝙ verum eſt ſecundum rem:quia affirmatio & negatio in eodẽ ſecundum idem eſſe non poſſunt:nec in eſſendo,ꝙ ſcilicet ſecũdum idem ambo ſint in eodem: nec in prædicando,ꝙ.ſ.ambo ſecundum idem prædicentur de eodem: aut ꝙ prædicatum prædicetur ſecundum rationem affirmationis : & ſubiectum ſubiiciatur ſecundum rationem negationis,aut econuerſo.Sed ꝙ id quod eſt ſub ratione negationis,prędicetur de eo quod eſt ſub ratione affirmationis, non vt eſt ſub ratione affirmationis:ſed potius vt eſt ſub ratione negationis:aut econuerſo id quod eſt ſub ratione affirmationis prædicetur de eo quod eſt ſub ratione negationis,non vt eſt ſub ratione negationis:ſed potius vt eſt ſub ratione affirmationis:nullum eſt inconueniens,Et ſic diſtinctum quod eſt perſona prædicatur de eſſentiali quod eſt indiſtinctum,non ratione qua perſo na eſt diſtincta : ſed ratione qua eſt indiſtincta . Eſt enim diſtincta ſolummodo ratione proprietatis,& non prædicatur niſi ratione eſſentiæ . Et ſimiliter econuerſo eſſentiale non prædicatur de perſona niſi ratione qua eſt indiſtincta,ſcilicet ratione eſſentiæ quæ eſt ipſa: ratione cuius nullam habet diſtinctionem. **C**Duodecimum quod eſt ſpeciale de diuinis actionibus, ꝙ non prædicantur de eſſentiali:quia non ſunt actiones niſi perſonarum : concedo ſecundum ꝙ de hoc habitum eſt ſupra in quæſtione de diuinis actionibus.Vnde & licet proprietates perſonales prædicari poſſent concretiue de eſſentialibus inquantum ſupponunt pro ſuppoſito :ſicut rationale pro

Marginal notes (right column):

B
Ad ſextũ.

C
Ad.vii.

D
Ad.viii.

E
Ad.ix.

F
Ad.x.

G
Ad.xi.

H
Ad.xii.

homine:aut ratione realitatis contractę a fundamento:nec repugnaret modus significandi nomi=
naliter & adiectiue:vt ratione paternitatis aut filiationis significantis concretiue tm propter mo=
dum significandi verbaliter siue actiue siue passiue:nullo modo prædicari possunt de essentiali:
quia non egreditur actio nisi a supposito:sicut nec terminatur:sed essentiale est solummodo ratio
eliciendi illam.prout in dicta quęstione plus est explicatum.Vnde ista prædicatio personalis de es=
sentiali per expositionem & per quácúqᵢ identitatem recipienda non est:licet forte possit recipi ex=
positione contraria iam dicta:sic dicendo,essentia generat:quia ille qui est essentia dicto modo,sci=
licet pater,generat.¶Ad decimumtertium ꝙ personalia aut personæ non possunt prædicari abin=
uicem:qa aut sút disparata aut contraria:Dicédú est secúdú superius dicta.¶Ad decimúquartú ꝙ
essentialia non possunt abinuicem prædicari:quia pertinent ad voluntatem & intellectum,qui non
prædicantur abinuicem:Dico ꝙ omnia essentialia deinuicem prædicantur maxime in concretione
nisi aliquid speciale obuiet ꝙ absurditatem inducat:vt ꝙ intelligens est volens,bonum é verum:
bene concedendum:& ꝙ per expositionem intellectus est voluntas:& ꝙ bonitas est veritas. Absur
ditas autem talis præcipue contingit quando essentiale significatur per modum actus:qui sibi de=
terminat non solum rationem suppositi in eliciduo & terminatiuo alterius:sed etiam rationem in
illo quo elicitur vt actus intelligendi intellectum & volendi voluntatem. Propter quod licet re in
deo idem sint intellectus & voluntas:ista tamen non recipitur ꝙ deus voluntate intelligat:nec illa,
deus intellectu vult.¶Ad decimumquintum ꝙ idem essentiale non potest prædicari de seipso con
creto in abstracto:nec econuerso:quia si deitas est deus:& deus generat:ergo deitas generat:& ecó
uerso si deus est deitas: Deitas auté nő generat:ergo deus non generat:Dicendum ꝙ in vtroꝗ p
cessu est fallacia accidentis ex variatione medii . In primo enim deus ratione eius quod est pdica=
tur de deitate:sed *ratione qua est suppositum*,de ipso prædicatur generare: & ideo propter medii
variationem non oportet extrema coniungi dicendo deus non generat.Et similiter in secundo dei
tas ratione eiᵘˢ ꝙ est prædicatur de deo:& eo ꝙ nő habet rationem suppositi,ab eo remouet gene
rare.& sic vt prius propter variationem medii non oportet extrema coniungi.

¶Ad primum in contrarium ꝙ singula in diuinis possunt prædicari de diuinis:
quia sunt vnum & idem re singulari:& idem vere de seipso prædicatur:Dico ꝙ licet eadem sit res
omnium diuinorum pro quanto aliquid sunt etiam relationum siquid sunt præter modum ꝗ est
ad aliud esse:tamé sub diuersis rationibus in diuersis diuinorum nominibus significatur.Propter
quas licet ratione illius rei præcise singula de singulis possent prædicari:tamen propter illas diuer
sas rationes nullum illorum potest de alio prædicari prædicatione absoluta,dicédo hoc est hoc to=
taliter secundum primum modum identitatis:sed solummodo per expositionem & idétitatem pe
nes secundum modum identitatis:quo diuersa eadem sunt secúdú aliꝗ ꝙ cómune est ambobus,
sed hoc non semper,vt iam supra in solutione primi argumenti est expositum . ¶Ad secundum ꝙ
essentialia possunt prædicari de personis & econuerso:quia in diuinis est idem quod est & quo est:
ꝙ est,est essentiale:quo est,est personale:ergo &c.Dico ꝙ quo est & ꝙ est tam in diuinis ꝗ in crea
turis dupliciter accipiuntur.Vno enim modo quod est appellatur subsistens siue suppositum , &
quodcunꝗ in se & secundum se existens vt homo:& quo est appellatur forma qua existit hoc ꝙ
est,vt humanitas est qua homo existit homo.Alio autem modo quod est & quo est non dicuntur
nisi aliqua quæ sunt ipsius subsistentis & in ipso.Primo igitur modo quod est tam in diuinis ꝗ in
creaturis non est nisi subsistens siue suppositum:& vtrobiꝗ dupliciter:siue definitum & singula=
re,vt in creaturis Petrus Paulus:in diuinis pater filius & spiritus sanctus:siue indefinitum:& hoc
differenter vtrobiꝗ : quia in creaturis est suppositum indefinitum significatione & supposititio=
ne simul:quia indefinitum in creaturis significat aliquid vniuersale commune pluribus supposi=
tis singularibᵘˢ,ꝙ indefinite se habet ad singularia significata in illis:& etiam indefinite supponit
pro illis,vt homo significat humanitatem:quæ indefinite se habet ad humanitatem Petri & huma
nitatem Pauli:& supponit indefinite pro Petro & Paulo.In diuinis autem non est suppositum in
definitum significatione sed suppositione tm: quia suppositum indefinitum in diuinis significat
idem singulare absolutum ꝙ significat singulum singulare suppositum. vt deus significat sin=
gularem diuinam essentiam sub ratione substantię vt eius deitaté:quá etiam & sub eadem ratio
ne significat singulum suppositorum , puta & pater & filius & spiritus sanctus : sed supponit
indefinite pro quolibet illorum quantum est de se:licet sint indiuisa illis & communia per indiui=
sionem essentialia omnia:& in nulla propositione in qua pdicat essentiale,possit ppositio verificari

I
Ad.xiii.
K
Ad.xiiii.

I.
Ad.xv.

M
Ad pri.
in opposi.

N
Ad sodm.

pro vno suppositorum sine alijs.In creaturis autem suppositum singulare definitum & indefinitum penitus idem significant,differens solum sicut vniuersale & singulare.Sed in diuinis super illud qd significat suppositum indefinitum,plus habet in sua significatione suppositum singulare.s.
relatiuam proprietatem:quæ in diuinis non habet nisi rationem singularis nõ vniuersalis . Vnde
suppositum indefinitum nec singulariter nec vniuersaliter illam significat.Vñ tres personæ diuinæ singulares.s.pater , filius, & spiritus sanctus ex parte proprietatum quibus personæ distinguũ
tur & plurificantur,nullam personam indefinitam habent sibi respondentem,quæ illas tres sub ali
qua communi relatiua ad illas cõtineat:quéadmodum homo cõtinet Petrum & Paulum.Vnde ad
quæstionem qua quæritur de Petro & Paulo quid vel qui duo,contingit respondere per aliquid in
quo realiter conueniunt.s.vniuoce,vt duo homines:vel analogice,vt duo entia.

Ad quæstionem
vero qua quæritur,pater & filius & spiritus sanctus quid vel qui ternarius,per nomen rei primæ
intentionis impossibile est respondere:quia impossibile est illd esse.Propter quod sancti doctores co
acti respondere ad illam quæstionem,non satisfaciendo quæstioni sed quærentibus,transtulerunt a
creaturis nomen secundæ intentionis indefinitum indefinite supponens pro suppositis realibus sin
gularibus:& respondentes dixerunt:pater filius & spiritus sanctus sunt tres personæ,vt dicit Au-
gustinus.vij.de trini.ca.iiii.Vnde multũ errat qui dicit qp nomen personæ imponitur a proprieta
te cõmuni quæ dicit psonalitas.Patet ergo de quod est isto mõ tã in diuinis q̃ in creaturis.

Quo
est vero respondens isti quod est,differt in parte in diuinis & in creaturis:& in parte cõuenit in il
lis.In diuinis enim subsistens habet duplex quo est,& quo subsistit,& quo est aliquid,vnum absolu
tum,& vnum relatiuum.Et quo ad primum cõuenit cum quo est in creaturis:quo ad secundum
autem differt.Primo eñ modo in diuinis quo est & quo subsistens est & quo est id qd est ipsum I
definitum,puta deus,deitas,est:& eadem deitas penitus est quo est & quo subsistens est & quo est
id quod est quodlibet subsistens singulare.Et secundum hunc modum etiam idem est quo in crea
turis est & quo subsistens & quo est id quod est suppositum idefinitum & singulare.præterq̃ qp illud quo est suppositum indefinitum est vniuersale vt humanitas,respectu illius quo est suppositũ
definitum:vt hęc humanitas quę in Socrate vocatur socratitas:nec est in creaturis aliud quo sup
positum subsistit.Sed secundo modo in diuinis quo est subsistit,& est ad aliquid suppositum nõ i
definitum,vt dictum est:sed definitum relatiua proprietate:vt parēs paternitate,proles filiatione.
Et de qd est & quo ē secundum dictum modum non est verum qd dicitur in argumento qp qd ē
est essentiale,& quo est est personale : quia in creaturis vtrunq̃ semper est essentiale: & in diuinis
vtrũq̃ est personale:quia vnum est persona:alterum pprietas personalis.Et de tali quod est & quo
est in diuinis non intelligitur illud dictum,qp in diuinis idem est quod est & quo est . Non autem
idem penitus est parens & paternitas:quia se habent sicut quasi totum & pars.Persona enim continet personam cum proprietate.Secundo autem modo tam in diuinis q̃ in creaturis quod est &
quo est sunt aliquid subsistentis & in illo:de quibus dictum illud intelligitur . Ad cuius intellectum oportet primo aduertere quid intelligatur per quod est:& per hoc secundo vlterius quid in
telligatur per quo est tam in diuinis q̃ in creaturis . Ex quibus patebit demum quomodo in deo
idem est quod est & quo est:non autem in creatura.

Circa primum aduertendum qp id cuius est
quod est,semper est aliquid quod est aut subsistit,vt deus & homo . Ipsum etiam quod est similiter est aliquid qd alicuius est.Vnde qd est de eo cuius est potest quæri per quid est:vtputa de deo
quid est qd deus est:aut de homine quid est qd homo est. Et est de deo propria responsio dicendo
qp deus est essentia.Essentia enim est qd deus est.i.est res quę deus est:sumendo ly est secundo adia
cens,cui supponit ly deus.de quo quod est dicit Boethius qp deus est id quod est.Nota qp non dicit qp de9 est quod est:sed dicit qp est id qd est.Essentia enim proprie est quod est.Deus autem est
ipsa essentia quæ est quod est:& per hoc de9 est id quod est. Vt nõ solum de deo dicatur vere de9
est,prædicando ly est primo adiacens:verũ etiam de deo dicitur vere per est secundo adiacēs:De9
est ipsa essentia qua est.Sed cum consimiliter quæritur de homine quid est qd homo est,bona est re
sponsio dicendo qp homo est essentia.Essentia enim est qd homo est, dest est res quæ est homo,præ
dicando ly est secundum adiacens,vt non solum de homine dicatur vere homo est,verum etiã ve
re dicitur homo est ipsa essentia qua est:licet alia significatione essentia dicatur de deo:alia de ho-
mine.Qua de causa ergo Boethius dicit de deo,Vnũ est,& est id quod est:qd continuo negat de
cæteris suppositis.Reliqua enim non sunt id quod sunt.Ad cuius dicti intellectum est aduertēdũ
qp tripliciter potest aliquid dici esse id quod est, scilicet absolute, prærogatiue, & vere.Absolute di
ci potest esse id quod est omne compositum ex pluribus partibus etiam absq̃ aliqua præro-

gatiua alteri⁹ illarum super alteram. Puta domus composita ex lignis & lapidibus est id quod est. Lapides enim sunt id quod est domus & similiter ligna:& domus est ipsi lapides,qui sunt quod est domus:& similiter ligna.Ambo enim sunt qd est domus:licet per se neutrum sit totu quod domus est : sed ambo simul . Et sic de quolibet subsistente ex diuersis composito: quia ( sicut dicit Boethius ) & est hoc atæ hoc,idest partes sua coniuncta: sed non hoc vel hoc singulariter: & sic qd est vnumquodæ compositum,non in altera partium sed in vtraæ simul consistit.Praerogatiue dicitur esse id quod est compositum ex pluribus qd propter preminentiam vnius partium eius super alteram illa quasi censetur totum quod est.Puta vt cu est aliquis sapiens magnus bonus & caetera talium,propter sapientiae eminentiam dicitur:Tu quantus es,totus sapientia es:tanæ nihil nisi sapientia sit:& quasi qd est sapientia sit.Et per hunc modu cu homo ex multis coponit quorum vnum est intellectus,qui est praecipuum in illo,quasi totum quod est homo est intellectus:si quidem hic maxime homo vt dicit Philosophus.x.Eth.Sed nullo horum modorum est aliquid vere quod est:quia nullum hor qd est,simplex est & solitarium:quale est quod est qd deus est, puta diuina essentia.Ipsa eni simplex & solitaria est qd est qd deus est.dico est existete secundo adiacens & deo supposito:& ipsa eadem est quo deus est:est existente primo adiacens.Deus enim ipsa essentia sua e:& sic ipsa in recto e.Ipsa etiam in obliquo ablatiue est quo deus est. Deus enim essentia.i.p suam essentiam est.Et per hunc modu solus deus e id quod est:reliqua non sunt id quod sunt: sed potius sunt ea quae sunt.Ex quo dicto Boethii sumitur illud positum in argumento, q in diuinis est idem qd est & quo est:sed nusq dicit illud expresse.Est autem in deo idem qd est & quo est,scilicet essentia. Dico quo est simpliciter est existete primo adiacens:non quo est deus,est existente secundo adiacens.Neæ essentia inquantum est essentia simpliciter, deus est simpliciter:non autem ipsa est deus nisi vt habet rationem substantie in hoc nomine deitas.Deitate autem inquantum e deitas est deus.Non autem deitate est:nisi inquantum deitas includit in sua ratione rationem essentie.Et sic quando incidunt in vnum quod est & quo est:oportet q illud sit simplex & solitariu i illo cuius est:cuiusmodi est essentia quae nullius alterius rationem includit:qd cotingit in solo deo. In omnibus enim aliis quod in illis est totum quod est, simplex non est:qd vero qd est particulariter,solitarium non est.Vnde in aliis a deo aliud est qd est:aliud vero quo est:quia quod est, est accipiendo primo adiacens:in ynoquoæ illorum sunt illud de proximo componentia: quae non sunt quo est,est accipiendo primo adiacens.Puta homo humanitate quae continet animalitatem rationalitatem, est homo:non aut est humanitate nec aliquo incluso in eius significato,quo peruenimus ad simplicem rationem essentie,ad quam p additionem se habet ratio substantie,qdlibet eni ens siue deus siue creatura non nisi essentia ablatiue.s.est,est existete primo adiacens. Aliud autem est essentia:aliud vero humanitas,sicut id quod per additionem se habet ad essentiam. Vnde super illo secundae regulae de hebdo.Diuersum est esse & id qd est.dicit Commentator.In theologia diuina essentia quam de deo pdicamus cum dicimus deus est omnium creator, dicitur esse. Cum enim dicimus homo est vel corpus est vel huiusmodi, theologi hoc ee dictum intelligunt quadam extrinseca denominatione ab essentia sui principii.Non enim dicunt corporalitate corpus esse: sed esse aliquid:vt humanitate hominem esse:sed esse aliquid.Et similiter vnumquodæ subsistens ab essentia sui principii praedicant non esse aliquid sed esse,illa vero quae in ipso creata est substantia,non esse: sed esse aliquid.Et ad eidem modum quicquid operante summo principio est,eadem principali,& increata substantia dicitur esse:suo vero quolibet genere aliqd esse.Nota q cu dicit Essentia quam de deo pdicamus cum dicimus deus est omnium creator,dicitur esse:per hoc intendit q esse in nullo ab alio dicitur q ab essentia diuina sumedo essentia ablatiue:sed vnuquodæ aliorum a deo ab id quod est siue sit essentia siue aliud,dicitur non esse sed esse aliquid,puta homo ab humanitate,quae admodum etiam vt dictum est,deus a dcitate non dicitur esse:sed esse aliquid,scilicet deus,Quae q dem denominatio qua creatura dicitur esse ab essentia dei,est alia ab illa quae est ab essentia primi principii vniuscuiusæ in se:quod est essentia sua propria,qd magis declarabitur in quaestione vltima.Per hunc ergo modum in solo deo vt est indefinitum suppositum,est idem quod est & quo e: & per consequens etiam in quolibet diuino supposito definito. In patre enim idem est quod est & quo est sicut in deo simpliciter:similiter in filio & spiritu sancto : sed in quolibet istorum quoquo modo aliud est quo ad aliud est,vt patet ex supradictis.Qd ergo dicitur in argumento,quod qd est i diuinis est essentiale:hoc bene veru est:sed qd addis quo est e personale,falsum est.Solum eni cetia l: sicut eetia in diuinis est qd est:& quo est sub altero quicquid est in diuinis . Personale autem vt proprietas:non est nisi quo subsistes ad aliud est.Est ergo in deo quo est,quod est,quo aliquid est quo ad aliquid est,& qui est.Quo est deus,essentia est.Esse enim dicitur ab essentia. Sed non est quo

deus aliquid eſt : quia ab eſſentia nihil dicitur eſſe aliquid vt ſit ſecundo adiacens: ſed eſſe tñ
vt eſt primo adſiacens eſt.Sed ſi eſſentia aliquid eſt,hoc non eſt niſi quod ipſa eſt:inquantum ipſa
eſſentia qua de⁹ eſt,eſt etiã id qd̃ deus ipſe eſt.Quo aũt eſt, eſt aliqd̃ ſuper ſpeciales rõnes,rationes
ſup eſſe & eſſentiã ratione illius in ſignificato ſuo includentes:cuiuſmodi ſunt omnia alia abſoluta
in diuinis:quorum primum eſt deitas,quæ ſignificat eſſentiam ſub ratione ſubſtantiæ ſimpliciter.
Deus enim deitate non eſt,ſed deus eſt:nec magnitudine eſt:ſed magnus eſt:& ſic de cæteris . Eſt
autem ad aliqd̃ proprietate relatiua.Paternitate eĩ pater & ad filiũ eſt,qui eſt de⁹ trinitas eſt:&
quæcũqʒ ſingularum perſonarum,& ſic de⁹ alio eſt:alio de⁹ eſt:& alio magnus eſt:alio pater eſt.Sic
ergo ſolus deus eſt qd̃ eſt,qd̃ idem eſt cũ quo eſt.Et in omnibus aliis differunt qd̃ eſt,vt ᵱpria eſ̃
tia cuiuſcʒ,puta humanitas hominis: & quo eſt, vt eſſentia ſimpliciter.Per compoſitione eĩ ſe ha
bet humanitas a qua dicitur eſſe hoc,ad eſſentiam ſimpliciter a qua dicitur vnũquodqʒ eſſe ſimpli
citer:& ſicut ſolus eſt qd̃ eſt:ſic ſolus ē qui eſt:ſed aliter & aliter.Quia qd̃ eſt prædicat de ipſo eſ̃
tiam ſub ratione eſſentiæ ᵱ ſignificato ipſo deo ſupponente.Deus eĩ eſt qd̃ eſt,quia ipſe ſua eſſen
tia eſt. Qui eſt vero prædicat de eẽtia eſſe ſub rõne eſſe ipſo deo ſupponente ᵱ ſuppoſito.Dicitur
eĩ deus qui eſt,quia ipſe eſt eſſe:& quia eſſentia ſignificat per modum habitus:eſſe vero ſignificat
per modum actus.Dignior autem & nobilior eſt ratio actus q̃ habitus,ſicut vigilia q̃ ſomnus,Id
circo licet vtrũqʒ nomen dei ſit, qʒ,ſ.ſit qui eſt,& qʒ ſit qd̃ eſt:dignior tñ denominationum eius eſt
qui eſt q̃ qd̃ eſt.Et ſic quia in argumento minor eſt falſa,non eſt mirum ſi cõcluſio falſa ſit,ſecũdũ
modũ tñ ſupra expoſitum.⌐Ad tertium,qʒ eſſentialia prædicantur de relationib⁹ perſonalibus di Ad tertiũ
cendo paternitas eſt deitas:quia iſta eſt ᵱ ſe:pater eſt deus:Dico qʒ verum eſſet ſi eſſet per ſe oĩno in oppoſi.
de:nunc aũt non eſt ita:quia nõ eſt ᵱ ſe niſi ᵱ eo qd̃ in ſignificato patris eſt ſimul qd̃ eſt & quo eſt:
& hoc vel quo eſt ſimpliciter vt eſt eſſentia:vel quo eſt aliquid,ſ.de⁹,vt eſt eſſentia ſub ratione ſub
ſtantiæ:non aũt ᵱ eo qd̃ in illo eſt quo ad aliud eſt: ᵱ quo cõcludit abſtractum de abſtracto,vt ᵱa
tet.Vnde regulę Philoſophoꝛ generales in creaturis intellectu reſtringendę ſunt in diuinis.⌐Ad Ad q̃rtũ.
quartum qʒ relationes perſonarum prædicantur de eſſentialibus:quia pater deitate generat,& pa
ternitate generat:Dico qʒ hoc vltimum falſum eſt:quia non paternitate generat: ſed deitate,vt in
patre ſubeſt deitas paternitati ſecũdũ ſuperi⁹determinata circa ᵱductionem pſonarum.Nec eſt mi
rum ſi ex præmiſſa falſa ſequit concluſio falſa,exponendo tñ ſecundum prædictum modum.Vnde
magiſter primo Sententiarum diſt.xxxviii.cum in principio hãc concedat dei natura eſt pater,pro
pter rei idẽtitatem abſqʒ repugnantia ᵱprietatum:propter ᵱprietatum repugnantiam negat iſtã
ſimpliciter,Fili⁹ eſt pater,in capitulo Ad naturã,ĩ fine ſic inquiens.Si etiã dictũ fuerit:cũ dicis filiũ
eſſe qd̃ eſt pr,ᵱfecto fili⁹ pater eſt:reſpõde ſecũdũ ſubſtãtiã tibi dici:hoc eſſe filium quod pater eſt:
ſed non ſecũdum id qd̃ ad aliud dicit.⌐Ad quintũ,qʒ perſonæ poſſunt abinuicem prædicari:ꝗa pa Ad qntũ.
ter genuit deum,qui eſt ipſe:ipſe aũt eſt pater,ergo genuit deum qui eſt pater:& ille eſt filius,ergo
filius eſt pater,Dico qʒ cum dicitur ex dictis Auguſt. Deus vel pater genuit deum qui eſt ipſe:ly
ipſe nõ refert ipſam perſonam niſi ratione ſubſtantiæ cõmunis: quia genuit deum qui eſt idem &
vnus in ſubſtantia cum ipſo,ſic enim illa Pater eſt filius,per expoſitionem poſſet verificari niſi aliã Ad ſextũ.
obſtaret,vt tactum eſt ſupra.Cõcludit autem ac ſi referret pſona ratione proprietatis. propter qd̃ Ad ſepti-
non ſequit cõcluſio.⌐Ad ſextum,qʒ eſſentialia in concretione poſſunt ᵱdicari deinuicem,ſimplici mum.
ter eſt concedendũ.⌐Ad ſeptimum qʒ eſſentiale abſtractum nõ poſſit prædicari de eſſentiali cõcre
to:Dico qʒ verum eſt ſecundũ ᵱdicta niſi per expoſitione. Et qd̃ arguit qʒ ſimpliciter:quia ſi de⁹ eſt
bonitas : ſicut ergo deus eſt bonus bonitate:ſic eſt bonus deo: Dico qʒ verum eſt ſi illa prædicatio
abſtracti de concreto eſſet ſimplex & abſoluta,tunc enim vt dicitur in argumento,idem iudicium
eſſet de vno:vt quicquid aſcriberetur vni & alteri.Nunc aũt quia non eſt niſi ſecundum expoſitio
nem,illud non ſequit. Eodem modo reſpondendum eſt ad conuerſum probans qʒ deus vel deitas
non ſit bonus.

---

Queſt. iiii.
Arg.

Irca tertium arguitur qʒ prædicatio vnius ſiue eſſentialis ſiue perſonalis de plu
ribus perſonis reſoluenda eſt in pluralem & non in ſingularem : dicendo pa
ter eſt æternus:filius eſt æternus:& ſunt tres æterni & non vnus æternus:pater
creat,filius creat, ſpiritus ſanctus creat : & ſunt vnus creans non tres creantes:
Primo ſic.Boethius de prędicatione eſſentialiũ in diuinis pſonis dicit ſic. Hęc ta
lia ſunt qualia ſubiecta permiſerunt.de trini.cap.v. Sed hic ſubiecta cum ſimul
pluraliter ſupponant in propoſitione reſolutoria, dicendo pater & filius & ſpũs
ſanct⁹ ſunt,quãtũ ē de ſe nõ ᵱmittũt ᵱdicatũ aliter ᵱdicari q̃ pluraliter : ꝗa ĩ veris ᵱpõnib⁹ de qb⁹

loquimur,ſ̃dicatũ debet eſſe conforme ſubiecto & cõpacti,ſecũdũ ſuperius determinata.ergo &c.

2 ¶Scõo ſic.adiectiuum in prędicato debet conformari ſuo ſubſtãtiuo in ſubiecto exiſtẽte ſecũdũ nu merũ:ſicut ſecũdũ caſum & ſecũdũ genus,ſed eſſentialia pluribus ſunt adiectiua voce & re,vt bo

In oppoſi. nus,iuſtus,verus:vel vere vt ſpirator creator.ergo &c.¶In cõtrariũ eſt Athanaſi⁹ in ſymbolo, q di cit.Aetern⁹ pater,ęternus filius,ęternus ſpiritus ſanctus:& nõ tres ęterni ſed vnus ętern⁹. Domi nus pater,dñs filius,dñs ſpiritus ſanctus:& tñ nõ tres domini:ſed vnus eſt dominus.

F
Reſponſio ¶Dico q̃ ſicut ex eo q̃ nobis ſcriptura in diuinis tres eſſe memorat cũ dicit pri mę Ioan.iii.Tres ſunt qui teſtimoniũ dãt in cęlo,pater verbũ & ſp̃s ſanctus:Dubiũ videbat men tribus audientiꝫ quid tres illi eſſent:& vt dicit Auguſt.ſparſim,vĩ,de trini.ca.iiii.cũ quęriſ̃ quid tres,conferimus nos ad intuendum q̃ddã ſpeciale vel gñale nomen quo cõtemplamur hęc tria:ne q̃ occurrit aĩo quid cõmune habeant. Nam hic vbi nulla eſt eſſentię diuerſitas:oportet vt ſpeciale nome habeãt:qd tñ nõ inueniſ̃.Et verũ dicit:ga ſecũdũ dicta iã ſupra,nõ eſt in rerũ natura.Sic cũ non ſolũ noĩamus tres:ſed eos aliqd ee exprimim⁹,dicẽdo pr̃ eſt de⁹ pſona ætern⁹:fili⁹ eſt de⁹ pſona æternus:ſpiritus ſanctus eſt deus pſona æternus,vt patet ex ſupra determinatis:dubium grauius de illo qd cõmuniter eſſe dicit occurrit.Cognito eñ quid cõmune habeãt: & quõ noĩe cõĩ dicun tur deus perſona æternus:aut aliqd taliũ: cõferimus nos ad intuendũ ſi vt ſigillatim ſingulum eo rum dicitur deus perſona æternus,ſic ſimul cõĩci dicãt vnus deus vna perſona vnus æternus: an plures. Vlterius cum manifeſtũ ſit q̃ ſi ad noĩs cõmunitatem aſpiciamus,q̃ æqualiter ſit cõmu ne tribus dictis:qua ratione dicaſ̃ ſecũdũ vnũ illoꝛ q̃ ſunt plures:aut q̃ tñ vnus:eadẽ rõne & de quolibet aliorum. Vt eñ dicit Auguſtinus ibidẽ,ſi ppterea dicimus tres pſonas quia cõmune eſt eis id qd eſt perſona:alioquin nullo modo ita poſſet dici: cur non etiã dicimus tres deos!& tamen videmus ſcripturas ſecundũ aliqua illoꝛ cõmuniũ dicere q̃ ſint plures:puta plures perſonæ,plu res intelligentes:& ſecundum aliqua q̃ ſunt tñ vnus,puta vnus deus,vnus æternus.Adhuc vlte rius cũ notũ ſit hoc nõ procedere ex parte noĩs cõmunis: conferimus nos ad intuendũ cãm hui⁹ diuerſitatis ex parte rerũ ſignificatarũ ipſis noĩbus : quã ſcriptura ſup aliquib⁹ ſeruat ſequens rei naturam,in aliquibus nõ.Et ideo qd ſup hoc ſcriptura teſtaſ̃ tenendũ eſt:ſup eo aſiſ̃ qd non teſtaſ̃ qd ratio recta dictat ſentiẽdũ eſt.Vt ga dicit,Audi Iſrael deus tu⁹deus vnus eſt:tenendũ eſt q̃ pa ter & filius & ſpiritus ſanctus ſimul ſunt vnus deus:ſed nihilominus rõ dicti pia fide inueſtigan da, Quã(vt ęſtimo)inſinuat nobis Auguſtin⁹ dicẽs ibidẽ,Quia pater deus & filius de⁹ & ſp̃s ſan ctus deus:cur non tres dii! an qm propter ineffabile coniunctionem hęc tria ſunt vnus deus!Hãc coniunctionem intelligo in vna re ſingulari,qua oĩa quæ ſunt in diuinis idipſum ſunt,dicente Au guſt.iii.contra Maximinũ ca.x.Ipſa trinitas,vnus eſt deus,de qua dictũ eſt.Nõ eſt deus niſi vn⁹:ga tres vnius ſubſtãtię ſunt:& ſumme vnũ:vbi nulla naturarũ eſt diuerſitas.Hi tres vnũ ſunt:ppter ineffabilem cõĩctionẽ deitatis qua ineffabiliter copulant vnus deus eſt. Nomen igiſ̃ illud cõmu ne cuius ſignificatũ nullã cõĩctionẽ habet in illa:ſed abextra eſt omnino:ſecũdũ illud non oportet q̃ illi tres ſint vnũ:ſed poſſunt eſſe plures ſecundum rei illius plurificationem.¶Ex quo patet reſpõ ſio ad illud qd q̃rit Auguſt.continuo poſt iam dicta ſubdens,Cur nõ etiã vna pſona:vt ita nõ poſ ſimus dicere tres pſonas q̃uis ſigillatim quẽq̃ appellemus pſonam:q̃eadmodũ nõ poſſumus dice re tres deos:q̃uis ſingulum quenq̃ appellemus deum.Eſt enim ratio illius ex parte huius noĩs de⁹ coniunctio eius qd ſignificatũ eſt hoc nomine deus,ſ.eſſentia ſub ratione ſubſtãtiæ,ſecundum mo dũ determinatum in pręcedente queſtione,cum eo q̃ eſt eſſentia ſimpliciter in ſingularis vnitatis ſimplicitate.Propter quã cõĩctionẽ ineffabile idipm eſt ſignificatũ hoc noĩe de⁹.ſ.deitas,cum ipſa re quæ eſt eſſentia deitatis ſimpliciter.Propter qd nec deitas ſicut neq̃ eſſentia ſimpliciter aut ali quid alioꝛ̃ in illa ineffabile cõĩctionẽ incidẽs tanq̃ res ſingularis plurificari poteſt: licet cõis ſit & cõmunionem tribus:& tñ propter cõmunitatẽ illę quilibet illoꝛ̃ ſigillatim diciſ̃ de⁹: nec tñ ſimul omnes pluſq̃ vnus deus.Ex parte autẽ pſonę ratio eſt diſiunctio rei noĩs ſignificati hoc noĩe pſona ad rẽ illã ſingulare q̃ eſt res naturæ & neceſſe eſt ex ſeipſa,non potẽs aliter ſe habere.Significatum eñ hoc nomine perſona cum ſit nome intẽtionis non rei,vt habitum eſt ſupra,id qd ſignificat ra tionis eſt:qd cõmune eſt deo & creaturę:licet ex alia cã ex parte rei nomen perſonę & noĩs ſignifi cati per ipſum attribuaſ̃ deo q̃ creaturę,ſecũdũ q̃ alia ꝓprietate ſubſiſtit de⁹:alia ſit creatura.Qd ęſtimo intellexiſſe Aug.cum dicit parum ante vltimo dictũ ab ipſo.Perſona nome generale eſt in tãtũ vt etiã hõ poſſit hoc dici,cũ tãtũ interſit inter hominẽ & deum.Et per hũc modum etiã quęcũ q̃ alia nomina eſſentialia abſoluta cõmuniter de tribus prædicata ſigillatim quę dicunt rem natu ræ,reſoluunt in vnam ſingularem:quæ vero dicũt rem rõnis & ſecundę intentionis,reſoluuntur in vnam pluralem.Sed tñ de illis quæ ad illam ineffabilẽ coniunctionẽ ꝑtinent,& cõmuniter diciturX

de plurib⁹,& rē primę intētionis ſignificant,ſubdiſtinguendū eſt.Quędā dicunt de illis ratione il
lius vnius pciſe:non per rationē aliquā diſtinctionis illorū:nec illā aliquo modo reſpiciunt,vt ſunt
iam dicta.ſ.eſſentia,de⁹,vita,bonitas,ſapiētia,& ſingula attributa,vt abſoluto noīe penitus ſunt ſi
gnificata:& oīa hęc & talia in ſingularē reſoluunt,quia nīl niſi id quo in illa cōuētione abſolute cō
ſiſtunt nominant,nec ſcdm rem aliquid cōmune vniuerſalitate dicunt,ſed ſingulare tm.Et ſic vt
dicit Aug.poſt predicta,ppter vnitatem trinitatis nō dicunt tres eſſentię,ſed vna eſſentia. Simili
ter nec tres boni,ſed vnus:nec tres eterni,ſed vn⁹ ętern⁹.& ſic de cęteris. Tres ē̄ numerū iportāt
reſpondentē diſtinctioni perſonarū per ſuas pprietates:vnus autē eſſentia ſingularitatē:q̄ ambo in
cludunt ſimul in ſignificato patris filii & ſpiritũ ſancti:q̄ noīa ſunt vnitatis ſubſtātię ſingularis &
ſingularū proprietatū diſtinctarū ipſarũ perſonarū,de qbus pdicant oīa talia abſoluta vt denomi
nātia illa ratione illius ſingularis ſecundū diuerſas rationes,ſub qbus illā in nominū ſuoᵣ ſignifica
tis includunt,ſecudū quas etiā perſonę ſubſiſtentes habet eſſe vnū aliquid,& propterea vni illi con
formant in numero,ſiue illis trib⁹ ratione illius:cū qdlibet illorū fi' pdicat de ſubſtantia,& hoc ſi
ue ſubſtātiue ſignificent,vt his noĩbus deus,ſubſtantia,eſſentia,ſiue adiectiue,vt his noĩbus bonus
ſapiens,ęternus,& cęteris hm̄oi:ita q̄ nunq̄ reſoluunt in pluralem niſi ſubſtantiuo aliquo pdicato
tn ſimpliciter & immediate expreſſo,dicendo pater eſt pſona eterna,filius eſt pſona æterna,ſpiritus
ſanctus eſt perſona eterna,& tres ſunt perſonę ęternę,ſed tn non niſi vnica ęternitate,nō ſicut tres
hoīes tribus humanitatib⁹.Et cū ly perſona p alio ſupponit q̄ ſignificet,ſupponit ē̄ pro re natu
rę & ſignificat rē rationis:ly æternus aũt & aliquid ſignificat quo habet eſſe aliquid id de quo præ
dicat,& aliquid cōſignificat quo debet cōformari vt adiectiuū ſuo ſubſtantiuo,puta numerum:ly
æternus ſignificato ſuo reſpōdet illi pro quo nomen pſonę ſupponit,& hoc non niſi vt ipm̄ p quo
ſupponit qd eſt pater filius & ſpiritũ ſanctus,eſt aliqd ſecundū ſe,non autē ad aliquid. Dico autē
pro quo ſupponunt,& hoc immediate nō mediate aliquo ſuppoſito reali indefinito & cōmuni ad
patrē & filiū & ſpiritũ ſancti,ſicut aial ſupponit p Petro Paulo & Andrea mediate ſuppoſito rea
li cōmuni,& indefinito.ſ.mediāte hoīe:quia vt dictũ eſt ſupra,nullum eſt tale cōmune ad patrē &
filium & ſpiritũ ſancti: ſed perſona prima & immediata ſuppoſitione ſupponit p illis trib⁹ & quo
libet illorū,ſicut ens immediata ſignificatione ſignificat ſubſtātiā & accidēs : nō aũt aliquid cōmu
ne ad illa,quia nullū eſt:pter hoc q̄ ens nō ęque primo ſignificat ſubſtantiā & accidens,licet ęque
imediate,Perſona autē ęque primo & ęque immediate ſupponit p ſingula illarũ. Dico autē non ni
ſi vt ipſum p quo ſupponit eſt aliqd,non aũt ad aliquid:quia quęlibet triũ diuinatũ perſonarũ eſt
aliquid ſecundū ſe ratione eſſentię ſiue ſubſtātię deitatis,& eſt ad aliqd ratione pptietatis relatiuę.
Nunc autē ly ęternus cū dicit pater eſt pſona ęterna,filius eſt pſona ęterna,& ſpiritus ſanctus eſt
perſona ęterna,ſignificato ſuo reſpōdet cuilibet illorū,& quo habet quilibet illorū eſſe aliqd,& hoc
inquantũ quilibet illorū eſt aliqd ſecundū ſe ratione ſubſtātię:non aũt vt eſt ad aliquid ratione p
prietatis.Ly ętern⁹ vero ſuo cōſignificato reſpōdet ſignificato in noīe perſonę,& hoc in genere nu
mero & caſu,nec refert dicere tres æterni addēdo ly tres,& abſcq̄ illo dicere ęterni:& dicere cum ly
vnus,vnus ęternus:& abſcq̄ illo ętern⁹.Nec oportet diſtinguere cū dicit ęterni,q̄ poſſit tenēri adie
ctiue vel ſubſtantiue. In hoc ē̄ nulla eſt differētia.Alia vero ſunt noīa q̄ pertinēt ad illā ineffabilē
coniunctionē in illa vnitate ſingulari:q̄ dicunt de diuinis pſonis ratione illius vnius principaliter,
reſpiciendo tn aliquo modo ratione diſtinctionis pſonarū vnū in ſuo ſignificato incluſum: ſine qua
diſtinctione non dicerēt de illis.Et ſunt hęc in duplici genere,quia quędā ſunt q̄ non dicunt com
muniter de plurib⁹ niſi in ordine cuiuſcq̄ illorum ad aliũ vel ad alios:quædā vero ſunt q̄ non dicū
tur de plurib⁹ niſi vt cōmune vel tres ſimul vel duo ordinant ad aliquē actum. Primo modo pdi
cant cōmuniter de tribus in ſingulari relationes cōmunes,& fit pdicationū illarū reſolutio nō niſi
in plurali,dicēdo pater eſt idē equalis filiis,fili⁹eſt idē equalis filiis,ſpūs ſctūs eſt idē equalis filiis,& tn
nō ſunt idē equalis aut filiis,ſed tres iidē equales aut files.& hoc ppterea qa hmōi relationes ſcdm
ratione plurificant in trib⁹,ſine qua plurificatiōe nec relatiōes eſſent,vt habitũ eſt ſuperi⁹ loquēdo
de relationib⁹ cōmunibus.Secūdo modo noīa de plurib⁹ pdicata ſumunt ab actu vt illi ſunt cau
ſa vel principiũ illi⁹,& ſunt in duplici genere,quia aut pdicata ſunt de illis vt ipſi plures ordinant
ad actũ iam inſtantē,& vt cauſa in actu illi⁹,& ſic ab ipſo denoiant vt eſt egrediēs ab illis:aut vt or
dinant ad ipſum ſimpliciter conſideratũ,& ſic ab ipſo ſimpliciter denoiant vt cauſa ei⁹ ſimpliciter
Quę primo modo pdicant de pluribus,nō reſoluunt niſi in vnam pluralē,& hoc ſiue actus illi ſint
abſoluti nō trāſeuntes in aliũ necq̄ in alios,ſiue ſint actus trāſeuntes in aliud extra ſiue in aliũ intra
& non ſignificant niſi verbaliter ſiue participialiter.Actus ē̄ abſoluti non trāſeūtes in aliud aut
in alĩũ,ſunt actus eſſentiales,& ſigillatim conueniunt tribus,cuiuſmodi ſunt intelligere,velle: qui

k

L

M

N

sunt actus manêtes,dicêdo pater îtelligit siue est îtelligês: vult siue est volens:similiter filius & spî
ritus sanctus:& tñ non sunt vnus volês aut vnus intelligês.sed tres volentes aut intelligêtes.Act⁹
autê transeuntes non ad aliud extra:sed ad alium intra cômuniter a pluribus,non possunt esse nisi
psonales:qui non potest esse nisi vnus psonalis:qui sigillatim conuenit duobus tñ:cuiusmodi ê spi
rare.Dicit em̄ pater spirat seu spirans est,& similiter filius:& tñ non est vnus spirans:sed duo spi
rantes.Actus vero transeuntes ad aliud extra,essentiales sunt:& sigillatim côueniunt tribus:cuius
modi sunt creare:dicêdo pater creat,filius creat,spiritus sanctus creat:& nõ sunt vnus creans:sed
tres creantes. Et in omnibus hmõi vna causa est,videlicet q̄ talia prædicata denominant personas
vt actus ab eis egrediuntur.Nûc autem ita est, q̄ licet vnũ illud singulare sit in personis ratio agê
di omnes diuinas actiones:principium tñ elicitiuum illarum non sunt nisi psonæ vt personæ sunt
a quibus vt a principiis agentibus egrediuntur.Propter quod licet sit vna actio duarum vł trium
indiuisa,propter tñ significandi modum illius in secundum actum eliciendo non simul denominãt
illos in singulari sed in plurali tñ.Quæ autem secundo modo pdicantur de pluribus.s.vt ordinã
tur ad actum simpliciter consideratum:& vt sunt causa seu pricipium illius simpliciter:dupliciter
denominantur.Vno modo ab ipso actu.Alio modo a ratione elicitiua actus.Et primo modo non si
gnificantur nisi nominaliter:sed aliter & aliter terminãt quando denominantur sic ab actu de futu
ro:& quando ab actu de psenti:aut de præterito.Quia ab actu de psenti aut de preterito denomi
nantur nominibus terminatis in or,vt creator spirator.Ab actu autem de futuro denominant no
minibus terminatis in uus,vt creatiu⁹ spiratiu⁹.Et secundum q̄ diuersimode illæ personæ plures
ordinantur ad actum vt simpliciter sunt causa seu principium illi⁹,secundum hoc diuersimode sit
prædicationum taliu nominum sigillatim de singulis resolutio in singulari vel in plurali. Est igit
sciêdum q̄ plures personæ diuinæ possunt ordinari ad aliquem actum vnum simplicem vt simpli
citer sũt cã seu principiũ illius & ab ipso denominãt,dupliciter.Prio vt illę sunt vnũ & singulę:nõ
vt sunt plures simpliciter:nec vt sunt plures vnitę.Secûdo vt sunt plures,nõ vt sunt vnũ aut sin
gulę:nec vt sunt vnitę.Primo modo ordinantur plures psonæ diuinæ solum ad actus substãtiales
vel absolutos intra manêtes: cuiusmodi sunt intelligere,vel extra ad aliud trãseuntes vt creare gu
bernare:& hoc siue fuerit denominatio respectu act⁹ de presenti siue de futuro,& semper sit resolu
tio in singulari,vt si liceat nomina fingi:dicêdo de præsenti vel præterito,pater est intellector,voli
tor,creator,gubernator:similiter filius & spiritus sanctus:& tamê non sunt tres intellectores,voli
tores,creatores,gubernatores:sed vnus intellector,volitor,creator,& gubernator:vł de futuro: pa
ter est intellectiuus,volitiuus,creatiuus,& gubernatiuus:& similiter filius & spiritus sanctus:& ta
men non sunt tres volitiui,intellectiui,creatiui,& gubernatiui:sed vnus.Cuius ratio est q̄ act⁹ de
præsenti aut præterito a quibus tales fiunt denominationes,a pluribus personis diuinis proce
dunt in psenti:aut pcesserunt in pterito:vt personæ illæ plures sunt vnum per omnimodam vnita
tem & idêtitatê & secûdu rê & secûdû rõne ipsarum in essentia deitatis,quę est in psonis pluribus
elicitiua dictorum actuum:& quę sic est vna & eadem vt est illorũ elicitiua.Propter q̄ licet plures
sunt qui agunt hmõi actiones,agunt tñ eas vt singuli: non sic q̄ illarũ aliqua agit aliquam actio
nem essentialê quã simul alię non agant:sed sic q̄ si p impossibile ponatur q̄ duę illarum aliquã di
ctarum actionum non agant,puta creare,non sequitur ex hoc q̄ tertia non creat:aut q̄ sit impossi
bile eam creare. Licet em̄ sit impossibile simpliciter q̄ vna diuinarum psonarum aliquod essentia
le agat : quia respectu illarum indiuisa sunt opera trinitatis : tamen posito q̄ duę non creent:ex
hoc non sequitur q̄ tertia non creet:tanq̄ incompossibile antecedêti illi q̄ tertia creet.quasi nõ pos
sit pcedere actus essentialis qui est creare,nisi a plurib⁹ psonis simul:sicut nõ põt procedere psona
lis actus qui est spirare,nisi a pluribus simul:quê idcirco spirãt pf & filius nõ vt singuli:sic q̄ aliqs
illorum possit spirare sine altero:sed vt plures simul:sic vt neuter illorum possit spirare illum sine
altero:immo q̄ hoc eêt ponere(si poneret)nõ solum impossibile secundũ se:sed etiam incõpossibi
le ponenti.s. q̄ dictas actiones essentiales agunt plures personæ vt singuli,& ita secundum se non
agunt eas vt plures simpliciter:quia tunc non agerent eas vt singuli,neq̄ vt plures psonæ vnitæ:
quia tunc neutra illarum ageret eas secûdũ se. ¶Secûdo modo ordinantur plures personæ diuinę
solummodo ad actũ psonalê qui est spirare:& respectu cuiuscũq̄ temporis fuerit denominatio sem
per sit resolutio in plurali:dicêdo pater est spirator & spiratiuus:& similiter filius:& tñ nõ est vn⁹
spirator aut spiratiuus:sed tm̄ duo spiratores & duo spiratiui.Cuius ratio est q̄ actus a quo tales
fiunt denominationes,procedit a pluribus personis vt sunt plures per pluralitatem & diuersitatê
secundum rationê ipsius vis spiratiuę,q̄ est voluntas libera:& inquantum i personis spirantib⁹ est
bifurcata.Volũtas em̄ quæ in diuinis non põt eê nisi vnica:& tribus personis est communis atq̄

eſſentialis,in patre & filio eſt cōmunis ratio ſpirādi atcp notionalis.Nō eſt autē ſpirādi ratio in ipſis vt eſt voluntas ſimpliciter,nec vt eſt pluriū ſimpliciter:Sic eⁱm in ſpiritu ſancto eſſet vis ſpiratus eocp in ipſo eſt eadē volūtas cj̄ eⁱ in patre & filio vt eⁱ volūtas ſimpliciter,& vt eſt pluriū ſimpliciter eo cp nō eſt in ipſo niſi a patre & filio,in quibus eſt primo ordine quodā naturæ, ſed volūtas eſt ſpi randi ratio in ipſis ſolūmodo vt ipſa eſt pluriū bifurcata.ſ.vt eſt p amorē tendens a patre in filium & ecōuerſo vt eſt per amorē tendens a filio in patrē. iuxta illud qd̄ dicit quedā propoſitio de maxi mis theologiæ Aſani.Monas monadē genuit.ſ.pater filiū,& in ſeſuum reflectit amorē.monas.ſ.vna in alterā vice verſa,Propter qd̄ plures pſoneſpirantes.ſ.pater & filius,non ſpirant vt vnū & ſinguli queadmodū creant ſcdm iam dicta,ſed ſolūmodo vt plures ſimul,ita cp ſi per impoſſibile ponat cp vnus illorū non ſpiret:ſequit cp alter non ſpiret,& cp ſit impoſſibile eū ſpirare,immo cp ſit ipoſſibile ponere iþm ſpirare,ſuppoſito cp ille nō ſpiraret,quia nō poteſt actus ſpirandi poedere niſi a pluribꝰ ſimul.Qd̄ vero þdicatur de pluribus pſonis diuinis vt ordinant ad actum ſimpliciter conſideratū & vt ſunt cauſa & principiū illius,& denoiant a ratione elicitiua.i.iþm nolant ſemp hoc noie prin cipii,ſub ratione autē principii ordinant plures perſonediuine,ad quæcūcp actum eſſentialē & per ſonale:ſemp ſit reſolutio in ſingulari dicēdo in actibus eſſentialibus,Pater eſt principiū intelligen di volendi creandi gubernādi,& ſimiliter filius & ſpūs ſanctus, & non ſunt tria principia,ſed vnū ſunt principiū.Similiter dicendo in actu perſonali pater eſt principiū ſpirandi,filius eſt principiū & nō ſunt plura principia ſpirādi,ſed vnū principiū. Cuius ratio eſt diuerſa in actibꝰ eſſentialibꝰ & in actu eſſentialicp in vtrocp iſto modo plures pſonediuine ordinant ad actum vnū ſingularem ſimplicē vt ſimplex cauſa & principium illius ſub ratione huius nois principiū: ſed in actibꝰ eſſen tialibus vt ſunt vnum & ſinguleſ,non vt ſunt plures ſimpliciter necp vt ſunt plures vnite ſiue per vnionem.In actu vero perſonali qui eſt ſpirare vt ſunt vnum & non ſinguleſ,nec vt ſunt plures ſimpliciter,ſed vt ſunt plures vnite. Ad cuius intellectū ſciēdū cp voluntas cj̄ ſub ratione reſpect9 notionalis eſt ratio ſpirandi ſiue vis ſpiratiua, & communis ſolis patri & filio, & quæ vt abſoluta eſt communis eſt tribus perſonis & eſſentialis:ſi conuerſiue accipiat vt eſt notionale,& vt eſt eſſen tiale,ipſa ordinatur vt ratio elicitiua ad tres actus,quorum vnus eſt notionalis vt ſpirare: alii au tem duo ſunt eſſentiales,vnus manens intra qui eſt velle:alius trāſiens extra qui eſt creare gubet nare.Quorū prim9 cōis eſt patri & filio, nec cōuenit ſpūi ſancto:alii aūt duo cōmunes ſunt tribus perſonis,ſed differēter voluntas eſt ratio elicitiua illius actus notionalis & iſtorū eſſentialiū,& di uerſimode duorū actuū eſſentialiū a tribus perſonis diuinis,ſed vniformiter ſiue cōformiter eſt ra tio elicitiua actus notionalis a patre & filio.Volūtas eⁱm reſpectu actus eſſentialis qui eſt velle,licet ſit eadē in tribus ſicut eſt idē actus volendi ab illis & in illis per voluntatē vt eſt natura,quia tn̄ eſt in patre ex ſeipſo,& in filio a patre,& in ſpiritu ſancto a patre & filio, licet pater velit voluntate cj̄ eſt pluriū,nō tn̄ vt eſt pluriū,ſed ſolūmodo vt eſt ſui,quia ordine quodā rationis actus eſſentiales intelligēdi & volēdi vt ſunt patris primi ſunt & quaſi preuii ad actus notionales dicendi & ſpiran di,ita cp pater volūtate vt ſua eſt vult abſcp eo cp ſit alterius,quia non eſt alterius niſi filii per gene ratione,& ſpiritus ſancti per ſpirationē.Filius aūt cū hoc cp vult volūtate queſ eſt pluriū,ſed vt eſt ſua eſt,quia ipſa ſolūmodo ab eo quod eſt filii eſt ratio eiicitiua ab illo actus & volendi, & hocvt ratio ppter quā ſic,vult etiā illa vt pluriū eſt.ſ.ſua & patris,quia niſi eſſet patris nō eſſet ſua,eo cp eā ha bet a patre.Sed cp vult voluntate illa vt eſt pluriū,hocſolum eſt in ratione ſine qua non,quia non vellet ipſa vt ſua niſi ipſa eſſet pluriū,quia ſine hoc non eſt ſui. Conſimilit ſpūs ſanctus cū hoc cp vult voluntate cj̄ eſt pluriū,etſi ſit bifurcata vt pet amore tendat ab vna perſona in alterā,& ecō uerſo,abſcp reſpectu ad actum ſpirandi, ſed vt ſua eſt,quia ſolūmodo ex eo cp eſt ſpiritus ſancti eſt ratio elicitiua actus volendi ab illo,& hoc vt ratio propter quā ſic,etiā vult volūtate illa vt eſt plu riū.ſ.ſua patris & filii ſimul:quia ſi nō eſſet patris & filii nō eſſet ſua,eo cp eam habet ab illis.Sed cp vult voluntate illa vt eſt pluriū,hocſolum eſt vt ratione ſine qua non,quia nō vellet illa vt ſua ni ſi ipſa eſſet pluriū,quia ſine hoc cp eſt patris & filii non poſſet eſſe ſua. Voluntas etiā reſpectu actꝰ eſſentialis qui eſt creare,licet ſit eadē in tribus,ſicut idem actus creandi eſt in illis, & vult illis per voluntatē vt eſt libera arbitrio: quia tn̄ actus eſſentiales adextra pſupponunt actus notionales ad intra:ſicut actus eſſentialis volendi & intelligēdi ſpiritus ſancti quaſi pſupponit actū notionalem ſpirandi quo ſpiritus ſanctus habet eſſe,& ſicut actus volēdi vel intelligendi filii quaſi pſupponit actum notionalē generandi quo filius habet eſſe: licet quælibet triū diuinarum perſonarū creet vo luntate cj̄ eſt pluriū,ſed vt eſt ſua:quia ſolummodo ex hoc cp eſt illius eſt elicitiua actus creandi,& hoc vt ratio ppter quā ſic:tn̄ etiam cum hoc creat voluntate vt eſt pluriū.ſ.patris & filii & ſpirit? ſancti,quia niſi eſſet filii & ſpiritus ſancti,pater nō poſſet creare illa,quia ordine naturæ actus notio

R

S

T

nales sunt ϸ uni ad actus essentiales extra.& sic nisi esset filii & spirit⁹ sancti:nõ esset patris ad creã
dum:licet secundum prædicta esset sua ad intelligendũ & volendũ. Sed ϙ pater creat voluntate il
la vt est plurium:hoc solũ est vt rõne sine qua non:ϙa sine illo vt dictũ est,nõ esset sua ad creandũ
& fortiori rõne nisi voluntas qua creat filius & spiritus sanctus esset patris,non possent creare il
**V** la.Et cã lã dicta est causa propria:quia,s.filius & spiritus sanctus habet illam a patre.Et cõsimili ra
tione nisi voluntas qua creat spiritus sanctus esset filii:spiritus sanctus nõ posset creare illa:ϙa illã
etiam habet a filio sicut a patre.Volũtas autẽ respectu actus notionalis qui est spirare,qd speciali
ter valet ad ppositum,licet eadem sit in tribus personis vt est absoluta voluntas secundũ dicta:trñ
vt est ad actum spirandi est in solis patre & filio:nõ aũt in spiritu sancto.Et sic pri & filio secundũ
ϙ ordinatur ad actum spirandi non cõuenit voluntas vt est libera vt sunt vnũ in voluntate sim
pliciter:Sic eñ nihil minus spũs sanc⁹ ordinaret p eandem ad actũ eundẽ:sicut per illam ordinat ad
cũdẽ actũ volẽdi & creandi,ad quẽ pater & fili⁹ secũdũ dicta:sed solummodo conuenit eis vt sunt
vnum in voluntate existente sub ratione respectus notionalis,p quẽ ipsa volũtas habet esse vis spi
**X** ratiua ad actũ spirandi ordinata.Et hoc tripliciter,vel vt est rõ eliciendi actũ spiratiõis prima & re
motissima:vel vt est ratio eliciendi ipsum mediata:vel vt est ratio eliciendi ipsum pxima & imedia
ta tanϙ causa & in actu ad pducendum aliquid in actu:& hoc quemadmodum in naturalib⁹,po
tentia volandi est prima in ouo remotissima:in volucri autem formata anteϙ plumas habeat me
diata:in volucri autem iam plumata proxima & immediata:vt nihil restet vt volet nisi appetit⁹.
Et quolibet istorum triũ modorum voluntas est ratio cõmunis patri & filio in spirando spiritum
sanctum.Voluntas aũt primo modo vt est ratio eliciendi ipsum actum spirationis remotissima,ipsa
est in patre & filio simul absϙ spiritu sancto communis ratio eliciẽdi ipsum actum spirandi vt pa
ter & filius in illa sunt vnũ.& hoc ab vnitate illius voluntatis,& hoc voluntatis vt habet rationẽ
notionalis:queãdmodum ab vnitate voluntatis essentialis quæ est principium creandi,tres perso
næ sunt vnũ principium creandi spiritus sancti:vt supra declarauimus.Volũtas autẽ secundo mo
**Y** do,s.vt est ratio eliciendi ipsum actum spirationis mediata,ipsa similiter est in patre & filio simul
absϙ spiritu sancto,existens ratio eliciendi ipsum actum spirandi non vt pater & filius in illa sunt
vnũ & singuli:sed potius vt in illa sunt plures:& hoc ab infinitatione ipsi⁹ voluntatis.Propter quã
cum pater sit spirator & filius similiter : non tamen sunt vnus spirator : sed duo spiratores. Vo
luntas vero tertio modo,scilicet vt est ratio eliciendi actum spirationis proxima & immediata,ip
sa similiter in patre & filio simul absϙ spiritu sancto est cõmunis ratio eliciendi actum spirãdi:nõ
vt pater & filius vnũ sunt in illa ab vnitate ipsius voluntatis:neϙ vt plures sunt in seipsis:sed vt
vnum sunt in illa ab vnitate vnionis illius p concursum illarum in vnum actũ elicitum,prout di
uersi vna chorda trahẽtes nauem dicunt vnũ principium tractus : licet dicantur plures tractores
vel plures trahentes.Per hunc ergo modũ pater & filius dicuntur primo modo principium vnicõ
spirandi ppter vnitatẽ volũtatis vt est in vtroϙ sub respectu ad actũ spirandi vt ratio spirandi pri
ma:& siliter dicunt secũdo modo plures spiratores propter vim siue rationem spiratiuam bisurca
tam vt est ratio spirandi mediata:& tertio modo iterato dicunt vnum principiũ spirandi propter
eandẽ confurcatam vt est ratio elicitiua act⁹ spirandi proxima.Pater eñ & fili⁹ quasi voluntate bi
furcata mutuo in sese quasi exufflantes ꝗstum amoris sui de amore essentiali communi vtriϙ con
cutiũt quasi in cõcursu duplicis flatus ( qui trñ non est nisi vnic⁹re )amorẽ intentũ qui est spiritus
sanctus de amore essentiali:ad modũ quo duo ediuerso sufflantes in carbonem ignitũ concutiunt
flammam,& tũc primo quasi cõcutiũt cũ flatus sui cõcurrũt:& cum volũtas bifurcata facta est cõ
furcata:in qua confurcatione voluntas duoꝗ facta est cõcors.Et ꝗa non habet respectũ aliquẽ vt ẽ
in solo patre ad actũ spirãdi,sed cũ simul est cõmuniter in duob⁹,patre videlicet & filio:& vt sub re
spectu tali bifurcat secũdũ dictũ modũ:& iterũ confurcat:idcirco voluntas vt est vis spiratiua nõ
est proprie a patre in filio:sed simul & æque primo in vtroϙ.& hoc secũdũ ponẽtes ϙ spiritus san
ctus non potest pcedere a solo patre.Secũdũ Grecos aũt ponẽtes ϙ pcedit a solo patre:si ponerent
ϙ posset procedere ab ipso solo,etiã si p impossibile ali⁹ non spiraret:ϙ tamẽ procedat ab vtroϙ:ꝗa
pater vim spiratiuam qua solus etsi non spiraret alius,posset spirare,alteri.s.filio cõmunicat:tunc
nõ æque primo esset vis spiratiua in vtroϙ:sicut nec est vis volitiua respectu actus volendi essen
tialis:& respectu actus creãdi. Et secũdũ hoc quoquo modo aliter pater & filius cõmuniter spirãt
ꝗ tres personæ communiter intelligunt aut creant.

**Z**    ⸿ Quod arguitur ϙ omnis prædicatio prędicta debet resolui in pluralem:quia p
**Ad pri.** sonæ plures simul in subiecto contentę non permittũt resolutionem in singulari:Dico ϙ verum ẽ
principale quantum est de ratione pluralitatis illarũ ratione tamen vni⁹ aut virtutis illarũ in spirando secun

dum dictum modum bene ſingularem numerum permittunt. ¶Ad ſecundũ ꝗ eſſentialia in pluribus ſunt adiectiua, ꝗ̃ conformari debent numero ſubſtãtiuo:cũ ergo plures perſone ſimul pluralem numerũ repreſentent,ergo &c.Dico ꝗ verũ eſt quantũ eſt ex ratione diſtinctionis perſonarũ,
tamen quantum eſt ex ratione illius vnitatis aut vnionis,ſecus eſt. Vnde in tali reſolutione nõ eſt
aliqua differentia adiectiuorum a ſubſtantiuis. ¶Argumentum in oppoſitum concedendum ſecundum prædictum modum.      & Ad ſcdm.

Ad oppo.

Irca quartũ arguitur ꝗ ꝑdicatio pluriũ perſonarum de vno eſſentiali debet reſolui in aliquã ſingulare,dicendo deus eſt pater,deus eſt filius, & deus eſt ſpũs ſanctus:& eſt vnus aliquis nõ tres aliqui.Primo ſic. Plures de vno ꝑdicato non ſunt
tres aliqui,niſi quia eſt vna natura cõmunis vniuerſalis ad illa,puta ſi dicaꞇ bonus eſt Petrus,bonus eſt Paulus,bonus eſt Andreas,ergo bonus eſt plures aliqui
puta tres hoïes:niſi quia eſt vna natura cõmunis ad illos tres. Ad patrẽ autẽ &
filiũ nulla eſt natura cõmunis vniuerſalis,quia in diuinis nõ eſt ſumere cõmunẽ
ſpecíé,ſecundũ Dam,ergo &c. ¶Secundo ſic.Prædicata diuerſa ꝗ̃ ſingulas vnitates important,ex ꝗ
bus nullus conſtituiꞇ numerus,in aliquã pluralem reſolui nõ poſſunt, quia quæcũꝗ pluralitas ponit numerũ,prædicatio diuerſarũ perſonarũ diuinarũ de vno ſubſtãtiali eſt diuerſorũ prædicatorũ
ꝗ̃ ſingulas vnitates important, ex quibus nullus cõſtituiꞇ numerus,dicente Boethio de Trini.cap.
ii.Nulla in deo diuerſitas eſt,nulla ex diuerſitate pluralitas,atꝗ idcirco nec numer⁹,ergo &c. ¶In
contrariũ eſt illud ꝗ maior eſt diuerſitas ſiue diſtinctio inter patrẽ & filiũ inquantũ ſunt pater &
filius ꝗ̃ inter ſpiratorẽ & ſpiratorẽ.Sed cũ ſpirator ꝑdicatur bis,non poteſt ꝑdicatio reſolui in ſingularem,ſed tm in plurale,ſecundũ dicta in queſtione ꝑcedenti,ergo pater & filius cum ꝑdicatur
quodlibet eorũ ſemel,non poteſt eorũ prędicatio reſolui in ſingulare,ſed in pluralem.ergo &c.    A Queſt.iiii. Arg.i.

z

In oppoſi.

¶Queſtio hęc conuerſa eſt precedentis, illa eñ eſt de reſolutione eſſentialis vnius
prędicati de duabus perſonis,hęc econuerſo de ꝑdicatione duarũ perſonarũ de vno eſſentiali. Et ſicut illa ſuppoſuit ex alia queſtione ꝑcedente ꝗ idem eſſentiale poſſit prędicari de pluribus perſonis
ſic & iſta ſupponit ꝗ plures perſonæ poſſint ꝑdicari de eodem eſſentiali, & hoc ex eadẽ queſtione,
& bene,quia in illa determinatũ eſt,ꝗ in cõcretione perſone indifferenter prędicantur de eſſentialibus & econuerſo,licet magis proprie ſint ille in quibus ꝑdicaꞇ eſſentiale de perſonis ꝗ̃ econuerſo.
Et re vera vtrobiꝗ ſiue in prædicato ſiue in ſubiecto ſint plures perſone,ex diuerſis propoſitionib⁹
ſemper ſequiꞇ vna coniuncta de copulato prędicato aut ſubiecto.vt ſi deus eſt pater,deus eſt filius
deus eſt ſpiritus ſanctus:ergo deus eſt pater & filius & ſpũs ſanctus. & econuerſo, ſi pater eſt deus
filius eſt deus,ſpiritus ſanctus eſt deus,ergo pater & filius & ſpiritus ſanctus deus ſunt.Siue enim
eſſentialiter ſe habeãt inuicẽ ꝑdicata & ſubiectum,vel econuerſo ſubiectũ & ꝑdicata, ſemper ex di
uerſis ſequitur coniunctum per copulationem.puta ſi homo eſt animal,& eſt etiam riſibilis,ſequi-
tur,ergo homo eſt animal & riſibile,& econuerſo,ſi animal eſt homo, & riſibile eſt homo: ſequitur
ergo animal & riſibile ſunt homo.Siue etiã accidentaliter ſe habentibus inter ſe,ſequitur, puta homo eſt albus,homo eſt monachus:ergo homo eſt albũ & eſt monachus,& econuerſo monachus eſt
homo,albus eſt homo:ergo monachus & alb⁹ ſunt homo.licet ſecundũ artem ſecundi Peti herme-
nias,coniunctio ſine copulatione non ſequatur niſi in eſſentialiter ſe habentibus.& hoc ſiue diuerſis modis per ſe,vt ſi homo eſt animal & eſt riſibilis,ſequitur,ergo eſt animal riſibile & econuerſo:
ſiue eodem modo dicendi per ſe,vt ſi homo eſt ſubſtantia & eſt animal, ſequitur ergo eſt ſubſtãtia
animal & econuerſo.Sed in talibus nõ ſequitur coniunctũ per copulationem, ergo homo eſt ſubſtã
tia & animal & econuerſo.Econtra autẽ coniunctum ſine copulatione non ſequitur in accidentaliter ſe habentib⁹.Non eñ ſequit,hõ eſt monachus,homo eſt albus,ergo hõ eſt monachus albus,nec
ecõuerſo,monachus eſt homo,albus eſt homo,ergo monachus albus eſt homo. Sed aliqui errant ꝗ
concedebant ꝗ prędicatio vnius eſſentialis de pluribus perſonis bene reſolueretur in vnam ſingularem prædicationẽ de copulato ſubiecto,dicendo pater eſt deus,filius eſt deus,ſpiritus ſanctus eſt
deus,ergo pater & filius & ſpiritus ſanctus ſunt vnus deus,ſed non concedebant conuerſam illius
deus eſt pater,deus eſt filius,deus eſt ſpiritus ſanctus,ergo vnus de⁹ eſt pater & filius & ſpirit⁹ ſan-
ctus.ſ.ꝗ vnus deus eſt tres perſone.ſ.pater & filius & ſpũs ſanctus. Dicete Magiſtro.i. ſententiarũ
d.iiii. Quidã veritatis aduerſarii cõcedunt patrẽ & filiũ & ſpiritũ ſanctum ſiue tres perſonas eſſe
vnum deum,vnam ſubſtantiam,ſed nolunt concedere vnum deũ ſiue vnam ſubſtantiam eſſe tres
perſonas,& hoc ſicut dicit d.xxxiiii.in principio,dⁱcentes eandem eſſentiam non poſſe eſſe patrem
& filium ſine perſonarum confuſione. Q̃ ſi ita eſſet, nequaꝗ̃ prędicatio plurium perſonarũ de to-
dem poſſet cõuerti in pluralem copulatam.Non eñ ſequitur,album eſt Petrus, album eſt Paulus,    B Reſolu.q.

C

D

album eſt Andreas:ergo album eſt plures homines:niſi quia ſequatur,albū eſt Petr⁹ Paulus & An
dreas,ergo album eſt Petrus Paulus & Andreas ſiue plures homines vt tres. Sed poſtᵹ cōceſſerūt
illam,pater filius & ſpiritus ſanctus ſunt vnus deus:neceſſe habebant concedere cōuerſam:licet nō
eſſet ita ꝓpria. Nec oriē pſonarum cōfuſio:tū ᵹa talis prędicatio eſſentialiū cū pſonis nō ſit niſi rō
ne rei abſolutę ſignificatę noſe pſonę:ᵹ prędicat de pſona tanᵹ cōmune ꝓ cōmunionē:ᵹd cōe virtu
te in ſe continet omēs pſonales ꝓprietates:ſicut genus prædicat de ſpecie tanᵹ cōmune vl'itate,ᵹd
virtute in ſe continet omnes differentias:tū quia habet terminus ſubſtātialis ſupponēs ꝑdicatiōi
pluriū pſonarū ſimul pſonalem ſuppoſitionē,nō dico determinatā pro aliquo ſuppoſito indetermi
nate accipiēdo:ſed indeterminatā.ſ.ꝑ pluribus determinate acceptis ſimul:ſicut cū dicit ſpina cre
ſcit Pariſius & Romę:& tñ nō eadem ſed alia & alia creſcit hic & ibi. Nec variat in aliquo ſiue ad
ſingulare eſſentiale apponat ly vnus ſiue non:ᵹa in ſingulari numero ſemꝑ intellectus vnus ſecun
dū Priſc.Sed de iſta,de⁹ eſt pater & filius & ſpūs ſanctus de ꝑdicato copulato eadē ᵹſtio eſt cū ᵹſtio
ne de principali propoſito:vtrū.ſ.ꝑdicatio pluriū pſonarū de vno eſſentiali poſſit reſolui in vnā ca
tegoricā pluralē ſimplicem:ſicut illa,albū ē Petrus & Paulus & Andreas,ergo eſt plures.Simil'r al
bum eſt Petrus,album eſt Paulus,albū eſt Andreas,reſoluūt in pluralē ſic:ergo albū eſt plures ſeu
**E**    tres hoīes:& nō in ſingularē ſic:ergo albū eſt vn⁹ hō.Et reuera iſta ᵹſtio nihil aliud ᵹrit ᵹ ᵹd reſpō
dēdū eſſet ſi cū dicit de⁹ eſt pī & fili⁹ & ſpūs ſanct⁹,ᵹrerē ᵹ vel ᵹd ſūt pī & fili⁹ & ſpūs ſanct⁹:ᵹd
ᵹrebāt hęretici dicentes ᵹ tres vel ᵹd tres.Vbi cū ᵹrit ᵹ tres,vt dictū eſt ſupra,ᵹrit aliᵹd cōe reale
ꝓ vniuerſalitatę:ſicut cū ᵹrit de Petro Paulo & Andrea ᵹd ſunt:& bñ reſpōdet tres hoīes:ᵹa nūe
rum in humanitate habent.Talis aūt reſponſio ad talē interrogationē in diuinis eſſe nō poteſt: vt
bene ꝓbat ratio ſecunda ex dictis iē⁹ aſſumpta. Quęſtio eñ ꝓ qui ſunt,de plurib⁹ pſonis ꝓpoſitis:
non ſolum quęrit aliᵹd cōmune reale reſponderi:ſed ᵹrit etiā reſpōderi cōmune reale plurificatū:
quia ly ᵹ in tali interrogatione eſt neutri gñis & pluralis numeri:& maſculini generis ſingulare re
ſpondens eſt hoc quod eſt quis. Et ᵹrunt ambo.ſ.quid & qui ſibi reſpōdens,de eſſentia:ſed quid de
eſſentia ſimpliciter quęrit:& petit ſibi reſponderi de illa ſingulariter.Vnde ſiue aliqua ſiue alicu⁹
ſit ſingularis ſeu communis cōmunitate vniuerſalis:cū ᵹrit ſingulariter de vnico ſuppoſito,vt ᵹd
eſt Petrus, bene reſpondetur dicendo ſingulariter ᵹ eſt homo:vel quid eſt pater,bene reſpōdet ſin
**F**    gulariter ᵹ eſt deus.Et ſi in diuinis ᵹrat de plurib⁹ pſonis ſimul ꝓpoſitis quid tres:ſimiliter bene
reſpōdet ſingulariter dicēdo ᵹ ſunt de⁹:ſicut idē reſpōdet cū ᵹrit de ſingula pſona ᵹd.Nec ē alia
reſponſio ad quid de ſingulis:& de omnibus ſimul:& hoc ᵹa dicēdo pater eſt de⁹,fili⁹ eſt de⁹:ſpūs
ſanctus eſt deus:ᵹ hoc nomen deus tertio repetit,tres vnitates repetitę in repetitione hui⁹ nomi
nis deus:non faciunt pluralitatem numeri ſiue numerum pluralem:neᵹ ratione nominis ſignificantis neᵹ ratione rei ſignificatę:neutro enim modo ſunt tres:licet ter eadem vox proponatur: &
ita nec numerum ſimpliciter:quia non eſt numerus niſi ſit pluralis. & hoc(ſicut dicit Boethi⁹)in
eo ᵹd ipſę ſūt.i.in illo quod eſt ᵹd eſt ſingulus illoᵹ ꝑ ſe & tres ſimul. Id ipſum enim ſingulare ᵹd
eſt,eſt ᵹd de⁹eſt:ᵹd pater eſt:ᵹd filius eſt:ᵹd ſpūs ſanctus eſt:ᵹd trinitas.i.pater & filius & ſpūs ſan
ctus ſimul,eſt:& id ipſum ᵹd eſt quo eſt de⁹,quo eſt pī,quo eſt fili⁹,quo eſt ſpūs ſanct⁹,quo eſt trini
tas:quia in ipſis vnū eſt ᵹd eſt & quo eſt:& tñ vnicū ſingulare & ſolitariū eſt,vt vna eſſentia ſin
gularis:qua(vt dicit Cōmē.Boethii)pater vel eius fili⁹ vel amboᵹ ſpūs & eſt:& vnū eſt: & eſt id
ᵹd eſt:qua etiā ſimul & equaliter ipſi & ſunt:& ſūt vnū:& ſunt id ᵹd ſunt.Eſſentia nāᵹ illorū ſin
gularis eſt:& ſimplex eſt:igit & horū quilibet ꝑ ſe & oēs ſimul dicunt & eſſe & eē vnū & eſſe id ᵹd
ſunt:ita ᵹ in deo non eſt numerus:ſed vnitas tñ. Et hoc excludēdo numerum ᵹ cōſiſtit in eētia
cuiuſlibet cōpoſiti ex ᵹd eſt & quo ē,tãᵹ ex differētib⁹.Propter ᵹd de⁹ eſt ſimpl'r.Et ſil'r excludēdo
numerū ᵹ cōſiſtit in plurificatione eſſentię in plurbus:qualē poſuerūt in deitate Semiarriani ſecū
dum ſuperius expoſita:& qualis eſt in eſſentia cuiuſlibet ſpeciei creaturę.propter ᵹd de⁹ nō ſolū eſt
ſimplex:ſed ſingularis vnicus:& eſt dupliciter vnus.ſ.ſimplicitate & ſingularitate,prout determi
**G**    natum eſt ſupra loquendo de vnitate.Sed de illa vnitate quæ conſiſtit in ſingularitate,eſt ſermo
principaliter ad præſens:quæ excludit numerum deorum & deitatum:& hoc ſecūdū ᵹ dicit Boe
thius,aduertēdo ad res numerabiles ex quarum diuerſitate ſolet numerus eſſe:quia ſi ipſa nō eſ
ſet in rebus,nullus numerus eēt in eis:nō aūt ad voces ᵹbus numerus ex diuerſitate ꝑueniēs ſiue
multitudo rerum exponitur:ᵹd appellat Boethius aduertere ad numerū ipſm:qui ꝓpter trinā vo
cis repetitionē numerus dicit imitatione ad diuerſitatē rerū numerabilium.Et eſt quædam diſtin
ctio talis:ᵹ.ſ.eſt quidam numerus rei,quē numeramus:& eſt quidā numerus imitationis,quo nu
meramus:eo.ſ.ᵹ res numero numeramus.In quo.ſ.numero quo numeramus,qui conſiſtit in voci
bus,ſępe rerum multarum repetitio,quandoᵹ vnius tñ quaſi diuerſarum vnitatum numerum

quedã facit. Sed in eo numero quē nũeram⁹,q̃ cõſiſtit in rebus nũerabilib⁹:nõ vnius repetitio
quæ ſit tanq̃ diuerſarum vnitatũ numeratio:numerũ verũ facit:ſed potius talē numerũ facit
illius vnius repetitio:cuius rerum diuerſa ꝑprietas,cuius ſemp comes eſt diuerſitas vnitatũ,
numeroſam facit rerũ diuerſitaté. nã numerus talis eſt ex diuerſis ꝑprietatibus diuerſorum
multitudo atq̃ collectio.Et in primo modo numeri quotieſcũq̃ vnũ repetit,non facit collectio
plura aliq̃d,ſicut facit in ſecũdo. Dicedo em̄ ter ꝑ idē nomē Deus,deus,deus, non facit plures
deos circa cõe ꝑ cõmunionem:ſicut nec circa ſingulare incõicabile facit plures: dicedo ꝑ noĩa
ſynonyma Marcus Tulli⁹ Cicero.Sed dicedo ꝑ idē nomē ter ꝑ ſuppoſito,homo,homo,homo,
facit tres circa cõe ꝑ vl̃itaté.Et ſic repetitio vni⁹ b̃m voce ter in numero quo numeram⁹ facit
ſemp pluralitaté : nõ aũt ſemp facit pluralitaté in nũero quē numeram⁹.ſ.in numero rerũ.Pōt
em̄ vnũ ſingulare agnoſci vno vocabulo pluries repetito,vt deus,deus,deus, v̄ plurib⁹ voca
bulis:vt Marcus Tulli⁹ Cicero:enſis,mucro,gladius. in qb⁹ vnitatũ repetitio pluralitaté facit
in vocis materia,nõ rerum ſignificatione.Nec reſert ſiue eadē voce idē repetat,ſiue diuerſis:&
ſic ſcdm Boet.dr̄ Deus pater,deus filius,deus ſpũs ſctũs:atq̃ hec trinitas vnus deus: velut ſi
ſol ſol ſol dicat̃ vnus ſol: ꝑ̃terq̃ in illis, q̃ illic ſubiecta qbus dr̄ pater,filius,& ſpũs ſctũs,ſiue
trinitas,habét in ſuo ſignificato ꝑprietates:quarũ nullã in ſuo ſignificato habet p̃dicatũ qd̄ eſt
deus.Hic vero ſubiecta qb⁹ dr̄ ſol ſol ſol,nõ habet i ſuo ſignificato qd̄ nõ habet p̃dicatũ qd̄ eſt
ſol.Sic ergo ſi i diuinis q̃rat̃ de plurib⁹ pſonis ſimul ꝑpoſitis,Quid tres! bene reſpódet̃ q̃ ſunt
deus:ſicut cũ idē q̃rit̃ de ſingulis . ¶Sed ſi q̃rat̃ in creaturis de pluribus ſimul ꝑpoſitis, puta
Petrus Paulus & Andreas qd ſunt,i ſingl̃ari rñderi oĩno nõ pōt:qa nõ eſt aliq̃d vnũ ſingulare
aut cõe qd ſingl̃ariter é qd ſunt.Et q̃ſtio ꝑ qd licet ſit de eſſentia ſimpl̃r:ſolũ tñ petit ſibi reſpó
deri ſingulariter.Queſtio vero ꝑ qui neutri generis & pluralis nũeri:licet ſil̃r q̃rat de eſſentia
ſimpl̃r:tñ petit ſibi reſpóderi de eſſentia pluraliter & plurificata:nõ aũt ſingulariter. Vñ qua◂
liſcũq̃ ſit eſſentia illius de quo interrogat:ſiue ſingularis & ſolũ cõmunis cõmunitate cõmu◂
nionis:ſiue vl̃is & cõis cõitate vl̃is,nõ petit ſibi reſponderi de eſſentia niſi pluraliter: & vt iꝑſa
eſt plurificata.Et qa in creaturis illã cõtingit plurificari in pluribus:ideo in illis de plurib⁹ ꝑ
ſonis ſimul ꝑpoſitis:puta Petro Paulo & Andrea:ſi interroget̃ q̃ ſunt, neutraliter ſumédo ly
qui & pluraliter:bene reſpódet̃ pluraliter: dicendo q̃ ſunt hoĩes:ſicut reſpódet̃ de quolibet
illoq̃ ꝑ ſe q̃ ſit homo. Sed ſicut in talibus terminata quæſtione de qd̄ eſt : quę q̃rit de eſſentia
ſimpliciter, vt de Petro q̃ ſit homo,vt q̃ſito de Petro qd̄ é : & reſpóſum ſit q̃ ſit homo:adhuc
reſtat q̃ſtio per qs eſt:q̃ q̃rit de ꝑprietatibus ſingularis perſone: qua q̃rit̃ quis eſt Petrus:eo q̃
plures pſonas ſeu ſuppoſita ſingularia eodē noie cõtingit nũcupari: et reſpódet̃ eſt ꝑ ꝑprie
tates qua vel qbus vnũquodq̃ indiuiduoq̃ ab alio diſcernit̃:puta longus vel breuis: niger vel
albus,& hmõi:Sic i talibus terminata q̃ſtione ꝑ q:neutraliter & pluraliter ſumédo ly q, qd̄ q̃
rit de eſſentia plurificata,vt de Petro Paulo & Andrea ſimul,q̃ ſunt hoĩes: reſtat adhuc q̃ſtio
ꝑ qui maſculine & pluraliter ſumédo ly q:qd̄ q̃rit de ꝑprietatibus pluriũ ſingularũ pſonarũ:
dicedo q̃ Petrus Paulus & Andreas! Et reſpondendũ eſt Petrus Paulus & Andreas longi vel
breues,vel aliter ſcdm diuerſitaté ſinguloq̃.In diuinis aũt vt in ꝑpoſito queſtio ꝑ qui neutra◂
liter & pluraliter:non q̃rit eſſentiã cõmunē plurificari in plurib⁹ diuinis pſonis: quia nõ q̃rit
vt dictũ eſt niſi de eſſentia pluraliter & plurificata:quia ad talē q̃ſtionē nõ cõtingit reſpódere
propria reſpóſione reſpódéte q̃ſtioni modo quo reſpódet̃ in creaturis. Vñ in creaturis reſpon
ſioni de ſingulis ꝑ qd, reſpódet reſpóſio de pluribus ſimul ꝑ q.Sed in diuinis reſpóſioni de ſin
gulis ꝑ qd,nõ reſpondet reſponſio de pluribus ꝑ qui.Et in diuinis bene reſpódet̃ de pluribus
ad interrogationē factã ꝑ qd:non aũt in creaturis.Et ſil̃r in diuinis terminata q̃ſtione quid eſt
pater:non q̃rit̃ vlterius quis pater:ad determinandũ aliquã q̃ſtionē i hoc noie pater reſpectu
eoq̃ q̃ ſunt in diuinis:quia nõ poſſunt eſſe plures patres in diuinis:licet ad determinãdũ q̃ſtio
nē reſpectu illoq̃ q̃ ſunt patres in creaturis , reſpondendũ eſt pater æternus,immortalis,& cę
tera hmõi.Nec habet locũ in diuinis q̃ſtio ꝑ q pluraliter ſiue maſculine accipiat̃: & hoc reſpe
ctu aliquoq̃ q̃ ſunt in diuinis.Pōt tñ habere locũ reſpectu eoq̃ q̃ eiſdem noĩbus nominant̃ i crea
turis,ſicut dictũ de quis pater:& tũc reſpódedũ ꝑ aliqua cõmunia tribus attributis:vt q̃ ſunt
oĩa ſcientes,creãtes,gubernãtes:ſicut ſi de patre & filio q̃reret̃ qui pater & filius ! reſpódedũ
eſſet,Pater & filius q̃ ſunt ſpiratores:quia nõ cõtingit in diuinis ſub eodē noie plurificari pſo
nas.Siue neutraliter:quia nõ cõtingit in diuinis plurificari eſſentiã: ecõtra illi qd̄ cõtingit in
creaturis, ſicut iã dictũ eſt.Non miret̃ igit̃ aliqs q̃ in naturalibus cũ tres ſint Petrus Paulus
& Andreas : & iuxta illoq̃ numerũ triplex ſit hois nũcupatio noie & re ſimul: ſiue actu eſſen

di & dicendi simul:qm & Petrus est homo,& Paulus est homo,& Andreas est homo: & trina
illoₚ pdicatio cū dicit̃,albū est Petrus,albū est Paulus,albū est Andreas: & hęc trina nūcupa=
tio sub eodē noīe & eadē re in quędā numerū pluralē cōponat̃:& nō in singularē: scḋm quem
recte Petrus Paulus Andreas & albū tres hoīes esse dicunt̃:& nō vnus homo: nō tn̄ sił q̄uis
tres sint pater,filius,& spiritus sanctus:& iuxta horū numerū trina sit noīe & actu dicędi, nō
aūt re & actu dicēdi dei nūcupatio:qm pater est deus,filius est deus,spūs sctūs est deus:& ecō
uerso trina illoₚ pdicatio cū dicit̃:Deus est pater,deus est filius,deus est spūs sctūs: hęc trina
nūcupatio sub eodē noīe & eadē re cōponi nō possit ī aliquē nūerū pluralē:sed ī singularē tn̄
cū deus pdicat̃ de tribus: scḋm q̄ recte pater,filius,& spūs sctūs dicunt̃ esse vnus deus & non
tres dii. Cū vero tres psonę prædicant̃ rōne qua aliqd sunt,recte dicit̃ de quocunq̄ pdicat̃,q̄
est deus vn⁹,nō plures dii.Cū vero psonę pdicant̃ ratione qua sunt ad aliqd,nec illa trina nū
cupatio sub eodē noīe & eadē re singulariter habet cōponi:quia nō est aliqua relatio singula=
ris cōis p cōmunionē tribus relationibus:sicut est vna deitas singularis tribus psonis:nec etiā
habet cōponi pluraliter:quia sicut deitas singularitas q̄dā est:nec habet aliqd cōe vłitate sub
quo cōtineant plures deitates:sic q̄libet psonalis ꝓprietas in se singularitas q̄dā est, nō habens
aliquā ratiōe vłis relationis sup se sub qua contineant tres relationes psonales,sicut sub hoīe
cōtinent̃ Petrus,Paulus,& Andreas.Nā quia de his ter dicit̃ homo ꝓpter formarū diuersita=
tem q̄ de illis vno noīe dicunt̃, appellationes singulares p se factę aggregant in numerū plu=
ralē:vt qm vnusquisq̄ a sua q̄ non est alterius humanitate dicit̃ homo: ipsi simul dicunt̃ tres
hoīes.Et q̄uis ratione significationis illius qua nomē q̄libet appellatiuū quale aliqd significa
re dicit̃:repetitio eiusdem rei & noīs sit:rerū tn̄ subiectarū & suppositarū eodē nomine est ꝑdi
cata numeralis immēsitas.Non sic aūt pater & filius & spiritus sanctus dicunt̃ deus quilibet
a sua ꝓpria deitate ꝓpter deitatū diuersitatē:& sic cum ter pdicat̃, repetitur idē & re signifi=
cata & supposito inquātū aliqd est.Inquantū etiā ad aliqd est quilibet eoₚ:non habet sibi cōe
quale quid in qd pdicatio triū psonarū de vno pluraliter resoluat̃ ratione subiectoₚ illi diuer
sorū.Vnde multū errāt dicentes q̄ psona est nomē rei & primę intentionis significās cōmunē
proprietatē: & q̄ propter hoc pdicatio eius de pluribus resoluit̃ ın pluralē:dicendo,Pater est
persona,filius est psona,spiritus sanctus est psona:& nō sunt vna psona:sed tres psonę:ad mo=
dū quo Petrus,Paulus,& Andreas,sunt tres homines tribus humanitatibus,non vnus : quia
non est eoₚ vna singularis humanitas: sed vna cōmunis significata noīe hominis. Videt̃ etiā
mihi multū cespitasse Magister Sentētiarū quādo posuit psonā esse nomē substātię:& solū in=
ter substantialia pdicari de pluribus simul in pluribus.Sic eʒ dicit li.i.dist.xxii. in principio.
Omnia nomina quę scḋm substātiā de deo dicunt̃:singulariter & nō pluraliter de oībus in
summa dicunt̃ psonis. Tn̄ vnū est nomen.ſ. persona, qd scḋm substātiā de singulis dicit̃ ꝑso
nis:& pluraliter nō singulariter in summa accipit̃.Dicimus eʒ pater est psona, filius est pso=
na,spiritus sanctus est psona.Nec tn̄ dicit̃ pater & filius & spiritus sanct⁹ sunt vna psona:sed
tres psonę. Et ex eadē ratione posset resolui prædicatio plurium psonarū de vno essentiali in
plurali,Deus est pater,deus est filius,deus est spiritus sanctus:sed nō est vna psona,sed tres:si
cut album est Petrus,albū est Paulus,albū est Andreas:& nō est vnus homo,sed tres.Sed si ꝑ
sona significaret sicut alia:impossibile esset regula & natura oīm excipi.Nullū eʒ nomē essen
tiale nisi acceptū ab actu vt in actu egreditur a supposito,de pluribus psonis simul ꝑdicatur
pluraliter,vt patet ex pdictis.Nec assignari potest aliqua ratio specialis de hoc nomine psona:
sed rationes ibi assignatę de gb⁹ essentiales, cōmunes sunt oibus : inquātum essentialia sunt.
Q̄ aūt nititur ostendere q̄ psona significat essentiā : superficiale est totū qd inducit . Cū eʒ
dicit Augustin⁹.vii.de Trini.vt allegat,Non est aliud deo esse & psonā esse:sed omnino idem:
Verū est non ratione significati huius nominis psona:sed solū ratione suppositi.Supponit eʒ
per indifferentiā p patre & filio & psona:& de quolibet verū est dicere rōne essentię noībus il
orū significatę q̄ non est aliud deo esse & patrē esse:sed omnino idē: quia idē est qd deus est
& qd quilibet illoₚ est,vt iam dictū est supra. Vnde qd primo dixit Augustin⁹ de persona,nō
explicando nomē patris aut filii:vt intellectū verbi sui daret,explicando nomen patris subdit
ibidem.In hac trinitate cū dicimus persona patris,non aliud dicimus q̄ substātiā patris:quo
circa vt substantia patris pater ipse est:non quo pater est:sed quo est:ita etiam persona patris
non aliud q̄ ipse pater est.Et per talem suppositiōe,ꝓpsonā,quę est substātia & suppositū pri
mę intentionis:non autē per significatiōe substātię in tribus significatę,Augustin⁹ docet esse
respondendū q̄stioni hęreticorū qua q̄rebant qui tres:non responsione vera ad interrogatiōe

nomine proprio ſignificante id qd queritur:vt interrogationi ſatiſfaceret: ſed reſponſione ad
interrogantes nomine alieno & mutuato ſignificante id quod quæritur . & hoc vt interro-
gantium pertinaciam compeſceret.Scdm ꝙ dicit.v.de Trinitate. Dictum eſt tres perſonę non
vt illud diceretur.ſ.qd querebatur:ſed ne taceretur omnino: & per hoc falſum eſſe putaretur
ꝙ dicat tres eſſe,cum non poſſit aſſignare qui tres.Quę quidem queſtio querit nodū in ſcirpo
in deo.ſ.qd in illo nõ eſt:nec eſſe natum eſt:licet tale quid ſit in creaturis.Et expreſſius.vii.de
Trinitate cap.vi.Cur inquit non hæc tria ſimul vnam perſonam dicimus ſicut & vnam eſſen
tiam & vnum deum:ſed tres perſonas: cum tres eſſentias non dicamus : niſi quia volumus
vel vnum aliquod vocabulum ſeruire huic ſignificationi qua intelligitur trinitas, ne omnino taceretur interroganti qui tres cum tres eſſe fateremur : Quaſi dicat, niſi vellemus non
omnino tacere interrogantibus aliis qui tres : non ſic diceremus in reſpondendo tali interro-
gationi:immo omnino taceremus:& non niteremur voce ſignificare qui tres:quia mente capi
non poteſt: non tam quia mētem excedat aut excederet ſi eſſet:ꝗ quia non eſt: eo ꝙ non eſt in
diuinis aliquid generale vel ſpeciale ſcdm rem ad patrem & filium & ſpiritū ſanctū.Et ſic ꝓ
pter talem neceſſitatē reſpondēdi volumus ſaltem vnū vocabulum magis aptum ſeruire tāꝗ
non proprium huic ſignificationi quā querit:ſed accõmodatū:quia non ad illam:ſed ad alteram ſignificandam tranſlatum eſt a creaturis:qua quaſi ſignificatione intelligitur prout ſupponit illorum interrogatio,ſignificari trinitas.i.pater & filius & ſpiritus ſanctus. Et hoc tanꝗ
aliquo ſcdm rem generali aut ſpeciali qd ꝓprium nomē ſibi nõ habet impoſitum:ad qd inue-
niendū nos cõferimus cū ꝗrit qui tres: quo cõtemplemur tres ſimul:ſicut ſingularia omnino
vnius ſpeciei nomine ipſius ſpeciei: puta Petrū,Paulū,Andreā:nomine hoc qd eſt homo. Qd
tñ non inuenit in diuinis,vt dicit Auguſtinus cap.iiii.Cū ꝗritur quid tres &c.vt ſupra, ꝗſtio
ne proxima ꝓcedenti in principio. Nota ꝙ dicit, Seruire huic ſignificationi:quo ſignificat ꝙ il
lam non ſignificat:quā tñ hęretici ꝗrendo qui tres, ſibi ſignificari petebant.ſ.in vno homine ali
quid cõmune reale ad tres : non autē ſicut ſignificat aliꝙ cõmune illis trib⁹ hoc nomē Deus
qd nõ ſignificat cõmune illis niſi ꝑ cõmunionē ſingularis:nec ſicut cõe ad illos tres ſignificat
hoc nomē trinitas,qd ſignificat id qd ſignificat hoc nomē Deus : qd qdē ſignificatū hoc noie
Deus,eſt ipm qd eſt qd cõmuniter ſignificatū eſt & noie patris & noie filii & noie ſpirit⁹ ſan-
cti:qd nomē trinitas ſignificat etiā cū iſto ꝙ eſt tres ꝓprietates vt tria quo eſt ad aliud: quoꝗ
ſingulū ſignificat in ſingulis triū pſonarū.ſ.in patre primū,in filio ſecūdū,in ſpiritu ſancto ter-
tiū.Vt ꝓpterea ſicut dicit Aug.i.de Trini.& Magiſter Sētētiarū primo, diſt.xxiiii.cū dicitur
Trinitas,idē ſignificari videt qd ſignificat cū dr tres pſone:nec oportet apponere vni⁹ eſſentię
quia in qualibet pſonę eſſentia illa vna ſignificat. Vt ſcdm trinitatis definitio eſt ꝙ ſit dei
tas,paternitas,filiatio,ſpiratio: & ꝑ hūc modū nomē collectiuū cõtines ſignificata illoꝗ
trium Pater,filius,& ſpūs ſanctus. Dico aūt nomē collectiuū quo ad ipſas:nõ quo ad vnitatē eſſentię
quā cõiter ſignificāt illa quatuor noia,Pater,filius,ſpūs ſctus,trinitas:vt vnicū qd eſt in ſingu
lis:ſed quo ad ꝓprietates pſonarū,quarum ꝗlibet illarū triū habet ſingulam quā ſignificat vt
quo eſt,& a quo nomē eo formaliter iponit & voce & re.Hoc aūt nomē trinitas habet illa tria
ſimul vt ſuū quo eſt qd ſignificat,& a quo nomē formaliter iponit & voce & re.Et ſic ratione
ipſi⁹ quo eſt trinitas eſt triplex vnitas. Et ſic ab hoc noie trinitas ſicut a numero quodā diſtin
guitur ſicut vnitas quedā nomen cuiuſcūꝗ triū pſonarū.Scdm ꝙ dicit Iſid.i.Sēt.cap.xxiii.&
Magiſter.i.Sētētiarū diſt.xxiiii.i fine.Diſtinguēdū eſt inter trinitatē & vnitatē.Eſt em vnitas
ſimplex & ſingularis.Trinitas vero multiplex & innumerabilis:quia eſt triū vnitas . Ratione
aūt ipſius qd eſt,in nullo ab illis diſtinguitur & ꝑ illud qd eſt,trinitas ipſa quæ eſt multiplex
& numerabilis ꝓpter tria quo eſt ꝗ ſunt in ipſa,equalis ſimplicitatis eſt cū qualibet perſonarū
quę eſt ſimplex & ſingularis ꝓpter ſingula quo eſt ꝗ ſunt i ſingulis. dicente Ambroſio primo
de trinitate in principio ſparſim.In hac trinitate pfecta plenitudo eſt diuinitatis. Nõ eſt ergo
diuiſum regnū trinitatis nec cõfuſum qd vnū eſt:nec multiplex qd idifferēs diuerſitas plura
facit.Vnitas excludit numeri quātitatē:quia vnitas numerus nõ eſt: ſed hæc omniū ipſa prin
cipiū.Propter qd nullorū alioꝗ triū numerus trinitatē cõſtituere pōt deficiēte illa vnitate in
eis.Nõ eſt em trinitas niſi triū pſonarū ꝗ ſunt vnius eſſentię:& ꝑ hoc eſt triū vnitas. Sed hęre
tici ꝗrēdo qui tres ꝑetebāt ſibi ſignificari in vno noie aliꝙ cõe reale ad tres & quātū ad quod
ē:& quātū ad quo ē vnuſꝗꝗ illoꝗ:ſicut homo ſignificat cõe,& quantū ad qd eſt:& quātū ad
quo eſt, ad tres,qui ſunt Petrus Paulus & Andreas.Et ita vt cum queritur de Petro Paulo
& Andrea qui tres, reſpondetur vno nomine ſpeciali reali aliquid cõe reale ad tres pluriſica-

tum & quantũ ad qd̃ est & quantum ad quo est in illis:tñ respondet̃ q̃ sunt homines tres: sic cum q̃ritur de patre & filio & spiritu sancto qui,respondeat̃ vno nomine speciali aut generali reali aliq̃d cõmune reale ad tres plurificatũ & quãtũ ad qd̃ est & quãtũ ad quo est in illis.Qd̃ tñ omnino est impossibile: quia nec deitas plurificari potest : nec aliqua personalis proprietas, nullũq̃ illoq̃ cõmune aliquod super se habere potest.Sic ergo patet q̃ cũ ad quæstionẽ hereti= corum qui tres:respondebãt catholici:tres personæ:q̃ sic pluraliter siue plurificate ly personæ nequaq̃ substantiã significare potest:cum non significet ipsam per modum actus & egredientis scdm actũ:sicut significant creans spirans:neq̃ denominatur ab ipsa ratione alicuius potentiẽ sicut denominatur spirator: in quibus omnibus scdm p̃dicta potest idem nomen de pluribus p̃dicari singulariter & de oĩbus simul pluraliter:nec etiã significat relationẽ p̃prietatũ in cõ muni:quia nihil habet cõe reale.Necesse est ergo q̃ significet relationẽ:sicut noīe secũdæ intẽ tionis:vt etiam significãt in diuinis hec nomina suppositũ,relatiuũ,& huiusmodi: quę cõmu= niter de singulis p̃dicãt in singulari.Pater eĩ est suppositũ siue relatũ: similiter filius & spi= ritus sanctus:& sunt tria relata:non aũt vnũ suppositũ & vnũ relatũ. Et est definitiue in diui nis persona suppositũ relatũ:vt sit suppositum quasi genus:relatum autẽ quasi differentia. Et vt cõmuniter accipiantur:est suppositũ vbi nõ est persona:vt in speciebus creatura rum intellectualium.Est etiã persona vbi non est relatũ,vt in suppositis creaturarũ intellectua lium absolutis.Sed in diuinis p̃priũ est per se esse suppositũ relatum:& sic persona relatiue di citur non ad aliud extra se:sicut dicitur pater ad filium:sed in contentis sub se:sicut relatio q̃ est genus generalissimũ in creaturis in suis speciebus. Et quia in se nõ dicitur ad aliquid extra se:sed solũmodo in contentis sub se: idcirco sicut persona in ratione sub se contẽti nõ est aliud q̃ substantia diuina:sic contentũ in ratione personẽ non est ad aliud:sicut nec persona. dicente Augustino.vii.de Trinitate.cap.vii.Neq̃ in hac trinitate cũ dicimus personã patris,aliud di= cimus q̃ substãtiã patris. Quocirca vt substãtia patris ipse pater est:non quo pater est:sed qd̃ est:ita & persona patris non aliud q̃ ipse pater est. Ecce primũ, q̃ persona in ratione cõtẽti nõ est substãtia: & q̃ per hoc nõ est aliud q̃ ipse pater est.Et sequit̃ continuo secũdũ q̃ in ratione personẽ.f.vt ipse pater est persona,nõ est ad aliud,sicut nec ipa persona,cũ subdit.Ad se quippe dicitur persona non ad filium nec ad spiritũ sanctũ:sicut ad se dicitur deus.Differt tñ in hoc q̃ hoc nomen Deus a substantia & obiecto solũmodo imponitur . Hoc autẽ nomẽ persona & hoc nomen relatũ a respectu imponitur licet in cõmuni.Et p̃ hũc modũ in diuinis nihil signi= ficat sub ratione subsistentis siue hoc nomen psona siue hoc nomen subsistentia: quę sunt secũ dę intẽtionis:siue hec noīa Pater,filius,& spiritus sanctus,quę sunt primę intẽtionis:quin rela tiue subsistat,& relatiuum sit.Sed tũc quid est qd̃ dicit Augustinus vbi supra,cap.iiii.in fine: Omnis res ad seipsam subsistit,quanto magis deus! Dico q̃ subsistere æquiuocũ est ad subesse accidentibus in creaturis & attributis in deo: & ad distincte ab alio existere.Primo modo ve rum est q̃ deus ad se subsistit:& sic intelligit̃ verbũ suũ iam dictũ:quia vt est deus simpliciter subiicitur suis p̃prietatibus.Si tñ (vt dicit cõtinue post dictũ verbũ) dignũ est vt deus dicat̃ subsistere.Et sequit̃ cõtinue in principio.v.cap. De his eĩ recte intelligit &c.quantũ ad p̃po situm supra,q̃stione.ii.huiꝰ articuli.Secũdo aũt mõ nõ intelligit̃,vt dictũ est:immo isto modo oĩs creatura ad se subsistit p̃pter suã finitatẽ & cõpositionẽ.Solus aũt deus p̃pter suã infinita tẽ & simplicitatẽ ad aliud subsistit.¶His p̃libatis ad q̃stionẽ breuiter respõdendũ est: dicẽdo q̃ sicut p̃dicario vniꝰ essentialis de pluribꝰ psonis quãtũ est de rõne essentialis,eo q̃ nõ nisi essen tiã significat:licet aliq̃ sub ratione determinata: semp tñ p̃pter vnitatẽ essentiẽ resoluit̃ ĩ sin gulare,nisi p̃pter aliq̃d speciale cõtingat cõtrariũ,vt habitũ est supra in p̃cedẽti q̃stione:sic p̃ dicatio pluriũ psonarũ de vno essentiali eo q̃ psona significat essentiã & p̃prietatẽ quantũ est ex ratione essentiẽ,semp debet resolui in singulare, dicẽdo Deus est pater,deus est filius,deus est spiritus sanctꝰ:& tñ deus nõ est tres dii,sed vnus est deus:quia non est nisi vna singularis deitas in tribus.Et hoc mõ deus q̃ est pater,filius,& spũs sctũs,est vnus aliqs nõ tresaliqui.

¶Et scdm hoc processit & bene prima ratio adducta ad questionẽ: quæ idcirco concedẽda est:& sic respõdet resolutio iterrogationi de tribꝰ qd̃ sunt.Quãtũ vero est de rõne p̃prietatũ nec ĩ singularẽ pot resolui:quia nullũ singulare vnũ est cõe tribus psonis rõne pso naliũ p̃prietatũ suarũ:nec in pluralẽ sub cõmuni nomine primẽ intentionis: dicendo deus est pater,deus est filius,deus est spiritus sanctus:& est tres psonẽ nõ vna:tria supposita non vnũ. Ratione autem vtriusq̃ simul.f.& essentiæ & proprietatum potest resolui in singularẽ sub

hoc ſolo noíe trinitas,dicédo deus eſt pater filius & ſpús ſanctus, & deus eſt trínitas. Et iſtis
duobus modis,Deus q eſt pater,filius,& ſpús ſctús,nõ eſt vnus aliqs:ſed tres aliquí : ſcdm q̃
patet ex iã declaratis.Et ſcdm hoc bene pceſſit vltima ratio:q̃ idcirco cõcedéda eſt. ¶Ad ſecu̅
dã ratiõe q̃ cõtra hoc erat:quia ex pluribus vnitatib⁹ in diuinis nullus cõſtituit numer⁹:&
nõ eſt reſolutio pdicationu̅ in plurale niſi ppter numeru̅ pdicatoꝝ q̃ reſoluu̅t:Dico q̃ reſpi‐
ciédo ad id q̃ʒ eſt deus,ſiue ad id q̃ʒ eſt eſſentiale ſiue ad eſſentiã illius:in deo nullus eſt oi̅no
numerus:nec differentíum vnitatu̅, ſicut q̃ʒ eſt & quo eſt: & hoc ppter ſimplicitáte deí qua
in eo ſunt idé q̃ʒ eſt & quo eſt:& qua caret omni cõpoſitione ex plurib⁹:nec diuerſoꝛ eius q̃ʒ
eſt: & hoc ppter ſimplicitáte qua deitas plurificari non põt: nec poſſunt eſſe plures dii.Et de
hoc nu̅ero:q̃ ſ.fit aut p cõpoſitióne vnius ex plurib⁹,vel p diuiſióne vni⁹ i plura,loquit̃ Boe.
vt patet inſpicíeti pdicta. & eſt vterꝗ i creaturis,Dicere em̅ Cõm.ſup illud Boe.de trini.Nu
merus duplex eſt:Numerationis q̃dé diuerſi ſunt modi.Fit em̅ quádoꝗ diſtributione:quan‐
doꝗ collectione . Nam & qui diuidit numerat.Vnde numerus dícitur vnitatu̅ multitudo.
Et qui colligit numerat.Vñ numer⁹ dícit̃ vnitatu̅ collectio. Reſpiciédo aut ad pſonale i deo:
& id quo eſt pſona ad aliud:ſic nõ eſt numer⁹ diuerſoꝝ quo eſt eiuſdé rõnis:qa nõ poſſunt ee
in deo plures paternitates,plures filiationes,aut plures ſpirationes:& ſic nec plures patres,nec
plures fílii,nec plures ſpús ſancti.Põt tñ bene eſſe i eo nu̅er⁹ ipſoꝝ quo eſt diuerſaru̅ rõni.ſ.pa
ternitatis,filiationis,& ſpirationis. Et p hoc eſt nu̅erus ternarius pſonaru̅ i diuinis:qui multũ
differt a nu̅ero q eſt in creaturis:quia ille nu̅erus ſemp eſt a rõne alicui⁹ vnitatis p illi⁹ diuiſio
né pfuſus:et hic ab vnitate ſub ratione ſingularis aut ſub rõne pluralis. Primo mõ numerus
eſt in qua̅titatibus diſcretis ex diuiſione continui p nature diminutionem:inquatũ oë corpo‐
rale quátu̅ eſt de rõne cõtinui ſimplr̃ natũ ſit eſſe vnu̅ cõtinuu̅,prout alias ſatis declaraui.Et
iſte pprie eſt nu̅erus accídtibus de genere quátitatis:q̃ nõ põt eſſe in diuinis: quía in ipſo nõ
eſt materia nec ratio cõtinui. Secu̅do aut mõ eſt nu̅erus in creaturis vniuerſis primo ex diui‐
ſione entis ſub rõne analogi in ſubſta̅tia & accidés, q̃ ſunt vnu̅ i rõne entis:et ſit p materialis
adiectione. Vt.n. ens fiat ſubſta̅tia vel accidés rõne entis q̃ prima eſt,ſimplíciſſima,& maxime
formalis: adiícitur ratio eius q̃ʒ eſt aliqd.Subſta̅tia em̅ eſt aliqd cui cõuenit eſſe in ſe.Accidés
aut eſt aliqd cui cõuenit eſſe in alio.Et p hoc q̃libet creatura cõpoſita eſt ex q̃ʒ eſt & quo eſt:
ſiue ex eſſentia & natura ſui generís & eſſe. Deíde ſit ſub quolibet gñe p formalis ſiue differe̅‐
tíe ſpecificę additióne ad id q̃ʒ habet rõne gñís ſicut ad materíale: & ſic deſcédédo vſꝗ ad ſpe
cialiſſima:ita q̃ in qualibet ſpecie ſpecialiſſima entis eſt nu̅erus illoꝝ ex qb⁹ cõponit̃: ſicut ex
gñe & differe̅tía vltima etiã exiſte̅te in gñe cõpoſitióne ex plurib⁹ vſꝗ ad eſſe. Et eſt ſub quo
libet gñe numerus ſpecierú ſuaru̅,& pcipue ſpecialiſſimaru̅:& ſub qualibet ſpecialiſſima ſpecie
vnitas eius deriuat̃ i plura ſingularia p eiuſdé formę determinationé in rõne indiuidui ſiue p
agens tñ:ſiue p age̅s & materiã.Et iſte appellatur nu̅erus formalis:nec eſt accídétalis de gñe
quátitatis:ſed ptinet ad pdicationé rerú nu̅erataru̅. Et nec iſto modo põt eſſe nu̅er⁹ i diuinis
quia ſcdm iã dicta nõ põt eſſe in illo plurificatio ſub aliquo vno cõi ſeu abſoluto ſeu relatiuo.
Sed ratio numeri q̃ eſt in diuinis,nõ eſt ex diuerſitate aliqua pfuſa p illius diuiſióne quácu̅ꝗ
ſcdm cõuenie̅tía nu̅eratoꝝ in forma illius vni⁹ diuiſi vel i materia:ſed ſolu̅mõ p naturale orí‐
gíne qua a primo vno ex ſe q̃ʒ eſt pater,pcedit ſecu̅d⁹ vn⁹ q̃ eſt filius : & ab vtroꝗ terti⁹ vn⁹
qui eſt ſpús ſctús,quaſi ſingularia nõ tã diuerſaru̅ ſpecierú q̃ diuerſoꝝ generú differe̅tiu̅ & nu̅
meratoꝝ formis relatíuis: & idipm exiſte̅tib⁹ forma abſoluta abſꝗ omni numero.

I̅rca Quintu̅ arguitur q̃ dictio excluſiua addita vní eoꝝ q̃ ſunt in diuinis
ex pte ſubiecti,nõ excludat dia ex pte pdicati:nec econuerſo excludat pdica
ta addita reſpectu ſubiecti:Primo ſic.nihil põt excludi ab aliquo ſine quo nõ
põt eſſe illud. Verbi gfa, nõ põt eſſe homo ſine aíali: quia nihil põt eſſe ho‐
mo & nõ aíal: & ideo nõ excludit aíal:dicendo ſolus homo. Sed nõ eſt aliqd
in diuinis q̃ʒ poteſt eſſe ſine aliquo alioꝛ:quia eſſet i deo ſolitudo poſſibilis.
qua ratione em̅ poteſt eſſe ſine aliquo illoꝛ: eadem ratione & ſine cæteris,
conſequens falſum eſt:quia in deo nulla poteſt eſſe ſolitudo. Dicéte Hilario.iiii.de Trini.c.ix.
Nobis neꝗ ſolitarius deus neꝗ diuerſus cõfite̅dus eſt.ergo &c. ¶Secundo ſic. dictío excluſi‐
ua addita vní termino non excludit niſi aliud:ſic q̃ non præ dicetur de illo: vt ſi ſolus hcmo
eſt riſibilis:ergo quicquid non eſt homo nõ eſt riſibile.ſed in diuinis nihil eſt aliud ab alio:ſed
omnia ſunt vnum & idipſum ſcdm præ determinata. ergo &c . ¶Tertío ſic. ſi dictío exclu‐
ſiua non excludat a termino magis differens,nec mínus : quia non eſt excluſio niſi ratione

differentię. sed maxime in diuinis personę abinuicem differunt scdm superius determinata.& dictio exclusiua addita vni personę nõ excludit alia.scdm ꝙ illud Apłi,Soli sapienti deo,Augustinus.iii.li.contra Maximinũ,exponit dicés.Si dixisset Apostolus:Soli sapienti patri:nec sic inde filiũ separet.nõ em quia in Apoc.legit,Habés nomé scriptum qd nemo scit nisi ipse:Ideo pater nescit hoc nomé a quo est inseparabilis filius.scit ergo pater qd nemo scire dictus est nisi

**In opposit.**  filius:quia inseparabiles sunt.ergo &c.Cn cõtrariũ est qd dicit August.nus.vi.de Trini.ca.ii. Verbũ solũ filius accipitur:non simul pater & filius tanꝗ vnũ verbum.

**B**
**Resol.q.**
Cpropter difficultaté perceptionis veritatis enũciationũ in quibus ponũtur dictiones istę tm,solus,quę vocant exclusiuę:inducta est ꝗstio pposita.Vt ergo sciamus quasi regulariter discernere quę illarũ ppositionũ in qbus aliqua illarũ dictionũ ponif,sit vera:& quę

**C**  falsa diiudicáda,prout determinauimus circa pdicationes dubias an verę sint an falsę in ꝗstionibus pximis pcedétibus: & ne oporteat de qualibet illarum dubiũ aliquod ptédéte ꝗrere an vera sit an falsa.Circa istas dictiones tm,solũ,aduertendũ est ꝙ in aliqbus oĩno coueniũt:& in aliqbus multũ differũt:quia ly tm potest esse nomé dices cõparatione scdm quátitaté & qualitaté,respondés ei qd est quantũ. vt cũ dicit, quátus est pater tátus est filius. Potest etiã esse aduerbiũ scdm eádé significatione,vt quátũ sunt pater & filius:tátũ est solus fili9.Secũdo aũt est aduerbiũ negádi p exclusioné:& isto mõ solũmõ est de tm ad ppositũ:qa isto solo mõ difficultaté inducit in pcipiédo veritaté. Et primis duobus modis est dictio categorematica differens omnino in significato & officio ab illa dictione solus:quia ly solus nequaꝗ cõparatiuũ est sicut tátũ.Tertio aũt modo ly tm est dictio syncategorematica:& oĩno est eadé in officio cum illa dictione solũ,inquátũ ly solũ est aduerbiũ & dictio exclusiua:& eodé modo dictio syncategorematica sicut est tm . Ambo em eádé habét significatioé & idé officiũ:quia eodé modo fa

**D**  ciũt exclusioné circa subiectũ & circa pdicatũ,vt iã videbitur . Csed potest ly solũ alio modo etiã esse nome,in quo nõ respõdet ei nome eiusdé significationis & officii ex pte ei9 qd est tátũ licet ly solus aliquã significatione habeat eádé cũ ly tm qd est aduerbium exclusiuũ: in qua etiã habet idé officiũ exercere.s.excludendi qd & ly tm , licet alio & alio modo, vt iã videbif.

**E**  Habet aũt ly sol9 quinꝗ significatiões:primas duas vt est dictio categorematica: tres alias vero vt est dictio syncategorematica:& in qualibet istarũ significationũ dicit & exercet táꝗ offi ciũ suũ priuatione seu remotioné siue negatione associationis alterius ab eo cuius est determinatio cũ quo construif.Et hoc prima distinctione dupliciter. Cum em ois associatio alicui9 cũ alio est in aliquo:in diuinis aũt nõ põt eé associatio aliquoꝝ nisi in forma aliqua: quia i eis quicquid est forma est:Igitur ly solus aut dicit remotioné associationis alterius ab eo cui9 determinatio in forma sua ppria, & scdm rationé eius ppriã: aut in forma alia scdm aliã rationé. Primo modo cũ disponit terminũ essentialé dicit remotioné associationis alterius ab eo in cõmunicádo vnã essentiã,vt cũ dicit solus deus.Remouet em ab aliquo vno qui deus est: & intelligit vnus per hoc ꝙ dicitur singulari numero deus: alterius associatio in forma seu essentia deitatis significádo ꝙ nõ sit nisi vnus deus:& hoc nõ simpliciter,sicut si scdm Semiar rianos essent plures dii in forma deitatis:sicut sunt plures homines in forma humanitatis: cũ qlibet illoꝝ eét vn9 deus:sicut qlibet istoꝝ est vnus homo: scilicet specialiter alicuius gentis: sicut ille dicit esse vnicus filius duoꝝ coniugũ:qui plures nõ habét proles sed possunt habere plures simul cũ illo: & non sicut dicit esse fœminę,cũ non possit esse per naturã alius simul: sed solũ posterius vnus post illum:& non sicut dicit vnus sol, cũ per naturã inferioré nõ possint esse plures: nec similiter vnus post alterun: sed solũmodo p diuinã potentiã: Sed ꝙ sic non sit nisi vnicus deus: ꝙ sicut nõ sunt plures sic nec omnino possunt esse plures . Cũ vero isto primo modo disponit terminũ psonalé siue personã,dicit remotioné associationis alterius ab eo in cõmunicádo vnã ppríetatem psonalem: vt cũ dícitur solus pater . Remouetur enim ab aliquo vno qui est deus pater : alterius associatio in forma seu in proprietate paternitatis significando ꝙ non sit nisi vnus pater : nec possunt vllo modo esse plures scdm modum iam

**F**  dictum de vno deo.Et isto modo solus significat idem qd vnicus:nõ autem idem qd vnus,vt quidam dicunt:quia si essent plures dii,vt dictum est,quilibet illorum posset dici vnus scdm se:& aliquis illorum vnus:quia illum solũ vna gens coleret . Sed nos ad exclusionem talium plurium qui possent æstimari,dicimus solus deus.i.vnicus: vt ly vnicus addat super vnus ꝙ scilicet sic sit vnus ꝙ nullo modo possint esse plures . Et sic accipitur solus cum dicitur Deuteronomii octauo. Dominum deum tuum adorabis: & illi soli seruies. idest illi vnico.

q̃uis & hic poſſit ly ſolus accipi in alia ſignificatione,ſ.vt ponit excluſiue,ſub hoc ſenſu: illi ſo-
li.i.nulli alteri.Non enim eſt incõueniens ꝙ in vna oratiõe ly ſolus poſſit habere plures ſigni-
ficationes:quia cũ ly vnus aliquãdo ponat pro eo ꝙ eſt vnicus,nõ eſt incõueniens dicere ꝙ in
dicta propoſitiõe ſolus ſignificet idem ꝙ vnus. Vnde cũ dicitur Exod.ix.Audi Iſrael, dñs de⁹
tuus vnus eſt:vnus ibi idem eſt quod vnicus,ꝙ per hoc dictum intẽdit Moyſes excludere deorum poſſibilitatem:non ſupponere ꝙ deus quem prędicauit eſſe colendũ,ſic vnus eſſet ꝙ poſſent eſſe plures,licet eſſent alii plures & ab aliis ſimul colendi.Et ſcdm hunc intellectum locutus eſt dominus,quando dixit Deuter.xxxi.Videte ꝙ ego ſum ſolus.Et vt declararet quomodo ſolus,addidit.Et nõ eſt alius deus pręter me.Et hoc ad differẽtiã illorum de quibus de proximo premiſerat:Vbi ſunt dii eorũ,in quibus habebant fiduciam? Vnde ſic in iſta ſignificatione diceretur addendo deus,videte ꝙ ego ſum ſolus deus.i.ille prẽter quem non eſt alius deus.
Si autẽ ly ſolus dicat remotionem aſſociationis alterius ab eo cuius eſt determinatio in forma
alia,aut ſcdm aliam rationẽ:in diuinis autem nõ eſt niſi forma eadem:ſed ſcdm aliam & aliam
ratiõe ſolũ in diuinis perſonis & attributis: priuatio igitur aſſociationis non eſt niſi inter per- **G**
ſonas aut attributa,& cætera eſſentialia.Sed hoc contingit dupliciter.aut enim ſolus dicit re-
motionẽ alterius in forma eſſendi ſimpliciter,vt eſt,eſt primo adiacẽs:aut in forma eſſendi de-
terminata.Si primo mõ,ſic remouet aſſociatiõe pluriũ pſonaliũ in deo vt eſſentialiũ in cõmunicando actũ eſſendi.In iſta enim ſignificatione,cũ dicitur ſolus de⁹,remouetur ab vno aliquo
ꝙ vel qui deus eſt,perſonalis aſſociatio alterius in cõmunicãdo eſſe,ſignificando ꝙ nõ eſt niſi
vna perſona in deitate:aut exiſtẽs ſcdm vnam rationem,ſcilicet deitatis:nõ bonitatis, magnitu
dinis,& cẽterorũ talium.Et iſto modo ſolus,ſignificat idem ꝙ ſolitarius.Et quia hoc eſt impoſſibile,ideo ſicut omnis propoſitio in diuinis eſt vera in qua ponitur ſolus in pcedenti ſignifica- **H**
tione(in diuinis enim non eſt niſi vnicus deus,vnicus pater,vnicus filius,vnicus ſpiritus ſanctus,vnicus bonus,vnicus æternus,& ſic de cæteris )ſic in altera omnis propoſitio eſt falſa. Licet enim pluralitas perſonarũ & rationũ eſſentialium recipiantur in deo,& vnitas eſſentię,quæ
ambo ſcdm pdicta nomine trinitatis ſignificãtur:tamẽ vt dicit Hilari.nobis neꝗ ſolitari⁹ de⁹,
propter vnitatem ſcilicet,neꝗ diuerſus,propter ſcilicet illam pluralitatẽ,confitendus eſt,vt aſ- **Diuerſum**
ſumptum eſt in primo argumẽto.Tunc enim proprie dicitur diuerſum, quando ſunt plura in **Solum.**
abſtracto vel abſolutis differẽtia.Tũc autẽ proprie eſt ſolitudo,quãdo eſt vnicũ ſine omni pluralitate formã & ſpeciem ſuam cõmunicantium:ſecundũ ꝙ homo vnicus in mundo diceretur
eſſe ſolus ſimpliciter,etſi eſſet cũ multis aliis rebus quæ non ſunt homines:vt aliquis homo dicitur currere ſolus,licet currat cũ multis equis: & monachus dicitur eſſe ſolus vbi eſt cũ multis laicis abſꝗ ſocio ſui ordinis.Sic deus nõ poteſt dici ſolus propter pluralitatem perſonarum
inſeparabilem in vnitate eſſentię.dicẽte Auguſt.vi.de trini.ca.iiii.Non inuenitur quomodo dici poſſit aut pater ſolus,aut filius ſolus:cũ ſemper atꝗ inſeparabiliter ſint inuicem, neuter ſo-
lus.Solum patrem dicimus patrem, nõ quia ſeparẽ a filio,ſed quia nõ ambo ſimul ſunt pater.
Idem autẽ intelligit & de ſpiritu ſancto.Et per eundem modũ non inuenitur quomodo poſſit
dici aut æternus ſolus,aut bonus ſolus,cũ ſemper atꝗ inſeparabiliter ſint inuicem:neutrũ ſine
altero:& ſic de cẽteris. Nõ enim eſt deus ſic ęternus quin etiã ſit bonus:& ſic de cæteris.Si au- **I**
tem ly ſolus dicit remotiõe aſſociationis alterius ab eo cuius eſt determinatio in forma eſſendi determinata,hoc iterum contingit dupliciter. Aut enim dicit remotionem aſſociationis alterius in forma eſſendi determinata ſcdm rationẽ intelligendi,aut ſcdm rationẽ eſſendi.Si primo modo,ſic remouet,vt prius,aſſociationem in deo pluriũ eſſentialium,aut pluriũ in cõmunicando aliquẽ actum intellectus circa diuina. In iſta enim ſignificatione, cũ dicitur ſolus de⁹,
aut ſolus filius,aut aliquid huiuſmodi,remouetur ab vno aliquo quod vel qui deus eſt,aſſocia
tio alterius in cõmunicando eũdem actum intellectus,ſignificando ꝙ non niſi vni perſonę, aut
non niſi ſcdm vnã ratiõe alicui conueniat actus intelligendi.Scdm quẽ modũ dicit Auguſti.
vii.de trini.cap.iii.Non maior eſſentia eſt pater & filius ſimul,q̃ ſolus pater aut ſolus filius.Et
lib.viii.cap.ii.Filius & ſpiritus ſanctus tam magnũ aliquid ſunt,q̃ ſolus pater.Et iſto modo idẽ
ſignificat ſolus ꝙ ſingulus:& ſunt tales propoſitiones verę.Licet enim perſonę non ſint ſolita-
rię in eſſendo,ſunt tamen ſingulę intelligendo illas reſpectu alicuius eſſentialis & cõmunis ſin
gulis.Et ſicut talia dicuntur de perſonis diuerſis,ſic poſſunt dici de eſſentialibus diuerſis.Non
enim maior eſt bonitas & æternitas q̃ ſola bonitas.Si autem ly ſolus dicit remotionem aſſocia- **K**
tionis in forma eſſendi determinata ſcdm rationem eſſendi: hoc vlterius contingit dupliciter.
Aut enim dicit remotiõe in cõmunicando formã aliã ſimul in aliquo ſuppoſito cũ ſua formã

propria,aut dicit remotionem affociationis cū vno fuppofito refpectu formę tertię in fubiecto vel in prędicato alterius fuppofiti.Primo modo remouet affociationem pluriū proprietatū per fonarū fimul in eadem perfona refpectu alicuius fubiecti & alicuius prędicati,dicendo,folus pa ter non eft trinitas,vel econuerfo trinitas nō eft folus pater.Hoc enim non,cp dicitur folus pa ter, non excludūtur aliæ perfonæ, quia nulla illarū eft trinitas.Non eft vt idem dicit.viii.de trinitate,Pater eft trinitas,aut filius trinitas,aut fpiritus fanctus eft trinitas tm. Et eadem ratio ne nec econuerfo. Sed hic eft fenfus illarū propofitionū: folus pater.i.pater qui ita eft pater, cp non eft filius nec fpiritus fanctus,non eft trinitas:& econuerfo Trinitas non eft folus pater.i.il le qui ita pater eft cp non eft filius nec fpiritus fanctus.Si enim ita effet pater, cp fimul effet fili⁹ & fpiritus fanctus,ficut pofuit Sabellius:tunc pater effet trinitas,& econuerfo trinitas effet pa ter: fimiliter pater & fili⁹ & fpiritus fanctus fimiliter funt trinitas &c.Sed iftam expofitionem afcribit propofitioni quā iam dicemus pertinere ad modū pręcedentē, Magifter primo fenten. diftin.xxi.cap.i.in fine,dicēs. Cum dicitur tantus eft folus pater,quantū fimul illi tres:per hoc

**L** cp dicit folus pater,non feparatur ab aliis:fed hic eft fenfus:Solus pater.i.pater qui ita eft pater cp nec filius nec fpiritus fanctus,tantus eft &c.Solus ergo pater dicitur(vt ait Augufti.lib.vi. cap.ix.de trini.)quia nō nifi ipfe ibi pater eft.Sed mihi videtur cp ifta expofitio non eft conue niens in hoc exemplo:eo cp cū fola perfona tantū dicitur quantū duę vel tres fimul,p hoc cp p fi militatem plures coniungitur in prędicato,in fubiecto dicēdo folus pater,per ly folus, ipfe pa ter notatur fupponere vt fingulariter intellectus fiue acceptus, non autē cū filio & fpiritu fan cto fimul intellectus,licet pater non intelligatur nifi in ordine ad filium,vt dicatur hoc de pa tre,cp ipfe fit folus.i.fine filio & fpiritu fancto.fed per hoc filius & fpiritus fanctus ab intelligē di confortio excludūtur. Secūdo autem modo remouet affociationem plurium fuppofitorum refpectu eiufdem prędicati:dicēdo,folus pater eft pater:per qd̄ nō feparatur pater a filio & fpi

**Exclufio.** ritu fancto aut econuerfo:fed quia ambo fimul cū patre non funt pater,& per hoc a paternita tis confortio excludūtur.Et in ifta fignificatione dicitur proprie poni exclufiue. Et differt ex clufio in ifta fignificatione ab illa quæ eft intus, cp hic fit exclufio refpectu actus expreffe & fi gnificati,ibi vero refpectu actus intellecti & excerciti.Et cum folum poffit exponi per hoc quod eft non cū alio,fcilicet per hoc qd̄ eft non alius, licet in vtracp fignificatione poffit vtrocp mo do exponi,in illo tamen magis proprie exponitur per non cū alio:in ifto autē per, & non alius. Item differt ifte modus a quarto,quia hic ftās folus in fubiecto excludit a forma prædicati,ibi vero a forma ipfius fubiecti.Et ideo ille quartus modus exponi debet femper per non cum alio:

**M** non autem per,& non alius.CEt eft fciendū cp quælibet propofitio licet diftingui poffet fcdm hos quincp modos,ita cp in diuinis propofitio aliqua poffet habere veritatem prętercp in fecū do,qui non poteft habere fenfum verum in diuinis prędicationibus:tamē quælibet talium pro

**N** pofitionum aliquem dictorum modorū magis expreffe prætendit cp̄ alios. CEft etiam animad

**Solus** uertendū cp folus in ifto vltimo modo penitus habet idem officium qd̄ tm.aduerbium exclu

**Tm̄,** fiuum:quæ licet in hoc differant cp tm̄,femper eft determinatio actus fiue verbi: Solus autem dictionis alicuius nominaliter fignificatę in fubiecto vel in prędicato:femper tamen eandem ha bent vim fiue ponantur in fubiecto,dicendo folus deus,vel,tm̄ deus pater eft:fiue in prædica

**O** to dicēdo,deus eft folus pater,vel deus eft tm̄ pater.CEt quia in ifta vltima fignificatione ly fo lus pręcipue inducit difficultatem percipiendę veritatis in diuinis:ideo latius officium eius profequamur.Et quæ dicta fuerint de folus,intelligatur eodem modo dici de tm̄. De iftis ergo dictionibus exclufiuis tm̄ & folum,primo videndum eft fpecialiter quale officium habet dum ponuntur in prædicato,deinde generaliter qualē habent dum ponuntur fiue in fubiecto fiue in prędicato.Si ergo dictio exclufiua ponitur in prędicato effentiali vt actus tendens ad exte rius,dico cp talis propofitio femper falfa eft,fiue fubiectum fuerit effentiale fiue perfonale:quia cum hoc includit veram affirmatiuam,& falfam negatiuā:& propofitio exclufiua,quia vir tutem habet copulatiuę,non poteft effe vera nifi fit fimul vera pro affirmatiua & pro negati ua:dicendo,deus tm̄ creat,vel pater aut trinitas tm̄ creat.Eft enim fenfus:creat, & nihil aliud agit,feu nullam aliam actionem operatur:qd̄ falfum eft,quia omnes ei⁹ actiones interiores aliæ funt ab actu creandi inquātum temporalis eft,& aliquid ponit in creatura. Si vero prędicetur effentiale manens intra,aut perfonale,& fignificetur per modū actus,& intelligatur exclufio fie ri refpectu actus tranfeuntis ad extra:dico cp propofitio femper falfa eft,eadem ratione qua prę cedens:quia fenfus eft:deus pater, aut trinitas tm̄ intelligit,vult, aut generat, ideft intelligit, vult,& generat,& nihil aliud agit,fiue nullam aliam actionem operat: & eft negatiua falfa pro

actionibus diuinis tranſeuntibus ad extra:quia illę ſunt(vt dictum eſt)aliæ ab interioribus.Si
vero ſpecialiter intelligatur fieri excluſio ab vno actu interiori reſpectu aliorȝ interiorum, Dico ǫ
ſi intelligatur fieri excluſio alterius actus neutraliter,vera eſt ſemper:quia cũ affirmatiua vera,pu
ta deus intelligit aut generat,etiam negatiua eſt vera,ſcilicet ǫ nihil aliud agit, Quia ſicut pſona
quælibet neutraliter loquendo,vna nõ eſt alia ab alia,nec ab aliquo quod eſt in diuinis:ſic nec actio
perſonalis ab eſſentiali manente intra:& multo minus neqȝ eſſentialis actio ab alia. Si vero intelligatur fieri excluſio alteriꝰ actionis fœmininæ,ſemper eſt falſa:quia cum affirmatiua vera vt prius,
ſemper negatiua eſt falſa,ſcilicet ǫ nullã aliã actione agit.Quia ſicut maſculine loquendo quęlibet
perſonarum eſt alia ab altera,& poteſt vna earum excludi ab altera, vt patet ex dictis, & amplius
patebit ex dicendis:ſic etiam fœminine actio generandi eſt alia ab actione ſpirandi: & hoc ratione
relationum diſtinctarum.Et ſimiliter forte(quod non aſſero)quælibet actio eſſentialis,ſcilicet intel
ligendi & volendi,altera eſt ab actione perſonali,& vna illarum alia eſt ab altera,licet ſecundum ra
tionem tamen:etſi ſcdm modum quo vna eadem eſt alteri & prædicari poteſt de alia,nec poteſt
vna ab altera excludi:& ſcdm modum quo vna earum eſt alia ab alia,nec prędicatur de illa, &
ſic poteſt excludi ab illa:& hoc maxime reſpectu alicuius in ſubiecto,cui congruit prædicatio,
vt dicendo,diuinus intellectus intelligit,vel ratione alicuius determinationis in prędicato,di-
cédo intelligit intellectu.Quia enim intellectus non eſt ratio elicitiua actus volendi ſed intelli
gendi tm̃,dicitur ǫ in talibus dictio excluſiua cadens ſuper vnum actum excludit reliquũ, vt
actum volendi ab actu intelligendi,& econuerſo:dicendo,diuinus intellectus tm̃ intelligit. Et
ſimiliter de voluntate reſpectu actus volédi.Quare multo fortius quilibet actus eſſentialis po
teſt excludi a quolibet perſonali,& econuerſo.Et ſicut contingit hoc in pdicatis actiuis per ver
ba actiua vel participia: ſic idem contingit in prędicationibꝰ paſſiuis per verba paſſiua aut par
ticipia.Et non eſt differentia in aliqua talium propoſitionũ ſiue ſubiectum fuerit eſſentiale, ſiue perſonale.Et ſcdm eundem modum quæcũqȝ in diuinis ſic conueniunt ǫ vnum vere prædicari poſſit de altero,excludi non poteſt ab altero,licet alias poſſit,etiamſi ſit vnum de intellectu & ſignificato illius. Dicédo em̃ trinitas eſt tm̃ trinitas:ſequit̃,ergo trinitas eo ǫ pater,non
eſt trinitas,niſi excluſione poſita ſuper ſubiectum.dicendo,tm̃ trinitas eſt deus:non ſequit̃, ergo pater non eſt deus:quia licet pater non ſit trinitas,non tamen eſt aliud aut alius a trinitate:
quia eſt aliquis in illa.Et eadem omnino intelligenda ſunt de dictione excluſiua cadente ſuper
aliquid ſignificatum†neutraliter,ſiue in prędicato,faciendo excluſioné reſpectu ſubiecti,& priuando alia a prędicato a conſortio in ſubiecto,vel econuerſo in ſubiecto faciendo excluſionem    †naturalr̃.
reſpectu prędicati priuando conſortio in ſubiecto alia a ſubiecto: dicendo deus eſt ſolus pater:
vel econuerſo,ſolus pater eſt deus:& ſic de cæteris:ſiue excluſio cadat ſuper terminũ eſſentia-
lem:ſiue ſuper perſonalem:ſiue vt eſt principale ſubiectum vel prędicatum,& eſt determinatio
alterius eorum.Iſta enim,deus eſt ſolus pater,cum excludit neutraliter,vt ſit ſenſus: Deus eſt
pater,& deus non eſt aliud a patre,vera eſt:quia deus non eſt aliud q̃ id q̃d eſt pater: & nõ excluditur filius nec ſpiritus ſanctus.Cum vero maſculine pro ſuppoſito determinato,vt ſit ſen-
ſus:deus eſt pater,& non eſt alius a patre,falſa eſt:quia deꝰ eſt †alius aliquis q̃ pater:quia ęqua-   †aliud alꝉ-
liter vt deus eſt pater , eſt & filius & ſpiritus ſanctus . & ibi excludatur filius , & ſimiliter     quid.
ſpiritus ſanctus . Primo enim modo fit excluſio a patre ratione eius quod eſt in ipſo : ſecundo autem ratione naturæ quæ in ipſo eſt . Sicut cum dicitur , ſolus deus eſt pater,ſecundum
ǫ fit excluſio neutraliter , fit ratione ſignificati : ſecundum vero ǫ fit maſculine , fit ratione
ſuppoſiti . Similiter cum ſub dictione excluſiua prędicatur eſſentiale attributum quod in ſuo
ſignificato continet id quod eſt deus ſub ratione determinata,puta qualitatis,cum dicitur bonus,ſapiens:quantitatis,cum dicitur magnus,ęternus:quæ in ſignificatione attributi eſt,ſicut
quo eſt:dicendo pater eſt ſolus ęternus,aut ſolus eſt ęternus,aut ſolus ſapiens:aut ſolum eſt ſa
piens:poteſt excluſio reſpicere id q̃d ipſo termino ſignificatur,aut rationem ſecundũ quã ſigni
ficat.Et primo modo proculdubio vera eſt, quia pater non eſt aliud q̃ id quod eſt ęterno:& nõ
excludatur ipſum eſſe bonũ vel ſapientem.Cum vero maſculine,falſa eſt,ſi forte excluſio principaliter reſpicit rationem ſecundũ quã terminus ad ſignificandũ imponitur,& qua vnũ eſſen
tiale diſtinguitur ab alio,vt veritas a bonitate:intellectus a voluntate,& cætera huiuſmodi.Si
enim ita ſit,videtur cũ dicitur,deus tm̃ ſapit,vel ſapiens eſt,vel eſt ſolus ſapiens,quaſi inten
datur ǫ ſic eſt ſapiens ǫ excludatur eſſe bonus vel ęternus,aut ǫ ſapientia in ipſo quandã prę
rogatiuam habet.Et per hoc intelligitur .q. per quãdam pręrogatiuam deus quaſi ipſe non ſit,
aut non ſit aliquid niſi ſapientia ſiue per ſapientiam:q̃d falſum eſt.Non enim eſt aliquid ſolum

**Q** sub ratione sapientię,sed etiam sub ratione bonitatis & cæterorū:neqʒ solum est aliquid sapien tia,sed etiam bonitate,& quolibet aliorum.Sed de hoc erit sermo in fine quæstionis huius.Si er go prędicatur de subiecto siue essentiali siue personali in diuinis sub exclusione posita sup sub iectū,dicendo,solus deus vel solus pater est,vel est sapiens:semp falsę sunt ppositiones:quia ab huiusmodi pdicatis excluderēt creaturę,nisi pdicatio per Antonymiā vel pręrogatiuā quan dā intelligat dici.tūc enim verę sunt,sicut illa Matth.xix. Nemo bonus nisi solus de⁹. & scdm qʒ dicit August.vii.de trini.cap.v.Fortassis deum solum oportet dicere essentiam: est enim ve re solus.¶Secūdum prędicta ergo concedenda est vltima ratio proposita in arguendo.

**R**
**Ad vltimā rationem.**

**S**
**Ad primū prin.**

**T**

**V**

¶Ad primū in opposito qʒ non potest excludi ab aliquo id sine quo ipsum non potest esse &c.Dico qʒ verū est quando non potest esse sine eo,ea scilicet de causa qʒ aliquid ei⁹ est,vt animal hominis vel risibile,vel quando est pars totius,vt pater trinitatis. Quando autē non sic est eius,bene potest ab eo excludi,non vt sit absolute sine eo:vt scilicet per exclusionē il lud maneat omnino solitariū,sed vt non sit cū eo constans in aliquo vno. Et sic priuatur cōsor tium eius in illo simul cum alio,q̄q̄ ista priuatio falsa sit,licet ipsius esse prędicati primo adia cens respectu cuius nullo modo dictio exclusiua notat,excludit id quod est aliquid alterius ab illo cuius est:licet bene notet ipsum excludi respectu cuiuslibet alterius. Vnde quia vnum cor relatiuum in diuinis personis non est aliquid alterius inquantum sunt relatiue opposita , licet vnum eorum non possit esse sine altero:vnum eorum ab altero bene potest excludi in respectu ad alicuius communionem,etiam ipsius actus essendi. Sed tunc in tali propositione exclusiua quasi contradictoria implicantur:vt quod ratione exclusionis significatur non esse, ratione re lationis ponatur esse: vt ideo sequantur ad talem exclusiuam contradictoria,scilicet idem esse & non esse,puta dicendo solus vel tm pater est.Ratione ēm exclusionis excludentis aliud quod non est aliquid subiecti,sequitur qʒ filius non sit: ratione vero relationis , cuius est ad aliud se habere,includendo patrem esse,sequitur qʒ filius sit.Quia etiam quorum vnum non potest es se sine altero,quia aliquid illius est,vnum eorum bene potest non habere cum altero commu nionem in aliquo prædicato: bene potest excludi ab altero . Dicendo enim tm vel sola trinitas est:sequitur,ergo filius non est trinitas.Licet ergo in diuinis nihil possit esse sine altero secun dum rem,ne sit solitudo:potest tamen de virtute sermonis respectu alicuius prædicati vnum eorum excludi ab altero.¶Ad secundum,qʒ dictio exclusiua non excludit nisi aliud a subiecto:

**X**
**Ad secūdū**

Dico qʒ verum est,vel aliud quo ad id quod est, & sic in diuinis nihil potest ab altero excludi: Vel quo ad rationem qua est:& sic bene potest vnum eorum excludi ab altero:maxime si illud a quo sit,respicit illud ratione cuius sit exclusio,secundum rationem qua ab excluso distingui tur.Propter quod si dictio exclusiua ab vno attributorum respectu alicuius excludit alterum, hoc est præcipue quando illi a quo fit exclusio conuenit illud respectu cuius sit exclusio,ratio ne qua distinguitur cōtra exclusum.Vt si dicatur sic:deus intelligit sola sapientia se:ergo non bonitate,nec fortitudine,aut aliquo huiusmodi:quia sapientia est ratio intelligendi, nō autem bonitas aut fortitudo.Vel si dicatur,pater est pater sola paternitate:sequitur,ergo non est pa ter filiatione:quia paternitas est ratio qua pater est pater,non autem filiatio. ¶Ad tertiū, qʒ in

**Y**
**Ad tertiū.**

diuinis magis differens non excluditur,puta persona a persona,secundum Augustinum:ergo nec quodcūqʒ aliud ab aliis in diuinis,quia minus differt : Dico qʒ si persona non excluditur a persona,quæ reuera summe differūt in diuinis,modo quo in eis est differentia,hoc non est ra tione qua differunt,sed ratione qua tantūdem sunt quæcunqʒ sunt in diuinis scdm prædicta. Inquantū enim differunt,bene abinuicem excludūtur.Sed multum differt quando est exclu sio ab essentiali subiecto essentialis prędicati,dicendo,solus pater generat. Dicēdo ēm solus de⁹ est sapiens,nec masculine nec neutraliter excluditur quæcūqʒ persona singularis,quia tam pdi catū q̄ subiectū equaliter singulis conuenit.Dicendo vero,solus pater est sapiēs,masculine,ex cludūtur psonę filii & spiritus sancti:non aūt neutraliter,quia prædicatū equaliter cōuenit sin gulis . Sed quemadmodum dicit Augustinus septimo de trinitate , non pater & filius simul

**Z**

maior essentia est, q̄ solus pater,vel solus filius . Et Magister primo sententiarum distinctione xxi.in principio,Tantus est(inquit)pater solus,vel filius solus,vel spiritus sanctus solus,quan tum illi tres simul . Et duæ personæ vel tres simul , sicut nec nisi vna sapientia . Dicendo vero solus pa ter generat , masculine , excluduntur personæ filii & spiritus sancti , non autem neutraliter, quia res prędicati & subiectoꝝ omnino eadem est.Et neutraliter loquendo intelligitur dictum

Auguſtini ſumptꝯ in argumento de prædicatiõe eſſentiali,de perſonali. Vnde in ſine aſſignãdo cauſam dicti ſui,dicit ꝙ inſeparabiles ſunt.Qz eñ maſculine ab vna perſona reſpectu cõmunis ꝑdicati bene excludãtur aliæ,aperte inſinuat Aug.quãdo lib.ii.cõtra Maximi.cap.iii.dicit ſic. De inuiſibili deo cũ agerē,admonui vt crederem inuiſibilem non ſolũ patrem ſed etiam filiũ in diuinitate,non ſcdm carnem. Vult ergo ꝙ hæc ſit vera:non ſolũ pater eſt inuiſibilis: non autē neutraliter ratione eius ꝗ eſt pater:quia ſic non eſt niſi deus,& ſolus deus eſt inuiſibilis. Prc falſa ergo eam habet maſculine: contraria ergo eius,ſolus pater eſt inuiſibilis, falſa eſt maſculi= ne:& hoc non niſi quia excludit filium & ſpiritũ ſanctũ.Vnde ſubdit cap.iiii.Lego iterũ de im= mortali deo,quoniam tu illud ꝗ ait Apoſtolus: Qui ſolus habet immortalitatem,ſic intelligi voluiſti,tanꝗ de ſolo patre ſit dictũ:cum ille hoc non de patre dixerit,ſed de deo , qui eſt pater & filius & ſpiritus ſanctus,Prorſus a nullo acceptam habet immortalitatē pater,& a patre ac= cepit filius:habent ergo immortalitatem pater & filius, non ſolus pater habet hanc ſolus ,ſed deus:ꝗ non ſolus eſt pater,quia hoc eſt & filius.Et cap.xiii.Sapientē ſolũ inquis patrē,vt præ= dicat Apoſtolus dicens ſic,Soli ſapienti deo:ſed trinitas eſt ſolus ſapiens deus. Et lib.iii.cap.ix. Si dixiſſet ſoli patri,difficilius forte queſtio ſolueretur. Ex quo peruenit ad dicendum illud ꝗ in argumento ſumptum eſt,dicens in cap.xiii.Si dixiſſet Apoſtolus ſoli ſapienti patri, nec inde filium ſepararet &c̃. Cum vero non dixerit,ſoli ſapienti patri, ſed ſoli ſapienti deo , & Deus ſit ipſa trinitas,multo eſt facilior nobis huius ſolutio quæſtionis.Et in quo eſt facilior patet ex di= ctis:in hoc videlicet, ꝙ dicendo, ſoli ſapienti deo, non oportet diſtinguere de prædicatione in neutro & in maſculino,quia in vtroꝗ ſenſu vera eſt.Dicendo autem ſoli ſapienti patri, vt re= **† fœmini.** **no** cte intelligatur,oportet diſtinguere ꝙ excludendo maſculine vera eſt.quia non excluditur niſi creatura,ſicut neꝗ cum dicitur:ſoli deo immortali.Super quo mouit Auguſtinus queſtionem lib.ii.contra Maximi.cap.iiii.dicens.Quare ſolus deus dictus eſt habere immortalitatem,cum & anima pro ſuo modo ſit immortalis , & alia ſpiritualis cæleſtiſꝗ natura, poſtea videbimus. ſcilicet lib.iii.cap.xii.vbi dicit ſic.Immortalitatem autem deus habere dicitur ſolus,quia immu= tabilis ſolus eſt.Et per hunc modum,ſicut cum dictionem excluſiuam ponimus ex parte ſubie= cti,dicendo,ſoli ſapienti deo.i.deo qui ſolus eſt ſapiens,facilior eſt ſolutio quæſtionis,quomodo hoc debeat intelligi:quoniam cum ponimus eam ſimiliter ex parte ſubiecti,dicendo,ſoli ſapien= ti patri.i. patri qui ſolus eſt ſapiens, cogimur hanc exponere, vt per ipſam filius a prædicato non excludatur:ſic cum dicimus per dictione excluſiua,deus aut pater eſt ſapiens : facilior eſt intellectus ꝗ ſi poneretur dictio excluſiua ex parte prædicati, dicendo deus aut pater eſt tm̃ ſa piens,vel eſt ſolum ſapiens,vel ſolus ſapiens.Tamen ſi aliqua talis inueniretur in ſcripturis, co geremur ipſam exponere ſic,vt per ipſam bonitas & cætera huiuſmodi non excludantur a ſub iecto:puta ſi cum in cantico eccleſiæ dicitur,Tu ſolus ſanctus,tu ſolus dominus,tu ſolus altiſ ſimus Ieſu Chriſte,non ſequeretur,cum ſancto ſpiritu in gloria dei patris:& ly ſolus non eſſet determinatio ſubiecti,ſub hoc ſenſu, O Ieſu Chriſte, tu ſolus es ſanctus, tu ſolus es dominus, tu ſolus es altiſſimus,ſed potius prædicati, ſub alio ſenſu, videlicet,o Ieſu Chriſte, tu es ſolus ſanctus,tu es ſolus dominus,tu es ſolus altiſſimus:& hoc etiam non ſub implicatione ex par= **tes** te prædicati ſic,o Ieſu Chriſte, tu es ille qui ſolus † eſt ſanctus, dominus, altiſſimus: qui ſenſus idem eſt cum primo. Vnde & ſi ſic diceretur:o Ieſu Chriſte, tu es ille qui ſolus ſanctus,domi= nus, altiſſimus : eſſet idem ſenſus cum ſecundo.Et ſic ſtandum eſt in duobus primis ſenſibus abſꝗ implicatione,ne fieret proceſſus in infinitum. Qz ſi in illo ſenſu ſecũdo illud inueniretur ſcriptum,ne vnum illorum intelligeretur excludere omnino alterum & cætera illi conſimilia, oporteret vti diſtinctione dicta.Sic nec cũ dꝛ̃tur ſoli ſapienti patri ſcdm eundem ſenſum ex= **A** cluditur filius.Non eſt tamen ad hoc opus diſtinctione ſcdm dicta.Faciendo veto excluſionem maſculine,ibi a ſubiecto excluderēt æternitas,bonitas,& cætera huiuſmodi: ſicut hic a ꝑdica= to,filius & ſpiritus ſanctus.Sed quia tale quid ſcriptũ nõ inuenit circa eſſentialia,talem ꝑpoſi= tionem omnino negamus:nec diſtinguimus,niſi forte in caſu ſpeciali,ſicut dictũ iam eſt in ſolu tione ſecundi argumenti.Sed ſi ſcripta inueniretur ſub hoc ordine verborũ:O Ieſu Chriſte tu es ſolus ſanctus,vt ly ſolus nõ ſit aliquo modo determinatio ſubiecti,neꝗ principalis,neꝗ im= plicati:ſed prædicati tm̃:impoſſibilis eſſet additio illa,tu es ſolus dñs,tu es ſolus altiſſimus,niſi ſi diſtinguendo. ¶Ad cuius diſtinctionis intellectum ſciendum eſt , ꝙ ſecundum ſuperius de= **B** terminata,multum differenter in diuinis prædicatur terminus ſubſtantialis & perſonalie:quia cum prædicatur terminus ſubſtantialis(quod ſolum pertinet ad propoſitum)tunc ipſum ꝑdi= catum ſcdm ſe aliquid eſt,& eſt etiam id quo ſubiectũ eſt,aut aliquid eſt,vt cum dicitur,deus

est essentia,vbi idem est omnino quod est & quo est,est aliquid:vt cū dicitur,deus est bonus,ve
rus,aut aliquod cæterorū,scdm ꝙ patet ex superius determinatis:sed inquātum ꝑdicatur non
est aliquis,quia ꝑdicatum substātiale,siue in diuinis,siue in creaturis,nō prędicat aliꝗd vt subsistēs,sed potius vt alicui insistens & inhęrēs:vt cū in diuinis dicitur,pater est deus:& in creaturis cum dicitur,Petrus est homo.Et scdm ꝙ terminus ꝑdicatus substantialis secundū se ali
quid est,& subiectū inquantum ꝑdicatur non est aliquid,tripliciter potest intelligi exclusio cir
**C** ca prædicatū.Primo modo,scdm primā rationem:secūdo,scdm secūdam:tertio,scdm tertiam.
Et primo modo dicēdo,tu es solus sanctus,sensus est,tu es sanctus,ita ꝙ nihil aliud a sanctitate:& sic nihil excludit nec priuat nisi consortiū eius qd̄ est contrarium sanctitati: & nō excludit aliquid eorū quæ sunt in deo,quia omnia sunt idipsum qd̄ est sanctitas.Tertio modo dicendo,tu es solus sanctus,sensus est:tu es sanctus,ita ꝙ non est aliud in supposito ꝗ is qui est suppositū sanctitati:quia ꝗ nihil excludit nec priuat nisi consortiū rationis suppositi alterius cū
sanctitate,ꝗ sit illa scdm quā aliquid est supposit̄ū sanctitati.Et sic non excludit aliquod absolu
torū in diuinis:nec aliquod aliud supposit̄ū,quia quodlibet illorum habet rationem eius quod
est supposit̄ū sanctitati. Secūdo modo(& est modus qui pertinet ad propositū)sensus est: tu es
solus sanctus.i.ita es aliquid sanctitate ꝙ non es aliquid alio , non solum dico alio neutraliter,
sed etiam masculine,quod falsum est:quia non solum quęlibet persona diuina est aliquid sancti
tate, sed etiam deitate & æternitate & cęteris huiusmodi:licet non sit aliud aliquid illis ꝗ san
ctitate:& nihil excludit nec priuat nisi consortiū rationis alterius,qua subiectum habet esse ali
quid cū ratione qua sanctitate habet esse aliquid.Et sic excludit esse aliud quo deus habet esse
aliquid quantū ad rationem illam qua distinguitur a sanctitate,licet nō ratione eius quod est:
quod etiā idipsum significatū est nomine significātis, secundū ꝙ habitū est supra, loquēdo de
**D** distinctione attributorꝫ.Et scdm hunc modum non solū scdm prędicta in casu speciali,vt vide
tur,sed simpliciter potest quęlibet talium propositionū distingui. Vnde qd̄ dicunt aliqui,ꝙ isti
termino deus,solū possit addi dictio exclusiua:dicendo,trinitas est solus deus,quia sic sancti lo
quuntur,sed hoc soli huic termino conuenit, eo ꝙ iste terminus deus ꝑdicat naturam cōmunem tribus personis,quę scdm se est subsistens nulla personarū distinctione intellecta:queadmo
dum dicunt ꝙ trinitas significat naturam cōmunem tribus,& persona significat proprietatem
cōmunem:falsum est,& satis improbatū superius.Et ideo non magis ly deus habet rationē sup
**E** posit̄i in prædicato ꝗ alia:sed omnia æqualiter habent rationē formę inhęrentis. Quū etiā illo
falso supposito vlterius dicūt ꝙ isti termino deus in prędicato proprio possit immediate adiū
gi dictio exclusiua,dicēdo, Trinitas est solus deus:nō autē aliis,dicendo, Trinitas est solus ęter
nus,nisi improprie:quia nō habet rationem subiectī & suppositī,sed solūmodo formę inhęren
tis:dico ꝙ propter rationem inhęrentis nulla oritur improprietas omnino:sed ex additione di
**F** ctionis exclusiuę immediate.Sed arguunt ꝙ immo,quia ly solus nominat priuationem consor
tii,quę non potest esse nisi circa illud in quo potest haberi consortiū:quod non est nisi in eo qd̄
habet rationem subiectī,non formę inhęrētis.Vnde & dicūt ꝙ superflue adderetur ly solus ta
li termino,sicut superflue adderetur termino cōmuni in creaturis siue substātiali, siue accidē
tali:quia non dicit scdm se subsistens sicut dicit deus:& non excluderetur nisi natura extranea
a subiecto,quæ excluditur ex sola ratione ꝑdicati.Dicendo enim precise,Petrus est homo,non
addendo tm̄ vel solus,prędicato,intelligit ꝙ non est asinus vel equus.Et similiter dicendo precise de deo ꝙ est ęternus,intelligitur ꝙ non est temporalis.Sed(vt dicunt)si additur prędicato
aliquod adiectiuū,dicēdo,est solū vel vnus solus æternus,vel vnus solus homo, tūc improprie
& superflue adderetur:quia sic excluditur oppoꝫitū illius termini vnus,quod est pluralitas ho
**G** minū vel deorū.Qz autem dicūt ꝙ non potest haberi consortiū nisi in illo qui habet rationem
subiectī:Respondeo ꝙ dupliciter est consortiū plurium. Vno modo in participando vno & eo
dem,siue scdm numerū,siue scdm speciem,siue scdm genus:quemadmodū duo homines consortium habent in albedine & in humanitate.Alio modo in essendo in vno & eodem:sicut con
sortiū habent album & dulce in lacte.Et vtroꝗ modo notatur priuatio cōstitui ꝑ dictionem
exclusiuam circa terminū cui additur:sed aliter cū additur prędicato:aliter vero cum additur
subiecto.Priuatur scdm primū modum consortii,consortiū subiectī alicuius cum alio subiecto
in participātione siue cōmunione ꝑdicati:cū vero additur ꝑdicato,priuatur penes secūdū mo
dū consortii prędicati alicuius cū alio prędicato in participatione siue cōmunione vtriusꝗ ab
eodem subiecto.Et isto modo secūdo verū est solum ꝙ non est consortium nisi aliquorū pluriū,
quæ habent rationem formę in illo vno quod habet rationem subiectī respectu vtriusꝗ, vt cui

ineſt,& de quo prædicatur.Primo autem modo priuatio conſortii eſt plurium ſubiectorum parti
cipantium in vna forma participata:& de iſta ſolummodo verum eſt,q̃ non eſt niſi in eo quod ha
bet rationem ſubiecti,non formę inhærentis.Secundo autem modo priuatio conſortii eſt plurium
formarum participatarum in vna forma participata:& de iſta verum eſt q̃ non eſt niſi formarum
inhærentium,& non habentis rationem ſubiecti.¶Quod addunt,q̃ ſuperflue adderetur prædica
to niſi mediante alio adiectiuo,qa prædicatum de ſe excludit q̃d excluderet dictio excluſiua : Dico
q̃ falſum eſt:quia dictio excluſiua non ſolum illud excludit quod per contrarietatem prædicatum
de ſe excludit:ſed etiam ex ſe excludit omne aliud quo ſubiectum habet eſſe aliquid alia ratione q̃
ſit ratio ipſius.Dicendo em̃ q̃ Petrus eſt tm̃ vel ſolus homo,non excluditur eſſe †aſinū,quo nullo †aſinus
modo habet eſſe aliquid:ſed etiam album,bonum,& cætera huiuſmodi:quæ inquantū prædicabi
lia ſunt,& habent aliam & aliam rationem formę:quo ad rationem dãdi ſubiectum eſſe aliqd vnū,
bene priuatur conſortium per dictionem excluſiuam reſpectu ſubiecti , quis etiam a dictione ex
cluſiua poſita in ſubiecto nullum eorum excluderetur reſpectu prædicati.Non enim ſequitur:tm̃
homo,vel ſolus homo currit:non ergo albū.& hoc quia inquantum habent rationem ſubiecti per
hoc q̃ ſunt aliquid in ſubiecto,vnam & eandem habent rationem ſubiecti.Et ſic(vt videt) non ſo
lum proprie poteſt dici,pater eſt vnus ſolus de⁹,vel vnus ſolus æternus cū alio adiectiuo,ſed etiã
ſine illo,licet in illis magis ſit vſitatum : & hoc non quia clarius eſt quid debeat excludi,cum addi
tur aliud adiectiuum,quod manifeſtum eſt habere oppoſitum ſibi repugnans,q̃ cum dictio excluſi
ua additur ei immediate ſine alio adiectiuo:ſed quia talis excluſiõis modus inuſitatus eſt,licet for
te eū poſtponamus,dicentes q̃ vnū eſſentialium nõ poteſt excludi in p̃dicato niſi in caſu tacto ſu
pra in ſecūdi argumenti ſolutione.Sed tunc(vt dicunt)ſuperflue ponitur dictio excluſiua in præ
dicato,quia non excludit niſi quod natura termini excluditur.Et dicunt,q̃ licet excludatur p con
trarietatem,tamen virtute ſermonis excludi non ſignificatur niſi additione dictionis excluſiuæ.
Per hunc modum cum additur prędicato cum adiectiuo appoſito nihil excluditur dictione exclu
ſiua, quod non excluditur per contrarietatem in ipſo ſignificato termini aut conſignificato. Sicut
enim dicendo,vnus ſolus deus,plures deos excludimus,dictione excluſiua:ſic dicendo vnus deus,
vnus ratione ſui ſignificati excludit deorum pluralitatem. Et ſimiliter dicēdo deus,ſine vnus & ſi
ne ſolus:quia in ſingulari numero intelligitur vnus,ratione ſui conſignificati excludit deorū plu
ralitatem.Et quod amplius eſt,id quod dictio excluſiua excludit a prædicato,dicendo trinitas eſt
ſolus deus,hoc excludit res ſignificata hoc nomine.Non enim eſt niſi id quod eſt aliud a deo.

Irca ſextum & vltimum arguitur,q̃ dictio exceptiua præter, præterq̃,& niſi,
non poteſt excipere aliquid eorum quę ſunt in diuinis,ab alio:Primo ſic.Dictio
exceptiua non eſt exceptiua niſi partis a toto,& hoc vel partis ſubiectiuæ a to
to vniuerſali,vt cum dicitur,omnis homo currit præter Sortem:vel partis in
tegralis a toto:vt totus Petrus eſt albus præter p̃dem: vel econuerſo totius a
parte:vt Petrus non eſt albus niſi pede.Sed in diuinis non poteſt eſſe pars vni
uerſalis,quia in illis non eſt numerus diuiſione,nec natus eſſe:nec ratio vniuerſalis:neq̃ poteſt eſſe
pars integralis,quia in illis non eſt numerus collectione:& per hoc nec ratio integri.ergo &c.¶Se
cundo ſic.Exceptio non eſt niſi eius quod continetur ſub aliquo toto in quantitate,quod eſt termi
nus continens plures partes ſubiectiuas vel integrales cum ſigno vniuerſali diſtributiuo,puta ois
homo,vel omne ens,vel totus homo,ſed ſub tali toto per diſtributionem huius ſigni totus,nõ ca
dit deus,vel aliquid eorum quæ ſunt in diuinis:quia ſingula quæ ſunt in deo,ſunt idipſum:& nõ
eſt totum niſi diſtributiuum integri,in quo neceſſario eſt aliud & aliud.nec ſimiliter ſub tali toto
per diſtributionem huius ſigni omnis,continetur deus,nec aliquid eorum quæ in ipſo ſunt : quia
in tali toto in quantitate diſtributiuum per hoc ſignum omnis non eſt niſi commune diſtribuibi
le:quale nullum eſt in deo:quia in deo(vt prius dictum eſt) non eſt cõmune vniuerſalitate ſed cõ
munione,quod non eſt diſtribuibile:quale nullum eſt in deo:quia non bene dicitur,omnis deus:li
cet deitas ſit communis communione.¶Tertio ſic.Exceptū & illud a quo facta eſt exceptio debent
eſſe diſtincta ſemper , quare etiam quanto aliqua magis ſunt inter ſe diſtincta,tanto magis vnum
illorum natum eſt ab altero excipi.ſi ergo non in illis quæ maiorem diſtinctionem habent inter ſe,
nec in illis quæ habent minorem,ſed maiorem habent diſtinctionem Deus & creatura , & ea quæ
ſunt in deo ab illis quæ ſunt in creaturis,q̃ illa quæ ſunt in deo inter ſe,ſed in deo & in creaturis
non poteſt cadere exceptio,vt creatura ſit exceptum,& creator ſit id a quo habet eſſe exceptio.er
go &c.Vltimæ aſſumptionis probatio eſt,q̃ exceptum & illud a quo ſit exceptio,debent contine

ri vt partes sub eodem toto in quantitate,contentæ in vno toto diftributo per hoc fignum omnis, vel per hoc fignum totus:sub quali non poffunt contineri de⁹ & creatura. Nõ fub diftributo hoc figno totus,quia non nifi conftituto ex plurib⁹:ex deo autem & creatura nihil poteft cõftitui. Ne q̃ fub diftributo hoc figno omnis,quia oĩs nõ eft diftributiuum nifi vnius in plura:quorum fingu lum eft de numero omnium aliorum,vt patet dicendo:omne animal,vbi animal non diftribuitur nifi pro illis quorum quodlibet eft de numero omnium aliorum. fed deus non eft omnino de nu mero omnium:quia de filio dicitur Ioan.i.Oĩa per ipfum facta funt.ipfe autem non eft factus:& fic ipfe non eft de numero omnium.Eadem ratione nec pater,nec fpiritus fanctus, Vnde & cõmu niter dicitur pro tota trinitate.Ex ipfo,& per ipfum, & in ipfo funt omnia.vbi dicit Glof.Ecce tri nitas perfonarum hic oftenditur,ergo &c. ⦿Quarto communiter & quo ad exclufionem & exce ptionem fic.Quæ fic fe habent q̃ vno nominato neceffe eft alterum intelligi, vnum illorum nõ po teft excludi ab altero nec excipi ab altero fiue ab alio,puta fi nominato Petro,dicendo,Petr⁹ eft ho mo,neceffe fit intelligere Paulũ,neuter ipforz poffet excludi ab altero refpectu cuiuflibet p̃dicati aut fubiecti,dicedo folus Petrus:vt fequat̃,nõ ergo Paulus:aut ecõuerfo.nec vnũ eorũ excludi aut etiã excipi ab aliquo refpectu cuiufq̃ p̃dicati aut fubiecti,quin alterũ fr̃ excipiat̃ ab eode:vt dice do:Solus hõ iiuft⁹ currit:ergo Petrus nõ currit,qn etiã fequat̃,ergo Paulus nõ currit:vel dicedo: oĩs hõ currit p̃ter Petrũ:quin etiã fequatur,p̃ter Paulum:puta fi homine nominato itelligatur rã tionale,non poteft rationale excludi ab homine,vt fequatur,folus homo,non ergo rationale : neq̃ homo excipi,quin fimul ab eodem & refpectu eiufdẽ excipiatur & rationale:vt non dicatur,omne animal præter hominem,excipiendo hominẽ,quin etiã fimul excipiatur rationale . Sed fic fe ha bent inter fe perfonæ diuinæ,q̃ fcilicet vna nominata intelligitur alia fecũdum Auguft.iiii.de tri nita.cap.ix. Vbi exponens illud Ioan.xiiii.Hæc eft aũt vita æterna,vt cognofcant te folum deum verum,& quem mififti Iefum Chriftum:dicit.Eft ordo verborum,vt te & quẽ mififti Iefum Chri ftum,cognofcant folum verum deum.Cur ergo tacuit de fpiritu fancto?Et refpondet alia interro gatione fubdens continuo.An quoniam confequens eft vbicũq̃ nominatur vnum,tanta pace vni adhæreas,vt per hanc vtrũq̃ vnum fit,iam intelligatur & pax q̃uis non commemoretur: q.d.fic. Et intelligit per vnum vni patrem & filium:per pacem aũt fpiritum fanctum . Vnde fuper dicto verbo dicit Gloffa. Ordo,vt cognofcãt te,& quem mififti Iefum Chriftum,cũ fpiritu fancto,qui eft amborum effe,folum & verum deum.Et fi fic fe habent inter fe perfonæ:multo fortius & que libet alia quæ in diuinis minus diftinguuntur,ergo &c. ⦿In contrarium eft,q̃ vbicunq̃ aliqd vni foli de numero plurium conuenit per exceptionem,vere dici poteft q̃ nulli illorum omnium con uenit præterq̃ illi vni,vel nifi vni.fed in diuinis aliquid foli vni perfonæ conuenit inter perfonas diuinas:puta filio q̃ fit verbum vel imago,ergo &c. Hinc etiam excipiendo dicit Ioan.Damafce. de tribus perfonis diuinis lib.i.cap.xi.Secundum omnia funt vnum,pater & filius & fpiritus fan ctus,præter ingenerationem,generationem,& proceffionem.ergo &c.

In oppofi.

I.
Refponfio

⦿Dico q̃ dictiones exclufiuæ & exceptiuæ eandem vim & idem officium habent & circa fubiectum & circa prædicatum.Sicut enim hoc quod eft reduplicatio,quam importat ly inquantum,vel in eo q̃, eft determinatio prædicati denotans modum inhærentiæ ipfius in fub iecto fcilicet per fe:fic exclufio & exceptio quã important ly tm̃,folus,præter,præterq̃, & nifi,eft determinatio prædicati vel fubiecti indifferenter denotãdo modum quo prædicatum inhæret fub iecto,& quo fubiectum fubiicitur prædicato, fcilicet precife:licet diuerfimode dictiones exclufiuæ & exceptiuæ. Quoniam exclufiuæ præcifionem ipfam circa prędicatũ aut fubiectum ponunt,re mouendo fiue precidendo confortium a fubiecto refpectu prędicati,& a prędicato refpectu fubie cti:fecundum modum determinatum in precedenti quęftione.Dictiones vero exceptiuę præcifio nem illam ponunt ipfam exprimendo. Vnde omnis propofitio exclufiua refoluitur in exceptiuam & omnis exceptiua reducitur in exclufiuam.Et non funt inuentę exceptiones nifi propter expofi tionem exclufionum:nec diftinctiones exceptiuę,nifi propter expofitionem officii exclufiuarum. Et cum tam exclufiua q̃ exceptiua propofitio vim habeat duarum propofitionum,fcilicet vnius affirmatiuę & vnius negatiuę:& etiam propofitio exclufiua habeat duo,fcilicet vnum inclufum per primam propofitionem,quod eft illud a quo excluditur,& aliud exclufum per fecundam : Et fimiliter exceptiua duo habeat,vnum fcilicet fuppofitum,quod eft illud quod econtrario eft,& il lud quod excipitur per primam:ifta duo & duo fibiinuicem refpondent ex parte exclufiuæ & ex ceptiuę vniformiter quo ad hoc q̃ id q̃d includit exclufiua femp fupponit exceptiua ipfi refpõdẽs

& eadem propoſitione. Sed propoſitio cõtinens excluſum ſemper formatur in propoſitionem exce
ptiuam.puta dicendo,non niſi homo currit,ſenſus eſt,homo currit,& nihil aliud ab homine cur
rit:& cõtinet ly homo incluſum reſpectu pdicati:& ly aliud ab hoie excluſum reſpectu prædicati,
ſcilicet a conſortio hominis in commutando prædicatum. & de illa, nihil aliud ab homine cur
rit,formatur talis exceptiua,nihil currit præter hominem:quæ ſupponit hominem currere,& ex
cipit a conſortio in curſu cum homine omne aliud,dicendo,nihil aliud ab homine currit:& ſic de
cæteris ſuo mõ:ſiue ex parte ſubiecti,ſiue ex pte pdicati fiant exceptio & excluſus.Quare cũ de eiſ
dem re & officio ſiue in dictionibus,ſiue in orationibus ſemper idem ſit iudicium,cum ſecundum
determinata in quæſtione precedẽti,dictiones excluſiuæ in diuinis poſſunt excipere vnum ab alio
in prædicato reſpectu ſubiecti,& econuerſo:ſimiliter & dictiones exceptiuæ poſſunt excipere vnũ
ab alio in prædicato reſpectu ſubiecti,dicendo,nullus eſt pater in diuinis niſi generans,omnis ĩ di
uinis ſpirat,præterq̃ ſpiritus ſanctus,aut præter ſpiritum ſanctum. Et ſecũdum ꝗ diuerſimode
vera vel falſa eſt excluſiua maſculine vel fœminine aut neutraliter expoſita quo ad propoſitionem
continentem excluſum: ſimiliter eſt diuerſimode vera vel falſa continens illud a quo excipitur,ꝓ
ut hæc patere poſſunt conferenti ſe ad ſuperius determinata.Propter quam identitatem & corre
ſpondentiam officiorum dictionum exceptiuarum & excluſiuarum,& difficultatem ex illis cõtin
gentem in diuinis prædicationibus,quidam omnino omiſerunt perſcrutari quicq̃ de dictionibus
exceptiuis in diuinis.Et ſecundum hoc concedenda eſt vltima ratio pro iſta parte adducta.

**¶Ad primum in contrarium**, ꝗ dictio exceptiua non excipit niſi partem a toto **M**<br>**Ad pri.**<br>**principale**
vel vniuerſali vel integrali:Dico ꝗ verum eſt.Et quod aſſumitur,ꝗ in diuinis non poteſt eſſe pars
nec vniuerſalis nec integralis:dico ꝗ de integrali loquendo verum eſt ſtricte ſumendo integrale.
Totum enim integrale ſtricte loquendo non eſt niſi continens plura abſoluta collectione numera
ta in eodem compoſito ex illis,ſecundum ꝗ corpus hominis eſt totum integrale ad caput & cæte
ra membra illius,quæ dicuntur collectione numerata,ſicut quum vno nomine ſimul & ſemel dici
mus plures vnitates,vel duo aut plura vna,vt homines,& hæc quidem numeratio ex diſtributis
partibus conſtat.Totum autem integrale,loquendo de integro,eſt continens plura de abſoluto &
relato,quaſi collectione quadam numerata in illo vt in qua conſtituto,non de cõpoſito de illis aut
ex aliquibus illorum:ſecundum ꝗ pater eſt quid totum ad eſſentiam & proprietatem,inquantum
eſſentia eſt in illo quo eſt,& quo eſt aliquid:proprietas vero quo ad aliquid eſt,& nõ tm vnica,ſed
plures,ſcilicet inaſcibilitas,paternitas,& ſpiratio actiua.Propter quod quodlibet illorum bene a pa
tre excipi poteſt reſpectu alicuius ſubiecti in propoſitione, tanq̃ pars integralis a toto integrali:ꝓ
ut iam inferius amplius declarabitur,licet non vt a toto vere vniuerſali aut integrali,ſicut eſt ĩ ſo
lis creaturis,prout procedit obiectio,& bene.Loquendo enim de vniuerſali proprie,verum eſt ꝗ in **N**
diuinis nõ pot eſſe pars vniuerſalis.Vniuerſale vero ĩproprie loquẽdo de vniuerſali,eſt cõmune ſe
cundum rem,& eſt forma pluribus communis communitate vnius rei ſingularis exiſtentis in illis,
& tota in quolibet illorum,ſub diuerſis tamen rationibus quibus diſtinguuntur abinuicem,vel ſal
tem quomodo diſtinguuntur perſonæ diuinæ rationibus notionalibꝰ ꝓprietatum perſonalium:
vel ſecundum rationem tm,quomodo diſtinguuntur inter ſe omnia eſſentialia exiſtentia commu
niter in tribus perſonis.Quorum vnum & primum eſt:cuius ratio etiam abſolutiſſima,eſſentia, &
quæ cadit non deſcenſu per determinationem aut per ſignificationem ſuam,ſed ſignificatione,ſci
licet per virtutis immenſitatem,quæ in ſingulis eorum quæ in diuinis abinuicem diſtinguuntur,
ſiue ſecundum rem,ſiue ſecundum rationem eſſentialiter prædicatur vt ſignificata in illis omni
bus ſub rationibus diſtinctis eorũdem:& vt a qua nominatur quodlibet illorum & dicitur ens ſim
pliciter.Pater em eſſentia deitatis eſt ens,& filius eadem eſt ens,& ſimiliter ſpiritus ſanctus.Simili
ter quodlibet aliorum eſſentialium,puta deitas,bonitas, veritas,& ſic de ſingulis,quæ a ſuis pro
priis vel dicuntur eſſe ad aliquid,puta perſonæ rationibus ſuarum proprietatum relatiuarum,vel
dicuntur eſſe aliquid, puta deitas,bonitas, & cætera eſſentialia. a quibus etiam quibus inſunt
& de quibus prædicantur non dicuntur eſſe ſimpliciter, ſed eſſe aliquid, vt patet ex ſupra de **O**
terminatis.De tali vniuerſali loquendo bene verum eſt ꝗ in diuinis nõ eſt pars vnitatis,qa deitas ſi
ue eſſentia deitatis ptes nõ habet:ſed eſt tota ſignificata in ſingulis diuinis pſonis & attributis.Lo
quẽdo de vlĩ ꝓprie:illo mõ eſt vlĩe quo ſecũdũ rẽ ſignificatã diuerſaĩ in ptibꝰ ſuis ſubiectis:& ſumi
tur dupliciter:vno mõ ſtricte,alio modo large.Stricte non eſt niſi forma pluribus cõmunis,non cõ

munitate vnius rei singularis existentis in illis,& quę est tota in quolibet illorum: sed communi
tate rei vnius secundum rationem tm̄,abstractæ ab illis per intellectum , & in quolibet illorum
consideratione intellectus descendens vt in subiectiuas partes eius per determinationem aliquam
secundum q̄ genus est totum vniuersale ad species in quas descendit,determinatum per contra
rias differentias,aut per eius significationem : secundum q̄ species specialissima est totum vni
uersale ad indiuidua in quæ descendit sua significatione facta per agens,siue etiam per materiam,
siue absq̄ materia . Et sic totum vniuersale continet plura diuisione numerata, sed non ni
si vnitate.Large autem sumendo vniuersale in diuinis,vniuersale est ens dictum ab essentia deita
tis,quod est commune prædicabile in diuinis,quorum quodlibet a sua propria ratione est ens nō
simpliciter,sed ens aliquid:& descendit ens in illa vt in contēta sua quasi partes subiectiuas: & hoc
descensu non per determinationis additionem ad modū quo descendit in species , aut significatio
nis,ad modum quo species creaturæ per significationē descēdit in indiuidua:sed per rei simplicita
tem,per aliam & aliam ipsius rationem.Quę res simplex propter virtutis immēsitatem est omnia
quæ sunt dignitatis simpliciter sub illorum diuersis rationibus,puta deitas, bonitas,paternitas,pa
ter,& cætera omnia quæ sunt in diuinis,& quæ aliquid dignitatis simpliciter nominant in creatu

**P** ris,& secundum hoc nomen suum translata sunt a creaturis ad diuina.Et quia essentia diuina sic
est omnia illa , propterea ens dictum ab huiusmodi essentia continet illa quasi partes subiectiuas
sub se:& respectu illorum est quasi totum vniuersale.Propter quod bene quodlibet illorum ab illo
excipi potest in propositione respectu subiecti & prædicati,tanq̄ pars subiecta a toto vniuersali,p

**Q** ut iam amplius declarabitur.¶Ad secundum,q̄ exceptio non est nisi eius quod continetur sub ali
**Ad scdm.** quo toto in quantitate:Dico q̄ verum est secundum aliquem modum, prout scilicet continetur
sub toto vniuersali,vel sub toto integrali,iuxta modum iam supra expositum.Quod autem assu
mitur,q̄ sub toto in quantitate per signum distributiuum totius integralis,cuiusmodi est hoc si
gnum totus , non continetur deus , nec aliquid eorum quæ sunt in diuinis , patet ex iam dictis
q̄ falsum est: quia dicendo totus pater , aliqua quæ sunt in diuinis,cadunt sub ista distributione
aliquo modo vt sub distributione totius in quantitate,& totius integralis:non obstante q̄ omnia
quæ sunt in deo,sunt idipsum re absoluta.bene tamen distinguuntur sicut absolutum & proprie
tas relatiua:immo etiam sicut diuersimode proprietates relatiuæ:propter quam distinctionem si
ue diuersitatem respectu alicuius prædicati pōt excipi a toto,vt est cōtentiū aliorum,dicendo to
tus pater est ad aliud præterq̄ substantia sua.Substantia enim patris inquantum substantia , non
est ad aliud,sed proprietates eius sunt ad aliud,vt quo pater ipse est ad aliud:ipse vero pater est ad

**R** aliud vt qui est ad aliud.¶Quod autem arguitur,q̄ non continetur deus aut aliquid eorum quę
in eo sunt sub toto in quantitate per signum totius integri: Similiter dicendum est q̄ falsum est:
quia dicendo iuxta iam supra dicta,omne ens diuinum,omnia diuina cadunt sub ista distributio
ne quoquo modo vt sub distributione totius in quantitate totius vniuersalis,quia cadunt quoquo

**S** modo sub ratione vniuersalis:sicut patet ex dictis ibidē.¶Qz arguitur specialiter cōtra hoc,q̄ nec
deus nec aliquid eorum quæ sunt in diuinis,possunt cadere sub distributione totius in quantita
te,quantitate vniuersalis quam importat hoc signum omne:quia nec deus nec aliquid eorum quę
sunt in diuinis est commune distribuibile,quia non est in illis nisi commune communione in vni
uersalitate,& commune communione non est distribuibile:quia non bene dicitur omnis de⁹,cum
tamē deitas sit commune communione: Dico q̄ licet in diuinis nihil significatū nominaliter & p
modum habitus,sit distribuibile,quia inquantum huiusmodi non est commune nisi communio
ne:aliquid tamen significatū per modum act⁹ verbaliter aut participialiter inquantum huiusmo
di bene est distribuibile,quia inquantum huiusmodi bene est commune vniuersalitate quoquo mo
do,scilicet large,quali modo(vt visum est iam supra) significat quicquid est in diuinis hoc nomi
ne ens.Propter quod licet non bene dicatur,omnis deus, vt dicit argumentum : bene tamen dicit

**T** omne ens diuinum.¶Ad tertium,q̄ deus non potest aliquo modo excipi a creatura,nec ecōuerso,
**Ad tertiū** ergo nec aliquid existentium in deo ab alio,quia illa minus differunt:Dico q̄ aliquid ab alio posse
excipi, huius causa non est plurium differentia:nisi sit contentorum in aliquo vno integro vel
vniuersali , quia in illa distribuitur . Licet ergo plus differunt deus & creatura : quia tamen,
vt dicit argumentum, non possunt conuenire in vno habente rationem integralis, sicut pos
sunt plura existentia in diuinis in vnitate personæ , vnum istorum bene potest excipi ab alio
exceptione a toto integrali,licet non deus a creatura,nec econuerso . Quomodo autem rationem

integri habeat persona in continendo absolutum & relationem,iam tactum est supra:quod differt
ab integro in creaturis,quia semper continet plura absoluta.Exceptione autem a toto in quantita
te vniuersali bene creatura excipitur,& etiam deus.¶Ad illud autem quod arguitur contra hoc,
ɋ hoc signum non est nisi distributiuum vnius in plura:quorum singulum est de numero alio=
rum:& sic de numero omnium illorum:Deus autem non est de numero omnium:Dico secūdum
ɋ iam inchoatum est in solutione duarum rationum præcedentium,præcipue primæ,ɋ vniuersa
le cuius signum distributiuum est ly omne,accipitur vno modo stricte,quod non est commune se
cundum rem,sed secundum rationem tm̄:quod descendit in suas partes vere subiectiuas.Et hoc
dupliciter,vel significatione,vel determinatione,secundum iam dicta.Si primo modo vniuersa=
lis hoc signum omne est distributiuum trimodo,tunc de numero omnium siue eorum quæ
cadunt sub distributione huius signi omne,non sunt nisi ea,quæ continentur sub singulis specie=
bus specialissimis,singulis distributionibus factis circa vniuersalia,quæ sunt species specialissimæ
sub quibus contenta habent veram & perfectam vniuocationem in omnino vniformiter & æqua
liter participando formam speciei,dicendo,omnis homo,omnis asinus,omnis albedo,omnis nigre=
do,& sic de cæteris.Et sic verum est ɋ deus non est de numero omnium,quia non conti=
netur communiter cum creaturis sub aliqua specie specialissima,sicut nec illa quæ continen=
tur sub specie asini,sunt de numero eorum quæ continentur sub specie hominis.Si secun=
do modo vniuersalis hoc signum omne est distributiuum,tunc subdistinguendum est:licet iam su
pra non sit distinctum:quia aut descēdit in suas partes subiectiuas determinatione rei,aut sola vo
tis determinatione per rem.Si primo istorum duotum modorum hoc signum omne est distributi
uum trimodo,tūc de numero omnium,siue de numero eorum quæ cadūt sub distributione hu
ius signi omne,non sunt nisi ea quæ continentur sub iisdem generibus generalissimis,singulis dis
tributionibus factis circa vniuersalia,quæ sunt genera generalissima:dicendo,omnis substantia,o=
mnis quantitas,omnis qualitas,& sic de cæteris.Sub quibus contenta non habent veram & perfe
ctam vniuocationem in omnino vniformiter & æqualiter participando formam generis. dicente
Philosopho.vii.physico.ɋ æquiuocationes latent in genere:& hoc tam in quolibet subalterno ɋ̄ in
generalissimo:& hoc propter eandem causam,quia scilicet secundum ɋ idem dicit in decimo me=
taphysicæ,semper in diuisione generis dignius & nobilius est alterum extremum cōtrarietatis,sci=
licet alterum differentium diuidentium genus,puta rationale ɋ̄ irrationale:& animatum ɋ̄ inani
matum,& spirituale ɋ̄ materiale:& incorporeum ɋ̄ corporeum. Semper autem dignius & nobili⁹
participat formam generis species quæ participat illam nobiliori differentia,ɋ̄ illa quæ participat
eam differentia minus nobili.Et hoc modo etiam verum est ɋ deus non est de numero omnium:
quia non continetur sub aliquo genere,sicut nec illa quæ continentur sub vno genere sunt de nu=
mero omnium quæ continentur sub alio:puta quæ continentur sub aliquo genere actionis,non
sunt de numero omnium quæ continentur sub genere substantiæ. Quod autem descendit in
partes quasi subiectiuas determinatiōe vocis per rem significatam,duplex est.Quoddam quod nō
determinatur nisi ex adiuncto expresso,cuiusmodi est æquiuocum casu.de quo dicit Boethius,ɋ
æquiuocationes determinantur per adiuncta,vt canis addendo latrabilis.& tale non habet aliquā
rationem vniuersalis,ɋ possit vnica distributione distribui per hoc signum omne in communia
quæ sub ipso continentur tanɋ̄ partes subiectiuæ:de quo nihil ad præsens.Aliud vero est qd̄ descē
dit in partes quasi sibi subiectiuas determinatione vocis per rem significatam,ex natura ipsius rei
significatæ absɋ̄ aliquo adiuncto expresso,cuiusmodi est commune analogum:quod pro tanto ha=
bet rationem vniuersalis ɋ possit vnica distributione distribui per hoc signum omne,in omnia sua
significata quasi in supposita,sicut potest vniuersale verum in sua vere supposita.Quod quidem
non continet sua significata æque principalia,neutrum scilicet per rationem aliquam,sicut conti=
net æquiuocum casu:propter quod nullam habet ratior.ē vniuersalis:nec aliqd pticipat de ratione
vniuoca:& ideo non descendit in illa vt in partes subiectiuas,sicut descendit species specialissima,
sed continet sua significata secundum prius & posterius,& sic descendit in illa:quia vnum si=
gnificat primo & per se,quasi illi soli nomen conueniret. & reuera participalitate & antonoma=
tice loquendo illi soli conuenit. alterum vero significat secundario,& per primum:ex eo
videlicet ɋ illud secundum in essentia sua est quasi quædam effigies & imago illius primi.
Ideo enim ipsum primum mutuat nomen suum secundo:& hoc præcipue inquantum ipsum se=
cundum est ens absolute:sumendo est primo adiacens,non autem inquantum est ens aliquid,su=

mendo est secundo adiacens:& hoc quia esse dicitur vnumquodq̃ tam creatum q̃ increatum, ab essentia primi principii. Sed ab illa primo & pricipaliter dicitur ens id quod increatum est, quia illa non solum est quo est ens increatum, sed etiam totum quod est in fine simplicitatis existens non compositum ex aliis, neq̃ compositum alteri, neq̃ habens alterum compositum sibi, sicut habet omnis alia essentia. Secundario autem ab illa eadem essentia dicitur esse ens id quod creatum est, quia illa non est quod est ens creatum, sed solummodo quo est simpliciter: quia creatura est essentia ex hoc q̃ effigies dei est, eo ipso absolute est: ipsa diuina essentia autem propria sui generis solum aliquid est. In quo est accipere secundum partes essentiæ quod est secundum rationem sui generis, & quo est aliquid secundum illam: puta in homine animalitas est quod est simpliciter: rationalitas aliquid in specie est. Vnde aliud est quo homo est aliquid secundum speciem, & quod est secundum genus, & quo est absolute vt effigies diuinæ essentiæ est. Et sic ab eo quo deus dicitur esse simpliciter, creatura dicitur esse absolute: sed deus quadam denominatione intrinseca, creatura vero quadam denominatione extrinseca: sicut dicit commentator Boethii super illud, Diuersitas est esse & quod est, vt habitum est supra, quæstione secunda huius articuli ante finem. Quæ denominatio non dicitur extrinseca quia non est ab essentia propria generi creaturæ, vt ipsa aliquid est, vt ea aliquid habet esse aliquid: sed solum quia non est ab illa nisi vt est quædam effigies dei & participatio eius. Per quod quidem vnum quid sunt esse creata & increata, & esse creati & increati: sed differt in hoc, q̃ increatum est per essentiam suam, quia ab eo solo est quod est secundum id quod est: creatura autem non est ab eo quod est secundum id quod est, sed solummodo est ab illo secundum q̃ effigies dei est. Et quia secundum hunc modum inquantum creatura est effigies increati, est quoquo modo ipsum increatum, & esse suum similiter esse illius: & quo ad hoc ens vniuoce significat illa duo: inquantum autem ipsum creatum deficit a veritate increati, omnino est aliud ab illo: & quo ad hoc æquiuoce significat illa duo. Et per hunc modum ana-

logia media est inter simpliciter vniuocationem & æquiuocationem puram. Et hoc modo ens simpliciter tanq̃ vniuersale quoddam descendit in ens creatum & increatum. Nihil enim reale commune significat creato & increato, non tamen est pure æquiuocum, sed partim vniuocum & partim æquiuocum. Et quo ad hoc q̃ habet rationem vniuoci potest distribuere simul pro creato & increato, dicendo, omne ens est: licet non sit vere nisi deus. Et ideo vltimo ab ista vniuersali q̃ simul comprehendit deum & creaturam, dicendo ens est deus, bene excipiendo, nullum ens est vere nisi solus, excipiendo a remotione ab esse vere omne ens vniuersaliter ipsum ens increatum, secundum q̃ per eundem modum aut conformem, accidens non dicitur ens nisi ab essentia subiecti. Vt ideo Philosophus intelligatur dicere q̃ accidens non est ens nisi quia est entis. Et etiam vt ideo sub vna distributione simul cadant substantia & accidens, dicendo omne ens est creatum, & per exceptio-

nem dicitur, nullum ens est vere nisi substantia. Et sic sicut propter analogiam esse, quæ est inter substantiam & accidens, ens partim vniuoce continet ambo, & cadunt simul sub vna distributione, a qua quodlibet illorum potest excipi, vnum ab affirmatiua dicendo, omne ens vere est præter accidens: & econuerso alterum a negatiua dicendo, nullum ens vere est præter substantiam : Sic propter analogiam esse quæ est inter deum ex vna parte, & creaturam simpliciter, vt substantia & accidens simul sub ratione vniuoca ipsius esse simpliciter continentur, ex altera ens simpliciter adhuc generalius continet ambo, & cadunt simul sub vna definitione, a qua quodlibet illorum potest excipi, vnum sub affirmatiua dicendo, omne ens vere est præter creaturam: & econuerso alterum a negatiua, dicendo nullum ens vere est præter deum: licet multum differenter vere esse dicatur de deo respectu creaturæ, & de substantia respectu accidentis. Et sic postq̃ ex toto

vniuersali in quantitate deus & creatura excipi possunt, ex contrario sicut ex falso concluditur q̃ nihil eorum quæ sunt in deo vnum possit excipi ab altero: immo inquantum ens est commune vniuocum omnibus quæ sunt in deo, & magis vniuocum q̃ sit species specialissima ad sua indiuidua, eo q̃ in illis essentia speciei numer. . . non sic autem diuina essentia in illis quæ sunt in deo: sed est eadem & simplex. Quod quidem ens cum hoc q̃ est commune tali vniuocatione, bene sub ratione vniuersalis potest esse contentiuum plurium, & distribui in illa, eo q̃ significat per modū agere actu primo, sicut generare & spirare significant per modum agere actu secundo. Et proprie secundum superius det rminata, possunt sic plurificari, vt dicamus plures creantes & plures spirantes: licet nequaq̃ possint alia in diuinis significata per modum habitus sic plurificari, vt dicam⁹ plures dii, plures æterni. Propter quod sub nomine tali in diuinis sub vna distributione non pos-

ſunt comprehendi illi quibus nomen & ratio nominis conuenit: puta nomen quod eſt deus vel
æternus patri & filio & ſpiritui ſancto,vt dicatur omnis deus,omnis æternus.⌈Quod ergo argui‑
tur,φ deus non poteſt excipi a diſtributione aliqua ſub qua continetur communiter cum creatu‑
ris,quia ipſe non eſt de numero omnium:Dico φ verum eſt ſumendo ly omnium, vt ly omne eſt
diſtributiuum vniuerſalis proprie dicti & ſtricte accepti,& ſola ſignificatione deſcendentis in ſua
ſuppoſita aut determinatione rei propter rem. Sumendo autem ly omnium vt ly omne eſt diſtri‑
butiuum vniuerſalis pprie dicti & ſtricte accepti,deſcendetis in ſua ſuppoſita determinatione vo
cis tantu per rei naturam:Dico φ non eſt verum:immo ſicut hoc modo ſubſtantia eſt de numero
omnium entium creatorum,& comprehenduntur ſub vna diſtributione ſubſtantia & accidens,di
cendo,omne ens eſt,intelligendo de ente creato,ſiue dicendo,omne ens creatum eſt: ſic hoc modo
deus eſt de numero omnium entium ſimpliciter & abſφ determinatione dicto ente,& comprehen
duntur ſub vna diſtributione deus & creatura,ente analogo ad ſubſtantiam & accidens in creatu
ris,quod ſignificamus nomine entis creati,exiſtente vno ſignificato illius entis ſimpliciter & comu
nioris,& ipſo deo exiſtente altero ſignificato,ſecundum modum ſupra expoſitu.⌈Quod vlterius
arguitur contra hoc , φ ſcilicet nec hoc modo deus dici de numero omnium , eo φ omnia facta
ſunt ab ipſo:Dico φ hoc nomine omnia quod eſt neutri generis & nominatiui caſus,numeri plu‑
ralis,ſupponens illi verbo ſunt,appoſito illo,facta per ipſum,continens vim ſigni diſtributiui toti9
vniuerſalis,& ſimul vim vniuerſalis diſtributi ſignificati hoc nomine ens, vel( vt largius loqua‑
mur )ſignificati hoc nomine res,quod ſignificat analogice rem dictā a ratitudine,quæ ſignificatur
nomine entis veri,continentis omne ens exiſtens in rerum natura extra intellectum,vel ratum exi
ſtere,ſcilicet deum & creaturam,& etiam rem dictam a reor reris,quæ ſignificatur nomine entis
diminuti,continentis omne ens exiſtens in intellectu ab opere intellectus,aut diminutum exiſtens
ab opere naturæ aut intellectus deficientis:qui quidem duo modi entium veri & diminuti ſigni‑
ficantur analogice nomine entis communiſſime abſtracti : & vna diſtributione latiſſima continet
deum & creaturam,& quod eſt ſecundum animam:immo vniuerſaliter ens diminitum ſimplici‑
ter:dico inquam,φ tali nomine poteſt intelligi ſignum diſtributiuu ſignificatum in ipſo facere diſ
tributionem rei diſtributæ intellectæ per idem nomen aut ſecundu natura & ipſius ſigni diſtribu
tiui & ipſius diſtributi,aut ſecundum modum vſus talis diſtributionis a nobis. Si primo modo,
dico φ adhuc ſub tali diſtributione ſimul continentur deus & creatura,aut etiã cum eis ens dimi
nutum,& falſa eſt propoſitio,quia deus non eſt ens factum, quia tunc eſſet de numero factorum:
& ideo cum omnia facta ſunt ab ipſo,ipſe eſſet factus a ſe,& de numero factorum a ſe,quod falſum
eſt:quia ſecundum Auguſtinum ſuper Ioan.ſermo.i.a ſic fieri non potuit qui fecit omnia. Eo φ ſe
cundum eunde in principio libri de Trinitate,no ſolum deus ita no eſt,ſed nec ſpiritualis nec cor
poralis creatura,nulla enim omnino res eſt quæ ſeipſam gignat vt ſit.Licet enim ſit de numero o
mnium diſtributoru ſub hoc nomine ens largius accepto ad deum & creaturam,& adhuc largiſ‑
ſime accepto ad ens verum & diminutum,non tamen eſt de numero omnium diſtributorum ſub
hoc nomine ens large accepto ad ſubſtantiam & accidens, quod eſt ens creatum, & ita factum: &
ita no eſt de numero factorum.Eſſe enim de numero factorum idem eſt quod eſſe vnum ex factis.
Si ſecundo modo,ſic dico φ ſolummodo vera eſt,& non alio modo : & hoc diſtributione quæ ap‑
pellatur diſtributio accommoda:vt ſic intelligatur φ omnia facta ſunt ab ipſo, ſic φ nihil ſit factu
quod non ſit factum ab ipſo:iuxta illud quod dicitur de filio,quod ſumptum eſt in argumeto.O‑
mnia per ipſum facta ſunt.Et ad dandum intellectum quomodo hoc eſſet verum,ſubditur. Et ſi
ne ipſo factum eſt nihil.Et ſic non intelligitur tali propoſitione φ ſimpliciter omnia facta ſunt ab
ipſo vel per ipſum,ſed ſolummodo φ quæcunφ facta ſunt,ab ipſo vel per ipſum facta ſunt.Et ideo
per tale dictum non intelligitur φ ipſe a quo vel per quem facta ſunt omnia,intelligatur factus,aut
comprehenſus ſub tali diſtributione:neφ etiam entia diminuta quæ ſunt defectus & priuationes
incidentes in opere creaturæ.dicente Auguſtino ſecundum prædicta.Sane fratres quod ſequitur,
Omnia per ipſum facta ſunt,& ſine ipſo factum eſt nihil:videte ne ſic cogitetis φ nihil,aliquid eſt.
Solent enim multi male intelligentes,ſine ipſo factum eſt nihil,putare aliquid eſſe nihil. Peccatum
quidem non per ipſum eſt factum,& manifeſtum eſt φ peccatum nihil eſt, & nihil fiunt homines
cum peccant.Et idolum non per verbum factum eſt:habet quidem formam humanam quandam,
ſed ipſe homo per verbum factus eſt, forma hominis in idolo non per verbum facta eſt.Scriptum
eſt enim.Scimus φ idolum nihil eſt,ergo non factum per verbum.Sed quæcunφ facta ſunt natu‑

Ad formã
argumeti.

Res.

turaliter quæcunqʒ funt in creaturis omnino. Vnde nec fub ifta diftributione, Omnia per ipfum
facta funt, cadunt oĩa factibilia: ficut nec fub illa diftributione: Illuminat omnem hominem venien
tem in hunc mundum, Ioannis primo, etiam fi diceret abfolute illuminat omnem hominem : quia
nihil illuminatur quod non ipfe illuminet: multi tamen funt venientes in hunc mundum qui ab
ipfo non illuminatur. Sicut cum in ciuitate eft vnicus magifter qui docet pueros, dicitur de illo
**G** qʒ docet omnes pueros ciuitatis, quia non eft alius qui doceat. Vnde quia, vt dictum eft, ex natura
diftributionis & diftributi illa eft fimpliciter falfa, omnia per ipfum facta funt, & illa, illuminat o-
mnem hominem venientem in hunc mundum: quia illa diftributione non folum comprehẽditur
deus, fed etiam omnis naturalis creatura, fiue facta fiue nondum facta, fed factibilis, & omne ens
diminutum. Ifta autem non folum comprehendit hominem venientem in hunc mundum illuminatum, fed etiam non illuminatum. Et fic licet deus non fit de numero omnium factorum, eft tamen de numero omnium cadentium fub diftributione huius figni omnis, cadentis vt fuper diftri
butum, fuper ens largius vel largiffime acceptum. Non dico numero vniuoco, ficut quælibet fpecies eft de numero eorum quæ funt fub genere, aut indiuiduum quodlibet de numero omnium
quæ funt fub eadem fpecie. ⸿Ex quibus patet quale officium diftributionis habeant in diuinis fi-
**H** gna diftributiua totus & omnis. Nec oportet fuper hoc fieri fpecialem quæftionem: vtrum fcilicet
**Quæftio.** in diuinis poffit effe diftribuibile per fignum diftributiuum. Ad cuius intellectum clariorem, ex p
miffis aduertenda eft vna diftinctio generalis de tali diftribuibili in partes vel in quafi partes: vi
delicet qʒ eft quoddam totum integrale, quoddam vero vniuerfale. Et integrale fumitur dupliciter: ftricte, quod non eft nifi in creaturis habentibus partes abfolute differentes: & large, quod nõ
eft in diuinis, nifi in perfonis fingulis habentibus quafi partes quibus inftituuntur, abfolutum
quod eft effentia, & relationem, quæ eft proprietates. & vtroqʒ modo eft diftribuibile figno vniuer
fali totius integri: & poteft fieri exceptio ab ipfo fecundum modum præpofitum. Totum vniuerfale etiam dupliciter eft, fcilicet improprie & proprie. Improprie, vt eft deitas vel cæterorum
quodcunqʒ fubftantiale aut denominatum ab illo nominaliter, puta a deitate deus, a bonitate bonus, & fic de cæteris. Cui quidem vniuerfali non poteft addi fignum diftributiuum vniuerfalis
in diuinis, dicendo omnis deus, vel omnis æternus, vt dictum eft: & hoc ea ratione qua tres perfo
næ non poffunt dici plures æterni vel plures dii: & etiam qua nihil fignificatũ nomine, nifi verba
liter fit fignificatũ aut participialiter, ac a verbo deriuatum, poteft dici pluraliter, fecundum fuperius tacta. Vnde huic nomini perfona, quia fignificat commune fecundæ intentionis, bene poteft
addi fignum diftributiuum totius vniuerfalis, dicendo in diuinis: omnis perfona: & poteft fieri ex
ceptio ab ipfo dicendo, nulla perfona generat præter patrem: omnis perfona fpirat præter fpiritum
fanctum. Vniuerfale autem proprie eft aliquid dupliciter, fcilicet ftricte & large. Large, immo
largiffime, eft in diuinis vniuerfale, ens dictum ab effentia, & vniuerfaliter omne in diuinis verba
**I** liter aut participialiter fignificatum, conueniens pluribus perfonis. Et poffunt diftribui figno vni
uerfali, dicendo, omne in diuinis, omnis creator, omnis intelligens, omnis volés. Et poteft etiam
a tali vniuerfali fieri exceptio fecundum modum fupra fignatum. Et eft in fic vniuerfali multo ve
rior & perfectior vniuocatio eorum quæ quafi partes fubiectiuas continet, q̃ fit indiuiduorum in
creaturis fub eadem fpecie. Latet enim in fpecie fpecialiffima & in vnitate rei vt fignificata eft p il
lam, multo maior æquocatio refpectu ei⁹ qd̃ fic eft vniuerfale in deo, & vnitatis rei fignificatę per
illud: q̃ latet in genere & in vnitate rei fignificatæ per illud refpectu fpeciei fpecialiffimæ, & rei fi
gnificatę per illam. Quia dicto modo vniuerfale in deo fignificat vnam rem exiftétem contentam
in quafi pluribus, fubiectam, non plurificatã. Species autem fignificat vnam rem plurificatam
in pluribus fub fe contentis, licet abfqʒ addito diuerfo re hincinde ficut additur in diuerfis fpecie
bus contentis fub eodem genere. Propter quod æquiuocatio latet in genere quæ non latet in fpe
cie. Quod quidem nomen ens rationem vniuerfalis habet, licet non hoc nomen deus, quia fignifi
cat per modum actus. Et ideo ficut illa quæ in diuinis fignificant per modum actus fecũdi qui eft
agere, vt funt omnia participialiter fignificantia, ficut intelligens, volens, creans, poffunt diftribui
pro perfonis quarum eft agere: fic hoc participium ens fignificans per modum actus primi, qui eft
effe, poteft diftribuere generaliter pro omnibus quę funt in diuinis, quia effe eft omnium illorum.
Sed inquantum fit diftributio fub ente pro perfonis, debet exponi ens per qui eft, mafculine: quan
do vero fit diftributio pro effentialibus, debet exponi per quod eft, neutraliter. Et fecundum hoc
**k** folum variatur diftributio pro perfonis & pro effentialibus in diuinis. Stricte autem fumendo

vniuersale duplex est,quia aut descendit in partes subiectiuas sola significatione: & sic solummo
do vniuersale in creaturis est species specialissima sub quocuq; genere,aut descendit in suas partes
subiectiuas determinatione:& hoc dupliciter.Quia aut determinatione rei significatę per vocem
aliquo reali absoluto,& sic solummodo vniuersale est in creaturis genus, tam generalissimum q̄
subalternum.Aut determinatione solius vocis significãtis,rem per ipsam rem significatam,& hoc
dupliciter,aut ex ipsius vocis appositione : vt contingit cum imponitur æquiuoco, quod non est
proprie vniuersale,sed quando est nomen appellatiuum potius est plura vniuersalia, quę non vni
ca distributione sed pluribus possunt distribui. Aut ipsius rei natura, cuiusmodi est omne analo
gum:quod licet vnica distributione pro suis contentis possit distribui ratione vniuocationis in ip
so,ratione tamen æquiuocationis quam participat, & ratione illa qua illa quoquo modo secũdum
prius & posterius significat,quęlibet illarum est distinguenda. Quale quidem vniuersale licet stri
cte & proprie appellemus vniuersale respectu vniuersalis quod est improprie aut large in diuinis:
est tamen large & improprie vniuersale respectu vniuersalis vniuoci generis vel speciei in creatu
ris. Et vniuersalitas talis vniuersalis potest esse lata, cuiusmodi est entis in creaturis ad substãtiam
& accidens:latior,cuiusmodi est ad deũ & ad creaturas:& latissima,cuiusmodi est entis ad ens ve
rum & diminutum. Et ab omnib9 istis modis vniuersalis distributi poterit fieri exceptio respectu
alicuius prædicati & cuiuscũq; contentorũ sub illo,vt patet inspicienti,& liquet ex supra determi
natis.¶Ad quartum:quę sic se habent cp vno nominato alterum necesse est intelligi,vnum eorum
non potest excludi ab alio nec excipi:Dico cp reuera persona vna intellecta, altera nominata ab illa
inclusa in propositione aliqua,non potest excipi vel excludi respectu illius siue subiecti siue predica
ti,respectu cuius vna persona nominata necesse est alteram intelligi. Cuius ratio est,quia id quod
est in vna illarum propter quod prædicatum dicitur de illo, aut ipsum dicitur de subiecto, etiam
est in alio.Vnde cp vna persona in subiecto proposita & nominata,intelligatur altera,hoc non con
tingit nisi quia eo quo persona nominata respicit prædicatum,precise eodem respicit illud & alte
ra intellecta,sicut contingit in exemplo Augustini de patre & filio nominatis,& spiritu sancto in
tellecto respectu illius pdicati,vnussolus verus,sequit̄,vn9 de9 ver9. In hoc em̄ nulla est differētia.
Idipm̄ em̄ est in tribus personis,propter qd duę noiatæ dicunt vnus solus verus deus:& ideo illis
noiatis necesse est spiritũ sanctũ cointelligi,sic cp respectu illi9 pdicati illis inclusis respectu pdicati,
spũs sanct9 a cõsortio eorũ in pdicato nõ pot ab illis excludi,dicedo,soli pater & filius sunt vnus so
lus ver9 deus:ita cp nõ spũs sanctus,neq; excipi viceuersa dicendo,nullus preter patrem & filiũ est
vnus solus verus deus:aut, quilibet præter spiritum sanctum est vnus solus verus deus. Sed non
est verum cp semper vna nominata necesse sit reliquam intelligi, puta quando persona nominata
respicit subiectum aliquod quod est in eo nõ commune cum altera persona. Vnde quia id propter
quod pater & filius spirant, idipsum est et commune in ipsis,vna nominata altera intelligitur:nec
potest excludi respectu talis prædicati aut excipi.Quia tamen illud non est in spiritu sancto, nomi
natis patre & filio,dicendo,pater & filius spirant,non est necesse respectu talis predicati cointelligi
spiritum sanctum.Et ideo respectu talis prædicati bene potest spiritus sanctus excludi,dicendo, so
li pater & filius spirant:non ergo spiritus sanctus,dicendo quilibet preter spiritum sanctum spirat
& nullus spirat nisi pater & filius.

L
Ad q̄rtũ
principale

Explicita est Sūma Quæstionū Ordinariarū, Magistri Henrici A Gādauo Theologi Solennis, Opera & impensis Iodoci Badii Ascensii, Cui Christianissimus Francorum Rex, concessit de singulari gratia priuilegium & auctoritatem imprimendi & vendendi hæc & alia eiusdem Doctoris Solēnis opa, in regno suo, Cauitq; ne ali9 quispiam attentet eadē rursum imprimere, aut alibi impressa isthic venundare, sub pœna confiscationis sic impressorum intra trienniū ab Nonis Iuliis Anni Dn̄i. M.D.XX. vt constat per literas patentes Regio Sigillo obsignatas, & concessas præsente & annuente ṗreuerēdo in Christo patre, tunc Parrhisiorū Antistite, nunc aūt Senonū Archiep̄o dignissimo, multisq; aliis fide dignis. sub signāte

Pedoyn.